は　し　が　き

　相続税や贈与税は、臨時・偶発的な事実に基づいて発生するものであることから、法人税や所得税と比べると一般になじみが薄く、納税者の方や税務の専門家の方がこれらの関係法令に接する機会も少ないといわれています。

　そのため、実際の申告に当たり、改めて関係法令を確認する必要が生じる場合も多く、それらが体系的に整理された書籍が有用になるものと思われます。

　そこで本書は、そのようなときに使いやすいように、法令や関係通達を体系的に整理・編集するとともに、毎年の税制改正等を踏まえて改訂しております。

　また、具体例による申告書や評価明細書などの記載要領も掲載しており、本書が、相続税や贈与税をご理解いただく上で一助となり、皆様方のお役に立てば幸いです。

　　令和6年10月

　　　　　　　　　　　　　　　　　　　　　　　　　　　　編　　者

〈 目　次 〉

第一編　相　続　税

第一章　相続税の納税義務者 3

第一節　定　義 3
一　趣　旨 3
二　用語の意義 3

第二節　納税義務者 3
一　個人の納税義務者 3
二　人格のない社団等の納税義務 6
　1　人格のない社団等に対して財産の遺贈があった場合の納税義務 6
　2　人格のない社団等を設立するために財産の提供があった場合の納税義務 7
　3　人格のない社団等の住所の判定 7
三　持分の定めのない法人の納税義務 7
四　特定の一般社団法人等に対する課税 15
　1　特定の一般社団法人等に対する課税 15
　2　用語の意義 17
　3　特定一般社団法人等に課された相続税の税額の控除 19
　4　特定一般社団法人等の住所の判定 20
　5　特定一般社団法人等の相続開始前3年以内の贈与財産 20
　6　特定一般社団法人等の申告書の提出期限 20
五　太平洋戦争終結当時の在外財産等に対する課税の特例 20
　1　在外財産等についての相続税の課税価格の計算の特例 20
　2　在外財産等の価額が算定可能となった場合の修正申告等 20

第三節　課税の原因 22
一　相続による財産の取得 22
二　遺贈による財産の取得 30
三　死因贈与による財産の取得 39
四　相続又は遺贈により取得したものとみなされる財産の取得 39

(目次1)

第四節　財産の所在等···40

一　財産の所在··40
1　原　則···40
2　国債、地方債の所在··44
3　その他の財産の所在··44
4　財産の所在の判定時期··44

二　財産の取得時期··44
1　原　則···44
2　停止条件付の遺贈又は贈与による財産取得の時期·················45

三　相続税法の施行地··45

第二章　相続税の課税財産··46

第一節　本来の相続又は遺贈により取得した財産·····························46

一　相続税の課税財産の範囲··46
1　居住無制限納税義務者に該当する者又は非居住無制限納税義務者に該当する者の課税財産···········46
2　制限納税義務者に該当する者の課税財産··························46
3　負担付贈与等及び共有持分の放棄による課税財産·················46

二　財産の意義··46
1　財産の意義···46
2　相続税申告書における課税財産の種類及び細目等·················47

第二節　相続又は遺贈により取得したものとみなす財産·······················48

一　通　則···48
1　「相続を放棄した者」の意義····································48
2　「相続権を失った者」の意義····································48
3　相続を放棄した者の財産の取得··································48

二　生命保険金等··48
1　被相続人が負担した保険料又は掛金·····························49
2　生命保険契約等の範囲··50
3　損害保険契約等の範囲··51
4　保険金の範囲及び保険金受取人··································51

三　退職手当金等··53
1　退職手当金等の範囲··53
2　弔慰金等の取扱い··56

四　生命保険契約に関する権利··57
1　被相続人が負担した保険料又は掛金·····························58
2　生命保険契約等の範囲··59
3　生命保険契約に関する権利の評価·······························60

五　定期金に関する権利··61
1　被相続人の負担した掛金の額····································61
2　給付事由が発生していない定期金に関する権利の評価·············62

(目次2)

六　保証期間付定期金に関する権利‥‥‥‥‥‥‥‥‥‥‥‥‥‥‥‥‥‥‥‥‥‥63
　　1　被相続人の負担した掛金の額‥‥‥‥‥‥‥‥‥‥‥‥‥‥‥‥‥‥‥‥63
　　2　給付事由が発生している定期金に関する権利の評価‥‥‥‥‥‥‥‥‥64

七　契約に基づかない定期金に関する権利‥‥‥‥‥‥‥‥‥‥‥‥‥‥‥‥‥66
　　1　契約に基づかない定期金に関する権利の意義‥‥‥‥‥‥‥‥‥‥‥66
　　2　契約に基づかない定期金に関する権利の評価‥‥‥‥‥‥‥‥‥‥‥66

八　贈与税の納税猶予の特例の適用を受けた農地等‥‥‥‥‥‥‥‥‥‥‥67
　　1　農地等の贈与者が死亡した場合の相続税の課税の特例‥‥‥‥‥‥67
　　2　受贈者が買換えの承認を受けて取得した農地等‥‥‥‥‥‥‥‥‥67

第三節　遺贈（又は贈与）により取得したものとみなされる財産‥‥‥‥‥69

一　特別縁故者が分与を受けた財産・特別寄与者が支払を受けるべき特別寄与料の額‥‥‥69
　　1　特別縁故者が分与を受けた財産‥‥‥‥‥‥‥‥‥‥‥‥‥‥‥‥‥69
　　2　特別寄与者が支払を受けるべき特別寄与料の額‥‥‥‥‥‥‥‥‥70

二　低額譲渡を受けたことによる利益‥‥‥‥‥‥‥‥‥‥‥‥‥‥‥‥‥‥71

三　債務免除等を受けたことによる利益‥‥‥‥‥‥‥‥‥‥‥‥‥‥‥‥‥71

四　その他の経済的利益‥‥‥‥‥‥‥‥‥‥‥‥‥‥‥‥‥‥‥‥‥‥‥‥72

五　信託財産‥‥‥‥‥‥‥‥‥‥‥‥‥‥‥‥‥‥‥‥‥‥‥‥‥‥‥‥‥73
　　1　信託に関する権利の原則‥‥‥‥‥‥‥‥‥‥‥‥‥‥‥‥‥‥‥‥73
　　2　信託に関する権利の特例‥‥‥‥‥‥‥‥‥‥‥‥‥‥‥‥‥‥‥‥75
　　3　相続税法の一部改正に伴う経過措置‥‥‥‥‥‥‥‥‥‥‥‥‥‥81

六　特別の法人から受ける利益‥‥‥‥‥‥‥‥‥‥‥‥‥‥‥‥‥‥‥‥‥82
　　1　特別の法人から受ける利益に対する課税‥‥‥‥‥‥‥‥‥‥‥‥82
　　2　公益事業の用に供しなかった場合‥‥‥‥‥‥‥‥‥‥‥‥‥‥‥82
　　3　特別の法人の設立のために財産の提供があった場合の準用‥‥‥82
　　4　法人から受ける特別の利益の内容及び特別の利益を受ける者の範囲‥‥‥82

第三章　相続税の非課税財産‥‥‥‥‥‥‥‥‥‥‥‥‥‥‥‥‥‥‥84

一　皇室経済法第7条の規定により皇位とともに皇嗣が受けた物‥‥‥84
二　墓所、霊びょう及び祭具並びにこれらに準ずるもの‥‥‥‥‥‥‥84
三　公益事業用財産‥‥‥‥‥‥‥‥‥‥‥‥‥‥‥‥‥‥‥‥‥‥‥‥‥84
　　1　公益事業を行う者の範囲‥‥‥‥‥‥‥‥‥‥‥‥‥‥‥‥‥‥‥84
　　2　公益事業の用に供しなかった財産への課税‥‥‥‥‥‥‥‥‥‥85
　　3　個人立幼稚園の事業の用に供する財産の特例‥‥‥‥‥‥‥‥‥86

四　公益信託による財産‥‥‥‥‥‥‥‥‥‥‥‥‥‥‥‥‥‥‥‥‥‥‥88
五　心身障害者扶養共済制度に基づく給付金の受給権‥‥‥‥‥‥‥‥89
六　生命保険金等のうち一定額までの金額‥‥‥‥‥‥‥‥‥‥‥‥‥‥89
七　退職手当金のうち一定額までの金額‥‥‥‥‥‥‥‥‥‥‥‥‥‥‥90
八　申告期限までに国等に贈与した財産‥‥‥‥‥‥‥‥‥‥‥‥‥‥‥92
　　1　国等に対して相続財産を贈与した場合の相続税の非課税‥‥‥92
　　2　公益法人等の範囲‥‥‥‥‥‥‥‥‥‥‥‥‥‥‥‥‥‥‥‥‥‥94
　　3　申告書への記載と明細書等の添付‥‥‥‥‥‥‥‥‥‥‥‥‥‥94
　　4　非課税要件を満たさないこととなった場合の課税‥‥‥‥‥‥95

（目次3）

	5	公益信託の信託財産とするために支出した金銭の非課税	95
	6	贈与財産が公益事業の用に供されなかった場合等の修正申告	96
九		申告期限までに認定特定非営利活動法人に贈与した財産	97

第四章　相続税の課税価格 …… 99

第一節　相続税の課税方式 …… 99

第二節　相続税の課税価格 …… 99

一		相続税の課税価格	99
	1	居住無制限納税義務者に該当する者又は非居住無制限納税義務者に該当する者の課税価格	99
	2	制限納税義務者に該当する者の課税価格	99
	3	財産の意義	99
	4	遺産が未分割の場合の課税価格の計算	99
	5	贈与により取得した財産の価額が相続税の課税価格に加算される場合	99
	6	譲渡担保	100
	7	負担付遺贈があった場合の課税価格の計算	100
	8	停止条件付遺贈があった場合の課税価格の計算	100
	9	代償分割が行われた場合の課税価格の計算	100
	10	小規模宅地等についての相続税の課税価格の計算の特例	101
	11	特定計画山林についての相続税の課税価格の計算の特例	126
	12	特定土地等及び特定株式等に係る相続税の課税価格の計算の特例	146
二		遺産が未分割の場合の課税価格	152
三		債務控除	153
	1	居住無制限納税義務者に該当する者又は非居住無制限納税義務者に該当する者の債務控除	153
	2	制限納税義務者に該当する者の債務控除	153
	3	相続時精算課税適用者に該当する者の債務控除	153
	4	債務の範囲	154
	5	公租公課の範囲	155
	6	葬式費用	156
	7	特別寄与者に該当する者の債務控除	157
四		相続開始前7年以内に贈与があった場合の相続税額	157
	1	相続開始前7年以内の贈与財産	157
	2	特定贈与財産	157

第五章　相続税の総額 …… 162

第一節　遺産に係る基礎控除 …… 162

	1	遺産に係る基礎控除	162
	2	法定相続人の数	162

第二節　相続税の総額 …… 167

(目次4)

第六章　各相続人等の相続税額 ･･････････････････････････････････････ 169

第一節　各相続人等の算出税額 ･･････････････････････････････････ 169

第二節　相続税額の加算 ･･ 170

第三節　贈与税額控除 ･･ 172

1　相続開始前7年以内に贈与があった場合の相続税額 ･････････････････ 172

2　相続税額から控除する贈与税相当額等 ･･･････････････････････････ 172

第四節　配偶者の税額軽減 ･･ 174

1　配偶者に対する相続税額の軽減 ･････････････････････････････････ 174

2　申告期限に未分割の財産がある場合の軽減規定の適用 ･････････････ 175

3　軽減規定の適用を受けるための手続 ･････････････････････････････ 179

4　配偶者の課税価格のうち隠蔽又は仮装した事実に基づく金額の税額軽減基礎額からの除外 ･････････ 180

第五節　未成年者控除 ･･ 182

1　未成年者控除 ･･･ 182

2　扶養義務者からの未成年者控除 ･････････････････････････････････ 182

3　2回目以後の未成年者控除額 ･･･････････････････････････････････ 183

第六節　障害者控除 ･･ 184

1　障害者控除 ･･ 184

2　障害者の範囲 ･･ 184

3　扶養義務者からの障害者控除 ･･･････････････････････････････････ 185

4　2回目以後の障害者控除額 ････････････････････････････････････ 186

第七節　相次相続控除 ･･ 188

1　相次相続控除 ･･ 188

2　農業相続人がいる場合の相次相続控除 ･･･････････････････････････ 189

第八節　在外財産に対する相続税額の控除 ･･････････････････････････ 190

第九節　農業相続人がいる場合の相続税額 ･･････････････････････････ 191

1　農地等についての相続税の納税猶予及び免除等 ･････････････････ 191

2　農業相続人がいる場合の相続税額の計算 ･････････････････････････ 194

3　納税猶予分の相続税額の計算 ･･･････････････････････････････････ 196

4　納税猶予期限 ･･ 196

5　特例適用手続 ･･ 198

（目次5）

第七章　申告、更正決定及び更正の請求⋯⋯⋯⋯⋯⋯⋯⋯⋯ 200

第一節　期限内申告書⋯⋯⋯⋯⋯⋯⋯⋯⋯⋯⋯⋯⋯⋯⋯⋯⋯⋯ 200

一　相続税の申告⋯⋯⋯⋯⋯⋯⋯⋯⋯⋯⋯⋯⋯⋯⋯⋯⋯⋯⋯ 200

 1　申告書の提出期限⋯⋯⋯⋯⋯⋯⋯⋯⋯⋯⋯⋯⋯⋯⋯ 200

 2　提出期限前に決定があった場合の申告の省略⋯⋯⋯⋯ 200

 3　納税地⋯⋯⋯⋯⋯⋯⋯⋯⋯⋯⋯⋯⋯⋯⋯⋯⋯⋯⋯ 200

 4　農業相続人がいる場合の申告⋯⋯⋯⋯⋯⋯⋯⋯⋯⋯ 202

二　相続税の申告書の記載事項⋯⋯⋯⋯⋯⋯⋯⋯⋯⋯⋯⋯⋯ 203

三　申告書の共同提出⋯⋯⋯⋯⋯⋯⋯⋯⋯⋯⋯⋯⋯⋯⋯⋯⋯ 204

四　申告書の提出義務者が死亡した場合の申告⋯⋯⋯⋯⋯⋯ 204

 1　申告書を提出しないで死亡した者の相続人の申告義務 204

 2　死亡した者に係る申告書の提出⋯⋯⋯⋯⋯⋯⋯⋯⋯ 205

 3　死亡した者に係る期限後申告書の記載事項⋯⋯⋯⋯ 205

五　還付を受けるための相続税の申告⋯⋯⋯⋯⋯⋯⋯⋯⋯⋯ 205

六　申告書添付書類⋯⋯⋯⋯⋯⋯⋯⋯⋯⋯⋯⋯⋯⋯⋯⋯⋯ 206

 1　一般の場合の添付書類⋯⋯⋯⋯⋯⋯⋯⋯⋯⋯⋯⋯ 206

 2　配偶者の税額軽減の特例の適用を受ける場合の添付書類 207

 3　小規模宅地等の課税価格の計算の特例を適用するための添付書類 207

 4　小規模宅地等の課税価格の計算の特例に関する「遺産が未分割であることについて

  やむを得ない事由がある場合の承認申請書」の添付書類⋯⋯⋯⋯⋯⋯⋯⋯⋯⋯⋯ 207

 5　特定計画山林の課税価格の計算の特例を適用するための添付書類⋯⋯⋯⋯⋯⋯ 208

 6　特定計画山林の課税価格の計算の特例に関する「遺産が未分割であることについて

  やむを得ない事由がある場合の承認申請書」の添付書類⋯⋯⋯⋯⋯⋯⋯⋯⋯⋯⋯ 208

 7　農業相続人がいる場合の添付書類⋯⋯⋯⋯⋯⋯⋯⋯ 208

七　相続財産法人に係る財産を与えられた者等に係る相続税の申告書⋯⋯⋯⋯⋯⋯⋯ 208

 1　特別縁故者の申告⋯⋯⋯⋯⋯⋯⋯⋯⋯⋯⋯⋯⋯⋯ 208

 2　期限内申告書に関する規定の準用⋯⋯⋯⋯⋯⋯⋯⋯ 208

 3　申告書添付書類の記載事項⋯⋯⋯⋯⋯⋯⋯⋯⋯⋯⋯ 208

八　農業相続人がいる場合の相続税の申告書の記載事項に関する読替え⋯⋯⋯⋯⋯⋯ 208

第二節　申告書の様式及び書き方⋯⋯⋯⋯⋯⋯⋯⋯⋯⋯⋯⋯⋯ 210

第三節　期限後申告⋯⋯⋯⋯⋯⋯⋯⋯⋯⋯⋯⋯⋯⋯⋯⋯⋯⋯ 277

一　国税通則法の規定による期限後申告⋯⋯⋯⋯⋯⋯⋯⋯⋯ 277

二　相続税法による期限後申告の特則⋯⋯⋯⋯⋯⋯⋯⋯⋯⋯ 277

第四節　修正申告⋯⋯⋯⋯⋯⋯⋯⋯⋯⋯⋯⋯⋯⋯⋯⋯⋯⋯⋯ 279

一　国税通則法の規定による修正申告⋯⋯⋯⋯⋯⋯⋯⋯⋯⋯ 279

 1　修正申告⋯⋯⋯⋯⋯⋯⋯⋯⋯⋯⋯⋯⋯⋯⋯⋯⋯⋯ 279

 2　更正又は決定を受けた者の修正申告⋯⋯⋯⋯⋯⋯⋯ 279

 3　修正申告書の記載事項及び添付書類⋯⋯⋯⋯⋯⋯⋯ 279

 4　修正申告の効力⋯⋯⋯⋯⋯⋯⋯⋯⋯⋯⋯⋯⋯⋯⋯ 280

(目次6)

二	相続税法による修正申告の特則・・・・・・・・・・・・・・・・・・・・・・・・・・・・・・・・・	280
	1　未分割財産が分割されたこと等に基づく修正申告・・・・・・・・・・・・・・・・	280
	2　相続財産法人から財産の分与を受けたことによる修正申告・・・・・・・・	280
	3　修正申告前に更正があった場合の不適用・・・・・・・・・・・・・・・・・・・・・	280

第五節　更正の請求・・・　281

　一　国税通則法の規定による更正の請求・・・・・・・・・・・・・・・・・・・・・・・・・・・・　281

　　　1　法定申告期限から5年以内に行う更正の請求・・・・・・・・・・・・・・・・・・　281

　　　2　判決等があった日から2月以内に行う更正の請求・・・・・・・・・・・・・・　281

　　　3　更正の請求書の記載事項・・・・・・・・・・・・・・・・・・・・・・・・・・・・・・・・・　282

　　　4　更正の請求書の添付書類・・・・・・・・・・・・・・・・・・・・・・・・・・・・・・・・・　282

　　　5　更正の請求に対する処理・・・・・・・・・・・・・・・・・・・・・・・・・・・・・・・・・　282

　二　相続税法による更正の請求の特則・・・・・・・・・・・・・・・・・・・・・・・・・・・・・　282

第六節　更正、決定及び加算税等・・・・・・・・・・・・・・・・・・・・・・・・・・・・・・・・・・・　285

　一　国税通則法の規定による更正又は決定・・・・・・・・・・・・・・・・・・・・・・・・・　285

　　　1　更　　正・・　285

　　　2　決　　定・・　285

　　　3　再更正・・・　285

　　　4　国税庁又は国税局の職員の調査に基づく更正又は決定・・・・・・・・・　285

　　　5　更正又は決定の手続・・・・・・・・・・・・・・・・・・・・・・・・・・・・・・・・・・・・・　285

　　　6　更正等の効力・・　286

　　　7　更正又は決定の所轄庁・・・・・・・・・・・・・・・・・・・・・・・・・・・・・・・・・・・　286

　　　8　更正又は決定の期間制限・・・・・・・・・・・・・・・・・・・・・・・・・・・・・・・・・　286

　二　相続税法の規定による更正又は決定の特則・・・・・・・・・・・・・・・・・・・・・　287

　　　1　相続財産法人から財産の分与を受けた者に係る更正・・・・・・・・・・・　287

　　　2　申告書の提出期限前における更正、決定・・・・・・・・・・・・・・・・・・・・・　287

　　　3　更正の請求に基づいて行った更正に伴う他の者の相続税額の更正・・・・・　288

　　　4　国外転出をする場合の譲渡所得等の特例等に係る者の相続税の課税価格又は相続税額が
　　　　過大又は過少となった場合の更正又は決定・・・・・・・・・・・・・・・・・・・・　288

　　　5　同族会社等の行為計算の否認等・・・・・・・・・・・・・・・・・・・・・・・・・・・・　288

　　　6　移転法人又は取得法人の行為又は計算の否認・・・・・・・・・・・・・・・・・　289

　　　7　法人課税信託の受託者又は受益者等への適用・・・・・・・・・・・・・・・・・　290

　　　8　相続税についての更正、決定等の期間制限の特則・・・・・・・・・・・・・　290

　三　加算税及び延滞税・・・　291

　　　1　過少申告加算税・・・　291

　　　2　無申告加算税・・・　294

　　　3　重加算税・・・　297

　　　4　加算税の税目・・・　298

　　　5　加算税の賦課決定・・・・・・・・・・・・・・・・・・・・・・・・・・・・・・・・・・・・・・・　298

〔参考〕内国税の適正な課税の確保を図るための国外送金等に係る調書の提出等に関する法律施行規則（抜粋）・・・・　299

　　　6　延滞税・・・　308

　　　7　相続税法による延滞税の特則・・・・・・・・・・・・・・・・・・・・・・・・・・・・・・　310

（目次7）

第七節　修正申告等に対する国税通則法の適用に関する特則 ·················· 314

　　　1　修正申告等に係る相続税の徴収権の消滅時効············· 314

　　　2　特別縁故者の修正申告等の特則························· 314

第八章　相続税の納付 ·· 315

第一節　納　付 ·· 315

一　国税通則法の規定··· 315

　　　1　国税の納付方法··· 315

　　　2　期限内申告書に係る国税の納付期限····················· 315

　　　3　修正申告、更正決定等に係る国税の納付期限············· 315

　　　4　加算税の納付期限······································· 315

二　相続税法の規定··· 315

　　　1　期限内申告に係る相続税の納付期限····················· 315

　　　2　連帯納付の義務等······································· 316

第二節　延　納 ·· 319

一　相続税の延納··· 319

　　　1　延納の要件等··· 319

　　　2　不動産等の価額に対応する相続税額····················· 322

　　　3　延納年割額··· 322

　　　4　担保の徴取··· 322

二　計画伐採に係る相続税の延納等の特例······················· 322

　　　1　森林計画立木部分の相続税の延納期間の特例············· 322

　　　2　分納税額の特例··· 323

　　　3　森林計画立木部分の税額······························· 323

　　　4　利子税率の特例··· 323

　　　5　特例の適用手続··· 324

　　　6　森林施業計画の認定の取消し等があったときの延納税額の納期限· 324

　　　7　延納の許可により納付すべき税額への適用··············· 324

三　不動産等に係る相続税の延納等の特例······················· 325

　　　1　不動産等部分の税額の延納期間の特例··················· 325

　　　2　不動産等部分の税額····································· 325

　　　3　利子税率の特例··· 326

　　　4　特例の適用手続··· 326

　　　5　延納の許可により納付すべき税額への適用··············· 326

四　延納の申請手続及び許可··································· 327

　　　1　延納申請と許可··· 327

　　　2　担保提供関係書類の提出期限の延長····················· 329

　　　3　延納手続に必要な書類の補完の要請····················· 330

　　　4　延納手続に必要な書類の補完期限の延長················· 331

　　　5　延納申請の許可に係る審査期間························· 332

6	担保の変更を求められた場合の手続	333
7	変更を求められた担保に係る担保提供関係書類の提出期限の延長	333
8	災害その他やむを得ない理由が生じた場合の申告期限等の延長	334
9	延納条件の変更等	338
10	延納申請があった場合の徴収猶予	340
11	延納の取消し	340
12	延納の担保	341

五　延納の利子税 341

1	利子税	341
2	相続税の延納に伴う利子税の特例	343
3	延納の取消しがあった場合の利子税	343
4	延納の申請の却下又は取下げの場合の利子税	343
5	災害等延長期間がある場合の特例	343
6	一部納付等があった場合の充当の順序	344
7	特別緑地保全地区等内の土地に係る相続税の延納に伴う利子税の特例	344
8	延納の利子税の割合の特例	345
9	利子税の割合の特例	346

第三節　物　納 352

一　物納の要件 352

1	物納の要件	352
2	物納できる財産	353
3	物納劣後財産	358
4	物納財産の順位（公債及び不動産の優先）	359

二　物納の申請手続及び許可 360

1	物納手続に必要な書類の提出	360
2	物納申請に対する許可又は却下	364
3	物納手続関係書類の提出期限の延長	365
4	物納手続に必要な書類の補完の要請	366
5	物納手続に必要な書類の補完期限の延長の手続	367
6	物納申請の許可に係る審査期間の延長	368
7	収納に必要な措置の命令	369
8	収納に必要な措置の期限の延長	369
9	災害その他やむを得ない理由が生じた場合の申請期限等の延長	370
10	条件付の許可	372
11	物納の許可の取消し	373
12	物納申請の全部又は一部の却下に係る延納	373
13	物納申請の却下に係る再申請	374

三　特定の延納税額に係る物納 375

四　相続税の物納の特例 378

1	特定登録美術品に係る物納の特例	378
2	特別保護地区等内の土地に係る物納の特例	378

五　物納財産の収納 380

1	収納価額	380

(目次9)

2	物納財産による過誤納額の還付	381
3	物納財産の収納手続	382
六	物納の撤回	383
1	物納撤回の申請及び承認	383
2	物納撤回に係る延納	385
七	物納に係る利子税	387
1	物納に係る利子税	387
2	物納撤回に係る利子税	388
3	物納申請の却下等に係る利子税	390

第九章　不服申立て及び訴訟 (相続税、贈与税共通) … 392

一	総　則	392
二	処分についての再調査の請求の手続	394
1	再調査の請求の手続	394
2	再調査の請求についての決定	396
三	審査請求	397
1	審査請求の手続	397
2	みなす審査請求	398
3	審査請求についての裁決	399
4	国税庁長官に対する審査請求	400
四	不作為についての審査請求	400
五	訴　訟	401

第十章　雑則及び罰則 (相続税、贈与税共通) … 403

第一節	雑　則	403
一	法務大臣等の通知	403
二	調書の提出	404
1	法定調書の提出	404
2	調書の記載事項等	404
3	死亡による保険契約の契約者変更時の調書の提出	405
4	信託に関する受益者の調書の提出	406
5	税務署長の請求に係る調書の提出	408
6	光ディスク等による調書の提出	408
7	税務署長の承認を受けた場合の調書の提出	409
8	調書の書式	410
三	質問検査権	417
1	当該職員の質問検査権	417
2	公正証書の閲覧権	417
3	提出物件の留置き	417
4	特定事業者等への報告の求め	417
5	権限の解釈	418

(目次10)

6	納税義務者に対する調査の事前通知等	419
7	事前通知を要しない場合	420
8	調査の終了の際の手続	420
9	当該職員の事業者等への協力要請	421
10	身分証明書の携帯等	421
11	罰則規定	421

四　相続財産等の調査 421

五　同族会社等の行為又は計算の否認 421

六　移転法人又は取得法人の行為又は計算の否認 422

七　法人課税信託の受託者又は受益者等への適用 422

八　付加税の禁止 422

九　期間及び期限 422

1	期間の計算	422
2	期限の特例	423
3	災害等による期限の延長	423

十　納税管理人 423

1	納税管理人	423
2	納税管理人の届出	423
3	納税管理人の届出をしなかったとき	424

十一　国税の課税標準等の端数計算等 427

1	国税の課税標準の端数計算	427
2	国税の確定金額の端数計算	427

第二節　罰　　則 428

1	脱税に対する罰則	428
2	故意の申告書不提出によるほ脱犯に対する罰則	428
3	無申告に対する罰則	428
4	調書及び質問検査に関する罰則	428
5	相続税及び贈与税の特例に係る修正申告書等の提出等に係る罰則	428
6	両罰規定	429
7	税務職員の守秘義務違反に対する罰則	429

第三節　災害減免法による減免措置 430

一　申告書の提出期限後の災害の場合の税額免除 430

二　申告書の提出期限前の災害の場合の課税価格の軽減 430

1	相続税の課税価格の軽減	430
2	贈与税の課税価格の軽減	431
3	申告書記載手続	431

第二編　贈　与　税

第一章　贈与税の納税義務者 ·· 435

第一節　定　義 ·· 435
　一　趣　旨 ·· 435
　二　用語の意義 ·· 435

第二節　納税義務者 ·· 435
　一　個人の納税義務者 ·· 435
　二　人格のない社団等の納税義務 ·· 438
　　1　人格のない社団等に対して財産の贈与があった場合の納税義務 ·· 438
　　2　人格のない社団等を設立するために財産の提供があった場合の納税義務 ·· 439
　　3　人格のない社団等の住所の判定 ·· 439
　三　持分の定めのない法人の納税義務 ·· 439
　四　特定一般社団法人等に課された贈与税の税額の控除 ·· 448

第三節　財産の所在等 ·· 449
　一　財産の所在 ·· 449
　　1　原　則 ·· 449
　　2　国債、地方債の所在 ·· 453
　　3　その他の財産の所在 ·· 453
　　4　財産の所在の判定時期 ·· 453
　二　財産の取得時期 ·· 453
　　1　通　則 ·· 453
　　2　停止条件付贈与 ·· 454
　　3　農地等 ·· 454
　三　相続税法の施行地 ·· 454

第二章　贈与税の課税財産 ·· 455

第一節　贈与により取得した財産 ·· 455
　　1　居住無制限納税義務者に該当する者又は非居住無制限納税義務者に該当する者の課税財産 ·· 455
　　2　制限納税義務者に該当する者の課税財産 ·· 455
　　3　財産の意義 ·· 455
　　4　婚姻の取消し又は離婚により財産の取得があった場合 ·· 455
　　5　共かせぎ夫婦の間における住宅資金等の贈与 ·· 456
　　6　無利子の金銭貸与等 ·· 456

(目次12)

	7	負担付贈与等及び共有持分の放棄による課税財産 ・・・・・・・・・・・・・・・・・・	456
	8	父子間における農業経営者の判定 ・・・・・・・・・・・・・・・・・・・・・・・・・・・・	456
	9	財産の名義変更 ・・	458
	10	青色専従者給与 ・・	461

第二節　贈与（又は遺贈）により取得したものとみなす財産 ・・・・・・・・・・・・ 462

一　生命保険金等 ・・・ 462

	1	保険事故の発生により受け取った保険金 ・・・・・・・・・・・・・・・・・・・・・・・	462
	2	返還金等への準用 ・・	464
	3	保険料の負担者 ・・	465
	4	生命保険契約等の範囲 ・・・・・・・・・・・・・・・・・・・・・・・・・・・・・・・・・・・・	465
	5	損害保険契約等の範囲 ・・・・・・・・・・・・・・・・・・・・・・・・・・・・・・・・・・・・	466
	6	年金により支払を受ける保険金の評価 ・・・・・・・・・・・・・・・・・・・・・・・・	467

二　定期金に関する権利 ・・・・・・・・・・・・・・・・・・・・・・・・・・・・・・・・・・・・・ 467

	1	定期金給付契約に関する権利の取得 ・・・・・・・・・・・・・・・・・・・・・・・・・・	467
	2	返還金等に対する準用 ・・・・・・・・・・・・・・・・・・・・・・・・・・・・・・・・・・・・	468
	3	保証期間付定期金に関する権利を相続等により取得した場合 ・・・・・・・・	468
	4	掛金等の負担者 ・・	469
	5	給付事由が発生している定期金に関する権利の評価 ・・・・・・・・・・・・・・・	469

三　低額譲渡を受けたことによる利益 ・・・・・・・・・・・・・・・・・・・・・・・・・・・ 470

四　債務免除等を受けたことによる利益 ・・・・・・・・・・・・・・・・・・・・・・・・・・ 470

五　その他の経済的利益 ・・・・・・・・・・・・・・・・・・・・・・・・・・・・・・・・・・・・・・ 472

	1	一般規定 ・・・	472
	2	同族会社の株式又は募集株式引受権に係る経済的利益 ・・・・・・・・・・・・・	472
	3	土地の使用貸借に係る経済的利益 ・・・・・・・・・・・・・・・・・・・・・・・・・・・	474
	4	信託が合意等により終了した場合 ・・・・・・・・・・・・・・・・・・・・・・・・・・・	476
	5	配偶者居住権が合意等により消滅した場合 ・・・・・・・・・・・・・・・・・・・・・	476

六　信託財産 ・・ 476

	1	信託に関する権利の原則 ・・・・・・・・・・・・・・・・・・・・・・・・・・・・・・・・・・	476
	2	信託に関する権利の特例 ・・・・・・・・・・・・・・・・・・・・・・・・・・・・・・・・・・	478
	3	相続税法の一部改正に伴う経過措置 ・・・・・・・・・・・・・・・・・・・・・・・・・・	485

七　特別の法人から受ける利益 ・・・・・・・・・・・・・・・・・・・・・・・・・・・・・・・・ 485

	1	特別の法人から受ける利益に対する課税 ・・・・・・・・・・・・・・・・・・・・・・	485
	2	公益事業の用に供しなかった場合 ・・・・・・・・・・・・・・・・・・・・・・・・・・・	486
	3	特別の法人の設立のために財産の提供があった場合の準用 ・・・・・・・・・	486
	4	法人から受ける特別の利益の内容及び特別の利益を受ける者の範囲 ・・・・	486

第三章　贈与税の非課税財産 ・・・・・・・・・・・・・・・・・・・・・・・・・・・・・・・・・ 487

一　法人からの贈与により取得した財産 ・・・・・・・・・・・・・・・・・・・・・・・・・・・ 487

二　扶養義務者から贈与を受けた教育費及び生活費 ・・・・・・・・・・・・・・・・・・・・ 487

三　公益事業用財産 ・・ 490

| | 1 | 公益事業を行う者の範囲 ・・・・・・・・・・・・・・・・・・・・・・・・・・・・・・・・・・ | 490 |
| | 2 | 公益事業の用に供しなかった財産への課税 ・・・・・・・・・・・・・・・・・・・・ | 493 |

(目次13)

四	公益信託による財産‥‥‥‥‥‥‥‥‥‥‥‥‥‥‥‥‥‥‥‥‥‥‥	494
五	心身障害者扶養共済制度に基づく給付金の受給権‥‥‥‥‥‥‥‥‥‥	494
六	公職選挙の候補者が選挙費用として贈与を受けた財産‥‥‥‥‥‥‥‥	494
七	香典等‥‥‥‥‥‥‥‥‥‥‥‥‥‥‥‥‥‥‥‥‥‥‥‥‥‥‥‥‥‥	495
八	特定障害者に対する贈与税の非課税‥‥‥‥‥‥‥‥‥‥‥‥‥‥‥‥	495
1	特定障害者扶養信託契約の受益権のうち6,000万円までの部分の非課税	495
2	特定障害者扶養信託契約の意義‥‥‥‥‥‥‥‥‥‥‥‥‥‥‥‥‥	496
3	特定障害者の非課税申告等‥‥‥‥‥‥‥‥‥‥‥‥‥‥‥‥‥‥‥	497
4	受託者の手続‥‥‥‥‥‥‥‥‥‥‥‥‥‥‥‥‥‥‥‥‥‥‥‥‥	499
九	直系尊属から住宅取得等資金の贈与を受けた場合の贈与税の非課税‥‥	501
1	制度の概要‥‥‥‥‥‥‥‥‥‥‥‥‥‥‥‥‥‥‥‥‥‥‥‥‥‥	501
2	用語の意義‥‥‥‥‥‥‥‥‥‥‥‥‥‥‥‥‥‥‥‥‥‥‥‥‥‥	503
3	居住の用に供しなかった場合の修正申告等‥‥‥‥‥‥‥‥‥‥‥‥	509
4	建築後使用されたことのある住宅用家屋を取得した場合‥‥‥‥‥‥	510
5	住宅用家屋が災害により滅失をした場合等‥‥‥‥‥‥‥‥‥‥‥‥	511
6	申告要件‥‥‥‥‥‥‥‥‥‥‥‥‥‥‥‥‥‥‥‥‥‥‥‥‥‥‥	513
7	経過措置‥‥‥‥‥‥‥‥‥‥‥‥‥‥‥‥‥‥‥‥‥‥‥‥‥‥‥	518
十	直系尊属から教育資金の一括贈与を受けた場合の贈与税の非課税‥‥‥	519
1	制度の概要‥‥‥‥‥‥‥‥‥‥‥‥‥‥‥‥‥‥‥‥‥‥‥‥‥‥	519
2	用語の意義‥‥‥‥‥‥‥‥‥‥‥‥‥‥‥‥‥‥‥‥‥‥‥‥‥‥	520
3	適用手続‥‥‥‥‥‥‥‥‥‥‥‥‥‥‥‥‥‥‥‥‥‥‥‥‥‥‥	524
4	領収書等の提出‥‥‥‥‥‥‥‥‥‥‥‥‥‥‥‥‥‥‥‥‥‥‥‥	530
5	取扱金融機関の領収書等による確認・記録・保存‥‥‥‥‥‥‥‥‥	532
6	贈与者が契約終了の日までに死亡した場合‥‥‥‥‥‥‥‥‥‥‥‥	532
7	教育資金管理契約の終了した場合‥‥‥‥‥‥‥‥‥‥‥‥‥‥‥‥	539
8	契約終了後の教育資金支出額の残額の課税価格‥‥‥‥‥‥‥‥‥‥	541
9	教育資金管理契約が終了した場合の調書の提出・通知義務など‥‥‥	543
10	罰則規定‥‥‥‥‥‥‥‥‥‥‥‥‥‥‥‥‥‥‥‥‥‥‥‥‥‥‥	545
十一	直系尊属から結婚・子育て資金の一括贈与を受けた場合の贈与税の非課税‥‥‥‥	545
1	制度の概要‥‥‥‥‥‥‥‥‥‥‥‥‥‥‥‥‥‥‥‥‥‥‥‥‥‥	545
2	用語の意義‥‥‥‥‥‥‥‥‥‥‥‥‥‥‥‥‥‥‥‥‥‥‥‥‥‥	546
3	適用手続‥‥‥‥‥‥‥‥‥‥‥‥‥‥‥‥‥‥‥‥‥‥‥‥‥‥‥	550
4	領収書等の提出‥‥‥‥‥‥‥‥‥‥‥‥‥‥‥‥‥‥‥‥‥‥‥‥	556
5	取扱金融機関の領収書等による確認・記録・保存‥‥‥‥‥‥‥‥‥	559
6	結婚・子育て資金管理契約の終了‥‥‥‥‥‥‥‥‥‥‥‥‥‥‥‥	559
7	贈与者が契約終了の日までに死亡した場合‥‥‥‥‥‥‥‥‥‥‥‥	561
8	契約終了後の結婚・子育て資金の残高の課税価格‥‥‥‥‥‥‥‥‥	563
9	結婚・子育て資金管理契約が終了した場合の調書の提出・通知義務など‥‥‥	563

第四章 贈与税の課税価格‥‥‥‥‥‥‥‥‥‥‥‥‥‥‥‥‥‥‥‥‥‥‥ 566

1	居住無制限納税義務者に該当する者又は非居住無制限納税義務者に該当する者の課税価格‥‥‥‥	566
2	制限納税義務者に該当する者の課税価格‥‥‥‥‥‥‥‥‥‥‥‥‥	566
3	無制限納税義務者と制限納税義務者のいずれにも該当する者の課税価格‥‥‥‥	566

(目次14)

4　相続開始の年に被相続人から贈与を受けた財産（特定贈与財産を除く。）の除外・・・・・・・・・・・・・・ 566
　　5　民法上の組合からの贈与・・・ 567
　　6　負担付贈与の課税価格・・・ 567
　　7　特定土地等及び特定株式等に係る贈与税の課税価格の計算の特例・・・・・・・・・・・・・・・・・・・・ 567

第五章　贈与税の税額・・ 571

第一節　贈与税の基礎控除・・・ 571

　　1　原　則・・ 571
　　2　基礎控除の特例・・・ 571

第二節　贈与税の配偶者控除・・ 571

　　1　贈与税の配偶者控除・・ 571
　　2　居住用不動産の範囲・・ 571
　　3　婚姻期間の計算・・・ 573
　　4　特例の適用手続・・・ 573

第三節　贈与税の税率・・ 575

　　一　贈与税の税率・・ 575
　　二　直系尊属から贈与を受けた場合の贈与税の税率の特例・・・・・・・・・・・・・・・・・・・・・・・・・・ 575

第四節　在外財産に対する贈与税額の控除・・・・・・・・・・・・・・・・・・・・・・・・・ 578

第六章　申告、更正決定及び更正の請求・・・・・・・・・・・・・・・・・・・・・・・・・・ 579

第一節　期限内申告書・・ 579

　　一　贈与税の申告・・ 579
　　　1　申告書の提出期限・・ 579
　　　2　申告書の提出義務者が死亡した場合の相続人による申告・・・・・・・・・・・・・・・・・・・・ 579
　　　3　提出期限前に決定があった場合の申告の省略・・・・・・・・・・・・・・・・・・・・・・・・・・・・・・・ 580
　　　4　特定贈与者が贈与をした年の中途において死亡したとき・・・・・・・・・・・・・・・・・・・・ 580
　　　5　短期非居住贈与者の申告・・ 580
　　　6　納税地・・・ 581
　　二　贈与税申告書の記載事項及び添付書類・・・・・・・・・・・・・・・・・・・・・・・・・・・・・・・・・・・・・・・ 582
　　　1　一般の場合の記載事項・・・ 582
　　　2　相続人の提出する申告書の記載事項・・・・・・・・・・・・・・・・・・・・・・・・・・・・・・・・・・・・・・ 582
　　　3　配偶者控除の適用を受ける場合の記載事項及び添付書類・・・・・・・・・・・・・・・・・・・ 583
　　　4　農地等の贈与について納税猶予の適用を受ける場合の添付書類・・・・・・・・・・・・・ 583

第二節　申告書の様式及び書き方・・・・・・・・・・・・・・・・・・・・・・・・・・・・・・・・・・・ 585

　　一　贈与税の申告書の書き方・・ 585
　　二　農地等の贈与税の納税猶予税額の計算書の書き方・・・・・・・・・・・・・・・・・・・・・・・・・・ 589

（目次15）

三　株式等納税猶予税額の計算書（贈与税）〔暦年課税〕の書き方 ･････････････････ 589

　四　死亡した者の令和＿年分　贈与税の申告書付表（兼相続人の代表者指定届出書）

　　　の書き方等 ･･･ 591

第三節　期限後申告 ･･･ 599

第四節　修正申告 ･･･ 600

　一　国税通則法の規定による修正申告 ･･ 600

　　1　修正申告 ･･･ 600

　　2　更正又は決定を受けた者の修正申告 ･････････････････････････････････････ 600

　　3　修正申告書の記載事項及び添付書類 ･････････････････････････････････････ 600

　　4　修正申告の効力 ･･･ 601

　二　相続税法の規定による修正申告の特則 ･････････････････････････････････････ 601

第五節　更正の請求 ･･･ 602

　一　国税通則法の規定による更正の請求 ･･･････････････････････････････････････ 602

　　1　法定申告期限から5年以内に行う更正の請求 ･･･････････････････････････ 602

　　2　判決等があった日から2月以内に行う更正の請求 ･･････････････････････ 602

　　3　更正の請求書の記載事項 ･･･ 603

　　4　更正の請求書の添付書類 ･･･ 603

　　5　更正の請求に対する処理 ･･･ 603

　二　相続税法による更正の請求の特則 ･･･ 603

　　1　4月以内に行う更正の請求の特則 ･････････････････････････････････････ 603

　　2　贈与税についての更正の請求の特則 ･････････････････････････････････････ 604

第六節　更正、決定及び加算税等 ･･･ 605

　一　国税通則法の規定による更正又は決定 ･････････････････････････････････････ 605

　　1　更　正 ･･･ 605

　　2　決　定 ･･･ 605

　　3　再更正 ･･･ 605

　　4　国税庁又は国税局の職員の調査に基づく更正又は決定 ･････････････････････ 605

　　5　更正又は決定の手続 ･･･ 605

　　6　更正等の効力 ･･･ 606

　　7　更正又は決定の所轄庁 ･･･ 606

　　8　更正又は決定の期間制限 ･･･ 606

　二　相続税法の規定による更正又は決定の特則 ･････････････････････････････････ 608

　　1　申告書の提出期限前における更正、決定 ･････････････････････････････････ 608

　　2　新たに贈与税の申告書を提出すべきこととなった場合の更正、決定 ･････････ 608

　　3　同族会社等の行為計算の否認等 ･･･ 608

　　4　移転法人又は取得法人の行為又は計算の否認 ･････････････････････････････ 608

　　5　法人課税信託の受託者又は受益者等への適用 ･････････････････････････････ 609

　　6　贈与税についての更正、決定等の期間制限の特則 ･････････････････････････ 609

　三　加算税及び延滞税 ･･･ 610

　　1　過少申告加算税 ･･･ 610

（目次16）

2	無申告加算税 ···	613
3	重加算税 ···	616
4	加算税の税目 ···	617
5	加算税の賦課決定 ···	617
6	延滞税 ···	618
7	相続税法の規定による延滞税の特則 ···························	620

第七章　贈与税の納付 ··· 622

第一節　納　付 ··· 622

一　国税通則法の規定 ··· 622

1	国税の納付方法 ···	622
2	期限内申告書に係る国税の納付期限 ·························	622
3	修正申告、更正決定等に係る国税の納付期限 ·················	622
4	加算税の納付期限 ···	622

二　相続税法の規定 ··· 622

1	期限内申告に係る贈与税の納付期限 ·························	622
2	連帯納付の義務等 ···	623

第二節　延　納 ··· 625

一　贈与税の延納 ··· 625

二　延納の申請及び許可並びに担保 ································· 626

1	延納申請と許可 ···	626
2	担保提供関係書類の提出期限の延長 ·························	629
3	延納手続に必要な書類の補完の要請 ·························	630
4	延納手続に必要な書類の補完期限の延長 ·····················	630
5	延納申請の許可に係る審査期間 ·····························	632
6	担保の変更を求められた場合の手続 ·························	632
7	変更を求められた担保に係る担保提供関係書類の提出期限の延長 ···	633
8	災害その他やむを得ない理由が生じた場合の申告期限等の延長 ···	634
9	延納条件の変更等 ···	637
10	延納申請があった場合の徴収猶予 ···························	639
11	延納の取消し ···	639
12	延納の担保 ···	639

三　延納の利子税 ··· 640

1	利子税 ···	640
2	延納の取消しがあった場合の利子税 ·························	641
3	延納の申請の却下又は取下げの場合の利子税 ·················	641
4	延納の利子税の割合の特例 ·································	641
5	災害等延長期間がある場合の特例 ···························	642

(目次17)

第三編　相続時精算課税制度

第一章　相続時精算課税制度 ･･････････････････････････････ 647

第一節　相続時精算課税制度の適用対象者・選択の届出 ･･･････････････ 647

一　相続時精算課税制度の適用対象者 ････････････････････････ 647

二　相続時精算課税制度の選択 ･･･････････････････････････ 647

三　相続時精算課税適用者の特例 ････････････････････････ 649

第二節　相続時精算課税に係る贈与税の課税価格及び税額 ････････ 651

一　課税価格及び特別控除 ･･････････････････････････ 651

二　税　　率 ･････････････････････････････････ 652

三　相続時精算課税に係る贈与税の基礎控除の特例 ･･･････ 653

四　相続時精算課税に係る土地又は建物の価額の特例 ･･････ 653

第三節　相続時精算課税に係る相続税の課税価格及び税額 ････････ 661

一　相続又は遺贈により財産を取得した相続時精算課税適用者 ･･････ 661

二　相続又は遺贈により財産を取得しなかった相続時精算課税適用者 ･･ 662

三　相続時精算課税に係る相続税法の規定の適用 ････････････ 662

四　相続時精算課税に係る贈与税額の還付 ･･･････････････ 668

第四節　相続時精算課税に係る納税の権利・義務の承継 ･･････････ 671

一　特定贈与者よりも先に相続時精算課税適用者が死亡した場合 ･･････ 671

二　受贈者が相続時精算課税選択届出書の提出前に死亡した場合 ･･････ 672

第五節　相続時精算課税に係る申告及び還付等 ･･･････････････ 674

一　相続時精算課税の適用に係る贈与税の申告 ･･･････････ 674

二　相続時精算課税の適用に係る相続税の申告 ･･･････････ 675

三　相続時精算課税に係る贈与税の申告内容の開示等 ･･････ 676

四　相続時精算課税の適用を受けた財産に係る延納及び物納の取扱い ･･ 680

第二章　特定の贈与者から住宅取得等資金の贈与を受けた場合 の相続時精算課税の特例 ････････････････････ 681

1　住宅取得等資金の贈与を受けた場合の相続時精算課税の特例 ･････ 681

2　届出書を提出する場合における相続税法の規定の適用 ･････････ 683

3　用語の意義 ･･････････････････････････････ 683

4　建築後使用されたことのある住宅用家屋を取得した場合 ･･･････ 689

5　住宅用家屋が災害により滅失をした場合等 ･･･････････ 689

6　特例の適用手続 ･･･････････････････････････ 691

7　特定受贈者が居住の用に供していなかった場合の修正申告書の提出等 ･･ 696

8　経過措置 ･･････････････････････････････････ 697

相続時精算課税に係る申告書等の書き方・・・・・・・・・・・・・・・・・・・・・・・・・・・・・・・・・・・・・・ 698

第四編　農地等に係る相続税・贈与税の納税猶予及び免除

第一章　農地等についての贈与税の納税猶予及び免除・・・・・・・・・・・・・・・・ 709

第一節　特例適用の要件・・・・・・・・・・・・・・・・・・・・・・・・・・・・・・・・・・・・ 709

1　農地等を贈与した場合の贈与税の納税猶予及び免除・・・・・・・・・・・・・・・・・・・・ 709

2　農地等の贈与者・・ 714

3　対象農地等・・・ 715

4　農地等の受贈者・・ 720

第二節　納税猶予税額の計算・・・・・・・・・・・・・・・・・・・・・・・・・・・・・・・・・・ 721

第三節　特例の適用を受けるための手続・・・・・・・・・・・・・・・・・・・・・・・・・・ 722

1　申告手続・・・ 722

2　担保の提供・・・ 725

第四節　納税猶予の打切り・・・・・・・・・・・・・・・・・・・・・・・・・・・・・・・・・・・・ 726

1　納税猶予の全部打切り・・・・・・・・・・・・・・・・・・・・・・・・・・・・・・・・・・・・・・・ 726

2　納税猶予の一部打切り・・・・・・・・・・・・・・・・・・・・・・・・・・・・・・・・・・・・・・・ 735

3　買取りの申出等による納税猶予の一部打切り・・・・・・・・・・・・・・・・・・・・・・・・ 736

4　3年ごとの納税猶予の継続届出書を提出しなかった場合の打切り・・・・・・・・・・ 737

5　担保変更等の命令に応じなかった場合の打切り・・・・・・・・・・・・・・・・・・・・・・・ 738

6　納税猶予の打切りがあった場合の利子税の納付・・・・・・・・・・・・・・・・・・・・・・・ 738

7　納税猶予の打切りがあった場合の利子税の割合の特例・・・・・・・・・・・・・・・・・・ 738

8　農地等についての贈与税の納税猶予に係る利子税の特例・・・・・・・・・・・・・・・・ 739

9　納税猶予打切税額に係る延納の不適用・・・・・・・・・・・・・・・・・・・・・・・・・・・・・ 739

第五節　受贈農地等に係る使用貸借による権利の設定・・・・・・・・・・・・・・・・ 740

1　特例適用の要件・・ 740

2　適用手続・・・ 741

3　一時的道路用地等の用に供するための地上権等の設定をしている受贈者に対する適用・・・・・・・・・・・ 742

4　納税猶予の打切規定の調整・・・・・・・・・・・・・・・・・・・・・・・・・・・・・・・・・・・・・ 742

5　一時的道路用地等の用に供するために貸付けを行った場合の調整・・・・・・・・・・ 746

6　経過措置の適用を受けている受贈者に対する適用・・・・・・・・・・・・・・・・・・・・・ 746

第六節　貸付特例適用農地等に係る賃借権等の設定・・・・・・・・・・・・・・・・・・ 750

(目次19)

1	特例の適用要件	750
2	適用手続	751
3	賃借権等の設定があったものとして納税猶予が打ち切られる場合	753
4	再借受代替農地等を借り受けた場合又は賃借権等を消滅させた場合の納税猶予の継続	754
5	1年ごとの継続届出書の提出	755
6	継続届出書が提出されなかった場合の納税猶予の打切り	756
7	賃借権等が消滅した場合の届出書の提出	756

第七節　特例適用農地等の買換え　758

1	買換えの承認があった場合の納税猶予の継続	758
2	買換えの特例の適用手続	760

第八節　特定市街化区域農地等の収用交換等による譲渡　763

1	特定市街化区域農地等を収用交換等による譲渡をした場合の特例	763
2	収用交換等の特例の適用手続	764

第九節　一時的道路用地等の用に供するための地上権等の設定　766

1	特例の適用要件	766
2	1年ごとの継続貸付届出書の提出	768
3	継続貸付届出書が提出されなかった場合の納税猶予の打切り	768
4	地上権等が消滅した場合の届出書の提出	769
5	一時的道路用地等に係る事業の施行の遅延により貸付期限が延長される場合の届出書の提出	770
6	経過措置の適用を受けている受贈者に対する適用	770

第十節　営農困難時貸付けの特例　771

1	特例の概要	771
2	権利消滅の場合の納税猶予の継続等	774
3	ゆうじょ規定	778
4	その他	778

第十一節　買取りの申出等があった農地等の買換え等　782

1	買換え等の承認があった都市営農農地等の納税猶予の継続	782
2	買換え等の特例の適用手続	782

第十二節　3年ごとの納税猶予の継続届出書の提出　787

1	3年ごとの届出書の提出	787
2	届出書の提出手続	787

第十三節　納税猶予税額の免除　796

1	贈与者又は受贈者が死亡した場合の贈与税額の免除	796
2	贈与税額の免除の届出	796

第十四節　雑　則　798

1	譲渡、転用等についての農業委員会等の通知義務	798

(目次20)

2　準農地の利用形態等に関する農業委員会等の通知義務・・・・・・・・・・・・・・・・・・・・・・・798
　　3　国税通則法及び国税徴収法の規定の調整・・・・・・・・・・・・・・・・・・・・・・・・・・・・・799

第十五節　農業生産法人に対する使用貸借による権利の設定・・・・・・・・・・・・・・・・800

　　1　農地等を農業生産法人に使用貸借させた場合の特例・・・・・・・・・・・・・・・・・・・・・800
　　2　特定農地所有適格法人が合併により消滅し、又は分割をした場合・・・・・・・・・・・・・802
　　3　納税猶予の打切規定の調整・・・・・・・・・・・・・・・・・・・・・・・・・・・・・・・・・803
　　4　一時的道路用地等の用に供するために地上権等を設定した場合の適用・・・・・・・・・・・804
　　5　納税猶予の継続規定の調整・・・・・・・・・・・・・・・・・・・・・・・・・・・・・・・・808
　　6　使用貸借による権利の設定後の取扱い・・・・・・・・・・・・・・・・・・・・・・・・・・808
　　7　旧法の適用に当たっての読替規定・・・・・・・・・・・・・・・・・・・・・・・・・・・・810

第十六節　特定農業生産法人に対し特例適用農地等につき使用貸借による権利の
　　　　　設定をした場合の贈与税の納税猶予の継続措置・・・・・・・・・・・・・・・・・811

　　1　特定農業生産法人に対し特例適用農地等につき使用貸借による権利の設定をした場合の特例措置・・・・811
　　2　納税猶予期限の確定事由・・・・・・・・・・・・・・・・・・・・・・・・・・・・・・・・815

第十七節　贈与税の納税猶予を適用している場合の特定貸付けの特例・・・・・・・・・・・・821

　　1　特例制度の概要・・・・・・・・・・・・・・・・・・・・・・・・・・・・・・・・・・・・821
　　2　特定貸付けの期限が到来した場合の手続・・・・・・・・・・・・・・・・・・・・・・・・822
　　3　2月以内に新たな特定貸付けを行うことができない場合の手続・・・・・・・・・・・・・823
　　4　特定貸付けの期限を延長した場合の手続・・・・・・・・・・・・・・・・・・・・・・・・824
　　5　ゆうじょ規定・・・・・・・・・・・・・・・・・・・・・・・・・・・・・・・・・・・・・825
　　6　特定貸付を行った後に納税猶予の納期限が確定する場合・・・・・・・・・・・・・・・・825
　　7　特定貸付農地等について耕作の放棄があった場合・・・・・・・・・・・・・・・・・・・825
　　8　旧法猶予適用者の扱い・・・・・・・・・・・・・・・・・・・・・・・・・・・・・・・・826
　　9　その他・・828

第十八節　農地等の贈与者が死亡した場合の相続税の課税の特例・・・・・・・・・・・・・・830

　　1　特例適用農地等の相続税の課税価格への算入・・・・・・・・・・・・・・・・・・・・・830
　　2　代替取得農地等への準用・・・・・・・・・・・・・・・・・・・・・・・・・・・・・・・830

第二章　農地等についての相続税の納税猶予及び免除等・・・・・・・・・・・・833

第一節　特例適用の要件・・・・・・・・・・・・・・・・・・・・・・・・・・・・・・・・・・833

　　1　農地等についての相続税の納税猶予及び免除等・・・・・・・・・・・・・・・・・・・・833
　　2　被相続人・・・・・・・・・・・・・・・・・・・・・・・・・・・・・・・・・・・・・・・836
　　3　対象農地等・・・・・・・・・・・・・・・・・・・・・・・・・・・・・・・・・・・・・・837
　　4　農業相続人・・・・・・・・・・・・・・・・・・・・・・・・・・・・・・・・・・・・・・843

第二節　農業相続人がいる場合の相続税額の計算・・・・・・・・・・・・・・・・・・・・・・849

　　1　農業相続人がいる場合の相続税額・・・・・・・・・・・・・・・・・・・・・・・・・・・849
　　2　納税猶予分の相続税額の計算・・・・・・・・・・・・・・・・・・・・・・・・・・・・・852

（目次21）

3　納税猶予期限‥‥　853

第三節　特例の適用を受けるための手続‥‥‥‥‥‥‥‥‥‥‥‥‥‥‥‥‥‥‥‥‥‥‥‥‥　856

　　1　申告書への記載‥‥　856
　　2　申告書添付書類‥‥　856
　　3　担保の提供‥‥　857

第四節　納税猶予の打切り‥‥‥‥‥‥‥‥‥‥‥‥‥‥‥‥‥‥‥‥‥‥‥‥‥‥‥‥‥‥‥‥　859

　　1　納税猶予の全部打切り‥‥‥‥‥‥‥‥‥‥‥‥‥‥‥‥‥‥‥‥‥‥‥‥‥‥‥‥‥‥‥‥‥‥‥　859
　　2　納税猶予の一部打切り‥‥‥‥‥‥‥‥‥‥‥‥‥‥‥‥‥‥‥‥‥‥‥‥‥‥‥‥‥‥‥‥‥‥‥　866
　　3　買取りの申出等による納税猶予の一部打切り‥‥‥‥‥‥‥‥‥‥‥‥‥‥‥‥‥‥‥‥‥‥　867
　　4　3年ごとの納税猶予の継続届出書を提出しなかった場合の打切り‥‥‥‥‥‥‥‥‥‥　869
　　5　担保変更等の命令に応じなかった場合の打切り‥‥‥‥‥‥‥‥‥‥‥‥‥‥‥‥‥‥‥‥　869
　　6　納税猶予の打切り等があった場合の利子税の納付‥‥‥‥‥‥‥‥‥‥‥‥‥‥‥‥‥‥　869
　　7　納税猶予の打切り等があった場合の利子税の割合の特例‥‥‥‥‥‥‥‥‥‥‥‥‥‥‥　871
　　8　農地等についての相続税の納税猶予に係る利子税の特例‥‥‥‥‥‥‥‥‥‥‥‥‥‥‥　871
　　9　納税猶予打切税額に係る延納及び物納の不適用‥‥‥‥‥‥‥‥‥‥‥‥‥‥‥‥‥‥‥‥　872
　　10　都市計画の決定等により特定市街化区域農地等に該当することとなった場合の納税猶予打切税額
　　　　への延納の適用‥‥‥‥‥‥‥‥‥‥‥‥‥‥‥‥‥‥‥‥‥‥‥‥‥‥‥‥‥‥‥‥‥‥‥‥‥‥‥　872

第五節　特例農地等に係る使用貸借に関する権利の譲渡等‥‥‥‥‥‥‥‥‥‥‥‥‥‥　873

　　1　推定相続人の農業経営の廃止等‥‥‥‥‥‥‥‥‥‥‥‥‥‥‥‥‥‥‥‥‥‥‥‥‥‥‥‥‥　873
　　2　その他の納税猶予の打切規定の調整‥‥‥‥‥‥‥‥‥‥‥‥‥‥‥‥‥‥‥‥‥‥‥‥‥‥‥　874

第六節　貸付特例適用農地等に係る賃借権等の設定‥‥‥‥‥‥‥‥‥‥‥‥‥‥‥‥‥‥　878

　　1　特例の適用要件‥‥‥‥‥‥‥‥‥‥‥‥‥‥‥‥‥‥‥‥‥‥‥‥‥‥‥‥‥‥‥‥‥‥‥‥‥‥　878
　　2　適用手続‥‥　879
　　3　賃借権等の設定があったものとして納税猶予が打ち切られる場合‥‥‥‥‥‥‥‥‥‥　881
　　4　再借受代替農地等を借り受けた場合又は賃借権等を消滅させた場合の納税猶予の継続‥‥　882
　　5　1年ごとの継続届出書の提出‥‥‥‥‥‥‥‥‥‥‥‥‥‥‥‥‥‥‥‥‥‥‥‥‥‥‥‥‥‥‥　883
　　6　継続届出書が提出されなかった場合の納税猶予の打切り‥‥‥‥‥‥‥‥‥‥‥‥‥‥‥　884
　　7　賃借権等が消滅した場合の届出書の提出‥‥‥‥‥‥‥‥‥‥‥‥‥‥‥‥‥‥‥‥‥‥‥‥　884
　　8　農業相続人が死亡した場合においてその相続税の申告期限までに賃借権等が消滅した場合の適用‥‥‥　884

第七節　特例農地等の買換え‥‥‥‥‥‥‥‥‥‥‥‥‥‥‥‥‥‥‥‥‥‥‥‥‥‥‥‥‥‥　888

　　1　買換えの承認があった場合の納税猶予の継続‥‥‥‥‥‥‥‥‥‥‥‥‥‥‥‥‥‥‥‥‥　888
　　2　買換えの特例の適用手続‥‥‥‥‥‥‥‥‥‥‥‥‥‥‥‥‥‥‥‥‥‥‥‥‥‥‥‥‥‥‥‥‥　890

第八節　特定市街化区域農地等の収用交換等による譲渡‥‥‥‥‥‥‥‥‥‥‥‥‥‥‥‥　892

　　1　特定市街化区域農地等を収用交換等による譲渡をした場合の特例‥‥‥‥‥‥‥‥‥‥　892
　　2　収用交換等の特例の適用手続‥‥‥‥‥‥‥‥‥‥‥‥‥‥‥‥‥‥‥‥‥‥‥‥‥‥‥‥‥‥　893

第九節　一時的道路用地等の用に供するための地上権等の設定‥‥‥‥‥‥‥‥‥‥‥　895

　　1　特例の適用要件‥‥‥‥‥‥‥‥‥‥‥‥‥‥‥‥‥‥‥‥‥‥‥‥‥‥‥‥‥‥‥‥‥‥‥‥‥‥　895

（目次22）

2	1年ごとの継続貸付届出書の提出 ・・・・・・・・・・・・・・・・・・・・・・・・・・・・・・・・・	897
3	継続貸付届出書が提出されなかった場合の納税猶予の打切り ・・・・・・・・・・・	898
4	農業相続人が死亡した場合の特例の適用 ・・・・・・・・・・・・・・・・・・・・・・・・	898
5	地上権等が消滅した場合の届出書の提出 ・・・・・・・・・・・・・・・・・・・・・・・・	899
6	一時的道路用地等に係る事業の施行の遅延により貸付期限が延長される場合の届出書の提出 ・・・・・	900
7	経過措置の適用を受けている農業相続人に対する適用 ・・・・・・・・・・・・・・・	900

第十節　営農困難時貸付けの特例 ・・・・・・・・・・・・・・・・・・・・ 901

1	特例の概要 ・・・	901
2	権利消滅の場合の納税猶予の継続等 ・・・・・・・・・・・・・・・・・・・・・・・・・・	905
3	ゆうじょ規定 ・・・	908
4	その他 ・・・	909

第十一節　買取りの申出等があった農地等の買換え等 ・・・・・・・・・・・・ 913

1	買換え等の承認があった都市営農農地等の納税猶予の継続 ・・・・・・・・・・・・	913
2	買換え等の特例の適用手続 ・・・・・・・・・・・・・・・・・・・・・・・・・・・・・・・・	913

第十二節　3年ごとの納税猶予の継続届出書の提出 ・・・・・・・・・・・ 916

1	3年ごとの届出書の提出 ・・・・・・・・・・・・・・・・・・・・・・・・・・・・・・・・・	916
2	届出書の提出手続 ・・・・・・・・・・・・・・・・・・・・・・・・・・・・・・・・・・・・・	916

第十二節　納税猶予税額の免除 ・・・・・・・・・・・・・・・・・・・・・・ 919

1	農業相続人の死亡、農地の生前一括贈与又は20年経過による免除 ・・・・・・・・・	919
2	相続税額の免除の届出 ・・・・・・・・・・・・・・・・・・・・・・・・・・・・・・・・・・	921

第十四節　雑　則 ・・・・・・・・・・・・・・・・・・・・・・・・・・・・・・ 923

1	納税猶予税額以外の税額に係る延納及び利子税の規定の調整 ・・・・・・・・・・・	923
2	譲渡、転用等についての農業委員会等の通知義務 ・・・・・・・・・・・・・・・・・	923
3	準農地の利用形態等に関する農業委員会等の通知義務 ・・・・・・・・・・・・・・	923
4	国税通則法及び国税徴収法の規定の調整 ・・・・・・・・・・・・・・・・・・・・・・	924

第十五節　平成3年改正法の施行に伴う相続税の経過措置 ・・・・・・・・・ 926

1	平成4年中に相続等により取得した特定市街化区域農地等が同年中に都市営農農地等又は市街化調整区域内農地等となる場合の特例 ・・・・・・	926
2	平成4年1月1日前に相続等により取得した農地等に係る相続税に対する旧法の適用 ・・・・・・・・・	926
3	旧法の特例適用農地等のうち特定市街化区域農地等に該当するものの転用〔特定転用〕の特例 ・・・・	926
4	特定転用に係る承認申請手続 ・・・・・・・・・・・・・・・・・・・・・・・・・・・・・	931
5	転用承認農地等についての納税猶予打切規定及び買換規定の適用関係 ・・・・・・	932
6	転用承認農地等に係る貸付け又は建設工事着手の届出 ・・・・・・・・・・・・・・	933
7	転用承認農地等以外の農地等を譲渡等した場合の納税猶予の打切規定の適用 ・・・・・・	934
8	転用承認農地等に係る3年ごとの納税猶予継続届の提出義務 ・・・・・・・・・・	935
9	旧法の特例適用農地等のうちの特定市街化区域農地等を特定法人に譲渡した場合の特例 ・・・・・・	936

第十六節　相続税の納税猶予を適用している場合の特定貸付けの特例 ・・・・・・・・・ 937

(目次23)

1	相続税の納税猶予を適用している場合の特定貸付けの特例	937
2	特定貸付けを行った農地又は採草放牧地についての相続税の課税の特例	942

第十七節　相続税の納税猶予を適用している場合の都市農地の貸付けの特例 948

1	相続税の納税猶予を適用している場合の都市農地の貸付けの特例	948
2	納税猶予の打切り規定等の準用	951
3	期限が到来する場合についての準用	952
4	賃借権の権利の設定に関する契約が解除された場合等のみなし規定	954
5	賃借権の権利の設定に関する契約が解除された場合等の準用	954
6	旧法猶予適用者の場合の都市農地の貸付けの特例	955
7	その他	956

第十八節　認定都市農地貸付け又は農園用地貸付けを行った農地についての相続税の課税の特例 958

1	認定都市農地貸付け又は農園用地貸付けを行った農地についての相続税の課税の特例	958
2	農業経営者又は農業相続人が死亡した場合の相続税の課税の特例	958
3	贈与税の納税猶予を適用している場合の認定都市農地貸付け又は農園用地貸付けを行っている農地についての相続税の課税の特例	959
4	その他	959

第三章　山林についての相続税の納税猶予及び免除 961

第一節　特例適用の要件 961

1	山林についての相続税の納税猶予及び免除	961
2	用語の意義	963
3	納税猶予分の相続税額の計算	966

第二節　特例の適用を受けるための手続 969

第三節　納税猶予期間中の継続届出書の提出 972

1	継続届出書の提出	972
2	継続届出書が提出されなかった場合	973

第四節　納税猶予の打切り 974

1	納税猶予の全部打切り	974
2	障害等により経営委託をする場合	978
3	納税猶予の一部打切り	981
4	担保変更等の命令に応じない場合の打切り	982
5	納税猶予の打切り等があった場合の利子税の納付	982
6	納税猶予の打切り等があった場合の利子税の割合の特例	983
7	山林についての相続税の納税猶予に係る利子税の特例	983

第五節　納税猶予税額の免除 985

1　林業経営相続人の死亡等による納税猶予税額の免除・・・・・・・・・・・・・・・・・・・・・・・985

第六節　雑　　則・・・987

第五編　特定の美術品についての相続税の納税猶予及び免除

第一節　特例適用の要件・・995

　　1　特定の美術品についての相続税の納税猶予及び免除・・・・・・・・・・・・・・・・・・・995

　　2　用語の意義・・996

　　3　納税猶予分の相続税額の計算・・・・・・・・・・・・・・・・・・・・・・・・・・・・・・・・・・・・996

第二節　特例の適用を受けるための手続・・・・・・・・・・・・・・・・・・・・・・・・・・・・・999

第三節　納税猶予期間中の継続届出書の提出・・・・・・・・・・・・・・・・・・・・・・・1000

　　1　継続届出書の提出・・・1000

　　2　継続届出書が提出されなかった場合・・・・・・・・・・・・・・・・・・・・・・・・・・・1001

第四節　納税猶予の打切り・・・・・・・・・・・・・・・・・・・・・・・・・・・・・・・・・・・・・・・1002

　　1　納税猶予の打切り・・・1002

　　2　寄託契約の契約期間が終了をした場合のみなし規定・・・・・・・・・・・・・1003

　　3　登録を取り消された場合等のみなし規定・・・・・・・・・・・・・・・・・・・・・・・1005

　　4　新寄託先美術館の設置者に寄託する見込みである場合等のみなし規定・・・・・・・・・1005

　　5　担保変更等の命令に応じない場合の打切り・・・・・・・・・・・・・・・・・・・・1006

　　6　納税猶予の打切り等があった場合の利子税の納付・・・・・・・・・・・・・・1006

第五節　納税猶予額の免除・・・・・・・・・・・・・・・・・・・・・・・・・・・・・・・・・・・・・・1007

第六節　納税猶予分の相続税額に係る担保の提供・・・・・・・・・・・・・・・・・1008

第七節　雑　　則・・1010

（目次25）

第六編　個人の事業用資産に係る相続税・贈与税の納税猶予及び免除

第一章　個人の事業用資産についての贈与税の納税猶予及び免除……1015

第一節　特例適用の要件……1015

1　個人の事業用資産についての贈与税の納税猶予及び免除……1015
2　用語の意義……1018

第二節　適用を受けるための手続……1028

第三節　納税猶予期間中の継続届出書の提出……1029

1　継続届出書の提出……1029
2　継続届出書が提出されなかった場合……1030

第四節　担保の変更の命令に応じない場合等の納税猶予期限の繰上げ……1032

第五節　納税猶予の打切り……1033

1　納税猶予の打切り……1033
2　納税猶予税額の一部確定……1034
3　特例受贈事業用資産の譲渡である場合の納税猶予税額の一部確定……1036
4　現物出資による全ての特例受贈事業用資産の移転である場合の納税猶予税額の一部確定……1039
5　特例事業受贈者が死亡した場合の納税猶予の期限等の特例……1043
6　利子税の納付……1043

第六節　納税猶予税額の免除……1045

1　贈与者等の死亡等による納税猶予税額の免除……1045
2　特例受贈事業用資産の全部を譲渡等したとき又は特例受贈事業用資産に係る事業を廃止したときの納税猶予税額の免除……1050
3　その他の場合による納税猶予税額の免除……1053
4　特例事業受贈者について再生計画の認可の決定があった場合の免除……1055

第七節　雑　　則……1058

第八節　個人の事業用資産についての贈与税の納税猶予及び免除に係る相続時精算課税適用者の特例……1060

(目次26)

第二章 個人の事業用資産の贈与者が死亡した場合の相続税の課税の特例 …… 1062

 1 特例適用の要件 ……………………………………………………… 1062

 2 物納財産の不適格 ………………………………………………… 1064

第三章 個人の事業用資産についての相続税の納税猶予及び免除 …… 1065

第一節 特例適用の要件 ……………………………………………… 1065

 1 個人の事業用資産についての相続税の納税猶予及び免除 ……… 1065

 2 用語の意義 ………………………………………………………… 1069

 3 納税猶予の相続税額の計算 ……………………………………… 1076

第二節 適用を受けるための手続 ………………………………… 1078

第三節 納税猶予期間中の継続届出書の提出 …………………… 1080

 1 継続届出書の提出 ………………………………………………… 1080

 2 継続届出書が提出されなかった場合 …………………………… 1081

第四節 担保の変更の命令に応じない場合等の納税猶予期限の繰上げ ……… 1083

第五節 納税猶予の打切り ………………………………………… 1084

 1 納税猶予の打切り ………………………………………………… 1084

 2 納税猶予税額の一部確定 ………………………………………… 1085

 3 特例事業用資産の譲渡である場合の納税猶予税額の一部確定 … 1086

 4 現物出資による全ての特例事業用資産の移転である場合の納税猶予税額の一部確定 …… 1089

 5 特例事業相続人等が死亡した場合の納税猶予の期限等の特例 … 1091

 6 利子税の納付 ……………………………………………………… 1092

第六節 納税猶予税額の免除 ……………………………………… 1093

 1 特例事業相続人等の死亡等による納税猶予税額の免除 ……… 1093

 2 特例事業用資産の全部を譲渡等したとき又は特例事業用資産に係る事業を廃止したときの納税猶予税額の免除 …………………………………………………………… 1095

 3 その他の場合による納税猶予税額の免除 ……………………… 1098

 4 特例事業相続人等について再生計画の認可の決定があった場合の免除 …………… 1100

第七節 雑　則 ……………………………………………………… 1102

(目次27)

第七編　非上場株式等に係る相続税・贈与税の納税猶予及び免除

第一章　非上場株式等についての贈与税の納税猶予及び免除 …… 1107

第一節　特例適用の要件 …………………………………… 1107

　1　非上場株式等を贈与した場合の贈与税の納税猶予及び免除 ……… 1107

　2　用語の意義 ……………………………………………… 1109

　3　納税猶予分の相続税額の計算 …………………………… 1121

第二節　適用を受けるための手続 ………………………… 1124

　1　申告手続 ………………………………………………… 1124

　2　担保の変更等 …………………………………………… 1126

第三節　納税猶予期間中の継続届出書の提出 …………… 1129

　1　継続届出書の提出 ……………………………………… 1129

　2　継続届出書が提出されなかった場合 ………………… 1131

第四節　担保の変更の命令に応じない場合等の納税猶予期限の繰上げ ………… 1132

第五節　経営贈与承継期間内の納税猶予の打切り ……… 1133

　1　経営贈与承継期間内の納税猶予の打切り …………… 1133

　2　経営贈与承継期間内の納税猶予税額の一部確定 …… 1138

　3　利子税の納付 …………………………………………… 1140

第六節　経営贈与承継期間後の納税猶予の打切り ……… 1142

第七節　納税猶予税額の免除 ……………………………… 1145

　1　贈与者等の死亡等による納税猶予税額の免除 ……… 1145

　2　その他の場合による納税猶予税額の免除 …………… 1147

　3　認定贈与承継会社について再生計画又は更生計画の認可の決定があった場合の免除 …… 1152

第八節　事業用資産等が災害によって甚大な被害を受けた場合 ……… 1156

　1　事業用資産等が災害によって甚大な被害を受けた場合 …… 1156

　2　適用要件 ………………………………………………… 1165

　3　引き続き適用を受けるための手続 …………………… 1166

　4　納税猶予税額の免除 …………………………………… 1167

　5　みなし規定 ……………………………………………… 1168

第九節　雑　則 ……………………………………………… 1171

〔参考〕「中小企業における経営の承継の円滑化に関する法律・同施行令・同施行規則」（抜粋）‥‥‥‥‥‥ 1181

第二章　非上場株式等についての相続税の納税猶予及び免除‥‥‥ 1210

第一節　特例適用の要件‥‥‥‥‥‥‥‥‥‥‥‥‥‥‥‥‥‥‥‥‥ 1210

　　1　非上場株式等を相続等した場合の相続税の納税猶予及び免除‥‥‥‥‥‥ 1210
　　2　用語の意義‥‥‥‥‥‥‥‥‥‥‥‥‥‥‥‥‥‥‥‥‥‥‥‥‥‥‥ 1213
　　3　納税猶予分の相続税額の計算‥‥‥‥‥‥‥‥‥‥‥‥‥‥‥‥‥‥‥ 1223

第二節　特例の適用を受けるための手続‥‥‥‥‥‥‥‥‥‥‥‥‥‥ 1227

　　1　申告手続‥‥‥‥‥‥‥‥‥‥‥‥‥‥‥‥‥‥‥‥‥‥‥‥‥‥‥‥ 1227
　　2　担保の変更等‥‥‥‥‥‥‥‥‥‥‥‥‥‥‥‥‥‥‥‥‥‥‥‥‥‥ 1228

第三節　納税猶予期間中の継続届出書の提出‥‥‥‥‥‥‥‥‥‥‥‥ 1231

　　1　継続届出書の提出‥‥‥‥‥‥‥‥‥‥‥‥‥‥‥‥‥‥‥‥‥‥‥‥ 1231
　　2　継続届出書が提出されなかった場合‥‥‥‥‥‥‥‥‥‥‥‥‥‥‥‥ 1233

第四節　担保の変更の命令に応じない場合等の納税猶予期限の繰上げ‥‥‥‥‥‥ 1234

第五節　経営承継期間内の納税猶予の打切り‥‥‥‥‥‥‥‥‥‥‥‥ 1235

　　1　経営承継期間内の納税猶予の打切り‥‥‥‥‥‥‥‥‥‥‥‥‥‥‥‥ 1235
　　2　経営承継期間内の納税猶予税額の一部確定‥‥‥‥‥‥‥‥‥‥‥‥‥ 1240
　　3　利子税の納付‥‥‥‥‥‥‥‥‥‥‥‥‥‥‥‥‥‥‥‥‥‥‥‥‥‥ 1242

第六節　経営承継期間後の納税猶予の打切り‥‥‥‥‥‥‥‥‥‥‥‥ 1245

第七節　納税猶予税額の免除‥‥‥‥‥‥‥‥‥‥‥‥‥‥‥‥‥‥‥ 1247

　　1　経営承継相続人等の死亡等による納税猶予税額の免除‥‥‥‥‥‥‥‥ 1247
　　2　その他の場合による納税猶予税額の免除‥‥‥‥‥‥‥‥‥‥‥‥‥‥ 1249
　　3　再生計画等の認可の決定による認定承継会社の有する資産の評定‥‥‥ 1254

第八節　経過措置‥‥‥‥‥‥‥‥‥‥‥‥‥‥‥‥‥‥‥‥‥‥‥‥‥ 1257

第九節　事業用資産等が災害によって甚大な被害を受けた場合‥‥‥‥‥‥ 1262

　　1　事業用資産等が災害によって甚大な被害を受けた場合‥‥‥‥‥‥‥‥ 1262
　　2　適用要件‥‥‥‥‥‥‥‥‥‥‥‥‥‥‥‥‥‥‥‥‥‥‥‥‥‥‥‥ 1269
　　3　引き続き適用を受けるための手続‥‥‥‥‥‥‥‥‥‥‥‥‥‥‥‥‥ 1271
　　4　納税猶予額の免除‥‥‥‥‥‥‥‥‥‥‥‥‥‥‥‥‥‥‥‥‥‥‥‥ 1272
　　5　災害等が発生した場合の認定承継会社の要件‥‥‥‥‥‥‥‥‥‥‥‥ 1273
　　6　災害等が発生した場合の経営承継相続人等の要件‥‥‥‥‥‥‥‥‥‥ 1274
　　7　みなし規定‥‥‥‥‥‥‥‥‥‥‥‥‥‥‥‥‥‥‥‥‥‥‥‥‥‥‥ 1275

第十節　雑　則‥‥‥‥‥‥‥‥‥‥‥‥‥‥‥‥‥‥‥‥‥‥‥‥‥‥ 1278

（目次29）

第三章　非上場株式等の贈与者が死亡した場合の相続税の課税の特例 …………………………………………………………… 1282

第一節　非上場株式等の贈与者が死亡した場合の相続税の課税の特例 ……………………… 1282

  1　特例適用の要件 ………………………………………………………………… 1282

  2　物納財産の不適格 ……………………………………………………………… 1285

第二節　非上場株式等の贈与者が死亡した場合の相続税の納税猶予及び免除の特例 …… 1286

  1　特例適用の要件 ………………………………………………………………… 1286

  2　用語の意義 ……………………………………………………………………… 1287

  3　他の納税猶予との適用関係 …………………………………………………… 1292

  4　適用を受けるための手続 ……………………………………………………… 1293

  5　納税猶予期間中の継続届出書の提出 ………………………………………… 1295

  6　担保の変更の命令に応じない場合等の納税猶予期間の繰上げ …………… 1296

  7　納税猶予の打切り ……………………………………………………………… 1296

  8　納税猶予税額の免除 …………………………………………………………… 1297

  9　認定相続承継会社についての評定の納税猶予分の相続税額の計算等 …… 1298

  10　事業用資産等が災害によって甚大な被害を受けた場合 …………………… 1298

  11　雑則 …………………………………………………………………………… 1301

第四章　非上場株式等についての贈与税の納税猶予及び免除の特例 …………………………………………………………… 1303

第一節　特例適用の要件 …………………………………………………………………………… 1303

  1　非上場株式等についての贈与税の納税猶予及び免除の特例 ……………… 1303

  2　用語の意義 ……………………………………………………………………… 1305

  3　納税猶予分の贈与税額の計算の準用 ………………………………………… 1312

第二節　適用を受けるための手続 ………………………………………………………………… 1313

  1　申告手続 ………………………………………………………………………… 1313

  2　担保の変更等 …………………………………………………………………… 1313

第三節　納税猶予期間中の継続届出書の提出 …………………………………………………… 1315

  1　継続届出書の提出 ……………………………………………………………… 1315

  2　継続届出書が提出されなかった場合 ………………………………………… 1317

第四節　担保の変更の命令に応じない場合等の納税猶予期限の繰上げ …………………… 1318

第五節　納税猶予の打切り ………………………………………………………………………… 1319

  1　納税猶予の打切り ……………………………………………………………… 1319

  2　利子税の納付 …………………………………………………………………… 1320

第六節　納税猶予税額の免除 ……………………………………………………………………… 1323

  1　贈与者等の死亡等による納税猶予税額の免除 ……………………………… 1323

	2	その他の場合による納税猶予税額の免除 ・・・・・・・・・・・・・・・・・・・・・・・・・・・	1324
	3	猶予中贈与税額の特例 ・・・	1330
	4	猶予中贈与税額とされた金額に相当する贈与税の納税の猶予に係る期限及び免除 ・・・・・・・・・・・	1331
	5	贈与税の免除に係る手続 ・・・・・・・・・・・・・・・・・・・・・・・・・・・・・・・・・・・・・・・	1333
	6	特例認定贈与承継会社について再生計画又は更生計画の認可の決定があった場合の免除 ・・・・・・・・	1334

第七節　事業用資産等が災害によって甚大な被害を受けた場合 ・・・・・・・・・・・・・・・・・・・・・ 1335

第八節　雑　　則 ・・ 1336

第九節　非上場株式等についての贈与税の納税猶予及び免除の特例に係る相続時
　　　　精算課税適用者の特例 ・・・・・・・・・・・・・・・・・・・・・・・・・・・・・・・・・・・・・・・ 1337

第五章　　非上場株式等についての相続税の納税猶予及び免除の特例 ・・・・・・・・・・・・・・・・・・・・・・・・・・・・・・・・・・・・ 1343

第一節　特例適用の要件 ・・ 1343

	1	非上場株式等についての相続税の納税猶予及び免除の特例 ・・・・・・・・・・・・・・・・・・・・・	1343
	2	用語の意義 ・・	1345
	3	納税猶予分の相続税額の計算 ・・・・・・・・・・・・・・・・・・・・・・・・・・・・・・・・・・・・	1350

第二節　特例の適用を受けるための手続 ・・・・・・・・・・・・・・・・・・・・・・・・・・・・・・・・ 1353

	1	申告手続 ・・・	1353
	2	担保の変更等 ・・	1354

第三節　納税猶予期間中の継続届出書の提出 ・・・・・・・・・・・・・・・・・・・・・・・・・・・・・ 1355

	1	継続届出書の提出 ・・	1355
	2	継続届出書が提出されなかった場合 ・・・・・・・・・・・・・・・・・・・・・・・・・・・・・・・・	1357

第四節　担保の変更の命令に応じない場合等の納税猶予期限の繰上げ ・・・・・・・・・・・・・・・ 1358

第五節　納税猶予の打切り ・・ 1359

	1	納税猶予の打切り ・・	1359
	2	利子税の納付 ・・	1360

第六節　納税猶予税額の免除 ・・・・・・・・・・・・・・・・・・・・・・・・・・・・・・・・・・・・・・ 1363

	1	特例経営承継相続人等の死亡等による納税猶予税額の免除 ・・・・・・・・・・・・・・・・・・・・	1363
	2	その他の場合による納税猶予税額の免除 ・・・・・・・・・・・・・・・・・・・・・・・・・・・・・・	1363
	3	猶予中相続税額の特例 ・・	1370
	4	猶予中相続税額とされた金額に相当する相続税の納税の猶予に係る期限及び免除 ・・・・・・・・・・・	1370
	5	相続税の免除に係る手続 ・・・・・・・・・・・・・・・・・・・・・・・・・・・・・・・・・・・・・・	1372
	6	再生計画等の認可の決定による特例認定承継会社の有する資産の評定 ・・・・・・・・・・・・・・・	1373

第七節　事業用資産が災害等によって甚大な被害を受けた場合 ・・・・・・・・・・・・・・・・・・・ 1375

(目次31)

第八節　雑　則‥‥ 1376

第六章　非上場株式等の特例贈与者が死亡した場合の相続税の課税の特例‥‥‥‥‥‥‥‥‥‥‥‥‥‥‥‥‥‥‥‥‥‥‥‥‥‥‥‥ 1377

第一節　非上場株式等の特例贈与者が死亡した場合の相続税の課税の特例‥‥‥‥‥‥ 1377

　　1　特例適用の要件‥‥‥‥‥‥‥‥‥‥‥‥‥‥‥‥‥‥‥‥‥‥‥‥‥‥‥‥‥‥‥‥‥‥‥ 1377
　　2　物納財産の不適格‥‥‥‥‥‥‥‥‥‥‥‥‥‥‥‥‥‥‥‥‥‥‥‥‥‥‥‥‥‥‥‥‥ 1379

第二節　非上場株式等の特例贈与者が死亡した場合の相続税の納税猶予及び免除の特例‥‥‥‥‥‥‥‥‥‥‥‥‥‥‥‥‥‥‥‥‥‥‥‥‥‥‥‥‥‥‥‥‥‥‥‥‥‥ 1380

　　1　特例適用の要件‥‥‥‥‥‥‥‥‥‥‥‥‥‥‥‥‥‥‥‥‥‥‥‥‥‥‥‥‥‥‥‥‥‥‥ 1380
　　2　用語の意義‥‥‥‥‥‥‥‥‥‥‥‥‥‥‥‥‥‥‥‥‥‥‥‥‥‥‥‥‥‥‥‥‥‥‥‥‥ 1381
　　3　適用を受けるための手続‥‥‥‥‥‥‥‥‥‥‥‥‥‥‥‥‥‥‥‥‥‥‥‥‥‥‥‥‥‥ 1384
　　4　納税猶予期間中の継続届出書の提出‥‥‥‥‥‥‥‥‥‥‥‥‥‥‥‥‥‥‥‥‥‥‥‥ 1386
　　5　担保の変更の命令に応じない場合等の納税猶予期間の繰上げ‥‥‥‥‥‥‥‥‥‥‥ 1387
　　6　納税猶予の打切り‥‥‥‥‥‥‥‥‥‥‥‥‥‥‥‥‥‥‥‥‥‥‥‥‥‥‥‥‥‥‥‥‥ 1387
　　7　納税猶予税額の免除‥‥‥‥‥‥‥‥‥‥‥‥‥‥‥‥‥‥‥‥‥‥‥‥‥‥‥‥‥‥‥‥ 1388
　　8　特例認定相続承継会社についての評定の納税猶予分の相続税額の計算等‥‥‥‥‥ 1389
　　9　事業用資産等が災害によって甚大な被害を受けた場合‥‥‥‥‥‥‥‥‥‥‥‥‥‥ 1389
　　10　雑　則‥‥‥‥‥‥‥‥‥‥‥‥‥‥‥‥‥‥‥‥‥‥‥‥‥‥‥‥‥‥‥‥‥‥‥‥‥‥‥ 1390

第八編　医療法人の持分に係る相続税・贈与税の納税猶予等

第一章　医療法人の持分に係る贈与税の納税猶予等‥‥‥‥‥‥‥‥‥‥‥ 1395

第一節　医療法人の持分に係る経済的利益についての贈与税の納税猶予及び免除‥‥‥ 1395

　　1　特例適用の要件‥‥‥‥‥‥‥‥‥‥‥‥‥‥‥‥‥‥‥‥‥‥‥‥‥‥‥‥‥‥‥‥‥‥‥ 1395
　　2　担保の提供‥‥‥‥‥‥‥‥‥‥‥‥‥‥‥‥‥‥‥‥‥‥‥‥‥‥‥‥‥‥‥‥‥‥‥‥‥ 1397
　　3　納税猶予期限の確定事項‥‥‥‥‥‥‥‥‥‥‥‥‥‥‥‥‥‥‥‥‥‥‥‥‥‥‥‥‥ 1398
　　4　免除規定‥‥‥‥‥‥‥‥‥‥‥‥‥‥‥‥‥‥‥‥‥‥‥‥‥‥‥‥‥‥‥‥‥‥‥‥‥‥ 1401
　　5　認定医療法人の認定移行計画に記載された移行期限までに受贈者が死亡した場合‥ 1402
　　6　その他‥‥‥‥‥‥‥‥‥‥‥‥‥‥‥‥‥‥‥‥‥‥‥‥‥‥‥‥‥‥‥‥‥‥‥‥‥‥‥ 1403

第二節　医療法人の持分に係る経済的利益についての贈与税の税額控除‥‥‥‥‥‥‥ 1407

　　1　特例適用の要件‥‥‥‥‥‥‥‥‥‥‥‥‥‥‥‥‥‥‥‥‥‥‥‥‥‥‥‥‥‥‥‥‥‥‥ 1407
　　2　贈与者が7年以内に死亡した場合‥‥‥‥‥‥‥‥‥‥‥‥‥‥‥‥‥‥‥‥‥‥‥‥‥ 1409

(目次32)

第二章　個人の死亡に伴い贈与又は遺贈があったものと
　　　　みなされる場合の特例‥‥‥‥‥‥‥‥‥‥‥‥‥‥‥‥‥‥‥‥ 1410

　　1　特例適用の要件‥‥‥‥‥‥‥‥‥‥‥‥‥‥‥‥‥‥‥‥‥‥‥‥‥‥‥‥‥‥‥ 1410

第三章　医療法人の持分に係る相続税の納税猶予等‥‥‥‥‥‥‥‥ 1413

　第一節　医療法人の持分についての相続税の納税猶予及び免除‥‥‥‥‥‥ 1413

　　1　特例適用の要件‥‥‥‥‥‥‥‥‥‥‥‥‥‥‥‥‥‥‥‥‥‥‥‥‥‥‥‥‥‥‥ 1413
　　2　担保の提供‥‥‥‥‥‥‥‥‥‥‥‥‥‥‥‥‥‥‥‥‥‥‥‥‥‥‥‥‥‥‥‥‥ 1415
　　3　納税猶予期限の確定事項‥‥‥‥‥‥‥‥‥‥‥‥‥‥‥‥‥‥‥‥‥‥‥‥‥ 1416
　　4　その他‥‥‥‥‥‥‥‥‥‥‥‥‥‥‥‥‥‥‥‥‥‥‥‥‥‥‥‥‥‥‥‥‥‥‥ 1419

　第二節　医療法人の持分についての相続税の税額控除‥‥‥‥‥‥‥‥‥‥‥ 1424

　　1　特例適用の要件‥‥‥‥‥‥‥‥‥‥‥‥‥‥‥‥‥‥‥‥‥‥‥‥‥‥‥‥‥‥‥ 1424

第四章　医療法人の持分の放棄があった場合の贈与税の
　　　　課税の特例‥‥‥‥‥‥‥‥‥‥‥‥‥‥‥‥‥‥‥‥‥‥‥‥‥‥‥‥ 1426

　　1　医療法人の持分の放棄があった場合の贈与税の課税の特例‥‥‥‥‥‥‥‥‥ 1426
　　2　特例の適用を受けるための手続‥‥‥‥‥‥‥‥‥‥‥‥‥‥‥‥‥‥‥‥‥‥ 1427
　　3　厚生労働大臣認定が取り消された場合‥‥‥‥‥‥‥‥‥‥‥‥‥‥‥‥‥‥ 1427

第九編　財　産　の　評　価

第一章　総　　則‥‥‥‥‥‥‥‥‥‥‥‥‥‥‥‥‥‥‥‥‥‥‥‥‥‥‥ 1431

第二章　土地及び土地の上に存する権利‥‥‥‥‥‥‥‥‥‥‥‥‥ 1433

　第一節　通　　則‥‥‥‥‥‥‥‥‥‥‥‥‥‥‥‥‥‥‥‥‥‥‥‥‥‥‥‥‥‥‥ 1433

　第二節　宅地及び宅地の上に存する権利‥‥‥‥‥‥‥‥‥‥‥‥‥‥‥‥‥‥‥ 1435

　第三節　農地及び農地の上に存する権利‥‥‥‥‥‥‥‥‥‥‥‥‥‥‥‥‥‥‥ 1464

　第四節　山林及び山林の上に存する権利‥‥‥‥‥‥‥‥‥‥‥‥‥‥‥‥‥‥‥ 1473

　第五節　原野及び原野の上に存する権利‥‥‥‥‥‥‥‥‥‥‥‥‥‥‥‥‥‥‥ 1478

（目次33）

第六節　牧場及び牧場の上に存する権利‥‥‥‥‥‥‥‥‥‥‥‥‥‥‥‥‥1479

第七節　池沼及び池沼の上に存する権利‥‥‥‥‥‥‥‥‥‥‥‥‥‥‥‥‥1480

第八節　鉱泉地及び鉱泉地の上に存する権利‥‥‥‥‥‥‥‥‥‥‥‥‥‥‥1480

第九節　雑種地及び雑種地の上に存する権利‥‥‥‥‥‥‥‥‥‥‥‥‥‥‥1481

第十節　農業投資価格‥‥‥‥‥‥‥‥‥‥‥‥‥‥‥‥‥‥‥‥‥‥‥‥‥1484

　　◎令和6年分の田及び畑の農業投資価格‥‥‥‥‥‥‥‥‥‥‥‥‥‥‥‥1485

第三章　家屋及び家屋の上に存する権利‥‥‥‥‥‥‥‥1486

第四章　構築物‥‥‥‥‥‥‥‥‥‥‥‥‥‥‥‥‥‥‥1488

第五章　果樹等及び立竹木‥‥‥‥‥‥‥‥‥‥‥‥‥‥1489

第一節　果樹等‥‥‥‥‥‥‥‥‥‥‥‥‥‥‥‥‥‥‥‥‥‥‥‥‥‥‥‥1489

第二節　立竹木‥‥‥‥‥‥‥‥‥‥‥‥‥‥‥‥‥‥‥‥‥‥‥‥‥‥‥‥1490

第六章　動　産‥‥‥‥‥‥‥‥‥‥‥‥‥‥‥‥‥‥‥1502

第一節　一般動産‥‥‥‥‥‥‥‥‥‥‥‥‥‥‥‥‥‥‥‥‥‥‥‥‥‥‥1502

第二節　たな卸商品等‥‥‥‥‥‥‥‥‥‥‥‥‥‥‥‥‥‥‥‥‥‥‥‥‥1502

第三節　牛馬等‥‥‥‥‥‥‥‥‥‥‥‥‥‥‥‥‥‥‥‥‥‥‥‥‥‥‥‥1503

第四節　書画骨とう品‥‥‥‥‥‥‥‥‥‥‥‥‥‥‥‥‥‥‥‥‥‥‥‥‥1503

第五節　船　舶‥‥‥‥‥‥‥‥‥‥‥‥‥‥‥‥‥‥‥‥‥‥‥‥‥‥‥‥1503

第七章　無体財産権‥‥‥‥‥‥‥‥‥‥‥‥‥‥‥‥‥1504

第一節　特許権及びその実施権‥‥‥‥‥‥‥‥‥‥‥‥‥‥‥‥‥‥‥‥‥1504

第二節　実用新案権、意匠権及びそれらの実施権‥‥‥‥‥‥‥‥‥‥‥‥‥1505

（目次34）

第三節　商標権及びその使用権‥‥‥‥‥‥‥‥‥‥‥‥‥‥‥‥‥‥‥‥‥‥‥‥ 1505

第四節　著作権、出版権及び著作隣接権‥‥‥‥‥‥‥‥‥‥‥‥‥‥‥‥‥‥ 1505

第五節　鉱業権及び租鉱権‥‥‥‥‥‥‥‥‥‥‥‥‥‥‥‥‥‥‥‥‥‥‥‥‥ 1505

第六節　採石権‥‥‥‥‥‥‥‥‥‥‥‥‥‥‥‥‥‥‥‥‥‥‥‥‥‥‥‥‥‥‥‥ 1507

第七節　電話加入権‥‥‥‥‥‥‥‥‥‥‥‥‥‥‥‥‥‥‥‥‥‥‥‥‥‥‥‥‥ 1507

第八節　漁業権‥‥‥‥‥‥‥‥‥‥‥‥‥‥‥‥‥‥‥‥‥‥‥‥‥‥‥‥‥‥‥‥ 1507

第九節　営業権‥‥‥‥‥‥‥‥‥‥‥‥‥‥‥‥‥‥‥‥‥‥‥‥‥‥‥‥‥‥‥‥ 1507

第八章　株式及び出資‥‥‥‥‥‥‥‥‥‥‥‥‥‥‥‥‥‥‥‥‥‥ 1509

第一節　評価の区分‥‥‥‥‥‥‥‥‥‥‥‥‥‥‥‥‥‥‥‥‥‥‥‥‥‥‥‥‥ 1509

第二節　上場株式‥‥‥‥‥‥‥‥‥‥‥‥‥‥‥‥‥‥‥‥‥‥‥‥‥‥‥‥‥‥ 1510

第三節　気配相場等のある株式‥‥‥‥‥‥‥‥‥‥‥‥‥‥‥‥‥‥‥‥‥‥‥ 1514

第四節　取引相場のない株式‥‥‥‥‥‥‥‥‥‥‥‥‥‥‥‥‥‥‥‥‥‥‥‥ 1516

第五節　株式の割当てを受ける権利等‥‥‥‥‥‥‥‥‥‥‥‥‥‥‥‥‥‥‥ 1530

第六節　出資等‥‥‥‥‥‥‥‥‥‥‥‥‥‥‥‥‥‥‥‥‥‥‥‥‥‥‥‥‥‥‥‥ 1532

第九章　公社債‥‥‥‥‥‥‥‥‥‥‥‥‥‥‥‥‥‥‥‥‥‥‥‥‥‥‥ 1581

第十章　配偶者居住権等の評価‥‥‥‥‥‥‥‥‥‥‥‥‥‥‥ 1584

　1　配偶者居住権の価額‥‥‥‥‥‥‥‥‥‥‥‥‥‥‥‥‥‥‥‥‥‥‥‥‥‥‥‥‥‥ 1584
　2　配偶者居住権の目的となっている建物の価額‥‥‥‥‥‥‥‥‥‥‥‥‥‥‥ 1586
　3　建物の敷地の用に供される土地を使用する権利の価額‥‥‥‥‥‥‥‥‥‥ 1586
　4　建物の敷地の用に供される土地の価額‥‥‥‥‥‥‥‥‥‥‥‥‥‥‥‥‥‥‥ 1586

第十一章　居住用の区分所有財産の評価‥‥‥‥‥‥‥‥‥ 1589

　1　用語の意義‥‥‥‥‥‥‥‥‥‥‥‥‥‥‥‥‥‥‥‥‥‥‥‥‥‥‥‥‥‥‥‥‥‥ 1589
　2　一室の区分所有権等に係る敷地利用権の価額‥‥‥‥‥‥‥‥‥‥‥‥‥‥‥ 1590

（目次35）

3　一室の区分所有権等に係る区分所有権の価額‥‥‥‥‥‥‥‥‥‥‥‥‥‥ 1590

第十二章　定期金に関する権利‥‥‥‥‥‥‥‥‥ 1591

第一節　給付事由が発生しているもの‥‥‥‥‥‥‥‥‥‥‥‥ 1591

第二節　給付事由が発生していないもの‥‥‥‥‥‥‥‥‥‥‥‥ 1595

第十三章　生命保険契約に関する権利‥‥‥‥‥‥‥‥ 1596

第十四章　信託受益権‥‥‥‥‥‥‥‥‥‥‥‥‥‥‥‥ 1597

第十五章　その他の財産‥‥‥‥‥‥‥‥‥‥‥‥‥‥‥ 1598

第一節　預貯金‥‥‥‥‥‥‥‥‥‥‥‥‥‥‥‥‥‥‥‥‥‥‥‥‥ 1598

第二節　貸付金債権‥‥‥‥‥‥‥‥‥‥‥‥‥‥‥‥‥‥‥‥‥‥‥ 1598

第三節　受取手形等‥‥‥‥‥‥‥‥‥‥‥‥‥‥‥‥‥‥‥‥‥‥‥ 1599

第四節　無尽又は頼母子に関する権利‥‥‥‥‥‥‥‥‥‥‥‥‥‥ 1599

第五節　未収法定果実及び未収天然果実並びに訴訟中の権利‥‥‥‥‥ 1599

第六節　ゴルフ会員権‥‥‥‥‥‥‥‥‥‥‥‥‥‥‥‥‥‥‥‥‥‥ 1599

第七節　抵当証券‥‥‥‥‥‥‥‥‥‥‥‥‥‥‥‥‥‥‥‥‥‥‥‥ 1600

第八節　不動産投資信託証券等‥‥‥‥‥‥‥‥‥‥‥‥‥‥‥‥‥‥ 1600

〔参考〕基準年利率（令和6年1月～令和6年6月）‥‥‥‥‥‥‥‥‥‥‥‥‥‥‥ 1601

複利表‥‥‥‥‥‥‥‥‥‥‥‥‥‥‥‥‥‥‥‥‥‥‥‥‥‥‥‥‥‥‥‥‥‥‥ 1602

評価明細書の様式 ‥‥‥‥‥‥‥‥‥‥‥‥‥‥‥‥‥‥‥‥‥‥‥‥‥‥‥‥‥ 1604

令和6年分の類似業種比準価額計算上の業種目及び業種目別株価等について（法令解釈

通達）‥‥‥‥‥‥‥‥‥‥‥‥‥‥‥‥‥‥‥‥‥‥‥‥‥‥‥‥‥‥‥‥‥‥‥ 1647

類似業種比準価額計算上の業種目及び類似業種の株価等の計算方法等について（情報）‥‥‥ 1676

日本標準産業分類一覧表 ‥‥‥‥‥‥‥‥‥‥‥‥‥‥‥‥‥‥‥‥‥‥‥‥‥‥ 1699

平成27年分以降　相続税額の早見表 ‥‥‥‥‥‥‥‥‥‥‥‥‥‥‥‥‥‥‥‥‥‥ 1727

◎法令通達索引 ‥‥‥‥‥‥‥‥‥‥‥‥‥‥‥‥‥‥‥‥‥‥‥‥‥‥‥‥‥‥‥ 1741

凡　　例

　本書において引用した法令や通達はそれぞれ次の略語を用いました。

法‥‥‥‥‥‥‥‥‥相続税法

令‥‥‥‥‥‥‥‥‥相続税法施行令

規‥‥‥‥‥‥‥‥‥相続税法施行規則

基　　通‥‥‥‥‥相続税法基本通達

評　基　通‥‥‥‥財産評価基本通達

措　　　法‥‥‥‥租税特別措置法

措　　　令‥‥‥‥租税特別措置法施行令

措　　　規‥‥‥‥租税特別措置法施行規則

令6改所法等附‥‥‥所得税法等の一部を改正する法律（令和6年法律第8号）の附則

措　　　通‥‥‥‥租税特別措置法（相続税法の特例関係）の取扱いについて（昭和50年直資2－224ほか2課共同、令和6年課資2－7・課審7－3改正）

特定転用通達‥‥‥‥農地等の特定転用に係る相続税の納税猶予等の適用に関する取扱いについて（平成3年課資2－47、平成16年課資2－8改正）

平7附則農地措通‥‥旧特定農業生産法人に対し農地等につき使用貸借による権利の設定をした場合における贈与税の納税猶予等に関する取扱いについて（平成7年課資2－109、平成30年課資2－19・課審7－12・徴資6－39改正）

通　　　法‥‥‥‥国税通則法

通　　　令‥‥‥‥国税通則法施行令

災害減免法‥‥‥‥‥災害被害者に対する租税の減免、徴収猶予等に関する法律

災害減免令‥‥‥‥‥災害被害者に対する租税の減免、徴収猶予等に関する法律の施行に関する政令

　なお、本書は令和6年8月1日現在の法令・通達によって編さんしています。

様 式 目 次

(令和６年８月１日現在において、国税庁ホームページ等に掲載されているものです。)

《相続税関係》

○相続税申告書

第１表　相続税の申告書　(213)

第１表続　相続税の申告書（続）　(214)

第１表の付表１　納税義務等の承継に係る明細書（兼相続人の代表者指定届出書）　(215)

第１表の付表２　還付される税額の受取場所　(216)

第１表の付表３　受益者等が存しない信託等に係る相続税額の計算明細書　(217)

第１表の付表４　人格のない社団等又は持分の定めのない法人に課される相続税額の計算明細書　(218)

第１表の付表５　特定一般社団法人等に課される相続税額の計算明細書　(219)

第２表　相続税の総額の計算書　(220)

第３表　財産を取得した人のうちに農業相続人がいる場合の各人の算出税額の計算書　(221)

第４表　相続税額の加算金額の計算書　(222)

第４表の付表　相続税額の加算金額の計算書付表　(223)

第４表の２　暦年課税分の贈与税額控除額の計算書　(224)

第５表　配偶者の税額軽減額の計算書　(225)

第６表　未成年者控除額、障害者控除額の計算書　(226)

第７表　相次相続控除額の計算書　(227)

第８表　外国税額控除額、農地等納税猶予税額の計算書　(228)

第８の２表　株式等納税猶予税額の計算書（一般措置用）　(229)

第８の２表の付表１　非上場株式等についての相続税の納税猶予及び免除の適用を受ける対象非上場株式等の明細書（一般措置用）　(230)

第８の２表の付表２　非上場株式等についての相続税の納税猶予及び免除の適用を受ける対象非上場株式等の明細書　(231)

第８の２表の付表３　非上場株式等についての相続税の納税猶予及び免除の適用を受ける対象相続非上場株式等の明細書（一般措置用）　(232)

第８の２表の付表４　非上場株式等についての相続税の納税猶予及び免除の適用に係る会社が災害等により被害を受けた場合の明細書（一般措置用）　(233)

第８の２の２表　特例株式等納税猶予税額の計算書（特例措置用）　(234)

第８の２の２表の付表１　非上場株式等についての相続税の納税猶予及び免除の特例の適用を受ける特例対象非上場株式等の明細書（特例措置用）　(235)

第８の２の２表の付表２　非上場株式等についての相続税の納税猶予及び免除の特例の適用を受ける特例対象相続非上場株式等の明細書（特例措置用）　(236)

第８の２の２表の付表３　非上場株式等についての相続税の納税猶予及び免除の特例の適用に係る会社が災害等により被害を受けた場合の明細書（特例措置用）　(237)

第８の３表　山林納税猶予税額の計算書　(238)

第８の３表の付表　山林についての納税猶予の適用を受ける特例山林及び特例施業対象山林の明細書　(239)

第８の４表　医療法人持分納税猶予税額・税額控除額の計算書　(240)

第８の４表の付表　医療法人の持分の明細書・基金拠出型医療法人へ基金を拠出した場合の医療法人持分税額控除額の計算明細書　(241)

第８の５表　美術品納税猶予税額の計算書　(242)

第８の５表の付表　特定の美術品についての納税猶予の適用を受ける特定美術品の明細書　(243)

第８の６表　事業用資産納税猶予税額の計算書　(244)

第８の６表の付表１　個人の事業用資産についての相続税の納税猶予及び免除の適用を受ける特定事業用資産の明細書　(245)

第８の６表の付表２　個人の事業用資産についての相続税の納税猶予及び免除の適用を受ける特例受贈事業用資産の明細書（一般用）　(246)

第８の６表の付表２の２　個人の事業用資産についての相続税の納税猶予及び免除の適用を受ける特例受贈事業用資産の明細書（株式等用）　(247)

第８の６表の付表３　個人の事業用資産についての相続税の納税猶予及び免除の適用に係る宅地等及び建物の明細書

(目次38)

（248）

第8の6表の付表4　個人の事業用資産についての相続税の納税猶予及び免除の適用に係る特定債務額の計算明細書　（249）

第8の7表　納税猶予税額等の調整計算書　（250）

第8の8表　税額控除額及び納税猶予税額の内訳書　（251）

第9表　生命保険金などの明細書　（252）

第10表　退職手当金などの明細書　（253）

第11表　相続税がかかる財産の明細書　（254）

第11の2表　相続時精算課税適用財産の明細書、相続時精算課税分の贈与税額控除額の計算書　（261）

第11・11の2表の付表1　小規模宅地等についての課税価格の計算明細書　（262）

第11・11の2表の付表1（別表1）　小規模宅地等についての課税価格の計算明細書（別表1）　（263）

第11・11の2表の付表1（別表1の2）　小規模宅地等についての課税価格の計算明細書（別表1の2）　（264）

第11・11の2表の付表1（別表2）　特定事業用宅地等についての事業規模の判定明細　（265）

第11・11の2表の付表2　小規模宅地等の特例、特定計画山林の特例又は個人の事業用資産の納税猶予の適用にあたっての同意及び特定計画山林についての課税価格の計算明細書　（266）

第11・11の2表の付表2の2　特定事業用資産等についての課税価格の計算明細書　（267）

第11・11の2表の付表3　特定受贈同族会社株式等である選択特定事業用資産についての課税価格の計算明細　（268）

第11・11の2表の付表3の2　特定受贈同族会社株式等について会社分割等があった場合の特例の対象となる価額等の計算明細　（269）

第11・11の2表の付表4　特定森林経営計画対象山林又は特定受贈森林経営計画対象山林である選択特定計画山林についての課税価格の計算明細　（270）

第11の3表　個人の事業用資産の贈与者が死亡した場合の相続税の課税の特例の適用に係る特例受贈事業用資産の明細書　（271）

第12表　農地等についての納税猶予の適用を受ける特例農地等の明細書　（272）

第13表　債務及び葬式費用の明細書　（273）

第14表　純資産価額に加算される暦年課税分の贈与財産価額及び特定贈与財産価額・出資持分の定めのない法人などに遺贈した財産・特定の公益法人などに寄附した相続財産・特定公益信託のために支出した相続財産の明細書　（274）

第15表　相続財産の種類別価額表　（275）

第15表続　相続財産の種類別価額表（続）　（276）

○相続税延納申請書　（347）

○森林計画伐採立木に係る相続税の延納の明細書　（349）

○延納申請書別紙（担保目録及び担保提供書：土地）　（351）

○相続税物納申請書　（391）

○生命保険金・共済金受取人別支払調書　（411）

○損害（死亡）保険金・共済金受取人別支払調書　（412）

○退職手当金等受給者別支払調書　（413）

○保険契約者等の異動に関する調書　（414）

○信託に関する受益者別（委託者別）調書　（415）

《贈与税関係》

○贈与税の申告書（第一表・第一表の二）　（593・595）

○農地等の贈与税の納税猶予額の計算書　（596）

○農地等の贈与に関する確認書　（597）

○死亡した者の令和　年分　贈与税の申告書付表　（598）

○延納申請書別紙（担保目録及び担保提供書：土地）　（351）

○贈与税延納申請書　（643）

《相続時精算課税関係》

○相続時精算課税選択届出書　（701）

○贈与税の申告書（第一表・第二表）　（702・703）

○相続時精算課税選択届出書付表　（704）

○令和　年分　特定受贈森林施業計画対象山林に係る届出書及び付表　（705・706）

《農地等に係る納税猶予関係》

○贈与税・相続税の納税猶予の特例適用の準農地該当証明書 (718)
○農業の経営移譲に係る果樹についての申出書 (719)
○贈与税の納税猶予取りやめ届出書 (734)
○推定相続人の死亡に伴う他の推定相続人等に対する使用貸借による権利の設定に関する届出書 (748)
○代替農地等の取得等に関する承認申請書 (761)
○代替農地等の取得価額等の明細書 (762)
○営農困難時貸付けに関する届出書及び付表 (780・781)
○代替農地等の取得又は都市営農農地等該当に関する承認申請書 (784)
○買取りの申出等に伴う代替農地等の取得価額等に関する明細書 (785)
○都市営農農地等該当に関する明細書 (786)
○贈与税の納税猶予の継続届出書 (789)
○別紙1 特例農地等に係る農業経営に関する明細書及び付表 (790〜792)
○別紙2 特例農地等に係る営農困難時貸付に関する明細書 (793)
○別紙3 特例農地等に係る特定貸付に関する明細書 (794)
○特例農地等の異動の明細書 (795)
○贈与税の免除届出書 (797)
○贈与税の納税猶予の継続届出書（所得税法等の一部を改正する法律（平成17年法律第21号）附則第55条第3項又は第5項適用分） (820)
○贈与税の納税猶予の特定貸付けに関する届出書 (829)
○相続税の納税猶予に関する適格者証明書 (847)
○別表 特例適用農地等の明細書（相続税） (848)
○相続税の特例農地等について農用地利用集積計画の定めるところによる賃借権等の設定に基づき貸し付けた旨の届出書 (886)
○別紙 貸付特例適用農地等及び借受代替農地等の明細書等（相続税） (887)
○相続税の納税猶予の継続届出書 (918)
○相続税の免除届出書 (922)
○相続税の納税猶予の特定貸付けに関する届出書 (946)
○農業相続人が特定貸付けを行った特定貸付農地等に関する明細書 (947)
○山林についての相続税の納税猶予の継続届出書 (989)
○特例山林の明細書（兼特例山林の異動明細書） (990)
○山林についての相続税の納税猶予取りやめ届出書 (991)
○山林についての相続税の納税猶予の免除届出書 (992)

《非上場株式等に係る納税猶予関係》

○非上場株式等についての贈与税・相続税の納税猶予の継続届出書（一般措置） (1176)
○非上場株式等についての贈与税・相続税の納税猶予の免除届出書（死亡免除）（一般措置） (1177)
○非上場株式等についての贈与税・相続税の納税猶予の免除届出書（贈与による免除）（一般措置） (1178)
○非上場株式等についての納税猶予の贈与税・相続税の免除申請書（破産等免除）（一般措置） (1179)
○非上場株式等についての贈与税・相続税の納税猶予取りやめ届出書（一般措置） (1180)
○非上場株式等についての贈与税・相続税の納税猶予の継続届出書（特例措置） (1339)
○非上場株式等についての贈与税・相続税の納税猶予の免除届出書（死亡免除）（特例措置） (1340)
○非上場株式等についての贈与税・相続税の納税猶予の免除届出書（贈与による免除）（特例措置） (1341)
○非上場株式等についての贈与税・相続税の納税猶予取りやめ届出書（特例措置） (1342)

《財産評価関係》

○借地権の使用貸借に関する確認書 (1457)
○借地権者の地位に変更がない旨の申出書 (1458)
○土地及び土地の上に存する権利の評価明細書 (1604・1605)
○配偶者居住権等の評価明細書 (1606)
○居住用の区分所有財産の評価に係る区分所有補正率の計算明細書 (1607)
○定期借地権等の評価明細書 (1608・1609)

○市街地農地等の評価明細書　（1610）

○山林、森林の立木の評価明細書　（1611）

○一般動産及び船舶の評価明細書　（1612）

○特許権、実用新案権、意匠権、商標権等の評価明細書　（1613）

○営業権の評価明細書　（1614）

○定期金に関する権利の評価明細書　（1615）

○信託受益権の評価明細書　（1616）

○上場株式の評価明細書　（1617）

○登録銘柄及び店頭管理銘柄の評価明細書　（1618）

《取引相場のない株式等の評価明細書》

○第１表の１　評価上の株主の判定及び会社規模の判定の明細書　（1619）

○第１表の２　評価上の株主の判定及び会社規模の判定の明細書（続）　（1620）

○第２表　特定の評価会社の判定の明細書　（1621）

○第３表　一般の評価会社の株式及び株式に関する権利の価額の計算明細書　（1622）

○第４表　類似業種比準価額等の計算明細書　（1623）

○第５表　１株当たりの純資産価額（相続税評価額）の計算明細書　（1624）

○第６表　特定の評価会社の株式及び株式に関する権利の価額の計算明細書　（1625）

○第７表　株式保有特定会社の株式の価額の計算明細書　（1626）

○第８表　株式保有特定会社の株式の価額の計算明細書（続）　（1627）

第一編　相　続　税

第一編　利用　諸法

第一章　相続税の納税義務者

第一節　定　　義

一　趣　　旨

相続税法は、相続税及び贈与税について、納税義務者、課税財産の範囲、税額の計算の方法、申告、納付及び還付の手続並びにその納税義務の適正な履行を確保するため必要な事項を定めるものとする。（法１）

二　用語の意義

相続税法において、次の（一）から（六）までに掲げる用語の意義は、当該（一）から（六）までに定めるところによる。（法１の２、令１、規１）

（一）	**扶 養 義 務 者**	配偶者及び民法（明治29年法律第89号）第877条《扶養義務者》に規定する親族をいう。
（二）	**期 限 内 申 告 書**	第七章第七節の**2**《特別縁故者の修正申告等の特則》の場合を除き、第七章第一節**一**の**1**《申告書の提出期限》及び同第一節**四**の**1**《申告書を提出しないで死亡した者の相続人の申告義務》、第二編第六章第一節**一**の**1**《申告書の提出期限》及び同**一**の**2**《申告書の提出義務者が死亡した場合の相続人による申告》並びに第七章第一節**七**の**1**《特別縁故者の申告》の規定による申告書をいう。
（三）	**期 限 後 申 告 書**	国税通則法（昭和37年法律第66号）第18条第２項《期限後申告書》に規定する期限後申告書をいう。
（四）	**修 正 申 告 書**	国税通則法第19条第３項《修正申告書》に規定する修正申告書をいう。
（五）	**更　　　　正**	国税通則法第24条《更正》又は第26条《再更正》の規定による更正をいう。
（六）	**決　　　　定**	第三編第一章第三節**四**の場合を除き、国税通則法第25条《決定》の規定による決定をいう。

（「扶養義務者」の意義）
注　相続税法（昭和25年法律第73号。以下「**法**」という。）第１条の２第１号（上表の（一））に規定する「扶養義務者」とは、配偶者並びに民法（明治29年法律第89号）第877条《扶養義務者》の規定による直系血族及び兄弟姉妹並びに家庭裁判所の審判を受けて扶養義務者となった三親等内の親族をいうのであるが、これらの者のほか三親等内の親族で生計を一にする者については、家庭裁判所の審判がない場合であってもこれに該当するものとして取り扱うものとする。

　なお、上記扶養義務者に該当するかどうかの判定は、相続税にあっては相続開始の時、贈与税にあっては贈与の時の状況によることに留意する。（基通１の２－１）

第二節　納税義務者

一　個人の納税義務者

次の（一）から（五）までのいずれかに掲げる者は、相続税法により、相続税を納める義務がある。（法１の３①）

－3－

第一編　相続税

(一)	**居住無制限納税義務者**	相続又は遺贈（贈与をした者の死亡により効力を生ずる贈与を含む。以下同じ。）により財産を取得した次に掲げる者であって、当該財産を取得した時において相続税法の施行地に住所を有するもの イ　一時居住者でない個人 ロ　一時居住者である個人（当該相続又は遺贈に係る被相続人（遺贈をした者を含む。以下同じ。）が外国人被相続人又は非居住被相続人である場合を除く。）
(二)	**非居住無制限納税義務者**	相続又は遺贈により財産を取得した次に掲げる者であって、当該財産を取得した時において相続税法の施行地に住所を有しないもの イ　日本国籍を有する個人であって次に掲げるもの 　（1）　当該相続又は遺贈に係る相続の開始前10年以内のいずれかの時において相続税法の施行地に住所を有していたことがあるもの 　（2）　当該相続又は遺贈に係る相続の開始前10年以内のいずれの時においても相続税法の施行地に住所を有していたことがないもの（当該相続又は遺贈に係る被相続人が外国人被相続人又は非居住被相続人である場合を除く。） ロ　日本国籍を有しない個人（当該相続又は遺贈に係る被相続人が外国人被相続人又は非居住被相続人である場合を除く。）
(三)	**居住制限納税義務者**	相続又は遺贈により相続税法の施行地にある財産を取得した個人で当該財産を取得した時において相続税法の施行地に住所を有するもの（（一）に掲げる者を除く。）
(四)	**非居住制限納税義務者**	相続又は遺贈により相続税法の施行地にある財産を取得した個人で当該財産を取得した時において相続税法の施行地に住所を有しないもの（（二）に掲げる者を除く。）
(五)	**特定納税義務者**	贈与（贈与をした者の死亡により効力を生ずる贈与を除く。以下同じ。）により第三編第一章第一節**二**《相続時精算課税制度の選択》の（1）の規定の適用を受ける財産を取得した個人（（一）から（四）までに掲げる者を除く。）

（注）　平成29年4月1日から令和4年3月31日までの間に非居住外国人（平成29年4月1日から相続又は遺贈の時まで引き続き相続税法の施行地に住所を有しない者であって日本国籍を有しないものをいう。）から相続又は遺贈により財産を取得した場合において、当該財産を取得した者が当該財産を取得した時において相続税法の施行地に住所を有しない者であって日本国籍を有しないものであるときにおける一の（二）のロの規定の適用については、一の（二）のロ中「又は非居住被相続人」とあるのは「、非居住被相続人又は非居住外国人（所得税法等の一部を改正する等の法律（平成29年法律第4号）附則第31条第2項に規定する非居住外国人をいう。）」とする。（平29改所法等附31②）

　　　（用語の意義）
（1）　**一**において、次の（一）から（三）に掲げる用語の意義は、当該（一）から（三）に定めるところによる。（法1の3③）

(一)	**一 時 居 住 者**	相続開始の時において在留資格（出入国管理及び難民認定法（昭和26年政令第319号）別表第一（在留資格）の上欄の在留資格をいう。（二）において同じ。）を有する者であって当該相続の開始前15年以内において相続税法の施行地に住所を有していた期間の合計が10年以下であるものをいう。
(二)	**外国人被相続人**	相続開始の時において、在留資格を有し、かつ、相続税法の施行地に住所を有していた当該相続に係る被相続人をいう。
(三)	**非居住被相続人**	相続開始の時において相続税法の施行地に住所を有していなかった当該相続に係る被相続人であって、当該相続の開始前10年以内のいずれかの時において相続税法の施行地に住所を有していたことがあるもののうちそのいずれの時においても日本国籍を有していなかったもの又は当該相続の開始前10年以内のいずれの時においても相続税法の施行地に住所を有していたことがないものをいう。

－4－

第一章　相続税の納税義務者

（「個人」の意義）
（２）　法に規定する「個人」とは、自然人をいうものとする。（基通１の３・１の４共－１）

（納税義務の範囲）
（３）　一の（一）から（五）に掲げる者の相続税の納税義務の範囲は、それぞれ次のとおりであるから留意する。（基通１の３・１の４共－３）
　（一）　無制限納税義務者（一の（一）に掲げる個人（以下「居住無制限納税義務者」という。）又は（二）に掲げる個人（以下「非居住無制限納税義務者」という。）をいう。以下同じ。）　　相続又は遺贈により取得した財産の所在地がどこにあるかにかかわらず当該取得財産の全部に対して相続税の納税義務を負う。
　（二）　制限納税義務者（一の（三）に掲げる個人（以下「居住制限納税義務者」という。）又は（四）に掲げる個人（以下「非居住制限納税義務者」という。）をいう。以下同じ。）　　相続又は遺贈により取得した財産のうち相続税法の施行地にあるものに対してだけ相続税の納税義務を負う。
　（三）　特定納税義務者（一の（五）に掲げる個人をいう。以下同じ。）　　被相続人が第三編第一章第一節二《相続時精算課税制度の選択》の（２）に規定する特定贈与者であるときの当該被相続人からの贈与により取得した財産で同（１）の規定（以下「相続時精算課税」という。）の適用を受けるものに対して相続税の納税義務を負う。
　　　（注）１　特定納税義務者とは、被相続人から相続又は遺贈により財産を取得しなかった者のうち、第三編第一章第三節二の（１）の規定により相続時精算課税の適用を受ける財産を当該被相続人から相続又は遺贈により取得したものとみなされるものをいう。
　　　　　２　平成29年４月１日から令和４年３月31日までの間に非居住外国人（平成29年４月１日から相続又は遺贈の時まで引き続き相続税法の施行地に住所を有しない個人であって日本国籍を有しないものをいう。以下（３）において同じ。）から相続又は遺贈により財産を取得した時において相続税法の施行地に住所を有しない者であり、かつ、日本国籍を有しない個人については、所得税法等の一部を改正する等の法律（平成29年法律第４号）附則第31条第２項の規定により非居住制限納税義務者に当たることに留意する。
　　　　　　　なお、贈与税の非居住無制限納税義務者（日本国籍を有しない個人に限る。）に該当する者であっても、平成30年４月１日から平成31年３月31日までの間に非居住外国人から贈与により財産を取得した場合には、所得税法等の一部を改正する法律（平成30年法律第７号）附則第43条第２項の規定により非居住制限納税義務者に当たることに留意する。
　　（注）以下、法令通達の文中、贈与税に関する部分は相続税編においては削除して収録した。（編者注）

（「住所」の意義）
（４）　相続税法に規定する「住所」とは、各人の生活の本拠をいうのであるが、その生活の本拠であるかどうかは、客観的事実によって判定するものとする。この場合において、同一人について同時に相続税法の施行地に２箇所以上の住所はないものとする。（基通１の３・１の４共－５）

（国外勤務者等の住所の判定）
（５）　日本の国籍を有している者又は出入国管理及び難民認定法別表第二に掲げる永住者については、その者が相続又は遺贈により財産を取得した時において相続税法の施行地を離れている場合であっても、その者が次に掲げる者に該当する場合（（４）によりその者の住所が明らかに相続税法の施行地外にあると認められる場合を除く。）は、その者の住所は、相続税法の施行地にあるものとして取り扱うものとする。（基通１の３・１の４共－６）
　（一）　学術、技芸の習得のため留学している者で相続税法の施行地にいる者の扶養親族となっている者
　（二）　国外において勤務その他の人的役務の提供をする者で国外における当該人的役務の提供が短期間（おおむね１年以内である場合をいうものとする。）であると見込まれる者（その者の配偶者その他生計を一にする親族でその者と同居している者を含む。）
　　　（注）　その者が相続又は遺贈により財産を取得した時において相続税法の施行地を離れている場合であっても、国外出張、国外興行等により一時的に相続税法の施行地を離れているにすぎない者については、その者の住所は相続税法の施行地にあることとなるのであるから留意する。

（日本国籍と外国国籍とを併有する者がいる場合）
（６）　一の（二）のイに規定する「日本国籍を有する個人」には、日本国籍と外国国籍とを併有する重国籍者も含まれるのであるから留意する。（基通１の３・１の４共－７）

第一編　相続税

（譲渡所得等の特例の適用がある日本国籍を有する個人）

（7）　所得税法（昭和40年法律第33号）第137条の2《国外転出をする場合の譲渡所得等の特例の適用がある場合の納税猶予》又は第137条の3《贈与等により非居住者に資産が移転した場合の譲渡所得等の特例の適用がある場合の納税猶予》の規定の適用がある場合における一の（一）のロ又は（二）のイの（2）若しくはロの規定の適用については、次に定めるところによる。（法1の3②）

（一）　所得税法第137条の2第1項（同条第2項の規定により適用する場合を含む。）の規定により同条第1項の納税の猶予に係る期限の延長を受ける個人が死亡した場合には、当該個人の死亡に係る相続税の一の（一）のロ又は（二）のイの（2）若しくはロの規定の適用については、当該個人は、当該個人の死亡に係る相続の開始前10年以内のいずれかの時において相続税法の施行地に住所を有していたものとみなす。

（二）　所得税法第137条の3第1項（同条第3項の規定により適用する場合を含む。以下（二）及び第二編第一章第二節一の（8）の（二）において同じ。）の規定の適用を受ける者から同法第137条の3第1項の規定の適用に係る贈与により財産を取得した者（以下（二）において「受贈者」という。）が死亡した場合には、当該受贈者の死亡に係る相続税の一の（一）のロ又は（二）のイの（2）若しくはロの規定の適用については、当該受贈者は、当該受贈者の死亡に係る相続の開始前10年以内のいずれかの時において相続税法の施行地に住所を有していたものとみなす。ただし、当該受贈者が同条第1項の規定の適用に係る贈与前10年以内のいずれの時においても相続税法の施行地に住所を有していたことがない場合は、この限りでない。

（三）　所得税法第137条の3第2項（同条第3項の規定により適用する場合を含む。以下（三）及び第二編第一章第二節一の（8）の（三）において同じ。）の規定の適用を受ける相続人（包括受遺者を含む。以下（三）及び第二編第一章第二節一の（8）の（三）において同じ。）が死亡（以下（三）において「二次相続」という。）をした場合には、当該二次相続に係る相続税の一の（一）のロ又は（二）のイの（2）若しくはロの規定の適用については、当該相続人は、当該二次相続の開始前10年以内のいずれかの時において相続税法の施行地に住所を有していたものとみなす。ただし、当該相続人が所得税法第137条の3第2項の規定の適用に係る相続の開始前10年以内のいずれの時においても相続税法の施行地に住所を有していたことがない場合は、この限りではない。

二　人格のない社団等の納税義務

1　人格のない社団等に対して財産の遺贈があった場合の納税義務

　代表者又は管理者の定めのある人格のない社団又は財団に対し財産の遺贈があった場合においては、当該社団又は財団を個人とみなして、これに相続税を課する。（法66①）

（人格のない社団又は財団等に課される相続税の額）

（1）　1（2において準用する場合を含む。）又は三の規定の適用がある場合において、これらの規定により1若しくは2の社団若しくは財団又は三の持分の定めのない法人に課される相続税の額については、（2）で定めるところにより、これらの社団若しくは財団又は持分の定めのない法人に課されるべき法人税その他の税の額に相当する額を控除する。（法66⑤）

（人格のない社団又は財団等に課される相続税の額の計算の方法）

（2）　1（2において準用する場合を含む。）又は三の規定により1若しくは2の社団若しくは財団又は三の持分の定めのない法人（以下（2）において「**社団等**」という。）に課される相続税の額については、次に掲げる税額の合計額（当該税額の合計額が当該相続税の額を超えるときには、当該相続税の額に相当する額）を控除するものとする。（令33①）

（一）　社団等が遺贈により取得した財産の価額から翌期控除事業税等相当額（当該価額を当該社団等の事業年度の所得とみなして地方税法の規定を適用して計算した事業税（同法第72条第3号《事業税に関する用語の意義》に規定する所得割に係るものに限る。以下（一）において同じ。）の額及び当該事業税の額を基に特別法人事業税及び特別法人事業譲与税に関する法律の規定を適用して計算した特別法人事業税の額の合計額をいう。）を控除した価額を当該社団等の事業年度の所得とみなして法人税法の規定を適用して計算した法人税の額及び地方税法の規定を適用して計算した事業税の額

（二）　（一）の規定により計算した当該社団等の法人税の額を基に地方法人税法の規定を適用して計算した地方法人税の額並びに地方税法の規定を適用して計算した同法第23条第1項第3号《道府県民税に関する用語の意義》に規定する法人税割に係る道府県民税の額及び同法第292条第1項第3号《市町村民税に関する用語の意義》に規定する法人税割に係る市町村民税の額

－6－

（三）　（一）の規定により計算した当該社団等の事業税の額を基に特別法人事業税及び特別法人事業譲与税に関する法律の規定を適用して計算した特別法人事業税の額

2　人格のない社団等を設立するために財産の提供があった場合の納税義務

1の規定は、1に規定する社団又は財団を設立するために財産の提供があった場合について準用する。（法66②）

3　人格のない社団等の住所の判定

1又は2の場合において、**一**の（一）から（五）までの規定の適用については、1に規定する社団又は財団の住所は、その主たる営業所又は事務所の所在地にあるものとみなす。（法66③）

（個人とみなされるもの）

注　相続税の納税義務者は、相続又は遺贈（贈与をした者の死亡により効力を生ずべき贈与（以下「**死因贈与**」という。）を含む。以下同じ。）によって財産を取得した個人を原則とするが、次に掲げる場合においては、それぞれ次に掲げるものは第二章第三節**五**の2の④、**二**又は**四**の規定により個人とみなされて相続税の納税義務者となることに留意する。（基通1の3・1の4共－2）

（一）　第二章第三節**五**の2の②又は②の（1）に規定する信託の受託者（個人以外の受託者に限る。以下注において同じ。）について同②又は②の（1）の規定の適用がある場合　　当該信託の受託者

（二）　代表者若しくは管理者の定めのある人格のない社団若しくは財団を設立するために財産の提供があった場合又はその社団若しくは財団に対し財産の遺贈があった場合　　当該代表者若しくは管理者の定めのある人格のない社団若しくは財団

（三）　持分の定めのない法人（持分の定めのある法人で持分を有する者がないものを含む。以下注において同じ。）を設立するために財産の提供があった場合又はこれらの法人に対し財産の遺贈があった場合において、当該財産の提供又は遺贈をした者の親族その他これらの者と第十章第一節**五**に規定する特別の関係がある者の相続税の負担が不当に減少する結果となると認められるとき　　当該持分の定めのない法人

（四）　**四**の2の（一）に規定する一般社団法人等の理事である者（当該一般社団法人等の理事でなくなった日から5年を経過していない者を含む。）が死亡した場合において、当該一般社団法人等が同**2**の（三）に規定する特定一般社団法人等に該当するとき　　当該特定一般社団法人等

三　持分の定めのない法人の納税義務

二の1から3までの規定は、持分の定めのない法人に対し財産の遺贈があった場合において、当該遺贈により当該遺贈をした者の親族その他これらの者と（1）に規定する特別の関係がある者の相続税の負担が不当に減少する結果となると認められるときについて準用する。この場合において、**二**の1の規定中「代表者又は管理者の定めのある人格のない社団又は財団」とあるのは「持分の定めのない法人」と、「当該社団又は財団」とあるのは「当該法人」と、**二**の2及び3の規定中「社団又は財団」とあるのは「持分の定めのない法人」と読み替えるものとする。（法66④）

（遺贈をした者と特別の関係のあるもの）

（1）　**三**に規定する遺贈をした者と特別の関係がある者は、次に掲げる者とする。（令31①）

（一）　当該遺贈をした者と婚姻の届出をしていないが事実上婚姻関係と同様の事情にある者及びその者の親族でその者と生計を一にしているもの

（二）　当該遺贈をした者の使用人及び使用人以外の者で当該遺贈をした者から受ける金銭その他の財産によって生計を維持しているもの並びにこれらの者の親族でこれらの者と生計を一にしているもの

（相続税の負担が不当に減少する結果となると認められるか否かの判定）

（2）　**三**の相続税の負担が不当に減少する結果となると認められるか否かの判定その他**三**の規定の適用に関し必要な事項は、（3）で定める。（法66⑥）

（相続税の負担が不当に減少する結果となると認められない場合の要件）

（3）　遺贈により財産を取得した第二章第三節**六**の1に規定する持分の定めのない法人が、次に掲げる要件の全てを満たすとき（一般社団法人又は一般財団法人（当該遺贈の時において**四**の2の（1）の（一）から（四）までに掲げるものに該当

—7—

するものを除く。（4）において「一般社団法人等」という。）にあっては、（4）の（一）から（三）に掲げる要件の全てを満たすときに限る。）は、**三**の相続税の負担が不当に減少する結果となると認められないものとする。（令33③）

（一）　その運営組織が適正であるとともに、その寄附行為、定款又は規則において、その役員等のうち親族関係を有する者及びこれらと次に掲げる特殊の関係がある者（（二）において「親族等」という。）の数がそれぞれの役員等の数のうちに占める割合は、いずれも3分の1以下とする旨の定めがあること。

　　イ　当該親族関係を有する役員等と婚姻の届出をしていないが事実上婚姻関係と同様の事情にある者

　　ロ　当該親族関係を有する役員等の使用人及び使用人以外の者で当該役員等から受ける金銭その他の財産によって生計を維持しているもの

　　ハ　イ又はロに掲げる者の親族でこれらの者と生計を一にしているもの

　　ニ　当該親族関係を有する役員等及びイからハまでに掲げる者のほか、次に掲げる法人の法人税法第2条第15号《定義》に規定する役員（①及び**四**の1の（3）の（六）において「会社役員」という。）又は使用人である者

　　　①　当該親族関係を有する役員等が会社役員となっている他の法人

　　　②　当該親族関係を有する役員等及びイからハまでに掲げる者並びにこれらの者と法人税法第2条第10号に規定する政令で定める特殊の関係のある法人を判定の基礎にした場合に同号に規定する同族会社に該当する他の法人

（二）　当該法人に財産の遺贈をした者、当該法人の設立者、社員若しくは役員等又はこれらの者の親族等（（4）の（二）において「遺贈をした者等」という。）に対し、施設の利用、余裕金の運用、解散した場合における財産の帰属、金銭の貸付け、資産の譲渡、給与の支給、役員等の選任その他財産の運用及び事業の運営に関して特別の利益を与えないこと。

（三）　その寄附行為、定款又は規則において、当該法人が解散した場合にその残余財産が国若しくは地方公共団体又は公益社団法人若しくは公益財団法人その他の公益を目的とする事業を行う法人（持分の定めのないものに限る。）に帰属する旨の定めがあること。

（四）　当該法人につき法令に違反する事実、その帳簿書類に取引の全部又は一部を隠蔽し、又は仮装して記録又は記載をしている事実その他公益に反する事実がないこと。

　　（相続税の負担が不当に減少する結果となると認められる場合の要件）

（4）　遺贈により財産を取得した一般社団法人等が、次に掲げる要件のいずれかを満たさないときは、**三**の相続税の負担が不当に減少する結果となると認められるものとする。（令33④）

（一）　当該遺贈の時におけるその定款において（3）の（一）に規定する定め及び（3）の（三）に規定する定めがあること。

（二）　当該遺贈前3年以内に当該一般社団法人等に係る遺贈をした者等に対し、施設の利用、余裕金の運用、解散した場合における財産の帰属、金銭の貸付け、資産の譲渡、給与の支給、役員等の選任その他財産の運用及び事業の運営に関する特別の利益（以下（二）において「特別利益」という。）を与えたことがなく、かつ、当該遺贈の時におけるその定款において当該遺贈をした者等に対し特別利益を与える旨の定めがないこと。

（三）　当該遺贈前3年以内に国税又は地方税（地方税法第1条第1項第14号《用語》に規定する地方団体の徴収金（都及び特別区のこれに相当する徴収金を含む。）をいう。**四**の1の（1）の（二）のロにおいて同じ。）について重加算税又は同法の規定による重加算金を課されたことがないこと。

　　（規定の趣旨）

（5）　**三**の規定は、持分の定めのない法人（持分の定めのある法人で持分を有する者がないものを含む。以下同じ。）に対する財産の遺贈又は当該法人を設立するための財産の提供（以下(12)までにおいて「**遺贈等**」という。）により遺贈等をした者又はこれらの者の親族その他これらの者と第十章第一節**五**に規定する特別の関係がある者が当該法人の施設又は余裕金を私的に利用するなど当該法人から特別の利益を受けているような場合には、実質的には、特別の利益を受ける者が遺贈によって財産を取得したのと同じこととなり、したがって相続税が課されるのにかかわらず、法人に対し財産の遺贈等をすることによりその課税を免れることとなることに顧み、当該法人に相続税を課することとしているものであることに留意する。（昭39直審(資)24「12」。編者において要約）

　　（持分の定めのない法人）

（6）　**三**に規定する「持分の定めのない法人」とは、例えば、次に掲げる法人をいうことに留意する。（昭39直審(資)24「13」）

（一）　定款、寄附行為若しくは規則（これらに準ずるものを含む。以下（6）において「定款等」という。）又は法令の定めにより、当該法人の社員、構成員（当該法人へ出資している者に限る。以下（6）において「社員等」という。）が当該法人の出資に係る残余財産の分配請求権又は払戻請求権を行使することができない法人

—8—

第一章　相続税の納税義務者

（二）　定款等に、社員等が当該法人の出資に係る残余財産の分配請求権又は払戻請求権を行使することができる旨の定めはあるが、そのような社員等が存在しない法人

（注）　持分の定めがある法人（持分を有する者がないものを除く。）に対する財産の遺贈等があったときは、当該法人の出資者等について第二章第三節**四**の規定を適用すべき場合があることに留意する。

（相続税の負担の不当減少についての判定）

（７）　**三**に規定する「相続税の負担が不当に減少する結果となると認められるとき」かどうかの判定は、次に掲げる持分の定めのない法人の区分に応じ、それぞれに定めるところにより行うものとする。（昭39直審（資）24「14」）

（一）　（二）に掲げる持分の定めのない法人以外の持分の定めのない法人　原則として、贈与等を受けた法人が（3）の（一）から（四）に掲げる要件を満たしているかどうかにより行うものとする。

　　ただし、当該法人の社員、役員等（第二章第三節**六**の**4**の（1）に規定する役員等をいう。以下同じ。）及び当該法人の職員のうちに、その財産を贈与した者若しくは当該法人の設立に当たり財産を提供した者又はこれらの者と親族その他（3）の（一）に規定する特殊の関係がある者が含まれていない事実があり、かつ、これらの者が、当該法人の財産の運用及び事業の運営に関して私的に支配している事実がなく、将来も私的に支配する可能性がないと認められる場合には、同（一）の要件を満たさないときであっても、（3）の（二）から（四）までの要件を満たしているときは、**三**に規定する「相続税又は贈与税の負担が不当に減少する結果となると認められるとき」に該当しないものとして取り扱う。

（二）　持分の定めのない法人のうち（3）に規定する一般社団法人等（以下（12）までにおいて「一般社団法人等」という。）に該当するもの　次に掲げるところによる。

イ　贈与等を受けた一般社団法人等が（4）の（一）から（三）に掲げる要件のいずれかを満たさない場合には、**三**に規定する「相続税又は贈与税の負担が不当に減少する結果となると認められるとき」に該当する。

ロ　贈与等を受けた一般社団法人等が（4）の（一）から（三）に掲げる要件の全てを満たす場合には、原則として、当該一般社団法人等が（3）の（一）から（四）に掲げる要件を満たしているかどうかにより行う。

（注）　一般社団法人等については、（3）の（一）の要件を満たさない場合には上記イに該当することから、上記（一）のただし書の取扱いはされないことに留意する。

（その運営組織が適正であるかどうかの判定）

（８）　（3）の（一）に規定する「その運営組織が適正である」かどうかの判定は、財産の遺贈等を受けた法人について、次に掲げる事実が認められるかどうかにより行うものとして取り扱う。（昭和39直審（資）24「15」）

（一）　次に掲げる法人の態様に応じ、定款、寄附行為又は規則（これらに準ずるものを含む。以下同じ。）において、それぞれ次に掲げる事項が定められていること。

イ　一般社団法人

（イ）　理事の定数は6人以上、監事の定数は2人以上であること。

（ロ）　理事会を設置すること。

（ハ）　理事会の決議は、次の（ホ）に該当する場合を除き、理事会において理事総数（理事現在数）の過半数の決議を必要とすること。

（ニ）　社員総会の決議は、法令に別段の定めがある場合を除き、総社員の議決権の過半数を有する社員が出席し、その出席した社員の議決権の過半数の決議を必要とすること。

（ホ）　次に掲げるC及びD以外の事項の決議は、社員総会の決議を必要とすること。

　　この場合において次のE、F及びG（事業の一部の譲渡を除く。）以外の事項については、あらかじめ理事会における理事総数（理事現在数）の3分の2以上の決議を必要とすること。

　　なお、遺贈等に係る財産が遺贈等をした者又はその者の親族が法人税法（昭和40年法律第34号）第2条第15号《定義》に規定する役員（以下「会社役員」という。）となっている会社の株式又は出資である場合には、その株式又は出資に係る議決権の行使に当たっては、あらかじめ理事会において理事総数（理事現在数）の3分の2以上の承認を得ることを必要とすること。

A　収支予算（事業計画を含む。）

B　決算

C　重要な財産の処分及び譲受け

D　借入金（その事業年度内の収入をもって償還する短期の借入金を除く。）その他新たな義務の負担及び権利の放棄

E　定款の変更

—9—

第一編　相続税

　　　F　解散

　　　G　合併、事業の全部又は一部の譲渡

　　　(注)　一般社団法人及び一般財団法人に関する法律（平成18年法律第48号）第15条第2項第2号《設立時役員等の選任》に規定する会計監査人設置一般社団法人で、同法第127条《会計監査人設置一般社団法人の特則》の規定により同法第126条第2項《計算書類等の定時社員総会への提出等》の規定の適用がない場合にあっては、上記Bの決算について、社員総会の決議を要しないことに留意する。

　(ヘ)　役員等には、その地位にあることのみに基づき給与等（所得税法（昭和40年法律第33号）第28条第1項《給与所得》に規定する「給与等」をいう。以下同じ。）を支給しないこと。

　(ト)　監事には、理事（その親族その他特殊の関係がある者を含む。）及びその法人の職員が含まれてはならないこと。また、監事は、相互に親族その他特殊の関係を有しないこと。

　(注)1　一般社団法人とは、次の①又は②の法人をいう。

　　　①　一般社団法人及び一般財団法人に関する法律第22条の規定により設立された一般社団法人

　　　②　一般社団法人及び一般財団法人に関する法律及び公益社団法人及び公益財団法人の認定等に関する法律の施行に伴う関係法律の整備等に関する法律（平成18年法律第50号）（以下「整備法」という。）第40条第1項《社団法人及び財団法人の存続》の規定により存続する一般社団法人で、同法第121条第1項《認定に関する規定の準用》の規定において読み替えて準用する同法第106条第1項《移行の登記》の移行の登記をした当該一般社団法人（同法第131条第1項《認可の取消し》の規定により同法第45条《通常の一般社団法人又は一般財団法人への移行》の認可を取り消されたものを除く。）

　　　2　上記(イ)から(ト)までに掲げるほか、(3)の(一)に定める親族その他特殊の関係にある者に関する規定及び(3)の(三)に定める残余財産の帰属に関する規定が定款に定められていなければならないことに留意する。

　　　3　社員総会における社員の議決権は各1個とし、社員総会において行使できる議決権の数、議決権を行使することができる事項、議決権の行使の条件その他の社員の議決権に関する事項（一般社団法人及び一般財団法人に関する法律第50条《議決権の代理行使》から第52条《電磁的方法による議決権の行使》までに規定する事項を除く。）について、定款の定めがある場合には、たとえ上記(イ)から(ト)までに掲げる事項の定めがあるときであっても上記(8)の(一)に該当しないものとして取り扱う。

　ロ　一般財団法人

　(イ)　理事の定数は6人以上、監事の定数は2人以上、評議員の定数は6人以上であること。

　(ロ)　評議員の定数は、理事の定数と同数以上であること。

　(ハ)　評議員の選任は、例えば、評議員の選任のために設置された委員会の議決により選任されるなどその地位にあることが適当と認められる者が公正に選任されること。

　(ニ)　理事会の決議は、次の(ヘ)に該当する場合を除き、理事会において理事総数（理事現在数）の過半数の決議を必要とすること。

　(ホ)　評議員会の決議は、法令に別段の定めがある場合を除き、評議員会において評議員総数（評議員現在数）の過半数の決議を必要とすること。

　(ヘ)　次に掲げるC及びD以外の事項の決議は、評議員会の決議を必要とすること。

　　　　この場合において次のE及びF（事業の一部の譲渡を除く。）以外の事項については、あらかじめ理事会における理事総数（理事現在数）の3分の2以上の決議を必要とすること。

　　　　なお、遺贈等に係る財産が遺贈等をした者又はその者の親族が会社役員となっている会社の株式又は出資である場合には、その株式又は出資に係る議決権の行使に当たっては、あらかじめ理事会において理事総数（理事現在数）の3分の2以上の承認を得ることを必要とすること。

　　　A　収支予算（事業計画を含む。）

　　　B　決算

　　　C　重要な財産の処分及び譲受け

　　　D　借入金（その事業年度内の収入をもって償還する短期の借入金を除く。）その他新たな義務の負担及び権利の放棄

　　　E　定款の変更

　　　F　合併、事業の全部又は一部の譲渡

　　　(注)　一般社団法人及び一般財団法人に関する法律第153条第1項第7号《定款の記載又は記録事項》に規定する会計監査人設置一般財団法人で、同法第199条の規定において読み替えて準用する同法第127条の規定により同法第126条第2項の規定の適用がない場合にあっては、上記ロ(ヘ)のBの決算について、評議員会の決議を要しないことに留意する。

　(ト)　役員等には、その地位にあることのみに基づき給与等を支給しないこと。

　(チ)　監事には、理事（その親族その他特殊の関係がある者を含む。）及び評議員（その親族その他特殊の関係がある者を含む。）並びにその法人の職員が含まれてはならないこと。また、監事は、相互に親族その他特殊の関係を有しないこと。

　(注)1　一般財団法人とは、次の①又は②の法人をいう。

　　　①　一般社団法人及び一般財団法人に関する法律第163条《一般財団法人の成立》の規定により設立された一般財団法人

－10－

第一章　相続税の納税義務者

　② 整備法第40条第1項の規定により存続する一般財団法人で、同法第121条第1項の規定において読み替えて準用する同法第106条第1項の移行の登記をした当該一般財団法人（同法第131条第1項の規定により同法第45条の認可を取り消されたものを除く。）。

　2　上記ロの(イ)から(チ)までに掲げるほか、(3)の(一)に定める親族その他特殊の関係にある者に関する規定及び(3)の(三)に定める残余財産の帰属に関する規定が定款に定められていなければならないことに留意する。

ハ　学校法人、社会福祉法人、更生保護法人、宗教法人その他の持分の定めのない法人

（イ）　その法人に社員総会又はこれに準ずる議決機関がある法人

A　理事の定数は6人以上、監事の定数は2人以上であること。

B　理事及び監事の選任は、例えば、社員総会における社員の選挙により選出されるなどその地位にあることが適当と認められる者が公正に選任されること。

C　理事会の議事の決定は、次のEに該当する場合を除き、原則として、理事会において理事総数（理事現在数）の過半数の議決を必要とすること。

D　社員総会の議事の決定は、法令に別段の定めがある場合を除き、社員総数の過半数が出席し、その出席社員の過半数の議決を必要とすること。

E　次に掲げる事項（次のFにより評議員会などに委任されている事項を除く。）の決定は、社員総会の議決を必要とすること。

　この場合において、次の(E)及び(F)以外の事項については、あらかじめ理事会における理事総数（理事現在数）の3分の2以上の議決を必要とすること。

（A）　収支予算（事業計画を含む。）

（B）　収支決算（事業報告を含む。）

（C）　基本財産の処分

（D）　借入金（その会計年度内の収入をもって償還する短期借入金を除く。）その他新たな義務の負担及び権利の放棄

（E）　定款の変更

（F）　解散及び合併

（G）　当該法人の主たる目的とする事業以外の事業に関する重要な事項

F　社員総会のほかに事業の管理運営に関する事項を審議するため評議員会などの制度が設けられ、上記(E)及び(F)以外の事項の決定がこれらの機関に委任されている場合におけるこれらの機関の構成員の定数及び選任並びに議事の決定については次によること。

（A）　構成員の定数は、理事の定数の2倍を超えていること。

（B）　構成員の選任については、上記ハ(イ)のBに準じて定められていること。

（C）　議事の決定については、原則として、構成員総数の過半数の議決を必要とすること。

G　上記ハ(イ)のCからFまでの議事の表決を行う場合には、あらかじめ通知された事項について書面をもって意思を表示した者は、出席者とみなすことができるが、他の者を代理人として表決を委任することはできないこと。

H　役員等には、その地位にあることのみに基づき給与等を支給しないこと。

I　監事には、理事（その親族その他特殊の関係がある者を含む。）及び評議員（その親族その他特殊の関係がある者を含む。）並びにその法人の職員が含まれてはならないこと。また、監事は、相互に親族その他特殊の関係を有しないこと。

（ロ）　上記ハの(イ)以外の法人

A　理事の定数は6人以上、監事の定数は2人以上であること。

B　事業の管理運営に関する事項を審議するため評議員会の制度が設けられており、評議員の定数は、理事の定数の2倍を超えていること。ただし、理事と評議員との兼任禁止規定が定められている場合には、評議員の定数は、理事の定数と同数以上であること。

C　理事、監事及び評議員の選任は、例えば、理事及び監事は評議員会の議決により、評議員は理事会の議決により選出されるなどその地位にあることが適当と認められる者が公正に選任されること。

D　理事会の議事の決定は、法令に別段の定めがある場合を除き、次によること。

（A）　重要事項の決定

　　次のaからgまでに掲げる事項の決定は、理事会における理事総数（理事現在数）の3分の2以上の議決を必要とするとともに、原則として評議員会の同意を必要とすること。

　　なお、遺贈等に係る財産が遺贈等をした者又はその者の親族が会社役員となっている会社の株式又は出資

—11—

第一編　相続税

である場合には、その株式又は出資に係る議決権の行使に当たっては、あらかじめ理事会において理事総数（理事現在数）の3分の2以上の承認を得ることを必要とすること。

　　　a　収支予算（事業計画を含む。）
　　　b　収支決算（事業報告を含む。）
　　　c　基本財産の処分
　　　d　借入金（その会計年度内の収入をもって償還する短期借入金を除く。）その他新たな義務の負担及び権利の放棄
　　　e　寄附行為の変更
　　　f　解散及び合併
　　　g　当該法人の主たる目的とする事業以外の事業に関する重要な事項
　　（B）　その他の事項の決定
　　　　　上記ハ（ロ）Dの（A）に掲げる事項以外の事項の決定は、原則として、理事会において理事総数（理事現在数）の過半数の議決を必要とすること。
　　E　評議員会の議事の決定は、法令に別段の定めがある場合を除き、評議員会における評議員総数（評議員現在数）の過半数の議決を必要とすること。
　　F　上記ハ（ロ）のD及びEの議事の表決を行う場合には、あらかじめ通知された事項について書面をもって意思を表示した者は、出席者とみなすことができるが、他の者を代理人として表決を委任することはできないこと。
　　G　役員等には、その地位にあることのみに基づき給与等を支給しないこと。
　　H　監事には、理事（その親族その他特殊の関係がある者を含む。）及び評議員（その親族その他特殊の関係がある者を含む。）並びにその法人の職員が含まれてはならないこと。また、監事は、相互に親族その他特殊の関係を有しないこと。
　　I　遺贈等を受けた法人が、学生若しくは生徒（以下「学生等」という。）に対して学資の支給若しくは貸与をし、又は科学技術その他の学術に関する研究を行う者に対して助成金を支給する事業その他これらに類する事業を行うものである場合には、学資の支給若しくは貸与の対象となる者又は助成金の支給の対象となる者等を選考するため、理事会において選出される教育関係者又は学識経験者等により組織される選考委員会を設けること。
　　（注）①　上記ハの（イ）及び（ロ）に掲げるほか、（3）の（一）に定める親族その他特殊の関係にある者に関する規定及び（3）の（三）に定める残余財産の帰属に関する規定が定款、寄附行為又は規則に定められていなければならないことに留意する。
　　　　②　上記ハの法人の定款、寄附行為又は規則が、標準的な定款、寄附行為又は規則（租税特別措置法（昭和32年法律第26号）第40条《国等に対して財産を寄附した場合の譲渡所得等の非課税》の規定の適用に関し通達の定めによる標準的な定款、寄附行為又は規則をいう。）に従って定められている場合には、上記（8）の（一）に該当するものとして取り扱うことに留意する。
　（注）1　特例社団法人又は特例財団法人（整備法第40条第1項の規定により存続する一般社団法人又は一般財団法人であって同法第106条第1項（同法第121条第1項において読み替えて準用する場合を含む。）の移行の登記をしていない法人又は同法第131条第1項の規定により同法第45条の認可を取り消された法人をいう。）については、法令に別段の定めがある場合を除き、上記ハに準じて取り扱うことに留意する。
　　　　2　公益社団法人（整備法第40条第1項に規定する一般社団法人で同法第106条第1項による移行の登記をした法人を含む。）及び公益財団法人（同法第40条第1項に規定する一般財団法人で同法第106条第1項による移行の登記をした法人を含む。）については、原則として、上記（8）の（一）に該当するものとして取り扱う。なお、この場合においては、次に掲げる事項が定款に定められていなければならないことに留意する。
　　　　①　（3）の（一）に定める親族その他特殊の関係にある者に関する規定及び（3）の（三）に定める残余財産の帰属に関する規定
　　　　②　遺贈等に係る財産が遺贈等をした者又はこれらの者の親族が会社役員となっている会社の株式又は出資である場合には、その株式又は出資に係る議決権の行使に当たっては、あらかじめ理事会において理事総数（理事現在数）の3分の2以上の承認を得ることを必要とすること。

（二）　遺贈等を受けた法人の事業の運営及び役員等の選任等が、法令及び定款、寄附行為又は規則に基づき適正に行われていること。
　（注）　他の一の法人（当該他の一の法人と法人税法施行令（昭和40年政令第97号）第4条第2項《同族関係者の範囲》に定める特殊の関係がある法人を含む。）又は団体の役員及び職員の数が当該法人のそれぞれの役員等のうちに占める割合が3分の1を超えている場合には、当該法人の役員等の選任は、適正に行われていないものとして取り扱う。

（三）　遺贈等を受けた法人が行う事業が、原則として、その事業の内容に応じ、その事業を行う地域又は分野において社会的存在として認識される程度の規模を有していること。この場合において、例えば、次のイからヌまでに掲げる事業がその法人の主たる目的として営まれているときは、当該事業は、社会的存在として認識される程度の規模を有しているものとして取り扱う。
　イ　学校教育法第1条に規定する学校を設置運営する事業
　ロ　社会福祉法第2条第2項各号及び第3項各号に規定する事業

-12-

ハ　更生保護事業法第2条第1項に規定する更生保護事業

ニ　宗教の普及その他教化育成に寄与することとなる事業

ホ　博物館法（昭和26年法律第285号）第2条第1項《定義》に規定する博物館を設置運営する事業

　　(注)　上記の博物館は、博物館法第11条《登録》の規定による博物館としての登録を受けたものに限られているのであるから留意する。

ヘ　図書館法（昭和25年法律第118号）第2条第1項《定義》に規定する図書館を設置運営する事業

ト　30人以上の学生等に対して学資の支給若しくは貸与をし、又はこれらの者の修学を援助するため寄宿舎を設置運営する事業（学資の支給若しくは貸与の対象となる者又は寄宿舎の貸与の対象となる者が都道府県の範囲よりも狭い一定の地域内に住所を有する学生等若しくは当該一定の地域内に所在する学校の学生等に限定されているものを除く。）

チ　科学技術その他の学術に関する研究を行うための施設（以下「研究施設」という。）を設置運営する事業又は当該学術に関する研究を行う者（以下「研究者」という。）に対して助成金を支給する事業（助成金の支給の対象となる者が都道府県の範囲よりも狭い一定の地域内に住所を有する研究者又は当該一定の地域内に所在する研究施設の研究者に限定されているものを除く。）

リ　学校教育法第124条《専修学校》に規定する専修学校又は同法第134条第1項《各種学校》に規定する各種学校を設置運営する事業で、次に掲げる要件を満たすもの

　(イ)　同時に授業を受ける生徒定数は、原則として80人以上であること。

　(ロ)　法人税法施行規則（昭和40年大蔵省令第12号）第7条第1号及び第2号《学校において行う技芸の教授のうち収益事業に該当しないものの範囲》に定める要件

ヌ　医療法（昭和23年法律第205号）第1条の2第2項に規定する医療提供施設を設置運営する事業を営む法人で、その事業が次の(イ)及び(ロ)の要件又は(ハ)の要件を満たすもの

　(イ)　医療法施行規則（昭和23年厚生省令第50号）第30条の35の3第1項第1号ニ及び第2号《社会医療法人の認定要件》に定める要件

　(ロ)　その開設する医療提供施設のうち一以上のものが、その所在地の都道府県が定める医療法第30条の4第1項に規定する医療計画において同条第2項第2号に規定する医療連携体制に係る医療提供施設として記載及び公示されていること。

　(ハ)　その法人が租税特別措置法施行令第39条の25第1項第1号《特定の医療法人の法人税率の特例》に規定する厚生労働大臣が財務大臣と協議して定める基準を満たすもの

（特別の利益を与えること）

（9）（3）の(二)の規定による特別の利益を与えることとは、具体的には、例えば、次の(一)又は(二)に該当すると認められる場合がこれに該当するものとして取り扱う。(昭39直審(資)24「16」)

(一)　遺贈等を受けた法人の定款、寄附行為若しくは規則又は贈与契約書等において、次に掲げる者に対して、当該法人の財産を無償で利用させ、又は与えるなどの特別の利益を与える旨の記載がある場合

イ　遺贈等をした者

ロ　当該法人の設立者、社員若しくは役員等

ハ　遺贈等をした者、当該法人の設立者、社員若しくは役員等（以下（9）において「遺贈等をした者等」という。）の親族

ニ　遺贈等をした者等と次に掲げる特殊の関係がある者（次の(二)において「特殊の関係がある者」という。）

　(イ)　遺贈等をした者等とまだ婚姻の届出をしていないが事実上婚姻関係と同様の事情にある者

　(ロ)　遺贈等をした者等の使用人及び使用人以外の者で遺贈等をした者等から受ける金銭その他の財産によって生計を維持しているもの

　(ハ)　上記(イ)又は(ロ)に掲げる者の親族でこれらの者と生計を一にしているもの

　(ニ)　遺贈等をした者等が会社役員となっている他の会社

　(ホ)　遺贈等をした者等、その親族、上記(イ)から(ハ)までに掲げる者並びにこれらの者と法人税法第2条第10号に規定する政令で定める特殊の関係のある法人を判定の基礎とした場合に同号に規定する同族会社に該当する他の法人

　(ヘ)　上記(ニ)又は(ホ)に掲げる法人の会社役員又は使用人

(二)　遺贈等を受けた法人が、遺贈等をした者等又はその親族その他特殊の関係がある者に対して、次に掲げるいずれかの行為をし、又は行為をすると認められる場合

イ　当該法人の所有する財産をこれらの者に居住、担保その他の私事に利用させること。

第一編　相続税

ロ　当該法人の余裕金をこれらの者の行う事業に運用していること。

ハ　当該法人の他の従業員に比し有利な条件で、これらの者に金銭の貸付をすること。

ニ　当該法人の所有する財産をこれらの者に無償又は著しく低い価額の対価で譲渡すること。

ホ　これらの者から金銭その他の財産を過大な利息又は賃貸料で借り受けること。

ヘ　これらの者からその所有する財産を過大な対価で譲り受けること、又はこれらの者から当該法人の事業目的の用に供するとは認められない財産を取得すること。

ト　これらの者に対して、当該法人の役員等の地位にあることのみに基づき給与等を支払い、又は当該法人の他の従業員に比し過大な給与等を支払うこと。

チ　これらの者の債務に関して、保証、弁済、免除又は引受け（当該法人の設立のための財産の提供に伴う債務の引受けを除く。）をすること。

リ　契約金額が少額なものを除き、入札等公正な方法によらないで、これらの者が行う物品の販売、工事請負、役務提供、物品の賃貸その他の事業に係る契約の相手方となること。

ヌ　事業の遂行により供与する利益を主として、又は不公正な方法で、これらの者に与えること。

（判定の時期等）

(10)　三の規定を適用すべきかどうかの判定は、（4）の規定に該当するかどうかの判定を除き、遺贈等の時を基準としてその後に生じた事実関係をも勘案して行うのであるが、遺贈等により財産を取得した法人が、財産を取得した時には(3)の(一)から(四)までに掲げる要件を満たしていない場合においても、当該財産に係る相続税の申告書の提出期限又は更正若しくは決定の時までに、当該法人の組織、定款、寄附行為又は規則を変更すること等により(3)の(一)から(四)までに掲げる要件を満たすこととなったときは、当該遺贈等については三の規定を適用しないこととして取り扱う。（昭39直審(資)24「17」）

（相続税の負担が不当に減少する結果となると認められる場合の要件の判定）

(11)　一般社団法人等について(4)の規定の適用の判定を行う場合には、次によることに留意する。（昭39直審（資）24「17の2」）

(一)　(4)の(一)又は(二)の要件は、一般社団法人等への遺贈等の時における当該一般社団法人等の定款の定めに基づき判定するのであるから、その遺贈等の後にこれらの要件を満たすものに定款の定めを変更したとしても、(4)の規定により、当該遺贈等については三の規定が適用される。

(二)　遺贈等を受けた一般社団法人等が(3)の(二)に規定する遺贈をした者等に対し(4)の(二)に規定する特別利益を与えたかどうかの判定は(9)の(二)に、当該一般社団法人等の定款において当該遺贈をした者等に対し特別利益を与える旨の定めがないかどうかの判定は(9)の(一)に、それぞれ準じて行う。

（社会一般の寄附金程度の遺贈等についての不適用）

(12)　(3)の(一)から(四)までに掲げる要件を満たしていないと認められる法人に対して財産の遺贈等があった場合においても、当該財産の多寡等からみて、それが社会一般においてされている寄附と同程度のものであると認められるときは、三の規定を適用しないものとして取り扱う。（昭39直審(資)24「18」）

（持分の定めのない法人に対する課税の猶予等の不適用）

(13)　法令及び通達により判断して三の規定を適用すべき場合においては、遺贈等をした者の譲渡所得について措置法第40条《国等に対して財産を寄附した場合の譲渡所得等の非課税》の規定による承認申請書が提出された場合においても、課税の猶予をしないことに留意する。（昭39直審(資)24「19」）

（注）　(3)の規定により、一般社団法人等からは四の2の(1)の(一)から(四)に掲げる法人が除かれていることから、一般社団法人等への財産の遺贈等については、租税特別措置法第40条の規定の適用はないことに留意する。

（公益法人の設立の認可申請中に相続の開始があった場合の取扱い）

(14)　宗教、慈善、学術その他公益を目的とする事業を行う法人（以下(17)までにおいて「**公益法人**」という。）の設立の認可申請中に、その公益法人に財産を提供することとなっていた者について相続が開始したため、相続財産の全部又は一部が、設立の認可によりその公益法人に帰属した場合は、その財産は、その公益法人が被相続人から遺贈により取得したものと同様に取り扱うことができること。（昭35直資90「1」）

（注）　公益法人に対する財産の帰属につき三の適用を受ける場合は、その公益法人は個人とみなされて相続税が課税されるほか、被相続人につ

—14—

第一章　相続税の納税義務者

いては所得税法第59条《贈与等の場合の譲渡所得等の特例》第１項の規定により譲渡所得に対する所得税の課税関係が生ずることに留意する。

（公益法人の設立の認可申請前に相続の開始があった場合の取扱い）
(15)　公益法人の設立の認可申請前に、その公益法人に財産を提供しようとしていた者について相続が開始したため、その相続人が被相続人の意思に基づいて相続財産の全部又は一部をその公益法人に帰属させた場合において、次の（一）から（三）までのすべてに該当するときは、その公益法人に帰属した財産についても、(14)の取扱いを適用することができる。（昭35直資90「２」）
　(一)　被相続人が公益法人の設立のため財産を提供する意思を有していたことが明らかであること。
　(二)　その公益法人に帰属した財産につき**三**の規定の適用がないこと。
　(三)　その公益法人が相続税の申告書の提出期限までに設立されたものであること。（当該期限までに設立されなかったことについて正当な理由があると認められる場合において、当該期限までにその設立認可申請がされたときを含む。）
　　(注)　上記に該当しない場合は、その帰属した財産については、一般の例により、相続人に対しては、相続税及び譲渡所得に対する所得税、公益法人に対しては、贈与をした者の親族その他これらの者と第十章第一節**五**に規定する特別の関係がある者の相続税又は贈与税の負担が不当に減少する結果となると認められるときは、贈与税の課税関係が生ずることに留意する。

（被相続人の意思に基づくかどうかの判定）
(16)　(15)の（一）に該当するかどうかは、被相続人から指示を受けた者が、設立準備のための作業を進めていたこと、被相続人の作成に係る寄附行為があること、被相続人の日記、書簡等にその旨が記載されていること、その他被相続人の意思を立証することができる生前の事実の存否により判定すること。（昭35直資90「３」）

（既設の公益法人に対し贈与があった場合の準用）
(17)　(14)から(16)までの取扱いは、既に設立されている公益法人に対する財産の贈与で、(14)又は(15)に準ずるものについて準用すること。（昭35直資90「４」）

四　特定の一般社団法人等に対する課税

(注)１　**四**の規定は、所得税法等の一部を改正する法律（平成30年法律第７号）により創設されたもので、平成30年４月１日以後に相続又は遺贈（贈与をした者の死亡により効力を生ずる贈与を含む。以下同じ。）により取得する財産に係る相続税について適用し、平成30年３月31日以前に相続又は遺贈により取得した財産に係る相続税については、なお従前の例による。（平30改所法等附43①）
　　２　**四**の規定は、**2**の（一）に規定する一般社団法人等が平成30年３月31日以前に設立されたものである場合には、**四**の規定は、令和３年４月１日以後の当該一般社団法人等の理事である者（当該一般社団法人等の理事でなくなった日から５年を経過していない者を含む。）の死亡に係る相続税について適用する。（平30改所法等附43⑤）

1　特定の一般社団法人等に対する課税
　一般社団法人等の理事である者（当該一般社団法人等の理事でなくなった日から５年を経過していない者を含む。）が死亡した場合において、当該一般社団法人等が**特定一般社団法人等**に該当するときは、当該特定一般社団法人等はその死亡した者（以下**四**において「被相続人」という。）の相続開始の時における当該特定一般社団法人等の純資産額（その有する財産の価額の合計額からその有する債務の価額の合計額を控除した金額として(1)の政令で定める金額をいう。）をその時における当該特定一般社団法人等の**同族理事**の数に１を加えた数（当該被相続人と同時に死亡した者がある場合において、その死亡した者がその死亡の直前において同族理事である者又は当該特定一般社団法人等の理事でなくなった日から５年を経過していない者であって当該被相続人と(3)の政令で定める特殊の関係のあるものであるときは、その死亡した者の数を加えるものとする。）で除して計算した金額に相当する金額を当該被相続人から遺贈により取得したものと、当該特定一般社団法人等は個人とそれぞれみなして、当該特定一般社団法人等に相続税を課する。（法66の２①）

（政令で定める金額）
(1)　**1**に規定する政令で定める金額は、（一）に掲げる金額から（二）に掲げる金額を控除した残額とする。（令34①）
　(一)　被相続人（**1**に規定する被相続人をいう。以下**四**において同じ。）の相続開始の時において特定一般社団法人等（**2**の（三）に規定する特定一般社団法人等をいう。以下**四**において同じ。）が有する財産（信託の受託者として有するもの及び当該被相続人から遺贈により取得したものを除く。）の価額の合計額

－15－

第一編　相続税

　　（二）　次に掲げる金額の合計額
　　　イ　特定一般社団法人等が有する債務であって被相続人の相続開始の際現に存するもの（確実と認められるものに限
　　　　るものとし、信託の受託者として有するものを除く。）の金額
　　　ロ　特定一般社団法人等に課される国税又は地方税であって被相続人の相続の開始以前に納税義務が成立したもの
　　　　（当該相続の開始以前に納付すべき税額が確定したもの及び当該被相続人の死亡につき課される相続税を除く。）の
　　　　額
　　　ハ　被相続人の死亡により支給する第二章第二節の**三**の表の（二）に掲げる給与の額
　　　ニ　被相続人の相続開始の時における一般社団法人及び一般財団法人に関する法律（平成18年法律第48号）第131条（基
　　　　金を引き受ける者の募集等に関する定款の定め）に規定する基金の額

　　　（財産の価額と債務の金額）
（２）　（１）の（一）の財産の価額は、被相続人の相続開始の時における時価（地上権（第七編第二章第二節の(37)《地上権
　　の評価》に規定する地上権をいう。）、永小作権又は定期金給付契約に関する権利にあっては、同(37)、第二章第二節の
　　五の**2**《給付事由が発生していない定期金に関する権利の評価》及び第二章第二節の**六**の**2**《給付事由が発生している
　　定期金に関する権利の評価》の規定に準じて評価した金額）により、（１）の（二）のイの債務の金額は、その時の現況に
　　よる。（令34②）

　　　（政令で定める特殊の関係）
（３）　**1**及び**2**の（二）に規定する政令で定める特殊の関係のある者は、次に掲げる者とする。（令34③）
　　（一）　被相続人の配偶者
　　（二）　被相続人の３親等内の親族
　　（三）　被相続人と婚姻の届出をしていないが事実上婚姻関係と同様の事情にある者
　　（四）　被相続人の使用人及び使用人以外の者で当該被相続人から受ける金銭その他の財産によって生計を維持している
　　　　もの
　　（五）　（三）又は（四）に掲げる者と生計を一にしているこれらの者の配偶者又は３親等内の親族
　　（六）　（一）から（五）に掲げる者のほか、次に掲げる法人の会社役員又は使用人である者
　　　イ　被相続人が会社役員となっている他の法人
　　　ロ　被相続人及び（一）から（五）に掲げる者並びにこれらの者と法人税法第２条第10号《定義》に規定する政令で定め
　　　　る特殊の関係のある法人を判定の基礎にした場合に同号に規定する同族会社に該当する他の法人

　　　（純資産額の意義）
（４）　**1**に規定する純資産額（以下（４）及び（６）において「純資産額」という。）は、**2**に規定する特定一般社団法人等（以
　　下**3**までにおいて「特定一般社団法人等」という。）が、**1**に規定する被相続人（以下**3**までにおいて「被相続人」とい
　　う。）の相続開始の時において有する財産及び債務に基づき算定するのであるが、この場合における財産の価額の算定等
　　については次によることに留意する。　（基通66の２−１）
　　（一）　財産の価額は、当該被相続人の相続開始の時における（２）に規定する時価によるのであるが、この場合の時価と
　　　　は、評価基本通達の定めにより算定した価額（（２）に規定する地上権、永小作権又は定期金給付契約に関する権利に
　　　　あっては、第九編第二章第二節(37)《地上権の評価》、第二章第二節の**五**の**2**《給付事由が発生していない定期金に関
　　　　する権利の評価》及び第二章第二節**六**の**2**《給付事由が発生している定期金に関する権利の評価》の規定に準じて評
　　　　価した金額）による。
　　　　　なお、特定一般社団法人等が有する財産からは、当該特定一般社団法人等が信託の受託者として有するもの及び当
　　　　該被相続人から遺贈により取得したものは除かれることに留意する。
　　　（注）　上記の地上権、永小作権又は定期金給付契約に関する権利の評価については、第九編第一章(11)《借地権及び区分地上権の評価》、同編第
　　　　　　十章第一節①の（1）《「定期金給付契約に関する権利」の意義》、同①の（2）《年金により支払を受ける生命保険金等の額》、同①の（3）《解
　　　　　　約返戻金の金額》、同①の（4）《解約返戻金の金額等がない場合》及び同章第二節の（4）《解約返戻金の金額》の取扱いに準ずることに留意
　　　　　　する。
　　（二）　債務の価額は、（１）の（二）に掲げる金額の合計額によるのであるが、その算定については、次による。
　　　イ　同（二）のイの債務の金額は、当該被相続人の相続開始の時の現況による。
　　　　　なお、特定一般社団法人等が有する債務は、当該被相続人の相続開始の際現に存するものであって、確実と認め
　　　　られるものに限り、特定一般社団法人等が信託の受託者として有するものは除かれることに留意する。
　　　（注）１　債務が確実と認められるかどうかについては、第四章第二節の**三**の**4**の（7）《確実な債務》、（8）《保証債務及び連帯債務》、（9）《消

－16－

第一章　相続税の納税義務者

滅時効の完成した債務》及び同三の5の（5）《公租公課の異動の場合》までの取扱いに準ずる。なお、特定一般社団法人等が設定した貸倒引当金、退職給与引当金、納税引当金その他の引当金及び準備金に相当する金額は、同（二）のイの債務に当たらないことに留意する。

　　2　特定一般社団法人等に課される国税又は地方税であって当該被相続人の相続開始以前に納税義務が成立したもので、当該相続開始以前に納付すべき税額が確定したものは、同（二）のロの国税又は地方税から除かれているのであるが、同（二）のイの債務に含まれることに留意する。

ロ　同（二）のハの給与については、第二章第二節三1の（2）から同1の（13）までの取扱いに準ずる。

ハ　同（二）のニの特定一般社団法人等が有する基金の額は、当該被相続人の相続開始の時における当該基金の額による。

（三）　財産の価額の合計額を債務の価額の合計額が上回る場合には、特定一般社団法人等の純資産額は零となる。

　　（相続開始の時における同族理事の数の意義）

（5）　1の「その時における当該特定一般社団法人等の同族理事の数」は、被相続人に係る相続開始直後の同条第2項第2号に規定する同族理事（以下（5）、2の（7）及び2の（8）において「同族理事」という。）の数によることに留意する。（基通66の2－2）

（注）　当該被相続人と同時に死亡した者がある場合において、その死亡した者が次の（一）又は（二）に掲げる者に該当するときは、その死亡した者の数は、同族理事の数に加算することに留意する。

（一）　その死亡の直前において当該特定一般社団法人等の同族理事である者

（二）　当該特定一般社団法人等の理事でなくなった日から5年を経過していない者であって当該被相続人と（3）に規定する特殊の関係のあるもの

　　（被相続人から特定一般社団法人等に対し遺贈があった場合）

（6）　被相続人の死亡について特定一般社団法人等に1の規定の適用がある場合において、当該特定一般社団法人等が当該被相続人から遺贈により財産を取得しているときは、次によることに留意する。（基通66の2－7）

（一）　当該財産は、当該特定一般社団法人等の純資産額の算定の基礎となる財産から除かれること。

（二）　当該財産の取得につき三の規定の適用により相続税が課される場合には、次の取扱いとなること。

イ　当該特定一般社団法人等に係る相続税の課税価格は、当該財産の価額と1の規定により遺贈により取得したものとみなされる金額との合計額による。

ロ　第二編第一章第二節二の（1）《人格のない社団又は財団等に課される贈与税の額》の規定により相続税の額から控除する同（1）の法人税その他の税の額に相当する額は、同（1）の規定による控除前の相続税の額に当該財産の価額がイの課税価格に占める割合を乗じて計算した金額が限度となる。

ハ　当該被相続人の死亡について当該特定一般社団法人等に課された相続税の税額には、3の規定は適用されない。

2　用語の意義

　四において、次の（一）から（四）までに掲げる用語の意義は、当該（一）から（四）までに定めるところによる。（法66の2②）

（一）　**一般社団法人等**　一般社団法人又は一般財団法人（被相続人の相続開始の時において公益社団法人又は公益財団法人、法人税法第2条第9号の2《定義》に規定する非営利型法人その他の（1）の政令で定める一般社団法人又は一般財団法人に該当するものを除く。）をいう。

（二）　**同族理事**　一般社団法人等の理事のうち、被相続人又はその配偶者、3親等内の親族その他の当該被相続人と1の（3）の政令で定める特殊の関係のある者をいう。

（三）　**特定一般社団法人等**　一般社団法人等であって次に掲げる要件のいずれかを満たすものをいう。

イ　被相続人の相続開始の直前における当該被相続人に係る同族理事の数の理事の総数のうちに占める割合が2分の1を超えること。

ロ　被相続人の相続の開始前5年以内において当該被相続人に係る同族理事の数の理事の総数のうちに占める割合が2分の1を超える期間の合計が3年以上であること。

（注）1　（一）に規定する一般社団法人等が平成30年3月31日以前に設立されたものである場合には、四の規定は、令和3年4月1日以後の当該一般社団法人等の理事である者（当該一般社団法人等の理事でなくなった日から5年を経過していない者を含む。）の死亡に係る相続税について適用する。（平30改所法等附43⑤）

　　2　（注）1の場合において、（三）のロの規定の適用については、平成30年3月31日以前の期間は、同ロの2分の1を超える期間に該当しないものとされていることに留意する。（基通66の2－8）

　　（政令で定める一般社団法人又は一般財団法人）

（1）　2の（一）に規定する政令で定める一般社団法人又は一般財団法人は、次に掲げるものとする。（令34④）

－17－

第一編　相続税

(一)　公益社団法人又は公益財団法人

(二)　法人税法第2条第9号の2に規定する非営利型法人

(三)　資産の流動化に関する法律（平成10年法律第105号）第2条第3項《定義》に規定する特定目的会社又はこれに類する会社であって(2)の財務省令で定めるものを一般社団法人及び一般財団法人に関する法律第2条第4号《定義》に規定する子法人として保有することを専ら目的とする一般社団法人又は一般財団法人であって(3)の財務省令で定めるもの

(四)　資産の流動化に関する法律第2条第2項に規定する資産の流動化に類する行為を行うものとして(4)の財務省令で定める一般社団法人又は一般財団法人

　　　（財務省令で定めるもの）

(2)　(1)の(三)に規定する特定目的会社又はこれに類する会社であって財務省令で定めるものは、資産の流動化に関する法律（平成10年法律第105号）第2条第3項《定義》に規定する特定目的会社（(3)において「特定目的会社」という。）又は専ら資産流動化（一連の行為として、有価証券の発行又は資金の借入れにより得られる金銭をもって資産を取得し、当該資産の管理及び処分により得られる金銭をもって、当該有価証券又は資金の借入れに係る債務の履行を行う行為をいう。以下(2)及び(4)において同じ。）を行うことを目的とする会社（会社法第2条第2号《定義》に規定する外国会社を含む。）であって、次に掲げる要件を満たすものとする。(規32①)

(一)　資産流動化に係る業務及びその附帯業務を現に行っていること。

(二)　資産流動化に係る業務として取得した資産以外の資産（当該資産流動化に係る業務及びその附帯業務を行うために必要と認められる資産並びにこれらの業務に係る業務上の余裕金を除く。）を保有していないこと。

(三)　当該有価証券の発行に際して金融商品取引法第2条第3項《定義》に規定する取得勧誘を行っていること。

　　　（子法人として保有することを専ら目的とするもの）

(3)　(1)の(三)に規定する一般社団法人又は一般財団法人で財務省令で定めるものは、特定目的会社又は(2)に規定する会社の発行済株式又は出資（剰余金の配当若しくは利益の配当又は残余財産の分配について優先的内容を有するものを除く。）の全部を保有し、かつ、当該発行済株式又は出資以外の資産を保有していないものとする。(規32②)

　　　（資産の流動化に類する行為を行うもの）

(4)　(1)の(四)に規定する財務省令で定める一般社団法人又は一般財団法人は、専ら資産流動化を行うことを目的とする一般社団法人又は一般財団法人であって、(2)の(一)から(三)までに掲げる要件を満たすものとする。(規32③)

　　　（被相続人が被合併法人の理事であった場合）

(5)　2の(一)に規定する一般社団法人等が被相続人の相続の開始前5年以内に行われた合併に係る合併法人（一般社団法人及び一般財団法人に関する法律第244条第1号《吸収合併契約》に規定する吸収合併存続法人又は同法第254条第2号《新設合併契約》に規定する新設合併設立法人をいう。3の(1)において同じ。）である場合において、当該被相続人が当該期間内のいずれかの時において当該合併に係る被合併法人（一般社団法人及び一般財団法人に関する法律第244条第1号に規定する吸収合併消滅法人又は同法第254条第1号に規定する新設合併消滅法人をいう。(6)及び3の(1)において同じ。）の理事であったときは、1の規定の適用については、当該被相続人は当該一般社団法人等の理事でなくなった日から5年を経過していない者とみなす。(令34⑤)

　　　（被合併法人同族理事の割合）

(6)　(5)の場合における2の(三)のロの規定の適用については、被合併法人同族理事（(5)の合併に係る被合併法人の理事のうち、被相続人又は当該被相続人と1の(3)に規定する特殊の関係のある者をいう。）の数の理事の総数のうちに占める割合が2分の1を超える期間は、2の(三)のロの2分の1を超える期間に該当するものとみなす。(令34⑥)

　　　（相続開始前5年以内における同族理事の数の理事の総数に占める割合の判定）

(7)　2の(三)のロの割合が2分の1を超える期間の合計が3年以上であるかどうかの判定については、次によることに留意する。(基通66の2-3)

(一)　理事である期間は、2の(一)に規定する一般社団法人等（以下(8)及び2の(注)2において「一般社団法人等」という。）の理事が、一般社団法人及び一般財団法人に関する法律（平成18年法律第48号）第63条《選任》（同法第177条《一般社団法人に関する規定の準用》において準用する場合を含む。）の規定に基づき選任された日からその退任の

－18－

日又は解任の日までの期間による。

（二）　被相続人の相続の開始前5年以内の各時における**2**の（三）のロの割合の計算は、当該各時において当該被相続人に係る同族理事に該当する理事の数及び当該各時の理事の総数に基づき行う。

（注）　（6）に規定する被合併法人同族理事（以下（8）において「被合併法人同族理事」という。）の数についても同様であることに留意する。

　　　（一般社団法人等が合併法人である場合）
（8）　一般社団法人等が、被相続人の相続開始前5年以内に行われた合併に係る（5）に規定する合併法人である場合には、次によることに留意する。（基通66の2－4）

（一）　当該被相続人が、（5）に規定する被合併法人（以下（8）において「被合併法人」という。）の理事であったときは、当該被相続人は当該一般社団法人等の理事でなくなった日から5年を経過していない者とみなされる。

（二）　当該一般社団法人等に係る被合併法人が複数あるときの被合併法人同族理事の数の被合併法人の理事の総数に占める割合の判定は、被合併法人ごとに行い、その割合が2分の1を超える期間については、当該一般社団法人等に係る**2**の（三）のロの2分の1を超える期間に該当するものとみなされる。

3　特定一般社団法人等に課された相続税の税額の控除

　1の規定により特定一般社団法人等に相続税が課される場合には、当該特定一般社団法人等の相続税の額については、（1）の政令で定めるところにより、**三**において準用する**二**の**1**又は**2**の規定により当該特定一般社団法人等に課された相続税の税額を控除する。（法66の2③）

　　　（控除対象金額の控除）
（1）　**1**の規定の適用がある場合において、**1**の特定一般社団法人等・（被相続人の相続の開始前に当該特定一般社団法人等を合併法人とする合併があった場合には、当該合併に係る被合併法人を含む。）が当該相続の開始前に遺贈により取得した財産について**三**において準用する**二**の**1**又は**2**の規定により課された相続税（当該遺贈をした者の死亡につき当該特定一般社団法人等が**1**の規定の適用を受けた場合における当該相続税を除く。）の税額（**二**の**1**の（1）の規定による控除後の税額とし、延滞税、利子税、過少申告加算税、無申告加算税及び重加算税に相当する税額を除く。）に相当する金額（既に**3**の規定により控除された金額を除く。以下（1）において「控除対象金額」という。）があるときは、**1**の規定により当該特定一般社団法人等に課される相続税の額については、当該控除対象金額（当該控除対象金額が当該相続税の額を超える場合には、当該相続税の額）を控除する。（令34⑦）

　　　（持分の定めのない法人の納税義務の不適用）
（2）　**1**の規定により特定一般社団法人等が遺贈により取得したものとみなされる財産については、**三**の規定は、適用しない。（令34⑨）

　　　（持分の定めのない法人の納税義務の適用がある場合）
（3）　**1**の規定の適用がある場合において、**1**の特定一般社団法人等が被相続人から遺贈により取得した財産について**三**の規定の適用があるときは、当該特定一般社団法人等の相続税の額からの控除については、まず**二**の**1**の（1）の規定による控除をした後において、**3**の規定による控除をするものとする。この場合において、**二**の**1**の（1）の規定により控除をする金額は、**二**の**1**の（1）の規定による控除前の相続税の額に、当該財産の価額が当該特定一般社団法人等に係る相続税の課税価格のうちに占める割合を乗じて計算した金額を限度とする。（令34⑩）

　　　（被相続人から遺贈により取得した財産の相続税の不算入）
（4）　**1**の規定の適用がある場合において、**1**の特定一般社団法人等が被相続人から遺贈により取得した財産があるとき（（3）の規定に該当するときを除く。）は、当該財産の価額は、相続の課税価格に算入しない。（令34⑪）

　　　（「課された相続税」の意義）
（5）　**3**に規定する「課された相続税」には、特定一般社団法人等が贈与及び遺贈により取得した財産に対して**三**において準用する**二**の**1**又は**二**の**2**の規定により課されるべき相続税（更正又は決定をすることができなくなった相続税を除く。）も含まれるものとして取り扱うものとする。この場合において、当該相続税については、速やかに課税手続をとることに留意する。（基通66の2－5）

—19—

第一編　相続税

4　特定一般社団法人等の住所の判定

　1の規定の適用がある場合における一の規定の適用については、1の特定一般社団法人等の住所は、その主たる事務所の所在地にあるものとする。（法66の2④）

5　特定一般社団法人等の相続開始前3年以内の贈与財産

　1の規定の適用がある場合において、1の特定一般社団法人等が被相続人に係る相続の開始前<u>3年</u>以内に当該被相続人から贈与により取得した財産の価額については、第四章第二節の<u>四</u>の1《相続開始前<u>3年</u>以内の贈与財産》の規定は、適用しない。（法66の2⑤）

　　（注）1　──線部分の規定は、令和6年1月1日以後については、「3年」とあるのは、「7年」とする。（令5改所法等附1三イ）
　　　　　2　令和5年度改正後の5の規定は、令和6年1月1日以後に特定一般社団法人等（2の(三)に規定する特定一般社団法人等をいう。以下同じ。）が贈与により取得する財産に係る相続税について適用し、令和5年12月31日以前に特定一般社団法人等が贈与により取得した財産に係る相続税については、なお従前の例による。（令5改所法等附19⑬）
　　　　　3　令和6年1月1日から令和8年12月31日までの間に遺贈により金額を取得したものとみなされる特定一般社団法人等については、（注2）の規定にかかわらず、令和5年度改正後の5の規定を適用する。この場合において、5中「7年」とあるのは、「3年」とする。（令5改所法等附19⑭）
　　　　　4　令和9年1月1日から令和12年12月31日までの間に遺贈により金額を取得したものとみなされる特定一般社団法人等に係る令和5年度改正後の5の規定の適用については、5中「被相続人に係る相続の開始前7年以内」とあるのは、「令和6年1月1日から被相続人に係る相続の開始の日までの間」とする。（令5改所法等附⑮）

6　特定一般社団法人等の申告書の提出期限

　1の規定により特定一般社団法人等に相続税が課される場合における当該特定一般社団法人等に係る第七章第一節の一の1《申告書の提出期限》の規定の適用については、同1中「その相続の開始があった」とあるのは、「当該被相続人が死亡した」とする。（法66の2⑥、令34⑧）

五　太平洋戦争終結当時の在外財産等に対する課税の特例

1　在外財産等についての相続税の課税価格の計算の特例

①　課税価格不算入

　相続又は遺贈により取得した財産のうちに昭和20年8月15日において相続税法の施行地外にあった財産その他財産税法施行細則第10条に規定する財産（以下2までにおいて「**在外財産等**」という。）がある場合には、当該在外財産等（当該相続に係る相続税申告書の提出期限までに、財産税法施行細則第10条の2から第10条の15までの規定（ただし、これらの規定により計算される財産税調査時期における価額は、当該相続開始の日における価額による。）に準じてその価額を算定することができるものを除く。）の価額は、当該相続又は遺贈に係る相続税の課税価格の計算の基礎に算入しない。（措法69の2①、措規23）

②　債務控除の不適用

　相続又は包括遺贈により承継した被相続人の債務のうちに相続税法の施行地外において履行すべき財産税法施行細則第10条に規定する債務で昭和20年8月15日において存したものがあるときは、当該債務の金額は、当該相続に係る相続税の課税価格の計算上、債務控除の金額に算入しない。（措法69の2②、措規23）

③　適用手続

　①の規定は、①の規定の適用を受けようとする者の当該相続に係る相続税申告書に①の規定の適用を受けようとする旨及び在外財産等の明細に関する事項の記載がない場合には、適用しない。（措法69の2③）

2　在外財産等の価額が算定可能となった場合の修正申告等

①　修正申告

　1の①の規定の適用を受けて同①に規定する相続又は遺贈に係る申告書を提出した者（その者の相続人及び包括受遺者を含む。）は、同①の規定の適用を受けた在外財産等について同①に規定するところによりその価額を算定することができることとなった場合には、その算定することができることとなった日の翌日から4月以内に国税通則法第19条第3項に規定する修正申告書を提出し、かつ、当該期限内に当該修正申告書の提出により納付すべき税額を納付しなければならない。（措法69の3①）

②　期限後申告

　1の①の規定の適用を受けた者は、同①の規定の適用を受けた財産について同①に規定するところによりその価額を算

－20－

定して相続税の課税価格に算入することにより相続税申告書を提出すべきこととなった場合には、その算定することができることとなった日の翌日から4月以内に国税通則法第18条第2項に規定する期限後申告書を提出し、かつ、当該期限内に当該期限後申告書の提出により納付すべき税額を納付しなければならない。（措法69の3②）

第三節　課税の原因

一　相続による財産の取得

相続税法には相続（又は遺贈、死因贈与）についての別段の規定はないので、民法の関係規定を次に掲げることとする。
（編者）

〰〰〰〰〰〰〰〰〰〰〰〰【相続に関する民法の規定】〰〰〰〰〰〰〰〰〰〰〰〰

第五編　相　　　続　　　　　　　　　　　　（第七章　遺　　　言……30ページに収録）

第一章　総　　　則

〔相続開始の原因〕
第882条　相続は、死亡によって開始する。
〔相続開始の場所〕
第883条　相続は、被相続人の住所において開始する。
〔相続回復請求権〕
第884条　相続回復の請求権は、相続人又はその法定代理人が相続権を侵害された事実を知った時から５年間行使しないときは、時効によって消滅する。相続開始の時から20年を経過したときも、同様とする。
〔相続財産に関する費用〕
第885条　相続財産に関する費用は、その財産の中から支弁する。ただし、相続人の過失によるものは、この限りでない。

第二章　相　続　人

〔相続に関する胎児の権利能力〕
第886条　胎児は、相続については、既に生まれたものとみなす。
②　前項の規定は、胎児が死体で生まれたときは、適用しない。
〔子及びその代襲者等の相続権〕
第887条　被相続人の子は、相続人となる。
②　被相続人の子が、相続の開始以前に死亡したとき、又は第891条の規定に該当し、若しくは廃除によって、その相続権を失ったときは、その者の子がこれを代襲して相続人となる。ただし、被相続人の直系卑属でない者は、この限りでない。
③　前項の規定は、代襲者が、相続の開始以前に死亡し、又は第891条の規定に該当し、若しくは廃除によって、その代襲相続権を失った場合について準用する。
第888条　削除
〔直系尊属及び兄弟姉妹の相続権〕
第889条　次に掲げる者は、第887条の規定により相続人となるべき者がない場合には、次に掲げる順序の順位に従って相続人となる。
　一　被相続人の直系尊属。ただし、親等の異なる者の間では、その近い者を先にする。
　二　被相続人の兄弟姉妹
②　第887条第２項の規定は、前項第２号の場合について準用する。
〔配偶者の相続権〕
第890条　被相続人の配偶者は、常に相続人となる。この場合において、第887条又は前条の規定により相続人となるべき者があるときは、その者と同順位とする。
〔相続人の欠格事由〕
第891条　次に掲げる者は、相続人となることができない。

一　故意に被相続人又は相続について先順位若しくは同順位にある者を死亡するに至らせ、又は至らせようとしたために、刑に処せられた者

二　被相続人の殺害されたことを知って、これを告発せず、又は告訴しなかった者。ただし、その者に是非の弁別がないとき、又は殺害者が自己の配偶者若しくは直系血族であったときは、この限りでない。

三　詐欺又は強迫によって、被相続人が相続に関する遺言をし、撤回し、取り消し、又は変更することを妨げた者

四　詐欺又は強迫によって、被相続人に相続に関する遺言をさせ、撤回させ、取り消させ、又は変更させた者

五　相続に関する被相続人の遺言書を偽造し、変造し、破棄し、又は隠匿した者

〔推定相続人の廃除〕

第892条　遺留分を有する推定相続人（相続が開始した場合に相続人となるべき者をいう。以下同じ。）が、被相続人に対して虐待をし、若しくはこれに重大な侮辱を加えたとき、又は推定相続人にその他の著しい非行があったときは、被相続人は、その推定相続人の廃除を家庭裁判所に請求することができる。

〔遺言による推定相続人の廃除〕

第893条　被相続人が遺言で推定相続人を廃除する意思を表示したときは、遺言執行者は、その遺言が効力を生じた後、遅滞なく、その推定相続人の廃除を家庭裁判所に請求しなければならない。この場合において、その推定相続人の廃除は、被相続人の死亡の時にさかのぼってその効力を生ずる。

〔推定相続人の廃除の取消し〕

第894条　被相続人は、いつでも、推定相続人の廃除の取消しを家庭裁判所に請求することができる。

②　前条の規定は、推定相続人の廃除の取消しについて準用する。

〔推定相続人の廃除に関する審判確定前の遺産の管理〕

第895条　推定相続人の廃除又はその取消しの請求があった後その審判が確定する前に相続が開始したときは、家庭裁判所は、親族、利害関係人又は検察官の請求によって、遺産の管理について必要な処分を命ずることができる。推定相続人の廃除の遺言があったときも、同様とする。

②　第27条から第29条までの規定は、前項の規定により家庭裁判所が遺産の管理人を選任した場合について準用する。

第三章　相続の効力

第一節　総　　　則

〔相続の一般的効力〕

第896条　相続人は、相続開始の時から、被相続人の財産に属した一切の権利義務を承継する。ただし、被相続人の一身に専属したものは、この限りでない。

〔祭祀に関する権利の承継〕

第897条　系譜、祭具及び墳墓の所有権は、前条の規定にかかわらず、慣習に従って祖先の祭祀を主宰すべき者が承継する。ただし、被相続人の指定に従って祖先の祭祀を主宰すべき者があるときは、その者が承継する。

②　前項本文の場合において慣習が明らかでないときは、同項の権利を承継すべき者は、家庭裁判所が定める。

〔相続財産の保存〕

第897条の 2　家庭裁判所は、利害関係人又は検察官の請求によって、いつでも、相続財産の管理人の選任その他の相続財産の保存に必要な処分を命ずることができる。ただし、相続人が 1 人である場合においてその相続人が相続の単純承認をしたとき、相続人が数人ある場合において遺産の全部の分割がされたとき、又は第952条第 1 項の規定により相続財産の清算人が選任されているときは、この限りでない。

②　第27条から第29条までの規定は、前項の規定により家庭裁判所が相続財産の管理人を選任した場合について準用する。

〔共同相続の効力〕

第898条　相続人が数人あるときは、相続財産は、その共有に属する。

②　相続財産について共有に関する規定を適用するときは、第900条から第902条までの規定により算定した相続分をもって各相続人の共有持分とする。

第899条　各共同相続人は、その相続分に応じて被相続人の権利義務を承継する。

〔共同相続における権利の承継の対抗要件〕

第899条の 2　相続による権利の承継は、遺産の分割によるものかどうかにかかわらず、次条及び第901条の規定により算定した相続分を超える部分については、登記、登録その他の対抗要件を備えなければ、第三者に対抗することができない。

第一編　相続税

② 前項の権利が債権である場合において、次条及び第901条の規定により算定した相続分を超えて当該債権を承継した共同相続人が当該債権に係る遺言の内容（遺産の分割により当該債権を承継した場合にあっては、当該債権に係る遺産の分割の内容）を明らかにして債務者にその承継の通知をしたときは、共同相続人の全員が債務者に通知をしたものとみなして、同項の規定を適用する。

第二節　相 続 分

〔法定相続分〕

第900条　同順位の相続人が数人あるときは、その相続分は、次の各号の定めるところによる。

一　子及び配偶者が相続人であるときは、子の相続分及び配偶者の相続分は、各2分の1とする。

二　配偶者及び直系尊属が相続人であるときは、配偶者の相続分は、3分の2とし、直系尊属の相続分は、3分の1とする。

三　配偶者及び兄弟姉妹が相続人であるときは、配偶者の相続分は、4分の3とし、兄弟姉妹の相続分は、4分の1とする。

四　子、直系尊属又は兄弟姉妹が数人あるときは、各自の相続分は、相等しいものとする。ただし、父母の一方のみを同じくする兄弟姉妹の相続分は、父母の双方を同じくする兄弟姉妹の相続分の2分の1とする。

〔代襲相続人の相続分〕

第901条　第887条第2項又は第3項の規定によって相続人となる直系卑属の相続分は、その直系尊属が受けるべきであったものと同じとする。ただし、直系卑属が数人あるときは、その各自の直系尊属が受けるべきであった部分について、前条の規定に従ってその相続分を定める。

② 前項の規定は、第889条第2項の規定により兄弟姉妹の子が相続人となる場合について準用する。

〔遺言による相続分の指定〕

第902条　被相続人は、前2条の規定にかかわらず、遺言で、共同相続人の相続分を定め、又はこれを定めることを第三者に委託することができる。

② 被相続人が、共同相続人中の1人若しくは数人の相続分のみを定め、又はこれを第三者に定めさせたときは、他の共同相続人の相続分は、前2条の規定により定める。

〔相続分の指定がある場合の債権者の権利の行使〕

第902条の2　被相続人が相続開始の時において有した債務の債権者は、前条の規定による相続分の指定がされた場合であっても、各共同相続人に対し、第900条及び第901条の規定により算定した相続分に応じてその権利を行使することができる。ただし、その債権者が共同相続人の1人に対してその指定された相続分に応じた債務の承継を承認したときは、この限りでない。

〔特別受益者の相続分〕

第903条　共同相続人中に、被相続人から、遺贈を受け、又は婚姻若しくは養子縁組のため若しくは生計の資本として贈与を受けた者があるときは、被相続人が相続開始の時において有した財産の価額にその贈与の価額を加えたものを相続財産とみなし、第900条から第902条までの規定により算定した相続分の中からその遺贈又は贈与の価額を控除した残額をもってその者の相続分とする。

② 遺贈又は贈与の価額が、相続分の価額に等しく、又はこれを超えるときは、受遺者又は受贈者は、その相続分を受けることができない。

③ 被相続人が前2項の規定と異なった意思を表示したときは、その意思に従う。

④ 婚姻期間が20年以上の夫婦の一方である被相続人が、他の一方に対し、その居住の用に供する建物又はその敷地について遺贈又は贈与をしたときは、当該被相続人は、その遺贈又は贈与について第一項の規定を適用しない旨の意思を表示したものと推定する。

第904条　前条に規定する贈与の価額は、受贈者の行為によって、その目的である財産が滅失し、又はその価格の増減があったときであっても、相続開始の時においてなお原状のままであるものとみなしてこれを定める。

〔寄与分〕

第904条の2　共同相続人中に、被相続人の事業に関する労務の提供又は財産上の給付、被相続人の療養看護その他の方法により被相続人の財産の維持又は増加について特別の寄与をした者があるときは、被相続人が相続開始の時において有した財産の価額から共同相続人の協議で定めたその者の寄与分を控除したものを相続財産とみなし、第900条から第902条までの規定により算定した相続分に寄与分を加えた額をもってその者の相続分とする。

② 前項の協議が調わないとき、又は協議をすることができないときは、家庭裁判所は、同項に規定する寄与をした者の請求により、寄与の時期、方法及び程度、相続財産の額その他一切の事情を考慮して、寄与分を定める。

-24-

③　寄与分は、被相続人が相続開始の時において有した財産の価額から遺贈の価額を控除した残額を超えることができない。

④　第2項の請求は、第907条第2項の規定による請求があった場合又は第910条に規定する場合にすることができる。

〔期間経過後の遺産の分割における相続分〕

第904条の3　前3条の規定は、相続開始の時から10年を経過した後にする遺産の分割については、適用しない。ただし、次の各号のいずれかに該当するときは、この限りでない。

一　相続開始の時から10年を経過する前に、相続人が家庭裁判所に遺産の分割の請求をしたとき。

二　相続開始の時から始まる10年の期間の満了前6箇月以内の間に、遺産の分割を請求することができないやむを得ない事由が相続人にあった場合において、その事由が消滅した時から6箇月を経過する前に、当該相続人が家庭裁判所に遺産の分割の請求をしたとき。

〔相続分の取戻権〕

第905条　共同相続人の1人が遺産の分割前にその相続分を第三者に譲り渡したときは、他の共同相続人は、その価額及び費用を償還して、その相続分を譲り受けることができる。

②　前項の権利は、1箇月以内に行使しなければならない。

第三節　遺産の分割

〔遺産の分割の基準〕

第906条　遺産の分割は、遺産に属する物又は権利の種類及び性質、各相続人の年齢、職業、心身の状態及び生活の状況その他一切の事情を考慮してこれをする。

〔遺産の分割前に遺産に属する財産が処分された場合の遺産の範囲〕

第906条の2　遺産の分割前に遺産に属する財産が処分された場合であっても、共同相続人は、その全員の同意により、当該処分された財産が遺産の分割時に遺産として存在するものとみなすことができる。

②　前項の規定にかかわらず、共同相続人の一人又は数人により同項の財産が処分されたときは、当該共同相続人については、同項の同意を得ることを要しない。

〔遺産の分割の協議又は審判〕

第907条　共同相続人は、次条第1項の規定により被相続人が遺言で禁じた場合又は同条第2項の規定により分割をしない旨の契約をした場合を除き、いつでも、その協議で、遺産の全部又は一部の分割をすることができる。

②　遺産の分割について、共同相続人間に協議が調わないとき、又は協議をすることができないときは、各共同相続人は、その全部又は一部の分割を家庭裁判所に請求することができる。ただし、遺産の一部を分割することにより他の共同相続人の利益を害するおそれがある場合におけるその一部の分割については、この限りでない。

〔遺産の分割の方法の指定及び遺産の分割の禁止〕

第908条　被相続人は、遺言で、遺産の分割の方法を定め、若しくはこれを定めることを第三者に委託し、又は相続開始の時から5年を超えない期間を定めて、遺産の分割を禁ずることができる。

②　共同相続人は、5年以内の期間を定めて、遺産の全部又は一部について、その分割をしない旨の契約をすることができる。ただし、その期間の終期は、相続開始の時から十年を超えることができない。

③　前項の契約は、5年以内の期間を定めて更新することができる。ただし、その期間の終期は、相続開始の時から10年を超えることができない。

④　前条第2項本文の場合において特別の事由があるときは、家庭裁判所は、5年以内の期間を定めて、遺産の全部又は一部について、その分割を禁ずることができる。ただし、その期間の終期は、相続開始の時から10年を超えることができない。

⑤　家庭裁判所は、5年以内の期間を定めて前項の期間を更新することができる。ただし、その期間の終期は、相続開始の時から10年を超えることができない。

〔遺産の分割の効力〕

第909条　遺産の分割は、相続開始の時にさかのぼってその効力を生ずる。ただし、第三者の権利を害することはできない。

〔遺産の分割前における預貯金債権の行使〕

第909条の2　各共同相続人は、遺産に属する預貯金債権のうち相続開始の時の債権額の3分の1に第900条及び第901条の規定により算定した当該共同相続人の相続分を乗じた額（標準的な当面の必要生計費、平均的な葬式の費用の額その他の事情を勘案して預貯金債権の債務者ごとに法務省令で定める額を限度とする。）については、単独でその権利を行使することができる。この場合において、当該権利の行使をした預貯金債権については、当該共同相続人が遺

産の一部の分割によりこれを取得したものとみなす。

〔相続の開始後に認知された者の価額の支払請求権〕

第910条 相続の開始後認知によって相続人となった者が遺産の分割を請求しようとする場合において、他の共同相続人が既にその分割その他の処分をしたときは、価額のみによる支払の請求権を有する。

〔共同相続人間の担保責任〕

第911条 各共同相続人は、他の共同相続人に対して、売主と同じく、その相続分に応じて担保の責任を負う。

〔遺産の分割によって受けた債権についての担保責任〕

第912条 各共同相続人は、その相続分に応じ、他の共同相続人が遺産の分割によって受けた債権について、その分割の時における債務者の資力を担保する。

② 弁済期に至らない債権及び停止条件付きの債権については、各共同相続人は、弁済をすべき時における債務者の資力を担保する。

〔資力のない共同相続人がある場合の担保責任の分担〕

第913条 担保の責任を負う共同相続人中に償還をする資力のない者があるときは、その償還することができない部分は、求償者及び他の資力のある者が、それぞれその相続分に応じて分担する。ただし、求償者に過失があるときは、他の共同相続人に対して分担を請求することができない。

〔遺言による担保責任の定め〕

第914条 前3条の規定は、被相続人が遺言で別段の意思を表示したときは、適用しない。

第四章　相続の承認及び放棄

第一節　総　　則

〔相続の承認又は放棄をすべき期間〕

第915条 相続人は、自己のために相続の開始があったことを知った時から3箇月以内に、相続について、単純若しくは限定の承認又は放棄をしなければならない。ただし、この期間は、利害関係人又は検察官の請求によって、家庭裁判所において伸長することができる。

② 相続人は、相続の承認又は放棄をする前に、相続財産の調査をすることができる。

第916条 相続人が相続の承認又は放棄をしないで死亡したときは、前条第1項の期間は、その者の相続人が自己のために相続の開始があったことを知った時から起算する。

第917条 相続人が未成年者又は成年被後見人であるときは、第915条第1項の期間は、その法定代理人が未成年者又は成年被後見人のために相続の開始があったことを知った時から起算する。

〔相続人による管理〕

第918条 相続人は、その固有財産におけるのと同一の注意をもって、相続財産を管理しなければならない。ただし、相続の承認又は放棄をしたときは、この限りでない。

〔相続の承認及び放棄の撤回及び取消し〕

第919条 相続の承認及び放棄は、第915条第1項の期間内でも、撤回することができない。

② 前項の規定は、第一編（総則）及び前編（親族）の規定により相続の承認又は放棄の取消しをすることを妨げない。

③ 前項の取消権は、追認をすることができる時から6箇月間行使しないときは、時効によって消滅する。相続の承認又は放棄の時から10年を経過したときも、同様とする。

④ 第2項の規定により限定承認又は相続の放棄の取消しをしようとする者は、その旨を家庭裁判所に申述しなければならない。

第二節　相続の承認

第一款　単純承認

〔単純承認の効力〕

第920条 相続人は、単純承認をしたときは、無限に被相続人の権利義務を承継する。

〔法定単純承認〕

第921条 次に掲げる場合には、相続人は、単純承認をしたものとみなす。

一　相続人が相続財産の全部又は一部を処分したとき。ただし、保存行為及び第602条に定める期間を超えない賃貸をすることは、この限りでない。

二　相続人が第915条第1項の期間内に限定承認又は相続の放棄をしなかったとき。

三　相続人が、限定承認又は相続の放棄をした後であっても、相続財産の全部若しくは一部を隠匿し、私にこれを消費し、又は悪意でこれを相続財産の目録中に記載しなかったとき。ただし、その相続人が相続の放棄をしたことによって相続人となった者が相続の承認をした後は、この限りでない。

第二款　限定承認

〔限定承認〕

第922条　相続人は、相続によって得た財産の限度においてのみ被相続人の債務及び遺贈を弁済すべきことを留保して、相続の承認をすることができる。

〔共同相続人の限定承認〕

第923条　相続人が数人あるときは、限定承認は、共同相続人の全員が共同してのみこれをすることができる。

〔限定承認の方式〕

第924条　相続人は、限定承認をしようとするときは、第915条第1項の期間内に、相続財産の目録を作成して家庭裁判所に提出し、限定承認をする旨を申述しなければならない。

〔限定承認をしたときの権利義務〕

第925条　相続人が限定承認をしたときは、その被相続人に対して有した権利義務は、消滅しなかったものとみなす。

〔限定承認者による管理〕

第926条　限定承認者は、その固有財産におけるのと同一の注意をもって、相続財産の管理を継続しなければならない。

②　第645条、第646条並びに第650条第1項及び第2項の規定は、前項の場合について準用する。

〔相続債権者及び受遺者に対する公告及び催告〕

第927条　限定承認者は、限定承認をした後5日以内に、すべての相続債権者（相続財産に属する債務の債権者をいう。以下同じ。）及び受遺者に対し、限定承認をしたこと及び一定の期間内にその請求の申出をすべき旨を公告しなければならない。この場合において、その期間は、2箇月を下ることができない。

②　前項の規定による公告には、相続債権者及び受遺者がその期間内に申出をしないときは弁済から除斥されるべき旨を付記しなければならない。ただし、限定承認者は、知れている相続債権者及び受遺者を除斥することができない。

③　限定承認者は、知れている相続債権者及び受遺者には、各別にその申出の催告をしなければならない。

④　第1項の規定による公告は、官報に掲載してする。

〔公告期間満了前の弁済の拒絶〕

第928条　限定承認者は、前条第1項の期間の満了前には、相続債権者及び受遺者に対して弁済を拒むことができる。

〔公告期間満了後の弁済〕

第929条　第927条第1項の期間が満了した後は、限定承認者は、相続財産をもって、その期間内に同項の申出をした相続債権者その他知れている相続債権者に、それぞれその債権額の割合に応じて弁済をしなければならない。ただし、優先権を有する債権者の権利を害することはできない。

〔期限前の債務等の弁済〕

第930条　限定承認者は、弁済期に至らない債権であっても、前条の規定に従って弁済をしなければならない。

②　条件付きの債権又は存続期間の不確定な債権は、家庭裁判所が選任した鑑定人の評価に従って弁済をしなければならない。

〔受遺者に対する弁済〕

第931条　限定承認者は、前2条の規定に従って各相続債権者に弁済をした後でなければ、受遺者に弁済をすることができない。

〔弁済のための相続財産の換価〕

第932条　前3条の規定に従って弁済をするにつき相続財産を売却する必要があるときは、限定承認者は、これを競売に付さなければならない。ただし、家庭裁判所が選任した鑑定人の評価に従い相続財産の全部又は一部の価額を弁済して、その競売を止めることができる。

〔相続債権者及び受遺者の換価手続への参加〕

第933条　相続債権者及び受遺者は、自己の費用で、相続財産の競売又は鑑定に参加することができる。この場合においては、第260条第2項の規定を準用する。

〔不当な弁済をした限定承認者の責任等〕

第934条　限定承認者は、第927条の公告若しくは催告をすることを怠り、又は同条第1項の期間内に相続債権者若しくは受遺者に弁済をしたことによって他の相続債権者若しくは受遺者に弁済をすることができなくなったときは、これによって生じた損害を賠償する責任を負う。第929条から第931条までの規定に違反して弁済をしたときも、同様とする。

② 前項の規定は、情を知って不当に弁済を受けた相続債権者又は受遺者に対する他の相続債権者又は受遺者の求償を妨げない。

③ 第724条の規定は、前2項の場合について準用する。

〔公告期間内に申出をしなかった相続債権者及び受遺者〕

第935条 第927条第1項の期間内に同項の申出をしなかった相続債権者及び受遺者で限定承認者に知れなかったものは、残余財産についてのみその権利を行使することができる。ただし、相続財産について特別担保を有する者は、この限りでない。

〔相続人が数人ある場合の相続財産の清算人〕

第936条 相続人が数人ある場合には、家庭裁判所は、相続人の中から、相続財産の清算人を選任しなければならない。

② 前項の相続財産の清算人は、相続人のために、これに代わって、相続財産の管理及び債務の弁済に必要な一切の行為をする。

③ 第926条から前条までの規定は、第1項の相続財産の清算人について準用する。この場合において、第927条第1項中「限定承認をした後5日以内」とあるのは、「その相続財産の清算人の選任があった後10日以内」と読み替えるものとする。

〔法定単純承認の事由がある場合の相続債権者〕

第937条 限定承認をした共同相続人の1人又は数人について第921条第1号又は第3号に掲げる事由があるときは、相続債権者は、相続財産をもって弁済を受けることができなかった債権額について、当該共同相続人に対し、その相続分に応じて権利を行使することができる。

第三節 相続の放棄

〔相続の放棄の方式〕

第938条 相続の放棄をしようとする者は、その旨を家庭裁判所に申述しなければならない。

〔相続の放棄の効力〕

第939条 相続の放棄をした者は、その相続に関しては、初めから相続人とならなかったものとみなす。

〔相続の放棄をした者による管理〕

第940条 相続の放棄をした者は、その放棄の時に相続財産に属する財産を現に占有しているときは、相続人又は第952条第1項の相続財産の清算人に対して当該財産を引き渡すまでの間、自己の財産におけるのと同一の注意をもって、その財産を保存しなければならない。

② 第645条、第646条並びに第650条第1項及び第2項の規定は、前項の場合について準用する。

第五章 財産分離

〔相続債権者又は受遺者の請求による財産分離〕

第941条 相続債権者又は受遺者は、相続開始の時から3箇月以内に、相続人の財産の中から相続財産を分離することを家庭裁判所に請求することができる。相続財産が相続人の固有財産と混合しない間は、その期間の満了後も、同様とする。

② 家庭裁判所が前項の請求によって財産分離を命じたときは、その請求をした者は、5日以内に、他の相続債権者及び受遺者に対し、財産分離の命令があったこと及び一定の期間内に配当加入の申出をすべき旨を公告しなければならない。この場合において、その期間は、2箇月を下ることができない。

③ 前項の規定による公告は、官報に掲載してする。

〔財産分離の効力〕

第942条 財産分離の請求をした者及び前条第2項の規定により配当加入の申出をした者は、相続財産について、相続人の債権者に先立って弁済を受ける。

〔財産分離の請求後の相続財産の管理〕

第943条 財産分離の請求があったときは、家庭裁判所は、相続財産の管理について必要な処分を命ずることができる。

② 第27条から第29条までの規定は、前項の規定により家庭裁判所が相続財産の管理人を選任した場合について準用する。

〔財産分離の請求後の相続人による管理〕

第944条 相続人は、単純承認をした後でも、財産分離の請求があったときは、以後、その固有財産におけるのと同一の注意をもって、相続財産の管理をしなければならない。ただし、家庭裁判所が相続財産の管理人を選任したときは、この限りでない。

② 第645条から第647条まで並びに第650条第１項及び第２項の規定は、前項の場合について準用する。

〔不動産についての財産分離の対抗要件〕

第945条 財産分離は、不動産については、その登記をしなければ、第三者に対抗することができない。

〔物上代位の規定の準用〕

第946条 第304条の規定は、財産分離の場合について準用する。

〔相続債権者及び受遺者に対する弁済〕

第947条 相続人は、第941条第１項及び第２項の期間の満了前には、相続債権者及び受遺者に対して弁済を拒むことができる。

② 財産分離の請求があったときは、相続人は、第941条第２項の期間の満了後に、相続財産をもって、財産分離の請求又は配当加入の申出をした相続債権者及び受遺者に、それぞれその債権額の割合に応じて弁済をしなければならない。ただし、優先権を有する債権者の権利を害することはできない。

③ 第930条から第934条までの規定は、前項の場合について準用する。

〔相続人の固有財産からの弁済〕

第948条 財産分離の請求をした者及び配当加入の申出をした者は、相続財産をもって全部の弁済を受けることができなかった場合に限り、相続人の固有財産についてその権利を行使することができる。この場合においては、相続人の債権者は、その者に先立って弁済を受けることができる。

〔財産分離の請求の防止等〕

第949条 相続人は、その固有財産をもって相続債権者若しくは受遺者に弁済をし、又はこれに相当の担保を供して、財産分離の請求を防止し、又はその効力を消滅させることができる。ただし、相続人の債権者が、これによって損害を受けるべきことを証明して、異議を述べたときは、この限りでない。

〔相続人の債権者の請求による財産分離〕

第950条 相続人が限定承認をすることができる間又は相続財産が相続人の固有財産と混合しない間は、相続人の債権者は、家庭裁判所に対して財産分離の請求をすることができる。

② 第304条、第925条、第927条から第934条まで、第943条から第945条まで及び第948条の規定は、前項の場合について準用する。ただし、第927条の公告及び催告は、財産分離の請求をした債権者がしなければならない。

第六章　相続人の不存在

〔相続財産法人の成立〕

第951条 相続人のあることが明らかでないときは、相続財産は、法人とする。

〔相続財産の清算人の選任〕

第952条 前条の場合には、家庭裁判所は、利害関係人又は検察官の請求によって、相続財産の清算人を選任しなければならない。

② 前項の規定により相続財産の清算人を選任したときは、家庭裁判所は、遅滞なく、その旨及び相続人があるならば一定の期間内にその権利を主張すべき旨を公告しなければならない。この場合において、その期間は、６箇月を下ることができない。

〔不在者の財産の管理人に関する規定の準用〕

第953条 第27条から第29条までの規定は、前条第１項の相続財産の清算人（以下この章において単に「相続財産の清算人」という。）について準用する。

〔相続財産の清算人の報告〕

第954条 相続財産の清算人は、相続債権者又は受遺者の請求があるときは、その請求をした者に相続財産の状況を報告しなければならない。

〔相続財産法人の不成立〕

第955条 相続人のあることが明らかになったときは、第951条の法人は、成立しなかったものとみなす。ただし、相続財産の清算人がその権限内でした行為の効力を妨げない。

〔相続財産の清算人の代理権の消滅〕

第956条 相続財産の清算人の代理権は、相続人が相続の承認をした時に消滅する。

② 前項の場合には、相続財産の清算人は、遅滞なく相続人に対して清算に係る計算をしなければならない。

〔相続債権者及び受遺者に対する弁済〕

第957条 第952条第２項の公告があったときは、相続財産の清算人は、全ての相続債権者及び受遺者に対し、２箇月以上の期間を定めて、その期間内にその請求の申出をすべき旨を公告しなければならない。この場合において、その期

間は、同項の規定により相続人が権利を主張すべき期間として家庭裁判所が公告した期間内に満了するものでなければならない。

② 第927条第2項から第4項まで及び第928条から第935条まで（第932条ただし書を除く。）の規定は、前項の場合について準用する。

〔権利を主張する者がない場合〕

第958条 第952条第2項の期間内に相続人としての権利を主張する者がないときは、相続人並びに相続財産の清算人に知れなかった相続債権者及び受遺者は、その権利を行使することができない。

〔特別縁故者に対する相続財産の分与〕

第958条の2 前条の場合において、相当と認めるときは、家庭裁判所は、被相続人と生計を同じくしていた者、被相続人の療養看護に努めた者その他被相続人と特別の縁故があった者の請求によって、これらの者に、清算後残存すべき相続財産の全部又は一部を与えることができる。

② 前項の請求は、第952条第2項の期間の満了後3箇月以内にしなければならない。

〔残余財産の国庫への帰属〕

第959条 前条の規定により処分されなかった相続財産は、国庫に帰属する。この場合においては、第956条第2項の規定を準用する。

二 遺贈による財産の取得

【遺贈に関する民法の規定】

第七章 遺 言

第一節 総 則

〔遺言の方式〕

第960条 遺言は、この法律に定める方式に従わなければ、することができない。

〔遺言能力〕

第961条 15歳に達した者は、遺言をすることができる。

第962条 第5条、第9条、第13条及び第17条の規定は、遺言については、適用しない。

第963条 遺言者は、遺言をする時においてその能力を有しなければならない。

〔包括遺贈及び特定遺贈〕

第964条 遺言者は、包括又は特定の名義で、その財産の全部又は一部を処分することができる。ただし、遺留分に関する規定に違反することができない。

〔相続人に関する規定の準用〕

第965条 第886条及び第891条の規定は、受遺者について準用する。

〔被後見人の遺言の制限〕

第966条 被後見人が、後見の計算の終了前に、後見人又はその配偶者若しくは直系卑属の利益となるべき遺言をしたときは、その遺言は、無効とする。

② 前項の規定は、直系血族、配偶者又は兄弟姉妹が後見人である場合には、適用しない。

第二節 遺言の方式

第一款 普通の方式

〔普通の方式による遺言の種類〕

第967条 遺言は、自筆証書、公正証書又は秘密証書によってしなければならない。ただし、特別の方式によることを許す場合は、この限りでない。

〔自筆証書遺言〕

第968条 自筆証書によって遺言をするには、遺言者が、その全文、日付及び氏名を自書し、これに印を押さなければならない。

② 前項の規定にかかわらず、自筆証書にこれと一体のものとして相続財産（第997条第1項に規定する場合における同項に規定する権利を含む。）の全部又は一部の目録を添付する場合には、その目録については、自書することを要しない。この場合において、遺言者は、その目録の毎葉（自書によらない記載がその両面にある場合にあっては、そ

の両面）に署名し、印を押さなければならない。

③　自筆証書（前項の目録を含む。）中の加除その他の変更は、遺言者が、その場所を指示し、これを変更した旨を付記して特にこれに署名し、かつ、その変更の場所に印を押さなければ、その効力を生じない。

〔公正証書遺言〕

第969条　公正証書によって遺言をするには、次に掲げる方式に従わなければならない。

　一　証人２人以上の立会いがあること。

　二　遺言者が遺言の趣旨を公証人に口授すること。

　三　公証人が、遺言者の口述を筆記し、これを遺言者及び証人に読み聞かせ、又は閲覧させること。

　四　遺言者及び証人が、筆記の正確なことを承認した後、各自これに署名し、印を押すこと。ただし、遺言者が署名することができない場合は、公証人がその事由を付記して、署名に代えることができる。

　五　公証人が、その証書は前各号に掲げる方式に従って作ったものである旨を付記して、これに署名し、印を押すこと。

〔公正証書遺言の方式の特則〕

第969条の２　口がきけない者が公正証書によって遺言をする場合には、遺言者は、公証人及び証人の前で、遺言の趣旨を通訳人の通訳により申述し、又は自書して、前条第２号の口授に代えなければならない。この場合における同条第３号の規定の適用については、同号中「口述」とあるのは、「通訳人の通訳による申述又は自書」とする。

②　前条の遺言者又は証人が耳が聞こえない者である場合には、公証人は、同条第３号に規定する筆記した内容を通訳人の通訳により遺言者又は証人に伝えて、同号の読み聞かせに代えることができる。

③　公証人は、前２項に定める方式に従って公正証書を作ったときは、その旨をその証書に付記しなければならない。

〔秘密証書遺言〕

第970条　秘密証書によって遺言をするには、次に掲げる方式に従わなければならない。

　一　遺言者が、その証書に署名し、印を押すこと。

　二　遺言者が、その証書を封じ、証書に用いた印章をもってこれに封印すること。

　三　遺言者が、公証人１人及び証人２人以上の前に封書を提出して、自己の遺言書である旨並びにその筆者の氏名及び住所を申述すること。

　四　公証人が、その証書を提出した日付及び遺言者の申述を封紙に記載した後、遺言者及び証人とともにこれに署名し、印を押すこと。

②　第968条第３項の規定は、秘密証書による遺言について準用する。

〔方式に欠ける秘密証書遺言の効力〕

第971条　秘密証書による遺言は、前条に定める方式に欠けるものがあっても、第968条に定める方式を具備しているときは、自筆証書による遺言としてその効力を有する。

〔秘密証書遺言の方式の特則〕

第972条　口がきけない者が秘密証書によって遺言をする場合には、遺言者は、公証人及び証人の前で、その証書は自己の遺言書である旨並びにその筆者の氏名及び住所を通訳人の通訳により申述し、又は封紙に自書して、第970条第１項第３号の申述に代えなければならない。

②　前項の場合において、遺言者が通訳人の通訳により申述したときは、公証人は、その旨を封紙に記載しなければならない。

③　第１項の場合において、遺言者が封紙に自書したときは、公証人は、その旨を封紙に記載して、第970条第１項第４号に規定する申述の記載に代えなければならない。

〔成年被後見人の遺言〕

第973条　成年被後見人が事理を弁識する能力を一時回復した時において遺言をするには、医師２人以上の立会いがなければならない。

②　遺言に立ち会った医師は、遺言者が遺言をする時において精神上の障害により事理を弁識する能力を欠く状態になかった旨を遺言書に付記して、これに署名し、印を押さなければならない。ただし、秘密証書による遺言にあっては、その封紙にその旨の記載をし、署名し、印を押さなければならない。

〔証人及び立会人の欠格事由〕

第974条　次に掲げる者は、遺言の証人又は立会人となることができない。

　一　未成年者

　二　推定相続人及び受遺者並びにこれらの配偶者及び直系血族

三　公証人の配偶者、4親等内の親族、書記及び使用人

〔共同遺言の禁止〕

第975条　遺言は、2人以上の者が同一の証書ですることができない。

第二款　特別の方式

〔死亡の危急に迫った者の遺言〕

第976条　疾病その他の事由によって死亡の危急に迫った者が遺言をしようとするときは、証人3人以上の立会いをもって、その1人に遺言の趣旨を口授して、これをすることができる。この場合においては、その口授を受けた者が、これを筆記して、遺言者及び他の証人に読み聞かせ、又は閲覧させ、各証人がその筆記の正確なことを承認した後、これに署名し、印を押さなければならない。

②　口がきけない者が前項の規定により遺言をする場合には、遺言者は、証人の前で、遺言の趣旨を通訳人の通訳により申述して、同項の口授に代えなければならない。

③　第1項後段の遺言者又は他の証人が耳が聞こえない者である場合には、遺言の趣旨の口授又は申述を受けた者は、同項後段に規定する筆記した内容を通訳人の通訳によりその遺言者又は他の証人に伝えて、同項後段の読み聞かせに代えることができる。

④　前3項の規定によりした遺言は、遺言の日から20日以内に、証人の1人又は利害関係人から家庭裁判所に請求してその確認を得なければ、その効力を生じない。

⑤　家庭裁判所は、前項の遺言が遺言者の真意に出たものであるとの心証を得なければ、これを確認することができない。

〔伝染病隔離者の遺言〕

第977条　伝染病のため行政処分によって交通を断たれた場所に在る者は、警察官1人及び証人1人以上の立会いをもって遺言書を作ることができる。

〔在船者の遺言〕

第978条　船舶中に在る者は、船長又は事務員1人及び証人2人以上の立会いをもって遺言書を作ることができる。

〔船舶遭難者の遺言〕

第979条　船舶が遭難した場合において、当該船舶中に在って死亡の危急に迫った者は、証人2人以上の立会いをもって口頭で遺言をすることができる。

②　口がきけない者が前項の規定により遺言をする場合には、遺言者は、通訳人の通訳によりこれをしなければならない。

③　前2項の規定に従ってした遺言は、証人が、その趣旨を筆記して、これに署名し、印を押し、かつ、証人の1人又は利害関係人から遅滞なく家庭裁判所に請求してその確認を得なければ、その効力を生じない。

④　第976条第5項の規定は、前項の場合について準用する。

〔遺言関係者の署名及び押印〕

第980条　第977条及び第978条の場合には、遺言者、筆者、立会人及び証人は、各自遺言書に署名し、印を押さなければならない。

〔署名又は押印が不能の場合〕

第981条　第977条から第979条までの場合において、署名又は印を押すことのできない者があるときは、立会人又は証人は、その事由を付記しなければならない。

〔普通の方式による遺言の規定の準用〕

第982条　第968条第3項及び第973条から第975条までの規定は、第976条から前条までの規定による遺言について準用する。

〔特別の方式による遺言の効力〕

第983条　第976条から前条までの規定によりした遺言は、遺言者が普通の方式によって遺言をすることができるようになった時から6箇月間生存するときは、その効力を生じない。

〔外国に在る日本人の遺言の方式〕

第984条　日本の領事の駐在する地に在る日本人が公正証書又は秘密証書によって遺言をしようとするときは、公証人の職務は、領事が行う。

第三節　遺言の効力

〔遺言の効力の発生時期〕

第985条　遺言は、遺言者の死亡の時からその効力を生ずる。

② 遺言に停止条件を付した場合において、その条件が遺言者の死亡後に成就したときは、遺言は、条件が成就した時からその効力を生ずる。

〔遺贈の放棄〕

第986条 受遺者は、遺言者の死亡後、いつでも、遺贈の放棄をすることができる。

② 遺贈の放棄は、遺言者の死亡の時にさかのぼってその効力を生ずる。

〔受遺者に対する遺贈の承認又は放棄の催告〕

第987条 遺贈義務者（遺贈の履行をする義務を負う者をいう。以下この節において同じ。）その他の利害関係人は、受遺者に対し、相当の期間を定めて、その期間内に遺贈の承認又は放棄をすべき旨の催告をすることができる。この場合において、受遺者がその期間内に遺贈義務者に対してその意思を表示しないときは、遺贈を承認したものとみなす。

〔受遺者の相続人による遺贈の承認又は放棄〕

第988条 受遺者が遺贈の承認又は放棄をしないで死亡したときは、その相続人は、自己の相続権の範囲内で、遺贈の承認又は放棄をすることができる。ただし、遺言者がその遺言に別段の意思を表示したときは、その意思に従う。

〔遺贈の承認及び放棄の撤回及び取消し〕

第989条 遺贈の承認及び放棄は、撤回することができない。

② 第919条第2項及び第3項の規定は、遺贈の承認及び放棄について準用する。

〔包括受遺者の権利義務〕

第990条 包括受遺者は、相続人と同一の権利義務を有する。

〔受遺者による担保の請求〕

第991条 受遺者は、遺贈が弁済期に至らない間は、遺贈義務者に対して相当の担保を請求することができる。停止条件付きの遺贈についてその条件の成否が未定である間も、同様とする。

〔受遺者による果実の取得〕

第992条 受遺者は、遺贈の履行を請求することができる時から果実を取得する。ただし、遺言者がその遺言に別段の意思を表示したときは、その意思に従う。

〔遺贈義務者による費用の償還請求〕

第993条 第299条の規定は、遺贈義務者が遺言者の死亡後に遺贈の目的物について費用を支出した場合について準用する。

② 果実を収取するために支出した通常の必要費は、果実の価格を超えない限度で、その償還を請求することができる。

〔受遺者の死亡による遺贈の失効〕

第994条 遺贈は、遺言者の死亡以前に受遺者が死亡したときは、その効力を生じない。

② 停止条件付きの遺贈については、受遺者がその条件の成就前に死亡したときも、前項と同様とする。ただし、遺言者がその遺言に別段の意思を表示したときは、その意思に従う。

〔遺贈の無効又は失効の場合の財産の帰属〕

第995条 遺贈が、その効力を生じないとき、又は放棄によってその効力を失ったときは、受遺者が受けるべきであったものは、相続人に帰属する。ただし、遺言者がその遺言に別段の意思を表示したときは、その意思に従う。

〔相続財産に属しない権利の遺贈〕

第996条 遺贈は、その目的である権利が遺言者の死亡の時において相続財産に属しなかったときは、その効力を生じない。ただし、その権利が相続財産に属するかどうかにかかわらず、これを遺贈の目的としたものと認められるときは、この限りでない。

第997条 相続財産に属しない権利を目的とする遺贈が前条ただし書の規定により有効であるときは、遺贈義務者は、その権利を取得して受遺者に移転する義務を負う。

② 前項の場合において、同項に規定する権利を取得することができないとき、又はこれを取得するについて過分の費用を要するときは、遺贈義務者は、その価額を弁償しなければならない。ただし、遺言者がその遺言に別段の意思を表示したときは、その意思に従う。

〔遺贈義務者の引渡義務〕

第998条 遺贈義務者は、遺贈の目的である物又は権利を、相続開始の時（その後に当該物又は権利について遺贈の目的として特定した場合にあっては、その特定した時）の状態で引き渡し、又は移転する義務を負う。ただし、遺言者がその遺言に別段の意思を表示したときは、その意思に従う。

〔遺贈の物上代位〕

第999条 遺言者が、遺贈の目的物の滅失若しくは変造又はその占有の喪失によって第三者に対して償金を請求する権利を有するときは、その権利を遺贈の目的としたものと推定する。

—33—

② 遺贈の目的物が、他の物と付合し、又は混和した場合において、遺言者が第243条から第245条までの規定により合成物又は混和物の単独所有者又は共有者となったときは、その全部の所有権又は持分を遺贈の目的としたものと推定する。

第1000条 〔削除〕

〔債権の遺贈の物上代位〕

第1001条 債権を遺贈の目的とした場合において、遺言者が弁済を受け、かつ、その受け取った物がなお相続財産中に在るときは、その物を遺贈の目的としたものと推定する。

② 金銭を目的とする債権を遺贈の目的とした場合においては、相続財産中にその債権額に相当する金銭がないときであっても、その金額を遺贈の目的としたものと推定する。

〔負担付遺贈〕

第1002条 負担付遺贈を受けた者は、遺贈の目的の価額を超えない限度においてのみ、負担した義務を履行する責任を負う。

② 受遺者が遺贈の放棄をしたときは、負担の利益を受けるべき者は、自ら受遺者となることができる。ただし、遺言者がその遺言に別段の意思を表示したときは、その意思に従う。

〔負担付遺贈の受遺者の免責〕

第1003条 負担付遺贈の目的の価額が相続の限定承認又は遺留分回復の訴えによって減少したときは、受遺者は、その減少の割合に応じて、その負担した義務を免れる。ただし、遺言者がその遺言に別段の意思を表示したときは、その意思に従う。

第四節　遺言の執行

〔遺言書の検認〕

第1004条 遺言書の保管者は、相続の開始を知った後、遅滞なく、これを家庭裁判所に提出して、その検認を請求しなければならない。遺言書の保管者がない場合において、相続人が遺言書を発見した後も、同様とする。

② 前項の規定は、公正証書による遺言については、適用しない。

③ 封印のある遺言書は、家庭裁判所において相続人又はその代理人の立会いがなければ、開封することができない。

〔過料〕

第1005条 前条の規定により遺言書を提出することを怠り、その検認を経ないで遺言を執行し、又は家庭裁判所外においてその開封をした者は、5万円以下の過料に処する。

〔遺言執行者の指定〕

第1006条 遺言者は、遺言で、1人又は数人の遺言執行者を指定し、又はその指定を第三者に委託することができる。

② 遺言執行者の指定の委託を受けた者は、遅滞なく、その指定をして、これを相続人に通知しなければならない。

③ 遺言執行者の指定の委託を受けた者がその委託を辞そうとするときは、遅滞なくその旨を相続人に通知しなければならない。

〔遺言執行者の任務の開始〕

第1007条 遺言執行者が就職を承諾したときは、直ちにその任務を行わなければならない。

② 遺言執行者は、その任務を開始したときは、遅滞なく、遺言の内容を相続人に通知しなければならない。

〔遺言執行者に対する就職の催告〕

第1008条 相続人その他の利害関係人は、遺言執行者に対し、相当の期間を定めて、その期間内に就職を承諾するかどうかを確答すべき旨の催告をすることができる。この場合において、遺言執行者が、その期間内に相続人に対して確答をしないときは、就職を承諾したものとみなす。

〔遺言執行者の欠格事由〕

第1009条 未成年者及び破産者は、遺言執行者となることができない。

〔遺言執行者の選任〕

第1010条 遺言執行者がないとき、又はなくなったときは、家庭裁判所は、利害関係人の請求によって、これを選任することができる。

〔相続財産の目録の作成〕

第1011条 遺言執行者は、遅滞なく、相続財産の目録を作成して、相続人に交付しなければならない。

② 遺言執行者は、相続人の請求があるときは、その立会いをもって相続財産の目録を作成し、又は公証人にこれを作成させなければならない。

〔遺言執行者の権利義務〕

第一章　相続税の納税義務者

第1012条　遺言執行者は、遺言の内容を実現するため、相続財産の管理その他遺言の執行に必要な一切の行為をする権利義務を有する。

②　遺言執行者がある場合には、遺贈の履行は、遺言執行者のみが行うことができる。

③　第644条から第647条まで及び第650条の規定は、遺言執行者について準用する。

〔遺言の執行の妨害行為の禁止〕

第1013条　遺言執行者がある場合には、相続人は、相続財産の処分その他遺言の執行を妨げるべき行為をすることができない。

②　前項の規定に違反してした行為は、無効とする。ただし、これをもって善意の第三者に対抗することができない。

③　前2項の規定は、相続人の債権者（相続債権者を含む。）が相続財産についてその権利を行使することを妨げない。

〔特定財産に関する遺言の執行〕

第1014条　前3条の規定は、遺言が相続財産のうち特定の財産に関する場合には、その財産についてのみ適用する。

②　遺産の分割の方法の指定として遺産に属する特定の財産を共同相続人の1人又は数人に承継させる旨の遺言（以下「特定財産承継遺言」という。）があったときは、遺言執行者は、当該共同相続人が第899条の2第1項に規定する対抗要件を備えるために必要な行為をすることができる。

③　前項の財産が預貯金債権である場合には、遺言執行者は、同項に規定する行為のほか、その預金又は貯金の払戻しの請求及びその預金又は貯金に係る契約の解約の申入れをすることができる。ただし、解約の申入れについては、その預貯金債権の全部が特定財産承継遺言の目的である場合に限る。

④　前2項の規定にかかわらず、被相続人が遺言で別段の意思を表示したときは、その意思に従う。

〔遺言執行者の行為の効果〕

第1015条　遺言執行者がその権限内において遺言執行者であることを示してした行為は、相続人に対して直接にその効力を生ずる。

〔遺言執行者の復任権〕

第1016条　遺言執行者は、自己の責任で第三者にその任務を行わせることができる。ただし、遺言者がその遺言に別段の意思を表示したときは、その意思に従う。

②　前項本文の場合において、第三者に任務を行わせることについてやむを得ない事由があるときは、遺言執行者は、相続人に対してその選任及び監督についての責任のみを負う。

〔遺言執行者が数人ある場合の任務の執行〕

第1017条　遺言執行者が数人ある場合には、その任務の執行は、過半数で決する。ただし、遺言者がその遺言に別段の意思を表示したときは、その意思に従う。

②　各遺言執行者は、前項の規定にかかわらず、保存行為をすることができる。

〔遺言執行者の報酬〕

第1018条　家庭裁判所は、相続財産の状況その他の事情によって遺言執行者の報酬を定めることができる。ただし、遺言者がその遺言に報酬を定めたときは、この限りでない。

②　第648条第2項及び第3項の規定は、遺言執行者が報酬を受けるべき場合について準用する。

〔遺言執行者の解任及び辞任〕

第1019条　遺言執行者がその任務を怠ったときその他正当な事由があるときは、利害関係人は、その解任を家庭裁判所に請求することができる。

②　遺言執行者は、正当な事由があるときは、家庭裁判所の許可を得て、その任務を辞することができる。

〔委任の規定の準用〕

第1020条　第654条及び第655条の規定は、遺言執行者の任務が終了した場合について準用する。

〔遺言の執行に関する費用の負担〕

第1021条　遺言の執行に関する費用は、相続財産の負担とする。ただし、これによって遺留分を減ずることができない。

第五節　遺言の撤回及び取消し

〔遺言の撤回〕

第1022条　遺言者は、いつでも、遺言の方式に従って、その遺言の全部又は一部を撤回することができる。

〔前の遺言と後の遺言との抵触等〕

第1023条　前の遺言が後の遺言と抵触するときは、その抵触する部分については、後の遺言で前の遺言を撤回したものとみなす。

②　前項の規定は、遺言が遺言後の生前処分その他の法律行為と抵触する場合について準用する。

〔遺言書又は遺贈の目的物の破棄〕

第1024条 遺言者が故意に遺言書を破棄したときは、その破棄した部分については、遺言を撤回したものとみなす。遺言者が故意に遺贈の目的物を破棄したときも、同様とする。

〔撤回された遺言の効力〕

第1025条 前３条の規定により撤回された遺言は、その撤回の行為が、撤回され、取り消され、又は効力を生じなくなるに至ったときであっても、その効力を回復しない。ただし、その行為が錯誤、詐欺又は強迫による場合は、この限りでない。

〔遺言の撤回権の放棄の禁止〕

第1026条 遺言者は、その遺言を撤回する権利を放棄することができない。

〔負担付遺贈に係る遺言の取消し〕

第1027条 負担付遺贈を受けた者がその負担した義務を履行しないときは、相続人は、相当の期間を定めてその履行の催告をすることができる。この場合において、その期間内に履行がないときは、その負担付遺贈に係る遺言の取消しを家庭裁判所に請求することができる。

第八章 配偶者の居住の権利

第一節 配偶者居住権

〔配偶者居住権〕

第1028条 被相続人の配偶者（以下この章において単に「配偶者」という。）は、被相続人の財産に属した建物に相続開始の時に居住していた場合において、次の各号のいずれかに該当するときは、その居住していた建物（以下この節において「居住建物」という。）の全部について無償で使用及び収益をする権利（以下この章において「配偶者居住権」という。）を取得する。ただし、被相続人が相続開始の時に居住建物を配偶者以外の者と共有していた場合にあっては、この限りでない。

一 遺産の分割によって配偶者居住権を取得するものとされたとき。

二 配偶者居住権が遺贈の目的とされたとき。

② 居住建物が配偶者の財産に属することとなった場合であっても、他の者がその共有持分を有するときは、配偶者居住権は、消滅しない。

③ 第903条第４項の規定は、配偶者居住権の遺贈について準用する。

〔審判による配偶者居住権の取得〕

第1029条 遺産の分割の請求を受けた家庭裁判所は、次に掲げる場合に限り、配偶者が配偶者居住権を取得する旨を定めることができる。

一 共同相続人間に配偶者が配偶者居住権を取得することについて合意が成立しているとき。

二 配偶者が家庭裁判所に対して配偶者居住権の取得を希望する旨を申し出た場合において、居住建物の所有者の受ける不利益の程度を考慮してもなお配偶者の生活を維持するために特に必要があると認めるとき（前号に掲げる場合を除く。）。

〔配偶者居住権の存続期間〕

第1030条 配偶者居住権の存続期間は、配偶者の終身の間とする。ただし、遺産の分割の協議若しくは遺言に別段の定めがあるとき、又は家庭裁判所が遺産の分割の審判において別段の定めをしたときは、その定めるところによる。

〔配偶者居住権の登記等〕

第1031条 居住建物の所有者は、配偶者（配偶者居住権を取得した配偶者に限る。以下この節において同じ。）に対し、配偶者居住権の設定の登記を備えさせる義務を負う。

② 第605条の規定は配偶者居住権について、第605条の４の規定は配偶者居住権の設定の登記を備えた場合について準用する。

〔配偶者による使用及び収益〕

第1032条 配偶者は、従前の用法に従い、善良な管理者の注意をもって、居住建物の使用及び収益をしなければならない。ただし、従前居住の用に供していなかった部分について、これを居住の用に供することを妨げない。

② 配偶者居住権は、譲渡することができない。

③ 配偶者は、居住建物の所有者の承諾を得なければ、居住建物の改築若しくは増築をし、又は第三者に居住建物の使用若しくは収益をさせることができない。

④ 配偶者が第１項又は前項の規定に違反した場合において、居住建物の所有者が相当の期間を定めてその是正の催告

をし、その期間内に是正がされないときは、居住建物の所有者は、当該配偶者に対する意思表示によって配偶者居住権を消滅させることができる。

〔居住建物の修繕等〕

第1033条 配偶者は、居住建物の使用及び収益に必要な修繕をすることができる。

② 居住建物の修繕が必要である場合において、配偶者が相当の期間内に必要な修繕をしないときは、居住建物の所有者は、その修繕をすることができる。

③ 居住建物が修繕を要するとき（第1項の規定により配偶者が自らその修繕をするときを除く。）、又は居住建物について権利を主張する者があるときは、配偶者は、居住建物の所有者に対し、遅滞なくその旨を通知しなければならない。ただし、居住建物の所有者が既にこれを知っているときは、この限りでない。

〔居住建物の費用の負担〕

第1034条 配偶者は、居住建物の通常の必要費を負担する。

② 第583条第2項の規定は、前項の通常の必要費以外の費用について準用する。

〔居住建物の返還等〕

第1035条 配偶者は、配偶者居住権が消滅したときは、居住建物の返還をしなければならない。ただし、配偶者が居住建物について共有持分を有する場合は、居住建物の所有者は、配偶者居住権が消滅したことを理由としては、居住建物の返還を求めることができない。

② 第599条第1項及び第2項並びに第621条の規定は、前項本文の規定により配偶者が相続の開始後に附属させた物がある居住建物又は相続の開始後に生じた損傷がある居住建物の返還をする場合について準用する。

〔使用貸借及び賃貸借の規定の準用〕

第1036条 第597条第1項及び第3項、第600条、第613条並びに第616条の2の規定は、配偶者居住権について準用する。

第二節　配偶者短期居住権

〔配偶者短期居住権〕

第1037条 配偶者は、被相続人の財産に属した建物に相続開始の時に無償で居住していた場合には、次の各号に掲げる区分に応じてそれぞれ当該各号に定める日までの間、その居住していた建物（以下この節において「居住建物」という。）の所有権を相続又は遺贈により取得した者（以下この節において「居住建物取得者」という。）に対し、居住建物について無償で使用する権利（居住建物の一部のみを無償で使用していた場合にあっては、その部分について無償で使用する権利。以下この節において「配偶者短期居住権」という。）を有する。ただし、配偶者が、相続開始の時において居住建物に係る配偶者居住権を取得したとき、又は第891条の規定に該当し若しくは廃除によってその相続権を失ったときは、この限りでない。

　一　居住建物について配偶者を含む共同相続人間で遺産の分割をすべき場合遺産の分割により居住建物の帰属が確定した日又は相続開始の時から6箇月を経過する日のいずれか遅い日

　二　前号に掲げる場合以外の場合第3項の申入れの日から6箇月を経過する日

② 前項本文の場合においては、居住建物取得者は、第三者に対する居住建物の譲渡その他の方法により配偶者の居住建物の使用を妨げてはならない。

③ 居住建物取得者は、第1項第1号に掲げる場合を除くほか、いつでも配偶者短期居住権の消滅の申入れをすることができる。

〔配偶者による使用〕

第1038条 配偶者（配偶者短期居住権を有する配偶者に限る。以下この節において同じ。）は、従前の用法に従い、善良な管理者の注意をもって、居住建物の使用をしなければならない。

② 配偶者は、居住建物取得者の承諾を得なければ、第三者に居住建物の使用をさせることができない。

③ 配偶者が前2項の規定に違反したときは、居住建物取得者は、当該配偶者に対する意思表示によって配偶者短期居住権を消滅させることができる。

〔配偶者居住権の取得による配偶者短期居住権の消滅〕

第1039条 配偶者が居住建物に係る配偶者居住権を取得したときは、配偶者短期居住権は、消滅する。

〔居住建物の返還等〕

第1040条 配偶者は、前条に規定する場合を除き、配偶者短期居住権が消滅したときは、居住建物の返還をしなければならない。ただし、配偶者が居住建物について共有持分を有する場合は、居住建物取得者は、配偶者短期居住権が消滅したことを理由としては、居住建物の返還を求めることができない。

② 第599条第1項及び第2項並びに第621条の規定は、前項本文の規定により配偶者が相続の開始後に附属させた物が

ある居住建物又は相続の開始後に生じた損傷がある居住建物の返還をする場合について準用する。

〔使用貸借等の規定の準用〕

第1041条 第597条第3項、第600条、第616条の2、第1032条第2項、第1033条及び第1034条の規定は、配偶者短期居住権について準用する。

第九章 遺 留 分

〔遺留分の帰属及びその割合〕

第1042条 兄弟姉妹以外の相続人は、遺留分として、次条第1項に規定する遺留分を算定するための財産の価額に、次の各号に掲げる区分に応じてそれぞれ当該各号に定める割合を乗じた額を受ける。

　一　直系尊属のみが相続人である場合　3分の1

　二　前号に掲げる場合以外の場合　2分の1

② 相続人が数人ある場合には、前項各号に定める割合は、これらに第900条及び第901条の規定により算定したその各自の相続分を乗じた割合とする。

〔遺留分を算定するための財産の価額〕

第1043条 遺留分を算定するための財産の価額は、被相続人が相続開始の時おいて有した財産の価額にその贈与した財産の価額を加えた額から債務の全額を控除した額とする。

② （略）

第1044条 贈与は、相続開始前の1年間にしたものに限り、前条の規定によりその価額を算入する。当事者双方が遺留分権利者に損害を加えることを知って贈与をしたときは、1年前の日より前にしたものについても、同様とする。

② 第904条の規定は、前項に規定する贈与の価額について準用する。

③ 相続人に対する贈与についての第1項の規定の適用については、同項中「1年」とあるのは「10年」と、「価額」とあるのは「価額（婚姻若しくは養子縁組のため又は生計の資本として受けた贈与の価額に限る。）」とする。

第1045条 負担付贈与がされた場合における第1043条第1項に規定する贈与した財産の価額は、その目的の価額から負担の価額を控除した額とする。

② 不相当な対価をもってした有償行為は、当事者双方が遺留分権利者に損害を加えることを知ってしたものに限り、当該対価を負担の価額とする負担付贈与とみなす。

〔遺留分侵害額の請求〕

第1046条 遺留分権利者及びその承継人は、受遺者（特定財産承継遺言により財産を承継し又は相続分の指定を受けた相続人を含む。以下この章において同じ。）又は受贈者に対し、遺留分侵害額に相当する金銭の支払を請求することができる。

② 遺留分侵害額は、第1042条の規定による遺留分から第1号及び第2号に掲げる額を控除し、これに第3号に掲げる額を加算して算定する。

　一　遺留分権利者が受けた遺贈又は第903条第1項に規定する贈与の価額

　二　第900条から第902条まで、第903条及び第904条の規定により算定した相続分に応じて遺留分権利者が取得すべき遺産の価額

　三　被相続人が相続開始の時において有した債務のうち、第899条の規定により遺留分権利者が承継する債務（次条第3項において「遺留分権利者承継債務」という。）の額

〔受遺者又は受贈者の負担額〕

第1047条 受遺者又は受贈者は、次の各号の定めるところに従い、遺贈（特定財産承継遺言による財産の承継又は相続分の指定による遺産の取得を含む。以下この章において同じ。）又は贈与（遺留分を算定するための財産の価額に算入されるものに限る。以下この章において同じ。）の目的の価額（受遺者又は受贈者が相続人である場合にあっては、当該価額から第1042条の規定による遺留分として当該相続人が受けるべき額を控除した額）を限度として、遺留分侵害額を負担する。

　一　受遺者と受贈者とがあるときは、受遺者が先に負担する。

　二　受遺者が複数あるとき、又は受贈者が複数ある場合においてその贈与が同時にされたものであるときは、受遺者又は受贈者がその目的の価額の割合に応じて負担する。ただし、遺言者がその遺言に別段の意思を表示したときは、その意思に従う。

　三　受贈者が複数あるとき（前号に規定する場合を除く。）は、後の贈与に係る受贈者から順次前の贈与に係る受贈者が負担する。

② 第904条、第1043条第2項及び第1045条の規定は、前項に規定する遺贈又は贈与の目的の価額について準用する。

③　前条第1項の請求を受けた受遺者又は受贈者は、遺留分権利者承継債務について弁済その他の債務を消滅させる行為をしたときは、消滅した債務の額の限度において、遺留分権利者に対する意思表示によって第1項の規定により負担する債務を消滅させることができる。この場合において、当該行為によって遺留分権利者に対して取得した求償権は、消滅した当該債務の額の限度において消滅する。

④　受遺者又は受贈者の無資力によって生じた損失は、遺留分権利者の負担に帰する。

⑤　裁判所は、受遺者又は受贈者の請求により、第1項の規定により負担する債務の全部又は一部の支払につき相当の期限を許与することができる。

〔遺留分侵害額請求権の期間の制限〕

第1048条　遺留分侵害額の請求権は、遺留分権利者が、相続の開始及び遺留分を侵害する贈与又は遺贈があったことを知った時から1年間行使しないときは、時効によって消滅する。相続開始の時から10年を経過したときも、同様とする。

〔遺留分の放棄〕

第1049条　相続の開始前における遺留分の放棄は、家庭裁判所の許可を受けたときに限り、その効力を生ずる。

②　共同相続人の1人のした遺留分の放棄は、他の各共同相続人の遺留分に影響を及ぼさない。

第十章　特別の寄与

第1050条　被相続人に対して無償で療養看護その他の労務の提供をしたことにより被相続人の財産の維持又は増加について特別の寄与をした被相続人の親族（相続人、相続の放棄をした者及び第891条の規定に該当し又は廃除によってその相続権を失った者を除く。以下この条において「特別寄与者」という。）は、相続の開始後、相続人に対し、特別寄与者の寄与に応じた額の金銭（以下この条において「特別寄与料」という。）の支払を請求することができる。

②　前項の規定による特別寄与料の支払について、当事者間に協議が調わないとき、又は協議をすることができないときは、特別寄与者は、家庭裁判所に対して協議に代わる処分を請求することができる。ただし、特別寄与者が相続の開始及び相続人を知った時から6箇月を経過したとき、又は相続開始の時から1年を経過したときは、この限りでない。

③　前項本文の場合には、家庭裁判所は、寄与の時期、方法及び程度、相続財産の額その他一切の事情を考慮して、特別寄与料の額を定める。

④　特別寄与料の額は、被相続人が相続開始の時において有した財産の価額から遺贈の価額を控除した残額を超えることができない。

⑤　相続人が数人ある場合には、各相続人は、特別寄与料の額に第900条から第902条までの規定により算定した当該相続人の相続分を乗じた額を負担する。

三　死因贈与による財産の取得

【死因贈与に関する民法の規定】

〔贈与〕

第549条　贈与は、当事者の一方が自己の財産を無償で相手方に与える意思を表示し、相手方が受諾をすることによって、その効力を生ずる。

〔死因贈与〕

第554条　贈与者の死亡によって効力を生ずる贈与については、その性質に反しない限り、遺贈に関する規定を準用する。

四　相続又は遺贈により取得したものとみなされる財産の取得 （第二章第二節《相続又は遺贈により取得したものとみなす財産》及び第三節《遺贈（又は贈与）により取得したものとみなされる財産》参照）

第一編　相続税

第四節　財産の所在等

一　財産の所在

1　原　　則

次の(一)から(十三)までに掲げる財産の所在については、当該(一)から(十三)までに規定する場所による。(法10①)

(一)	動産若しくは不動産又は不動産の上に存する権利	その動産又は不動産の所在。ただし、船舶又は航空機については、船籍又は航空機の登録をした機関の所在
(二)	鉱業権若しくは租鉱権又は採石権	鉱区又は採石場の所在
(三)	漁業権又は入漁権	漁場に最も近い沿岸の属する市町村又はこれに相当する行政区画
(四)	金融機関に対する預金、貯金、積金又は寄託金で政令で定めるもの （政令で定める預金等） 注　上記の金融機関に対する預金、貯金、積金又は寄託金で政令で定めるものは、次に掲げるものとする。(令1の13) 　(一)　銀行、無尽会社又は株式会社商工組合中央金庫に対する預金、貯金又は積金 　(二)　農業協同組合、農業協同組合連合会、水産業協同組合、信用協同組合、信用金庫又は労働金庫に対する預金、貯金又は積金	その預金、貯金、積金又は寄託金の受入れをした営業所又は事業所の所在
(五)	保険金	その保険（共済を含む。）の契約に係る保険会社等（保険業又は共済事業を行う者をいう。第十章第一節二の**1**及び同二の**3**において同じ。）の本店又は主たる事務所（相続税法の施行地に本店又は主たる事務所がない場合において、相続税法の施行地に当該保険の契約に係る事務を行う営業所、事務所その他これらに準ずるものを有するときにあっては、当該営業所、事務所その他これらに準ずるもの。(六)において同じ。）の所在
(六)	退職手当金、功労金その他これらに準ずる給与（政令で定める給付を含む。） （政令で定める給付） 注　上記の政令で定める給付は、次に掲げる年金又は一時金に関する権利（これらに類するものを含む。）とする。(令1の3) 　(一)　国家公務員共済組合法（昭和33年法律第128号）第79条の4第1項《遺族に対する一時金》又は第89条第1項《公務遺族年金の受給権者》の規定により支給を受ける一時金又は年金（被用者年金制度の一元化等を図るための厚生年金保険法等の一部を改正する法律（平成24年法律第63号。以下(三)までにおいて「一元化法」という。）附則第36条第3項《改正前国共済法による職域加算額の経過措置》の規定に	当該給与を支払った者の住所又は本店若しくは主たる事務所の所在

-40-

よりなおその効力を有するものとされた一元化法第
2条《国家公務員共済組合法の一部改正》の規定に
よる改正前の国家公務員共済組合法（（三）において
「旧国共済法」という。）第88条第1項《遺族共済年
金の受給権者》の規定により支給を受ける年金を含
む。）

（二）　地方公務員等共済組合法（昭和37年法律第152
号）第93条第1項《遺族に対する一時金》又は第103
条第1項《公務遺族年金の受給権者》の規定により
支給を受ける一時金又は年金（一元化法附則第60条
第3項《改正前地共済法による職域加算額の経過措
置》の規定によりなおその効力を有するものとされ
た一元化法第3条《地方公務員等共済組合法の一部
改正》の規定による改正前の地方公務員等共済組合
法第99条第1項《遺族共済年金の受給権者》の規定
により支給を受ける年金を含む。）

（三）　私立学校教職員共済法（昭和28年法律第245号）
第25条《国家公務員共済組合法の準用》において準
用する国家公務員共済組合法第79条の4第1項又は
第89条第1項の規定により支給を受ける一時金又は
年金（一元化法附則第78条第2項《改正前私学共済
法による職域加算額の経過措置》の規定によりなお
その効力を有するものとされた一元化法第4条《私
立学校教職員共済法の一部改正》の規定による改正
前の私立学校教職員共済法第25条において準用する
旧国共済法第88条第1項の規定により支給を受ける
年金を含む。）

（四）　確定給付企業年金法（平成13年法律第50号）第
3条第1項《確定給付企業年金に係る規約》に規定
する確定給付企業年金に係る規約に基づいて支給を
受ける年金又は一時金（公的年金制度の健全性及び
信頼性の確保のための厚生年金保険法等の一部を改
正する法律（平成25年法律第63号。以下（六）までに
おいて「平成25年厚生年金等改正法」という。）附則
第5条第1項《存続厚生年金基金に係る改正前厚生
年金保険法等の効力等》の規定によりなおその効力
を有するものとされた平成25年厚生年金等改正法第
2条《確定給付企業年金法の一部改正》の規定によ
る改正前の確定給付企業年金法（（五）において「旧
確定給付企業年金法」という。）第115条第1項《移
行後の厚生年金基金が支給する死亡を支給理由とす
る給付等の取扱い》に規定する年金たる給付又は一
時金たる給付を含む。）

（五）　確定給付企業年金法第91条の19第3項《中途脱
退者に係る措置》、第91条の20第3項《終了制度加入
者等である老齢給付金の受給権者等に係る措置》、第
91条の21第3項《終了制度加入者等である障害給付
金の受給権者に係る措置》又は第91条の22第5項《終
了制度加入者等である遺族給付金の受給権者に係る
措置》の規定により企業年金連合会から支給を受け

る一時金（平成25年厚生年金等改正法附則第63条第
1項《確定給付企業年金中途脱退者等に係る措置に
関する経過措置》の規定によりなおその効力を有す
るものとされた旧確定給付企業年金法第91条の2第
3項《中途脱退者に係る措置》、平成25年厚生年金等
改正法附則第63条第2項の規定によりなおその効力
を有するものとされた旧確定給付企業年金法第91条
の3第3項《終了制度加入者等である老齢給付金の
受給権者等に係る措置》、平成25年厚生年金等改正法
附則第63条第3項の規定によりなおその効力を有す
るものとされた旧確定給付企業年金法第91条の4第
3項《終了制度加入者等である障害給付金の受給権
者に係る措置》又は平成25年厚生年金等改正法附則
第63条第4項の規定によりなおその効力を有するも
のとされた旧確定給付企業年金法第91条の5第5項
《終了制度加入者等である遺族給付金の受給権者に
係る措置》の規定により存続連合会（平成25年厚生
年金等改正法附則第3条第13号《定義》に規定する
存続連合会をいう。(六)において同じ。）から支給を
受ける一時金を含む。）

(六)　平成25年厚生年金等改正法附則第42条第3項
《基金中途脱退者に係る措置》、第43条第3項《解散
基金加入員等である老齢給付金の受給権者等に係る
措置》、第44条第3項《解散基金加入員等である障害
給付金の受給権者に係る措置》、第45条第5項《解散
基金加入員等である遺族給付金の受給権者に係る措
置》、第46条第3項《確定給付企業年金中途脱退者に
係る措置》、第47条第3項《終了制度加入者等である
老齢給付金の受給権者等に係る措置》、第48条第3項
《終了制度加入者等である障害給付金の受給権者に
係る措置》又は第49条第5項《終了制度加入者等で
ある遺族給付金の受給権者に係る措置》の規定によ
り存続連合会から支給を受ける一時金

(七)　確定拠出年金法（平成13年法律第88号）第4条
第3項《企業型年金規約》に規定する企業型年金規
約又は同法第56条第3項《個人型年金規約》に規定
する個人型年金規約に基づいて支給を受ける一時金

(八)　法人税法（昭和40年法律第34号）附則第20条第
3項《退職年金等積立金に対する法人税の特例》に
規定する適格退職年金契約その他退職給付金に関す
る信託又は生命保険の契約に基づいて支給を受ける
年金又は一時金

(九)　独立行政法人勤労者退職金共済機構若しくは所
得税法施行令（昭和40年政令第96号）第73条第1項
《特定退職金共済団体》に規定する特定退職金共済団
体が行う退職金共済に関する制度に係る契約その他
同項第1号に規定する退職金共済契約又はこれに類
する契約に基づいて支給を受ける年金又は一時金

(十)　独立行政法人中小企業基盤整備機構の締結した
小規模企業共済法第2条第2項《定義》に規定する

	共済契約（第二章第二節**二**の**2**の（1）の（三）のホに掲げるものを除く。）に基づいて支給を受ける一時金 （十一）　独立行政法人福祉医療機構の締結した社会福祉施設職員等退職手当共済法（昭和36年法律第155号）第2条第9項《定義》に規定する退職手当共済契約に基づいて支給を受ける一時金	
（七）	貸付金債権	その債務者（債務者が二以上ある場合においては、主たる債務者とし、主たる債務者がないときは政令で定める一の債務者）の住所又は本店若しくは主たる事務所の所在 　　（政令で定める一の債務者） 注　債務者が二以上ある貸付金債権についての上記の政令で定める一の債務者は、当該貸付金債権の債務者のうちに相続税法の施行地に住所又は本店若しくは主たる事務所を有する者があるときは、その者（その者が二以上あるときは、いずれか一の者）とし、当該貸付金債権の債務者のうちに相続税法の施行地に住所又は本店若しくは主たる事務所を有する者がないときは当該債務者とする。（令1の14）
（八）	社債（特別の法律により法人の発行する債券及び外国法人の発行する債券を含む。）若しくは株式、法人に対する出資又は政令で定める有価証券 　　（政令で定める有価証券） 注　上記の政令で定める有価証券は、外国預託証券（株主との間に締結した契約に基づき株券の預託を受けた者が外国において発行する有価証券で、その株式に係る権利を表示するものをいう。）とする。（令1の15①）	当該社債若しくは株式の発行法人、当該出資のされている法人又は左欄の政令で定める有価証券に係る政令で定める法人の本店又は主たる事務所の所在 　　（政令で定める法人） 注　上記の政令で定める法人は、左欄の注の外国預託証券に係る株式の発行法人とする。（令1の15②）
（九）	法人税法第2条第29号《定義》に規定する集団投資信託又は同条第29号の2に規定する法人課税信託に関する権利	これらの信託の引受けをした営業所、事務所その他これらに準ずるものの所在
（十）	特許権、実用新案権、意匠権若しくはこれらの実施権で登録されているもの、商標権又は回路配置利用権、育成者権若しくはこれらの利用権で登録されているもの	その登録をした機関の所在
（十一）	著作権、出版権又は著作隣接権でこれらの権利の目的物が発行されているもの	これを発行する営業所又は事業所の所在
（十二）	第二章第三節**二**《低額譲渡を受けたことによる利益》の規定により贈与又は遺贈により取得したものとみなされる金銭	そのみなされる基因となった財産の種類に応じ、本表に規定する場所
（十三）	（一）から（十二）までに掲げる財産を除くほか、営業所又は事業所を有する者の当該営業所又は事業所に係る営業上又は事業上の権利	その営業所又は事業所の所在

（船籍のない船舶の所在）
（1）　（一）に掲げる「船舶」とは、船籍に関する定めのある法令の適用のある船舶をいうのであるから、船籍のない船舶については、その所在により判定するものとする。（基通10−1）

（生命保険契約及び損害保険契約の所在）

（２）　第二章第二節二《生命保険金等》に規定する生命保険契約及び損害保険契約の所在については、（五）の規定に準ずるものとする。（基通10－２）

（貸付金債権）

（３）　（七）に掲げる「貸付金債権」には、いわゆる融通手形による貸付金を含み、売掛債権、いわゆる商業手形債権その他事業取引に関して発生した債権で短期間内（おおむね６月以内）に返済されるべき性質のものは含まれないものとする。（基通10－３）

（主たる債務者が２以上ある場合の債権の所在）

（４）　主たる債務者が２以上ある場合におけるその債権の所在については、（七）の右欄の注の規定により判定するものとする。（基通10－４）

（株式に関する権利等の所在）

（５）　（八）に掲げる「株式」には、株式に関する権利を含むものとし、「出資」には、出資に関する権利を含むものとする。（基通10－５）

（営業上の権利）

（６）　（十三）に掲げる「営業上の権利」には、売掛金等のほか、その営業又は事業に関する営業権、電話加入権等を含むものとする。（基通10－６）

（特別寄与料の所在）

（７）　特別寄与料については、**1**の各号に掲げる財産及び**2**に規定する財産のいずれにも該当しないことから、**3**の規定によりその所在を判定することに留意する。（基通10－７）

2　国債、地方債の所在

　国債又は地方債は、相続税法の施行地にあるものとし、外国又は外国の地方公共団体その他これに準ずるものの発行する公債は、当該外国にあるものとする。（法10②）

3　その他の財産の所在

　1の（一）から（十三）までに掲げる財産及び**2**に規定する財産以外の財産の所在については、当該財産の権利者であった被相続人の住所の所在による。（法10③）

4　財産の所在の判定時期

　1から**3**までの規定による財産の所在の判定は、当該財産を相続又は遺贈により取得した時の現況による。（法10④）

二　財産の取得時期

1　原　　則

　相続又は遺贈による財産取得の時期は、次に掲げる場合の区分に応じ、それぞれ次によるものとする。（基通１の３・１の４共－８）

（一）　相続又は遺贈の場合　　相続の開始の時（失踪の宣告を相続開始原因とする相続については、民法第31条《失踪の宣告の効力》に規定する期間満了の時又は危難の去りたる時）

（二）　贈与の場合　　（省略）

－44－

第一章　相続税の納税義務者

【失踪宣告に関する民法の規定】

〔失踪の宣告〕

第30条　不在者の生死が７年間明らかでないときは、家庭裁判所は、利害関係人の請求により、失踪の宣告をすることができる。

②　戦地に臨んだ者、沈没した船舶の中に在った者その他死亡の原因となるべき危難に遭遇した者の生死が、それぞれ、戦争が止んだ後、船舶が沈没した後又はその他の危難が去った後１年間明らかでないときも、前項と同様とする。

〔失踪の宣告の効力〕

第31条　前条第１項の規定により失踪の宣告を受けた者は同項の期間が満了した時に、同条第２項の規定により失踪の宣告を受けた者はその危難が去った時に、死亡したものとみなす。

2　停止条件付の遺贈又は贈与による財産取得の時期

　次に掲げる停止条件付の遺贈又は贈与による財産取得の時期は、**1**にかかわらず、次に掲げる場合の区分に応じ、それぞれ次によるものとする。(基通１の３・１の４共－９)

(一)　停止条件付の遺贈でその条件が遺贈をした者の死亡後に成就するものである場合　　　その条件が成就した時

(二)　停止条件付の贈与である場合　(省略)

三　相続税法の施行地

　相続税法は、本州、北海道、四国、九州及びその附属の島(当分の間、歯舞群島、色丹島、国後島及び択捉島を除く。)に、施行する。(法附②、令附②)

—45—

第二章　相続税の課税財産

第一節　本来の相続又は遺贈により取得した財産

一　相続税の課税財産の範囲

1　居住無制限納税義務者に該当する者又は非居住無制限納税義務者に該当する者の課税財産

　　第一章第二節一の(一)《居住無制限納税義務者》又は同一の(二)《非居住無制限納税義務者》の規定に該当する者については、その者が相続又は遺贈により取得した財産の全部に対し、相続税を課する。(法2①)

2　制限納税義務者に該当する者の課税財産

　　第一章第二節一の(三)《居住制限納税義務者》又は同一の(四)《非居住制限納税義務者》の規定に該当する者については、その者が相続又は遺贈により取得した財産で相続税法の施行地にあるものに対し、相続税を課する。(法2②)

　　　(財産の所在の判定)
注　　2に規定する「相続税法の施行地にあるもの」であるかどうかは、第一章第四節一《財産の所在》の規定により判定するのであるから留意する。(基通2・2の2共－1)

3　負担付贈与等及び共有持分の放棄による課税財産

　　　(負担付贈与等)
(1)　負担付遺贈があった場合において当該負担額が第三者の利益に帰すときは、当該第三者が、当該負担額に相当する金額を、遺贈によって取得したこととなるのであるから留意する。この場合において、当該負担が停止条件付のものであるときは、当該条件が成就した時に当該負担額相当額を遺贈によって取得したことになるのであるから留意する。(基通9－11)

　　　(共有持分の放棄)
(2)　共有に属する財産の共有者の1人が、死亡した場合においてその者の相続人がないときは、その者に係る持分は、他の共有者がその持分に応じ遺贈により取得したものとして取り扱うものとする。(基通9－12)

二　財産の意義

1　財産の意義

　　相続税法に規定する「財産」とは、金銭に見積もることができる経済的価値のあるすべてのものをいうのであるが、なお次に留意する。(基通11の2－1)
(一)　財産には、物権、債権及び無体財産権に限らず、信託受益権、電話加入権等が含まれること。
(二)　財産には、法律上の根拠を有しないものであっても経済的価値が認められているもの、例えば、営業権のようなものが含まれること。
(三)　質権、抵当権又は地役権(区分地上権に準ずる地役権を除く。)のように従たる権利は、主たる権利の価値を担保し、又は増加させるものであって、独立して財産を構成しないこと。

第二章　相続税の課税財産

2　相続税申告書における課税財産の種類及び細目等

種　類	細　目		利　用　区　分　・　銘　柄　等
土　地 （土地の上に存する権利を含みます。）	田		自用地、貸付地、賃借権（耕作権）、永小作権の別
	畑		
	宅　地		自用地（事業用、居住用、その他）、貸宅地、貸家建付地、借地権（事業用、居住用、その他）、配偶者居住権に基づく敷地利用権（事業用，居住用、その他）、居住建物^{（注1）}の敷地の用に供される土地（事業用、居住用、貸付用、その他）などの別
	山　林		普通山林、保安林の別（これらの山林の地上権又は賃借権であるときは、その旨）
	そ　の　他　の　土　地		原野、牧場、池沼、鉱泉地、雑種地の別（これらの土地の地上権、賃借権、温泉権又は引湯権であるときは、その旨）
家　　　屋　　　等			家屋については自用家屋、貸家、居住建物^{（注1）}（自用、貸付用）の別、その構造と用途、構築物については駐車場、養魚池、広告塔などの別、配偶者居住権などの家屋の上に存する権利についてはその名称
事業（農業）用財産	機　械　、　器　具　、　農　機　具　、その他の減価償却資産		機械、器具、農機具、自動車、船舶などについてはその名称と年式、牛馬等についてはその用途と年齢、果樹についてはその樹種と樹齢、営業権についてはその事業の種目と商号など
	商品、製品、半製品、原材料、農産物等		商品、製品、半製品、原材料、農産物等の別に、その合計額を「価額」欄に記入し、それらの明細は、適宜の用紙に記載して添付してください。
	売　　掛　　金		
	そ　の　他　の　財　産		電話加入権、受取手形、その他その財産の名称。なお、電話加入権については、その加入局と電話番号
有　価　証　券	特定同族会社^{（注2）}の株式、出資	配当還元方式によったもの	その　銘　柄
		その他の方式によったもの	
	上　記　以　外　の　株　式　、　出　資		
	公　　債　、　　社　　債		
	証　券　投　資　信　託　、貸　付　信　託　の　受　益　証　券		
現　金　、　預　貯　金　等			現金、普通預金、当座預金、定期預金、通常貯金、定額貯金、定期積金、金銭信託などの別
家　庭　用　財　産			その名称と銘柄
その他の財産（利　益）	生　命　保　険　金　等		
	退　職　手　当　金　等		
	立　　　　　　　木		その樹種と樹齢（保安林であるときは、その旨）
	そ　　　の　　　他		1　事業に関係のない自動車、特許権、著作権、電話加入権、貸付金、未収配当金、未収家賃、書画・骨とうなどの別 2　自動車についてはその名称と年式、電話加入権についてはその加入局と電話番号、書画・骨とうなどについてはその名称と作者名など 3　相続や遺贈によって取得したものとみなされる財産（生命保険金等及び退職手当金等を除きます。）については、その財産（利益）の内容

（注）　1　「居住建物」とは、配偶者居住権の目的となっている建物をいいます。
　　　　2　「特定同族会社」とは、相続や遺贈によって財産を取得した人及びその親族その他の特別関係者（相続税法施行令第31条第1項に掲げる者をいいます。）の有する株式の数又は出資の金額が、その会社の発行済株式の総数又は出資の総額の50％超を占めている非上場会社をいいます。

－47－

第二節　相続又は遺贈により取得したものとみなす財産

一　通　　則

1　「相続を放棄した者」の意義

二以下に規定する「相続を放棄した者」とは、民法第915条《相続の承認又は放棄をすべき期間》から第917条までに規定する期間内に同法第938条《相続の放棄の方式》の規定により家庭裁判所に申述して相続の放棄をした者（同法第919条第2項《相続の承認及び放棄の撤回及び取消し》の規定により放棄の取消しをした者を除く。）だけをいうのであって、正式に放棄の手続をとらないで事実上相続により財産を取得しなかったにとどまる者はこれに含まれないのであるから留意する。（基通3－1）

2　「相続権を失った者」の意義

二以下に規定する「相続権を失った者」とは、民法第891条の各号《相続人の欠格事由》に掲げる者並びに同法第892条《推定相続人の廃除》及び第893条《遺言による推定相続人の廃除》の規定による推定相続人の廃除の請求に基づき相続権を失った者（同法第894条《推定相続人の廃除の取消し》の規定により廃除の取消しのあった者を除く。）だけをいうのであるから留意する。（基通3－2）

3　相続を放棄した者の財産の取得

相続を放棄した者が二以下に掲げる財産を取得した場合においては、当該財産は遺贈により取得したものとみなされるのであるから留意する。（基通3－3）

二　生命保険金等

次の各号のいずれかに該当する場合においては、当該各号に掲げる者が、当該各号に掲げる財産を相続又は遺贈により取得したものとみなす。この場合において、その者が**相続人**（相続を放棄した者及び相続権を失った者を含まない。第五章第一節の1《遺産に係る基礎控除》、同第一節の2の（2）《相続人の数に算入される養子の数の否認》、第五章第二節《相続税の総額》、第六章第四節の1《配偶者に対する相続税額の軽減》、第六章第五節の1《未成年者控除》及び第六章第六節の1《障害者控除》の場合並びに「第五章第一節の2《法定相続人の数》に規定する相続人の数」という場合を除き、以下同じ。）であるときは当該財産を相続により取得したものとみなし、その者が相続人以外の者であるときは当該財産を遺贈により取得したものとみなす。（法3①）

|（一）| 被相続人の死亡により相続人その他の者が生命保険契約（保険業法（平成7年法律第105号）第2条第3項《定義》に規定する生命保険会社と締結した保険契約（これに類する共済に係る契約を含む。以下同じ。）その他の2の（1）で定める契約をいう。以下同じ。）の保険金（共済金を含む。以下同じ。）又は損害保険契約（同条第4項に規定する損害保険会社と締結した保険契約その他の3の（1）で定める契約をいう。以下同じ。）の保険金（偶然な事故に基因する死亡に伴い支払われるものに限る）を取得した場合においては、当該保険金受取人（共済金受取人を含む。以下同じ。）について、当該保険金（三《退職手当金等》に掲げる給与及び六《保証期間付定期金に関する権利》又は七《契約に基づかない定期金に関する権利》に掲げる権利に該当するものを除く。）のうち被相続人が負担した保険料（共済掛金を含む。以下同じ。）の金額の当該契約に係る保険料で被相続人の死亡の時までに払い込まれたものの全額に対する割合に相当する部分 |

$$受取保険金額 \times \frac{被相続人が負担した保険料又は掛金の額}{被相続人の死亡時までの払込保険料又は掛金の額} = \begin{array}{l}相続又は遺贈により取得\\したものとみなす財産\end{array}$$

（注）　法第3条第1項第2号から6号までの規定は三以下に収録した。（編者注）

－48－

第二章　相続税の課税財産

1　被相続人が負担した保険料又は掛金

（被相続人の被相続人が負担した保険料等）

（1）　**二**の規定の適用については、被相続人の被相続人が負担した保険料又は掛金は、被相続人が負担した保険料又は掛金とみなす。ただし、**四**《生命保険契約に関する権利》の規定により**四**に掲げる者が当該被相続人の被相続人から**四**に掲げる財産を相続又は遺贈により取得したものとみなされた場合においては、当該被相続人の被相続人が負担した保険料又は掛金については、この限りではない。（法3②）

（「被相続人の被相続人」の意義）

（2）　（1）の規定は、被相続人の被相続人が負担した保険料又は掛金について適用があるのであって、その先代以前の被相続人が負担した保険料又は掛金については適用がないことに留意する。（基通3-48）

（被相続人が負担した保険料等）

（3）　**二**に規定する「被相続人が負担した保険料」は、保険契約に基づき払い込まれた保険料の合計額によるものとし、次に掲げる場合における保険料については、それぞれ次によるものとする。（基通3-13）

（一）　保険料の一部につき払込みの免除があった場合　　当該免除に係る部分の保険料は保険契約に基づき払い込まれた保険料には含まれない。

（二）　振替貸付けによる保険料の払込みがあった場合（当該振替貸付けに係る貸付金の金銭による返済がされたときを除く。）又は未払込保険料があった場合　　当該振替貸付けに係る部分の保険料又は控除された未払込保険料に係る部分の保険料は保険契約者が払い込んだものとする。

> （注）1　**二**に規定する生命保険契約が、いわゆる契約転換制度により、既存の生命保険契約（以下において「**転換前契約**」という。）を新たな生命保険契約（以下において「**転換後契約**」という。）に転換したものである場合における**二**に規定する「被相続人が負担した保険料」には、転換前契約に基づいて被相続人が負担した保険料（基通5-7（下記の(注)2参照）の適用がある場合の当該保険料の額については、転換前契約に基づき払い込まれた保険料の額の合計額に、当該転換前契約に係る保険金額のうちに当該転換前契約に係る保険金額から責任準備金（共済掛金積立金、剰余金、割戻金及び前納保険料を含む。）をもって精算された契約者貸付金等の金額を控除した金額の占める割合を乗じて得た金額）も含むのであるから留意する。
>
> 2　基通5-7……いわゆる契約転換制度により生命保険契約を転換前契約から転換後契約に転換した場合において、当該転換に際し転換前契約に係る契約者貸付金等の額が転換前契約に係る責任準備金（共済掛金積立金、剰余金、割戻金及び前納保険料を含む。）をもって精算されたときは、当該精算された契約者貸付金等の額に相当する金額は、転換前契約に係る契約者が取得した第二編第二章第二節**一**の**2**《返還金等への準用》に規定する「返還金その他これに準ずるもの」に該当するものとする。

（保険料の全額）

（4）　**二**に規定する「当該契約に係る保険料で被相続人の死亡の時までに払い込まれたものの全額」の計算については、（3）の取扱いに準ずるものとする。（基通3-14）

（保険料の負担者が被相続人以外の者である場合）

（5）　**二**の規定により相続又は遺贈により取得したものとみなされる保険金は、保険料の負担者の死亡により支払われるものに限られ、その死亡した者及びその受取人以外の者が保険料を負担していたものについては、第二編第二章第二節**一**《生命保険金等》の規定により保険金受取人が保険料を負担した者から贈与により取得したものとみなされるのであるから留意する。（基通3-16）

（雇用主が保険料を負担している場合）

（6）　雇用主がその従業員（役員を含む。以下同じ。）のためにその者（その者の配偶者その他の親族を含む。）を被保険者とする生命保険契約又はこれらの者の身体を保険の目的とする損害保険契約に係る保険料の全部又は一部を負担している場合において、保険事故の発生により従業員その他の者が当該契約に係る保険金を取得したときの取扱いは、次に掲げる場合の区分に応じ、それぞれ次によるものとする。ただし、雇用主が当該保険金を従業員の退職手当金等として支給することとしている場合には、当該保険金は**三**に掲げる退職手当金等に該当するものとし、この取扱いを適用しない。（基通3-17）

（一）　従業員の死亡を保険事故としてその相続人その他の者が当該保険金を取得した場合　　雇用主が負担した保険料は、当該従業員が負担していたものとして、当該保険料に対応する部分については、**二**の規定を適用する。

（二）　従業員以外の者の死亡を保険事故として当該従業員が当該保険金を取得した場合　　雇用主が負担した保険料

-49-

第一編　相続税

は、当該従業員が負担していたものとして、当該保険料に対応する部分については、相続税及び贈与税の課税関係は生じないものとする。

（三）　従業員以外の者の死亡を保険事故として当該従業員及びその被保険者以外の者が当該保険金を取得した場合雇用主が負担した保険料は、当該従業員が負担していたものとして、当該保険料に対応する部分については、第二編第二章第二節**一**《生命保険金等》の規定を適用する。

> （注）　雇用主が契約者で、かつ、従業員以外の者が被保険者である生命保険契約に係る保険料を雇用主が負担している場合において、当該従業員が死亡したときは、当該生命保険契約に関する権利については、**四**《生命保険契約に関する権利》の規定は適用がないものとする。

2　生命保険契約等の範囲

（生命保険契約等の範囲）

（1）　**二**に規定する生命保険会社と締結した保険契約その他の政令で定める契約は、次に掲げる契約とする。（令1の2①）

（一）	保険業法（平成7年法律第105号）第2条第3項《定義》に規定する生命保険会社と締結した保険契約又は同条第6項に規定する外国保険業者若しくは同条第18項に規定する少額短期保険業者と締結したこれに類する保険契約
（二）	郵政民営化法等の施行に伴う関係法律の整備等に関する法律（平成17年法律第102号）第2条《法律の廃止》の規定による廃止前の簡易生命保険法（昭和24年法律第68号）第3条《政府保証》に規定する簡易生命保険契約（簡易生命保険法の一部を改正する法律（平成2年法律第50号）附則第5条第15号《用語の定義》に規定する年金保険契約及び同条第16号に規定する旧年金保険契約を除く。）
（三）	次に掲げる契約 イ　農業協同組合法（昭和22年法律第132号）第10条第1項第10号《事業の種類》の事業を行う農業協同組合又は農業協同組合連合会と締結した生命共済に係る契約 ロ　水産業協同組合法（昭和23年法律第242号）第11条第1項第11号《事業の種類》若しくは第93条第1項第6号の2《事業の種類》の事業を行う漁業協同組合若しくは水産加工業協同組合又は共済水産業協同組合連合会と締結した生命共済に係る契約（漁業協同組合又は水産加工業協同組合と締結した契約にあっては、下記(注)で定める要件を備えているものに限る。） 　　（注）　上記(三)のロに規定する財務省令で定める要件は、これらの規定に規定する漁業協同組合又は水産加工業協同組合（以下「漁業協同組合等」という。）が、その締結した生命共済又は傷害共済に係る契約により負う共済責任を共済水産業協同組合連合会（当該漁業協同組合等を会員とするものであって、その業務が全国の区域に及ぶものに限る。）との契約により連帯して負担していること（当該契約により当該漁業協同組合等が当該共済責任について負担部分を有しない場合に限る。）とする。（規1の2） ハ　消費生活協同組合法（昭和23年法律第200号）第10条第1項第4号《事業の種類》の事業を行う消費生活協同組合連合会と締結した生命共済に係る契約 ニ　中小企業等協同組合法（昭和24年法律第181号）第9条の2第7項《事業協同組合及び事業協同小組合》に規定する共済事業を行う同項に規定する特定共済組合と締結した生命共済に係る契約 ホ　独立行政法人中小企業基盤整備機構と締結した小規模企業共済法（昭和40年法律第102号）第2条第2項《定義》に規定する共済契約のうち小規模企業共済法及び中小企業事業団法の一部を改正する法律（平成7年法律第44号）附則第5条第1項（旧第二種共済契約に係る小規模企業共済法の規定の適用についての読替規定）の規定により読み替えられた小規模企業共済法第9条第1項各号《共済金》に掲げる事由により共済金が支給されることとなるもの ヘ　<u>法第12条第1項第5号に規定する共済制度に係る契約</u> ト　法律の規定に基づく共済に関する事業を行う法人と締結した生命共済に係る契約で、その事業及び契約の内容がイからニまでに掲げるものに準ずるものとして財務大臣の指定するもの 　　（注）　──線部分の規定は、公益信託に関する法律（令和6年法律第30号）の施行の日前については、「第12条第1項第5号」とあるのは、「第12条第1項第4号」とする。（令6改令附1）

（法施行令第1条の2第1項に含まれる契約）

（2）　（1）の(一)に規定する保険契約及び（1）の(三)に規定する契約には、同(一)又は(三)に掲げる者と締結した保険法（平成20年法律第56号）第2条第9号《定義》に規定する傷害疾病定額保険契約が含まれることに留意する。（基通3－4）

－50－

第二章　相続税の課税財産

　　（財務大臣の指定した生命共済に係る契約）
（３）　（１）の（三）のトの規定に基づき、同トに規定する生命共済に係る契約を次のように指定し、昭和56年10月１日以後
　　に相続若しくは遺贈（贈与者の死亡により効力を生ずる贈与を含む。）により取得する財産に係る相続税について適用す
　　る。（昭56蔵告125、平26財告109改正）
　　　消費生活協同組合法第10条第１項第４号の事業を行う次に掲げる法人の締結した生命共済に係る契約
　　　①　神奈川県民共済生活協同組合　②　教職員共済生活協同組合　③　警察職員共済生活協同組合　④　埼玉県民共済生活協同組合
　　　⑤　全国交通運輸産業労働者共済生活協同組合　⑥　電気通信産業労働者共済生活協同組合　⑦　日本郵政グループ労働者共済生活協同組合

3　損害保険契約等の範囲

　　（損害保険契約等の範囲）
（１）　二に規定する損害保険会社と締結した保険契約その他の政令で定める契約は、次に掲げる契約とする。（令１の２
　　②）

（一）	保険業法第２条第４項に規定する損害保険会社と締結した保険契約又は同条第６項に規定する外国保険業者若しくは同条第18項に規定する少額短期保険業者と締結したこれに類する保険契約
（二）	次に掲げる契約 　イ　２の（１）の（三）のイに規定する農業協同組合又は農業協同組合連合会と締結した傷害共済に係る契約 　ロ　２の（１）の（三）のロに規定する漁業協同組合若しくは水産加工業協同組合又は共済水産業協同組合連合会と締結した傷害共済に係る契約（漁業協同組合又は水産加工業協同組合と締結した契約にあっては、下記の（注）で定める要件を備えているものに限る。） 　　（注）　上記（二）のロに規定する財務省令で定める要件は、これらの規定に規定する漁業協同組合又は水産加工業協同組合（以下「漁業協同組合等」という。）が、その締結した生命共済又は傷害共済に係る契約により負う共済責任を共済水産業共同組合連合会（当該漁業協同組合等を会員とするものであって、その業務が全国の区域に及ぶものに限る。）との契約により連帯して負担していること（当該契約により当該漁業協同組合等が当該共済責任について負担部分を有しない場合に限る。）とする。（規１の２） 　ハ　２の（１）の（三）のハに規定する消費生活協同組合連合会と締結した傷害共済に係る契約 　ニ　２の（１）の（三）のニに規定する特定共済組合と締結した傷害共済に係る契約 　ホ　条例の規定により地方公共団体が交通事故に基因する傷害に関して実施する共済制度に係る契約 　ヘ　法律の規定に基づく共済に関する事業を行う法人と締結した傷害共済に係る契約で、その事業及び契約の内容がイからニまでに掲げるものに準ずるものとして財務大臣の指定するもの

　　（法施行令第１条の２第２項に含まれる契約）
（２）　（１）の（一）に規定する保険契約及び（１）の（二）に規定する契約には、同（一）又は（二）に掲げる者と締結した傷害疾
　　病定額保険契約が含まれることに留意する。（基通３－５）

　　（財務大臣の指定した傷害共済に係る契約）
（３）　（１）の（二）のへの規定に基づき、同へに規定する傷害共済に係る契約を指定する等の件の一部を次のように改正し、
　　昭和56年10月１日以後に相続若しくは遺贈（贈与をした者の死亡により効力を生ずる贈与を含む。）により取得する財産
　　に係る相続税について適用する。（昭56蔵告126、平26財告110最終改正）
　　　消費生活協同組合法第10条第１項第４号の事業を行う次に掲げる法人の締結した交通傷害共済に係る契約
　　　①　尼崎市民共済生活協同組合　②　大阪市民共済生活協同組合　③　神奈川県民共済生活協同組合　④　神戸市民共済生活協同組合
　　　⑤　全国交通運輸産業労働者共済生活協同組合　⑥　全国たばこ販売生活協同組合　⑦　電気通信産業労働者共済生活協同組合
　　　⑧　新潟市火災共済生活協同組合　⑨　西宮市民共済生活協同組合　⑩　姫路市民共済生活協同組合

4　保険金の範囲及び保険金受取人

　　（年金により支払を受ける保険金）
（１）　二の規定により相続又は遺贈により取得したものとみなされる保険金には、一時金により支払を受けるもののほか、
　　年金の方法により支払を受けるものも含まれるのであるから留意する。（基通３－６）

第一編　相続税

(法第3条第1項第1号に規定する保険金)
（2）　二に規定する生命保険契約又は損害保険契約（以下これらを「**保険契約**」という。）の保険金は、被保険者（被共済者を含む。以下同じ。）の死亡（死亡の直接の基因となった傷害を含む。）を保険事故（共済事故を含む。以下同じ。）として支払われるいわゆる死亡保険金（死亡共済金を含む。以下同じ。）に限られ、被保険者の傷害（死亡の直接の基因となった傷害を除く。以下同じ。）、疾病その他これらに類するもので死亡を伴わないものを保険事故として支払われる保険金（共済金を含む。以下同じ。）又は給付金は、当該被保険者の死亡後に支払われたものであっても、これに含まれないのであるから留意する。（基通3−7）
　　(注)　被保険者の傷害、疾病その他これらに類するもので死亡を伴わないものを保険事故として被保険者に支払われる保険金又は給付金が、当該被保険者の死亡後に支払われた場合には、当該被保険者たる被相続人の本来の相続財産になるのであるから留意する。

(保険金とともに支払を受ける剰余金等)
（3）　二の規定により相続又は遺贈により取得したものとみなされる保険金には、保険契約に基づき分配を受ける剰余金、割戻しを受ける割戻金及び払戻しを受ける前納保険料の額で、当該保険契約に基づき保険金とともに当該保険契約に係る保険金受取人（共済金受取人を含む。以下同じ。）が取得するものを含むものとする。（基通3−8）

(契約者貸付金等がある場合の保険金)
（4）　保険契約に基づき保険金が支払われる場合において、当該保険契約の契約者（共済契約者を含む。以下「**保険契約者**」という。）に対する貸付金若しくは保険料（共済掛金を含む。以下同じ。）の振替貸付けに係る貸付金又は未払込保険料の額（いずれもその元利合計金額とし、以下においてこれらの合計金額を「**契約者貸付金等の額**」という。）があるため、当該保険金の額から当該契約者貸付金等の額が控除されるときの二の規定の適用については、次に掲げる場合の区分に応じ、それぞれ次による。（基通3−9）
（一）　被相続人が保険契約者である場合
　　　保険金受取人は、当該契約者貸付金等の額を控除した金額に相当する保険金を取得したものとし、当該控除に係る契約者貸付金等の額に相当する保険金及び当該控除に係る契約者貸付金等の額に相当する債務はいずれもなかったものとする。
（二）　被相続人以外の者が保険契約者である場合
　　　保険金受取人は、当該契約者貸付金等の額を控除した金額に相当する保険金を取得したものとし、当該控除に係る契約者貸付金等の額に相当する部分については、保険契約者が当該相当する部分の保険金を取得したものとする。

(無保険車傷害保険契約に係る保険金)
（5）　無保険車傷害保険契約に基づいて取得する保険金は、損害賠償金としての性格を有することから二の規定により相続又は遺贈により取得したものとみなされる保険金には含まれないものとして取り扱うものとする。（基通3−10）

(養育年金付こども保険に係る保険契約者が死亡した場合)
（6）　被保険者（子）が一定の年齢に達するごとに保険金が支払われるほか、保険契約者（親）が死亡した場合にはその後の保険料を免除するとともに満期に達するまで年金を支払ういわゆる養育年金付こども保険に係る保険契約者が死亡した場合における取扱いは、次に掲げるところによるものとする。（基通3−15）
（一）　年金受給権に係る課税関係
　　　保険契約者の死亡により被保険者等が取得する年金の受給権の課税関係については、次による。
　イ　保険契約者が負担した保険料に対応する部分の年金の受給権　　二に規定する保険金とする。
　ロ　保険契約者以外の者（当該受給権を取得した被保険者を除く。）が負担した保険料に対応する部分の年金の受給権
　　　第二編第二章第二節一《生命保険金等》に規定する保険金とする。
　　(注)　イ及びロの年金の受給権の評価については、（7）参照。
（二）　生命保険契約に関する権利に係る課税関係
　　　保険契約者の死亡後被保険者が一定の年齢に達するごとに支払われる保険金に係る生命保険契約に関する権利のうち保険契約者が負担した保険料に対応する部分については、当該保険契約者の権利義務を承継する被保険者について四の規定を適用する。

(年金により支払を受ける生命保険金等の額)
（7）　年金の方法により支払又は支給を受ける生命保険契約若しくは損害保険契約に係る保険金の額は、**六の2の(一)**か

−52−

ら(四)の規定により計算した金額による。

　なお、一時金で支払又は支給を受ける生命保険契約若しくは損害保険契約に係る保険金又は退職手当金等の額は、当該一時金の額を分割の方法により利息を付して支払又は支給を受ける場合であっても当該一時金の額であることに留意する。(基通24－2)

　(「保険金受取人」の意義)

(8)　二に規定する「保険金受取人」とは、その保険契約に係る保険約款等の規定に基づいて保険事故の発生により保険金を受け取る権利を有する者(以下(9)において「**保険契約上の保険金受取人**」という。)をいうものとする。(基通3－11)

　(保険金受取人の実質判定)

(9)　保険契約上の保険金受取人以外の者が現実に保険金を取得している場合において、保険金受取人の変更の手続きがなされていなかったことにつきやむを得ない事情があると認められる場合など、現実に保険金を取得した者がその保険金を取得することについて相当な理由があると認められるときは、(8)にかかわらず、その者を二に規定する保険金受取人とするものとする。(基通3－12)

三　退職手当金等

　次の各号のいずれかに該当する場合においては、当該各号に掲げる者が、当該各号に掲げる財産を相続又は遺贈により取得したものとみなす。この場合において、その者が**相続人**(相続を放棄した者及び相続権を失った者を含まない。第五章第一節の1《遺産に係る基礎控除》、同第一節の2の(2)《相続人の数に算入される養子の数の否認》、第五章第二節《相続税の総額》、第六章第四節の1《配偶者に対する相続税額の軽減》、第六章第五節の1《未成年者控除》及び第六章第六節の1《障害者控除》の場合並びに「第五章第一節の2《法定相続人の数》に規定する相続人の数」という場合を除き、以下同じ。)であるときは当該財産を相続により取得したものとみなし、その者が相続人以外の者であるときは当該財産を遺贈により取得したものとみなす。(法3①)

(二)	被相続人の死亡により相続人その他の者が当該被相続人に支給されるべきであった退職手当金、功労金その他これらに準ずる給与(政令で定める給付を含む。)で被相続人の死亡後3年以内に支給が確定したものの支給を受けた場合においては、当該給与の支給を受けた者について、当該給与

1　退職手当金等の範囲

　(政令で定める給付)

(1)　三に規定する政令で定める給付は、次に掲げる年金又は一時金に関する権利(これらに類するものを含む。)とする。(令1の3)

(一)	国家公務員共済組合法(昭和33年法律第128号)第79条の4第1項《遺族に対する一時金》又は第89条第1項《公務遺族年金の受給権者》の規定により支給を受ける一時金又は年金(被用者年金制度の一元化等を図るための厚生年金保険法等の一部を改正する法律(平成24年法律第63号。以下(三)までにおいて「一元化法」という。)附則第36条第3項《改正前国共済法による職域加算額の経過措置》の規定によりなおその効力を有するものとされた一元化法第2条《国家公務員共済組合法の一部改正》の規定による改正前の国家公務員共済組合法((三)において「旧国共済法」という。)第88条第1項《遺族共済年金の受給権者》の規定により支給を受ける年金を含む。)
(二)	地方公務員等共済組合法(昭和37年法律第152号)第93条第1項《遺族に対する一時金》又は第103条第1項《公務遺族年金の受給権者》の規定により支給を受ける一時金又は年金(一元化法附則第60条第3項《改正前地共済法による職域加算額の経過措置》の規定によりなおその効力を有するものとされた一元化法第3条《地方公務員等共済組合法の一部改正》の規定による改正前の地方公務員等共済組合法第99条第1項《遺族共済年金の受給権者》の規定により支給を受ける年金を含む。)
(三)	私立学校教職員共済法(昭和28年法律第245号)第25条《国家公務員共済組合法の準用》において準用する国家公務員共済組合法第79条の4第1項又は第89条第1項の規定により支給を受ける一時金又は年金(一元化法附則第78条第2項《改正前私学共済法による職域加算額の経過措置》の規定によりなおその効力を有するものとされた

第一編　相続税

	一元化法第4条《私立学校教職員共済法の一部改正》の規定による改正前の私立学校教職員共済法第25条において準用する旧国共済法第88条第1項の規定により支給を受ける年金を含む。）
（四）	確定給付企業年金法（平成13年法律第50号）第3条第1項《確定給付企業年金に係る規約》に規定する確定給付企業年金に係る規約に基づいて支給を受ける年金又は一時金（公的年金制度の健全性及び信頼性の確保のための厚生年金保険法等の一部を改正する法律（平成25年法律第63号。以下（六）までにおいて「平成25年厚生年金等改正法」という。）附則第5条第1項《存続厚生年金基金に係る改正前厚生年金保険法等の効力等》の規定によりなおその効力を有するものとされた平成25年厚生年金等改正法第2条《確定給付企業年金法の一部改正》の規定による改正前の確定給付企業年金法（次号において「旧確定給付企業年金法」という。）第115条第1項《移行後の厚生年金基金が支給する死亡を支給理由とする給付等の取扱い》に規定する年金たる給付又は一時金たる給付を含む。）
（五）	確定給付企業年金法第91条の19第3項《中途脱退者に係る措置》、第91条の20第3項《終了制度加入者等である老齢給付金の受給権者等に係る措置》、第91条の21第3項《終了制度加入者等である障害給付金の受給権者に係る措置》、第91条の22第5項《終了制度加入者等である遺族給付金の受給権者に係る措置》の規定により企業年金連合会から支給を受ける一時金（平成25年厚生年金等改正法附則第63条第1項《確定給付企業年金中途脱退者等に係る措置に関する経過措置》の規定によりなおその効力を有するものとされた旧確定給付企業年金法第91条の2第3項《中途脱退者に係る措置》、平成25年厚生年金等改正法附則第63条第2項又は第91条の23第1項《企業型年金加入者であった者に係る措置》の規定によりなおその効力を有するものとされた旧確定給付企業年金法第91条の3第3項《終了制度加入者等である老齢給付金の受給権者等に係る措置》、平成25年厚生年金等改正法附則第63条第3項の規定によりなおその効力を有するものとされた旧確定給付企業年金法第91条の4第3項《終了制度加入者等である障害給付金の受給権者に係る措置》又は平成25年厚生年金等改正法附則第63条第4項の規定によりなおその効力を有するものとされた旧確定給付企業年金法第91条の5第5項《終了制度加入者等である遺族給付金の受給権者に係る措置》の規定により存続連合会（平成25年厚生年金等改正法附則第3条第13号《定義》に規定する存続連合会をいう。（六）において同じ。）から支給を受ける一時金を含む。）
（六）	平成25年厚生年金等改正法附則第42条第3項《基金中途脱退者に係る措置》、第43条第3項《解散基金加入員等である老齢給付金の受給権者等に係る措置》、第44条第3項《解散基金加入員等である障害給付金の受給権者に係る措置》、第45条第5項《解散基金加入員等である遺族給付金の受給権者に係る措置》、第46条第3項《確定給付企業年金中途脱退者に係る措置》、第47条第3項《終了制度加入者等である老齢給付金の受給権者等に係る措置》、第48条第3項《終了制度加入者等である障害給付金の受給権者に係る措置》、第49条第5項《終了制度加入者等である遺族給付金の受給権者に係る措置》又は第49条の2第1項《企業型年金加入者であった者に係る措置》の規定により存続連合会から支給を受ける一時金
（七）	確定拠出年金法（平成13年法律第88号）第4条第3項《企業型年金規約》に規定する企業型年金規約又は同法第56条第3項《個人型年金規約》に規定する個人型年金規約に基づいて支給を受ける一時金
（八）	法人税法（昭和40年法律第96号）附則第20条第3項《退職年金等積立金に対する法人税の特例》に規定する適格退職年金契約その他退職給付金に関する信託又は生命保険の契約に基づいて支給を受ける年金又は一時金
（九）	独立行政法人勤労者退職金共済機構若しくは所得税法施行令（昭和40年政令第96号）第73条第1項《特定退職金共済団体》に規定する特定退職金共済団体が行う退職金共済に関する制度に係る契約その他同項第1号に規定する退職金共済契約又はこれに類する契約に基づいて支給を受ける年金又は一時金
（十）	独立行政法人中小企業基盤整備機構の締結した小規模企業共済法第2条第2項《定義》に規定する共済契約（二の2の（1）の（三）のホに掲げるものを除く。）に基づいて支給を受ける一時金
（十一）	独立行政法人福祉医療機構の締結した社会福祉施設職員等退職手当共済法（昭和36年法律第155号）第2条第9項《定義》に規定する退職手当共済契約に基づいて支給を受ける一時金

（「その他退職給付金に関する信託又は生命保険の契約」の意義）
（2）　（1）の（八）に規定する「その他退職給付金に関する信託又は生命保険の契約」とは、雇用主がその従業員（その従業員が死亡した場合には、その者の遺族を含む。）を受益者又は保険金受取人として信託会社（信託業務を営む金融機関を含む。以下同じ。）又は生命保険会社と締結した信託又は生命保険の契約で、当該信託会社又は生命保険会社が当該雇用主の従業員の退職について当該契約に基づき退職手当金等を支給することを約したものをいい、当該契約に係る掛金又は保険料の負担者がだれであるかは問わないのであるから留意する。（基通3－26）

－54－

第二章　相続税の課税財産

（「これに類する契約」の意義）

（3）　（1）の（九）に規定する「これに類する契約」とは、雇用主が退職手当金等を支給する事業を行う団体に掛金を納付し、その団体が当該雇用主の従業員の退職について退職手当金等を支給することを約した契約をいうものとする。（基通3−27）

（退職手当金等の取扱い）

（4）　三に規定する「被相続人に支給されるべきであった退職手当金、功労金その他これらに準ずる給与」（以下「**退職手当金等**」という。）とは、その名義のいかんにかかわらず実質上被相続人の退職手当金等として支給される金品をいうものとする。（基通3−18）

（退職手当金等の判定）

（5）　被相続人の死亡により相続人その他の者が受ける金品が退職手当金等に該当するかどうかは、当該金品が退職給与規程その他これに準ずるものの定めに基づいて受ける場合においてはこれにより、その他の場合においては当該被相続人の地位、功労等を考慮し、当該被相続人の雇用主が営む事業と類似する事業における当該被相続人と同様の地位にある者が受け、又は受けると認められる額等を勘案して判定するものとする。（基通3−19）

（「給与」の意義）

（6）　三に規定する「給与」には、現物で支給されるものも含むのであるから留意する。（基通3−24）

（退職手当金等の支給を受けた者）

（7）　三の被相続人に支給されるべきであった退職手当金等の支給を受けた者とは、次に掲げる場合の区分に応じ、それぞれ次に掲げる者をいうものとする。（基通3−25）

（一）　退職給与規程その他これに準ずるもの（以下（7）において「退職給与規程等」という。）の定めによりその支給を受ける者が具体的に定められている場合　　当該退職給与規程等により支給を受けることとなる者

（二）　退職給与規程等により支給を受ける者が具体的に定められていない場合又は当該被相続人が退職給与規程等の適用を受けない者である場合

イ　相続税の申告書を提出する時又は国税通則法第24条から第26条までの規定による更正若しくは決定をする時までに当該被相続人に係る退職手当金等を現実に取得した者があるとき　その取得した者

ロ　相続人全員の協議により当該被相続人に係る退職手当金等の支給を受ける者を定めたとき　　その定められた者

ハ　イ及びロ以外のとき　　その被相続人に係る相続人の全員

（注）　この場合には、各相続人は、当該被相続人に係る退職手当金等を各人均等に取得したものとして取り扱うものとする。

（退職手当金等に該当する生命保険契約に関する権利等）

（8）　雇用主がその従業員のために、次に掲げる保険契約又は共済契約（これらの契約のうち一定期間内に保険事故が発生しなかった場合において返還金その他これに準ずるものの支払がないものを除く。）を締結している場合において、当該従業員の死亡によりその相続人その他の者がこれらの契約に関する権利を取得したときは、当該契約に関する権利は、三に規定する退職手当金等に該当するものとする。（基通3−28）

（一）　従業員の配偶者その他の親族等を被保険者とする生命保険契約又は損害保険契約

（二）　従業員又はその者の配偶者その他の親族等の有する財産を保険又は共済の目的とする損害保険契約又は共済契約

（注）　上記の場合において退職手当金等とされる金額は、生命保険契約に関する権利として時価で評価したときの金額による。

（退職年金の継続受取人が取得する権利）

（9）　退職年金を受けている者の死亡により、その相続人その他の者が当該年金を継続して受けることとなった場合（これに係る一時金を受けることとなった場合を含む。）においては、当該年金の受給に関する権利は、その継続受取人となった者が七《契約に基づかない定期金に関する権利》の規定により相続又は遺贈により取得したものとみなされるのであるから留意する。（基通3−29）

（「被相続人の死亡後3年以内に支給が確定したもの」の意義）

（10）　三に規定する「被相続人の死亡後3年以内に支給が確定したもの」とは、被相続人に支給されるべきであった退職手当金等の額が被相続人の死亡後3年以内に確定したものをいい、実際に支給される時期が被相続人の死亡後3年以内であるかどうかを問わないものとする。この場合において、支給されることは確定していてもその額が確定しないもの

−55−

第一編　相続税

については、**三**の支給が確定したものには該当しないものとする。（基通3−30）

　　（被相続人の死亡後支給額が確定した退職手当金等）
(11)　被相続人の生前退職による退職手当金等であっても、その支給されるべき額が、被相続人の死亡前に確定しなかったもので、被相続人の死亡後3年以内に確定したものについては、**三**に規定する退職手当金等に該当するのであるから留意する。（基通3−31）

　　（被相続人の死亡後確定した賞与）
(12)　被相続人が受けるべきであった賞与の額が被相続人の死亡後確定したものは、**三**に規定する退職手当金等には該当しないで、本来の相続財産に属するものであるから留意する。（基通3−32）

　　（支給期の到来していない給与）
(13)　相続開始の時において支給期の到来していない俸給、給料等は、**三**に規定する退職手当金等には該当しないで、本来の相続財産に属するものであるから留意する。（基通3−33）

　　（年金により支払を受ける生命保険金等の額）
(14)　年金の方法により支払又は支給を受ける生命保険契約若しくは損害保険契約に係る保険金又は退職手当金等の額は、**六**の**2**の(一)から(四)の規定により計算した金額による。
　　なお、一時金で支払又は支給を受ける生命保険契約若しくは損害保険契約に係る保険金又は退職手当金等の額は、当該一時金の額を分割の方法により利息を付して支払又は支給を受ける場合であっても当該一時金の額であることに留意する。（基通24−2）

　　（雇用主が保険料を負担している場合）
(15)　雇用主がその従業員（役員を含む。以下同じ。）のためにその者（その者の配偶者その他の親族を含む。）を被保険者とする生命保険契約又はこれらの者の身体を保険の目的とする損害保険契約に係る保険料の全部又は一部を負担している場合において、保険事故の発生により従業員その他の者が当該契約に係る保険金を取得したときの取扱いは、次に掲げる場合の区分に応じ、それぞれ次によるものとする。ただし、雇用主が当該保険金を従業員の退職手当金等として支給することとしている場合には、当該保険金は**三**に掲げる退職手当金等に該当するものとし、この取扱いを適用しない。（基通3−17）
　　(一)〜(三)　（省略）

2　弔慰金等の取扱い

　　（弔慰金等の取扱い）
（1）　被相続人の死亡により相続人その他の者が受ける弔慰金、花輪代、葬祭料等（以下「**弔慰金等**」という。）については、**1**の(4)及び(5)の規定に該当すると認められるものを除き、次に掲げる金額を弔慰金等に相当する金額として取り扱い、当該金額を超える部分の金額があるときは、その超える部分に相当する金額は退職手当金等に該当するものとして取り扱うものとする。（基通3−20）

(一)	被相続人の死亡が業務上の死亡であるときは、その雇用主等から受ける弔慰金等のうち、当該被相続人の死亡当時における賞与以外の普通給与（俸給、給料、賃金、扶養手当、勤務地手当、特殊勤務地手当等の合計額をいう。以下同じ。）の3年分（遺族の受ける弔慰金等の合計額のうち(4)に掲げるものからなる部分の金額が3年分を超えるときはその金額）に相当する金額
(二)	被相続人の死亡が業務上の死亡でないときは、その雇用主等から受ける弔慰金等のうち、当該被相続人の死亡当時における賞与以外の普通給与の半年分（遺族の受ける弔慰金等の合計額のうち(4)に掲げるものからなる部分の金額が半年分を超えるときはその金額）に相当する金額

　　（普通給与の判定）
（2）　被相続人が非常勤役員である等のため、死亡当時に賞与だけを受けており普通給与を受けていなかった場合における(1)に定める普通給与の判定は、その者が死亡当時の直近に受けた賞与の額又は雇用主等の営む事業と類似する事業

における当該被相続人と同様な地位にある役員の受ける普通給与若しくは賞与の額等から勘案し、当該被相続人が普通給与と賞与の双方の形態で給与を受けていたとした場合において評定されるべき普通給与の額を基準とするものとする。（基通3−21）

（「業務上の死亡」等の意義）
（3）　（1）に定める「業務」とは、当該被相続人に遂行すべきものとして割り当てられた仕事をいい、「業務上の死亡」とは、直接業務に起因する死亡又は業務と相当因果関係があると認められる死亡をいうものとして取り扱うものとする。（基通3−22）

（退職手当金等に該当しない弔慰金等）
（4）　次に掲げる法律等の規定により遺族が受ける弔慰金等については、**三**に規定する退職手当金等に該当しないものとする。（基通3−23）

(一)	労働者災害補償保険法第12条の8第1項第4号及び第5号《業務災害に関する保険給付》に掲げる遺族補償給付及び葬祭料並びに同法第21条第4号及び第5号《通勤災害に関する保険給付》に掲げる遺族給付及び葬祭給付
(二)	国家公務員災害補償法第15条《遺族補償》及び第18条《葬祭補償》に規定する遺族補償及び葬祭補償
(三)	労働基準法第79条《遺族補償》及び第80条《葬祭料》に規定する遺族補償及び葬祭料
(四)	国家公務員共済組合法第63条《埋葬料及び家族埋葬料》、第64条及び第70条《弔慰金及び家族弔慰金》に規定する埋葬料及び弔慰金
(五)	地方公務員等共済組合法第65条《埋葬料及び家族埋葬料》、第66条及び第72条《弔慰金及び家族弔慰金》に規定する埋葬料及び弔慰金
(六)	私立学校教職員共済法第25条《国家公務員共済組合法の準用》の規定において準用する国家公務員共済組合法第63条、第64条及び第70条に規定する埋葬料及び弔慰金
(七)	健康保険法第100条《埋葬料》に規定する埋葬料
(八)	船員保険法第72条《葬祭料》に規定する葬祭料
(九)	船員法第93条《遺族手当》及び第94条《葬祭料》に規定する遺族手当及び葬祭料
(十)	国会議員の歳費、旅費及び手当等に関する法律第12条《弔慰金》及び第12条の2《特別弔慰金》に規定する弔慰金及び特別弔慰金
(十一)	地方公務員災害補償法第31条《遺族補償》及び第42条《葬祭補償》に規定する遺族補償及び葬祭補償
(十二)	消防組織法第24条《非常勤消防団員に対する公務災害補償》の規定に基づく条例の定めにより支給される消防団員の公務災害補償
(十三)	従業員（役員を除く。以下この（十三）において同じ。）の業務上の死亡に伴い、雇用主から当該従業員の遺族に支給された退職手当金等のほかに、労働協約、就業規則等に基づき支給される災害補償金、遺族見舞金、その他の弔慰金等の遺族給付金（当該従業員に支給されるべきであった退職手当金等に代えて支給される部分を除く。）で、（一）から（十二）までに掲げる弔慰金等に準ずるもの

四　生命保険契約に関する権利

　次の各号のいずれかに該当する場合においては、当該各号に掲げる者が、当該各号に掲げる財産を相続又は遺贈により取得したものとみなす。この場合において、その者が**相続人**（相続を放棄した者及び相続権を失った者を含まない。第五章第一節の1《遺産に係る基礎控除》、同第一節の2の（2）《相続人の数に算入される養子の数の否認》、第五章第二節《相続税の総額》、第六章第四節の1《配偶者に対する相続税額の軽減》、第六章第五節の1《未成年者控除》及び第六章第六節の1《障害者控除》の場合並びに「第五章第一節の2《法定相続人の数》に規定する相続人の数」という場合を除き、以下同じ。）であるときは当該財産を相続により取得したものとみなし、その者が相続人以外の者であるときは当該財産を遺贈により取得したものとみなす。（法3①）

(三)	相続開始の時において、まだ保険事故（共済事故を含む。以下同じ。）が発生していない生命保険契約（保険業法第2条第3項《定義》に規定する生命保険会社と締結した保険契約（これに類する共済に係る契約を含む。）その他の

第一編　相続税

2の（1）で定める契約をいうものとし、一定期間内に保険事故が発生しなかった場合において返還金その他これに準ずるものの支払がない生命保険契約を除く。以下同じ。）で被相続人が保険料（共済掛金を含む。以下同じ。）の全部又は一部を負担し、かつ、被相続人以外の者が当該生命保険契約の契約者であるものがある場合においては、当該生命保険契約の契約者について、当該契約に関する権利のうち被相続人が負担した保険料の金額の当該契約に係る保険料で当該相続開始の時までに払い込まれたものの全額に対する割合に相当する部分

$$
\begin{array}{ccc}
\text{生命保険契約に関} \\
\text{する権利の価額}
\end{array}
\times
\dfrac{\text{被相続人が負担した保険料等の額}}{\begin{array}{c}\text{相続開始の時までに払い}\\\text{込まれた保険料等の額}\end{array}}
=
\begin{array}{c}\text{相続又は遺贈により取得}\\\text{したものとみなす財産}\end{array}
$$

1　被相続人が負担した保険料又は掛金

（被相続人の被相続人が負担した保険料等）
（1）　**四**の規定の適用については、被相続人の被相続人が負担した保険料又は掛金は、被相続人が負担した保険料又は掛金とみなす。ただし、**四**の規定により**四**に掲げる者が当該被相続人の被相続人から**四**に掲げる財産を相続又は遺贈により取得したものとみなされた場合においては、当該被相続人の被相続人が負担した保険料又は掛金については、この限りでない。（法3②）

（「被相続人の被相続人」の意義）
（2）　（1）の規定は、被相続人の被相続人が負担した保険料又は掛金について適用があるのであって、その先代以前の被相続人が負担した保険料又は掛金については適用がないことに留意する。（基通3－48）

（被相続人の遺言により払い込まれた保険料等）
（3）　**四**の規定の適用については、被相続人の遺言により払い込まれた保険料又は掛金は、被相続人が負担した保険料又は掛金とみなす。（法3③）

（被相続人が負担した保険料等）
（4）　**四**に規定する「被相続人が負担した保険料」は、保険契約に基づき払い込まれた保険料の合計額によるものとし、次に掲げる場合における保険料については、それぞれ次によるものとする。（基通3－13）
　（一）　保険料の一部につき払込みの免除があった場合　　当該免除に係る部分の保険料は保険契約に基づき払い込まれた保険料には含まれない。
　（二）　振替貸付けによる保険料の払込みがあった場合（当該振替貸付けに係る貸付金の金銭による返済がされたときを除く。）又は未払込保険料があった場合　　当該振替貸付けに係る部分の保険料又は控除された未払込保険料に係る部分の保険料は保険契約者が払い込んだものとする。
　（注）1　**四**の生命保険契約（以下「生命保険契約」という。）が、いわゆる契約転換制度により、既存の生命保険契約（以下において「**転換前契約**」という。）を新たな生命保険契約（以下**四**において「**転換後契約**」という。）に転換したものである場合における**四**に規定する「被相続人が負担した保険料」には、転換前契約に基づいて被相続人が負担した保険料（基通5－7（下記（注）2参照）の適用がある場合の当該保険料の額については、転換前契約に基づき払い込まれた保険料の額の合計額に、当該転換前契約に係る保険金額のうちに当該転換前契約に係る保険金額から責任準備金（共済掛金積立金、剰余金、割戻金及び前納保険料を含む。）をもって精算された契約者貸付金等の金額を控除した金額の占める割合を乗じて得た金額）も含むのであるから留意する。
　　　　2　基通5－7……いわゆる契約転換制度により生命保険契約を転換前契約から転換後契約に転換した場合において、当該転換に際し転換前契約に係る契約者貸付金等の額が転換前契約に係る責任準備金（共済掛金積立金、剰余金、割戻金及び前納保険料を含む。）をもって精算されたときは、当該精算された契約者貸付金等の額に相当する金額は、転換後契約に係る契約者が取得した第二編第二章第二節**一**の2《返還金等への準用》に規定する「返還金その他これに準ずるもの」に該当するものとする。

（保険料の全額）
（5）　**四**に規定する「当該契約に係る保険料で当該相続開始の時までに払い込まれたものの全額」の計算については、（4）の取扱いに準ずるものとする。（基通3－14）

（養育年金付こども保険に係る保険契約者が死亡した場合）
（6）　被保険者（子）が一定の年齢に達するごとに保険金が支払われるほか、保険契約者（親）が死亡した場合にはその後の保険料を免除するとともに満期に達するまで年金を支払ういわゆる養育年金付こども保険に係る保険契約者が死亡

—58—

した場合における取扱いは、次に掲げるところによるものとする。(基通3－15)

（一）　年金受給権に係る課税関係

　　　保険契約者の死亡により被保険者等が取得する年金の受給権の課税関係については、次による。

　イ　保険契約者が負担した保険料に対応する部分の年金の受給権　　二《生命保険金等》に規定する保険金とする。

　ロ　保険契約者以外の者（当該受給権を取得した被保険者を除く。）が負担した保険料に対応する部分の年金の受給権　第二編第二章第二節一《生命保険金等》に規定する保険金とする。

　（注）　イ及びロの年金の受給権の評価については、二の**4**の（7）参照。

（二）　生命保険契約に関する権利に係る課税関係

　　　保険契約者の死亡後被保険者が一定の年齢に達するごとに支払われる保険金に係る生命保険契約に関する権利のうち保険契約者が負担した保険料に対応する部分については、当該保険契約者の権利義務を承継する被保険者について**四**の規定を適用する。

（保険金受取人が死亡した場合の課税関係）

（7）　保険金受取人が死亡した時において、まだ保険事故が発生していない生命保険契約で当該保険金受取人が保険契約者でなく、かつ、保険料の負担者でないものについては、当該保険金受取人の死亡した時においては課税関係は生じないものとする。(基通3－34)

（契約者が取得したものとみなされた生命保険契約に関する権利）

（8）　**四**の規定により、保険契約者が相続又は遺贈によって取得したものとみなされた部分の生命保険契約に関する権利は、そのみなされた時以後は当該契約者が自ら保険料を負担したものと同様に取り扱うものとする。(基通3－35)

（被保険者でない保険契約者が死亡した場合）

（9）　被保険者でない保険契約者が死亡した場合における生命保険契約に関する権利についての取扱いは、次に掲げるところによるものとする。(基通3－36)

（一）　その者が当該契約（一定期間内に保険事故が発生しなかった場合においては、返還金その他これに準ずるものの支払がない生命保険契約を除く。以下（二）において同じ。）による保険料を負担している場合（**四**の規定により、相続又は遺贈によって保険契約に関する権利を取得したものとみなされる場合を含む。）には、当該契約に関する権利は、相続人その他の者が相続又は遺贈により取得する財産となること。

（二）　その者が当該契約による保険料を負担していない場合（**四**の規定により、相続又は遺贈によって保険契約に関する権利を取得したものとみなされる場合を除く。）には、課税しないものとすること。

（保険契約者の範囲）

（10）　**四**に規定する生命保険契約の契約者には、当該契約に関する権利を承継したものを含むものとする。(基通3－37)

（保険金受取人が取得した保険金で課税関係の生じない場合）

（11）　保険金受取人の取得した保険金の額のうち、**四**の規定により当該保険金受取人が相続又は遺贈により取得したものとみなされた部分に対応する金額又は自己の負担した保険料の金額に対応する部分の金額については、相続又は遺贈によって取得する財産とはならないのであるから留意する。(基通3－38)

（「返還金その他これに準ずるもの」の意義）

（12）　**四**に規定する「返還金その他これに準ずるもの」とは、生命保険契約の定めるところにより生命保険契約の解除（保険金の減額の場合を含む。）又は失効によって支払を受ける金額又は一定の事由（被保険者の自殺等）に基づき保険金の支払をしない場合において支払を受ける払戻金等をいうものとする。(基通3－39)

2　生命保険契約等の範囲

（生命保険契約等の範囲）

（1）　**四**に規定する生命保険会社と締結した保険契約その他の政令で定める契約は、次に掲げる契約とする。(令1の2①)

（一）　保険業法（平成7年法律第105号）第2条第3項《定義》に規定する生命保険会社と締結した保険契約又は同条第

第一編　相続税

	６項に規定する外国保険業者若しくは同条第18項に規定する少額短期保険業者と締結したこれに類する保険契約
(二)	郵政民営化法等の施行に伴う関係法律の整備等に関する法律（平成17年法律第102号）第２条《法律の廃止》の規定による廃止前の簡易生命保険法（昭和24年法律第68号）第３条《政府保証》に規定する簡易生命保険契約（簡易生命保険法の一部を改正する法律（平成２年法律第50号）附則第５条第15号《用語の定義》に規定する年金保険契約及び同条第16号に規定する旧年金保険契約を除く。）
(三)	次に掲げる契約 イ　農業協同組合法（昭和22年法律第132号）第10条第１項第10号《事業の種類》の事業を行う農業協同組合又は農業協同組合連合会と締結した生命共済に係る契約 ロ　水産業協同組合法（昭和23年法律第242号）第11条第１項第11号《事業の種類》若しくは第93条第１項第６号の２《事業の種類》の事業を行う漁業協同組合若しくは水産加工業協同組合又は共済水産業協同組合連合会と締結した生命共済に係る契約（漁業協同組合又は水産加工業協同組合と締結した契約にあっては、下記(注)で定める要件を備えているものに限る。） （注）　上記(三)のロに規定する財務省令で定める要件は、これらの規定に規定する漁業協同組合又は水産加工業協同組合（以下「漁業協同組合等」という。）が、その締結した生命共済又は傷害共済に係る契約により負う共済責任を共済水産業協同組合連合会（当該漁業協同組合等を会員とするものであって、その業務が全国の区域に及ぶものに限る。）との契約により連帯して負担していること（当該契約により当該漁業協同組合等が当該共済責任について負担部分を有しない場合に限る。）とする。（規１の２） ハ　消費生活協同組合法（昭和23年法律第200号）第10条第１項第４号《事業の種類》の事業を行う消費生活協同組合連合会と締結した生命共済に係る契約 ニ　中小企業等協同組合法（昭和24年法律第181号）第９条の２第７項《事業協同組合及び事業協同小組合》に規定する共済事業を行う同項に規定する特定共済組合と締結した生命共済に係る契約 ホ　独立行政法人中小企業基盤整備機構と締結した小規模企業共済法（昭和40年法律第102号）第２条第２項《定義》に規定する共済契約のうち小規模企業共済法及び中小企業事業団法の一部を改正する法律（平成７年法律第44号）附則第５条第１項（旧第二種共済契約に係る小規模企業共済法の規定の適用についての読替規定）の規定により読み替えられた小規模企業共済法第９条第１項各号《共済金》に掲げる事由により共済金が支給されることとなるもの ヘ　<u>法第12条第１項第５号に規定する共済制度に係る契約</u> （注）　――線部分の規定は、公益信託に関する法律（令和６年法律第30号）の施行の日前については、「第12条第１項第５号」とあるのは、「第12条第１項第４号」とする。（令６改令附１） ト　法律の規定に基づく共済に関する事業を行う法人と締結した生命共済に係る契約で、その事業及び契約の内容がイからニまでに掲げるものに準ずるものとして財務大臣の指定するもの

（法施行令第１条の２第１項に含まれる契約）
（２）　（１）の(一)に規定する保険契約及び（１）の(三)に規定する契約には、同(一)又は(三)に掲げる者と締結した保険法（平成20年法律第56号）第２条第９号《定義》に規定する傷害疾病定額保険契約が含まれることに留意する。（基通３−４）

（財務大臣の指定した生命共済に係る契約）
（３）　（１）の(三)のトの規定に基づき、同トに規定する生命共済に係る契約を次のように指定し、昭和56年10月１日以後に相続又は遺贈（贈与者の死亡により効力を生ずる贈与を含む。）により取得した財産に係る相続税について適用する。
（昭56蔵告125、平26財告109改正）

　消費生活協同組合法第10条第１項第４号の事業を行う次に掲げる法人の締結した生命共済に係る契約
①　神奈川県民共済生活協同組合　②　教職員共済生活協同組合　③　警察職員生活協同組合　④　埼玉県民共済生活協同組合
⑤　全国交通運輸産業労働者共済生活協同組合　⑥　電気通信産業労働者共済生活協同組合　⑦　日本郵政グループ労働者共済生活協同組合

3　生命保険契約に関する権利の評価

　相続開始の時において、まだ保険事故（共済事故を含む。**3**において同じ。）が発生していない生命保険契約に関する権利の価額は、相続開始の時において当該契約を解約するとした場合に支払われることとなる解約返戻金の額（解約返戻金のほかに支払われることとなる前納保険料の金額、剰余金の分配額等がある場合にはこれらの金額を加算し、解約返戻金の額につき源泉徴収されるべき所得税の額に相当する金額がある場合には当該金額を減算した金額）によって評価する。（評基通214）

（注）１　**3**の「生命保険契約」とは、ニの(一)に規定する生命保険契約をいい、当該生命保険契約には一定期間内に保険事故が発生しなかった場

−60−

第二章　相続税の課税財産

合において返還金その他これに準ずるものの支払がない生命保険契約は含まれないのであるから留意する。

2　被相続人が生命保険契約の契約者である場合において、当該生命保険契約の契約者に対する貸付金若しくは保険料の振替貸付けに係る貸付金又は未払込保険料の額（いずれもその元利合計金額とする。）があるときは、当該契約者貸付金等の額について第四章第二節**三**《債務控除》の適用があるのであるから留意する。

五　定期金に関する権利

　次の各号のいずれかに該当する場合においては、当該各号に掲げる者が、当該各号に掲げる財産を相続又は遺贈により取得したものとみなす。この場合において、その者が**相続人**（相続を放棄した者及び相続権を失った者を含まない。第五章第一節の**1**《遺産に係る基礎控除》、同第一節の**2**の（2）《相続人の数に算入される養子の数の否認》、第五章第二節《相続税の総額》、第六章第四節の**1**《配偶者に対する相続税額の軽減》、第六章第五節の**1**《未成年者控除》及び第六章第六節の**1**《障害者控除》の場合並びに「第五章第一節の**2**《法定相続人の数》に規定する相続人の数」という場合を除き、以下同じ。）であるときは当該財産を相続により取得したものとみなし、その者が相続人以外の者であるときは当該財産を遺贈により取得したものとみなす。（法3①）

（四）	相続開始の時において、まだ定期金給付事由が発生していない定期金給付契約（生命保険契約を除く。）で被相続人が掛金又は保険料の全部又は一部を負担し、かつ、被相続人以外の者が当該定期金給付契約の契約者であるものがある場合においては、当該定期金給付契約の契約者について、当該契約に関する権利のうち被相続人が負担した掛金又は保険料の金額の当該契約に係る掛金又は保険料で当該相続開始の時までに払い込まれたものの全額に対する割合に相当する部分

$$\text{定期金給付契約に関する権利の価額} \times \frac{\text{被相続人が負担した掛金又は保険料の額}}{\text{相続開始時までに払い込まれた掛金又は保険料の総額}} = \text{相続又は遺贈により取得したものとみなす財産}$$

1　被相続人の負担した掛金の額

　（被相続人の被相続人が負担した保険料又は掛金）

（1）　**五**の規定の適用については、被相続人の被相続人が負担した保険料又は掛金は、被相続人が負担した保険料又は掛金とみなす。ただし、**五**の規定により**五**に掲げる者が当該被相続人の被相続人から**五**に掲げる財産を相続又は遺贈により取得したものとみなされた場合においては、当該被相続人の被相続人が負担した保険料又は掛金については、この限りでない。（法3②）

　（「被相続人の被相続人」の意義）

（2）　（1）の規定は、被相続人の被相続人が負担した保険料又は掛金について適用があるのであって、その先代以前の被相続人が負担した保険料又は掛金については適用がないことに留意する。（基通3－48）

　（被相続人の遺言により払い込まれた保険料又は掛金）

（3）　**五**の規定の適用については、被相続人の遺言により払い込まれた保険料又は掛金は、被相続人が負担した保険料又は掛金とみなす。（法3③）

　（被相続人が負担した掛金又は保険料等）

（4）　**五**に規定する「被相続人が負担した掛金又は保険料」及び「当該契約に係る掛金又は保険料で当該相続開始の時までに払い込まれたものの全額」の計算については、**四**の**1**の（4）及び（5）の取扱いに準ずるものとする。（基通3－44）

　（定期金受取人が死亡した場合で課税関係の生じない場合）

（5）　定期金受取人となるべき者が死亡した時において、まだ給付事由の発生していない定期金給付契約（生命保険契約を除く。以下（8）までにおいて同じ。）で当該定期金受取人が契約者でなく、かつ、掛金又は保険料の負担者でないものについては、当該定期金受取人の死亡した時においては課税関係は生じないものとする。（基通3－40）

－61－

第一編　相続税

（定期金給付事由の発生前に契約者が死亡した場合）
（6）　定期金給付契約の契約者が死亡した時において、まだ給付事由の発生していない定期金給付契約で当該契約者が掛金又は保険料の負担者でないものについては、当該契約者の死亡した時においては当該定期金給付契約に関する権利については、課税しないものとする。ただし、**五**の規定により当該契約者が掛金又は保険料の負担者から当該定期金給付契約に関する権利を相続又は遺贈によって取得したものとみなされた場合におけるそのみなされた部分については、この限りでない。（基通3－41）

（定期金給付事由の発生前に掛金又は保険料の負担者が死亡した場合）
（7）　定期金給付事由の発生前に掛金又は保険料の負担者が死亡した場合におけるその定期金給付契約に関する権利は、契約者と掛金又は保険料の負担者とが同一人でないときは**五**の規定によって契約者が掛金又は保険料の負担者からその負担した掛金又は保険料の金額のその相続の開始の時までに払い込まれた掛金又は保険料の全額に対する割合に相当する部分を相続又は遺贈により取得したものとみなされ、契約者と掛金又は保険料の負担者が同一人であるときは当該掛金又は保険料の負担者の本来の相続財産となることに留意する。（基通3－42）

（定期金給付契約の解除等があった場合）
（8）　定期金給付契約の解除、失効又は変更等により返還金又はこれに準ずるものの取得があった場合には、第二編第二章第二節**二**の**2**《返還金等に対する準用》の規定によりその受取人が掛金又は保険料の負担者からその負担した掛金又は保険料の金額のこれらの事由が発生した時までに払い込まれた掛金又は保険料の全額に対する割合に相当する部分を贈与によって取得したものとみなされるのであるから留意する。（基通3－43）

2　給付事由が発生していない定期金に関する権利の評価

定期金給付契約（生命保険契約を除く。）で当該契約に関する権利を取得した時において定期金給付事由が発生していないものに関する権利の価額は、次の（一）から（二）までに掲げる場合の区分に応じ、当該（一）から（二）までに定める金額による。（法25）
（一）　当該契約に解約返戻金を支払う旨の定めがない場合　　次に掲げる場合の区分に応じ、それぞれ次に定める金額に、100分の90を乗じて得た金額
　　イ　当該契約に係る掛金又は保険料が一時に払い込まれた場合　　当該掛金又は保険料の払込開始の時から当該契約に関する権利を取得した時までの期間（ロにおいて「**経過期間**」という。）につき、当該掛金又は保険料の払込金額に対し、当該契約に係る予定利率の複利による計算をして得た元利合計額
　　ロ　イに掲げる場合以外の場合　　経過期間に応じ、当該経過期間に払い込まれた掛金又は保険料の金額の1年当たりの平均額に、当該契約に係る予定利率による複利年金終価率（複利の計算で年金終価を算出するための割合として（1）で定めるものをいう。）を乗じて得た金額
（二）　（一）に掲げる場合以外の場合　　当該契約に関する権利を取得した時において当該契約を解約するとしたならば支払われるべき解約返戻金の金額
　　（編者注）解約返戻金の金額については（基通25－1）第九編第十章第二節の（4）《解約返戻金の金額》参照。

（複利年金終価率）
（1）　**2**の（一）のロに規定する複利年金終価率は、特定割合（**2**の定期金給付契約に係る予定利率に一を加えた数を払込済期間の年数で累乗して得た割合をいう。）から一を控除した残数を当該予定利率で除して得た割合（当該割合に小数点以下3位未満の端数があるときは、これを四捨五入する。）とする。（規12の7①）

（払込済期間の年数）
（2）　（1）に規定する払込済期間の年数は、（1）の定期金給付契約に基づく掛金又は保険料の払込開始の日から当該契約に関する権利を取得した日までの年数（1年未満の端数があるときは、これを切り上げた年数）とする。（規12の7②）

－62－

第二章　相続税の課税財産

六　保証期間付定期金に関する権利

　次の各号のいずれかに該当する場合においては、当該各号に掲げる者が、当該各号に掲げる財産を相続又は遺贈により取得したものとみなす。この場合において、その者が**相続人**（相続を放棄した者及び相続権を失った者を含まない。第五章第一節の1《遺産に係る基礎控除》、同第一節の2の（2）《相続人の数に算入される養子の数の否認》、第五章第二節《相続税の総額》、第六章第四節の1《配偶者に対する相続税額の軽減》、第六章第五節の1《未成年者控除》及び第六章第六節の1《障害者控除》の場合並びに「第五章第一節の2《法定相続人の数》に規定する相続人の数」という場合を除き、以下同じ。）であるときは当該財産を相続により取得したものとみなし、その者が相続人以外の者であるときは当該財産を遺贈により取得したものとみなす。（法3①）

（五）	定期金給付契約で定期金受取人に対しその生存中又は一定期間にわたり定期金を給付し、かつ、その者が死亡したときはその死亡後遺族その他の者に対して定期金又は一時金を給付するものに基づいて定期金受取人たる被相続人の死亡後相続人その他の者が定期金受取人又は一時金受取人となった場合においては、当該定期金受取人又は一時金受取人となった者について、当該定期金給付契約に関する権利のうち被相続人が負担した掛金又は保険料の金額の当該契約に係る掛金又は保険料で当該相続開始の時までに払い込まれたものの全額に対する割合に相当する部分

$$\text{保証期間付定期金に関する権利の価額} \times \frac{\text{被相続人が負担した掛金又は保険料の額}}{\text{相続開始の時までに払い込まれた掛金又は保険料の総額}} = \text{相続又は遺贈により取得したものとみなす財産}$$

1　被相続人の負担した掛金の額

　（被相続人の被相続人が負担した保険料又は掛金）
（1）　**六**の規定の適用については、被相続人の被相続人が負担した保険料又は掛金は、被相続人が負担した保険料又は掛金とみなす。（法3②）

　（「被相続人の被相続人」の意義）
（2）　（1）の規定は、被相続人の被相続人が負担した保険料又は掛金について適用があるのであって、その先代以前の被相続人が負担した保険料又は掛金については適用がないことに留意する。（基通3－48）

　（被相続人が負担した保険料等）
（3）　**六**に規定する「被相続人が負担した保険料」は、保険契約に基づき払い込まれた保険料の合計額によるものとし、次に掲げる場合における保険料については、それぞれ次によるものとする。（基通3－13）
　（一）　保険料の一部につき払込みの免除があった場合　　当該免除に係る部分の保険料は保険契約に基づき払い込まれた保険料には含まれない。
　（二）　振替貸付けによる保険料の払込みがあった場合（当該振替貸付けに係る貸付金の金銭による返済がされたときを除く。）又は未払込保険料があった場合　　当該振替貸付けに係る部分の保険料又は控除された未払込保険料に係る部分の保険料は保険契約者が払い込んだものとする。
　　（注）1　二に規定する生命保険契約が、いわゆる契約転換制度により、既存の生命保険契約（以下「**転換前契約**」という。）を新たな生命保険契約（以下「**転換後契約**」という。）に転換したものである場合における六に規定する「被相続人が負担した保険料」には、転換前契約に基づいて被相続人が負担した保険料（基通5－7（下記(注)2参照）の適用がある場合の当該保険料の額については、転換前契約に基づき払い込まれた保険料の額の合計額に、当該転換前契約に係る保険金額のうちに当該転換前契約に係る保険金額から責任準備金（共済掛金積立金、剰余金、割戻金及び前納保険料を含む。）をもって精算された契約者貸付金等の金額を控除した金額の占める割合を乗じて得た金額）も含むのであるから留意する。
　　　　2　基通5－7…いわゆる契約転換制度により生命保険契約を転換前契約から転換後契約に転換した場合において、当該転換に際し転換前契約に係る契約者貸付金等の額が転換前契約に係る責任準備金（共済掛金積立金、剰余金、割戻金及び前納保険料を含む。）をもって精算されたときは、当該精算された契約者貸付金等の額に相当する金額は、転換前契約に係る契約者が取得した第二編第二章第二節一の2《返還金等への準用》に規定する「返還金その他これに準ずるもの」に該当するものとする。

　（保険料の全額）
（4）　**六**に規定する「当該契約に係る保険料で当該相続開始の時までに払い込まれたものの全額」の計算については、（3）の取扱いに準ずるものとする。（基通3－14）

—63—

第一編　相続税

（被相続人が負担した掛金又は保険料等）

（5）　**六**に規定する「被相続人が負担した掛金又は保険料」及び「当該契約に係る掛金又は保険料で当該相続開始の時までに払い込まれたものの全額」の計算については、（3）及び（4）の取扱いに準ずるものとする。（基通3－44）

（保証据置年金契約の年金受取人が死亡した場合）

（6）　保証据置年金契約（年金受取人が年金支払開始年齢に達した日からその死亡に至るまで年金の支払をするほか、一定の期間内に年金受取人が死亡したときは、その残存期間中年金継続受取人に継続して年金の支払をするものをいう。）又は保証期間付年金保険契約（保険事故が発生した場合に保険金受取人に年金の支払をするほか、一定の期間内に保険金受取人が死亡した場合には、その残存期間中継続受取人に継続して年金の支払をするものをいい、これに類する共済契約を含む。）の年金給付事由又は保険事故が発生した後、保証期間内に年金受取人（保険金受取人を含む。以下同じ。）が死亡した場合には、次に掲げるところによるのであるから留意する。（基通3－45）

（一）　年金受取人が掛金又は保険料の負担者であるときは、**六**の規定により継続受取人が掛金又は保険料の負担者からその負担した掛金又は保険料の金額のその相続開始の時までに払い込まれた掛金又は保険料の全額に対する割合に相当する部分を相続又は遺贈によって取得したものとみなされること。

（二）　年金受取人が掛金又は保険料の負担者でないときは、第二編第二章第二節**二**の**3**《保証期間付定期金に関する権利を相続等により取得した場合》の規定により継続受取人が掛金又は保険料の負担者からその負担した掛金又は保険料の金額の相続開始の時までに払い込まれた掛金又は保険料の全額に対する割合に相当する部分を贈与によって取得したものとみなされること。

（三）　掛金又は保険料の負担者と継続受取人とが同一人であるときは、課税しないものとすること。

2　給付事由が発生している定期金に関する権利の評価

定期金給付契約で当該契約に関する権利を取得した時において定期金給付事由が発生しているものに関する権利の価額は、次の（一）から（四）までに掲げる定期金又は一時金の区分に応じ、当該（一）から（四）までに定める金額による。（法24①）

（一）　有期定期金　　次に掲げる金額のうちいずれか多い金額

イ　当該契約に関する権利を取得した時において当該契約を解約するとしたならば支払われるべき解約返戻金の金額

ロ　定期金に代えて一時金の給付を受けることができる場合には、当該契約に関する権利を取得した時において当該一時金の給付を受けるとしたならば給付されるべき当該一時金の金額

ハ　当該契約に関する権利を取得した時における当該契約に基づき定期金の給付を受けるべき残りの期間に応じ、当該契約に基づき給付を受けるべき金額の1年当たりの平均額に、当該契約に係る予定利率による複利年金現価率（複利の計算で年金現価を算出するための割合として財務省令で定めるものをいう。（三）のハにおいて同じ。）を乗じて得た金額

（二）　無期定期金　　次に掲げる金額のうちいずれか多い金額

イ　当該契約に関する権利を取得した時において当該契約を解約するとしたならば支払われるべき解約返戻金の金額

ロ　定期金に代えて一時金の給付を受けることができる場合には、当該契約に関する権利を取得した時において当該一時金の給付を受けるとしたならば給付されるべき当該一時金の金額

ハ　当該契約に関する権利を取得した時における、当該契約に基づき給付を受けるべき金額の1年当たりの平均額を、当該契約に係る予定利率で除して得た金額

（三）　終身定期金　　次に掲げる金額のうちいずれか多い金額

イ　当該契約に関する権利を取得した時において当該契約を解約するとしたならば支払われるべき解約返戻金の金額

ロ　定期金に代えて一時金の給付を受けることができる場合には、当該契約に関する権利を取得した時において当該一時金の給付を受けるとしたならば給付されるべき当該一時金の金額

ハ　当該契約に関する権利を取得した時におけるその目的とされた者に係る余命年数として政令で定めるものに応じ、当該契約に基づき給付を受けるべき金額の1年当たりの平均額に、当該契約に係る予定利率による複利年金現価率を乗じて得た金額

（四）　**六**に規定する一時金　　その給付金額

（注）　平成23年4月1日以後に相続若しくは遺贈により取得する定期金給付契約に関する権利について適用する（平22改所法等附32）。

（権利の取得後申告期限までに死亡した場合の終身定期金の評価の特例）

（1）　**2**に規定する定期金給付契約に関する権利で**2**の（三）の規定の適用を受けるものにつき、その目的とされた者が当

－64－

第二章　相続税の課税財産

該契約に関する権利を取得した時後相続税申告書の提出期限までに死亡し、その死亡によりその給付が終了した場合においては、当該定期金給付契約に関する権利の価額は、同(三)の規定にかかわらず、その権利者が当該契約に関する権利を取得した時後給付を受け、又は受けるべき金額（当該権利者の遺族その他の第三者が当該権利者の死亡により給付を受ける場合には、その給付を受け、又は受けるべき金額を含む。）による。(法24②)

　　(生存中給付を受ける定期金に関する権利の評価)
（２）　**2**に規定する定期金給付契約に関する権利で、その権利者に対し、一定期間、かつ、その目的とされた者の生存中、定期金を給付する契約に基づくものの価額は、**2**の(一)に規定する有期定期金として算出した金額又は**2**の(三)に規定する終身定期金として算出した金額のいずれか少ない金額による。(法24③)

　　(保証期間付定期金に関する権利の評価)
（３）　**2**に規定する定期金給付契約に関する権利で、その目的とされた者の生存中定期金を給付し、かつ、その者が死亡したときはその権利者又はその遺族その他の第三者に対し継続して定期金を給付する契約に基づくものの価額は、**2**の(一)に規定する有期定期金として算出した金額又は**2**の(三)に規定する終身定期金として算出した金額のいずれか多い金額による。(法24④)

—65—

第一編　相続税

七　契約に基づかない定期金に関する権利

　次の各号のいずれかに該当する場合においては、当該各号に掲げる者が、当該各号に掲げる財産を相続又は遺贈により取得したものとみなす。この場合において、その者が**相続人**（相続を放棄した者及び相続権を失った者を含まない。第五章第一節の**1**《遺産に係る基礎控除》、同第一節の**2**の（2）《相続人の数に算入される養子の数の否認》、第五章第二節《相続税の総額》、第六章第四節の**1**《配偶者に対する相続税額の軽減》、第六章第五節の**1**《未成年者控除》及び第六章第六節の**1**《障害者控除》の場合並びに「第五章第一節の**2**《法定相続人の数》に規定する相続人の数」という場合を除き、以下同じ。）であるときは当該財産を相続により取得したものとみなし、その者が相続人以外の者であるときは当該財産を遺贈により取得したものとみなす。（法3①）

（六）	被相続人の死亡により相続人その他の者が定期金（これに係る一時金を含む。）に関する権利で契約に基づくもの以外のもの（恩給法の規定による扶助料に関する権利を除く。）を取得した場合においては、当該定期金に関する権利を取得した者について、当該定期金に関する権利（**三**《退職手当金等》に掲げる給与に該当するものを除く。）

1　契約に基づかない定期金に関する権利の意義

（契約に基づかない定期金に関する権利）

（1）　**七**に規定する「定期金に関する権利で契約に基づくもの以外のもの」には、（2）の定めに該当する退職年金の継続受取人が取得する当該年金の受給に関する権利のほか、船員保険法の規定による遺族年金、厚生年金保険法の規定による遺族年金等があるのであるが、これらの法律による遺族年金等については、それぞれそれらの法律に非課税規定が設けられているので、相続税は課税されないことに留意する。（基通3－46）

　　（注）1　被用者年金制度の一元化等を図るための厚生年金保険法等の一部を改正する法律（平成24年法律第63号）（以下「一元化法」という。）附則第37条第1項《改正前国共済法による給付等》の規定によりなおその効力を有するとされる場合における一元化法による改正前の国家公務員共済組合法（以下「改正前国共済法」という。）第88条《遺族共済年金受給権者》の規定により支給される遺族共済年金については、改正前国共済法第50条《公課の禁止》の規定により、相続税は課税されないことに留意する。

　　　　2　一元化法附則第61条第1項《改正前地共済法による給付等》の規定によりなおその効力を有するとされる場合における一元化法による改正前の地方公務員等共済法（以下「改正前地共済法」という。）第99条《遺族共済年金の受給権者》の規定により支給される遺族共済年金については、改正前地共済法第52条《公課の禁止》の規定により、相続税は課税されないことに留意する。

　　　　3　一元化法附則第79条《改正前私学共済法による給付》の規定によりなおその効力を有するとされる場合における一元化法による改正前の私立学校教職員共済法（以下「改正前私学共済法」という。）第25条《国家公務員共済組合法の準用》において準用する改正前国共済法第88条の規定により支給される遺族共済年金については、改正前私学共済法第5条《非課税》の規定により、相続税は課税されないことに留意する。

（退職年金の継続受取人が取得する権利）

（2）　退職年金を受けている者の死亡により、その相続人その他の者が当該年金を継続して受けることとなった場合（これに係る一時金を受けることとなった場合を含む。）においては、当該年金の受給に関する権利は、その継続受取人となった者が**七**の規定により相続又は遺贈により取得したものとみなされるのであるから留意する。（基通3－29）

（退職手当金等を定期金として支給する場合）

（3）　**七**に規定する「（**三**《退職手当金等》に掲げる給与に該当するもの）」とは、定期金又はこれに準ずる方法で支給される退職手当金等をいうのであって、これらのものについては、**三**に規定する退職手当金等として課税するのであるから留意する。（基通3－47）

2　契約に基づかない定期金に関する権利の評価

　六の2《給付事由が発生している定期金に関する権利の評価》の規定は、**七**に規定する定期金に関する権利で契約に基づくもの以外のものの価額の評価について準用する。（法24⑤）

－66－

第二章　相続税の課税財産

八　贈与税の納税猶予の特例の適用を受けた農地等

1　農地等の贈与者が死亡した場合の相続税の課税の特例

　　第四編第一章第一節の **1**《農地等を贈与した場合の贈与税の納税猶予》の規定により同 **1** に規定する贈与税について納税の猶予があった場合において、当該贈与税に係る農地等の贈与者が死亡したとき（その死亡の日前に同第一章第四節の **1**《納税猶予の全部打切り》又は同第四節の **4**《３年ごとの納税猶予の継続届出書を提出しなかった場合の打切り》の規定の適用があった場合、同日前に同第四節の **5**《担保変更等の命令に応じなかった場合の打切り》の規定による納税の猶予に係る期限の繰上げがあった場合及びその死亡の時以前に当該贈与税に係る受贈者が死亡した場合を除く。）は、当該贈与者の死亡による相続又は遺贈に係る相続税については、当該農地等の受贈者が当該農地等（同第一章第九節《一時的道路用地等の用に供するための地上権等の設定》に規定する一時的道路用地等の用に供されている農地等を含むものとし、既に同第四節の **2**《納税猶予の一部打切り》又は同第四節の **3**《買取りの申出等による納税猶予の一部打切り》の規定の適用があった場合には、これらの規定の適用があった農地等を除くものとする。以下 **1** において同じ。）をその贈与者から相続（当該受贈者が当該死亡による相続の放棄をした場合には、遺贈。以下 **2** において同じ。）により取得したものとみなす。この場合において、当該死亡による相続又は遺贈に係る相続税の課税価格の計算の基礎に算入すべき当該農地等の価額は、その死亡の日における価額（当該農地等が当該一時的道路用地等の用に供されている農地等で第四編第二章第一節の **1**《農地等についての相続税の納税猶予等》の規定の適用を受けるものである場合には、当該一時的道路用地等の用に供されていないものとしたときにおける当該農地等としての価額）による。（措法70の５①）

　　◎第四編第一章第一節の **1** 以下参照

　　（加算対象期間内に贈与を受けた農地等）

注　第四編第一章第一節の **1**《農地等を贈与した場合の贈与税の納税猶予》の規定による贈与税の納税猶予に係る贈与者が死亡した場合において、その贈与が当該贈与者の死亡に係る相続税の加算対象期間（第四章第二節の**四**の ２ の（５）《**1** の規定の適用を受ける贈与》に定める「加算対象期間」をいう。）内であるときにおける特例適用農地等についての当該贈与者の死亡に係る相続税の課税関係は、次に掲げるところによることに留意する。（措通70の５－１）

（一）　当該贈与者の死亡の時において、現に当該納税猶予の適用を受けている特例適用農地等は、**1** の規定により受贈者が当該贈与者から相続又は遺贈により取得したものとみなされ、当該贈与者の死亡の日における価額で相続税が課税される。

　　　なお、この適用を受ける農地等は、第四編第二章第一節の **1** の規定による相続税の納税猶予の適用を受けることができる農地等に含まれる。

（二）　当該贈与者の死亡の日前に、当該納税猶予に係る贈与税の全部又は一部についての納税猶予の期限が確定しており、かつ、受贈者が当該贈与者から相続又は遺贈により財産を取得している場合における当該期限の確定に係る特例適用農地等は、第六章第三節の **1**《相続開始前７年以内に贈与があった場合の相続税額》の規定により、贈与の日における価額で相続税が課税される。

　　　なお、この適用を受ける農地等は、第四編第二章第一節の **1** の規定による相続税の納税猶予の適用が受けられる農地等には含まれない。

2　受贈者が買換えの承認を受けて取得した農地等

　　受贈者が農地等の譲渡等につき第四編第一章第七節の **1**《買換えの承認があった場合の納税猶予の継続》から同第一章第八節の **1**《特定市街化区域農地等を収用交換等による譲渡をした場合の特例》までの規定による同第一章第十一節の **1**《買換え等の承認があった都市営農農地等の納税猶予の継続》の承認を受けた場合において、同第一章第七節の **1** 若しくは同第一章第十一節の **1** に該当する譲渡等の対価の額の全部若しくは一部をもって当該譲渡等があった日以後１年以内（当該１年以内に当該農地等の贈与者が死亡した場合には、その死亡の日まで。以下 **2** において同じ。）に農地若しくは採草放牧地を取得しているときにおける **1** の規定の適用については、その取得した農地若しくは採草放牧地又は当該譲渡等に係る農地等に代わるものとして当該受贈者の農業の用に供した代替農地等は、当該贈与者から相続により取得した農地等とみなす。（措法70の５②）

　　（買換えの承認に係る特例適用農地等）

（１）　特例適用農地等の譲渡等につき第四編第一章第七節の **1**《買換えの承認があった場合の納税猶予の継続》の規定による買換えの承認を受けている場合において、代替取得農地等を取得する前に贈与者が死亡したときにおける当該承認

－67－

第一編　相続税

に係る譲渡等をした特例適用農地等に係る相続税の課税に当たっては、当該特例適用農地等は、1の規定により受贈者が贈与者から相続又は遺贈により取得したものとみなされ、かつ、当該譲渡等に係る特例適用農地等は、第四編第一章第七節の1の規定により譲渡等がなかったものとみなされることから、当該譲渡等に係る特例適用農地等の当該贈与者の死亡の日における価額が相続税の課税価格の計算の基礎に算入されることになるのであるから留意する。(措通70の5－5)

> (注)　上記の譲渡等に係る特例適用農地等について、第四編第二章第一節の1の規定による相続税の納税猶予の適用を受ける場合には、同1の規定により当該特例適用農地等は、相続又は遺贈により取得した農地等に含まれることから相続税の納税猶予の適用を受けることができることとなる。
>
> 　なお、この場合において、当該譲渡等があった日から1年以内に代替取得農地等を取得しなかったときには、その譲渡等があった日から1年を経過する日において譲渡等があったものとみなされ、当該譲渡等に係る農地等の価額に対応する部分の相続税の納税猶予税額は、納付を要することになる。

　　　(買取りの申出等があった場合の買換え等の承認に係る特定農地等)

(2)　第四編第一章第一節の1《農地等を贈与した場合の贈与税の納税猶予》の規定の適用を受ける農地又は採草放牧地についての買取りの申出等につき同第一章第十一節の1の規定による承認を受けている場合において、当該承認に係る特定農地等に係る代替取得農地等を取得する前に又は当該承認に係る特定市街化区域農地等に係る農地若しくは採草放牧地が同1の規定による都市営農農地等に該当する前に贈与者が死亡したときにおける当該承認に係る特定農地等に係る相続税の課税に当たっては、当該特定農地等は、1の規定により受贈者が贈与者から相続又は遺贈により取得したものとみなされ、かつ、当該承認に係る特定農地等は、同第十一節の1の規定により買取りの申出等及び譲渡等はなかったものとみなされることから、当該買取りの申出等に係る特定農地等の当該贈与者の死亡の日における価額が相続税の課税価格の計算の基礎に算入されることになるのであるから留意する。

　なお、この場合において、当該買取りの申出等に係る特定農地等の当該贈与者の死亡の日における価額は、当該贈与者の死亡の日における現況によるのであるから留意する。(措通70の5－6)

> (注)　上記の買取りの申出等に係る特定農地等について、第四編第二章第一節の1の規定による相続税の納税猶予の適用を受ける場合には、同1の規定により当該特定農地等は、相続又は遺贈により取得した農地等に含まれることから相続税の納税猶予の適用を受けることができることとなる。
>
> 　なお、この場合において、当該買取りの申出等があった日から1年以内に譲渡等をしなかったとき若しくは都市営農農地等に該当することとならなかったとき又は当該日から1年以内に譲渡等をした場合において当該譲渡等があった日から1年以内に代替取得農地等を取得しなかったときには、当該買取りの申出等があった日から1年を経過する日又は当該譲渡等があった日から1年を経過する日において買取りの申出等があったものとみなされ、当該買取りの申出等に係る特定農地等の価額に対応する部分の相続税の納税猶予税額は、納付を要することとなる。

－68－

第三節　遺贈（又は贈与）により取得したものとみなされる財産

一　特別縁故者が分与を受けた財産・特別寄与者が支払を受けるべき特別寄与料の額

1　特別縁故者が分与を受けた財産

　民法第958条の2第1項《特別縁故者に対する相続財産の分与》の規定により同項に規定する相続財産の全部又は一部を与えられた場合においては、その与えられた者が、その与えられた時における当該財産の時価（当該財産の評価について第五編に特別の定めがある場合には、その規定により評価した価額）に相当する金額を当該財産に係る被相続人から遺贈により取得したものとみなす。(法4①)

【特別縁故者への財産分与に関する民法の規定】

第六章　相続人の不存在

〔相続財産法人の成立〕

第951条　相続人のあることが明らかでないときは、相続財産は、法人とする。

〔相続財産の管理人の選任〕

第952条　前条の場合には、家庭裁判所は、利害関係人又は検察官の請求によって、相続財産の管理人を選任しなければならない。

②　前項の規定により相続財産の管理人を選任したときは、家庭裁判所は、遅滞なくこれを公告しなければならない。

〔相続債権者及び受遺者に対する弁済〕

第957条　第952条第2項の公告があった後2箇月以内に相続人のあることが明らかにならなかったときは、相続財産の管理人は、遅滞なく、すべての相続債権者及び受遺者に対し、一定の期間内にその請求の申出をすべき旨を公告しなければならない。この場合において、その期間は、2箇月を下ることができない。

②　第927条第2項から第4項まで及び第928条から第935条まで（第932条ただし書を除く。）の規定は、前項の場合について準用する。

〔相続人の捜索の公告〕

第958条　前条第1項の期間の満了後、なお相続人のあることが明らかでないときは、家庭裁判所は、相続財産の管理人又は検察官の請求によって、相続人があるならば一定の期間内にその権利を主張すべき旨を公告しなければならない。この場合において、その期間は、6箇月を下ることができない。

〔権利を主張する者がない場合〕

第958条の2　前条の期間内に相続人としての権利を主張する者がないときは、相続人並びに相続財産の管理人に知れなかった相続債権者及び受遺者は、その権利を行使することができない。

〔特別縁故者に対する相続財産の分与〕

第958条の3　前条の場合において、相当と認めるときは、家庭裁判所は、被相続人と生計を同じくしていた者、被相続人の療養看護に努めた者その他被相続人と特別の縁故があった者の請求によって、これらの者に、清算後残存すべき相続財産の全部又は一部を与えることができる。

②　前項の請求は、第958条の期間の満了後3箇月以内にしなければならない。

〔残余財産の国庫への帰属〕

第959条　前条の規定により処分されなかった相続財産は、国庫に帰属する。この場合においては、第956条第2項の規定を準用する。

　（相続財産法人からの財産分与の時期等）

（1）　民法第958条の2第1項《特別縁故者に対する相続財産の分与》の規定による相続財産の分与については、次のような段階を経て行われるので、相続開始後相当の期間（最短9か月）を経て行われることに留意する。(基通4－1)

　（一）　民法第952条《相続財産の清算人の選任》の規定による相続財産の清算人の選任並びに当該選任をした旨及び相続人があるならばその権利を主張すべき旨の公告

　（二）　民法第957条《相続債権者及び受遺者に対する弁済》の規定による相続債権者及び受遺者に対しその請求の申出を

—69—

すべき旨の公告

（三）　民法第958条の２の規定による特別縁故者の財産分与の請求

　　また、特別寄与者が支払を受けるべき特別寄与料の額については、同法第1050条第２項《特別の寄与》の規定により、当事者間に協議が調わないとき、又は協議をすることができないときは、特別寄与者が相続の開始及び相続人を知った時から６か月を経過するまで又は相続開始の時から１年を経過するまで家庭裁判所に対し処分の請求ができることから、相続開始後相当の期間を経て確定しうることに留意する。

　　（相続財産法人から財産の分与を受ける者）

（２）　民法第958条の２第１項の規定による相続財産の分与は、被相続人と生計を同じくしていた者、被相続人の療養看護に努めた者その他被相続人と特別の縁故があった個人のほか、特別の縁故があった人格のない社団若しくは財団で代表者等の定めがあるもの又は法人（以下、（２）において「社団等」という。）に対してもされるが、社団等に対して財産の分与が行われた場合には、当該社団等について第一章第二節《納税義務者》二又は三の規定の適用があることに留意する。（基通４－２）

　　（相続財産法人から与えられた分与額）

（３）　民法第958条の２の規定により相続財産の分与を受けた者が、当該相続財産に係る被相続人の葬式費用又は当該被相続人の療養看護のための入院費用等の金額で相続開始の際にまだ支払われなかったものを支払った場合において、これらの金額を相続財産から別に受けていないとき又は同法第1050条の規定による支払いを受けるべき特別寄与料の額が確定した特別寄与者が、現実に当該被相続人の葬式費用を負担した場合には、分与を受けた金額又は特別寄与料の額からこれらの費用の金額を控除した価額をもって、当該分与された価額又は特別寄与料の額として取り扱う。（基通４－３）

　　（分与財産に加算する贈与財産）

（４）　民法第958条の２の規定により相続財産の分与を受けた者又は同法第1050条の規定による支払いを受けるべき特別寄与料の額が確定した特別寄与者が、第四章第二節四の２の（５）《１の規定の適用を受ける贈与》に定める加算対象期間内に被相続人から贈与により財産を取得したことがある場合においては、第四章第二節四の１《相続開始前７年以内の贈与財産》の規定の適用があることに留意する。（基通４－４）

2　特別寄与者が支払を受けるべき特別寄与料の額

　　特別寄与者が支払を受けるべき特別寄与料の額が確定した場合においては、当該特別寄与者が、当該特別寄与料の額に相当する金額を当該特別寄与者による特別の寄与を受けた被相続人から遺贈により取得したものとみなす。（法４②）

【特別寄与者が支払を受けるべき特別寄与料の額に関する民法の規定】

第十章　特別の寄与

第1050条　被相続人に対して無償で療養看護その他の労務の提供をしたことにより被相続人の財産の維持又は増加について特別の寄与をした被相続人の親族（相続人、相続の放棄をした者及び第891条の規定に該当し又は廃除によってその相続権を失った者を除く。以下この条において「特別寄与者」という。）は、相続の開始後、相続人に対し、特別寄与者の寄与に応じた額の金銭（以下この条において「特別寄与料」という。）の支払を請求することができる。

②　前項の規定による特別寄与料の支払について、当事者間に協議が調わないとき、又は協議をすることができないときは、特別寄与者は、家庭裁判所に対して協議に代わる処分を請求することができる。ただし、特別寄与者が相続の開始及び相続人を知った時から６箇月を経過したとき、又は相続開始の時から１年を経過したときは、この限りでない。

③　前項本文の場合には、家庭裁判所は、寄与の時期、方法及び程度、相続財産の額その他一切の事情を考慮して、特別寄与料の額を定める。

④　特別寄与料の額は、被相続人が相続開始の時において有した財産の価額から遺贈の価額を控除した残額を超えることができない。

⑤　相続人が数人ある場合には、各相続人は、特別寄与料の額に第900条から第902条までの規定により算定した当該相続人の相続分を乗じた額を負担する。

二　低額譲渡を受けたことによる利益

　著しく低い価額の対価で財産の譲渡を受けた場合においては、当該財産の譲渡があった時において、当該財産の譲渡を受けた者が、当該対価と当該譲渡があった時における当該財産の時価（当該財産の評価について第五編に特別の定めがある場合には、その規定により評価した価額）との差額に相当する金額を当該財産を譲渡した者から贈与（当該財産の譲渡が遺言によりなされた場合には、遺贈）により取得したものとみなす。ただし、当該財産の譲渡が、その譲渡を受ける者が資力を喪失して債務を弁済することが困難である場合において、その者の扶養義務者から当該債務の弁済に充てるためになされたものであるときは、その贈与又は遺贈により取得したものとみなされた金額のうちその債務を弁済することが困難である部分の金額については、この限りでない。（法7）

（著しく低い価額の判定）
（1）　二に規定する「著しく低い価額」であるかどうかは、譲渡があった財産が2以上ある場合には、譲渡があった個々の財産ごとに判定するのではなく、財産の譲渡があった時ごとに譲渡があった財産を一括して判定するものとする。（基通7－1）

（債務の範囲）
（2）　二に規定する「債務」には、公租公課を含むものとして取り扱うものとする。（基通7－3）

（「資力を喪失して債務を弁済することが困難である場合」の意義）
（3）　二に規定する「資力を喪失して債務を弁済することが困難である場合」とは、その者の債務の金額が積極財産の価額を超えるときのように社会通念上債務の支払が不能（破産手続開始の原因となる程度に至らないものを含む。）と認められる場合をいうものとする。（基通7－4）

（弁済することが困難である部分の金額の取扱い）
（4）　二に規定する「債務を弁済することが困難である部分の金額」は、債務超過の部分の金額から、債務者の信用による債務の借換え、労務の提供等の手段により近い将来において当該債務の弁済に充てることができる金額を控除した金額をいうものとするのであるが、特に支障がないと認められる場合においては、債務超過の部分の金額を「債務を弁済することが困難である部分の金額」として取り扱っても妨げないものとする。（基通7－5）

三　債務免除等を受けたことによる利益

　対価を支払わないで、又は著しく低い価額の対価で債務の免除、引受け又は第三者のためにする債務の弁済による利益を受けた場合においては、当該債務の免除、引受け又は弁済があった時において、当該債務の免除、引受け又は弁済による利益を受けた者が、当該債務の免除、引受け又は弁済に係る債務の金額に相当する金額（対価の支払があった場合には、その価額を控除した金額）を当該債務の免除、引受け又は弁済をした者から贈与（当該債務の免除、引受け又は弁済が遺言によりなされた場合には、遺贈）により取得したものとみなす。ただし、当該債務の免除、引受け又は弁済が次の（一）から（二）までのいずれかに該当する場合においては、その贈与又は遺贈により取得したものとみなされた金額のうちその債務を弁済することが困難である部分の金額については、この限りでない。（法8）

（一）	債務者が資力を喪失して債務を弁済することが困難である場合において、当該債務の全部又は一部の免除を受けたとき
（二）	債務者が資力を喪失して債務を弁済することが困難である場合において、その債務者の扶養義務者によって当該債務の全部又は一部の引受け又は弁済がなされたとき

（著しく低い価額の判定）
（1）　三に規定する「著しく低い価額」であるかどうかは、債務の免除、引受け又は弁済が2以上ある場合には個々の債務ごとに判定するのではなく、債務の免除等があった時ごとに免除等された債務を一括して判定するものとする。（基通8－4、7－1）

第一編　相続税

　　（債務の範囲）
（２）　**三**に規定する「債務」には、公租公課を含むものとして取り扱うものとする。（基通8－4、7－3）

　　（「資力を喪失して債務を弁済することが困難である場合」の意義）
（３）　**三**に規定する「資力を喪失して債務を弁済することが困難である場合」とは、その者の債務の金額が積極財産の価額を超えるときのように社会通念上債務の支払が不能（破産手続開始の原因となる程度に至らないものを含む。）と認められる場合をいうものとする。（基通8－4、7－4）

　　（弁済することが困難である部分の金額の取扱い）
（４）　**三**に規定する「債務を弁済することが困難である部分の金額」は、債務超過の部分の金額から、債務者の信用による債務の借換え、労務の提供等の手段により近い将来において当該債務の弁済に充てることができる金額を控除した金額をいうものとするのであるが、特に支障がないと認められる場合においては、債務超過の部分の金額を「債務を弁済することが困難である部分の金額」として取り扱っても妨げないものとする。（基通8－4、7－5）

　　（債務の免除）
（５）　**三**の(一)に掲げる場合に該当する「債務の免除」には、その債務者の扶養義務者以外の者によってされた免除をも含むのであるから留意する。（基通8－1）

　　（事業所得の総収入金額に算入される債務免除益）
（６）　所得税法の規定により事業所得の総収入金額に算入される割引又は割戻しによる利益については、**三**の規定は適用しないものとして取り扱うものとする。（基通8－2）

　　（連帯債務者及び保証人の求償権の放棄）
（７）　次に掲げる場合には、それぞれ次に掲げる金額につき**三**の規定による贈与があったものとみなされるのであるから留意する。（基通8－3）
　　（一）　連帯債務者が自己の負担に属する債務の部分を超えて弁済した場合において、その超える部分の金額について他の債務者に対し求償権を放棄したとき　　その超える部分の金額
　　（二）　保証債務者が主たる債務者の弁済すべき債務を弁済した場合において、その求償権を放棄したとき　　その代わって弁済した金額

四　その他の経済的利益

　二、**三**及び**五**に規定する場合を除くほか、対価を支払わないで、又は著しく低い価額の対価で利益を受けた場合においては、当該利益を受けた時において、当該利益を受けた者が、当該利益を受けた時における当該利益の価額に相当する金額（対価の支払があった場合には、その価額を控除した金額）を当該利益を受けさせた者から贈与（当該行為が遺言によりなされた場合には、遺贈）により取得したものとみなす。ただし、当該行為が、当該利益を受ける者が資力を喪失して債務を弁済することが困難である場合において、その者の扶養義務者から当該債務の弁済に充てるためになされたものであるときは、その贈与又は遺贈により取得したものとみなされた金額のうちその債務を弁済することが困難である部分の金額については、この限りでない。（法9）

　　（著しく低い価額の判定）
（１）　**四**に規定する「著しく低い価額」であるかどうかは、授与された利益が2以上ある場合には、授与された個々の利益ごとに判定するのではなく、利益の授与があった時ごとに授与された利益を一括して判定するものとする。（基通9－14、7－1）

　　（債務の範囲）
（２）　**四**に規定する「債務」には、公租公課を含むものとして取り扱うものとする。（基通9－14、7－3）

　　（「資力を喪失して債務を弁済することが困難である場合」の意義）
（３）　**四**に規定する「資力を喪失して債務を弁済することが困難である場合」とは、その者の債務の金額が積極財産の価

－72－

額を超えるときのように社会通念上債務の支払が不能（破産手続開始の原因となる程度に至らないものを含む。）と認められる場合をいうものとする。（基通 9 － 14、7 － 4）

　　　（弁済することが困難である部分の金額の取扱い）
（ 4 ）　**四**に規定する「債務を弁済することが困難である部分の金額」は、債務超過の部分の金額から、債務者の信用による債務の借換え、労務の提供等の手段により近い将来において当該債務の弁済に充てることができる金額を控除した金額をいうものとするのであるが、特に支障がないと認められる場合においては、債務超過の部分の金額を「債務を弁済することが困難である部分の金額」として取り扱っても妨げないものとする。（基通 9 － 14、7 － 5）

　　　（「利益を受けた」の意義）
（ 5 ）　**四**に規定する「利益を受けた」とは、おおむね利益を受けた者の財産の増加又は債務の減少があった場合等をいい、労務の提供等を受けたような場合は、これに含まないものとする。（基通 9 － 1）

五　信託財産

1　信託に関する権利の原則
①　信託の効力が生じた場合
　信託（退職年金の支給を目的とする信託その他の信託で（1）の政令で定めるものを除く。以下同じ。）の効力が生じた場合において、適正な対価を負担せずに当該信託の受益者等（受益者としての権利を現に有する者及び特定委託者をいう。以下**五**において同じ。）となる者があるときは、当該信託の効力が生じた時において、当該信託の受益者等となる者は、当該信託に関する権利を当該信託の委託者から贈与（当該委託者の死亡に基因して当該信託の効力が生じた場合には、遺贈）により取得したものとみなす。（法 9 の 2 ①）

　　　（退職年金の支給を目的とする信託等の範囲）
（ 1 ）　①に規定する政令で定めるものは、次に掲げる信託とする。（令 1 の 6）
　（一）　確定給付企業年金法第65条第 3 項《事業主の積立金の管理及び運用に関する契約》に規定する資産管理運用契約に係る信託
　（二）　確定拠出年金法第 8 条第 2 項《資産管理契約の締結》に規定する資産管理契約に係る信託
　（三）　第一章第四節**一**の 1 の（六）の注の（八）に規定する適格退職年金契約に係る信託
　（四）　（一）から（三）に掲げる信託に該当しない退職給付金に関する信託で、その委託者の使用人（法人の役員を含む。）又はその遺族を当該信託の受益者とするもの

　　　（特定委託者）
（ 2 ）　①の「特定委託者」とは、信託の変更をする権限（軽微な変更をする権限として（3）の政令で定めるものを除く。）を現に有し、かつ、当該信託の信託財産の給付を受けることとされている者（受益者を除く。）をいう。（法 9 の 2 ⑤）

　　　（信託の変更をする権限）
（ 3 ）　（2）に規定する政令で定めるものは、信託の目的に反しないことが明らかである場合に限り信託の変更をすることができる権限とする。（令 1 の 7 ①）

　　　（他の者との合意により信託の変更をする権限）
（ 4 ）　（2）に規定する信託の変更をする権限には、他の者との合意により信託の変更をすることができる権限を含むものとする。（令 1 の 7 ②）

　　　（受益者としての権利を現に有する者）
（ 5 ）　①に規定する「受益者としての権利を現に有する者」には、原則として例えば、信託法（平成18年法律第108号）第182条第 1 項第 1 号《残余財産の帰属》に規定する残余財産受益者は含まれるが、停止条件が付された信託財産の給付を受ける権利を有する者、信託法第90条第 1 項各号《委託者の死亡の時に受益権を取得する旨の定めのある信託等の特例》に規定する委託者死亡前の受益者及び同法第182条第 1 項第 2 号に規定する帰属権利者（以下（6）において「帰属権利者」という。）は含まれないことに留意する。（基通 9 の 2 － 1）

－73－

第一編　相続税

（特定委託者）
（6）　①に規定する特定委託者（以下「**特定委託者**」という。）とは、公益信託ニ関スル法律（大正11年法律第62号）第１条《公益信託》に規定する公益信託（以下⑤の（２）において「**公益信託**」という。）の委託者（その相続人その他の一般承継人を含む。以下同じ。）を除き、原則として次に掲げる者をいうことに留意する。（基通９の２−２）
　（一）　委託者（当該委託者が信託行為の定めにより帰属権利者として指定されている場合、信託行為に信託法第182条第２項に規定する残余財産受益者等（以下④の（１）までにおいて「**残余財産受益者等**」という。）の指定に関する定めがない場合又は信託行為の定めにより残余財産受益者等として指定を受けた者のすべてがその権利を放棄した場合に限る。）
　（二）　停止条件が付された信託財産の給付を受ける権利を有する者（（２）に規定する信託の変更をする権限を有する者に限る。）

②　受益者等の存する信託について、新たに信託の受益者等が存するに至った場合
　受益者等の存する信託について、適正な対価を負担せずに新たに当該信託の受益者等が存するに至った場合（④の規定の適用がある場合を除く。）には、当該受益者等が存するに至った時において、当該信託の受益者等となる者は、当該信託に関する権利を当該信託の受益者等であった者から贈与（当該受益者等であった者の死亡に基因して受益者等が存するに至った場合には、遺贈）により取得したものとみなす。（法９の２②）

（信託の受益者等が存するに至った場合）
（１）　②に規定する「信託の受益者等が存するに至った場合」とは、例えば、次に掲げる場合をいうことに留意する。（基通９の２−３）
　（一）　信託の受益者等（①に規定する受益者等をいう。以下同じ。）として受益者Ａのみが存するものについて受益者Ｂが存することとなった場合（受益者Ａが並存する場合を含む。）
　（二）　信託の受益者等として特定委託者Ｃのみが存するものについて受益者Ａが存することとなった場合（特定委託者Ｃが並存する場合を含む。）
　（三）　信託の受益者等として信託に関する権利を各々半分ずつ有する受益者Ａ及びＢが存する信託についてその有する権利の割合が変更された場合

③　受益者等の存する信託について、一部の受益者等が存しなくなった場合
　受益者等の存する信託について、当該信託の一部の受益者等が存しなくなった場合において、適正な対価を負担せずに既に当該信託の受益者等である者が当該信託に関する権利について新たに利益を受けることとなるときは、当該信託の一部の受益者等が存しなくなった時において、当該利益を受ける者は、当該利益を当該信託の一部の受益者等であった者から贈与（当該受益者等であった者の死亡に基因して当該利益を受けた場合には、遺贈）により取得したものとみなす。（法９の２③）

④　受益者等の存する信託が終了した場合
　受益者等の存する信託が終了した場合において、適正な対価を負担せずに当該信託の残余財産の給付を受けるべき、又は帰属すべき者となる者があるときは、当該給付を受けるべき、又は帰属すべき者となった時において、当該信託の残余財産の給付を受けるべき、又は帰属すべき者となった者は、当該信託の残余財産（当該信託の終了の直前においてその者が当該信託の受益者等であった場合には、当該受益者等として有していた当該信託に関する権利に相当するものを除く。）を当該信託の受益者等から贈与（当該受益者等の死亡に基因して当該信託が終了した場合には、遺贈）により取得したものとみなす。（法９の２④）

（信託が終了した場合）
（１）　④の規定の適用を受ける者とは、信託の残余財産受益者等に限らず、当該信託の終了により適正な対価を負担せずに当該信託の残余財産（当該信託の終了直前においてその者が当該信託の受益者等であった場合には、当該受益者等として有していた信託に関する権利に相当するものを除く。）の給付を受けるべき又は帰属すべき者となる者をいうことに留意する。（基通９の２−５）

⑤　その他
　①②③の規定により贈与又は遺贈により取得したものとみなされる信託に関する権利又は利益を取得した者は、当該信

−74−

第二章　相続税の課税財産

託の信託財産に属する資産及び負債を取得し、又は承継したものとみなして、この法律（第41条第2項を除く。）の規定を適用する。ただし、法人税法第2条第29号《定義》に規定する集団投資信託、同条第29号の2に規定する法人課税信託又は同法第12条第4項第1号《信託財産に属する資産及び負債並びに信託財産に帰せられる収益及び費用の帰属》に規定する退職年金等信託の信託財産に属する資産及び負債については、この限りでない。（法9の2⑥）

　　　（信託に関する権利の一部について放棄又は消滅があった場合）
（1）　受益者等の存する信託に関する権利の一部について放棄又は消滅があった場合には、原則として、当該放棄又は消滅後の当該信託の受益者等が、その有する信託に関する権利の割合に応じて、当該放棄又は消滅した信託に関する権利を取得したものとみなされることに留意する。（基通9の2－4）

　　　（公益信託の委託者の地位が異動した場合）
（2）　公益信託の委託者の地位が異動した場合には、それに伴い当該公益信託に関する権利も異動するのであるが、相続税又は贈与税の課税上、当該公益信託のうち所得税法施行令第217条の2第1項各号に掲げる要件を満たすものに関する権利の価額は零として取り扱うものとする。（基通9の2－6）
　　　（注），**2**の**②**の（8）参照

　　　（生命保険信託）
（3）　いわゆる生命保険信託に関する権利については、生命保険契約に関する規定（第二節**二**及び第二編第二章第二節**一**の**1**）の適用があることに留意する。（基通9の2－7）

2　信託に関する権利の特例

①　受益者連続型信託の特例
　　受益者連続型信託（信託法第91条《受益者の死亡により他の者が新たに受益権を取得する旨の定めのある信託の特例》に規定する信託、同法第89条第1項《受益者指定権等》に規定する受益者指定権等を有する者の定めのある信託その他これらの信託に類するものとして（2）の政令で定めるものをいう。以下①において同じ。）に関する権利を受益者（受益者が存しない場合にあっては、**1**の**①**の（2）に規定する特定委託者）が適正な対価を負担せずに取得した場合において、当該受益者連続型信託に関する権利（異なる受益者が性質の異なる受益者連続型信託に係る権利（当該権利のいずれかに収益に関する権利が含まれるものに限る。）をそれぞれ有している場合にあっては、収益に関する権利が含まれるものに限る。）で当該受益者連続型信託の利益を受ける期間の制限その他の当該受益者連続型信託に関する権利の価値に作用する要因としての制約が付されているものについては、当該制約は、付されていないものとみなす。ただし、当該受益者連続型信託に関する権利を有する者が法人（代表者又は管理者の定めのある人格のない社団又は財団を含む。）である場合は、この限りでない。（法9の3①）

　　　（受益者）
（1）　①の「受益者」とは、受益者としての権利を現に有する者をいう。（法9の3②）

　　　（受益者連続型信託）
（2）　①に規定する政令で定めるものは、次に掲げる信託とする。（令1の8）
　（一）　受益者等の死亡その他の事由により、当該受益者等の有する信託に関する権利が消滅し、他の者が新たな信託に関する権利（当該信託の信託財産を含む。以下（一）及び（二）において同じ。）を取得する旨の定め（受益者等の死亡その他の事由により順次他の者が信託に関する権利を取得する旨の定めを含む。）のある信託（信託法第91条《受益者の死亡により他の者が新たに受益権を取得する旨の定めのある信託の特例》に規定する信託を除く。）
　（二）　受益者等の死亡その他の事由により、当該受益者等の有する信託に関する権利が他の者に移転する旨の定め（受益者等の死亡その他の事由により順次他の者に信託に関する権利が移転する旨の定めを含む。）のある信託
　（三）　信託法第91条に規定する信託及び同法第89条第1項《受益者指定権等》に規定する受益者指定権等を有する者の定めのある信託並びに（一）及び（二）に掲げる信託以外の信託でこれらの信託に類するもの

　　　（受益者連続型信託に関する権利の価額）
（3）　受益者連続型信託に関する権利の価額は、例えば、次の場合には、次に掲げる価額となることに留意する。（基通9

—75—

第一編　相続税

の3－1）
（一）　受益者連続型信託に関する権利の全部を適正な対価を負担せず取得した場合　　信託財産の全部の価額
（二）　受益者連続型信託で、かつ、受益権が複層化された信託（以下（5）までにおいて「**受益権が複層化された受益者連続型信託**」という。）に関する収益受益権の全部を適正な対価を負担せず取得した場合　　信託財産の全部の価額
（三）　受益権が複層化された受益者連続型信託に関する元本受益権の全部を適正な対価を負担せず取得した場合（当該元本受益権に対応する収益受益権について①のただし書の適用がある場合又は当該収益受益権の全部若しくは一部の受益者等が存しない場合を除く。）　　零
　（注）　①の規定の適用により、上記（二）又は（三）の受益権が複層化された受益者連続型信託の元本受益権は、価値を有しないとみなされることから、相続税又は贈与税の課税関係は生じない。ただし、当該信託が終了した場合において、当該元本受益権を有する者が、当該信託の残余財産を取得したときは、**1**の④の規定の適用があることに留意する。

　（受益権が複層化された受益者連続型信託に関する元本受益権の全部又は一部を有する法人の株式の時価の算定）
（4）　受益権が複層化された受益者連続型信託で、個人がその収益受益権の全部又は一部を、法人（当該収益受益権を有する個人が当該法人の株式（出資を含む。）を有する場合に限る。）がその元本受益権の全部又は一部をそれぞれ有している場合において、当該個人の死亡に基因して、当該個人から当該法人の株式を相続又は遺贈により取得した者の相続税の課税価格の計算に当たっては、当該株式の時価の算定における昭和39年4月25日付直資56ほか1課共同「財産評価基本通達」（以下「評価基本通達」という。）185《純資産価額》の計算上、当該法人の有する当該受益者連続型信託に関する元本受益権（当該死亡した個人が有していた当該受益者連続型信託に関する収益受益権に対応する部分に限る。）の価額は零として取り扱う。（基通9の3－2）

　（相続税法第9条の3第1項本文又は法令第1条の12第3項の規定の適用がある場合の信託財産責任負担債務の帰属）
（5）　信託財産責任負担債務（信託法第2条第9項《定義》に規定する信託財産責任負担債務をいう。以下「**信託財産責任負担債務**」という。）は、次に掲げる場合には、次に掲げる信託に関する権利に帰属することに留意する。（基通9の3－3）
（一）　信託財産責任負担債務に係る信託に関する権利について①の本文の規定の適用がある場合　　同①の本文に規定する制約が付されていないものとみなされた受益者連続型信託に関する権利
（二）　信託財産責任負担債務に係る信託に関する権利について⑤の（1）の規定の適用がある場合　　同（1）の（一）及び（二）に規定する受益者等が有するものとみなされた信託に関する権利

②　受益者等が存しない信託等の特例

　受益者等が存しない信託の効力が生ずる場合において、当該信託の受益者等となる者が当該信託の委託者の親族として（2）の政令で定める者（以下②から④において「**親族**」という。）であるとき（当該信託の受益者等となる者が明らかでない場合にあっては、当該信託が終了した場合に当該委託者の親族が当該信託の残余財産の給付を受けることとなるとき）は、当該信託の効力が生ずる時において、当該信託の受託者は、当該委託者から当該信託に関する権利を贈与（当該委託者の死亡に基因して当該信託の効力が生ずる場合にあっては、遺贈）により取得したものとみなす。（法9の4①）

　（受益者等の次に受益者等となる者が親族であるとき）
（1）　受益者等の存する信託について、当該信託の受益者等が存しないこととなった場合（以下（1）において「**受益者等が不存在となった場合**」という。）において、当該受益者等の次に受益者等となる者が当該信託の効力が生じた時の委託者又は当該次に受益者等となる者の前の受益者等の親族であるとき（当該次に受益者等となる者が明らかでない場合にあっては、当該信託が終了した場合に当該委託者又は当該次に受益者等となる者の前の受益者等の親族が当該信託の残余財産の給付を受けることとなるとき）は、当該受益者等が不存在となった場合に該当することとなった時において、当該信託の受託者は、当該次に受益者等となる者の前の受益者等から当該信託に関する権利を贈与（当該次に受益者等となる者の前の受益者等の死亡に基因して当該次に受益者等となる者の前の受益者等が存しないこととなった場合にあっては、遺贈）により取得したものとみなす。（法9の4②）

　（親族の範囲）
（2）　②に規定する政令で定める者は、次に掲げる者とする。（令1の9）
（一）　六親等内の血族

－76－

第二章　相続税の課税財産

（二）　配偶者

（三）　三親等内の姻族

（四）　当該信託の受益者等となる者（②又は（1）の信託の残余財産の給付を受けることとなる者及び（1）の次に受益者等となる者を含む。）が信託の効力が生じた時（（1）に規定する受益者等が不存在となった場合に該当することとなった時及び③に規定する契約締結時等を含む。（五）において同じ。）において存しない場合には、その者が存するものとしたときにおいて（一）（二）（三）に掲げる者に該当する者

（五）　当該信託の委託者（（1）の次に受益者等となる者の前の受益者等を含む。）が信託の効力が生じた時において存しない場合には、その者が存するものとしたときにおいて（一）から（三）までに掲げる者に該当する者

　　　（受託者に対する通知）

（3）　②の規定の適用を受ける信託（②又は（1）の規定の適用を受けることが見込まれる信託を含む。以下（3）及び（5）において「**特定信託**」という。）をする委託者は、当該特定信託以外の特定信託（以下（3）及び（5）において「**従前特定信託**」という。）をしている場合には、当該特定信託をする際に、当該特定信託の受託者に対して、当該従前特定信託の受託者の名称又は氏名、住所その他（4）の財務省令で定める事項を通知しなければならない。（令1の10⑥）

　　　（特定信託の委託者が通知すべき事項）

（4）　（3）に規定する財務省令で定める事項は、次に掲げる事項とする。（規1の3①）

（一）　（3）に規定する特定信託（（6）において「特定信託」という。）の委託者の氏名及び住所又は居所

（二）　（3）に規定する従前特定信託（以下（4）において「従前特定信託」という。）の受託者の名称又は氏名、本店若しくは主たる事務所の所在地又は住所若しくは居所及び信託の引受けをした営業所、事務所その他これらに準ずるものの所在地

（三）　従前特定信託の信託財産の価額

（四）　従前特定信託の効力が生じた日又は生ずる日（これらの日が明らかでない場合には、当該従前特定信託の効力が生ずる条件その他の事項）

（五）　従前特定信託の受益者等が存しないこととなる要件

　　　（受託者への通知）

（5）　（3）の場合において、特定信託をした委託者は、当該特定信託をした後遅滞なく、従前特定信託の受託者に対して、当該特定信託の受託者の名称又は氏名、住所その他（6）の財務省令で定める事項を通知しなければならない。（令1の10⑦）

　　　（受託者への通知事項）

（6）　（5）に規定する財務省令で定める事項は、次に掲げる事項とする。（規1の3②）

（一）　特定信託の委託者の氏名及び住所又は居所

（二）　特定信託の受託者の名称又は氏名、本店若しくは主たる事務所の所在地又は住所若しくは居所及び信託の引受けをした営業所、事務所その他これらに準ずるものの所在地

（三）　特定信託の信託財産の価額

（四）　特定信託の効力が生じた日又は生ずる日（これらの日が明らかでない場合には、当該特定信託の効力が生ずる条件その他の事項）

（五）　特定信託の受益者等が存しないこととなる要件

　　　（目的信託についての相続税法第1章第3節の規定の不適用）

（7）　信託法第258条第1項《受益者の定めのない信託の要件》に規定する受益者の定め（受益者を定める方法の定めを含む。）のない信託で、かつ、特定委託者の存しないものについては、**五**の規定の適用がないことに留意する。（基通9の4－1）

　　　（受益者等が存しない信託の委託者が死亡した場合）

（8）　受益者等が存しない信託の委託者が死亡した場合には、②の規定の適用により当該信託の受託者が当該信託に関する権利を遺贈によって取得したものとみなされる場合を除き、当該信託に関する権利は当該死亡した委託者の相続税の課税財産を構成しないことに留意する。（基通9の4－2）

第一編　相続税

（受益者等が存しない信託の受益者等となる者）

（9）　②に規定する「当該信託の受益者等となる者」又は（1）に規定する「当該受益者等の次に受益者等となる者」が複数名存する場合で、そのうちに1人でも当該信託の委託者（（1）の次に受益者等となる者の前の受益者等を含む。）の親族（（2）に規定する者をいう。以下③の（2）において同じ。）が存するときは、②又は（1）の規定の適用があることに留意する。（基通9の4－3）

（受益者等が存しない信託の受託者が死亡した場合）

（10）　②又は（1）の規定の適用により、信託に関する権利を贈与又は遺贈により取得したものとみなされた受託者が死亡した場合であっても、当該信託に関する権利については、当該死亡した受託者の相続税の課税財産を構成しないことに留意する。（基通9の4－4）

③　受益者等が存しない信託について、受益者等が存することとなった場合

受益者等が存しない信託について、当該信託の契約が締結された時その他の時として（1）の政令で定める時（以下「**契約締結時等**」という。）において存しない者が当該信託の受益者等となる場合において、当該信託の受益者等となる者が当該信託の契約締結時等における委託者の親族であるときは、当該存しない者が当該信託の受益者等となる時において、当該信託の受益者等となる者は、当該信託に関する権利を個人から贈与により取得したものとみなす。（法9の5）

（契約締結時等の範囲）

（1）　③に規定する政令で定める時は、次の（一）から（三）までに掲げる信託の区分に応じ当該（一）から（三）までに定める時とする。（令1の11）

（一）　信託法第3条第1号《信託の方法》に掲げる方法によってされる信託　　委託者となるべき者と受託者となるべき者との間の信託契約の締結の時

（二）　信託法第3条第2号に掲げる方法によってされる信託　　遺言者の死亡の時

（三）　信託法第3条第3号に掲げる方法によってされる信託　　次に掲げる場合の区分に応じそれぞれ次に定める時

（イ）　公正証書又は公証人の認証を受けた書面若しくは電磁的記録（（イ）及び（ロ）において「**公正証書等**」と総称する。）によってされる場合　　当該公正証書等の作成の時

（ロ）　公正証書等以外の書面又は電磁的記録によってされる場合　　受益者となるべき者として指定された第三者（当該第三者が2人以上ある場合にあっては、その1人）に対する確定日付のある証書による当該信託がされた旨及びその内容の通知の時

（相続税法第9条の5の規定の適用がある場合）

（2）　受益者等が存しない信託については、②又は②の（1）の規定の適用の有無にかかわらず、当該信託について受益者等（②又は②の（1）の信託の残余財産の給付を受けることとなる者及び同（1）の次に受益者等となる者を含む。）が存することとなり、かつ、当該受益者等が、当該信託の契約締結時（（1）の（一）から（三）までに規定する時をいう。）における委託者の親族であるときは、③の規定の適用があることに留意する。（基通9の5－1）

（規定の準用）

（3）　1の⑤の本文の規定は、②若しくは②の（1）の信託の受託者又は③の受益者等となる者が、これらの規定により信託に関する権利を取得したものとみなされる場合について準用する。（令1の12⑤）

④　受益者等が存しない信託等の受託者への課税

②及び②の（1）の規定の適用がある場合において、これらの信託の受託者が個人以外であるときは、当該受託者を個人とみなして、相続税法その他相続税又は贈与税に関する法令の規定を適用する。（法9の4③）

（受託者に課される贈与税又は相続税の額の法人税等相当額の控除）

（1）　②、②の（1）、④の規定の適用がある場合において、これらの規定により②又は②の（1）の受託者に課される贈与税又は相続税の額については、（2）の政令で定めるところにより、当該受託者に課されるべき法人税その他の税の額に相当する額を控除する。（法9の4④）

－78－

第二章　相続税の課税財産

　　（受益者等が存しない信託等の受託者の贈与税額の計算）
（２）　❷又は❷の（１）の信託の受託者については、これらの規定により贈与（贈与をした者の死亡により効力を生ずる贈
　　与を除く。以下同じ。）により取得したものとみなされる当該信託に関する権利及び当該信託に関する権利以外の贈与
　　により取得した財産ごとに、それぞれ別の者とみなして、贈与税額を計算する。この場合において、当該信託に関する権
　　利に係る贈与税額の計算については、第二編第四章の**4**、第二編第三章八の**1**及び第二編第五章第二節の**1**並びに第三
　　編の規定は適用しない。（令１の10①）

　　（信託が２以上ある場合において、信託の受託者が同一であるとき）
（３）　❷又は❷の（１）の規定の適用を受ける信託が２以上ある場合において、当該信託の受託者が同一であるときは、信
　　託ごとにそれぞれ別の者とみなして（２）の規定を適用する。ただし、委託者が同一である信託については、この限りで
　　ない。（令１の10②）

　　（信託が２以上ある場合において、信託の受託者が２以上であるとき）
（４）　❷又は❷の（１）の規定の適用を受ける信託が２以上ある場合において、当該信託の受託者が２以上であるときは、
　　委託者が同一である信託の受託者に係る贈与税については、（２）（３）に定めるもののほか、次に定めるところによる。
　　（令１の10③）
　（一）　第二編第四章及び第五章第一節の**1**の規定の適用については、❷又は❷の（１）の規定の適用を受ける信託で委託
　　　者が同一であるものの受託者は、一の者とみなす。
　（二）　（一）の規定により一の者とみなされた信託の受託者が贈与税を納める場合においては、それぞれの受託者ごとに
　　　贈与税を納めるものとする。
　（三）　（二）の場合において、第二編第五章第三節一、同第五章第四節及び第二編第六章第一節一の**1**の規定の適用につ
　　　いては、同第五章第三節一中「第一節及び第二節」とあるのは「（４）の（一）の規定の適用を受けた第一節の**1**」と、「金
　　　額と」とあるのは「金額に（４）の規定の適用を受ける信託に関する権利に係る課税価格に算入すべき価額の合計額の
　　　うちに　の受託者に係る当該信託に関する権利に係る課税価格に算入すべき価額の占める割合を乗じて算出した金額
　　　と」と、同第五章第四節中「第三節一」とあるのは「（４）の（三）の規定により読み替えられた第三節一」と、「贈与税
　　　の」とあるのは「第三節の一の受託者に係る贈与税の」と、同第六章第一節一の**1**中「、第二編第五章第三節一及び
　　　同第四節」とあるのは「並びに（４）の(三)の規定により読み替えられた第二編第五章第三節一、同第四節」とする。

　　（相続又は遺贈により取得した信託財産ごとの受託者）
（５）　❷又は❷の（１）の信託の受託者については、これらの規定により当該信託の委託者又は同（１）の次に受益者等とな
　　る者の前の受益者等（以下（５）において「**信託に係る被相続人**」という。）から遺贈（贈与をした者の死亡により効力を
　　生ずる贈与を含む。以下同じ。）により取得したものとみなされる当該信託に関する権利及び当該信託に関する権利以外
　　の当該信託に係る被相続人から相続又は遺贈により取得した財産ごとに、それぞれ別の者とみなして、相続税額を計算
　　する。この場合において、第三章から第六章及び第九編第五章第二節の(18)の規定の適用については、次に定めるとこ
　　ろによる。（令１の10④）
　（一）　当該信託の受託者が当該信託の信託に係る被相続人の相続人である場合には、当該信託に係る被相続人から遺贈
　　　により取得したものとみなされる信託に関する権利に係る受託者の数は、第五章第一節の**2**の相続人の数に算入しな
　　　い。
　（二）　第六章第二節の規定の適用については、同第二節中「相続税額は、」とあるのは、「相続税額及び❷又は❷の（１）
　　　の規定により信託の受託者が遺贈により取得したものとみなされる当該信託に関する権利に係る相続税額は、」とす
　　　る。
　（三）　当該信託に関する権利に係る相続税額の計算については、第六章第三節から第七節まで及び第九編第五章第二節
　　　の(18)の規定は適用しない。

　　（法人税等相当額の控除）
（６）　（２）から（５）の規定により計算した贈与税額又は相続税額については、次に掲げる税額の合計額（当該税額の合計
　　額が当該贈与税額又は相続税額を超えるときには、当該贈与税額又は相続税額に相当する額）を控除するものとする。
　　（令１の10⑤）
　（一）　❷又は❷の（１）の規定により贈与又は遺贈により取得したものとみなされる信託に関する権利の価額から翌期控
　　　除事業税等相当額（当該価額を当該信託の受託法人（法人税法第４条の３《受託法人等に関するこの法律の適用》に

第一編　相続税

規定する受託法人をいう。以下（6）において同じ。）の事業年度の所得とみなして地方税法の規定を適用して計算した事業税の額及び当該事業税の額を基に特別法人事業税及び特別法人事業譲与税に関する法律（平成31年法律第4号）の規定を適用して計算した特別法人事業税の額の合計額をいう。）を控除した価額を当該信託の受託法人の事業年度の所得とみなして法人税法の規定を適用して計算した法人税の額及び地方税法の規定を適用して計算した事業税の額

（二）　（一）の規定により計算した（一）の信託の受託法人の法人税の額を基に地方法人税法（平成26年法律第11号）の規定を適用して計算した地方法人税の額並びに地方税法の規定を適用して計算した道府県民税の額及び市町村民税の額

（三）　（一）の規定により計算した（一）の信託の受託法人の事業税の額を基に特別法人事業税及び特別法人事業譲与税に関する法律の規定を適用して計算した特別法人事業税の額

　　　（2以上の信託に関する権利に係る贈与税額が一の者の贈与税として計算される場合）

（7）　2以上の信託に関する権利に係る贈与税額が（2）及び（3）の規定により一の者の贈与税として計算される場合において、各信託に関する権利に係る信託財産責任負担債務（信託法第2条第9項《定義》に規定する信託財産責任負担債務をいう。以下（8）及び（10）において同じ。）の額は、一の者の贈与税として（2）、（3）及び（6）の規定により算出した贈与税額（第二編第五章第四節の規定による控除前の税額とする。）に各信託に関する権利に係る課税価格に算入すべき価額の合計額のうちに各信託に関する権利に係る課税価格に算入すべき価額の占める割合を乗じて算出した金額（各信託に関する権利について同節の規定の適用がある場合には、当該金額から同節の規定により控除すべき金額を控除した金額）とする。（令1の10⑧）

　　　（明細書の添付）

（8）　（7）の場合において、2以上の信託に係る受託者が第二編第六章第一節一の1の規定により申告書を提出するときは、各信託の信託財産の種類、課税価格に算入すべき価額、（7）の規定により計算した各信託に係る信託財産責任負担債務の額その他（9）の財務省令で定める事項を記載した明細書を添付しなければならない。（令1の10⑨）

　　　（受益者等が存しない信託等の受託者の贈与税の申告書に添付する明細書の記載事項）

（9）　（8）に規定する財務省令で定める事項は、次に掲げる事項とする。（規1の4①）

（一）　各信託の信託財産の種類及び課税価格に算入すべき価額

（二）　各信託の信託財産について第二編第五章第四節の規定の適用がある場合には、同節の規定により控除すべき金額

（三）　各信託に係る（7）に規定する信託財産責任負担債務の額

　　　（2以上の信託に関する権利に係る相続税額が一の者の相続税として計算される場合）

（10）　2以上の信託に関する権利に係る相続税額が（5）の規定により一の者の相続税として計算される場合において、各信託に関する権利に係る信託財産責任負担債務の額及び第七章第一節一の1の規定による相続税の申告書の提出については、（7）及び（8）の規定を準用する。この場合において、（7）中「贈与税として（2）、（3）」とあるのは「相続税として（5）」と、「贈与税額（」とあるのは「相続税額（」と、「第二編第五章第四節」とあるのは「第六章第八節」と読み替えるものとする。（令1の10⑩）

　　　（受益者等が存しない信託等の受託者の相続税の申告書に添付する明細書の記載事項）

（11）　（10）において準用する（8）に規定する財務省令で定める事項は、次に掲げる事項とする。（規1の4②）

（一）　（9）の（一）及び（三）に掲げる事項

（二）　各信託の信託財産について第六章第八節の規定の適用がある場合には、同節の規定により控除すべき金額

　　　（受益者等が存しない信託の受託者の住所等）

（12）　②又は②の（1）の信託の受託者について第一章第二節一及び第二編第一章第二節一の規定を適用する場合には、次に定めるところによる。（令1の12①）

（一）　②又は②の（1）の信託の受託者の住所は、当該信託の引受けをした営業所、事務所その他これらに準ずるものの所在地にあるものとする。

（二）　②又は②の（1）の信託の受託者は、第一章第二節一の（一）若しくは（二）又は第二編第一章第二節一の（一）若しくは（二）の規定の適用については、日本国籍を有するものとする。

−80−

第二章　相続税の課税財産

　（個人の住所）
(13)　第二編第一章第二節**一**の適用については、**❸**の個人の住所は**❸**の委託者の住所にあるものとみなす。（令１の12②）

　（停止条件が付された信託財産の給付を受ける権利を有する者）
(14)　停止条件が付された信託財産の給付を受ける権利を有する者は、**1**の**①**の（２）に規定する信託財産の給付を受けることとされている者に該当するものとする。（令１の12④）

　（信託の受託者が贈与税又は相続税を納める場合において、一の信託について受託者が２以上あるとき）
(15)　**②**及び**②**の（１）の規定により信託の受託者が贈与税又は相続税を納める場合（（２）から（６）までの規定により贈与税額又は相続税額を計算する場合を含む。）において、一の信託について受託者が２以上あるときは、当該信託の信託事務を主宰する受託者が納税義務者として当該贈与税又は相続税を納めるものとする。（令１の12⑥）

　（(15)の場合の信託に関する権利）
(16)　(15)の場合において、(15)の信託に関する権利は、当該信託の信託事務を主宰する受託者が有するものとみなす。（令１の12⑦）

　（信託の信託事務を主宰する受託者が納めるものとされている贈与税又は相続税）
(17)　(15)及び(16)の規定により(15)の信託の信託事務を主宰する受託者が納めるものとされている贈与税又は相続税については、法人税法第152条第３項及び第４項《連帯納付の責任》の規定を準用する。（令１の12⑧）

　（相続税法第34条の信託事務を主宰する受託者以外の受託者への適用）
(18)　第八章第一節**二**の２の**①**及び同２の**②**の規定は、(15)の規定により相続税を納める(15)の信託の信託事務を主宰する受託者以外の受託者に適用があるものとする。（令１の12⑨）

⑤　その他

　受益者等の有する信託に関する権利が当該信託に関する権利の全部でない場合における**1**の**①**の規定の適用、同**①**の（２）に規定する信託財産の給付を受けることとされている者に該当するか否かの判定その他**五**の規定の適用に関し必要な事項は、（１）の政令で定める。（法９の６）

　（受益者等の有する信託に関する権利が当該信託に関する権利の全部でない場合）
（１）　受益者等の有する信託に関する権利が当該信託に関する権利の全部でない場合における**五**の規定の適用については、次に定めるところによる。（令１の12③）
　　（一）　当該信託についての受益者等が一である場合には、当該信託に関する権利の全部を当該受益者等が有するものとする。
　　（二）　当該信託についての受益者等が２以上存する場合には、当該信託に関する権利の全部をそれぞれの受益者等がその有する権利の内容に応じて有するものとする。

3　相続税法の一部改正に伴う経過措置

（１）　**五**の規定（**2**の**①**に規定する受益者連続型信託に係る部分を除く。）は、信託法施行日（平成19年９月30日）以後に効力が生ずる信託（遺言によってされた信託にあっては信託法施行日以後に遺言がされたものに限り、新法信託を含む。）について適用し、信託法施行日前に効力が生じた信託（遺言によってされた信託にあっては信託法施行日前に遺言がされたものを含み、新法信託を除く。）については、なお従前の例による。（平19改所法等附49①）
（２）　**五**の規定（**2**の**①**に規定する受益者連続型信託に係る部分に限る。）は、信託法施行日（平成19年９月30日）以後に信託に関する権利（当該権利に係る利益及び当該信託に係る残余財産を含む。以下（２）において同じ。）を取得する場合について適用し、信託法施行日前に信託に関する権利を取得した場合については、なお従前の例による。（平19改所法等附49②）
（３）　（２）の規定により信託法施行日前に効力が生じた信託（遺言によってされた信託にあっては信託法施行日（平成19年９月30日）前に遺言がされたものを含み、新法信託を除く。）について**1**及び**2**の**①**の規定の適用がある場合におけるこれらの規定の適用については、**1**の**①**中「受益者等（受益者としての権利を現に有する者及び特定委託者をいう。以下**五**において同じ。）」とあるのは「受益者等（受益者としての権利を現に有する者（その者が存しない場合にあっては、

－81－

委託者）をいう。以下①及び2の①において同じ。）」と、2の①中「1の①の(2)に規定する特定委託者」とあるのは「委託者」とする。（平19改所法等附49③）

六　特別の法人から受ける利益

1　特別の法人から受ける利益に対する課税

　持分の定めのない法人（持分の定めのある法人で持分を有する者がないものを含む。第一章第二節**二**及び**三**において同じ。）で、その施設の利用、余裕金の運用、解散した場合における財産の帰属等について設立者、社員、理事、監事若しくは評議員、当該法人に対し遺贈をした者又はこれらの者の親族その他これらの者と第十章第一節**五**《同族会社等の行為又は計算の否認》に規定する特別の関係がある者に対し特別の利益を与えるものに対して財産の遺贈があった場合においては、第一章第二節**三**《持分の定めのない法人の納税義務》の規定の適用がある場合を除くほか、当該財産の遺贈があった時において、当該法人から特別の利益を受ける者が、当該財産（第三章《相続税の非課税財産》**三**に規定する公益事業用財産を除く。）の遺贈により受ける利益の価額に相当する金額を当該財産の遺贈をした者から遺贈により取得したものとみなす。（法65①）

　　（特別の関係がある者）
（1）　1に規定する「これらの者と特別の関係がある者」は、1に規定する法人の設立者、社員、理事若しくは監事、当該法人に対し遺贈をした者（以下「**設立者等**」という。）と次に掲げる関係のある者とする。（令31①）
　（一）　設立者等と婚姻の届出をしていないが事実上婚姻関係と同様の事情にある者及びその者の親族でその者と生計を一にしているもの
　（二）　設立者等の使用人及び使用人以外の者で当該設立者等から受ける金銭その他の財産によって生計を維持しているもの並びにこれらの者の親族でこれらの者と生計を一にしているもの

　　（贈与等をした者以外の者に特別の利益を与える場合）
（2）　持分の定めのない法人が、当該法人に対する財産の遺贈に関して、当該遺贈をした者及びその者の親族その他これらの者と第十章第一節**五**に規定する特別の関係がある者以外の者で当該法人の設立者、社員若しくは役員等又はこれらの者の親族その他これらの者と同**五**に規定する特別の関係がある者に対し特別の利益を与えると認められる場合には、第一章第二節**三**の(4)《相続税の負担が不当に減少する結果と認められる場合の要件》の規定に該当するときを除き同節**三**《持分の定めのない法人の納税義務》の規定の適用はないが、当該特別の利益を受ける者に対して**六**の規定が適用されることに留意する。
　　この場合において、遺贈等に関して特別の利益を与えると認められる場合とは、第一章第二節**三**の(7)の(一)又は(二)に掲げる場合をいうものとして取り扱う。（昭39直審（資）24「20」）

　　（持分の定めのない法人から受ける利益の価額）
（3）　(2)の場合において、1に規定する「遺贈により受ける利益の価額」とは、遺贈によって法人が取得した財産の価額によるのではなく、当該法人に対する当該財産の贈与に関して当該法人から特別の利益を受けたと認められる者が当該法人から受けた当該特別の利益の実態により評価するのであるから留意する。（昭39直審（資）24「21」）

2　公益事業の用に供しなかった場合

　1に規定する公益事業用財産を取得した持分の定めのない法人がその財産を取得した日から2年を経過した日において、なお当該財産を公益を目的とする事業の用に供していない場合においては、当該財産の遺贈により受ける利益の価額に相当する金額は、1に規定する特別の利益を受ける者の課税価格に算入する。（法65②により準用される法12②）

3　特別の法人の設立のために財産の提供があった場合の準用

　1及び2の規定は、1に規定する持分の定めのない法人の設立があった場合において、1の当該法人から特別の利益を受ける者が当該法人の設立により受ける利益について準用する。（法65③）

4　法人から受ける特別の利益の内容及び特別の利益を受ける者の範囲

　1の法人から特別の利益を受ける者の範囲、法人から受ける特別の利益の内容その他1の規定の適用に関し必要な事項は、(1)で定める。（法65④）

第二章　相続税の課税財産

（法人から受ける特別の利益の内容等）

（1）　1の法人から受ける特別の利益は、施設の利用、余裕金の運用、解散した場合における財産の帰属、金銭の貸付け、資産の譲渡、給与の支給、役員等（理事、監事、評議員その他これらの者に準ずるものをいう。第一章第二節三の（3）及び（4）において同じ。）の選任その他財産の運用及び事業の運営に関して当該法人から受ける特別の利益（以下（1）において「特別利益」という。）とし、1の法人から特別の利益を受ける者は、1の遺贈をした者からの当該法人に対する当該財産の遺贈に関して当該法人から特別利益を受けたと認められる者とする。（令32）

第三章　相続税の非課税財産

一　皇室経済法第7条の規定により皇位とともに皇嗣が受けた物

次に掲げる財産の価額は、相続税の課税価格に算入しない。（法12①）

(一)	皇室経済法第7条《皇位に伴う由緒ある物》の規定により皇位とともに皇嗣が受けた物

二　墓所、霊びょう及び祭具並びにこれらに準ずるもの

次に掲げる財産の価額は、相続税の課税価格に算入しない。（法12①）

(二)	墓所、霊びょう及び祭具並びにこれらに準ずるもの

（「墓所、霊びょう」の意義）
（1）　二に規定する「墓所、霊びょう」には、墓地、墓石及びおたまやのようなもののほか、これらのものの尊厳の維持に要する土地その他の物件をも含むものとして取り扱うものとする。（基通12－1）

（祭具等の範囲）
（2）　二に規定する「これらに準ずるもの」とは、庭内神し、神たな、神体、神具、仏壇、位はい、仏像、仏具、古墳等で日常礼拝の用に供しているものをいうのであるが、商品、骨とう品又は投資の対象として所有するものはこれに含まれないものとする。（基通12－2）

三　公益事業用財産

次に掲げる財産の価額は、相続税の課税価格に算入しない。（法12①）

(三)	宗教、慈善、学術その他公益を目的とする事業を行う者で1で定めるものが相続又は遺贈により取得した財産で当該公益を目的とする事業の用に供することが確実なもの <u>（四の(四)に掲げるものを除く。）</u>

（注）　──線部分の規定は、公益信託に関する法律（令和6年法律第30号）の施行の日前については、「もの（四の(四)に掲げるものを除く。）」とあるのは、「もの」とする。（令6改法等附1九ハ）

1　公益事業を行う者の範囲

　三に規定する宗教、慈善、学術その他公益を目的とする事業を行う者は、専ら社会福祉法第2条《定義》に規定する社会福祉事業、更生保護事業法第2条第1項《定義》に規定する更生保護事業、児童福祉法（昭和22年法律第164号）第6条の3第9項《定義》に規定する家庭的保育業、同条第10項に規定する小規模保育事業又は同条第12項に規定する事業所内保育事業、学校教育法（昭和22年法律第26号）第1条《学校の範囲》に規定する学校又は就学前の子どもに関する教育、保育等の総合的な提供の推進に関する法律（平成18年法律第77号）第2条第6項《定義》に規定する認定こども園を設置し、運営する事業その他の宗教、慈善、学術その他公益を目的とする事業で、その事業活動により文化の向上、社会福祉への貢献その他公益の増進に寄与するところが著しいと認められるものを行う者とする。ただし、その者が個人である場合には(一)に掲げる事実、その者が第一章第二節二《人格のない社団等の納税義務》に規定する人格のない社団又は財団（以下1において「社団等」という。）である場合には(二)及び(三)に掲げる事実がない場合に限る。（令2）

(一)	その者若しくはその親族その他その者と（1）に規定する特別の関係（以下において「**特別関係**」という。）がある者又は当該財産の相続に係る被相続人若しくは当該財産の遺贈をした者若しくはこれらの者の親族その他これらの者と特別関係がある者に対してその事業に係る施設の利用、余裕金の運用、金銭の貸付け、資産の譲渡、給与の支給その他財産の運用及び事業の運営に関し特別の利益を与えること。
(二)	当該社団等の役員その他の機関の構成、その選任方法その他当該社団等の事業の運営の基礎となる重要事項につい

第三章　相続税の非課税財産

	て、その事業の運営が特定の者又はその親族その他その特定の者と特別関係がある者の意思に従ってなされていると認められる事実があること。
(三)	当該社団等の機関の地位にある者、当該財産の遺贈をした者又はこれらの者の親族その他これらの者と特別関係がある者に対して当該社団等の事業に係る施設の利用、余裕金の運用、解散した場合における財産の帰属、金銭の貸付け、資産の譲渡、給与の支給、当該社団等の機関の地位にある者への選任その他財産の運用及び事業の運営に関し特別の利益を与えること。

（特別関係がある者）
（1）　1の（一）から（三）までに規定する特別関係がある者は、当該1の（一）から（三）までに掲げる者（以下「**公益事業を行う者**」という。）と次に掲げる関係のある者とする。（令31①）
　（一）　公益事業を行う者と婚姻の届出をしていないが事実上婚姻関係と同様の事情にある者及びその者の親族でその者と生計を一にしているもの
　（二）　公益事業を行う者の使用人及び使用人以外の者で当該公益事業を行う者から受ける金銭その他の財産によって生計を維持しているもの並びにこれらの者の親族でこれらの者と生計を一にしているもの

（「当該公益を目的とする事業の用に供することが確実なもの」の意義）
（2）　三に規定する「当該公益を目的とする事業の用に供することが確実なもの」とは、その財産について、相続開始の時において当該公益を目的とする事業の用に供することに関する具体的計画があり、かつ、当該公益を目的とする事業の用に供される状況にあるものをいうものとする。したがって、個人生活の用に供されるものは、これに該当しないことに留意する。（基通12－3）

（財産を取得した後公益事業の用に供しない場合）
（3）　三に規定する「宗教、慈善、学術その他公益を目的とする事業を行う者」から当該事業の用に供されている財産を相続又は遺贈によって取得した場合において、その取得した者が公益事業を行わないときはもちろんのこと、2年以内に公益事業を行うときであっても、当該財産を当該事業の用に供していないときは、相続税の課税価格に算入するのであるから留意する。（基通12－4）

（財産を取得した後公益事業を行う場合）
（4）　三に規定する「宗教、慈善、学術その他公益を目的とする事業を行う者」から当該事業の用に供されている財産を相続又は遺贈によって取得した者が、当該財産を取得すると同時に当該事業を受け継いで行う場合には、当該公益を目的とする事業の用に供されている財産については、三に掲げる財産に該当するものとして取り扱うものとする。ただし、次の（一）又は（二）に該当する場合においては、この限りでない。（基通12－5）
　（一）　相続税の申告書の提出期限までに当該事業の用に供される財産が未分割である場合
　（二）　当該事業の規模が当該相続又は遺贈に係る被相続人が行っていた当該事業の規模より著しく縮小される場合

2　公益事業の用に供しなかった財産への課税

　三に掲げる財産を取得した者が<u>当該</u>財産を取得した日から2年を経過した日<u>までに</u>当該財産<u>をその公益を目的とする事業の用に供しない場合</u>又は供しなくなった場合には、三の規定にかかわらず、当該財産の価額は、<u>相続税の課税価格に算入する</u>。（法12②）
　（注）　2の規定は、公益信託に関する法律（令和6年法律第30号）の施行の日前については、次のとおりとする。（令6改法等附1九ハ）

> 三に掲げる財産を取得した者がその財産を取得した日から2年を経過した日において、なお当該財産を当該公益を目的とする事業の用に供していない場合においては、当該財産の価額は、課税価格に算入する。

（「当該財産を当該公益を目的とする事業の用に供していない場合」の意義）
（1）　2に規定する「当該財産を当該公益を目的とする事業の用に供していない場合」とは、財産を取得した者が当該財産を現実に当該公益を目的とする事業の用に供している場合以外の場合をいうのであるから、当初当該財産を公益を目的とする事業の用に供していても2年を経過した日現在において、その用に供しなくなった場合をも含むことに留意する。（基通12－6）

－85－

第一編　相続税

（公益事業の用に供しなかった財産）
（2）　**2**の規定により、財産を取得した日から2年を経過した日において、なお当該財産を**三**に規定する公益を目的とする事業の用に供していないために、当該財産の価額を課税価格に算入することになった場合においては、当該財産を取得した時の時価によって評価し、相続税の課税価格の計算の基礎に算入するものとする。この場合において、その者については延滞税及び各種加算税の納付義務があるのであるから留意する。（基通12－7）

3　個人立幼稚園の事業の用に供する財産の特例

当分の間、学校教育法附則第6条《学校の設置者の特例》に規定する私立の幼稚園又は就学前の子どもに関する教育、保育等の総合的な提供の推進に関する法律の一部を改正する法律（平成24年法律第66号）附則第4条第1項《幼保連携型認定こども園の設置に係る特例》の規定により設置される同項に規定する幼保連携型認定こども園（以下「**幼稚園等**」という。）を設置し、運営する事業を行う個人については、**1**の規定に該当する者のほか、当該個人のうち当該事業を引き続いて行うことが確実であると認められる者として（1）で定める者に該当するものは、当該事業に係る資産のうち当該事業を行う者の家事のために充てられるものの金額が当該事業から受ける報酬の額として相当と認められる金額を超えていないことその他の事実が存することにより当該事業及びその経理が適正に行われていると認められる場合として（5）で定める場合に該当する場合には、**三**に規定する公益を目的とする事業を行う者に該当するものとする。（令附④、規附②）

（幼稚園等経営事業を引き続き行うことが確実と認められる者）
（1）　**3**に規定する幼稚園を設置し、運営する事業を引き続いて行うことが確実であると認められる者は、被相続人（当該被相続人の被相続人を含む。）により当該被相続人からの相続の開始の年の5年前の年の1月1日前から引き続いて行われてきた**3**に規定する事業を当該被相続人の死亡により承継し、かつ、当該事業に係る幼稚園等における教育又は保育（以下単に「教育」という。）の用に供するものとして相当と認められるものに専ら供するもの（以下「**教育用財産**」という。）であることにつき（2）に定めるところにより届出がされている財産を当該被相続人からの相続又は遺贈により取得してこれを当該事業の用に供する相続人で、当該相続の開始の年以後の年も当該事業を引き続いて行うことが確実であると認められるものとする。（規附③）

（教育用財産の届出手続）
（2）　**3**に規定する事業を行う個人は、当該事業に係る幼稚園等における教育用財産を取得して、これを当該幼稚園等における教育の用に供した場合には、当該教育の用に供した日から4月以内に、その旨及び次に掲げる事項を記載した届出書を当該個人の所得税の納税地の所轄税務署長に提出しなければならない。（規附④）
（一）　届出書を提出する者の氏名及び住所
（二）　当該幼稚園等の名称及び所在地
（三）　当該教育の用に供した教育用財産（当該届出書が最初に提出されるものである場合には、当該提出の日において当該幼稚園等における教育の用に供されている教育用財産）の明細、その用途及び所在地又は所在場所
（四）　その他参考となるべき事項

（教育用財産を教育の用に供さなくなった場合の届出）
（3）　（2）の届出書を提出した個人は、当該届出書に記載した教育用財産を当該個人が行う（2）に規定する事業に係る幼稚園等における教育の用に供しなくなった場合には、その教育の用に供しなくなった日から4月以内に次に掲げる事項を記載した届出書を（2）の税務署長に提出しなければならない。（規附⑤）
（一）　届出書を提出する者の氏名及び住所
（二）　当該幼稚園等の名称及び所在地
（三）　当該教育用財産で当該幼稚園等における教育の用に供しなくなったものの明細及びその所在地又は所在場所
（四）　その他参考となるべき事項

（届出書の提出に代わる所得税確定申告書の必要書類の添付）
（4）　教育用財産の届出については、（2）及び（3）の規定による届出書の提出をすることに代えて、（2）に規定する個人が、その年以後の各年分の所得税の所得税法第2条第1項第37号に規定する確定申告書（その提出期限内に提出されるものに限る。）に、次に掲げる事項を記載した書類を添付して提出することができる。（規附⑥）
（一）　当該幼稚園等の名称及び所在地
（二）　その年12月31日（その者が年の中途で死亡した場合には、その死亡の日）においてその者の行う（2）に規定する

－86－

第三章　相続税の非課税財産

　　事業に係る幼稚園等における教育の用に供されている教育用財産の明細、その用途及び所在地又は所在場所
（三）　その他参考となるべき事項

　　　（事業が適正に行われていると認められる場合）
（5）　3に規定する学校経営に係る事業及びその経理が適正に行われている場合は、次の（一）から（七）までに掲げる要件
　の全てが満たされている場合とする。（規附⑦）

（一）	事業経営者の家事充当額の要件	3に規定する事業を行う個人及び当該個人に係る（1）に規定する当該事業を行っていた被相続人（当該被相続人の被相続人で当該事業を行っていたものを含むものとし、以下「**事業経営者**」と総称する。）が、当該被相続人に係る相続の開始の年の5年前の年以後の各年において当該事業に係る資産のうちその者の家事のために充てるものの金額は、当該事業の規模及び当該事業の使用人に対する給与の支給の状況並びに当該事業に係る幼稚園等と同種、同規模の幼稚園等を設置する私立学校法第3条《定義》に規定する学校法人の代表者に対する報酬の支給の状況等に照らし、その者が当該事業から受ける報酬の額として相当であると認められる金額として（6）から（9）までに定めるところにより当該事業に係るその者の所得税の納税地の所轄税務署長の認定を受けた金額（（10）において準用する（6）の申請書の提出があった場合において、その申請に係る当該金額に関し、（一）の規定による認定を受けたときは、当該認定に係る年以後の各年については、当該認定を受けた金額）を超えていないこと。
（二）	同族関係者等の給与の要件	（一）に規定する5年前の年以後の各年において、事業経営者の親族その他事業経営者と1の（1）に規定する特別の関係（以下「**特別関係**」という。）がある者で当該事業に従事するものに対して支給する給与の金額は、その労務に従事した期間、労務の性質及びその提供の程度、当該事業に従事する他の使用人が支払を受ける給与の状況並びに当該事業に係る幼稚園等と同種の幼稚園が支給する給与の状況等に照らし、その労務の対価として相当であると認められるものであること。
（三）	所得税等の適正申告要件	事業経営者は、（一）に規定する5年前の年以後の各年分の所得税又は当該5年前の年以後において相続若しくは遺贈若しくは贈与により取得した財産に係る相続税若しくは贈与税に係る国税通則法第66条第1項、第5項若しくは第6項《無申告加算税》の無申告加算税又は同法第68条第1項、第2項若しくは第4項（同条第1項又は第2項の重加算税に係る部分に限る。）《重加算税》重加算税を課されたことがなく、かつ、当該各年において所得税法第4編第1章から第6章まで《源泉徴収》の規定により徴収して納付すべき所得税に係る国税通則法第67条第1項《不納付加算税》の不納付加算税又は同法第68条第3項若しくは第4項（同条第3項の重加算税に係る部分に限る。）重加算税を徴収されたことがないこと。
（四）	青色申告要件	事業経営者は、（一）に規定する5年前の年以後の各年分の所得税につき連続して所得税法第2条第1項第40号に規定する青色申告書を提出していること。
（五）	経理の区分及び帳簿書類の備付要件	事業経営者は、（一）に規定する5年前の年以後の各年分の事業所得の金額の計算上総収入金額に算入される金額及び必要経費に算入される金額のうち、当該事業に係る収入金額及び費用の額と他の収入金額及び費用の額とを明確に区分して経理しており、かつ、所得税法施行規則第56条から第64条まで《青色申告者の備え付けるべき帳簿書類等》の規定の例により、当該事業につき帳簿書類を備え付けて、これに当該事業に係る収入金額及び費用の額、資産、負債及び資本に係る一切の取引並びに（二）に規定する事項を記録し、保存していること。
（六）	事業用財産の目的内支出要件	事業経営者は、当該事業に属する資産については、（一）に規定する5年前の年以後の各年において、当該事業のための支出（（一）の税務署長の認定を受けた金額の範囲内における当該事業に係る事業経営者の家事に充てるための支出を含む。）以外の支出をしていないこと。
（七）	事業用財産の目的内使用要件	事業経営者は、当該事業に係る施設について、（一）に規定する5年前の年以後の各年において、当該事業以外の事業並びに当該事業に係る事業経営者及びその者と特別関係がある者の用に供しておらず、かつ、当該事業のための担保以外の担保に供していないこと。

（事業経営者の家事充当額の認定申請）

（6）　（2）に規定する事業を行う個人が（5）の（一）の認定を受けようとする場合には、その認定を受けようとする年の3月15日までに、次に掲げる事項を記載した申請書を、当該個人の所得税の納税地の所轄税務署長に提出しなければならない。（規附⑧）

（一）　申請書を提出する者の氏名及び住所

（二）　その認定を受けようとする年以後の各年において当該事業に係る資産のうち当該個人の家事のために充てるものの金額の限度額及び当該事業におけるその者の職務の内容

（三）　当該幼稚園等の名称及び所在地並びに当該幼稚園等の概要

（四）　当該事業に従事する使用人(当該個人と特別関係がある者で当該事業に従事するものを含む。)の氏名、年齢及び職務の内容並びに給与の金額、その昇給の基準並びに支給の方法及び形態

（五）　（四）の使用人のうち（5）の（二）特別関係がある者で当該事業に従事するものがある場合には、その者についての当該特別関係の内容

（六）　その他参考となるべき事項

（申請に対する税務署長の処分）

（7）　税務署長は、（6）の申請書の提出があった場合には、その調査により、その申請に係る（6）の（二）の限度額につきその申請をした者が（5）の（一）の事業から受ける報酬の額として相当である金額として認めて（5）の（一）の認定をし、又はその申請を却下する。（規附⑨）

（書面による処分の通知）

（8）　税務署長は、（6）の申請書の提出があった場合において、（7）の認定又は却下の処分をするときは、その申請をした者に対し、書面によりその旨を通知する。（規附⑩）

（認定があったものとみなす場合）

（9）　（6）の申請書の提出があった場合において、（6）に規定する年の12月31日までにその申請につき認定又は却下の処分がなかったときは、その日においてその認定があったものとみなす。（規附⑪）

（事業経営者の家事充当額の変更手続）

（10）　（6）の規定は、（2）に規定する事業を行う者が、当該事業に係る資産のうちその者の家事のために充てるものの金額の限度額で（5）の（一）の認定を受けたものの変更をしようとする場合について準用する。この場合において、（6）の（六）中「その他参考となるべき事項」とあるのは、「変更前の（二）に規定する限度額その他参考となるべき事項」と読み替えるものとする。（規附⑫）

（家事充当額の変更申請に対する税務署長の処分）

（11）　（7）から（9）までの規定は、（10）において準用する（6）の申請書の提出があった場合について準用する。この場合において（8）中「（7）」とあるのは、「（11）において準用する（7）」と読み替えるものとする。（規附⑬）

四　公益信託による財産

次に掲げる財産の価額は、相続税の課税価格に算入しない。（法12①）

（四）	公益信託に関する法律（令和6年法律第30号）第2条第1項第1号《定義》に規定する公益信託（第二編第三章二及び**四**において「公益信託」という。）の受託者が遺贈により取得した財産（その信託財産として取得したものに限る。）

（注）　公益信託に関する法律（令和6年法律第30号）の施行の日前については、**四**は削除する。（令6改法等附１九八）

五　心身障害者扶養共済制度に基づく給付金の受給権

次に掲げる財産の価額は、相続税の課税価格に算入しない。（法12①）

（五）	条例の規定により地方公共団体が精神又は身体に障害のある者に関して実施する共済制度で政令で定めるものに基づいて支給される給付金を受ける権利

（政令で定める共済制度）

注　**五**に規定する政令で定める共済制度は、所得税法施行令第20条第2項《地方公共団体が実施する共済制度》に規定する共済制度とする。（令2の2）

【所得税法施行令第20条第2項】

　所得税法第9条第1項第3号ハに規定する政令で定める共済制度は、地方公共団体の条例において精神又は身体に障害のある者（以下この項において「心身障害者」という。）を扶養する者を加入者とし、その加入者が地方公共団体に掛金を納付し、当該地方公共団体が心身障害者の扶養のための給付金を定期に支給することを定めている制度（脱退一時金（加入者が当該制度から脱退する場合に支給される一時金をいう。）の支給に係る部分を除く。）で、次に掲げる要件を備えているものとする。

（一）　心身障害者の扶養のための給付金（その給付金の支給開始前に心身障害者が死亡した場合に加入者に対して支給される弔慰金を含む。）のみを支給するものであること。

（二）　（一）の給付金の額は、心身障害者の生活のために通常必要とされる費用を満たす金額（（一）の弔慰金にあっては、掛金の累積額に比して相当と認められる金額）を超えず、かつ、その額について、特定の者につき不当に差別的な取扱いをしないこと。

（三）　（一）の給付金（（一）の弔慰金を除く。（四）において同じ。）の支給は、加入者の死亡、重度の障害その他地方公共団体の長が認定した特別の事故を原因として開始されるものであること。

（四）　（一）の給付金の受取人は、心身障害者又は前号の事故発生後において心身障害者を扶養する者とするものであること。

（五）　（一）の給付金に関する経理は、他の経理と区分して行い、かつ、掛金その他の資金が銀行その他の金融機関に対する運用の委託、生命保険への加入その他これらに準ずる方法を通じて確実に運用されるものであること。

六　生命保険金等のうち一定額までの金額

次に掲げる財産の価額は、相続税の課税価格に算入しない。（法12①）

（六）		相続人の取得した第二章第二節**二**《生命保険金等》に掲げる保険金（**四**に掲げるものを除く。以下**五**において同じ。）については、イ又はロに掲げる場合の区分に応じそれぞれイ又はロに定める金額に相当する部分	
	イ	第二章第二節**二**の被相続人の全ての相続人が取得した同**二**に掲げる保険金の合計額が500万円に当該被相続人の第五章第一節の**2**《法定相続人の数》に規定する相続人の数を乗じて算出した金額（ロにおいて「**保険金の非課税限度額**」という。）以下である場合	当該相続人の取得した保険金の金額
	ロ	イに規定する合計額が当該保険金の非課税限度額を超える場合	当該保険金の非課税限度額に当該合計額のうちに当該相続人の取得した保険金の合計額の占める割合を乗じて算出した金額

ロの場合の非課税保険金額＝保険金の非課税限度額 $\times \dfrac{\text{当該相続人の取得保険金額}}{\text{各相続人の取得保険金額の合計額}}$

第一編　相続税

（保険金の非課税金額の計算）

（1）　相続人の取得した第二章第二節**二**に掲げる保険金（**五**《心身障害者扶養共済制度に基づく給付金の受給権》に掲げる給付金を受ける権利を除く。以下（1）において同じ。）の合計額の全部又は一部について**八**《申告期限までに国等に贈与した財産》の**1**《国等に対して相続財産を贈与した場合の相続税の非課税》（**九**において準用する場合を含む。）又は**5**《特定公益信託の信託財産とするために支出した金銭の非課税》の規定の適用を受ける部分がある場合は、**八**の規定の適用を受ける部分の金額を控除した後の保険金の額を基礎として**六**に掲げる保険金の非課税金額を計算するものとする。なお、**六**のロの規定によるこの保険金の非課税金額の計算を算式で示せば、次のとおりである。（基通12－9）

$$（500万円×n）×\frac{B}{A}＝各相続人の非課税金額$$

（注1）　算式中の符号は、次のとおりである。
　　　n……第五章第一節の**2**に規定する相続人の数
　　　A……各相続人が取得した保険金の合計額の総額
　　　B……各相続人が取得した保険金の合計額
（注2）　各相続人が取得した保険金の合計額の総額が、500万円に第五章第一節の**2**に規定する相続人の数を乗じて算出した金額以下の場合には、各相続人の取得した保険金の合計額に相当する金額が、その者の保険金の非課税金額となるのであるから留意する。
（注3）　保険金を取得した被相続人の養子（相続を放棄した者を除く。）については、全員保険金の非課税金額の適用があることに留意する。

（相続を放棄した者等の取得した保険金）

（2）　相続を放棄した者又は相続権を失った者が取得した保険金については、**六**に掲げる保険金の非課税金額の規定の適用がないのであるから留意する。（基通12－8）

（「保険金受取人」の意義）

（3）　第二章第二節**二**に規定する「保険金受取人」とは、その保険契約に係る保険約款等の規定に基づいて保険事故の発生により保険金を受け取る権利を有する者（以下（4）において「保険契約上の保険金受取人」という。）をいうものとする。（基通3－11）

（保険金受取人の実質判定）

（4）　保険契約上の保険金受取人以外の者が現実に保険金を取得している場合において、保険金受取人の変更の手続がなされていなかったことにつきやむを得ない事情があると認められる場合など、現実に保険金を取得した者がその保険金を取得することについて相当の理由があると認められるときは、（3）にかかわらず、その者を第二章第二節**二**に規定する保険金受取人とするものとする。（基通3－12）
（注）1　生命保険金は本来の相続財産ではないので遺産分割協議の対象とはならないものと考えられ、相続税の取扱いにおいては、契約上の指定受取人を生命保険金の取得者とみて相続税の課税関係を律することとしている。したがって、（4）に規定する相当な理由がないにもかかわらず指定受取人以外の者が保険金を取得したときは、指定受取人が相続により取得した後、これを取得者に贈与したものとして取り扱われる。（編者注）
　　2　**五**の非課税規定は、被相続人の相続人（相続を放棄した者及び相続権を失った者を除く。）が保険金受取人である生命保険金について適用されるのであるから、相続人以外の受遺者の取得した生命保険金には適用がないのはもちろん、指定受取人と被相続人が同時に死亡した場合において、指定受取人の子及び配偶者が取得したときのように、指定受取人の相続人ではあっても、被相続人の相続人でない者の取得した生命保険金には、この非課税規定は適用がない。（編者注）

七　退職手当金のうち一定額までの金額

次に掲げる財産の価額は、相続税の課税価格に算入しない。（法12①）

		相続人の取得した第二章第二節**三**《退職手当金等…みなし相続財産》に掲げる給与（以下**六**において「退職手当金等」という。）については、イ又はロに掲げる場合の区分に応じそれぞれイ又はロに定める金額に相当する部分	
（七）	イ	第二章第二節**三**の被相続人の<u>全て</u>の相続人が取得した退職手当金の合計額が500万円に当該被相続人の第五章第一節の**2**《法定相続人の数》に規定する相続人の数を乗じて算出した金額（ロにおいて「**退職手当金等の非課税限度額**」という。）以下である場合	当該相続人の取得した退職手当金等の金額
	ロ	イに規定する合計額が当該退職手当金等の非課税限度額を超え	当該退職手当金等の非課税限度額に当該合

－90－

		計額のうちに当該相続人の取得した退職手当金等の合計額の占める割合を乗じて算出した金額
	る場合	

$$\text{ロの場合の非課税退職金} = \begin{array}{c}\text{退職手当金等の}\\\text{非課税限度額}\end{array} \times \frac{\text{当該相続人の取得した退職手当金等}}{\text{各相続人の取得退職手当金等の合計額}}$$

（退職手当金等の非課税金額の計算）
（１）　相続人の取得した第二章第二節**三**に掲げる退職手当金等の合計額の全部又は一部について**八**《申告期限までに国等に贈与した財産》の**１**《国等に対して相続財産を贈与した場合の相続税の非課税》（**九**において準用する場合を含む。）又は**５**《特定公益信託の信託財産とするために支出した金銭の非課税》の規定の適用を受ける部分がある場合は、**八**の規定の適用を受ける部分の金額を控除した後の退職手当金等の額を基礎として**七**に掲げる退職手当金等の非課税金額を計算するものとする。なお、**七**のロの規定によるこの退職手当金等の非課税金額の計算を算式で示せば、次のとおりである。（基通12−10、12−９）

$$(500万円 \times n) \times \frac{B}{A} = 各相続人の非課税金額$$

（注）１　算式中の符号は、次のとおりである。
　　　　n……第五章第一節の**２**に規定する相続人の数
　　　　A……各相続人が取得した退職手当金等の合計額の総額
　　　　B……各相続人が取得した退職手当金等の合計額
　　　２　各相続人が取得した退職手当金等の合計額の総額が、500万円に第五章第一節の**２**に規定する相続人の数を乗じて算出した金額以下の場合には、各相続人の取得した退職手当金等の合計額に相当する金額が、その者の退職手当金等の非課税金額となるのであるから留意する。
　　　３　退職手当金等を取得した被相続人の養子（相続を放棄した者を除く。）については、全員退職手当金等の非課税金額の適用があることに留意する。

（相続を放棄した者等の取得した退職手当金等）
（２）　相続を放棄した者又は相続権を失った者が取得した退職手当金等については、**七**に掲げる退職手当金等の非課税金額の規定の適用がないのであるから留意する。（基通12−10、12−８）

（退職手当金等の支給を受けた者）
（３）　第二章第二節**三**の被相続人に支給されるべきであった退職手当金等の支給を受けた者とは、次に掲げる場合の区分に応じ、それぞれ次に掲げる者をいうものとする。（基通３−25）
（一）　退職給与規程その他これに準ずるもの（以下（３）において「退職給与規程等」という。）の定めによりその支給を受ける者が具体的に定められている場合　　当該退職給与規程等により支給を受けることとなる者
（二）　退職給与規程等により支給を受ける者が具体的に定められていない場合又は当該被相続人が退職給与規程等の適用を受けない者である場合
　イ　相続税の申告書を提出する時又は国税通則法第24条から第26条までの規定による更正若しくは決定をする時までに当該被相続人に係る退職手当金等を現実に取得した者があるとき
　　　その取得した者
　ロ　相続人全員の協議により当該被相続人に係る退職手当金等の支給を受ける者を定めたとき
　　　その定められた者
　ハ　イ及びロ以外のとき　　その被相続人に係る相続人の全員
　（注）　この場合には、各相続人は、当該被相続人に係る退職手当金等を各人均等に取得したものとして取り扱うものとする。

第一編　相続税

八　申告期限までに国等に贈与した財産

1　国等に対して相続財産を贈与した場合の相続税の非課税

　相続又は遺贈により財産を取得した者が、当該財産の全部又は一部を当該相続又は遺贈に係る第七章第一節《期限内申告書》一の 1《申告書の提出期限》又は同第一節七《相続財産法人に係る財産を与えられた者等に係る相続税の申告書》の規定による申告書（これらの申告書の提出後において第二章第三節一の 1《特別縁故者が分与を受けた財産》又は 2《特別寄与者が支払を受けるべき特別寄与料の額》に規定する事由が生じたことにより取得した財産については、その取得に係る第七章第四節二の 2《相続財産法人から財産の分与を受けたことによる修正申告》の規定による修正申告書）の提出期限までに国若しくは地方公共団体又は公益社団法人若しくは公益財団法人その他の公益を目的とする事業を行う法人のうち、教育若しくは科学の振興、文化の向上、社会福祉への貢献その他公益の増進に著しく寄与するものとして 2 で定めるものに贈与（贈与者の死亡により効力を生ずる贈与を除く。以下同じ。）をした場合には、当該贈与により当該贈与をした者又はその親族その他これらの者と(1)に規定する特別の関係がある者の相続税又は贈与税の負担が不当に減少する結果となると認められる場合を除き、当該贈与をした財産の価額は、当該相続又は遺贈に係る相続税の課税価格の計算の基礎に算入しない。（措法70①）

　　（特別の関係がある者）
（1）　1 に規定する贈与者等と特別の関係のある者とは、次に掲げるものとする。（法64①、令31①）
　（一）　贈与者等と婚姻の届出をしていないが事実上婚姻関係と同様の事情にある者及びその者の親族でその者と生計を一にしているもの
　（二）　贈与者等の使用人及び使用人以外の者で当該贈与者等から受ける金銭その他の財産によって生計を維持しているもの並びにこれらの者の親族でこれらの者と生計を一にしているもの

　　（政府の出資により設立された法人等に対する贈与）
（2）　1 に規定する「国」には、政府の出資により設立された法人を含まないものとし、1 に規定する「地方公共団体」とは、地方自治法第 1 条の 3《地方公共団体の種類》に規定する地方公共団体をいい、地方公共団体の出資により設立された法人は、これに含まれないことに留意する。（措通70－1－1）
　　（注）　地方自治法第 1 条の 3 に規定する「地方公共団体」とは、都道府県、市町村、特別区、地方公共団体の組合及び財産区をいう。

　　（後援会等に対する贈与）
（3）　公立の学校等国又は地方公共団体の設置する施設の建設又は拡張等の目的をもって設立された後援会等に対する財産の贈与であっても、その贈与財産が最終的に国又は地方公共団体に帰属し、又は帰属することが明らかな場合には、当該贈与は、1 に規定する国又は地方公共団体に対する贈与に該当するものとして取り扱う。（措通70－1－2）

　　（公益法人設立のための財産の提供）
（4）　1 の規定は、財産の贈与の時において現に存する 2 で定める法人に対する贈与について適用があるのであり、2 で定める法人を設立するための寄附行為その他の財産の提供については、適用がないのであるから留意する。（措通70－1－3）

　　（「相続又は遺贈により取得した財産」の範囲）
（5）　1 又は九の規定の適用がある「相続又は遺贈により取得した財産」には、第二章第二節の二から七まで及び第二章第三節の二から五（同五の 1 の⑤ただし書に規定する信託に関する権利及び同五の 2 の②又は②の(1)に規定する信託の受託者が、これらの規定により遺贈により取得したものとみなされる信託に関する権利を除く。）までの規定により相続又は遺贈により取得したとみなされた財産を含み、当該相続に係る被相続人から贈与により取得した加算対象贈与財産並びに相続時精算課税の適用を受ける財産で第三編第一章第三節一の(1)《相続税の課税価格》の規定により相続税の課税価格に加算されるもの及び同第三節二の(1)《課税価格、税率及び控除》の規定により相続又は遺贈により取得したとみなされるものは含まないことに留意する。
　　なお、相続税の申告書の提出期限後において、第二章第二節三《退職手当金等》の規定の適用がある退職手当金等の支給の確定があった場合におけるその支給の確定により取得した退職手当金等については、1 の規定中「第二章第三節一の 1《特別縁故者が分与を受けた財産》又は 2《特別寄与者が支払を受けるべき特別寄与料の額》」とあるのは「第二

第三章　相続税の非課税財産

章第二節**三**《退職手当金等》」と、「第七章第四節**二**の**2**《相続財産法人から財産の分与を受けたことによる修正申告》
の規定による修正申告書)」とあるのは「第七章第三節**一**《国税通則法の規定による期限後申告》に規定する期限後申告
書又は同第四節**一**《国税通則法の規定による修正申告》に規定する修正申告書)」として**1**又は**九**の規定を適用すること
として取り扱うこととする。(措通70−1−5)

　　(相続財産たる家屋の火災保険金等)
（6）　**1**又は**九**の規定の適用がある「相続又は遺贈により取得した財産」とは、相続又は遺贈により取得した財産そのも
　　のをいうのであるが、当該財産が，例えば、次の(一)のイからトまでに掲げる場合に該当して取得したそれぞれに掲げ
　　る財産は「相続又は遺贈により取得した財産」に該当するものとして取り扱う。したがって、当該財産が次の(二)のイ
　　又はロに掲げる場合に該当して取得したそれぞれに掲げる財産は、これに該当しないものとする。(措通70−1−6)
　　(一)　「相続又は遺贈により取得した財産」に該当する財産
　　　イ　相続又は遺贈により取得した建物等が火災により焼失した場合において、当該焼失に伴って取得した火災保険金
　　　　(被相続人又は遺贈者(死因贈与による贈与者を含む。)が契約者であるものに限る。)
　　　ロ　相続又は遺贈により取得した財産について措置法第33条の4第1項に規定する「収用交換等」による譲渡があっ
　　　　た場合において、当該収用交換等に伴い取得した財産
　　　ハ　相続又は遺贈により取得した株券発行前の株式、株式の割当てを受ける権利又は株主となる権利について新株の
　　　　割当て又は交付があった場合において、当該割当て又は交付により取得した新株式(当該新株式の払込金額が旧株
　　　　式の取得者である相続人等により負担されたものである場合における当該相続人等の払込金額に係る部分を除く。)
　　　ニ　相続又は遺贈により取得した株式等の発行法人について合併若しくは分割又は解散があった場合において、当該
　　　　合併若しくは分割又は解散により取得した株式、金銭等
　　　ホ　相続又は遺贈により取得した証券投資信託又は貸付信託の受益証券について信託期間が満了した場合において、
　　　　当該満了により取得した金銭
　　　ヘ　相続又は遺贈により取得した貸付金債権について弁済期限が到来した場合において、当該弁済により取得した金
　　　　銭
　　　ト　相続又は遺贈により取得した預貯金の払戻しを受けた場合において、当該払戻しを受けた金銭
　　(二)　「相続又は遺贈により取得した財産」に該当しない財産
　　　イ　相続又は遺贈により取得した財産について譲渡があった場合において、当該譲渡により取得した財産((一)のロ
　　　　の収用交換等に伴い取得した財産を除く。)
　　　ロ　相続又は遺贈により取得した証券投資信託又は貸付信託の受益証券について信託契約の解約があった場合におい
　　　　て、当該解約により取得した金銭

　　(相続税の課税価格の計算の基礎に算入しない価額)
（7）　(6)の(一)のイからトまでに掲げる財産の贈与について**1**又は**九**の規定を適用する場合においては、これらの規定
　　により相続税の課税価格の計算の基礎に算入しない価額は、当該贈与財産に係る従前の財産(相続又は遺贈により取得
　　した財産をいい、当該贈与財産が当該贈与財産に係る従前の財産の一部であると認められる場合には、その従前の財産
　　のうち当該贈与財産に対応する部分)の価額によるものであるから留意する。(措通70−1−7)

　　(相続又は遺贈により取得した財産を著しく低い価額で国等に譲渡した場合)
（8）　相続又は遺贈により財産を取得した者が、その取得財産を国、地方公共団体、**2**で定める法人又は**九**で定める認定
　　特定非営利活動法人(以下(10)までにおいて「**国等**」という。)に対して著しく低い価額の対価で譲渡した場合には、当
　　該財産のうち、当該財産の相続税の課税価格の計算の基礎となる価額から譲渡の対価の額を控除した金額に相当する部
　　分については、**1**又は**九**に規定する贈与があったものとして取り扱う。(措通70−1−8)

　　(香典返しに代えてする贈与)
（9）　相続又は遺贈により財産を取得した者が、弔問者に対する香典返しとしてする物品の供与に代え、香典として取得
　　した金銭等の全部又は一部を国等に贈与した場合におけるその金銭等の贈与については、**1**又は**九**の規定の適用はない
　　のであるから留意する。(措通70−1−9)

　　(被相続人の意思に基づいてする財産の贈与)
（10）　相続又は遺贈により財産を取得した者がしたその取得財産の国等に対する贈与については、**1**又は**九**の適用がない

−93−

第一編　相続税

場合においても、当該贈与がその者に係る被相続人又は遺贈者の意思に基づいてなされたものについては、第一章第二節三《持分の定めのない法人の納税義務》の(12)から(15)までの適用があることに留意する。(措通70－1－10)

　　（負担が不当に減少する結果となると認められない場合）

(11)　贈与により財産を取得した**1**に規定する公益社団法人若しくは公益財団法人その他公益を目的とする事業を行う法人又は**九**に規定する認定特定非営利活動法人が、第一章第二節三の(3)の(一)から(四)までに掲げる要件を満たすときは、**1**に規定する「負担が不当に減少する結果となると認められる」場合に該当しないものとして取り扱う。(措通70－1－11)

　(注)　第一章第二節三の(3)の(一)から(四)までに掲げる要件を満たすかどうかは、同三の(6)から(8)までに準じて取り扱うものとする。

　　（相続税の非課税規定に該当しないものについて証明書の提出があった場合）

(12)　**1**又は**九**の規定は、たとえ**3**に規定する書類の提出があった場合であっても、税務署長において**1**又は**九**に規定する要件を満たしていないと認めるときは、適用がないことに留意する。(措通70－1－12)

2　公益法人等の範囲

　1に規定する法人は、次に掲げる法人とする。(措令40の4①)

(一)	独立行政法人
(一)の2	国立大学法人及び大学共同利用機関法人
(一)の3	地方独立行政法人で地方独立行政法人法第21条第1号又は第3号から第6号までに掲げる業務（同条第3号に掲げる業務にあっては同号チに掲げる事業の経営に、同条第6号に掲げる業務にあっては地方独立行政法人施行令第6条第1号又は第3号の設置及び管理に、それぞれ限るものとする。）を主たる目的とするもの
(一)の4	公立大学法人
(二)	自動車安全運転センター、日本司法支援センター、日本私立学校振興・共済事業団、日本赤十字社及び福島国際研究教育機構
(三)	公益社団法人及び公益財団法人
	私立学校法第3条に規定する学校法人で学校(学校教育法第1条に規定する学校及び就学前の子どもに関する教育、保育等の総合的な提供の推進に関する法律第2条第7項に規定する幼保連携型認定こども園をいう。以下(四)において同じ。)の設置若しくは学校及び専修学校(学校教育法第124条に規定する専修学校で財務省令で定めるものをいう。以下(四)において同じ。)の設置を主たる目的とするもの又は私立学校法第64条第4項の規定により設立された法人で専修学校の設置を主たる目的とするもの
(四)	（財務省令で定める専修学校） 注　上記の財務省令で定める専修学校は、次のいずれかの課程による教育を行う専修学校とする。(措規23の3①) 　(一)　学校教育法第125条第1項に規定する高等課程でその修業期間（普通科、専攻科その他これらに準ずる区別された課程があり、一の課程に他の課程が継続する場合には、これらの課程の修業期間を通算した期間をいう。(二)において同じ。）を通ずる授業時間数が2,000時間以上であるもの 　(二)　学校教育法第125条第1項に規定する専門課程でその修業期間を通ずる授業時間数が1,700時間以上であるもの
(五)	社会福祉法人
(六)	更生保護法人

3　申告書への記載と明細書等の添付

　1又は**5**の規定は、これらの規定の適用を受けようとする者の当該相続又は遺贈に係る**1**に規定する相続税申告書又は修正申告書に、これらの規定の適用を受けようとする旨を記載し、かつ、**1**の贈与又は**5**の支出をした財産の明細書その

－94－

第三章　相続税の非課税財産

他財務省令で定める書類を添付しない場合には、適用しない。（措法70⑤）

　　　（1の適用の場合の財務省令で定める書類）
（1）　1の規定の適用を受けようとする者が3に規定する申告書に添付する財務省令で定める書類は、国若しくは地方公共団体又は2で定める法人の1の贈与を受けた旨、その贈与を受けた年月日及び財産の明細並びに当該法人の当該財産の使用目的を記載した書類並びに当該法人が2の（一）の3又は（四）に掲げる法人である場合には、これら2の（一）の3又は（四）に掲げる法人に該当するものであることについて地方独立行政法人法第6条第3項に規定する設立団体又は私立学校法第4条に規定する所轄庁の証明した書類とする。（措規23の3②）

　　　（旧5の適用の場合の財務省令で定める書類）
（2）　旧5の規定の適用を受けようとする者が3により申告書に添付する財務省令で定める書類は、旧5に規定する特定公益信託の信託財産とするために支出した金銭の受領をした当該特定公益信託の受託者のその受領をした金銭が当該特定公益信託の信託財産とするためのものである旨、当該金銭の額及びその受領した年月日を証する書類並びに旧5の旧（2）に規定する主務大臣の認定に係る書類（同旧（2）の認定をした年月日の記載があるものに限る。）とする。（措規23の4③）

4　非課税要件を満たさないこととなった場合の課税

　2で定める法人で1の贈与を受けたものが、当該贈与があった日から2年を経過した日までに2で定める法人に該当しないこととなった場合又は当該贈与により取得した財産を同日までにその公益を目的とする事業の用に<u>供しない場合若しくは供しなくなった場合</u>には、1の規定にかかわらず、当該財産の価額は、<u>1の相続又は遺贈に係る相続税の課税価格の計算の基礎に算入する</u>。（措法70②）

　　　（「公益を目的とする事業の用に供する」ことの意義）
（1）　4又は八の規定により準用する4の規定の適用に当たり、4の贈与により取得した財産が公益を目的とする事業の用に供されているかどうかの判定は、贈与財産が、その贈与の目的に従って当該公益法人の行う公益を目的とする事業（認定特定非営利活動法人については、特定非営利活動促進法第2条第1項に規定する事業をいう。以下（1）において同じ。）の用に供されているかどうかによるものとし、贈与財産が贈与時のままでその用に供されているかどうかは問わないものとする。したがって、例えば、2で定める法人の建物その他の施設の取得資金に充当する目的で贈与された金銭がそれらの施設の取得資金に充当され、又は、配当金その他の果実を当該法人の行う公益を目的とする事業の用に供する目的で贈与された株式その他の財産の収益が当該法人の当該事業の用に供されていることが、それらの財産の管理、運用の状況等から確認できるときは、これらの贈与財産は、いずれも当該法人の公益を目的とする事業の用に供されているものとして取り扱うものであるから留意する。（措通70-1-13）

　　　（「同日においてなおその公益を目的とする事業の用に供していない場合」の意義）
（2）　4に規定する「同日においてなおその公益を目的とする事業の用に供していない場合」とは、贈与による取得財産をその公益を目的とする事業の用に供した日以後贈与の日から2年を経過した日まで引き続き当該事業の用に供している場合以外の場合（当該財産を当該贈与の日から2年を経過した日までの間に当該公益を目的とする事業以外の事業の用に供した場合を含む。）をいうものとする。（措通70-1-14）

5　公益信託の信託財産とするために支出した金銭の非課税

　<u>相続又は遺贈により財産を取得した者が、当該財産の全部又は一部を1に規定する申告書の提出期限までに公益信託に関する法律第2条第1項第1号に規定する公益信託（（1）において「公益信託」という。）の信託財産とするために支出をした場合には、当該支出により当該支出をした者又はその親族その他これらの者と第七章第六節二の5に規定する特別の関係がある者の相続税又は贈与税の負担が不当に減少する結果となると認められる場合を除き、当該支出をした財産の価額は、当該相続又は遺贈に係る相続税の課税価格の計算の基礎に算入しない。</u>（措法70③）

　　（注）1　5の規定は、公益信託に関する法律（令和6年法律第30号）の施行の日以後に支出をする財産に係る相続税について適用する。（令6改法等附54①、1九ハ）
　　　　2　相続又は遺贈（贈与をした者の死亡により効力を生ずる贈与を含む。）により財産を取得した者が当該財産に属する金銭を旧5に規定する特定公益信託（移行認可を受けたものを除く。）の信託財産とするために支出をした場合については、5及び（1）の規定は、なおその効力を有する。この場合において、5中「公益信託ニ関スル法律（大正11年法律第62号）第1条に規定する公益信託で信託の終了の時における信

第一編　相続税

託財産がその信託財産に係る信託の委託者に帰属しないこと及びその信託事務の実施につき政令で定める要件を満たすものであることについて政令で定めるところにより証明がされたもの」とあるのは、「所得税法等の一部を改正する法律（令和６年法律第８号）附則第54条第２項に規定する特定公益信託」とする。（令６改法等附54②）

3　(注)２の規定によりなおその効力を有するものとされる旧５の規定の適用を受けた金銭を受け入れた(注)２の特定公益信託が移行認可を受けた場合には、当該移行認可の日以後は、当該金銭を５の規定の適用を受けた財産とみなして、（1）の規定を適用する。（令６改法等附54③）

（公益信託に該当しなくなった場合の課税）

（1）　**5**の財産を受け入れた公益信託がその受入れの日から２年を経過した日までに終了（信託の併合による終了を除く。）をした場合又は当該公益信託の受託者が当該財産を同日までにその公益信託事務（公益信託に関する法律第７条第３項第４号に規定する公益信託事務をいう。）に関する法律第７条第３項第４号に規定する公益信託事務をいう。）の用に供しない場合若しくは供しなくなった場合には、**5**の規定にかかわらず、当該財産の価額は、**5**の相続又は遺贈に係る相続税の課税価格の計算の基礎に算入する。（措法70④）

(注)　（1）の規定は、公益信託に関する法律（令和６年法律第30号）の施行の日以後に支出をする財産に係る相続税について適用する。（令６改法等附54①、１九ハ）

（保険金又は退職手当金等）

（2）　**5**に規定する相続又は遺贈により取得した財産に属する金銭には、第二章第二節の**二**又は**三**の規定により相続又は遺贈により取得したものとみなされた保険金又は退職手当金等として取得した金銭を含むものとする。

なお、相続税の申告書の提出期限後において、退職手当金等の支給の確定があったときにおける当該退職手当金等については、**1**の（5）の後段の取扱いに準じて取り扱うものとする。（措通70－3－1）

（「相続又は遺贈により取得した財産に属する金銭」の範囲）

（3）　**5**に規定する相続又は遺贈により取得した財産に属する金銭には、次に掲げる場合に該当して取得したそれぞれに掲げる金銭を含むものとして取り扱う。（措通70－3－2）

(一)　相続又は遺贈により取得した証券投資信託又は貸付信託の受益証券について信託期間が満了した場合において、当該満了により取得した金銭

(二)　相続又は遺贈により取得した貸付金債権について弁済期限が到来した場合において、当該弁済により取得した金銭

(三)　相続又は遺贈により取得した預貯金の払戻しを受けた場合において、当該払戻しを受けた金銭

（相続税の課税価格の計算の基礎に算入しない金銭の額）

（4）　（3）に掲げる金銭の支出について**5**の規定を適用する場合においては、**5**の規定により相続税の課税価格に算入しない金銭の額は、当該金銭に係る従前の財産（相続又は遺贈により取得した財産をいい、当該金銭が当該金銭に係る従前の財産の一部であると認められる場合には、その従前の財産のうち当該金銭に対応する部分）の価額によるのであるから留意する。（措通70－3－3）

（香典返しに代えてする贈与）

（5）　相続又は遺贈により財産を取得した者が、弔問者に対する香典返しとしてする物品の供与に代え、香典として取得した金銭等の全部又は一部を国等に贈与した場合におけるその金銭等の贈与については、**1**又は**九**の規定の適用はないのであるから留意する。（措通70－3－4により準用する措通70－1－9）

（相続税の非課税規定に該当しないものについて証明書の提出があった場合）

（6）　**1**又は**九**の規定は、たとえ**3**に規定する書類の提出があった場合であっても、税務署長において**1**又は**九**に規定する要件を満たしていないと認めるときは、適用がないことに留意する。（措通70－3－4により準用する措通70－1－12）

6　贈与財産が公益事業の用に供されなかった場合等の修正申告

1又は**5**の規定の適用を受けてこれらの規定に規定する相続又は遺贈に係る申告書を提出した者（その者の相続人及び包括受遺者を含む。）は、これらの規定の適用を受けた財産について**4**又は**5**の（1）に規定する事由が生じた場合には、これらの規定に規定する２年を経過した日の翌日から４月以内に修正申告書を提出し、かつ、当該期限内に当該修正申告書

－96－

第四章　相続税の課税価格

第一節　相続税の課税方式

　相続税は、本章から第六章及び第三編に定めるところにより、相続又は遺贈により財産を取得した者の被相続人からこれらの事由により財産を取得したすべての者に係る相続税の総額（以下「**相続税の総額**」という。）を計算し、当該相続税の総額を基礎としてそれぞれこれらの事由により財産を取得した者に係る相続税額として計算した金額により、課する。（法11）

第二節　相続税の課税価格

一　相続税の課税価格

1　居住無制限納税義務者に該当する者又は非居住無制限納税義務者に該当する者の課税価格
　相続又は遺贈により財産を取得した者が第一章第二節一の（一）《居住無制限納税義務者》又は同一の（二）《非居住無制限納税義務者》の規定に該当する者である場合においては、その者については、当該相続又は遺贈により取得した財産の価額の合計額をもって、相続税の課税価格とする。（法11の2①）

2　制限納税義務者に該当する者の課税価格
　相続又は遺贈により財産を取得した者が第一章第二節一の（三）《居住制限納税義務者》又は同一の（四）《非居住制限納税義務者》の規定に該当する者である場合においては、その者については、当該相続又は遺贈により取得した財産で相続税法の施行地にあるものの価額の合計額をもって、相続税の課税価格とする。（法11の2②）

3　財産の意義
　相続法に規定する「財産」とは、金銭に見積もることができる経済的価値のあるすべてのものをいうのであるが、なお次に留意する。（基通11の2－1）
（一）　財産には、物権、債権及び無体財産権に限らず、信託受益権、電話加入権等が含まれること。
（二）　財産には、法律上の根拠を有しないものであっても経済的価値が認められているもの、例えば、営業権のようなものが含まれること。
（三）　質権、抵当権又は地役権（区分地上権に準ずる地役権を除く。）のように従たる権利は、主たる権利の価値を担保し、又は増加させるものであって、独立して財産を構成しないこと。

4　遺産が未分割の場合の課税価格の計算
　相続税の課税価格は、相続又は遺贈により取得した財産の価額、四の1《相続開始前3年以内の贈与財産》の規定により相続税の課税価格に加算される財産の価額及び第三編第一章第三節一の（1）《相続税の課税価格》又は同節二の（2）《相続時精算課税の適用を受ける財産の価額》の規定により相続税の課税価格に加算又は算入される金額の合計額をいうのであるが、未分割の遺産がある場合には、二《遺産が未分割の場合の課税価格》の規定を適用して、各相続人又は包括受遺者の課税価格を計算することに留意する。（基通11の2－2）

5　贈与により取得した財産の価額が相続税の課税価格に加算される場合
　相続又は遺贈により財産を取得した者がその相続開始の年において当該相続に係る被相続人からの贈与により取得した財産（被相続人を特定贈与者とする相続時精算課税の適用を受ける財産を除く。）の価額については、第二編第四章の4《相

－99－

続開始の年に被相続人から贈与を受けた財産（特定贈与財産を除く。）の除外》の規定により贈与税の課税価格に算入しないで相続税の課税価格に加算することに留意する。

また、相続開始の年において特定贈与者である被相続人からの贈与により取得した相続時精算課税の適用を受ける財産の価額については、第三編第一章第二節一《課税価格及び特別控除》の規定により贈与税の課税価格に算入される（第二編第六章第一節一の**4**《特定贈与者が贈与をした年の中途において死亡したとき》の規定により当該財産については贈与税の申告を要しない。）とともに、第三編第一章第三節一の（1）《相続税の課税価格》又は同節二の（2）《相続時精算課税の適用を受ける財産の価額》の規定により相続税の課税価格にも加算又は算入されることに留意する。（基通11の2－5）

> （注）1　相続開始の年において当該相続に係る被相続人からの贈与により財産を取得した者が当該財産について相続時精算課税の適用を受けるためには、当該相続開始の年の前年以前の年分の贈与について第三編第一章第一節二の（3）《相続時精算課税選択届出書の提出》に規定する「相続時精算課税選択届出書」（以下「相続時精算課税選択届出書」という。）を提出している場合を除き、当該相続時精算課税選択届出書を提出しなければならないことに留意する。
>
> 　　　2　相続開始の年に特定贈与者である被相続人からの贈与により取得した相続時精算課税の適用を受ける財産について第三編第一章第五節一の（3）《特定贈与者が贈与をした年の中途において死亡したとき》の規定により贈与税の申告を要しない場合において、令和6年1月1日以後に贈与により取得した当該財産につき相続税の課税価格に加算又は算入される金額は、当該財産の価額の合計額から同章第二節一の（1）《相続時精算課税に係る贈与税の基礎控除》（同節三《相続時精算課税に係る贈与税の基礎控除の特例》を含む。）の規定による控除（以下「相続時精算課税に係る基礎控除」という。）をした残額となることに留意する。

6　譲渡担保

いわゆる譲渡担保（金銭消費貸借の担保として当該担保物の所有権を移転したもの又は債務金額によって買戻しする特約のあるものをいう。）については、原則として、次により取り扱うものとする。（基通11の2－6）

（一）　債権者については、債権金額に相当する金額を当該債権者の課税価格計算の基礎に算入し、当該譲渡担保の目的たる財産の価額に相当する金額は、これに算入しないこと。

（二）　債務者については、当該譲渡担保の目的たる財産の価額に相当する金額を当該債務者の課税価格計算の基礎に算入し、債務金額に相当する金額は控除すること。

7　負担付遺贈があった場合の課税価格の計算

負担付遺贈により取得した財産の価額は、負担がないものとした場合における当該財産の価額から当該負担額（当該遺贈のあった時において確実と認められる金額に限る。）を控除した価額によるものとする。（基通11の2－7）

8　停止条件付遺贈があった場合の課税価格の計算

停止条件付の遺贈があった場合において当該条件の成就前に相続税の申告書を提出するとき又は更正若しくは決定をするときは、当該遺贈の目的となった財産については、相続人が民法第900条《法定相続分》から第902条《遺言による相続分の指定》まで及び第903条《特別受益者の相続分》までの規定による相続分によって当該財産を取得したものとしてその課税価格を計算するものとする。ただし、当該財産の分割があり、その分割が当該相続分の割合に従ってなされなかった場合において当該分割により取得した財産を基礎として申告があった場合においては、その申告を認めても差し支えないものとする。（基通11の2－8）

9　代償分割が行われた場合の課税価格の計算

（1）　代償分割の方法により相続財産の全部又は一部の分割が行われた場合における**1**又は**2**の規定による相続税の課税価格の計算は、次に掲げる者の区分に応じ、それぞれ次に掲げるところによるものとする。（基通11の2－9）

（一）　代償財産の交付を受けた者　　相続又は遺贈により取得した現物の財産の価額と交付を受けた代償財産の価額との合計額

（二）　代償財産の交付をした者　　相続又は遺贈により取得した現物の財産の価額から交付をした代償財産の価額を控除した金額

> （注）　「代償分割」とは、共同相続人又は包括受遺者のうち1人又は数人が相続又は包括遺贈により取得した財産の現物を取得し、その現物を取得した者が他の共同相続人又は包括受遺者に対して債務を負担する分割の方法をいうのであるから留意する。

（2）　（1）の（一）及び（二）の代償財産の価額は、代償分割の対象となった財産を現物で取得した者が他の共同相続人又は包括受遺者に対して負担した債務（以下**「代償債務」**という。）の額の相続開始の時における金額によるものとする。（基通11の2－10）

ただし、次に掲げる場合に該当するときは、当該代償財産の価額はそれぞれ次に掲げるところによるものとする。

（一）　共同相続人及び包括受遺者の全員の協議に基づいて代償財産の額を次の（二）に掲げる算式に準じて又は合理的と

－100－

認められる方法によって計算して申告があった場合　　当該申告があった金額

（二）　（一）以外の場合で、代償債務の額が、代償分割の対象となった財産が特定され、かつ、当該財産の代償分割の時における通常の取引価額を基として決定されているとき　　次の算式により計算した金額

$$A \times \frac{C}{B}$$

（注）　算式中の符号は、次のとおりである。

　　　　Aは、代償債務の額

　　　　Bは、代償債務の決定の基となった代償分割の対象となった財産の代償分割の時における価額

　　　　Cは、代償分割の対象となった財産の相続開始の時における価額（評価基本通達の定めにより評価した価額をいう。）

10　小規模宅地等についての相続税の課税価格の計算の特例

（注）　10における用語の定義については、③《用語の定義》を参照。

①　課税価格の計算の特例

　個人が相続又は遺贈により取得した財産のうちに、当該相続の開始の直前において、当該相続若しくは遺贈に係る被相続人又は当該被相続人と生計を一にしていた当該被相続人の親族（以下③において「**被相続人等**」という。）の事業（事業に準ずるものとして（1）の政令で定めるものを含む。以下③において同じ。）の用又は居住の用（居住の用に供することができない事由として（2）の政令で定める事由により相続の開始の直前において当該被相続人の居住の用に供されていなかった場合（（4）の政令で定める用途に供されている場合を除く。）における当該事由により居住の用に供されなくなる直前の当該被相続人の居住の用を含む。②において同じ。）に供されていた宅地等（土地又は土地の上に存する権利をいう。以下③及び11の①の（2）において同じ。）で（5）の財務省令で定める建物又は構築物の敷地の用に供されているもののうち（6）の政令で定めるもの（特定事業用宅地等、特定居住用宅地等、特定同族会社事業用宅地等及び貸付事業用宅地等に限る。以下10において「**特例対象宅地等**」という。）がある場合には、当該相続又は遺贈により財産を取得した者に係る全ての特例対象宅地等のうち、当該個人が取得をした特例対象宅地等又はその一部で①の規定の適用を受けるものとして（7）の政令で定めるところにより選択をしたもの（以下①及び②において「**選択特例対象宅地等**」という。）については、限度面積要件を満たす場合の当該選択特例対象宅地等（以下①において「**小規模宅地等**」という。）に限り、**1**又は**2**に規定する相続税の課税価格に算入すべき価額は、当該小規模宅地等の価額に次の各号に掲げる小規模宅地等の区分に応じ当該（一）から（二）に定める割合を乗じて計算した金額とする。（措法69の4①）

（一）	特定事業用宅地等である小規模宅地等、特定居住用宅地等である小規模宅地等及び特定同族会社事業用宅地等である小規模宅地等	100分の20
（二）	貸付事業用宅地等である小規模宅地等	100分の50

　　（事業に準ずるものとして政令で定めるもの）

（1）　①に規定する事業に準ずるものとして政令で定めるものは、事業と称するに至らない不動産の貸付けその他これに類する行為で相当の対価を得て継続的に行うもの（以下③の表の（一）の（1）《政令で定める事業》及び同表の（四）の（1）《政令で定める貸付事業》において「**準事業**」という。）とする。（措令40の2①）

　　（居住の用に供することができない事由として政令で定める事由）

（2）　①に規定する居住の用に供することができない事由として政令で定める事由は、次に掲げる事由とする。（措令40の2②）

（一）	介護保険法第19条第1項に規定する要介護認定又は同条第二項に規定する要支援認定を受けていた被相続人その他これに類する被相続人として（3）の財務省令で定めるものが次に掲げる住居又は施設に入居又は入所をしていたこと。	
	イ　老人福祉法第5条の2第6項に規定する認知症対応型老人共同生活援助事業が行われる住居、同法第20条の4に規定する養護老人ホーム、同法第20条の5に規定する特別養護老人ホーム、同法第20条の6に規定する軽費老人ホーム又は同法第29条第1項に規定する有料老人ホーム	
	ロ　介護保険法第8条第28項に規定する介護老人保健施設又は同条第29項に規定する介護医療院	
	ハ　高齢者の居住の安定確保に関する法律第5条第1項に規定するサービス付き高齢者向け住宅（イに規定	

—101—

第一編　相続税

する有料老人ホームを除く。）

(二) 障害者の日常生活及び社会生活を総合的に支援するための法律第21条第1項に規定する障害支援区分の認定を受けていた被相続人が同法第5条第11項に規定する障害者支援施設（同条第10項に規定する施設入所支援が行われるものに限る。）又は同条第17項に規定する共同生活援助を行う住居に入所又は入居をしていたこと。

（財務省令で定める被相続人）
（3）　（2）に規定する財務省令で定める被相続人は、相続の開始の直前において、介護保険法施行規則第140条の62の4第2号に該当していた者とする。（措規23の2②）

（政令で定める用途）
（4）　①に規定する政令で定める用途は、①に規定する事業の用又は①に規定する被相続人等（被相続人と（2）の入居又は入所の直前において生計を一にし、かつ、①の建物に引き続き居住している当該被相続人の親族を含む。）以外の者の居住の用とする。（措令40の2③）

（財務省令で定める建物又は構築物）
（5）　①の財務省令で定める建物又は構築物は、次に掲げる建物又は構築物以外の建物又は構築物とする。（措規23の2①）
（一）　温室その他の建物で、その敷地が耕作（農地法第43条第1項の規定により耕作に該当するものとみなされる農作物の栽培を含む。（二）において同じ。）の用に供されるもの
（二）　暗渠その他の構築物で、その敷地が耕作の用又は耕作若しくは養畜のための採草若しくは家畜の放牧の用に供されるもの

（被相続人等の事業の用又は居住の用に供されていた宅地等のうち政令で定めるもの）
（6）　①に規定する被相続人等の事業の用又は居住の用に供されていた宅地等のうち政令で定めるものは、相続の開始の直前において、当該被相続人等の①に規定する事業の用又は居住の用（同①に規定する居住の用をいう。以下10において同じ。）に供されていた宅地等のうち所得税法第2条第1項第16号に規定する棚卸資産又は同法第35条第1項に規定する雑所得の基因となる宅地等に該当しない宅地等とし、これらの宅地等のうちに当該被相続人等の①に規定する事業の用及び居住の用以外の用に供されていた部分があるときは、当該被相続人等の①に規定する事業の用又は居住の用に供されていた部分（当該居住の用に供されていた部分が被相続人の居住の用に供されていた一棟の建物（建物の区分所有等に関する法律第1条の規定に該当する建物を除く。）に係るものである場合には、当該一棟の建物の敷地の用に供されていた宅地等のうち当該被相続人の親族の居住の用に供されていた部分を含む。）に限るものとする。（措令40の2④、措規23の2③）

（特例対象宅地等のうち特例の適用を受けるものの選択）
（7）　①に規定する個人が相続又は遺贈（贈与をした者の死亡により効力を生ずる贈与を含む。）により取得した①に規定する特例対象宅地等のうち、①の規定の適用を受けるものの選択は、次に掲げる書類の全てを⑦に規定する相続税の申告書に添付してするものとする。ただし、当該相続若しくは遺贈又は贈与（当該相続に係る被相続人からの贈与〔贈与をした者の死亡により効力を生ずる贈与を除く。〕であって当該贈与により取得した財産につき第三編第一章第一節二《相続時精算課税制度の選択》の（1）の規定の適用を受けるものに係る贈与に限る。④の（2）及び11《特定計画山林についての相続税の課税価格の計算の特例》（11の①の（3）を除く。）において同じ。）により特例対象宅地等、11の②の（四）に規定する特定計画山林のうち同（四）のイに掲げるもの（以下10において「**特例対象山林**」という。）及び当該特定計画山林のうち同（四）のロに掲げるもの（以下「特例対象受贈山林」という。）並びに第六編第三章第一節の2の（一）に規定する特定事業用資産のうち同（一）のイに掲げるもの（以下（7）において「猶予対象宅地等」という。）及び同編第二章の1（同1の（1）の規定により読み替えて適用する場合を含む。）の規定により相続又は遺贈により取得したものとみなされた同編第一章第一節の1に規定する特例受贈事業用資産（以下（7）において「特例受贈事業用資産」という。）のうち同節の2の（一）のイに掲げるもの（同節の1の規定の適用に係る贈与により取得をした同節の2の（一）のイに規定する宅地等（以下（7）において「受贈宅地等」という。）の譲渡につき同章第五節の3の承認があった場合における同3の（三）の規定により同章第一節の1の規定の適用を受ける特例受贈事業用資産とみなされた資産及び受贈宅地等又は当該特例受贈事業用資産とみなされた資産の現物出資による移転につき同章第五節の4の承認があった場合における同4の規定

－102－

第四章　相続税の課税価格

により特例受贈事業用資産とみなされた株式又は持分を含む。以下（7）において「猶予対象受贈宅地等」という。）の全てを取得した個人が1人である場合には、（一）及び（二）に掲げる書類とする。（措令40の2⑤）

（一）	当該特例対象宅地等を取得した個人がそれぞれ①の規定の適用を受けるものとして選択をしようとする当該特例対象宅地等又はその一部について①の（一）から（二）に掲げる小規模宅地等の区分その他の明細を記載した書類
（二）	当該特例対象宅地等を取得した全ての個人に係る（一）の選択をしようとする当該特例対象宅地等又はその一部の全てが②に規定する限度面積要件を満たすものである旨を記載した書類
（三）	当該特例対象宅地等、当該特例対象山林若しくは当該特例対象受贈山林又は当該猶予対象宅地等若しくは当該猶予対象受贈宅地等を取得した全ての個人の（一）の選択についての同意を証する書類

（加算対象贈与財産及び相続時精算課税の適用を受ける財産）
（8）　①に規定する特例対象宅地等（以下11の③の（6）までにおいて「特例対象宅地等」という。）には、被相続人から贈与（贈与をした者の死亡により効力を生ずべき贈与（以下「死因贈与」という。）を除く。以下同じ。）により取得したものは含まれないため、**四**の1《相続開始前7年以内の贈与財産》に規定する加算対象贈与財産（以下「加算対象贈与財産」という。）及び相続時精算課税（第三編第一章第一節**二**《相続時精算課税制度の選択》の（1）の規定（第三編第一章第一節**三**《相続時精算課税適用者の特例》、第六編第一章第八節《個人の事業用資産についての贈与税の納税猶予及び免除に係る相続時精算課税適用者の特例》（第七編第四章第九節《非上場株式等についての贈与税の納税猶予及び免除の特例に係る相続時精算課税適用者の特例》において準用する場合を含む。）又は第三編第二章《特定の贈与者から住宅取得等資金の贈与を受けた場合の相続時精算課税の特例》において準用する場合を含む。）をいう。以下同じ。）の適用を受ける財産については、①の規定の適用はないことに留意する。（措通69の4－1）

（配偶者居住権等）
（9）　特例対象宅地等には、配偶者居住権は含まれないが、個人が相続又は遺贈（死因贈与を含む。以下同じ。）により取得した、配偶者居住権に基づく敷地利用権（配偶者居住権の目的となっている建物等（（5）に規定する建物又は構築物をいう。以下③の（18）までにおいて同じ。）の敷地の用に供される宅地等（土地又は土地の上に存する権利で、建物等の敷地の用に供されているものに限る。以下③の（24）までにおいて同じ。）を当該配偶者居住権に基づき使用する権利をいう。以下③の（17）までにおいて同じ。）及び配偶者居住権の目的となっている建物等の敷地の用に供される宅地等が含まれることに留意する。

　　なお、①の規定の適用を受けるものとしてその全部又は一部の選択をしようとする特例対象宅地等が配偶者居住権に基づく敷地利用権又は当該敷地の用に供される宅地等の全部又は一部である場合の当該特例対象宅地等の面積は、（22）の規定により、それぞれ次の算式により計算された面積であるものとみなして①の規定が適用されることに留意する。したがって、②の限度面積要件については、当該算式に基づき計算された面積により判定を行うことに留意する。

　　この場合において、配偶者居住権の設定に係る相続又は遺贈により、当該相続に係る被相続人の配偶者が配偶者居住権及び当該敷地の用に供される宅地等（当該被相続人の所有していた宅地等が当該相続又は遺贈により数人の共有に属することとなった場合のその共有持分を除く。）のいずれも取得したときの当該敷地の用に供される宅地等については、（22）の規定の適用はないことに留意する。（措通69の4－1の2）

（算式）
1　配偶者居住権に基づく敷地利用権の面積

$$特例対象宅地等の面積 \times \frac{当該敷地利用権の価額}{当該敷地利用権の価額及び当該敷地の用に供される宅地等の価額の合計額}$$

2　当該敷地の用に供される宅地等の面積

$$特例対象宅地等の面積 \times \frac{当該敷地の用に供される宅地等の価額}{当該敷地利用権の価額及び当該敷地の用に供される宅地等の価額の合計額}$$

（信託に関する権利）
（10）　特例対象宅地等には、個人が相続又は遺贈により取得した信託に関する権利（第二章第三節**五**の**1**の⑤ただし書に規定する信託に関する権利及び同**五**の**2**の②又は同**②**の（1）の信託の受託者が、これらの規定により遺贈により取得し

－103－

第一編　相続税

たものとみなされる信託に関する権利を除く。）で、当該信託の目的となっている信託財産に属する宅地等が、当該相続の開始の直前において当該相続又は遺贈に係る被相続人又は被相続人と生計を一にしていたその被相続人の親族（以下❸の(24)までにおいて「被相続人等」という。）の❶に規定する事業の用又は居住の用に供されていた宅地等であるものが含まれることに留意する。（措通69の４−２）

　（公共事業の施行により従前地及び仮換地について使用収益が禁止されている場合）

(11)　特例対象宅地等には、個人が被相続人から相続又は遺贈により取得した被相続人等の居住用等（事業（（１）に規定する準事業を含む。以下(14)までにおいて同じ。）の用又は居住の用をいう。以下(11)において同じ。）に供されていた宅地等（以下(11)において「**従前地**」という。）で、公共事業の施行による土地区画整理法（昭和29年法律第119号）第３章第３節《仮換地の指定》に規定する仮換地の指定に伴い、当該相続の開始の直前において従前地及び仮換地の使用収益が共に禁止されている場合で、当該相続の開始の時から相続税の申告書の提出期限（以下❻の(10)までにおいて「申告期限」という。）までの間に当該被相続人等が仮換地を居住用等に供する予定がなかったと認めるに足りる特段の事情がなかったものが含まれることに留意する。（措通69の４−３）

　　(注)　被相続人等が仮換地を居住用等に供する予定がなかったと認めるに足りる特段の事情とは、例えば、次に掲げる事情がある場合をいうことに留意する。
　　①　従前地について売買契約を締結していた場合
　　②　被相続人等の居住用等に供されていた宅地等に代わる宅地等を取得（売買契約中のものを含む。）していた場合
　　③　従前地又は仮換地について相続税法第６章《延納又は物納》に規定する物納の申請をし又は物納の許可を受けていた場合

　（被相続人等の事業の用に供されていた宅地等の範囲）

(12)　❶に規定する被相続人等の事業の用に供されていた宅地等（以下❸の（６）までにおいて「事業用宅地等」という。）とは、次に掲げる宅地等（相続の開始の直前において配偶者居住権に基づき使用又は収益されていた建物等の敷地の用に供されていたものを除く（当該宅地等については(13)参照）。）をいうものとする。（措通69の４−４）

　（一）　他に貸し付けられていた宅地等（当該貸付けが事業に該当する場合に限る。）
　（二）　（一）に掲げる宅地等を除き、被相続人等の事業の用に供されていた建物等で、被相続人等が所有していたもの又は被相続人の親族（被相続人と生計を一にしていたその被相続人の親族を除く。（(13)において「その他親族」という。））が所有していたもの（被相続人等が当該建物等を当該その他親族から無償〔相当の対価に至らない程度の対価の授受がある場合を含む。以下❻の（７）までにおいて同じ。〕で借り受けていた場合における当該建物等に限る。）の敷地の用に供されていたもの

　（宅地等が配偶者居住権の目的となっている建物等の敷地である場合の被相続人等の事業の用に供されていた宅地等の範囲）

(13)　相続又は遺贈により取得した宅地等が、当該相続の開始の直前において配偶者居住権に基づき使用又は収益されていた建物等の敷地の用に供されていたものである場合には、当該宅地等のうち、次に掲げる宅地等が事業用宅地等に該当するものとする。（措通69の４−４の２）

　（一）　他に貸し付けられていた宅地等（当該貸付けが事業に該当する場合に限る。）
　（二）　（一）に掲げる宅地等を除き、被相続人等の事業の用に供されていた建物等（被相続人等又はその他親族が所有していた建物等をいう。以下（二）において同じ。）で、被相続人等が配偶者居住権者（当該配偶者居住権を有する者をいう。以下❸の(15)までにおいて同じ。）であるもの又はその他親族が配偶者居住権者であるもの（被相続人等が当該建物等を配偶者居住権者である当該その他親族から無償で借り受けていた場合における当該建物等に限る。）の敷地の用に供されていたもの

　（事業用建物等の建築中等に相続が開始した場合）

(14)　被相続人等の事業の用に供されている建物等の移転又は建替えのため当該建物等を取り壊し、又は譲渡し、これらの建物等に代わるべき建物等（被相続人又は被相続人の親族の所有に係るものに限る。）の建築中に、又は当該建物等の取得後被相続人等が事業の用に供する前に被相続人について相続が開始した場合で、当該相続開始直前において当該被相続人等の当該建物等に係る事業の準備行為の状況からみて当該建物等を速やかにその事業の用に供することが確実であったと認められるときは、当該建物等の敷地の用に供されていた宅地等は、事業用宅地等に該当するものとして取り扱う。

　なお、当該被相続人と生計を一にしていたその被相続人の親族又は当該建物等若しくは当該建物等の敷地の用に供されていた宅地等を相続若しくは遺贈により取得した当該被相続人の親族が、当該建物等を相続税の申告期限までに事業

−104−

第四章　相続税の課税価格

の用に供しているとき（申告期限において当該建物等を事業の用に供していない場合であっても、それが当該建物等の規模等からみて建築に相当の期間を要することによるものであるときは、当該建物等の完成後速やかに事業の用に供することが確実であると認められるときを含む。）は、当該相続開始直前において当該被相続人等が当該建物等を速やかにその事業の用に供することが確実であったものとして差し支えない。（措通69の４－５）

(注)　当該建築中又は取得に係る建物等のうちに被相続人等の事業の用に供されると認められる部分以外の部分があるときは、事業用宅地等の部分は、当該建物等の敷地のうち被相続人等の事業の用に供されると認められる当該建物等の部分に対応する部分に限られる。

　　　（使用人の寄宿舎等の敷地）
(15)　被相続人等の営む事業に従事する使用人の寄宿舎等（被相続人等の親族のみが使用していたものを除く。）の敷地の用に供されていた宅地等は、被相続人等の当該事業に係る事業用宅地等に当たるものとする。（措通69の４－６）

　　　（被相続人等の居住の用に供されていた宅地等の範囲）
(16)　①に規定する被相続人等の居住の用に供されていた宅地等（以下(20)までにおいて「居住用宅地等」という。）とは、次に掲げる宅地等（相続の開始の直前において配偶者居住権に基づき使用又は収益されていた建物等の敷地の用に供されていたものを除く（当該宅地等については(17)参照）。）をいうものとする。（措通69の４－７）
　(一)　相続の開始の直前において、被相続人等の居住の用に供されていた家屋で、被相続人が所有していたもの（被相続人と生計を一にしていたその被相続人の親族が居住の用に供していたものである場合には、当該親族が被相続人から無償で借り受けていたものに限る。）又は被相続人の親族が所有していたもの（当該家屋を所有していた被相続人の親族が当該家屋の敷地を被相続人から無償で借り受けており、かつ、被相続人等が当該家屋を当該親族から借り受けていた場合には、無償で借り受けていたときにおける当該家屋に限る。）の敷地の用に供されていた宅地等
　(二)　(2)に定める事由により被相続人の居住の用に供されなくなる直前まで、被相続人の居住の用に供されていた家屋で、被相続人が所有していたもの又は被相続人の親族が所有していたもの（当該家屋を所有していた被相続人の親族が当該家屋の敷地を被相続人から無償で借り受けており、かつ、被相続人が当該家屋を当該親族から借り受けていた場合には、無償で借り受けていたときにおける当該家屋に限る。）の敷地の用に供されていた宅地等（被相続人の居住の用に供されなくなった後、①に規定する事業の用又は新たに被相続人等以外の者の居住の用に供された宅地等を除く。）

(注)　上記(一)及び(二)の宅地等のうちに被相続人等の居住の用以外の用に供されていた部分があるときは、当該被相続人等の居住の用に供されていた部分に限られるのであるが、当該居住の用に供されていた部分が、被相続人の居住の用に供されていた１棟の建物（建物の区分所有等に関する法律（昭和37年法律第69号）第１条の規定に該当する建物を除く。）に係るものである場合には、当該１棟の建物の敷地の用に供されていた宅地等のうち当該被相続人の親族の居住の用に供されていた部分が含まれることに留意する。((17)の(一)及び(二)に掲げる宅地等についても同じ。)

　　　（宅地等が配偶者居住権の目的となっている家屋の敷地である場合の被相続人等の居住の用に供されていた宅地等の範囲）
(17)　相続又は遺贈により取得した宅地等が、当該相続の開始の直前において配偶者居住権に基づき使用又は収益されていた家屋の敷地の用に供されていたものである場合には、当該宅地等のうち、次に掲げる宅地等が居住用宅地等に該当するものとする。（措通69の４－７の２）
　(一)　相続の開始の直前において、被相続人等の居住の用に供されていた家屋（被相続人又は被相続人の親族が配偶者居住権者である場合のその配偶者居住権の目的となっている家屋をいう。以下(一)において同じ。）で、被相続人が所有していたもの（当該被相続人等が当該家屋を当該配偶者居住権者から借り受けていた場合には、無償で借り受けていたときにおける当該家屋に限る。）又は被相続人の親族が所有していたもの（当該家屋を所有していた被相続人の親族が当該家屋の敷地を被相続人から無償で借り受けており、かつ、当該被相続人等が当該家屋を当該配偶者居住権者から借り受けていた場合には、無償で借り受けていたときにおける当該家屋に限る。）の敷地の用に供されていた宅地等
　(二)　(2)に定める事由により被相続人の居住の用に供されなくなる直前まで、被相続人の居住の用に供されていた家屋（被相続人又は被相続人の親族が配偶者居住権者である場合のその配偶者居住権の目的となっている家屋をいう。以下(二)において同じ。）で、被相続人が所有していたもの（当該被相続人が当該家屋を当該配偶者居住権者から借り受けていた場合には、無償で借り受けていたときにおける当該家屋に限る。）又は被相続人の親族が所有していたもの（当該家屋を所有していた被相続人の親族が当該家屋の敷地を被相続人から無償で借り受けており、かつ、当該被相続人が当該家屋を当該配偶者居住権者から借り受けていた場合には、無償で借り受けていたときにおける当該家屋に限る。）の敷地の用に供されていた宅地等（被相続人の居住の用に供されなくなった後、①に規定する事業の用又は新た

－105－

第一編　相続税

に被相続人等以外の者の居住の用に供された宅地等を除く。）

（要介護認定等の判定時期）
(18)　被相続人が、(2)の(一)に規定する要介護認定若しくは要支援認定又は(2)の(二)に規定する障害支援区分の認定を受けていたかどうかは、当該被相続人が、当該被相続人の相続の開始の直前において当該認定を受けていたかにより判定するのであるから留意する。（措通69の4－7の3）

（建物の区分所有等に関する法律第1条の規定に該当する建物）
(19)　(6)及び**❸**の(二)の(3)に規定する「建物の区分所有等に関する法律第1条の規定に該当する建物」とは、区分所有建物である旨の登記がされている建物をいうことに留意する。（措通69の4－7の4）
（注）　上記の区分所有建物とは、被災区分所有建物の再建等に関する特別措置法（平成7年3月24日法律第43号）第2条に規定する区分所有建物をいうことに留意する。

（居住用建物の建築中等に相続が開始した場合）
(20)　被相続人等の居住の用に供されると認められる建物（被相続人又は被相続人の親族の所有に係るものに限る。）の建築中に、又は当該建物の取得後被相続人等が居住の用に供する前に被相続人について相続が開始した場合には、当該建物の敷地の用に供されていた宅地等が居住用宅地等に当たるかどうか及び居住用宅地等の部分については、(14)に準じて取り扱う。（措通69の4－8）
（注）　上記の取扱いは、相続の開始の直前において被相続人等が自己の居住の用に供している建物（被相続人等の居住の用に供されると認められる建物の建築中等に限り一時的に居住の用に供していたにすぎないと認められる建物を除く。）を所有していなかった場合に限り適用があるのであるから留意する。

（店舗兼住宅等の敷地の持分の贈与について贈与税の配偶者控除等の適用を受けたものの居住の用に供されていた部分の範囲）
(21)　①の規定の適用がある店舗兼住宅等の敷地の用に供されていた宅地等で、相続の開始の年の前年以前に被相続人からその持分の贈与につき第二編第五章第二節の**1**《贈与税の配偶者控除》の規定による贈与税の配偶者控除の適用を受けたもの（同第二節の**2**の(3)《店舗兼住宅等の持分の贈与があった場合の居住用部分の判定》のただし書の取扱いを適用して贈与税の申告があったものに限る。）又は相続の開始の年に被相続人からのその持分の贈与につき**四**の**2**《特定贈与財産》の規定により特定贈与財産に該当することとなったもの（同**2**の(10)《店舗兼住宅等の持分の贈与を受けた場合の特定贈与財産の判定》の後段の取扱いを適用して相続税の申告があったものに限る。）であっても、(6)に規定する被相続人等の居住の用に供されていた部分の判定は、当該相続の開始の直前における現況によって行うのであるから留意する。（措通69の4－9）

（配偶者居住権の目的となっている建物の敷地の用に供される宅地等が特例対象宅地等である場合）
(22)　①の規定の適用を受けるものとしてその全部又は一部の選択をしようとする特例対象宅地等が配偶者居住権の目的となっている建物の敷地の用に供される宅地等又は当該宅地等を配偶者居住権に基づき使用する権利の全部又は一部である場合には、当該特例対象宅地等の面積は、当該面積に、それぞれ当該敷地の用に供される宅地等の価額又は当該権利の価額がこれらの価額の合計額のうちに占める割合を乗じて得た面積であるものとみなして、①の規定を適用する。（措令40の2⑥）

②　限度面積要件
①に規定する限度面積要件は、当該相続又は遺贈により特例対象宅地等を取得した者に係る次の(一)から(三)に掲げる選択特例対象宅地等の区分に応じ、当該(一)から(三)に定める要件とする。（措法69の4②）

(一)	特定事業用宅地等又は特定同族会社事業用宅地等（(三)のイにおいて「**特定事業用等宅地等**」という。）である選択特例対象宅地等	当該選択特例対象宅地等の面積の合計が400平方メートル以下であること。
(二)	特定居住用宅地等である選択特例対象宅地等	当該選択特例対象宅地等の面積の合計が330平方メートル以下であること。
(三)	貸付事業用宅地等である選択特例対象	次のイ、ロ及びハの規定により計算した面積の合計が200平方メートル以下

－106－

| 宅地等 | であること。
イ　特定事業用等宅地等である選択特例対象宅地等がある場合の当該選択特例対象宅地等の面積を合計した面積に400分の200を乗じて得た面積
ロ　特定居住用宅地等である選択特例対象宅地等がある場合の当該選択特例対象宅地等の面積を合計した面積に330分の200を乗じて得た面積
ハ　貸付事業用宅地等である選択特例対象宅地等の面積を合計した面積 |

（選択特例対象宅地等のうちに貸付事業用宅地等がある場合の限度面積要件）
（１）②の表の（三）の要件に該当する場合を算式で示せば、次のとおりである。（措通69の4－10）

$$A \times \frac{200}{400} + B \times \frac{200}{330} + C \leqq 200㎡$$

(注)　算式中の符号は、次のとおりである。
　Aは、当該相続又は遺贈により財産を取得した者に係るすべての①に規定する選択特例対象宅地等（以下(2)までにおいて「選択特例対象宅地等」という。）である②の(一)に規定する特定事業用等宅地等の面積の合計
　Bは、当該相続又は遺贈により財産を取得した者に係るすべての選択特例対象宅地等である③の(二)に規定する特定居住用宅地等の面積の合計
　Cは、当該相続又は遺贈により財産を取得した者に係るすべての選択特例対象宅地等である③の(四)に規定する貸付事業用宅地等の面積の合計

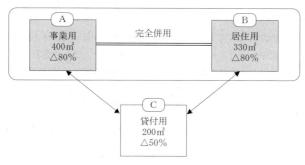

※（１）の限度面積の調整計算を例示すると次のとおりである。（編者注）
　〔設定条件〕　特定事業用宅地等の面積(A)　　240㎡
　　　　　　　特定居住用宅地等の面積(B)　　120㎡
　　　　　　　貸付事業用宅地等の面積(C)　　 80㎡

① A→B→Cの順に選択する場合
　　A　　240㎡＜400㎡　　　　　　　　　　　　　　　　　　　∴240㎡全部の選択が可能
　　B　　120㎡＜330㎡　　　　　　　　　　　　　　　　　　　∴120㎡全部の選択が可能
　　C　　$200㎡ － 240㎡(A) \times \frac{200}{400} － 120㎡(B) \times \frac{200}{330} = 7.28㎡ ＜ 80㎡$　　∴7.28㎡まで選択可能

② A→C→Bの順に選択する場合
　　A　　240㎡＜400㎡　　　　　　　　　　　　　　　　　　　∴240㎡全部の選択が可能
　　C　　$200㎡ － 240㎡(A) \times \frac{200}{400} = 80㎡ \leqq 80㎡$　　　　　　　　　　∴80㎡全部の選択が可能
　　B　　$240㎡(A) \times \frac{200}{400} + 80㎡(C) = 200㎡$　　　　　　　　　　　　　　∴選択不可

③ B→A→Cの順に選択する場合
　　B　　120㎡＜330㎡　　　　　　　　　　　　　　　　　　　∴120㎡全部の選択が可能
　　A　　240㎡＜400㎡　　　　　　　　　　　　　　　　　　　∴240㎡全部の選択が可能
　　C　　$200㎡ － 120㎡(B) \times \frac{200}{330} － 240㎡(A) \times \frac{200}{400} = 7.28㎡ ＜ 80㎡$　　∴7.28㎡まで選択可能

④ B→C→Aの順に選択する場合
　　B　　120㎡＜330㎡　　　　　　　　　　　　　　　　　　　∴120㎡全部の選択が可能
　　C　　$200㎡ － 120㎡(B) \times \frac{200}{330} = 127.28㎡ ＞ 80㎡$　　　　　　　　∴80㎡全部の選択が可能
　　A　　$(200㎡ － 120㎡(B) \times \frac{200}{330} － 80㎡(C)) \times \frac{400}{200} = 94.56㎡ ＜ 240㎡$　∴94.56㎡まで選択可能

⑤ C→A→Bの順に選択する場合
　　C　　80㎡＜200㎡　　　　　　　　　　　　　　　　　　　　∴80㎡全部の選択が可能
　　A　　$(200㎡ － 80㎡(C)) \times \frac{400}{200} = 240㎡ \leqq 240㎡$　　　　　　　　　　∴240㎡全部の選択が可能
　　B　　$240㎡(A) \times \frac{200}{400} + 80㎡(C) = 200㎡$　　　　　　　　　　　　　　∴選択不可

第一編　相続税

⑥　C→B→Aの順に選択する場合

C　　　　80㎡＜200㎡　　　　　　　　　　　　　　　　　　　∴80㎡全部の選択が可能

B　　　　$(200㎡-80㎡(C))\times\frac{330}{200}=198㎡>120㎡$　　　∴120㎡全部の選択が可能

A　　　　$(200㎡-80㎡(C))-120㎡(B)\times\frac{200}{330})\times\frac{400}{200}=94.56㎡＜240㎡$　∴94.56㎡まで選択可能

（限度面積要件を満たさない場合）

（２）　選択特例対象宅地等が②に規定する限度面積要件を満たしていない場合は、その選択特例対象宅地等のすべてについて①の適用がないことに留意する。

　　なお、この場合、その後の国税通則法第18条第２項に規定する期限後申告書及び同法第19条第３項に規定する修正申告書において、その選択特例対象宅地等が限度面積要件を満たすこととなったときは、その選択特例対象宅地等について①の適用がある（（３）に規定する場合を除く。）ことに留意する。(措通69の４－11)

（小規模宅地等の特例、特定計画山林の特例又は個人の事業用資産についての納税猶予及び免除を重複適用する場合に限度額要件等を満たさないとき）

（３）　①に規定する小規模宅地等、11の①《特定計画山林についての相続税の課税価格の計算の特例》に規定する選択特定計画山林又は第六編第三章第一節の１《個人の事業用資産についての相続税の納税猶予及び免除》に規定する特例事業用資産のうち同節の２の（一）のイに掲げるもの（11の①の（8）までにおいて「猶予対象宅地等」という。）について、①、11の①又は第六編第三章第一節の１の規定の適用を重複して受けようとする場合において、その選択特定計画山林の価額が11の①の（２）（11の①の（３）の規定の適用がある場合を含む。）に規定する限度額（69の５－12参照）を超えるとき又はその猶予対象宅地等の面積が第六編第三章第一節の２の（一）のイに規定する限度面積（70の６の10－17参照）を超えるときは、その小規模宅地等の全てについて①の規定の適用はないことに留意する。

　　なお、この場合、その後の国税通則法第18条第２項に規定する期限後申告書及び同法第19条第３項に規定する修正申告書において、当該限度額又は当該限度面積を超えないこととなったときは、その小規模宅地等について①の規定の適用があることに留意する。(措通69の４－12)

(注)１　上記の限度額を超える場合における当該選択特定計画山林及び上記の限度面積を超える場合における当該猶予対象宅地等は、その全てについて11の①及び第六編第三章第一節の１の規定の適用もないことに留意する（69の５－13及び70の６の10－18参照）。

　　２　上記の「猶予対象宅地等」には、①の（7）に規定する猶予対象受贈宅地等を含むことに留意する。

③　用語の定義

10において、次に掲げる用語の意義は、それぞれ次に定めるところによる。(措法69の４③)

（一） 特定事業用宅地等		被相続人等の事業（不動産貸付業その他（1）の政令で定めるものを除く。以下（一）及び（三）において同じ。）の用に供されていた宅地等で、次に掲げる要件のいずれかを満たす当該被相続人の親族（当該親族から相続又は遺贈により当該宅地等を取得した当該親族の相続人を含む。イ及び（四）（ロを除く。）において同じ。）が相続又は遺贈により取得したもの（相続開始前３年以内に新たに事業の用に供された宅地等（（2）の政令で定める規模以上の事業を行っていた被相続人等の当該事業の用に供されたものを除く。）を除き、（3）の政令で定める部分に限る。）をいう。
	イ	当該親族が、相続開始時から相続税法第27条、第29条又は第31条第２項の規定による申告書の提出期限（以下③において「**申告期限**」という。）までの間に当該宅地等の上で営まれていた被相続人の事業を引き継ぎ、申告期限まで引き続き当該宅地等を有し、かつ、当該事業を営んでいること。
	ロ	当該被相続人の親族が当該被相続人と生計を一にしていた者であって、相続開始時から申告期限（当該親族が申告期限前に死亡した場合には、その死亡の日。（四）のイを除き、以下③において同じ。）まで引き続き当該宅地等を有し、かつ、相続開始前から申告期限まで引き続き当該宅地等を自己の事業の用に供していること。

(注)　平成31年４月１日から令和４年３月31日までの間に相続又は遺贈により取得する①に規定する宅地等に係る上記の規定の適用については、上記中「相続開始前３年以内」とあるのは、「平成31年４月１日以後」とする。(平31改所法等附79②)

（政令で定める事業）

（1）　上記及び（四）の政令で定める事業は、駐車場業、自転車駐車場業及び準事業とする。（措

－108－

令40の2⑦)

　　（政令で定める規模以上の事業）
（２）　上記の政令で定める規模以上の事業は、上記に規定する新たに事業の用に供された宅地
　　等の相続の開始の時における価額に対する当該事業の用に供されていた次に掲げる資産（当
　　該資産のうちに当該事業の用以外の用に供されていた部分がある場合には、当該事業の用に
　　供されていた部分に限る。）のうち❶に規定する被相続人等が有していたものの当該相続の開
　　始の時における価額の合計額の割合が100分の15以上である場合における当該事業とする。
　　（措令40の2⑧）
　　（一）　当該宅地等の上に存する建物（その附属設備を含む。）又は構築物
　　（二）　所得税法第２条《定義》第１項第19号に規定する減価償却資産で当該宅地等の上で行
　　　われる当該事業に係る業務の用に供されていたもの（（一）に掲げるものを除く。）

　　　（政令で定める部分）
（３）　上記の政令で定める部分は、上記に規定する被相続人等の事業の用に供されていた宅地
　　等のうち上記に定める要件に該当する部分（上記のイ又はロに掲げる要件に該当する上記に
　　規定する被相続人の親族が相続又は遺贈により取得した持分の割合に応ずる部分に限る。）と
　　する。（措令40の2⑩⑱）

　　　（新たに事業の用に供された宅地等に該当しないもの）
（４）　被相続人が相続開始前３年以内に開始した相続又はその相続に係る遺贈により上記に規
　　定する事業の用に供されていた宅地等を取得し、かつ、その取得の日以後当該宅地等を引き
　　続き上記に規定する事業の用に供していた場合における当該宅地等は、上記の新たに事業の
　　用に供された宅地等に該当しないものとする。（措令40の2⑨）

（二）	**特定居住用宅地等**	被相続人等の居住の用に供されていた宅地等（当該宅地等が２以上ある場合には、（１）の政令で定める宅地等に限る。）で、当該被相続人の配偶者又は次に掲げる要件のいずれかを満たす当該被相続人の親族（当該被相続人の配偶者を除く。以下（二）において同じ。）が相続又は遺贈により取得したもの（（２）の政令で定める部分に限る。）をいう。	
		イ	当該親族が相続開始の直前において当該宅地等の上に存する当該被相続人の居住の用に供されていた一棟の建物（当該被相続人、当該被相続人の配偶者又は当該親族の居住の用に供されていた部分として（３）の政令で定める部分に限る。）に居住していた者であって、相続開始時から申告期限まで引き続き当該宅地等を有し、かつ、当該建物に居住していること。
		ロ	当該親族（当該被相続人の居住の用に供されていた宅地等を取得した者であって（４）の財務省令で定めるものに限る。）が次に掲げる要件の全てを満たすこと（当該被相続人の配偶者又は相続開始の直前において当該被相続人の居住の用に供されていた家屋に居住していた親族で（５）の政令で定める者がいない場合に限る。）。 （イ）　相続開始前３年以内に相続税法の施行地内にある当該親族、当該親族の配偶者、当該親族の３親等内の親族又は当該親族と特別の関係がある法人として（６）の政令で定める法人が所有する家屋（相続開始の直前において当該被相続人の居住の用に供されていた家屋を除く。）に居住したことがないこと。 （ロ）　当該被相続人の相続開始時に当該親族が居住している家屋を相続開始前のいずれの時においても所有していたことがないこと。 （ハ）　相続開始時から申告期限まで引き続き当該宅地等を有していること。
		ハ	当該親族が当該被相続人と生計を一にしていた者であって、相続開始時から申告期限まで引き続き当該宅地等を有し、かつ、相続開始前から申告期限まで引き続き当該宅地等を自己の居住の用に供していること。

第一編　相続税

　　　　（政令で定める宅地等）
（1）　上記に規定する政令で定める宅地等は、次の（一）から（三）に掲げる場合の区分に応じ当
　　　該（一）から（三）に定める宅地等とする。（措令40の2⑪）
（一）　被相続人の居住の用に供されていた宅地等が二以上ある場合（（三）に掲げる場合を除
　　　く。）　　当該被相続人が主としてその居住の用に供していた一の宅地等
（二）　被相続人と生計を一にしていた当該被相続人の親族の居住の用に供されていた宅地等
　　　が2以上ある場合（（三）に掲げる場合を除く。）　　当該親族が主としてその居住の用に供
　　　していた一の宅地等（当該親族が2人以上ある場合には、当該親族ごとにそれぞれ主とし
　　　てその居住の用に供していた一の宅地等。（三）において同じ。）
（三）　被相続人及び当該被相続人と生計を一にしていた当該被相続人の親族の居住の用に供
　　　されていた宅地等が2以上ある場合　　次に掲げる場合の区分に応じそれぞれ次に定める
　　　宅地等
　　　イ　当該被相続人が主としてその居住の用に供していた一の宅地等と当該親族が主として
　　　　その居住の用に供していた一の宅地等とが同一である場合　　当該一の宅地等
　　　ロ　イに掲げる場合以外の場合　　当該被相続人が主としてその居住の用に供していた一
　　　　の宅地等及び当該親族が主としてその居住の用に供していた一の宅地等

　　　　（政令で定める部分）
（2）　上記に規定する政令で定める部分は、上記に規定する被相続人等の居住の用に供されて
　　　いた宅地等のうち、上記の被相続人の配偶者が相続若しくは遺贈により取得した持分の割合
　　　に応ずる部分又は上記に定める要件に該当する部分（上記のイからハまでに掲げる要件に該
　　　当する上記に規定する被相続人の親族が相続又は遺贈により取得した持分の割合に応ずる部
　　　分に限る。）とする。（措令40の2⑫）

　　　　（政令で定める部分）
（3）　イに規定する政令で定める部分は、次の（一）又は（二）に掲げる場合の区分に応じ当該
　　　（一）又は（二）に定める部分とする。（措令40の2⑬）

（一）	被相続人の居住の用に供されていた一棟の建物が建物の区分所有等に関する法律第1条の規定に該当する建物である場合	当該被相続人の居住の用に供されていた部分
（二）	（一）に掲げる場合以外の場合	被相続人又は当該被相続人の親族の居住の用に供されていた部分

　　　　（財務省令で定める者）
（4）　ロの財務省令で定める者は、第一章第二節一の（一）《居住無制限納税義務者》若しくは
　　　同一の（二）《非居住無制限納税義務者》の規定に該当する者又は同一の（四）《非居住制限納
　　　税義務者》の規定に該当する者のうち日本国籍を有するものとする。（措規23の2④）

　　　　（政令で定める者）
（5）　ロの政令で定める者は、当該被相続人の民法第5編第2章の規定による相続人（相続の
　　　放棄があった場合には、その放棄がなかったものとした場合における相続人）とする。（措令
　　　40の2⑭）

　　　　（政令で定める法人）
（6）　ロの（イ）に規定する政令で定める法人は、次に掲げる法人とする。（措令40の2⑮）
（一）　ロに規定する親族及び次に掲げる者（以下（6）において「親族等」という。）が法人の
　　　発行済株式又は出資（当該法人が有する自己の株式又は出資を除く。）の総数又は総額（以
　　　下（6）及び（三）の（1）の（五）において「発行済株式総数等」という。）の10分の5を超える
　　　数又は金額の株式又は出資を有する場合における当該法人

—110—

第四章　相続税の課税価格

		イ　当該親族の配偶者

ロ　当該親族の3親等内の親族

ハ　当該親族と婚姻の届出をしていないが事実上婚姻関係と同様の事情にある者

ニ　当該親族の使用人

ホ　イからニまでに掲げる者以外の者で当該親族から受けた金銭その他の資産によって生計を維持しているもの

ヘ　ハからホまでに掲げる者と生計を一にするこれらの者の配偶者又は3親等内の親族

（二）　親族等及びこれと（一）の関係がある法人が他の法人の発行済株式総数等の10分の5を超える数又は金額の株式又は出資を有する場合における当該他の法人

（三）　親族等及びこれと（一）又は（二）の関係がある法人が他の法人の発行済株式総数等の10分の5を超える数又は金額の株式又は出資を有する場合における当該他の法人

（四）　親族等が理事、監事、評議員その他これらの者に準ずるものとなっている持分の定めのない法人

（三）	特定同族会社事業用宅地等	

相続開始の直前に被相続人及び当該被相続人の親族その他当該被相続人と（1）の政令で定める特別の関係がある者が有する株式の総数又は出資の総額が当該株式又は出資に係る法人の発行済株式の総数又は出資の総額の10分の5を超える法人の事業の用に供されていた宅地等で、当該宅地等を相続又は遺贈により取得した当該被相続人の親族（（2）の財務省令で定める者に限る。）が相続開始時から申告期限まで引き続き有し、かつ、申告期限まで引き続き当該法人の事業の用に供されているもの（（6）の政令で定める部分に限る。）をいう。

（政令で定める特別の関係がある者）

（1）　上記の政令で定める特別の関係がある者は、次に掲げる者とする。（措令40の2⑯）

（一）　被相続人と婚姻の届出をしていないが事実上婚姻関係と同様の事情にある者

（二）　被相続人の使用人

（三）　被相続人の親族及び（一）及び（二）に掲げる者以外の者で被相続人から受けた金銭その他の資産によって生計を維持しているもの

（四）　（一）から（三）までに掲げる者と生計を一にするこれらの者の親族

（五）　次に掲げる法人

イ　被相続人（当該被相続人の親族及び当該被相続人に係る（一）から（四）までに掲げる者を含む。以下同じ。）が法人の発行済株式総数等の10分の5を超える数又は金額の株式又は出資を有する場合における当該法人

ロ　被相続人及びこれとイの関係がある法人が他の法人の発行済株式総数等の10分の5を超える数又は金額の株式又は出資を有する場合における当該他の法人

ハ　被相続人及びこれとイ又はロの関係がある法人が他の法人の発行済株式総数等の10分の5を超える数又は金額の株式又は出資を有する場合における当該他の法人

（財務省令で定める者）

（2）　上記の財務省令で定める者は、申告期限において上記に規定する法人の法人税法第2条第15号に規定する役員（清算人を除く。）である者とする。（措規23の2⑤）

（政令で定める株式若しくは出資等）

（3）　上記の規定の適用に当たっては、上記の株式若しくは出資又は発行済株式には、議決権に制限のある株式又は出資として（4）及び（5）の財務省令で定めるものは含まないものとする。（措令40の2⑰）

（財務省令で定める議決権に制限のある株式）

（4）　（3）に規定する議決権に制限のある株式として財務省令で定めるものは、相続の開始の時において、会社法第108条第1項第3号に掲げる事項の全部について制限のある株式、同法第105条第1項第3号に掲げる議決権の全部について制限のある株主が有する株式、同法第308条第1項又は第2項の規定により議決権を有しないものとされる者が有する株式その他

－111－

第一編　相続税

		議決権のない株式とする。（措規23の2⑥）
		（財務省令で定める議決権に制限のある出資） （5）　（4）の規定は、（3）に規定する議決権に制限のある出資として財務省令で定めるものについて準用する。（措規23の2⑦） （政令で定める部分） （6）　上記の政令で定める部分は、上記に規定する法人（**❸**の（一）のイに規定する申告期限において清算中の法人を除く。）の事業の用に供されていた宅地等のうち上記に定める要件に該当する部分（上記に定める要件に該当する上記に規定する被相続人の親族が相続又は遺贈により取得した持分の割合に応ずる部分に限る。）とする。（措令40の2⑱）
（四）**貸付事業用宅地等**		被相続人等の事業（不動産貸付業その他（一）の（1）の政令で定めるものに限る。以下（四）において「**貸付事業**」という。）の用に供されていた宅地等で、次に掲げる要件のいずれかを満たす当該被相続人の親族が相続又は遺贈により取得したもの（特定同族会社事業用宅地等及び相続開始前3年以内に新たに貸付事業の用に供された宅地等（相続開始の日まで3年を超えて引き続き（1）の政令で定める貸付事業を行っていた被相続人等の当該貸付事業の用に供されたものを除く。）を除き、（一）の（3）の政令で定める部分に限る。）をいう。（措令40の2㉒）

	イ	当該親族が、相続開始時から申告期限までの間に当該宅地等に係る被相続人の貸付事業を引き継ぎ、申告期限まで引き続き当該宅地等を有し、かつ、当該貸付事業の用に供していること。
	ロ	当該被相続人の親族が当該被相続人と生計を一にしていた者であって、相続開始時から申告期限まで引き続き当該宅地等を有し、かつ、相続開始前から申告期限まで引き続き当該宅地等を自己の貸付事業の用に供していること。

（政令で定める貸付事業）
（1）　（四）に規定する政令で定める貸付事業は、（四）に規定する貸付事業のうち準事業以外のもの（（2）において「特定貸付事業」という。）とする。（措令40の2⑲）

（第一次相続があった日まで引き続き特定貸付事業を行っていた期間）
（2）　特定貸付事業を行っていた被相続人（以下（2）において「第一次相続人」という。）が、当該第一次相続人の死亡に係る相続開始前3年以内に相続又は遺贈（以下（2）において「第一次相続」という。）により当該第一次相続に係る被相続人の特定貸付事業の用に供されていた宅地等を取得していた場合には、当該第一次相続人の特定貸付事業の用に供されていた宅地等に係る（四）の規定の適用については、当該第一次相続に係る被相続人が当該第一次相続があった日まで引き続き特定貸付事業を行っていた期間は、当該第一次相続人が特定貸付事業を行っていた期間に該当するものとみなす。（措令40の2㉑）

（新たに事業の用に供された宅地等に該当しないものの準用）
（3）　（一）の（4）の規定は、被相続人の貸付事業の用に供されていた宅地等について準用する。（措令40の2⑳）

—112—

第四章　相続税の課税価格

（不動産貸付業等の範囲）
（1）　被相続人等の不動産貸付業、駐車場業又は自転車駐車場業については、その規模、設備の状況及び営業形態等を問わず全て❸の（一）及び（四）に規定する不動産貸付業又は同（一）の（1）に規定する駐車場業若しくは自転車駐車場業に当たるのであるから留意する。（措通69の4－13）
　（注）　①の（1）に規定する準事業は、上記の不動産貸付業、駐車場業又は自転車 駐車場業に当たらないことに留意する。

（下宿等）
（2）　下宿等のように部屋を使用させるとともに食事を供する事業は、❸の（一）及び（四）に規定する「不動産貸付業その他政令で定めるもの」に当たらないものとする。（措通69の4－14）

（宅地等を取得した親族が申告期限までに死亡した場合）
（3）　被相続人の事業用宅地等を相続又は遺贈により取得した被相続人の親族が当該相続に係る相続税の申告期限までに死亡した場合には、当該親族から相続又は遺贈により当該宅地等を取得した当該親族の相続人が、❸の（一）のイ又は（四）のイの要件を満たせば、当該宅地等は同（一）に規定する特定事業用宅地等又は❸の（四）に規定する貸付事業用宅地等に当たるのであるから留意する。（措通69の4－15）
　（注）　当該相続人について❸の（一）のイ又は（四）のイの要件に該当するかどうかを判定する場合において、同（一）又は同（四）の申告期限は、第七章第一節❹《申告書の提出義務者が死亡した場合の申告》の規定による申告期限をいい、また、被相続人の事業（①の（1）に規定する事業を含む。以下（3）において同じ。）を引き継ぐとは、当該相続人が被相続人の事業を直接引き継ぐ場合も含まれるのであるから留意する。

（申告期限までに転業又は廃業があった場合）
（4）　❸の（一）のイの要件の判定については、同イの申告期限までに、同イに規定する親族が当該宅地等の上で営まれていた被相続人の事業の一部を他の事業（同（一）に規定する事業に限る。）に転業しているときであっても、当該親族は当該被相続人の事業を営んでいるものとして取り扱う。
　　なお、当該宅地等が被相続人の営む二以上の事業の用に供されていた場合において、当該宅地等を取得した同イに規定する親族が同イの申告期限までにそれらの事業の一部を廃止したときにおけるその廃止に係る事業以外の事業の用に供されていた当該宅地等の部分については、当該宅地等の部分を取得した当該親族について同イの要件を満たす限り、同（一）に規定する特定事業用宅地等に当たるものとする。（措通69の4－16）
　（注）1　❸の（四）のイの要件の判定については、上記に準じて取り扱う。
　　　　2　❸の（一）のロ、❸の（三）及び（四）のロの要件の判定については、上記のなお書に準じて取り扱う。

（災害のため事業が休止された場合）
（5）　❸の（一）のイ又はロの要件の判定において、被相続人等の事業の用に供されていた施設が災害により損害を受けたため、同イ又はロの申告期限において当該事業が休業中である場合には、同（一）に規定する親族（同イの場合にあっては、その親族の相続人を含む。）により当該事業の再開のための準備が進められていると認められるときに限り、当該施設の敷地は、当該申告期限においても当該親族の当該事業の用に供されているものとして取り扱う。（措通69の4－17）
　（注）　❸の（二）のイ及びハ、❸の（三）並びに❸の（四）のイ及びロの要件の判定については、上記に準じて取り扱う。

（申告期限までに宅地等の一部の譲渡又は貸付けがあった場合）
（6）　❸の（一）のイ又はロの要件の判定については、被相続人等の事業用宅地等の一部が同イ又はロの申告期限までに譲渡され、又は他に貸し付けられ、同（一）の親族（同イの場合にあっては、その親族の相続人を含む。）の同イ又はロに規定する事業の用に供されなくなったときであっても、当該譲渡され、又は貸し付けられた宅地等の部分以外の宅地等の部分については、当該親族について同イ又はロの要件を満たす限り、同（一）に規定する特定事業用宅地等に当たるものとして取り扱う。（措通69の4－18）
　（注）　❸の（三）の要件の判定については、上記に準じて取り扱う。

（申告期限までに事業用建物等を建て替えた場合）
（7）　❸の（一）のイ又はロの要件の判定において、同（一）に規定する親族（同イの場合にあっては、その親族の相続人を含む。）の事業の用に供されている建物等が同イ又はロの申告期限までに建替え工事に着手された場合に、当該宅地等のうち当該親族により当該事業の用に供されると認められる部分については、当該申告期限においても当該親族の当該事業の用に供されているものとして取り扱う。（措通69の4－19）
　（注）　❸の（二）のイ及びハ、❸の（三）並びに❸の（四）のイ及びロの要件の判定については、上記に準じて取り扱う。

－113－

第一編　相続税

（宅地等を取得した親族が事業主となっていない場合）
（8）　❸の（一）のイに規定する事業を営んでいるかどうかは、事業主として当該事業を行っているかどうかにより判定するのであるが、同イに規定する親族が就学中であることその他当面事業主となれないことについてやむを得ない事情があるため、当該親族の親族が事業主となっている場合には、同イに規定する親族が当該事業を営んでいるものとして取り扱う。（措通69の4−20）

（注）　事業を営んでいるかどうかは、会社等に勤務するなど他に職を有し、又は当該事業の他に主たる事業を有している場合であっても、その事業の事業主となっている限りこれに当たるのであるから留意する。

（新たに事業の用に供されたか否かの判定）
（9）　❸の（一）の「新たに事業の用に供された宅地等」とは、事業（貸付事業（❸の（四）に規定する貸付事業をいう。以下（9）において同じ。）を除く。以下(12)までにおいて同じ。）の用以外の用に供されていた宅地等が事業の用に供された場合の当該宅地等又は宅地等若しくはその上にある建物等につき「何らの利用がされていない場合」の宅地等が事業の用に供された場合の当該宅地等をいうことに留意する。

したがって、例えば、居住の用又は貸付事業の用に供されていた宅地等が事業の用に供された場合の当該事業の用に供された部分については、「新たに事業の用に供された宅地等」に該当するが、事業の用に供されていた宅地等が他の事業の用に供された場合の当該他の事業の用に供された部分については、これに該当しないことに留意する。

また、次に掲げる場合のように、事業に係る建物等が一時的に事業の用に供されていなかったと認められるときには、当該建物等に係る宅地等は、上記の「何らの利用がされていない場合」の宅地等に該当しないことに留意する。（措通69の4−20の2）

（一）　継続的に事業の用に供されていた建物等につき建替えが行われた場合において、建物等の建替え後速やかに事業の用に供されていたとき（当該建替え後の建物等を事業の用以外の用に供していないときに限る。）

（二）　継続的に事業の用に供されていた建物等が災害により損害を受けたため、当該建物等に係る事業を休業した場合において、事業の再開のための当該建物等の修繕その他の準備が行われ、事業が再開されていたとき（休業中に当該建物等を事業の用以外の用に供していないときに限る。）

（注）1　建替えのための建物等の建築中に相続が開始した場合には❶の(12)の取扱いが、また、災害による損害のための休業中に相続が開始した場合には（5）の取扱いが、それぞれあることに留意する。
　　　2　（一）又は（二）に該当する場合には、当該宅地等に係る「新たに事業の用に供された」時は、（一）の建替え前又は（二）の休業前の事業に係る事業の用に供された時となることに留意する。
　　　3　（一）に該当する場合において、建替え後の建物等の敷地の用に供された宅地等のうちに、建替え前の建物等の敷地の用に供されていなかった宅地等が含まれるときは、当該供されていなかった宅地等については、新たに事業の用に供された宅地等に該当することに留意する。

（政令で定める規模以上の事業の意義等）
（10）　❸の（一）の（2）で定める規模以上の事業は、次に掲げる算式を満たす場合における当該事業（以下(10)において「特定事業」という。）であることに留意する。

なお、特定事業に該当するか否かの判定は、下記の特定宅地等ごとに行うことに留意する。（措通69の4−20の3）

（算式）

$$\frac{事業の用に供されていた減価償却資産（注1）のうち被相続人等が有していたもの（注2）の相続の開始の時における価額の合計額}{新たに事業の用に供された宅地等（以下(10)において「特定宅地等」という。）（注3）の相続の開始の時における価額} \geqq \frac{15}{100}$$

（注）1　「減価償却資産」とは、特定宅地等に係る被相続人等の事業の用に供されていた次に掲げる資産をいい、当該資産のうちに当該事業の用以外の用に供されていた部分がある場合には、当該事業の用に供されていた部分に限ることに留意する。
　　①　特定宅地等の上に存する建物（その附属設備を含む。）又は構築物
　　②　所得税法第2条第1項第19号《定義》に規定する減価償却資産で特定宅地等の上で行われる当該事業に係る業務の用に供されていたもの（①に掲げるものを除く。）
　　　なお、当該事業が特定宅地等を含む一の宅地等の上で行われていた場合には、特定宅地等を含む一の宅地等の上に存する建物（その附属設備を含む。）又は構築物のうち当該事業の用に供されていた部分並びに上記②の減価償却資産のうち特定宅地等を含む一の宅地等の上で行われる当該事業に係る業務の用に供されていた部分（当該建物及び当該構築物を除く。）は、上記①又は②に掲げる資産にそれぞれ含まれることに留意する。
　　　また、上記②に掲げる資産が、共通して当該業務及び当該業務以外の業務の用に供されていた場合であっても、当該資産の全部が上記②に掲げる資産に該当することに留意する。
　　　おって、「事業の用に供されていた減価償却資産」に該当するか否かの判定は、特定宅地等を新たに事業の用に供した時ではなく、相続開始の直前における現況によって行うことに留意する。したがって、例えば、特定宅地等を新たに事業の用に供した後に被相続人等が取得し

−114−

第四章　相続税の課税価格

た上記②に掲げる資産も上記算式の分子に含まれることに留意する。

2　「被相続人等が有していたもの」は、事業を行っていた被相続人又は事業を行っていた生計一親族（被相続人と生計を一にしていたその被相続人の親族をいう。）が、自己の事業の用に供し、所有していた減価償却資産であることに留意する。

3　「特定宅地等」は、相続開始の直前において被相続人が所有していた宅地等であり、当該宅地等が数人の共有に属していた場合には当該被相続人の有していた持分の割合に応ずる部分であることに留意する。

（相続開始前3年を超えて引き続き事業の用に供されていた宅地等の取扱い）

(11)　相続開始前3年を超えて引き続き被相続人等の事業の用に供されていた宅地等については、「❸の(一)の(2)に定める規模以上の事業を行っていた被相続人等の事業」以外の事業に係るものであっても、❸の(一)のイ又はロに掲げる要件を満たす当該被相続人の親族が取得した場合には、同(一)に規定する特定事業用宅地等に該当することに留意する。（措通69の4－20の4）

（注）　被相続人等の事業の用に供されていた宅地等が(9)に掲げる場合に該当する場合には、当該宅地等は引き続き事業の用に供されていた宅地等に該当することに留意する。

（平成31年改正法附則による特定事業用宅地等に係る経過措置について）

(12)　所得税法等の一部を改正する法律（平成31年法律第6号）附則第79条第2項の規定により、平成31年4月1日から令和4年3月31日までの間に相続又は遺贈により取得をした宅地等については、平成31年4月1日以後に新たに事業の用に供されたもの（❸の(一)の(2)に定める規模以上の事業を行っていた被相続人等の事業の用に供されたものを除く。）が、❸の(一)に規定する特定事業用宅地等の対象となる宅地等から除かれることに留意する。（措通69の4－20の5）

（被相続人の居住用家屋に居住していた親族の範囲）

(13)　❸の(二)のロに規定する当該被相続人の居住の用に供されていた家屋に居住していた親族とは、当該被相続人に係る相続の開始の直前において当該家屋で被相続人と共に起居していたものをいうのであるから留意する。この場合において、当該被相続人の居住の用に供されていた家屋については、当該被相続人が1棟の建物でその構造上区分された数個の部分の各部分（以下(13)において「独立部分」という。）を独立して住居その他の用途に供することができるものの独立部分の一に居住していたときは、当該独立部分をいうものとする。（措通69の4－21）

（「当該親族の配偶者」等の意義）

(14)　❸の(二)のロ(イ)に規定する「当該親族の配偶者、当該親族の三親等内の親族又は当該親族と特別の関係がある法人」とは、相続の開始の直前において同(二)に規定する親族の配偶者、当該親族の三親等内の親族又は当該親族と特別の関係がある法人である者をいうものとする。（措通69の4－22）

（法人の事業の用に供されていた宅地等の範囲）

(15)　❸の(三)に規定する法人の事業の用に供されていた宅地等とは、次に掲げる宅地等のうち同(三)に規定する法人（同(三)に規定する申告期限において清算中の法人を除く。以下(16)までにおいて同じ。）の事業の用に供されていたものをいうものとする。（措通69の4－23）

(一)　当該法人に貸し付けられていた宅地等（当該貸付けが①に規定する事業に該当する場合に限る。）

(二)　当該法人の事業の用に供されていた建物等で、被相続人が所有していたもの又は被相続人と生計を一にしていたその被相続人の親族が所有していたもの（当該親族が当該建物等の敷地を被相続人から無償で借り受けていた場合における当該建物等に限る。）で、当該法人に貸し付けられていたもの（当該貸付けが①に規定する事業に該当する場合に限る。）の敷地の用に供されていたもの

（注）1　❸の(三)に規定する法人の事業には、不動産貸付業その他❸の(一)の(1)に規定する駐車場、自転車駐車場及び準事業が含まれないことに留意する。

2　相続又は遺贈により取得した宅地等が、当該相続の開始の直前において配偶者居住権に基づき使用又は収益されていた建物等の敷地の用に供されていたものである場合には、上記(二)の「被相続人と生計を一にしていたその被相続人の親族」とあるのは「被相続人の親族」と、「で、当該法人に」とあるのは「のうち、配偶者居住権者である被相続人等により当該法人へ」と読み替えるものとする。

－115－

第一編　相続税

（法人の社宅等の敷地）

(16)　❸の（三）の要件の判定において、同（三）に規定する法人の社宅等（被相続人等の親族のみが使用していたものを除く。）の敷地の用に供されていた宅地等は、当該法人の事業の用に供されていた宅地等に当たるものとする。（措通69の4－24）

（被相続人等の貸付事業の用に供されていた宅地等）

(17)　宅地等が❸の（四）に規定する被相続人等の貸付事業（以下(20)までにおいて「貸付事業」という。）の用に供されていた宅地等に該当するかどうかは、当該宅地等が相続開始の時において現実に貸付事業の用に供されていたかどうかで判定するのであるが、貸付事業の用に供されていた宅地等には、当該貸付事業に係る建物等のうちに相続開始の時において一時的に賃貸されていなかったと認められる部分がある場合における当該部分に係る宅地等の部分が含まれることに留意する。（措通69の4－24の2）

(注)1　❶の(14)の取扱いがある場合を除き、新たに貸付事業の用に供する建物等を建築中である場合や、新たに建築した建物等に係る賃借人の募集その他の貸付事業の準備行為が行われているに過ぎない場合には、当該建物等に係る宅地等は貸付事業の用に供されていた宅地等に該当しないことに留意する。

2　配偶者居住権の設定に係る相続又は遺贈により当該貸付事業に係る建物等（当該配偶者居住権の目的とされたものに限る。）の敷地の用に供されていた宅地等を取得した場合には、当該宅地等のうち当該配偶者居住権に基づく敷地利用権に相当する部分については、当該貸付事業の用に供されていた宅地等に該当しないことに留意する。

（新たに貸付事業の用に供されたか否かの判定）

(18)　❸の（四）の「新たに貸付事業の用に供された」とは、貸付事業の用以外の用に供されていた宅地等が貸付事業の用に供された場合又は宅地等若しくはその上にある建物等につき「何らの利用がされていない場合」の当該宅地等が貸付事業の用に供された場合をいうことに留意する。

したがって、賃貸借契約等につき更新がされた場合は、新たに貸付事業の用に供された場合に該当しないことに留意する。また、次に掲げる場合のように、貸付事業に係る建物等が一時的に賃貸されていなかったと認められるときには、当該建物等に係る宅地等は、上記の「何らの利用がされていない場合」に該当しないことに留意する。（措通69の4－24の3）

(一)　継続的に賃貸されていた建物等につき賃借人が退去をした場合において、その退去後速やかに新たな賃借人の募集が行われ、賃貸されていたとき（新たな賃借人が入居するまでの間、当該建物等を貸付事業の用以外の用に供していないときに限る。）

(二)　継続的に賃貸されていた建物等につき建替えが行われた場合において、建物等の建替え後速やかに新たな賃借人の募集が行われ、賃貸されていたとき（当該建替え後の建物等を貸付事業の用以外の用に供していないときに限る。）

(三)　継続的に賃貸されていた建物等が災害により損害を受けたため、当該建物等に係る貸付事業を休業した場合において、当該貸付事業の再開のための当該建物等の修繕その他の準備が行われ、当該貸付事業が再開されていたとき（休業中に当該建物等を貸付事業の用以外の用に供していないときに限る。）

(注)1　建替えのための建物等の建築中に相続が開始した場合には❶の(14)の取扱いが、また、災害による損害のための休業中に相続が開始した場合には(5)の取扱いが、それぞれあることに留意する。

2　(一)、(二)又は(三)は該当する場合には、当該宅地等に係る「新たに貸付事業の用に供された」時は、(一)の退去前、(二)の建替え前又は(三)の休業前の賃貸に係る貸付事業の用に供された時となることに留意する。

3　(二)に該当する場合において、建替え後の建物等の敷地の用に供された宅地等のうちに、建替え前の建物等の敷地の用に供されていなかった宅地等が含まれるときは、当該供されていなかった宅地等については、新たに貸付事業の用に供された宅地等に該当することに留意する。

（特定貸付事業の意義）

(19)　❸の（四）に規定する特定貸付事業（以下(24)までにおいて「特定貸付事業」という。）は、貸付事業のうち準事業以外のものをいうのであるが、被相続人等の貸付事業が準事業以外の貸付事業に当たるかどうかについては、社会通念上事業と称するに至る程度の規模で当該貸付事業が行われていたかどうかにより判定することに留意する。

なお、この判定に当たっては、次によることに留意する。（措通69の4－24の4）

(一)　被相続人等が行う貸付事業が不動産の貸付けである場合において、当該不動産の貸付けが不動産所得（所得税法（昭和40年法律第33号）第26条第1項《不動産所得》に規定する不動産所得をいう。以下（一）において同じ。）を生ずべき事業として行われているときは、当該貸付事業は特定貸付事業に該当し、当該不動産の貸付けが不動産所得を生ずべき事業以外のものとして行われているときは、当該貸付事業は準事業に該当すること。

(二)　被相続人等が行う貸付事業の対象が駐車場又は自転車駐車場であって自己の責任において他人の物を保管するも

－116－

第四章　相続税の課税価格

のである場合において、当該貸付事業が同法第27条第1項《事業所得》に規定する事業所得を生ずべきものとして行われているときは、当該貸付事業は特定貸付事業に該当し、当該貸付事業が同法第35条第1項《雑所得》に規定する雑所得を生ずべきものとして行われているときは、当該貸付事業は準事業に該当すること。

　（注）　（一）又は（二）の判定を行う場合においては、昭和45年7月1日付直審（所）30「所得税基本通達の制定について」（法令解釈通達）26－9《建物の貸付けが事業として行われているかどうかの判定》及び27－2《有料駐車場等の所得》の取扱いがあることに留意する。

（特定貸付事業が引き続き行われていない場合）

(20)　相続開始前3年以内に宅地等が新たに被相続人等が行う特定貸付事業の用に供された場合において、その供された時から相続開始の日までの間に当該被相続人等が行う貸付事業が特定貸付事業に該当しないこととなったときは、当該宅地等は、相続開始の日まで3年を超えて引き続き特定貸付事業を行っていた被相続人等の貸付事業の用に供されたものに該当せず、③の(四)に規定する貸付事業用宅地等の対象となる宅地等から除かれることに留意する。（措通69の4－24の5）

　（注）　被相続人等が行っていた特定貸付事業が(18)に掲げる場合に該当する場合には、当該特定貸付事業は、引き続き行われているものに該当することに留意する。

（特定貸付事業を行っていた「被相続人等の当該貸付事業の用に供された」の意義）

(21)　③の(四)の特定貸付事業を行っていた「被相続人等の当該貸付事業の用に供された」とは、特定貸付事業を行っていた被相続人等が、宅地等をその自己が行っていた特定貸付事業の用に供した場合をいうのであって、次に掲げる場合はこれに該当しないことに留意する。（措通69の4－24の6）

(一)　被相続人が特定貸付事業を行っていた場合に、被相続人と生計を一にする親族が宅地等を自己の貸付事業の用に供したとき

(二)　被相続人と生計を一にする親族が特定貸付事業を行っていた場合に、被相続人又は当該親族以外の被相続人と生計を一にする親族が宅地等を自己の貸付事業の用に供したとき

（相続開始前3年を超えて引き続き貸付事業の用に供されていた宅地等の取扱い）

(22)　相続開始前3年を超えて引き続き被相続人等の貸付事業の用に供されていた宅地等については、③の(四)の(1)に規定する特定貸付事業以外の貸付事業に係るものであっても、③の(四)イ又はロに掲げる要件を満たす当該被相続人の親族が取得した場合には、同(四)に規定する貸付事業用宅地等に該当することに留意する。（措通69の4－24の7）

　（注）　被相続人等の貸付事業の用に供されていた宅地等が(18)に掲げる場合に該当する場合には、当該宅地等は引き続き貸付事業の用に供されていた宅地等に該当することに留意する。

（共同相続人等が特例対象宅地等の分割前に死亡している場合）

(23)　相続又は遺贈により取得した①に規定する特例対象宅地等の全部又は一部が共同相続人又は包括受遺者（以下11の③の(6)までにおいて「共同相続人等」という。）によって分割される前に、当該相続（以下(23)において「第一次相続」という。）に係る共同相続人等のうちいずれかが死亡した場合において、第一次相続により取得した特例対象宅地等の全部又は一部が、当該死亡した者の共同相続人等及び第一次相続に係る当該死亡した者以外の共同相続人等によって分割され、その分割により当該死亡した者の取得した特例対象宅地等として確定させたものがあるときは、①の規定の適用に当たっては、その特例対象宅地等は分割により当該死亡した者が取得したものとして取り扱うことができる。（措通69の4－25）

　（注）　第一次相続に係る共同相続人等のうちいずれかが死亡した後、第一次相続により取得した財産の全部又は一部が家庭裁判所における調停又は審判（以下11の②の(9)までにおいて「審判等」という。）に基づいて分割されている場合において、当該審判等の中で、当該死亡した者の具体的相続分（民法第900条《法定相続分》から第904条の2《寄与分》までに規定する相続分をいう。以下11の②の(9)までにおいて同じ。）のみが金額又は割合によって示されているにすぎないときであっても、当該死亡した者の共同相続人等の全員の合意により、当該死亡した者の具体的相続分に対応する財産として特定させたもののうちに特例対象宅地等があるときは上記の取扱いができることに留意する。

－117－

第一編　相続税

④　申告期限に未分割である特例対象宅地等の適用除外

　①の規定は、①の相続又は遺贈に係る第七章第一節《期限内申告》一の１及び同第一節四の１の規定による申告書の提出期限（以下④において「**申告期限**」という。）までに共同相続人又は包括受遺者によって分割されていない特例対象宅地等については、適用しない。ただし、その分割されていない特例対象宅地等が申告期限から３年以内（当該期間が経過するまでの間に当該特例対象宅地等が分割されなかったことにつき、当該相続又は遺贈に関し訴えの提起がされたことその他（４）の左欄に定めるやむを得ない事情がある場合において、（５）、（８）及び（９）で定めるところにより納税地の所轄税務署長の承認を受けたときは、当該特例対象宅地等の分割ができることとなった日として（４）の右欄に定める日《**分割期限の起算日**》の翌日から４月以内）に分割された場合（当該相続又は遺贈により財産を取得した者が11の①の規定の適用を受けている場合を除く。）には、その分割された当該特例対象宅地等については、この限りでない。（措法69の４④）

　　　　（更正の請求の特則）
（１）　相続税について申告書を提出した者又は決定を受けた者は、次の（一）から（十）のいずれかに該当する事由により当該申告又は決定に係る課税価格及び相続税額（当該申告書を提出した後又は当該決定を受けた後修正申告書の提出又は更正があった場合には、当該修正申告又は更正に係る課税価格及び相続税額）が過大となったときは、当該（一）から（十）に規定する事由が生じたことを知った日の翌日から４月以内に限り、納税地の所轄税務署長に対し、その課税価格及び相続税額につき国税通則法第23条第１項の規定による更正の請求をすることができる。（措法69の４⑤、措令40の２㉖により準用される法32）

　　（一）　第四章第二節二《遺産が未分割の場合の課税価格》の規定により分割されていない財産について民法（第904条の２《寄与分》を除く。）の規定による相続分又は包括遺贈の割合に従って課税価格が計算されていた場合において、その後当該財産の分割が行われ、共同相続人又は包括受遺者が当該分割により取得した財産に係る課税価格が当該相続分又は包括遺贈の割合に従って計算された課税価格と異なることとなったこと。

　　（二）～（七）　（省略）

　　（八）　④ただし書又は（２）の規定（④ただし書の場合その他既に分割された特例対象宅地等について①の規定の適用を受けていなかった場合として（２）の政令で定める場合）に該当したことにより、これらの規定に規定する分割が行われた時以後において①の規定を適用して計算した相続税額がその時前において①の規定を適用して計算した相続税額と異なることとなったこと（（一）に該当する場合を除く。）。

　　（九）～（十）　（省略）

　　　　（申告期限内に分割された特例対象宅地等に係る更正の請求による特例の適用）
（２）　（１）の（八）に規定する政令で定める場合は、既に分割された特例対象宅地等について、①の相続又は遺贈に係る④に規定する申告期限までに特例対象山林の全部又は一部が分割されなかったことにより①の選択がされず①の規定の適用を受けなかった場合において、当該申告期限から３年以内（当該期間が経過するまでに当該特例対象株式等又は特例対象山林が分割されなかったことにつき、やむを得ない事情がある場合において、納税地の所轄税務署長の承認を受けたときは、当該特例対象株式等又は特例対象山林の分割ができることとなった日の翌日から４月以内）に当該特例株式等又は特例対象山林の全部又は一部が分割されたことにより当該選択ができることとなったとき（当該相続若しくは遺贈又は贈与により財産を取得した個人が①又は11の①の規定の適用を受けている場合を除く。）とする。（措令40の２㉔）

　　　　（申告書の提出期限後に分割された特例対象宅地等について特例の適用を受ける場合）
（３）　第七章第一節一の１及び同第一節四の１の規定による申告書の提出期限後に特例対象宅地等の全部又は一部が分割された場合には、当該分割された日において他に分割されていない特例対象宅地等又は特例対象株式等若しくは特例対象山林があるときであっても、当該分割された特例対象宅地等の全部又は一部について、①の規定の適用を受けるために（１）の規定による更正の請求を行うことができるのは、当該分割された日の翌日から４月以内に限られており、当該期間経過後において当該分割された特例対象宅地等について（１）の規定による更正の請求をすることはできないことに留意する。（措通69の４－26）

－118－

第四章　相続税の課税価格

（分割期限の延長事由と分割期限）
（4）　❹又は（2）に規定するやむを得ない事情がある場合は、次の（一）から（四）の左欄に掲げる場合とし、❹に規定する
　　分割期限の起算日は、これらの場合の区分に応じ当該（一）から（四）の右欄に掲げる日とする。（措令40の2㉓㉕により準
　　用される令4の2①）

（一）	当該相続又は遺贈に係る申告期限の翌日から3年を経過する日において、当該相続又は遺贈に関する訴えの提起がされている場合（当該相続又は遺贈に関する和解又は調停の申立てがされている場合において、これらの申立ての時に訴えの提起がされたものとみなされるときを含む。）	判決の確定又は訴えの取下げの日その他当該訴訟の完結の日
（二）	当該相続又は遺贈に係る申告期限の翌日から3年を経過する日において、当該相続又は遺贈に関する和解、調停又は審判の申立てがされている場合（（一）又は（四）に掲げる場合に該当することとなった場合を除く。）	和解若しくは調停の成立、審判の確定又はこれらの申立ての取下げの日その他これらの申立てに係る事件の終了の日
（三）	当該相続又は遺贈に係る申告期限の翌日から3年を経過する日において、当該相続又は遺贈に関し、民法第907条第3項若しくは第908条の規定により遺産の分割が禁止され、又は同法第915条第1項ただし書の規定により相続の承認若しくは放棄の期間が伸長されている場合（当該相続又は遺贈に関する調停又は審判の申立てがされている場合において、当該分割の禁止をする旨の調停が成立し、又は当該分割の禁止若しくは当該期間の伸長をする旨の審判若しくはこれに代わる裁判が確定したときを含む。）	当該分割の禁止がされている期間又は当該伸長がされている期間が経過した日
（四）	（一）から（三）までに掲げる場合のほか、相続又は遺贈に係る財産が当該相続又は遺贈に係る申告期限の翌日から3年を経過する日までに分割されなかったこと及び当該財産の分割が遅延したことにつき税務署長においてやむを得ない事情があると認める場合	その事情の消滅の日

（分割期限の延長申請手続）
（5）　❹又は（2）に規定する相続又は遺贈に関し（4）に規定するやむを得ない事情があることにより❹又は（2）の税務署
　　長の承認を受けようとする者は、当該相続又は遺贈に係る申告期限後3年を経過する日の翌日から2月を経過する日ま
　　でに、その事情の詳細その他（6）で定める事項を記載した申請書を当該税務署長に提出しなければならない。（措令40
　　の2㉓㉕により準用される令4の2②）

（申請書の記載事項）
（6）　申請書の記載事項は、次に掲げる事項とする。（措規23の2⑨により準用される規1の6①）
　（一）　（5）の規定による申請書を提出する者の氏名及び住所又は居所
　（二）　被相続人の氏名並びにその死亡の時における住所又は居所及びその死亡の日
　（三）　被相続人からの相続又は遺贈（贈与をした者の死亡により効力を生ずる贈与を含む。）により取得した財産に係る
　　　相続税の❼に規定する申告書を提出した日
　（四）　その他参考となるべき事項

—119—

第一編　相続税

（申請書の添付書類）

（７）　（５）の規定により提出する申請書には、（５）に規定する相続又は遺贈に係る申告期限後３年を経過する日までに当該相続又は遺贈により取得した財産の全部又は一部が共同相続人又は包括受遺者によって分割されなかった事情の次の（一）から（四）に掲げる区分に応じ当該（一）から（四）に定める書類を添付しなければならない。（措規23の２⑨により準用される規１の６②）

（一）　当該相続又は遺贈に関する訴えの提起がされていること　　　訴えの提起がされていることを証する書類

（二）　当該相続又は遺贈に関する和解、調停又は審判の申立てがされていること（（三）に該当する場合を除く。）　　これらの申立てがされていることを証する書類

（三）　当該相続又は遺贈に関し、民法第907条第３項若しくは第908条の規定により遺産の分割が禁止され、又は同法第915条第１項ただし書の規定により相続の承認若しくは放棄の期間が伸長されていること　　　これらの事実及び当該分割が禁止されている期間又は当該承認若しくは放棄が伸長された期間を証する書類

（四）　（一）から（三）までに掲げる事情以外の事情　　　財産の分割がされなかった事情の明細を記載した書類

（申請に対する処分）

（８）　税務署長は、（５）の申請書の提出があった場合において、承認又は却下の処分をするときは、その申請をした者に対し、書面によりその旨を通知する。（措令40の２㉓㉕により準用される令４の２③）

（申請につき承認があったものとみなす場合）

（９）　（５）の申請書の提出があった場合において、当該申請書の提出があった日の翌日から２月を経過する日までにその申請につき承認又は却下の処分がなかったときは、その日においてその承認があったものとみなす。（措令40の２㉓㉕により準用される令４の２④）

⑤　個人の事業用資産についての贈与税の納税猶予及び免除等の適用を受ける特定事業用宅地等の適用除外

①の規定は、第六編第一章第一節の１の規定の適用を受けた同節の２の（二）に規定する特例事業受贈者に係る同節の１に規定する贈与者から相続又は遺贈により取得（同編第二章の１（同１の（１）の規定により読み替えて適用する場合を含む。）の規定により相続又は遺贈により取得をしたものとみなされる場合における当該取得を含む。）をした特定事業用宅地等及び同編第三章第一節の１の規定の適用を受ける同節の２の（二）に規定する特例事業相続人等に係る同節の１に規定する被相続人から相続又は遺贈により取得をした特定事業用宅地等については、適用しない。（措法69の４⑥）

（個人の事業用資産についての納税猶予及び免除の適用がある場合）

（１）　被相続人が次に掲げる者のいずれかに該当する場合には、⑤の規定により、当該被相続人から相続又は遺贈により取得をした全ての③の（一）に規定する特定事業用宅地等について、①の規定の適用がないことに留意する。（措通69の４－26の２）

（一）　第六編第一章第一節の１の規定の適用を受けた同節の２の（二）に規定する特例事業受贈者に係る同節の１に規定する贈与者

（二）　第六編第三章第一節の１の規定の適用を受ける同節の２の（二）に規定する特例事業相続人等に係る同節の１に規定する被相続人

（注）１　上記の「取得」には、第六編第二章の１（同１の（１）の規定により読み替えて適用する場合を含む。）の規定により相続又は遺贈により取得をしたものとみなされる場合における当該取得が含まれることに留意する。

２　当該被相続人から相続又は遺贈により取得をした③の（二）に規定する特定居住用宅地等、③の（三）に規定する特定同族会社事業用宅地等及び③の（四）に規定する貸付事業用宅地等については、⑤の規定の適用はないことに留意する。

－120－

第四章　相続税の課税価格

⑥　郵便局舎の敷地の用に供されている宅地等に係る適用

（郵便局舎の敷地の用に供されている宅地等に係る相続税の課税の特例）
（1）　個人が相続又は遺贈により取得した財産のうちに、郵政民営化法（平成17年法律第97号）第180条第1項《相続税に係る課税の特例》に規定する特定宅地等（以下（7）までにおいて「**特定宅地等**」という。）がある場合において、当該特定宅地等は、同項の規定により③の（一）に規定する特定事業用宅地等に該当する①に規定する特例対象宅地等とみなして、**10**及び**11**の規定を適用することに留意する。（措通69の4－27）
　　（編者注）　郵政民営化法第180条については下記《参考》を参照。

（郵便局舎の敷地の用に供されている宅地等について相続税に係る課税の特例の適用を受けている場合）
（2）　郵政民営化法第180条第1項の規定は、同法の施行日（平成19年10月1日）から平成24年改正法（郵政民営化法等の一部を改正する等の法律（平成24年法律第30号）をいう。以下（6）までにおいて同じ。）の施行日（平成24年10月1日）の前日（平成24年9月30日）までの間にあっては平成24年改正法第3条《郵便局株式会社法の一部改正》の規定による改正前の郵便局株式会社法（平成17年法律第100号）第2条第2項《定義》に規定する郵便局の用に供するため郵政民営化法第79条《設立》の規定により設立された郵便局株式会社（以下（11）までにおいて「**郵便局株式会社**」という。）に、平成24年10月1日から相続の開始の直前までの間にあっては日本郵便株式会社法（平成17年法律第100号）第2条第4項《定義》に規定する郵便局の用に供するため郵政民営化法第79条《設立》の規定により設立された日本郵便株式会社に対し貸し付けられていた建物（以下（11）までにおいて「**郵便局舎**」という。）の敷地の用に供されていた土地又は土地の上に存する権利（以下（11）までにおいて「**土地等**」という。）について、既に郵政民営化法第180条第1項の規定の適用を受けていない場合に限り適用があることに留意する。（措通69の4－28）

（「相続人」の意義）
（3）　郵政民営化法第180条第1項に規定する「相続人」には、相続を放棄した者及び相続権を失った者を含まないことに留意する。
　　なお、「相続を放棄した者」及び「相続権を失った者」の意義については、第二章第二節一の**1**《「相続を放棄した者」の意義》及び同一の**2**《「相続権を失った者」の意義》をそれぞれ準用する。（措通69の4－29）

（特定宅地等の範囲）
（4）　郵政民営化法第180条第1項の規定は、郵便局舎の敷地の用に供されていた土地等を被相続人が平成19年10月1日前から相続の開始の直前まで引き続き有している場合に限り適用されることに留意する。（措通69の4－30）

（建物の所有者の範囲）
（5）　郵政民営化法第180条第1項の規定は、同項第1号に規定する賃貸借契約の当事者である被相続人又は被相続人の相続人が、郵便局舎を平成19年10月1日前から有していた場合に限り適用されることに留意する。（措通69の4－31）

（特定宅地等とならない部分の範囲）
（6）　特定宅地等となる土地等とは、当該土地等のうちに平成24年改正法第3条の規定による改正前の郵便局株式会社法第4条第1項《業務の範囲》に規定する業務（同条第2項に規定する業務を併せて行っている場合の当該業務を含む。以下同じ。）の用に供されていた部分以外の部分があるときは、当該業務の用に供されていた部分に限られることに留意する。（措通69の4－32）
　　（注）　郵便局株式会社に対し貸し付けられていた郵便局舎で、例えば、当該郵便局株式会社から郵政民営化法第176条の3《日本郵便株式会社及び郵便事業株式会社の合併》の規定により吸収合併消滅会社となった平成24年改正法第1条《郵政民営化法の一部改正》の規定による改正前の郵政民営化法第70条《設立》の規定により設立された郵便事業株式会社に転貸されていた部分は、平成24年改正法第3条の規定による改正前の郵便局株式会社法第4条第3項に規定する業務の用に供されていた部分であるため郵政民営化法第180条第1項の規定の適用はないことに留意する。
　　　　ただし、当該部分が①の（二）に規定する貸付事業用宅地等である小規模宅地等に該当するときは、同（二）の規定の適用があることに留意する。

－121－

第一編　相続税

　　　（郵便局舎の敷地を被相続人から無償により借り受けている場合）
（7）　被相続人の相続の開始の直前において、当該被相続人と生計を一にしていた当該被相続人の相続人が、当該被相続人から無償により借り受けていた土地等を郵便局舎の敷地の用に供していた場合において、当該土地等が特定宅地等に該当しない場合であっても、当該被相続人と生計を一にしていた当該被相続人の相続人が、相続開始時から申告期限まで引き続き当該土地等を有し、かつ、相続開始前から申告期限まで引き続き当該土地等の上に存する郵便局舎を日本郵便株式会社（平成24年9月30日までの間にあっては郵便局株式会社）に対し相当の対価を得て継続的に貸し付けていた場合には、①の（二）の規定の適用があることに留意する。（措通69の4－33）

　　　（賃貸借契約の変更に該当しない事項）
（8）　郵政民営化法第180条第1項第1号に規定する旧公社との間の賃貸借契約においてあらかじめ契約条項として盛り込まれた賃貸借料算出基準に基づく賃貸借料の改定又は賃貸借契約の目的物に変更がないと認められる面積に増減が生じない郵便局舎の修繕、耐震工事若しくは模様替えは、同号に規定する賃貸借契約の契約事項の変更に該当しないことに留意する。（措通69の4－34）

　　　（相続の開始以後の日本郵便株式会社への郵便局舎の貸付）
（9）　郵政民営化法第180条第1項の規定は、相続又は遺贈により郵便局舎の敷地の用に供されている土地等を取得した相続人が当該土地等の上に存する郵便局舎である建物の全部又は一部を有し、かつ、日本郵便株式会社（当該相続が平成24年9月30日までに開始した場合には、当該相続の開始の日から平成24年9月30日までの間にあっては郵便局株式会社、平成24年10月1日以後にあっては日本郵便株式会社）との賃貸借契約の当事者として当該郵便局舎を貸し付けている場合に限り適用があることに留意する。（措通69の4－35）

　　　（災害のため業務が休業された場合）
（10）　郵政民営化法第180条第1項第2号の要件の判定において、郵便局舎が災害により損害を受けたため、相続税の申告期限において郵便局の業務が休業中である場合には、同号に規定する相続人から日本郵便株式会社（当該相続税の申告期限が平成24年10月1日前の場合には、郵便局株式会社）が郵便局舎を借り受けており、かつ、郵便局の業務の再開のための準備が進められていると認められるとき（同号の証明がされたものに限る。）に限り、当該土地等を相続の開始の日以後5年以上当該郵便局舎の敷地の用に供する見込みであるものとして取り扱う。（措通69の4－36）

　　　（宅地等の一部の譲渡又は日本郵便株式会社との賃貸借契約の解除等があった場合）
（11）　郵政民営化法第180条第1項第2号に規定する「当該相続又は遺贈により当該宅地等の取得をした相続人から当該相続の開始の日以後5年以上当該郵便局舎をを日本郵便株式会社（当該相続が平成24年改正法施行日前に開始した場合には、当該相続の開始の日から平成24年改正法施行日の前日までの間にあっては郵便局株式会社、平成24年改正法施行日以後にあっては日本郵便株式会社）が引き続き借り受けることにより、当該宅地等を当該相続の開始の日以後5年以上当該郵便局舎の敷地の用に供する見込みであること」とは、当該相続又は遺贈により取得した郵便局舎の敷地の用に供されていた土地等の全部について当該郵便局舎の敷地の用に供する見込みである場合をいうのであって、例えば、被相続人に係る相続の開始の日以後から同号に規定する証明がされるまでの間に、当該土地等の一部が譲渡され、又は日本郵便株式会社（当該相続が平成24年9月30日までに開始した場合には、当該相続の開始の日から平成24年9月30日までの間にあっては郵便局株式会社、平成24年10月1日以後にあっては日本郵便株式会社）との賃貸借契約を解除された場合、若しくは、当該土地等の一部を譲渡し、又は当該日本郵便株式会社との賃貸借契約を解除する見込みである場合は同項の規定の適用はないことに留意する。（措通69の4－37）

《参考》
郵政民営化法　第180条《相続税に係る課税の特例》
　個人が相続又は遺贈（贈与をした者の死亡により効力を生ずる贈与を含む。以下この項において同じ。）により取得をした財産のうちに、次に掲げる要件のすべてを満たす土地又は土地の上に存する権利で政令で定めるもの（以下この項において「特定宅地等」という。）がある場合には、当該特定宅地等を租税特別措置法第69条の4第3項第1号に規定する特定事業用宅地等に該当する同条第1項に規定する特例対象宅地等とみなして、同条及び同法第69条の5の規定を適用する。
　（一）　施行日前に当該相続若しくは遺贈に係る被相続人又は当該被相続人の相続人と旧公社との間の賃貸借契約に基づき旧公社法第20条第1項に規定する郵便局の用に供するため旧公社に対し貸し付けられていた建物で政令で定め

－122－

るものの敷地の用に供されていた土地又は土地の上に存する権利のうち、施行日から当該被相続人に係る相続の開始の直前までの間において当該賃貸借契約（施行日の直前に効力を有するものに限る。）の契約事項に政令で定める事項以外の事項の変更がない賃貸借契約に基づき、引き続き、施行日から平成24年改正法施行日の前日までの間にあっては平成24年改正法第3条の規定による改正前の郵便局株式会社法第2条第2項に規定する郵便局の用に供するため郵便局株式会社に、平成24年改正法施行日から当該相続の開始の直前までの間にあっては日本郵便株式会社法第2条第4項に規定する郵便局の用に供するため日本郵便株式会社に対し貸し付けられていた建物で政令で定めるもの（次号において「郵便局舎」という。）の敷地の用に供されていたもの（以下この項において「宅地等」という。）であること。

（二）　当該相続又は遺贈により当該宅地等の取得をした相続人から当該相続の開始の日以後5年以上当該郵便局舎を日本郵便株式会社（当該相続が平成24年改正法施行日前に開始した場合には、当該相続の開始の日から平成24年改正法施行日の前日までの間にあっては郵便局株式会社、平成24年改正法施行日以後にあっては日本郵便株式会社）が引き続き借り受けることにより、当該宅地等を同日以後5年以上当該郵便局舎の敷地の用に供する見込みであることにつき、財務省令で定めるところにより証明がされたものであること。

（三）　当該宅地等について、既にこの項の規定の適用を受けたことがないものであること。

2　前項の規定の適用に関し必要な事項は、政令で定める。

郵政民営化法施行令　第20条《相続税に係る課税の特例》

　法第180条第1項に規定する土地又は土地の上に存する権利で政令で定めるものは、次に掲げる要件を満たすもの（郵政民営化法等の一部を改正する等の法律（平成24年法律第30号。以下「平成24年改正法」という。）第3条の規定による改正前の郵便局株式会社法（平成17年法律第100号）第4条第1項に規定する業務（同条第2項に規定する業務を併せ行っている場合の当該業務を含む。）の用に供されていた部分以外の部分があるときは、当該業務の用に供されていた部分に限る。）とする。

（一）　法の施行の日（以下「施行日」という。）前から法第180条第1項の相続又は遺贈に係る被相続人（以下この条において「被相続人」という。）に係る相続の開始の直前まで引き続き当該被相続人が有していたものであること。

（二）　所得税法（昭和40年法律第33号）第2条第1項第16号に規定する棚卸資産（これに準ずるものとして財務省令で定めるものを含む。）に該当しないものであること。

2　法第180条第1項第1号に規定する旧公社に対し貸し付けられていた建物で政令で定めるものは、同号の旧公社との賃貸借契約の当事者である被相続人又は当該被相続人の相続人が有していた建物とする。

3　法第180条第1項第1号に規定する政令で定める事項は、次に掲げる事項とする。

（一）　当該賃貸借契約に係る日本郵便株式会社（施行日から平成24年改正法施行の日（以下「平成24年改正法施行日」という。）の前日までの間にあっては、郵便局株式会社）の営業所、事務所その他の施設（以下この号において「支社等」という。）の名称若しくは所在地又は支社等の長

（二）　当該賃貸借契約に係る被相続人又は当該被相続人の相続人の氏名又は住所

（三）　当該賃貸借契約において定められた契約の期間

（四）　当該賃貸借契約に係る法第180条第1項に規定する特定宅地等及び同項第1号に規定する郵便局舎の所在地の行政区画、郡、区、市町村内の町若しくは字若しくはこれらの名称又は地番

4　法第180条第1項第1号に規定する郵便局株式会社に対し貸し付けられていた建物で政令で定めるものは、郵便局株式会社、日本郵便株式会社との賃貸借契約の当事者である被相続人又は当該被相続人の相続人が有していた建物とする。

日本郵便株式会社法　第4条《業務の範囲》

　会社は、その目的を達成するため、次に掲げる業務を営むものとする。

（一）　郵便法（昭和22年法律第165号）の規定により行う郵便の業務

（二）　銀行窓口業務

（三）　前号に掲げる業務の健全、適切かつ安定的な運営を維持するために行う、銀行窓口業務契約の締結及び当該銀行窓口業務契約に基づいて行う関連銀行に対する権利の行使

（四）　保険窓口業務

（五）　前号に掲げる業務の健全、適切かつ安定的な運営を維持するために行う、保険窓口業務契約の締結及び当該保険窓口業務契約に基づいて行う関連保険会社に対する権利の行使

（六）　国の委託を受けて行う印紙の売りさばき

第一編　相続税

(七)　前各号に掲げる業務に附帯する業務

2　会社は、前項に規定する業務を営むほか、その目的を達成するため、次に掲げる業務を営むことができる。

(一)　お年玉付郵便葉書等に関する法律（昭和24年法律第224号）第1条第1項に規定するお年玉付郵便葉書等及び同法第5条第1項に規定する寄附金付郵便葉書等の発行

(二)　地方公共団体の特定の事務の郵便局における取扱いに関する法律（平成13年法律第120号）第3条第5項に規定する事務取扱郵便局において行う同条第1項第1号に規定する郵便局取扱事務に係る業務

(三)　前号に掲げるもののほか、郵便局を活用して行う地域住民の利便の増進に資する業務

(四)　前3号に掲げる業務に附帯する業務

3　会社は、前2項に規定する業務のほか、前2項に規定する業務の遂行に支障のない範囲内で、前2項に規定する業務以外の業務を営むことができる。

4　会社は、第2項第3号に掲げる業務及びこれに附帯する業務並びに前項に規定する業務を営もうとするときは、あらかじめ、総務省令で定める事項を総務大臣に届け出なければならない。

5　第1項の規定は、同項第2号の規定により会社が営む銀行窓口業務以外の銀行代理業又は同項第4号の規定により会社が営む保険窓口業務以外の保険募集若しくは所属保険会社等の事務の代行を第2項又は第3項の規定により会社が営むことを妨げるものではない。

⑦　申告要件と申告書添付書類

①の規定は、①の適用を受けようとする者の当該相続又は遺贈に係る第七章第一節**一**の**1**又は同第一節**七**の**1**の規定による申告書（これらの申告書に係る期限後申告書及びこれらの申告書に係る修正申告書を含む。以下（1）において「**相続税の申告書**」という。）に①の規定の適用を受けようとする旨を記載し、①の規定による計算に関する明細書その他の（2）の財務省令で定める書類の添付がある場合に限り、適用する。（措法69の4⑦）

　　　　（宥恕《ゆうじょ》規定）

（1）　税務署長は、相続税の申告書の提出がなかった場合又は⑦の記載若しくは添付がない相続税の申告書の提出があった場合においても、その提出又は記載若しくは添付がなかったことについてやむを得ない事情があると認めるときは、当該記載をした書類及び（2）の書類の提出があった場合に限り、①の規定を適用することができる。（措法69の4⑧）

　　　　（申告書添付書類）

（2）　⑦に規定する財務省令で定める書類は、次の（一）から（十）に掲げる場合の区分に応じ当該（一）から（十）に定める書類とする。（措規23の2⑧）

		次に掲げる書類
（一）	特定事業用宅地等である小規模宅地等について①の規定の適用を受けようとする場合	イ　小規模宅地等に係る相続税の課税価格に算入すべき価額の計算に関する明細書《第11・11の2表の付表2の1ほか》 ロ　①の（7）の（一）から（三）に掲げる書類（同（7）のただし書の場合に該当するときは、同（7）の（一）及び（二）に掲げる書類）《選択同意書＝第11・11の2表の付表1》 ハ　遺言書の写し、財産の分割の協議に関する書類（当該書類に当該相続に係る全ての共同相続人及び包括受遺者が自署し、自己の印を押しているものに限る。）の写し（当該自己の印に係る印鑑証明書が添付されているものに限る。）その他の財産の取得の状況を証する書類 ニ　当該小規模宅地等が相続開始前3年以内に新たに被相続人等（①に規定する被相続人等をいう。（五）のロにおいて同じ。）の事業（③の（一）に規定する事業をいう。）の用に供されたものである場合には、当該事業の用に供されていた③の（一）の（2）の各号に掲げる資産の当該相続開始の時における種類、数量、価額及びその所在場所その他の明細を記載した書類で当該事業が同（2）に規定する規模以上のものであることを明らかにするもの
（二）	特定居住用宅地等である小規模宅地等（以下（二）及び（三）において「特定居住用宅地等である	次に掲げる書類（当該被相続人の配偶者が同項の規程の適用を受けようとするときはイに掲げる書類とし、③の（二）イ又はハに掲げる要件を満たす同（二）に規定する被相続人の親族（以下（二）及び（三）において「親族」という。）が①の

－124－

第四章　相続税の課税価格

	小規模宅地等」という。）について❶の規定の適用を受けようとする場合（（三）に掲げる場合を除く。）	規定の適用を受けるときは、イ及びロに掲げる書類とし、❸の（二）ロに掲げる要件を満たす親族が❶の規定の適用を受けようとするときはイ及びハからホまでに掲げる書類とする。）に掲げる書類とする。） イ　（一）のイからハまでに掲げる書類 ロ　当該親族が個人番号（行政手続における特定の個人を識別するための番号の利用等に関する法律第2条第5項に規定する個人番号をいう。以下（2）において同じ。）を有しない場合にあっては、当該親族が当該特定居住用宅地等である小規模宅地等を自己の居住の用に供していることを明らかにする書類 ハ　❸の（二）のロに規定する親族が個人番号を有しない場合にあっては、相続の開始の日の3年前の日から当該相続の開始の日までの間における当該親族の住所又は居所を明らかにする書類 ニ　相続の開始の日の3年前の日から当該相続の開始の直前までの間にハの親族が居住の用に供していた家屋が❸の（二）のロの（イ）に規定する家屋以外の家屋である旨を証する書類 ホ　相続の開始の時においてハの親族が居住している家屋を当該親族が相続開始前のいずれの時においても所有していたことがないことを証する書類
（三）	特定居住用宅地等である小規模宅地等（❶の（2）の（一）から（二）に掲げる事由により相続の開始の直前において当該相続に係る被相続人の居住の用に供されていなかった場合における当該事由により居住の用に供されなくなる直前の当該被相続人の居住の用に供されていた宅地等（土地又は土地の上に存する権利をいう。）に限る。）について❶の規定の適用を受けようとする場合	次に掲げる書類 イ　（二）のイからホまでに掲げる書類（当該被相続人の配偶者が❶の規定の適用を受けようとするときは（二）のイに掲げる書類とし、❸の（二）のイ又はハに掲げる要件を満たす親族が同❶の規定の適用を受けようとするときは（二）のイ及びロに掲げる書類とし、❸の（二）ロに掲げる要件を満たす親族が❶の規定の適用を受けようとするときはイ及びハからホまでに掲げる書類とする。）に掲げる書類とする。） ロ　当該相続の開始の日以後に作成された当該被相続人の戸籍の附票の写し ハ　介護保険の被保険者証の写し又は障害者の日常生活及び社会生活を総合的に支援するための法律第22条第8項に規定する障害福祉サービス受給者証の写しその他の書類で、当該被相続人が当該相続の開始の直前において介護保険法（平成9年法律第123号）第19条第1項に規定する要介護認定若しくは同条第2項に規定する要支援認定を受けていたこと若しくは介護保険法施行規則第140条の62の4第2号に該当していたこと又は障害者の日常生活及び社会生活を総合的に支援するための法律第21条第1項に規定する障害支援区分の認定を受けていたことを明らかにするもの ニ　当該被相続人が当該相続の開始の日の直前において入居又は入所していた❶の（2）の（一）のイからハまでに掲げる住居若しくは施設又は（2）の（二）の施設若しくは住居の名称及び所在地並びにこれらの住居又は施設がこれらの規定のいずれの住居又は施設に該当するかを明らかにする書類
（四）	特定同族会社事業用宅地等である小規模宅地等について❶の規定の適用を受けようとする場合	次に掲げる書類 イ　（一）のイからハまでに掲げる書類 ロ　❸の（三）に規定する法人の定款（相続の開始の時に効力を有するものに限る。）の写し ハ　相続の開始の直前において、ロに規定する法人の発行済株式の総数又は出資の総額並びに❸の（三）の被相続人及び当該被相続人の親族その他当該被相続人と同（三）の（1）で定める特別の関係がある者が有する当該法人の株式の総数又は出資の総額を記した書類（当該法人が証明したものに限る。）
（五）	❶の（二）に規定する貸付事業用宅地等である小規模宅地等について❶の規定の適用を受けようとする場合	次に掲げる書類 イ　（一）のイからハまでに掲げる書類 ロ　当該貸付事業用宅地等である小規模宅地等が相続開始前3年以内に新たに被相続人等の貸付事業（❸の（四）に規定する貸付事業をいう。）の用に供されたものである場合には、当該被相続人等（❸の（四）の（2）に規定する第一次

－125－

		相続に係る被相続人を含む。）が当該相続開始の日まで３年を超えて③の（四）の（１）に規定する特定貸付事業を行っていたことを明らかにする書類
（六）	④に規定する申告期限までに①に規定する特例対象宅地等の全部又は一部が共同相続人又は包括受遺者によって分割されていない当該特例対象宅地等について当該申告期限後に当該特例対象宅地等の全部又は一部が分割されることにより①の規定の適用を受けようとする場合	その旨並びに分割されていない事情及び分割の見込みの詳細を明らかにした書類
（七）	申告期限までに①の（７）に規定する特例対象山林の全部又は一部が共同相続人又は包括受遺者によって分割されなかったことにより①の選択がされず①の規定の適用を受けなかった場合で当該申告期限後に当該特例対象株式等又は特例対象山林の全部又は一部が分割されることにより当該申告期限において既に分割された特例対象宅地等について①の規定の適用を受けようとするとき	その旨並びに分割されていない事情及び分割の見込みの詳細を明らかにした書類

11　特定計画山林についての相続税の課税価格の計算の特例

(注)　11における用語の定義については、②《用語の定義》を参照。

①　課税価格の計算の特例

特定計画山林相続人等（②の（三））が、相続又は遺贈（当該相続に係る被相続人からの贈与（贈与をした者の死亡により効力を生ずる贈与を除く。第四編から第八編において同じ。）により取得した財産で第三編第一章第一節二《相続時精算課税制度の選択》の（１）（同節三《相続時精算課税適用者の特例》、同編第二章**１**《住宅取得等資金の贈与を受けた場合の相続時精算課税の特例》又は第六編第一章第八節（第七編第四章第九節において準用する場合を含む。）において準用する場合を含む。②の（二）において同じ。）の規定の適用を受けるものに係る贈与を含む。以下①において同じ。）により取得した特定計画山林で①の規定の適用を受けるものとして（４）の政令で定めるところにより選択をしたもの（以下①及び②において「**選択特定計画山林**」という。）について、当該相続の開始の時から当該相続又は遺贈に係る第七章第一節**一**の１、同第一節**七**の１又は第七章第四節**二**の２の規定による申告書の提出期限（当該特定計画山林相続人等が当該提出期限の前に死亡した場合には、その死亡の日。②において「**申告期限**」という。）まで引き続き当該選択特定計画山林の全てを有している場合その他これに準ずる場合として（６）の政令で定める場合には、第四章第二節**一**に規定する相続税の課税価格（第三編第一章第三節**一**の（１）《相続時精算課税に係る相続税の課税価格》の規定の適用がある場合には、同（１）の規定による相続の課税価格）に算入すべき価額は、当該選択特定計画山林の価額（当該選択特定計画山林が第三編第一章第一節**二**の（１）の規定の適用を受ける贈与により取得したものである場合には、当該価額から同章第二節**一**の（１）の規定（同章第二節**三**の規定を含む。）による控除をした残額）に100分の95を乗じて計算した金額とする。（措法69の５①）

(注)　第三編第一章第一節**二**の（１）（同節**三**、第六編第一章第八節（第七編第四章第九節において準用する場合を含む。）又は第二章において準用する場合を含む。）の規定の適用を受ける令和５年改正後の①に規定する特定計画山林を贈与により取得する場合において、①の規定は、令和６年１月１日以後に贈与により取得する当該特定計画山林に係る相続税について適用する。（令５改所法等附51①）

—126—

第四章　相続税の課税価格

（特例の適用除外－この特例と小規模宅地等についての相続税の課税価格の計算の特例との選択適用）
（１）　**①**の規定は、**①**の相続に係る被相続人から**①**の相続又は遺贈により財産を取得した者が**10**の**①**の規定の適用を受け、又は受けている場合には、適用しない。（措法69の5④）

（選択特定計画山林の小規模宅地等についての相続税の課税価格の計算の特例の併用適用）
（２）　選択宅地等面積（**10**の規定により**10**の**①**に規定する小規模宅地等として選択がされた宅地等の面積で**10**の**②**の（三）のイからハまでの規定により計算した面積の合計をいう。（二）において同じ。）が200平方メートル未満である場合において、**①**の相続又は遺贈により財産を取得した者が特定森林経営計画対象山林（特定受贈森林経営計画対象山林を含む。（一）において同じ。）を**①**に規定する選択特定計画山林として選択をするときは、（１）の規定にかかわらず、（一）に掲げる金額に（二）に掲げる割合を乗じて得た価額に達するまでの部分について、**①**の規定の適用を受けることができる。（措法69の5⑤）
（一）　当該特定森林経営計画対象山林の価額
（二）　200平方メートルから選択宅地等面積を控除したものの200平方メートルに占める割合

（個人の事業用資産についての贈与税の納税猶予及び免除の適用を受ける者がいる場合）
（３）　**①**の被相続人から相続又は遺贈により取得をした次の各号に掲げる資産について第六編第三章第一節の**1**の規定の適用を受ける者がいる場合には、その者が当該各号に掲げる資産の区分に応じ当該各号に定める面積に相当する面積の土地を**10**の**③**の（一）に規定する特定事業用宅地等である**10**の**①**に規定する小規模宅地等として選択したものとみなして、（２）の規定を適用する。（措令40の2の2⑨）

（一）	猶予対象宅地等	当該猶予対象宅地等のうち第六編第三章第一節の**1**《個人の事業用資産についての相続税の納税猶予及び免除》の規定の適用を受ける部分の面積
（二）	猶予対象受贈宅地等のうち**10**の**①**の（7）に規定する受贈宅地等（以下（3）において「受贈宅地等」という。）であるもの	当該猶予対象受贈宅地等のうち第六編第三章第一節の**1**の規定の適用を受ける部分の面積
（三）	猶予対象受贈宅地等のうち第六編第一章第五節の**3**《特例受贈事業用資産の譲渡である場合の納税猶予額の一部確定》の承認に係るもの	イに掲げる面積にロに掲げる割合を乗じて計算した面積 イ　第六編第一章第一節の**1**《個人の事業用資産についての贈与税の納税猶予及び免除》法の規定の適用を受けた受贈宅地等の面積 ロ　第六編第三章第一節の**1**の規定の適用を受ける当該猶予対象受贈宅地等の価額として財務省令で定める金額が第六編第一章第一節の**1**の規定の適用を受けた受贈宅地等の同**1**の規定の適用に係る贈与の時（同章第六節の**4**の規定の適用があった場合には、同**4**に規定する認可決定日。（四）のロにおいて同じ。）における価額のうちに占める割合
（四）	猶予対象受贈宅地等のうち第六編第一章第五節の**4**《現物出資による全ての特例受贈事業用資産の移転である場合の納税猶予額の一部確定》の承認に係るもの	イに掲げる面積にロに掲げる割合を乗じて計算した面積 イ　（三）のイに掲げる面積 ロ　第六編第三章第一節の**1**の規定の適用を受ける当該猶予対象受贈宅地等のうち受贈宅地等に相当する部分の価額として財務省令で定める金額が第六編第一章第一節の**1**の規定の適用を受けた受贈宅地等の同**1**の規定の適用に係る贈与の時における価額のうちに占める割合

第一編　相続税

（財務省令で定める金額）
（４）　（３）の(三)のロに規定する財務省令で定める金額は第六編第二章《個人の事業用資産の贈与者が死亡した場合の相続税の課税の特例》の**1**（同**1**の（１）《納税猶予額の免除の適用に係る場合の読み替え》の規定により読み替えて適用する場合を含む。以下（４）及び（５）において同じ。）の規定により相続税の課税価格の計算の基礎に算入された同**1**の特例受贈事業用資産の価額（当該特例受贈事業用資産に係る第六編第一章第一節の**2**の(三)に規定する納税猶予分の贈与税額の計算において同(三)の債務の金額が控除された場合には、当該価額に、（一）に掲げる金額に対する（二）に掲げる金額の割合を乗じて計算した金額。（５）において同じ。）のうち第六編第一章第一節の**1**《個人の事業用資産についての相続税の納税猶予及び免除》の規定の適用を受ける（３）の(三)に掲げる資産に対応する部分の価額に相当する金額とする。（措規23の２の２④）
（一）　当該納税猶予分の贈与税額の計算において第六編第一章第一節の**2**の(24)《政令で定める価額》の規定により計算された価額に相当する金額
（二）　第六編第一章第一節の**1**の規定の適用を受けた同**1**に規定する特例受贈事業用資産の価額

（財務省令で定める金額）
（５）　（３）の(四)のロに規定する財務省令で定める金額は、第六編第二章の**1**の規定により相続税の課税価格の計算の基礎に算入された同**1**の特例受贈事業用資産の価額のうち第六編第三章第一節の**1**の規定の適用を受ける（３）の(四)に掲げる資産に対応する部分の価額に、（一）に掲げる金額が（二）に掲げる金額のうちに占める割合を乗じて計算した金額とする。（措規23の２の２⑤）
（一）　第六編第一章第五節の**4**の承認に係る現物出資により移転をした10の①の（７）に規定する受贈宅地等（同（７）に規定する受贈宅地等の譲渡につき第六編第一章第五節の**3**の承認があった場合における同**3**の(三)の規定により第六編第一章第一節の**1**の規定の適用を受ける同**1**に規定する特例受贈事業用資産とみなされた資産を含む。）の同**1**の規定の適用に係る贈与の時（第六編第一章第六節の**4**の規定の適用があった場合には、同**4**に規定する認可決定日。（二）において同じ。）における価額に相当する金額（当該特例受贈事業用資産とみなされた資産にあっては、第六編第一章第五節の**3**の(12)の規定により計算した金額）
（二）　（一）の現物出資により移転をした全ての第六編第一章第一節の**1**に規定する特例受贈事業用資産の同**1**の規定の適用に係る贈与の時における価額（当該特例受贈事業用資産が第六編第一章第五節の**3**の(三)の規定により同章第一節の**1**の規定の適用を受ける同**1**に規定する特例受贈事業用資産とみなされたものである場合には、第六編第一章第五節の**3**の(12)の規定により計算した金額）の合計額

（相続又は遺贈により取得した特定計画山林で特例の適用を受けるものとして政令で定めるところにより選択をしたもの）
（６）　②の(三)に規定する特定計画山林相続人等（以下11において「**特定計画山林相続人等**」という。）が相続若しくは遺贈又は贈与により取得した②の(四)に規定する特定計画山林のうち、①の規定の適用を受けるものの選択は、次の(一)から(二)に掲げる場合の区分に応じ当該(一)から(二)に定める書類を④に規定する相続税の申告書に添付してするものとする。（措令40の２の２①）

		次に掲げる書類
(一)	②の(三)のイに掲げる特定計画山林相続人等が相続又は遺贈により取得した10の①の（７）に規定する特例対象山林(以下11において「特例対象山林」という。)を①の規定を受けるものとして選択をしようとする場合	イ　当該特例対象山林を取得した特定計画山林相続人等がそれぞれ①の規定の適用を受けるものとして選択をしようとする当該特例対象山林の全部又は一部についてその明細を記載した書類 ロ　当該特例対象山林を取得した全ての特定計画山林相続人等に係るイの選択をしようとする当該特例対象山林の全部又は一部の全てが特定計画山林に該当する旨を記載した書類 ハ　当該特例対象山林若しくは10の①の（７）に規定する特例対象受贈山林（以下11において「特例対象受贈山林」という。）、10の①に規定する特例対象宅地等（以下11において「特例対象宅地等」という。）又は10の①の（７）に規定する猶予対象宅地等（(二)のハ、（３）及び（７）において「猶予対象宅地等」という。）若しくは10の①の（７）に規定する猶予対象受贈宅地等（（３）及び

－128－

第四章　相続税の課税価格

		（７）において「猶予対象受贈宅地等」という。）を取得した全ての個人のイの選択についての同意を証する書類
（二）	②の（三）のロに掲げる特定計画山林相続人等が贈与により取得した特例対象受贈山林を①の規定の適用を受けるものとして選択をしようとする場合	次に掲げる書類 イ　当該特例対象受贈山林を取得した特定計画山林相続人等がそれぞれ①の規定の適用を受けるものとして選択をしようとする当該特例対象受贈山林の全部又は一部についてその明細を記載した書類 ロ　当該特例対象受贈山林を取得した全ての特定計画山林相続人等に係るイの選択をしようとする当該特例対象受贈山林の全部又は一部の全てが特定計画山林に該当する旨を記載した書類 ハ　当該特例対象受贈山林若しくは当該特例対象山林、当該特例対象宅地等又は当該猶予対象宅地等若しくは当該猶予対象受贈宅地等を取得した全ての個人のイの選択についての同意を証する書類

　　　　（（６）の（一）から（二）のハの書類の相続税の申告書への添付不要）
（７）　（６）の場合において、当該相続若しくは遺贈又は贈与により特例対象山林及び特例対象受贈山林、特例対象宅地等並びに猶予対象宅地等及び猶予対象受贈宅地等の全てを取得した個人が１人である場合には、（６）の規定にかかわらず、（６）の（一）から（二）のハに掲げる書類を④に規定する相続税の申告書に添付することを要しない。（措令40の２の２②）

　　　　（選択特定計画山林の全てを有している場合に準ずる場合として政令で定める場合）
（８）　①に規定する申告期限まで引き続き当該選択特定計画山林の全てを有している場合に準ずる場合として政令で定める場合は、次に掲げる場合とする。（措令40の２の２③）

（一）	②の（一）に規定する特定森林経営計画対象山林（以下11において「特定森林経営計画対象山林」という。）又は同（二）に規定する特定受贈森林経営計画対象山林（以下11において「特定受贈森林経営計画対象山林」という。）を①に規定する選択特定計画山林（以下11において「選択特定計画山林」という。）として選択をした特定計画山林相続人等が相続開始の時から当該相続に係る①に規定する申告期限（以下11において「相続税の申告期限」という。）までの間に同（一）に規定する市町村長等の認定（以下11において「市町村長等の認定」という。）を受けた同（一）に規定する森林経営計画（以下11において「森林経営計画」という。）の定めるところに従い当該選択特定計画山林に係る立木を伐採した場合において、当該特定計画山林相続人等が、当該伐採された立木以外の当該選択特定計画山林の全てを当該相続税の申告期限まで有しているとき。
（二）	特定受贈森林経営計画対象山林を贈与により取得した特定計画山林相続人等が当該贈与に係る特定贈与者（第三編第一章第一節二の（2）に規定する特定贈与者をいう。以下11において同じ。）の死亡以前に死亡したことにより当該特定計画山林相続人等の納税に係る権利又は義務を第三編第一章第四節《相続時精算課税に係る納税の権利・義務の承継》の規定により承継した当該特定計画山林相続人等の相続人（包括受遺者を含む。以下同じ。）が当該特定受贈森林経営計画対象山林を選択特定計画山林として選択をした場合において、当該相続人の全てが、当該特定贈与者の死亡による相続開始の時において有していた特定受贈森林経営計画対象山林（市町村長等の認定を受けた森林経営計画の定めるところに従い当該相続開始の時から当該相続に係る相続税の申告期限までの間に当該特定受贈森林経営計画対象山林に係る立木を伐採した場合には、当該伐採された立木以外の特定受贈森林経営計画対象山林）の全てを当該相続税の申告期限まで有しているとき。

　　　　（特定計画山林の特例、小規模宅地等の特例又は個人の事業用資産についての納税猶予及び免除を重複適用する場合の限度額の計算等）
（９）　10の①の規定の適用を受けようとする（2）に規定する選択宅地等面積（以下（9）において「選択宅地等面積」という。）が200㎡に満たない場合において、（2）の規定により①の規定の適用を受けることができる特定計画山林の価額の限度額は、次の算式により計算した価額となることに留意する。（措通69の５－12）

$$A \times \frac{200\text{㎡} - B}{200\text{㎡}}$$

（注）1　（2）（（3）の規定の適用がある場合を含む。）の規定により、②の（三）のイ又はロの要件を満たす特定計画山林相続人等が選択した全ての特定森林経営計画対象山林又は特定受贈森林経営計画対象山林（以下（9）において「特定（受贈）森林経営計画対象山林」という。）で

－129－

第一編　相続税

ある特定計画山林（以下（9）において「選択山林」という。）、小規模宅地等又は猶予対象宅地等（（6）の（一）のハに規定する猶予対象受贈宅地等を含む。以下（10）までにおいて同じ。）について、①、10の①又は第六編第三章第一節の1の規定の適用を重複して受ける場合において、上記の計算に該当するときを算式で示せば、次のとおりとなる。

$$B + C + \left[200\text{m}^2 \times \frac{C}{A}\right] \leqq 200\text{m}^2$$

2　算式中の符号は次のとおりである。

　　Aは、②の（三）のイ又はロの要件を満たす特定計画山林相続人等に係る全ての特定（受贈）森林経営計画対象山林である特定計画山林の価額の合計額

　　Bは、選択宅地等面積

　　Cは、選択山林の価額の合計額

　　なお、猶予対象宅地等について第六編第三章第一節の1の規定の適用を受ける者がいる場合の上記の選択宅地等面積（B）の計算については、次に掲げる資産の区分に応じ、それぞれ次に定める面積に相当する面積の土地を特定事業用宅地等である小規模宅地等として選択したものとみなして計算することに留意する。

（イ）　猶予対象宅地等　当該猶予対象宅地等のうち第六編第三章第一節の1の規定の適用を受ける部分の面積

（ロ）　猶予対象受贈宅地等のうち10の①の（7）に規定する受贈宅地等　当該猶予対象受贈宅地等のうち第六編第三章第一節の1の規定の適用を受ける部分の面積

（ハ）　猶予対象受贈宅地等のうち第六編第一章第五節の3の承認に係るもの　$a \times \dfrac{b}{c}$

（ニ）　猶予対象受贈宅地等のうち第六編第一章第五節の4の承認に係るもの　$b \times \dfrac{d}{c}$

（注）　上記（ハ）及び（ニ）の算式中の符号は次のとおりである。

　　aは、第六編第一章第一節の1の規定の適用を受けた当該受贈宅地等の面積

　　bは、第六編第二章の1（同1の（1）の規定により読み替えて適用する場合を含む。以下（注）において同じ。）の規定により相続税の課税価格の計算の基礎に算入された同1の特例受贈事業用資産の価額（※）のうち第六編第三章第一節の1の規定の適用を受ける上記（ハ）に掲げる資産に対応する部分の価額に相当する金額

　※　当該特例受贈事業用資産に係る第六編第一章第一節の2の（三）に規定する納税猶予分の贈与税額の計算において同（三）の債務の金額が控除された場合には次の価額となる（dにおいて同じ。）。

$$\begin{array}{c}\text{第六編第二章の1の規定により相続税の課}\\\text{税価格の計算の基礎に算入された同1の特}\\\text{例受贈事業用資産の価額}\end{array} \times \dfrac{\begin{array}{c}\text{第六編第一章第一節の1の規定の適用を受けた同}\\\text{1に規定する特例受贈事業用資産の価額}\end{array}}{\begin{array}{c}\text{当該納税猶予分の贈与税額の計算において第六編}\\\text{第一章第一節の2の（25）の規定により計算された}\\\text{価額に相当する金額}\end{array}}$$

　　cは、第六編第一章第一節の1の規定の適用を受けた当該受贈宅地等の同1の規定の適用に係る贈与の時（同章第六節の4の規定の適用があった場合には、同4に規定する認可決定日）における価額

　　dは、第六編第二章の1の規定により相続税の課税価格の計算の基礎に算入された同1の特例受贈事業用資産の価額のうち第六編第三章第一節の1の規定の適用を受ける上記（ニ）に掲げる資産に対応する部分の価額に次の割合を乗じて計算した金額

$$\dfrac{\begin{array}{c}\text{第六編第一章第五節の4の承認に係る現物出資により移転をした10の①の（7）に規定する受贈宅地等}\\\text{（※1）の第六編第一章第一節の1の規定の適用に係る贈与の時（同章第六節の4の規定の適用があった}\\\text{場合には、同4に規定する認可決定日。以下（注）において同じ。）における価額に相当する金額（※2）}\end{array}}{\begin{array}{c}\text{当該現物出資により移転をした全ての第六編第一章第一節の1に規定する特例受贈事業用資産の同1の}\\\text{規定の適用に係る贈与の時における価額（※3）の合計額}\end{array}}$$

　※1　10の①の（7）に規定する受贈宅地等の譲渡につき第六編第一章第五節の3の承認があった場合における同3の（三）の規定により同章第一節の1の規定の適用を受ける同1に規定する特例受贈事業用資産とみなされた資産を含む。

　※2　当該特例受贈事業用資産とみなされた資産にあっては、第六編第一章第五節の3の（12）の規定により計算した金額

　※3　当該特例受贈事業用資産が第六編第一章第五節の3の（三）の規定により同章第一節の1の規定の適用を受ける同1に規定する特例受贈事業用資産とみなされたものである場合には、同章第五節の3の（12）の規定により計算した金額

（相続時精算課税の適用に係る選択特定計画山林の相続税の課税価格に算入すべき金額）

（10）　選択特定計画山林が相続時精算課税の適用を受ける贈与により取得したものである場合において、11の①の規定の適用により相続税の課税価格に算入すべき当該選択特定計画山林の金額は、次に掲げる場合の区分に応じ、それぞれ次に定める算式により計算した金額となる。（措通69の5－12の2）

1　令和6年1月1日以後に贈与により取得した選択特定計画山林の場合

（算式）

$$\left(\begin{array}{c}\text{当該選}\\\text{択特定}\\\text{計画山}\\\text{林の価}\\\text{額}\end{array} - \begin{array}{l}\text{当該選択特定計画山林を贈与により取得した日の属する年分の贈与税に係る}\\\text{第三編第二節一の（1）《相続時精算課税に係る贈与税の基礎控除》の規定（同}\\\text{節三《相続時精算課税に係る贈与税の基礎控除の特例》の規定を含む。）に}\\\text{よる控除（以下第七編第六章第一節の1の（7）《（4）の規定により相続又は遺}\\\text{贈により取得をしたものとみなされる特例対象受贈非上場株式等の価額の計}\\\text{算》までにおいて「相続時精算課税に係る基礎控除」という。）の額（注）}\end{array}\right) \times \dfrac{95}{100}$$

—130—

第四章　相続税の課税価格

(注)1　特定贈与者から当該選択特定計画山林を贈与により取得した日の属する年中に当該特定贈与者からの贈与により取得した他の財産（以下(10)において「他の贈与財産」という。）がある場合には、相続時精算課税に係る基礎控除の額から当該他の贈与財産の価額の合計額を控除した残額（当該合計額が当該相続時精算課税に係る基礎控除の額以上である場合には、零）となることに留意する。

2　令和5年12月31日以前に贈与により取得した選択特定計画山林の場合

（算式）

当該選択特定計画山林の価額 $\times \dfrac{95}{100}$

（特定計画山林の特例、小規模宅地等の特例又は個人の事業用資産についての納税猶予及び免除を重複適用する場合に限度額要件を満たさないとき）

(11)　小規模宅地等、選択特定計画山林又は猶予対象宅地等について、10の①、①又は第六編第三章第一節の1の規定の適用を重複して受けようとする場合において、その選択特定計画山林の価額が(2)（(3)の規定の適用がある場合を含む。）に規定する限度額（(9)参照）を超えるときは、その選択特定計画山林の全てについて①の規定の適用はないことに留意する。

なお、この場合、その後の国税通則法第18条第2項に規定する期限後申告書及び同法第19条第3項に規定する修正申告書において、当該限度額を超えないこととなったときは、その選択特定計画山林について①の規定の適用があることに留意する。（措通69の5-13）

(注)　上記の限度額を超える場合には、当該小規模宅地等及び当該猶予対象宅地等の全てについて10の①及び第六編第三章第一節の1の規定の適用もないことに留意する（10の②の(3)及び第六編第三章第一節の2の(12)参照）。

（特定受贈森林経営計画対象山林である特定計画山林について①の規定の適用を受けるための手続）

(12)　特定受贈森林経営計画対象山林の贈与に係る第二編第六章第一節―の1の規定による申告書の提出期限（④の(6)から(11)までの規定の適用がある場合には、それぞれに定める期限）までに④の(1)に規定する書類（以下④の(21)までにおいて「④の(1)に規定する書類」という。）の提出をしなければ、特定贈与者の死亡に係る相続税の課税対象となる当該特定受贈森林経営計画対象山林である特定計画山林について、①の規定の適用はないことに留意する。（措通69の5-14）

②　用語の定義

11において、次の(一)から(四)に掲げる用語の意義は、当該(一)から(四)に定めるところによる。（措法69の5②）

(一)	特定森林経営計画対象山林	被相続人が当該被相続人に係る相続開始の直前に有していた立木又は土地等（土地又は土地の上に存する権利をいう。以下11において同じ。）のうち当該相続開始の前に森林法第11条第5項（同法第12条第3項において読み替えて準用する場合並びに木材の安定供給の確保に関する特別措置法第8条の規定により読み替えて適用される場合及び同法第9条第2項又は第3項において読み替えて適用される森林法第12条第3項において読み替えて準用する場合を含む。）の規定による市町村の長（同法第19条の規定の適用がある場合には、同条第1項各号に掲げる場合の区分に応じ当該各号に定める者）の認定（以下「市町村長等の認定」という。）を受けた同法第11条第1項に規定する森林経営計画（同条第5項第2号ロに規定する公益的機能別森林施業を実施するためのものとして(1)の財務省令で定めるもの及び同法第16条又は木材の安定供給の確保に関する特別措置法第9条第4項の規定による認定の取消しがあったものを除く。以下「森林経営計画」という。）が定められている区域内に存するもの（森林の保健機能の増進に関する特別措置法第2条第2項第2号に規定する森林保健施設の整備に係る地区内に存するものを除き、一体として効率的に森林施業を行うこととされているものとして(2)の財務省令で定めるものに限る。(二)において同じ。）をいう。 （財務省令で定める森林経営計画） （1）　上記に規定する財務省令で定める森林経営計画は、森林法第11条第5項第2号ロに規定する公益的機能別森林施業を実施するための同条第1項に規定する森林経営計画のうち森林法施行規則第39条第2項第2号ハに規定する特定広葉樹育成施業森林に係るもの（当該特定広葉樹育成施業森林を対象とする部分に限る。）とする。（措規23の2の2①）

-131-

第一編　相続税

		（財務省令で定める森林施業） （2）　（一）並びに（四）のイ及びロに規定する一体として効率的に森林施業を行うこととされているものとして財務省令で定めるものは、森林法施行規則第36条第1号に規定する計画的伐採対象森林とする。（措規23の2の2②）
（二）	**特定受贈森林経営計画対象山林**	被相続人である特定贈与者（第三編第一章第一節二の（2）に規定する特定贈与者をいう。以下**11**において同じ。）が贈与（同二の（1）の規定の適用を受ける財産に係る贈与に限る。以下**11**において同じ。）をした立木又は土地等のうち当該贈与の前に市町村長等の認定を受けた森林経営計画が定められている区域内に存するものをいう。
（三）	**特定計画山林相続人等**	次のイ又はロに掲げる者をいう。
		イ 相続又は遺贈により特定森林経営計画対象山林を取得した個人で（1）及び（2）に掲げる要件を満たすものをいう。 （1）　当該相続又は遺贈に係る被相続人から特定森林経営計画対象山林を当該相続又は遺贈により取得した者で当該被相続人の親族であること。 （2）　当該相続開始の時から申告期限まで引き続き選択特定計画山林である特定森林経営計画対象山林について市町村長等の認定を受けた森林経営計画に基づき施業を行っていること。
		ロ 贈与により特定受贈森林経営計画対象山林を取得した個人で（1）及び（2）に掲げる要件を満たすもの （1）　当該特定受贈森林経営計画対象山林に係る第三編第一章第一節二の（2）に規定する相続時精算課税適用者であること。 （2）　当該特定受贈森林経営計画対象山林に係る贈与の時から被相続人である特定贈与者の死亡により開始した相続に係る申告期限まで引き続き選択特定計画山林である特定受贈森林経営計画対象山林について市町村長等の認定を受けた森林経営計画に基づき施業を行っていること。
（四）	**特定計画山林**	次のイ又はロに掲げる立木又は土地等をいう。
		イ 被相続人が当該被相続人に係る相続開始の前に受けていた市町村長等の認定（特定森林経営計画対象山林に係るもののうち申告期限を経過する時において森林法第17条第1項の規定により効力を有するものとされるものに限る。ロにおいて同じ。）に係る森林経営計画その他これに準ずるものとして（1）の政令で定めるものが定められている区域内に存する特定森林経営計画対象山林（森林の保健機能の増進に関する特別措置法第2条第2項第2号に規定する森林保健施設の整備に係る地区内に存するものを除き、一体として効率的に森林施業を行うこととされているものとして（一）の（2）の財務省令で定めるものに限る。）
		ロ 被相続人である特定贈与者が贈与の前に受けていた市町村長等の認定に係る森林経営計画その他これに準ずるものとして（3）の政令で定めるものが定められている区域内に存する特定受贈森林経営計画対象山林（森林の保健機能の増進に関する特別措置法第2条第2項第2号に規定する森林保健施設の整備に係る地区内に存するものを除き、一体として効率的に森林施業を行うこととされているものとして（一）の（2）の財務省令で定めるものに限る。）
		（森林施業計画その他これに準ずるものとして政令で定めるもの） （1）　上記イに規定する政令で定めるものは、次の一から五に掲げる場合の区分に応じ当該一から五に定める森林経営計画で①の被相続人に係る相続税の申告期限を経過する時において現に効力を有するものとする。（措令40の2の2④） 一　被相続人が当該被相続人に係る相続開始の前に市町村長等の認定を受けていた特定森林経営計画対象山林に係る森林経営計画について、当該被相続人から相続又は遺贈により当該特定森林経営計画対象山林を取得した当該被相続人の親族が当該相続開始の時から当該相続又は遺贈に係る相続税の申告期限までの間に森林法第12条第3項（木材の安定供給の確保に関する特別措置法第9条第2項又は第3項の規定により読み替えて適用される場合を含

む。四及び（3）の三において同じ。）において読み替えて準用する森林法第11号第5項の規
定による変更の認定を受けた場合　当該変更の認定を受けた森林経営計画

二　被相続人が当該被相続人に係る相続開始の前に市町村長等の認定を受けていた特定森林
経営計画対象山林に係る森林経営計画について、当該被相続人から相続又は遺贈により当該
特定森林経営計画対象山林を取得した当該被相続人の親族が当該相続開始の時から当該相
続又は遺贈に係る相続税の申告期限までの間に森林法第11条第5項（木材の安定供給の確保
に関する特別措置法第8条の規定により読み替えて適用される場合を含む。）の規定による
市町村長（森林法第19条第1項の規定の適用がある場合には、同項各号に掲げる場合の区分
に応じ当該各号に定める者）の認定（以下「市町村長等の新認定」という。）を受けた場合
当該市町村長等の新認定を受けた森林経営計画

三　被相続人から相続又は遺贈により特定森林経営計画対象山林を取得した当該被相続人の
親族が当該被相続人に係る相続開始の前に当該特定森林経営計画対象山林に係る森林経営
計画（当該被相続人と共同で市町村長等の認定を受けていたものを除く。）について当該市
町村長等の認定を受けていた場合　当該市町村長等の認定を受けていた森林経営計画

四　被相続人から相続又は遺贈により特定森林経営計画対象山林を取得した当該被相続人の
親族が当該被相続人に係る相続開始の前に市町村長等の認定を受けていた当該特定森林経
営計画対象山林に係る森林経営計画（当該被相続人と共同で当該市町村長等の認定を受けて
いたものを除く。）について、当該被相続人の親族が当該相続開始の時から当該相続又は遺
贈に係る相続税の申告期限までの間に森林法第12条第3項において読み替えて準用する同
法第11条第5項の規定による変更の認定を受けた場合　当該変更の認定を受けた森林経
営計画

五　被相続人から相続又は遺贈により特定森林経営計画対象山林を取得した当該被相続人の
親族が相続開始の前に市町村長等の認定を受けていた当該特定森林経営計画対象山林に係
る森林経営計画（当該被相続人と共同で当該市町村長等の認定を受けていたものを除く。）
について、当該被相続人の親族が当該相続開始の時から当該相続又は遺贈に係る相続税の申
告期限までの間に市町村長等の新認定を受けた場合　当該市町村長等の新認定を受けた
森林経営計画

（政令で定める特定計画山林）
（2）　（四）に掲げる特定計画山林（同号イに係るものに限る。）は、特定森林経営計画対象山林
のうち被相続人又は当該被相続人から相続若しくは遺贈により当該特定森林経営計画対象山
林を取得した当該被相続人の親族が相続開始の前に受けていた市町村長等の認定に係る森林
経営計画が定められていた区域（当該相続開始の時から当該相続又は遺贈に係る相続税の申告
期限までの間に当該特定森林経営計画対象山林について効力を有する森林経営計画において
当該被相続人の親族が施業を行わないこととされた区域を除く。）で当該相続税の申告期限を
経過する時に現に効力を有する森林経営計画において①の規定の適用を受けようとする当該
被相続人の親族が施業を行うこととされている区域内に存するものに限るものとする。（措令
40の2の2⑤）

（森林経営計画その他これに準ずるものとして政令で定めるもの）
（3）　上記ロに規定する政令で定めるものは、次の一から四に掲げる場合の区分に応じ当該一か
ら四に定める森林経営計画で被相続人である特定贈与者からの贈与に係る第二編第六章第一
節一の1《申告書の提出期限》の期限又は同一の2《申告書の提出義務者が死亡した場合の相
続人による申告》の期限（当該特定贈与者が特定受贈森林経営計画対象山林の贈与をした年の
中途において死亡した場合において、当該贈与に係るこれらの期限までに当該特定贈与者の相
続に係る①の期限が到来するときは、同①の期限。以下「贈与税等の申告期限」という。）を
経過する時において現に効力を有するものとする。（措令40の2の2⑥）

一　被相続人である特定贈与者が当該特定贈与者に係る贈与の前に市町村長等の認定を受け
ていた特定受贈森林経営計画対象山林に係る森林経営計画について、当該贈与により当該特
定受贈森林経営計画対象山林を取得した当該特定贈与者の推定相続人（孫を含む。以下（3）

第一編　相続税

		及び(4)において同じ。)が当該贈与の時から当該贈与に係る贈与税等の申告期限までの間に市町村長等の新認定を受けた場合　　当該市町村長等の新認定を受けた森林経営計画
		二　被相続人である特定贈与者からの贈与により特定受贈森林経営計画対象山林を取得した当該特定贈与者の推定相続人が当該贈与の前に当該特定受贈森林経営計画対象山林に係る森林経営計画（当該特定贈与者と共同で市町村長等の認定を受けていたものを除く。）について市町村長等の認定を受けていた場合　　当該市町村長等の認定を受けていた森林経営計画
		三　被相続人である特定贈与者からの贈与により特定受贈森林経営計画対象山林を取得した当該特定贈与者の推定相続人が当該贈与の前に市町村長等の認定を受けていた当該特定受贈森林経営計画対象山林に係る森林経営計画（当該特定贈与者と共同で当該市町村長等の認定を受けていたものを除く。）について、当該特定贈与者の推定相続人が当該贈与の時から当該贈与に係る贈与税等の申告期限までの間に森林法第12条第3項において読み替えて準用する同法第11条第5項の規定による変更の認定を受けた場合　　当該変更の認定を受けた森林経営計画
		四　被相続人である特定贈与者からの贈与により特定受贈森林経営計画対象山林を取得した当該特定贈与者の推定相続人が当該贈与の前に市町村長等の認定を受けていた当該特定受贈森林経営計画対象山林に係る森林経営計画（当該特定贈与者と共同で当該市町村長等の認定を受けていたものを除く。）について、当該特定贈与者の推定相続人が当該贈与の時から当該贈与に係る贈与税等の申告期限までの間に市町村長等の新認定を受けた場合　　当該市町村等の新認定を受けた森林経営計画
		（政令で定める特定計画山林）
		（4）　（四）に掲げる特定計画山林（上記ロに係るものに限る。）は、被相続人である特定贈与者からの贈与により取得した特定受贈森林経営計画対象山林のうち当該特定贈与者又は当該贈与により取得した当該特定贈与者の推定相続人が当該贈与の前に受けていた市町村長等の認定に係る森林経営計画が定められていた区域（当該贈与の時から当該特定贈与者の死亡により開始した相続に係る相続税の申告期限までの間に当該特定受贈森林経営計画対象山林について効力を有する森林経営計画において当該特定贈与者の推定相続人が施業を行わないこととされた区域を除く。）で当該相続税の申告期限を経過する時に現に効力を有する森林経営計画において①の規定の適用を受けようとする当該特定贈与者の推定相続人が施業を行うこととされている区域内に存するものに限るものとする。（措令40の2の2⑦）

（特定森林経営計画対象山林である特定計画山林）

（1）　②の(四)のイに掲げる特定計画山林とは、②の(一)に規定する特定森林経営計画対象山林（以下「特定森林経営計画対象山林」という。）のうち次に掲げる全ての要件を満たす区域内に存するものをいうことに留意する。（措通69の5－1）

（一）　被相続人又は当該被相続人から相続若しくは遺贈により当該特定森林経営計画対象山林を取得した当該被相続人の親族が当該被相続人に係る相続開始の前に②の(四)のイに規定する市町村長等の認定（以下「市町村長等の認定」という。）を受けていた森林法第11条第1項《森林経営計画》に規定する森林経営計画（以下「森林経営計画」という。）の定められている区域内に存するものであること。

（二）　①に規定する申告期限（以下「相続税の申告期限」という。）において現に効力を有する次に掲げるいずれかの森林経営計画の定められた区域内に存するもの（森林の保健機能の増進に関する特別措置法第2条第2項第2号《定義》に規定する森林保健施設の整備に係る地区内に存するものを除き、一体として効率的に森林施業を行うこととされているものとして②の(一)の(2)で定めるものに限る。）であること。

イ　被相続人が当該被相続人に係る相続開始の前に市町村長等の認定を受けていた特定森林経営計画対象山林に係る森林経営計画

ロ　被相続人が当該被相続人に係る相続開始の前に市町村長等の認定を受けていた特定森林経営計画対象山林に係る森林経営計画について、当該被相続人から相続又は遺贈により当該特定森林経営計画対象山林を取得した当該被相続人の親族が、当該相続開始の時から当該相続又は遺贈に係る相続税の申告期限までの間に森林法第12条《森林経

第四章　相続税の課税価格

営計画の変更》の規定（木材の安定供給の確保に関する特別措置法第9条《森林経営計画の変更の特例》の規定を含む。次のホ並びに（2）の（二）のニ及び（2）の（注）1において同じ。）による変更の認定を受けた場合の当該変更の認定を受けた後の森林経営計画

ハ　被相続人が当該被相続人に係る相続開始の前に市町村長等の認定を受けていた特定森林経営計画対象山林に係る森林経営計画について、当該被相続人から相続又は遺贈により当該特定森林経営計画対象山林を取得した当該被相続人の親族が、当該相続開始の時から当該相続又は遺贈に係る相続税の申告期限までの間に②の（四）の（1）のニの市町村長等の新認定（以下（2）までにおいて「市町村長等の新認定」という。）を受けた場合の当該市町村長等の新認定を受けた森林経営計画

ニ　被相続人から相続又は遺贈により特定森林経営計画対象山林を取得した当該被相続人の親族が、当該相続開始の前に市町村長等の認定を受けていた当該特定森林経営計画対象山林に係る森林経営計画

ホ　被相続人から相続又は遺贈により特定森林経営計画対象山林を取得した当該被相続人の親族が当該相続開始の前に市町村長等の認定を受けていた当該特定森林経営計画対象山林に係る森林経営計画について、当該被相続人の親族が当該相続開始の時から当該相続又は遺贈に係る相続税の申告期限までの間に森林法第12条の規定により変更の認定を受けた場合の当該変更の認定を受けた後の森林経営計画

ヘ　被相続人から相続又は遺贈により特定森林経営計画対象山林を取得した当該被相続人の親族が当該被相続人に係る相続開始の前に市町村長等の認定を受けていた当該特定森林経営計画対象山林に係る森林経営計画について、当該被相続人の親族が当該相続開始の時から当該相続又は遺贈に係る相続税の申告期限までの間に市町村長等の新認定を受けた場合の当該市町村長等の新認定を受けた森林経営計画

（三）　相続税の申告期限を経過する時に現に効力を有する上記（二）に掲げる森林経営計画において、特定森林経営計画対象山林について①の規定の適用を受けようとする被相続人の親族が施業を行うこととされている区域内に存するものであること。

（注）　被相続人に係る相続開始の時から当該被相続人に係る相続税の申告期限を経過する時までの間のいずれかの時点で、特定森林経営計画対象山林について効力を有する森林経営計画において、①の規定の適用を受けようとする当該被相続人の親族が施業を行うこととされていた区域以外の区域内に存する特定森林経営計画対象山林については、特定計画山林に該当しないことに留意する。

（特定受贈森林経営計画対象山林である特定計画山林）

（2）　②の（四）のロに掲げる特定計画山林とは、②の（二）に規定する特定受贈森林経営計画対象山林（以下「特定受贈森林経営計画対象山林」という。）のうち次に掲げる全ての要件を満たす区域内に存するものをいうことに留意する。（措通69の5－2）

（一）　被相続人である第三編第一章第一節二の（2）に規定する特定贈与者（以下「特定贈与者」という。）又は当該特定贈与者から贈与により特定受贈森林経営計画対象山林を取得した当該特定贈与者の推定相続人（孫を含む。以下（7）までにおいて同じ。）が当該贈与の前に市町村長等の認定を受けていた森林経営計画の定められている区域内に存するものであること。

（二）　②の（四）の（3）に規定する贈与税等の申告期限（以下（2）において「贈与税等の申告期限」という。）において現に効力を有する次に掲げるいずれかの森林経営計画の定められた区域内に存するもの（森林の保健機能の増進に関する特別措置法第2条第2項第2号に規定する森林保健施設の整備に係る地区内に存するものを除き、一体として効率的に森林施業を行うこととされているものとして②の（一）の（2）で定めるものに限る。）であること。

イ　被相続人である特定贈与者が贈与の前に市町村長等の認定を受けていた特定受贈森林経営計画対象山林に係る森林経営計画

ロ　被相続人である特定贈与者が贈与の前に市町村長等の認定を受けていた特定受贈森林経営計画対象山林に係る森林経営計画について、当該特定贈与者からの贈与により当該特定受贈森林経営計画対象山林を取得した当該特定贈与者の推定相続人（納税義務等承継人（第三編第一章第四節一又は二《相続時精算課税に係る相続税の納付義務の承継等》の規定により同第一節の二の（2）に規定する相続時精算課税適用者（以下「相続時精算課税適用者」という。）が有していた相続時精算課税の適用を受けていたことに伴う納税に係る権利又は義務を承継した当該相続時精算課税適用者の相続人（包括受遺者を含む。）をいう。以下（8）までにおいて同じ。）のうち当該特定受贈森林経営計画対象山林を取得した者（以下（8）までにおいて「特定受贈森林経営計画対象山林承継人」という。）を含む。）が、当該贈与の時から当該贈与に係る贈与税等の申告期限までの間に市町村長等の新認定を受けた場合の当該市町村長等の新認定を受けた森林経営計画

ハ　被相続人である特定贈与者からの贈与により特定受贈森林経営計画対象山林を取得した当該特定贈与者の推定相続人が、当該贈与の前に市町村長等の認定を受けていた当該特定森林経営計画対象山林に係る森林経営計画

－135－

第一編　相続税

　　　ニ　被相続人である特定贈与者からの贈与により特定受贈森林経営計画対象山林を取得した当該特定贈与者の推定相続人が当該贈与の前に市町村長等の認定を受けていた当該特定受贈森林経営計画対象山林に係る森林経営計画について、当該特定贈与者の推定相続人（特定受贈森林経営計画対象山林承継人を含む。）が当該贈与の時から当該贈与に係る贈与税等の申告期限までの間に森林法第12条の規定により変更の認定を受けた場合の当該変更の認定を受けた後の森林経営計画

　　　ホ　被相続人である特定贈与者からの贈与により特定受贈森林経営計画対象山林を取得した当該特定贈与者の推定相続人が当該贈与の前に市町村長等の認定を受けていた当該特定受贈森林経営計画対象山林に係る森林経営計画について、当該特定贈与者の推定相続人（特定受贈森林経営計画対象山林承継人を含む。）が当該贈与の時から当該贈与に係る贈与税等の申告期限までの間に市町村長等の新認定を受けた場合の当該市町村長等の新認定を受けた森林経営計画

　(三)　被相続人である特定贈与者の死亡により開始した相続に係る相続税の申告期限を経過する時に現に効力を有する上記(二)に掲げる森林経営計画において、特定受贈森林経営計画対象山林について❶の規定の適用を受けようとする当該特定贈与者の推定相続人（特定受贈森林経営計画対象山林承継人を含む。）が施業を行うこととされている区域内に存するものであること。

　　　(注)1　贈与税等の申告期限から当該被相続人である特定贈与者の死亡により開始した相続に係る相続税の申告期限を経過する時までの間に、当該特定贈与者又は特定贈与者から贈与により特定受贈森林経営計画対象山林を取得した当該特定贈与者の推定相続人（特定受贈森林経営計画対象山林承継人を含む。）が上記(二)に掲げる森林経営計画について、市町村長等の新認定又は森林法第12条の規定による変更の認定を受けた場合であっても、当該新認定又は変更の認定後の森林経営計画の区域内に存する特定受贈森林経営計画対象山林については、下記(注)2に該当しない限り、❷の(四)のロに掲げる特定計画山林に該当することに留意する。

　　　　　2　被相続人である特定贈与者が特定受贈森林経営計画対象山林を贈与した時から当該特定贈与者の死亡により開始した相続に係る相続税の申告期限を経過する時までの間のいずれかの時点で、当該特定受贈森林経営計画対象山林について効力を有する森林経営計画において、❶の規定の適用を受けようとする当該特定贈与者の推定相続人（特定受贈森林経営計画対象山林承継人を含む。）が施業を行うこととされていた区域以外の区域内に存する特定受贈森林経営計画対象山林については、❷の(四)のロに掲げる特定計画山林に該当しないことに留意する。

　　（共同で市町村長等の認定を受けていた森林経営計画）
(3)　❷の(四)のイ及びロ並びに同(四)の(1)から(4)までに規定する森林経営計画には、被相続人若しくは被相続人である特定贈与者が他の個人若しくは法人と共同で市町村長等の認定を受けていた森林経営計画又は当該被相続人の親族若しくは特定贈与者の推定相続人（特定受贈森林経営計画対象山林承継人を含む。）が他の個人（当該被相続人又は特定贈与者を除く。）若しくは法人と共同で市町村長等の認定を受けていた森林経営計画がそれぞれ含まれることに留意する。（措通69の5－3）

　　（特定森林経営計画対象山林を取得した被相続人の親族が他の個人又は法人と共同で施業している場合の特定計画山林に該当する部分）
(4)　❷の(四)の(2)に規定する「相続開始の時から当該相続又は遺贈に係る相続税の申告期限までの間に当該特定森林経営計画対象山林について効力を有する森林経営計画」又は「被相続人に係る相続税の申告期限を経過する時において現に効力を有する森林経営計画」（以下(4)において「効力を有する森林経営計画」という。）が、同(四)の(2)に規定する特定森林経営計画対象山林を取得した当該被相続人の親族と他の個人又は法人が共同で市町村長等の認定を受けているものである場合において、当該被相続人の親族が施業を行うこととされている森林の区域と当該他の個人又は法人が施業を行うこととされている森林の区域が区分して定められているときには、特定森林経営計画対象山林のうち効力を有する森林経営計画において被相続人の親族が施業を行うこととされている森林の区域内に存するものが同(四)のイに掲げる特定計画山林に該当することに留意する。（措通69の5－4）

　　（特定受贈森林経営計画対象山林を取得した特定贈与者の推定相続人が他の個人又は法人と共同で施業している場合の特定計画山林に該当する部分）
(5)　❷の(四)の(4)に規定する「贈与の時から当該特定贈与者の死亡により開始した相続に係る相続税の申告期限までの間に当該特定受贈森林経営計画対象山林について効力を有する森林経営計画」又は「相続税の申告期限を経過する時に現に効力を有する森林経営計画」（以下(5)において「効力を有する受贈森林経営計画」という。）が、同(四)の(4)に規定する特定受贈森林施業計画対象山林を取得した当該特定贈与者の推定相続人（特定受贈森林経営計画対象山林承継人を含む。）と他の個人又は法人が共同で市町村長等の認定を受けているものである場合において、当該特定贈与者の推定相続人（特定受贈森林経営計画対象山林承継人を含む。）が施業を行うこととされている森林の区域と当該他の個人又は法人が施業を行うこととされている森林の区域が区分して定められているときには、特定受贈森林経営計画対象山

－136－

第四章　相続税の課税価格

林のうち効力を有する受贈森林経営計画において当該特定贈与者の推定相続人（特定受贈森林経営計画対象山林承継人を含む。）が施業を行うこととされている森林の区域内に存するものが同（四）のロに掲げる特定計画山林に該当することに留意する。（措通69の5－5）

（相続開始の時から相続税の申告期限までの間に一時的に森林経営計画が存在しない場合の❷の（三）のイに規定する特定計画山林相続人等の判定）
（6）　被相続人又は当該被相続人から相続若しくは遺贈（❺の（1）の適用がある特定の名義で行われるものを除く。）により特定森林経営計画対象山林を取得した当該被相続人の親族が当該特定森林経営計画対象山林に係る市町村長等の認定を受けていた森林経営計画（以下（6）において「消滅前計画」という。）の効力が当該相続開始の時から相続税の申告期限までの間に消滅し、かつ、その効力が消滅した日（以下（6）において「効力消滅日」という。）の翌日に現に効力を有する当該特定森林経営計画対象山林に係る新たな森林経営計画が存しない場合であっても、当該被相続人又は当該被相続人の親族が当該効力消滅日までに森林法施行規則第34条第1項《森林経営計画の認定の請求等》に規定する認定請求書及び森林経営計画書（当該特定森林経営計画対象山林に係るものに限る。）を提出し、後に当該認定請求に係る森林経営計画について市町村長等の認定を受け、当該認定を受けた森林経営計画に基づき当該被相続人の親族が施業を行っていたときには、❷の（三）のイの（2）の要件の判定上、当該被相続人の親族が当該効力消滅日の翌日から当該認定を受けた森林経営計画の始期の前日（当該相続又は遺贈に係る申告期限が当該森林経営計画の始期の前日前に到来する場合には、その申告期限の日。）まで引き続き消滅前計画に基づき当該特定森林経営計画対象山林（当該認定を受けた森林経営計画において当該被相続人の親族が施業を行うこととされている区域内に存するものに限る。）について施業を行っていたものとして取り扱う。（措通69の5－6）
　（注）　上記の取扱いは、特定森林経営計画対象山林の判定に当たっては適用がないことに留意する。

（贈与の時から相続税の申告期限までの間に一時的に森林経営計画が存在しない場合の❷の（三）のロに規定する特定計画山林相続人等の判定）
（7）　被相続人である特定贈与者又は当該特定贈与者から贈与により特定受贈森林経営計画対象山林を取得した当該特定贈与者の推定相続人（特定受贈森林経営計画対象山林承継人を含む。以下（7）において同じ。）が当該特定受贈森林経営計画対象山林に係る市町村長等の認定を受けていた森林経営計画（以下（7）において「消滅前計画」という。）の効力が当該贈与の時から当該特定贈与者の死亡に係る相続税の申告期限までの間に消滅し、かつ、その効力が消滅した日（以下（7）において「効力消滅日」という。）の翌日に現に効力を有する当該特定受贈森林経営計画対象山林に係る新たな森林経営計画が存しない場合であっても、当該特定贈与者又は当該特定贈与者の推定相続人が当該効力消滅日までに森林法施行規則第34条第1項に規定する認定請求書及び森林経営計画書（当該特定受贈森林経営計画対象山林に係るものに限る。）を提出し、後に当該認定請求に係る森林経営計画について市町村長等の認定を受け、当該認定を受けた森林経営計画に基づき当該特定贈与者の推定相続人が施業を行っていたときには、❷の（三）のロの（2）の要件の判定上、当該特定贈与者の推定相続人が当該効力消滅日の翌日から当該認定を受けた森林経営計画の始期の前日（当該特定贈与者の死亡により開始した相続に係る相続税の申告期限が当該森林経営計画の始期の前日前に到来する場合には、その申告期限の日。）まで引き続き消滅前計画に基づき当該特定受贈森林経営計画対象山林（当該認定を受けた森林経営計画において当該特定贈与者の推定相続人が施業を行うこととされている区域内に存するものに限る。）について施業を行っていたものとして取り扱う（❺の（2）の規定により施業を行っていたものとみなされる場合を除く。）。（措通69の5－7）
　（注）　上記の取扱いは、特定受贈森林経営計画対象山林の判定に当たっては適用がないのであるから留意する。

（特定贈与者の死亡以前に相続時精算課税適用者が死亡した場合の特定計画山林相続人等）
（8）　特定受贈森林経営計画対象山林の贈与の時から当該贈与に係る被相続人である特定贈与者の相続開始の時までに当該特定贈与者から当該特定受贈森林経営計画対象山林を贈与により取得した相続時精算課税適用者が死亡した場合には、当該相続時精算課税適用者の納税義務等承継人（当該納税義務等承継人のうちに特定受贈森林経営計画対象山林承継人がおり、かつ、当該特定受贈森林経営計画対象山林承継人が当該死亡の時から当該特定贈与者の相続開始の時まで引き続き当該特定受贈森林経営計画対象山林について市町村長等の認定を受けた森林経営計画に基づき施業を行っている場合に限る。）を当該死亡の時から❷の（三）のロの（1）及び（2）に掲げる要件を満たす特定計画山林相続人等に該当するものとして取り扱うものとする。（措通69の5－8）
　（注）　上記の場合において、当該特定贈与者の相続開始の時から当該特定贈与者の死亡に係る相続税の申告期限までの間に納税義務等承継人が当該相続開始の時に有していた特定受贈森林経営計画対象山林の一部でも有しないこととなるときには、当該特定受贈森林経営計画対象山林の全てについて、❶の規定の適用はないことに留意する。

－137－

第一編　相続税

　　　　（共同相続人等が特定計画山林の分割前に死亡している場合）
（9）　相続又は遺贈により取得した②の（四）に規定する特定計画山林（以下「特定計画山林」という。）の全部又は一部が共同相続人等によって分割される前に当該相続（以下（9）において「第一次相続」という。）に係る共同相続人等のうちいずれか（当該被相続人の親族に限る。）が死亡した場合において、第一次相続により取得した特定計画山林の全部又は一部が、当該親族の共同相続人等及び第一次相続に係る当該親族以外の共同相続人等によって分割され、その分割により当該親族の取得した特定計画山林として確定させたものがあるときは、①の規定の適用に当たっては、その特定計画山林は分割により当該親族が取得したものとして取り扱うことができる。（措通69の5－9）
　　　（注）　第一次相続に係る共同相続人等のうちいずれかが死亡した後、第一次相続により取得した財産の全部又は一部が家庭裁判所における審判等に基づいて分割されている場合において、当該審判等の中で、当該死亡した者の具体的相続分のみが金額又は割合によって示されているにすぎないときであっても、当該死亡した者の共同相続人等の全員の合意により、当該死亡した者の具体的相続分に対応する財産として特定させたもののうちに特定計画山林があるときは上記の取扱いができることに留意する。

③　申告期限に未分割である特定計画山林の適用除外

　　①の規定は、①の相続又は遺贈に係る第七章第一節一の1《申告書の提出期限》及び同第一節四の1の規定による申告書の提出期限（以下③において「**申告期限**」という。）までに共同相続人又は包括受遺者によって分割されていない特定計画山林については適用しない。ただし、その分割されていない特定計画山林が申告期限から3年以内（当該期間が経過するまでの間に当該特定計画山林が分割されなかったことにつき、当該相続又は遺贈に関し訴えの提起がされたことその他の（4）の政令で定めるやむを得ない事情がある場合において、（5）、（9）及び（10）の政令で定めるところにより納税地の所轄税務署長の承認を受けたときは、当該特定計画山林の分割ができることとなった日として（4）の政令で定める日の翌日から4月以内）に分割された場合には、その分割された当該特定計画山林については、この限りでない。（措法69の5③）

　　　（更正の請求の特則）
（1）　相続税について申告書を提出した者又は決定を受けた者は、次の（一）から（十）のいずれかに該当する事由により当該申告又は決定に係る課税価格及び相続税額（当該申告書を提出した後又は当該決定を受けた後修正申告書の提出又は更正があった場合には、当該修正申告又は更正に係る課税価格及び相続税額）が過大となったときは、当該（一）から（十）に規定する事由が生じたことを知った日の翌日から4月以内に限り、納税地の所轄税務署長に対し、その課税価格及び相続税額につき国税通則法第23条第1項の規定による更正の請求をすることができる。（措法69の5⑥、措令40の2の2⑫により準用される法32）
　（一）　第四章第二節二《遺産が未分割の場合の課税価格》の規定により分割されていない財産について民法（第904条の2《寄与分》を除く。）の規定による相続分又は包括遺贈の割合に従って課税価格が計算されていた場合において、その後当該財産の分割が行われ、共同相続人又は包括受遺者が当該分割により取得した財産に係る課税価格が当該相続分又は包括遺贈の割合に従って計算された課税価格と異なることとなったこと。
　（二）～（七）　（省略）
　（八）　上記③ただし書又は（2）（すでに分割された特定計画山林について①の規定の適用を受けていなかった場合として政令で定める場合）の規定に該当したことにより、これらの規定に規定する分割が行われた時以後において①の規定を適用して計算した相続税額がその時前において①の規定を適用して計算した相続税額と異なることとなったこと（（一）に該当する場合を除く。）。
　（九）～（十）　（省略）

　　　（申告期限内に分割された特定計画山林に係る更正の請求による特例の適用）
（2）　③の（1）の（八）に規定する政令で定める場合は、次に掲げる場合とする。（措令40の2の2⑩）
　（一）　既に分割された特例対象山林について、①の相続又は遺贈に係る③に規定する申告期限までに特例対象宅地等の全部又は一部が分割されなかったことにより①の選択がされず①の規定の適用を受けなかった場合において、当該申告期限から3年以内（当該期間が経過するまでに当該特例対象宅地等が分割されなかったことにつき、やむを得ない事情がある場合において、納税地の所轄税務署長の承認を受けたときは、当該特例対象宅地等の分割ができることとなった日の翌日から4月以内）に当該特例対象宅地等の全部又は一部が分割されたことにより当該選択ができることとなったとき（当該相続若しくは遺贈又は贈与により財産を取得した個人が10の①又は①の規定の適用を受けている場合を除く。）。
　（二）　特例対象受贈山林について、①の相続又は遺贈に係る申告期限までに特例対象宅地等又は特例対象山林の全部又は一部が分割されなかったことにより①の選択がされず①の規定の適用を受けなかった場合において、当該申告期限

第四章　相続税の課税価格

から３年以内（当該期間が経過するまでに当該特例対象宅地等又は特例対象山林が分割されなかったことにつき、やむを得ない事情がある場合において、納税地の所轄税務署長の承認を受けたときは、当該特例対象宅地等又は特例対象山林の分割ができることとなった日の翌日から４月以内）に当該特例対象宅地等又は特例対象山林の全部又は一部が分割されたことにより当該選択ができることとなったとき（当該相続若しくは遺贈又は贈与により財産を取得した個人が10の①又は①の規定の適用を受けている場合を除く。）。

（申告書の提出期限後に分割された特定計画山林について特例の適用を受ける場合）
（３）　第七章第一節一の１及び同第一節四の１の規定による申告書の提出期限後に特定計画山林の全部又は一部が分割された場合には、当該分割された日において他に分割されていない特定計画山林又は特例対象宅地等があるときであっても、当該分割された特定計画山林の全部又は一部について、①の規定の適用を受けるために（１）の規定による更正の請求を行うことができるのは、当該分割された日の翌日から４月以内に限られており、当該期間経過後において当該分割された特定計画山林について（１）の規定による更正の請求をすることはできないことに留意する。（措通69の５－10）

（分割期限の延長事由と分割期限）
（４）　③又は（２）に規定するやむを得ない事情がある場合は、次の（一）から（四）の左欄に掲げる場合とし、（２）に規定する分割期限の起算日は、これらの場合の区分に応じ当該（一）から（四）の右欄に定める日とする。（措令40の２の２⑧⑪により準用される令４の２①）

（一）	当該相続又は遺贈に係る申告期限の翌日から３年を経過する日において、当該相続又は遺贈に関する訴えの提起がされている場合（当該相続又は遺贈に関する和解又は調停の申立てがされている場合において、これらの申立ての時に訴えの提起がされたものとみなされるときを含む。）	判決の確定又は訴えの取下げの日その他当該訴訟の完結の日
（二）	当該相続又は遺贈に係る申告期限の翌日から３年を経過する日において、当該相続又は遺贈に関する和解、調停又は審判の申立てがされている場合（（一）又は（四）に掲げる場合に該当することとなった場合を除く。）	和解若しくは調停の成立、審判の確定又はこれらの申立ての取下げの日その他これらの申立てに係る事件の終了の日
（三）	当該相続又は遺贈に係る申告期限の翌日から３年を経過する日において、当該相続又は遺贈に関し民法第907条第３項《遺産の分割の協議又は審判等》若しくは第908条《遺産の分割の方法の指定及び遺産の分割の禁止》の規定により遺産の分割が禁止され、又は同法第915条第１項ただし書《相続の承認又は放棄をすべき期間》の規定により相続の承認若しくは放棄の期間が伸長されている場合（当該相続又は遺贈に関する調停又は審判の申立てがされている場合において、当該分割の禁止をする旨の調停が成立し、又は当該分割の禁止若しくは当該期間の伸長をする旨の審判若しくはこれに代わる審判が確定したときを含む。）	当該分割の禁止がされている期間又は当該伸長がされている期間が経過した日
（四）	（一）から（三）までに掲げる場合のほか、相続又は遺贈に係る財産が当該相続又は遺贈に係る申告期限の翌日から３年を経過する日までに分割されなかったこと及び当該財産の分割が遅延したことにつき税務署長においてやむを得ない事情があると認める場合	その事情の消滅の日

（分割期限の延長申請手続）
（５）　③又は（２）に規定する相続又は遺贈に関し（４）に規定するやむを得ない事情があることにより③又は（２）の税務署長の承認を受けようとする者は、当該相続又は遺贈に係る申告期限後３年を経過する日の翌日から２月を経過する日ま

-139-

第一編　相続税

でに、その事情の詳細その他（7）で定める事項を記載した申請書を当該税務署長に提出しなければならない。（措令40の2の2⑧⑪により準用される令4の2②）

（申告書の提出期限から3年以内に特定計画山林の特例及び小規模宅地等の特例に係る遺産が分割できない場合の承認申請）

（6）　第七章第一節**一**の1《申告書の提出期限》及び同第一節**四**の1の規定による申告書の提出期限から3年以内に共同相続人等によって分割されていない特定計画山林及び特例対象宅地等がある場合において、当該分割されていない特定計画山林又は特例対象宅地等が分割された後に、**①**又は**10**の**①**のいずれかの規定の適用を受けるために、当該共同相続人等は、（5）及び**10**の**④**の（5）に規定する承認申請書をそれぞれ同時に提出することができるものとする。（措通69の5－11）

（注）　（2）の（一）から（二）のかっこ書及び**10**の**④**の（2）のかっこ書の所轄税務署長の承認を受けようとする場合の承認申請書の提出についても、上記に準じて取り扱う。

（申請書の記載事項）

（7）　申請書の記載事項は、次に掲げる事項とする。（措規23の2の2③により準用される規1の6①）

（一）　（5）の規定による申請書を提出する者の氏名及び住所又は居所

（二）　被相続人の氏名並びにその死亡の時における住所又は居所及びその死亡の日

（三）　被相続人からの相続又は遺贈（贈与をした者の死亡により効力を生ずる贈与を含む。）により取得した財産に係る相続税の**④**に規定する申告書を提出した日

（四）　その他参考となるべき事項

（申請書の添付書類）

（8）　（5）の規定により提出する申請書には、（5）に規定する相続又は遺贈に係る申告期限後3年を経過する日までに当該相続又は遺贈により取得した財産の全部又は一部が共同相続人又は包括受遺者によって分割されなかった事情の次の（一）から（四）に掲げる区分に応じ当該（一）から（四）に定める書類を添付しなければならない。（措規23の2の2③により準用される規1の6②）

（一）　当該相続又は遺贈に関する訴えの提起がされていること　　訴えの提起がされていることを証する書類

（二）　当該相続又は遺贈に関する和解、調停又は審判の申立てがされていること（（三）に該当する場合を除く。）　　これらの申立てがされていることを証する書類

（三）　当該相続又は遺贈に関し、民法第907条第3項若しくは第908条の規定により遺産の分割が禁止され、又は同法第915条第1項ただし書の規定により相続の承認若しくは放棄の期間が伸長されていること　　これらの事実及び当該分割が禁止されている期間又は当該承認若しくは放棄が伸長された期間を証する書類

（四）　（一）から（三）までに掲げる事情以外の事情　　財産の分割がされなかった事情の明細を記載した書類

（申請に対する処分）

（9）　税務署長は、（5）の申請書の提出があった場合において、承認又は却下の処分をするときは、その申請をした者に対し、書面によりその旨を通知する。（措令40の2の2⑧⑪により準用される令4の2③）

（申請につき承認があったものとみなす場合）

（10）　（5）の申請書の提出があった場合において、当該申請書の提出があった日の翌日から2月を経過する日までにその申請につき承認又は却下の処分がなかったときは、その日においてその承認があったものとみなす。（措令40の2の2⑧⑪により準用される令4の2④）

④　申告要件と申告書添付書類

①の規定は、**①**の適用を受けようとする者の当該相続又は遺贈に係る第七章第一節**一**の1及び同第一節**四**の1又は同第一節**七**の1の規定による申告書（これらの申告書に係る期限後申告書及びこれらの申告書に係る修正申告書を含む。（3）及び（4）において「相続税の申告書」という。）に**①**の規定の適用を受けようとする旨を記載し、**①**の規定による計算に関する明細書その他の（12）の財務省令で定める書類の添付がある場合に限り、適用する。（措法69の5⑦）

—140—

第四章　相続税の課税価格

（特定受贈森林施業計画対象山林に係る申告書の提出）
（１）　特定贈与者からの贈与により取得をした特定受贈森林経営計画対象山林について①の規定の適用を受けようとする特定計画山林相続人等は、（５）の政令で定めるところにより、第二編第六章第一節一の１《申告書の提出期限》の期間内に①の規定の適用を受ける旨その他(14)の財務省令で定める事項を記載した書類その他(15)の財務省令で定める書類を納税地の所轄税務署長に提出しなければならない。（措法69の５⑧）

（（１）に係る申告書の提出がされていないとき）
（２）　（１）の場合において、（１）の期間内に、（１）の特定受贈森林経営計画対象山林に係る（１）の書類が納税地の所轄税務署長に提出されていないときは、当該特定受贈同族会社株式等又は特定受贈森林経営計画対象山林については、①の規定の適用を受けることができない。（措法69の５⑨）

（特定森林経営計画対象山林又は特定受贈森林経営計画対象山林に係る申告書の提出）
（３）　①の規定は、④の規定にかかわらず、特定森林経営計画対象山林又は特定受贈森林経営計画対象山林について①の規定の適用を受けようとする者の相続税の申告書の提出期限から２月以内に②の（三）のイの（２）又はロの（２）に規定する森林経営計画に基づき施業が行われていた旨その他の事項を証する(20)の財務省令で定める書類の提出がない場合には、適用しない。（措法69の５⑩）

（宥恕《ゆうじょ》規定）
（４）　税務署長は、相続税の申告書若しくは(20)の財務省令で定める書類の提出がなかった場合又は④の記載若しくは添付がない相続税の申告書の提出があった場合においても、その提出又は記載若しくは添付がなかったことについてやむを得ない事情があると認めるときは、当該記載をした書類並びに④及び(20)の財務省令で定める書類の提出があった場合に限り、①の規定を適用することができる。（措法69の５⑪）

（（１）に係る申告書の提出）
（５）　（１）に規定する書類は、被相続人である特定贈与者ごとに作成し、第二編第六章第一節一の１《申告書の提出期限》の規定による申告書に添付して納税地の所轄税務署長に提出しなければならない。（措令40の２の２⑬）

（特定贈与者が年の中途に死亡した場合の申告書の提出期限）
（６）　被相続人である特定贈与者が特定受贈森林経営計画対象山林の贈与をした年の中途において死亡した場合において、当該贈与に係る第二編第六章第一節一の１《申告書の提出期限》の規定による申告書の提出期限（(10)までにおいて「贈与税の申告書の提出期限」という。）までに当該特定贈与者に係る第七章第一節一の１《申告書の提出期限》の規定による申告書の提出期限（(10)までにおいて「相続税の申告書の提出期限」という。）が到来するとき（(10)の（二）に掲げる場合を除く。）における（１）及び（５）の規定の適用については、（１）中「第二編第六章第一節一の１」とあるのは「当該特定贈与者に係る第七章第一節一の１」と、（５）中「被相続人である特定贈与者ごとに作成し、第二編第六章第一節一の１」とあるのは「当該被相続人である特定贈与者について作成し、当該特定贈与者に係る第七章第一節一の１」とする。（措令40の２の２⑭）

（特定贈与者が年の中途において死亡した場合の申告書の提出期限）
（７）　被相続人である特定贈与者が特定受贈森林経営計画対象山林の贈与をした年の中途において死亡した場合において、当該特定贈与者に係る相続税の申告書の提出期限までに当該贈与に係る贈与税の申告書の提出期限が到来するとき（(10)の（一）に掲げる場合を除く。）における（５）の規定の適用については、（５）中「被相続人である特定贈与者ごとに作成し、第二編第六章第一節一の１の規定による申告書に添付して」とあるのは、「当該被相続人である特定贈与者について作成し、当該特定贈与者に係る相続税の」とする。（措令40の２の２⑮）

（特定計画山林相続人等が申告書の提出期限前に提出しないで死亡した場合）
（８）　特定受贈森林経営計画対象山林を贈与により取得した特定計画山林相続人等が（５）の書類の提出期限前に当該書類を提出しないで死亡した場合（(10)に規定する場合を除く。）には、その死亡した特定計画山林相続人等の相続人は、当該書類を提出することにより11の規定の適用を受けることができる。この場合において、当該相続人は、当該書類を当該特定計画山林相続人等に係る特定贈与者ごとに作成し、第二編第六章第一節一の２の規定による申告書に添付して納税地の所轄税務署長に提出しなければならない。（措令40の２の２⑯）

—141—

第一編　相続税

　　　　　（(8)の準用規定）
（9）　(8)の前段の場合における(1)の規定の適用については、(1)中「第二編第六章第一節一の**1**」とあるのは、「第二編第六章第一節一の**2**」とする。（措令40の2の2⑰）

　　　　　（特定贈与者が年の中途において死亡した場合の申告書の提出期限）
（10）　被相続人である特定贈与者が特定受贈森林経営計画対象山林の贈与をした年の中途において死亡し、かつ、当該贈与により当該特定受贈森林経営計画対象山林を取得した特定計画山林相続人等が(5)の書類の提出期限前に当該書類を提出しないで死亡した場合には、その死亡した特定計画山林相続人等の相続人は、当該書類を提出することにより**11**の規定の適用を受けることができる。

　　　この場合において、(1)の規定の適用については、次の(一)から(二)に掲げる場合の区分に応じ当該(一)から(二)に定めるところによる。（措令40の2の2⑱）
（一）　当該被相続人である特定贈与者に係る相続税の申告書の提出期限までに当該贈与に係る贈与税の申告書の提出期限が到来する場合　　当該特定計画山林相続人等の相続人は、(1)に規定する書類を当該特定計画山林相続人等に係る当該被相続人である特定贈与者について作成し、当該特定贈与者に係る相続税の納税地の所轄税務署長に提出しなければならない。
（二）　当該贈与に係る贈与税の申告書の提出期限までに当該被相続人である特定贈与者に係る相続税の申告書の提出期限が到来する場合　　当該特定計画山林相続人等の相続人は、(1)に規定する書類を当該特定計画山林相続人等に係る当該被相続人である特定贈与者について作成し、当該特定贈与者に係る第七章第一節**四**の**1**の規定による申告書に添付して納税地の所轄税務署長に提出しなければならない。

　　　　　（(10)の準用規定）
（11）　(10)の(一)に掲げる場合における(1)の規定の適用については、同(1)中「第二編第六章第一節一の**1**」とあるのは「第二編第六章第一節一の**2**において準用する第七章第一節**四**の**1**」と、(10)の(二)に掲げる場合における(1)の規定の適用については、(1)中「第二編第六章第一節一の**1**」とあるのは「第七章第一節**四**の**1**」とする。（措令40の2の2⑲）

　　　　　（申告書添付書類）
（12）　④に規定する財務省令で定める書類は、次の(一)から(五)に掲げる場合の区分に応じ当該(一)から(五)に定めるものとする。（措規23の2の2⑥）

（一）	②の(一)に規定する特定森林経営計画対象山林である①に規定する選択特定計画山林（以下(一)及び(20)において「選択特定計画山林」という。）について①の規定の適用を受けようとする場合	次に掲げる書類 イ　当該選択特定計画山林に係る①の規定による第二節一の**1**に規定する相続税の課税価格に算入すべき価額の計算に関する明細書 ロ　①の(6)の(一)のイからハまでに掲げる書類 ハ　当該特定森林経営計画対象山林について相続の開始の前に②の(一)に規定する市町村長等の認定を受けていた同(一)に規定する森林経営計画に係る計画書の写し、当該森林経営計画に係る森林法第11条第5項（同法第12条第3項において読み替えて準用する場合を含む。）の認定に係る通知（以下「認定書」という。）の写し及びその他参考となるべき事項を記載した書類 ニ　遺言書の写し、財産の分割の協議に関する書類（当該書類に当該相続に係る全ての共同相続人及び包括受遺者が自署し、自己の印を押しているものに限る。）の写し（当該自己の印に係る印鑑証明書が添付されているものに限る。）その他の財産の取得の状況を証する書類
（二）	②の(二)に規定する特定受贈森林経営計画対象山林である選択特定計画山林について①の規定の適用を受けようとする場合	次に掲げる書類 イ　(一)のイ及びニに掲げる書類 ロ　①の(6)の(二)のイからハまでに掲げる書類
（三）	③に規定する申告期限（以下(12)において「申告期限」という。）までに①の(6)の(一)に規定する特	その旨並びに分割されていない事情及び分割の見込みの詳細を明らかにした書類

－142－

第四章　相続税の課税価格

	例対象山林（以下(12)及び(13)において「特例対象山林」という。）の全部又は一部が共同相続人又は包括受遺者によって分割されていない当該特例対象山林について当該申告期限後に当該特例対象山林の全部又は一部が分割されることにより①の規定の適用を受けようとする場合	
(四)	申告期限までに**10**の①に規定する特例対象宅地等（以下(12)及び(13)において「特例対象宅地等」という。）の全部又は一部が共同相続人又は包括受遺者によって分割されなかったことにより①の選択がされず①の規定の適用を受けなかった場合で当該申告期限後に当該特例対象宅地等の全部又は一部が分割されることにより当該申告期限において既に分割された特例対象山林について①の規定の適用を受けようとするとき	その旨並びに分割されていない事情及び分割の見込みの詳細を明らかにした書類
(五)	申告期限までに特例対象宅地等又は特例対象山林の全部又は一部が共同相続人又は包括受遺者によって分割されなかったことにより①の選択がされず①の規定の適用を受けなかった場合で当該申告期限後に当該特例対象宅地等又は特例対象株式等若しくは特例対象山林の全部又は一部が分割されることにより①の（６）の(一)のハに規定する特例対象受贈山林（以下(13)において「特例対象受贈山林」という。）について①の規定の適用を受けようとするとき	その旨並びに分割されていない事情及び分割の見込みの詳細を明らかにした書類

　　　（(12)の場合において相続税の申告書に添付を要しない場合）
(13)　(12)の場合において、当該相続若しくは遺贈（贈与をした者の死亡により効力を生ずる贈与を含む。）又は贈与であって当該贈与により取得した財産につき第三編第一章第一節二の（１）の規定の適用を受けるものに係る贈与に限る。）により特例対象山林及び特例対象受贈山林、特例対象宅地等並びに**10**の①の（７）に規定する猶予対象宅地等及び同（７）に規定する猶予対象受贈宅地等の全てを取得した個人が１人である場合には、(12)の(一)及び(二)の規定にかかわらず、①の（６）の(一)のハ及び(二)のハに掲げる書類は④に規定する相続税の申告書に添付することを要しない。（措規23の２の２⑦）

　　　（(１)の財務省令で定める事項）
(14)　(１)に規定する財務省令で定める事項は、次に掲げる事項とする。（措規23の２の２⑧）
　(一)　①の規定の適用を受けようとする②の(三)に規定する特定計画山林相続人等（以下「特定計画山林相続人等」という。）の氏名及び住所又は居所

第一編　相続税

（二）　被相続人である第三編第一章第一節二の（2）に規定する特定贈与者（以下「特定贈与者」という。）の氏名及びその死亡の時における住所又は居所

（三）　（一）の特定計画山林相続人等が（二）の特定贈与者に係る第三編第一章第一節二の（2）に規定する相続時精算課税適用者に該当する旨並びに当該特定贈与者に係る同二の（3）に規定する相続時精算課税選択届出書を提出した税務署の名称及びその提出に係る年分

（（1）の財務省令で定める書類）

(15)　（1）に規定する財務省令で定める書類は、次に掲げる書類とする。（措規23の2の2⑨）

（一）　特定計画山林相続人等が❶の規定の適用を受ける特定受贈森林経営計画対象山林の明細を記載した書類

（二）　被相続人である特定贈与者からの贈与により取得した特定受贈森林経営計画対象山林について当該贈与の前に市町村長等の認定を受けていた森林経営計画に係る森林経営計画書の写し、当該森林経営計画に係る認定書の写し及びその他参考となるべき事項を記載した書類

（（6）又は（7）の規定により書類を提出する場合における読替規定）

(16)　（6）又は（7）の規定により（1）の書類を提出する場合における（14）の規定の適用については、同（14）の（二）中「居所」とあるのは、「居所並びにその死亡の年月日」とする。（措規23の2の2⑩）

（（8）及び（9）の相続人が（1）の書類を提出する場合における記載事項）

(17)　（8）及び（9）の規定により（8）の相続人が（1）に規定する書類を提出する場合におけるその書類に記載すべき事項は、次に掲げる事項とする。（措規23の2の2⑪）

（一）　（8）の相続人の氏名及び住所又は居所並びに死亡した特定計画山林相続人等との続柄

（二）　（一）の死亡した特定計画山林相続人等の氏名及びその死亡の時における住所又は居所並びにその死亡の年月日

（三）　（14）の（二）及び（三）に掲げる事項

（（17）の場合における（15）の規定の適用についての読替規定）

(18)　（17）の場合における（15）の規定の適用については、（15）中「掲げる書類」とあるのは、「掲げる書類及び戸籍の謄本又は抄本その他の書類で（8）に規定する相続人に該当する旨を証する書類」とする。（措規23の2の2⑫）

（（16）から（18）までの規定の準用規定）

(19)　（16）から（18）までの規定は、（10）及び（11）の規定により提出する書類に記載すべき事項及び添付すべき書類について準用する。（措規23の2の2⑬）

（（3）の財務省令で定める書類）

(20)　（3）の財務省令で定める書類は、特定森林経営計画対象山林について❶の規定の適用を受けようとする場合にあっては(一)及び(二)に掲げるものとし、特定受贈森林経営計画対象山林について❶の規定の適用を受けようとする場合にあっては(三)及び(四)に掲げるものとする。（措規23の2の2⑭）

		次に掲げる事項を記載した②の(一)に規定する市町村の長の証明書
（一）	イ	❶の被相続人に係る相続の開始の直前及び❶に規定する申告期限を経過する時において現に効力を有する森林経営計画（特定森林経営計画対象山林に係るものに限る。）の認定年月日及び当該認定の番号、森林法第12条第1項に規定する認定森林所有者等の氏名並びにその他参考となるべき事項
	ロ	❶の被相続人に係る相続の開始の時から申告期限までの間に、特定森林経営計画対象山林に係る森林経営計画（当該相続開始の前に市町村長等の認定を受けていたものに限るものとし、イの計画を除くものとする。）について、森林法第12条第3項の規定（木材の安定供給の確保に関する特別措置法第9条第2項又は第3項の規定により読み替えて適用される場合を含む。以下において同じ。）において読み替えて準用する森林法第11条第5項の規定による変更の認定又は②の(四)の(1)の二に規定する市町村長等の新認定（以下「**市町村長等の新認定**」という。）を受けた場合には、当該変更の認定又は当該市町村長等の新認定を受けた全ての森林経営計画の認定年月日及び当該認定の番号、これらの森林経営計画に係る森林法第12条第1項に規定する認定森林所有者等の氏名並びにその他参考となるべき事項
	ハ	特定計画山林相続人等が、❶の被相続人に係る相続の開始の時から申告期限までの間に森林経営計画の定

－144－

		めるところに従い特定森林経営計画対象山林である選択特定計画山林に係る立木の伐採をした場合には、当該伐採をした立木に係る森林法第15条の届出書を受理した旨及び届出の年月日、当該伐採をした立木の所在場所、伐採時期及び伐採面積並びにその他参考となるべき事項
(二)		①の被相続人に係る相続の開始の時から申告期限までの間に、特定森林経営計画対象山林に係る森林経営計画（当該相続の開始の前に市町村長等の認定を受けていたものに限る。）について、森林法第12条第3項において読み替えて準用する同法第11条第5項の規定による変更の認定又は市町村長等の新認定を受けた場合には、当該変更の認定又は当該市町村長等の新認定を受けた全ての森林経営計画に係る森林経営計画書の写し、これらの森林経営計画に係る認定書の写し及びその他参考となるべき事項を記載した書類
(三)		次に掲げる事項を記載した②の(一)に規定する市町村の長の証明書
	イ	特定計画山林相続人等が当該特定受贈森林経営計画対象山林の贈与を受ける直前及び申告期限を経過する時において現に効力を有する森林経営計画（特定受贈森林経営計画対象山林に係るものに限る。）の認定年月日及び当該認定の番号、森林法第12条第1項に規定する認定森林所有者等の氏名並びにその他参考となるべき事項
	ロ	特定計画山林相続人等が当該特定受贈森林経営計画対象山林の贈与を受けた時から申告期限までの間に、特定受贈森林経営計画対象山林に係る森林経営計画（当該贈与の前に市町村長等の認定を受けていたものに限るものとし、イの計画を除くものとする。）について、森林法第12条第3項において読み替えて準用する同法第11条第5項の規定による変更の認定又は市町村長等の新認定を受けた場合には、当該変更の認定又は当該市町村長等の新認定を受けた全ての森林経営計画の認定年月日及び当該認定の番号、これらの森林経営計画に係る同法第12条第1項に規定する認定森林所有者等の氏名並びにその他参考となるべき事項
	ハ	特定計画山林相続人等が当該特定受贈森林経営計画対象山林を贈与により取得した時から申告期限までの間に森林経営計画の定めるところに従い特定受贈森林経営計画対象山林である選択特定計画山林に係る立木の伐採をした場合には、当該伐採をした立木に係る森林法第15条の届出書を受理した旨及び届出の年月日、当該伐採をした立木の所在場所、伐採時期及び伐採面積並びにその他参考となるべき事項
(四)		特定計画山林相続人等が当該特定受贈森林経営計画対象山林の贈与を受けた時から申告期限までの間に、特定受贈森林経営計画対象山林に係る森林経営計画（当該贈与の前に市町村長等の認定を受けていたものに限る。）について、森林法第12条第3項において読み替えて準用する同法第11条第5項の規定による変更の認定又は市町村長等の新認定を受けた場合には、当該変更の認定又は当該市町村長等の新認定を受けた全ての森林経営計画に係る森林経営計画書の写し、これらの森林経営計画に係る認定書の写し及びその他参考となるべき事項を記載した書類

（（1）に規定する書類の提出先等）

(21)　被相続人である特定贈与者が特定受贈森林経営計画対象山林の贈与をした年の中途で死亡した場合又は特定受贈森林経営計画対象山林を贈与により取得した②の(三)のロの要件を満たす特定計画山林相続人等が(1)に規定する書類の提出期限前に(1)に規定する書類を提出しないで死亡した場合において、当該贈与を受けた特定受贈森林経営計画対象山林について①の規定の適用を受けるために提出する(1)に規定する書類の提出先及び提出期限は、次に掲げる場合に応じ、それぞれに掲げるところによることに留意する。（措通69の5－15）

区　　　　　分		提　出　先	提　出　期　限
（1）　被相続人である特定贈与者が特定受贈森林経営計画対象山林の贈与をした年の中途で死亡した場合 （注）　④の(1)に規定する書類に係る受贈財産については、贈与税の申告を要しないのであるから留意する。	①　特定計画山林相続人等に係る贈与税の申告書の提出期限（第二編第六章第一節一の1又は同一の2に規定する期限）以前に当該特定贈与者の死亡に係る相続税の申告書の提出期限（第七章第一節一の1又は同一の2に規定する期限）が到来するとき	当該特定贈与者に係る相続税の納税地を所轄する税務署長	当該特定贈与者に係る相続税の申告書の提出期限
	②　特定贈与者の死亡に係る相続税の申告書の提出期限（第七章第一節一の1又は同一の2に規定する期限）前に特定計画山林相続人等に係る贈与税の		当該特定計画山林相続人等に係る贈与税の申告書の提出期限

—145—

	申告書の提出期限（第二編第六章第一節一の**1**又は同一の**2**に規定する期限）が到来するとき		
（2）　特定受贈森林経営計画対象山林を贈与により取得した特定計画山林相続人等が④の（1）に規定する書類の提出期限前に当該書類を提出しないで死亡した場合（上記（1）に該当する場合を除く。）	当該特定計画山林相続人等に係る贈与税の納税地を所轄する税務署長	当該特定計画山林相続人等に係る贈与税の申告書の提出期限	

⑤　**その他の調整規定**

　❸から❹までに定めるもののほか、❶の規定の適用に関し必要な事項は、（1）及び（2）の政令で定める。（措法69の5⑬）

　　　（特定森林経営計画対象山林について施業を行っていたものとみなされる特定名義の遺贈による取得）
（1）　❶の相続又は遺贈に係る被相続人から遺贈（特定の名義で行われるものに限る。）により特定森林経営計画対象山林を取得した個人が、当該遺贈があったことを知った時から当該相続又は遺贈に係る相続税の申告期限までの間に当該特定森林経営計画対象山林に係る森林経営計画について市町村長等の新認定を受けた場合には、当該個人が当該被相続人に係る相続開始の時から当該市町村長等の新認定を受けた日まで引き続き当該相続開始の前に市町村長等の認定を受けていた森林経営計画に基づき当該特定森林経営計画対象山林について施業を行っていたものとみなして、**11**の規定を適用する。（措令40の2の2⑳）

　　　（特定受贈森林経営計画対象山林に係る森林経営計画について市町村長等の新認定を受けた場合）
（2）　被相続人である特定贈与者からの贈与により特定受贈森林経営計画対象山林を取得した個人が、当該贈与の時から当該贈与に係る贈与税等の申告期限までの間に当該特定受贈森林経営計画対象山林に係る森林経営計画について市町村長等の新認定を受けた場合には、当該個人が当該特定贈与者に係る贈与の時から当該市町村長等の新認定を受けた日まで引き続き当該贈与の前に市町村長等の認定を受けていた森林経営計画に基づき当該特定受贈森林経営計画対象山林について施業を行っていたものとみなして、**11**の規定を適用する。（措令40の2の2㉑）

12　特定土地等及び特定株式等に係る相続税の課税価格の計算の特例

①　課税価格の計算の特例

　特定非常災害（特定非常災害の被害者の権利利益の保全等を図るための特別措置に関する法律第2条第1項の規定により特定非常災害として指定された非常災害をいう。）に係る同法第2条第1項の特定非常災害発生日（以下**12**において「特定非常災害発生日」という。）前に相続又は遺贈（当該相続に係る被相続人からの贈与により取得した財産で第三編第一章第一節二の（1）《相続時精算課税選択届出書に係る贈与財産の税額の計算》（同節三《相続時精算課税適用者の特例》、第三編第二章の1《住宅取得等資金の贈与を受けた場合の相続時精算課税の特例》又は第六編第一章第八節（第七編第四章第九節において準用する場合を含む。）において準用する場合を含む。以下❶において同じ。）の規定の適用を受けるものに係る贈与を含む。以下**12**において同じ。）により財産を取得した者があり、かつ、当該相続又は遺贈に係る第七章第一節一の1の規定により提出すべき申告書の提出期限が当該特定非常災害発生日以後である場合において、その者が当該相続若しくは遺贈により取得した財産又は贈与により取得した財産（当該特定非常災害発生日の属する年（当該特定非常災害発生日が1月1日から第二編第六章第一節一の1《申告書の提出期限》の規定により提出すべき申告書の提出期限までの間にある場合には、その前年）の1月1日から当該特定非常災害発生日の前日までの間に取得したもので、四の1又は第三編第一章第一節一《相続時精算課税制度の適用対象者》の規定の適用を受けるものに限る。）で当該特定非常災害発生日において所有していたもののうちに、当該特定非常災害により被災者生活再建支援法第3条第1項の規定の適用を受ける地域（同項の規定の適用がない場合には、当該特定非常災害により相当な損害を受けた地域として財務大臣が指定する地域。以下❶において「特定地域」という。）内にある土地若しくは土地の上に存する権利（以下❶において「特定土地等」という。）又は特定地域内に保有する資産の割合が高い法人として（1）の政令で定める法人の株式若しくは出資（金融商品取引法第2条第16項に規定する金融商品取引所に上場されている株式その他これに類するものとして（2）の政令で定めるものを除く。以下❶において「特定株式等」という。）があるときは、当該特定土地等又は当該特定株式等については、一に規定する相続税の課税価格に算入すべき価額又は四の1若しくは第三編第一章第三節一《相続又は遺贈により財産を取得した相続時精算課税適用者》の規定により当該相続税の課税価格に加算される贈与により取得した財産の価額は、第九

－146－

第四章　相続税の課税価格

編第一章《総則》の規定にかかわらず、当該特定非常災害の発生直後の価額として(6)の政令で定めるものの金額とすることができる。(措法69の6①)

(注)　①に規定する特定非常災害発生日(平成28年4月1日以後の日に限る。)前で、かつ、平成29年1月1日前に相続又は遺贈(当該相続に係る被相続人からの贈与により取得した財産で第三編第一章第一節一《相続時精算課税制度の適用対象者》(同節三《相続時精算課税適用者の特例》又は第三編第二章の1《住宅取得等資金の贈与を受けた場合の相続時精算課税の特例》において準用する場合を含む。)の規定の適用を受けるものに係る贈与を含む。)により財産を取得した者があり、かつ、当該相続又は遺贈に係る第七章第一節一の1の規定により提出すべき申告書の提出期限が当該特定非常災害発生日以後である場合において、その者が当該相続又は遺贈により取得した財産で当該特定非常災害発生日において所有していたもののうちに、①に規定する特定土地等又は特定株式等があるときは、当該相続又は遺贈により財産を取得した者は、①の規定の適用を受けることができる。(平29改所法等附88②)

(特定地域内に保有する資産の割合が高い法人)
(1)　①に規定する政令で定める法人は、相続等(相続若しくは①に規定する遺贈(贈与をした者の死亡により効力を生ずる贈与を含む。)又は贈与(贈与をした者の死亡により効力を生ずる贈与を除く。)をいう。以下①において同じ。)により財産を取得した者が当該相続等によりその法人の株式又は出資を取得した時において、当該法人の保有していた資産の価額(当該取得した時における時価をいう。以下(1)において同じ。)の合計額のうちに占める①に規定する特定地域内にあった動産(金銭及び有価証券を除く。)、不動産、不動産の上に存する権利及び立木((6)の(二)において「動産等」という。)の価額の合計額の割合が10分の3以上である法人とする。(措令40の3①)

(特定株式等に該当しないもの)
(2)　①に規定する政令で定める株式その他これに類するものは、次に掲げる株式又は出資(以下(2)において「株式等」という。)とする。(措令40の3②)
(一)　金融商品取引法第2条第8項第10号ハに規定する店頭売買有価証券に該当する株式等
(二)　(一)に掲げる株式等に類する株式等で(3)の財務省令で定めるもの

(店頭売買有価証券に該当する株式等に類するものの範囲)
(3)　(2)の(二)に規定する財務省令で定めるものは、金融商品取引法第2条第16項に規定する金融商品取引所が同法第121条の規定による内閣総理大臣への届出をするため当該届出を行うことを明らかにした株式((2)の(一)に掲げる株式等((2)に規定する株式等をいう。)に該当するものを除く。)及び同法第67条第1項の認可金融商品取引業協会が同法第67条の11第1項に規定する店頭売買有価証券登録原簿に登録することを明らかにした株式とする。(措規23の2の3)

(特定株式等の判定)
(4)　評価対象法人の株式又は出資が特定株式等に該当するかどうかは、(1)の規定により、評価対象法人が課税時期に保有していた資産の価額の合計額のうちに占める特定地域内にあった動産等の価額の合計額の割合が10分の3以上であるかどうかにより判定するのであるが、この場合に当該動産等の価額の合計額の割合が10分の3以上であるかどうかは、評価対象法人の保有していた各資産を課税時期において評価基本通達の定めるところにより評価した価額に基づき判定することに留意する。(措通69の6・69の7共-3)

(特定非常災害発生日前に相続財産の全部又は一部を与えられた者)
(5)　①の規定は、特定非常災害発生日前に民法第958条の2第1項の規定により同項に規定する相続財産の全部又は一部を与えられた者があり、かつ、当該相続財産の全部又は一部の遺贈に係る第七章第一節七の1又は同章第四節二の2の規定により提出すべき申告書の提出期限が当該特定非常災害発生日以後である場合において、当該相続財産の全部又は一部で当該特定非常災害発生日においてその者が所有していたもののうちに特定土地等又は特定株式等があるときについて準用する。(措法69の6②)

(特定非常災害の発生直後の価額)
(6)　①に規定する政令で定める特定非常災害の発生直後の価額は、次の(一)又は(二)に掲げる財産の区分に応じ、当該(一)又は(二)に定める金額による。(措令40の3③)
(一)　①に規定する特定土地等　当該特定土地等(当該特定土地等の上にある不動産を含む。)の状況が①((5)において準用する場合を含む。)の規定の適用に係る特定非常災害(①に規定する特定非常災害をいう。(二)において同じ。)の発生直後も引き続き相続等により取得した時の現況にあったものとみなして、当該特定非常災害の発生直後における当該特定土地等の価額として評価した額に相当する金額

－147－

（二）　①に規定する特定株式等　当該特定株式等を相続等により取得した時において当該特定株式等に係る株式の発行法人又は出資のされている法人が保有していた①に規定する特定地域内にある動産等（当該法人が①（（5）において準用する場合を含む。）の規定の適用に係る特定非常災害発生日（①に規定する特定非常災害発生日をいう。）において保有していたものに限る。）の当該特定株式等を相続等により取得した時の状況が、①（（5）において準用する場合を含む。）の規定の適用に係る特定非常災害の発生直後の現況にあったものとみなして、当該相続等により取得した時における当該特定株式等の価額として評価した額に相当する金額

（特定土地等の特定非常災害の発生直後の価額）

（7）　特定土地等の特定非常災害の発生直後の価額については、（6）の（一）の規定により、特定土地等の課税時期における現況が特定非常災害の発生直後も継続していたものとみなして当該特定土地等を評価した価額となることに留意する。

したがって、特定土地等について、課税時期から特定非常災害の発生直後までの間に区画形質、権利関係の変更等があった場合でも、これらの事由は考慮しないことに留意する。

なお、特定土地等の特定非常災害の発生直後の価額については、国税局長（沖縄国税事務所長を含む。）が不動産鑑定士等の意見を基として特定地域内の一定の地域ごとに特定土地等の特定非常災害の発生直後の価額を算出するための率（以下（7）において「調整率」という。）を別途定めている場合には、特定非常災害発生日の属する年分の評価基本通達（昭和39年4月25日付直資56ほか1課共同「財産評価基本通達」をいう。以下第七編までにおいて同じ。）第九編第二章第二節の（3）《路線価》に定める路線価及び同節の(18)《倍率方式による評価》に定める倍率に調整率を乗じたものを当該年分の路線価及び倍率として評価することができるものとする。（措通69の6・69の7共－2）

（特定株式等の特定非常災害の発生直後の価額）

（8）　（6）の（二)に規定する金額は、評価基本通達の定めによって評価した1株当たりの特定株式等の価額にその特定株式等の数を乗じて計算した額による。ただし、次に掲げる場合には、それぞれ次に掲げるところによる。（措通69の6・69の7共－4）

（一）　第九編第八章第四節（3）《類似業種比準価額》に定める類似業種比準価額によって評価する場合

第九編第八章第四節（7）《評価会社の1株当たりの配当金額等の計算》に定める評価会社の「1株当たりの配当金額」、「1株当たりの利益金額」及び「1株当たりの純資産価額（帳簿価額によって計算した金額）」を次に掲げるところにより計算した金額によって評価した1株当たりの特定株式等の価額

イ　「1株当たりの配当金額」

次のロにより計算した「1株当たりの利益金額」に次に掲げる割合を乗じて計算した金額

$$\frac{\text{第九編第八章第四節（7）の（一）に定めるところにより計算した直前期末以前2年間の評価対象法人の剰余金の配当金額の合計額}}{\text{第九編第八章第四節（7）の（二）に定めるところにより計算した直前期末以前2年間の評価対象法人の法人税の課税所得金額を基として計算した利益金額の合計額}}$$

ロ　「1株当たりの利益金額」

第九編第八章第四節（7）の（二）に定めるところにより計算した「1株当たりの利益金額」と特定非常災害の発生直後の状況に基づいて合理的に見積もった特定非常災害発生日の属する事業年度の末日以前1年間における所得金額を基として計算した利益金額の見積額（以下（8）において「見積利益金額」という。）を直前期末における発行済株式数（1株当たりの資本金等の額が50円以外の金額である場合には、直前期末における資本金等の額を50円で除して計算した数によるものとする。以下（8）において同じ。）で除して計算した金額との合計額（その金額が負数のときは0とする。）の2分の1に相当する金額

ハ　「1株当たりの純資産価額（帳簿価額によって計算した金額）」

第九編第八章第四節（7）の（三）に定める「1株当たりの純資産価額（帳簿価額によって計算した金額）」。

ただし、上記ロの見積利益金額が欠損となる場合には、次に掲げる金額の合計額を直前期末における発行済株式数で除して計算した金額とする。

（イ）　第九編第八章第四節（7）の（三）に定める直前期末における資本金等の額

（ロ）　同（7）の（三）に定める法人税法（昭和40年法律第34号）第2条《定義》第18号に規定する利益積立金額に相当する金額（法人税申告書別表五（一）「利益積立金額及び資本金等の額の計算に関する明細書」の差引翌期首現在利益積立金額の差引合計額）

（ハ）　上記ロに定める見積利益金額

第四章　相続税の課税価格

　　　（注）　上記（イ）から（ハ）の合計額が負数となる場合には、その金額を0とすることに留意する。

　（二）　第九編第八章第四節(10)《純資産価額》に定める「1株当たりの純資産価額（相続税評価額によって計算した金額）」によって評価する場合

　　　課税時期において特定地域内にあった動産等（評価対象法人が特定非常災害発生日において保有していたものに限る。）の状況が特定非常災害の発生直後の現況にあったものとみなして特定非常災害の発生直後におけるその動産等の価額を評価した場合の各資産の価額の合計額が、同項に定める「課税時期における各資産をこの通達の定めるところにより評価した価額の合計額」であるものとして評価した1株当たりの特定株式等の価額

　　　（注）　評価対象法人が課税時期前3年以内に取得又は新築した土地及び土地の上に存する権利並びに家屋及びその附属設備又は構築物の価額についても、特定非常災害の発生直後におけるこれらの資産の価額として評価することに留意する。

　（三）　第九編第八章第四節(16)《同族株主以外の株主等が取得した株式の評価》の定めによって評価する場合

　　　第九編第八章第四節(16)に定める評価会社の「その株式に係る年配当金額」を上記（一）イにより計算した金額（ただし、その金額が2円50銭未満のものにあっては2円50銭とする。）によって評価した1株当たりの特定株式等の価額

　　　（特定株式等の特定の評価会社の株式等の判定）

（9）　特定株式等が第九編第八章第四節の(21)《特定の評価会社の株式》の（一）から（六）のいずれに該当するかは、課税時期における当該特定株式等に係る評価対象法人の現況により判定することに留意する。（措通69の6・69の7共－5）

　　　（❶に規定する「贈与により取得した財産」）

（10）　❶の規定の適用がある贈与により取得した財産とは、次に掲げる区分に応じ、それぞれに掲げる期間に取得したもので、**四**又は第三編第一章第一節**二**の（1）の規定の適用を受けるものに限られることに留意する。（措通69の6－1）

　（一）　次の（二）に掲げる場合以外の場合特定非常災害発生日（❶に規定する特定非常災害発生日をいう。以下（二）までにおいて同じ。）が属する年の1月1日から当該特定非常災害発生日の前日までの期間

　（二）　特定非常災害発生日が1月1日から第二編第六章第一節**一**の**1**及び第三編第一章第五節**一**の（1）の規定により提出すべき申告書の提出期限までの間にある場合その前年の1月1日から当該特定非常災害発生日の前日までの期間

　　　（申告書の記載事項）

（11）　❶及び（5）の規定は、これらの規定に規定する申告書（これらの申告書に係る期限後申告書及び修正申告書を含む。）又は第七章第五節**一**の**3**に規定する更正請求書にこれらの規定の適用を受けようとする旨の記載がある場合に限り、適用する。ただし、当該記載がなかったことにつき税務署長においてやむを得ない事情があると認めるときは、この限りでない。（措法69の6③）

　　　（財務大臣の告示）

（12）　財務大臣は、❶の規定により特定地域を指定したときは、これを告示する。（措法69の6④）

　　　（用語の定義）

（13）　**12**において、次に掲げる用語の意義は、それぞれ次に定めるところによる。（措通69の6・69の7共－1）

　（一）　特定非常災害　　❶に規定する特定非常災害をいう。
　（二）　特定非常災害発生日　　❶に規定する特定非常災害発生日をいう。
　（三）　特定地域　　❶に規定する特定地域をいう。
　（四）　特定土地等　　❶に規定する特定土地等をいう。
　（五）　特定株式等　　❶に規定する特定株式等をいう。
　（六）　評価対象法人　　評価しようとする株式の発行法人又は出資に係る出資のされている法人をいう。
　（七）　動産等　　（1）に規定する動産等をいう。
　（八）　課税時期　　相続、遺贈若しくは贈与により財産を取得した日又は相続税法の規定により相続、遺贈若しくは贈与により取得したものとみなされた財産のその取得の日をいう。
　（九）　直前期末　　課税時期の直前に終了した事業年度の末日をいう。

❷　相続税の申告書の提出期限の特例

　同一の被相続人から相続又は遺贈により財産を取得した全ての者のうちに❶の規定の適用を受けることができる者がいる場合において、当該相続若しくは遺贈により財産を取得した者又はその者の相続人（包括受遺者を含む。（1）において

第一編　相続税

同じ。）が第七章第一節**一**の**1**又は同節**四**の**1**の規定により提出すべき申告書の提出期限が特定日（**①**の特定非常災害に係る第十章第一節**九**の**3**の規定により延長された申告に関する期限と特定非常災害発生日の翌日から10月を経過する日とのいずれか遅い日をいう。以下**②**において同じ。）の前日以前であるときは、当該申告書の提出期限は、特定日とする。（措法69の8①）

> （注）　**①**に規定する特定非常災害発生日（平成28年4月1日以後の日に限る。）前で、かつ、平成29年1月1日前に相続又は遺贈（当該相続に係る被相続人からの贈与により取得した財産で第三編第一章第一節**一**《相続時精算課税制度の適用対象者》（同節**三**《相続時精算課税適用者の特例》又は第三編第二章の**1**《住宅取得等資金の贈与を受けた場合の相続時精算課税の特例》において準用する場合を含む。）の規定の適用を受けるものに係る贈与を含む。）により財産を取得した者があり、かつ、当該相続又は遺贈に係る第七章第一節**一**の**1**の規定により提出すべき申告書の提出期限が当該特定非常災害発生日以後である場合において、その者が当該相続又は遺贈により取得した財産で当該特定非常災害発生日において所有していたもののうちに、**①**に規定する特定土地等又は特定株式等があるときは、当該相続又は遺贈により財産を取得した者は、**②**の規定の適用を受けることができる。（平29改所法等附88②）

　　　（特定非常災害発生日前に相続財産の全部又は一部を与えられた者）
（1）　同一の被相続人から遺贈により財産を取得した全ての者のうちに**①**の（5）の規定の適用を受けることができる者がいる場合において、当該遺贈により財産を取得した者又はその者の相続人が第七章第一節**七**の**1**の規定若しくは同**七**の**2**において準用する同節**四**の**1**の規定又は同章第四節**二**の**2**の規定により提出すべき申告書の提出期限が特定日の前日以前であるときは、当該申告書の提出期限は、特定日とする。（措法69の8②）

③　特定非常災害発生日以後に相続等により取得した財産の評価について

　　標題のことについては、昭和39年4月25日付直資56、直審（資）17「財産評価基本通達」（法令解釈通達）によるほか、下記のとおり定めたから、これにより取り扱われたい。（平29課評2－10、課資2－4、平成29年10月改正課評2－55外）
　　（趣旨）
　　特定非常災害発生日以後に相続、遺贈（贈与をした者の死亡により効力を生ずる贈与を含む。以下同じ。）又は贈与（贈与をした者の死亡により効力を生ずる贈与を除く。以下同じ。）により取得した財産の評価方法を定めたものである。

　　　（用語の意義）
　1　この通達において、次に掲げる用語の意義は、それぞれ次に定めるところによる。
　（1）　措置法　　租税特別措置法（昭和32年法律第26号）をいう。
　（2）　措置法施行令　　租税特別措置法施行令（昭和32年政令第43号）をいう。
　（3）　特定非常災害　　**①**に規定する特定非常災害をいう。
　（4）　特定非常災害発生日　　**①**に規定する特定非常災害発生日をいう。
　（5）　措置法通達　　昭和50年11月4日付直資2－224ほか2課共同「租税特別措置法（相続税法の特例関係）の取扱いについて」（法令解釈通達）をいう。
　（6）　評価通達　　昭和39年4月25日付直資56、直審（資）17「財産評価基本通達」（法令解釈通達）をいう。
　（7）　特定地域　　**①**に規定する特定地域をいう。
　（8）　特定地域内に保有する資産の割合が高い法人の株式等　　特定非常災害発生日において保有していた資産の特定非常災害の発生直前の価額（特定非常災害の発生直前における時価をいう。）の合計額のうちに占める特定地域内にあった動産（金銭及び有価証券を除く。）、不動産、不動産の上に存する権利及び立木の価額の合計額の割合が10分の3以上である法人の株式又は出資をいう。
　（9）　応急仮設住宅　　災害救助法（昭和22年法律第118号）第2条《救助の対象》の規定に基づく救助として災害の被災者に対し供与される同法第4条《救助の種類等》第1項第1号の応急仮設住宅をいう。
　（10）　評価対象法人　　評価しようとする株式の発行法人又は出資に係る出資のされている法人をいう。
　（11）　課税時期　　相続、遺贈若しくは贈与により財産を取得した日又は相続税法（昭和25年法律第73号）の規定により相続、遺贈若しくは贈与により取得したものとみなされた財産のその取得の日をいう。

　　　（特定地域内にある土地等の評価）
　2　特定非常災害発生日以後同日の属する年の12月31日までの間に相続、遺贈又は贈与（以下「相続等」という。）により取得した特定地域内にある土地及び土地の上に存する権利（以下「土地等」という。）の価額は、**①**の（6）の（一）に規定する特定土地等の特定非常災害の発生直後の価額（以下「特定非常災害発生直後の価額」という。）に準じて評価することができるものとする。この場合において、その土地等の状況は、課税時期の現況によることに留意する。
　　なお、当該土地等が、特定非常災害により物理的な損失（地割れ等土地そのものの形状が変わったことによる損失

－150－

第四章　相続税の課税価格

をいう。以下同じ。）を受けた場合には、特定非常災害発生直後の価額に準じて評価した価額から、その原状回復費用相当額を控除した価額により評価することができるものとする。

　　（注）　特定非常災害発生日以後同日の属する年の12月31日までの間に相続等により取得した特定地域外にある土地等の価額は、課税時期の現況に応じ評価通達の定めるところにより評価することに留意する。

　　　　　なお、当該土地等が、特定非常災害により物理的な損失を受けた場合には、課税時期の現況に応じ評価通達の定めるところにより評価した価額から、その原状回復費用相当額を控除した価額により評価することができるものとする。

（海面下に没した土地等の評価）

3　特定非常災害により土地等が海面下に没した場合（その状態が一時的なものである場合を除く。）には、その土地等の価額は評価しない。

（被災した造成中の宅地の評価）

4　被災した造成中の宅地の価額は、第九編第二章第二節の(26)《造成中の宅地の評価》に定める「その宅地の造成に係る費用現価」を次に掲げる額の合計額として計算した金額によって評価する。

（1）　特定非常災害の発生直前までに投下したその宅地の造成に係る費用現価のうち、被災後においてなおその効用を有すると認められる金額に相当する額

（2）　特定非常災害の発生直後から課税時期までに投下したその宅地の造成に係る費用現価

（応急仮設住宅の敷地の用に供するため使用貸借により貸し付けられている土地の評価）

5　応急仮設住宅の敷地の用に供するため関係都道府県知事又は関係市町村（特別区を含む。）の長に使用貸借により貸し付けられている土地の価額は、その土地の自用地としての価額（第九編第二章第二節の(31)《貸宅地の評価》に定める自用地としての価額をいう。）から、その価額にその使用貸借に係る使用権の残存期間が同(31)の(二)のイからニまでの残存期間のいずれに該当するかに応じてそれぞれに定める割合を乗じて計算した金額を控除した金額によって評価する。

（被災した家屋の評価）

6　被災した家屋（被災後の現況に応じた固定資産税評価額が付されていないものに限る。以下同じ。）の価額は、次に掲げる金額の合計額によって評価することができるものとする。

（1）　第九編第三章の(2)《家屋の評価》の定めにより評価した特定非常災害の発生直前の家屋の価額から、その価額に地方税法（昭和25年法律第226号）第367条《固定資産税の減免》の規定に基づき条例に定めるところによりその被災した家屋に適用された固定資産税の軽減又は免除の割合を乗じて計算した金額を控除した金額

　　（注）　特定非常災害の発生に伴い地方税法等において固定資産税の課税の免除等の規定が別途定められた場合についても同様に取り扱うものとする。

（2）　特定非常災害の発生直後から課税時期までに投下したその被災した家屋の修理、改良等に係る費用現価の100分の70に相当する金額

（被災した建築中の家屋の評価）

7　被災した建築中の家屋の価額は、第九編第三章の(4)《建築中の家屋の評価》に定める「その家屋の費用現価」を次に掲げる額の合計額として計算した金額によって評価する。

（1）　特定非常災害の発生直前までに投下したその家屋の費用現価のうち、被災後においてなおその効用を有すると認められる金額に相当する額

（2）　特定非常災害の発生直後から課税時期までに投下したその家屋の費用現価

（特定地域内に保有する資産の割合が高い法人の株式等に係る類似業種比準価額の計算）

8　特定地域内に保有する資産の割合が高い法人の株式等につき、第九編第八章第四節の(3)《類似業種比準価額》に定める類似業種比準価額により評価することとなる場合において、課税時期が特定非常災害発生日から同日の属する事業年度の末日までの間にあるときには、❶の(8)の(一)の定めを準用することができるものとする。

（純資産価額の計算）

9　評価対象法人の株式又は出資につき、第九編第八章第四節の(10)《純資産価額》に定める「1株当たりの純資産価額（相続税評価額によって計算した金額）」により評価することとなる場合において、評価対象法人の各資産のうちに、

－151－

第一編　相続税

評価対象法人が課税時期前3年以内に取得又は新築した特定地域内の土地等並びに家屋及びその附属設備又は構築物（以下「家屋等」という。）で、かつ、評価対象法人が特定非常災害発生日前に取得又は新築したものがあるときには、課税時期が特定非常災害発生日から起算して3年を経過する日までの間にあるときに限り、その土地等及び家屋等の価額については、第九編第八章第四節の(10)の括弧書の定めを適用しないことができるものとする。

　　（同族株主以外の株主等が取得した特定地域内に保有する資産の割合が高い法人の株式等の価額の計算）
10　特定地域内に保有する資産の割合が高い法人の株式等につき、第九編第八章第四節の(16)《同族株主以外の株主等が取得した株式の評価》により評価することとなる場合において、課税時期が特定非常災害発生日から同日の属する事業年度の末日までの間にあるときには、①の（8）の（三）の定めを準用することができるものとする。

附則

（適用時期）
この法令解釈通達は、平成28年4月14日以後に相続等により取得した財産の評価について適用する。

二　遺産が未分割の場合の課税価格

　相続若しくは包括遺贈により取得した財産に係る相続税について申告書を提出する場合又は当該財産に係る相続税について更正若しくは決定をする場合において、当該相続又は包括遺贈により取得した財産の全部又は一部が共同相続人又は包括受遺者によってまだ分割されていないときは、その分割されていない財産については、各共同相続人又は包括受遺者が民法（第904条の2《寄与分》を除く。）の規定による相続分又は包括遺贈の割合に従って当該財産を取得したものとしてその課税価格を計算するものとする。ただし、その後において当該財産の分割があり、当該共同相続人又は包括受遺者が当該分割により取得した財産に係る課税価格が当該相続分又は包括遺贈の割合に従って計算された課税価格と異なることとなった場合においては、当該分割により取得した財産に係る課税価格を基礎として、納税義務者において申告書を提出し、若しくは第七章第五節二の更正の請求をし、又は税務署長において更正若しくは決定をすることを妨げない。（法55）

　　（「民法の規定による相続分」の意義）
（1）　二の本文に規定する「民法（第904条の2を除く。）の規定による相続分」とは、民法第900条から第902条まで及び第903条に規定する相続分をいうのであるから留意する。（基通55-1）

　　（相続又は遺贈により取得したものとみなされる財産）
（2）　二の規定により課税価格を計算する場合において、第二章第二節及び同第三節の規定により相続又は遺贈により取得したものとみなされる財産があるときは、当該財産の価額は、その者の民法に規定する相続分又は包括遺贈の割合に応ずる本来の相続財産価額に加算して課税価格を計算するものとする。（基通55-2）

　　（胎児が生まれる前における共同相続人の相続分）
（3）　相続人のうちに民法第886条《相続に関する胎児の権利能力》の規定によりすでに生まれたものとみなされる胎児がある場合で、相続税の申告書提出の時（更正又は決定をする時を含む。）においてまだその胎児が生まれていないときは、その胎児がいないものとした場合における各相続人の相続分によって課税価格を計算することに取り扱うものとする。（基通11の2-3）
◎相続税の総額を計算する場合の相続人の判定上の胎児の取扱い……第五章第一節の2の（5）《胎児がある場合の相続人の数》参照

　　（裁判確定前の相続分）
（4）　相続税の申告書を提出する時又は課税価格及び相続税額を更正し、若しくは決定する時において、まだ第七章第五節二《相続税法による更正の請求の特則》の（二）、（三）、同（3）の（一）又は（二）に掲げる事由が未確定の場合には、当該事由がないものとした場合における各相続人の相続分を基礎として課税価格を計算することに取り扱うものとする。（基通11の2-4）

三　債務控除

1　居住無制限納税義務者に該当する者又は非居住無制限納税義務者に該当する者の債務控除

相続又は遺贈（包括遺贈及び被相続人からの相続人に対する遺贈に限る。以下**三**において同じ。）により財産を取得した者が第一章第二節**一**の(一)《居住無制限納税義務者》又は(二)《非居住無制限納税義務者》の規定に該当する者である場合においては、当該相続又は遺贈により取得した財産については、課税価格に算入すべき価額は、当該財産の価額から次に掲げるものの金額のうちその者の負担に属する部分の金額を控除した金額による。（法13①）

(一)	被相続人の債務で相続開始の際現に存するもの（公租公課を含む。）
(二)	被相続人に係る葬式費用

2　制限納税義務者に該当する者の債務控除

相続又は遺贈により財産を取得した者が第一章第二節**一**の(三)《居住制限納税義務者》又は同**一**の(四)《非居住制限納税義務者》の規定に該当する者である場合においては、当該相続又は遺贈により取得した財産で相続税法の施行地にあるものについては、課税価格に算入すべき価額は、当該財産の価額から被相続人の債務で次に掲げるものの金額のうちその者の負担に属する部分の金額を控除した金額による。（法13②）

(一)	その財産に係る公租公課
(二)	その財産を目的とする留置権、特別の先取特権、質権又は抵当権で担保される債務
(三)	(一)及び(二)に掲げる債務を除くほか、その財産の取得、維持又は管理のために生じた債務
(四)	その財産に関する贈与の義務
(五)	(一)から(四)までに掲げる債務を除くほか、被相続人が死亡の際この法律の施行地に営業所又は事業所を有していた場合においては、当該営業所又は事業所に係る営業上又は事業上の債務

3　相続時精算課税適用者に該当する者の債務控除

（相続時精算課税適用者の債務控除）

（１）　第三編第一章第一節**二**《相続時精算課税制度の選択》の(２)に規定する相続時精算課税適用者（以下「相続時精算課税適用者」という。）に係る**1**及び**2**の規定の適用については、当該相続時精算課税適用者の相続又は遺贈による財産の取得の有無に応じて、それぞれ次に掲げるとおりとなるのであるから留意する。（基通13−9）

　（一）　相続又は遺贈により財産を取得した相続時精算課税適用者（第三編第一章第三節**一**《相続又は遺贈により財産を取得した相続時精算課税適用者》に該当する者）　　無制限納税義務者である場合には**1**の規定、制限納税義務者である場合には**2**の規定が適用される。

　　（注）　当該相続時精算課税適用者が、相続人に該当せず、かつ、特定遺贈のみによって財産を取得した場合には、**1**及び**2**の規定は適用されないのであるから留意する。

　（二）　相続又は遺贈により財産を取得しなかった相続時精算課税適用者（第三編第一章第三節**二**《相続又は遺贈により財産を取得しなかった相続時精算課税適用者》に該当する者）　　当該相続に係る被相続人の相続開始の時において相続税法の施行地に住所を有する者である場合には**1**の規定、相続税法の施行地に住所を有しない者である場合には**2**の規定が適用される。

　　（注）　当該相続時精算課税適用者が、相続人又は包括受遺者に該当しない場合には、**1**及び**2**の規定は適用されないのであるから留意する。

（死亡した相続時精算課税適用者に係る債務控除）

（２）　特定贈与者の死亡に係る相続税額の計算において、当該特定贈与者の死亡前に死亡している相続時精算課税適用者については、**1**及び**2**の規定の適用はないのであるから留意する。（基通13−10）

　（注）　特定贈与者の死亡に係る相続税額の計算上、当該特定贈与者の債務及び当該特定贈与者に係る葬式費用については、当該特定贈与者の相続人又は包括受遺者の課税価格から控除するのであるから留意する。

（相続時精算課税適用者の死亡により承継した相続税の納税に係る義務の債務控除）

（３）　特定贈与者の死亡以前に当該特定贈与者に係る相続時精算課税適用者が死亡したことから第三編第一章第四節**一**《特

定贈与者よりも先に相続時精算課税適用者が死亡した場合》の規定により当該相続時精算課税適用者の相続人（包括受遺者を含み、当該特定贈与者を除く。以下同じ。）が当該相続時精算課税適用者の有していた相続時精算課税の適用を受けていたことに伴う納税に係る権利若しくは義務を承継した場合において、又は贈与者の死亡前に相続時精算課税選択届出書を提出しないで受贈者が死亡したことから同第四節二《受贈者が相続時精算課税選択届出書の提出前に死亡した場合》の規定により当該受贈者の相続人（包括受遺者を含み、当該贈与者を除く。以下同じ。）が当該受遺者の有することとなる相続時精算課税の適用を受けることに伴う納税に係る権利若しくは義務を承継した場合において、その承継した納税に係る義務は、当該相続時精算課税適用者又は当該受贈者の死亡に係る当該相続時精算課税適用者の相続人又は当該受贈者の相続人の相続税の課税価格の計算上、債務控除の対象とすることはできないことに留意する。（基通14－5）

4 債務の範囲

（非課税財産に係る債務不控除）
（1） 第三章二《墓所、霊びょう、祭具等》又は第三章三《公益事業用財産》に掲げる財産の取得、維持又は管理のために生じた債務の金額は、**1**又は**2**の規定による控除金額に算入しない。ただし、同三の**2**《公益事業の用に供しなかった財産への課税》の規定により同三に掲げる財産の価額を課税価格に算入した場合においては、この限りでない。（法13③）

（相続を放棄した者等の債務控除）
（2） 相続を放棄した者及び相続権を失った者については、**1**又は**2**の規定の適用はないのであるが、その者が現実に被相続人の葬式費用を負担した場合においては、当該負担額は、その者の遺贈によって取得した財産の価額から債務控除しても差し支えないものとする。（基通13－1）

（相続財産に関する費用）
（3） 民法第885条《相続財産に関する費用》の規定により相続財産の中から支弁する相続財産に関する費用は、**1**の（一）に掲げる債務とはならないのであるから留意する。（基通13－2）

（「その者の負担に属する部分の金額」の意義）
（4） **1**に規定する「その者の負担に属する部分の金額」とは、相続又は遺贈（包括遺贈及び被相続人からの相続人に対する遺贈に限る。）によって財産を取得した者が実際に負担する金額をいうのであるが、この場合において、これらの者の実際に負担する金額が確定していないときは、民法第900条から第902条《遺言による相続分の指定》までの規定による相続分又は包括遺贈の割合に応じて負担する金額をいうものとして取り扱う。ただし、共同相続人又は包括受遺者が当該相続分又は包括遺贈の割合に応じて負担することとした場合の金額が相続又は遺贈により取得した財産の価額を超えることとなる場合において、その超える部分の金額を他の共同相続人又は包括受遺者の相続税の課税価格の計算上控除することとして申告があったときは、これを認める。（基通13－3）

（墓碑の買入代金）
（5） 被相続人の生存中に墓碑を買い入れ、その代金が未払であるような場合には、（1）の本文の規定により、当該未払代金は債務として控除しないのであるから留意する。（基通13－6）

（控除すべき債務）
（6） **1**から**3**までの規定によりその金額を控除すべき債務は、確実と認められるものに限る。（法14①）

（確実な債務）
（7） 債務が確実であるかどうかについては、必ずしも書面の証拠があることを必要としないものとする。
　　なお、債務の金額が確定していなくても当該債務の存在が確実と認められるものについては、相続開始当時の現況によって確実と認められる範囲の金額だけを控除するものとする。（基通14－1）

（保証債務及び連帯債務）
（8） 保証債務及び連帯債務については、次に掲げるところにより取り扱うものとする。（基通14－3）
　（一） 保証債務については、控除しないこと。ただし、主たる債務者が弁済不能の状態にあるため、保証債務者がその

－154－

債務を履行しなければならない場合で、かつ、主たる債務者に求償して返還を受ける見込みがない場合には、主たる債務者が弁済不能の部分の金額は、当該保証債務者の債務として控除すること。

（二）　連帯債務については、連帯債務者のうちで債務控除を受けようとする者の負担すべき金額が明らかとなっている場合には、当該負担金額を控除し、連帯債務者のうちに弁済不能の状態にある者（以下（8）において「弁済不能者」という。）があり、かつ、求償して弁済を受ける見込みがなく、当該弁済不能者の負担部分をも負担しなければならないと認められる場合には、その負担しなければならないと認められる部分の金額も当該債務控除を受けようとする者の負担部分として控除すること。

（消滅時効の完成した債務）

（９）　相続の開始の時において、既に消滅時効の完成した債務は、（6）に規定する確実と認められる債務に該当しないものとして取り扱うものとする。（基通14－4）

5　公租公課の範囲

1から**3**までの規定によりその金額を控除すべき公租公課の金額は、被相続人の死亡の際債務の確定しているものの金額のほか、被相続人に係る所得税、相続税、贈与税、地価税、再評価税、登録免許税、自動車重量税、消費税、酒税、たばこ税、揮発油税、地方揮発油税、石油ガス税、航空機燃料税、石油石炭税及び印紙税その他の公租公課の額で(1)の政令で定めるものを含むものとする。(法14②)

（政令で定める公租公課の金額）

（１）　**5**に規定する政令で定める公租公課の額は、被相続人（遺贈をした者を含む。以下同じ。）の死亡の際納税義務が確定しているもののほか、被相続人の死亡後相続税の納税義務者が納付し、又は徴収されることとなった次に掲げる税額とする。ただし、相続人（相続権を失った者及び相続を放棄した者を含まず、包括受遺者を含む。）の責めに帰すべき事由により納付し、又は徴収されることとなった延滞税、利子税、過少申告加算税、無申告加算税及び重加算税に相当する税額（地方税法の規定による督促手数料、延滞金、過少申告加算金、不申告加算金、重加算金及び滞納処分費の額を含む。）を含まないものとする。(令3①)

（一）	被相続人の所得に対する所得税額
（二）	被相続人が相続若しくは遺贈又は贈与により取得した財産に対する相続税額又は贈与税額
（三）	被相続人が有していた地価税法第2条第1号《定義》に規定する土地等に対する地価税の額
（四）	被相続人が資産再評価法第3条《基準日》に規定する基準日において有していた資産につき同法第8条第1項《個人の減価償却資産の再評価》（同法第10条第1項《非事業用資産を事業の用に供した場合の再評価》において準用する場合を含む。）若しくは第16条第1項から第3項まで《死亡の場合の再評価の承継》の規定により再評価を行い、又は同法第8条第2項（同法第10条第3項において準用する場合を含む。）若しくは第9条《個人の減価償却資産以外の資産の再評価》の規定により再評価が行われたものとみなされた場合における当該再評価に係る再評価税額
（五）	被相続人が受けた登記、登録、特許、免許、許可、認可、認定、指定若しくは技能証明に係る登録免許税又は被相続人が受けた自動車検査証の交付若しくは返付若しくは軽自動車についての車両番号の指定に係る自動車重量税につき納税の告知を受けた税額
（六）	被相続人の行った消費税法第2条第1項第8号《定義》に規定する資産の譲渡等（同項第8号の二に規定する特定資産の譲渡等に該当するものを除く。）若しくは同法第4条第1項《課税の対象》に規定する特定仕入れ又は当該被相続人の引き取る同法第2条第1項第10号に規定する外国貨物に係る消費税の額
（七）	被相続人が移出し、又は引き取る酒類、製造たばこ、揮発油、石油ガス税法に規定する課税石油ガス又は石油石炭税法に規定する原油、石油製品、ガス状炭火水素若しくは石炭に係る酒税、たばこ税、揮発油税、地方揮発油税、石油ガス税又は石油石炭税の額
（八）	被相続人により航空機に積み込まれた航空機燃料に係る航空機燃料税の額
（九）	被相続人が印紙税法第11条第1項《書式表示による申告及び納付の特例》又は第12条第1項《預貯金通帳等に係る申告及び納付等の特例》の承認を受けて作成した課税文書に係る印紙税の額
（十）	被相続人が負担すべきであった地方税法第1条第1項第14号《用語》に規定する地方団体の徴収金（都、特別区及び全部事務組合のこれに相当する徴収金を含む。）の額

第一編　相続税

（被相続人の相続人が所得税法の規定の適用を受ける場合）
（２）　（１）の（一）に掲げる税額には、被相続人の相続人が所得税法（昭和40年法律第33号）第137条の３第２項《贈与等により非居住者に資産が移転した場合の譲渡所得等の特例の適用がある場合の納税猶予》（同条第３項の規定により適用する場合を含む。第８条第３項において同じ。）の規定の適用を受ける場合における同法第137条の３第２項に規定する相続等納税猶予分の所得税額を含まない。ただし、当該相続人がその後納付することとなった当該相続等納税猶予分の所得税額については、この限りでない。（令３②）

（所得税額の納税猶予分の取扱い）
（３）　**5**の債務の確定している公租公課の金額には、被相続人が、所得税法第137条の２第１項《国外転出をする場合の譲渡所得等の特例の適用がある場合の納税猶予》（同条第２項の規定により適用する場合を含む。第32条第１項第９号イにおいて同じ。）の規定の適用を受けていた場合における同法第137条の２第１項に規定する納税猶予分の所得税額並びに同法第137条の３第１項及び第２項《贈与等により非居住者に資産が移転した場合の譲渡所得等の特例の適用がある場合の納税猶予》（これらの規定を同条第３項の規定により適用する場合を含む。）の規定の適用を受けていた場合における同条第４項に規定する納税猶予分の所得税額を含まない。ただし、同法第137条の２第13項の規定により当該被相続人の納付の義務を承継した当該被相続人の相続人（包括受遺者を含む。以下（３）及び同号において同じ。）が納付することとなった同条第１項に規定する納税猶予分の所得税額及び当該納税猶予分の所得税額に係る利子税の額（当該納税猶予分の所得税額に係る所得税の同法第128条《確定申告による納付》又は第129条《死亡の場合の確定申告による納付》の規定による納付の期限の翌日から当該被相続人の死亡の日までの間に係るものに限る。）並びに同法第137条の３第15項の規定により当該被相続人の納付の義務を承継した当該被相続人の相続人が納付することとなった同条第４項に規定する納税猶予分の所得税額及び当該納税猶予分の所得税額に係る利子税の額（当該納税猶予分の所得税額に係る所得税の同法第二編第五章第二節第三款《納付》の規定による納付の期限の翌日から当該被相続人の死亡の日までの間に係るものに限る。）については、この限りではない。（法14③）

（源泉所得税、消費税等の控除）
（４）　営業所又は事業所において所得税法第４編《源泉徴収》の規定により源泉徴収した所得税（東日本大震災からの復興のための施策を実施するために必要な財源の確保に関する特別措置法（平成23年法律第117号）第４章《復興特別所得税》第４節《源泉徴収》の規定により源泉徴収した復興特別所得税を含む。）で相続開始の際に未納であったもの並びに当該営業所又は事業所において生じた消費税、揮発油税及び地方揮発油税、酒税等で相続開始の際に未納であったものは、**2**の（五）に掲げる債務に該当するものとして取り扱うものとする。（基通13－８）

（公租公課の異動の場合）
（５）　課税価格又は相続税額の申告、更正又は決定があった後、**1**から**4**までの規定により控除すべき公租公課に異動が生じたときは、当該課税価格及び相続税額について、更正を要するのであるから留意する。（基通14－２）

（「その財産に係る公租公課」の意義）
（６）　**2**の（一）に掲げる「その財産に係る公租公課」とは、法施行地にある財産を課税客体とする公租公課、例えば、固定資産税、鉱区税等をいうものとする。（基通13－７）

6　葬式費用

（葬式費用）
（１）　**1**の規定により葬式費用として控除する金額は、次に掲げる金額の範囲内のものとする。（基通13－４）
　（一）　葬式若しくは葬送に際し、又はこれらの前において、埋葬、火葬、納骨又は遺がい若しくは遺骨の回送その他に要した費用（仮葬式と本葬式とを行うものにあっては、その両者の費用）
　（二）　葬式に際し、施与した金品で、被相続人の職業、財産その他の事情に照らして相当程度と認められるものに要した費用
　（三）　（一）及び（二）に掲げるもののほか、葬式の前後に生じた出費で通常葬式に伴うものと認められるもの
　（四）　死体の捜索又は死体若しくは遺骨の運搬に要した費用

－156－

（葬式費用でないもの）

（２）　次に掲げるような費用は、葬式費用として取り扱わないものとする。（基通13－５）

　（一）　香典返戻費用

　（二）　墓碑及び墓地の買入費並びに墓地の借入料

　（三）　法会に要する費用

　（四）　医学上又は裁判上の特別の処置に要した費用

7　特別寄与者に該当する者の債務控除

　特別寄与者が支払を受けるべき特別寄与料の額が当該特別寄与者に係る課税価格に算入される場合においては、当該特別寄与料を支払うべき相続人が相続又は遺贈により取得した財産については、当該相続人に係る課税価格に算入すべき価額は、当該財産の価額から当該特別寄与料の額のうちその者の負担に属する部分の金額を控除した金額による。（法13④）

　　　（特別寄与料の額が特別寄与者の課税価格に算入されない場合）

（１）　特別寄与者が制限納税義務者に該当する場合において、支払いを受けるべき特別寄与料が第一章第四節一の規定により法施行地外にあるものとされるときは、当該特別寄与料の額は当該特別寄与者に係る相続税の課税価格に算入されないことから、相続人が支払う当該特別寄与料について、**7**の規定の適用はないことに留意する。（基通13－８の２）

四　相続開始前７年以内に贈与があった場合の相続税額

1　相続開始前７年以内の贈与財産

　相続又は遺贈により財産を取得した者が当該相続の開始前７年以内に当該相続に係る被相続人から贈与により財産を取得したことがある場合においては、その者については、当該贈与により取得した財産（第二編第四章《贈与税の課税価格》の**1**から**3**まで及び第二編第三章《贈与税の非課税財産》の**一**から**八**までの規定により当該取得の日の属する年分の贈与税の課税価格計算の基礎に算入されるもの（**2**に定める特定贈与財産を除く。）に限る。以下**四**において同じ。）（以下**1**において「加算対象贈与財産」という。）の価額（加算対象贈与財産のうち当該相続の開始前３年以内に取得した財産以外の財産にあっては、当該財産の価額の合計額から100万円を控除した残額）を相続税の課税価格に加算した価額を相続税の課税価格とみなし、第五章から第六章第二節までの規定を適用して算出した金額（加算対象贈与財産の取得につき課せられた贈与税があるときは、当該金額から当該財産に係る贈与税の税額（在外財産に対する贈与税額控除の控除前の税額とし、延滞税、利子税、過少申告加算税、無申告加算税及び重加算税に相当する税額を除く。）として政令《第六章第三節の２》の定めるところにより計算した金額を控除した金額）をもって、その納付すべき相続税額とする。（法19①）

（注）１　令和６年１月１日から令和８年12月31日までの間に相続又は遺贈（贈与をした者の死亡により効力を生ずる贈与及び当該相続に係る被相続人からの贈与により取得した財産で第三編第一章第一節**二**の（１）《相続時精算課税選択届出書に係る贈与財産の税額の計算》の規定の適用を受けるものに係る贈与を含む。以下**四**において同じ。）により財産を取得する者については、（注）２の規定にかかわらず、令和５年度改正後の**1**の規定を適用する。この場合において、**1**中「７年」とあるのは、「３年」とする。（令５改所法等附19②）

　　　２　令和９年１月１日から令和12年12月31日までの間に相続又は遺贈により財産を取得する者に係る令和５年度改正後の**1**の規定の適用については、**1**中「当該相続の開始前７年以内」とあるのは、「令和６年１月１日から当該相続の開始の日までの間」とする。（令５改所法等附19③）

2　特定贈与財産

　1の特定贈与財産とは、第二編第五章第二節の**1**《贈与税の配偶者控除》に規定する婚姻期間が20年以上である配偶者に該当する被相続人からの贈与により当該被相続人の配偶者が取得した同**1**に規定する居住用不動産又は金銭で次の各号に掲げる場合に該当するもののうち、当該（一）から（二）に掲げる場合の区分に応じ、当該（一）から（二）に定める部分をいう。（法19②）

（一）	当該贈与が当該相続の開始の年の前年以前にされた場合で、当該被相続人の配偶者が当該贈与による取得の日の属する年分の贈与税につき第二編第五章第二節の**1**の規定の適用を受けているとき	同**1**の規定により控除された金額に相当する部分
（二）	当該贈与が当該相続の開始の年においてされた場合で、当該被相続人の配偶者が当該被相続人からの贈与について既に第二編第五章第二節の**1**の規定の適用を受けた者でないとき（（１）の政令で定める場合に限る。）	同**1**の規定の適用があるものとした場合に、同**1**の規定により控除されることとなる金額に相当する部分

第一編　相続税

　　　　（政令で定める場合）
（1）　2の（二）に規定する政令で定める場合は、同（二）の被相続人の配偶者が、相続税の申告書（当該申告書に係る期限後申告書及びこれらの申告書に係る修正申告書を含む。）又は国税通則法第23条第3項《更正の請求》に規定する更正の請求書に2に規定する居住用不動産又は金銭につきこれらの財産の価額を贈与税の課税価格に算入する旨その他（2）の財務省令で定める事項を記載し、（3）の財務省令で定める書類を添付して、これを提出した場合とする。（令4②）

　　　　（財務省令で定める記載事項）
（2）　（1）に規定する財務省令で定める事項は、次に掲げる事項とする。（規1の5①）
　（一）　当該贈与により取得した2に規定する居住用不動産（以下四において「居住用不動産」という。）又は金銭の種類、数量、価額及び所在場所の明細並びにその取得の年月日
　（二）　当該居住用不動産又は金銭のうち贈与税の課税価格に算入する部分に係るこれらの財産の価額
　（三）　当該相続の開始の年の前年以前の各年分の贈与税につき第二編第五章第二節の1《贈与税の配偶者控除》の規定の適用を受けていない旨
　（四）　その他参考となるべき事項

　　　　（財務省令で定める添付書類）
（3）　（1）に規定する財務省令で定める書類は、次に掲げる書類（（1）に規定する申告書又は更正の請求書の提出の時において居住用不動産を取得していない場合には、（一）に掲げる書類）とする。（規1の5②）
　（一）　戸籍の附票の写し（2に規定する被相続人からの贈与を受けた日から10日を経過した日以後に作成されたものに限る。）
　（二）　1に規定する特定贈与財産の贈与（贈与をした者の死亡により効力を生ずる贈与を除く。以下相続税法施行規則において同じ。）を受けた者が取得した居住用不動産に関する登記事項証明書その他の書類で当該贈与を受けた者が当該居住用不動産を取得したことを証するもの。

　　　　（相続税の課税価格に加算される贈与により取得した財産の価額）
（4）　1の規定により相続税の課税価格に加算される1に規定する加算対象贈与財産の価額は、当該財産の次に掲げる区分に応じ、それぞれ次に定める金額となることに留意する。（基通19−1）
　（一）　加算対象贈与財産のうち相続の開始前3年以内に取得した財産　当該財産に係る贈与の時における価額
　（二）　加算対象贈与財産のうち相続の開始前3年以内に取得した財産以外の財産　当該財産に係る贈与の時における価額の合計額から100万円を控除した残額
　（注）1　当該財産を取得した者ごとに100万円を控除することに留意する。
　　　　2　当該価額の合計額が100万円以下である場合には、当該残額は零となることに留意する。

　　　　（1の規定の適用を受ける贈与）
（5）　加算対象贈与財産及び加算対象贈与財産のうち「相続の開始前3年以内に取得した財産以外の財産」（注1）は、相続又は遺贈により財産を取得した者に係る次に掲げる日の区分に応じ、これらの財産ごとにそれぞれに掲げる期間において贈与により取得した財産をいうことに留意する。（基通19−2）

相続又は遺贈により財産を取得した日	加算対象贈与財産に係る期間（注2）	「相続の開始前3年以内に取得した財産以外の財産」に係る期間
令和6年1月1日から令和8年12月31日まで	相続の開始の日から遡って3年目の応当日から当該相続の開始の日までの間	
令和9年1月1日から令和12年12月31日まで	令和6年1月1日から相続の開始の日までの間	令和6年1月1日から、相続の開始の日から遡って3年目の応当日の前日までの間（注3）
令和13年1月1日以後	相続の開始の日から遡って7年目の応当日から当該相続の開始の日までの間	相続の開始の日から遡って7年目の応当日から、当該相続の開始の日から遡って3年目の応当日の前日までの間

　（注）1　「相続の開始前3年以内に取得した財産以外の財産」については、当該財産の価額の合計額から100万円を控除した残額が相続又は遺贈に

－158－

第四章　相続税の課税価格

より財産を取得した者の相続税の課税価格に加算されることに留意する。

2　以下(13)までにおいて「加算対象期間」という。

3　相続又は遺贈により財産を取得した日が令和９年１月１日である場合においては、当該相続に係る「相続の開始前３年以内に取得した財産以外の財産」に係る期間はないことに留意する。

（相続の放棄等をした者が当該相続の加算対象期間内に贈与を受けた財産）

（6）　加算対象期間内に被相続人からの贈与により財産を取得した者（当該被相続人を特定贈与者とする相続時精算課税適用者を除く。）が当該被相続人から相続又は遺贈により財産を取得しなかった場合においては、その者については、**1**の規定の適用がないことに留意する。

　　なお、当該相続時精算課税適用者については、当該被相続人から相続又は遺贈により財産を取得しなかった場合であっても、**1**の規定の適用があることに留意する。（基通19－３）

（加算対象期間内に被相続人からの贈与により国外財産を取得している場合）

（7）　贈与税の制限納税義務者が贈与により相続税法の施行地外にある財産を取得した場合には当該財産の価額は贈与税の課税価格に算入されないことから、当該贈与をした者の相続の開始に係る相続税の課税価格の計算における当該財産の価額については、当該贈与を受けた者が当該相続の開始の時に相続税の無制限納税義務者に該当する場合であっても、**1**の規定の適用はないことに留意する。（基通19－４）

（贈与により取得した財産の価額が相続税の課税価格に加算される場合）

（8）　相続又は遺贈により財産を取得した者がその相続開始の年（第二編第六章第一節**一**の**5**の**①**の（２）《短期非居住贈与者の死亡に係る贈与税の非課税》に規定する場合に該当する場合には、同（２）に規定する適用年）において当該相続に係る被相続人からの贈与により取得した財産（被相続人を特定贈与者とする相続時精算課税の適用を受ける財産を除く。）の価額については、第二編第四章《贈与税の課税価格》の**4**又は第二編第六章第一節**一**の**5**の**①**の（２）の規定により贈与税の課税価格に算入しないで相続税の課税価格に加算することに留意する。

　　また、相続開始の年（第二編第六章第一節**一**の**5**の**①**の（４）《特定贈与者である短期非居住贈与者等の死亡により贈与税の申告書の提出を要しない場合》に規定する場合に該当する場合には、同（４）に規定する適用年）において特定贈与者である被相続人からの贈与により取得した相続時精算課税の適用を受ける財産の価額については、第三編第一章第二節**一**の規定により贈与税の課税価格に算入される（第二編第六章第一節**一**の**4**又は第二編第六章第一節**一**の**5**の**①**の（４）の規定により当該財産については贈与税の申告を要しない。）とともに、第三編第一章第三節**一**の（１）又は同節**二**の（２）の規定により相続税の課税価格にも加算又は算入されることに留意する。（基通11の２－５）

(注)1　相続開始の年において当該相続に係る被相続人からの贈与により財産を取得した者が当該財産について相続時精算課税の適用を受けるためには、当該相続開始の年の前年以前の年分の贈与について第三編第一章第一節**二**の（３）に規定する「相続時精算課税選択届出書」（以下「相続時精算課税選択届出書」という。）を提出している場合を除き、当該相続時精算課税選択届出書を提出しなければならないことに留意する。

2　相続開始の年に特定贈与者である被相続人からの贈与により取得した相続時精算課税の適用を受ける財産について第三編第一章第五節**一**の（３）《特定贈与者が贈与をした年の中途において死亡したとき》の規定により贈与税の申告を要しない場合において、令和６年１月１日以後に贈与により取得した当該財産につき相続税の課税価格に加算又は算入される金額は、当該財産の価額の合計額から同章第二節**一**の（１）《相続時精算課税に係る贈与税の基礎控除》（同節**三**《相続時精算課税に係る贈与税の基礎控除の特例》を含む。）の規定による控除（以下「相続時精算課税に係る基礎控除」という。）をした残額となることに留意する。

（相続開始の年の特定贈与財産に対する贈与税の課税）

（9）　相続の開始の年に当該相続に係る被相続人から贈与により取得した居住用不動産又は金銭で特定贈与財産に該当するものについては、第二編第四章《贈与税の課税価格》の**4**の規定の適用がなく、その財産の価額が相続の開始の日の属する年分の贈与税の課税価格に算入されるのであるから留意する。（基通19－９）

(注)　**2**の（二）の規定により特定贈与財産に該当することとなった居住用不動産又は金銭の価額については、贈与税の配偶者控除の適用がない場合であっても、相続税の課税価格に加算されないのであるから留意する。

（店舗兼住宅等の持分の贈与を受けた場合の特定贈与財産の判定）

（10）　相続の開始の年に当該相続に係る被相続人から贈与により取得した財産が第二編第五章第二節《贈与税の配偶者控除》の**2**の（２）《店舗兼住宅等の居住用部分の判定》の店舗兼住宅等の持分である場合には、**2**に規定する居住用不動産に該当する部分は同第二節の**2**の（３）《店舗兼住宅等の持分の贈与があった場合の居住用部分の判定》の本文により計算した部分となるのであるが、当該居住用不動産に該当する部分について同（３）のただし書に準じて計算して（１）の規定による申告書の提出があったときは、これを認めるものとする。（基通19－10）

－159－

（債務の通算）

(11) 加算対象贈与財産の価額を相続税の課税価格に加算した場合においても、その加算した財産の価額からは**三**《債務控除》の**1**、**2**又は**7**に規定する控除はしないことに留意する。（基通19－5）

（贈与税の配偶者控除の適用順序）

(12) 被相続人の配偶者が、当該被相続人から相続開始の日の属する年の3年前の年に2回以上にわたって贈与税の配偶者控除（以下第二編第五章第四節の(3)までにおいて「贈与税の配偶者控除」という。）の適用を受けることができる居住用不動産又は居住用不動産の取得のための金銭（以下(12)において「居住用不動産等」という。）の贈与を受け、当該年分の贈与税につき贈与税の配偶者控除の規定の適用を受けている場合で、当該贈与により取得した居住用不動産等の価額の合計額が贈与税の配偶者控除を受けることができる金額を超え、かつ、当該贈与に係る居住用不動産等のうちに相続開始前3年以内の贈与に該当するものと該当しないものとがあるときにおける**1**の規定の適用に当たっては、贈与税の配偶者控除は、まず、相続税の課税価格の計算上、相続開始前3年以内の贈与に該当する居住用不動産等から適用されたものとして取り扱うものとする。（基通19－8）

(注) 当該相続開始の日が令和13年1月1日以後であり、かつ、当該相続開始の日の属する年の7年前の年に居住用不動産等の贈与を受けている場合には、(12)中「3年」とあるのは「7年」と読み替えるものとする。

（相続時精算課税適用者に対する**四**の**1**の規定の適用）

(13) 相続時精算課税適用者が特定贈与者からの贈与により取得した相続時精算課税の適用を受ける財産については**四**の**1**の規定の適用はないが、当該特定贈与者の相続に係る加算対象期間内で、かつ、相続時精算課税の適用を受ける年分前に当該相続時精算課税適用者が、特定贈与者である被相続人からの贈与により取得した財産（年の中途において特定贈与者の推定相続人となったときには、推定相続人となった時前に当該特定贈与者からの贈与により取得した財産を含む。）については、**四**の**1**の規定により当該財産の価額を相続税の課税価格に加算することとなることに留意する。

また、当該被相続人から相続又は遺贈により財産を取得しなかった者であっても、その者が当該被相続人を特定贈与者とする相続時精算課税適用者であり、かつ、当該被相続人から加算対象期間内に贈与により取得した財産（相続時精算課税の適用を受ける財産を除く。）がある場合においては、その者については、**四**の**1**の規定の適用があることに留意する。（基通19－11）

(注) 当該相続時精算課税適用者が当該特定贈与者からの贈与により取得した相続時精算課税の適用を受ける財産について、第三編第一章第三節**二**の(2)《相続時精算課税の適用を受ける財産の価額》の(二)の規定の適用により相続税の課税価格に算入する金額がない場合においても、当該被相続人から加算対象期間内に贈与により取得した財産（相続時精算課税の適用を受ける財産を除く。）があるときは、当該相続時精算課税適用者については、**四**の**1**の規定の適用があることに留意する。

（加算対象期間内に贈与を受けた農地等）

(14) 第四編第一章第一節の**1**《農地等を贈与した場合の贈与税の納税猶予》の規定による贈与税の納税猶予に係る贈与者が死亡した場合において、その贈与が当該贈与者の死亡に係る相続税の加算対象期間（(5)に定める「加算対象期間」をいう。）内であるときにおける特例適用農地等についての当該贈与者の死亡に係る相続税の課税関係は、次に掲げるところによることに留意する。（措通70の5－1）

(一) 当該贈与者の死亡の時において、現に当該納税猶予の適用を受けている特例適用農地等は、第二章第二節**八**の**1**《農地等の贈与者が死亡した場合の相続税の課税の特例》の規定により受贈者が当該贈与者から相続又は遺贈により取得したものとみなされ、当該贈与者の死亡の日における価額で相続税が課税される。

なお、この適用を受ける農地等は、第六章第九節の**1**《農地等についての相続税の納税猶予》の規定による相続税の納税猶予の適用を受けることができる農地等に含まれる。

(二) 当該贈与者の死亡の日前に、当該納税猶予に係る贈与税の全部又は一部についての納税猶予の期限が確定しており、かつ、受贈者が当該贈与者から相続又は遺贈により財産を取得している場合における当該期限の確定に係る特例適用農地等は、**四**の**1**の規定により、贈与の日における価額で相続税が課税される。

なお、この適用を受ける農地等は、第六章第九節の**1**の規定による相続税の納税猶予の適用が受けられる農地等には含まれない。

（買換えの承認に係る特例適用農地等）

(15) 特例適用農地等の譲渡等につき第四編第一章第七節の**1**《買換えの承認があった場合の納税猶予の継続》の規定による買換えの承認を受けている場合において、代替取得農地等を取得する前に贈与者が死亡したときにおける当該承認に係る譲渡等をした特例適用農地等に係る相続税の課税に当たっては、当該特例適用農地等は、第二章第二節**八**の**1**《農

第四章　相続税の課税価格

地等の贈与者が死亡した場合の相続税の課税の特例》の規定により受贈者が贈与者から相続又は遺贈により取得したものとみなされ、かつ、当該譲渡等に係る特例適用農地等は、第四編第一章第七節 **1** の規定により譲渡等がなかったものとみなされることから、当該譲渡等に係る特例適用農地等の当該贈与者の死亡の日における価額が相続税の課税価格の計算の基礎に算入されることになるのであるから留意する。（措通70の５－５）

(注)　上記の譲渡等に係る特例適用農地等について、第六章第九節による相続税の納税猶予の適用を受ける場合には、同節の規定により当該特例適用農地等は、相続又は遺贈により取得した農地等に含まれることから相続税の納税猶予の適用を受けることができることとなる。

なお、この場合において、当該譲渡等があった日から１年以内に代替取得農地等を取得しなかったときには、その譲渡等があった日から１年を経過する日において譲渡等があったものとみなされ、当該譲渡等に係る農地等の価額に対応する部分の相続税の納税猶予税額は、納付を要することになる。

（買取りの申出等があった場合の買換え等の承認に係る特定農地等）

(16)　第四編第一章第一節の **1** 《農地等を贈与した場合の贈与税の納税猶予》の規定の適用を受ける農地又は採草放牧地についての買取りの申出等につき同第一章第十節の **1** 《買換え等の承認があった都市営農農地等の納税猶予の継続》の規定による承認を受けている場合において、当該承認に係る特定農地等に係る代替取得農地等を取得する前に又は当該承認に係る特定市街化区域農地等に係る農地若しくは採草放牧地が同 **1** の規定による都市営農農地等に該当する前に贈与者が死亡したときにおける当該承認に係る特定農地等に係る相続税の課税に当たっては、当該特定農地等は、第二章第二節八の **1** 《農地等の贈与者が死亡した場合の相続税の課税の特例》の規定により受贈者が贈与者から相続又は遺贈により取得したものとみなされ、かつ、当該承認に係る特定農地等は、第四編第一章第十節の **1** の規定により買取りの申出等及び譲渡等はなかったものとみなされることから、当該買取りの申出等に係る特定農地等の当該贈与者の死亡の日における価額が相続税の課税価格の計算の基礎に算入されることになるのであるから留意する。

なお、この場合において、当該買取りの申出等に係る特定農地等の当該贈与者の死亡の日における価額は、当該贈与者の死亡の日における現況によるのであるから留意する。（措通70の５－６）

(注)　上記の買取りの申出等に係る特定農地等について、第六章第九節の規定による相続税の納税猶予の適用を受ける場合には、同節の規定により当該特定農地等は、相続又は遺贈により取得した農地等に含まれることから相続税の納税猶予の適用を受けることができることとなる。

なお、この場合において、当該買取りの申出等があった日から１年以内に譲渡等をしなかったとき若しくは都市営農農地等に該当することとならなかったとき又は当該日から１年以内に譲渡等をした場合において当該譲渡等があった日から１年以内に代替取得農地等を取得しなかったときには、当該買取りの申出等があった日から１年を経過する日又は当該譲渡等があった日から１年を経過する日において買取りの申出等があったものとみなされ、当該買取りの申出等に係る特定農地等の価額に対応する部分の相続税の納税猶予税額は、納付を要することとなる。

－161－

第五章　相続税の総額

第一節　遺産に係る基礎控除

1　遺産に係る基礎控除

相続税の総額を計算する場合においては、同一の被相続人から相続又は遺贈により財産を取得した全ての者に係る相続税の課税価格（第四章第二節**四**の1《相続開始前3年以内の贈与財産》の規定の適用がある場合には、同**1**の規定により相続税の課税価格とみなされた金額。以下第二節において同じ。）の合計額から、3,000万円と600万円に当該被相続人の相続人の数を乗じて算出した金額との合計額（以下「**遺産に係る基礎控除額**」という。）を控除する。（法15①）

3,000万円＋（600万円×法定相続人の数）＝遺産に係る基礎控除額

2　法定相続人の数

1の相続人の数は、**1**に規定する被相続人の民法第5編第2章《相続人》の規定による相続人の数（当該被相続人に養子がある場合の当該相続人の数に算入する当該被相続人の養子の数は、次の（一）から（二）に掲げる場合の区分に応じ当該（一）から（二）に定める養子の数に限るものとし、相続の放棄があった場合には、その放棄がなかったものとした場合における相続人の数とする。）とする。（法15②）

（一）	当該被相続人に実子がある場合又は当該被相続人に実子がなく、養子の数が1人である場合	1人
（二）	当該被相続人に実子がなく、養子の数が2人以上である場合	2人

（養子のうち実子とみなされる者）

（1）　**2**の規定の適用については、次に掲げる者は実子とみなす。（法15③）

（一）	民法第817条の2第1項《特別養子縁組の成立》に規定する特別養子縁組による養子となった者、当該被相続人の配偶者の実子で当該被相続人の養子となった者その他これらに準ずる者として下記注の政令で定める者 　　（政令で定める者） 注　上記の政令で定める者は、上記の被相続人と当該被相続人の配偶者との婚姻前に当該被相続人の配偶者の上記に規定する特別養子縁組による養子となった者で、当該婚姻後に当該被相続人の養子となった者とする。（令3の2）
（二）	実子若しくは養子又はその直系卑属が相続開始以前に死亡し、又は相続権を失ったため民法第5編第2章の規定による相続人（相続の放棄があった場合には、その放棄がなかったものとした場合における相続人）となったその者の直系卑属

（相続人の数に算入される養子の数の否認）

（2）　**2**の（一）から（二）に掲げる場合において当該（一）から（二）に定める養子の数を**2**の相続人の数に算入することが、相続税の負担を不当に減少させる結果となると認められる場合においては、税務署長は、相続税についての更正又は決定に際し、税務署長の認めるところにより、当該養子の数を当該相続人の数に算入しないで相続税の課税価格（第四章第二節**四**の1《相続開始前3年以内の贈与財産》又は第三編第一章第三節**三**《相続時精算課税に係る相続税法の規定の適用》（1）から同第一章第四節**二**《受贈者が相続時精算課税選択届出書の提出前に死亡した場合》までの規定の適用がある場合には、これらの規定により相続税の課税価格とみなされた金額）及び相続税額を計算することができる。（法63）

（相続人の数が零である場合の遺産に係る基礎控除額）

（3）　**2**に規定する相続人の数が零である場合における**1**に規定する遺産に係る基礎控除額は、3,000万円となるのである

から留意する。（基通15－1）

　　（**2**に規定する相続人の数）
（4）　相続の放棄があった場合等における**2**に規定する相続人の数について、設例を基に示せば次のとおりである。（基通15－2）

《**設例1**》

　上記の場合において、（B）、（C）及び配偶者が相続を放棄したときの**2**に規定する相続人の数は、（A）、（B）、（C）及び配偶者の4人となる。

《**設例2**》

　上記の場合において、相続の開始以前に（A）が死亡したときの**2**に規定する相続人の数は、（D）及び（E）の被代襲者である（A）は関係なく、（B）、（C）、（D）、（E）及び配偶者の5人となる。また（A）が相続権を失った者である場合においても同様である。

《**設例3**》

　上記の場合において、（A）、（B）及び（C）が相続の放棄をしたときにおいては、民法の規定による相続人の数は、父、母及び配偶者の3人であるが、**2**に規定する相続人の数は、（A）、（B）、（C）及び配偶者の4人となる。

《**設例4**》

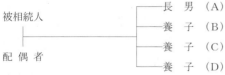

　上記の場合において、（B）が民法第817条の2第1項《特別養子縁組の成立》に規定する特別養子縁組による養子となった者であるときの**2**に規定する相続人の数は、（A）、（B）、（B）を除く養子1人（（C）又は（D）のいずれか1人を特定することを要しないのであるから留意する。）及び配偶者の4人となる。

《**設例5**》

　上記の場合において、相続開始以前に（A）が死亡したときの**2**に規定する相続人の数は、（D）及び（E）の被代襲者である（A）は関係はなく、養子1人（（B）又は（C）のいずれか1人を特定することを要しないのであるから留意する。）、（D）、（E）及び配偶者の4人となる。また、（A）が相続権を失った者である場合においても同様である。

　　（胎児がある場合の相続人の数）
（5）　相続人となるべき胎児が相続税の申告書を提出する日までに出生していない場合においては、当該胎児は**1**に規定する相続人の数には算入しないことに取り扱うものとする。（基通15－3）

第一編　相続税

　　　（代襲相続人が被相続人の養子である場合の相続人の数）
（6）　相続人のうちに代襲相続人であり、かつ、被相続人の養子となっている者がある場合の**2**に規定する相続人の数については、その者は実子1人として計算するのであるから留意する。（基通15－4）

　（注）　この場合の相続分は、代襲相続人としての相続分と養子としての相続分との双方を有するのであるから留意する。

　　　（「当該被相続人に養子がある場合」の意義）
（7）　被相続人の民法第5編第2章《相続人》の規定による相続人（相続の放棄があった場合には、その放棄がなかったものとした場合における相続人をいう。以下（7）において同じ。）が兄弟姉妹である場合は、その相続人の中に当該被相続人の親と養子縁組をしたことにより相続人となった者があるときであっても、**2**に規定する「当該被相続人に養子がある場合」に該当しないのであるから留意する。（基通15－5）

　　　（「当該被相続人の配偶者の実子」等の意義）
（8）　（1）の（一）に規定する「当該被相続人の配偶者の実子で当該被相続人の養子となった者」とは、当該被相続人と当該配偶者との婚姻期間（婚姻後民法第728条第2項《離婚等による姻族関係の終了》の規定により姻族関係が終了するまでの期間をいう。以下（8）において同じ。）において被相続人の養子であった者をいうものとする。また、同（一）の注に規定する「当該婚姻後に当該被相続人の養子となったもの」とは、当該被相続人と同注に規定する配偶者との婚姻期間中において被相続人の養子となった者をいうものとする。（基通15－6）

　　　（被相続人である特定贈与者よりも先に相続時精算課税適用者が死亡している場合の相続人の数）
（9）　特定贈与者の死亡以前に当該特定贈与者に係る相続時精算課税適用者が死亡したことから、第三編第一章第四節《相続時精算課税に係る納税の権利・義務の承継》の規定により相続時精算課税適用者が有していた相続時精算課税の適用を受けたことに伴う納税に係る権利又は義務について承継があった場合において、当該相続時精算課税適用者に係る特定贈与者である被相続人の死亡に係る相続税額を計算するときは、**1**に規定する相続人の数には、当該相続時精算課税適用者は算入されないのであるから留意する。（基通15－7）

　（注）　第三編第一章第四節の規定により相続時精算課税適用者の有していた相続時精算課税の適用を受けたことに伴う納税に係る権利又は義務を承継した者については、当該被相続人の相続人である場合（**2**のかっこ書き及び**2**の（2）に該当する場合を除く。）に限り、**1**に規定する相続人の数に算入されることに留意する。

　　　（相続人の数に算入される養子の数の否認規定の適用範囲）
（10）　（2）の規定が適用される事項は、第三章**五**の保険金の非課税限度額、第三章**六**の退職手当金等の非課税限度額、**1**の遺産に係る基礎控除額及び次節の相続税の総額に関する事項に限られるのであるから留意する。（基通63－1）

　　　（被相続人の養子のうち一部の者が相続税の不当減少につながるものである場合）
（11）　被相続人の養子（（1）の規定により実子とみなされる者を除く。）のうちに（2）の規定による相続税の負担を不当に減少させる結果となると認められる養子（以下（11）において「不当減少養子」という。）がある場合には、**2**に規定する相続人の数に算入する養子の数は、当該不当減少養子を除いた養子の数を基とするのであるから留意する。（基通63－2）

【相続人に関する民法の規定】

　〔縁組による親族関係の発生〕
第727条　養子と養親及びその血族との間においては、養子縁組の日から、血族間におけるのと同一の親族関係を生ずる。

　〔特別養子縁組の成立〕
第817条の2　家庭裁判所は、次条から第817条の7までに定める要件があるときは、養親となる者の請求により、実方の血族との親族関係が終了する縁組（以下この款において「特別養子縁組」という。）を成立させることができる。

②　前項に規定する請求をするには、第794条又は第798条の許可を得ることを要しない。

　〔養親の夫婦共同縁組〕
第817条の3　養親となる者は、配偶者のある者でなければならない。

②　夫婦の一方は、他の一方が養親とならないときは、養親となることができない。ただし、夫婦の一方が他の一方の嫡出である子（特別養子縁組以外の縁組による養子を除く。）の養親となる場合は、この限りでない。

－164－

第五章　相続税の総額

〔養親となる者の年齢〕

第817条の4　25歳に達しない者は、養親となることができない。ただし、養親となる夫婦の一方が25歳に達していない場合においても、その者が20歳に達しているときは、この限りでない。

〔養子となる者の年齢〕

第817条の5　第817条の2に規定する請求の時に15歳に達している者は、養子となることができない。特別養子縁組が成立するまでに18歳に達した者についても、同様とする。

②　前項前段の規定は、養子となる者が15歳に達する前から引き続き養親となる者に監護されている場合において、15歳に達するまでに第817条の2に規定する請求がされなかったことについてやむを得ない事由があるときは、適用しない。

③　養子となる者が15歳に達している場合においては、特別養子縁組の成立には、その者の同意がなければならない。

〔父母の同意〕

第817条の6　特別養子縁組の成立には、養子となる者の父母の同意がなければならない。ただし、父母がその意思を表示することができない場合又は父母による虐待、悪意の遺棄その他養子となる者の利益を著しく害する事由がある場合は、この限りでない。

〔子の利益のための特別の必要性〕

第817条の7　特別養子縁組は、父母による養子となる者の監護が著しく困難又は不適当であることその他特別の事情がある場合において、子の利益のため特に必要があると認めるときに、これを成立させるものとする。

〔子及びその代襲者等の相続権〕

第887条　被相続人の子は、相続人となる。

②　被相続人の子が、相続の開始以前に死亡したとき、又は第891条の規定に該当し、若しくは廃除によって、その相続権を失ったときは、その者の子がこれを代襲して相続人となる。ただし、被相続人の直系卑属でない者は、この限りでない。

③　前項の規定は、代襲者が、相続の開始以前に死亡し、又は第891条の規定に該当し、若しくは廃除によって、その代襲相続権を失った場合について準用する。

〔直系尊属及び兄弟姉妹の相続権〕

第889条　次に掲げる者は、第887条の規定により相続人となるべき者がない場合には、次に掲げる順序の順位に従って相続人となる。

　一　被相続人の直系尊属。ただし、親等の異なる者の間では、その近い者を先にする。

　二　被相続人の兄弟姉妹

②　第887条第2項の規定は、前項第2号の場合について準用する。

〔配偶者の相続権〕

第890条　被相続人の配偶者は、常に相続人となる。この場合において、887条又は前条の規定により相続人となるべき者があるときは、その者と同順位とする。

〔相続人の欠格事由〕

第891条　次に掲げる者は、相続人となることができない。

　一　故意に被相続人又は相続について先順位若しくは同順位にある者を死亡するに至らせ、又は至らせようとしたために、刑に処せられた者

　二　被相続人の殺害されたことを知って、これを告発せず、又は告訴しなかった者。ただし、その者に是非の弁別がないとき、又は殺害者が自己の配偶者若しくは直系血族であったときは、この限りでない。

　三　詐欺又は強迫によって、被相続人が相続に関する遺言をし、撤回し、取り消し、又は変更することを妨げた者

　四　詐欺又は強迫によって、被相続人に相続に関する遺言をさせ、撤回させ、取り消させ、又は変更させた者

　五　相続に関する被相続人の遺言書を偽造し、変造し、破棄し、又は隠匿した者

〔推定相続人の廃除〕

第892条　遺留分を有する推定相続人（相続が開始した場合に相続人となるべき者をいう。以下同じ。）が、被相続人に対して虐待をし、若しくはこれに重大な侮辱を加えたとき、又は推定相続人にその他の著しい非行があったときは、被相続人は、その推定相続人の廃除を家庭裁判所に請求することができる。

〔遺言による推定相続人の廃除〕

第893条　被相続人が遺言で推定相続人を廃除する意思を表示したときは、遺言執行者は、その遺言が効力を生じた後、遅滞なく、その推定相続人の廃除を家庭裁判所に請求しなければならない。この場合において、その推定相続人の廃除は、被相続人の死亡の時にさかのぼってその効力を生ずる。

〔相続の承認又は放棄をすべき期間〕

第915条　相続人は、自己のために相続の開始があったことを知った時から３箇月以内に、相続について、単純若しくは限定の承認又は放棄をしなければならない。ただし、この期間は、利害関係人又は検察官の請求によって、家庭裁判所において伸長することができる。

②　相続人は、相続の承認又は放棄をする前に、相続財産の調査をすることができる。

〔相続の放棄の方式〕

第938条　相続の放棄をしようとする者は、その旨を家庭裁判所に申述しなければならない。

〔相続の放棄の効力〕

第939条　相続の放棄をした者は、その相続に関しては、初めから相続人とならなかったものとみなす。

第五章　相続税の総額

第二節　相続税の総額

　相続税の総額は、同一の被相続人から相続又は遺贈により財産を取得した全ての者に係る相続税の課税価格に相当する金額の合計額からその遺産に係る基礎控除額を控除した残額を当該被相続人の第一節の**2**《法定相続人の数》に規定する相続人の数に応じた相続人が民法第900条《法定相続分》及び第901条《代襲相続人の相続分》の規定による相続分に応じて取得したものとした場合におけるその各取得金額（当該相続人が、1人である場合又はない場合には、当該控除した残額）につきそれぞれその金額を次の表の左欄に掲げる金額に区分してそれぞれの金額に同表の右欄に掲げる税率を乗じて計算した金額を合計した金額とする。（法16）

1,000万円以下の金額	100分の10
1,000万円を超え3,000万円以下の金額	100分の15
3,000万円を超え5,000万円以下の金額	100分の20
5,000万円を超え1億円以下の金額	100分の30
1億円を超え2億円以下の金額	100分の40
2億円を超え3億円以下の金額	100分の45
3億円を超え6億円以下の金額	100分の50
6億円を超える金額	100分の55

【相続税の速算表】

法定相続分に応ずる取得金額	万円 1,000 以下	万円 3,000 以下	万円 5,000 以下	万円 10,000 以下	万円 20,000 以下	万円 30,000 以下	万円 60,000 以下	万円 60,000 超
税　　率	10%	15%	20%	30%	40%	45%	50%	55%
控　除　額	──	万円 50	万円 200	万円 700	万円 1,700	万円 2,700	万円 4,200	万円 7,200

　この速算表の使用方法は、次のとおりです。
　法定相続分に応ずる取得金額×税率－控除額＝税額
　例えば、取得金額3,000万円に対する税額は、3,000万円×15%－50万円＝400万円です。

　　（相続税の総額を計算する場合の取得金額）
（1）　上記（法16）の規定により相続税の総額を計算する場合における「各取得金額」は、遺産が分割されたかどうかにかかわらず、また相続又は遺贈によって財産を取得した者がだれであるかにかかわらず、相続税の課税価格の合計額から遺産に係る基礎控除額を控除した後の金額を、第一節の**2**に規定する相続人の数に応じた相続人が民法第900条及び第901条《代襲相続人の相続分》の規定による相続分に応じて取得したものとして計算するのであるから留意する。（基通16－1）

　　（注）　第一節の**2**の（4）の**《設例5》**の場合には、上記第二節（法16）に規定する「第一節の**2**《法定相続人の数》に規定する相続人の数に応じた相続人」の「民法第900条及び第901条の規定による相続分」は、養子1人（（B）又は（C）のいずれか1人を特定することを要しないのであるから留意する。）1/2×1/2＝1/4、（D）及び（E）1/2×1/2×1/2＝1/8　並びに配偶者1/2となる。

　　（課税価格の端数計算）
（2）　相続又は遺贈（当該相続に係る被相続人からの贈与により取得した財産で相続時精算課税の適用を受けるものに係る贈与を含む。）によって財産を取得した者の相続税の課税価格（第四章第二節**四**の**1**《相続開始前3年以内の贈与と財産》及び第三編第一章第三節**一**《相続時精算課税に係る相続税の課税価格及び税額》の規定の適用がある場合には、これらの規定による加算後の相続税の課税価格）を計算する場合において、その額に1,000円未満の端数があるとき又はその全額が1,000円未満であるときは、その端数金額又はその全額を切り捨てるのであるから留意する。（基通16－2）

－167－

（相続税の総額を計算する場合の取得金額等の端数処理）
（3）　相続税の総額を計算する場合における「その各取得金額」に1,000円未満の端数があるとき若しくはその全額が1,000円未満であるとき又は相続税の総額に100円未満の端数があるときは、その端数金額又はその全額を切り捨てても差し支えないものとする。（基通16－3）

【相続分に関する民法の規定】

〔相続に関する胎児の権利能力〕
第886条　胎児は、相続については、既に生まれたものとみなす。
②　前項の規定は、胎児が死体で生まれたときは、適用しない。

〔法定相続分〕
第900条　同順位の相続人が数人あるときは、その相続分は、次の各号の定めるところによる。
　一　子及び配偶者が相続人であるときは、子の相続分及び配偶者の相続分は、各2分の1とする。
　二　配偶者及び直系尊属が相続人であるときは、配偶者の相続分は、3分の2とし、直系尊属の相続分は、3分の1とする。
　三　配偶者及び兄弟姉妹が相続人であるときは、配偶者の相続分は、4分の3とし、兄弟姉妹の相続分は、4分の1とする。
　四　子、直系尊属又は兄弟姉妹が数人あるときは、各自の相続分は、相等しいものとする。ただし、父母の一方のみを同じくする兄弟姉妹の相続分は、父母の双方を同じくする兄弟姉妹の相続分の2分の1とする。

〔代襲相続人の相続分〕
第901条　第887条第2項又は第3項の規定によって相続人となる直系卑属の相続分は、その直系尊属が受けるべきであったものと同じとする。ただし、直系卑属が数人あるときは、その各自の直系尊属が受けるべきであった部分について、前条の規定に従ってその相続分を定める。
②　前項の規定は、第889条第2項の規定により兄弟姉妹の子が相続人となる場合について準用する。

第六章　各相続人等の相続税額

第一節　各相続人等の算出税額

　相続又は遺贈により財産を取得した者に係る相続税額は、その被相続人から相続又は遺贈により財産を取得したすべての者に係る相続税の総額に、それぞれこれらの事由により財産を取得した者に係る相続税の**課税価格**（第三節《贈与税額控除》の規定の適用がある場合には、同節の規定により相続税の課税価格とみなされた金額。以下本節、第二節及び第四節において同じ。）が当該財産を取得したすべての者に係る課税価格の合計額のうちに占める割合を乗じて算出した金額とする。（法17）

　（あん分割合）

注　上記に規定する「財産を取得した者に係る相続税の課税価格……が当該財産を取得したすべての者に係る課税価格の合計額のうちに占める割合」に小数点以下２位未満の端数がある場合において、その財産の取得者全員が選択した方法により、各取得者の割合の合計値が１になるようその端数を調整して、各取得者の相続税額を計算しているときは、これを認めて差し支えないものとする。

　　なお、上記の方法を選択した者について相続税額を更正する場合には、その選択した方法によって相続税額を計算することができるものとする。（基通17－１）

各相続人等の相続税の課税価格 ÷ 課税価格の合計額 ＝ 相続税の総額のあん分割合……　各相続人等のこの割合は合計値が１になるように小数点以下２位未満の端数を調整することができる。

相続税の総額 × 各相続人等の相続税の総額のあん分割合 ＝ 各相続人等の算出税額

第二節　相続税額の加算

　相続又は遺贈により財産を取得した者が当該相続又は遺贈に係る被相続人の一親等の血族（当該被相続人の直系卑属が相続開始以前に死亡し、又は相続権を失ったため、代襲して相続人となった当該被相続人の直系卑属を含む。）及び配偶者以外の者である場合においては、その者に係る相続税額は、第一節の規定にかかわらず、同節の規定により算出した金額にその100分の20に相当する金額を加算した金額とする。（法18①）

　　　　その者の算出税額＋その者の算出税額×$\dfrac{20}{100}$＝相続税額の加算後の相続税額

　　　（一親等の血族の範囲）
（1）　上記の一親等の血族には、上記の被相続人の直系卑属が当該被相続人の養子となっている場合を含まないものとする。ただし、当該被相続人の直系卑属が相続開始以前に死亡し、又は相続権を失ったため、代襲して相続人となっている場合は、この限りでない。（法18②）

　　　（遺贈により財産を取得した一親等の血族）
（2）　相続の放棄をした者又は欠格若しくは廃除の事由により相続権を失った者が遺贈により財産を取得した場合において、その者が当該遺贈に係る被相続人の一親等の血族（第二節本文に規定する一親等の血族に限る。）であるときは、その者については、上記の相続税額の加算の規定の適用がないのであるから留意する。（基通18－1）

　　　（特定贈与者よりも先に死亡した相続時精算課税適用者が一親等の血族であるかどうかの判定時期）
（3）　第二節の規定に該当するかどうかは、被相続人の死亡の時の状況により判定するのであるが、特定贈与者の死亡に係る当該特定贈与者よりも先に死亡した相続時精算課税適用者の相続税額の計算において、当該相続時精算課税適用者が第二節に規定する被相続人の一親等の血族であるかどうかは、当該相続時精算課税適用者が死亡した時の状況により判定するものとする。（基通18－2）
　　（注）　当該特定贈与者と当該相続時精算課税適用者が離縁している場合などにおいて、当該相続時精算課税適用者が上記に規定する被相続人の一親等の血族であるかどうかの判定は、上記により行うのであるが、上記の規定による相続税額の加算の対象とならない部分の金額については、（6）により計算することに留意する。

　　　（養子、養親の場合）
（4）　養子又は養親が相続又は遺贈により被相続人たる養親又は養子の財産を取得した場合においては、これらの者は被相続人の一親等の法定血族であるので、これらの者については第二節の相続税額の加算の規定の適用がないのであるから留意する。
　　　ただし、被相続人の直系卑属が当該被相続人の養子となっている場合（当該被相続人の直系卑属が相続開始以前に死亡し、又は相続権を失ったため、代襲して相続人になっている場合を除く。）の当該直系卑属については、相続税額の加算の規定が適用されるのであるから留意する。（基通18－3）

　　　（相続時精算課税適用者について一親等の血族とする場合）
（5）　第三編第一章第三節三《相続時精算課税に係る相続税法の規定の適用》の（2）及び（3）の規定により第二節の規定を読み替えて適用する場合の「被相続人の一親等の血族」には、当該被相続人の直系卑属が相続開始以前に死亡し、又は相続権を失ったため、代襲して相続人となった当該被相続人の直系卑属を含むものとして取り扱うものとする。（基通18－4）

　　　（相続税額の加算の対象とならない相続税額）
（6）　相続時精算課税選択届出書の提出後に特定贈与者と相続時精算課税適用者が離縁した場合など、相続開始の時において第二節に規定する被相続人の一親等の血族に該当しないことから第二節の規定により相続税額が加算される相続時精算課税適用者の相続税額のうち、第三編第一章第三節三の（2）又は（3）の規定により当該加算の対象とされないこととなる部分の金額の算出方法を算式で示せば次のとおりである。（基通18－5）

第六章　各相続人等の相続税額

$$A \times \frac{C}{B}$$

（注）　算式中の符号は、次のとおりである。

Aは、当該相続時精算課税適用者に係る第一節の規定により算出した相続税額

Bは、当該相続時精算課税適用者に係る特定贈与者の死亡に係る相続税の第三編第一章第三節三の（2）又は（3）の規定により読み替えて適用される第三節《贈与税額控除》及び同第一章第三節三の（1）から同第一章第四節二までの規定により計算された課税価格に算入された財産の価額

Cは、次に掲げる場合の区分に応じ、それぞれ次に定める金額の合計額

（1）　令和6年1月1日以後に当該特定贈与者からの贈与により取得した財産の場合

当該相続時精算課税適用者が当該特定贈与者から贈与を受けた年分ごとに次の算式により算出した金額の合計額

当該相続時精算課税適用者の相続時精算課税の適用を受ける財産で当該特定贈与者の一親等の血族（第二節《相続税額の加算》に規定する一親等の血族に限る。）であった期間内に当該特定贈与者から取得したもの（以下（6）において「一親等時贈与財産」という。）の当該取得の時の価額 － 当該期間内の当該特定贈与者に係る各年分の贈与税の相続時精算課税に係る基礎控除の額（※）

※　同一年中に当該特定贈与者から一親等時贈与財産と一親等時贈与財産以外の相続時精算課税の適用を受ける財産（以下（6）において「一親等時贈与財産以外の財産」という。）のいずれも取得した年分については、次の算式により算出した金額（第三編第一章第三節三の（4）《相続税額の加算の対象とならない相続税額》に規定する「調整控除額」をいう。）となる。

当該年分において当該特定贈与者からの贈与により取得した財産の価額から控除した相続時精算課税に係る基礎控除の額 × 当該年分における一親等時贈与財産の当該取得の時の価額 ／ 当該年分における一親等時贈与財産の当該取得の時の価額と一親等時贈与財産以外の財産の当該取得の時の価額との合計額

（2）　令和5年12月31日以前に当該特定贈与者からの贈与により取得した財産の場合

一親等時贈与財産の当該取得の時の価額

第一編　相続税

第三節　贈与税額控除

1　相続開始前7年以内に贈与があった場合の相続税額

　相続又は遺贈により財産を取得した者が当該相続の開始前7年以内に当該相続に係る被相続人から贈与により財産を取得したことがある場合においては、その者については、当該贈与により取得した財産（第二編第三章及び第二編第四章の1から3により当該取得の日の属する年分の贈与税の課税価格計算の基礎に算入されるもの〔第四章第二節《相続税の課税価格》四の2に規定する特定贈与財産を除く。〕に限る。以下において同じ。）（以下1において「加算対象贈与財産」という。）の価額（加算対象贈与財産のうち当該相続の開始前3年以内に取得した財産以外の財産にあっては、当該財産の価額の合計額から100万円を控除した残額）を相続税の課税価格に加算した価額を相続税の課税価格とみなし、第五章《相続税の総額》から前節《相続税額の加算》までの規定を適用して算出した金額（加算対象贈与財産の取得につき課せられた贈与税があるときは、当該金額から当該財産に係る贈与税の税額〔在外財産に対する贈与税額控除額の控除前の税額とし、延滞税、利子税、過少申告加算税、無申告加算税及び重加算税に相当する税額を除く。〕として2に定めるところにより計算した金額を控除した金額）をもって、その納付すべき相続税額とする。（法19①）

　(注)　1　令和6年1月1日から令和8年12月31日までの間に相続又は遺贈（贈与をした者の死亡により効力を生ずる贈与及び当該相続に係る被相続人からの贈与により取得した財産で第三編第一章第一節二の（1）《相続時精算課税選択届出書に係る贈与財産の税額の計算》の規定の適用を受けるものに係る贈与を含む。以下四において同じ。）により財産を取得する者については、（注）2の規定にかかわらず、令和5年度改正後の1の規定を適用する。この場合において、1中「7年」とあるのは、「3年」とする。（令5改所法等附19②）

　　　　2　令和9年1月1日から令和12年12月31日までの間に相続又は遺贈により財産を取得する者に係る令和5年度改正後の1の規定の適用については、1中「当該相続の開始前7年以内」とあるのは、「令和6年1月1日から当該相続の開始の日までの間」とする。（令5改所法等附19③）

2　相続税額から控除する贈与税相当額等

　1の規定により控除する贈与税の税額に相当する金額は、1に規定する贈与により財産を取得した者に係る当該取得の日の属する年分の贈与税額に、当該財産の価額の合計額のうち1の規定により相続税の課税価格に加算された部分の金額（当該財産のうち1の相続の開始前3年以内に取得した財産以外の財産にあっては、当該財産の価額の合計額から1の規定により100万円を控除する前の当該財産の価額）が当該年分の贈与税の課税価格に算入された財産の価額の合計額のうちに占める割合を乗じて算出した金額とする。（令4①）

$$\text{その年分}\atop\text{の贈与税}\atop\text{の税額} \times \frac{\text{その年に贈与を受けた財産のうち、相続}\atop\text{税の課税価格に加算される財産の価額}}{\text{その年分の贈与税の課税価格}} = \text{贈与税額控除額} \quad \left[\text{贈与を受けた年}\atop\text{ごとに計算する。}\right]$$

　　（相続税額から控除する贈与税額の計算）

(1)　1の規定の適用がある者の相続税額から控除する贈与税額の算出方法を算式で示すと、次に掲げるとおりである。
　（基通19-7）

$$A \times \frac{C}{B}$$

　(注)　算式中の符号は、次のとおりである。

　　　　Aは、その年分の贈与税額（第三編第一章第二節二《相続時精算課税に係る税率》の規定により計算される贈与税額がある場合には、当該贈与税額を除く。）

　　　　Bは、その年分の贈与税の課税価格（特定贈与財産及び相続時精算課税の適用を受ける財産がある場合には、その価額を控除した後の課税価格）

　　　　Cは、その年中に贈与により取得した財産の価額の合計額のうち1の規定により相続税の課税価格に加算された部分の金額（当該財産のうち1の相続の開始前3年以内に取得した財産以外の財産にあっては、当該財産の価額の合計額から1の規定により100万円を控除する前の当該財産の価額）

　　　　ただし、その年分の贈与税について第二編第五章第三節の二の（2）《年中に二の適用を受けない財産を取得したとき》の規定により贈与税額を算出した場合には、次の①又は②に掲げる財産の別に上記の算式により算出した金額を合計した金額とする。

　　　　①　同(2)に規定する特例贈与財産（以下(1)において「特例贈与財産」という。）

　　　　　Aは、その年分の同(2)の(一)に掲げる金額

　　　　　Bは、その年分の贈与税の特例贈与財産の価額の合計額

　　　　　Cは、その年分の特例贈与財産の価額の合計額のうち1の規定により相続税の課税価格に加算された部分の価額（当該特例贈与財産のうち1の相続の開始前3年以内に取得した財産以外の財産にあっては、当該財産の価額の合計額から1の規定により100万円を控除する前の当該財産の価額）

—172—

第六章　各相続人等の相続税額

②　同(2)に規定する一般贈与財産（以下(1)において「一般贈与財産」という。）

Aは、その年分の同(2)の(二)に掲げる金額

Bは、その年分の贈与税の一般贈与財産の価額（特定贈与財産がある場合には、その価額を控除した後の価額）の合計額

Cは、その年分の一般贈与財産の価額の合計額のうち1の規定により相続税の課税価格に加算された部分の価額（当該一般贈与財産のうち1の相続の開始前3年以内に取得した財産以外の財産にあっては、当該財産の価額の合計額から1の規定により100万円を控除する前の当該財産の価額）

（1の規定の適用を受ける贈与）

（2）　加算対象贈与財産及び加算対象贈与財産のうち「相続の開始前3年以内に取得した財産以外の財産」（注1）は、相続又は遺贈により財産を取得した者に係る次に掲げる日の区分に応じ、これらの財産ごとにそれぞれに掲げる期間において贈与により取得した財産をいうことに留意する。（基通19-2）

相続又は遺贈により財産を取得した日	加算対象贈与財産に係る期間(注2)	「相続の開始前3年以内に取得した財産以外の財産」に係る期間
令和6年1月1日から令和8年12月31日まで	相続の開始の日から遡って3年目の応当日から当該相続の開始の日までの間	
令和9年1月1日から令和12年12月31日まで	令和6年1月1日から相続の開始の日までの間	令和6年1月1日から、相続の開始の日から遡って3年目の応当日の前日までの間（注3）
令和13年1月1日以後	相続の開始の日から遡って7年目の応当日から当該相続の開始の日までの間	相続の開始の日から遡って7年目の応当日から、当該相続の開始の日から遡って3年目の応当日の前日までの間

(注)1　「相続の開始前3年以内に取得した財産以外の財産」については、当該財産の価額の合計額から100万円を控除した残額が相続又は遺贈により財産を取得した者の相続税の課税価格に加算されることに留意する。

2　以下基通19-11までにおいて「加算対象期間」という。

3　相続又は遺贈により財産を取得した日が令和9年1月1日である場合においては、当該相続に係る「相続の開始前3年以内に取得した財産以外の財産」に係る期間はないことに留意する。

（「課せられた贈与税」の意義）

（3）　1に規定する「課せられた贈与税」には、加算対象贈与財産に対して課されるべき贈与税（第二編第六章第六節二の7の規定による更正又は決定をすることができなくなった贈与税を除く。）も含まれるものとして取り扱うものとする。この場合において、当該贈与税については、速やかに課税手続をとることに留意する。

なお、1の規定の適用により相続税の課税価格に加算される相続の開始前3年以内に取得した財産以外の財産の価額が零となる場合であっても、当該財産に係る贈与税は、1に規定する「課せられた贈与税」に含まれることに留意する。（基通19-6）

（贈与税の配偶者控除の適用順序）

（4）　被相続人の配偶者が、当該被相続人から相続開始の日の属する年の3年前の年に2回以上にわたって贈与税の配偶者控除の適用を受けることができる居住用不動産又は居住用不動産の取得のための金銭（以下(4)において「居住用不動産等」という。）の贈与を受け、当該年分の贈与税につき贈与税の配偶者控除の規定の適用を受けている場合で、当該贈与により取得した居住用不動産等の価額の合計額が贈与税の配偶者控除を受けることができる金額を超え、かつ、当該贈与に係る居住用不動産等のうちに相続開始前3年以内の贈与に該当するものと該当しないものとがあるときにおける1の規定の適用に当たっては、贈与税の配偶者控除は、まず、相続税の課税価格の計算上、相続開始前3年以内の贈与に該当する居住用不動産等から適用されたものとして取り扱うものとする。（基通19-8）

(注)　当該相続開始の日が令和13年1月1日以後であり、かつ、当該相続開始の日の属する年の7年前の年に居住用不動産等の贈与を受けている場合には、(4)中「3年」とあるのは「7年」と読み替えるものとする。

第四節　配偶者の税額軽減

1　配偶者に対する相続税額の軽減

　被相続人の配偶者が当該被相続人からの相続又は遺贈により財産を取得した場合には、当該配偶者については、（一）に掲げる金額から（二）に掲げる金額を控除した残額があるときは、当該残額をもってその納付すべき相続税額とし、（一）に掲げる金額が（二）に掲げる金額以下であるときは、その納付すべき相続税額は、ないものとする。（法19の2①）

（一）	当該配偶者につき第五章《相続税の総額》並びに第一節《各相続人等の算出税額》及び第三節《贈与税額控除》の規定により算出した金額	
（二）	当該相続又は遺贈により財産を取得した全ての者に係る相続税の総額に、次に掲げる金額のうちいずれか少ない金額が当該相続又は遺贈により財産を取得した全ての者に係る相続税の課税価格《第一節に同じ。》の合計額のうちに占める割合を乗じて算出した金額	
	イ	当該相続又は遺贈により財産を取得した全ての者に係る相続税の課税価格の合計額に民法第900条《法定相続分》の規定による当該配偶者の相続分（相続の放棄があった場合には、その放棄がなかったものとした場合における相続分）を乗じて算出した金額（当該被相続人の相続人（相続の放棄があった場合には、その放棄がなかったものとした場合における相続人）が当該配偶者のみである場合には、当該合計額）に相当する金額（当該金額が1億6,000万円に満たない場合には、1億6,000万円）
	ロ	当該相続又は遺贈により財産を取得した配偶者に係る相続税の課税価格に相当する金額

　配偶者に対する相続税額の軽減額の計算は、下記のA、Bにより計算されたいずれか少ない方の金額である。

　A　配偶者の算出税額－配偶者の贈与税額控除額
　　　　〈イ〉課税価格の合計額（※）に配偶
　　　　　　者の相続分を乗じて得た金額と
　　　　　　1億6,000万円との多い方の金額｝いずれか少な｝いずれか＝配偶者の税
　　　　　　　　　　　　　　　　　　　　　　　い方の金額　少ない方　　額軽減額
　B　相続税の総額 × 〈ロ〉配偶者の課税価格（※）　　　　の金額
　　　　　　　　　　相続税の課税価格の合計額

　　　※　〈イ〉、〈ロ〉の課税価格には隠蔽又は仮装した事実に基づく金額を含まない。（**4**参照）

（相続税額の軽減の対象となる配偶者の範囲）

（1）　**1**の配偶者に対する相続税額の軽減の規定は、財産の取得者が無制限納税義務者又は制限納税義務者のいずれに該当する場合であっても適用があるのであるから留意する。（基通19の2－1）

（内縁関係にある者）

（2）　**1**に規定する配偶者は、婚姻の届出をした者に限るものとする。したがって、事実上婚姻関係と同様の事情にある者であっても婚姻の届出をしていないいわゆる内縁関係にある者は、当該配偶者には該当しないのであるから留意する。（基通19の2－2）

（相続を放棄した配偶者に対する相続税額の軽減）

（3）　配偶者に対する相続税額の軽減の規定は、配偶者が相続を放棄した場合であっても当該配偶者が遺贈により取得した財産があるときは、適用があるのであるから留意する。（基通19の2－3）

（配偶者の税額軽減額の計算方法）

（4）　**1**の（二）に規定する「当該相続又は遺贈により財産を取得したすべての者に係る相続税の総額に、次に掲げる金額のうちいずれか少ない金額が当該相続又は遺贈により財産を取得したすべての者に係る相続税の課税価格の合計額のうちに占める割合を乗じて算出した金額」の算出方法を算式で示すと、次のとおりである。（基通19の2－7）

$$A \times \frac{\text{C又はDのいずれか少ない金額}}{B}$$

（注）　算式中の符号は、次のとおりである。
　　　Aは、当該相続又は遺贈（当該相続に係る被相続人からの贈与により取得した財産で相続時精算課税の適用を受けるものに係る贈与を含む。）

—174—

第六章　各相続人等の相続税額

により財産を取得したすべての者に係る相続税の総額

Bは、当該相続又は遺贈により財産を取得したすべての者に係る相続税の課税価格の合計額（当該合計額に1,000円未満の端数があるとき又はその全額が1,000円未満であるときは、その端数金額又はその全額を切り捨てるものとする。以下**4**の（2）において同じ。）

Cは、**1**の（二）のイに掲げる金額

Dは、**1**の（二）のロに掲げる金額

2　申告期限に未分割の財産がある場合の軽減規定の適用

1の相続又は遺贈に係る相続税申告書の提出期限（以下**2**において「**申告期限**」という。）までに、当該相続又は遺贈により取得した財産の全部又は一部が共同相続人又は包括受遺者によってまだ分割されていない場合における**1**の規定の適用については、その分割されていない財産は、**1**の（二）のロの課税価格の計算の基礎とされる財産に含まれないものとする。ただし、その分割されていない財産が申告期限から３年以内（当該期間が経過するまでの間に当該財産が分割されなかったことにつき、当該相続又は遺贈に関し訴えの提起がされたことその他（2）の左欄に定めるやむを得ない事情がある場合において、（3）で定めたところにより納税地の所轄税務署長の承認を受けたときは、当該財産の分割ができることとなった日として（2）の右欄に定める日《**分割期限の起算日**》の翌日から４月以内）に分割された場合には、その分割された財産については、この限りでない。（法19の2②）

（更正の請求の特則）

（1）　相続税について申告書を提出した者又は決定を受けた者は、次の（一）から（十）までのいずれかに該当する事由により当該申告又は決定に係る課税価格及び相続税額（当該申告書を提出した後又は当該決定を受けた後修正申告書の提出又は更正があった場合には、当該修正申告又は更正に係る課税価格及び相続税額）が過大となったときは、当該（一）から（十）までに規定する事由が生じたことを知った日の翌日から４月以内に限り、納税地の所轄税務署長に対し、その課税価格及び相続税額につき更正の請求（国税通則法第23条第1項《更正の請求》の規定による更正の請求をいう。第三編第一章第三節**四**において同じ。）することができる。（法32）

（一）　第四章第二節**二**《遺産が未分割の場合の課税価格》の規定により分割されていない財産について民法（第904条の2《寄与分》を除く。）の規定による相続分又は包括遺贈の割合に従って課税価格が計算されていた場合において、その後当該財産の分割が行われ、共同相続人又は包括受遺者が当該分割により取得した財産に係る課税価格が当該相続分又は包括遺贈の割合に従って計算された課税価格と異なることとなったこと。

（二）～（七）　（省略）

（八）　上記**2**ただし書の規定に該当したことにより、**2**の分割が行われた時以後において**1**の規定を適用して計算した相続税額がその時前において**1**の規定を適用して計算した相続税額と異なることとなったこと（（一）に該当する場合を除く。）。

（九）～（十）　（省略）

（分割期限の延長事由と分割期限）

（2）　**2**に規定するやむを得ない事情がある場合は、次の（一）から（四）の左欄に掲げる場合とし、**2**に規定する分割期限の起算日は、これらの場合の区分に応じ当該（一）から（四）の右欄に定める日とする。（令4の2①）

（一）	当該相続又は遺贈に係る申告期限の翌日から３年を経過する日において、当該相続又は遺贈に関する訴えの提起がされている場合（当該相続又は遺贈に関する和解又は調停の申立てがされている場合において、これらの申立ての時に訴えの提起がされたものとみなされるときを含む。）	判決の確定又は訴えの取下げの日その他当該訴訟の完結の日
（二）	当該相続又は遺贈に係る申告期限の翌日から３年を経過する日において、当該相続又は遺贈に関する和解、調停又は審判の申立てがされている場合（（一）又は（四）に掲げる場合に該当することとなった場合を除く。）	和解若しくは調停の成立、審判の確定又はこれらの申立ての取下げの日その他これらの申立てに係る事件の終了の日
（三）	当該相続又は遺贈に係る申告期限の翌日から３年を経過する日において、当該相続又は遺贈に関し、民法第908条第1項若しくは第4項《遺産の分割の方法の指定及び遺産の分割の禁止》の規定により遺産の分割が禁止され、又は同法第915条第1項ただし書《相続の承認又は放棄をすべき期間》の規定により相続の承認若しく	当該分割の禁止がされている期間又は当該伸長がされている期間が経過した日

	は放棄の期間が伸長されている場合（当該相続又は遺贈に関する調停又は審判の申立てがされている場合において、当該分割の禁止をする旨の調停が成立し、又は当該分割の禁止若しくは当該期間の伸長をする旨の審判若しくはこれに代わる裁判が確定したときを含む。）	
（四）	（一）から（三）までに掲げる場合のほか、相続又は遺贈に係る財産が当該相続又は遺贈に係る申告期限の翌日から３年を経過する日までに分割されなかったこと及び当該財産の分割が遅延したことにつき税務署長においてやむを得ない事情があると認める場合	その事情の消滅の日

【遺産分割に関する民法の規定】

〔遺産の分割の協議又は審判〕

第907条 共同相続人は、次条第１項の規定により被相続人が遺言で禁じた場合又は同条第２項の規定により分割をしない旨の契約をした場合を除き、いつでも、その協議で、遺産の分割をすることができる。

② 遺産の分割について、共同相続人間に協議が調わないとき、又は協議をすることができないときは、各共同相続人は、その分割を家庭裁判所に請求することができる。

〔遺産の分割の方法の指定及び遺産の分割の禁止〕

第908条 被相続人は、遺言で、遺産の分割の方法を定め、若しくはこれを定めることを第三者に委託し、又は相続開始の時から５年を超えない期間を定めて、遺産の分割を禁ずることができる。

〔相続の承認又は放棄をすべき期間〕

第915条 相続人は、自己のために相続の開始があったことを知った時から３箇月以内に、相続について、単純若しくは限定の承認又は放棄をしなければならない。ただし、この期間は、利害関係人又は検察官の請求によって、家庭裁判所において伸長することができる。

② 相続人は、相続の承認又は放棄をする前に、相続財産の調査をすることができる。

（分割期限の延長申請手続）

（３） **2**に規定する相続又は遺贈に関し（２）に規定するやむを得ない事情があることにより**2**の税務署長の承認を受けようとする者は、当該相続又は遺贈に係る申告期限後３年を経過する日の翌日から２月を経過する日までに、その事情の詳細その他（４）で定める事項を記載した申請書を当該税務署長に提出しなければならない。（令４の２②）

（申請書の記載事項）

（４） 申請書の記載事項は、次に掲げる事項とする。（規１の６①）

（一） （３）の規定による申請書を提出する者の氏名及び住所又は居所

（二） 被相続人の氏名並びにその死亡の時における住所又は居所及びその死亡の日

（三） 被相続人からの相続又は遺贈（贈与をした者の死亡により効力を生ずる贈与を含む。以下相続税法施行規則において同じ。）により取得した財産に係る相続税の**3**に規定する申告書を提出した日

（四） その他参考となるべき事項

（申請書の添付書類）

（５） （３）の規定により提出する申請書には、（３）に規定する相続又は遺贈に係る申告期限後３年を経過する日までに当該相続又は遺贈により取得した財産の全部又は一部が共同相続人又は包括受遺者によって分割されなかった事情の次の（一）から（四）に掲げる区分に応じ当該（一）から（四）に定める書類を添付しなければならない。（規１の６②）

（一） 当該相続又は遺贈に関する訴えの提起がされていること　　訴えの提起がされていることを証する書類

（二） 当該相続又は遺贈に関する和解、調停又は審判の申立てがされていること（（三）に該当する場合を除く。）　　これらの申立てがされていることを証する書類

（三） 当該相続又は遺贈に関し、民法第908条第１項若しくは第４項《遺産の分割の方法の指定及び遺産の分割の禁止》の規定により遺産の分割が禁止され、又は同法第915条第１項ただし書《相続の承認又は放棄をすべき期間》の規定により相続の承認若しくは放棄の期間が伸長されていること　　これらの事実及び当該分割が禁止されている期間又は

第六章　各相続人等の相続税額

　　当該承認若しくは放棄が伸長された期間を証する書類
（四）　（一）から（三）までに掲げる事情以外の事情　　財産の分割がされなかった事情の詳細を記載した書類

　　（申請に対する処分）
（６）　税務署長は、（３）の申請書の提出があった場合において、承認又は却下の処分をするときは、その申請をした者に対し、書面によりその旨を通知する。（令４の２③）

　　（申請につき承認があったものとみなす場合）
（７）　（３）の申請書の提出があった場合において、当該申請書の提出があった日の翌日から２月を経過する日までにその申請につき承認又は却下の処分がなかったときは、その日においてその承認があったものとみなす。（令４の２④）

　　（配偶者に係る相続税の課税価格に相当する金額の計算の基礎とされる財産）
（８）　１の（二）のロに規定する「当該相続又は遺贈により財産を取得した配偶者に係る相続税の課税価格に相当する金額」の計算の基礎とされる財産とは、当該配偶者が取得した次に掲げる財産をいうことに留意する。（基通19の２－４）
（一）　当該相続又は遺贈に係る申告書の提出期限までに当該相続又は遺贈により取得した財産のうち分割により取得した財産
（二）　当該相続に係る被相続人の相続人が当該被相続人の配偶者のみで包括受遺者がいない場合における当該相続により取得した財産
（三）　当該相続に係る被相続人の包括受遺者が被相続人の配偶者のみで他に相続人がいない場合における当該包括遺贈により取得した財産
（四）　当該相続に係る被相続人からの特定遺贈により取得した財産
（五）　当該相続に係る被相続人から贈与により取得した加算対象贈与財産
（六）　法の規定により当該相続又は遺贈により取得したものとみなされる財産
（七）　当該相続又は遺贈に係る申告期限から３年以内（当該期間が経過するまでの間に財産が分割されなかったことにつきやむを得ない事情がある場合において、税務署長の承認を受けたときは、当該財産につき分割できることとなった日の翌日から４月以内）に分割された場合における当該分割により取得した財産

　　（配偶者が財産の分割前に死亡している場合）
（９）　相続又は遺贈により取得した財産の全部又は一部が共同相続人又は包括受遺者によって分割される前に、当該相続（以下（９）において「**第一次相続**」という。）に係る被相続人の配偶者が死亡した場合において、第一次相続により取得した財産の全部又は一部が、第一次相続に係る配偶者以外の共同相続人又は包括受遺者及び当該配偶者の死亡に基づく相続に係る共同相続人又は包括受遺者によって分割され、その分割により当該配偶者の取得した財産として確定させたものがあるときは、**２**の規定の適用に当たっては、その財産は分割により当該配偶者が取得したものとして取り扱うことができる。（基通19の２－５）
　　（注）　第一次相続に係る被相続人の配偶者が死亡した後、第一次相続により取得した財産の全部又は一部が家庭裁判所における調停又は審判（以下（９）において「審判等」という。）に基づいて分割されている場合において、当該審判等の中で、当該配偶者の具体的相続分（民法第900条から第904条の２《寄与分》まで（第902条の２《相続分の指定がある場合の債権者の権利の行使》を除く。）に規定する相続分をいう。以下（９）において同じ。）のみが金額又は割合によって示されているにすぎないときであっても、当該配偶者の共同相続人又は包括受遺者の全員の合意により、当該配偶者の具体的相続分に対応する財産として特定させたものがあるときは上記の取扱いができることに留意する。

　　（配偶者に係る課税価格に相当する金額を計算する場合の債務控除等の方法）
（10）　被相続人の配偶者が当該被相続人から相続又は遺贈により財産を取得している場合において、当該相続又は遺贈に係る申告書の提出期限までに、当該相続又は遺贈により取得した財産の一部が共同相続人又は包括受遺者によってまだ分割されていないときにおける１の（二）のロに規定する配偶者に係る相続税の課税価格に相当する金額を計算するときの第四章第二節三《債務控除》の規定により債務として控除する金額は、まず**２**の規定により１の（二）のロの課税価格の計算の基礎とされる財産に含まれないものとされる財産の価額から控除し、これにより控除しきれない金額があるときは、その金額を当該課税価格の計算の基礎とされる財産の価額から控除するものとする。
　　なお、当該配偶者が代償分割に基づいて他の相続人に対して負担する代償財産を給付する債務は、**１**の（二）のロの課税価格の計算の基礎とされる財産の価額から控除するものとする。（基通19の２－６）

－177－

第一編　相続税

　　　（分割の意義）
(11)　**2**に規定する「分割」とは、相続開始後において相続又は包括遺贈により取得した財産を現実に共同相続人又は包括受遺者に分属させることをいい、その分割の方法が現物分割、代償分割若しくは換価分割であるか、またその分割の手続が協議、調停若しくは審判による分割であるかを問わないのであるから留意する。

　　ただし、当初の分割により共同相続人又は包括受遺者に分属した財産を分割のやり直しとして再配分した場合には、その再配分により取得した財産は、**2**に規定する分割により取得したものとはならないのであるから留意する。（基通19の2－8）

　　（注）　「代償分割」とは、共同相続人又は包括受遺者のうちの一人又は数人が相続又は包括遺贈により取得した財産の現物を取得し、その現物を取得した者が他の共同相続人又は包括受遺者に対して債務を負担する分割の方法をいい、「換価分割」とは、共同相続人又は包括受遺者のうちの一人又は数人が相続又は包括遺贈により取得した財産の全部又は一部を金銭に換価し、その換価代金を分割する方法をいうのであるから留意する。

　　　（相続又は遺贈に関する訴え）
(12)　（2）の（一）及び（二）の規定による相続又は遺贈に関する訴え、和解、調停又は審判とは、当該相続に係る被相続人の財産又は債務、相続人の身分、遺言及び遺産分割に関する訴え、和解、調停又は審判のほか当該相続の前の相続に係るこれらの訴え、和解、調停又は審判をも含むのであるから留意する。（基通19の2－9）

　　　（申立ての時に訴えの提起がされたものとみなされるとき）
(13)　（2）の（一）に規定する「これらの申立ての時に訴えの提起がされたものとみなされるとき」とは、次に掲げる場合をいうのであるから留意する。（基通19の2－10）
　（一）　民事訴訟法第275条第2項《訴え提起前の和解》の規定により、和解の申立てをした者がその申立てをした時に、その訴えを提起したものとみなされる場合
　（二）　家事事件手続法（平成23年法律第52号）第286条第6項《異議の申立て等》の規定により、調停の当事者が調停の申立ての時に、その訴えを提起したものとみなされる場合
　（三）　民事調停法第19条《調停不成立等の場合の訴の提起》の規定により、調停の申立者が調停の申立ての時に、その訴えの提起があったものとみなされる場合

　　　（判決の確定の日）
(14)　（2）の（一）に規定する「判決の確定の日」とは、次に掲げる場合の区分に応じ、それぞれ次に掲げる日をいうのであるから留意する。（基通19の2－11）
　（一）　敗訴の当事者が上訴をしない場合　　その上訴期間を経過した日
　（二）　全部敗訴の当事者が上訴期間経過前に上訴権を放棄した場合　　その上訴権を放棄した日
　（三）　両当事者がそれぞれ上訴権を有し、かつ、それぞれ別々に上訴権を放棄した場合　　その上訴権の放棄があった日のうちいずれか遅い日
　（四）　上告審の判決のように上訴が許されない場合　　その判決の言渡しがあった日

　　　（訴えの取下げの日）
(15)　（2）の（一）に規定する「訴えの取下げの日」とは、次に掲げる場合の区分に応じ、それぞれ次に掲げる日をいうのであるから留意する。（基通19の2－12）
　（一）　民事訴訟法第261条《訴えの取下げ》に規定する訴えの取下げがあった場合　　その訴えの取下げの効力が生じた日
　（二）　民事訴訟法第263条《訴えの取下げの擬制》、民事調停法第20条第2項《受訴裁判所の調停》又は家事事件手続法第276条第1項《訴えの取下げの擬制等》の規定により訴えの取下げがあったものとみなされた場合　　その訴えの取下げがあったものとみなされた日
　（三）　上訴期間経過後に上訴の取下げがあった場合　　その上訴の取下げがあった日
　　（注）　訴えの取下げの効力が生じた日、訴えの取下げの日又は上訴の取下げの日については、民事訴訟法第91条《訴訟記録の閲覧等》の規定による訴訟記録の閲覧又は裁判所の証明書により確認することができることに留意する。

　　　（訴訟完結の日）
(16)　（2）の（一）に規定する「その他当該訴訟完結の日」とは、次に掲げる場合の区分に応じ、それぞれ次に掲げる日をいうのであるから留意する。（基通19の2－13）

－178－

第六章　各相続人等の相続税額

　（一）　民事訴訟法第267条《和解調書等の効力》に規定する和解又は請求の放棄若しくは認諾があった場合　　その和解
　　　又は請求の放棄若しくは認諾を調書に記載した日
　（二）　訴訟当事者の死亡によりその訴訟を継続することができなくなった場合　　その当事者の死亡の日
　（三）　訴訟当事者の地位の混同が生じた場合　　その当事者の地位の混同が生じた日

　　（これらの申立てに係る事件の終了の日）
(17)　（2）の(二)に規定する「その他これらの申立てに係る事件の終了の日」とは、次に掲げる場合の区分に応じ、それ
　ぞれ次に掲げる日をいうのであるから留意する。（基通19の2－14）
　（一）　家事事件手続法第91条第2項《抗告裁判所による裁判》に規定する審判に代わる裁判があった場合　　その裁判
　　　の確定の日
　（二）　民事調停法第17条《調停に代わる決定》に規定する調停に代わる決定があった場合　　その決定の確定の日
　（三）　民事調停法第31条《商事調停事件について調停委員会が定める調停条項》に規定する調停条項を定めた場合
　　　その調停条項を定めた日
　（四）　事件の当事者の死亡によりその申立てに係る事件の手続を続行することができないようになった場合　　その当
　　　事者の死亡の日
　（五）　事件の当事者の地位の混同が生じた場合　　その当事者の地位の混同が生じた日

　　（やむを得ない事情）
(18)　（2）の(四)に規定する「相続又は遺贈に係る財産が当該相続又は遺贈に係る申告期限の翌日から3年を経過する日
　までに分割されなかったこと及び当該財産の分割が遅延したことにつき税務署長においてやむを得ない事情があると認
　める場合」とは、次に掲げるような事情により客観的に遺産分割ができないと認められる場合をいうものとする。（基通
　19の2－15）
　（一）　当該申告期限の翌日から3年を経過する日において、共同相続人又は包括受遺者の1人又は数人が行方不明又は
　　　生死不明であり、かつ、その者に係る財産管理人が選任されていない場合
　（二）　当該申告期限の翌日から3年を経過する日において、共同相続人又は包括受遺者の1人又は数人が精神又は身体
　　　の重度の障害疾病のため加療中である場合
　（三）　当該申告期限の翌日から3年を経過する日前において、共同相続人又は包括受遺者の1人又は数人が相続税法の
　　　施行地外にある事務所若しくは事業所等に勤務している場合又は長期間の航海、遠洋漁業等に従事している場合にお
　　　いて、その職務の内容などに照らして、当該申告期限の翌日から3年を経過する日までに帰国できないとき
　（四）　当該申告期限の翌日から3年を経過する日において、（2）の(一)から(三)までに掲げる事情又は上記(一)から
　　　(三)までに掲げる事情があった場合において、当該申告期限の翌日から3年を経過する日後にその事情が消滅し、か
　　　つ、その事情の消滅前又は消滅後新たに(2)の(一)から(三)までに掲げる事情又は上記(一)から(三)までに掲げる事
　　　情が生じたとき

　　（申告期限の翌日から3年を経過する日前4月以内にやむを得ない事情が消滅した場合）
(19)　1の相続又は遺贈に係る申告期限の翌日から3年を経過する日前に（2）の(一)から(三)までに掲げる事情又は(18)
　の(一)から(三)までに掲げる事情があり、その事情が当該申告書の提出期限の翌日から3年を経過する日前4月以内に
　消滅し、かつ、当該申告書の提出期限の翌日から3年を経過する日までに遺産の分割が行われていない場合において、
　それらの事情が消滅した日から4月以内に、当該相続又は遺贈により取得した財産の全部又は一部が共同相続人又は包
　括受遺者によって分割されたときには、（2）の(四)《税務署長においてやむを得ない事情があると認める場合》に掲げ
　る場合に該当するものとして取り扱っても差し支えないものとする。（基通19の2－16）

3　軽減規定の適用を受けるための手続

　1の規定は、相続税の申告書（当該申告書に係る期限後申告書及びこれらの申告書に係る修正申告書を含む。以下4に
おいて同じ。）又は国税通則法第23条第3項《更正の請求》に規定する更正の請求書に、1の規定の適用を受ける旨及び1
の(一)から(二)に掲げる金額の計算に関する明細の記載をした書類その他(1)で定める書類の添付がある場合に限り、適
用する。（法19の2③）

　　（申告書添付書類）
（1）　3に規定する申告書添付書類は、次に掲げる書類とする。（規1の6③）

－179－

（一）　遺言書の写し、財産の分割の協議に関する書類（当該書類に当該相続に係る全ての共同相続人及び包括受遺者が自署し、自己の印を押しているものに限る。）の写し（当該自己の印に係る印鑑証明書が添付されているものに限る。）その他の財産の取得の状況を証する書類

（二）　当該相続又は遺贈により取得した財産に係る相続税について**3**に規定する申告書又は更正の請求書を提出する際に当該財産の全部又は一部が共同相続人又は包括受遺者によってまだ分割されていない場合において、当該申告書又は更正の請求書の提出後に分割される当該財産について**2**のただし書の規定の適用を受けようとするときは、その旨並びに分割されていない事情及び分割の見込みの詳細

　　　　（財産の分割の協議に関する書類）
（2）　（1）の（一）に規定する「財産の分割の協議に関する書類」とは、当該相続に係る共同相続人又は包括受遺者がその相続又は遺贈に係る財産の分割について協議をした事項を記載した書類で、これらの者が自署し、これらの者の住所地の市区町村長の印鑑証明を得た印を押しているものをいうのであるが、共同相続人又は包括受遺者が民法第13条第1項第10号《保佐人の同意を要する行為等》に規定する制限行為能力者である場合には、その者の特別代理人又は法定代理人がその者に代理して自署し、当該代理人の住所地の市区町村長の印鑑証明を得た印を押しているものをいうのであるから留意する。（基通19の2－17）

　　　　（その他の財産の取得の状況を証する書類）
（3）　（1）の（一）に規定する「その他の財産の取得の状況を証する書類」には、その財産が調停又は審判により分割されているものである場合には、その調停の調書又は審判書の謄本、その財産が相続税法の規定により相続又は遺贈により取得したものとみなされるものである場合には、その財産の支払通知書等その財産の取得を証する書類が含まれるのであるから留意する。（基通19の2－18）

　　　　（配偶者に対する相続税額の軽減規定を受ける場合の修正申告書）
（4）　**1**の規定による配偶者に対する相続税額の軽減の適用を受けたことにより、納付すべき相続税額の記載のない申告書を提出した者が、その後、更に分割により財産を取得したことなどに基づき、**1**の規定を適用して計算した結果、なお納付すべき相続税額が算出されない場合であっても、**1**の規定による配偶者に対する相続税額の軽減の適用を受けないものとした場合における相続税額（以下（4）において「算出相続税額」という。）が、前に提出した申告書に係る算出相続税額を超えることとなるときは、その者は、**3**に規定する修正申告書の提出をすることができるものとして取り扱う。（基通19の2－19）

　　　　（ゆうじょ規定）
（5）　税務署長は、**3**の（1）で定める書類の添付がない**3**の申告書又は更正の請求書の提出があった場合においても、その添付がなかったことについてやむを得ない事情があると認めるときは、当該（1）で定める書類の提出があった場合に限り、**1**の規定を適用することができる。（法19の2④）

4　配偶者の課税価格のうち隠蔽又は仮装した事実に基づく金額の税額軽減基礎額からの除外

　　1の相続又は遺贈により財産を取得した者が、隠蔽仮装行為に基づき、第七章第一節一の**1**の規定による申告書を提出しており、又はこれを提出していなかった場合において、当該相続又は遺贈に係る相続税についての調査があったことにより当該相続税について更正又は決定があるべきことを予知して期限後申告書又は修正申告書を提出するときは、当該期限後申告書又は修正申告書に係る相続税額に係る**1**の規定の適用については、**1**（二）中「相続税の総額」とあるのは「相続税の総額で当該相続に係る被相続人の配偶者が行った（1）に規定する隠蔽仮装行為による事実に基づく金額に相当する金額を当該財産を取得した全ての者に係る相続税の課税価格に含まないものとして計算したもの」と、「課税価格の合計額のうち」とあるのは「課税価格の合計額から当該相当する金額を控除した残額のうち」と、同（二）イ中「課税価格の合計額」とあるのは「課税価格の合計額から（1）に規定する隠蔽仮装行為による事実に基づく金額に相当する金額（当該配偶者に係る相続税の課税価格に算入すべきものに限る。）を控除した残額」と、同（二）ロ中「課税価格」とあるのは「課税価格から（1）に規定する隠蔽仮装行為による事実に基づく金額に相当する金額（当該配偶者に係る相続税の課税価格に算入すべきものに限る。）を控除した残額」とする。（法19の2⑤）

　　　　（「隠蔽仮装行為」の意義）
（1）　**4**の「隠蔽仮装行為」とは、相続又は遺贈により財産を取得した者が行う行為で当該財産を取得した者に係る相続

第六章　各相続人等の相続税額

税の課税価格の計算の基礎となるべき事実の全部又は一部を隠蔽し、又は仮装することをいう。(法19の2⑥)

（隠蔽仮装行為があった場合の配偶者の税額軽減額の計算方法）
（2）　**4**の規定の適用がある場合における配偶者の税額軽減額は、**1**の（4）の算式中AからDの金額をそれぞれ次に掲げる金額に読み替えて計算したところの金額によることに留意する。（基通19の2−7の2）
（一）　Aの金額　　次の算式により算出した相続税の課税価格の合計額に係る相続税の総額（当該金額に100円未満の端数があるとき又はその全額が100円未満であるときは、その端数金額又はその全額を切り捨てるものとする。）

$a−(b+c)$

（二）　Bの金額　　上記(一)の算式により算出した相続税の課税価格の合計額
（三）　Cの金額　　次の算式により算出した金額（当該金額に1,000円未満の端数があるとき又はその全額が1,000円未満であるときは、その端数金額又はその全額を切り捨てるものとする。）に民法第900条の規定による被相続人の配偶者の相続分（相続の放棄があった場合には、その放棄がなかったものとした場合における相続分とする。）を乗じて算出した金額（当該被相続人の相続人（相続の放棄があった場合には、その放棄がなかったものとした場合における相続人）が当該配偶者のみである場合には、当該合計額とする。）に相当する金額と1億6,000万円のいずれか多い金額

$a−(d+e)$

（四）　Dの金額　　次の算式により算出した金額（当該金額に1,000円未満の端数があるとき又はその全額が1,000円未満であるときは、その端数金額又はその全額を切り捨てるものとする。）

$f−(g+e)$

(注)1　算式中の符号は次のとおりである。
　　　aは、**1**の(二)のイの「課税価格の合計額」（当該合計額の基となった各人の課税価格について通則法第118条第1項の規定による端数処理を行っている場合には、当該処理をする前の金額の合計額とする。）
　　　bは、被相続人から相続又は遺贈により財産を取得した者（以下(2)において「納税義務者」という。）が相続又は遺贈により取得した財産の価額のうち被相続人の配偶者が行った(1)に規定する隠蔽仮装行為による事実に基づく金額（以下「隠蔽仮装行為に係る金額」という。）と当該納税義務者の債務及び葬式費用のうち当該配偶者が行った隠蔽仮装行為に係る金額との合計額（当該合計額が当該納税義務者に係る相続又は遺贈により取得した財産の価額の合計額（第四章第二節三の**1**、同三の**2**又は同三の**7**の規定の適用がある場合にはこれらの規定による控除後の金額をいう。以下(2)において「純資産価額」という。）を上回る場合には、当該納税義務者に係る純資産価額とする。）
　　　cは、納税義務者に係る加算対象贈与財産の価額のうち被相続人の配偶者が行った隠蔽仮装行為に係る金額
　　　dは、被相続人の配偶者が相続又は遺贈により取得した財産の価額のうち納税義務者が行った隠蔽仮装行為に係る金額と当該配偶者の債務及び葬式費用のうち当該納税義務者が行った隠蔽仮装行為に係る金額との合計額（当該合計額が当該配偶者に係る純資産価額を上回る場合には、当該配偶者に係る純資産価額とする。）
　　　eは、被相続人の配偶者に係る加算対象贈与財産の価額のうち納税義務者が行った隠蔽仮装行為に係る金額
　　　fは、**1**の(二)のロに掲げる課税価格（当該課税価格について通則法第118条第1項の規定による端数処理を行っている場合には、当該処理をする前の金額とする。）に相当する金額
　　　gは、被相続人の配偶者が相続又は遺贈により取得した財産の価額（**2**に規定する分割されていない財産の価額を除く。）のうち納税義務者が行った隠蔽仮装行為に係る金額と当該配偶者の債務及び葬式費用のうち当該納税義務者が行った隠蔽仮装行為に係る金額との合計額（当該合計額が**1**の(二)のロの金額の計算の基となった純資産価額に相当する金額を上回る場合には、当該純資産価額に相当する金額）
　　2　隠蔽仮装行為に係る金額が次に掲げる財産に係るものである場合には、当該財産に係る隠蔽仮装行為に係る金額は、それぞれ次に定める金額となることに留意する。
　　　①　相続時精算課税の適用を受ける財産（令和6年1月1日以後の贈与により取得したものに限る。）　当該隠蔽仮装行為に係る金額又は当該財産を贈与により取得した日の属する年中に特定贈与者から贈与により取得した財産の価額の合計額から相続時精算課税に係る基礎控除をした残額のいずれか少ない金額
　　　②　加算対象贈与財産のうち相続の開始前3年以内に取得した財産以外の財産　当該隠蔽仮装行為に係る金額又は当該財産の価額の合計額から100万円を控除した残額のいずれか少ない金額

第一編　相続税

第五節　未成年者控除

1　未成年者控除

　相続又は遺贈により財産を取得した者（第一章第二節一の（三）《居住制限納税義務者》又は同一の（四）《非居住制限納税義務者》の規定に該当する者を除く。）が当該相続又は遺贈に係る被相続人の民法第五編第二章《相続人》の規定による相続人（相続の放棄があった場合には、その放棄がなかったものとした場合における相続人）に該当し、かつ、<u>18歳未満</u>の者である場合においては、その者については、第五章《相続税の総額》から前節《配偶者の税額軽減》までの規定により算出した金額から10万円にその者が<u>18歳</u>に達するまでの年数（当該年数が1年未満であるとき、又はこれに1年未満の端数があるときは、これを1年とする。）を乗じて算出した金額を控除した金額をもって、その納付すべき相続税額とする。（法19の3①）

　（注）　上記1の――線部分の規定は、令和4年3月31日以前に相続又は遺贈により取得する財産に係る相続税については、「18歳」とあるのは「20歳」とする。（新法19の3①、平31改所法等附23①）

　　　10万円×（18歳－その未成年者の年齢）＝未成年者控除額

　（注）1　18歳に達するまでの年数（算式のかっこ内）に1年未満の端数があるときは、これを切り上げる。
　　　　2　制限納税義務者のうち合衆国に住所を有する者については、日米相続税条約（昭和30年条約第2号）により未成年者控除に一定比率を乗じた金額の控除の適用がある。（編者注）

　　　（未成年者控除）
（1）　1の未成年者控除の規定は、財産を取得した者が相続を放棄したことにより相続人に該当しないこととなった場合においても、その者が無制限納税義務者で18歳未満（注）の者に該当し、かつ、当該被相続人の民法第5編第2章の規定による相続人（相続の放棄があった場合には、その放棄がなかったものとした場合における相続人）に該当するときは、適用があることに留意する。（基通19の3－1）

　（注）　令和4年3月31日以前に相続又は遺贈により財産を取得する者については、20歳未満。

　　　（婚姻した者の未成年者控除）
（2）　1の未成年者控除の規定は、民法の一部を改正する法律平成30年法律第59号による改正前の民法第753条《婚姻による成年擬制》の規定により成年に達したものとみなされた者についても適用があるのであるから留意する。（基通19の3－2）

　　　（胎児の未成年者控除）
（3）　民法第886条に規定する胎児が生きて生まれた場合におけるその者の未成年者控除額は、180万円<u>（注）</u>となるのであるから留意する。（基通19の3－3）

　（注）　令和4年3月31日以前に相続又は遺贈により財産を取得する者については、<u>200万円</u>。

2　扶養義務者からの未成年者控除

　1の規定により控除を受けることができる金額がその控除を受ける者について第五章《相続税の総額》から前節《配偶者の税額軽減》までの規定により算出した金額を超える場合においては、その超える部分の金額は、（2）で定めるところにより、その控除を受ける者の扶養義務者が1の被相続人から相続又は遺贈により取得した財産の価額について第五章から前節までの規定により算出した金額から控除し、その控除後の金額をもって、当該扶養義務者の納付すべき相続税額とする。（法19の3②）

　　　（未成年者に相続税額がない場合の未成年者控除）
（1）　相続又は遺贈により財産を取得した者（制限納税義務者を除く。）が当該相続に係る被相続人の民法第5編第2章の規定による相続人（相続の放棄があった場合には、その放棄がなかったものとした場合における相続人）に規定する相続人に該当し、かつ、18歳未満<u>（注）</u>の者である場合においては、その者について第五章から前節までの規定により算出した相続税額がない場合においても、その者に係る未成年者控除額は、2の規定によりその者の扶養義務者の相続税額から控除するものとする。（基通19の3－4）

　（注）　令和4年3月31日以前に相続又は遺贈により財産を取得する者については、<u>20歳未満</u>。

－182－

第六章　各相続人等の相続税額

（扶養義務者の未成年者控除）

（2）　**2**の規定による控除を受けることができる扶養義務者が2人以上ある場合においては、各扶養義務者が**2**の規定による控除を受けることができる金額は、次の（一）から（二）に掲げる場合の区分に応じ、当該（一）から（二）に掲げる金額とする。（令4の3）

（一）　扶養義務者の全員が、協議によりその全員が控除を受けることができる金額の総額を各人ごとに配分してそれぞれその控除を受ける金額を定め、当該控除を受ける金額を記載した相続税申告書（当該申告書に係る国税通則法第18条第2項に規定する期限後申告書を含む。）を提出した場合　　これらの申告書に記載した金額

（二）　（一）に掲げる場合以外の場合　　扶養義務者の全員が控除を受けることができる金額の総額を、各人が**2**に規定する相続又は遺贈により取得した財産の価額につき第五章から前節までの規定により算出した金額によりあん分して計算した金額

$$
\begin{matrix}\text{扶養義務者の全員が}\\\text{控除を受けることが}\\\text{できる金額の総額}\end{matrix} \times \frac{\begin{matrix}\text{その扶養義務者の相続税額（贈与税額控除、}\\\text{配偶者の税額軽減額控除後の相続税額）}\end{matrix}}{\begin{matrix}\text{扶養義務者の全員の相続税額（贈与税額控}\\\text{除、配偶者の税額軽減額控除後の相続税額）}\end{matrix}} = \begin{matrix}\text{その扶養義務者の}\\\text{未成年者控除額}\end{matrix}
$$

3　2回目以後の未成年者控除額

　1の規定に該当する者がその者又はその扶養義務者について既に**1**又は**2**の規定による控除を受けたことがある者である場合においては、その者又はその扶養義務者がこれらの規定による控除を受けることができる金額は、既に控除を受けた金額の合計額が**1**の規定による控除を受けることができる金額（2回以上これらの規定による控除を受けた場合には、最初に相続又は遺贈により財産を取得した際に**1**の規定による控除を受けることができる金額）に満たなかった場合におけるその満たなかった部分の金額の範囲内に限る。（法19の3③）

（注）　改正後の相続税法（以下「新相続税法」という。）第19条の3第1項の規定に該当する者が、その者又は同条第2項に規定する扶養義務者の令和4年3月31日以前に相続又は遺贈により取得した財産に係る相続税について改正前の相続税法（以下「旧相続税法」という。）又は所得税法等の一部を改正する法律（平成25年法律第5号）の規定による改正前の相続税法（以下「旧法」と総称する。）第19条の3第1項又は第2項の規定の適用を受けたことがある者である場合には、その者又はその扶養義務者が新相続税法第19条の3第1項又は第2項の規定による控除を受けることができる金額は、同条第3項の規定にかかわらず、当該相続税について同条第1項の規定を適用するとしたならば控除を受けることができる金額（2回以上旧法第19条の3第1項又は第2項の規定による控除を受けた場合には、最初に相続又は遺贈により財産を取得した際に新相続税法第19条の3第1項の規定を適用するとしたならば控除を受けることができる金額）から既に旧法第19条の3第1項若しくは第2項又は新相続税法第19条の3第1項若しくは第2項の規定による控除を受けた金額の合計額を控除した金額に達するまでの金額とする。（平31改所法等附23②）

（「**1**の規定による控除を受けることができる金額」の意義）

（1）　**3**に規定する「**1**の規定による控除を受けることができる金額」とは、相続又は遺贈により財産を取得した者（制限納税義務者を除く。）が当該相続（以下（1）において「今回の相続」という。）の前に開始した相続（当該開始した相続が2回以上あった場合には、最初の相続。以下（1）において同じ。）によって財産を取得した際に控除することができる未成年者控除額をいうのであるから留意する。（基通19の3−5）

（注）　上記の「控除することができる未成年者控除額」は、次に掲げる場合の区分に応じ、それぞれ次に定める年数1年につき10万円の割で計算することに留意する。

イ　今回の相続が平成27年1月1日から令和4年3月31日までの間に開始したものである場合　今回の相続の前に開始した相続の際のその者が20歳に達するまでの年数（所得税法等の一部を改正する法律（平成25年法律第5号）附則第12条及び所得税法等の一部を改正する法律（平成31年法律第6号）第3条の規定による改正前の法第19条の3）

ロ　今回の相続が令和4年4月1日以後に開始したものである場合　今回の相続の前に開始した相続の際のその者が18歳に達するまでの年数（所得税法等の一部を改正する法律（平成31年法律第6号）附則第23条第2項及び同法第3条の規定による改正後の法第19条の3）

（死亡している相続時精算課税適用者からの未成年者控除）

（2）　被相続人である特定贈与者よりも先に相続が開始した相続時精算課税適用者については、**2**の規定の適用はないのであるから留意する。（基通19の3−6）

−183−

第六節　障害者控除

1　障害者控除

　相続又は遺贈により財産を取得した者（第一章第二節一の(二)《非居住無制限納税義務者》から同(四)《非居住制限納税義務者》までの規定に該当する者を除く。）が当該相続又は遺贈に係る被相続人の前節1《未成年者控除》に規定する相続人に該当し、かつ、障害者である場合には、その者については、第五章《相続税の総額》から前節《未成年者控除》までの規定により算出した金額から10万円（その者が特別障害者である場合には、20万円）にその者が85歳に達するまでの年数（当該年数が1年未満であるとき、又はこれに1年未満の端数があるときは、これを1年とする。）を乗じて算出した金額を控除した金額をもって、その納付すべき相続税額とする。（法19の4①）

　　10万円（特別障害者の場合は20万円）×（85歳－障害者の年齢）＝障害者控除額

(注)1　85歳に達するまでの年数（算式のかっこ内）に1年未満の端数があるときは、これを1年に切り上げる。

　　2　制限納税義務者のうち合衆国に住所を有する者については、日米相続税条約（昭和30年条約第2号、平成26年7月9日最終改正）により上記の障害者控除額に一定比率を乗じた金額の控除の適用がある。（編者注）

2　障害者の範囲

　1に規定する障害者とは、精神上の障害により事理を弁識する能力を欠く常況にある者、失明者その他の精神又は身体に障害がある者で(1)の政令で定めるものをいい、1に規定する特別障害者とは、1の障害者のうち精神又は身体に重度の障害がある者で(3)の政令で定めるものをいう。（法19の4②）

　　（一般障害者）
(1)　2に規定する精神又は身体に障害がある者で政令で定めるもの《一般障害者》は、次に掲げる者とする。（令4の4①）
　(一)　所得税法施行令第10条第1項第1号から第5号まで及び第7号《障害者及び特別障害者の範囲》に掲げる者
　(二)　所得税法施行令第10条第1項第6号に掲げる者のうち、その障害の程度が同項第1号又は第3号に掲げる者に準ずるものとして同項第7号に規定する市町村長等の認定を受けている者

　　（一般障害者の範囲）
(2)　(1)に規定する障害者《一般障害者》とは、次に掲げる者をいうのであるから留意する。（基通19の4－1）
　(一)　児童相談所、知的障害者更生相談所（知的障害者福祉法（昭和35年法律第37号）第9条第6項《更生援護の実施者》に規定する知的障害者更生相談所をいう。(4)までにおいて同じ。）、精神保健福祉センター（精神保健及び精神障害者福祉に関する法律（昭和25年法律第123号）第6条第1項《精神保健福祉センター》に規定する精神保健福祉センターをいう。以下(二)において同じ。）若しくは精神保健指定医の判定により知的障害者とされた者のうち重度の知的障害者とされた者以外の者
　(二)　精神保健及び精神障害者福祉に関する法律第45条第2項《精神障害者保健福祉手帳》の規定により交付を受けた精神障害者保健福祉手帳（以下(5)までにおいて「精神障害者保健福祉手帳」という。）に障害等級が2級又は3級である者として記載されている者
　(三)　身体障害者福祉法（昭和24年法律第283号）第15条第4項《身体障害者手帳》の規定により交付を受けた身体障害者手帳（以下(5)までにおいて「身体障害者手帳」という。）に身体上の障害の程度が3級から6級までである者として記載されている者
　(四)　(一)、(二)又は(三)に掲げる者のほか、戦傷病者特別援護法（昭和38年法律第168号）第4条《戦傷病者手帳の交付》の規定により交付を受けた戦傷病者手帳（以下(5)までにおいて「戦傷病者手帳」という。）に記載されている精神上又は身体上の障害の程度が次に掲げるものに該当する者
　　イ　恩給法（大正12年法律第48号）別表第一号表の二の第四項症から第六項症までの障害があるもの
　　ロ　恩給法別表第一号表の三に定める障害があるもの
　　ハ　傷病について厚生労働大臣が療養の必要があると認定したもの
　　ニ　旧恩給法施行令（恩給法施行令の一部を改正する勅令（昭和21年勅令第504号）による改正前のものをいう。）第31条第1項に定める程度の障害があるもの
　(五)　常に就床を要し、複雑な介護を要する者のうち、精神又は身体の障害の程度が(一)又は(三)に掲げる者に準ずる

－184－

ものとして市町村長又は特別区の区長（社会福祉法（昭和26年法律第45号）に定める福祉に関する事務所が老人福祉法（昭和38年法律第133号）第5条の4第2項各号《福祉の措置の実施者》に掲げる業務を行っている場合には、当該福祉に関する事務所の長。以下「市町村長等」という。）の認定を受けている者

　（六）　精神又は身体に障害のある年齢65歳以上の者で、精神又は身体の障害の程度が（一）又は（三）に掲げる者に準ずるものとして市町村長等の認定を受けている者

　　（特別障害者）
（3）　**2**に規定する精神又は身体に重度の障害がある者で政令で定めるもの《特別障害者》は、次に掲げる者とする。（令4の4②）

　（一）　所得税法施行令第10条第2項第1号から第4号まで及び第6号に掲げる者

　（二）　所得税法施行令第10条第1項第5号に掲げる者

　（三）　（1）の（二）に掲げる者のうち、その障害の程度が所得税法施行令第10条第2項第1号又は第3号に掲げる者に準ずるものとして同条第1項第7号に規定する市町村長等の認定を受けている者

　　（特別障害者の範囲）
（4）　**2**に規定する特別障害者とは、次に掲げる者をいうのであるから留意する。（基通19の4－2）

　（一）　精神上の障害により事理を弁識する能力を欠く常況にある者又は児童相談所、知的障害者更生相談所、精神保健福祉センター若しくは精神保健指定医の判定により重度の知的障害者とされた者

　（二）　精神障害者保健福祉手帳に障害等級が1級である者として記載されている者

　（三）　身体障害者手帳に身体上の障害の程度が1級又は2級である者として記載されている者

　（四）　（一）、（二）又は（三）に掲げる者のほか、戦傷病者手帳に精神上又は身体上の障害の程度が恩給法別表第一号表の二の特別項症から第三項症までである者として記載されている者

　（五）　（三）及び（四）に掲げる者のほか、原子爆弾被爆者に対する援護に関する法律（平成6年法律第117号）第11条第1項《認定》の規定による厚生労働大臣の認定を受けている者

　（六）　常に就床を要し、複雑な介護を要する者のうち、精神又は身体の障害の程度が（一）又は（三）に掲げる者に準ずるものとして市町村長等の認定を受けている者

　（七）　精神又は身体に障害のある年齢65歳以上の者で、精神又は身体の障害の程度が（一）又は（三）に掲げる者に準ずるものとして市町村長等の認定を受けている者

　　（障害者として取り扱うことができる者）
（5）　相続開始の時において、精神障害者保健福祉手帳の交付を受けていない者、身体障害者手帳の交付を受けていない者又は戦傷病者手帳の交付を受けていない者であっても、次に掲げる要件のいずれにも該当する者は、（2）の（二）、（三）若しくは（四）に掲げる一般障害者又は（4）の（二）、（三）若しくは（四）に掲げる特別障害者に該当するものとして取り扱うものとする。（基通19の4－3）

　（一）　当該相続に係る法第27条の規定による申告書を提出する時において、これらの手帳の交付を受けていること又はこれらの手帳の交付を申請中であること。

　（二）　交付を受けているこれらの手帳、精神障害者保健福祉手帳の交付の受けるための精神保健及び精神障害者福祉に関する法律施行規則（昭和25年厚生省令第31号）第23条第2項第1号《精神障害者保健福祉手帳》に規定する医師の診断書若しくは同項第2号に規定する精神障害を支給事由とする給付を現に受けていることを証する書類又は身体障害者手帳若しくは戦傷病者手帳の交付を受けるための身体障害者福祉法第15条第1項若しくは戦傷病者特別援護法施行規則（昭和38年厚生省令第46号）第1条第4項《手帳の交付の請求》に規定する医師の診断書により、相続開始の時の現況において、明らかにこれらの手帳に記載される程度の障害があると認められる者であること。

3　扶養義務者からの障害者控除

　1の規定により控除を受けることができる金額がその控除を受ける者について第五章《相続税の総額》から前節《未成年者控除》までの規定により算出した金額を超える場合においては、その超える部分の金額は、（2）で定めるところにより、その控除を受ける者の扶養義務者が**1**の被相続人から相続又は遺贈により取得した財産の価額について第五章から前節までの規定により算出した金額から控除し、その控除後の金額をもって、当該扶養義務者の納付すべき相続税額とする。（法19の4③により準用される法19の3②）

（障害者に相続税額がない場合の障害者控除）

（1）　相続又は遺贈により財産を取得した者（非居住無制限納税義務者又は制限納税義務者を除く。）が当該相続に係る被相続人の民法第5編第2章の規定による相続人（相続の放棄があった場合には、その放棄がなかったものとした場合における相続人）に該当し、かつ、障害者である場合においては、その者について第五章から前節までの規定により算出した相続税額がない場合においても、その者に係る障害者控除額は、**3**の規定によりその者の扶養義務者の相続税額から控除するものとする。（編者注。基通19の3－4準用）

（扶養義務者の障害者控除）

（2）　**3**の規定による控除を受けることができる扶養義務者が2人以上ある場合においては、各扶養義務者が**3**の規定による控除を受けることができる金額は、次の（一）から（二）に掲げる場合の区分に応じ、当該（一）から（二）に掲げる金額とする。（令4の4③により準用される令4の3）

（一）　扶養義務者の全員が、協議によりその全員が控除を受けることができる金額の総額を各人ごとに配分してそれぞれその控除を受ける金額を定め、当該控除を受ける金額を記載した相続税申告書（これらの申告書に係る期限後申告書を含む。）を提出した場合　　これらの申告書に記載した金額

（二）　（一）に掲げる場合以外の場合　　扶養義務者の全員が控除を受けることができる金額の総額を、各人が**3**に規定する相続又は遺贈により取得した財産の価額につき第五章から前節までの規定により算出した金額によりあん分して計算した金額

$$\text{扶養義務者の全員が控除を受けることができる金額の総額} \times \frac{\text{その扶養義務者の相続税額（＊）}}{\text{扶養義務者の全員の相続税額（＊）}} = \text{その扶養義務者の障害者控除額}$$

　　＊　贈与税額控除、配偶者の税額軽減額、未成年者控除の控除後の相続税額

4　2回目以後の障害者控除額

　　1の規定に該当する者がその者又はその扶養義務者について既に**1**又は**3**の規定による控除を受けたことがある者である場合においては、その者又はその扶養義務者がこれらの規定による控除を受けることができる金額は、既に控除を受けた金額の合計額が**1**の規定による控除を受けることができる金額（2回以上これらの規定による控除を受けた場合には、最初に相続又は遺贈により財産を取得した際に**1**の規定による控除を受けることができる金額）に満たなかった場合におけるその満たなかった部分の金額の範囲内に限る。（法19の4③により準用される法19の3③）

（過去に障害者控除を受けている場合）

（1）　**4**の規定を適用する場合において、一般障害者又は特別障害者が、これらの者又はこれらの者の扶養義務者について既に**1**又は**3**の規定により控除を受けたことがあり、かつ、その控除を受けた時においてはそれぞれ一般障害者又は特別障害者に該当する者であったときは、**4**の規定により控除を受けることができる金額は、既に控除を受けた金額の合計額が次に掲げる金額の合計額に満たなかった場合におけるその満たなかった部分の金額の範囲内に限るものとする。（令4の4④）

（一）　当該相続（遺贈を含む。（二）において同じ。）により財産を取得した一般障害者又は特別障害者につき**1**の規定により控除を受けることができる金額

（二）　（一）の一般障害者又は特別障害者につき、（一）の相続の開始前に開始した相続（本節の規定の適用に係るものに限る。以下（二）において「前の相続」という。）の時における一般障害者又は特別障害者の区分に応じ、当該前の相続開始の時から（一）の相続開始の時までの期間に相当する年数を**1**に規定する85歳に達するまでの年数とみなして**1**の規定を適用した場合に控除を受けることができる金額（前の相続が2回以上ある場合には、当該前の相続ごとに、当該前の相続開始の時から本節の規定の適用に係るその直後の相続開始の時までの期間に相当する年数を当該85歳に達するまでの年数とみなして**1**の規定を適用した場合に控除を受けることができる金額の合計額）

$$\left[\begin{array}{c} 20万円又は \\ 10　万　円 \end{array} \times (85-Y) + \begin{array}{c} 20万円又は \\ 10　万　円 \end{array} \times (Y-X) \right] - A = \begin{array}{c} 今回の相続に係る \\ 障害者控除額 \end{array}$$

（注）　算式中の符号は、次のとおりである。

　　　X………初めて障害者控除の規定の適用を受ける障害者の当該相続（以下「前の相続」という。）開始時の年齢

　　　Y………前の相続に係る相続税額の計算上障害者控除の規定の適用を受けた者の今回の相続開始時の年齢

　　　A………前の相続に係る相続税額の計算上控除を受けた障害者控除額

第六章　各相続人等の相続税額

（障害者控除額の計算例）

（２）　相続又は遺贈（当該相続に係る被相続人からの贈与により取得した財産で相続時精算課税の適用を受けるものに係る贈与を含む。）により財産を取得した特別障害者が、当該相続の開始前に開始した相続の時に一般障害者として**1**の規定により障害者控除を受けていた場合において、**4**の規定により、今回控除を受けることができる金額の算出方法を算式で示せば、次のとおりである。（基通19の４－４）

　　　｛20万円×（85－Y）＋10万円×（Y－X）｝－A

　（注）　Y、X及びAの符号の意味は（1）の算式に同じ。（編者注）

（障害者控除のための計算期間の端数処理）

（３）　（1）の（二）に規定する「当該前の相続開始の時から（一）の相続開始の時までの期間に相当する年数」又は「当該前の相続開始の時から本節の規定の適用に係るその直後の相続開始の時までの期間に相当する年数」が１年未満であるとき又はこれに１年未満の端数があるときは、これを１年とするのであるから留意する。（基通19の４－５）

（死亡している相続時精算課税適用者の障害者控除）

（４）　被相続人である特定贈与者よりも先に相続が開始した相続時精算課税適用者については、**1**及び**3**の規定により準用される第五節**2**の規定の適用はないのであるから留意する。（基通19の４－６）

－187－

第七節　相次相続控除

1　相次相続控除

　相続（被相続人からの相続人に対する遺贈を含む。以下本節において同じ。）により財産を取得した場合において、当該相続（以下本節において「**第二次相続**」という。）に係る被相続人が第二次相続の開始前10年以内に開始した相続（以下本節において「**第一次相続**」という。）により財産（当該第一次相続に係る被相続人からの贈与により取得した第三編第一章第一節**二**《相続時精算課税制度の選択》の（1）の規定の適用を受けた財産を含む。）を取得したことがあるときは、当該被相続人から相続により財産を取得した者については、第五章《相続税の総額》から前節《障害者控除》までの規定により算出した金額から、当該被相続人が第一次相続により取得した財産（当該第一次相続に係る被相続人からの贈与により取得した第三編第一章第一節**二**の（1）の規定の適用を受けた財産を含む。）につき課せられた相続税額（延滞税、利子税、過少申告加算税、無申告加算税及び重加算税に相当する相続税額を除く。（一）において同じ。）に相当する金額に次の（一）から（三）までに掲げる割合を順次乗じて算出した金額を控除した金額をもって、その納付すべき相続税額とする。（法20）

（一）	第二次相続に係る被相続人から相続又は遺贈（被相続人からの相続人に対する遺贈を除く。以下（二）において同じ。）により財産を取得したすべての者がこれらの事由により取得した財産の価額（相続税の課税価格に算入される部分に限る。）の合計額の当該被相続人が第一次相続により取得した財産（当該第一次相続に係る被相続人からの贈与により取得した第三編第一章第一節**二**の（1）の規定の適用を受けた財産を含む。）の価額（相続税の課税価格計算の基礎に算入された部分に限る。）から当該財産に係る相続税額を控除した金額に対する割合（当該割合が100分の100を超える場合には、100分の100の割合） $$\dfrac{\text{第二次相続に係る純資産価額}}{\text{第一次相続に係る} - \text{第一次相続に係る}\ \text{純資産価額}\quad\text{相続税額}}\left[\dfrac{100}{100}\text{を限度とする。}\right]$$
（二）	第二次相続に係る被相続人から相続により取得した財産の価額（相続税の課税価格に算入される部分に限る。）の第二次相続に係る被相続人から相続又は遺贈により財産を取得したすべての者がこれらの事由により取得した財産の価額（相続税の課税価格に算入される部分に限る。）の合計額に対する割合 $$\dfrac{\text{各人の第二次相続に係る純資産価額}}{\text{第二次相続に係る純資産価額}}$$
（三）	第一次相続開始の時から第二次相続開始の時までの期間に相当する年数を10年から控除した年数（当該年数が1年未満であるとき又はこれに1年未満の端数があるときは、これを1年とする。）の10年に対する割合 $$\dfrac{10-\text{第一次相続開始日から第二次相続開始日までの期間の年数}}{10}$$

　　（相続を放棄した者等の相次相続控除）
（1）　相続を放棄した者及び相続権を失った者については、たとえその者について遺贈により取得した財産がある場合においても、相次相続控除の規定は適用されないのであるから留意する。（基通20－1）

　　（「相続税の課税価格に算入される部分」等の意義）
（2）　1の（一）及び（二）に規定する「相続税の課税価格に算入される部分」及び「相続税の課税価格計算の基礎に算入された部分」とは、債務控除をした後の金額をいうものとする。（基通20－2）

　　（相次相続控除の算式）
（3）　1に規定する相次相続控除額の算出方法を算式で示すと、次に掲げるとおりであるから留意する。（基通20－3）

$$A\times\dfrac{C}{B-A}\ \left(\text{求めた割合が}\ \dfrac{100}{100}\ \text{を超えるときは、}\ \dfrac{100}{100}\right)\times\dfrac{D}{C}\times\dfrac{10-E}{10}=\text{控除額}$$

　　（注）　算式中の符号は、次のとおりである。
　　　　Aは、第二次相続に係る被相続人が第一次相続により取得した財産（当該第一次相続に係る被相続人からの贈与により取得した財産で相続時精算課税の適用を受けるものを含む。）につき課せられた相続税額（相続時精算課税の適用を受ける財産につき課せられた贈与税があるとき

第六章　各相続人等の相続税額

は、当該課せられた贈与税の税額（第二編第五章第四節《在外財産に対する贈与税額の控除》の規定による控除前の税額とし、延滞税、利子税、過少申告加算税、無申告加算税及び重加算税に相当する税額を除く。）を控除した後の金額をいう。）

　Bは、第二次相続に係る被相続人が第一次相続により取得した財産の価額及び当該第一次相続に係る被相続人からの贈与により取得した財産で相続時精算課税の適用を受けるものの価額（令和６年１月１日以後に贈与により取得した財産については、当該贈与により取得した年分ごとに第三編第一章第三節一の（1）《相続税の課税財産》又は同節二の（2）《相続時精算課税の適用を受ける財産の価額》の規定により相続時精算課税に係る基礎控除をした残額の合計額。以下（3）において同じ。）の合計額から債務控除をした後の金額

　Cは、第二次相続により相続人及び受遺者の全員が取得した財産の価額及び当該相続に係る被相続人からの贈与により取得した財産で相続時精算課税の適用を受けるものの価額の合計額から債務控除をした後の金額

　Dは、第二次相続により当該控除対象者が取得した財産の価額及び当該相続に係る被相続人からの贈与により取得した財産で相続時精算課税の適用を受けるものの価額の合計額から債務控除をした後の金額

　Eは、第一次相続開始の時から第二次相続開始の時までの期間に相当する年数（１年未満の端数は切捨て）

（第二次相続に係る被相続人の範囲）

（4）　**1**の規定は、第二次相続に係る被相続人がその相続の開始前10年以内に開始した相続（被相続人からの相続人に対する遺贈を含む。）によって取得した財産（当該相続に係る被相続人からの贈与により取得した財産で相続時精算課税の適用を受けるものを含む。）につき課せられた相続税額について適用があるのであって、第二次相続に係る被相続人の被相続人が納付した相続税額については適用がないのであるから留意する。（基通20－4）

2　農業相続人がいる場合の相次相続控除

第二次相続に係る被相続人が第九節《農業相続人がいる場合の相続税額》の規定による相続税の納税猶予の適用を受けていた場合又は第二次相続により財産を取得した者のうちに当該納税猶予の適用を受ける者がある場合における相次相続控除額の算出方法を算式で示すと、次に掲げるとおりである。（措通70の6－38）

$$A \times \frac{C}{B-A}\left(\text{求めた割合が}\frac{100}{100}\text{を超えるときは、}\frac{100}{100}\text{とする。}\right) \times \frac{D}{C'} \times \frac{10-E}{10} = \text{控除額}$$

（注）　算式中の符号は、次のとおりである。

　Aは、第二次相続に係る被相続人が第一次相続により取得した財産（当該第一次相続に係る被相続人からの贈与により取得した財産で相続時精算課税の適用を受けるものを含む。）につき課せられた相続税額（相続時精算課税の適用を受ける財産につき課せられた贈与税があるときは、当該課せられた贈与税の税額（第二編第五章第四節の規定による控除前の税額とし、延滞税、利子税、過少申告加算税、無申告加算税及び重加算税に相当する税額を除く。）を控除した後の金額をいい、当該被相続人が当該納税猶予の適用を受けていた場合には、第四編第二章第十二節の**1**により免除された相続税額以外の税額に限る。）

　Bは、第二次相続に係る被相続人が第一次相続により取得した財産の価額及び当該第一次相続に係る被相続人からの贈与により取得した財産で相続時精算課税の適用を受けるものの価額（令和６年１月１日以後に贈与により取得した財産については、当該贈与により取得した年分ごとに第三編第一章第三節一の（1）《相続税の課税財産》又は同節二の（2）《相続時精算課税の適用を受ける財産の価額》の規定により相続時精算課税に係る基礎控除をした残額の合計額。以下**2**において同じ。）の合計額から債務控除をした後の金額

　Cは、第二次相続により相続人及び受遺者の全員が取得した財産の価額及び当該被相続人からの贈与により取得した財産で相続時精算課税の適用を受けるものの価額の合計額から債務控除をした後の金額

　C'は、農業相続人が取得した特例農地等の価額を農業投資価格で計算した場合の第二次相続により相続人及び受遺者の全員が取得した財産の価額及び当該被相続人からの贈与により取得した財産で相続時精算課税の適用を受けるものの価額の合計額から債務控除をした後の金額

　Dは、第二次相続により当該控除対象者が取得した財産の価額及び当該被相続人からの贈与により取得した財産で相続時精算課税の適用を受けるものの価額の合計額から債務控除をした後の金額をいい、当該控除対象者が農業相続人である場合には、その者の取得した特例農地等の価額は農業投資価格で計算する。

　Eは、第一次相続開始の時から第二次相続開始の時までの期間に相当する年数（１年未満の端数は切り捨てる。）

－189－

第八節　在外財産に対する相続税額の控除

相続又は遺贈（被相続人からの相続開始の年における贈与を含む。以下本節において同じ。）により相続税法の施行地以外にある財産を取得した場合において、当該財産についてその地の法令により相続税に相当する税が課せられたときは、当該財産を取得した者については、第五章《相続税の総額》から前節《相次相続控除》までの規定により算出した金額からその課せられた税額に相当する金額を控除した金額をもって、その納付すべき相続税額とする。ただし、その控除すべき金額が、その者についてこれらの規定により算出した金額に当該財産の価額が当該相続又は遺贈により取得した財産の価額のうち課税価格計算の基礎に算入された部分のうちに占める割合を乗じて算出した金額を超える場合においては、その超える部分の金額については、当該控除をしない。（法20の2）

$$
相次相続税額控除後の相続税額 \times \frac{相続税法の施行地外に所在する財産の価額}{相続又は遺贈により取得した財産のうち課税価格計算の基礎に算入された部分の価額} = 外国税額控除限度額
$$

（注）　算式の「財産の価額」には、いずれも被相続人から相続開始の年に贈与によって取得した財産の価額を含み、債務控除後の金額をいう。（編者注）

　　（邦貨換算）
（1）　上記の規定による控除税額は、相続税法の施行地外にある財産について、その地の法令により課された相続税に相当する税額を、その納付すべき日における対顧客直物電信売相場により邦貨に換算した金額によるものとする。ただし、送金が著しく遅延して行われる場合を除き、国内から送金する日の対顧客直物電信売相場によることができるものとする。（基通20の2-1）

　　（「当該財産の価額」等の意義）
（2）　上記に規定する「当該財産の価額」とは上記に規定する相続又は遺贈により取得した相続税法の施行地外にある財産の価額の合計額から当該財産に係る債務の金額を控除した額をいい、「課税価格計算の基礎に算入された部分」とは債務控除をした後の金額をいうものとする。（基通20の2-2）
　　（注）　第八節に規定する「当該財産」が相続時精算課税の適用を受ける財産（令和6年1月1日以後の贈与により取得したものに限る。）である場合の同análogo条に規定する「当該財産の価額」は、当該財産の贈与の時における価額（第三編第一章第三節一の（1）《相続税の課税価格》又は同節二の（2）《相続時精算課税の適用を受ける財産の価額》の規定による相続時精算課税に係る基礎控除をする前の価額）又は当該財産を贈与により取得した日の属する年中に特定贈与者から贈与により取得した財産の価額の合計額から相続時精算課税に係る基礎控除をした残額のいずれか少ない金額となることに留意する。

　　（相続税の税額控除等の順序）
（3）　第三節から本節までの規定による相続税の税額控除等の順序は、次によるのであるから留意する。（基通20の2-4）
（一）　贈与税額控除
（二）　配偶者に対する相続税額の軽減
（三）　未成年者控除
（四）　障害者控除
（五）　相次相続控除
（六）　在外財産に対する相続税額の控除
　　（注）　先順位の税額控除をして、相続税額が零となる場合又は当該税額控除の金額が控除しきれない場合は、後順位の税額控除をすることなく、その者の納付すべき相続税額はないものとなる。

第六章　各相続人等の相続税額

第九節　農業相続人がいる場合の相続税額

1　農地等についての相続税の納税猶予及び免除等（詳しくは第四編第二章参照）

　農業を営んでいた個人として(3)で定める者（以下本節において「**被相続人**」という。）の相続人で(4)で定めるもの（以下本節において「**農業相続人**」という。）が、当該被相続人からの相続又は遺贈（贈与者の死亡により効力を生ずる贈与を含む。以下本節において同じ。）によりその農業の用に供されていた農地（特定市街化区域農地等に該当するもの及び利用意向調査（農地法第32条第1項又は第33条第1項に規定する利用意向調査をいう。(一)において同じ。）に係るもののうち(6)で定めるものを除く。2の(一)を除き以下本節において同じ。）及び採草放牧地（特定市街化区域農地等に該当するものを除く。2の(一)を除き以下本節において同じ。）の**取得**（第二章第二節八の1《農地等の贈与者が死亡した場合の相続税の課税の特例》の規定により相続又は遺贈により取得したとみなされる場合の取得を含む。以下本節において同じ。）をした場合（当該被相続人からの相続又は遺贈により当該農地及び採草放牧地とともに農業振興地域の整備に関する法律第8条《市町村の定める農業振興地域整備計画》第2項第1号に規定する農用地区域として定められている区域内にある土地で農地又は採草放牧地に準ずるものとして(8)で定めるもの（以下本節において「**準農地**」という。）の取得をした場合を含む。）には、当該相続に係る第七章第一節一の1に規定する期限内申告書（以下本節において「**相続税の申告書**」という。）の提出により納付すべき相続税の額のうち、当該農地及び採草放牧地並びに準農地（第四編第二章第一節の1の(2)《相続税の納税猶予の対象から除かれるもの》で定めるものを除く。）で当該相続税の申告書に1の規定の適用を受けようとする旨の記載があるもの（当該農地及び採草放牧地については当該農業相続人がその農業の用に供するもの（当該農地等について使用貸借による権利の設定をしてその推定相続人に農地等を使用させている農業相続人にあっては、その推定相続人の農業の用に供するものを含む。）に限るものとし、準農地については当該農地又は採草放牧地とともに1の規定の適用を受けようとするものに限る。以下本節において「**特例農地等**」という。）に係る納税猶予分の相続税額に相当する相続税については、当該相続税の申告書の提出期限までに当該納税猶予分の相続税額に相当する担保を提供した場合に限り、第八章第一節《納付》の規定にかかわらず、**納税猶予期限**（当該納税猶予期限前に、その有する当該特例農地等の全部につき贈与税の納税猶予の特例《措法70の4①》の適用に係る贈与があった場合には、当該贈与があった日とし、当該特例農地等の一部につき当該贈与があった場合には、当該特例農地等のうち当該贈与をしたものに対応する部分の納税猶予分の相続税額として次の算式《措令40の7⑥⑦》で計算した相続税額については当該贈与があった日とし、当該特例農地等のうち当該贈与がなかったものに係る相続税額〔納税猶予分の相続税の税額から下記の算式により計算した相続税額を控除した金額《措令40の7⑪》〕については当該贈与があった日から2月を経過する日〔同日以前に当該農業相続人が死亡した場合には、当該農業相続人の相続人〔包括受遺者を含む。以下本節において同じ。〕が当該農業相続人の死亡による相続の開始があったことを知った日の翌日から6月を経過する日。以下1において同じ。〕とする。）まで、その納税を猶予する。ただし、当該農業相続人が、その納税猶予期限又は当該贈与のあった日のいずれか早い日（以下本節において「**死亡等の日**」という。）前において次表の(一)から(二)のいずれかに掲げる場合に該当することとなった場合には、当該(一)から(二)に定める日から2月を経過する日まで、当該納税を猶予する。（措法70の6①、措令40の7⑦）

$$\text{納税猶予分の相続税額} \times \frac{\text{贈与した農地等の相続等による取得の時における農業投資価格控除後の価額}}{\begin{array}{c}\text{農業相続人が相続等により取得したす}\\\text{べての特例農地等の取得の時における}\\\text{農業投資価格控除後の価額}\end{array}} = \begin{array}{c}\text{贈与農地等に対応する}\\\text{納税猶予分の税額}\end{array}$$

(一)	当該相続又は遺贈により取得をした1の規定の適用を受ける特例農地等の譲渡、贈与（贈与税の納税猶予の特例の適用対象となる推定相続人への贈与を除く。）若しくは転用（採草放牧地の農地への転用及び準農地の採草放牧地又は農地への転用その他政令《措令40の7⑧》で定める転用を除く。）をし、当該特例農地等につき地上権、永小作権、使用貸借による権利若しくは賃借権の設定(当該特例農地等につき民法第269条の2第1項の地上権の設定があった場合において当該農業相続人が当該特例農地等を耕作（農地法第43条第1項の規定により耕作に該当するものとみなされる農作物の栽培を含む。以下本節において同じ。）又は養畜の用に供しているときにおける当該設定を除く。）をし、若しくは当該特例農地等につき耕作の放棄（農地について農地法第36条第1項の規定による勧告（当該農地が農業振興地域の整備に関する法律第6条第1項の規定により指定された農業振興地域外に所在する場合には、農業委員会その他の(9)で定める者が、(10)で定めるところにより、	その事実が生じた日

—191—

第一編　相続税

当該農地の所在地の所轄税務署長に対し、当該農地が利用意向調査に係るものであって農地法第36条第1項各号に該当する旨の通知をするときにおける当該通知。）があったことをいう。）をし、又は当該取得に係る**1**の規定の適用を受けるこれらの権利の消滅（これらの権利に係る農地又は採草放牧地の所有権の取得に伴う消滅を除く。）があった場合（収用交換等による譲渡その他政令《措令40の7⑩。第四編第二章に収録》で定める譲渡又は設定があった場合を除く。）において、当該譲渡、贈与、転用、設定若しくは耕作の放棄又は消滅（以下本節において「**譲渡等**」という。）があった当該特例農地等に係る土地の面積（当該譲渡等の時前に**1**の規定の適用を受ける特例農地等につき譲渡等〔収用交換等による譲渡その他政令《措令40の7⑩》で定める譲渡又は設定を除く。〕があった場合には、当該譲渡等に係る土地の面積を加算した面積）が、当該農業相続人のその時の直前における**1**の規定の適用を受ける特例農地等に係る耕作又は養畜の用に供する土地（当該農業相続人が当該相続又は遺贈により取得した特例農地等のうち準農地で農地又は採草放牧地への転用がされたもの以外のものに係る土地を含む。）の面積（その時前に**1**本文の規定の適用を受ける特例農地等のうち農地又は採草放牧地につき譲渡等があった場合には、当該譲渡等に係る土地の面積を加算した面積）の100分の20を超えるとき

| （二） | 当該相続又は遺贈により取得した特例農地等に係る農業経営を廃止した場合 | その廃止の日 |

（用語の意義）

（1）　本節において、次の（一）から（四）に掲げる用語の意義は、当該（一）から（四）に定めるところによる。（措法70の4②）

（一）　**農地**　農地法第2条第1項に規定する農地（同法第43条第1項の規定により農作物の栽培を耕作に該当するものとみなして適用する同法第2条第1項に規定する農地並びにこれらの農地の上に存する地上権、永小作権、使用貸借による権利及び賃借権を含む。）をいう。

（二）　**採草放牧地**　農地法第2条第1項に規定する採草放牧地（当該採草放牧地の上に存する地上権、永小作権、使用貸借による権利及び賃借権を含む。）をいう。

（三）　**特定市街化区域農地等**　都市計画法第7条第1項に規定する市街化区域内に所在する農地又は採草放牧地で、平成3年1月1日において次に掲げる区域内に所在するもの（都市営農農地等を除く。）をいう。

イ　都の区域（特別区の存する区域に限る。）

ロ　首都圏整備法第2条第1項に規定する首都圏、近畿圏整備法第2条第1項に規定する近畿圏又は中部圏開発整備法第2条第1項に規定する中部圏内にある地方自治法第252条の19第1項の市の区域

ハ　ロに規定する市以外の市でその区域の全部又は一部が首都圏整備法第2条第3項に規定する既成市街地若しくは同条第4項に規定する近郊整備地帯、近畿圏整備法第2条第3項に規定する既成都市区域若しくは同条第4項に規定する近郊整備区域又は中部圏開発整備法第2条第3項に規定する都市整備区域内にあるものの区域

（四）　**都市営農農地等**　都市計画法第7条第1項に規定する市街化区域内に所在する次に掲げる農地又は採草放牧地で平成3年1月1日において（三）のイからハまでに掲げる区域内に所在するものをいう。

イ　都市計画法第8条第1項第14号に掲げる生産緑地地区内にある農地又は採草放牧地（生産緑地法第10条（同法第10条の5の規定により読み替えて適用する場合を含む。）又は第15条第1項の規定による買取りの申出がされたもの並びに同法第10条第1項に規定する申出基準日までに同法第10条の2第1項の特定生産緑地（イにおいて「特定生産緑地」という。）の指定がされなかったもの、同法第10条の3第2項に規定する指定期限日までに特定生産緑地の指定の期限の延長がされなかったもの及び同法第10条の6第1項の規定による指定の解除がされたものを除く。）

ロ　都市計画法第8条第1項第1号に掲げる田園住居地域内にある農地（イに掲げる農地を除く。）

ハ　都市計画法第58条の3第2項に規定する地区計画農地保全条例による制限を受ける同条第1項に規定する区域内にある農地（イ及びロに掲げる農地を除く。）

◎**納税猶予期限**……**4・5**参照

（未分割財産に対する不適用）

（2）　**1**の相続又は遺贈に係る相続税の申告書の提出期限までに、当該相続又は遺贈により取得した農地若しくは採草放牧地又は準農地の全部又は一部が共同相続人又は包括受遺者によってまだ分割されていない場合における**1**本文の規定の適用については、その分割されていない農地及び採草放牧地並びに準農地は、当該相続税の申告書に**1**の規定の適用を受ける旨の記載をすることができないものとする。（措法70の6⑤）

－192－

第六章　各相続人等の相続税額

（農業を営んでいた被相続人）
（３）　１に規定する農業を営んでいた個人として政令で定める者は、次に掲げるいずれかに該当する者（その者からの相続又は遺贈（贈与をした者の死亡により効力を生ずる贈与を含む。）によりその有する１に規定する農地及び採草放牧地又は贈与税の納税猶予の特例の適用に係る農地等の取得をした相続人で、当該相続又は遺贈に係る１に規定する相続税の申告書の提出期限前に当該相続税の申告書を提出しないで死亡したもの〔以下において「**第一次農業相続人**」という。〕を含む。）とする。（措令40の７①）
　（一）　その生前において有していた１に規定する農地及び採草放牧地につきその死亡の日まで農業を営んでいた個人（《措法70の６⑨》の規定の適用を受ける１に規定する農業相続人を含む。）
　（二）　その生前において贈与税の納税猶予の特例の適用対象となる農地等の同特例の適用に係る贈与をした個人（当該贈与に係る贈与税につき当該個人が死亡したことにより納税猶予に係る贈与税の免除の適用があった場合に限る。）

（農業相続人）
（４）　１に規定する農業相続人は、次に掲げる者のいずれかに該当する者であることにつき（５）で定めるところにより農業委員会が証明した者（当該被相続人からの相続又は遺贈により１に規定する農地及び採草放牧地の取得をした相続人が第一次農業相続人に該当する場合には、当該第一次農業相続人からの相続又は遺贈により当該農地及び採草放牧地の取得をした相続人で、当該相続又は遺贈に係る１に規定する相続税の申告書の提出期限までに当該取得をした当該農地及び採草放牧地に係る農業経営を開始し、その後引き続き当該農業経営を行うと認められる者であることにつき（５）で定めるところにより農業委員会が証明したもの〔以下において「**第二次農業相続人**」という。〕がある者）とする。（措令40の７②）
　（一）　当該被相続人からの相続又は遺贈に係る１に規定する相続税の申告書の提出期限までに当該相続又は遺贈により取得をした１に規定する農地及び採草放牧地に係る農業経営を開始し、その後引き続き当該農業経営を行うと認められる者
　（二）　贈与税の納税猶予の特例の適用対象となる農地等の受贈者が、その推定相続人に対し当該農地等につき使用貸借による権利を設定し、引き続き贈与税の納税猶予の適用を受けていた場合においてその農地等につき贈与者の死亡により第二章第二節八の１《農地等の贈与者が死亡した場合の相続税の課税の特例》の規定によりその者から相続又は遺贈による取得をしたとみなされる場合において、当該受贈者で当該設定後引き続きその推定相続人（推定相続人が死亡したことにより農地等の使用貸借による権利をその死亡した者に代わって取得した他の推定相続人等を含む。以下同じ。）に当該農地等を使用させ、当該推定相続人が営む当該農地等に係る農業に現に従事している者であり、かつ、当該相続後も引き続いて、当該推定相続人に使用させ、当該農業に従事する者であると認められるもの

（農業相続人の証明手続）
（５）　（４）に規定する農業委員会の証明は、被相続人の相続人で当該被相続人からの相続又は遺贈（贈与をした者の死亡により効力を生ずる贈与を含む。）により１に規定する農地及び採草放牧地の取得をしたものの申請に基づき、当該農地及び採草放牧地の所在地を管轄する農業委員会が、当該相続人が（４）の規定に該当することを明らかにする事実を記載した書類により行うものとする。（措規23の８①）

（利用意向調査）
（６）　１に規定する利用意向調査は、当該利用意向調査に係る農地で農地法第36条第１項各号に該当するとき（同項ただし書に規定する正当の事由があるときを除く。）における当該農地とする。（措令40の７③）

（相続開始の年に贈与により取得した農地等についての適用）
（７）　１に規定する被相続人の相続人が、当該被相続人からの贈与により贈与税の納税猶予の特例の適用対象となる農地等の全部又は一部を取得している場合において、当該贈与の日の属する年において当該被相続人の相続が開始し、かつ、当該被相続人からの相続又は遺贈により財産を取得したことにより第三節の１又は第三編第一章第三節の一の規定により当該贈与により取得した１に規定する農地及び採草放牧地並びに準農地の価額が相続税の課税価格に加算されることとなるとき（当該農地及び採草放牧地並びに準農地について第三編第一章第三節二の（１）の規定の適用がある場合を含む。）は、本節の規定の適用については、当該贈与により取得した当該農地及び採草放牧地並びに準農地は、当該相続人が当該被相続人からの相続又は遺贈により取得したものとみなす。（措令40の７④）

—193—

第一編　相続税

（準農地の範囲）
（8）　**1**に規定する農地又は採草放牧地に準ずる土地（準農地）は、農地法第2条第1項に規定する農地及び採草放牧地以外の土地で農業振興地域の整備に関する法律第8条第1項に規定する農業振興地域整備計画において同条第2項第1号に規定する農業上の用途区分が当該農地又は採草放牧地とされているものであって、**1**に規定する農業相続人（当該農業相続人が第一次農業相続人に該当する場合には、その者の第二次農業相続人）が相続又は遺贈により取得をしたもののうち、開発して当該農地又は採草放牧地として当該農業相続人の農業の用（当該農業相続人が（4）の（二）に該当する者である場合には、その推定相続人の農業の用を含む。）に供することが適当であるものとして市町村長が証明したものとする。（措令40の7⑤、措規23の8②）

（農業委員会）
（9）　**1**に規定する農業委員会その他の政令で定める者は、農業委員会とし、当該農業委員会は、**1**の規定の適用を受ける農地が農地法第36条第1項各号に該当する場合には、遅滞なく、その旨その他の（10）で定める事項を当該農地の所在地の所轄税務署長に通知しなければならない。ただし、**1**ただし書に規定する正当の事由があるときは、この限りでない。（措令40の7⑨）

（財務省令で定める事項）
（10）　（9）に規定する財務省令で定める事項は、次に掲げる事項とする。（措規23の8④により準用する措規23の7④）
（一）　**1**の規定の適用を受ける農地が農地法第36条第1項各号に該当する旨
（二）　（一）の農地の地目、面積及びその所在場所並びに当該農地につき**1**の規定の適用を受けている農業相続人の氏名及び住所又は居所
（三）　その他参考となるべき事項

2　農業相続人がいる場合の相続税額の計算

　同一の被相続人からの相続又は遺贈により財産の取得をした者のうちに**1**の規定の適用を受ける農業相続人がある場合における当該財産の取得により納付すべき相続税の額は、次の（一）から（二）に掲げる者の区分に応じ、当該（一）から（二）に定める金額（その者が第二節《相続税額の加算》から第八節《在外財産に対する相続税額の控除》までの規定の適用を受ける者である場合には、当該金額を第一節《各相続人等の算出税額》の規定により算出された金額であるものとしてこれらの規定を適用して算出した金額）とする。この場合において、（一）に掲げる者に係る第四節の**1**《配偶者に対する相続税額の軽減》の規定の適用については、同**1**（二）中「相続税の課税価格」とあるのは、「第九節の**2**の（一）の規定により計算される相続税の課税価格」とする。（措法70の6②）

（一）	**1**の規定の適用を受けない者	当該相続又は遺贈により財産の取得をした全ての者に係る相続税の課税価格（第三節《贈与税額控除》又は第三編第一章第三節三の（1）《相続時精算課税に係る相続税額》から同第一章第四節二《受贈者が相続時精算課税選択届出書の提出前に死亡した場合》までの規定の適用がある場合には、これらの規定により当該課税価格とみなされた金額）の計算の基礎に算入すべき**1**の規定の適用を受ける者の特例農地等の価額は、当該特例農地等につき農業投資価格（特例農地等に該当する農地、採草放牧地又は準農地につき、それぞれ、その所在する地域において恒久的に耕作又は養畜の用に供されるべき農地若しくは採草放牧地又は農地若しくは採草放牧地に開発されるべき土地として自由な取引が行われるものとした場合におけるその取引において通常成立すると認められる価格として当該地域の所轄国税局長が決定した価格をいう。以下本章において同じ。）を基準として計算した価額であるものとして、第二章から本章第一節までの規定を適用した場合において同節の規定により算出される金額**《農業相続人以外の者の算出税額》**
（二）	**1**の規定の適用を受ける農業相続人	次に掲げる金額の合計額**《農業相続人の算出税額》** イ　当該相続又は遺贈により財産の取得をした全ての者に係る第五章第二節に規定する相続税の総額から当該全ての者が（一）に掲げる者に該当するものとして計算した場合の当該全ての者に係る（一）に定める金額の合計額を控除した金額（**1**の規定の適用を受ける者が2人以上ある場合には、当該金額のうち当該農業相続人に係る特例農地等に係る農業投資価格控除後の価額**《農業投資価格超過額》**に対応する部分の金額として（5）で定めるところにより計算した金額）**《納税猶予の基となる税額》**

－194－

| | | ロ　当該農業相続人が(一)に掲げる者に該当するものとして計算した場合の当該農業相続人に係る(一)に定める金額《**納税猶予の基となる税額以外の算出税額**》 |

（土地評価審議会の意見聴取）
（1）　国税局長は、農業投資価格を決定する場合には、土地評価審議会の意見を聴かなければならない。（措法70の6③）

（配偶者の税額軽減及び相次相続控除の規定の調整）
（2）　同一の被相続人からの相続又は遺贈により財産の取得をした者のうちに**1**の規定の適用を受ける者がある場合における当該財産の取得により納付すべき相続税の額の計算については、**2**に定めるもののほか、次に定めるところによる。（措令40の7⑫）
　（一）　当該相続又は遺贈により財産の取得をした者のうち**1**の規定の適用を受けない者に係る第四節の**1**《配偶者に対する相続税額の軽減》の規定の適用については、同**1**の(二)中「相続税の総額」とあるのは、「第九節の**2**の(一)の規定により計算される相続税の総額」とする。
　（二）　当該相続又は遺贈により財産の取得をした者に係る第七節の**1**《相次相続控除》の規定の適用については、同**1**の(二)中「相続税の課税価格」とあるのは、「第九節の**2**の(一)の規定により計算される相続税の課税価格」とする。
　（三）　当該相続又は遺贈により財産の取得をした者のうち第三編第一章第三節《相続時精算課税に係る相続税の課税価格及び税額》の規定の適用を受ける者に係る**2**の規定の適用については、**2**中「第八節《在外財産に対する相続税額の控除》までの規定」とあるのは「第八節《在外財産に対する相続税額の控除》までの規定、第三編第一章第三節《相続時精算課税に係る相続税の課税価格及び税額》の規定」とする。

（被相続人の配偶者が農業相続人でない場合の配偶者の税額軽減の計算）
（3）　共同相続人のうち被相続人の配偶者以外の者が**1**の規定の適用を受け、当該配偶者がその適用を受けない場合における当該配偶者に係る第四節の**1**《配偶者に対する相続税額の軽減》の規定による配偶者の税額軽減額の計算に当たっては、同**1**の(二)に規定する「相続税の課税価格の合計額」は、農業投資価格を基準として計算した相続税の課税価格の合計額により、「相続税の総額」は当該相続税の課税価格の合計額を基として計算した相続税の総額によるのであるから留意する。
　　したがって、この場合には、同**1**の(二)のロの規定による「配偶者に係る相続税の課税価格に相当する金額」が、農業投資価格を基準として計算した相続税の課税価格の合計額に民法第900条の規定によるその配偶者の相続分（相続の放棄があった場合には、その放棄がなかったものとした場合における相続分）を乗じて得た金額に相当する金額を超えるとき（その金額が1億6,000万円以下のときを除く。）は、その配偶者については、他の贈与税額控除、相次相続控除などの税額控除によって納付すべき相続税額が算出されないこととなる場合を除き、納付すべき相続税額が算出されることとなる。（措通70の6-36）

（納付すべき相続税額が算出されない配偶者についての納税猶予の適用）
（4）　**1**の規定は、相続税の申告書の提出により納付すべき相続税の額がある者に限り適用があるのであるが、被相続人の配偶者については、その者が**2**の(二)の規定に該当する者（農業相続人）であるものとして計算すれば納付すべき相続税の額が算出されないこととなる場合であっても、**2**の(一)の規定に該当する者（農業相続人以外の者）であるものとして計算すれば納付すべき相続税の額が算出されることとなる場合において、**1**の規定の適用を受ける旨の相続税の申告書の提出があったときは、**1**の規定による相続税の納税猶予の適用要件（担保の提供に係るものを除く。）を満たす場合に限り、その適用があるものとして取り扱って差し支えない。（措通70の6-37）

（農業投資価格超過額による納税猶予の基となる税額のあん分……農業相続人が複数の場合）
（5）　**2**の(二)のイに規定する納税猶予の基となる税額は、(一)に掲げる金額に(二)に掲げる割合を乗じて計算した金額とする。（措令40の7⑬）
　（一）　**2**に規定する相続又は遺贈により財産の取得をした全ての者に係る相続税の総額から当該全ての者が**2**の(一)《農業相続人以外の者》に掲げる者に該当するものとして計算した場合の当該全ての者に係る同欄に定める金額の合計額を控除した金額《**相続税の総額の差額**》
　（二）　**2**の(二)のイに規定する当該農業相続人に係る特例農地等に係る農業投資価格控除後の価額が、同イに規定する当該相続又は遺贈により財産の取得をした者のうち**1**の規定の適用を受ける全ての者に係る特例農地等に係る農業

第一編　相続税

投資価格控除後の価額の合計額のうちに占める割合

$$\text{相続税の総額の差額} \times \frac{\text{各農業相続人の取得した特例農地等の農業投資価格超過額}}{\text{特例農地等の農業投資価格超過額の合計額}} = \begin{array}{l}\text{各農業相続人の納税}\\\text{猶予の基となる税額}\end{array}$$

（税額計算上の端数処理等）

（6）　同一の被相続人からの相続又は遺贈により財産を取得した者のうちに農業相続人がある場合における**2**の規定による各人の納付すべき相続税の額の計算に当たっては、第五章第二節の（2）、同（3）及び第六章第一節の注の適用があるのであるから留意する。（措通70の6－35）

　　（注）　課税価格及び各相続人等の取得財産の価額の1,000円未満の端数は切り捨て、相続税の総額の各相続人等へのあん分割合は、小数点以下2位未満の端数を切り上げ又は切り捨てて割合の合計が1になるよう調整することが認められる。（編者注）

3　納税猶予分の相続税額の計算

　　1に規定する納税猶予分の相続税額は、**1**の規定の適用を受ける農業相続人に係る**2**の（二）のイ《納税猶予の基となる税額》に掲げる金額（当該農業相続人が第二節《相続税額の加算》の規定の適用を受ける者である場合には、当該農業相続人に係る**1**に規定する納付すべき相続税の額の計算上**2**の規定により適用される第二節の規定により加算された金額のうち**2**の（二）のイに掲げる金額に対応する部分の金額として（1）で定めるところにより計算した金額を加算し、当該農業相続人が第三節《贈与税額控除》から第八節《在外財産に対する相続税額の控除》までの規定の適用を受ける者である場合において、当該農業相続人に係る当該相続税の額の計算上**2**の規定により適用されるこれらの規定により控除された金額の合計額が当該農業相続人に係る**2**の（二）のロに掲げる金額を超えるときは、当該超える部分の金額を控除した残額）とする。（措法70の6④）

　　（農業相続人について相続税額の2割加算がある場合の納税猶予税額の計算）

（1）　**3**に規定する農業相続人の納税猶予の基となる税額に加算する相続税額の2割加算額は、**1**の規定の適用を受ける農業相続人に係る**1**に規定する納付すべき相続税の額の計算上**2**の規定により適用される第二節《相続税額の加算》の規定により加算された金額に、当該農業相続人に係る**2**の（二）のイに掲げる金額《納税猶予の基となる税額》が同（二）のイ及びロに掲げる金額の合計額《農業相続人の算出税額》のうちに占める割合を乗じて計算した金額とする。（措令40の7⑭）

$$\begin{array}{l}\text{第二節の規定により計算された}\\\text{農業相続人の2割加算額}\end{array} \times \frac{\begin{array}{l}\text{当該農業相続人の納税}\\\text{猶予の基となる税額}\end{array}}{\text{農業相続人の算出税額}} = \begin{array}{l}\text{当該農業相続人の納税猶予}\\\text{の基となる税額に加算する}\\\text{相続税額の2割加算額}\end{array}$$

　　（税額控除額を控除する期限内納付税額）

（2）　**1**に規定する納税猶予分の相続税額の計算については、**3**に定めるもののほか、次に定めるところによる。（措令40の7⑮）

　　（一）　**1**の規定の適用を受ける農業相続人が第二節《相続税額の加算》並びに第三節《贈与税額控除》、第五節《未成年者控除》から第八節《在外財産に対する相続税額の控除》まで、第三編第一章第三節《相続時精算課税に係る相続税の課税価格及び税額》の規定の適用を受ける者である場合における**3**の規定の適用については、**3**中「第八節までの規定」とあるのは「第八節まで、第三編第一章第三節の規定」と、「**2**の（二）のロに掲げる金額」とあるのは、「**2**の（二）のロに掲げる金額と第二節の規定により加算された金額のうち（1）で定めるところにより計算した金額以外の金額との合計額」とする。

　　（二）　納税猶予分の相続税額に100円未満の端数があるときは、その端数金額を切り捨てる。

4　納税猶予期限

　　1に規定する納税猶予期限とは、次の（一）から（四）に掲げる農業相続人の区分に応じ、当該（一）から（四）に定める日をいう。（措法70の6⑥）

（一）	相続又は遺贈により特例農地等の取得をした日において特例農地等のうちに都市営農農地等を有する	その死亡の日

第六章　各相続人等の相続税額

	農業相続人	
(二)	相続又は遺贈により特例農地等の取得をした日において特例農地等のうちに1の(1)の(四)のイに掲げる農地又は採草放牧地（イにおいて「生産緑地等」という。）を有する農業相続人（(一)に掲げる農業相続人を除く。）	その死亡の日（相続税の申告書の提出期限の翌日から同日以後20年を経過する日までの間に、当該農業相続人が相続又は遺贈により取得をした特例農地等のうち当該取得をした日において次に掲げる特例農地等であるものに係る相続税の全てについて、第四編第二章第四節の**2**又は**3**の規定による納税の猶予に係る期限が到来している場合にあっては、その死亡の日又は当該20年を経過する日のいずれか早い日） イ　生産緑地等（都市営農農地等に該当するものを除く。） ロ　都市計画法第七条第一項に規定する市街化区域内に所在する農地又は採草放牧地（以下本章において「市街化区域内農地等」という。）以外のもの
(三)	相続又は遺贈により特例農地等の取得をした日において特例農地等のうちに市街化区域内農地等以外のものを有する農業相続人（(一)及び(二)に掲げる農業相続人を除く。）	その死亡の日（相続税の申告書の提出期限の翌日から同日以後20年を経過する日までの間に、当該農業相続人が相続又は遺贈により取得をした特例農地等のうち当該取得をした日において市街化区域内農地等以外のものである特例農地等に係る相続税の全てについて、第四編第二章第四節の**2**又は**3**の規定による納税の猶予に係る期限が到来している場合にあっては、その死亡の日又は当該20年を経過する日のいずれか早い日）
(四)	相続又は遺贈により特例農地等の取得をした日において特例農地等の全てが市街化区域内農地等である農業相続人（(一)及び(二)に掲げる農業相続人を除く。）	その死亡の日又は相続税の申告書の提出期限の翌日から20年を経過する日のいずれか早い日

第一編　相続税

令和6年分の田及び畑の農業投資価格（10アール当たり）

国税局	適用地域		農業投資価格 田	農業投資価格 畑	国税局	適用地域	農業投資価格 田	農業投資価格 畑
			千円	千円			千円	千円
札幌	北海道	中央ブロック	300	128	大阪	滋　賀　県	730	470
		南ブロック	236	117		京　都　府	700	450
		北ブロック	169	55		大　阪　府	820	570
		東ブロック	169	73		兵　庫　県	770	500
仙台	青　森　県		380	170		奈　良　県	720	460
	岩　手　県		420	200		和　歌　山　県	680	500
	宮　城　県		520	255	広島	鳥　取　県	610	370
	秋　田　県		445	160		島　根　県	520	295
	山　形　県		510	220		岡　山　県	670	400
	福　島　県		510	240		広　島　県	630	360
関東信越	茨　城　県		660	625		山　口　県	610	290
	栃　木　県		620	535	高松	徳　島　県	680	330
	群　馬　県		790	660		香　川　県	695	360
	埼　玉　県		840	790		愛　媛　県	665	340
	新　潟　県		620	265		高　知　県	579	271
	長　野　県		730	490	福岡	福　岡　県	720	420
東京	千　葉　県		740	730		佐　賀　県	670	380
	東　京　都		900	840		長　崎　県	530	320
	神　奈　川　県		830	800	熊本	熊　本　県	690	400
	山　梨　県		700	530		大　分　県	500	310
金沢	富　山　県		580	240		宮　崎　県	520	370
	石　川　県		570	260		鹿　児　島　県	450	360
	福　井　県		550	240	沖縄	沖　縄　県	220	230
名古屋	岐　阜　県		720	520				
	静　岡　県		810	610				
	愛　知　県		850	640				
	三　重　県		720	520				

5　特例適用手続

　1の規定は、1の規定の適用を受けようとする農業相続人のその被相続人からの相続又は遺贈により取得をした農地及び採草放牧地並びに準農地に係る相続税の申告書に、当該農地及び採草放牧地並びに準農地につき1の規定の適用を受けようとする旨の記載がない場合又は当該農地及び採草放牧地並びに準農地の明細並びに当該農地及び採草放牧地並びに準農地に係る納税猶予分の相続税額の計算に関する明細その他財務省令で定める事項を記載した書類の添付がない場合には、適用しない。（措法70の6㉛）

　（期限内申告書に添付すべき書類）
注　5の規定により5に規定する相続税の申告書に添付する書類は、次に掲げる書類とする。（措規23の8③）
　（一）　5に規定する事項のほか提供しようとする担保の種類、数量、価額及びその所在場所の明細（その担保が保証人の保証である場合には、その保証人の氏名及び住所若しくは居所又は名称及び本店若しくは主たる事務所の所在地並びにその資産状態の明細）を記載した書類
　（二）　担保の提供に関する書類
　（三）　1に規定する特例農地等（以下本節において「特例農地等」という。）とされた1に規定する農地及び採草放牧地並びに準農地を有していた被相続人が1の（3）の（一）に掲げる個人に該当する者である場合には、その旨の当該農地

－198－

第六章　各相続人等の相続税額

及び採草放牧地並びに準農地の所在地を管轄する農業委員会の証明書

(四)　被相続人からの相続又は遺贈により(三)の農地若しくは採草放牧地又は準農地の取得をした者が当該被相続人の相続人に該当することを証する書類及び当該相続人に係る**1**の(5)に規定する農業委員会の書類

(五)　被相続人からの相続又は遺贈により(三)の農地若しくは採草放牧地又は準農地（以下(五)において「農地等」という。）の取得をした者が**1**の(4)の(二)に該当する者である場合には、その旨並びに同(二)に規定する推定相続人の氏名及び住所又は居所、当該推定相続人に使用させている農地等の地目、面積及びその所在場所その他の明細その他同(二)に該当する事実の明細を記載した書類

(六)　**1**の規定の適用を受けようとする**1**に規定する農業相続人（以下本節において「農業相続人」という。）のその被相続人からの相続又は遺贈により取得をした特例農地等に係る遺言書の写し、財産の分割の協議に関する書類（当該書類に当該相続又は遺贈に係る全ての共同相続人及び包括受遺者が自署し、自己の印を押しているものに限る。）の写し（当該自己の印に係る印鑑証明書が添付されているものに限る。）その他の財産の取得の状況を証する書類

(七)　(六)の特例農地等の地目、面積、その所在場所及び当該特例農地等のうち**1**の(1)の(四)に規定する都市営農農地等、**5**に規定する市街化区域内農地等（当該都市営農農地等を除く。）又は当該都市営農農地等及び当該市街化区域内農地等以外の特例農地等の別その他の明細並びに当該特例農地等の**2**の(一)に規定する農業投資価格並びにこれを基準として計算した当該特例農地等の価格を記載した書類（当該特例農地等のうちに平成３年１月１日において**1**の(1)《用語の意義》の(三)のイからハまでに掲げる区域内に所在する**1**に規定する農地又は採草放牧地がある場合には、当該書類及び当該農地又は採草放牧地が**1**に規定する農地又は採草放牧地に該当する旨を証する当該農地又は採草放牧地の所在地の市長又は特別区の区長の書類の写し〔当該農地又は採草放牧地のうちに第四編第一章第三節の**1**の(1)の(六)に規定する第二種生産緑地地区に係る農地又は採草放牧地がある場合には、当該書類の写し並びに当該第二種生産緑地地区に関する都市計画法の規定に基づく都市計画の決定又は変更の日及び当該都市計画の失効の日を記載した書類とする。〕とし、農業相続人（相続又は遺贈により取得をした日において当該都市営農農地等である特例農地等を有しないものに限る。）が有する当該特例農地等のうちに都市計画法第７条第１項に規定する市街化区域内に所在する**1**に規定する農地又は採草放牧地がある場合には、当該書類及び当該農地又は採草放牧地が当該市街化区域内農地等であることを証する当該農地又は採草放牧地の所在地の市町村長の書類とし、当該特例農地等のうちに同**1**に規定する準農地がある場合には、当該書類及び**1**の(8)に規定する市町村長の書類とする。）

(八)　**1**の規定の適用を受ける**1**に規定する農地若しくは採草放牧地又は準農地のうちに、当該農地若しくは採草放牧地又は準農地の第四編第一章第七節の**1**に規定する譲渡等につき受けた同節の**1**の税務署長の承認で第四編第二章第七節の**2**の③の規定により同節の**1**の規定による税務署長の承認とみなされるものがある場合には、その旨、当該譲渡等があつた年月日、当該譲渡等の対価の額及び当該譲渡等に係る当該農地若しくは採草放牧地又は準農地の明細を記載した書類

(九)　**1**の規定の適用を受ける**1**に規定する農地若しくは採草放牧地又は準農地のうちに、当該農地若しくは採草放牧地又は準農地の第四編第一章第八節の**1**に規定する譲渡等につき受けた同**1**の税務署長の承認で同編第二章第八節**2**の④の規定により同節の**1**の規定による税務署長の承認とみなされるものがある場合には、その旨、当該譲渡等があつた年月日、当該譲渡等の対価の額及び当該譲渡等に係る当該農地若しくは採草放牧地又は準農地の明細を記載した書類

(十)　**1**の規定の適用を受ける**1**に規定する農地又は採草放牧地のうちに、当該農地又は採草放牧地の第四編第一章第四節の**3**に規定する買取りの申出等につき受けた同編第一章第十一節の**1**の税務署長の承認で同編第二章第十一節の**2**の①の(3)の規定により同節の**1**の規定による税務署長の承認とみなされるものがある場合には、その旨、当該買取りの申出等の年月日及び当該買取りの申出等に係る農地又は採草放牧地の明細を記載した書類

−199−

第七章　申告、更正決定及び更正の請求

第一節　期限内申告書

一　相続税の申告

1　申告書の提出期限

　相続又は遺贈（当該相続に係る被相続人からの贈与により取得した財産で第三編第一章第一節**二**《相続時精算課税制度の選択》の（1）の規定の適用を受けるものに係る贈与を含む。以下第一節において同じ。）により財産を取得した者及び当該被相続人に係る相続時精算課税適用者は、当該被相続人からこれらの事由により財産を取得したすべての者に係る相続税の課税価格（第四章第二節**四**の **1**《相続開始前３年以内の贈与財産》又は第三編第一章第三節《相続時精算課税に係る相続税の課税価格及び税額》から第四節《相続時精算課税に係る納税の権利・義務の承継》までの規定の適用がある場合には、これらの規定により相続税の課税価格とみなされた金額）の合計額がその遺産に係る基礎控除額を超える場合において、その者に係る相続税の課税価格（第四章第二節**四**の **1** 又は第三編第一章第三節から第四節までの規定の適用がある場合には、これらの規定により相続税の課税価格とみなされた金額）に係る第五章《相続税の総額》から第六章第八節《在外財産に対する相続税額の控除》まで（同第四節《配偶者の税額軽減》を除く。）及び第三編第一章第三節から第四節までの規定による相続税額があるときは、その相続の開始があったことを知った日の翌日から10月以内（その者が国税通則法第117条第２項《納税管理人》の規定による納税管理人の届出をしないで当該期間内に相続税法の施行地に住所及び居所を有しないこととなるときは、当該住所及び居所を有しないこととなる日まで）《**申告書の提出期限**》に課税価格、相続税額その他**二**で定める事項を記載した申告書を納税地の所轄税務署長に提出しなければならない。（法27①）

2　提出期限前に決定があった場合の申告の省略

　1及び**四**の **1**《申告書を提出しないで死亡した者の相続人の申告義務》及び**五**《還付を受けるための相続税の申告》の規定は、これらに規定する申告書の提出期限前に相続税について決定があった場合には、適用しない。（法27⑥）

3　納　税　地

　相続又は遺贈により財産を取得した者（当該相続に係る被相続人から第三編第一章第一節**二**の（1）の規定の適用を受ける財産を贈与により取得した者を含む。）の当該被相続人の死亡の時における住所が相続税法の施行地にある場合においては、当該財産を取得した者については、当分の間、**1** 若しくは**五**又は**七**の **1**《特別縁故者の申告》の規定により申告すべき相続税に係る納税地は、（3）及び（4）の規定にかかわらず、被相続人の死亡の時における住所地とする。ただし、当該納税地の所轄税務署長又は国税局長がした当該相続税に係る処分は、その者の住所地の所轄税務署長又は国税局長がしたものとみなして、当該住所地の所轄税務署長又は国税局長に対して再調査の請求をし、又は訴えを提起することを妨げない。（法附③）

　（相続税の申告書の提出義務者）
（1）　相続税の申告書を提出しなければならない者は、相続又は遺贈（当該相続に係る被相続人からの贈与により取得した財産で相続時精算課税の適用を受けるものに係る贈与を含む。）によって財産を取得した者で、その取得した財産につき第六章第四節《配偶者の税額軽減》並びに第四章第二節**一**の**10**《小規模宅地等についての相続税の課税価格の計算の特例》、同**一**の**11**《特定計画山林についての相続税の課税価格の計算の特例》、同**一**の**12**《特定土地等及び特定株式等に係る相続税の課税価格の計算の特例》、第二編第四章**7** の**①**《課税価格の計算の特例》並びに第三章**七**の **1**《国等に対して相続財産を贈与した場合の相続税の非課税》、同**七**の **5** 及び第三章**八**の規定の適用がないものとして計算した場合において納付すべき相続税額があるものに限られるのであるから留意する。（基通27－1）

−200−

第七章　申告、更正決定及び更正の請求

（相続税の申告書の提出先）
（２）　被相続人がその死亡の時において相続税法施行地に住所を有する場合においては、当該被相続人から相続又は遺贈によって財産を取得した者が提出しなければならない相続税の申告書の提出先は、**3**の規定によりすべて当該被相続人の死亡の時における住所地の所轄税務署長となるのであるから留意する。（基通27－3）

（無制限納税義務者等の納税地）
（３）　相続税は、第一章第二節**一**の（一）《居住無制限納税義務者》、（三）《居住制限納税義務者》若しくは（五）《特定納税義務者》の規定に該当する者については、相続税法の施行地にある住所（相続税法の施行地に住所を有しないこととなった場合には、居所地）をもって、その納税地とする。（法62①）

（相続税法の施行地に住所を有しないこととなる者の納税地）
（４）　第一章第二節**一**の（二）《非居住無制限納税義務者》若しくは（四）《非居住制限納税義務者》の規定に該当する者及び第一章第二節**一**の（一）《居住無制限納税義務者》、（三）《居住制限納税義務者》若しくは（五）《特定納税義務者》の規定に該当する者で相続税法の施行地に住所及び居所を有しないこととなる者は、納税地を定めて、納税地の所轄税務署長に申告しなければならない。その申告がないときは、国税庁長官がその納税地を指定し、これを通知する。（法62②）

（「相続の開始があったことを知った日」の意義）
（５）　**1**及び**四**《申告書の提出義務者が死亡した場合の申告》の**1**に規定する「相続の開始があったことを知った日」とは、自己のために相続の開始があったことを知った日をいうのであるが、例えば、次に掲げる者については、次に掲げる日をいうものとして取り扱うものとする。
　　なお、当該相続に係る被相続人を特定贈与者とする相続時精算課税適用者に係る「相続の開始があったことを知った日」とは、次に掲げる日にかかわらず、当該特定贈与者が死亡したこと又は当該特定贈与者について民法第30条《失踪の宣告》の規定による失踪の宣告に関する審判の確定のあったことを知った日となるのであるから留意する。（基通27－4）
　（一）　民法第30条及び第31条の規定により失踪の宣告を受け死亡したものとみなされた者の相続人又は受遺者　　これらの者が当該失踪の宣告に関する審判の確定のあったことを知った日
　（二）　相続開始後において当該相続に係る相続人となるべき者について民法第30条の規定による失踪の宣告があり、その死亡したものとみなされた日が当該相続開始前であることにより相続人となった者　　その者が当該失踪の宣告に関する審判の確定のあったことを知った日
　（三）　民法第32条《失踪の宣告の取消し》第1項の規定による失踪宣告の取消しがあったことにより相続開始後において相続人となった者　　その者が当該失踪の宣告の取消しに関する審判の確定のあったことを知った日
　（四）　民法第787条《認知の訴え》の規定による認知に関する裁判又は同法第894条第2項の規定による相続人の廃除の取消しに関する裁判の確定により相続開始後において相続人となった者　　その者が当該裁判の確定を知った日
　（五）　民法第775条《嫡出否認の訴え》の規定による嫡出否認に関する裁判又は同法第892条若しくは第893条の規定による相続人の廃除に関する裁判の確定により相続開始後において相続人となった者　　その者が当該裁判の確定を知った日
　（六）　民法第886条の規定により、相続について既に生まれたものとみなされる胎児　　法定代理人がその胎児の生まれたことを知った日
　（七）　相続開始の事実を知ることのできる弁識能力のない幼児等　　法定代理人がその相続の開始のあったことを知った日（相続開始の時に法定代理人がないときは、後見人の選任された日）
　（八）　遺贈（被相続人からの相続人に対する遺贈を除く。（九）において同じ。）によって財産を取得した者　　自己のために当該遺贈のあったことを知った日
　（九）　停止条件付の遺贈によって財産を取得した者　　当該条件が成就した日
　（注）　これらの場合において、相続又は遺贈により取得した財産の相続税の課税価格に算入すべき価額は、相続開始の時における価額によるのであるから留意する。

（申告期限の直前に認知等があった場合の申告書の提出期限の延長）
（６）　次の（一）から（三）まで若しくは第五節**二**《相続税法による更正の請求の特則》の（3）の（一）若しくは（二）に掲げる事由又は（5）の（二）若しくは（六）に掲げる事由に該当する場合において、当該相続人又は受遺者以外の者に係る相続税

－201－

の申告書の提出期限が当該事由が生じた日後1月以内に到来するときは、これらの事実は、昭和45年6月24日付徴管2－43ほか9課共同「国税通則法基本通達（徴収部関係）の制定について」通達（以下（7）において「通則法基本通達（徴収部関係）」という。）の「第11条関係」の「1《災害その他やむを得ない理由》の（3）」に該当するものとして、当該相続人又は受遺者以外の者に係る相続税の申告書の提出期限は、これらの者の申請に基づき、当該事由が生じたことを知った日から2月の範囲内で延長することができるものとする。

また、相続税の申告書の提出期限前1月以内に第二章第二節**三**《退職手当金等》に規定する退職手当金等の支給額が確定した場合についても、これに準ずる。（基通27－5、法32①二～四）

(一)　民法第787条又は第892条から第894条までの規定による認知、相続人の廃除又はその取消しに関する裁判の確定、同法第884条に規定する相続の回復、同法第919条第2項の規定による相続の放棄の取消しその他の事由により相続人に異動を生じたこと。

(二)　遺留分による減殺の請求に基づき返還すべき、又は弁償すべき額が確定したこと。

(三)　遺贈に係る遺言書が発見され、又は遺贈の放棄があったこと。

　　　（胎児がある場合の申告期限の延長）

(7)　相続開始の時に相続人となるべき胎児があり、かつ、相続税の申告書の提出期限までに生まれない場合においては、当該胎児がいないものとして相続税の申告書を提出することになるのであるが、当該胎児が生まれたものとして課税価格及び相続税額を計算した場合において、相続又は遺贈により財産を取得したすべての者が相続税の申告書を提出する義務がなくなるときは、これらの事実は、通則法基本通達（徴収部関係）の「第11条関係」の「1《災害その他やむを得ない理由》の（3）」に該当するものとして、当該胎児以外の相続人その他の者に係る相続税の申告書の提出期限は、これらの者の申請に基づき、当該胎児の生まれた日後2月の範囲内で延長することができるものとして取り扱うものとする。（基通27－6）

　　　（有効な申告書としての取扱い）

(8)　期限内申告書、期限後申告書又は修正申告書に記載すべき事項のうちその一部について記載のないものの提出があった場合においても、財産の取得年月日、被相続人又は贈与をした者の氏名の記載がないもの等、その欠陥を税務署長が照会することにより補正することができる程度のものであるときは、その提出があった日において申告書の提出があったものとして取り扱うものとする。（基通27－7）

4　農業相続人がいる場合の申告

同一の被相続人からの相続又は遺贈により財産の取得をした者のうちに第六章第九節の1《農地等についての相続税の納税猶予》の規定の適用を受ける農業相続人がある場合における1の規定の適用については、次表の1欄に掲げる者の区分に応じ、1の規定中同表の2欄に掲げる字句は、同表の3欄に掲げる字句にそれぞれ読み替えて適用する。（措令40の7⑦③）

	1　欄	2　　　　　　　　欄	3　　　　　　　　欄
(一)	農業相続人以外の者	全ての者に係る相続税の課税価格（第四章第二節**四**の**1**又は第三編第一章第三節**一**から同第一章第四節**二**までの規定の適用がある場合には、これらの規定により相続税の課税価格とみなされた金額）	全ての者に係る第六章第九節の**2**《農業相続人がいる場合の相続税額の計算》の（一）の規定により計算される相続税の課税価格《特例農地等を農業投資価格で評価した場合の課税価格》
		その者に係る相続税の課税価格（第四章第二節**四**の**1**又は第三編第一章第三節**一**から同第一章第四節**二**までの規定の適用がある場合には、これらの規定により相続税の課税価格とみなされた金額）	当該相続税の課税価格
		第五章《相続税の総額》から第六章第八節《在外財産に対する相続税額の控除》まで（同第四節《配偶者の税額軽減》を除く。）及び第三編第一章第三節から第四節まで	第六章第九節の**2**《農業相続人がいる場合の相続税額の計算》（その者が同第四節《配偶者の税額軽減》の規定の適用を受ける者である場合には同節の規定の適用がないものとした場合における第六章第九節の**2**）

第七章　申告、更正決定及び更正の請求

		申告書を	申告書を、当該財産を取得した者のうち第六章第九節の**1**の規定の適用を受ける者の同**1**の規定の適用を受けようとする農地、採草放牧地及び準農地の明細その他財務省令で定める事項を記載した書類を添付して
(二)	農業相続人	第五章《相続税の総額》から第六章第八節《在外財産に対する相続税額の控除》まで（同第四節《配偶者の税額軽減》を除く。）及び第三編第一章第三節から第四節まで	第六章第九節の**2**《農業相続人がいる場合の相続税額の計算》（その者が同第四節《配偶者の税額軽減》の規定の適用を受ける者である場合には同節の規定の適用がないものとした場合における第六章第九節の**2**）

（財務省令で定める書類）

注　**4**の(一)の規定により適用される**1**に規定する財務省令で定める書類は、次に掲げる書類とする。（措規23の8㉟）

　(一)　当該書類を提出しようとする者とともに同一の被相続人からの相続又は遺贈により財産の取得をした者（当該被相続人に係る第三編第一章第一節**二**の(2)に規定する相続時精算課税適用者を含む。）で第六章第九節の**1**の規定の適用を受けようとするものが農業相続人（措令40の7②）に該当すること及び当該被相続人が、農業を営んでいた個人《措令40の7①》に該当することを明らかにする事実を記載した書類

　(二)　第六章第九節の**1**の規定の適用を受けようとする者に係る特例農地等に係る遺言書の写し、遺産分割協議書その他の財産の取得の状況を証する書類及び申告書第12表《農地等についての納税猶予の適用を受ける特例農地等の明細書》

二　相続税の申告書の記載事項

（一般の場合の記載事項）

（1）　**一**の**1**又は**七**の**1**に規定する**二**で定める事項は、次に掲げる事項とする。（規13①）

(一)	課税価格（第四章第二節**四**の**1**《相続開始前3年以内の贈与財産》又は第三編第一章第三節《相続時精算課税に係る相続税の課税価格及び税額》から第四節《納税の権利・義務の承継》までの規定の適用がある場合には、課税価格及びこれらの規定により相続税の課税価格とみなされた金額）及び相続税額
(二)	被相続人から相続又は遺贈（当該被相続人からの贈与により取得した財産で第三編第一章第一節**二**《相続時精算課税制度の選択》の(1)の規定の適用を受けるものに係る贈与を含む。）により財産を取得したすべての者に係る**一**の**1**に規定する相続税の課税価格の合計額及び当該合計額を基礎として算出したこれらの者に係る相続税の総額その他相続税額の計算の基礎となる事項
(三)	納税義務者の氏名及び住所又は居所（当該納税義務者が第二章第三節**五**の**2**の②又は同**2**の②の(1)の信託の受託者（当該信託に関する権利を取得したものとみなして相続税額を計算する場合における当該信託の受託者に限る。）である場合には当該受託者の名称又は氏名、本店若しくは主たる事務所の所在地又は住所若しくは居所及び信託の引受けをした営業所、事務所その他これらに準ずるものの所在地並びに当該信託の名称とし、当該納税義務者が第一章第二節**二**の**1**若しくは**2**の社団若しくは財団若しくは同**三**の持分の定めのない法人又は同**四**の**2**の(三)に規定する特定一般社団法人等（以下(三)において「**社団等**」という。）である場合には当該社団等の名称及び主たる営業所若しくは事務所又は本店の所在地並びに当該社団等の代表者又は管理者の氏名及び住所又は居所とする。以下(三)において同じ。）並びに個人番号又は法人番号（個人番号又は法人番号を有しない者にあっては、氏名及び住所又は居所）
(四)	国税通則法第117条第2項《納税管理人》の規定により届け出た納税管理人が当該申告書を提出する場合には、当該納税管理人の氏名及び住所並びに納税地
(五)	被相続人の氏名及びその死亡時における住所又は居所
(六)	相続又は遺贈により取得した財産（第四章第二節**四**の**1**の規定の適用がある場合には、同**1**に規定する<u>贈与により取得した財産</u>を含む。）の種類、数量、価額及び所在場所の明細、当該財産の取得の事由並びにその取得の年月日
(七)	第三編第一章第三節から第四節までの規定の適用がある場合には、相続時精算課税選択届出書の提出をした税務署の名称及びその提出に係る年分並びに第三編第一章第一節**二**の(1)の規定の適用を受ける<u>財産</u>についての第二

—203—

第一編　相続税

	編第六章第一節**一**の贈与税の申告書を提出した税務署の名称、当該申告書を提出した年分並びに当該財産の種類、数量、価額及び所在場所の明細、当該財産の取得の事由並びにその取得の年月日並びに<u>課税価格及び贈与額</u>
（八）	第三章の規定により課税価格に算入しない財産に関する事項
（九）	第四章第二節の**三**《債務控除》、第六章第三節《贈与税額控除》から第八節《在外財産に対する相続税額の控除》まで及び第三編第一章第三節から第四節までの規定並びに第二章第三節**五**の**2**の**④**の（6）、第一章第二節**二**の**1**の（2）及び同節の**四**の3の（1）の規定による控除（相続税法以外の法律の規定による相続税額の控除を含む。）並びに第六章第二節《相続税額の加算》の規定による加算に関する事項
（十）	その他参考となるべき事項

（注）1　──線部分の規定は、令和6年1月1日以後については、（六）中「贈与により取得した財産」とあるのは、「加算対象贈与財産（当該加算対象贈与財産のうち同**1**の相続の開始前3年以内に取得した財産以外の財産の価額の合計額から同**1**の規定により100万円を控除した残額がない場合には、当該財産を除く。）」とし、（七）中「財産に」とあるのは、「財産（当該財産を取得した日の属する年分の贈与税の課税価格から第三編第一章第二節**一**の（1）の規定による控除をした残額がない場合には、当該財産を除く。）に」とし、「課税価格」とあるのは、「課税価格、相続時精算課税に係る基礎控除額」とする。（令5改規附1）

2　令和5年度改正後の**1**の規定は、令和6年1月1日以後に贈与により取得する財産に係る相続税について適用し、令和5年12月31日以前に贈与により取得した財産に係る相続税については、なお従前の例による。（令5改規附2②）

3　（九）に規定する「相続税法以外の法律の規定による相続税額の控除」には、遺産、相続及び贈与に対する租税に関する二重課税の回避及び脱税の防止のための日本国とアメリカ合衆国との間の条約の実施に伴う相続税法の特例等に関する法律による未成年者控除及び障害者控除があるのであるから留意する。（基通27−2）

（相続時精算課税に係る相続税の納付義務の承継等をした者が提出する申告書の記載事項）

（2）　第三編第一章第四節《相続時精算課税に係る納税の権利・義務の承継》の規定により納税に係る権利又は義務の承継をした者が提出する**一**の**1**の規定による申告書に記載すべき事項は、**二**の（1）の（三）及び（四）に掲げる事項のほか、次に掲げる事項とする。（規13②）

（一）	第三編第一章第四節の死亡した者の氏名及びその死亡の時における住所又は居所並びにその死亡の年月日
（二）	当該承継をした者の承継の割合及び当該承継をした者が2人以上ある場合には、当該承継をした者が（一）の死亡した者に係る相続又は遺贈により受けた利益の価額
（三）	当該承継をした者が限定承認をした場合には、その旨
（四）	自己の納付すべき相続税額
（五）	（一）の死亡した者に係る**二**の（1）の（一）、（二）及び（五）から（十）までに掲げる事項

三　申告書の共同提出

同一の被相続人から相続又は遺贈により財産を取得した者又はその者の相続人（包括受遺者を含む。）で**一**の**1**、**四**の**1**又は**五**の規定により申告書を提出すべきもの又は提出することができるものが2人以上ある場合において、当該申告書の提出先の税務署長が同一であるときは、これらの者は、政令で定めるところにより、当該申告書を共同して提出することができる。（法27⑤）

（申告書の共同提出）

注　**三**（**七**の**2**において準用する場合を含む。）の規定により2人以上の者が共同して行う**一**の**1**又は**四**の**1**（**七**の**2**において準用する場合を含む。）の申告書の提出は、これらの者が一の申告書に連署してするものとする。（令7）

四　申告書の提出義務者が死亡した場合の申告

1　申告書を提出しないで死亡した者の相続人の申告義務

一の**1**の規定により申告書を提出すべき者が当該申告書の提出期限前に当該申告書を提出しないで死亡した場合には、その者の相続人（包括受遺者を含む。）は、その相続の開始があったことを知った日の翌日から10月以内（その者が国税通則法第117条第2項の規定による納税管理人の届出をしないで当該期間内に相続税法の施行地に住所及び居所を有しないこととなるときは、当該住所及び居所を有しないこととなる日まで）に、**2**の政令で定めるところにより、その死亡した者に係る**一**の**1**の申告書をその死亡した者の納税地の所轄税務署長に提出しなければならない。（法27②）

−204−

第七章　申告、更正決定及び更正の請求

（「相続の開始があったことを知った日」の意義等）
注　**1**に規定する「相続の開始があったことを知った日」の意義については、**一**の**3**の（5）に定めるところによる。（編者注）

2　死亡した者に係る申告書の提出

　1の規定により**1**に規定するその者の相続人が行う**一**の**1**の申告書の提出は、当該申告書を提出しないで死亡した者の氏名及びその者の死亡の時における住所又は居所並びに当該死亡の年月日その他の注の財務省令で定める事項を記載してしなければならない。（令6①）

（死亡した者に係る申告書の記載事項）
注　**2**（**3**において準用する場合を含む。）に規定する財務省令で定める事項は、**二**の（1）の（三）及び（四）に掲げる事項のほか、次に掲げる事項とする。（規14）

（一）	死亡した者の氏名及びその死亡の時における住所又は居所並びにその死亡の年月日
（二）	相続人が2人以上ある場合には、当該申告書を提出する者が当該相続又は遺贈により受けた利益の価額及び当該利益の価額の相続人の全員が相続又は遺贈により受けた利益の価額の合計額に対する割合
（三）	自己の納付すべき相続税額
（四）	死亡した者に係る**二**の（1）の（一）、（二）及び（五）から（十）までに規定する事項

3　死亡した者に係る期限後申告書の記載事項

　2の規定は、**一**の**1**又は**七**の**1**の規定による申告書を提出すべき者でこれらの申告書を提出しないでその提出期限後に死亡したものの相続人がこれらの申告書に係る期限後申告書を提出する場合における当該期限後申告書について準用する。（令6②）

五　還付を受けるための相続税の申告

　相続時精算課税適用者は、**一**の**1**の規定により申告書を提出すべき場合のほか、第三編第一章第三節**四**《相続時精算課税に係る贈与税額の還付》の（1）の規定による還付を受けるため、同第一章第一節**二**《相続時精算課税制度の選択》の（1）の規定の適用を受ける財産に係る相続税の課税価格、還付を受ける税額その他（1）の財務省令で定める事項を記載した申告書を納税地の所轄税務署長に提出することができる。（法27③）

（還付を受けるための相続税の申告書の記載事項）
（1）　**五**に規定する財務省令で定める事項は、次に掲げる事項とする。（規15①）

（一）	課税価格（第四章第二節**四**の**1**又は第三編第一章第三節から第四節までの規定の適用がある場合には、課税価格及びこれらの規定により相続税の課税価格とみなされた金額）及び同第三節**一**の（4）又は同第三節**二**の（3）の規定により贈与税の税額に相当する金額を控除する前の相続税額
（二）	**二**の（1）の（二）から（十）までに掲げる事項
（三）	第三編第一章第三節**四**の**①**の（1）に規定する相続税額から控除しきれなかった金額

（還付を受けるための申告書に記載すべき事項）
（2）　第三編第一章第四節の規定により納税に係る権利又は義務の承継をした者が**五**の規定による申告書を提出することができる場合における当該申告書に記載すべき事項は、**二**の（1）の（三）及び（四）に掲げる事項のほか、次に掲げる事項とする。（規15②）

（一）	**二**の（2）の（一）から（三）までに掲げる事項
（二）	自己が還付を受けようとする金額
（三）	第三編第一章第四節の死亡した者に係る**二**の（1）の（二）及び（五）から（十）まで並びに（1）の（一）及び（三）に掲げる事項

－205－

（還付を受けるための申告書に記載すべき事項）

（3） **五**の規定により第三編第一章第三節**四**の（1）の規定による還付を受けるための申告書を提出することができる者が当該申告書の提出前に死亡した場合において、当該申告書を提出することができるその相続人が当該申告書に記載すべき事項は、**二**の（1）の（三）及び（四）に掲げる事項のほか、次に掲げる事項とする。（規15③）

（一）	**四の2**の注の（一）及び（二）に掲げる事項
（二）	自己が還付を受けようとする金額
（三）	死亡した者に係る**二**の（1）の（二）及び（五）から（十）まで並びに（1）の（一）及び（三）に掲げる事項

（還付を受けるための申告書の提出期限）

（4） **五**に規定する申告書は、相続開始の日の翌日から起算して5年を経過する日まで提出することができるのであるから留意する。（基通27－8）

（還付を受けるための申告に係る更正の請求）

（5） **五**に規定する申告書についても、国税通則法第23条の規定の適用があることに留意する。この場合において**一**に規定する「当該申告書に係る国税の法定申告期限」とあるのは、「当該申告書を提出した日」と読み替えるものとする。（基通27－9）

六　申告書添付書類

1　一般の場合の添付書類

　一の**1**、**四**の**1**及び**五**の規定による申告書を提出する場合には、当該申告書に被相続人の死亡の時における財産及び債務、当該被相続人から相続又は遺贈により財産を取得したすべての者がこれらの事由により取得した財産又は承継した債務の各人ごとの明細その他次表に掲げる事項を記載した明細書その他注の財務省令で定める書類を添付しなければならない。（法27④、規16①）

（一）	被相続人の氏名及びその死亡の時における住所又は居所（当該被相続人に係る相続人のうちに第三編第一章第一節**二**の（2）に規定する相続時精算課税適用者がある場合には、当該相続時精算課税適用者が相続時精算課税選択届出書を提出した後の住所又は居所の異動の明細を含む。）
（二）	被相続人の死亡の時における財産の種類、数量、価額及び所在場所の明細
（三）	被相続人の死亡の時における債務の債権者別の種類及び金額の明細並びに債権者の氏名又は名称及び住所若しくは居所又は本店若しくは主たる事務所の所在地
（四）	被相続人から相続又は遺贈（第三編第一章第一節**二**の（1）の規定の適用を受ける財産に係る贈与を含む。）により財産を取得した全ての者がこれらの事由により取得した財産又は承継した債務の各人ごとの明細
（五）	被相続人の第六章第五節の**1**《未成年者控除》に規定する相続人に関する事項
（六）	第一章第二節**四**の**1**の規定の適用がある場合には、次に掲げる事項 イ　被相続人の死亡の時において同**1**の特定一般社団法人等が有する財産の種類、数量、価額及び所在場所の明細 ロ　イの特定一般社団法人等に係る同**1**の（1）の（二）のイからニまでに掲げる金額の明細
（七）	その他参考となるべき事項

（財務省令で定める書類）

注　**1**に規定する財務省令で定める書類は、次に掲げる書類とする。（規16③）

（一）	次に掲げるいずれかの書類（当該書類を複写機により複写したものを含む。） イ　相続の開始の日から10日を経過した日以後に作成された戸籍の謄本で被相続人の全ての相続人を明らかにするもの ロ　不動産登記規則（平成17年法務省令第18号）第247条第5項（法定相続情報一覧図）の規定により交付を受けた同条第1項に規定する法定相続情報一覧図の写しのうち、被相続人と相続人との関係を系統的に図示したものであって当該被相続人の子が実子又は養子のいずれであるかの別が記載されたもの（被相続人に養子がある

－206－

第七章　申告、更正決定及び更正の請求

	場合には、当該写し及び当該養子の戸籍の謄本又は抄本)
(二)	被相続人に係る相続時精算課税適用者がある場合には、相続の開始の日以後に作成された当該被相続人の戸籍の附票の写し又は当該写しを複写機により複写したもの
(三)	第一章第二節**四**の1の規定の適用がある場合には、相続の開始の日以後に作成された同1の特定一般社団法人等の登記事項証明書

2　配偶者の税額軽減の特例の適用を受ける場合の添付書類

①　「遺産が未分割であることについてやむを得ない事由がある場合の承認申請書」

「遺産が未分割であることについてやむを得ない事由がある場合の承認申請書」には、相続又は遺贈に係る申告期限後3年を経過する日までに当該相続又は遺贈により取得した財産の全部又は一部が共同相続人又は包括受遺者によって分割されなかった事情の次の(一)から(四)に定める区分に応じ当該(一)から(四)に定める書類を添付しなければならない。(規1の6②)

(一)	当該相続又は遺贈に関する訴えの提起がされていること	訴えの提起がされていることを証する書類
(二)	当該相続又は遺贈に関する和解、調停又は審判の申立てがされていること。((三)に該当する場合を除く。)	これらの申立てがされていることを証する書類
(三)	当該相続又は遺贈に関し、民法第908条第1項若しくは第4項《遺産の分割の方法の指定及び遺産の分割の禁止》の規定により遺産の分割が禁止され、又は同法第915条第1項ただし書《相続の承認又は放棄をすべき期間》の規定により相続の承認若しくは放棄の期間が伸長されていること	これらの事実及び当該分割が禁止されている期間又は当該承認若しくは放棄が伸長された期間を証する書類
(四)	(一)から(三)までに掲げる事情以外の事情	財産の分割がされなかった事情の詳細を記載した書類

(注)　──線部分の規定は、令和5年3月31日以前については、「第908条第1項若しくは第4項」とあるのは、「第907条第3項《遺産の分割の協議又は審判等》若しくは第908条」とする。(令5改規附1)

②　税額軽減の特例の適用を受けるための添付書類

第六章第四節《配偶者の税額軽減》の規定の適用を受ける者の相続税申告書に添付する書類は、次に掲げる書類とする。(規1の6③)

(一)	遺言書の写し、財産の分割の協議に関する書類(当該書類に当該相続に係る全ての共同相続人及び包括受遺者が自署し、自己の印を押しているものに限る。)の写し(当該自己の印に係る印鑑証明書が添付されているものに限る。)その他の財産の取得の状況を証する書類
(二)	当該相続又は遺贈により取得した財産に係る相続税について第六章第四節の**3**に規定する申告書又は更正の請求書を提出する際に当該財産の全部又は一部が共同相続人又は包括受遺者によってまだ分割されていない場合において、当該申告書又は更正の請求書の提出後に分割される当該財産について第六章第四節の**2**《申告期限に未分割の財産がある場合の軽減規定の適用》ただし書の規定の適用を受けようとするときは、その旨並びに分割されていない事情及び分割の見込みの詳細

3　小規模宅地等の課税価格の計算の特例を適用するための添付書類……第四章第二節**一**の10の**⑦**《申告要件と申告書添付書類》参照

4　小規模宅地等の課税価格の計算の特例に関する「遺産が未分割であることについてやむを得ない事由がある場合の承認申請書」の添付書類

2の①の規定は、第四章第二節**一**の10の**④**《申告期限に未分割である特例対象宅地等の適用除外》ただし書又は同**④**の(2)の適用がある場合の「遺産が未分割であることについてやむを得ない事由がある場合の承認申請書」に添付する書類について準用する。(措規23の2⑨)

—207—

5　特定計画山林の課税価格の計算の特例を適用するための添付書類

　……第四章第二節一の11の④《申告要件と申告書添付書類》参照

6　特定計画山林の課税価格の計算の特例に関する「遺産が未分割であることについてやむを得ない事由がある場合の承認申請書」の添付書類

　2の①の規定は、第四章第二節一の11の③《申告期限に未分割である特定計画山林の適用除外》ただし書又は同③の(2)の適用がある場合の「遺産が未分割であることについてやむを得ない事由がある場合の承認申請書」に添付する書類について準用する。（措規23の2の2③）

7　農業相続人がいる場合の添付書類

　一の4の(一)の規定により適用される一の1に規定する財務省令で定める書類は、次に掲げる書類とする。（措規23の8㉟）

(一)	当該書類を提出しようとする者とともに同一の被相続人からの相続又は遺贈により財産の取得をした者（当該被相続人に係る第三編第一章第一節二の(2)に規定する相続時精算課税適用者を含む。）で第六章第九節の1の規定の適用を受けようとするものが農業相続人に該当すること及び当該被相続人が、農業を営んでいた個人に該当することを明らかにする事実を記載した書類
(二)	第六章第九節の1の規定の適用を受けようとする者に係る特例農地等の取得の状況を証する書類及び申告書第12表《農地等についての納税猶予の適用を受ける特例農地等の明細書》

七　相続財産法人に係る財産を与えられた者等に係る相続税の申告書

1　特別縁故者の申告

　第二章第三節一の1《特別縁故者が分与を受けた財産》又は2《特別寄与者が支払を受けるべき特別寄与料の額》に規定する事由が生じたため新たに一の1に規定する申告書を提出すべき要件に該当することとなった者は、同1の規定にかかわらず、当該事由が生じたことを知った日の翌日から10月以内（その者が国税通則法第117条第2項《納税管理人》の規定による納税管理人の届出をしないで当該期間内に相続税法の施行地に住所及び居所を有しないこととなるときは、当該住所及び居所を有しないこととなる日まで）に課税価格、相続税額その他二の(1)で定める事項を記載した申告書を納税地の所轄税務署長に提出しなければならない。（法29①）

2　期限内申告書に関する規定の準用

　一の2及び三から六までの規定は、1の場合について準用する。（法29②）

3　申告書添付書類の記載事項

　2において準用する六の1の規定による明細書に記載すべき事項は、六の1の(一)、(四)及び(七)に掲げる事項とする。（規16②）

八　農業相続人がいる場合の相続税の申告書の記載事項に関する読替え

　第六章第九節の1《農地等についての相続税の納税猶予》の規定の適用を受けようとする農業相続人及び当該農業相続人とともに同一の被相続人からの相続又は遺贈により財産の取得をした者が提出すべき同1に規定する相続税の申告書についての二、四の2の注及び五の(1)から(3)までの規定の適用については、次の表の左欄に掲げる規定中同表の中欄に掲げる字句は、同表の右欄に掲げる字句とする。（措規23の8㊱）

二の(1)の(一)	相続税額	第六章第九節の2に規定する納付すべき相続税額（その者が同1の規定の適用を受ける者である場合には、当該納付すべき相続税額、同1に規定する納税猶予分の相続税額及び当該納付すべき相続税額から当該納税猶予分の相続税額を控除した残額）
二の(1)の(二)	一の1に規定する相続税の課税価格の合計額及び	課税価格（第四章第二節四の1《相続開始前3年以内の贈与財産》又は第三編第一章第三節から同第四節までの規定の適用がある場合には、こ

—208—

	当該合計額を基礎として算出したこれらの者に係る相続税の総額その他	れらの規定により相続税の課税価格とみなされた金額)の合計額及び当該合計額を基礎として算出した相続税の総額並びに当該全ての者に係る第六章第九節の**2**の(一)の規定により計算される相続税の課税価格の合計額並びにこれらの者に係る同(一)に掲げる金額の合計額その他同**2**の規定による
二の(1)の(三)	居所並びに個人番号)	居所、個人番号) 並びにその者が第六章第九節の**1**の規定の適用を受ける者であるかどうかの区分(その者が当該適用を受ける者でない場合には、当該区分及び当該適用を受ける者の氏名及び住所又は居所)
二の(1)の(九)	第四章第二節の**三**《債務控除》	第六章第九節の**2**の規定により適用される第四章第二節の**三**《債務控除》
	第六章第二節《相続税額の加算》	第六章第九節の**2**の規定により適用される第六章第二節《相続税額の加算》
二の(2)の本文	**二**の(1)の(三)及び(四)	**八**の規定により読み替えられた**二**の(1)の(三)及び(四)
二の(2)の(五)	**二**の(1)の(一)、(二)及び(五)から(十)まで	**八**の規定により読み替えられた**二**の(1)の(一)、(二)及び(九)並びに(五)から(八)まで及び(十)
四の**2**の注の本文	**二**の(1)の(三)及び(四)	**八**の規定により読み替えられた**二**の(1)の(三)及び(四)
四の**2**の注の(四)	**二**の(1)の(一)、(二)及び(五)から(十)まで	**八**の規定により読み替えられた**二**の(1)の(一)、(二)及び(九)並びに(五)から(八)まで及び(十)
五の(1)の(一)	相続税額	相続税額で第六章第九節の**2**の規定により計算されたもの
五の(1)の(二)	**二**の(1)の(二)から(十)まで	**八**の規定により読み替えられた**二**の(1)の(二)、(三)及び(九)並びに(四)から(八)まで及び(十)
五の(1)の(三)	相続税額	相続税額で第六章第九節の**2**の規定により計算されたもの
五の(2)の本文	**二**の(1)の(三)及び(四)	**八**の規定により読み替えられた**二**の(1)の(三)及び(四)
五の(2)の(三)	**二**の(1)の(二)及び(五)から(十)まで並びに(1)の(一)及び(三)	**八**の規定により読み替えられた**二**の(1)の(二)及び(九)並びに(五)から(八)まで及び(十)並びに**八**の規定により読み替えられた(1)の(一)及び(三)
五の(3)の本文	**二**の(1)の(三)及び(四)	**八**の規定により読み替えられた**二**の(1)の(三)及び(四)
五の(3)の(三)	**二**の(1)の(二)及び(五)から(十)まで並びに(1)の(一)及び(三)	**八**の規定により読み替えられた**二**の(1)の(二)及び(九)並びに(五)から(八)まで及び(十)並びに**八**の規定により読み替えられた(1)の(一)及び(三)

第二節　申告書の様式及び書き方

相続税の申告書の書き方（令和6年1月分以降用）

（注）　申告書を書く場合には、なるべく黒インクか黒のボールペンを使用してください。
　　　　また、申告書と添付書類を一緒にとじないでください。

1　一般の場合

① 相続税のかかる財産（「課税財産」といいます。）及び被相続人の債務等について、第9表から第15表を作成します。
　（注）　作成に当たり課税財産の評価が必要なものについては、「土地及び土地の上に存する権利の評価明細書」、「取引相場のない株式（出資）の評価明細書」等を最初に作成しておきます。
② 課税価格の合計額及び相続税の総額を計算するため、第1表、第2表を作成します。
③ 税額控除の額を計算するため、第4表から第8表までを作成し、第1表及び第8の8表に税額控除額を転記し各人の納付すべき相続税額を算定します。

　　○　相続税の申告書は、次の図の①から⑰までの順序で記入します。

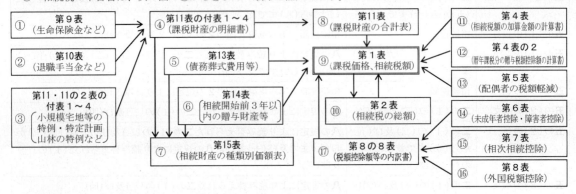

2　相続時精算課税適用者がいる場合
　イ　納付すべき税額のある相続時精算課税適用者がいる場合
　　　1に掲げる表のほか、「第11の2表」を作成します。
　ロ　還付される税額のある相続時精算課税適用者がいる場合
　　　上記イに掲げる表のほか、「第1表の付表2」を作成します。

3　相続税の納税猶予等の適用を受ける人がいる場合
　1に掲げる表及び「第8の8表」のほか、次の場合の区分に応じた申告書を作成します。

イ　農地等についての相続税の納税猶予及び免除等の適用を受ける農業相続人がいる場合	第3表、第8表、第12表
ロ　非上場株式等についての相続税の納税猶予及び免除又は非上場株式等の贈与者が死亡した場合の相続税の納税猶予及び免除（一般措置）の適用を受ける経営承継相続人等又は経営相続承継受贈者がいる場合	第8の2表、第8の2表の付表1～4
ハ　非上場株式等についての相続税の納税猶予及び免除の特例又は非上場株式等の特例贈与者が死亡した場合の相続税の納税猶予及び免除の特例（特例措置）の適用を受ける特例経営承継相続人等又は特例経営相続承継受贈者がいる場合	第8の2の2表、第8の2の2表の付表1～3
ニ　山林についての相続税の納税猶予及び免除の適用を受ける林業経営相続人がいる場合	第8の3表、第8の3表の付表

第七章　申告、更正決定及び更正の請求

ホ　医療法人の持分についての相続税の納税猶予及び免除の適用を受ける相続人等がいる場合	第8の4表、第8の4表の付表
ヘ　医療法人の持分についての相続税の税額控除の適用を受ける相続人等がいる場合（この場合には、「第8の8表」の作成は不要です。）	第8の4表、第8の4表の付表
ト　特定の美術品についての相続税の納税猶予及び免除の適用を受ける寄託相続人がいる場合	第8の5表、第8の5表の付表
チ　個人の事業用資産についての相続税の納税猶予及び免除の適用を受ける特例事業相続人等がいる場合	第8の6表、第8の6表の付表1～4など
リ　イ～チのうち2以上に該当する者がいる場合	イ～チに掲げる表、第8の7表

《ＯＣＲ用の申告書の使用について》

　申告書第1表、第1表(続)、第8の8表、第11・11の2表の付表1、第11・11の2表の付表1(続)、第15表、第15表(続)については、ＯＣＲ用の申告書を使用することになっていますのでご注意ください。

【遺産分割協議書の記載例】

遺産分割協議書の書式は特に定まっているわけではありませんが、参考のために一つの記載例を示せば次のとおりです。

遺 産 分 割 協 議 書

　　　被相続人大阪太郎の遺産については、同人の相続人の全員において分割協議を行った結果、
各相続人がそれぞれ次のとおり遺産を分割し、取得することに決定した。

1　相続人大阪花子が取得する財産

　（1）　大阪市中央区大手前5丁目36番地　　　宅地　268.5㎡

　（2）　同所　　　家屋番号8番　　　木造瓦葺二階建居宅1棟　床面積　104.15㎡

　（3）　……………………………

2　相続人神戸和子が取得する財産

　（1）　○○商事株式会社株式　20,000株

　（2）　○○化学株式会社株式　15,000株

　（3）　……………………………

3　相続人大阪一郎が取得する財産

　（1）　豊中市永楽荘1丁目3－1番地　　　宅地　181.5㎡

　（2）　○○商事株式会社株式　32,000株

　（3）　○○銀行大阪支店普通預金　145,400円

　（4）　……………………………

4　相続人大阪二郎が取得する財産

　（1）　○○商事株式会社株式　30,000株

　（2）　○○電力株式会社株式　5,000株

　（3）　……………………………

5　相続人大阪三郎が取得する財産

　（1）　東大阪市上石切町2－15　　　宅地　87㎡

　（2）　同所　家屋番号16番　　　木造瓦葺二階建居宅1棟　床面積　62㎡

　（3）　……………………………

6　相続人大阪一郎は、被相続人大阪太郎の次の債務を承継する。

　（1）　○○商事株式会社からの借入金　1,026,100円

　（2）　……………………………

　　　上記のとおり相続人全員による遺産分割の協議が成立したので、これを証するため本書を作成し、
次に各自署名押印する。

令和×年5月24日

大阪市中央区大手前5丁目36番地	相　続　人	大　阪　花　子	㊞
神戸市中央区山本通3丁目6番地	相　続　人	神　戸　和　子	㊞
大阪市中央区大手前5丁目36番地	相　続　人	大　阪　一　郎	㊞
大阪市中央区大手前5丁目36番地	相　続　人	大　阪　二　郎	
大阪市住吉区遠里小野町32番地	大阪二郎の特別代理人	乙　野　春　子	㊞
大阪市中央区大手前5丁目36番地	相　続　人	大　阪　三　郎	
大阪市阿倍野区帝塚山12番地	大阪三郎の特別代理人	丙　野　三　郎	㊞

（注1）　相続人のうちに未成年者がいる場合には、遺産の分割協議に当たって、家庭裁判所においてその未成年者の特別代理人の選任を受けなければならない場合があります。

（注2）　遺産分割協議書に押印する印は、その人の住所地の市区町村長の印鑑証明を受けた印を使用してください。

第七章　申告、更正決定及び更正の請求

相続税の申告書

修正　　**F D 3 5 6 3**

〇〇　税務署長

7年**2**月**5**日提出

相続開始年月日 **令和 6 年 5 月 10 日**

※申告期限延長日　　年　月　日

〇フリガナは、必ず記入してください。

		各 人 の 合 計	財産を取得した人	参考として記載している場合
フリガナ		（被相続人）ニッポン タロウ	ニッポン ハナコ	（参考）
氏　　　　名		日 本 太 郎	日 本 花 子	

↓個人番号の記載に当たっては、左端を空欄としここから記入してください。

個人番号又は法人番号			××××××××〇〇〇〇	この申告書で提出しない人
生 年 月 日		昭和 **23** 年 **10** 月 **19** 日（年齢 **75** 歳）	昭和**30** 年 **9** 月 **21** 日（年齢 **68** 歳）	
住　　　　所（ 電 話 番 号 ）		〇〇県〇〇〇市　〇〇〇3丁目5番16号	〒〇〇〇－××××　〇〇〇市〇〇〇3丁目5番16号　×××　－×××　××××	
被相続人との続柄　職業		〇〇商事㈱　代表取締役	妻　　　　なし	
取 得 原 因		該当する取得原因を〇で囲みます。	（相続）遺贈・相続時精算課税に係る贈与	
※ 整 理 番 号				

税務署受付印

〇このフリガナは、必ず記入してください。また、この申告書は機械で読み取りますので、添付資料を一緒にとじないでください。黒ボールペンで記入してください。

			各 人 の 合 計	財産を取得した人	
課税価格の計算	取得財産の価額（第11表②③）	①	498392151 円	256646350 円	
	相続時精算課税適用財産の価額（第11の2表1⑧）	②	246260 35		
	債務及び葬式費用の金額（第13表3⑦）	③	27415904	3359600	
	純資産価額（①＋②－③）（赤字のときは0）	④	495602246	253286750	
	純資産価額に加算される暦年課税分の贈与財産価額（第14表1④）	⑤	3000000	1000000	
	課税価格（④＋⑤）（1,000円未満切捨て）	⑥	498602000 Ⓐ	254286000	
各人の算出税額の計算	法定相続人の数　遺産に係る基礎控除額		**3** 人　48000000 Ⓑ	左の欄には、第2表の②欄の⓪人数及び⑥の金額を記入します。	
	相続税の総額	⑦	130505000	左の欄には、第2表の⑧欄の金額を記入します。	
	一般の場合（⑩の場合を除く）　あん分割合（各人の⑥／Ⓐ）	⑧	1.00	0.51	
	算出税額（⑦×各人の⑧）	⑨	130505000 円	66557550 円	
	農地等納税猶予の適用を受ける場合（第3表）	⑩			
	相続税額の2割加算が行われる場合の加算金額（第4表⑥）	⑪		円	
各人の納付・還付税額の計算	税額控除	暦年課税分の贈与税額控除額（第4表の2㉕）	⑫	90000	
		配偶者の税額軽減額（第5表⑰又は⑱）	⑬	65252500	65252500
		⑫・⑬以外の税額控除額（第8の8表1⑤）	⑭	4250000	217204
		計	⑮	65767500	65469704
	差引税額（⑨＋⑪－⑮）又は（⑩＋⑪－⑮）（赤字のときは0）	⑯	64737500	1087846	
	相続時精算課税分の贈与税額控除額（第11の2表1⑨）	⑰		0 0	
	医療法人持分税額控除額（第8の4表2B）	⑱			
	小計（⑯－⑰－⑱）（黒字のときは100円未満切捨て）	⑲	64737500	1087800	
	納税猶予税額（第8の8表2⑧）	⑳		0 0	
	申告納税額　申告期限までに納付すべき税額（⑲－⑳）	㉑	64737400	1087800	
	還付される税額（㉒）	㉒	△	△	
この申告書が修正申告書である場合	小　計	㉓			
	納税猶予税額	㉔		0 0	
	この申告書が修正申告書である場合の申告納税額（還付の場合は、頭に△を記載）	㉕			
	小計の増加額（⑲－㉓）	㉖			
	この申告により納付すべき税額又は還付される税額（還付の場合は、頭に△を記載）（㉑又は㉒－㉕）	㉗			

（注）⑲欄の金額が赤字となる場合は、⑲欄の左端に△を付してください。なお、この場合で、⑲欄の金額のうちに贈与税の外国税額控除額（第11の2表1⑩）があるときの㉒欄の金額については、「相続税の申告のしかた」を参照してください。

第1表（令和6年1月分以降用）

この申告書は機械で読み取りますので、申告書と添付資料を一緒にとじないでください。黒ボールペンで記入してください。

※の項目は記入する必要がありません。

※申告区分　年分　グループ番号　補完番号　補完番号

※税務署整理欄　名簿　申告年月日　関与区分　書面添付　検算　管理補完　確認

作成税理士の事務所所在地・署名・電話番号

313-1132　〇〇市××町1丁目1番1号　大 阪 一 男

税理士法書面提出　30条　33条の2

この申告が修正申告である場合の異動の内容等

※税務署整理欄　通信日付印　年月日　・・　（確　認）

（資4－20－1－1－A4統一）第1表（令6.7）

－213－

第一編　相続税

相続税の申告書(続) 修正　FD3564

第1表(続)(令和6年1月分以降用)

※申告期限延長日　　年　月　日　　　　※申告期限延長日　　年　月　日

○フリガナは、必ず記入してください。

○この申告書は機械で読み取りますので、黒ボールペンで記入してください。

	財産を取得した人	参考として記載している場合	財産を取得した人	参考として記載している場合
フリガナ	ニッポン　イチロウ		クボ　カズコ	
氏　名	日本一郎	参考	久保和子	参考
個人番号又は法人番号	×××× ○○○○ △△△△		×××× ○○○○ ××××	
生年月日	昭和58年3月24日(年齢41歳)		昭和60年2月14日(年齢39歳)	
住所(電話番号)	〒○○○-×××× ○○○市○○○3丁目5番16号 (×××-×××-××××)		〒○○○-×××× ○○市○○6丁目3番1号 (×××-×××-××××)	
被相続人との続柄　職業	長男　○○商事㈱代表取締役		長女　なし	
取得原因	(相続) 遺贈・相続時精算課税に係る贈与		(相続) 遺贈・相続時精算課税に係る贈与	
※整理番号				

この申告書で提出しない人である場合(参考として記載している場合)は、参考を○で囲んでください(その人の分は申告書とは取り扱いません)。

		日本一郎	久保和子
課税価格の計算	取得財産の価額(第11表2③) ①	129067118 円	112678683 円
	相続時精算課税適用財産の価額(第11の2表1⑧) ②	24626035	
	債務及び葬式費用の金額(第13表3⑦) ③	24056340	
	純資産価額(①+②-③)(赤字のときは0) ④	129636813	112678683
	純資産価額に加算される暦年課税分の贈与財産価額(第14表1④) ⑤		2000000
	課税価格(④+⑤)(1,000円未満切捨て) ⑥	129636000	114678000
各人の算出税額の計算	法定相続人の数　遺産に係る基礎控除額		
	相続税の総額 ⑦		
	一般の場合(⑧の場合を除く)　あん分割合(各人の⑥)(A) ⑧	0.26	0.23
	算出税額(⑦×各人の⑧A) ⑨	33931300 円	30016150 円
	農地等納税猶予の適用を受ける場合　算出税額(第3表⑨) ⑩		
	相続税額の2割加算が行われる場合の加算金額(第4表⑥) ⑪	円	円
各人の納付・還付税額の計算	税額控除	暦年課税分の贈与税額控除額(第4表の2⑤) ⑫		90000
		配偶者の税額軽減額(第5表○又は○) ⑬		
		⑫・⑬以外の税額控除額(第8表1⑤) ⑭	111169	96627
		計 ⑮	111169	186627
	差引税額(⑨+⑪-⑮)又は(⑩+⑪-⑮)(赤字のときは0) ⑯	33820131	29829523
	相続時精算課税分の贈与税額控除額(第11の2表1⑨) ⑰		00
	医療法人持分税額控除額(第8の4表2B) ⑱		
	小計(⑯-⑰-⑱)(黒字のときは100円未満切捨て) ⑲	33820100	29829500
	納税猶予税額(第8の8表2⑧) ⑳		00
	申告納税額　申告期限までに納付すべき税額(⑲-⑳) ㉑	33820100	29829500
	還付される税額 ㉒	△	△
この申告書が修正申告書である場合	この修正申告書がこの修正申告の　小計 ㉓		
	納税猶予税額 ㉔		00
	申告納税額(還付の場合は、頭に△を記載) ㉕		
	小計の増加額(⑲-㉓) ㉖		
	この申告により納付すべき税額又は還付される税額(還付の場合は、頭に△を記載)(㉒又は㉒)-㉖ ㉗		

※の項目は記入する必要がありません。

※税務署整理欄	申告区分	年分	グループ番号	補完番号		補完番号	
	名簿番号	申告年月日		管理補完　確認　検算		管理補完　確認	

(注)⑲欄の金額が赤字となる場合は、⑲欄の左端に△を付してください。なお、この場合で、⑲欄の金額のうちに贈与税の外国税額控除額(第11の2表1⑩)があるときの㉒欄の金額については、「相続税の申告のしかた」を参照してください。

(資4-20-2-1-A4統一)第1表(続)(令6.7)

-214-

第七章　申告、更正決定及び更正の請求

納税義務等の承継に係る明細書
（兼相続人の代表者指定届出書）

被相続人 ［　　　　　　　　　　］

第1表の付表1（令和5年1月分以降用）

この表は、次の①から③までに掲げる場合のいずれかに該当する場合に記入します。
① 相続時精算課税適用者が被相続人である特定贈与者の死亡の日前に死亡している場合
② 相続税の申告書を提出すべき者が被相続人の死亡の日から相続税の申告期限までの間に相続税の申告書を提出しないで死亡している場合
③ 相続税の修正申告書を提出すべき者が相続税の修正申告書を提出しないで死亡している場合

1　死亡した者の住所・氏名等

住所		氏名	フリガナ	相続開始年月日	令和　年　月　日

2　死亡した者の納付すべき又は還付される税額

	納付すべき税額 （相続税の申告書第1表の㉑又は㉒の金額）	円	・・・・A
	還付される税額 （相続税の申告書第1表の㉒又は㉓の金額）	△　　　円	

3　相続人等の代表者の指定
（相続税に関する書類を受領する代表者を指定するときに記入してください。）

相続人等の代表者の氏名 _____

4　限定承認の有無
（相続人等が限定承認しているときは、右の「限定承認」の文字を○で囲んでください。）　　　　限定承認

5　相続人等に関する事項

(1) 住所	〒	〒	〒	
(2) 氏名	フリガナ　　　参考として記載している場合（参考）	フリガナ　　　参考として記載している場合（参考）	フリガナ　　　参考として記載している場合（参考）	
(3) 個人番号又は法人番号	個人番号の記載に当たっては、左端を空欄とし、ここから記入してください。↓	個人番号の記載に当たっては、左端を空欄とし、ここから記入してください。↓	個人番号の記載に当たっては、左端を空欄とし、ここから記入してください。↓	
(4) 職業及び被相続人との続柄	職業　　　　続柄	職業　　　　続柄	職業　　　　続柄	
(5) 生年月日	明・大・昭・平・令　年　月　日	明・大・昭・平・令　年　月　日	明・大・昭・平・令　年　月　日	
(6) 電話番号				
(7) 承継割合　・・・・B	法定・指定　_____	法定・指定　_____	法定・指定　_____	
(8) 相続又は遺贈により取得した財産の価額	円	円	円	
(9) 各人の(8)の合計	_____円			
(10) (8)の(9)に対する割合 $\left[\frac{(8)}{(9)}\right]$	_____	_____	_____	

6　税額

A×B

納付すべき税額 （各人の100円未満切捨て）	00円	00円	00円	
還付される税額	△　　　円	△　　　円	△　　　円	

税務署受付印

※の項目は記入する必要がありません。

※税務署整理欄	整理番号	0	0	0	
	番号確認　　身元確認				

第1表の付表1（令6.7）

（資4－20－1－2－A4統一）

－215－

第一編　相続税

還付される税額の受取場所

被相続人

第1表の付表2（令和5年1月分以降用）

　この表は、相続税について、相続時精算課税適用者等（相続時精算課税適用者又は相続税法第21条の17若しくは第21条の18の規定により死亡した相続時精算課税適用者の納税に関する権利を承継した人をいいます。）に還付される税額がある場合（第1表のその人の「㉒欄」若しくは「㉗欄」又は第1表の付表1の6のその人の「還付される税額」欄に金額の記載がある場合）に記入します。

　還付される税金の受取りには預貯金口座（ご本人名義の口座に限ります。）への振込みをご利用ください。

　なお、還付される税金の受取りに当たって、
　　①　銀行等の預貯金口座への振込みを希望される場合は、銀行などの名称、預金種類及び口座番号を、
　　②　ゆうちょ銀行の貯金口座への振込みを希望される場合は、貯金総合口座の記号番号を、
該当する項目に記入してください。
※　振込みによる受取りをご利用されない方は、ゆうちょ銀行各店舗又は、郵便局の窓口での受取りとなりますので、受取りに利用される郵便局名等を記入してください。

相続時精算課税適用者等	銀行等の預貯金口座への振込みの場合		
フリガナ		銀行 金庫・組合 農協・漁協	本店・支店 出張所 本所・支店
	預金種類 （○で囲む。）	普通　　当座　　納税準備 その他（　　　　　　　）	口座番号
氏名	ゆうちょ銀行の貯金口座への振込みの場合		郵便局等の窓口での受取りの場合
	記号番号 （7～13桁）		郵便局名等

相続時精算課税適用者等	銀行等の預貯金口座への振込みの場合		
フリガナ		銀行 金庫・組合 農協・漁協	本店・支店 出張所 本所・支店
	預金種類 （○で囲む。）	普通　　当座　　納税準備 その他（　　　　　　　）	口座番号
氏名	ゆうちょ銀行の貯金口座への振込みの場合		郵便局等の窓口での受取りの場合
	記号番号 （7～13桁）		郵便局名等

相続時精算課税適用者等	銀行等の預貯金口座への振込みの場合		
フリガナ		銀行 金庫・組合 農協・漁協	本店・支店 出張所 本所・支店
	預金種類 （○で囲む。）	普通　　当座　　納税準備 その他（　.　　　　　）	口座番号
氏名	ゆうちょ銀行の貯金口座への振込みの場合		郵便局等の窓口での受取りの場合
	記号番号 （7～13桁）		郵便局名等

相続時精算課税適用者等	銀行等の預貯金口座への振込みの場合		
フリガナ		銀行 金庫・組合 農協・漁協	本店・支店 出張所 本所・支店
	預金種類 （○で囲む。）	普通　　当座　　納税準備 その他（　　　　　　　）	口座番号
氏名	ゆうちょ銀行の貯金口座への振込みの場合		郵便局等の窓口での受取りの場合
	記号番号 （7～13桁）		郵便局名等

第1表の付表2（令6.7）　　　　　　　　　　　　　　　　　　　　　　　　　　　　　（資4−20−1−3−A4統一）

第七章　申告、更正決定及び更正の請求

受益者等が存しない信託等に係る相続税額の計算明細書

被　相　続　人	
受　託　者　の名　称　又　は　氏　名（法人整理番号）	（　　　　　　　　　）

第1表の付表3（令和6年1月分以降用）

　この明細書は、相続税法第9条の4第1項又は第2項に規定する受託者が相続税の申告書を提出する場合に作成します。
　なお、この明細書の書きかた等については、裏面をご覧ください。

1　信託の明細

番号	信　託　の　名　称	営　業　所　等　の　名　称　及　び　所　在　地
1		
2		
3		

2　信託に関する権利の明細

番号	種　類	細　目	利用区分、銘　柄　等	所在場所等	面積、数量 固定資産税評価額	単　価 倍　数	価　額	外国税額控除額
							円	円
				信託に関する権利の価額の合計額等			①	②

（注）1　「番号」欄は、記載する資産が属する信託財産の上記「1　信託の明細」の「番号」を記入します。
　　　2　この明細は、第11表の付表1から付表4に準じて記入してください。なお、「種類」欄は、土地、家屋等、現金・預貯金等又は有価証券など、信託財産に属する資産の種類を記入します。
　　　3　「価額」欄は、当該資産の価額（信託財産に属する負債がある場合は、その信託財産に属する資産の価額の合計額を限度として当該負債を控除した金額）を記入します。なお、当該信託財産に属する負債は、第13表（債務及び葬式費用の明細書）には記載しないでください。

3　相続税額等の計算

③　相続税の算出税額（第1表の受託者の⑨又は⑩欄の金額）	④　相続税額の2割加算額（第1表の受託者の⑪欄の金額）	⑤　外国税額控除額（②欄の金額）	⑥　（③＋④－⑤）の金額
円	円	円	円

法人税及び事業税等の額の基となる価額の計算				⑪　⑩の価額に基づく法人税の額
⑦　信託に関する権利の価額の合計額（①欄の金額）	翌期控除事業税等相当額		⑩　法人税及び事業税等の額の基となる価額（⑦－⑧－⑨）	
	⑧　⑦の価額に基づく事業税の額	⑨　⑧の金額に基づく特別法人事業税の額		
円	円	円	円	円

⑫　⑩の価額に基づく事業税の額	⑬　⑪の金額に基づく地方法人税の額	⑭　⑪の金額に基づく道府県民税の額	⑮　⑪の金額に基づく市町村民税の額
円	円	円	円

⑯　⑫の金額に基づく特別法人事業税の額	⑰　法人税等控除額（⑪＋⑫＋⑬＋⑭＋⑮＋⑯）	⑱　（③＋④－⑰）の金額	⑲　申告納税額（申告期限までに納付すべき税額）（⑥－⑰）
円	円	円	円

（注）1　⑧又は⑫の各欄は、⑦又は⑩の各欄の金額を受託者の事業年度の所得とみなして地方税法の規定を適用して計算した「事業税の額」を記入します。
　　　2　⑨又は⑯の各欄は、⑧又は⑫の各欄の金額を基に特別法人事業税及び特別法人事業譲与税に関する法律の規定を適用して計算した「特別法人事業税の額」を記入します。
　　　3　⑪欄は、⑩欄の金額を受託者の事業年度の所得とみなして法人税法の規定を適用して計算した「法人税の額」を記入します。
　　　4　⑬欄は、⑪欄の「法人税の額」を基に地方法人税法の規定を適用して計算した「地方法人税の額」を記入します。
　　　5　⑭又は⑮の各欄は、⑪欄の「法人税の額」を基に地方税法の規定を適用して計算した「道府県民税の額」又は「市町村民税の額」を記入します。
　　　6　⑲欄の金額を第1表の受託者の㉑欄に転記します。⑲欄の金額（⑥－⑰）がマイナスとなるときは「0」と記入します。

4　信託財産責任負担債務の額の計算

番号	⑳　①欄の金額	㉑　⑳の価額のうち各信託ごとの価額の合計額	㉒　（⑱×㉑÷⑳）の金額	㉓　各信託に関する権利に係る外国税額控除額	㉔　信託財産責任負担債務の額（㉒－㉓）
	円	円	円	円	円
		信託財産責任負担債務の額の合計額			

（注）1　この欄は、相続税額が相続税法施行令第1条の10第4項の規定により一の者の相続税として計算される場合において、この明細書を提出する受託者が受託した各信託に関する権利に係る信託財産責任負担債務の額を記入します（「信託財産責任負担債務」とは、信託法第2条第9項に規定する信託財産責任負担債務をいいます。）。
　　　2　「番号」欄は、記載する信託財産が属する信託の「1　信託の明細」欄の番号を記入します。
　　　3　㉑欄は、各信託のうち受託者が相続税の申告を行うべき信託により、「番号」欄に記載した番号ごとに対応する、「2　信託に関する権利の明細」欄の信託財産に属する資産の価額（信託財産に属する負債がある場合は、その信託財産に属する資産の価額の合計額を限度として当該負債を控除した金額）の合計額を記入します。
　　　4　㉓欄は、各信託のうち受託者が相続税の申告を行うべき信託について、「番号」欄に記載した番号ごとに対応する外国税額控除額を記入します。
　　　5　㉔欄の金額（㉒－㉓）がマイナスとなるときは「0」と記入します。

第1表の付表3（令6.7）　　　　　　　　　　　　　　　　　　　　　　　　　　　　　　　　（資4－96－A4統一）

第一編　相続税

人格のない社団等又は持分の定めのない法人に課される相続税額の計算明細書

	被相続人	
	人格のない社団等又は持分の定めのない法人の名称	

この明細書は、相続税法第66条第1項に規定する代表者若しくは管理者の定めのある人格のない社団若しくは財団又は同条第4項に規定する持分の定めのない法人が遺贈に係る相続税の申告書を提出する場合に作成します。
　なお、この明細書の書きかた等については、裏面をご覧ください。

第1表の付表4（令和6年1月分以降用）

1　遺贈により取得した財産の明細等

番号	種類	細目	利用区分、銘柄等	所在場所等	面積、数量 / 固定資産税評価額	単価 / 倍数	価額
1							円
2							
3							
4							

遺贈により取得した財産のうち、その財産の価額が法人税法の規定により事業年度の所得金額の計算上益金の額に算入される財産については、番号を〇で囲んでください。

合　計　額	①
（注）①の金額を第11表の付表4の「財産の明細」の「価額」欄に転記するとともに、「備考」欄に「第1表の付表4のとおり」と記入します。	

上記に記載した財産の価額のうち法人税法の規定により事業年度の所得金額の計算上益金の額に算入される財産の価額の合計額　②　　　　円

2　相続税額から控除する法人税等に相当する額の計算

③ 法人税法の規定により益金の額に算入される遺贈により取得した財産の価額の合計額（②の金額）	④ ③の価額に基づく事業税の所得割の額	⑤ ④の金額に基づく特別法人事業税の額	⑥ 翌期控除事業税等相当額（④＋⑤）
円	円	円	円
⑦ 法人税及び事業税等の額の基となる価額（③－⑥）	⑧ ⑦の価額に基づく法人税の額	⑨ ⑦の価額に基づく事業税の所得割の額	⑩ ⑧の金額に基づく地方法人税の額
円	円	円	円
⑪ ⑧の金額に基づく道府県民税の法人税割の額	⑫ ⑧の金額に基づく市町村民税の法人税割の額	⑬ ⑨の金額に基づく特別法人事業税の額	⑭ 法人税等に相当する額（⑧＋⑨＋⑩＋⑪＋⑫＋⑬）
円	円	円	円

3　相続税額から控除する法人税等に相当する額の限度額の計算（特定一般社団法人等について、第1表の付表5を作成する場合にはこちらの計算は不要です。）

⑮ 相続税の差引税額（第1表の⑯の金額）	⑯ 法人税法の規定により益金の額に算入される遺贈により取得した財産に対応する差引税額（⑮×②÷①）	⑰ 法人税等に相当する額（⑭の金額）	⑱ 限度額（⑯の金額と⑰の金額のうちいずれか少ない方の金額）
円	円	円	円

4　申告納税額（納付すべき税額）の計算（特定一般社団法人等について、第1表の付表5を作成する場合にはこちらの計算は不要です。）

（注）⑳の金額を人格のない社団等又は持分の定めのない法人の第1表の㉑欄に転記します。

⑲ 相続税の差引税額（第1表の⑯の金額）	⑳ 相続税額から控除する法人税等に相当する額（⑱の金額）	㉑ 申告納税額（納付すべき税額）（⑲－⑳）	※　当該法人が一般社団法人又は一般財団法人である場合には、レ印を記入してください。 □
円	円	円	

第1表の付表4（令6.7）　　　　　　　　　　　　　　　　　　　　　　　　　　（資4－20－1－4－A4統一）

—218—

第七章　申告、更正決定及び更正の請求

特定一般社団法人等に課される相続税額の計算明細書

	被相続人	
この明細書は、相続税法第66条の2第1項に規定する特定一般社団法人等が相続税の申告書を提出する場合に作成します。 なお、この明細書の書きかた等については、裏面をご覧ください。	特定一般社団法人等の名称	

第1表の付表5（令和6年1月分以降用）

1　遺贈により取得したものとみなされる金額の計算

（注）　第1表の付表5（別表1）において明細を作成してください。

相続開始の時において特定一般社団法人等が有する財産の価額の合計額（第1表の付表5（別表1）の①の価額）	①	円
特定一般社団法人等が有する債務の金額（第1表の付表5（別表1）の②の金額）	②	円
特定一般社団法人等に課される国税又は地方税の額（第1表の付表5（別表1）の③の金額）	③	円
被相続人の死亡により支給する退職手当金などの額（第1表の付表5（別表1）の④の金額）	④	円
相続開始の時における基金の額（第1表の付表5（別表1）の⑤の金額）	⑤	円
特定一般社団法人等の純資産額（①−②−③−④−⑤）（**赤字の場合は0**）	⑥	円
相続開始の時における同族理事の数（第1表の付表5（別表1）の⑥の数）に1を加えた数	⑦	
特定一般社団法人等が被相続人から遺贈により取得したものとみなされる金額（⑥÷⑦） （注）　⑧の金額を第11表の付表4の「財産の明細」の「価額」欄に転記するとともに、「備考」欄に「第1表の付表5のとおり」と記入します。	⑧	円

2　相続税額から控除する法人税等に相当する額の限度額の計算（第1表の付表4の作成がある場合のみ、記入します。）

相続税額から控除する法人税等に相当する額（第1表の付表4の⑭の金額）	⑨	円
相続税の差引税額（第1表の⑯の金額）	⑩	円
遺贈により取得した財産の価額のうち法人税法の規定により事業年度の所得金額の計算上益金の額に算入される財産の価額の合計額（第1表の付表4の②の金額）	⑪	円
相続税の課税価格（第1表の⑥の金額）	⑫	円
相続税額から控除する法人税等に相当する額の控除限度額（⑩×⑪÷⑫）	⑬	円
控除額（⑨の金額と⑬の金額のうちいずれか少ない方の金額）	⑭	円

3　相続税額から控除する贈与税・相続税の税額の計算

　特定一般社団法人等が相続開始前に贈与又は遺贈により取得した財産について、相続税法第66条第4項において準用する同条第1項又は第2項の規定により課された贈与税又は相続税の税額がある場合に記入します。

（注）　第1表の付表5（別表2）において明細を作成してください。

相続税法第66条第4項において準用する同条第1項又は第2項の規定により課された贈与税及び相続税の税額（第1表の付表5（別表2）の①の金額）	⑮	円
⑮の金額のうち、既に相続税法第66条の2第3項の規定により控除された金額（第1表の付表5（別表2）の②の金額）	⑯	円
控除対象金額（⑮−⑯）	⑰	円

4　申告納税額（納付すべき税額）の計算

（注）　㉑の金額を特定一般社団法人等の第1表の㉑欄に転記します。

⑱　相続税の差引税額（第1表の⑯の金額）	⑲　相続税額から控除する法人税等に相当する額（⑭の金額）	⑳　相続税額から控除する贈与税及び相続税の税額（⑰の金額）	㉑　申告納税額（納付すべき税額）（⑱−⑲−⑳）（**赤字の場合は0**）
円	円	円	円

5　控除対象税額の残額の計算（（⑱−⑲−⑳）の計算が赤字の場合のみ、記入します。）

⑳の金額のうち、「4　申告納税額（納付すべき税額）の計算」において控除した金額（⑱−⑲）	㉒	円
控除対象税額の残額（⑳−㉒）	㉓	円

第1表の付表5（令6.7）　　　　　　　　　　　　　　　　　　　　　　　　　　　（資4−20−1−5−A4統一）

第一編　相続税

相 続 税 の 総 額 の 計 算 書

被相続人　**日本太郎**

第2表（令和5年1月分以降用）

この表は、第1表及び第3表の「相続税の総額」の計算のために使用します。
　なお、被相続人から相続、遺贈や相続時精算課税に係る贈与によって財産を取得した人のうちに農業相続人がいない場合は、この表の㋺欄及び㋬欄並びに⑨欄から⑪欄までは記入する必要がありません。

① 課 税 価 格 の 合 計 額	② 遺 産 に 係 る 基 礎 控 除 額	③ 課 税 遺 産 総 額
㋑（第1表⑥Ⓐ）　**498,600**,000 円	3,000万円 +（600万円 × ㋺ **3** 人）=㋩ **4,800** 万円 ㋺の人数及び㋩の金額を第1表Ⓑへ転記します。	㋥（㋑-㋩）　**450,600**,000 円
㋭（第3表⑥Ⓐ）　,000 円	（Ⓐの法定相続人の数）	㋬（㋭-㋩）　,000 円

④ 法 定 相 続 人 （（注）1参照）		⑤ 左の法定相続人に応じた法定相続分	第1表の「相続税の総額⑦」の計算		第3表の「相続税の総額⑦」の計算	
氏 名	被相続人との続柄		⑥ 法定相続分に応ずる取得金額（㋥×⑤）（1,000円未満切捨て）	⑦ 相続税の総額の基となる税額　下の「速算表」で計算します。	⑨ 法定相続分に応ずる取得金額（㋬×⑤）（1,000円未満切捨て）	⑩ 相続税の総額の基となる税額　下の「速算表」で計算します。
日本花子	妻	$\frac{1}{2}$	**225,300**,000 円	**74,385,000** 円	,000 円	円
日本一郎	長男	$\frac{1}{2} \times \frac{1}{2} = \frac{1}{4}$	**112,650**,000	**28,060,000**	,000	
久保和子	長女	$\frac{1}{2} \times \frac{1}{2} = \frac{1}{4}$	**112,650**,000	**28,060,000**	,000	
			,000		,000	
			,000		,000	
			,000		,000	
			,000		,000	
			,000		,000	
			,000		,000	
法定相続人の数　Ⓐ **3** 人		合計 1	⑧ 相続税の総額（⑦の合計額）（100円未満切捨て）　**130,505,0**00		⑪ 相続税の総額（⑩の合計額）（100円未満切捨て）　00	

（注）1　④欄の記入に当たっては、被相続人に養子がある場合や相続の放棄があった場合には、「相続税の申告のしかた」をご覧ください。
　　　2　⑧欄の金額を第1表⑦欄へ転記します。財産を取得した人のうちに農業相続人がいる場合は、⑧欄の金額を第1表⑦欄へ転記するとともに、⑪欄の金額を第3表⑦欄へ転記します。

相 続 税 の 速 算 表

法定相続分に応ずる取得金額	10,000千円以下	30,000千円以下	50,000千円以下	100,000千円以下	200,000千円以下	300,000千円以下	600,000千円以下	600,000千円超
税　　率	10%	15%	20%	30%	40%	45%	50%	55%
控　除　額	－	500千円	2,000千円	7,000千円	17,000千円	27,000千円	42,000千円	72,000千円

この速算表の使用方法は、次のとおりです。
⑥欄の金額×税率－控除額＝⑦欄の税額　　　⑨欄の金額×税率－控除額＝⑩欄の税額
例えば、⑥欄の金額30,000千円に対する税額（⑦欄）は、30,000千円×15%－500千円＝4,000千円です。

○連帯納付義務について

　相続税の納税については、各相続人等が相続、遺贈や相続時精算課税に係る贈与により受けた利益の価額を限度として、お互いに連帯して納付しなければならない義務があります。

第2表（令6.7）　　　　　　　　　　　　　　　　　　　　　　　　　　　　　　（資4-20-3-A4統一）

第七章　申告、更正決定及び更正の請求

財産を取得した人のうちに農業相続人がいる場合の各人の算出税額の計算書

第3表（平成26年分以降用）

	被相続人	

私は、租税特別措置法第70条の6第1項の規定による農地等についての相続税の納税猶予の適用を受けます。	相続税の納税猶予の適用を受ける農業相続人の氏名		
	（　　歳）	（　　歳）	（　　歳）

被相続人から相続、遺贈や相続時精算課税に係る贈与によって財産を取得した人のうちに農業相続人がいる場合には、特例農地等については農業投資価格によって課税財産の価額を計算することになりますので、その被相続人から財産を取得した全ての人は、この表によって各人の算出税額を計算します。

	財産を取得した人の氏名		（各人の合計）			
課税価格の計算	取得財産の価額	農業相続人（第12表⑤）①	円	円	円	円
		その他の人（第1表①+第1表②）②				
	債務及び葬式費用の金額（第1表③）③					
	純資産価額（①-③）又は（②-③）（赤字のときは0）④					
	純資産価額に加算される暦年課税分の贈与財産価額（第1表⑤）⑤					
	課税価格（④+⑤）（1,000円未満切捨て）⑥	Ⓐ ,000	,000	,000	,000	
各人の算出税額の計算	相続税の総額（第2表⑪）⑦	00				
	あん分割合（各人の⑥／Ⓐ）⑧	1.00				
	算出税額（⑦×各人の⑧）⑨	円	円	円	円	
	農業相続人の納税猶予の基となる税額	相続税の総額の差額⑩	00 （第1表の⑦の金額）00円 － （この表の⑦の金額）00円			
		農業投資価格超過額（第12表③）⑪	Ⓑ			
		各人へのあん分額（⑩×各人の⑪÷⑧）⑫				
	各人の算出税額（⑨+⑫）⑬					

	財産を取得した人の氏名					
課税価格の計算	取得財産の価額	農業相続人（第12表⑤）①	円	円	円	円
		その他の人（第1表①+第1表②）②				
	債務及び葬式費用の金額（第1表③）③					
	純資産価額（①-③）又は（②-③）（赤字のときは0）④					
	純資産価額に加算される暦年課税分の贈与財産価額（第1表⑤）⑤					
	課税価格（④+⑤）（1,000円未満切捨て）⑥	,000	,000	,000	,000	
各人の算出税額の計算	相続税の総額（第2表⑪）⑦					
	あん分割合（各人の⑥／Ⓐ）⑧					
	算出税額（⑦×各人の⑧）⑨	円	円	円	円	
	農業相続人の納税猶予の基となる税額	相続税の総額の差額⑩				
		農業投資価格超過額（第12表③）⑪				
		各人へのあん分額（⑩×各人の⑪÷⑧）⑫				
	各人の算出税額（⑨+⑫）⑬					

（注）1　「各人の算出税額の計算」の「農業相続人の納税猶予の基となる税額」欄は、農業相続人だけが記入します。
　　　2　各人の⑬欄の金額を第1表のその人の「算出税額⑩」欄に転記します。
　　　　この場合、第1表の「一般の場合」の「あん分割合⑧」欄及び「算出税額⑨」欄の記入を行う必要はありません。

第3表（令6.7）　　　　　　　　　　　　　　　　　　　　　　　　　　　（資4-20-4-A4統一）

第一編　相続税

相 続 税 額 の 加 算 金 額 の 計 算 書

被相続人

第4表（令和6年1月分以降用）

　この表は、相続、遺贈や相続時精算課税に係る贈与によって財産を取得した人のうちに、被相続人の一親等の血族（代襲して相続人となった直系卑属を含みます。）及び配偶者以外の人がいる場合に記入します。
　（注）　一親等の血族であっても相続税額の加算の対象となる場合があります。詳しくは「相続税の申告のしかた」をご覧ください。

加算の対象となる人の氏名					
各人の税額控除前の相続税額 （第1表⑨又は第1表⑩の金額）	①	円	円	円	円
相続開始の時までに被相続人との続柄に変更があった人で、被相続人との続柄に変更があった場合に記入します。（例えば、被相続人の養子となっている孫が相続時精算課税に係る贈与を受けている場合など。）	被相続人の一親等の血族であった期間内にその被相続人から相続時精算課税に係る贈与によって取得した財産の価額の合計額	②	円	円	円	円
	被相続人から相続、遺贈や相続時精算課税に係る贈与によって取得した財産などで相続税の課税価格に算入された財産の価額（第1表①＋第1表②＋第1表⑤）	③				
	加算の対象とならない相続税額 （①×②÷③）	④				
管理残額がある場合の加算の対象とならない相続税額 （第4表の付表Ⓐ）	⑤	円	円	円	円
相続税額の加算金額 （①×0.2） ただし、上記④又は⑤の金額がある場合には、 （（①-④-⑤）×0.2）となります。	⑥	円	円	円	円

（注）　1　相続時精算課税適用者である孫が相続開始の時までに被相続人の養子となった場合は、「相続時精算課税に係る贈与を受けている人で、かつ、相続開始の時までに被相続人との続柄に変更があった場合」には含まれませんので②欄から④欄までの記入は不要です。

　　　　2　②欄には、次に掲げる場合の区分に応じ、それぞれ次の金額の合計額を記入します。
　　　　　(1)　令和5年12月31日以前に被相続人からの贈与により取得した財産の場合
　　　　　　　被相続人の一親等の血族であった期間内にその被相続人から相続時精算課税に係る贈与によって取得した財産の価額
　　　　　(2)　令和6年1月1日以後に被相続人からの贈与により取得した財産の場合
　　　　　　　被相続人から贈与を受けた年分ごとに次の算式により算出した金額の合計額
　　　　　　　（算式）

$$\left[\begin{array}{l}\text{被相続人の一親等の血族であった期間内にその被相続人から}\\\text{相続時精算課税に係る贈与によって取得した財産の価額}\end{array}\right] - \left[\begin{array}{l}\text{その期間内の被相続人に係る各年分の贈与税}\\\text{の相続時精算課税に係る基礎控除額(※)}\end{array}\right]$$

　　　　　　　※　同一年中に被相続人の一親等の血族であった期間と一親等の血族に該当しない期間のいずれの期間内にもその被相続人から相続時精算課税に係る贈与を受けた年分については、次の算式により算出した金額となります。
　　　　　　　（算式）

$$\left[\begin{array}{l}\text{その年分において被相続人から}\\\text{の贈与により取得した財産の価}\\\text{額から控除した相続時精算課税}\\\text{に係る基礎控除額}\end{array}\right] \times \left[\begin{array}{l}\text{その年分の被相続人の一親等の血族であった期間内にその被相続}\\\text{人から相続時精算課税に係る贈与によって取得した財産の価額}\\\hline\text{その年分の被相続人から相続時精算課税に係る贈与によって取得}\\\text{した財産の価額}\end{array}\right]$$

　　　　3　各人の⑥欄の金額を第1表のその人の「相続税額の2割加算が行われる場合の加算金額⑪」欄に転記します。

第4表（令6.7）

（資4-20-5-1-A4統一）

第七章　申告、更正決定及び更正の請求

相続税額の加算金額の計算書付表

被相続人 ＿＿＿＿＿＿＿＿＿＿

第4表の付表（令和6年4月分以降用）

措置法第70条の2の3第12項第2号（（直系尊属から結婚・子育て資金の一括贈与を受けた場合の贈与税の非課税））に規定する管理残額がある場合
　この表は、相続、遺贈や相続時精算課税に係る贈与によって財産を取得した人のうちに、被相続人の一親等の血族（代襲して相続人となった直系卑属を含む。）及び配偶者以外の人がいる場合において、それらの人のうちで、租税特別措置法第70条の2の3第12項第2号（（直系尊属から結婚・子育て資金の一括贈与を受けた場合の贈与税の非課税））に規定する管理残額（令和3年3月31日までに被相続人から取得した信託受益権又は金銭等に係る部分に限ります。）で被相続人から相続や遺贈により取得したものとみなされたものがある人が記入します。
（注）　一親等の血族であっても相続税額の加算の対象となる場合があります。詳しくは「相続税の申告のしかた」をご覧ください。

加算の対象となる人の氏名					
各人の税額控除前の相続税額 （第1表⑨又は第1表⑩の金額）	①	円	円	円	円
被相続人から相続や遺贈により取得したものとみなされる管理残額のうち、加算の対象とならない部分の金額 （裏面の「2」参照）	②	円	円	円	円
被相続人から相続、遺贈や相続時精算課税に係る贈与によって取得した財産で相続税の課税価格に算入された財産の価額 （第1表①＋第1表②）	③				
債務及び葬式費用の金額 （第1表③）	④				
③－④（赤字のときは0）	⑤				
純資産価額に加算される暦年課税分の贈与財産価額 （第1表⑤）	⑥				
加算の対象とならない相続税額 ①×②／⑤＋⑥　（①を超える場合には、①を上限とします。）	Ⓐ	円	円	円	円

（注）　1　「加算の対象となる人の氏名」欄には、相続や遺贈により取得した財産のうちに相続や遺贈により取得したものとみなされる管理残額（令和3年3月31日までに被相続人から取得した信託受益権又は金銭等に係る部分に限ります。）がある人の氏名を記載します。
　　　　2　各人のⒶ欄の金額を第4表のその人の⑤欄に転記します。

第4表の付表（令6.7）　　　　　　　　　　　　　　　　　　　　　　　　　　　　　　　（資4-20-5-2-A4統一）

第一編　相続税

暦年課税分の贈与税額控除額の計算書

被相続人　**日本太郎**

第4表の2（平成31年1月分以降用）

この表は、第14表の「1 純資産価額に加算される暦年課税分の贈与財産価額及び特定贈与財産価額の明細」欄に記入した財産のうち相続税の課税価格に加算されるものについて、贈与税が課税されている場合に記入します。

控除を受ける人の氏名		**久保和子**		

相続開始の年の前年分（　　年分）

贈与税の申告書の提出先		税務署	税務署	税務署
被相続人から暦年課税に係る贈与によって租税特別措置法第70条の2の5第1項の規定の適用を受ける財産（特例贈与財産）を取得した場合				
相続開始の年の前年中に暦年課税に係る贈与によって取得した特例贈与財産の価額の合計額	①	円	円	円
①のうち被相続人から暦年課税に係る贈与によって取得した特例贈与財産の価額の合計額（贈与税額の計算の基礎となった価額）	②			
その年分の暦年課税分の贈与税額（裏面の「2」参照）	③			
控除を受ける贈与税額（特例贈与財産分）（③×②÷①）	④			
被相続人から暦年課税に係る贈与によって租税特別措置法第70条の2の5第1項の規定の適用を受けない財産（一般贈与財産）を取得した場合				
相続開始の年の前年中に暦年課税に係る贈与によって取得した一般贈与財産の価額の合計額（贈与税の配偶者控除後の金額）	⑤	円	円	円
⑤のうち被相続人から暦年課税に係る贈与によって取得した一般贈与財産の価額の合計額（贈与税額の計算の基礎となった価額）	⑥			
その年分の暦年課税分の贈与税額（裏面の「3」参照）	⑦			
控除を受ける贈与税額（一般贈与財産分）（⑦×⑥÷⑤）	⑧			

相続開始の年の前々年分（　　年分）

贈与税の申告書の提出先		税務署	税務署	税務署
被相続人から暦年課税に係る贈与によって租税特別措置法第70条の2の5第1項の規定の適用を受ける財産（特例贈与財産）を取得した場合				
相続開始の年の前々年中に暦年課税に係る贈与によって取得した特例贈与財産の価額の合計額	⑨	円	円	円
⑨のうち被相続人から暦年課税に係る贈与によって取得した特例贈与財産の価額の合計額（贈与税額の計算の基礎となった価額）	⑩			
その年分の暦年課税分の贈与税額（裏面の「2」参照）	⑪			
控除を受ける贈与税額（特例贈与財産分）（⑪×⑩÷⑨）	⑫			
被相続人から暦年課税に係る贈与によって租税特別措置法第70条の2の5第1項の規定の適用を受けない財産（一般贈与財産）を取得した場合				
相続開始の年の前々年中に暦年課税に係る贈与によって取得した一般贈与財産の価額の合計額（贈与税の配偶者控除後の金額）	⑬	円	円	円
⑬のうち被相続人から暦年課税に係る贈与によって取得した一般贈与財産の価額の合計額（贈与税額の計算の基礎となった価額）	⑭			
その年分の暦年課税分の贈与税額（裏面の「3」参照）	⑮			
控除を受ける贈与税額（一般贈与財産分）（⑮×⑭÷⑬）	⑯			

相続開始の年の前々々年分（　　年分）

贈与税の申告書の提出先		○○　税務署	税務署	税務署
被相続人から暦年課税に係る贈与によって租税特別措置法第70条の2の5第1項の規定の適用を受ける財産（特例贈与財産）を取得した場合				
相続開始の年の前々々年中に暦年課税に係る贈与によって取得した特例贈与財産の価額の合計額	⑰	円 2,000,000	円	円
⑰のうち相続開始の日から遡って3年前の日以後に被相続人から暦年課税に係る贈与によって取得した特例贈与財産の価額の合計額（贈与税額の計算の基礎となった価額）	⑱	2,000,000		
その年分の暦年課税分の贈与税額（裏面の「2」参照）	⑲	90,000		
控除を受ける贈与税額（特例贈与財産分）（⑲×⑱÷⑰）	⑳	90,000		
被相続人から暦年課税に係る贈与によって租税特別措置法第70条の2の5第1項の規定の適用を受けない財産（一般贈与財産）を取得した場合				
相続開始の年の前々々年中に暦年課税に係る贈与によって取得した一般贈与財産の価額の合計額（贈与税の配偶者控除後の金額）	㉑	円	円	円
㉑のうち相続開始の日から遡って3年前の日以後に被相続人から暦年課税に係る贈与によって取得した一般贈与財産の価額の合計額（贈与税額の計算の基礎となった価額）	㉒			
その年分の暦年課税分の贈与税額（裏面の「3」参照）	㉓			
控除を受ける贈与税額（一般贈与財産分）（㉓×㉒÷㉑）	㉔			
暦年課税分の贈与税額控除額計（④＋⑧＋⑫＋⑯＋⑳＋㉔）	㉕	90,000 円	円	円

（注）各人の㉕欄の金額を第1表のその人の「暦年課税分の贈与税額控除額⑫」欄に転記します。

第4表の2（令6.7）

（資4−20−5−3−A4 統一）

第七章　申告、更正決定及び更正の請求

配偶者の税額軽減額の計算書

被相続人　**日　本　太　郎**

第5表（令和6年1月分以降用）

私は、相続税法第19条の2第1項の規定による配偶者の税額軽減の適用を受けます。

1　一般の場合

（この表は、①被相続人から相続、遺贈や相続時精算課税に係る贈与によって財産を取得した人のうちに農業相続人がいない場合又は②配偶者が農業相続人である場合に記入します。）

課税価格の合計額のうち配偶者の法定相続分相当額	（第1表の④の金額）　　　　　　［配偶者の法定相続分］　　　　　円	⑦※ 円
	498,600,000円×　**1/2**　=　**249,300,000**円　　上記の金額が16,000万円に満たない場合には、16,000万円	**249,300,000**

配偶者の税額軽減額を計算する場合の課税価格	① 分割財産の価額（第11表2の配偶者の①の金額）	分割財産の価額から控除する債務及び葬式費用の金額		④ （②-③）の金額（③の金額が②の金額より大きいときは0）	⑤ 純資産価額に加算される暦年課税分の贈与財産価額（第1表の配偶者の⑤の金額）	⑥ （①-④+⑤）の金額（⑤の金額より小さいときは⑤の金額）（1,000円未満切捨て）
		② 債務及び葬式費用の金額（第1表の配偶者の③の金額）	③ 未分割財産の価額（第11表2の配偶者の②の金額）			
	256,646,350 円	**3,359,600** 円	円	**3,359,600** 円	**1,000,000** 円※	**254,286**,000 円

⑦ 相続税の総額（第1表の⑦の金額）	⑧ ⑦の金額と⑥の金額のうちいずれか少ない方の金額	⑨ 課税価格の合計額（第1表の④の金額）	⑩ 配偶者の税額軽減の基となる金額（⑦×⑧÷⑨）
130,505,000 円	**249,300,000** 円	**498,600**,000 円	**65,252,500** 円

配偶者の税額軽減の限度額	（第1表の配偶者の⑨又は⑩の金額）　　（第1表の配偶者の⑫の金額）　（ **66,557,550** 円 － **0** 円）	ⓛ **66,557,550** 円
配偶者の税額軽減額	（⑩の金額とⓛの金額のうちいずれか少ない方の金額）	ⓗ **65,252,500** 円

（注）ⓗの金額を第1表の配偶者の「配偶者の税額軽減額⑬」欄に転記します。

2　配偶者以外の人が農業相続人である場合

（この表は、被相続人から相続、遺贈や相続時精算課税に係る贈与によって財産を取得した人のうちに農業相続人がいる場合で、かつ、その農業相続人が配偶者以外の場合に記入します。）

課税価格の合計額のうち配偶者の法定相続分相当額	（第3表の④の金額）　　　　　　［配偶者の法定相続分］　　　　　円	ⓙ※ 円
	,000円×　　　　=　　　　円　　上記の金額が16,000万円に満たない場合には、16,000万円	

配偶者の税額軽減額を計算する場合の課税価格	⑪ 分割財産の価額（第11表2の配偶者の①の金額）	分割財産の価額から控除する債務及び葬式費用の金額		⑭ （⑫-⑬）の金額（⑬の金額が⑫の金額より大きいときは0）	⑮ 純資産価額に加算される暦年課税分の贈与財産価額（第1表の配偶者の⑤の金額）	⑯ （⑪-⑭+⑮）の金額（⑮の金額より小さいときは⑮の金額）（1,000円未満切捨て）
		⑫ 債務及び葬式費用の金額（第1表の配偶者の③の金額）	⑬ 未分割財産の価額（第11表2の配偶者の②の金額）			
	円	円	円	円	円※	,000 円

⑰ 相続税の総額（第3表の⑦の金額）	⑱ ⓙの金額と⑯の金額のうちいずれか少ない方の金額	⑲ 課税価格の合計額（第3表の④の金額）	⑳ 配偶者の税額軽減の基となる金額（⑰×⑱÷⑲）
00 円	円	,000 円	円

配偶者の税額軽減の限度額	（第1表の配偶者の⑩の金額）　　（第1表の配偶者の⑫の金額）　（ 円 － 円）	ⓦ 円
配偶者の税額軽減額	（⑳の金額とⓦの金額のうちいずれか少ない方の金額）	ⓨ 円

（注）ⓨの金額を第1表の配偶者の「配偶者の税額軽減額⑬」欄に転記します。

※　相続税法第19条の2第5項（（隠蔽又は仮装があった場合の配偶者の相続税額の軽減の不適用））の規定の適用があるときには、「課税価格の合計額のうち配偶者の法定相続分相当額」の（第1表の④の金額）、⑥、⑦、⑨、「課税価格の合計額のうち配偶者の法定相続分相当額」の（第3表の④の金額）、⑯、⑰及び⑲の各欄は、第5表の付表で計算した金額を転記します。

第5表(令6.7)　　　　　　　　　　　　　　　　　　　　　（資4-20-6-1-A4統一）

第一編　相続税

未成年者控除額
障害者控除額の計算書

被相続人 ____

第6表（令和5年1月分以降用）

1 未成年者控除

（この表は、相続、遺贈や相続時精算課税に係る贈与によって財産を取得した法定相続人のうちに、満18歳にならない人がいる場合に記入します。）

未成年者の氏名						計
年　齢 （1年未満切捨て）	①	歳	歳	歳	歳	
未成年者控除額	②	10万円×(18歳－___歳) =　　0,000円	10万円×(18歳－___歳) =　　0,000円	10万円×(18歳－___歳) =　　0,000円	10万円×(18歳－___歳) =　　0,000円	円 0,000
未成年者の第1表の（⑨＋⑪－⑫－⑬）又は（⑩＋⑪－⑫－⑬）の相続税額	③	円	円	円	円	円

(注) 1 過去に未成年者控除の適用を受けた人は、②欄の控除額に制限がありますので、「相続税の申告のしかた」をご覧ください。
　　 2 ②欄の金額と③欄の金額のいずれか少ない方の金額を、第8の8表1のその未成年者の「未成年者控除額①」欄に転記します。
　　 3 ②欄の金額が③欄の金額を超える人は、その超える金額（②－③の金額）を次の④欄に記入します。

控除しきれない金額 （②－③）	④	円	円	円	円	計 Ⓐ 円

（扶養義務者の相続税額から控除する未成年者控除額）

　Ⓐ欄の金額は、未成年者の扶養義務者の相続税額から控除することができますから、その金額を扶養義務者間で協議の上、適宜配分し、次の⑥欄に記入します。

扶養義務者の氏名						計
扶養義務者の第1表の（⑨＋⑪－⑫－⑬）又は（⑩＋⑪－⑫－⑬）の相続税額	⑤	円	円	円	円	円
未成年者控除額	⑥					

(注) 各人の⑥欄の金額を未成年者控除を受ける扶養義務者の第8の8表1の「未成年者控除額①」欄に転記します。

2 障害者控除

（この表は、相続、遺贈や相続時精算課税に係る贈与によって財産を取得した法定相続人のうちに、一般障害者又は特別障害者がいる場合に記入します。）

		一　般　障　害　者		特　別　障　害　者		計
障害者の氏名						
年　齢 （1年未満切捨て）	①	歳	歳	歳	歳	
障害者控除額	②	10万円×(85歳－___歳) =　　0,000円	10万円×(85歳－___歳) =　　0,000円	20万円×(85歳－___歳) =　　0,000円	20万円×(85歳－___歳) =　　0,000円	円 0,000
障害者の第1表の（⑨＋⑪－⑫－⑬）－第8の8表1の①又は第1表の（⑩＋⑪－⑫－⑬）－第8の8表1の①の相続税額	③	円	円	円	円	円

(注) 1 過去に障害者控除の適用を受けた人の控除額は、②欄により計算した金額とは異なりますので税務署にお尋ねください。
　　 2 ②欄の金額と③欄の金額のいずれか少ない方の金額を、第8の8表1のその障害者の「障害者控除額②」欄に転記します。
　　 3 ②欄の金額が③欄の金額を超える人は、その超える金額（②－③の金額）を次の④欄に記入します。

控除しきれない金額 （②－③）	④	円	円	円	円	計 Ⓐ 円

（扶養義務者の相続税額から控除する障害者控除額）

　Ⓐ欄の金額は、障害者の扶養義務者の相続税額から控除することができますから、その金額を扶養義務者間で協議の上、適宜配分し、次の⑥欄に記入します。

扶養義務者の氏名						計
扶養義務者の第1表の（⑨＋⑪－⑫－⑬）－第8の8表1の①又は第1表の（⑩＋⑪－⑫－⑬）－第8の8表1の①の相続税額	⑤	円	円	円	円	円
障害者控除額	⑥					

(注) 各人の⑥欄の金額を障害者控除を受ける扶養義務者の第8の8表1の「障害者控除額②」欄に転記します。

第6表(令6.7)

(資4－20－7－A4統一)

第七章　申告、更正決定及び更正の請求

相次相続控除額の計算書

被相続人	日本太郎

第7表（令和6年1月分以降用）

　この表は、被相続人が今回の相続の開始前10年以内に開始した前の相続について、相続税を課税されている場合に記入します。

1　相次相続控除額の総額の計算

前の相続に係る被相続人の氏名	前の相続に係る被相続人と今回の相続に係る被相続人との続柄	前の相続に係る相続税の申告書の提出先
日本太助	日本太郎の父	○○ 税務署

① 前の相続の年月日	② 今回の相続の年月日	③ 前の相続から今回の相続までの期間（1年未満切捨て）	④ 10年 － ③ の年数
平成27年3月10日	令和6年5月10日	9年	1年

⑤ 被相続人が前の相続の時に取得した純資産価額（相続時精算課税適用財産の価額を含みます。）	⑥ 前の相続の際の被相続人の相続税額	⑦ （⑤－⑥）の金額	⑧ 今回の相続、遺贈や相続時精算課税に係る贈与によって財産を取得した全ての人の純資産価額の合計額（第1表の④の合計金額）
19,411,546 円	4,250,000 円	15,161,546 円	495,602,246 円

（⑥の相続税額）			相次相続控除額の総額
4,250,000 円 × （⑧の金額）495,602,246／（⑦の金額）15,161,546 〔この割合が1を超えるときは1とします。〕 × （④の年数）1年／10年 ＝			Ⓐ 425,000 円

2　各相続人の相次相続控除額の計算

（1）一般の場合 （この表は、被相続人から相続、遺贈や相続時精算課税に係る贈与によって財産を取得した人のうちに農業相続人がいない場合に、財産を取得した相続人の全ての人が記入します。）

今回の相続の被相続人から財産を取得した相続人の氏名	⑨ 相次相続控除額の総額	⑩ 各相続人の純資産価額（第1表の各人の④の金額）	⑪ 相続人以外の人も含めた純資産価額の合計額（第1表の④の各人の合計）	⑫ 各人の⑩／B の割合	⑬ 各人の相次相続控除額（⑨×各人の⑫の割合）
日本花子	（上記Ⓐの金額）	253,286,750 円		0.5110686	217,204 円
日本一郎		129,636,813	Ⓑ 495,602,246	0.2615743	111,169
久保和子	425,000 円	112,678,683		0.2273570	96,627

（2）相続人のうちに農業相続人がいる場合 （この表は、被相続人から相続、遺贈や相続時精算課税に係る贈与によって財産を取得した人のうちに農業相続人がいる場合に、財産を取得した相続人の全ての人が記入します。）

今回の相続の被相続人から財産を取得した相続人の氏名	⑭ 相次相続控除額の総額	⑮ 各相続人の純資産価額（第3表の各人の④の金額）	⑯ 相続人以外の人も含めた純資産価額の合計額（第3表の④の各人の合計）	⑰ 各人の⑮／C の割合	⑱ 各人の相次相続控除額（⑭×各人の⑰の割合）
	（上記Ⓐの金額）	円		の割合	円
			Ⓒ		
	円		円		

（注）　1　⑤欄の相続時精算課税適用財産の価額は、令和6年1月1日以後の贈与により取得した財産の場合、その贈与により取得した年分ごとに、その財産の価額から相続時精算課税に係る基礎控除額を控除した残額となります。

　　　2　⑥欄の相続税額は、相続時精算課税分の贈与税額控除後の金額をいい、その被相続人が納税猶予の適用を受けていた場合の免除された相続税額並びに延滞税、利子税及び加算税の額は含まれません。

　　　3　各人の⑬又は⑱欄の金額を第8の8表1のその人の「相次相続控除額③」欄に転記します。

第7表（令6.7）　　　　　　　　　　　　　　　　　　　　　　　　　　　　　　　　（資4－20－8－A4統一）

第一編　相続税

外国税額控除額 農地等納税猶予税額 の 計 算 書

被相続人 　　　　　　　　　　　

第8表（令和6年1月分以降用）

1　外国税額控除

（この表は、課税される財産のうちに外国にあるものがあり、その財産について外国において日本の相続税に相当する税が課税されている場合に記入します。）

外国で相続税に相当する税を課せられた人の氏名	外国の法令により課せられた税		③①の日現在における邦貨換算率	④邦貨換算税額（②×③）	⑤邦貨換算在外純財産の価額	⑥⑤の金額取得財産の価額の割合	⑦相次相続控除後の税額×⑥	⑧控除額④と⑦のうちいずれか少ない方の金額
	国名及び税の名称	①納期限（年月日）②税額						
		‥		円	円		円	円
		‥						
		‥						
		‥						
		‥						
		‥						

（注）1　⑤欄は、在外財産（被相続人から相続開始の年に暦年課税に係る贈与によって取得した財産及び相続時精算課税適用財産を含みます。）の価額からその財産についての債務の金額を控除した価額を記入します。

　　　　　なお、在外財産が令和6年1月1日以後の贈与により取得した相続時精算課税適用財産である場合のその在外財産の価額は、その贈与を受けた年と同一年中に被相続人である特定贈与者から贈与により取得した相続時精算課税適用財産の価額の合計額からその年分の相続時精算課税に係る基礎控除額を控除した残額が限度となります。

　　　2　⑥欄の「取得財産の価額」は、第1表の④欄の金額と被相続人から相続開始の年に暦年課税に係る贈与によって取得した財産の価額の合計額によります。

　　　3　各人の⑧欄の金額を第8の8表1のその人の「外国税額控除額④」欄に転記します。

2　農地等納税猶予税額　（この表は、農業相続人について該当する金額を記入します。）

農業相続人の氏名				
納税猶予の基となる税額（第3表の各農業相続人の⑫の金額）	①	円	円	円
相続税額の2割加算が行われる場合の加算金額（第4表⑥×③第3表の各農業相続人の⑪の金額）	②			
納上税額の猶予税額控除の計算額 税額控除額の計（第1表の各農業相続人の（⑮＋⑰）の金額）	③			
第3表⑨の各農業相続人の算出税額	④			
相続税額の2割加算が行われる場合の加算金額（第4表⑥×④第3表の各農業相続人の⑨の金額）	⑤			
（③－（④＋⑤））の金額（赤字のときは0）	⑥			
農地等納税猶予税額（①＋②－⑥）（100円未満切捨て、赤字のときは0）	⑦	00	00	00

（注）1　各人の⑦欄の金額を第8の8表2のその人の「農地等納税猶予税額①」欄に転記します。なお、その人が、他の相続税の納税猶予等の適用を受ける場合は、第8の7表の⑰欄の金額を第8の8表2のその人の「農地等納税猶予税額①」欄に転記します。

　　　2　この申告が修正申告である場合の⑦に記入する金額は、⑦欄の「①＋②－⑥」の金額が修正前の「農地等納税猶予税額」の金額を超える場合には、当該修正前の「農地等納税猶予税額」の金額にとどめます。ただし、納税猶予の適用を受ける特例農地等（期限内申告において第12表に記入した特例農地等に限ります。）の評価誤り又は税額の計算誤りがあった場合で、その誤りだけを修正するものであるときの⑦欄の金額は、当該修正前の「農地等納税猶予税額」の金額を超えることができます。

第8表（令6.7）

（資4-20-9-1-A4統一）

第七章　申告、更正決定及び更正の請求

株式等納税猶予税額の計算書（一般措置用）

被相続人	

経営承継人	
経営承継相続人等・経営相続承継受贈者	

第8の2表（令和5年1月分以降用）

この計算書は、経営承継相続人等又は経営相続承継受贈者に該当する人が非上場株式等についての相続税の納税猶予に係る「一般措置」の適用を受ける場合に納税猶予税額（株式等納税猶予税額）を算出するために使用します。
(注)　1　経営承継相続人等及び経営相続承継受贈者に該当する人を、以下この計算書（第8の2表）において「経営承継人」と表記しています。
　　　2　非上場株式等についての相続税の納税猶予に係る「特例措置」の適用を受ける場合には第8の2の2表を使用してください。

　私は、第8の2表の付表1・付表2の「2　対象非上場株式等の明細」又は第8の2表の付表3の「2　対象相続非上場株式等の明細」に記載した会社の株式（出資）のうち各明細の③欄の株式等の数等について非上場株式等についての納税猶予及び免除（租税特別措置法第70条の7の2第1項、同法第70条の7の4第1項、所得税法等の一部を改正する法律（平成21年法律第13号）附則第64条第2項又は第7項）の適用を受けます。

1 株式等納税猶予税額の基となる相続税の総額の計算

(1)「特定価額に基づく課税遺産総額」等の計算

	円
① 経営承継人の第8の2表の付表1・付表2・付表3のA欄の合計額	
② 経営承継人に係る債務及び葬式費用の金額（第1表のその人の③欄の金額）	
③ 経営承継人が相続又は遺贈により取得した財産の価額（その経営承継人の第1表の（①＋②）（又は第3表の①欄）の金額	
④ 控除未済債務額（①＋②－③）の金額（赤字の場合は0）	
⑤ 特定価額（①－④）（1,000円未満切捨て）（赤字の場合は0）	,000
⑥ 特定価額の20％に相当する金額（⑤×20％）（1,000円未満切捨て）	,000
⑦ 経営承継人以外の相続人等の課税価格の合計額（その経営承継人以外の者の第1表の⑥欄（又は第3表の⑥欄）の金額の合計）	,000
⑧ 基礎控除額（第2表の⑥欄の金額）	,000,000
⑨ 特定価額に基づく課税遺産総額（⑤＋⑦－⑧）	,000
⑩ 特定価額の20％に相当する金額に基づく課税遺産総額（⑥＋⑦－⑧）	,000

(2)「特定価額に基づく相続税の総額」等の計算

⑪ 法定相続人の氏名	⑫ 法定相続分	特定価額に基づく相続税の総額の計算		特定価額の20％に相当する金額に基づく相続税の総額の計算	
		⑬法定相続分に応ずる取得金額（⑨×⑫）	⑭相続税の総額の基礎となる税額（第2表の「速算表」で計算します。）	⑮法定相続分に応ずる取得金額（⑩×⑫）	⑯相続税の総額の基礎となる税額（第2表の「速算表」で計算します。）
		円	円	円	円
		,000		,000	
		,000		,000	
		,000		,000	
		,000		,000	
		,000		,000	
		,000		,000	
法定相続分の合計　1		⑰相続税の総額（⑭の合計額）　　00		⑱相続税の総額（⑯の合計額）　　00	

(注)　1　⑨欄の「第1表の（①＋②）」の金額は、経営承継人が租税特別措置法第70条の6第1項の規定による農地等についての納税猶予及び免除等の適用を受ける場合は、「第3表の①欄」の金額となります。また、⑦欄の「第1表の⑥欄」の金額は、相続又は遺贈により財産を取得した人のうちに租税特別措置法第70条の6第1項の規定による農地等についての納税猶予及び免除等の適用を受ける人がいる場合は、「第3表の⑥欄」の金額となります。
　　　2　⑪及び⑫欄は、第2表の「④法定相続人」の「氏名」欄及び「⑤左の法定相続人に応じた法定相続分」欄からそれぞれ転記します。

2 株式等納税猶予税額の計算

	円
① （経営承継人の第1表の（⑮＋⑰－⑫））の金額	
② 特定価額に基づく経営承継人の算出税額（1の⑰×1の⑤／1の（⑤＋⑦））	
③ 特定価額に基づき相続税額の2割加算が行われる場合の加算金額（②×20％）	
a （②＋③－経営承継人の第1表の⑫）の金額（赤字の場合は0）	
④ 特定価額の20％に相当する金額に基づく経営承継人の算出税額（1の⑱×1の⑥／1の（⑥＋⑦））	
⑤ 特定価額の20％に相当する金額に基づき相続税額の2割加算が行われる場合の加算金額（④×20％）	
b （④＋⑤－経営承継人の第1表の⑫）の金額（赤字の場合は0）	
c 経営承継人の第1表の⑥欄に基づく算出税額（その人の第1表の⑨（⑨（又は⑩）＋⑪－⑫）（赤字の場合は0）	
⑥ （①＋a－b－c）の金額（赤字の場合は0）	
⑦ （a－b－⑥）の金額（赤字の場合は0）	
⑧ 対象非上場株式等又は対象相続非上場株式等に係る会社が2社以上ある場合の会社ごとの株式等納税猶予税額　(注2参照)	
イ （会社名）　　　　に係る株式等納税猶予税額（⑦×イの株式等に係る価額／1の①）（100円未満切捨て）	00
ロ （会社名）　　　　に係る株式等納税猶予税額（⑦×ロの株式等に係る価額／1の①）（100円未満切捨て）	00
ハ （会社名）　　　　に係る株式等納税猶予税額（⑦×ハの株式等に係る価額／1の①）（100円未満切捨て）	00
⑨ **株式等納税猶予税額**（⑦の金額（100円未満切捨て）又は⑧の金額の合計額）　(注3参照)	A　　　00

(注)　1　c欄の算式中の「第1表の⑨」の金額について、相続又は遺贈により財産を取得した人のうちに租税特別措置法第70条の6第1項の規定による農地等についての納税猶予及び免除等の適用を受ける人がいる場合は、「第1表の⑩」の金額とします。
　　　2　対象非上場株式等又は対象相続非上場株式等に係る会社が1社のみの場合は、⑧欄の記入は行わず、⑦欄の金額を⑨欄のA欄に記入します（100円未満切捨て）。なお、イからハまでの各欄の算式中の「株式等に係る価額」とは第8の2表の付表1及び付表2の「2　対象非上場株式等の明細」の⑤欄並びに第8の2表の付表3の「2　対象相続非上場株式等の明細」の⑤欄の金額をいいます。また、会社が4社以上ある場合は、適宜の用紙に会社ごとの株式等納税猶予税額を記載し添付してください。
　　　3　⑨欄のA欄の金額を経営承継人が他の第8の8表2の「株式等納税猶予税額②」欄に転記します。なお、経営承継相続税等の適用を受ける場合は、⑨欄のA欄の金額によらず、第8の7表の⑱欄の金額を経営承継人の第8の8表2の「株式等納税猶予税額②」欄に転記します。
　　　4　この申告が修正申告である場合の⑦欄に記入する金額は、⑦欄が修正前の当該金額を超える場合には、当該修正前の金額にとどめます（⑧及び⑨欄も同様です。）。ただし、この制度の適用を受ける対象非上場株式等又は対象相続非上場株式等（期限内申告において第8の2表の付表1及び付表2の「2　対象非上場株式等の明細」並びに第8の2表の付表3の「2　対象相続非上場株式等の明細」に記入した対象非上場株式等又は対象相続非上場株式等に限ります。）の評価誤り又は税額の計算誤りがあった場合で、その誤りだけを修正するものであるときの⑦欄の金額は、当該修正前の金額を超えることができます。

※税務署整理欄	入力		確認	

※の項目は記入する必要がありません。

第8の2表（令6.7）　　　　　　　　　　　　　　　　　　　　　　　　　　　（資4-20-9-2-A4統一）

－229－

第一編　相続税

非上場株式等についての相続税の納税猶予及び免除の適用を受ける対象非上場株式等の明細書（一般措置用）

第8の2表の付表1（平成31年1月分以降用）

被相続人	
経営承継相続人等	

　この明細書は、「非上場株式等についての相続税の納税猶予及び免除（租税特別措置法第70条の7の2）」の適用を受ける対象非上場株式等について、その明細を記入します。なお、経営承継相続人等が被相続人から贈与により対象非上場株式等に係る会社の株式等を取得している場合で、その株式等の贈与に係る贈与税の申告において所得税法等の一部を改正する法律（平成21年法律第13号）による改正前の租税特別措置法第69条の5、同法第70条の3の3又は第70条の3の4の規定の適用を受けているときはこの明細書によらず第8の2表の付表2を使用してください。
　この明細書の記入に際しては、裏面にご注意ください。

1　対象非上場株式等に係る会社

①	会社名		⑦	相続開始の日から5か月後における経営承継相続人等の役職名
②	会社の整理番号（会社の所轄税務署名）	（　　署）		
③	事業種目		⑧	円滑化法の認定の状況	認定年月日	年　月　日
④	相続開始の時における資本金の額	円			認定番号	
⑤	相続開始の時における資本準備金の額	円	⑨	会社又はその会社の特別関係会社であってその会社との間に支配関係がある法人が保有する外国会社等の株式等の有無	有	無
⑥	相続開始の時における従業員数	人				

2　対象非上場株式等の明細

①　相続開始の時における発行済株式等の総数等	②　被相続人から相続又は遺贈により取得した株式等の数等	③　②のうち、制度の適用を受ける株式等の数等	④　1株（口・円）当たりの価額（裏面の「2（3）」参照）	⑤　価　額　（③×④）
株・口・円	株・口・円	株・口・円	円　A	円

3　納税猶予及び免除の適用を受ける株式等の数等の限度数（限度額）の計算

　この欄は、「2　対象非上場株式等の明細」の③欄に記載することができる株式等の数等の限度数（限度額）の計算をします。

①　発行済株式等の総数等の3分の2に相当する数等（2の①×$\frac{2}{3}$）（1株・口・円未満の端数切上げ）	②　経営承継相続人等が相続開始前から保有する数等	③　（①−②）の数等（赤字の場合は0）	④　2の③欄の限度となる数等（③欄の数等と2の②欄の数等のうちいずれか少ない方の数等）
株・口・円	株・口・円	株・口・円	株・口・円

4　最初の非上場株式等についての贈与税の納税猶予及び免除等の適用に関する事項

　この欄は、経営承継相続人等が、その相続開始前に贈与又は相続等により取得した上記1の対象非上場株式等に係る会社の非上場株式等について、「非上場株式等についての贈与税の納税猶予及び免除（租税特別措置法第70条の7）」又は「非上場株式等についての相続税の納税猶予及び免除（同法第70条の7の2）」の規定の適用を受けている場合又は受けようとしている場合において、最初のその贈与又は相続等によるその会社の非上場株式等の取得に関する事項等について記入します。

①　取得の原因	②　取得年月日	③　申告した税務署名	④　贈与者又は被相続人の氏名
贈与・相続等	年　月　日	署	

5　会社が現物出資又は贈与により取得した資産の明細書

　この明細書は、租税特別措置法施行規則第23条の10第22項第7号の規定に基づき、会社が相続開始前3年以内に経営承継相続人等及び経営承継相続人等と特別の関係がある者（裏面の「4（1）」参照）から現物出資又は贈与により取得した資産の価額（裏面の「4（2）」参照）等について記入します。なお、この明細書によらず会社が別途作成しその内容を証明した書類を添付しても差し支えありません。

取得年月日	種類	細目	利用区分	所在場所等	数量	①　価　額	出資者・贈与者の氏名・名称
・　・						円	
・　・							
・　・							
②　現物出資又は贈与により取得した資産の価額の合計額（①の合計額）							
③　会社の全ての資産の価額の合計額（②の金額を含みます。）							
④　現物出資等資産の保有割合（$\frac{②}{③}$）						％	

　上記の明細の内容に相違ありません。
　　　　　　　　　　　　　　　　　　　　　　　　　令和　年　月　日

所在地

会社名

代表者氏名

※の項目は記入する必要がありません。

※税務署整理欄	法人管轄署番号	−	入力		確認	

第8の2表の付表1（令6.7）

（資4−20−9−3−A4統一）

第七章　申告、更正決定及び更正の請求

非上場株式等についての相続税の納税猶予及び免除の適用を受ける対象非上場株式等の明細書

（所得税法等の一部を改正する法律（平成21年法律第13号）附則第64条第2項又は第7項の規定の適用を受ける株式等がある場合）

被相続人	
経営承継相続人等	

第8の2表の付表2（平成31年1月分以降用）

この明細書は、非上場株式等についての納税猶予及び免除の適用を受ける経営承継相続人等が被相続人から贈与により取得した特定受贈同族会社株式等又は特定同族株式等のうち所得税法等の一部を改正する法律（平成21年法律第13号）附則第64条第2項又は第7項の規定により相続又は遺贈により取得したものとみなされる対象非上場株式等及びその特定受贈同族会社株式等又はその特定同族株式等に係る会社の株式等で相続又は遺贈により取得した対象非上場株式等について、その明細を記入します。この明細書の記入に際しては、裏面にご注意ください。

1　対象非上場株式等に係る会社

①	会社名		⑧	経営承継相続人等が役員等であった期間	・・～・・
②	会社の整理番号（会社の所轄税務署名）	（　　署）	⑨ 円滑化法の認定の状況	認定年月日	年　月　日
③	事業種目			認定番号	
④	相続開始の時における資本金の額	円	⑩ 会社又はその会社の特別関係会社であってその会社との間に支配関係がある法人が保有する外国会社等の株式等の有無	有	無
⑤	相続開始の時における資本準備金の額	円			
⑥	相続開始の時における従業員数	人			
⑦	相続開始の日から5か月後における経営承継相続人等の役職名				

2　対象非上場株式等の明細

（1）　相続開始の時における発行済株式等の総数等　　　　　　　　　　　　　　　　　　　　株・口・円

（2）　対象非上場株式等の明細

区　分	受贈年月日	① 被相続人から相続又は遺贈により取得した株式等の数等	② 被相続人から贈与により取得した株式等の数等	③ ①又は②のうち制度の適用を受ける株式等の数等	④ 1株（口・円）当たりの価額（裏面「3(5)」参照）	⑤ 価　額（③×④）
イ 特定受贈同族会社株式等に係る対象非上場株式等	・・		株・口・円	b 株・口・円	円	円
	・・			b		
ロ 特定同族株式等に係る対象非上場株式等	・・			b		
	・・			b		
ハ イ及びロ以外の対象非上場株式等		a 株・口・円		c		
合　　計		d		e		A

3　納税猶予及び免除の適用を受ける株式等の数等の限度数（限度額）の計算

この欄は、「2　対象非上場株式等の明細」の(2)の③欄に記入することができる株式等の数等の限度数（限度額）の計算をします。

① 発行済株式等の総数等の3分の2に相当する数等（2の(1)×2/3）（1株・口・円未満の端数切上げ）	② 経営承継相続人等が相続開始前から保有する数等	③ 2の③欄の限度となる数等	
		イ 特定受贈同族会社株式等及び特定同族株式等に係る対象非上場株式等（bの数等の合計）の限度数	ロ 相続又は遺贈により取得した対象非上場株式等（cの数等）の限度数
株・口・円	株・口・円	①≦②の場合	（①－②＋d）の数等（赤字の場合は0）　株・口・円	（①－②）の数等　株・口・円
		①＞②の場合	（d）の数等　株・口・円	（①－②）の数等　株・口・円

4　最初の非上場株式等についての贈与税の納税猶予及び免除等の適用に関する事項

この欄は、経営承継相続人等が、その相続開始前に贈与又は相続等により取得した上記1の対象非上場株式等に係る会社の非上場株式等について、「非上場株式等についての贈与税の納税猶予及び免除（租税特別措置法第70条の7）」又は「非上場株式等についての相続税の納税猶予及び免除（同法第70条の7の2）」の規定の適用を受けている場合又は受けようとしている場合において、最初のその贈与又は相続等によるその会社の非上場株式等の取得に関する事項等について記入します。

① 取得の原因	② 取得年月日	③ 申告した税務署名	④ 贈与者又は被相続人の氏名
贈与・相続等	年　月　日	署	

5　会社が現物出資又は贈与により取得した資産の明細書

この明細書は、租税特別措置法施行規則第23条の10第22項第7号の規定に基づき、会社が相続開始前3年以内に経営承継相続人等及び経営承継相続人等と特別の関係がある者から現物出資又は贈与により取得した資産の価額等について記入します。なお、この明細書によらず会社が別途作成しその内容を証明した書類を添付しても差し支えありません。

取得年月日	種類	細目	利用区分	所在場所等	数量	① 価　額	出資者・贈与者の氏名・名称
・・						円	
・・							
・・							
② 現物出資又は贈与により取得した資産の価額の合計額（①の合計額）							
③ 会社の全ての資産の価額の合計額（②の金額を含みます。）							
④ 現物出資等資産の保有割合（②/③）						％	

上記の明細の内容に相違ありません。　　　　　　令和　年　月　日

所在地　_____
会社名　_____
代表者氏名　_____

6　租税特別措置法施行令等の一部を改正する政令（平成21年政令第108号）附則第43条第1項第3号の同意

私（私たち）は、この明細書に記載された経営承継相続人等が、被相続人から贈与により取得した「2　対象非上場株式等の明細」のイの株式等について租税特別措置法第70条の7の2第1項の規定の適用を受けることに同意します。

同意すべき人の氏名（裏面「6」参照）

※の項目は記入する必要がありません。

※税務署整理欄	法人管轄署番号	―	入力	確認

第8の2表の付表2（令6.7）　　　　　　　　　　　　　　　　　　　　　　（資4－20－9－4－A4統一）

第一編　相続税

非上場株式等についての相続税の納税猶予及び免除の適用を受ける対象相続非上場株式等の明細書（一般措置用）

右端縦書き：**第8の2表の付表3（平成31年1月分以降用）**

被　相　続　人	
経営相続承継受贈者	

　この明細書は、「非上場株式等の贈与者が死亡した場合の相続税の納税猶予及び免除（租税特別措置法第70条の7の4）」の適用を受ける対象相続非上場株式等について、その明細を記入します。

1　対象相続非上場株式等に係る会社

①	会社名		⑦	相続開始の時における経営相続承継受贈者の役職名			
②	会社の整理番号（会社の所轄税務署名）	（　　　署）					
③	事業種目		⑧	円滑化法の確認の状況	確認年月日		年　　月　　日
④	相続開始の時における資本金の額	円			確認番号		
⑤	相続開始の時における資本準備金の額	円	⑨	会社又はその会社の特別関係会社であってその会社との間に支配関係がある法人が保有する外国会社等の株式等の有無		有	無
⑥	相続開始の時における従業員数	人					

(注)　1　租税特別措置法第70条の7第1項の規定の適用を受けた対象受贈非上場株式等に係る会社が、その株式等の贈与の時から相続開始の直前までにおいて、合併により消滅した場合はその合併により存続した会社又は設立した会社、株式交換等により他の会社の株式交換完全子会社等となった場合はその場合の他の会社について①から⑧までの各欄を記入します。
　　　2　⑦欄は、具体的にその役職を、例えば、「代表取締役」と記入します。
　　　　　なお、代表権に制限のある代表者については、この制度の適用を受けることはできません。
　　　3　⑧欄は、中小企業における経営の承継の円滑化に関する法律施行規則第13条第1項（同条第3項において準用する場合を含みます。）の都道府県知事の確認を受けた年月日及び確認番号をそれぞれ記入します。
　　　4　⑨欄は、対象相続非上場株式等に係る会社又はその会社の特別関係会社（租税特別措置法施行令第40条の8の4第4項において準用する租税特別措置法施行令第40条の8の2第8項の特別の関係がある会社をいいます。）であって対象相続非上場株式等に係る会社との間に支配関係（租税特別措置法施行令第40条の8の4第4項において準用する租税特別措置法施行令第40条の8の2第9項に規定する関係をいいます。）がある法人が保有する会社法第2条第2号に規定する外国会社（対象相続非上場株式等に係る会社の特別関係会社に該当するものに限ります。）の株式等、租税特別措置法施行令第40条の8の4第8項において準用する租税特別措置法施行令第40条の8の2第12項第1号に掲げる法人の株式等（対象相続非上場株式等に係る会社が資産保有型会社等に該当する場合に限ります。）又は同項第2号に掲げる医療法人の出資の有無について記入します。

2　対象相続非上場株式等の明細

受贈年月日	①　相続開始の時における発行済株式等の総数等	②　被相続人から贈与により取得した租税特別措置法第70条の7第1項の規定の適用を受けた株式等で相続開始の時において保有していた株式等の数等	③　②のうち制度の適用を受ける株式等の数等	④　1株（口・円）当たりの価額（「(注)4」参照）	⑤　価　額（③×④（ただし「(注)5」参照））
・・	株・口・円	株・口・円	株・口・円	円	円　　A

(注)　1　①から③欄までの「総数等」及び「数等」には、議決権に制限のある株式等の数等は含まれません。
　　　2　次の場合で②欄の数等又は④欄の金額の記入に当たってお分かりにならないことがありましたら、税務署にお尋ねください。
　　　　・　贈与により取得した時以後において、株式等について併合・分割・株式無償割当てがあった場合やその株式等に係る会社について合併・会社分割・株式交換等があった場合
　　　　・　租税特別措置法第70条の7第15項第3号の規定の適用に係る贈与により取得した株式等がある場合
　　　3　③欄は、「3　納税猶予及び免除の適用を受ける株式等の数等の限度数（限度額）の計算」の④欄の数等が限度となります。
　　　4　④欄の金額は、贈与の時における価額を基礎として計算した価額を記入します。贈与の時に、贈与税の納税猶予税額を租税特別措置法第70条の7第2項第5号イに規定する認定贈与承継会社が外国会社等の株式等を有していないものとして計算していた場合には、税務署にお尋ねください。
　　　5　対象相続非上場株式等に係る会社又はその会社の特別関係会社（租税特別措置法施行令第40条の8の4第4項において準用する租税特別措置法施行令第40条の8の2第8項の特別の関係がある会社をいいます。）であって対象相続非上場株式等に係る会社との間に支配関係（租税特別措置法施行令第40条の8の2第9項に規定する関係をいいます。）がある法人（以下「会社等」といいます。）がある法人法第2条第2号に規定する外国会社（対象相続非上場株式等に係る会社の特別関係会社に該当するものに限ります。）の株式等、租税特別措置法施行令第40条の8の4第8項において準用する租税特別措置法施行令第40条の8の2第12項第1号に掲げる法人の株式等（対象相続非上場株式等に係る会社が資産保有型会社等に該当する場合に限ります。）又は同項第2号に掲げる医療法人の出資を有する場合の納税猶予分の相続税額の計算の基となる対象相続非上場株式等の価額は、租税特別措置法第70条の7の4第1項の対象受贈非上場株式等の租税特別措置法第70条の7第1項の規定の適用に係る贈与の時における対象受贈非上場株式等に係る会社の株式等の価額を基礎として会社等が外国会社等の株式等を有していなかったものとして計算した金額となります。詳しくは税務署にお尋ねください。
　　　6　A欄の金額（⑤欄の金額）を第8の2表の「1　株式等納税猶予額の基となる相続税の総額の計算」の①欄に転記します。
　　　　　なお、第8の2表の付表1・付表2・付表3の作成がある場合は、各付表のA欄の合計額を第8の2表の「1　株式等納税猶予額の基となる相続税の総額の計算」の①欄に記入します。

3　納税猶予及び免除の適用を受ける株式等の数等の限度数（限度額）の計算

　この欄は、「2　対象相続非上場株式等の明細」の③欄に記載することができる株式等の数等の限度数（限度額）の計算をします。

①　発行済株式等の総数等の3分の2に相当する数等（2の①×$\frac{2}{3}$）（1株・口・円未満の端数切上げ）	②　経営相続承継受贈者が2の②欄に係る贈与の直前において保有していた数等	③　（①－②）の数等（赤字の場合は0）	④　2の③欄の限度となる数等（③欄の数等と2の②欄の数等のうちいずれか少ない方の数等）
株・口・円	株・口・円	株・口・円	株・口・円

4　最初の非上場株式等についての贈与税の納税猶予及び免除等の適用に関する事項

　この欄は、経営相続承継受贈者が、「2　対象相続非上場株式等の明細」の受贈年月日前に贈与又は相続等により取得した上記1の対象相続非上場株式等に係る会社の非上場株式等について、「非上場株式等についての贈与税の納税猶予及び免除（租税特別措置法第70条の7）」又は「非上場株式等についての相続税の納税猶予及び免除（同法第70条の7の2）」の規定の適用を受けている場合において、最初のその贈与又は相続等によるその会社の非上場株式等の取得に関する事項等について記入します。

①　取得の原因	②　取得年月日	③　申告した税務署名	④　贈与者又は被相続人の氏名
贈与・相続等	年　　月　　日	署	

(注)　1　「相続等」とは、相続又は遺贈をいいます。
　　　2　①欄は、取得の原因を丸で囲んでください。
　　　3　③欄は、最初の贈与又は相続等によるその会社の非上場株式等の取得について、非上場株式等についての贈与税の納税猶予及び免除等の適用を受けている、又は受けようとする贈与税又は相続税の申告書の提出先の税務署名を記入してください。
　　　4　④欄は、最初の贈与又は相続等によるその会社の非上場株式等の取得に係る贈与者又は被相続人の氏名を記入してください。

※の項目は記入する必要がありません。

※税務署整理欄	法人管轄署番号		－		入力		確認	

第8の2表の付表3（令6.7）

（資4－20－9－5－A4統一）

第七章　申告、更正決定及び更正の請求

非上場株式等についての相続税の納税猶予及び免除の適用に係る会社が災害等により被害を受けた場合の明細書（一般措置用）

被 相 続 人	
経 営 承 継 人 （経営承継相続人等・ 経営相続承継受贈者）	
対象非上場株式等又は 対象相続非上場株式等 に係る会社の名称	

第8の2表の付表4（平成31年1月分以降用）

　この明細書は、災害等が発生した日から同日以後１年を経過する日までの間に相続又は遺贈により取得をした（租税特別措置法第70条の７の３の規定により取得をしたものとみなされる場合を含みます。）株式等について非上場株式等についての納税猶予及び免除の適用を受けようとする場合で、租税特別措置法第70条の７の２第35項若しくは第37項又は同法第70条の７の４第18項の規定の適用を受けるときに、会社の被害の態様等について、その明細を記入します。

1　規定の適用を受ける旨の確認

　私は、第８の２表の付表１・付表２の「１　対象非上場株式等に係る会社」又は第８の２表の付表３の「１　対象相続非上場株式等に係る会社」に記載した会社が、下記の「２　災害等により被害を受けた会社の被害の態様」の(1)から(3)までのいずれかに該当したので、次の規定の適用を受けます（適用を受ける規定の「□」にレ印を記入します。）。

□　租税特別措置法第70条の７の２第35項の規定の適用を受け、同条第２項第１号に掲げる認定承継会社の要件から、同号ロの資産保有型会社又は資産運用型会社のうち、租税特別措置法施行令第40条の８の２第７項に定めるものに該当しないこととする要件を除きます。

□　租税特別措置法第70条の７の２第37項の規定の適用を受け、同条第２項第３号に掲げる経営承継相続人等の要件から、同号ヘの認定承継会社の経営を確実に承継するものと認められる要件として、租税特別措置法施行規則第23条の10第８項で定める相続の開始の直前において当該会社の役員であったこととする要件を除きます。

□　租税特別措置法第70条の７の４第18項の規定の適用を受け、同条第２項第１号に掲げる認定相続承継会社の要件から、同号ロの資産保有型会社又は資産運用型会社のうち、租税特別措置法施行令第40条の８の４第３項に定めるものに該当しないこととする要件を除きます。

2　災害等により被害を受けた会社の被害の態様

　次の場合の区分に応じて、それぞれ(1)から(3)までのいずれかの欄について記入してください。

(1)　災害によって被害を受けた事業用資産が総資産の30％以上である場合（貸借対照表の帳簿価額で判定します。）

①　災害が発生した年月日	年　　　月　　　日
②　災害が発生した日の属する事業年度の直前の事業年度終了の時における総資産の価額	円
③　災害により滅失をした資産の価額の合計額 　（注）1　滅失には、通常の修繕によっては原状回復が困難な損壊を含みます。 　　　　2　資産には、租税特別措置法第70条の７第２項第８号ロに規定する特定資産を含みません。	円
④　（③÷②×100） 　30％以上で あれば適用可 　→	％

※　(1)に該当する場合には、中小企業における経営の承継の円滑化に関する法律施行規則（以下「円滑化省令」といいます。）第13条の２第４項の確認書（同条第１項第１号に係るものに限ります。）の写し及び同条第２項の規定により都道府県知事に提出した同項の申請書（同号に係るものに限ります。）の写しを添付してください。

(2)　災害によって被害を受けた事業所で雇用されていた常時使用従業員の数が常時使用従業員の総数の20％以上である場合（上記(1)に該当する場合を除きます。）

①　災害が発生した年月日	年　　　月　　　日
②　災害が発生した日の前日における常時使用従業員の総数	人
③　災害により滅失又は損壊をした事業所（注）において、その災害が発生した日の前日に使用していた常時使用従業員の数 　（注）災害が発生した日から同日以後６か月を経過する日までの間継続して常時使用従業員が本来の業務に従事することができないと認められる事業所をいいます。	人
④　（③÷②×100） 　20％以上で あれば適用可 　→	％

※　(2)に該当する場合には、円滑化省令第13条の２第４項の確認書（同条第１項第２号に係るものに限ります。）の写し及び同条第２項の規定により都道府県知事に提出した同項の申請書（同号に係るものに限ります。）の写しを添付してください。

(3)　中小企業信用保険法第２条第５項第３号又は第４号のいずれかの事由に該当し、特定日以後６か月間の売上金額が前年同期間の売上金額の70％以下である場合（上記(1)又は(2)に該当する場合を除きます。）

①　中小企業信用保険法第２条第５項の該当事由（３号・４号）及び特定日（注） 　（注）　特定日とは、中小企業信用保険法第２条第５項第３号又は第４号の経済産業大臣の指定する事由が発生した日をいいます。	□　３号該当　　□　４号該当 特定日：　　年　　月　　日
②　特定日の１年前の日から同日以後６か月を経過する日までの間における売上金額	円
③　特定日から特定日以後６か月を経過する日までの間における売上金額	円
④　（③÷②×100） 　70％以下で あれば適用可 　→	％

※　(3)に該当する場合には、円滑化省令第13条の２第４項の確認書（同条第１項第５号又は第６号に係るものに限ります。）の写し及び同条第２項の規定により都道府県知事に提出した同項の申請書（これらの号に係るものに限ります。）の写しを添付してください。

第８の２表の付表４（令6.7）　　　　　　　　　　　　　　　　　　　　　　　　　　（資４−20−９−11−Ａ４統一）

第一編　相続税

特例株式等納税猶予税額の計算書（特例措置用）

第8の2の2表（令和5年1月分以降用）

被相続人	
特例経営承継人 （特例経営承継相続人等・特例経営承継受贈者）	

　この計算書は、特例経営承継相続人等又は特例経営相続承継受贈者に該当する人が非上場株式等についての相続税の納税猶予に係る「特例措置」の適用を受ける場合に納税猶予税額（特例株式等納税猶予税額）を算出するために使用します。
（注）1　特例経営承継相続人等及び特例経営相続承継受贈者に該当する人を、以下この計算書（第8の2の2表）において「特例経営承継人」と表記しています。
　　　2　非上場株式等についての相続税の納税猶予に係る「一般措置」の適用を受ける場合には第8の2表を使用してください。

　私は、第8の2の2表の付表1の「2　特例対象非上場株式等の明細」又は第8の2の2表の付表2の「2　特例対象相続非上場株式等の明細」に記載した会社の株式（出資）のうち各明細の③欄の株式等の数等について非上場株式等についての納税猶予及び免除の特例（租税特別措置法第70条の7の6第1項、同法第70条の7の8第1項）の適用を受けます。

1　特例株式等納税猶予税額の基となる相続税の総額の計算

(1)　「特定価額に基づく課税遺産総額」等の計算

①	特例経営承継人の第8の2の2表の付表1・付表2のA欄の合計額	円
②	特例経営承継人に係る債務及び葬式費用の金額（第1表のその人の③欄の金額）	
③	特例経営承継人が相続又は遺贈により取得した財産の価額（その特例経営承継人の第1表の（①＋②）（又は第3表の①欄）の金額）	
④	控除未済債務額（①＋②－③）の金額（赤字の場合は0）	
⑤	特定価額（①－④）（1,000円未満切捨て）（赤字の場合は0）	,000
⑥	特例経営承継人以外の相続人等の課税価格の合計額（その特例経営承継人以外の者の第1表の⑥欄（又は第3表の⑥欄）の金額の合計）	,000
⑦	基礎控除額（第2表の④欄の金額）	,000,000
⑧	特定価額に基づく課税遺産総額（⑤＋⑥－⑦）	,000

(2)　「特定価額に基づく相続税の総額」等の計算

⑨ 法定相続人の氏名	⑩ 法定相続分	特定価額に基づく相続税の総額の計算	
		⑪法定相続分に応ずる取得金額（⑧×⑩）	⑫相続税の総額の基礎となる税額（第2表の「速算表」で計算します。）
		円	円
		,000	
		,000	
		,000	
		,000	
		,000	
		,000	
		,000	
法定相続分の合計	1	⑬相続税の総額（⑫の合計額）	00

（注）1　③欄の「第1表の（①＋②）」の金額は、特例経営承継人が租税特別措置法第70条の6第1項の規定による農地等についての納税猶予及び免除等の適用を受ける場合は、「第3表の①欄」の金額となります。また、⑥欄の「第1表の⑥欄」の金額は、相続又は遺贈により財産を取得した人のうちに租税特別措置法第70条の6第1項の規定による農地等についての納税猶予及び免除等の適用を受ける人がいる場合は、「第3表の⑥欄」の金額となります。
　　　2　⑨及び⑩欄は第2表の「④法定相続人」の「氏名」欄及び「⑤左の法定相続人に応じた法定相続分」欄からそれぞれ転記します。

2　特例株式等納税猶予税額の計算

①	（特例経営承継人の第1表の（⑨＋⑰－⑫））の金額	円
②	特定価額に基づく特例経営承継人の算出税額（1の⑬×1の⑤／1の（⑤＋⑥））	
③	特定価額に基づき相続税の2割加算が行われる場合の加算金額（②×20%）	
a	（②＋③－特例経営承継人の第1表の⑫）の金額（赤字の場合は0）	
b	特例経営承継人の第1表の⑥欄に基づく算出税額（その人の第1表の（⑨（又は⑩）＋⑪－⑫））（赤字の場合は0）	
④	（①＋a－b）の金額（赤字の場合は0）	
⑤	（a－④）の金額（赤字の場合は0）	
⑥	特例対象非上場株式等又は特例対象相続非上場株式等に係る会社が2社以上ある場合の会社ごとの特例株式等納税猶予税額（注2参照）	
イ	（会社名）　　　　　　　　　　　　　　　　に係る特例株式等納税猶予税額（⑤×イの株式等に係る価額／1の①）（100円未満切捨て）	00
ロ	（会社名）　　　　　　　　　　　　　　　　に係る特例株式等納税猶予税額（⑤×ロの株式等に係る価額／1の①）（100円未満切捨て）	00
ハ	（会社名）　　　　　　　　　　　　　　　　に係る特例株式等納税猶予税額（⑤×ハの株式等に係る価額／1の①）（100円未満切捨て）	00
⑦	特例株式等納税猶予税額（⑤の金額（100円未満切捨て）又は⑥の金額の合計額）（注3参照）　　A	00

（注）1　bの算式中の「第1表の⑨」の金額について、相続又は遺贈により財産を取得した人のうちに租税特別措置法第70条の6第1項の規定による農地等についての納税猶予及び免除等の適用を受ける人がいる場合は、「第1表の⑩」の金額とします。
　　　2　⑥欄について、特例対象非上場株式等又は特例対象相続非上場株式等に係る会社が1社のみの場合は、⑥の記入は行わず、⑤の金額を⑦欄のA欄に記入します（100円未満切捨て）。なお、イからハまでの各欄の算式中の「株式等に係る価額」とは第8の2の2表の付表1の「2　特例対象非上場株式等の明細」の⑤欄のA欄及び第8の2の2表の付表2の「2　特例対象相続非上場株式等の明細」の⑤欄のA欄の金額をいいます。また、会社が4社以上ある場合は、適宜の用紙に会社ごとの特例株式等納税猶予税額を記載し添付してください。
　　　3　⑦欄のA欄の金額は第8の8表2の「特例株式等納税猶予税額③」欄に転記します。なお、特例経営承継人が他の相続税の納税猶予等の適用を受ける場合は、⑦欄のA欄の金額によらず、第8の7表の⑲欄の金額を特例経営承継人の第8の8表2の「特例株式等納税猶予税額③」欄に転記します。
　　　4　この申告が修正申告である場合の⑤欄に記入する金額は、⑤欄の「a－④」の金額が修正前の当該金額を超える場合には、当該修正前の金額にとどめます（⑥及び⑦欄も同様です。）。ただし、この特例の適用を受ける特例対象非上場株式等又は特例対象相続非上場株式等（期限内申告において第8の2の2表の付表1の「2　特例対象非上場株式等の明細」及び第8の2の2表の付表2の「2　特例対象相続非上場株式等の明細」に記入した特例対象非上場株式等又は特例対象相続非上場株式等に限ります。）の評価誤り又は税額の計算誤りがあった場合で、その誤りだけを修正するものであるときの⑤欄の金額は、当該修正前の金額を超えることができます。

※税務署整理欄	入力		確認	

第8の2の2表（令6.7）

（資4－20－9－12－A4統一）

—234—

第七章　申告、更正決定及び更正の請求

非上場株式等についての相続税の納税猶予及び免除の特例の適用を受ける特例対象非上場株式等の明細書（特例措置用）

被　相　続　人	
特例経営承継相続人等	

（右側縦書き）第8の2の2表の付表1（平成31年1月分以降用）

この明細書は、「非上場株式等についての相続税の納税猶予及び免除の特例（租税特別措置法第70条の7の6）」の適用を受ける特例対象非上場株式等について、その明細を記入します。この明細書の記入に際しては、裏面にご注意ください。

1　特例対象非上場株式等に係る会社

①	会社名		⑧ 特例承継計画の提出及び確認の状況	提出年月日	年　　月　　日
②	会社の整理番号（会社の所轄税務署名）	（　　署）		確認年月日	年　　月　　日
③	事業種目			確認番号	
④	相続開始の時における資本金の額	円	⑨ 円滑化法の認定の状況	認定年月日	年　　月　　日
⑤	相続開始の時における資本準備金の額	円		認定番号	
⑥	相続開始の時における従業員数	人	⑩ 会社又はその会社の特別関係会社であってその会社との間に支配関係がある法人が保有する外国会社等の株式等の有無	有	無
⑦	相続開始の日から5か月後における特例経営承継相続人等の役職名				

2　特例対象非上場株式等の明細

① 相続開始の時における発行済株式等の総数等	② 被相続人から相続又は遺贈により取得した株式等の数等	③ ②のうち、特例の適用を受ける株式等の数等	④ 1株(口・円)当たりの価額（裏面の2(2)参照）	⑤ 価　額（③×④）
株・口・円	株・口・円	株・口・円	円　　　　A	円

3　最初の非上場株式等についての贈与税の納税猶予及び免除の特例等の適用に関する事項

　この欄は、特例経営承継相続人等が、その相続開始前に贈与又は相続等により取得した上記1の特例対象非上場株式等に係る会社の非上場株式等について、「非上場株式等についての贈与税の納税猶予及び免除の特例（租税特別措置法第70条の7の5）」又は「非上場株式等についての相続税の納税猶予及び免除の特例（同法第70条の7の6）」の規定の適用を受けている場合又は受けようとしている場合において、最初のその贈与又は相続等によるその会社の非上場株式等の取得に関する事項等について記入します。

① 取得の原因	② 取得年月日	③ 申告した税務署名	④ 贈与者又は被相続人の氏名
贈与・相続等	年　　月　　日	署	

4　会社が現物出資又は贈与により取得した資産の明細書

　この明細書は、租税特別措置法施行規則第23条の12の3第16項第8号の規定に基づき、会社が相続開始前3年以内に特例経営承継相続人等及び特例経営承継相続人等と特別の関係がある者（裏面の「4（1）」参照）から現物出資又は贈与により取得した資産の価額（裏面の「4（2）」参照）等について記入します。なお、この明細書によらず会社が別途作成しその内容を証明した書類を添付しても差し支えありません。

取得年月日	種類	細目	利用区分	所在場所等	数量	① 価　額	出資者・贈与者の氏名・名称
・　・						円	
・　・							
・　・							
・　・							
② 現物出資又は贈与により取得した資産の価額の合計額（①の合計額）							
③ 会社の全ての資産の価額の合計額（②の金額を含みます。）							
④ 現物出資等資産の保有割合（②／③）						％	

上記の明細の内容に相違ありません。　　　　　　　　　　　　　　　　　令和　　年　　月　　日

所　在　地 ＿＿＿＿＿＿＿＿＿＿＿＿＿＿＿

会　社　名 ＿＿＿＿＿＿＿＿＿＿＿＿＿＿＿

代表者氏名 ＿＿＿＿＿＿＿＿＿＿＿＿＿＿＿

※の項目は記入する必要がありません。

※税務署整理欄	法人管轄署番号	―	入力	確認	

第8の2の2表の付表1（令6.7）　　　　　　　　　　　　　　　　　　　　（資4－20－9－13－A4統一）

第一編　相続税

非上場株式等についての相続税の納税猶予及び免除の特例の適用を受ける特例対象相続非上場株式等の明細書（特例措置用）

被相続人	
特例経営相続承継受贈者	

第8の2の2表の付表2（平成31年1月分以降用）

　この明細書は、「非上場株式等の特例贈与者が死亡した場合の相続税の納税猶予及び免除の特例（租税特別措置法第70条の7の8）」の適用を受ける特例対象相続非上場株式等について、その明細を記入します。

1　特例対象相続非上場株式等に係る会社

①	会社名		⑦	相続開始の時における特例経営相続承継受贈者の役職名		
②	会社の整理番号（会社の所轄税務署名）	（　　署）				
③	事業種目		⑧	円滑化法の確認の状況	確認年月日	年　月　日
④	相続開始の時における資本金の額	円			確認番号	
⑤	相続開始の時における資本準備金の額	円	⑨	会社又はその会社の特別関係会社であってその会社との間に支配関係がある法人が保有する外国会社等の株式等の有無	有	無
⑥	相続開始の時における従業員数	人				

(注)　1　租税特別措置法第70条の7の5第1項の規定の適用を受けた特例対象受贈非上場株式等に係る会社が、その株式等の贈与の時から相続開始の直前までにおいて、合併により消滅した場合はその合併により存続した会社又は設立した会社、株式交換等により他の会社の株式交換完全子会社等となった場合はその場合の他の会社について①から⑧までの各欄を記入します。
　　2　⑦欄は、具体的にその役職を、例えば、「代表取締役」と記入します。
　　　なお、代表権に制限のある代表者については、この特例の適用を受けることはできません。
　　3　⑧欄は、中小企業における経営の承継の円滑化に関する法律施行規則第13条第4項又は第5項において準用する同条第1項の都道府県知事の確認を受けた年月日及び確認番号をそれぞれ記入します。
　　4　⑨欄は、特例対象相続非上場株式等に係る会社又はその会社の特別関係会社（租税特別措置法施行令第40条の8の8第5項において準用する租税特別措置法施行令第40条の8の2第8項の特別の関係がある会社をいいます。）であって特例対象相続非上場株式等に係る会社との間に支配関係（租税特別措置法施行令第40条の8の5第8項において準用する租税特別措置法施行令第40条の8の2第9項に規定する関係をいいます。）がある法人が保有する会社法第2条第2号に規定する外国会社（特例対象相続非上場株式等に係る会社の特別関係会社に該当するものに限ります。）の株式等、租税特別措置法施行令第40条の8の8第8項において準用する租税特別措置法施行令第40条の8の2第12項第1号に掲げる法人の株式等（特例対象相続非上場株式等に係る会社が資産保有型会社等に該当する場合に限ります。）又は同項第2号に掲げる医療法人の出資の有無について記入します。

2　特例対象相続非上場株式等の明細

受贈年月日	①　相続開始の時における発行済株式等の総数等	②　被相続人から贈与により取得した租税特別措置法第70条の7の5第1項の規定の適用を受けた株式等で相続開始の時において保有していた株式等の数等	③　②のうち特例の適用を受ける株式等の数等	④　1株（口・円）当たりの価額（「(注)3」参照）	⑤　価額（③×④（ただし「(注)4」参照））
・　・	株・口・円	株・口・円	株・口・円	円	円 A

(注)　1　①から③欄までの「総数等」及び「数等」には、議決権に制限のある株式等の数等は含まれません。
　　2　次の場合で②の数等又は④欄の金額の記入に当たってお分かりにならないことがありましたら、税務署にお尋ねください。
　　　・　贈与により取得した時以後において、株式等について併合・分割・株式無償割当てがあった場合やその株式等に係る会社について合併・会社分割・株式交換等があった場合
　　　・　租税特別措置法第70条の7の5第11項において準用する同法第70条の7第15項第3号の規定の適用に係る贈与により取得した株式等がある場合
　　3　④欄の金額は、贈与の時における価額を基礎として計算した価額を記入します。贈与の時に、贈与税の納税猶予税額を租税特別措置法第70条の7の5第2項第8号に規定する特例認定贈与承継会社等が外国会社等の株式等を有していないものとして計算していた場合には、税務署にお尋ねください。
　　4　特例対象相続非上場株式等に係る会社又はその会社の特別関係会社（租税特別措置法施行令第40条の8の8第5項において準用する租税特別措置法施行令第40条の8の2第8項の特別の関係がある会社をいいます。）がある特例対象相続非上場株式等に係る会社との間に支配関係（租税特別措置法施行令第40条の8の5第8項において準用する租税特別措置法施行令第40条の8の2第9項に規定する関係をいいます。）がある法人（以下「会社等」といいます。）が保有する会社法第2条第2号に規定する外国会社（特例対象相続非上場株式等に係る会社の特別関係会社に該当するものに限ります。）の株式等、租税特別措置法施行令第40条の8の8第8項において準用する租税特別措置法施行令第40条の8の2第12項第1号に掲げる法人の株式等（特例対象相続非上場株式等に係る会社が資産保有型会社等に該当する場合に限ります。）又は同項第2号に掲げる医療法人の出資を有する場合の納税猶予分の相続税額の計算の基となる特例対象相続非上場株式等の価額は、租税特別措置法第70条の7の8第1項の納税猶予税額を租税特別措置法第70条の7の5第1項の規定の適用に係る贈与の時における特例対象受贈非上場株式等に係る会社の株式等の価額を基礎として会社等が外国会社等の株式等を有していないものとして計算した金額となります。詳しくは税務署にお尋ねください。
　　5　A欄の金額（⑤欄の金額）を第8の2の2表の「1　特例株式等納税猶予税額の基となる相続税の総額の計算」の①欄に転記します。
　　　なお、第8の2の2表の付表1・付表2の作成がある場合は、各付表のA欄の合計額を第8の2の2表の「1　特例株式等納税猶予税額の基となる相続税の総額の計算」の①欄に記入します。

3　最初の非上場株式等についての贈与税の納税猶予及び免除の特例等の適用に関する事項

　この欄は、特例経営相続承継受贈者が、「2　特例対象相続非上場株式等の明細」の受贈年月日前に贈与又は相続等により取得した上記1の特例対象相続非上場株式等に係る会社の非上場株式等について、「非上場株式等についての贈与税の納税猶予及び免除の特例（租税特別措置法第70条の7の5）」又は「非上場株式等についての相続税の納税猶予及び免除の特例（同法第70条の7の6）」の規定の適用を受けている場合において、最初のその贈与又は相続等によるその会社の非上場株式等の取得に関する事項等について記入します。

①　取得の原因	②　取得年月日	③　申告した税務署名	④　贈与者又は被相続人の氏名
贈与・相続等	年　月　日	署	

※この項目は記入する必要がありません。

(注)　1　「相続等」とは、相続又は遺贈をいいます。
　　2　①欄は、取得の原因を丸で囲んでください。
　　3　③欄は、最初の贈与又は相続等によるその会社の非上場株式等の取得について、非上場株式等についての贈与税の納税猶予及び免除の特例等の適用を受けている、又は受けようとする贈与税又は相続税の申告書の提出先の税務署名を記入してください。
　　4　④欄は、最初の贈与又は相続等によるその会社の非上場株式等の取得に係る贈与者又は被相続人の氏名を記入してください。

※税務署整理欄	法人管轄署番号	－	入力	確認	

第8の2の2表の付表2（令6.7）　　　　　　　　　　　　　　　　　　　　　　　　（資4－20－9－14－A4統一）

非上場株式等についての相続税の納税猶予及び免除の特例の適用に係る会社が災害等により被害を受けた場合の明細書（特例措置用）

第8の2の2表の付表3（平成31年1月分以降用）

被相続人	
特例経営承継人（特例経営承継相続人等・特例経営相続承継受贈者）	
特例対象非上場株式等又は特例対象相続非上場株式等に係る会社の名称	

この明細書は、災害等が発生した日から同日以後1年を経過する日までの間に相続又は遺贈により取得をした（租税特別措置法第70条の7の7の規定により取得をしたものとみなされる場合を含みます。）株式等について非上場株式等についての相続税の納税猶予及び免除の特例の適用を受けようとする場合で、租税特別措置法第70条の7の6第26項の規定において準用する同法第70条の7の2第35項若しくは第37項又は同法第70条の7の8第14項の規定において準用する同法第70条の7の2第35項の規定の適用を受けるときに、会社の被害の態様等について、その明細を記入します。

1　規定の適用を受ける旨の確認

私は、第8の2の2表の付表1の「1 特例対象非上場株式等に係る会社」又は第8の2の2表の付表2の「1 特例対象相続非上場株式等に係る会社」に記載した会社が、下記の「2 災害等により被害を受けた会社の被害の態様」の(1)から(3)までのいずれかに該当したので、次の規定の適用を受けます（適用を受ける規定の「□」にレ印を記入します。)。

□　租税特別措置法第70条の7の6第26項において準用する同法第70条の7の2第35項の規定の適用を受け、同法第70条の7の6第2項第1号に掲げる特例認定承継会社の要件から、同号ロの資産保有型会社又は資産運用型会社のうち、租税特別措置法施行令第40条の8の6第6項において準用する同令第40条の8の2第7項に定めるものに該当しないこととする要件を除きます。

□　租税特別措置法第70条の7の6第26項において準用する同法第70条の7の2第37項の規定の適用を受け、同法第70条の7の6第2項第7号に掲げる特例経営承継相続人等の要件から、同号への特例認定承継会社の経営を確実に承継するものと認められる要件として、租税特別措置法施行規則第23条の12の3第11項で定める相続の開始の直前において当該会社の役員であったこととする要件を除きます。

□　租税特別措置法第70条の7の8第14項において準用する同法第70条の7の2第35項の規定の適用を受け、同法第70条の7の8第2項第2号に掲げる特例認定相続承継会社の要件から、同号ロの資産保有型会社又は資産運用型会社のうち、租税特別措置法施行令第40条の8の8第4項に定めるものに該当しないこととする要件を除きます。

2　災害等により被害を受けた会社の被害の態様

次の場合の区分に応じて、それぞれ(1)から(3)までのいずれかの欄について記入してください。

(1)　災害によって被害を受けた事業用資産が総資産の30％以上である場合（貸借対照表の帳簿価額で判定します。）

①　災害が発生した年月日		年　月　日
②　災害が発生した日の属する事業年度の直前の事業年度終了の時における総資産の価額		円
③　災害により滅失をした資産の価額の合計額 （注）1　滅失には、通常の修繕によっては原状回復が困難な損壊を含みます。 2　資産には、租税特別措置法第70条の7第2項第8号ロに規定する特定資産を含みません。		円
④　（③÷②×100）	30％以上であれば適用可 →	％

※　(1)に該当する場合には、中小企業における経営の承継の円滑化に関する法律施行規則（以下「円滑化省令」といいます。）第13条の2第4項の確認書（同条第3項の規定により準用される同条第1項第1号に係るものに限ります。）の写し及び都道府県知事に提出した同条第2項の申請書（同条第3項の規定により準用される同条第1項第1号に係るものに限ります。）の写しを添付してください。

(2)　災害によって被害を受けた事業所で雇用されていた常時使用従業員の数が常時使用従業員の総数の20％以上である場合（上記(1)に該当する場合を除きます。）

①　災害が発生した年月日		年　月　日
②　災害が発生した日の前日における常時使用従業員の総数		人
③　災害により滅失又は損壊をした事業所(注)において、その災害が発生した日の前日に使用していた常時使用従業員の数 (注) 災害が発生した日から同日以後6か月を経過する日までの間継続して常時使用従業員が本来の業務に従事することができないと認められる事業所をいいます。		人
④　（③÷②×100）	20％以上であれば適用可 →	％

※　(2)に該当する場合には、円滑化省令第13条の2第4項の確認書（同条第3項の規定により準用される同条第1項第2号に係るものに限ります。）の写し及び都道府県知事に提出した同条第2項の申請書（同条第3項の規定により準用される同条第1項第2号に係るものに限ります。）の写しを添付してください。

(3)　中小企業信用保険法第2条第5項第3号又は第4号のいずれかの事由に該当し、特定日以後6か月間の売上金額が前年同期間の売上金額の70％以下である場合（上記(1)又は(2)に該当する場合を除きます。）

①　中小企業信用保険法第2条第5項の該当事由（3号・4号）及び特定日(注) (注)　特定日とは、中小企業信用保険法第2条第5項第3号又は第4号の経済産業大臣の指定する事由が発生した日をいいます。		□　3号該当　□　4号該当 特定日：　年　月　日
②　特定日の1年前の日から同日以後6か月を経過する日までの間における売上金額		円
③　特定日から特定日以後6か月を経過する日までの間における売上金額		円
④　（③÷②×100）	70％以下であれば適用可 →	％

※　(3)に該当する場合には、円滑化省令第13条の2第4項の確認書（同条第3項の規定により準用される同条第1項第5号又は第6号に係るものに限ります。）の写し及び都道府県知事に提出した同条第2項の申請書（同条第3項の規定により準用される同条第1項第5号又は第6号に係るものに限ります。）の写しを添付してください。

第8の2の2表の付表3（令6.7）　　（資4－20－9－15－A4統一）

第一編　相続税

山 林 納 税 猶 予 税 額 の 計 算 書

被　相　続　人	
林 業 経 営 相 続 人	

第8の3表（令和5年1月分以降用）

この計算書は、林業経営相続人に該当する人が山林についての納税猶予税額（山林納税猶予税額）を算出するために使用します。

私は、第8の3表の付表の「2　特例施業対象山林・特例山林の明細」に記載した特例施業対象山林のうち特例山林の全てについて租税特別措置法第70の6の6第1項に規定する山林についての納税猶予及び免除の適用を受けます。

1　山林納税猶予税額の基となる相続税の総額の計算

(1)　「特定価額に基づく課税遺産総額」等の計算

①	林業経営相続人の第8の3表の付表(A+B)欄の金額	円
②	林業経営相続人に係る債務及び葬式費用の金額（第1表のその人の③欄の金額）	
③	林業経営相続人が相続又は遺贈により取得した財産の価額（林業経営相続人の第1表の（①+②）（又は第3表の①欄）の金額）	
④	控除未済債務額（①+②-③）の金額（赤字の場合は0）	
⑤	特定価額（①-④）（1,000円未満切捨て）（赤字の場合は0）	,000
⑥	特定価額の20%に相当する金額（⑤×20%）（1,000円未満切捨て）	,000
⑦	林業経営相続人以外の相続人等の課税価格の合計額（林業経営相続人以外の者の第1表の⑥欄（又は第3表の⑥欄）の金額の合計）	,000
⑧	基礎控除額（第2表の④欄の金額）	,000,000
⑨	特定価額に基づく課税遺産総額（⑤+⑦-⑧）	,000
⑩	特定価額の20%に相当する金額に基づく課税遺産総額（⑥+⑦-⑧）	,000

(2)　「特定価額に基づく相続税の総額」等の計算

⑪法定相続人の氏名	⑫法定相続分	特定価額に基づく相続税の総額の計算		特定価額の20%に相当する金額に基づく相続税の総額の計算	
		⑬法定相続分に応ずる取得金額（⑨×⑫）	⑭相続税の総額の基礎となる税額（第2表の「速算表」で計算します。）	⑮法定相続分に応ずる取得金額（⑩×⑫）	⑯相続税の総額の基礎となる税額（第2表の「速算表」で計算します。）
		円 ,000	円	円 ,000	円
		,000		,000	
		,000		,000	
		,000		,000	
		,000		,000	
		,000		,000	
		,000		,000	
法定相続分の合計	1	⑰相続税の総額（⑭の合計額） 00		⑱相続税の総額（⑯の合計額） 00	

(注)　1　③欄の「第1表の（①+②）」の金額は、林業経営相続人が租税特別措置法第70条の6第1項の規定による農地等についての納税猶予及び免除等の適用を受ける場合は、「第3表の①欄」の金額となります。また、⑦欄の「第1表の⑥欄」の金額は、相続又は遺贈により財産を取得した人のうちに租税特別措置法第70条の6第1項の規定による農地等についての納税猶予及び免除等の適用を受ける人がいる場合は、「第3表の⑥欄」の金額となります。
　　　　2　⑪及び⑫欄は第2表の「④法定相続人」の「氏名」欄及び「⑤左の法定相続人に応じた法定相続分」欄からそれぞれ転記します。

2　山林納税猶予税額の計算

①	（林業経営相続人の第1表の（⑮+⑰-⑫））の金額	円
②	特定価額に基づく林業経営相続人の算出税額（1の⑰×1の⑤／1の（⑤+⑦））	
③	特定価額に基づき相続税額の2割加算が行われる場合の加算金額（②×20%）	
a	（②+③-林業経営相続人の第1表の⑫）の金額（赤字の場合は0）	
④	特定価額の20%に相当する金額に基づく林業経営相続人の算出税額（1の⑱×1の⑥／1の（⑥+⑦））	
⑤	特定価額の20%に相当する金額に基づき相続税額の2割加算が行われる場合の加算金額（④×20%）	
b	（④+⑤-林業経営相続人の第1表の⑫）の金額（赤字の場合は0）	
⑥	林業経営相続人の第1表の⑥欄に基づく算出税額（その人の第1表の（⑨（又は⑩）+⑪-⑫））（赤字の場合は0）	
⑦	（①+a-b-⑥）の金額（赤字の場合は0）	
⑧	**山林納税猶予税額（a-b-⑦）（100円未満切捨て）（赤字の場合は0）**	00

(注)　1　⑥欄の算式中の「第1表の⑨」の金額について、相続又は遺贈により財産を取得した人のうちに租税特別措置法第70条の6第1項の規定による農地等についての納税猶予及び免除等の適用を受ける人がいる場合は、「第1表の⑩」の金額とします。
　　　　2　⑧欄の金額を林業経営相続人の第8の8表2の「山林納税猶予税額④」欄に転記します。なお、林業経営相続人が他の相続税の納税猶予等の適用を受ける場合は、⑧欄の金額によらず、第8の7表の⑳欄の金額を林業経営相続人の第8の8表2の「山林納税猶予税額④」欄に転記します。
　　　　3　この申告が修正申告である場合の⑧欄に記入する金額は、⑧欄の「a-b-⑦」の金額が修正前の「山林納税猶予税額」の金額を超える場合には、当該修正前の「山林納税猶予税額」の金額にとどめます。ただし、この特例の適用を受ける特例山林（期限内申告において第8の3表の付表の「2　特例施業対象山林・特例山林の明細」に記入した特例山林に限ります。）の評価誤り又は税額の計算誤りがあった場合で、その誤りだけを修正するものであるときの⑧欄の金額は、当該修正前の「山林納税猶予税額」の金額を超えることができます。

※の項目は記入する必要がありません。

※税務署整理欄	入力		確認	

第8の3表(令6.7)　　　　　　　　　　　　　　　　　　　　　　　　　　　　　　（資4-20-9-7-A4統一）

第七章　申告、更正決定及び更正の請求

山林についての納税猶予の適用を受ける特例山林及び特例施業対象山林の明細書

第8の3表の付表（平成31年1月分以降用）

被相続人	
林業経営相続人	

　この明細書は、山林についての納税猶予及び免除の適用を受ける特例山林及び特例施業対象山林について、その明細等を記入します。

1　林業経営相続人に関する事項

①	特例施業対象山林を相続又は遺贈により取得した日（相続開始年月日）	年　　月　　日
②	相続の開始があったことを知った日（通常は①と同じ日になります。）	年　　月　　日
③	相続の開始の日から林業経営相続人に係る平均余命（1年未満切捨て）を経過する日までの期間	
④	「③の期間」と「30年」のうちいずれか短い期間	

　　（注）　平均余命とは、厚生労働省の作成に係る完全生命表に掲げる年齢及び性別に応じた平均余命をいいます。

2　特例施業対象山林・特例山林の明細

　　この欄は、林業経営相続人が相続又は遺贈により取得した特例施業対象山林・特例山林の明細を記入します。

所在場所	路網整備を行わない山林等	土　地			立　木					
		⑤面積	⑥特例山林以外の土地の価額	⑦特例山林の土地の価額	⑧面積	⑨樹種	⑩①の日から標準伐期齢等に達する日までの期間	⑪「④<⑩」の判定	⑫特例山林以外の立木の価額	⑬特例山林の立木の価額
			円	円				適・否	円	円
								適・否		
								適・否		
								適・否		
								適・否		
								適・否		
								適・否		
								適・否		
								適・否		
								適・否		
								適・否		
								適・否		
								適・否		
								適・否		

特例山林の土地の価額の合計額　A		特例山林の立木の価額の合計額　B	

特例山林の価額の合計額（A＋B）	円	（この金額を第8の3表の1(1)の①欄に転記します。）

　（注）　1　「路網整備を行わない山林等」の欄には、路網整備を行わない山林又は市街化区域内の山林に該当する場合は「×」と記入します。
　　　　　2　⑩欄の「標準伐期齢等」とは、森林法第10条の5第1項に規定する市町村森林整備計画に定める標準伐期齢をいいます。ただし、森林法施行規則第39条第1項に規定する水源かん養機能維持増進森林の区域内に存する立木については、標準伐期齢に10年を加えた林齢をいい、それ以外の区域に存する立木のうち標準伐期齢のおおむね2倍以上に相当する林齢を超える林齢において主伐を行う森林施業を推進すべき森林として市町村森林整備計画において定められている森林（以下「長伐期施業森林」といいます。）の区域内に存する立木については、その長伐期施業森林につき市町村森林整備計画に定められている林齢をいいます。
　　　　　3　⑪欄は、「④<⑩」の場合には「適」を、それ以外の場合には「否」を○で囲んでください。
　　　　　4　上記に記入しきれないときは、適宜の用紙に特例施業対象山林・特例山林の明細を記載して添付してください。

3　特例施業対象山林の経営に関する事項

　　この欄は、経営報告基準日の翌日から5か月を経過する日が相続税の申告期限までに到来し、かつ、その5か月を経過する日がその経営報告基準日の翌年である場合に記入します。

経営報告基準日の属する年分の山林所得に係る収入金額	円

　（注）　「経営報告基準日の属する年分の山林所得に係る収入金額」欄は、所得税法第32条第1項に規定する山林所得に係る収入金額を記入します。

※の項目は記入する必要がありません。

※税務署整理欄	入力		確認		

第8の3表の付表(令6.7)　　　　　　　　　　　　　　　　　　　　　　　　　（資4－20－9－8－A4統一）

第一編　相続税

医療法人持分納税猶予税額・税額控除額の計算書

被相続人	
医療法人持分相続人等	

第8の4表（令和5年1月分以降用）

　この計算書は、次に掲げる特例の適用を受ける人（以下この表において「医療法人持分相続人等」と表記しています。）が、医療法人の持分に係る納税猶予税額（医療法人持分納税猶予税額）又は税額控除額（医療法人持分税額控除額）を算出するために使用します。

　私は、第8の4表の付表の「医療法人の持分の明細」に記載した医療法人の持分について、次の特例の適用を受けます。（適用を受ける特例の「□」にレ印を記入します。）

　　□　医療法人の持分についての納税猶予及び免除（租税特別措置法第70条の7の12第1項）

　　□　医療法人の持分についての税額控除（租税特別措置法第70条の7の13第1項）

1　医療法人持分納税猶予税額又は医療法人持分税額控除額の基となる相続税の総額の計算

(1)　「特定価額に基づく課税遺産総額」等の計算

		円
①	医療法人持分相続人等の医療法人の持分の価額（第8の4表の付表のA欄の金額）	
②	医療法人持分相続人等に係る債務及び葬式費用の金額（その医療法人持分相続人等の第1表の③欄の金額）	
③	医療法人持分相続人等が相続又は遺贈により取得した財産の価額（その医療法人持分相続人等の第1表の（①＋②）（又は第3表の①欄）の金額）	
④	控除未済債務額（①＋②－③）（赤字の場合は0）	
⑤	特定価額（①－④）（1,000円未満切捨て）（赤字の場合は0）	,000
⑥	医療法人持分相続人等以外の相続人等の課税価格の合計額（その医療法人持分相続人等以外の相続人等の第1表の⑥欄（又は第3表の⑥欄）の金額の合計額）	,000
⑦	基礎控除額（第2表のⒶ欄の金額）	,000,000
⑧	特定価額に基づく課税遺産総額（⑤＋⑥－⑦）	,000

(2)　「特定価額に基づく相続税の総額」等の計算

⑨	⑩	特定価額に基づく相続税の総額の計算	
法定相続人の氏名	法定相続分	⑪　法定相続分に応ずる取得金額（⑧×⑩）	⑫　相続税の総額の基礎となる税額（第2表の「速算表」で計算します。）
		円 ,000	円
		,000	
		,000	
		,000	
		,000	
法定相続分の合計	1	⑬　相続税の総額（⑫の合計額）	00

（注）1　③欄の「第1表の（①＋②）」の金額は、医療法人持分相続人等が租税特別措置法第70条の6第1項の規定による農地等についての納税猶予及び免除等の適用を受ける場合は、「第3表の①欄」の金額となります。また、⑥欄の「第1表の⑥欄」の金額は、相続又は遺贈により財産を取得した人のうちに租税特別措置法第70条の6第1項の規定による農地等についての納税猶予及び免除等の適用を受ける人がいる場合は、「第3表の⑥欄」の金額となります。

　　　2　⑨及び⑩欄は、第2表の「④法定相続人」の「氏名」欄及び「⑤左の法定相続人に応じた法定相続分」欄からそれぞれ転記します。

2　医療法人持分納税猶予税額又は医療法人持分税額控除額の計算

			円
①	（医療法人持分相続人等の第1表の（⑮＋⑰－⑫））の金額		
②	特定価額に基づく医療法人持分相続人等の算出税額（1の⑬×1の⑤／1の（⑤＋⑥））		
③	特定価額に基づき相続税額の2割加算が行われる場合の加算金額（②×20%）		
④	（②＋③－医療法人持分相続人等の第1表の⑫）の金額（赤字の場合は0）		
⑤	医療法人持分相続人等の第1表の⑥欄の課税価格に基づく算出税額（その医療法人持分相続人等の第1表の（⑨（又は⑩）＋⑪－⑫））（赤字の場合は0）　(注1参照)		
⑥	（①＋④－⑤）の金額（赤字の場合は0）		
⑦	（④－⑥）の金額（赤字の場合は0）		
⑧	特例の適用に係る医療法人が2法人以上ある場合の医療法人ごとの医療法人持分納税猶予税額等 (注2参照)		
	イ　（医療法人名）　　　　　　　　に係る医療法人持分納税猶予税額等　（⑦×イの持分の価額／1の①）（100円未満切捨て）		00
	ロ　（医療法人名）　　　　　　　　に係る医療法人持分納税猶予税額等　（⑦×ロの持分の価額／1の①）（100円未満切捨て）		00
	ハ　（医療法人名）　　　　　　　　に係る医療法人持分納税猶予税額等　（⑦×ハの持分の価額／1の①）（100円未満切捨て）		00
⑨	医療法人持分納税猶予税額等（⑦の金額（100円未満切捨て）（又は⑧の金額の合計額））(注2参照)		00

⑩	イ　「医療法人の持分についての納税猶予及び免除」の適用を受ける場合		医療法人持分納税猶予税額 (注3参照)（⑨の金額を転記します。）	A 00
	ロ　「医療法人の持分についての税額控除」の適用を受ける場合	(イ)　持分の全てを放棄したとき	医療法人持分税額控除額 (注3参照)（⑨の金額を転記します。）	B 00
		(ロ)　持分の一部を放棄し、その残余の部分を基金拠出型医療法人の基金として拠出したとき（＊第8の4表の付表の計算明細の各欄を記入します。）	医療法人持分税額控除額 (注3参照)（第8の4表の付表のF欄の金額を転記します。）	B

（注）1　⑤欄の算式中の「第1表の⑨」の金額は、相続又は遺贈により財産を取得した人のうちに租税特別措置法第70条の6第1項の規定による農地等についての納税猶予及び免除等の適用を受ける人がいる場合は、医療法人持分相続人等の「第1表の⑩」の金額となります。

　　　2　⑧欄について、特例の適用に係る医療法人が1法人の場合は、⑧欄の記入は行わず、⑦欄の金額を⑨欄に記入します（100円未満切捨て）。なお、「医療法人持分納税猶予税額等」とは、租税特別措置法第70条の7の12第2項に規定する納税猶予分の相続税額に相当する金額を、イからハまでの各欄の算式中の「持分の価額」とは、第8の4表の付表の「医療法人の持分の明細」のA欄の金額をいいます。

　　　　　また、特例の適用に係る医療法人が4法人以上ある場合は、適宜の用紙に医療法人ごとの医療法人持分納税猶予税額又は医療法人持分税額控除額を記載して添付してください。

　　　3　⑩欄は、イ又はロの場合に応じ、医療法人持分納税猶予税額をA欄に、又は医療法人持分税額控除額をB欄に記入します。なお、ロの場合には、放棄の態様（(イ)又は(ロ)）に応じ、(イ)のときには⑨欄の金額を、(ロ)のときには⑨欄の金額に基づき算出した第8の4表の付表の「基金拠出型医療法人へ基金を拠出した場合の医療法人持分税額控除額の計算明細」のF欄の金額を、それぞれのB欄に転記します。また、その算出した⑩欄のA又はB欄の金額を医療法人持分相続人等の第8の8表2の「医療法人持分納税猶予税額⑤」又は第1表の「医療法人持分税額控除額⑱」に転記します。なお、医療法人持分相続人等が、他の相続税の納税猶予等の適用を受ける場合には、第8の7表の㉒欄のA又はB欄の金額を医療法人持分相続人等の第8の8表2の「医療法人持分納税猶予税額⑤」又は第1表の「医療法人持分税額控除額⑱」に転記します。

　　　4　この申告が修正申告である場合の⑦欄に記入する金額は、⑦欄の「④－⑥」の金額が修正前の当該金額を超える場合には、当該修正前の金額にとどめます（⑧、⑨及び⑩欄も同様です。）。ただし、特例の適用を受ける医療法人の持分（期限内申告において第8の4表の付表の「医療法人の持分の明細」に記入した医療法人の持分の価額に限ります。）の評価誤り又は税額の計算誤りがあった場合で、その誤りだけを修正するものであるときの⑦欄の金額は、当該修正前の金額を超えることができます。

※の項目は記入する必要がありません。

※税務署整理欄	入力		確認	

第8の4表（令6.7）

（資4-20-9-6-A4統一）

第七章　申告、更正決定及び更正の請求

医療法人の持分の明細書・基金拠出型医療法人へ基金を拠出した場合の医療法人持分税額控除額の計算明細書

被相続人	

「医療法人の持分の明細」には、医療法人の持分についての納税猶予及び免除又は医療法人の持分についての税額控除の適用を受ける人（以下この表において「医療法人持分相続人等」と表記しています。）が、相続又は遺贈により取得した特例の適用に係る医療法人の持分の明細を記入します。

また、「基金拠出型医療法人へ基金を拠出した場合の医療法人持分税額控除額の計算明細」は、被相続人の相続の開始の時からその相続に係る相続税の申告書の提出期限までの間に、医療法人が基金拠出型医療法人に移行した場合において、医療法人持分相続人等がその医療法人の持分の一部を放棄し、その残余の部分をその基金拠出型医療法人の基金として拠出したときの医療法人持分税額控除額（放棄相当相続税額）を算出するために使用します。

医療法人持分相続人等	

第8の4表の付表（平成31年1月分以降用）

医療法人の持分の明細

1　医療法人の持分に関する事項

この欄は、医療法人持分相続人等が相続又は遺贈により取得をした医療法人の持分に関する事項を記入します。

① 医療法人の名称等	名　称		医療法人の整理番号	
			医療法人の所轄税務署名	税務署

② 厚生労働大臣の認定年月日	年　　月　　日
③ 厚生労働大臣の認定を受けた認定移行計画に記載された移行期限	年　　月　　日

④ 医療法人の持分の保有状況（次の内容に該当する場合には、「□」にレ印を記入します。）

□　私は、①の医療法人の持分について、被相続人の相続の開始の時からこの相続税の申告書の提出までの間において、その持分に基づき出資額に応じた払戻しを受けたこと又はその持分の譲渡をしたことはありません。また、今後、この相続税の申告書の提出期限までの間においても、その払戻しを受けること又は譲渡をすることはありません。

（注）　上記の内容に該当しない場合には、「医療法人の持分についての納税猶予及び免除」又は「医療法人の持分についての税額控除」の適用を受けることができません。

2　医療法人の持分の明細

この欄は、医療法人持分相続人等が相続又は遺贈により取得した医療法人の持分の明細を記入します。

	医　療　法　人　の　持　分			
相続又は遺贈により取得した持分	医療法人持分相続人等が、被相続人から相続又は遺贈により取得した1の①の医療法人の持分の価額を記入します。	持 分 の価　額	（第8の4表の1の①）　　　　円 A

（注）　特例の適用に係る医療法人が2法人以上ある場合には、その医療法人ごとにこの明細を作成します。
この場合、特例の適用に係る医療法人ごとの持分の価額の合計額を第8の4表の1の①に転記します。

＊　以下の計算明細は、基金拠出型医療法人に基金を拠出した場合（第8の4表の2の⑩のロの(ロ)に該当する場合）に使用します。

基金拠出型医療法人へ基金を拠出した場合の医療法人持分税額控除額の計算明細

1　医療法人の持分に関する事項

この欄は、基金拠出型医療法人への移行をした「医療法人の持分の明細」に記載した医療法人に関する事項を記入します。

① 「出資持分の放棄申出書」（医療法施行規則（昭和23年厚生省令第50号）附則様式7）の医療法人への提出年月日	年　　月　　日
② 医療法人の基金拠出型医療法人への移行のための定款変更に係る都道府県知事の認可があった年月日	年　　月　　日

2　基金拠出型医療法人へ移行をする医療法人の持分の明細

この欄は、「医療法人の持分の明細」に記載した医療法人について、医療法人持分相続人等が被相続人に係る相続若しくは遺贈の直前又は基金拠出型医療法人への基金の拠出の直前において有していたその医療法人の持分の価額等を記入します。

	医　療　法　人　の　持　分			
① 相続又は遺贈の直前の持分	医療法人持分相続人等が、被相続人に係る相続又は遺贈の直前において有していた「医療法人の持分の明細」の1の①の医療法人の持分の価額を記入します。	持 分 の価　額	B　　　　円
② 基金拠出の直前の持分	医療法人持分相続人等が、基金拠出型医療法人への基金として拠出をした年月日及びその拠出の直前において有していた「医療法人の持分の明細」の1の①の医療法人の持分の価額を記入します。	拠出年月日	年　　月　　日
		持 分 の価　額	C　　　　円

3　医療法人持分税額控除額（放棄相当相続税額）の計算

この欄は、「医療法人の持分の明細」に記載した医療法人に係る医療法人持分納税猶予額等を基に、その医療法人持分納税猶予額等のうちその医療法人の持分の放棄をした部分に相当する医療法人持分税額控除額（放棄相当相続税額）を計算します。

① 医療法人持分納税猶予税額等（第8の4表の2の⑨（又は⑧のイ、ロ又はハ）の金額を転記します。）	D　　　　円 00
② 基金として拠出をした額	E
③ 2の「② 基金拠出の直前の持分」欄の持分の価額のうち放棄をした部分に対応する部分の金額（C－E）	
④ 2の「② 基金拠出の直前の持分」欄の持分の価額のうち特例の適用に係る持分に相当する金額（C×A／（A＋B））	
⑤ 医療法人持分税額控除額　（D×（③／④）(注) の金額（注）「③／④」の割合が1を超える場合（「③＞④」の場合）には、Dの金額	（第8の4表の2の⑩のロの(ロ)のB）F

（注）1　3の①欄の「第8の4表の2の⑨」の金額は、特例の適用に係る医療法人が2法人以上ある場合は、「第8の4表の2の⑧のイ、ロ又はハ」の金額として医療法人持分税額控除額（放棄相当相続税額）を計算します。この場合、その算出した医療法人持分税額控除額のFの金額を第8の4表の2の⑩欄のロの(ロ)のBに転記します。
　　　2　医療法人持分相続人等が、他の相続税の納税猶予等の適用を受ける場合には、3の①欄中「第8の4表の2の⑨」の金額とあるのは、「第8の7表の3の㉑」の金額として医療法人持分税額控除額（放棄相当相続税額）を計算します。この場合、その算出した医療法人持分税額控除額のFの金額を第8の7表の3の⑤欄のロの(ロ)のBに転記します。

※の項目は記入する必要がありません。

※税務署整理欄	法人管轄署番号		－		入力		確認	

第8の4表の付表（令6.7）

（資4－20－9－10－A4統一）

第一編　相続税

美 術 品 納 税 猶 予 税 額 の 計 算 書

被 相 続 人	
寄 託 相 続 人	

第8の5表（令和5年1月分以降用）

この計算書は、寄託相続人に該当する人が特定の美術品についての納税猶予税額（美術品納税猶予税額）を算出するために使用します。

私は、第8の5表の付表の「2　特定美術品の明細」に記載した特定美術品について租税特別措置法第70条の6の7第1項に規定する特定の美術品についての相続税の納税猶予及び免除の適用を受けます。

1　美術品納税猶予税額の基となる相続税の総額の計算

(1)　「特定価額に基づく課税遺産総額」等の計算

①	寄託相続人の第8の5表の付表のA欄の金額（第8の5表の付表が2以上ある場合は、その合計額）	円
②	寄託相続人に係る債務及び葬式費用の金額（第1表のその人の③欄の金額）	
③	寄託相続人が相続又は遺贈により取得した財産の価額（寄託相続人の第1表の（①+②）（又は第3表の①欄）の金額）	
④	控除未済債務額（（①+②−③）の金額（赤字の場合は0）	
⑤	特定価額（①−④）（1,000円未満切捨て）（赤字の場合は0）	,000
⑥	特定価額の20%に相当する金額（⑤×20%）（1,000円未満切捨て）	,000
⑦	寄託相続人以外の相続人等の課税価格の合計額（寄託相続人以外の者の第1表⑥欄（又は第3表の⑥欄）の金額の合計）	,000
⑧	基礎控除額（第2表のⒶ欄の金額）	,000,000
⑨	特定価額に基づく課税遺産総額（⑤+⑦−⑧）	,000
⑩	特定価額の20%に相当する金額に基づく課税遺産総額（⑥+⑦−⑧）	,000

(2)　「特定価額に基づく相続税の総額」等の計算

⑪ 法定相続人の氏名	⑫ 法定相続分	特定価額に基づく相続税の総額の計算		特定価額の20%に相当する金額に基づく相続税の総額の計算	
		⑬法定相続分に応ずる取得金額（⑨×⑫）	⑭相続税の総額の基礎となる税額（第2表の「速算表」で計算します。）	⑮法定相続分に応ずる取得金額（⑩×⑫）	⑯相続税の総額の基礎となる税額（第2表の「速算表」で計算します。）
		円 ,000	円	円 ,000	円
		,000		,000	
		,000		,000	
		,000		,000	
		,000		,000	
		,000		,000	
		,000		,000	
		,000		,000	
法定相続分の合計	1	⑰相続税の総額（⑭の合計額）　　　00		⑱相続税の総額（⑯の合計額）　　　00	

(注)　1　③欄の「第1表の（①+②）」の金額は、寄託相続人が租税特別措置法第70条の6第1項の規定による農地等についての納税猶予及び免除等の適用を受ける場合は、「第3表の①欄」の金額となります。また、⑦欄の「第1表の⑥欄」の金額は、相続又は遺贈により財産を取得した人のうちに租税特別措置法第70条の6第1項の規定による農地等について納税猶予及び免除等の適用を受ける人がいる場合は、「第3表の⑥欄」の金額となります。
　　　　2　⑪及び⑫欄は第2表の「④法定相続人」の「氏名」欄及び「⑤左の法定相続人に応じた法定相続分」欄からそれぞれ転記します。

2　美術品納税猶予税額の計算

①	（寄託相続人の第1表の（⑮+⑰−⑫）の金額	円
②	特定価額に基づく寄託相続人の算出税額（1の⑰×1の⑤／1の（⑤+⑦））	
③	特定価額に基づき相続税額の2割加算が行われる場合の加算金額（②×20%）	
a	（②+③−寄託相続人の第1表の⑫）の金額（赤字の場合は0）	
④	特定価額の20%に相当する金額に基づく寄託相続人の算出税額（1の⑱×1の⑥／1の（⑥+⑦））	
⑤	特定価額の20%に相当する金額に基づき相続税額の2割加算が行われる場合の加算金額（④×20%）	
b	（④+⑤−寄託相続人の第1表の⑫）の金額（赤字の場合は0）	
c	寄託相続人の第1表の⑨欄に基づく算出税額（その人の第1表の（⑨（又は⑩）+⑪−⑫））（赤字の場合は0）	
⑥	（①+a−b−c）の金額（赤字の場合は0）	
⑦	（a−b−⑥）の金額（赤字の場合は0）	
⑧	特定美術品が2以上ある場合の特定美術品ごとの美術品納税猶予税額（注2参照）	
イ	（特定美術品の名称）　　　　　　　　に係る美術品納税猶予税額（⑦×イの特定美術品に係る価額／1の①）（100円未満切捨て）	00
ロ	（特定美術品の名称）　　　　　　　　に係る美術品納税猶予税額（⑦×ロの特定美術品に係る価額／1の①）（100円未満切捨て）	00
ハ	（特定美術品の名称）　　　　　　　　に係る美術品納税猶予税額（⑦×ハの特定美術品に係る価額／1の①）（100円未満切捨て）	00
⑨	美術品納税猶予税額（⑦の金額（100円未満切捨て）（又は⑧の金額の合計額）（注3参照）	A 00

(注)　1　c欄の算式中の「第1表の⑨」の金額について、相続又は遺贈により財産を取得した人のうちに租税特別措置法第70条の6第1項の規定による農地等についての納税猶予及び免除等の適用を受ける人がいる場合は、「第1表の⑩」とします。
　　　　2　⑧欄について、特定美術品が1のみの場合は、⑧欄の記入は行わず、⑦欄の金額を⑨欄に記入します（100円未満切捨て）。なお、イからハまでの各欄の算式中の「特定美術品に係る価額」とは第8の5表の付表の「2　特定美術品の明細」のA欄の金額をいいます。また、特定美術品が4以上ある場合は、適宜の用紙に特定美術品ごとの特定美術品に係る美術品納税猶予税額を記載し添付してください。
　　　　3　⑨欄のA欄の金額を寄託相続人の第8の8表2の「美術品納税猶予税額⑥」に転記します。なお、寄託相続人が他の相続税の納税猶予等の適用を受ける場合は、⑨欄のA欄の金額によらず、第8の7表の⑳欄の金額を寄託相続人の第8の8表2の「美術品納税猶予税額⑥」に転記します。
　　　　4　この申告が修正申告である場合の⑦欄に記入する金額は、⑦欄の「a−b−⑥」の金額が修正前の当該金額を超える場合には、当該修正前の金額にとどめます（⑧及び⑨欄も同様です）。ただし、この特例の適用を受ける特定美術品（期限内申告において第8の5表の付表の「2　特定美術品の明細」に記入した特定美術品に限ります。）の評価誤り又は税額の計算誤りがあった場合で、その誤りだけを修正するものであるときの⑦欄の金額は、当該修正前の金額を超えることができます。

※の項目は記入する必要がありません。

※税務署整理欄	入力		確認	

第8の5表（令6.7）　　　　　　　　　　　　　　　　　　　　　　　　　　　　　（資4−20−9−18−A4統一）

−242−

第七章　申告、更正決定及び更正の請求

特定の美術品についての納税猶予の適用を受ける特定美術品の明細書

被 相 続 人	
寄 託 相 続 人	

第8の5表の付表（令和5年4月分以降用）

この明細書は、特定の美術品についての納税猶予及び免除の適用を受ける特定美術品について、その明細等を記入します。

1　相続の開始があったことを知った日（通常は相続開始の日と同じ日になります。）
　　　　　　　　　　　　　　　　　　　　　　　　　　　　　　　　　年　　　　月　　　　日

2　特定美術品の明細
この欄は、寄託相続人が相続又は遺贈により取得した特定美術品の明細を記入します。

①　特定美術品の名称		②　員　数	
③　種　　類	重 要 文 化 財　　・　　登 録 有 形 文 化 財		
④　指定・登録年月日等	指定・登録年月日	年　　　　月　　　　日	
	記号・登録番号		
⑤　通知された評価価格	A　　　　　　　　　　円	（この金額を第8の5表の1⑴①欄に転記します。）	

（注）　1　③欄については、いずれか該当するものを丸で囲んでください。
　　　　2　④欄には、文化財保護法第27条第1項の規定により重要文化財として指定された年月日及び指定書の記号番号又は同法第58条第1項の規定により登録有形文化財として登録された年月日及び登録番号を記載してください。
　　　　3　⑤欄には、文化庁長官により通知される「重要文化財（登録有形文化財）に係る評価価格通知書」に記載されている「評価した価格」を記載してください。

3　寄託先美術館に関する事項

①　名　　称	
②　所在地	
③　契約期間	自：　　　　年　　　　月　　　　日　　至：令和　　　年　　　月　　　月

（注）　③欄の「契約期間」欄には、特定美術品の所有者と寄託先美術館の設置者との間で締結された特定美術品の寄託に関する契約の契約期間を記載してください。

4　認定保存活用計画の認定状況等

相続開始の日において、現に効力を有する認定保存活用計画に関する事項

①　認定年月日	年　　　　月　　　　日	②　認定番号	
③　計画期間	自：　　　年　　　月　　　月	至：令和　　　年　　　月　　　月	

相続税の申告書の提出期限において、現に効力を有する認定保存活用計画に関する事項

①　認定年月日	年　　　　月　　　　日	②　認定番号	
③　計画期間	自：　　　年　　　月　　　月	至：令和　　　年　　　月　　　月	

（注）　「認定保存活用計画」とは、文化財保護法第53条の2第3項第3号に掲げる事項が記載されている同法第53条の6に規定する「認定重要文化財保存活用計画」又は同法第67条の2第3項第2号に掲げる事項が記載されている同法第67条の5に規定する「認定登録有形文化財保存活用計画」をいいます。

5　認定保存活用計画が終了している場合等
　　次の①又は②に掲げる場合に該当する場合には、該当する□にレ点を付してください。なお、②に掲げる場合に該当するときは、イ又はロのいずれか該当するものに○をし、その事情の詳細についても記載をしてください。
　□　①　租税特別措置法施行令第40条の7の7第2項の規定に該当する場合（注1）
　□　②　租税特別措置法施行令第40条の7の7第3項の規定に該当する場合（注2）
　　　　【　イ　寄託契約の契約期間が終了した場合（注2イ）　　・　　ロ　寄託先美術館について登録の取消等があった場合（注2ロ）】

　　　事情の詳細 _____
　　　_____

（注）　1　被相続人がこの特例の適用を受けようとする特定美術品に係る認定保存活用計画の計画期間が満了した日以後4か月以内に死亡した場合において、その死亡の日前にその特定美術品に係る新たな認定保存活用計画に係る文化財保護法第53条の2第1項又は第67条の2第1項の規定による認定の申請をし、かつ、同日においてその認定を受けていないときをいいます。
　　　　2　この特例の適用に係る相続の開始の日から相続税の申告書の提出期限までの間に次のイ又はロに掲げる場合に該当した場合において、寄託相続人が相続税の申告書の提出期限から1年を経過する日までに新たな寄託先美術館の設置者との間で寄託契約を締結し、かつ、特定美術品を新寄託先美術館の設置者に寄託する見込みであるときをいいます。
　　　　　イ　特例の適用を受けようとする特定美術品に係る寄託契約の契約期間が寄託先美術館の設置者からの契約の解除又は契約の更新を行わない旨の申出により終了した場合
　　　　　ロ　特定美術品を寄託された寄託先美術館について、博物館法の規定により登録を取り消され、若しくは登録を抹消された場合又は博物館に相当する施設としての指定が取り消された場合

※の項目は記入する必要がありません。

※税務署整理欄	入力		確認		

第8の5表の付表（令6.7）　　　　　　　　　　　　　　　　　　　　　　　　　　　（資4−20−9−19−A4統一）

−243−

第一編　相続税

事 業 用 資 産 納 税 猶 予 税 額 の 計 算 書

被 相 続 人	
特例事業相続人等	

第8の6表（令和5年1月分以降用）

この計算書は、特例事業相続人等に該当する人が個人の事業用資産についての相続税の納税猶予及び免除に係る納税猶予税額（事業用資産納税猶予税額）を算出するために使用します。

私は、第8の6表の付表1の「2　特定事業用資産の明細」又は第8の6表の付表2「3　特例の適用を受ける特例受贈事業用資産の明細」若しくは第8の6表の付表2の2「2　特例受贈事業用資産である株式等の明細」に記載した資産のうち各明細の「特例の適用を受ける面積」欄等に係る特定事業用資産又は特例受贈事業用資産について「個人の事業用資産についての相続税の納税猶予及び免除（租税特別措置法第70条の6の10第1項）」の適用を受けます。

1　事業用資産納税猶予税額の基となる相続税の総額の計算

(1)　「特定価額に基づく課税遺産総額」等の計算

		円
①	特例事業相続人等の第8の6表の付表1・付表2（2の2）のＡ欄の合計額	
②	特例事業相続人等に係る特定債務額（その者の第8の6表の付表4のＢ）	
③	特定価額（①－②）（1,000円未満切捨て）（赤字の場合は0）	,000
④	特例事業相続人等以外の相続人等の課税価格の合計額（その特例事業相続人等以外の者の第1表の⑥欄（又は第3表の⑥欄）の金額の合計）	,000
⑤	基礎控除額（第2表の④欄の金額）	,000,000
⑥	特定価額に基づく課税遺産総額（③＋④－⑤）	,000

(2)　「特定価額に基づく相続税の総額」等の計算

⑦ 法定相続人の氏名	⑧ 法定相続分	特定価額に基づく相続税の総額の計算	
		⑨法定相続分に応ずる取得金額（⑥×⑧）	⑩相続税の総額の基礎となる税額（第2表の「速算表」で計算します。）
		円	円
		,000	
		,000	
		,000	
		,000	
		,000	
		,000	
		,000	
法定相続分の合計	1	⑪相続税の総額（⑩の合計額）	00

(注)　1　④欄の「第1表の⑥欄」の金額は、相続又は遺贈により財産を取得した人のうちに租税特別措置法第70条の6第1項の規定による農地等についての納税猶予及び免除等の適用を受ける人がいる場合は、「第3表の⑥欄」の金額となります。
　　　2　⑦及び⑧欄は第2表の「④法定相続人」の「氏名」欄及び「⑤左の法定相続人に応じた法定相続分」欄からそれぞれ転記します。

2　事業用資産納税猶予税額の計算

		円
①	（特例事業相続人等の第1表の（⑮＋⑰－⑫）の金額	
②	特定価額に基づく特例事業相続人等の算出税額（1の⑪×1の③／1の（③＋④））	
③	特定価額に基づき相続税額の2割加算が行われる場合の加算金額（②×20%）	
a	（②＋③－特例事業相続人等の第1表の⑫）の金額（赤字の場合は0）	
b	特例事業相続人等の第1表の⑥欄に基づく算出税額（その人の第1表の（⑨（又は⑩）＋⑪－⑫）（赤字の場合は0）	
④	（①＋a－b）の金額（赤字の場合は0）	
⑤	事業用資産納税猶予税額（（a－④）の金額）（赤字の場合は0）(注2参照)	Ａ　　00

(注)　1　b欄の算式中の「第1表の⑨」の金額について、相続又は遺贈により財産を取得した人のうちに租税特別措置法第70条の6第1項の規定による農地等についての納税猶予及び免除等の適用を受ける人がいる場合は、「第1表の⑩」の金額とします。
　　　2　⑤欄のＡ欄の金額を特例事業相続人等の第8の8表2の「事業用資産納税猶予税額⑦」欄に転記します。なお、特例事業相続人等が他の相続税の納税猶予等の適用を受ける場合は、⑤欄のＡ欄の金額によらず、第8の7表の㉔欄の金額を特例事業相続人等の第8の8表2の「事業用資産納税猶予税額⑦」欄に転記します。
　　　3　この申告が修正申告である場合の⑤欄に記入する金額は、⑤欄の「a－④」の金額が修正前の「事業用資産納税猶予税額」の金額を超える場合には、当該修正前の「事業用資産納税猶予税額」の金額にとどめます。ただし、この特例の適用を受ける特定事業用資産又は特例受贈事業用資産（期限内申告において第8の6表の付表1の「2　特定事業用資産の明細」又は第8の6表の付表2の「3　特例の適用を受ける特例受贈事業用資産の明細」若しくは第8の6表の付表2の2の「2　特例受贈事業用資産である株式等の明細」に記入した特定事業用資産又は特例受贈事業用資産に限ります。）の評価誤り又は税額の計算誤りがあった場合で、その誤りだけを修正するものであるときの⑤欄の金額は、当該修正前の「事業用資産納税猶予税額」の金額を超えることができます。

※の項目は記入する必要がありません。

※税務署整理欄	入力		確認	

第8の6表（令6.7）

（資4－20－9－20－Ａ4統一）

－244－

第七章　申告、更正決定及び更正の請求

個人の事業用資産についての相続税の納税猶予及び免除の適用を受ける特定事業用資産の明細書

被相続人	
特例事業相続人等	

この明細書は、相続又は遺贈により取得をした個人の事業用資産について「個人の事業用資産についての相続税の納税猶予及び免除」の適用を受ける特定事業用資産の明細を記入します。
　租税特別措置法第70条の6の9の規定により相続又は遺贈により取得したものとみなされた特例受贈事業用資産についてこの特例の適用を受ける場合には、この明細書によらず第8の6表の付表2又は第8の6表の付表2の2を使用してください。

第8の6表の付表1《令和2年分以降用》

1　特定事業用資産に係る事業

① 屋号		
② 業種名		
③ 特例事業相続人等の開業届出書提出年月日	年　月　日	
④ 特例事業相続人等の青色申告の承認申請書の提出年月日	年　月　日	
⑤ 相続開始の時における常時使用従業員数	人	

⑥ 個人事業承継計画の提出及び確認の状況	提出年月日	年　月　日
	確認年月日	年　月　日
	確認番号	
⑦ 円滑化法の認定の状況	認定年月日	年　月　日
	認定番号	

(注)　この欄の書きかた等については裏面をご覧ください。

2　特定事業用資産の明細

　この欄は、被相続人等の事業の用に供されていた資産（相続開始日の前年分の事業所得に係る青色申告書（租税特別措置法第25条の2第3項の規定の適用に係るものに限ります。）の貸借対照表に計上されているものに限ります。）について記載してください。
　この明細に記入しきれない場合は、適宜の用紙に記載し添付してください。

⑴　宅地等

① 所在場所	② 面積	③ 価額	④ ②のうち、特例の適用を受ける面積	⑤ ④に係る価額
	㎡	円	㎡	円
⑥ 特例の適用を受ける宅地等の価額の合計額				イ

⑵　建物

① 所在場所	② 面積	③ 価額	④ ②のうち、特例の適用を受ける面積	⑤ ④に係る価額
	㎡	円	㎡	円
⑥ 特例の適用を受ける建物の価額の合計額				ロ

⑶　減価償却資産

① 名称	② 所在場所	③ 面積	④ 価額
		㎡	円
⑤ 特例の適用を受ける減価償却資産の価額の合計額			ハ

(注)　この欄の書きかた等については裏面をご覧ください。

3　事業を行っていた者に関する事項

　この欄は、被相続人等の特定事業用資産に係る事業を行っていた者と生計を一にする親族である場合に、その事業を行っていた者からの特例事業相続人等の当該事業に係る資産の取得に関する事項等について記入します。

① 事業を行っていた者の氏名	② ①の者からの取得の原因	③ 取得年月日
	贈与・相続等	年　月　日

4　最初の申告書の提出に関する事項

　この欄は、特例事業相続人等が贈与等により取得した2の特定事業用資産に係る事業の用に供されていた他の資産について「個人の事業用資産についての贈与税の納税猶予及び免除（租税特別措置法第70条の6の8）」又は「個人の事業用資産についての相続税の納税猶予及び免除（同法第70条の6の10）」の規定の適用を受け又は受けようとしている場合において、これらの規定の適用に係る最初の贈与税又は相続税の申告書の提出期限がこの申告書の提出期限前に到来するときに、その最初の申告書に係る事項を記載します。

① 贈与者又は被相続人の氏名	② ①の者からの取得の原因	③ 取得年月日	④ 最初の申告書に係る税務署名
	贈与・相続等	年　月　日	署

5　特例事業用資産の価額（イ＋ロ＋ハ）

	A	円

(注)　A欄の金額を第8の6表の「1　事業用資産納税猶予税額の基となる相続税の総額の計算」の①欄に転記します。
　なお、第8の6表の付表1のほか、第8の6表の付表2又は第8の6表の付表2の2の作成がある場合には、各付表のA欄の合計額を第8の6表の「1　事業用資産納税猶予税額の基となる相続税の総額の計算」の①欄に記入します。

※の項目は記入する必要がありません。

※税務署整理欄	入力		確認			

第8の6表の付表1（令6.7）　　　　　　　　　　　　　　　　　　　　（資4−20−9−21−A4統一）

−245−

第一編　相続税

個人の事業用資産についての相続税の納税猶予及び免除の適用を受ける特例受贈事業用資産の明細書（一般用）

	被　相　続　人	
	特例事業相続人等	

第8の6表の付表2（令和2年分以降用）

この明細書は、租税特別措置法第70条の6の9の規定により相続又は遺贈（以下「相続等」といいます。）により取得したものとみなされた特例受贈事業用資産（同法第70条の6の8第6項の承認に係る株式等を除きます。）について「個人の事業用資産についての相続税の納税猶予及び免除」の適用を受ける場合に、その特例受贈事業用資産の明細を記入します。

相続等により取得した個人の事業用資産についてこの特例の適用を受ける場合には、この明細書によらず「第8の6表の付表1」を使用し、また、同法第70条の6の8第6項の承認に係る株式等についてこの特例の適用を受ける場合には、「第8の6表の付表2の2」を使用してください。

1　特例受贈事業用資産に係る事業

① 屋号		② 業種名		⑤ 円滑化法の確認の状況	確認年月日	年　月　日
③ 受贈年月日	年　月　日	④ 相続開始の時における常時使用従業員数	人		確認番号	

2　受贈宅地等及び受贈建物に関する明細

この欄は、特例事業相続人等が被相続人から受けた贈与について租税特別措置法第70条の6の8第1項の規定の適用を受けるものとして同項に規定する贈与税の申告書に記載した特例受贈事業用資産である宅地等及び建物（以下それぞれ「受贈宅地等」及び「受贈建物」といいます。）の明細を記載します。

（注）　この明細に記入しきれない場合は、適宜の用紙に記載し添付してください。

① 受贈宅地等に関する事項

a 所在場所	b 面積	a 所在場所	b 面積
	㎡		㎡

② 受贈建物に関する事項

a 所在場所	b 面積	a 所在場所	b 面積
	㎡		㎡

（注）　①欄の記載事項を「第8の6表の付表3」の2(2)①欄に、②欄の記載事項を「第8の6表の付表3」の3(1)欄に、それぞれ転記してください。

3　特例の適用を受ける特例受贈事業用資産の明細

この欄は、租税特別措置法第70条の6の9の規定により相続等により取得したものとみなされた特例受贈事業用資産のうち、この特例の適用を受けるものについて記載します。なお、この明細に記入しきれない場合は、適宜の用紙に記載し添付してください。

(1)　宅地等（(4)に該当するものを除きます。）

a 所在場所	b 面積	c 調整価額	d bのうち、特例の適用を受ける宅地等の面積	e dに係る価額（c×d/b）
	㎡	円	㎡	円

f 特例の適用を受ける宅地等の価額の合計額	イ　　　　　　　円

(2)　建物（(4)に該当するものを除きます。）

a 所在場所	b 面積	c 調整価額
	㎡	円

d 特例の適用を受ける建物の価額の合計額	ロ　　　　　　　円

(3)　減価償却資産（(4)に該当するものを除きます。）

a 名称	b 所在場所	c 面積	d 調整価額
		㎡	円

e 特例の適用を受ける減価償却資産の合計額	ハ　　　　　　　円

(4)　受贈宅地等に係る買換資産

（注）　この欄は、受贈宅地等の譲渡をした場合において、租税特別措置法第70条の6の8第5項の承認を受け、その譲渡の対価により取得した買換資産がある場合に記載します。
　　　　なお、「買換資産」には、その買換資産に係る買換資産も含まれます。

① 受贈宅地等に関する事項

a 所在場所	b 面積	c 贈与時の価額
	㎡	円

② 受贈宅地等に係る買換資産に関する事項

d 種類等	e 所在場所	f 調整割合適用前の価額
		円

g 調整面積（b×f/c）	h gのうち特例の適用を受ける面積	i 調整価額	j 特例の適用を受ける買換資産の価額（i×h/g）
㎡	㎡	円	ニ　　　　　円

4　特例事業用資産の価額（イ＋ロ＋ハ＋ニ）

	A　　　　　　　円

※の項目は記入する必要がありません。

※税務署整理欄	入力		確認	

第8の6表の付表2（令6.7）

（資4－20－9－22－A4統一）

－246－

第七章　申告、更正決定及び更正の請求

個人の事業用資産についての相続税の納税猶予及び免除の適用を受ける特例受贈事業用資産の明細書（株式等用）

被　相　続　人	
特例事業相続人等	

この明細書は、租税特別措置法第70条の6の9の規定により相続又は遺贈（以下「相続等」といいます。）により取得したものとみなされた特例受贈事業用資産が同法第70条の6の8第6項の承認に係る株式等である場合において、その株式等について「個人の事業用資産についての相続税の納税猶予及び免除」の適用を受ける場合のその明細を記入します。

相続等により取得をした個人の事業用資産についてこの特例の適用を受ける場合には、この明細書によらず「第8の6表の付表1」を使用し、また、租税特別措置法第70条の6の8第6項の承認に係る株式等以外の特例受贈事業用資産についてこの特例の適用を受ける場合には、「第8の6表の付表2」を使用してください。

1　特例受贈事業用資産である株式等に係る会社

①	会社名		⑥	相続開始の時における発行済株式等の総数等	株・口・円
②	会社の整理番号（会社の所轄税務署名）	（　　　署）	⑦	相続開始の時における常時使用従業員数	人
③	事業種目		⑧	円滑化法の確認の状況	確　認　年　月　日　　　年　月　日
④	相続開始の時における資本金の額	円			確　認　番　号
⑤	相続開始の時における資本準備金の額	円	⑨	措置法第70条の6の8第6項の承認年月日	年　月　日

(注)1　租税特別措置法第70条の6の8第6項の承認（以下「現物出資承認」といいます。）を受けた株式等に係る会社が、その設立の時から相続開始の直前までにおいて、合併により消滅した場合は当該合併により存続した会社又は設立した会社、株式交換等により他の会社の株式交換完全子会社となった場合は当該他の会社について①から⑦までの各欄を記入します。

2　⑦欄の「常時使用従業員数」は、第8の6表の付表1の裏面の《書きかた等》の1(2)を参照してください。

3　⑧欄は、中小企業における経営の承継の円滑化に関する法律施行規則第13条第9項（同条第11項において準用する場合を含みます。）の都道府県知事の確認を受けた年月日及び確認番号をそれぞれ記載します。

2　特例受贈事業用資産である株式等の明細

① 相続等により取得したものとみなされた株式等の調整価額	② ①の株式等の数等	③ ②のうち、特例の適用を受ける株式等の数等	④ 価　　額（ ① × ③/② ）
円	株・口・円	株・口・円	A　　　　　　　　　　　円

(注)1　A欄の金額を「第8の6表」の「1　事業用資産納税猶予税額の基となる相続税の総額の計算」の①欄に転記します。

なお、この明細書のほか、「第8の6表の付表1」又は「第8の6表の付表2」の作成がある場合は、各付表のA欄の合計額を「第8の6表」の「1　事業用資産納税猶予税額の基となる相続税の総額の計算」の①欄に記入します。

2　①欄及び②欄は、「第11の3表」の3(4)欄の記載に基づき記載してください。

3　③欄に記載することができる株式等の数等は、4②d欄の数等が限度となります。

3　受贈宅地等及び受贈建物に関する明細

この欄は、特例事業相続人等が被相続人から受けた贈与について租税特別措置法第70条の6の8第1項の規定の適用を受けるものとして同項に規定する贈与税の申告書に記載した特例受贈事業用資産である宅地等及び建物（以下それぞれ「受贈宅地等」及び「受贈建物」といいます。）の明細を記載します（現物出資した受贈宅地等にはチェックをしてください。）。

(注)　この明細に記入しきれない場合は、適宜の用紙に記載し添付してください。

①　受贈宅地等に関する事項

a　所在場所	b　面積	c　価額	a　所在場所	b　面積	c　価額
□	㎡	円	□	㎡	円
□			□		

d 受贈宅地等の面積の合計	㎡	e 受贈宅地等の価額の合計	円	f 現物出資受贈宅地等の価額	円

②　受贈建物に関する事項

a　所在場所	b　面積	a　所在場所	b　面積
	㎡		㎡

(注)1　①b及び②bの「面積」は、贈与税の申告書に記載した受贈宅地等及び受贈建物の面積を記載します。

2　fの「現物出資受贈宅地等の価額」欄は、チェックの入った項目のcの合計を記載してください。

3　現物出資前に譲渡等をしたことにより、現物出資時に所有していなかった受贈宅地等及び受贈建物についても記載してください。

4　①欄の記載事項を「第8の6表の付表3」の2(2)①欄に、②欄の記載事項を「第8の6表の付表3」の3(1)欄に、それぞれ転記してください。

4　特例の適用を受ける株式等の限度数（限度額）の計算

この欄は、2③欄に記載することができる株式等の数等の限度数（限度額）の計算をします。

①　株式等の限度数（限度額）の計算の基礎となる面積の計算

a	相続等により取得したものとみなされた株式等の調整割合適用前の価額（第11の3表の3の(4)④）	円
b	現物出資承認を受けた特例受贈事業用資産の贈与の時における価額の合計額	円
c	bのうち現物出資受贈宅地等の価額（3の①f）	円
d	現物出資受贈宅地等に相当する株式等の調整割合適用前の価額（a×c/b）	円
e	限度数（限度額）の計算の基礎となる面積（3の①d×d/3の①e）	㎡
f	eのうち、この特例の適用を受ける面積	㎡

②　限度数（限度額）の計算

a	相続等により取得したものとみなされた株式等の数等（2の②）	株・口・円
b	aのうち、現物出資受贈宅地等に相当する株式等の数等（a×①c/①b）	株・口・円
c	aのうち、現物出資受贈宅地等以外の特例受贈事業用資産に相当する株式等の数等（a−b）	株・口・円
d	限度数（限度額）b×①f/①e＋c	株・口・円

(注)1　①f欄の「eのうち、この特例の適用を受ける面積」については、「第8の6表の付表3」の2(2)欄に転記し、限度面積の判定を行ってください。

2　②d欄の数等に1株未満の端数が生じた場合には、切り上げて差し支えありません。

※税務署整理欄	入力		確認			

第8の6表の付表2の2（令6.7）

（資4−20−9−23−A4統一）

第8の6表の付表2の2（令和2年分以降用）

※の項目は記入する必要がありません。

第一編　相続税

個人の事業用資産についての相続税の納税猶予及び免除の適用に係る宅地等及び建物の明細書

被相続人　[　　　　　]

第8の6表の付表3（令和2年分以降用）

1　特例の適用に当たっての同意

　この欄は、「個人の事業用資産についての相続税の納税猶予及び免除」の対象となり得る宅地等を被相続人から相続又は遺贈（以下「相続等」といいます。）により取得した者が1人でない場合、又はその対象となり得る建物を被相続人から相続等により取得した者が1人でない場合に記入します。
　その他、この欄の記載については、裏面の「書きかた等」を参照してください。

　私たちは、下記2(3)又は3(2)の特例事業相続人等が、この特例の適用を受けるものとして選択した2(3)の宅地等又は3(2)の建物について、この特例の適用を受けることに同意します。

(1)　宅地等について		(2)　建物について	
氏名		氏名	

2　この特例の適用を受ける宅地等に係る限度面積の判定

　この表は、この特例の適用を受けるものとして「第8の6表の付表1」又は「第8の6表の付表2」若しくは「第8の6表の付表2の2」に記載した宅地等について、限度面積を判定する場合に使用します。2(2)及び(3)の宅地等の明細に記入しきれない場合は、適宜の用紙に記載し添付してください。
　限度面積の判定（(2)④及び(3)②）の結果が「否」となる場合、この特例を受けることはできません。

(1)　小規模宅地等の特例の適用を受ける面積

a　特定居住用宅地等（第11・11の2表の付表1⑩①の面積	b　特定同族会社事業用宅地等（第11・11の2表の付表1⑩③の面積	c　貸付事業用宅地等（第11・11の2表の付表1⑩④の面積	d　小規模宅地等の特例適用面積 ・c=0の場合：b ・c>0の場合：$2 \times (a \times \frac{200}{330} + b \times \frac{200}{400} + c)$
㎡	㎡	㎡	イ　　　　　㎡

(2)　特例受贈事業用資産である宅地等に係る限度面積の判定

①　贈与税の申告書に記載された特例受贈事業用資産である宅地等に係る限度面積の判定			②　左記のうち、特例の適用を受ける宅地等の面積(注2)
a　特例事業相続人等の氏名	b　贈与税の申告書に記載された宅地等の明細(注1)		
	所在場所	面積	
		㎡	㎡
		㎡	㎡
		㎡	㎡
		㎡	㎡
合　　　計		ロ　　　　㎡	ハ　　　　㎡
③	②の宅地等に係る限度面積（400㎡－(1)イ）		ニ　　　　㎡
④	判定（ニ≧ハ）		適 ・ 否

(注)　1　①b欄については、各特例事業相続人等に係る「第8の6表の付表2」の2①及び「第8の6表の付表2の2」の3①の所在場所及び面積を記載してください。
　　　　　なお、現物出資承認を受けた宅地等については、一括して「所在場所」欄に「第8の6表の付表2の2のとおり」と記載し、「面積」欄は空欄としてください。
　　　　2　②については、①b欄に記載した特例受贈事業用資産である宅地等の面積のうち、特例の適用を受ける宅地等の面積の合計が「ニ」の限度面積の範囲内となるよう選択をした宅地等の面積を記載してください。
　　　　　なお、現物出資承認を受けた宅地等については、「第8の6表の付表2の2」の4①fの面積を記載してください。

(3)　相続等により取得した特定事業用資産である宅地等に係る限度面積の判定

①　相続等により取得した特定事業用資産である宅地等の明細					
特例事業相続人等の氏名	所在場所	面積	特例事業相続人等の氏名	所在場所	面積
		㎡			㎡
			合　　　計		ホ　　㎡

(注)　「面積」は、各特例事業相続人等に係る「第8の6表の付表1」の2(1)④の面積を記載してください。

②	①の宅地等に係る限度面積の判定	a　限度面積（400㎡－(1)イ－(2)①ロ）	b　①の宅地等の面積の合計（(3)①ホ）	c　判定（a≧b）
		㎡	㎡	適 ・ 否

3　この特例の適用を受ける建物に係る限度面積の判定

　この表は、この特例の適用を受けるものとして「第8の6表の付表1」又は「第8の6表の付表2」若しくは「第8の6表の付表2の2」に記載した建物について、限度面積を判定する場合に使用します。3(1)及び(2)の建物の明細に記入しきれない場合は、適宜の用紙に記載し添付してください。

(1)　特例受贈事業用資産である建物の明細

特例事業相続人等の氏名	所在場所	面積	特例事業相続人等の氏名	所在場所	面積
		㎡			㎡
			合　　　計		イ　㎡

(注)　「所在場所」及び「面積」は、各特例事業相続人等に係る「第8の6表の付表2」の2②及び「第8の6表の付表2の2」の3②の所在場所及び面積を記載してください。

(2)　相続等により取得した特定事業用資産である建物の明細

　限度面積の判定（c）の結果が「否」となる場合、この特例を受けることはできません。

特例事業相続人等の氏名	所在場所	面積	特例事業相続人等の氏名	所在場所	面積
		㎡			㎡
			合　　　計		ロ　㎡

(注)　「所在場所」及び「面積」は、各特例事業相続人等に係る「第8の6表の付表1」の2(2)④の面積を記載してください。

(2)の建物に係る限度面積の判定	a　限度面積（800㎡－(1)イ）	b　(2)の建物の面積（(2)ロ）	c　判定（a≧b）
	㎡	㎡	適 ・ 否

※の項目は記入する必要がありません。

※税務署整理欄	入力		確認	

第8の6表の付表3（令6.7）

（資4－20－9－24－A4統一）

－248－

第七章　申告、更正決定及び更正の請求

個人の事業用資産についての相続税の納税猶予及び免除の適用に係る特定債務額の計算明細書

被相続人	

> この明細書は、「個人の事業用資産についての相続税の納税猶予及び免除」の規定の適用を受ける特例事業相続人等が相続税法第13条の規定により控除すべき債務がある場合において、各特例事業相続人等に係る特定債務額を算出するために使用します。
> （注）1　2欄の「特例事業用資産に係る事業に関するものと認められるもの以外の債務の金額の明細」に記載する債務は、当該事業に関するもの以外のものであることについて、金銭の貸付に係る消費貸借に関する契約書等の書面により、明らかにされるものに限られますので、当該書面の写しを併せて提出してください。
> 　　　　また、この明細に記入しきれない場合は、適宜の用紙に記載し添付してください。
> 　　2　4欄の「第1表の（①＋②）」の金額は、特例事業相続人等が租税特別措置法第70条の6第1項の規定による農地等についての納税猶予及び免除等の適用を受ける場合は、「第3表の①欄」の金額となります。
> 　　3　各特例事業相続人等に係る特定債務額（7欄のBの金額）は、その特例事業相続人等に係る第8の6表の1⑴の「②　特定債務額」欄に転記します。

第8の6表の付表4

（平成31年1月分以降用）

特例事業相続人等の氏名					
1　その者に係る債務及び葬式費用の合計額（その者の第13表の3⑦欄の金額）					円
2　1のうち、特例事業用資産に係る事業に関するものと認められるもの以外の債務の金額の明細					
種類	細目	債権者の氏名又は名称	債務の使途		金額
葬式費用	葬式費用	―	―		円
合計額				A	
3　事業関連債務の金額（1－A）					
4　その者が相続又は遺贈により取得した財産の価額（その者の第1表の（①＋②）（又は第3表の①欄）の金額					
5　その者に係る特例事業用資産の価額（その者の第8の6表の付表1・付表2（2の2）のA欄の合計額）					
6　A－（4－5）（赤字の場合は0）					
7　特定債務額（3＋6）				B	

特例事業相続人等の氏名					
1　その者に係る債務及び葬式費用の合計額（その者の第13表の3⑦欄の金額）					円
2　1のうち、特例事業用資産に係る事業に関するものと認められるもの以外の債務の金額の明細					
種類	細目	債権者の氏名又は名称	債務の使途		金額
葬式費用	葬式費用	―	―		円
合計額				A	
3　事業関連債務の金額（1－A）					
4　その者が相続又は遺贈により取得した財産の価額（その者の第1表の（①＋②）（又は第3表の①欄）の金額					
5　その者に係る特例事業用資産の価額（その者の第8の6表の付表1・付表2（2の2）のA欄の合計額）					
6　A－（4－5）（赤字の場合は0）					
7　特定債務額（3＋6）				B	

特例事業相続人等の氏名					
1　その者に係る債務及び葬式費用の合計額（その者の第13表の3⑦欄の金額）					円
2　1のうち、特例事業用資産に係る事業に関するものと認められるもの以外の債務の金額の明細					
種類	細目	債権者の氏名又は名称	債務の使途		金額
葬式費用	葬式費用	―	―		円
合計額				A	
3　事業関連債務の金額（1－A）					
4　その者が相続又は遺贈により取得した財産の価額（その者の第1表の（①＋②）（又は第3表の①欄）の金額					
5　その者に係る特例事業用資産の価額（その者の第8の6表の付表1・付表2（2の2）のA欄の合計額）					
6　A－（4－5）（赤字の場合は0）					
7　特定債務額（3＋6）				B	

※の項目は記入する必要がありません。

※税務署整理欄	入力		確認		

第8の6表の付表4（令6.7）　　　　　　　　　　　　　　　　　　　　　　（資4－20－9－25－A4統一）

－249－

第一編　相続税

納 税 猶 予 税 額 等 の 調 整 計 算 書

被 相 続 人	
相 続 人 等	

第8の7表（令和5年1月分以降用）

　この計算書は、次の相続税の特例のうち2以上の特例の適用を受ける人（以下この表において、「相続人等」と表記しています。）が、特例ごとの納税猶予税額又は税額控除額の調整の計算のために使用します。
　・　農地等についての納税猶予及び免除等（租税特別措置法第70条の6第1項）
　・　非上場株式等についての納税猶予及び免除（租税特別措置法第70条の7の2第1項又は第70条の7の4第1項）
　・　非上場株式等についての納税猶予及び免除の特例（租税特別措置法第70条の7の6第1項又は第70条の7の8第1項）
　・　山林についての納税猶予及び免除（租税特別措置法第70条の6の6第1項）
　・　医療法人の持分についての納税猶予及び免除（租税特別措置法第70条の7の12第1項）又は医療法人の持分についての税額控除（租税特別措置法第70条の7の13第1項）
　・　特定の美術品についての納税猶予及び免除（租税特別措置法第70条の6の7第1項）
　・　個人の事業用資産についての納税猶予及び免除（租税特別措置法第70条の6の10第1項）

1　調整前猶予税額等の明細

　この欄は、相続人等に係る農地等納税猶予税額、株式等納税猶予税額、特例株式等納税猶予税額、山林納税猶予税額、医療法人持分納税猶予税額若しくは医療法人持分税額控除額（以下この表において「医療法人持分納税猶予税額等」と表記しています。）、美術品納税猶予税額又は事業用資産納税猶予税額についてその明細を記入します。

		円
①	調整前農地等猶予税額（相続人等の第8表の2の⑦の金額）	0 0
②	調整前株式等猶予税額（相続人等の第8の2表の2のAの金額）	0 0
③	調整前特例株式等猶予税額（相続人等の第8の2の2表の2のAの金額）	0 0
④	調整前山林猶予税額（相続人等の第8の3表の2の⑧の金額）	0 0
⑤	調整前医療法人持分猶予税額等（相続人等の第8の4表の2の⑨の金額）	0 0
⑥	調整前美術品猶予税額（相続人等の第8の5表の2のA）	0 0
⑦	調整前事業用資産猶予税額（相続人等の第8の6表の2のA）	0 0
⑧	調整前猶予税額等（①＋②＋③＋④＋⑤＋⑥＋⑦）	0 0
⑨	猶予可能税額等（相続人等の第1表の（⑯－⑰）の金額）（100円未満切捨て）	0 0

　（注）　⑧欄の金額が⑨欄の金額を越える場合（「⑧＞⑨」の場合）は、「2　各納税猶予税額等の調整」欄を記入します。
　　　　　なお、⑧欄の金額が⑨欄の金額以下の場合（「⑧≦⑨」の場合）は、「2　各納税猶予税額等の調整」欄は記入を要しません。

2　各納税猶予税額等の調整

　この欄は、1の⑧欄の金額が1の⑨欄の金額を超える場合（「⑧＞⑨」の場合）において、納税猶予税額等の調整の計算をするときに記入します。
　なお、1の⑧欄の金額が1の⑨欄の金額以下の場合（「⑧≦⑨」の場合）は記入を要しません。

		円
⑩	調整後の農地等納税猶予税額（⑨×①／⑧）（100円未満切捨て）	0 0
⑪	調整後の株式等納税猶予税額（⑨×②／⑧）（100円未満切捨て）	0 0
⑫	調整後の特例株式等納税猶予税額（⑨×③／⑧）（100円未満切捨て）	0 0
⑬	調整後の山林納税猶予税額（⑨×④／⑧）（100円未満切捨て）	0 0
⑭	調整後の医療法人持分納税猶予税額等（⑨×⑤／⑧）（100円未満切捨て）	0 0
⑮	調整後の美術品納税猶予税額（⑨×⑥／⑧）（100円未満切捨て）	0 0
⑯	調整後の事業用資産納税猶予税額（⑨×⑦／⑧）（100円未満切捨て）	0 0

3　納税猶予税額等

　この欄は、1又は2により算出した納税猶予税額等を基に、特例ごとの納税猶予税額又は税額控除額を記入します。

⑰	**農地等納税猶予税額等**（①の金額（2において調整の計算をした場合には⑩の金額）を転記します。）	（第8の8表2の①）	円 0 0
⑱	**株式等納税猶予税額**（②の金額（2において調整の計算をした場合には⑪の金額）を転記します。）	（第8の8表2の②）	0 0
⑲	**特例株式等納税猶予税額**（③の金額（2において調整の計算をした場合には⑫の金額）を転記します。）	（第8の8表2の③）	0 0
⑳	**山林納税猶予税額**（④の金額（2において調整の計算をした場合には⑬の金額）を転記します。）	（第8の8表2の④）	0 0
㉑	医療法人持分納税猶予税額等（⑤の金額（2において調整の計算をした場合には⑭の金額）を転記します。）		0 0

㉒	イ	「医療法人の持分についての納税猶予及び免除」の適用を受ける場合		医療法人持分納税猶予額 （㉑の金額を転記します。）	A（第8の8表2の⑤） 0 0
	ロ	「医療法人の持分についての税額控除」の適用を受ける場合	（イ）　持分の全てを放棄したとき	医療法人持分税額控除額 （㉑の金額を転記します。）	B（第1表の⑱） 0 0
			（ロ）　持分の一部を放棄し、その残余の部分を基金拠出型医療法人の基金として拠出したとき （＊第8の4表の付表の計算明細の各欄に記入します。）	医療法人持分税額控除額 （第8の4表の付表のFの金額を転記します。）	B（第1表の⑱）

㉓	**美術品納税猶予税額**（⑥の金額（2において調整の計算をした場合には⑮の金額）を転記します。）	（第8の8表2の⑥）	0 0
㉔	**事業用資産納税猶予税額**（⑦の金額（2において調整の計算をした場合には⑯の金額）を転記します。）	（第8の8表2の⑦）	0 0

　（注）　1　⑰、⑱、⑲、⑳、㉑、㉓及び㉔欄の各欄には、1又は2により算出した納税猶予税額等を記入します。
　　　　　2　⑰、⑱、⑲、⑳、㉓又は㉔欄の金額は、相続人等の第8の8表2の「農地等納税猶予税額①」、「株式等納税猶予税額②」、「特例株式等納税猶予税額③」、「山林納税猶予税額④」、「医療法人持分納税猶予税額⑤」若しくは第1表の「医療法人持分税額控除額⑱」、第8の8表2の「美術品納税猶予税額⑥」又は「事業用資産納税猶予税額⑦」欄にそれぞれ転記します。
　　　　　3　㉒欄の金額を基に、イ又はロの場合には、A又はBを記入します。なお、ロの場合には、放棄の態様（（イ）又は（ロ））に応じ、（イ）のときには㉑欄の金額を、（ロ）のときには㉑欄の金額に基づき算出した第8の4表の付表の「基金拠出型医療法人へ基金を拠出した場合の医療法人持分税額控除額の計算明細」のFの金額を、それぞれのB欄に転記します。

第8の7表(令6.7)

（資4－20－9－9－A4統一）

第七章　申告、更正決定及び更正の請求

税額控除額及び納税猶予税額の内訳書　　FD3572

（単位は円）

被相続人　**日本　太郎**

第8の8表（令和5年1月分以降用）

○この申告書は機械で読み取りますので、黒ボールペンで記入してください。

1　税額控除額

この表は、「未成年者控除」、「障害者控除」、「相次相続控除」又は「外国税額控除」の適用を受ける人が第1表の「⑫・⑬以外の税額控除額⑭」欄に記入する金額の計算のために使用します。

		（氏　名）　**日本　花子**		（氏　名）　**日本　一郎**	
※　整　理　番　号					
未成年者控除額 （第6表1②、③又は⑥）	①				
障害者控除額 （第6表2②、③又は⑥）	②				
相次相続控除額 （第7表⑬又は⑱）	③		**217204**		**111169**
外国税額控除額 （第8表1⑧）	④				
合　　　計 （①+②+③+④）	⑤		**217204**		**111169**

（注）　各人の⑤欄の金額を第1表のその人の「⑫・⑬以外の税額控除額⑭」欄に転記します。

（単位は円）

2　納税猶予税額

この表は、次の相続税の特例の適用を受ける人が第1表の「納税猶予税額⑳」欄に記入する金額の計算のために使用します。

(1) 農地等についての納税猶予及び免除等（租税特別措置法第70条の6第1項）
(2) 非上場株式等についての納税猶予及び免除（租税特別措置法第70条の7の2第1項又は第70条の7の4第1項）
(3) 非上場株式等についての納税猶予及び免除の特例（租税特別措置法第70条の7の6第1項又は第70条の7の8第1項）
(4) 山林についての納税猶予及び免除（租税特別措置法第70条の6の6第1項）
(5) 医療法人の持分についての納税猶予及び免除（租税特別措置法第70条の7の12第1項）
(6) 特定の美術品についての納税猶予及び免除（租税特別措置法第70条の6の7第1項）
(7) 個人の事業用資産についての納税猶予及び免除（租税特別措置法第70条の6の10第1項）

※の項目は記入する必要がありません。

		（氏　名）		（氏　名）	
※　整　理　番　号					
農地等納税猶予税額 （第8表2⑦）	①	0 0		0 0	
株式等納税猶予税額 （第8の2表2A）	②	0 0		0 0	
特例株式等納税猶予税額 （第8の2の2表2A）	③	0 0		0 0	
山林納税猶予税額 （第8の3表2⑧）	④	0 0		0 0	
医療法人持分納税猶予税額 （第8の4表2A）	⑤	0 0		0 0	
美術品納税猶予税額 （第8の5表2A）	⑥	0 0		0 0	
事業用資産納税猶予税額 （第8の6表2A）	⑦	0 0		0 0	
合　　　計 （①+②+③+④+⑤+⑥+⑦）	⑧	0 0		0 0	

（注）1　上記(1)～(7)の特例又は医療法人の持分についての相続税の税額控除（租税特別措置法第70条の7の13第1項）のうち2以上の特例の適用を受ける人がいる場合は、その人の①～⑦欄には、第8の7表の「3　納税猶予税額等」のうち①～⑦欄に対応する欄の金額を転記します。

2　各人の⑧欄の金額を第1表のその人の「納税猶予税額⑳」欄に転記します。

※税務署整理欄	申告区分		年分			名簿番号					申告年月日							グループ番号	

（資4-20-9-16-A4統一）第8の8表（令6.7）

生命保険金などの明細書

被相続人　**日本太郎**

第9表（令和6年1月分以降用）

1　相続や遺贈によって取得したものとみなされる保険金など

この表は、相続人やその他の人が被相続人から相続や遺贈によって取得したものとみなされる生命保険金、損害保険契約の死亡保険金及び特定の生命共済金などを受け取った場合に、その受取金額などを記入します。

保険会社等の所在地	保険会社等の名称	受取年月日	受取金額	受取人の氏名
○○区○○2丁目×番×	○○生命保険(相)	6・7・5	29,629,483 円	日本一郎
〃	〃	6・7・5	5,000,000	〃
○○区○○1丁目×番×	××生命保険(相)	6・7・12	10,000,000	〃
△△区○○2丁目×番×	△△生命保険(株)	6・8・2	20,000,000	久保和子
△△区○○1丁目×番×	(株)○○生命保険	6・9・6	10,768,125	〃

(注)　1　相続人（相続の放棄をした人を除きます。以下同じです。）が受け取った保険金などのうち一定の金額は非課税となりますので、その人は、次の2の該当欄に非課税となる金額と課税される金額とを記入します。
　　　2　相続人以外の人が受け取った保険金などについては、非課税となる金額はありませんので、その人は、その受け取った金額そのままを第11表の付表4の「財産の明細」の「価額」欄に転記します。
　　　3　相続時精算課税適用財産は含まれません。

2　課税される金額の計算

この表は、被相続人の死亡によって相続人が生命保険金などを受け取った場合に、記入します。

保険金の非課税限度額	〔第2表のⒶの法定相続人の数〕（500万円× **3** 人 により計算した金額を右のⒶに記入します。）	Ⓐ 15,000,000 円

保険金などを受け取った相続人の氏名	① 受け取った保険金などの金額	② 非課税金額（Ⓐ× 各人の①／Ⓑ）	③ 課税金額（①−②）
日本一郎	44,629,483 円	8,878,826 円	35,750,657 円
久保和子	30,768,125	6,121,174	24,646,951
合計	Ⓑ 75,397,608	15,000,000	60,397,608

(注)　1　Ⓑの金額がⒶの金額より少ないときは、各相続人の①欄の金額がそのまま②欄の非課税金額となりますので、③欄の課税金額は0となります。
　　　2　③欄の金額を第11表の付表4の「財産の明細」の「価額」欄に転記します。

第9表(令6.7)　　　　　　　　　　　　　　　　　　　　　　　　　　　　（資4−20−10−A4統一）

退職手当金などの明細書

	被相続人	**日本太郎**

第10表（令和6年1月分以降用）

1 相続や遺贈によって取得したものとみなされる退職手当金など

この表は、相続人やその他の人が被相続人から相続や遺贈によって取得したものとみなされる退職手当金、功労金、退職給付金などを受け取った場合に、その受取金額などを記入します。

勤務先会社等の所在地	勤務先会社等の名称	受取年月日	退職手当金などの名称	受 取 金 額	受取人の氏名
○○区○○1丁目3番5号	○○商事(株)	6・7・5	退職金	40,000,000 円	日本花子
〃	〃	6・7・5	功労金	5,000,000	〃
		・ ・			
		・ ・			
		・ ・			

(注) 1 相続人（相続の放棄をした人を除きます。以下同じです。）が受け取った退職手当金などのうち一定の金額は非課税となりますので、その人は、次の2の該当欄に非課税となる金額と課税される金額とを記入します。
　　　2 相続人以外の人が受け取った退職手当金などについては、非課税となる金額はありませんので、その人は、その受け取った金額そのままを第11表の付表4の「財産の明細」の「価額」欄に転記します。

2 課税される金額の計算

この表は、被相続人の死亡によって相続人が退職手当金などを受け取った場合に、記入します。

退職手当金などの非課税限度額	$\begin{bmatrix}第2表のⒶの\\法定相続人の数\end{bmatrix}$ （５００万円× **3人** により計算した金額を右のⒶに記入します。）	Ⓐ **15**,000,000 円

退職手当金などを受け取った相続人の氏名	① 受 け 取 っ た 退職手当金などの金額	② 非 課 税 金 額 $\left(Ⓐ \times \dfrac{各人の①}{Ⓑ}\right)$	③ 課 税 金 額 （①－②）
日 本 花 子	**45,000,000** 円	**15,000,000** 円	**30,000,000** 円
合　　　計	Ⓑ **45,000,000**	**15,000,000**	**30,000,000**

(注) 1 Ⓑの金額がⒶの金額より少ないときは、各相続人の①欄の金額がそのまま②欄の非課税金額となりますので、③欄の課税金額は 0 となります。
　　　2 ③欄の金額を第11表の付表4の「財産の明細」の「価額」欄に転記します。

第10表(令6.7)　　　　　　　　　　　　　　　　　　　　　　　　　　　　（資４－20－11－Ａ４統一）

第一編　相続税

相続税がかかる財産の合計表
（相続時精算課税適用財産を除きます。）

被相続人の氏名	日本　太郎

第11表（令和6年1月分以降用）

この表は、遺産の分割状況及び各人の取得財産の価額の合計額等を記入します。
　なお、相続税がかかる財産（相続時精算課税適用財産を除きます。以下同じです。）の明細については、財産の種類に応じて第11表の付表1から付表4に記入してください。
（注）　財産を取得した人が10名を超える場合には、この合計表を追加して記入してください。

1　遺産の分割状況及び財産取得者の一覧

遺産の分割状況及び相続税がかかる財産を取得した人全ての氏名を記入します。

遺産の分割状況		分割の日	全部分割				一部分割			
			元号	年	月	日	元号	年	月	日
1：全部分割 2：一部分割 3：全部未分割	1		令和	6	8	16				

財産取得者の一覧

項番	財産を取得した人の氏名	項番	財産を取得した人の氏名
1	日本　花子		
2	日本　一郎		
3	久保　和子		

（注）1　「遺産の分割状況」欄は、遺産の分割状況に応じた番号を記入します。
　　　2　「分割の日」欄は、遺産の全部又は一部について分割がされている場合には、その分割の日を記入します。

2　取得財産の価額の合計表

財産を取得した人の番号	①　分割財産の価額（円）	②　未分割財産の価額（円）	③　取得財産の価額（円）（①＋②）
1	256,646,350	0	256,646,350
2	129,067,118	0	129,067,118
3	112,678,683	0	112,678,683

（注）1　「財産を取得した人の番号」欄は、上記1の「項番」欄に記入した番号を記入します。
　　　2　「①分割財産の価額」欄は、第11表の付表1から付表4の「分割が確定した財産」の「取得財産の価額」欄に記入した価額について、財産を取得した人ごとに合計した金額を記入します。
　　　3　「②未分割財産の価額」欄は、第11表の付表1から付表4の「財産の明細」に記入した財産のうち、未分割である財産の価額の合計額を各相続人が相続分（寄与分を除きます。）に応じて取得するとした場合に計算される金額を記入します。
　　　4　「③取得財産の価額」欄の金額を第1表のその人の「取得財産の価額①」欄に転記します。

第11表（令6.7）

（資4-20-12-1-A4統一）

第七章　申告、更正決定及び更正の請求

相続税がかかる財産の明細書
（土地・家屋等用）

被相続人の氏名　**日本 太郎**

第11表の付表1（令和6年1月分以降用）

この明細書は、相続税がかかる財産（相続時精算課税適用財産を除きます。）のうち、土地（土地の上に存する権利を含みます。）又は家屋等の明細を記入します。

項番	財産の明細 細目 利用区分　国外 特例　備考	所在場所 上段：（左）都道府県、（右）市区町村 中段：大字・丁目 下段：地番又は家屋番号	面積（㎡） 固定資産税評価額（円） 価額（円）	単価（円）又は倍数 持分割合	分割が確定した財産 財産を取得 した人の番号	取得財産の価額（円）
1	宅地 自用地 （居住用） 1	○○県　○○市 ○○○3丁目 5番16号	165.00 12,870,000	/	1 2	6,435,000 6,435,000
2	宅地 貸家建付地 1	○○県　○○市 ○○○3丁目 5番17号	150.00 30,810,000	/	1	30,810,000
3	宅地 貸家建付地	○○府　○○区 ○○1丁目 3番5号	150.00 35,451,000	236,340 /	1	35,451,000
4	宅地 自用地 （未利用地）	○○県　○○市 ○○○2丁目 3番4号	150.00 42,000,000	280,000 /	1 3	28,000,000 14,000,000
5	宅地 貸家建付地 6,144/192,000	○○県　○○市 ○○1丁目 1番	1,125.00 10,272,960	285,360 /	3	10,272,960
6	山林 普通山林	○○県　○○郡○○町 ○○ 13番2	30,000.00 241,140 3,617,100	15 /	2	3,617,100
7	家屋等 自用家屋 （鉄コ2・居宅）	○○県　○○市 ○○○3丁目 5番16号	120.00 3,874,960 3,874,960	1.0 /	1	3,874,960
8	家屋等 貸家 （鉄コ2・店舗）	○○県　○○市 ○○○3丁目 5番17号	93.00 3,389,270 2,372,489	0.7 /	1	2,372,489

第11表の付表1（令6.7）

（資4−20−12−1−1−A4統一）

−255−

第一編　相続税

相続税がかかる財産の明細書
（土地・家屋等用）

| 被相続人の氏名 | 日本 太郎 |

第11表の付表1《令和6年1月分以降用》

この明細書は、相続税がかかる財産（相続時精算課税適用財産を除きます。）のうち、土地（土地の上に存する権利を含みます。）又は家屋等の明細を記入します。

項番	細目		所在場所 上段：（左）都道府県、（右）市区町村 中段：大字・丁目 下段：地番又は家屋番号	面積(㎡) 固定資産税評価額(円) 価額(円)	単価(円)又は倍数 持分割合	財産を取得した人の番号	取得財産の価額(円)
	利用区分	国外					
	特例	備考					
9	家屋等		○○府　　○○区	184.50	0.7	1	5,983,601
	貸家 （鉄コ3・店舗）		○○1丁目	8,548,002	/		
			3番5号	5,983,601			
10	家屋等		○○県　　○○市	72.50	0.9744	3	10,328,640
	貸家 （鉄コ3・居宅）		○○1丁目	10,600,000	/		
			1番（101号）	10,328,640			
					/		
					/		
					/		
					/		
					/		

第11表の付表1（令6.7）

（資4－20－12－1－1－A4統一）

第七章　申告、更正決定及び更正の請求

相続税がかかる財産の明細書
（ 有 価 証 券 用 ）

被相続人の氏名　**日 本 太 郎**

第11表の付表2（令和6年1月分以降用）

この明細書は、相続税がかかる財産（相続時精算課税適用財産を除きます。）のうち、有価証券の明細を記入します。

| 項番 | 財 産 の 明 細 ||| 数量(株・口・円) 為 替 (円) 単 価 価 額 (円) | 分割が確定した財産 ||
	細目 銘柄 特例	国外 備考	所在場所等 上段：金融商品取引業者等の名称 中段：支店等の名称 下段：その他(発行法人の所在地等)		財産を取得した人の番号	取得財産の価額(円)
1	特定同族会社の株式（配当還元方式） ㈱〇〇		〇〇市〇〇3丁目×番×号	1,000 50 円 50,000	1	50,000
2	特定同族会社の株式（その他の方式） 〇〇商事㈱		〇〇市〇〇1丁目3番5号	5,000 13,800 円 69,000,000	1	69,000,000
3	上記以外の株式 〇〇建設㈱		△△証券 〇〇支店	10,000 783 円 7,830,000	1	7,830,000
4	上記以外の株式 〇〇石油㈱		△△証券 〇〇支店	5,000 719 円 3,595,000	2	3,595,000
5	上記以外の株式 〇〇電鉄㈱		△△証券 〇〇支店	10,000 556 円 5,560,000	2	5,560,000
6	上記以外の株式 〇〇Company Inc.		△△証券 〇〇支店	1,000 150.00 $ 94 14,100,000	3	14,100,000
7	公債 10年利付国債第×××回		△△証券 〇〇支店	3,158,700	3	3,158,700
8	社債 一般事業債〇〇第×回第×号		△△証券 〇〇支店	3,432,000	3	3,432,000

第11表の付表2（令6.7）

（資4－20－12－1－2－Ａ4統一）

－257－

第一編　相続税

相続税がかかる財産の明細書

（有価証券用）

被相続人の氏名　**日本太郎**

第11表の付表2（令和6年1月分以降用）

この明細書は、相続税がかかる財産（相続時精算課税適用財産を除きます。）のうち、有価証券の明細を記入します。

項番	財産の明細			所在場所等 上段：金融商品取引業者等の名称 中段：支店等の名称 下段：その他（発行法人の所在地等）	数量（株・口・円）	為替（円）	分割が確定した財産	
	細目				単価		財産を取得した人の番号	取得財産の価額（円）
	銘柄	国外						
	特例	備考			価額（円）			
9	証券投資信託の受益証券			△△証券	200		3	1,662,000
	○○投資			○○支店	8,310円			
	○○ファンド							
					1,662,000			
10	貸付信託の受益証券			○○信託銀行	5,000		2	5,240,700
	○○信託銀行 貸付信託○号○回			△△支店	1,048円			
					5,240,700			

第11表の付表2（令6.7）

（資4－20－12－1－2－A4統一）

第七章　申告、更正決定及び更正の請求

相続税がかかる財産の明細書
（ 現 金 ・ 預 貯 金 等 用 ）

被相続人の氏名　**日 本 太 郎**

第11表の付表3（令和6年1月分以降用）

この明細書は、相続税がかかる財産（相続時精算課税適用財産を除きます。）のうち、現金又は預貯金等の明細を記入します。

項番	口座種別等／口座番号／国外／備考	所在場所等 上段：金融機関等の名称 中段：支店等の名称 下段：その他（所在地等）	数量／価額（円）	単価（円）	財産を取得した人の番号	取得財産の価額（円）
1	**現金**				1	450,000
		○○市○○○3丁目5番16号	450,000			
2	**普通預金** 1234567	○○銀行 ○○支店			1	2,344,900
			2,344,900			
3	**定期預金** 2345678	○○銀行 ○○支店			2	38,113,910
			38,113,910			
4	**定期預金** 3456789	○○銀行 ○○支店			1	21,609,700
			21,609,700			
5	**普通預金** 4567890	××銀行 ××支店			2	3,676,701
			3,676,701			
6	**定期預金** 5678901	××銀行 ××支店			3	28,577,432
			28,577,432			
7	**普通預金** 6789012 久保和子 名義	△△銀行 △△支店			3	2,500,000
			2,500,000			
8	**普通預金** 7890123 1	Bank of ○○ ××Branch	$14,560	150.00	1	2,184,000
			2,184,000			

第11表の付表3（令6.7）

（資4−20−12−1−3−A4統一）

−259−

第一編　相続税

相続税がかかる財産の明細書
（事業（農業）用財産・家庭用財産・その他の財産用）

被相続人の氏名	日本太郎

第11表の付表4（令和6年1月分以降用）

この明細書は、相続税がかかる財産（相続時精算課税適用財産を除きます。）のうち、事業（農業）用財産、家庭用財産又はその他の財産の明細を記入します。

項番	財　　産　　の　　明　　細					分割が確定した財産	
	細目		財産の名称等	数量	倍数	財産を取得した人の番号	取得財産の価額（円）
	特例	国外		単価（円）			
	備考		財産の所在場所等	価額（円）			
1	家庭用財産		家具等一式			1	2,500,000
			〇〇市〇〇〇3丁目5番16号	2,500,000			
2	生命保険金等					2	35,750,657
				35,750,657			
3	生命保険金等					3	24,646,951
				24,646,951			
4	退職手当金等					1	30,000,000
				30,000,000			
5	立木		ひのき　65年生	3 ha	0.85	2	2,578,050
				1,011,000			
			〇〇県〇〇郡〇〇町〇〇13番2	2,578,050			
6	その他		ゴルフ会員権（〇〇カントリークラブ）			2	24,500,000
			〇〇市〇〇〇3丁目5番16号	24,500,000			
7	その他		未収家賃（〇〇商事㈱）			1	538,350
			〇〇区〇〇1丁目3番5号	538,350			
8	その他		絵画（〇〇作××）			1	7,212,350
			〇〇市〇〇〇3丁目5番16号	7,212,350			

第11表の付表4（令6.7）

（資4−20−12−1−4−A4統一）

第七章　申告、更正決定及び更正の請求

相続時精算課税適用財産の明細書 相続時精算課税分の贈与税額控除額の計算書	被相続人	日　本　太　郎

第11の２表（令和６年１月分以降用）

この表は、被相続人から相続時精算課税に係る贈与によって取得した財産（相続時精算課税適用財産）がある場合に贈与を受けた人ごとに記入します。

贈与を受けた人の氏名	被相続人から初めて相続時精算課税に係る贈与を受けた年分（相続時精算課税選択届出書の提出に係る年分）	相続時精算課税選択届出書を提出した税務署の名称
日本　一郎	令和２年分	○○税務署

1　相続税の課税価格に加算する相続時精算課税適用財産の価額及び納付すべき相続税額から控除すべき贈与税額の明細

番号	①贈与を受けた年分	②贈与税の申告書を提出した税務署の名称	③①の年分に被相続人から相続時精算課税に係る贈与を受けた財産の価額の合計額	④③から控除する相続時精算課税に係る基礎控除額	⑤相続時精算課税適用財産の価額（③−④）（赤字のときは０）	⑥③の財産に係る贈与税額（贈与税の外国税額控除前の金額）	⑦⑥のうち贈与税額に係る外国税額控除額
1	令和2年分	○○税務署	24,626,035円	0円	24,626,035円	円	円
2							
3							
4							
5							
6							
合　　計					⑧ 24,626,035	⑨	⑩

(注)　1　租税特別措置法第70条の６の９（（個人の事業用資産の贈与者が死亡した場合の相続税の課税の特例））、第70条の７の３（（非上場株式等の贈与者が死亡した場合の相続税の課税の特例））又は第70条の７の７（（非上場株式等の特例贈与者が死亡した場合の相続税の課税の特例））の規定の適用により相続又は遺贈により取得したものとみなされる財産は、その財産の種類に応じて第11表の付表１、付表２又は付表４に記入します（この表には記入しません。）。

2　③欄の金額は、下記２の②の「価額」欄の金額に基づき記入します。

3　④欄は、被相続人である特定贈与者に係る贈与税の申告書第２表の「相続時精算課税に係る基礎控除額」欄の金額を記入します。なお、「①贈与を受けた年分」欄が令和５年分以前の場合は、「０」と記入します。

4　⑧欄の金額を第１表のその人の「相続時精算課税適用財産の価額②」欄及び第15表のその人の㉛欄にそれぞれ転記します。

5　⑨欄の金額を第１表のその人の「相続時精算課税分の贈与税額控除額⑰」欄に転記します。

2　相続時精算課税適用財産（1の③）の明細

（上記１の「番号」欄の番号に合わせて記入します。）

番号	①贈与年月日	②相続時精算課税適用財産の明細					
		種類	細目	利用区分、銘柄等	所在場所等	数量	価額
1	2.5.14	有価証券	特定同族会社の株式「その他の方式」○○商事㈱		○○区○○1丁目3番5号	2,000株	14,624,000円
1	2.5.14	現金預貯金	定期預金		○○銀行○○支店		10,002,035

(注)　1　この明細は、被相続人である特定贈与者に係る贈与税の申告書第２表に基づき記入します。なお、被相続人である特定贈与者が贈与をした年中に死亡し贈与税の申告が不要である場合は、「相続税の申告のしかた」の記載例を参照してください。

2　②の「価額」欄には、被相続人である特定贈与者に係る贈与税の申告書第２表の「財産の価額」欄の金額を記入します。ただし、特定事業用資産の特例の適用を受ける場合には、第11・11の２表の付表３の⑦欄の金額と⑦欄の金額に係る第11・11の２表の付表３の２の⑲欄の金額の合計額を、特定計画山林の特例の適用を受ける場合には、第11・11の２表の付表４の「２　特定受贈森林経営計画対象山林である選択特定計画山林の明細」の⑤欄の金額を記入します。また、租税特別措置法第70条の３の３（（相続時精算課税に係る土地又は建物の価額の特例））の承認を受けている場合には、その承認に係る財産の価額から同条の規定による災害により被害を受けた部分に対応する金額を控除した金額を記入します。

第11の２表(令6.7)　　　　　　　　　　　　　　　　　　　　　　　　　（資４−20−12−２−Ａ４統一）

第一編　相続税

小規模宅地等についての課税価格の計算明細書

FD3549

被相続人	日本太郎

この表は、小規模宅地等の特例（租税特別措置法第69条の4第1項）の適用を受ける場合に記入します。
なお、被相続人から、相続、遺贈又は相続時精算課税に係る贈与により取得した財産のうちに、「特定計画山林の特例」の対象となり得る財産又は「個人の事業用資産についての相続税の納税猶予及び免除」の対象となり得る宅地等その他一定の財産がある場合には、第11・11の2表の付表2を、「特定事業用資産の特例」の対象となり得る財産がある場合には、第11・11の2表の付表2の2を作成します（第11・11の2表の付表2又は付表2の2を作成する場合には、この表の「1　特例の適用にあたっての同意」欄の記入を要しません。）。
（注）この表の1又は2の各欄に記入しきれない場合には、第11・11の2表の付表1（続）を使用します。

1　特例の適用にあたっての同意

この欄は、小規模宅地等の特例の対象となり得る宅地等を取得した全ての人が次の内容に同意する場合に、その宅地等を取得した全ての人の氏名を記入します。

私(私たち)は、「2　小規模宅地等の明細」の①欄の取得者が、小規模宅地等の特例の適用を受けるものとして選択した宅地等又はその一部（「2　小規模宅地等の明細」の⑤欄で選択した宅地等）の全てが限度面積要件を満たすものであることを確認の上、その取得者が小規模宅地等の特例の適用を受けることに同意します。

氏名	日本花子	日本一郎	久保和子

（注）　小規模宅地等の特例の対象となり得る宅地等を取得した全ての人の同意がなければ、この特例の適用を受けることはできません。

2　小規模宅地等の明細

この欄は、小規模宅地等の特例の対象となり得る宅地等を取得した人のうち、その特例の適用を受ける人が選択した小規模宅地等の明細等を記載し、相続税の課税価格に算入する価額を計算します。
「小規模宅地等の種類」欄は、選択した小規模宅地等の種類に応じて次の1～4の番号を記入します。
小規模宅地等の種類：① 特定居住用宅地等、② 特定事業用宅地等、③ 特定同族会社事業用宅地等、④ 貸付事業用宅地等

選択した小規模宅地等	小規模宅地等の種類 1～4の番号を記入します	① 特例の適用を受ける取得者の氏名〔事業内容〕 ② 所在地番 ③ 取得者の持分に応ずる宅地等の面積 ④ 取得者の持分に応ずる宅地等の価額	⑤ ③のうち小規模宅地等（「限度面積要件」を満たす宅地等）の面積 ⑥ ④のうち小規模宅地等（④×⑤／③）の価額 ⑦ 課税価格の計算に当たって減額される金額（⑥×⑨） ⑧ 課税価格に算入する価額（④−⑦）
	1	① 日本花子〔　　〕 ② ○○市○○○3丁目5番16号 ③ 82.5 ㎡ ④ 32175000 円	⑤ 82.5 ㎡ ⑥ 32175000 円 ⑦ 25740000 円 ⑧ 6435000 円
	1	① 日本一郎〔　　〕 ② ○○市○○○3丁目5番16号 ③ 82.5 ㎡ ④ 32175000 円	⑤ 82.5 ㎡ ⑥ 32175000 円 ⑦ 25740000 円 ⑧ 6435000 円
	4	① 日本花子〔　貸家　〕 ② ○○市○○○3丁目5番17号 ③ 150. ㎡ ④ 46215000 円	⑤ 100. ㎡ ⑥ 30810000 円 ⑦ 15405000 円 ⑧ 30810000 円

（注）1　①欄の「〔　〕」は、選択した小規模宅地等が被相続人等の事業用宅地等（②、③又は④）である場合に、相続開始の直前にその宅地等の上で行われていた被相続人等の事業について、例えば、飲食サービス業、法律事務所、貸家などのように具体的に記入します。
2　小規模宅地等を選択する一の宅地等が共有である場合又は一の宅地等が貸家建付地である場合において、その評価額の計算上「賃貸割合」が1でないときには、第11・11の2表の付表1（別表1）を作成します。
3　小規模宅地等を選択する宅地等が、配偶者居住権に基づく敷地利用権又は配偶者居住権の目的となっている建物の敷地の用に供される宅地等である場合には、第11・11の2表の付表1（別表1の2）を作成します。
4　⑧欄の金額を第11表の付表1の「財産の明細」の「価額」欄に転記します。

○　「限度面積要件」の判定

上記「2　小規模宅地等の明細」の⑤欄で選択した宅地等の全てが限度面積要件を満たすものであることを、この表の各欄を記入することにより判定します。

小規模宅地等の区分	被相続人等の居住用宅地等	被相続人等の事業用宅地等		
小規模宅地等の種類	1 特定居住用宅地等	2 特定事業用宅地等	3 特定同族会社事業用宅地等	4 貸付事業用宅地等
⑨ 減額割合	80/100	80/100	80/100	50/100
⑩ ⑤の小規模宅地等の面積の合計	165 ㎡			100 ㎡
⑪ 限度面積	イ　小規模宅地等のうちに4貸付事業用宅地等がない場合	〔1の⑩の面積〕　㎡≦330㎡	〔2の⑩及び3の⑩の面積の合計〕　㎡ ≦ 400㎡	
	ロ　小規模宅地等のうちに4貸付事業用宅地等がある場合	〔1の⑩の面積〕 165 ㎡×200/330	〔2の⑩及び3の⑩の面積の合計〕　㎡×200/400	〔4の⑩の面積〕 100 ㎡ ≦ 200㎡

（注）　限度面積は、小規模宅地等の種類（「4 貸付事業用宅地等」の選択の有無）に応じて、⑪欄（イ又はロ）により判定を行います。「限度面積要件」を満たす場合に限り、この特例の適用を受けることができます。

※ 税務署整理欄	年分			名簿番号					申告年月日			一連番号		グループ番号		補完	

○この申告書は機械で読み取りますので、黒ボールペンで記入してください。

※の項目は記入する必要がありません。

第11・11の2表の付表1(令6.7)

第11・11の2表の付表1（令和6年1月分以降用）

(資4-20-12-3-1-A4統一)

－262－

第七章　申告、更正決定及び更正の請求

小規模宅地等についての課税価格の計算明細書（別表1）

被相続人　**日本太郎**

第11・11の2表の付表1（別表1）（令和6年1月分以降用）

この計算明細書は、特例の対象として小規模宅地等を選択する一の宅地等（注1）が、次のいずれかに該当する場合に一の宅地等ごとに作成します（注2）。
1　相続又は遺贈により一の宅地等を2人以上の相続人又は受遺者が取得している場合
2　一の宅地等の全部又は一部が、貸家建付地である場合において、貸家建付地の評価額の計算上「賃貸割合」が「1」でない場合
　（注）1　一の宅地等とは、一棟の建物又は構築物の敷地をいいます。ただし、マンションなどの区分所有建物の場合には、区分所有された建物の部分に係る敷地をいいます。
　　　　2　一の宅地等が、配偶者居住権に基づく敷地利用権又は配偶者居住権の目的となっている建物の敷地の用に供される宅地等である場合には、この計算明細書によらず、第11・11の2表の付表1（別表1の2）を使用してください。

1　一の宅地等の所在地、面積及び評価額

一の宅地等について、宅地等の「所在地」、「面積」及び相続開始の直前における宅地等の利用区分に応じて「面積」及び「評価額」を記入します。
(1)　「①宅地等の面積」欄は、一の宅地等が持分である場合には、持分に応ずる面積を記入してください。
(2)　上記2に該当する場合には、⑪欄については、⑤欄の面積を基に自用地として評価した金額を記入してください。

宅地等の所在地	**〇〇市〇〇〇3丁目5番16号**	①宅地等の面積	**165** ㎡

	相続開始の直前における宅地等の利用区分	面積（㎡）	評価額（円）
A	①のうち被相続人等の事業の用に供されていた宅地等（B、C及びDに該当するものを除きます。）	②	⑧
B	①のうち特定同族会社の事業（貸付事業を除きます。）の用に供されていた宅地等	③	⑨
C	①のうち被相続人等の貸付事業の用に供されていた宅地等（相続開始の時において継続的に貸付事業の用に供されていると認められる部分の敷地）	④	⑩
D	①のうち被相続人等の貸付事業の用に供されていた宅地等（Cに該当する部分以外の部分の敷地）	⑤	⑪
E	①のうち被相続人等の居住の用に供されていた宅地等	⑥ **165**	⑫ **64,350,000**
F	①のうちAからEの宅地等に該当しない宅地等	⑦	⑬

2　一の宅地等の取得者ごとの面積及び評価額

上記のAからFまでの宅地等の「面積」及び「評価額」を、宅地等の取得者ごとに記入します。
(1)　「持分割合」欄は、宅地等の取得者が相続又は遺贈により取得した持分割合を記入します。一の宅地等を1人で取得した場合には、「1/1」と記入します。
(2)　「1　持分に応じた宅地等」は、上記のAからFまでに記入した一の宅地等の「面積」及び「評価額」を「持分割合」を用いてあん分して計算した「面積」及び「評価額」を記入します。
(3)　「2　左記の宅地等のうち選択特例対象宅地等」は、「1　持分に応じた宅地等」に記入した「面積」及び「評価額」のうち、特例の対象として選択する部分を記入します。なお、Bの宅地等の場合は、上段に「特定同族会社事業用宅地等」として選択する部分の、下段に「貸付事業用宅地等」として選択する部分の「面積」及び「評価額」をそれぞれ記入します。
　　「2　左記の宅地等のうち選択特例対象宅地等」に記入した宅地等の「面積」及び「評価額」は、「申告書第11・11の2表の付表1」の「2小規模宅地等の明細」の「③取得者の持分に応ずる宅地等の面積」欄及び「④取得者の持分に応ずる宅地等の価額」欄に転記します。
(4)　「3　特例の対象とならない宅地等（1−2）」には、「1　持分に応じた宅地等」のうち「2　左記の宅地等のうち選択特例対象宅地等」欄に記入した以外の宅地等について記入します。この欄に記入した「面積」及び「評価額」は、申告書第11表の付表1に転記します。

宅地等の取得者氏名	**日本花子**		⑭持分割合	**1/2**		

	1　持分に応じた宅地等		2　左記の宅地等のうち選択特例対象宅地等		3　特例の対象とならない宅地等（1−2）	
	面積（㎡）	評価額（円）	面積（㎡）	評価額（円）	面積（㎡）	評価額（円）
A	②×⑭	⑧×⑭				
B	③×⑭	⑨×⑭				
C	④×⑭	⑩×⑭				
D	⑤×⑭	⑪×⑭				
E	⑥×⑭ **82.5**	⑫×⑭ **32,175,000**	**82.5**	**32,175,000**		
F	⑦×⑭	⑬×⑭				

宅地等の取得者氏名	**日本一郎**		⑮持分割合	**1/2**		

	1　持分に応じた宅地等		2　左記の宅地等のうち選択特例対象宅地等		3　特例の対象とならない宅地等（1−2）	
	面積（㎡）	評価額（円）	面積（㎡）	評価額（円）	面積（㎡）	評価額（円）
A	②×⑮	⑧×⑮				
B	③×⑮	⑨×⑮				
C	④×⑮	⑩×⑮				
D	⑤×⑮	⑪×⑮				
E	⑥×⑮ **82.5**	⑫×⑮ **32,175,000**	**82.5**	**32,175,000**		
F	⑦×⑮	⑬×⑮				

第11・11の2表の付表1（別表1）（令6.7）

（資4−20−12−3−5−A4統一）

第一編　相続税

小規模宅地等についての課税価格の計算明細書（別表1の2）

被相続人 [　　　]

　この計算明細書は、特例の対象として小規模宅地等を選択する一の宅地等（注）が配偶者居住権の目的となっている建物の敷地の用に供される宅地等（以下「居住建物の敷地の用に供される土地」といいます。）又はその宅地等を配偶者居住権に基づき使用する権利（以下「配偶者居住権に基づく敷地利用権」といいます。）の全部又は一部である場合に作成します。
　なお、この計算明細書の書きかた等については、裏面をご覧ください。
　（注）　一の宅地等とは、一棟の建物又は構築物の敷地をいいます。ただし、マンションなどの区分所有建物の場合には、区分所有された建物の部分に係る敷地をいいます。

第11・11の2表の付表1（別表1の2）（令和6年1月分以降用）

1　一の宅地等の所在地、面積及び評価額

宅地等の所在地		①宅地等の面積	㎡

相続開始の直前における宅地等の利用区分	面積（㎡）	評価額（円）	
		配偶者居住権に基づく敷地利用権	居住建物の敷地の用に供される土地
A　①のうち被相続人等の事業の用に供されていた宅地等（B、C及びDに該当するものを除きます。）	②	⑧	⑭
B　①のうち特定同族会社の事業（貸付事業を除きます。）の用に供されていた宅地等	③	⑨（1次相続の場合は0としてください。）	⑮
C　①のうち被相続人等の貸付事業の用に供されていた宅地等（相続開始の時において継続的に貸付事業の用に供されていると認められる部分の敷地）	④	⑩（1次相続の場合は0としてください。）	⑯
D　①のうち被相続人等の貸付事業の用に供されていた宅地等（Cに該当する部分以外の部分の敷地）	⑤	⑪	⑰
E　①のうち被相続人等の居住の用に供されていた宅地等	⑥	⑫	⑱
F　①のうちAからEの宅地等に該当しない宅地等	⑦	⑬	⑲

2　一の宅地等の取得者ごとの面積及び評価額

i　配偶者居住権に基づく敷地利用権の取得者氏名 [　　　]

1　利用区分に応じた宅地等		2　左記の宅地等のうち選択特例対象宅地等		3　特例の対象とならない宅地等（1-2）	
面積（㎡）	評価額（円）	面積（㎡）	評価額（円）	面積（㎡）	評価額（円）
A　②×⑧/(⑧+⑭)	⑧				
B　③×⑨/(⑨+⑮)	⑨	------	------		
C　④×⑩/(⑩+⑯)	⑩				
D　⑤×⑪/(⑪+⑰)	⑪				
E　⑥×⑫/(⑫+⑱)	⑫				
F　⑦×⑬/(⑬+⑲)	⑬				

ii　居住建物の敷地の用に供される土地の取得者氏名 [　　　]　⑳持分割合 [　/　]

1　持分に応じた宅地等		2　左記の宅地等のうち選択特例対象宅地等		3　特例の対象とならない宅地等（1-2）	
面積（㎡）	評価額（円）	面積（㎡）	評価額（円）	面積（㎡）	評価額（円）
A　②×⑭/(⑧+⑭)×⑳	⑭×⑳				
B　③×⑮/(⑨+⑮)×⑳	⑮×⑳	------	------		
C　④×⑯/(⑩+⑯)×⑳	⑯×⑳				
D　⑤×⑰/(⑪+⑰)×⑳	⑰×⑳				
E　⑥×⑱/(⑫+⑱)×⑳	⑱×⑳				
F　⑦×⑲/(⑬+⑲)×⑳	⑲×⑳				

iii　居住建物の敷地の用に供される土地の取得者氏名 [　　　]　㉑持分割合 [　/　]

1　持分に応じた宅地等		2　左記の宅地等のうち選択特例対象宅地等		3　特例の対象とならない宅地等（1-2）	
面積（㎡）	評価額（円）	面積（㎡）	評価額（円）	面積（㎡）	評価額（円）
A　②×⑭/(⑧+⑭)×㉑	⑭×㉑				
B　③×⑮/(⑨+⑮)×㉑	⑮×㉑	------	------		
C　④×⑯/(⑩+⑯)×㉑	⑯×㉑				
D　⑤×⑰/(⑪+⑰)×㉑	⑰×㉑				
E　⑥×⑱/(⑫+⑱)×㉑	⑱×㉑				
F　⑦×⑲/(⑬+⑲)×㉑	⑲×㉑				

第11・11の2表の付表1（別表1の2）（令6.7）　　　　　　　　　　（資4-20-12-3-9-A4統一）

第七章　申告、更正決定及び更正の請求

特定事業用宅地等についての事業規模の判定明細

被相続人

○　この表は、特定事業用宅地等として小規模宅地等の特例（租税特別措置法第69条の４第１項）の適用を受けようとする宅地等のうちに特定宅地等（相続開始前３年以内に新たに被相続人等[注1]の事業[注2]の用に供されたものをいいます。以下同じです。）[注3]が含まれる場合に、その特定宅地等に係る事業が租税特別措置法施行令第40条の２第８項に規定する規模以上のものであることを判定するために使用します。
○　特定宅地等が複数ある場合には、特定宅地等ごとに作成します。
(注)　１　被相続人又はその被相続人と生計を一にしていたその被相続人の親族をいいます。
　　　２　租税特別措置法第69条の４第３項第１号に規定する事業をいいます。
　　　３　平成31年３月31日以前に新たに被相続人等の事業の用に供された宅地等は、特定宅地等には含まれません。

1　相続開始前３年以内に新たに被相続人等の事業の用に供された宅地等の明細
(注)　「②①の宅地等の面積」欄は、その宅地等が数人の共有に属していた場合には、被相続人が有していた持分に応ずる面積を記入してください。

①特定宅地等を含む一の宅地等の所在地		②①の宅地等の面積	㎡
③事業主宰者の氏名	被相続人・生計一親族（いずれかに○）	④③の特定宅地等に係る事業内容	

	相続開始の直前における宅地等の利用区分	面積（㎡）	相続開始時の価額（円）
⑤	②のうち④の事業の用に供されていた宅地等		
⑥	⑤のうち相続開始前３年以内に新たに事業の用に供された宅地等（特定宅地等）［事業の用に供された日：平成・令和　　年　　月　　日］		A

2　1④の事業の用に供されていた減価償却資産の明細等
(注)　１　記入の対象となる減価償却資産は、1④の事業の用に供されていた次に掲げるもののうち1③の事業主宰者が有していたものに限ります。
　　　⑴　1⑥の宅地等の上に存する建物（その附属設備を含む。）又は構築物
　　　⑵　所得税法第２条第１項第19号に規定する減価償却資産で1⑥の宅地等の上で行われる1④の事業に係る業務の用に供されていたもの（⑴を除きます。）
　　　２　「①相続開始時における価額」欄は、減価償却資産が数人の共有に属していた場合には、1③の事業主宰者が有していた持分に応ずる価額を記入してください。
　　　３　「②事業専用割合」欄は、減価償却資産のうちに1④の事業の用以外の用に供されていた部分がある場合には、1④の事業の用に供されていた部分の割合を記入してください（それ以外の場合には、「$\frac{1}{1}$」と記入してください。）。

種　類	細　目	利用区分等	所在場所等	面積、数量 固定資産税評価額	単　価 倍　数	①相続開始時における価額	②事業専用割合	③（①×②）
						円		円
							──	
							──	
							──	
							──	
							──	
							──	
							──	
					計	B		

3　1④の事業が租税特別措置法施行令第40条の２第８項に規定する規模以上の事業であることの判定

（B＿＿＿＿＿円　÷　A＿＿＿＿＿円）×100　＝　　　　　.　　　％　◄─　15％未満になった場合には、1⑥については特例適用不可

第11・11の２表の付表１（別表２）（令６．７）

（資４－20－12－３－８－Ａ４統一）

第11・11の２表の付表１（別表２）（平成31年４月分以降用）

－265－

第一編　相続税

小規模宅地等の特例、特定計画山林の特例又は個人の事業用資産の納税猶予の適用にあたっての同意及び特定計画山林についての課税価格の計算明細書

被相続人	

第11・11の2表の付表2（令和2年4月分以降用）

1　特例の適用にあたっての同意

　この表は、被相続人から相続、遺贈又は相続時精算課税に係る贈与により取得した財産のうちに、①「小規模宅地等の特例」の対象となり得る宅地等及び「個人の事業用資産の納税猶予」の対象となり得る宅地等その他一定の財産がある場合、又は②「特定計画山林の特例」の対象となり得る山林がある場合に記入します。

　なお、「特定事業用資産の特例」の対象となり得る財産がある場合（「個人の事業用資産の納税猶予」の対象となり得る宅地等その他一定の財産がある場合を除きます。）には、第11・11の2表の付表2の2を作成します（この場合には、この表の記入を要しません。）。

(1)　特例の適用にあたっての同意

　(注)　「小規模宅地等の特例」若しくは「特定計画山林の特例」の対象となり得る財産又は「個人の事業用資産の納税猶予」の対象となり得る宅地等その他一定の財産を取得した全ての人の同意が必要です。

私（私たち）は下記の「(2) 特例の適用を受ける財産の明細」の①から③までの明細において選択した財産の全てが、租税特別措置法第69条の4第1項に規定する小規模宅地等、同法第69条の5第1項に規定する選択特定計画山林又は同法第70条の6の10第1項に規定する特例事業用資産のうち第2項第1号イに掲げるものに該当することを確認の上、その財産の取得者が同法第69条の4第1項、第69条の5第1項又は第70条の6の10第1項に規定する特例の適用を受けることに同意します。	特例の対象となり得る財産を取得した全ての人の氏名

(2)　特例の適用を受ける財産の明細

　(注)　特例の適用を受ける財産の明細の番号を○で囲んでください。

①　小規模宅地等の明細
　　第11・11の2表の付表1の「2 小規模宅地等の明細」のとおり。
②　特定（受贈）森林経営計画対象山林である選択特定計画山林の明細
　　第11・11の2表の付表4の「1 特定森林経営計画対象山林である選択特定計画山林の明細」又は「2 特定受贈森林経営計画対象山林である選択特定計画山林の明細」のとおり。
③　特例事業用資産のうち租税特別措置法第70条の6の10第2項第1号イに掲げるものの明細
　　第8の6表の付表3の「2　この特例の適用を受ける宅地等に係る限度面積の判定」の(2)及び(3)のとおり。

2　特定計画山林の特例の対象となる特定計画山林等の調整限度額の計算

　この表は、「特定計画山林の特例」を適用し、かつ、「小規模宅地等の特例」又は「個人の事業用資産の納税猶予」を適用する場合に記入します。

　なお、「特定事業用資産の特例」の適用を受ける場合の「特定計画山林の対象となる特定（受贈）森林経営計画対象山林の調整限度額等の計算」については、第11・11の2表の付表2の2で計算します。

(1)　小規模宅地等の特例及び個人の事業用資産の納税猶予の適用を受ける面積

① 限度面積	② 小規模宅地等の特例等の適用を受ける面積（裏面2参照）	③ 特例適用残面積（①－②）
200㎡	㎡	㎡

(2)　特定計画山林の特例の対象となる特定（受贈）森林経営計画対象山林の調整限度額等の計算

④ 特定計画山林の特例の対象として選択することのできる特定（受贈）森林経営計画対象山林である立木又は土地等の価額の合計額	⑤ 特例の対象となる特定（受贈）森林経営計画対象山林の調整限度額（④×③/①）	⑥ ⑤のうち特例の適用を受ける価額（第11・11の2表の付表4の「3 特定（受贈）森林経営計画対象山林である選択特定計画山林の価額の合計額」の「A＋B」欄の金額）	
円	円	円	

　(注)　③欄が0となる場合には、特定（受贈）森林経営計画対象山林について特定計画山林の特例の適用を受けることはできません。

第11・11の2表の付表2（令6.7）　　　　　　　　　　　　　　　　　（資4－20－12－3－6－A4統一）

－266－

第七章　申告、更正決定及び更正の請求

特定事業用資産等についての課税価格の計算明細書	被相続人	

第11・11の２表の付表２の２（平成31年1月分以降用）

　この表は、被相続人から相続、遺贈又は相続時精算課税に係る贈与により取得した財産のうちに、「特定事業用資産の特例」の対象となり得る財産がある場合に記入します（裏面1参照）。

1　特例の適用にあたっての同意

　（注）「小規模宅地等の特例」、「特定計画山林の特例」又は「特定事業用資産の特例」の対象となり得る財産を取得した全ての人の同意が必要です。

私（私たち）は下記の「2　特例の適用を受ける財産の明細」の(1)から(3)までの明細において選択した財産の全てが、租税特別措置法第69条の4第1項に規定する小規模宅地等、同法第69条の5第1項に規定する選択特定計画山林又は旧租税特別措置法第69条の5第1項に規定する選択特定事業用資産に該当することを確認の上、その財産の取得者が租税特別措置法第69条の4第1項、第69条の5第1項又は旧租税特別措置法第69条の5第1項に規定する特例の適用を受けることに同意します。	特例の対象となり得る財産を取得した全ての人の氏名	

2　特例の適用を受ける財産の明細

　（注）特例の適用を受ける財産の明細の番号を○で囲んでください。

(1)　小規模宅地等の明細
　　　第11・11の２表の付表１の「2　小規模宅地等の明細」のとおり。
(2)　特定受贈同族会社株式等である選択特定事業用資産の明細
　　　第11・11の２表の付表３のとおり。
(3)　特定（受贈）森林経営計画対象山林である選択特定計画山林の明細
　　　第11・11の２表の付表４の「1　特定森林経営計画対象山林である選択特定計画山林の明細」又は「2　特定受贈森林経営計画対象山林である選択特定計画山林の明細」のとおり。

3　特定計画山林の特例の対象となる特定計画山林等の調整限度額の計算

　この欄は、「特定事業用資産の特例」を適用し、かつ、「小規模宅地等の特例」又は「特定計画山林の特例」を適用する場合に記入します。

(1)　小規模宅地等の特例の適用を受ける面積

	① 限度面積	② 特例の適用を受ける面積（裏面2参照）	③ 特例適用残面積（①-②）
	400㎡	㎡	㎡

(2)　特定事業用資産の特例の対象となる特定受贈同族会社株式等の調整限度額等の計算

④ 特定事業用資産の特例の対象として選択することのできる特定受贈同族会社株式等に係る各法人の株式（出資）の時価総額の⅓に相当する金額の合計額　※10億円を超える場合は10億円となります。	⑤ 特例の対象となる特定受贈同族会社株式等の調整限度額（④×③/①）	⑥ ⑤のうち特例の適用を受ける価額（第11・11の２表の付表３の特定受贈同族会社株式等である選択特定事業用資産の価額の合計額（⑧欄の金額））	⑦ 特例適用残価額（⑤-⑥）
円	円	円	円

　（注）1　③欄が0となる場合には、特定受贈同族会社株式等について特定事業用資産の特例の適用を受けることはできません。
　　　　2　小規模宅地等の特例の適用がない場合には、⑤欄には④欄の金額を転記します。
　　　　3　被相続人が生前に特定受贈同族会社株式等の贈与をしている場合の④欄の金額については、税務署にお尋ねください。

(3)　特定計画山林の特例の対象となる特定（受贈）森林経営計画対象山林の調整限度額等の計算

⑧ 特定計画山林の特例の対象として選択することのできる特定（受贈）森林経営計画対象山林である立木又は土地等の価額の合計額	⑨ 特例の対象となる特定（受贈）森林経営計画対象山林の調整限度額（⑧×⑦/④）	⑩ ⑨のうち特例の適用を受ける価額（第11・11の２表の付表４の「3　特定（受贈）森林経営計画対象山林である選択特定計画山林の価額の合計額」の「A＋B」欄の金額）	
円	円	円	

　（注）　③欄が0となる場合又は⑦欄が0となる場合には、特定（受贈）森林経営計画対象山林について特定計画山林の特例の適用を受けることはできません。

第11・11の２表の付表２の２（令6.7）　　　　　　　　　　　　　　　　　（資4-20-12-3-7-A4統一）

第一編　相続税

特定受贈同族会社株式等である選択特定事業用資産についての課税価格の計算明細

被 相 続 人

第11・11の2表の付表3　（令和6年1月分以降用）

この欄は、特例の対象として特定受贈同族会社株式等である特定事業用資産を選択する場合に記入します。

	贈 与 年月日 届け出た税務署名	法人名	特例の適用を受ける取得者の氏名 役員であった期間（その期間における役職名）	① 1単位当たりの時価	② 相続時精算課税に係る贈与によって取得した株式（出資）の単位数 ③ 価額 （①×②）	④ ②のうち特例の対象として選択した株式（出資）の単位数 ⑤ 価額 （①×④）	⑥ 課税価格の計算に当たって減額される金額 （⑤×$\frac{10}{100}$）	⑦ 課税価格に算入する価額 （③－⑥）
選択した特定受贈同族会社株式等				円	株・円・口 円	株・円・口 円	円	円
			（　　　　　）					
			（　　　　　）					
			（　　　　　）					
			（　　　　　）					
	合計			10億円を超える場合は特例適用不可　➡		⑧		

(注)　1　①欄は、贈与時の価額を記入します。ただし、選択した特定受贈同族会社株式等について租税特別措置法施行令等の一部を改正する政令（平成21年政令第108号）による改正前の租税特別措置法施行令第40条の2の2第10項に規定する会社分割等があった場合には、第11・11の2表の付表3の2の⑰欄又は⑱欄の金額を記入します。
　　　　2　⑦欄の金額と⑦欄の金額に係る第11・11の2表の付表3の2の⑲欄の金額の合計額を第11・11の2表の「2　相続時精算課税適用財産（1の③）の明細」の②の「価額」欄に記入します。
　　　　3　上記に記入しきれないときは、適宜の用紙に特定受贈同族会社株式等である選択特定事業用資産の明細を記載して添付してください。
　　　　4　小規模宅地等の特例を適用した場合には、第11・11の2表の付表2の2の「3　特定計画山林の対象となる特定計画山林等の調整限度額の計算」の⑤欄の価額を上記「⑧」の金額を限度として、特定受贈同族会社株式等を特定事業用資産の特例の対象として選択することができます。

第11・11の2表の付表3（令6.7）　　　　　　　　　　　　　　　　　　　　　　　　　　　（資4－20－12－5－1－A4統一）

第七章　申告、更正決定及び更正の請求

特定受贈同族会社株式等について会社分割等があった場合の特例の対象となる価額等の計算明細

第11・11の2表の付表3の2　（令和6年1月分以降用）

	被相続人	
	特定事業用資産相続人等	

この表は、相続税の申告期限までに特定事業用資産相続人等が有する特定受贈同族会社株式等について旧租税特別措置法施行令第40条の2の2第10項に規定する会社分割等があった場合に記入します。
なお、この表は、会社分割等があった都度、特定事業用資産相続人等ごとに記入します。

ア　会社分割等があった特定受贈同族会社株式等（以下「分割等対象株式等」といいます。）に係る法人の名称、会社分割等の事由等		法人名	法人の整理番号	
			所轄税務署名	署
「会社分割等」には、資本金の額若しくは資本剰余金の額の減少を伴わない剰余金の配当（法人税法第2条第12号の9に規定する分割型分割を除きます。）又は利益の配当、自己株式の取得、一定の要件を満たさない法人の合併、株式交換及び株式移転などは含まれません。		会社分割等の日	会社分割等の事由	
		・・		
		贈与年月日		
		・・		
イ　対応株式に係る法人の名称等		法人名	法人の整理番号	
			所轄税務署名	署
会社分割等により旧租税特別措置法施行令第40条の2の2第11項に規定する対応株式（以下「対応株式」といいます。）を取得している場合には、その対応株式に係る法人について記入します。				
ウ　非対応株式に係る法人の名称等		法人名	法人の整理番号	
			所轄税務署名	署
会社分割等によりイに掲げる対応株式以外の特定受贈同族会社株式等に対応する株式又は出資（以下「非対応株式」といいます。）を取得している場合には、その非対応株式に係る法人について記入します。				

1　会社分割等前株式等総額の計算

①アの法人の分割等対象株式等の1単位当たりの価額	②会社分割等時前に特定事業用資産相続人等が有していたアの法人に係る分割等対象株式等の数又は額	③会社分割等前株式等総額（①×②）
円	株・口	円

2　旧租税特別措置法施行令第40条の2の2第10項第1号の金額の計算

④会社分割等時後におけるアの法人の資本金等の額	⑤会社分割等時後におけるアの法人の発行済株式の総数又は出資の総額	⑥会社分割等時後に特定事業用資産相続人等が有するアの法人に係る分割等対象株式等の数又は額	⑦旧租税特別措置法施行令第40条の2の2第10項第1号の額（④／⑤×⑥）
円	株・口	株・口	円

3　旧租税特別措置法施行令第40条の2の2第10項第2号の金額の計算

⑧会社分割等時後におけるイの法人の資本金等の額	⑨会社分割等時後におけるイの法人の発行済株式の総数又は出資の総額	⑩会社分割等により特定事業用資産相続人等が取得したイの法人の対応株式の数又は額	⑪旧租税特別措置法施行令第40条の2の2第10項第2号の金額（⑧／⑨×⑩）
円	株・口	株・口	円

4　旧租税特別措置法施行令第40条の2の2第10項第3号の金額の合計額の計算

⑫旧租税特別措置法施行令第40条の2の2第10項第3号イの金額	⑬会社分割等時後におけるウの法人の資本金等の額	⑭会社分割等時後におけるウの法人の発行済株式の総数又は出資の総額	⑮会社分割等により特定事業用資産相続人等が取得したウの法人の非対応株式の数又は額	⑯旧租税特別措置法施行令第40条の2の2第10項第3号の金額の合計額（⑫＋⑬／⑭×⑮）
円	円	株・口	株・口	円

5　アの法人の分割等対象株式等の1単位当たりの時価	（③×⑦／（⑦＋⑪＋⑯）÷⑥）	⑰	円
6　イの法人の対応株式の1単位当たりの時価	（③×⑪／（⑦＋⑪＋⑯）÷⑩）	⑱	円
7　特定事業用資産の特例の対象とならない金額	（③×⑯／（⑦＋⑪＋⑯））	⑲	円

（注）　1　この表における「特定事業用資産相続人等」とは、所得税法等の一部を改正する法律（平成21年法律第13号）による改正前の租税特別措置法第69条の5第2項第11号に規定する特定事業用資産相続人をいいます。
　　　　2　①欄の価額は、会社分割等が初めてあった場合には、分割等対象株式等の贈与時の1単位当たりの価額を記入します。
　　　　　　なお、既にこの表により計算した⑰欄又は⑱欄の金額がある場合には、その金額を記入します。
　　　　3　④欄、⑧欄、⑬欄の資本金等の額は、法人税法第2条第16号に規定する資本金等の額を記入します。
　　　　4　⑤欄、⑨欄、⑭欄の発行済株式の総数には、それぞれア、イ、ウの法人が有する自己株式の数は含まれません。
　　　　5　⑦欄、⑪欄、⑯欄の金額は、各欄の金額に小数点第3位未満の端数がある場合には、その端数を原則切り捨てます。
　　　　6　⑰欄、⑱欄、⑲欄の金額は、各欄の金額に1円未満の端数がある場合には、その端数を原則切り捨てます。
　　　　7　⑰欄、⑱欄の金額を第11・11の2表の付表3の①欄に転記します。
　　　　8　特定受贈同族会社株式等について⑲欄の金額がある場合には、⑲欄の金額と当該特定受贈同族会社株式等に係る第11・11の2表の付表3の⑦欄の金額の合計額を第11の2表の「2　相続時精算課税適用財産（1の③）の明細」欄の②の「価額」欄に記入します。
　　　　9　「旧租税特別措置法施行令」は租税特別措置法施行令等の一部を改正する政令（平成21年政令第108号）による改正前の租税特別措置法施行令をいいます。

第11・11の2表の付表3の2（令6.7）　　　　　　　　　　　　　　　　　　　　　　　　（資4−20−12−5−2−A4統一）

第一編　相続税

特定森林経営計画対象山林又は特定受贈森林経営計画対象山林である選択特定計画山林についての課税価格の計算明細	被相続人	
この表は、相続、遺贈又は相続時精算課税に係る贈与により取得した立木又は土地等について、特定計画山林の特例（租税特別措置法第69条の5第1項）の適用を受ける場合に記入します。 なお、この表は、この特例の適用を受ける特定計画山林相続人等ごとに記入します。	特定計画山林相続人等	

第11・11の2表の付表4（令和6年1月分以降用）

1　特定森林経営計画対象山林である選択特定計画山林の明細

この欄は、特例の対象として特定森林経営計画対象山林である特定計画山林を選択する場合に記入します。

選択した特定森林経営計画対象山林	森林経営計画の認定年月日（認定番号）	所在場所	立木・土地等の別	面積	① 立木又は土地等の価額	② ①のうち特例の対象として選択した立木又は土地等の価額	③ 課税価格の計算に当たって減額される金額（②× $\frac{5}{100}$ ）	④ 課税価格に算入する価額（①－③）
				ha	円	円	円	円
	（　　）							
	（　　）							
	（　　）							
	合計		立木					
			土地等					
			合計		A			

(注)　1　①欄は、相続開始時の価額を記入します。
　　　2　④欄の金額を第11表の付表1又は付表4の「財産の明細」の「価額」欄に転記します。
　　　3　上記の「森林経営計画の認定年月日（認定番号）」は、直近の森林経営計画に係る認定年月日及び認定番号を記入してください。
　　　4　上記に記入しきれないときは、適宜の用紙に特定森林経営計画対象山林である選択特定計画山林の明細を記載して添付してください。

2　特定受贈森林経営計画対象山林である選択特定計画山林の明細

この欄は、特例の対象として特定受贈森林経営計画対象山林である特定計画山林を選択する場合に記入します。

選択した特定受贈森林経営計画対象山林	贈与年月日　届け出た税務署名	森林経営計画の認定年月日（認定番号）	所在場所	立木・土地等の別	面積	① 立木又は土地等の価額	② ①のうち特例の対象として選択した立木又は土地等の価額	③ ②の価額から控除する相続時精算課税に係る基礎控除額	④ 課税価格の計算に当たって減額される金額（（②－③）× $\frac{5}{100}$ ）	⑤ 課税価格に算入する価額（①－③－④）
					ha	円	円	円	円	円
		（　　）								
		（　　）								
		（　　）								
		（　　）								
	合計			立木						
				土地等						
				合計		B				

(注)　1　①欄は、贈与時の価額を記入します。
　　　2　③欄は、特定受贈森林経営計画対象山林を令和6年1月1日以後の贈与により取得した場合に記入します。なお、選択した特定受贈森林経営計画対象山林を特定贈与者である被相続人から贈与により取得した年中に、その被相続人から贈与により取得した他の財産（②欄以外の立木又は土地等を含みます。）がある場合には、その年分の相続時精算課税に係る基礎控除額から当該他の贈与財産の価額の合計額を控除した残額（当該合計額が当該相続時精算課税に係る基礎控除額以上のときは0）を記入します。また、第11の2表1のその年分の④欄には、同表1③から控除する相続時精算課税に係る基礎控除額から、この表のその年分の③欄の金額の合計額を控除した残額を記入します（この表のその年分の③欄及び第11の2表1のその年分の④欄の金額の合計額は、その年分の相続時精算課税に係る基礎控除額と一致します。）。
　　　3　⑤欄の金額をその人の第11の2表2の「価額」欄に転記します。
　　　4　上記の「森林経営計画の認定年月日（認定番号）」は、直近の森林経営計画に係る認定年月日及び認定番号を記入してください。
　　　5　上記に記入しきれないときは、適宜の用紙に特定受贈森林経営計画対象山林である選択特定計画山林の明細を記載して添付してください。

3　特定（受贈）森林経営計画対象山林である選択特定計画山林の価額の合計額

この欄は、全ての特定計画山林相続人等の「1のA」の金額と「2のB」の金額の合計額を記入してください。

A＋B		円

(注)　小規模宅地等の特例等を適用した場合には、第11・11の2表の付表2の「2　特定計画山林の特例の対象となる特定計画山林等の調整限度額の計算」の⑤欄の価額又は第11・11の2表の付表2の2の「3　特定計画山林の特例の対象となる特定計画山林等の調整限度額の計算」の⑨欄の価額を上記「A＋B」の金額を限度として、特定（受贈）森林経営計画対象山林を特定計画山林の特例の対象として選択することができます。

第11・11の2表の付表4（令6.7）　　　　　　　　　　　　　　　　　　　（資4－20－12－6－A4統一）

第七章　申告、更正決定及び更正の請求

個人の事業用資産の贈与者が死亡した場合の相続税の課税の特例の適用に係る
特例受贈事業用資産の明細書

被 相 続 人	
特例事業相続人等	

第11の3表（令和6年1月分以降用）

この明細書は、租税特別措置法第70条の6の9の規定により相続又は遺贈により取得したものとみなされた特例受贈事業用資産について、特例事業相続人等ごとに、その明細等を記載します。

1　贈与税の申告に係る事項

①　贈与を受けた年分	年分	②　贈与税の申告書を提出した税務署の名称		署
③　被相続人が特例事業相続人等に係る「前の贈与者」に該当するか否かの別			該当 ・ 非該当	

(注)　1　③欄の「前の贈与者」とは、特例事業相続人等への特例受贈事業用資産の贈与が、その贈与に係る贈与者の租税特別措置法第70条の6の8第14項第3号の規定の適用に係るものである場合における当該贈与者に贈与をした者等をいいます。詳しくは、税務署にお尋ねください。
　　　2　③欄は、いずれかを丸で囲んでください。

2　調整割合の計算

この欄は、特例事業相続人等が贈与により取得した特例受贈事業用資産に係る贈与税の申告における納税猶予分の贈与税額の計算に当たり、控除された債務がある場合には①から③欄を記載し、控除された債務がない場合には③欄に1/1と記載します。

①　贈与税の申告書に記載された特例受贈事業用資産の価額の合計額	②　①に係る納税猶予分の贈与税額の計算に当たり①から控除された債務の金額	③　調整割合 $\left(\dfrac{①-②}{①}\right)$
円	円	A

3　特例受贈事業用資産の明細

この欄は、相続又は遺贈により取得したものとみなされた特例受贈事業用資産について、(1)から(4)の区分ごとに記載してください。

(注)　1　特例受贈事業用資産が租税特別措置法第70条の6の8第5項の承認を受けて取得した資産（以下「買換資産」といいます。）である場合には、各欄の「□」にレ印を記入してください。
　　　2　特例受贈事業用資産の廃棄に係る租税特別措置法施行令第40条の7の8第18項の届出をした特例受贈事業用資産については、廃棄前のその資産の区分に応じて記載してください。また、この場合には、「所在場所」欄に『廃棄』と記載してください。
　　　3　(1)③、(2)③、(3)④及び(4)④の「価額」は、贈与の時（被相続人が「前の贈与者」である場合には、その前の贈与の時）における価額（租税特別措置法第70条の6の8第18項の規定の適用があった場合には、同項の認可決定日における価額）を記載します。
　　　4　(1)から(3)の各欄の①、②及び④に記載した事項について、(1)から(3)の特例受贈事業用資産の区分に応じ「第8の6表の付表2」の3(1)から(3)欄に転記してください。
　　　　なお、買換資産（各欄の「□」にレ印がある特例受贈事業用資産）のうち、被相続人から贈与により取得をした宅地等に係る買換資産（当該買換資産の買換資産を含みます。）については、「第8の6表の付表2」の3(4)欄に転記してください。

(1)　宅地等

	①　　　　　所在場所	②　面積	③　価額	④　調整価額（③×A）
□		㎡	円	円
□				
□				
⑤　宅地等の価額の合計額			イ	円

(注)　⑤欄のイの合計額を、「第11表の付表1」の「財産の明細」欄の「価額」欄に転記します。また、この場合における「財産の明細」の他の欄の記載については、「細目」欄には『宅地』と、「備考」欄には『第11の3表のとおり』とそれぞれ記載し、その他の欄の記載は不要です。

(2)　建物

	①　　　　　所在場所	②　面積	③　価額	④　調整価額（③×A）
□		㎡	円	円
□				
□				
⑤　建物の価額の合計額			ロ	円

(注)　⑤欄のロの合計額を、「第11表の付表1」の「財産の明細」欄の「価額」欄に転記します。また、この場合における「財産の明細」の他の欄の記載については、「細目」欄には『家屋等』と、「備考」欄には『第11の3表のとおり』と記載し、その他の欄の記載は不要です。

(3)　減価償却資産

	①　名称	②　　　所在場所	③　面積	④　価額	⑤　調整価額（④×A）
□			㎡	円	円
□					
□					
□					
□					
□					
⑥　減価償却資産の価額の合計額				ハ	円

(注)　1　③欄は、特例受贈事業用資産が果樹等である場合にその植栽面積を記載し、その他の資産である場合には記載は不要です。
　　　2　⑥欄のハの合計額を、「第11表の付表4」の「財産の明細」欄の「価額」欄に転記します。また、この場合における「財産の明細」の他の欄の記載については、「細目」欄には『減価償却資産』と、「備考」欄には『第11の3表のとおり』と記載し、その他の欄の記載は不要です。

(4)　租税特別措置法第70条の6の8第6項の承認に係る株式等

	①　名称	②　　　所在場所	③　数量	④　価額	⑤　調整価額（④×A）
			株・口・円	円	円
				ニ	

(注)　⑤欄のニの金額を、「第11表の付表2」の「財産の明細」欄の「価額」欄に転記します。
　　　また、この場合における「財産の明細」の他の欄の記載については、「備考」欄には『第11の3表のとおり』と記載し、「細目」欄は、第11表の付表2の記載事項に応じた記載をするほか、その他の欄の記載は不要です。

※税務署整理欄	入力		確認	

※の項目は記入する必要がありません。

第11の3表（令6.7）

(資4−20−9−26−A4統一)

−271−

第一編　相続税

農地等についての納税猶予の適用を受ける特例農地等の明細書

被相続人	
農業相続人	

第12表（令和6年1月分以降用）

特例農地等の明細（この表は、農業相続人に該当する人が各人ごとに特例農地等の明細を作成します。）

都市営農農地等、生産緑地地区内農地等、市街化区域内農地等、その他の農地等の別	田、畑、採草放牧地、準農地、一時的道路用地等、営農困難時貸付農地等、特定貸付農地等、貸付都市農地等の別	地上権、永小作権、使用貸借による権利、賃借権（耕作権）の別	所在場所	面積	農業投資価格 単価(1,000㎡当たり)	農業投資価格 価額	通常価額（第11表の付表1の価額）
				㎡	円	円	円
				合　計		Ⓑ	Ⓐ

農 業 投 資 価 格 に よ り 計 算 し た 取 得 財 産 の 価 額

①特例農地等の通常価額（上記Ⓐの金額）	②特例農地等の農業投資価格による価額（上記Ⓑの金額）	③農業投資価格超過額（①－②）	④通常価額により計算した取得財産の価額（その農業相続人の第11表③＋第11の2表⑧）	⑤農業投資価格により計算した取得財産の価額（④－③）
円	円	円	円	円

（注）1　「生産緑地地区内農地等」とは、都市計画法第8条第1項第14号に掲げる生産緑地地区内に所在する農地又は採草放牧地で都市営農農地等に該当しない農地又は採草放牧地をいいます。

2　「市街化区域内農地等」とは、都市計画法第7条第1項に規定する市街化区域内に所在する農地又は採草放牧地で都市営農農地等及び生産緑地地区内農地等に該当しない農地又は採草放牧地をいいます。

3　「その他の農地等」とは、都市営農農地等、生産緑地地区内農地等及び市街化区域内農地等のいずれにも該当しない農地又は採草放牧地をいいます。

4　「特例農地等の明細」欄の「農業投資価格」の「価額」欄及び「通常価額」欄には、田、畑、採草放牧地、準農地、一時的道路用地等、営農困難時貸付農地等、特定貸付農地等、貸付都市農地等の別に計を付して、その合計の金額（Ⓐ及びⒷ）を第15表のその農業相続人の⑧及び⑨欄に転記します。

5　⑤欄の金額を第3表のその農業相続人の①欄に転記します。

6　③欄の金額を第3表のその農業相続人の⑪欄に転記します。

第12表（令6.7）　　　　　　　　　　　　　　　　　　　　（資4−20−13−A4統一）

第七章　申告、更正決定及び更正の請求

債務及び葬式費用の明細書

被相続人 　**日本太郎**

第13表（令和2年4月分以降用）

1　債務の明細

（この表は、被相続人の債務について、その明細と負担する人の氏名及び金額を記入します。なお、特別寄与者に対し相続人が支払う特別寄与料についても、これに準じて記入します。）

種類	細目	債権者 氏名又は名称	住所又は所在地	発生年月日 弁済期限	金額	負担する人の氏名	負担する金額
公租公課	6年度分 固定資産税	○○市役所		6・1・1 ・・	345,900円	日本一郎	345,900円
公租公課	6年度分 固定資産税	○○税事務所		6・1・1 ・・	250,800	日本一郎	250,800
公租公課	6年度分 固定資産税	○○町役場		6・1・1 ・・	4,800	日本一郎	4,800
公租公課	6年分所得税 （準確定申告）	○○税務署		6・5・10 ・・	310,800	日本一郎	310,800
公租公課	6年度分 住民税	○○市役所		6・1・1 ・・	510,700	日本一郎	510,700
銀行借入金	証書借入れ	○○銀行 ○○支店	○○市○○ ○丁目○番○号	27・4・14 7・4・14	22,633,340	日本一郎	22,633,340
合計					24,056,340		

2　葬式費用の明細

（この表は、被相続人の葬式に要した費用について、その明細と負担する人の氏名及び金額を記入します。）

支払先 氏名又は名称	住所又は所在地	支払年月日	金額	負担する人の氏名	負担する金額
○○寺	○○市○○ ×丁目×番×号	6・5・12	1,500,000円	日本花子	1,500,000円
○○タクシー	○○市○○ ×丁目×番×号	6・5・12	150,600	日本花子	150,600
○○商店	○○市○○ ×丁目×番×号	6・5・12	100,900	日本花子	100,900
○○酒店	○○市○○ ×丁目×番×号	6・5・12	20,300	日本花子	20,300
○○葬儀社	○○市○○ ×丁目×番×号	6・5・12	1,500,000	日本花子	1,500,000
その他	（別紙のとおり）	・・	87,800	日本花子	87,800
合計			3,359,600		

3　債務及び葬式費用の合計額

債務などを承継した人の氏名		（各人の合計）	日本花子	日本一郎		
債務	負担することが確定した債務 ①	24,056,340円	円	24,056,340円	円	円
	負担することが確定していない債務 ②					
	計（①+②）③	24,056,340		24,056,340		
葬式費用	負担することが確定した葬式費用 ④	3,359,600	3,359,600			
	負担することが確定していない葬式費用 ⑤					
	計（④+⑤）⑥	3,359,600	3,359,600			
合計（③+⑥）⑦		27,415,940	3,359,600	24,056,340		

(注)　1　各人の⑦欄の金額を第1表のその人の「債務及び葬式費用の金額③」欄に転記します。
　　　2　③、⑥及び⑦欄の金額を第15表の㉝、㉞及び㉟欄にそれぞれ転記します。

第13表(令6.7)　　　　　　　　　　　　　　　　　　　　　　　（資4－20－14－A4統一）

第一編　相続税

純資産価額に加算される暦年課税分の
贈与財産価額及び特定贈与財産価額
出資持分の定めのない法人などに遺贈した財産　の明細書　| 被相続人　**日本太郎**
特定の公益法人などに寄附した相続財産・
特定公益信託のために支出した相続財産

第14表（令和5年4月分以降用）

1　純資産価額に加算される暦年課税分の贈与財産価額及び特定贈与財産価額の明細

この表は、相続、遺贈や相続時精算課税に係る贈与によって財産を取得した人（注）が、その相続開始前3年以内に被相続人から暦年課税に係る贈与によって取得した財産がある場合に記入します。

（注）　被相続人から租税特別措置法第70条の2の2（直系尊属から教育資金の一括贈与を受けた場合の贈与税の非課税）第12項第1号に規定する管理残額及び同法第70条の2の3（直系尊属から結婚・子育て資金の一括贈与を受けた場合の贈与税の非課税）第12項第2号に規定する管理残額以外の財産を取得しなかった人（その人が被相続人から相続時精算課税に係る贈与によって財産を取得している場合を除きます。）は除きます。

番号	贈与を受けた人の氏名	贈与年月日	相続開始前3年以内に暦年課税に係る贈与を受けた財産の明細					②①の価額のうち特定贈与財産の価額	③相続税の課税価格に加算される価額（①－②）
			種類	細目	所在場所等	数量	①価額		
1	日本花子	6・1・11	土地	宅地	○○市○○3丁目5番16号	50.㎡	19,500,000 円	19,500,000 円	円
2	日本花子	4・6・2	現金預貯金	現金	○○市○○3丁目5番16号		1,000,000		1,000,000
3	久保和子	3・10・3	現金預貯金	現金	○○市○○3丁目5番16号		2,000,000		2,000,000
4		・　・							

| 贈与を受けた人ごとの③欄の合計額 | 氏名 | （各人の合計） | 日本花子 | 久保和子 | | |
| | ④金額 | 3,000,000 円 | 1,000,000 円 | 2,000,000 円 | 円 | 円 |

上記「②」欄において、相続開始の年に被相続人から贈与によって取得した居住用不動産や金銭の全部又は一部を特定贈与財産としている場合には、次の事項について、「（受贈配偶者）」及び「（受贈財産の番号）」の欄に所定の記入をすることにより確認します。

（受贈配偶者）　　　　　　　　　　　　　　　　　　　　（受贈財産の番号）

私　**日本花子**　は、相続開始の年に被相続人から贈与によって取得した上記　**1**　の特定贈与財産の価額については贈与税の課税価格に算入します。

なお、私は、相続開始の年の前年以前に被相続人からの贈与について相続税法第21条の6第1項の規定の適用を受けていません。

（注）　④欄の金額を第1表のその人の「純資産価額に加算される暦年課税分の贈与財産価額⑤」欄及び第15表の㉗欄にそれぞれ転記します。

2　出資持分の定めのない法人などに遺贈した財産の明細

この表は、被相続人が人格のない社団又は財団や学校法人、社会福祉法人、宗教法人などの出資持分の定めのない法人に遺贈した財産のうち、相続税がかからないものの明細を記入します。

遺贈した財産の明細					出資持分の定めのない法人などの所在地、名称
種類	細目	所在場所等	数量	価額	
				円	
		合計			

3　特定の公益法人などに寄附した相続財産又は特定公益信託のために支出した相続財産の明細

私は、下記に掲げる相続財産を、相続税の申告期限までに、

(1)　国、地方公共団体又は租税特別措置法施行令第40条の3に規定する法人に対して寄附をしましたので、租税特別措置法第70条第1項の規定の適用を受けます。

(2)　租税特別措置法施行令第40条の4第3項の要件に該当する特定公益信託の信託財産とするために支出しましたので、租税特別措置法第70条第3項の規定の適用を受けます。

(3)　特定非営利活動促進法第2条第3項に規定する認定特定非営利活動法人に対して寄附をしましたので、租税特別措置法第70条第10項の規定の適用を受けます。

寄附（支出）年月日	寄附（支出）した財産の明細					公益法人等の所在地・名称（公益信託の受託者及び名称）	寄附（支出）をした相続人等の氏名
	種類	細目	所在場所等	数量	価額		
6・10・5	現金預貯金	現金	○○市○○3丁目5番16号		2,000,000 円	日本赤十字社	日本花子
・　・							
			合計		2,000,000		

（注）　この特例の適用を受ける場合には、期限内申告書に一定の受領書、証明書類等の添付が必要です。

第14表（令6.7）

（資4−20−15−A4統一）

−274−

第七章　申告、更正決定及び更正の請求

相続財産の種類別価額表 (この表は、第11表の付表1から第14表までの記載に基づいて記入します。)

(単位は円)　被相続人　**日本太郎**　　FD3539

第15表（令和6年1月分以降用）

○この申告書は機械で読み取りますので、黒ボールペンで記入してください。

※の項目は記入する必要がありません。

種類	細目	番号	各人の合計	（氏名）日本花子
※	整理番号		被相続人	
土地（土地の上に存する権利を含みます。）	田	①		
	畑	②		
	宅地	③	131403960	100696000
	山林	④	3617100	
	その他の土地	⑤		
	計	⑥	135021060	100696000
	③のうち配偶者居住権に基づく敷地利用権	⑦		
⑥のうち特例農地等	通常価額	⑧		
	農業投資価格による価額	⑨		
家屋等		⑩	22559690	12231050
	⑩のうち配偶者居住権	⑪		
事業（農業）用財産	機械、器具、農耕具、その他の減価償却資産	⑫		
	商品、製品、半製品、原材料、農産物等	⑬		
	売掛金	⑭		
	その他の財産	⑮		
	計	⑯		
有価証券	特定同族会社の株式及び出資　配当還元方式によったもの	⑰	50000	50000
	その他の方式によったもの	⑱	69000000	69000000
	⑰及び⑱以外の株式及び出資	⑲	31085000	7830000
	公債及び社債	⑳	6590700	
	証券投資信託、貸付信託の受益証券	㉑	6902700	
	計	㉒	113628400	76880000
現金、預貯金等		㉓	99456643	26588600
家庭用財産		㉔	2500000	2500000
その他の財産	生命保険金等	㉕	60397608	
	退職手当金等	㉖	30000000	30000000
	立木	㉗	2578050	
	その他	㉘	32250000	7750700
	計	㉙	125226358	37750700
合計（⑥+⑩+⑯+㉒+㉓+㉔+㉙）		㉚	498392151	256646350
相続時精算課税適用財産の価額		㉛	24626035	
不動産等の価額（⑥+⑩+⑫+⑰+⑱+㉗）		㉜	229208800	181977050
債務等	債務	㉝	24056340	
	葬式費用	㉞	3359600	3359600
	合計（㉝+㉞）	㉟	27415940	3359600
差引純資産価額（㉚+㉛-㉟）（赤字のときは0）		㊱	495602246	253286750
純資産価額に加算される暦年課税分の贈与財産価額		㊲	3000000	1000000
課税価格（㊱+㊲）（1,000円未満切捨て）		㊳	498600000	254286000

※税務署整理欄　申告区分　年分　名簿番号　申告年月日　グループ番号

第15表（令6.7）　　　　　　　　　　　　　　　（資4-20-16-1-A4統一）

(注) 上記の申告書第15表及び次ページ以下の第15表(続)は、OCR用の申告書です。

相続財産の種類別価額表（続）（この表は、第11表の付表1から第14表までの記載に基づいて記入します。）

FD3540

第15表（続）（令和6年1月分以降用）

（単位は円）

被相続人　日本太郎

種類	細目	番号	（氏名）日本一郎	（氏名）久保和子
※	整理番号			
土地（土地の上に存する権利を含みます）	田	①		
	畑	②		
	宅地	③	6435000	24272960
	山林	④	3617100	
	その他の土地	⑤		
	計	⑥	10052100	24272960
	③のうち配偶者居住権に基づく敷地利用権	⑦		
⑥のうち特例農地等	通常価額	⑧		
	農業投資価格による価額	⑨		
家屋等		⑩		10328640
	⑩のうち配偶者居住権	⑪		
事業（農業）用財産	機械、器具、農耕具、その他の減価償却資産	⑫		
	商品、製品、半製品、原材料、農産物等	⑬		
	売掛金	⑭		
	その他の財産	⑮		
	計	⑯		
有価証券	特定同族会社の株式及び出資 配当還元方式によったもの	⑰		
	その他の方式によったもの	⑱		
	⑰及び⑱以外の株式及び出資	⑲	9155000	14100000
	公債及び社債	⑳		6590700
	証券投資信託、貸付信託の受益証券	㉑	5240700	1662000
	計	㉒	14395700	22352700
現金、預貯金等		㉓	41790611	31077432
家庭用財産		㉔		
その他の財産	生命保険金等	㉕	35750657	24646951
	退職手当金等	㉖		
	立木	㉗	2578050	
	その他	㉘	24500000	
	計	㉙	62828707	24646951
合計（⑥＋⑩＋⑯＋㉒＋㉓＋㉔＋㉙）		㉚	129067118	112678683
相続時精算課税適用財産の価額		㉛	24626035	
不動産等の価額（⑥＋⑩＋⑫＋⑰＋⑱＋㉗）		㉜	126301500	34601600
債務等	債務	㉝	24056340	
	葬式費用	㉞		
	合計（㉝＋㉞）	㉟	24056340	
差引純資産価額（㉚＋㉛−㉟）（赤字のときは0）		㊱	129636813	112678683
純資産価額に加算される暦年課税分の贈与財産価額		㊲		2000000
課税価格（㊱＋㊲）（1,000円未満切捨て）		㊳	129636000	114678000

○この申告書は機械で読み取りますので、黒ボールペンで記入してください。

※の項目は記入する必要がありません。

※税務署整理欄	申告区分	年分	名簿番号	申告年月日	グループ番号

第15表（続）（令6.7）

（資4−20−16−2−A4統一）

第三節　期限後申告

一　国税通則法の規定による期限後申告

　期限内申告書を提出すべきであった者（所得税法第123条第1項《確定損失申告》、第125条第3項《年の中途で死亡した場合の確定損失申告》又は第127条第3項《年の中途で出国をする場合の確定損失申告》（これらの規定を同法第166条《非居住者に対する準用》において準用する場合を含む。）の規定による申告書を提出することができる者でその提出期限内に当該申告書を提出しなかったもの及びこれらの者の相続人その他これらの者の財産に属する権利義務を包括して承継した者（法人が分割をした場合にあっては、第7条の2第4項《信託に係る国税の納付義務の承継》の規定により当該分割をした法人の国税を納める義務を承継した法人に限る。）を含む。）は、その提出期限後においても、第25条《決定》の規定による決定があるまでは、納税申告書を税務署長に提出することができる。（通法18①）

　上記の規定により提出する納税申告書は、期限後申告書という。（通法18②）

　期限後申告書には、その申告に係る国税の期限内申告書に記載すべきものとされている事項を記載し、その期限内申告書に添付すべきものとされている書類があるときは当該書類を添付しなければならない。（通法18③）

二　相続税法による期限後申告の特則

　第一節一の1《申告書の提出期限》の規定による申告書の提出期限後において次の（一）から（六）に規定する事由が生じたため新たに同1に規定する申告書を提出すべき要件に該当することとなった者は、期限後申告書を提出することができる。（法30①、32①一〜六）

（一）	第四章第二節二《遺産が未分割の場合の課税価格》の規定により分割されていない財産について民法（第904条の2《寄与分》を除く。）の規定による相続分又は包括遺贈の割合に従って課税価格が計算されていた場合において、その後当該財産の分割が行われ、共同相続人又は包括受遺者が当該分割により取得した財産に係る課税価格が当該相続分又は包括遺贈の割合に従って計算された課税価格と異なることとなったこと。
（二）	民法第787条《認知の訴え》又は第892条から第894条まで《推定相続人の廃除等》の規定による認知、相続人の廃除又はその取消しに関する裁判の確定、同法第884条《相続回復請求権》に規定する相続の回復、同法第919条第2項《相続の承認又は放棄の取消し》の規定による相続の放棄の取消しその他の事由により相続人に異動を生じたこと。
（三）	遺留分侵害額の請求に基づき支払うべき金銭の額が確定したこと。
（四）	遺贈に係る遺言書が発見され、又は遺贈の放棄があったこと。
（五）	第八章第三節二の10（同二の13において準用する場合を含む。）の規定により条件を付して物納の許可がされた場合（同二の11の（1）の規定により当該許可が取り消され、又は取り消されることとなる場合に限る。）において、当該条件に係る物納に充てた財産の性質その他の事情に関し（1）の政令で定めるものが生じたこと。
（六）	（一）から（五）までに規定する事由に準ずるものとして（2）の政令で定める事由が生じたこと。

　（更正の請求の対象となる事由）
（1）　二の（五）に規定する政令で定めるものは、次に掲げるものとする。（令8①）

（一）	物納に充てた財産が土地である場合において、当該土地の土壌が土壌汚染対策法第2条第1項《定義》に規定する特定有害物質その他これに類する有害物質により汚染されていることが判明したこと。
（二）	物納に充てた財産が土地である場合において、当該土地の地下に廃棄物の処理及び清掃に関する法律第2条第1項《定義》に規定する廃棄物その他の物で除去しなければ当該土地の通常の使用ができないものがあることが判明したこと。

　（更正の請求の対象となる事由）
（2）　二の（六）に規定する政令で定める事由は、次に掲げる事由とする。（令8②）

第一編　相続税

（一）	相続若しくは遺贈により取得した財産についての権利の帰属に関する訴えについての判決があったこと。
（二）	民法第778条の4《相続の開始後に新たに子と推定された者の価額の支払請求権》又は第910条《相続の開始後に認知された者の価額の支払請求権》の規定による請求があったことにより弁済すべき額が確定したこと。
（三）	条件付の遺贈について、条件が成就したこと。

（注）　──線部分の規定は、令和6年4月1日以後について、適用する。（令6改令附）

　　　（法第30条第1項の規定による期限後申告書を提出することができる者）
（3）　相続又は遺贈によって財産を取得した者で、第一節**一**の**1**《申告書の提出期限》の規定による申告書の提出期限内に期限内申告書の提出義務がなく、その後において**二**の（一）から（六）までに掲げる事由により新たに納付すべき相続税額があることとなったものについては、**二**の規定による期限後申告書を提出することができるのであるから留意する。したがって、その者は、次に掲げるような事由により相続税の申告書の提出期限後において新たに納付すべき相続税額があることとなった場合には期限後申告書の提出ができることとなる。（基通30－1）

（一）　第四章第二節**二**の規定により分割されていない財産について民法（第904条の2を除く。）の規定による相続分又は包括遺贈の割合に従って課税価格が計算されていた場合において、その後当該財産の分割が行われ、共同相続人又は包括受遺者が当該分割により取得した財産に係る課税価格が当該相続分又は包括遺贈の割合に従って計算された課税価格と異なることとなったこと。

（二）　民法第892条及び第893条の規定による相続人の廃除に関する裁判の確定、同法第884条《相続回復請求権》に規定する相続の回復並びに同法第919条第2項の規定による相続の放棄の取消しがあったこと。

（三）　遺留分侵害額の請求に基づき支払うべき金銭の額が確定したこと。

（四）　遺贈（被相続人からの相続人に対する遺贈に限る。）に係る遺言書が発見され、又は遺贈の放棄があったこと。

（五）　相続若しくは遺贈により取得した財産についての権利の帰属に関する訴えについての判決があったこと。

（六）　民法第778条の4《相続の開始後に新たに子と推定された者の価額の支払請求権》又は第910条《相続の開始後に認知された者の価額の支払請求権》の規定による請求があったことにより弁済すべき額が確定したこと。

（七）　条件付の遺贈について、条件が成就したこと。

　　　（保険金請求権等の買取りに係る買取額の支払いを受けたことにより新たに納付すべき相続税額があることとなった者の申告の取扱い）
（4）　相続税の申告書の提出期限後において、保険業法第270条の6の10第3項《課税関係》に規定する「買取額」の支払いを受けたことにより新たに納付すべき相続税額があることとなった者が提出した申告書については、**二**の規定による期限後申告書に該当するものとして取り扱うものとする。（基通30－3）

　　　（決定通知書の送達中に期限後申告書の提出があった場合）
（5）　期限後申告書は、課税価格及び相続税額の決定通知書が納税義務者に到達するまではいつでも提出することができるのであるから、当該通知書の発送後納税義務者に到達前に期限後申告書の提出があったときは、当該決定を取消し、当該申告書に係る課税価格及び相続税額の是認又は更正をするものとする。（基通30－4）

　　　（相続税に係る期限後申告書等の記載事項）
（6）　相続税に係る期限後申告書又は修正申告書で第二章第三節**一**の**1**《特別縁故者が分与を受けた財産》若しくは**2**《特別寄与者が支払を受けるべき特別寄与料の額》に規定する事由又は第六節**三**の**7**の**②**《相続税に係る延滞税の計算期間の特則》の（一）のイからハまでに掲げる事由に基づいて提出するものには、それぞれ、第一節**二**《相続税の申告書の記載事項》の（1）の（一）から（十）に掲げる事項（同節**四**の**1**《申告書を提出しないで死亡した者の相続人の申告義務》（同節**七**の**2**において準用する場合を含む。）に規定する相続人又は同節**四**の**3**に規定する相続人が当該期限後申告書を提出する場合には、同節**二**の（1）の（三）及び（四）並びに同節の**四**の**2**の注の（一）から（四）に掲げる事項）又は国税通則法第19条第4項各号《修正申告書の記載事項》（次ページ参照）に掲げる事項のほか、その旨及び当該事由を記載しなければならない。（規18①）

　　上記の規定は、第三編第一章第五節**二**の（3）《相続時精算課税適用者に係る相続税の還付申告》の規定により申告書を提出した者（その者に係る相続人を含む。）が上記に規定する事由に基づいて提出する修正申告書について準用する。（規18②）

－278－

第四節　修正申告

一　国税通則法の規定による修正申告

1　修 正 申 告

　納税申告書を提出した者（その相続人その他当該提出した者の財産に属する権利義務を包括して承継した者（法人が分割をした場合にあっては、第7条の2第4項《信託に係る国税の納付義務の承継》の規定により当該分割をした法人の国税を納める義務を承継した法人に限る。）を含む。以下第五節《更正の請求》の **1** 及び同一の **2** において同じ。）は、次の(一)から(四)のいずれかに該当する場合には、その申告について第六節の規定による更正があるまでは、その申告に係る課税標準等又は税額等を修正する納税申告書を税務署長に提出することができる。（通法19①）

　この規定により提出する納税申告書は、修正申告書という。（通法19③）

(一)	先の納税申告書の提出により納付すべきものとしてこれに記載した税額に不足額があるとき
(二)	先の納税申告書に記載した純損失等の金額が過大であるとき
(三)	先の納税申告書に記載した還付金の額に相当する税額が過大であるとき
(四)	先の納税申告書に当該申告書の提出により納付すべき税額を記載しなかった場合において、その納付すべき税額があるとき

2　更正又は決定を受けた者の修正申告

　第六節の規定による更正又は決定を受けた者（その相続人その他当該更正又は決定を受けた者の財産に属する権利義務を包括して承継した者（法人が分割をした場合にあっては、国税通則法の規定により当該分割をした法人の国税を納める義務を承継した法人に限る。）を含む。第五節一の **2** において同じ。）は、次の(一)から(四)のいずれかに該当する場合には、その更正又は決定について第六節一の **3** 《再更正》の規定による更正があるまでは、その更正又は決定に係る課税標準等又は税額等を修正する納税申告書を税務署長に提出することができる。（通法19②）

　この規定により提出する納税申告書は、修正申告書という。（通法19③）

(一)	その更正又は決定により納付すべきものとしてその更正又は決定に係る更正通知書又は決定通知書に記載された税額に不足額があるとき
(二)	その更正に係る更正通知書に記載された純損失等の金額が過大であるとき
(三)	その更正又は決定に係る更正通知書又は決定通知書に記載された還付金の額に相当する税額が過大であるとき
(四)	納付すべき税額がない旨の更正を受けた場合において、納付すべき税額があるとき

3　修正申告書の記載事項及び添付書類

　修正申告書には、次に掲げる事項を記載し、その申告に係る国税の期限内申告書に添付すべきものとされている書類があるときは当該書類に記載すべき事項のうちその申告に係るものを記載した書類を添付しなければならない。（通法19④）

(一)		その申告後の課税標準等及び税額等	
(二)		その申告に係る次に掲げる金額	
	イ	その申告前の納付すべき税額がその申告により増加するときは、その増加する部分の税額	
	ロ	その申告前の還付金の額に相当する税額がその申告により減少するときは、その減少する部分の税額	
	ハ	所得税法第142条第2項（純損失の繰戻しによる還付の手続等）（同法第166条（申告、納付及び還付）において準用する場合を含む。）又は法人税法第80条第7項（欠損金の繰戻しによる還付）（同法第81条の31第6項（連結欠損金の繰戻しによる還付）及び第144条の13第13項（欠損金の繰戻しによる還付）において準用する場合を含む。）若しくは地方法人税法（平成26年法律第11号）第23条第1項（欠損金の繰戻しによる法人税の還付があった場合の還付）の規定により還付する金額（以下「純損失の繰戻し等による還付金額」という。）に係る第58条第1項（還付加算金）に規定する還付加算金があるときは、その還付加算金のうちロに掲げる	

－279－

第一編　相続税

	税額に対応する部分の金額
(三)	その申告前の納付すべき税額及び還付金の額に相当する税
(四)	(一)から(三)までに掲げるもののほか、当該期限内申告書に記載すべきものとされている事項でその申告に係るものその他参考となるべき事項

(注)　令和4年度改正後の3の規定は、令和4年12月31日以後に課税期間が終了する国税（課税期間のない国税については、同日後にその納税義務が成立する当該国税）に係る3に規定する修正申告書について適用し、同日前に課税期間が終了した国税（課税期間のない国税については、同日以前にその納税義務が成立した当該国税）に係る令和4年度改正前の3に規定する修正申告書については、なお従前の例による。（令4所法等附20①）

4　修正申告の効力

修正申告書で既に確定した納付すべき税額を増加させるものの提出は、既に確定した納付すべき税額に係る部分の国税についての納税義務に影響を及ぼさない。（通法20）

二　相続税法による修正申告の特則

1　未分割財産が分割されたこと等に基づく修正申告

第一節一の1又は第一節七の1の規定による申告書又はこれらの申告書に係る期限後申告書を提出した者（相続税について決定を受けた者を含む。）は、次の(一)から(六)までに規定する事由が生じたため既に確定した相続税額に不足を生じた場合には、修正申告書を提出することができる。（法31①、法32①一～六）

(一)	第四章第二節二《遺産が未分割の場合の課税価格》の規定により分割されていない財産について民法（第904条の2を除く。）の規定による相続分又は包括遺贈の割合に従って課税価格が計算されていた場合において、その後当該財産の分割が行われ、共同相続人又は包括受遺者が当該分割により取得した財産に係る課税価格が当該相続分又は包括遺贈の割合に従って計算された課税価格と異なることとなったこと。
(二)	民法第787条又は第892条から第894条までの規定による認知、相続人の廃除又はその取消しに関する裁判の確定、同法第884条に規定する相続の回復、同法第919条第2項の規定による相続の放棄の取消しその他の事由により相続人に異動を生じたこと。
(三)	遺留分侵害額の請求に基づき支払うべき金銭の額が確定したこと。
(四)	遺贈に係る遺言書が発見され、又は遺贈の放棄があったこと。
(五)	第八章第三節二の10（同二の13において準用する場合を含む。）の規定により条件を付して物納の許可がされた場合（同二の11の(1)の規定により当該許可が取り消され、又は取り消されることとなる場合に限る。）において、当該条件に係る物納に充てた財産の性質その他の事情に関し第三節二の(1)の政令で定めるものが生じたこと。
(六)	(一)～(五)までに規定する事由に準ずるものとして第三節二の(2)の政令で定める事由が生じたこと。

2　相続財産法人から財産の分与を受けたことによる修正申告

1に規定する者は、第二章第三節一の1《特別縁故者が分与を受けた財産》又は2《特別寄与者が支払を受けるべき特別寄与料の額》に規定する事由が生じたため既に確定した相続税額に不足を生じた場合には、当該事由が生じたことを知った日の翌日から10月以内（その者が国税通則法第117条第2項《納税管理人》の規定による納税管理人の届出をしないで当該期間内にこの法律の施行地に住所及び居所を有しないこととなるときは、当該住所及び居所を有しないこととなる日まで）に修正申告書を納税地の所轄税務署長に提出しなければならない。（法31②）

3　修正申告前に更正があった場合の不適用

2の規定は、2に規定する修正申告書の提出期限前に第六節二の2の(二)の規定による更正があった場合には、適用しない。（法31③）

（期限内申告書の修正）

注　期限内申告書を提出した者が、当該申告書の提出期限内にその申告に係る課税価格、相続税額を修正した申告書を提出した場合においては、当該修正した申告書は一の1の規定による修正申告書とはしないで期限内申告書として取り扱うものとする。（基通31-1）

第七章　申告、更正決定及び更正の請求

第五節　更正の請求

一　国税通則法の規定による更正の請求

1　法定申告期限から5年以内に行う更正の請求

　納税申告書を提出した者は、次の(一)から(三)のいずれかに該当する場合には、当該申告書に係る国税の法定申告期限から5年以内に限り、税務署長に対し、その申告に係る課税標準等又は税額等（当該課税標準等又は税額等に関し第六節一の1又は同一の3による更正があった場合には、当該更正後の課税標準等又は税額等）につき更正をすべき旨の請求をすることができる。（通法23①）

(一)	当該申告書に記載した課税標準等若しくは税額等の計算が国税に関する法律の規定に従っていなかったこと又は当該計算に誤りがあったことにより、当該申告書の提出により納付すべき税額（当該税額に関し更正があった場合には、当該更正後の税額）が過大であるとき
(二)	(一)に規定する理由により、当該申告書に記載した純損失等の金額（当該金額に関し更正があった場合には、当該更正後の金額）が過少であるとき、又は当該申告書（当該申告書に関し更正があった場合には、更正通知書）に純損失等の金額の記載がなかったとき
(三)	(一)に規定する理由により、当該申告書に記載した還付金の額に相当する税額（当該税額に関し更正があった場合には、当該更正後の税額）が過少であるとき、又は当該申告書（当該申告書に関し更正があった場合には、更正通知書）に還付金の額に相当する税額の記載がなかったとき

　(注)　——線部分は、施行日（平成23年12月2日）以後に法定申告期限が到来する国税について適用し、施行日前に法定申告期限が到来した国税については、「5年」とあるのは「1年」とする。（平23.12改所法附36①）

2　判決等があった日から2月以内に行う更正の請求

　納税申告書を提出した者又は第六節一の2による決定を受けた者は、次の(一)から(三)のいずれかに該当する場合（納税申告書を提出した者については、当該(一)から(三)に定める期間の満了する日が1に規定する期間の満了する日後に到来する場合に限る。）には、1の規定にかかわらず、当該(一)から(三)に定める期間において、その該当することを理由として1の規定による更正の請求（以下「更正の請求」という。）をすることができる。（通法23②、通令6①）

(一)		その申告、更正又は決定に係る課税標準等又は税額等の計算の基礎となった事実に関する訴えについての判決（判決と同一の効力を有する和解その他の行為を含む。）により、その事実が当該計算の基礎としたところと異なることが確定したとき。　　その確定した日の翌日から起算して2月以内
(二)		その申告、更正又は決定に係る課税標準等又は税額等の計算に当たってその申告をし、又は決定を受けた者に帰属するものとされていた所得その他課税物件が他の者に帰属するものとする当該他の者に係る国税の更正又は決定があったとき。　　当該更正又は決定があった日の翌日から起算して2月以内
(三)		その他当該国税の法定申告期限後に生じた(一)又は(二)に類するやむを得ない理由として次のイからホまでに掲げる理由があるとき。　　当該理由が生じた日の翌日から起算して2月以内
	イ	その申告、更正又は決定に係る課税標準等、又は税額等の計算の基礎となった事実のうちに含まれていた行為の効力に係る官公署の許可その他の処分が取り消されたこと。
	ロ	その申告、更正又は決定に係る課税標準等又は税額等の計算の基礎となった事実に係る契約が、解除権の行使によって解除され、若しくは当該契約の成立後生じたやむを得ない事情によって解除され、又は取り消されたこと。
	ハ	帳簿書類の押収その他やむを得ない事情により、課税標準等又は税額等の計算の基礎となるべき帳簿書類その他の記録に基づいて国税の課税標準等又は税額等の計算をすることができなかった場合において、その後、当該事情が消滅したこと。
	ニ	わが国が締結した所得に対する租税に関する二重課税の回避又は脱税の防止のための条約に規定する権限のある当局間の協議により、その申告、更正又は決定に係る課税標準等又は税額等に関し、その内容と異なる内容の合意が行われたこと。

－281－

ホ	その申告、更正又は決定に係る課税標準等又は税額等の計算の基礎となった事実に係る国税庁長官が発した通達に示されている法令の解釈その他の国税庁長官の法令の解釈が、更正又は決定に係る審査請求若しくは訴えについての裁決若しくは判決に伴って変更され、変更後の解釈が国税庁長官により公表されたことにより、当該課税標準等又は税額等が異なることとなる取扱いを受けることとなったことを知ったこと。

3　更正の請求書の記載事項

　更正の請求をしようとする者は、その請求に係る更正後の課税標準等又は税額等、その更正の請求をする理由、当該請求をするに至った事情の詳細、当該請求に係る更正前の納付すべき税額及び還付金の額に相当する税額その他参考となるべき事項を記載した更正請求書を税務署長に提出しなければならない。（通法23③）

　　（注）　令和4年度改正後の**3**の規定は、令和4年12月31日以後に課税期間が終了する国税（課税期間のない国税については、同日後にその納税義務が成立する当該国税）に係る**3**に規定する更正請求書について適用し、同日前に課税期間が終了した国税（課税期間のない国税については、同日以前にその納税義務が成立する当該国税）に係る令和4年度改正前の**3**に規定する更正請求書については、なお従前の例による。（令4所法等附20①）

4　更正の請求書の添付書類

　更正の請求をしようとする者は、その更正の請求をする理由が課税標準たる所得が過大であることその他その理由の基礎となる事実が一定期間の取引に関するものであるときは、その取引の記録等に基づいてその理由の基礎となる事実を証明する書類を更正請求書に添付しなければならない。その更正の請求をする理由の基礎となる事実が一定期間の取引に関するもの以外のものである場合において、その事実を証明する書類があるときも、また同様とする。（通令6②）

5　更正の請求に対する処理

①　更正の請求に対する処理と通知

　税務署長は、更正の請求があった場合には、その請求に係る課税標準等又は税額等について調査し、更正をし、又は更正をすべき理由がない旨をその請求をした者に通知する。（通法23④）

②　更正の請求があった場合の徴収猶予

　更正の請求があった場合においても、税務署長は、その請求に係る納付すべき国税（その滞納処分費を含む。以下同じ。）の徴収を猶予しない。ただし、税務署長において相当の理由があると認めるときは、その国税の全部又は一部の徴収を猶予することができる。（通法23⑤）

二　相続税法による更正の請求の特則

　相続税について申告書を提出した者又は決定を受けた者は、次の（一）から（十）のいずれかに該当する事由により当該申告又は決定に係る課税価格及び相続税額（当該申告書を提出した後又は当該決定を受けた後修正申告書の提出又は更正があった場合には、当該修正申告又は更正に係る課税価格及び相続税額）が過大となったときは、当該（一）から（十）に規定する事由が生じたことを知った日の翌日から4月以内に限り、納税地の所轄税務署長に対し、その課税価格及び相続税額につき更正の請求（**一**の**1**の規定による更正の請求をいう。第三編第一章第三節**四**において同じ。）をすることができる。（法32①）

（一）	（1）の規定により分割されていない財産について民法（第904条の2を除く。）の規定による相続分又は包括遺贈の割合に従って課税価格が計算されていた場合において、その後当該財産の分割が行われ、共同相続人又は包括受遺者が当該分割により取得した財産に係る課税価格が当該相続分又は包括遺贈の割合に従って計算された課税価格と異なることとなったこと。
（二）	民法第787条又は第892条から第894条までの規定による認知、相続人の廃除又はその取消しに関する裁判の確定、同法第884条に規定する相続の回復、同法第919条第2項の規定による相続の放棄の取消しその他の事由により相続人に異動を生じたこと。
（三）	遺留分侵害額の請求に基づき支払うべき金銭の額が確定したこと。
（四）	遺贈に係る遺言書が発見され、又は遺贈の放棄があったこと。
（五）	第八章第三節**二**の**10**（同**二**の**13**において準用する場合を含む。）の規定により条件を付して物納の許可がされた場合（同**二**の**11**の（1）の規定により当該許可が取り消され、又は取り消されることとなる場合に限る。）において、当該

	条件に係る物納に充てた財産の性質その他の事情に関し（２）の政令で定めるものが生じたこと。
(六)	(一)から(五)までに規定する事由に準ずるものとして（３）の政令で定める事由が生じたこと。
(七)	第二章第三節一の**1**《特別縁故者が分与を受けた財産》又は**2**《特別寄与者が支払を受けるべき特別寄与料の額》に規定する事由が生じたこと。
(八)	第六章第四節《配偶者の税額軽減》**2**ただし書の規定に該当したことにより、同**2**の分割が行われた時以後において同第四節の**1**の規定を適用して計算した相続税額がその時前において同**1**の規定を適用して計算した相続税額と異なることとなったこと（（一）に該当する場合を除く。）。
(九)	次に掲げる事由が生じたこと。 　イ　所得税法第137条の２第13項《国外転出をする場合の譲渡所得等の特例の適用がある場合の納税猶予》の規定により同条第１項の規定の適用を受ける同項に規定する国外転出をした者に係る同項に規定する納税猶予分の所得税額に係る納付の義務を承継したその者の相続人が当該納税猶予分の所得税額に相当する所得税を納付することとなったこと。 　ロ　所得税法第137条の３第15項（贈与等により非居住者に資産が移転した場合の譲渡所得等の特例の適用がある場合の納税猶予）の規定により同条第７項に規定する適用贈与者等に係る同条第４項に規定する納税猶予分の所得税額に係る納付の義務を承継した当該適用贈与者等の相続人が当該納税猶予分の所得税額に相当する所得税を納付することとなったこと。 　ハ　イ及びロに類する事由として政令で定める事由
(十)	省略

　　　（未分割遺産に対する課税＝参考）
（１）　相続若しくは包括遺贈により取得した財産に係る相続税について申告書を提出する場合又は当該財産に係る相続税について更正若しくは決定をする場合において、当該相続又は包括遺贈により取得した財産の全部又は一部が共同相続人又は包括受遺者によってまだ分割されていないときは、その分割されていない財産については、各共同相続人又は包括受遺者が民法（第904条の２《寄与分》を除く。）の規定による相続分又は包括遺贈の割合に従って当該財産を取得したものとしてその課税価格を計算するものとする。ただし、その後において当該財産の分割があり、当該共同相続人又は包括受遺者が当該分割により取得した財産に係る課税価格が当該相続分又は包括遺贈の割合に従って計算された課税価格と異なることとなった場合においては、当該分割により取得した財産に係る課税価格を基礎として、納税義務者において申告書を提出し、若しくは二の更正の請求をし、又は税務署長において更正若しくは決定をすることを妨げない。（法55）

　　　（更正の請求の対象となる事由）
（２）　二の(五)に規定する政令で定めるものは、次に掲げるものとする。（令8①）

(一)	物納に充てた財産が土地である場合において、当該土地の土壌が土壌汚染対策法第２条第１項《定義》に規定する特定有害物質その他これに類する有害物質により汚染されていることが判明したこと。
(二)	物納に充てた財産が土地である場合において、当該土地の地下に廃棄物の処理及び清掃に関する法律第２条第１項《定義》に規定する廃棄物その他の物で除去しなければ当該土地の通常の使用ができないものがあることが判明したこと。

　　　（更正の請求の対象となる事由）
（３）　二の(六)に規定する政令で定める事由は、次に掲げる事由とする。（令8②）

(一)	相続若しくは遺贈又は贈与により取得した財産についての権利の帰属に関する訴えについての判決があったこと。
(二)	民法第778条の４《相続の開始後に新たに子と推定された者の価額の支払請求権》又は第910条《相続の開始後の認知された者の価額の支払請求権》の規定による請求があったことにより弁済すべき額が確定したこと。
(三)	条件付の遺贈について、条件が成就したこと。

　　（注）　──線部分の規定は、令和６年４月１日以後について、適用する。（令６改令附）

第一編　相続税

　　　（更正の請求の対象となる事由）
（4）　二の(九)のハに規定する政令で定める事由は、所得税法第137条の３第２項《贈与等により非居住者に資産が移転した場合の譲渡所得等の特例の適用がある場合の納税猶予》の規定の適用を受ける同項の相続人が同項に規定する相続等納税猶予分の所得税額に相当する所得税を納付することとなったこととする。（令８③）

　　　（「その他の事由により相続人に異動が生じたこと」の意義）
（5）　二の(二)に規定する「その他の事由により相続人に異動を生じたこと」とは、民法第774条《嫡出の否認》に規定する嫡出の否認、同法第886条に規定する胎児の出生、相続人に対する失踪の宣告又はその取消し等により相続人に異動を生じた場合をいうのであるから留意する。（基通32－１）

　　　（(八)の事由に該当したことによる更正の請求の期限）
（6）　第六章第四節の**2**ただし書の規定に該当したことにより、同**2**の分割が行われた時以後においてその分割により取得した財産に係る課税価格又は同第四節の**1**の規定を適用して計算した相続税額が当該分割の行われた時前において確定していた課税価格又は相続税額と異なることとなったときは、二の規定による更正の請求のほか一の**1**の規定による更正の請求もできるので、その更正の請求の期限は、当該分割が行われた日から４月を経過する日と申告書の提出期限から５年を経過する日とのいずれか遅い日となるのであるから留意する。（基通32－２）

　　　（相続の開始後に新たに子と推定された場合又は死後認知があった場合の更正の請求）
（7）　被相続人の死亡後に民法第775条又は第787条の規定による嫡出否認又は認知に関する裁判が確定し、その後に同法第778条の４又は第910条の規定による請求に基づき弁済すべき額が確定した場合の更正の請求は、当該嫡出否認又は認知の裁判が確定したことを知った日の翌日から４月以内に二の(二)に規定する事由に基づく更正の請求を行い、その後、当該弁済すべき額が確定したことを知った日の翌日から４月以内に(3)の(二)に規定する事由に基づく更正の請求を行うこととなるのであるから留意する。
　　　なお、民法第775条又は第787条の規定による嫡出否認又は認知に関する裁判が確定したことを知った日の翌日から４月以内に更正の請求が行われず、同法第778条の４又は第910条の規定による請求に基づき弁済すべき額が確定したことを知った日の翌日から４月以内に、二の(二)及び(3)の(二)に規定する事由を併せて更正の請求があった場合には、いずれの事由についても更正の請求の期限内に請求があったものとして取り扱うものとする。（基通32－３）

　　　（「判決があったこと」の意義）
（8）　(3)の(一)に規定する「判決があったこと」とは、判決の確定をいい、第六章第四節の**2**の(14)に準じて取り扱うものとする。（基通32－４）

　　　（二の(九)に掲げる「事由が生じたこと」の意義）
（9）　二の(九)に掲げる「事由が生じたこと」とは次に掲げる規定による納税の猶予に係る期限の確定をいい、納付の有無は問わないことに留意する。（基通32－５）
　　（一）　所得税法第137条の２第１項（同条第２項の規定により読み替えて同条第１項を適用する場合を含む。）、第５項、第８項又は第９項の規定による納税の猶予に係る期限の確定
　　（二）　所得税法第137条の３第１項（同条第３項の規定により読み替えて同条第１項を適用する場合を含む。）、第２項（同条第３項の規定により読み替えて同条第２項を適用する場合を含む。）、第６項、第９項（同条第10項において準用する場合を含む。）又は第11項の規定による納税の猶予に係る期限の確定
　　(注)　昭和45年７月１日付直審（所）30「所得税基本通達の制定について」（法令解釈通達）137の２－４《納税猶予の任意の取りやめ》（137の３－２により準用する場合を含む。）により、所得税法第137条の２第１項の規定による納税猶予の適用を受けている個人から、納税猶予の期限より前に、所轄税務署長に対し同項の規定による納税猶予の適用を取りやめる旨の書面による申出があり、かつ、その納税猶予分の所得税額に相当する所得税の全部の納付があった場合にも、当該納税猶予の期限が確定し、更正の請求ができることに留意する。

－284－

第六節　更正、決定及び加算税等

一　国税通則法の規定による更正又は決定

1　更　　正

　税務署長は、納税申告書の提出があった場合において、その納税申告書に記載された課税標準等又は税額等の計算が国税に関する法律の規定に従っていなかったとき、その他当該課税標準等又は税額等がその調査したところと異なるときは、その調査により、当該申告書に係る課税標準等又は税額等を更正する。（通法24）

2　決　　定

　税務署長は、納税申告書を提出する義務があると認められる者が当該申告書を提出しなかった場合には、その調査により、当該申告書に係る課税標準等及び税額等を決定する。ただし、決定により納付すべき税額及び還付金の額に相当する税額が生じないときは、この限りでない。（通法25）

3　再　更　正

　税務署長は、1、2又は3の規定による更正又は決定をした後、その更正又は決定をした課税標準等又は税額等が過大又は過少であることを知ったときは、その調査により、当該更正又は決定に係る課税標準等又は税額等を更正する。（通法26）

4　国税庁又は国税局の職員の調査に基づく更正又は決定

　1から3までの場合において、国税庁又は国税局の当該職員の調査があったときは、税務署長は、当該調査したところに基づき、これらの規定による更正又は決定をすることができる。（通法27）

5　更正又は決定の手続

①　更正通知書、決定通知書の送達

　1から3までの規定による更正又は決定は、税務署長が更正通知書又は決定通知書を送達して行う。（通法28①）

②　更正通知書の記載事項

　更正通知書には、次に掲げる事項を記載しなければならない。この場合において、その更正が国税庁又は国税局の当該職員の調査に基づくものであるときは、その旨を付記しなければならない。（通法28②）

(一)	その更正前の課税標準等及び税額等	
(二)	その更正後の課税標準等及び税額等	
(三)	その更正に係る次に掲げる金額	
	イ	その更正前の納付すべき税額がその更正により増加するときは、その増加する部分の税額
	ロ	その更正前の還付金の額に相当する税額がその更正により減少するときは、その減少する部分の税額
	ハ	純損失の繰戻し等による還付金額に係る還付加算金があるときは、その還付加算金のうちロに掲げる税額に対応する部分の金額
	ニ	その更正前の納付すべき税額がその更正により減少するときは、その減少する部分の税額
	ホ	その更正前の還付金の額に相当する税額がその更正により増加するときは、その増加する部分の税額

③　決定通知書の記載事項

　決定通知書には、その決定に係る課税標準等及び税額等を記載しなければならない。この場合において、その決定が国税庁又は国税局の当該職員の調査に基づくものであるときは、その旨を付記しなければならない。（通法28③）

第一編　相続税

6　更正等の効力

① 更正及び再更正の効力

　1《更正》又は3《再更正》の規定による更正で既に確定した納付すべき税額を増加させるものは、既に確定した納付すべき税額に係る部分の国税についての納税義務に影響を及ぼさない。（通法29①）

② 既に確定した税額を減少させる更正の効力

　既に確定した納付すべき税額を減少させる更正は、その更正により減少した税額に係る部分以外の部分の国税についての納税義務に影響を及ぼさない。（通法29②）

③ 更正又は決定を取り消す処分又は判決の効力

　更正又は決定を取り消す処分又は判決は、その処分又は判決により減少した税額に係る部分以外の部分の国税についての納税義務に影響を及ぼさない。（通法29③）

7　更正又は決定の所轄庁

　更正又は決定は、これらの処分をする際における国税の納税地（以下**7**において「**現在の納税地**」という。）を所轄する税務署長が行う。（通法30①）

　国税についてその課税期間が開始した時以後にその納税地に異動があった場合において、その異動に係る納税地で現在の納税地以外のもの（以下「**旧納税地**」という。）を所轄する税務署においてその異動の事実が知れず、又はその異動後の納税地が判明せず、かつ、その知れないこと又は判明しないことにつきやむを得ない事情があるときは、その旧納税地を所轄する税務署長は、上記にかかわらず、その国税について更正又は決定をすることができる。（通法30②）

　上記に規定する税務署長は、更正又は決定をした後、当該更正又は決定に係る国税につき既に適法に、他の税務署長に対し納税申告書が提出され、又は他の税務署長が決定をしていたため、当該更正又は決定をすべきでなかったものであることを知った場合には、遅滞なく、当該更正又は決定を取り消さなければならない。（通法30③）

8　更正又は決定の期間制限

　更正又は決定の期間制限は、次による。（通法70、71）

(一)	次のイからハに掲げる更正決定等は、当該イからハに定める期限又は日から５年（ロに規定する課税標準申告書の提出を要する国税で当該申告書の提出があったものに係る賦課決定〔納付すべき税額を減少させるものを除く。〕については、３年）を経過した日以後においては、することができない。（通法70①）		
	イ	更正又は決定	その更正又は決定に係る国税の法定申告期限（還付請求申告書に係る更正については当該申告書を提出した日）
	ロ	課税標準申告書の提出を要する国税に係る賦課決定	当該申告書の提出期限
	ハ	課税標準申告書の提出を要しない賦課課税方式による国税に係る賦課決定	その納税義務の成立の日
(二)	(一)の規定により更正をすることができないこととなる日前６月以内にされた更正の請求に係る更正又は当該更正に伴って行われることとなる加算税についてする賦課決定は、(一)の規定にかかわらず、当該更正の請求があった日から６月を経過する日まで、することができる。（通法70③）		
(三)	(一)の規定により賦課決定をすることができないこととなる日前３月以内にされた納税申告書の提出（源泉徴収等による国税の納付を含む。以下(三)において同じ。）に伴って行われることとなる無申告加算税（第66条第８項《無申告加算税》の規定の適用があるものに限る。）又は不納付加算税（第67条第２項《不納付加算税》の規定の適用があるものに限る。）についてする賦課決定は、(一)の規定にかかわらず、当該納税申告書の提出があった日から３月を経過する日まで、することができる。（通法70④）		
(四)	次のイからハに掲げる更正決定等は、(一)から(三)の規定にかかわらず、(一)のイからハに掲げる更正決定等の区分に応じ、同じイからハに定める期限又は日から７年を経過する日まで、することができる。（通法70④）		
	イ	偽りその他不正の行為によりその全部若しくは一部の税額を免れ、又はその全部若しくは一部の税額の還付を受けた国税（当該国税に係る加算税及び過怠税を含む。）についての更正決定等	

－286－

第七章　申告、更正決定及び更正の請求

	ロ	(省略)
	ハ	(省略)

		更正決定等で次のイからニに掲げるものは、当該イからニに定める期間の満了する日が(一)から(四)により更正決定等をすることができる期間の満了する日後に到来する場合には、(一)から(四)までにかかわらず、当該各号に定める期間においても、することができる。(通法71①、通令30)
(五)	イ	更正決定等に係る不服申立て若しくは訴えについての裁決、決定若しくは判決（以下イにおいて**裁決等**という。）による原処分の異動又は更正の請求に基づく更正に伴って課税標準等又は税額等に異動を生ずべき国税（当該裁決等又は更正に係る国税の属する税目に属するものに限る。）で当該裁決等又は更正を受けた者に係るものについての更正決定等　当該裁決等又は更正があった日から６月間
	ロ	申告納税方式による国税につき、その課税標準の計算の基礎となった事実のうちに含まれていた無効な行為により生じた経済的成果がその行為の無効であることに基因して失われたこと、当該事実のうちに含まれていた取り消しうべき行為が取り消されたことその他これらに準ずる理由（国税通則法施行令第24条第４項《還付加算金の計算期間の特例に係る理由》に規定する理由——第五節**一**の**2**の(一)及び(三)〔ホを除く。〕並びに国税通則法以外の国税に関する法律の規定により更正の請求の基因とされている理由〔修正申告書の提出又は更正若しくは決定があったことを理由とするものを除く。〕で法定申告期限後に生じたもの）に基づいてする更正（納付すべき税額を減少させる更正又は純損失等の金額で当該課税期間において生じたもの若しくは還付金の額を増加させる更正若しくはこれらの金額があるものとする更正に限る。）又は当該更正に伴い当該国税に係る加算税についてする賦課決定　当該理由が生じた日から３年間
	ハ	更正の請求をすることができる期間について第十章第一節**九**の**2**（期間の計算及び期間の特例）又は同**九**の**3**（災害等による期限の延長）の規定の適用がある場合における当該更正の請求に係る更正又は当該更正に伴って行われることとなる加算税についてする賦課決定　当該更正の請求があった日から６月間
	ニ	(イ)に掲げる事由が生じた場合において、(ロ)に掲げる事由に基づいてする更正決定等　(ロ)の租税条約等の相手国等に対し(ロ)の要請に係る書面が発せられた日から３年間 (イ)　国税庁、国税局又は税務署の当該職員が納税者にその国税に係る国外取引（非居住者若しくは外国法人との間で行う資産の販売、資産の購入、役務の提供その他の取引又は非居住者若しくは外国法人が提供する場を利用して行われる資産の販売、資産の購入、役務の提供その他の取引をいう。）又は国外財産（相続税法第20条の２《在外財産に対する相続税額の控除》に規定する財産をいう。）に関する書類（その作成又は保存に代えて電磁的記録の作成又は保存がされている場合における当該電磁的記録を含む。）又はその写しの提示又は提出を求めた場合において、その提示又は提出を求めた日から60日を超えない範囲内においてその準備に通常要する日数を勘案して当該職員が指定する日までにその提示又は提出がなかったこと（当該納税者の責めに帰すべき事由がない場合を除く。）。 (ロ)　国税庁長官（その委任を受けた者を含む。）が租税条約等の規定に基づき当該租税条約等の相手国等にイの国外取引又は国外財産に関する情報の提供の要請をした場合（当該要請が前条の規定により更正決定等をすることができないこととなる日の６月前の日以後にされた場合を除くものとし、当該要請をした旨の(イ)の納税者への通知が当該要請をした日から３月以内にされた場合に限る。）において、その国税に係る課税標準等又は税額等に関し、当該相手国等から提供があった情報に照らし非違があると認められること。

二　相続税法の規定による更正又は決定の特則

1　相続財産法人から財産の分与を受けた者に係る更正

　税務署長は、第四節**二**の**2**《相続財産法人から財産の分与を受けたことによる修正申告》の規定に該当する者が同**2**の規定による修正申告書を提出しなかった場合においては、その課税価格又は相続税額を更正する。(法35①)

2　申告書の提出期限前における更正、決定

　税務署長は、次の(一)から(二)のいずれかに該当する場合においては、申告書の提出期限前においても、その課税価格又は相続税額の更正又は決定をすることができる。(贈与税関係省略)(法35②)

－287－

(一)	第一節**一**の1《申告書の提出期限》又は第一節**四**の1に規定する事由に該当する場合において、同**一**の1に規定する者の被相続人が死亡した日の翌日から10月を経過したとき
(二)	第一節**七**の1《特別縁故者の申告》若しくは同**七**の2において準用する第一節**四**《申告書の提出義務者が死亡した場合の申告》又は第四節**二**の2《相続財産法人から財産の分与を受けたことによる修正申告》に規定する事由に該当する場合において、第二章第三節**一**の1《特別縁故者が分与を受けた財産》又は2《特別寄与者が支払を受けるべき特別寄与料の額》に規定する事由が生じた日の翌日から10月を経過したとき

3 更正の請求に基づいて行った更正に伴う他の者の相続税額の更正

税務署長は、第五節**二**の(一)から(六)までの規定による更正の請求に基づき更正をした場合において、当該請求をした者の被相続人から相続又は遺贈により財産を取得した他の者（当該被相続人から第三編第一章第一節**二**《相続時精算課税制度の選択》の(1)の規定の適用を受ける財産を贈与により取得した者を含む。）につき次に掲げる事由があるときは、当該事由に基づき、その者に係る課税価格又は相続税額の更正又は決定をする。ただし、当該請求があった日から1年を経過した日と**一**の8の(一)から(四)までの規定（国税の更正、決定等の期間制限）により更正又は決定をすることができないこととなる日とのいずれか遅い日以後においては、この限りでない。（法35③）

(一)	当該他の者が第一節**一**又は第一節**七**の規定による申告書（これらの申告書に係る期限後申告書及び修正申告書を含む。）を提出し、又は相続税について決定を受けた者である場合において、当該申告又は決定に係る課税価格又は相続税額（当該申告又は決定があった後修正申告書の提出又は更正があった場合には、当該修正申告又は更正に係る課税価格又は相続税額）が当該請求に基づく更正の基因となった事実を基礎として計算した場合におけるその者に係る課税価格又は相続税額と異なることとなること。
(二)	当該他の者が(一)に規定する者以外の者である場合において、その者につき(一)に規定する事実を基礎としてその課税価格及び相続税額を計算することにより、その者が新たに相続税を納付すべきこととなること。

4 国外転出をする場合の譲渡所得等の特例等に係る者の相続税の課税価格又は相続税額が過大又は過少となった場合の更正又は決定

税務署長は、次に掲げる事由により(一)若しくは(三)の申告書を提出した者若しくは(二)の決定若しくは(四)若しくは(五)の更正を受けた者又はこれらの者の被相続人から相続若しくは遺贈により財産を取得した他の者（当該被相続人から相続税法第21条の9第3項の規定の適用を受ける財産を贈与により取得した者を含む。）の相続税の課税価格又は相続税額が過大又は過少となった場合（3の規定の適用がある場合を除く。）には、これらの者に係る相続税の課税価格又は相続税額の更正又は決定をする。ただし、次に掲げる事由が生じた日から一年を経過した日と国税通則法第70条の規定により更正又は決定をすることができないこととなる日とのいずれか遅い日以後においては、この限りでない。（法35④）

(一)	所得税法第151条の5第1項から第3項まで（遺産分割等があつた場合の期限後申告等の特例）（これらの規定を同法第166条（申告、納付及び還付）において準用する場合を含む。）の規定による申告書の提出があったこと。
(二)	所得税法第151条の5第4項の規定による決定があったこと。
(三)	所得税法第151条の6第1項（遺産分割等があつた場合の修正申告の特例）（同法第166条において準用する場合を含む。）の規定による修正申告書の提出があつたこと。
(四)	所得税法第151条の6第2項の規定による更正があったこと。
(五)	所得税法第153条の5（遺産分割等があつた場合の更正の請求の特例）（同法第167条（更正の請求の特例）において準用する場合を含む。）の規定による更正の請求に基づく更正があったこと。

5 同族会社等の行為計算の否認等

同族会社等の行為又は計算で、これを容認した場合においてはその株主若しくは社員又はその親族その他これらの者と(1)で定める特別の関係がある者の相続税の負担を不当に減少させる結果となると認められるものがあるときは、税務署長は、相続税についての更正又は決定に際し、その行為又は計算にかかわらず、その認めるところにより、課税価格を計算することができる。（法64①）

上記の規定は、同族会社等の行為又は計算につき、法人税法第132条第1項《同族会社等の行為又は計算の否認》若しくは所得税法第157条第1項《同族会社等の行為又は計算の否認等》又は地価税法第32条第1項《同族会社等の行為又は計算の否認等》の規定の適用があった場合における当該同族会社等の株主若しくは社員又はその親族その他これらの者と上記

第七章　申告、更正決定及び更正の請求

に規定する特別の関係がある者の相続税又は贈与税に係る更正又は決定について準用する。（法64②）
　上記の「同族会社等」とは、法人税法第２条第10号《定義》に規定する同族会社又は所得税法第157条第１項第２号に掲げる法人をいう。（法64③）

　　　（同族関係者の範囲等）
（１）　**5**に規定する政令で定める特別の関係がある者は、次に掲げる者とする。（令31①）
　（一）　株主又は社員と婚姻の届出をしていないが事実上婚姻関係と同様の事情にある者及びその者の親族でその者と生計を一にしているもの
　（二）　株主又は社員たる個人の使用人及び使用人以外の者で当該個人から受ける金銭その他の財産によって生計を維持しているもの並びにこれらの者の親族でこれらの者と生計を一にしているもの

6　移転法人又は取得法人の行為又は計算の否認

　合併、分割、現物出資若しくは法人税法第２条第12号の５の２に規定する現物分配若しくは同条第12号の16に規定する株式交換等若しくは株式移転（以下**6**において「**合併等**」という。）をした法人又は合併等により資産及び負債の移転を受けた法人（当該合併等により交付された株式又は出資を発行した法人を含む。以下**6**において同じ。）の行為又は計算で、これを容認した場合においては当該合併等をした法人若しくは当該合併等により資産及び負債の移転を受けた法人の株主若しくは社員又はこれらの者と（１）で定める特別の関係がある者の相続税の負担を不当に減少させる結果となると認められるものがあるときは、税務署長は、相続税についての更正又は決定に際し、その行為又は計算にかかわらず、その認めるところにより課税価格を計算することができる。（法64④）

　　　（同族会社等の行為又は計算の否認等に関する経過措置）
注　**6**の規定は、平成22年10月１日以後に**6**に規定する合併等（**6**に規定する現物分配のうち、残余財産の分配にあっては同日以後の解散によるものに限る。）が行われる場合について適用し、同日前に旧相続税法第64条第４項に規定する合併等が行われた場合については、なお従前の例による。（平22改所法等附33）

　　　（移転法人又は取得法人の株主又は社員と特別の関係がある者）
（１）　**6**に規定する政令で定める特別の関係がある者は、次に掲げる者とする。（令31②）
　（一）　株主又は社員が法人である場合の当該法人（（二）において「**株主法人**」という。）の発行済株式又は出資（その法人が有する自己の株式又は出資を除く。）の総数又は総額（以下**6**において「**発行済株式等**」という。）の100分の50を超える数又は金額の株式又は出資（以下**6**において「**株式等**」という。）を個人等（個人又は当該個人と（三）から（七）までに規定する関係のある者をいう。（二）において同じ。）が直接又は間接に保有する場合における当該個人
　（二）　株主法人と個人等又は特定法人（当該個人等が発行済株式等の100分の50を超える株式等を直接又は間接に保有する法人をいう。以下（二）において同じ。）との間に次に掲げる事実その他これに類する事実が存在することにより、当該個人等又は特定法人が当該株主法人の事業の方針の全部又は一部につき実質的に決定できる関係にある場合における当該個人
　　イ　当該株主法人がその事業活動の相当部分を当該個人等又は特定法人との取引に依存して行っていること。
　　ロ　当該株主法人がその事業活動に必要とされる資金の相当部分を当該個人等若しくは特定法人からの借入れにより、又は当該個人等若しくは特定法人の保証を受けて調達していること。
　　ハ　当該株主法人の役員の２分の１以上又は代表する権限を有する役員が、当該特定法人の役員若しくは使用人を兼務している者又は又は当該特定法人の役員若しくは使用人であった者であること。
　（三）　株主又は社員（（一）及び（二）に掲げる個人を含む。以下（１）において同じ。）の親族
　（四）　株主又は社員との婚姻の届出をしていないが事実上婚姻関係と同様の事情にある者
　（五）　株主又は社員の使用人
　（六）　（三）から（五）までに掲げる者以外の者で当該株主又は社員から受ける金銭その他の財産によって生計を維持しているもの
　（七）　（四）から（六）までに掲げる者と生計を一にするこれらの者の親族

　　　（個人等が発行済株式等の100分の50を超える株式等を保有するかどうかの判定）
（２）　（１）の（一）の場合において、（一）の個人等が（一）の株主法人の発行済株式等の100分の50を超える株式等を直接又は間接に保有するかどうかの判定は、当該個人等の当該株主法人に係る直接保有の株式等の保有割合（当該個人等の有

－289－

第一編　相続税

する当該株主法人の株式等が当該株主法人の発行済株式等のうちに占める割合をいう。）と当該個人等の当該株主法人に係る間接保有の株式等の保有割合とを合計した割合により行うものとする。（令31③）

(注)　(2)及び(3)の規定は、(1)の(二)直接又は間接に保有する関係の判定について準用する。（令31⑤）

（間接保有の株式等の保有割合の意義）

（3）　(2)に規定する間接保有の株式等の保有割合とは、次の(一)から(二)に掲げる場合の区分に応じ当該(一)から(二)に定める割合（当該(一)から(二)に掲げる場合のいずれにも該当する場合には、当該(一)から(二)に定める割合の合計割合）をいう。（令31④）

(一)	(2)の株主法人の株主又は社員である法人の発行済株式等の100分の50を超える株式等が(2)の個人等により所有されている場合	当該株主又は社員である法人の有する当該株主法人の株式等が当該株主法人の発行済株式等のうちに占める割合（当該株主又は社員である法人が二以上ある場合には、当該二以上の株主又は社員である法人につきそれぞれ計算した割合の合計割合）
(二)	(2)の株主法人の株主又は社員である法人（(一)に掲げる場合に該当する(一)の株主又は社員である法人を除く。）と(2)の個人等との間にこれらの者と発行済株式等の所有を通じて連鎖関係にある一又は二以上の法人（以下(二)において「**出資関連法人**」という。）が介在している場合（出資関連法人及び当該株主又は社員である法人がそれぞれその発行済株式等の100分の50を超える株式等を当該個人等又は出資関連法人（その発行済株式等の100分の50を超える株式等が当該個人又は他の出資関連法人によって所有されているものに限る。）によって所有されているものに限る。）	当該株主又は社員である法人の有する当該株主法人の株式等が当該株主法人の発行済株式等のうちに占める割合（当該株式又は社員である法人が二以上ある場合には、当該二以上の株主又は社員である法人につきそれぞれ計算した割合の合計割合）

(注)　(2)の(注)を参照のこと。（編者注）

7　法人課税信託の受託者又は受益者等への適用

　法人課税信託（法人税法第2条第29号の2に規定する法人課税信託をいう。以下7において同じ。）の受託者又は第二章第三節**五**の1の①に規定する受益者等について、5、6の規定を適用する場合には、次に定めるところによる。（法64⑤）

（一）　法人課税信託の受託者については、法人税法第4条の2《法人課税信託の受託者に関するこの法律の適用》の規定により、各法人課税信託の同条第1項に規定する信託資産等及び同項に規定する固有資産等ごとに、それぞれ別の者とみなす。

（二）　法人税法第4条の3《受託法人等に関するこの法律の適用》の規定を準用する。

（三）　(一)(二)に定めるもののほか、法人課税信託の受託者又は第二章第三節**五**の1の①に規定する受益者等についての5、6の規定の適用に関し必要な事項は、政令で定める。

（法人税法等の規定の準用）

（1）　法人税法第4条の2第2項《法人課税信託の受託者に関するこの法律の適用》の規定及び法人税法施行令第14条の6《法人課税信託》の規定は、7の規定の適用がある場合について準用する。（令31⑥）

注　7の規定は、信託法施行日（平成19年9月30日）以後に効力が生ずる信託（遺言によってされた信託にあっては信託法施行日以後に遺言がされたものに限り、新法信託を含む。）に係る受託者又は第二章第三節**五**の1の①に規定する受益者等について適用する。（平19改所法等附49⑨）

8　相続税についての更正、決定等の期間制限の特則

　一の8の(一)の規定により更正をすることができないこととなる日前6月以内に相続税について第五節**一**の1の規定による更正の請求がされた場合において、当該請求に係る更正に伴い当該請求をした者の被相続人から相続又は遺贈により財産を取得した他の者（当該被相続人から第三編第一章第一節**二**の(1)《相続時精算課税選択届出書に係る贈与財産の税額の計算》の規定の適用を受ける財産を贈与により取得した者を含む。以下8において同じ。）に係る相続税の課税価格又は相続税額に異動を生ずるとき（当該請求が当該他の者について**一**の8の(一)の規定により国税通則法第58条第1項第1

－290－

第七章　申告、更正決定及び更正の請求

号イ《還付加算金》に規定する更正決定等をすることができないこととなる日前6月以内にされた場合に限る。）は、当該相続税に係る更正若しくは決定又は当該更正若しくは決定若しくは期限後申告書若しくは修正申告書の提出に伴い当該相続税に係る三の4《加算税の税目》に規定する加算税についてする賦課決定（三の5の（2）に規定する賦課決定をいう。）は、一の8の（一）の規定にかかわらず、当該請求があった日から6月を経過する日まで、することができる。この場合において、一の8の（五）の規定の適用については、同（五）中「が（一）から（四）」とあるのは「が（一）から（四）及び二の8《相続税についての更正、決定等の期間制限の特則》」とする。（法36）

　　(注)　8の規定は、令和5年4月1日以後に第一編第七章第一節《期限内申告書》の規定による申告書の提出期限が到来する相続税について適用する。（令5改所法等附19⑦）

　　　（8の規定の適用がある場合）
（1）　8の規定は、8の更正の請求が、8に規定する他の者について一の8の（一）の規定により通則法第58条第1項第1号イに規定する更正決定等（以下（1）において「更正決定等」という。）をすることができないこととなる日前6月以内にされた場合に限り適用されることから、当該請求のされた日が、当該他の者に係る相続税の一の8の（一）のイに規定する法定申告期限（還付請求申告書の提出があった場合は当該提出があった日）から5年を経過した日以後であるときは、当該他の者の相続税に係る更正決定等については、8の規定の適用がないことに留意する。（基通36-1）

　　(注)1　8の規定の適用がある場合において、同条の更正の請求に係る更正に伴い当該他の者に係る相続税の課税価格又は相続税額に異動を生ずるときは、当該他の者は、同条の期限後申告書又は修正申告書を提出することができることに留意する。
　　　　2　8の規定は、令和5年4月1日以後に当該他の者に係る第三編第一章第五節二の規定による申告書の提出期限が到来する相続（還付請求申告書の提出があった場合には、令和5年4月1日以後に提出された当該還付請求申告書に係る相続税）について適用があることに留意する。

三　加算税及び延滞税

1　過少申告加算税

①　過少申告加算税の税率

　期限内申告書（還付請求申告書を含む。②の（1）において同じ。）が提出された場合（期限後申告書が提出された場合において、2の①ただし書又は同⑧の規定の適用があるときを含む。）において、修正申告書の提出又は更正があったときは、当該納税者に対し、その修正申告又は更正に基づき第八章第一節一の3の規定により納付すべき税額《**不足税額**》に100分の10の割合（修正申告書の提出が、その申告に係る国税についての調査があったことにより当該国税について更正があるべきことを予知してされたものでないときは、100分の5の割合）を乗じて計算した金額に相当する過少申告加算税を課する。（通法65①）

②　期限内申告税額を超える部分の増差税額に対する過少申告加算税の加重

　①の規定に該当する場合（④の規定の適用がある場合を除く。）において、①に規定する納付すべき税額（①の修正申告又は更正前に当該修正申告又は更正に係る国税について修正申告書の提出又は更正があったときは、その国税に係る累積増差税額を加算した金額）がその国税に係る期限内申告税額に相当する金額と50万円とのいずれか多い金額を超えるときは、①の過少申告加算税の額は、①の規定にかかわらず、①の規定により計算した金額に、その超える部分に相当する税額（①に規定する納付すべき税額が当該超える部分に相当する税額に満たないときは、当該納付すべき金額）に100分の5の割合を乗じて計算した金額を加算した金額とする。（通法65②）

　　　（用語の意義）
（1）　②において、次の（一）から（二）に掲げる用語の意義は、当該（一）から（二）の右欄に定めるところによる。（通法65③）

（一）	累積増差税額	①の修正申告又は更正前にされたその国税についての修正申告書の提出又は更正に基づき第八章第一節一の3の規定により納付すべき税額の合計額（当該国税について、当該納付すべき税額を減少させる更正又は更正に係る不服申立て若しくは訴えについての決定、裁決若しくは判決による原処分の異動があったときはこれらにより減少した部分の税額に相当する金額を控除した金額とし、③の規定の適用があったときは③の規定により控除すべきであった金額を控除した金額とする。）
（二）	期限内申告税額	期限内申告書（2の①ただし書又は同⑧の規定の適用がある場合には、期限後申告書を含む。③の（二）において同じ。）の提出に基づき第八章第一節一の2又は同一の3の規定により納付すべき税額（これらの申告書に係る国税について、次に掲げる金額があるときは当該金額を加算

－291－

した金額とし、所得税、法人税、地方法人税、相続税又は消費税に係るこれらの申告書に記載された還付金の額に相当する税額があるときは当該税額を控除した金額とする。）

イ、ロ、ハ（省略）……所得税及び法人税関係規定

ニ　在外財産に対する相続税額の控除（法20の２）又は在外財産に対する贈与税額の控除（法21の８）、相続時精算課税に係る贈与税相当額の控除（法21の15③、21の16④）の規定による控除をされるべき金額

ホ　（省略）……消費税法関係規定

(図解)……累積増差税額がある場合の上記の規定を図示すれば次のとおり。（編者注）

（帳簿に記載すべき事項等に係るもの以外の事実があるとき）

(２)　①の規定に該当する場合において、当該納税者が、帳簿（(３)の財務省令で定めるものに限るものとし、その作成又は保存に代えて電磁的記録の作成又は保存がされている場合における当該電磁的記録を含む。以下(２)及び２の④の(１)において同じ。）に記載し、又は記録すべき事項に関しその修正申告書の提出又は更正（以下(２)において「修正申告等」という。）があった時前に、国税庁、国税局又は税務署の当該職員（以下(２)及び２の④の(１)において「当該職員」という。）から当該帳簿の提示又は提出を求められ、かつ、次に掲げる場合のいずれかに該当するとき（当該納税者の責めに帰すべき事由がない場合を除く。）は、①の過少申告加算税の額は、①及び②の規定にかかわらず、これらの規定により計算した金額に、①に規定する納付すべき税額（その税額の計算の基礎となるべき事実で当該修正申告等の基因となる当該帳簿に記載し、又は記録すべき事項に係るもの以外のもの（以下(２)において「帳簿に記載すべき事項等に係るもの以外の事実」という。）があるときは、当該帳簿に記載すべき事項等に係るもの以外の事実に基づく税額として(４)の政令で定めるところにより計算した金額を控除した税額）に100分の10の割合（（二）に掲げる場合に該当するときは、100分の５の割合）を乗じて計算した金額を加算した金額とする。（通法65④）

（一）	当該職員に当該帳簿の提示若しくは提出をしなかった場合又は当該職員にその提示若しくは提出がされた当該帳簿に記載し、若しくは記録すべき事項のうち、納税申告書の作成の基礎となる重要なものとして(５)の財務省令で定める事項（（二）及び２の④の(１)において「特定事項」という。）の記載若しくは記録が著しく不十分である場合として(６)の財務省令で定める場合
（二）	当該職員にその提示又は提出がされた当該帳簿に記載し、又は記録すべき事項のうち、特定事項の記載又は記録が不十分である場合として(７)の財務省令で定める場合（（一）に掲げる場合を除く。）

　　（注）　(２)の規定は令和６年１月１日以後に法定申告期限（国税に関する法律の規定により当該法定申告期限とみなされる期限を含み、**６**の(３)の（二）に規定する還付請求申告書については、当該申告書を提出した日とする。）が到来する国税について適用する。（令４所法等附20②、１六ハ）

（加重された過少申告加算税等の対象となる帳簿等）

(３)　(２)に規定する財務省令で定める帳簿は、(２)に規定する修正申告等又は**２**の④の(１)《帳簿に記載すべき事項等に係るもの以外の事実があるとき》に規定する期限後申告等の基因となる事項に係る次に掲げる帳簿のうち、(２)の（一）に規定する特定事項（以下②において「特定事項」という。）に関する調査について必要があると認められるものとする。（通規11の２①）

（一）　所得税法施行規則第58条第１項《取引に関する帳簿及び記載事項》に規定する仕訳帳及び総勘定元帳

（二）　所得税法施行規則第56条第１項ただし書《青色申告者の備え付けるべき帳簿書類》の規定により同項ただし書に規定する財務大臣の定める簡易な記録の方法及び記載事項によることができる帳簿

（三）　所得税法施行規則第102条第１項《事業所得等に係る取引に関する帳簿の記録の方法及び帳簿書類の保存》に規定する帳簿

（四）　法人税法施行規則第54条《取引に関する帳簿及び記載事項》に規定する仕訳帳及び総勘定元帳

（五）　法人税法施行規則第66条第１項《取引に関する帳簿及びその記載事項等》に規定する帳簿

第七章　申告、更正決定及び更正の請求

　（六）　消費税法第30第7項《仕入れに係る消費税額の控除》に規定する帳簿（同条第8項第1号又は第2号に掲げるものに限る。）、同法第38条第2項《売上げに係る対価の返還等をした場合の消費税額の控除》に規定する帳簿、同法第38条の2第2《特定課税仕入れに係る対価の返還等を受けた場合の消費税額の控除》に規定する帳簿及び同法第58条《帳簿の備付け等》に規定する帳簿（同法第2条第1項第8号《定義》に規定する資産の譲渡等又は同項第12に規定する課税仕入れに関する事項の記録に係るものに限る。）

　　　（税額として計算した金額）
（4）　（2）に規定する帳簿に記載すべき事項等に係るもの以外の事実に基づく税額として政令で定めるところにより計算した金額は、過少申告加算税の額の計算の基礎となるべき税額のうち（2）に規定する税額の計算の基礎となるべき事実で（2）に規定する帳簿に記載すべき事項等に係るもの以外の事実のみに基づいて（2）に規定する修正申告等があつたものとした場合における当該修正申告等に基づき第八章第一節の**3**《修正申告、更正決定等に係る国税の納付期限》の規定により納付すべき税額とする。（通令27①）

　　　（財務省令で定める事項）
（5）　（2）の（一）に規定する財務省令で定める事項は、売上げ（業務に係る収入を含む。）とする。（通規11の2②）

　　　（財務省令で定める場合）
（6）　（2）の（一）に規定する財務省令で定める場合は、同（一）の特定事項の金額の記載又は記録が、同（一）の帳簿に記載し、又は記録すべき特定事項の金額の2分の1に満たない場合とする。（通規11の2③）

　　　（財務省令で定める場合）
（7）　（2）の（二）に規定する財務省令で定める場合は、同（二）の特定事項の金額の記載又は記録が、同（二）の帳簿に記載し、又は記録すべき特定事項の金額の3分の2に満たない場合とする。（通規11の2④）

③　正当な理由に基づく場合の不適用

　①又は**②**に規定する納付すべき税額から当該（一）から（二）に定める税額として注で定めるところにより計算した金額を控除して、これらの規定を適用する。（通法65⑤）

（一）	**①**又は**②**に規定する納付すべき税額の計算の基礎となった事実のうちにその修正申告又は更正前の税額（還付金の額に相当する税額を含む。）の計算の基礎とされていなかったことについて正当な理由があると認められるものがある場合　その正当な理由があると認められる事実に基づく税額
（二）	**①**の修正申告又は更正前に当該修正申告又は更正に係る国税について期限内申告書の提出により納付すべき税額を減少させる更正その他これに類するものとして政令で定める更正（更正の請求に基づく更正を除く。）があった場合　当該期限内申告書に係る税額（還付金の額に相当する税額を含む。）に達するまでの税額

（過少申告加算税等を課さない部分の税額の計算等）
注1　**③**に規定する政令で定めるところにより計算した金額は、次の各号に掲げる場合の区分に応じ、当該各号に定める税額（**2**の**⑥**において準用する場合にあっては、一に定める税額）とする。（通令27②③）
　一　**③**の（一）に掲げる場合に該当する場合（三に掲げる場合を除く。）　**③**の（一）に規定する正当な理由があると認められる事実のみに基づいて修正申告書の提出又は更正があつたものとした場合におけるその申告又は更正に基づき**二の2**《申告書の提出期限前における更正、決定》の規定により納付すべき税額
　二　**③**の（二）に掲げる場合に該当する場合（三に掲げる場合を除く。）　次に掲げる場合の区分に応じ、それぞれ次に定める税額
　　イ　期限内申告書（**②**の注（二）に規定する期限内申告書をいう。以下二及び三において同じ。）の提出により納付すべき税額がある場合　次に掲げる税額のうちいずれか少ない税額
　　　（ⅰ）　**1**の**①**に規定する修正申告書の提出又は更正（以下二において「修正申告書の提出等」という。）により納付すべき税額
　　　（ⅱ）　期限内申告書の提出により納付すべき税額から**1**の**①**の修正申告又は更正（以下二において「修正申告等」という。）前の税額を控除した税額（修正申告等前の還付金の額に相当する税額があるときは、期限内申告書の提出により納付すべき税額に当該還付金の額に相当する税額を加算した税額）

－293－

第一編　相続税

ロ　期限内申告書の提出により納付すべき税額がない場合（ハに掲げる場合を除く。）　次に掲げる税額のうちいずれか少ない税額

（ⅰ）　修正申告書の提出等により納付すべき税額

（ⅱ）　修正申告等前の還付金の額に相当する税額

ハ　期限内申告書に係る還付金の額がある場合　次に掲げる税額のうちいずれか少ない税額

（1）　修正申告書の提出等により納付すべき税額

（2）　修正申告等前の還付金の額に相当する税額から期限内申告書に係る還付金の額に相当する税額を控除した税額

三　③に掲げる場合のいずれにも該当する場合　一、二に定める税額のうちいずれか多い税額

2　③の（二）に規定する納付すべき税額を減少させる更正に類するものとして政令で定める更正は、期限内申告書に係る還付金の額を増加させる更正又は期限内申告書に係る還付金の額がない場合において還付金の額があるものとする更正とする。

④　更正を予知しないでした修正申告の場合の不適用

①の規定は、修正申告書の提出が、その申告に係る国税についての調査があったことにより当該国税について更正があるべきことを予知してされたものでない場合において、その申告に係る国税についての調査に係る国税通則第74条の9第1項第4号及び第5号（納税義務者に対する調査の事前通知等）に掲げる事項その他政令で定める事項の通知（2の⑤の（注）2の（二）及び⑦において「調査通知」という。）がある前に行われたものであるときは、適用しない。（通法65⑥）

（過少申告加算税等を課さない部分の税額の計算等）

注1　④に規定する政令で定める事項は、国税通則法第74条の9第1項（納税義務者に対する調査の事前通知等）に規定する実地の調査において質問検査等（同項に規定する質問検査等をいう。第30条の4第2項（調査の事前通知に係る通知事項）において同じ。）を行わせる旨（法第74条の10（事前通知を要しない場合）の規定に該当する場合には、調査（法第74条の9第1項第1号に規定する調査をいう。第30条の4において同じ。）を行う旨）とする。（通令27④⑤）

2　④に規定する通知には、国税通則法第74条の9第5項に規定する場合に該当する場合において同項に規定する税務代理人（当該税務代理人について同条第6項に規定する場合に該当する場合には、同項に規定する代表する税務代理人）に対してする通知を含むものとする。

2　無申告加算税

①　無申告加算税の税率

次の（一）から（二）のいずれかに該当する場合には、当該納税者に対し、当該（一）から（二）に規定する申告、更正又は決定に基づき第八章第一節—の3の規定により納付すべき不足税額に100分の15の割合（期限後申告書又は（二）の修正申告書の提出が、その申告に係る国税についての調査があつたことにより当該国税について更正又は決定があるべきことを予知してされたものでないときは、100分の10の割合）を乗じて計算した金額に相当する無申告加算税を課する。ただし、期限内申告書の提出がなかったことについて正当な理由があると認められる場合は、この限りでない。（通法66①）

（一）	期限後申告書の提出又は決定があった場合
（二）	期限後申告書の提出又は決定があった後に修正申告書の提出又は更正があった場合

②　納付すべき税額が50万円を超える部分の税率

①の規定に該当する場合（①のただし書又は⑧の規定の適用がある場合を除く。③及び⑤において同じ。）において、①に規定する納付すべき税額（①の（二）の修正申告書の提出又は更正があったときは、その国税に係る累積納付税額を加算した金額。③において「加算後累積納付税額」という。）が50万円を超えるときは、①の無申告加算税の額は、①の規定にかかわらず、①の規定により計算した金額に、その超える部分に相当する税額（①に規定する納付すべき税額が当該超える部分に相当する税額に満たないときは、当該納付すべき税額）に100分の5の割合を乗じて計算した金額を加算した金額とする。（通法66②）

③　加算後累積納付税額が300万円を超えるとき

①の規定に該当する場合において、加算後累積納付税額（当該加算後累積納付税額の計算の基礎となった事実のうちに

-294-

第七章　申告、更正決定及び更正の請求

①各号に規定する申告、更正又は決定前の税額（還付金の額に相当する税額を含む。）の計算の基礎とされていなかつたことについて当該納税者の責めに帰すべき事由がないと認められるものがあるときは、その事実に基づく税額として（1）で定めるところにより計算した金額を控除した税額）が300万円を超えるときは、①の無申告加算税の額は、①及び②の規定にかかわらず、加算後累積納付税額を次の（一）から（三）までに掲げる税額に区分してそれぞれの税額に当該（一）から（三）までに定める割合（期限後申告書又は①の（二）の修正申告書の提出が、その申告に係る国税についての調査があつたことにより当該国税について更正又は決定があるべきことを予知してされたものでないときは、その割合から100分の5の割合を減じた割合。以下③において同じ。）を乗じて計算した金額の合計額から累積納付税額を当該（一）から（三）までに掲げる税額に区分してそれぞれの税額に当該（一）から（三）までに定める割合を乗じて計算した金額の合計額を控除した金額とする。（通法66③）

（一）	50万円以下の部分に相当する税額	100分の15の割合
（二）	50万円を超え300万円以下の部分に相当する税額	100分の20の割合
（三）	300万円を超える部分に相当する税額	100分の30の割合

　　　（③に規定する（1）で定めるところにより計算した金額）
（1）　③に規定する（1）で定めるところにより計算した金額は、③に規定する当該納税者の責めに帰すべき事由がないと認められる事実のみに基づいて①各号に規定する申告、更正又は決定があつたものとした場合におけるその申告、更正又は決定に基づき国税通則法第35条第2項の規定により納付すべき税額とする。（通令27⑥）

④　累積納付税額

　　②及び③において、累積納付税額とは、①の（二）の修正申告書の提出又は更正前にされたその国税についての次に掲げる納付すべき税額の合計額（当該国税について、当該納付すべき税額を減少させる更正又は更正若しくは一の2の規定による決定に係る不服申立て若しくは訴えについての決定、裁決若しくは判決による原処分の異動があつたときはこれらにより減少した部分の税額に相当する金額を控除した金額とし、⑤において準用する1の③（1の③の（一）に係る部分に限る。以下④及び⑥において同じ。）の規定の適用があつたときは1の③の規定により控除すべきであつた金額を控除した金額とする。）をいう。（通法66④）
　　（一）　期限後申告書の提出又は第六節一の2の規定による決定に基づき第八章第一節一の3の規定により納付すべき税額
　　（二）　修正申告書の提出又は更正に基づき第八章第一節一の3の規定により納付すべき税額

　　　（帳簿に記載すべき事項等に係るもの以外の事実があるとき）
（1）　①の規定に該当する場合において、当該納税者が、帳簿に記載し、又は記録すべき事項に関しその期限後申告書若しくは修正申告書の提出又は更正若しくは決定（以下（1）において「期限後申告等」という。）があつた時前に、当該職員から当該帳簿の提示又は提出を求められ、かつ、次に掲げる場合のいずれかに該当するとき（当該納税者の責めに帰すべき事由がない場合を除く。）は、①の無申告加算税の額は、①から③までの規定にかかわらず、これらの規定により計算した金額に、①に規定する納付すべき税額（その税額の計算の基礎となるべき事実で当該期限後申告等の基因となる当該帳簿に記載し、又は記録すべき事項に係るもの以外のもの（以下（1）において「帳簿に記載すべき事項等に係るもの以外の事実」という。）があるときは、当該帳簿に記載すべき事項等に係るもの以外の事実に基づく税額として（2）の政令で定めるところにより計算した金額を控除した税額）に100分の10の割合（（二）に掲げる場合に該当するときは、100分の5の割合）を乗じて計算した金額を加算した金額とする。（通法66⑤）

| （一） | 当該職員に当該帳簿の提示若しくは提出をしなかつた場合又は当該職員にその提示若しくは提出がされた当該帳簿に記載し、若しくは記録すべき事項のうち、特定事項の記載若しくは記録が著しく不十分である場合として（3）の財務省令で定める場合 |
| （二） | 当該職員にその提示又は提出がされた当該帳簿に記載し、又は記録すべき事項のうち、特定事項の記載又は記録が不十分である場合として（4）の財務省令で定める場合（（一）に掲げる場合を除く。） |

　　（注）　（1）の規定は和6年1月1日以後に法定申告期限（国税に関する法律の規定により当該法定申告期限とみなされる期限を含み、6の（3）の（二）に規定する還付請求申告書については、当該申告書を提出した日とする。）が到来する国税について適用する。（令4所法等附20②、1六ハ）

—295—

第一編　相続税

（税額として計算した金額）
（２）　（１）に規定する帳簿に記載すべき事項等に係るもの以外の事実に基づく税額として政令で定めるところにより計算した金額は、無申告加算税の額の計算の基礎となるべき税額のうち（１）に規定する税額の計算の基礎となるべき事実で（１）に規定する帳簿に記載すべき事項等に係るもの以外の事実のみに基づいて（１）に規定する期限後申告等があったものとした場合における当該期限後申告等に基づき第八章第一節の**3**《修正申告、更正決定等に係る国税の納付期限》の規定により納付すべき税額とする。（通令27⑦）

（財務省令で定める場合）
（３）　（１）の（一）に規定する財務省令で定める場合は、同（一）の特定事項の金額の記載又は記録が、同（一）の帳簿に記載し、又は記録すべき特定事項の金額の２分の１に満たない場合とする。（通規11の２⑤）

（財務省令で定める場合）
（４）　（１）の（二）に規定する財務省令で定める場合は、同（二）の特定事項の金額の記載又は記録が、同（二）の帳簿に記載し、又は記録すべき特定事項の金額の３分の２に満たない場合とする。（通規11の２⑥）

⑤　以前に無申告加算税又は重加算税を課されたことがある場合

①の規定に該当する場合において、次の（一）及び（二）のいずれかに該当するときは、①の無申告加算税の額は、①から③までの規定にかかわらず、これらの規定により計算した金額に、①に規定する納付すべき税額に100分の10の割合を乗じて計算した金額を加算した金額とする。（通法66⑥）

（一）	その期限後申告書若しくは①の（二）の修正申告書の提出（その申告に係る国税についての調査があつたことにより当該国税について更正又は決定があるべきことを予知してされたものに限る。）又は更正若しくは決定があつた日の前日から起算して５年前の日までの間に、その申告又は更正若しくは決定に係る国税の属する税目について、無申告加算税（期限後申告書又は①の（二）の修正申告書の提出が、その申告に係る国税についての調査があつたことにより当該国税について更正又は決定があるべきことを予知してされたものでない場合において課されたものを除く。）又は重加算税（国税通則法第68条第４項第１号《重加算税》において「無申告加算税等」という。）を課されたことがある場合
（二）	その期限後申告書若しくは①の（二）の修正申告書の提出（その申告に係る国税についての調査があつたことにより当該国税について更正又は決定があるべきことを予知してされたものでない場合において、その申告に係る国税についての調査通知がある前に行われたものを除く。）又は更正若しくは決定に係る国税の課税期間の初日の属する年の前年及び前々年に課税期間が開始した当該国税（課税期間のない当該国税については、当該国税の納税義務が成立した日の属する年の前年及び前々年に納税義務が成立した当該国税）の属する税目について、無申告加算税（⑧の規定の適用があるものを除く。）若しくは３の②の重加算税（以下（二）及び国税通則法第68条第４項第２号において「特定無申告加算税等」という。）を課されたことがあり、又は特定無申告加算税等に係る賦課決定をすべきと認める場合

（注）　改正後の⑤の規定は、令和６年１月１日以後に法定申告期限（国税に関する法律の規定により当該法定申告期限とみなされる期限を含む。以下「法定申告期限」という。）が到来する国税について適用し、同日前に法定申告期限が到来した国税については、なお従前の例による。この場合において、同日前に法定申告期限が到来した国税に係る改正前の⑤の無申告加算税（⑥の規定の適用があるものを除く。）又は改正前の**3**の②の重加算税は、改正後の⑤の（二）に規定する特定無申告加算税等とみなす。（令５改所法等附23③）

⑥　正当な理由に基づく場合の不適用

1の③の規定は、①の（二）の場合について準用する。（通法66⑦）

⑦　更正又は決定を予知しないでした修正申告又は期限後申告の場合の税率の軽減

期限後申告書又は①の（二）の修正申告書の提出が、その申告に係る国税についての調査があったことにより当該国税について更正又は決定があるべきことを予知してされたものでない場合において、その申告に係る国税についての調査通知がある前に行われたものであるときは、その申告に基づき第八章第一節**ー**の**3**の規定により納付すべき税額に係る①の無申告加算税の額は、①及び②の規定にかかわらず、当該納付すべき税額に100分の５の割合を乗じて計算した金額とする。（通法66⑧）

－296－

第七章　申告、更正決定及び更正の請求

⑧　無申告加算税の不適用

　①の規定は、期限後申告書の提出が、その申告に係る国税についての調査があったことにより当該国税について**一の2**の規定による決定があるべきことを予知してされたものでない場合において、期限内申告書を提出する意思があったと認められる場合として（1）で定める場合に該当してされたものであり、かつ、法定申告期限から1月を経過する日までに行われたものであるときは、適用しない。（通法66⑧）

　　（期限内申告書を提出する意思等があったと認められる場合）
（1）　⑧に規定する期限内申告書を提出する意思があったと認められる場合として政令で定める場合は、次の（一）から（二）のいずれにも該当する場合とする。（通令27の2①）
（一）　⑧に規定する期限後申告書の提出があった日の前日から起算して5年前の日（消費税等（消費税法第2条第9号《定義》に規定する課税資産の譲渡等に係る消費税を除く。）、航空機燃料税、電源開発促進税及び印紙税に係る期限後申告書（印紙税法第12条第5項《預貯金通帳等に係る申告及び納付等の特例》の規定によるものを除く。）である場合には、1年前の日）までの間に、当該期限後申告書に係る国税の属する税目について、①の（一）に該当することにより無申告加算税又は重加算税を課されたことがない場合であって、⑧の規定の適用を受けていないとき。
（二）　（一）に規定する期限後申告書に係る納付すべき税額の全額が法定納期限（当該期限後申告書に係る納付について、国税通則法第34条の2第1項《口座振替納付に係る納付書の送付等》に規定する依頼を税務署が受けていた場合又は電子情報処理組織による税関手続の特例等に関する法律第4条第1項《口座振替納付に係る納付書の送付等》に規定する依頼を税関長が受けていた場合には、当該期限後申告書を提出した日。以下（二）について同じ。）までに納付されていた場合又は当該税額の全額に相当する金銭が法定納期限までに法第34条の3第1項（第1号に係る部分に限る。）《納付受託者に対する納付の委託》の規定による委託に基づき納付受託者に交付されていた場合若しくは当該税額の全額について法定納期限までに同項（第2号に係る部分に限る。）の規定により納付受託者が委託を受けていた場合

3　重　加　算　税

①　過少申告加算税に代えて課される重加算税の税率

　1の①《過少申告加算税の税率》の規定に該当する場合（修正申告書の提出が、その申告に係る国税についての調査があったことにより当該国税について更正があるべきことを予知してされたものでない場合を除く。）において、納税者がその国税の課税標準等又は税額等の計算の基礎となるべき事実の全部又は一部を隠蔽し、又は仮装し、その隠蔽し、又は仮装したところに基づき納税申告書を提出していたときは、当該納税者に対し、（1）に定めるところにより、過少申告加算税の額の計算の基礎となるべき税額（その税額の計算の基礎となるべき事実で隠蔽し、又は仮装されていないものに基づくことが明らかであるものがあるときは、当該隠蔽し、又は仮装されていない事実に基づく税額として（2）で定めるところにより計算した金額を控除した税額）に係る過少申告加算税に代え、当該基礎となるべき税額に100分の35の割合を乗じて計算した金額に相当する重加算税を課する。（通法68①）

　　（加重された過少申告加算税等が課される場合における重加算税に代えられるべき過少申告加算税等）
（1）　①又は法第68条第4項（①の重加算税に係る部分に限る。）の規定により過少申告加算税に代えて重加算税を課する場合において、当該過少申告加算税について1の②の（2）の規定により加算すべき金額があるときは、当該重加算税の額の計算の基礎となるべき税額に相当する金額を当該過少申告加算税の額の計算の基礎となるべき税額から控除して計算するものとした場合における過少申告加算税以外の部分の過少申告加算税に代え、重加算税を課するものとする。（通令27の3①）
（注）　重加算税は、まず加重された過少申告加算税に代えて課される趣旨である。（編者注）

　　（重加算税を課さない部分の税額の計算）
（2）　①（法第68条第4項の規定により適用される場合を含む。）に規定する隠蔽し、又は仮装されていない事実に基づく税額として計算した金額は、過少申告加算税の額の計算の基礎となるべき税額のうち当該事実のみに基づいて修正申告書の提出又は更正があったものとした場合におけるその申告又は更正に基づき第八章第一節**一の3**の規定により納付すべき税額とする。（通令28①）

②　無申告加算税に代えて課される重加算税の税率

　2の①《無申告加算税の税率》の規定に該当する場合（同①ただし書若しくは⑧の規定の適用がある場合又は納税申告

第一編　相続税

書の提出が、その申告に係る国税についての調査があったことにより当該国税について更正又は決定があるべきことを予知してされたものでない場合を除く。）において、納税者がその国税の課税標準等又は税額等の計算の基礎となるべき事実の全部又は一部を隠蔽し、又は仮装し、その隠蔽し、又は仮装したところに基づき法定申告期限までに納税申告書を提出せず、又は法定申告期限後に納税申告書を提出していたときは、当該納税者に対し、政令で定めるところにより、無申告加算税の額の計算の基礎となるべき税額（その税額の計算の基礎となるべき事実で隠蔽し、又は仮装されていないものに基づくことが明らかであるものがあるときは、当該隠蔽し、又は仮装されていない事実に基づく税額として注で定めるところにより計算した金額を控除した税額）に係る無申告加算税に代え、当該基礎となるべき税額に100分の40の割合を乗じて計算した金額に相当する重加算税を課する。（通法68②）

　　　（重加算税を課さない部分の税額の計算）
注　　②（法第68条第４項の規定により適用される場合を含む。）に規定する隠蔽し、又は仮装されていない事実に基づく税額として政令で定めるところにより計算した金額は、無申告加算税の額の計算の基礎となるべき税額のうち当該事実のみに基づいて期限後申告書若しくは修正申告書の提出又は決定若しくは更正があったものとした場合におけるその申告又は決定若しくは更正に基づき第八章第一節**一**の３の規定により納付すべき不足税額とする。（通令28②）

4　加算税の税目

過少申告加算税、無申告加算税及び重加算税は、その額の計算の基礎となる税額の属する税目の国税とする。（通法69）

5　加算税の賦課決定

　加算税は、税務署長がその調査により賦課決定し、その賦課決定は、税務署長がその決定に係る加算税額及びその計算の基礎となる税額を記載した賦課決定通知書を送達して行う。（通法32①③）

　　　（変更決定）
（１）　税務署長は、加算税の賦課決定をした後、その決定をした加算税額が過大又は過少であることを知ったときは、その調査によりその決定に係る加算税額を変更する決定をする。（通法32②）
　　　この変更決定は、税務署長が次に掲げる事項を記載した賦課決定通知書を送達して行う。（通法32④）
　（一）　その決定前の加算税額及びその決定の基礎となった税額
　（二）　その決定後の加算税額及びその決定の基礎となる税額
　（三）　その決定により増加し又は減少する加算税額

　　　（更正又は決定に関する規定の準用）
（２）　**一**の４、**一**の５の③後段及び**一**の６は、加算税の賦課決定及び変更決定について準用する。（通法32⑤）

　　　（賦課決定の所轄庁）
（３）　賦課決定は、現在の納税地を所轄する税務署長が行う。（通法33①）
　　　ただし、次の（一）及び（二）のいずれかに該当する場合には、当該（一）及び（二）に定める税務署長は、上記の規定にかかわらず、当該（一）及び（二）に規定する更正若しくは決定若しくは期限後申告書若しくは修正申告書の提出により納付すべき国税又は源泉徴収による国税に係る当該加算税についての賦課決定をすることができる。（通法33②）
　（一）　**一**の７に掲げる通則法第30条第２項の更正又は決定があったとき　　当該更正又は決定をした税務署長
　（二）　更正若しくは決定で（一）以外のもの若しくは期限後申告書若しくは修正申告書の提出があった後に当該国税の納税地に異動があった場合又は源泉徴収による国税につき納付すべき税額が確定した時以後に当該国税の納税地に移動があった場合において、その旧納税地を所轄する税務署長においてその異動の事実が知れず、又はその異動後の納税地が判明せず、かつ、その知れないこと又は判明しないことにつきやむを得ない事情があるとき　　旧納税地を所轄する税務署長

　　　（加算税の賦課決定の期間制限）
（４）　加算税の賦課決定は、その加算税に係る国税の申告書の提出期限から５年を経過した日以後においては、することができない。（通法70①三、15②十三）

－298－

第七章　申告、更正決定及び更正の請求

　（加算税の納付）
（5）　過少申告加算税、無申告加算税又は重加算税に係る賦課決定通知書を受けた者は、当該通知書に記載された金額の過少申告加算税、無申告加算税又は重加算税を当該通知書が発せられた日の翌日から起算して1月を経過する日までに納付しなければならない。（通法35③）

《参考》

○内国税の適正な課税の確保を図るための国外送金等に係る調書の提出等に関する法律〈抜粋〉

第三章　国外財産に係る調書の提出等

（国外財産調書の提出）
第5条　居住者（所得税法第2条第1項第3号に規定する居住者をいい、同項第4号に規定する非永住者を除く。次条第7項において同じ。）は、その年の12月31日においてその価額の合計額が5,000万円を超える国外財産を有する場合には、財務省令で定めるところにより、その者の氏名、住所又は居所及び個人番号並びに当該国外財産の種類、数量及び価額その他必要な事項を記載した調書（以下「**国外財産調書**」という。）を、その年の翌年の6月30日までに、次の各号に掲げる者の区分に応じ当該各号に定める場所の所轄税務署長に提出しなければならない。ただし、同日までに当該国外財産調書を提出しないで死亡し、又は同法第2条第1項第42号に規定する出国をしたときは、この限りでない。
　一　その年分の所得税の納税義務がある者　その者の所得税の納税地
　二　前号に掲げる者以外の者　その者の住所地（国内に住所がないときは、居所地）
②　相続の開始の日の属する年（以下この項、次条及び第6条の2において「相続開始年」という。）の12月31日においてその価額の合計額が5,000万円を超える国外財産を有する相続人（遺贈（贈与をした者の死亡により効力を生ずる贈与を含む。以下同じ。）により財産を取得した者を含む。次条及び第6条の2において同じ。）は、相続開始年の年分の国外財産調書については、その相続又は遺贈により取得した国外財産（次条第3項から第5項までにおいて「相続国外財産」という。）を除外したところにより、前項の規定を適用することができる。この場合において、同項中「国外財産を」とあるのは、「国外財産（次項に規定する相続国外財産（同項に規定する相続開始年に取得したものに限る。）を除く。）を」とする。
③　前項に定めるもののほか、国外財産の所在及び価額に関する事項その他第1項の規定の適用に関し必要な事項は、政令で定める。

（国外財産に係る過少申告加算税又は無申告加算税の特例）
第6条　国外財産に関して生ずる所得で政令で定めるものに対する所得税（以下この条において「**国外財産に係る所得税**」という。）又は国外財産に対する相続税に関し修正申告書若しくは期限後申告書の提出又は更正若しくは決定（以下この条及び第6条の3において「**修正申告等**」という。）があり、国税通則法第65条又は第66条の規定の適用がある場合において、提出期限（前条第1項の提出期限をいう。以下この条において同じ。）内に税務署長に提出された国外財産調書に当該修正申告等の基因となる国外財産についての同項の規定による記載があるときは、同法第65条又は第66条の過少申告加算税の額又は無申告加算税の額は、これらの規定にかかわらず、これらの規定により計算した金額から当該過少申告加算税の額又は無申告加算税の額の計算の基礎となるべき税額（その税額の計算の基礎となるべき事実で当該修正申告等の基因となる国外財産に係るもの以外のもの又は隠蔽し、若しくは仮装されたもの〔以下この項において「**国外財産に係るもの以外の事実等**」という。〕があるときは、当該国外財産に係るもの以外の事実等に基づく税額として政令で定めるところにより計算した金額を控除した税額。第3項において同じ。）に100分の5の割合を乗じて計算した金額を控除した金額とする。
②　前項の国外財産調書は、次の各号に掲げる場合の区分に応じ当該各号に定める国外財産調書とする。
　一　前項の修正申告等が所得税に関するものである場合　当該修正申告等に係る年分の国外財産調書（当該年分のその年の中途において当該修正申告等の基因となる国外財産を有しないこととなった場合における当該国外財産にあっては、当該年分の前年分の国外財産調書）
　二　前項の修正申告等が相続税に関するものである場合　次に掲げる国外財産調書のいずれか
　　イ　当該相続税に係る被相続人（遺贈をした者を含む。イ及び第四項第二号イにおいて同じ。）の相続開始年の前年

－299－

分の国外財産調書（被相続人がその提出期限までに相続開始年の前年分の国外財産調書を提出しないで死亡した場合にあっては、被相続人の相続開始年の前々年分の国外財産調書）

ロ　当該相続税に係る相続人の相続開始年の年分の国外財産調書

ハ　当該相続税に係る相続人の相続開始年の翌年分の国外財産調書

③　国外財産に係る所得税又は国外財産に対する相続税に関し修正申告等（死亡した者に係るものを除く。）があり、国税通則法第65条又は第66条の規定の適用がある場合において、次に掲げる場合のいずれかに該当するときは、これらの規定の過少申告加算税の額又は無申告加算税の額は、これらの規定にかかわらず、これらの規定により計算した金額に、当該過少申告加算税の額又は無申告加算税の額の計算の基礎となるべき税額に100分の5の割合を乗じて計算した金額を加算した金額とする。

一　前条第1項（同条第2項の規定により読み替えて適用する場合を含む。）の規定により税務署長に提出すべき国外財産調書について提出期限内に提出がない場合（当該国外財産調書の提出期限の属する年の前年の12月31日において相続国外財産を有する者（その価額の合計額が5,000万円を超える国外財産で相続国外財産以外のものを有する者を除く。）の責めに帰すべき事由がない場合を除く。）

二　提出期限内に税務署長に提出された国外財産調書に記載すべき当該修正申告等の基因となる国外財産についての記載がない場合（当該国外財産調書に当該修正申告等の基因となる国外財産について記載すべき事項のうち重要なものの記載が不十分であると認められる場合を含むものとし、当該国外財産調書に記載すべき当該修正申告等の基因となる相続国外財産についての記載がない場合（当該相続国外財産を有する者の責めに帰すべき事由がない場合に限る。）を除く。）

④　前項の国外財産調書は、次の各号に掲げる場合の区分に応じ当該各号に定める国外財産調書とする。

一　前項の修正申告等が所得税に関するものである場合　当該修正申告等に係る年分の国外財産調書（当該年分のその年の中途において当該修正申告等の基因となる国外財産を有しないこととなった場合における当該国外財産にあっては当該年分の前年分の国外財産調書とし、当該修正申告等の基因となる相続国外財産（相続開始年に取得したものに限る。）にあっては相続開始年の年分の国外財産調書を除く。）

二　前項の修正申告等が相続税に関するものである場合　次に掲げる国外財産調書の全て

イ　当該相続税に係る被相続人の相続開始年の前年分の国外財産調書（被相続人がその提出期限までに相続開始年の前年分の国外財産調書を提出しないで死亡した場合にあっては、被相続人の相続開始年の前々年分の国外財産調書）

ロ　当該相続税に係る相続人の相続開始年の年分の国外財産調書

ハ　当該相続税に係る相続人の相続開始年の翌年分の国外財産調書

⑤　第3項の修正申告等が相続税に関するものである場合には、次に掲げる者については、同項の規定は、適用しない。

一　当該相続税に係る相続人で前条第1項（同条第2項の規定により読み替えて適用する場合を含む。）の規定により税務署長に提出すべき相続開始年の翌年分の国外財産調書がないもの

二　当該相続税に係る相続人で相続開始年の翌年の12月31日において当該修正申告等の基因となる相続国外財産を有しないもの

⑥　前条第1項（同条第2項の規定により読み替えて適用する場合を含む。）の規定により提出すべき国外財産調書が提出期限後に提出され、かつ、修正申告等があった場合において、当該国外財産調書の提出が、当該国外財産調書に係る国外財産に係る所得税又は国外財産に対する相続税についての調査があったことにより当該国外財産に係る所得税又は国外財産に対する相続税について更正又は決定があるべきことを予知してされたものでないとき（当該国外財産調書の提出が、当該国外財産に係る所得税又は国外財産に対する相続税についての国税通則法第65条第6項に規定する調査通知がある前にされたものである場合に限る。）は、当該国外財産調書は提出期限内に提出されたものとみなして、第1項又は第3項の規定を適用する。

⑦　国外財産に係る所得税又は国外財産に対する相続税に関し修正申告等があり、国税通則法第65条又は第66条の規定の適用がある居住者が、当該修正申告等があった日前に、国税庁、国税局又は税務署の当該職員から第2項又は第4項に規定する国外財産調書に記載すべき国外財産の取得、運用又は処分に係る書類として財務省令で定める書類（その作成又は保存に代えて電磁的記録の作成又は保存がされている場合における当該電磁的記録を含む。）又はその写しの提示又は提出を求められた場合において、その提示又は提出を求められた日から60日を超えない範囲内においてその提示又は提出の準備に通常要する日数を勘案して当該職員が指定する日までにその提示又は提出をしなかったとき（当該居住者の責めに帰すべき事由がない場合を除く。）における第1項又は第3項の規定の適用については、次に定めるところによる。

一　第1項の規定は、適用しない。

第七章　申告、更正決定及び更正の請求

二　第３項中「百分の五」とあるのは「100分の10（第１号に掲げる場合に該当することにつき同号の国外財産調書の提出期限の属する年の前年の12月31日において相続国外財産を有する者（その価額の合計額が5,000万円を超える国外財産で相続国外財産以外のものを有する者を除く。）の責めに帰すべき事由がない場合又は第２号に掲げる場合のうち同号の国外財産調書に記載すべき当該修正申告等の基因となる相続国外財産についての記載がない場合（当該相続国外財産を有する者の責めに帰すべき事由がない場合に限る。）には、100分の５）」と、同項第１号中「場合（当該国外財産調書の提出期限の属する年の前年の12月31日において相続国外財産を有する者（その価額の合計額が5,000万円を超える国外財産で相続国外財産以外のものを有する者を除く。）の責めに帰すべき事由がない場合を除く。）」とあるのは「場合」と、同項第２号中「含むものとし、当該国外財産調書に記載すべき当該修正申告等の基因となる相続国外財産についての記載がない場合（当該相続国外財産を有する者の責めに帰すべき事由がない場合に限る。）を除く」とあるのは「含む」とする。

⑧　第２項及び第４項から前項までに定めるもののほか、第１項又は第３項の規定及び国税通則法第68条の規定の適用がある場合の過少申告加算税、無申告加算税及び重加算税の額の計算の基礎となるべき税額の計算その他第１項及び第３項の規定の適用に関し必要な事項は、政令で定める。

第五章　罰則

（罰則）
第10条　国外財産調書に偽りの記載をして税務署長に提出したときは、その違反行為をした者は、１年以下の懲役又は50万円以下の罰金に処する。

②　正当な理由がなくて国外財産調書をその提出期限までに税務署長に提出しなかったときは、その違反行為をした者は、１年以下の懲役又は50万円以下の罰金に処する。ただし、情状により、その刑を免除することができる。

附則（租税特別措置法等の一部を改正する法律〔平成24年３月31日法律第16号〕第８条〔内国税の適正な課税の確保を図るための国外送金等に係る調書の提出等に関する法律の一部改正〕関係）抄

（施行期日）
第１条　この法律は、平成24年４月１日から施行する。ただし、次の各号に掲げる規定は、当該各号に定める日から施行する。

七　第８条の規定（内国税の適正な課税の確保を図るための国外送金等に係る調書の提出等に関する法律第９条の次に一条を加える改正規定を除く。）並びに附則第59条、第60条の規定　平成26年１月１日

九　第８条中内国税の適正な課税の確保を図るための国外送金等に係る調書の提出等に関する法律第９条の次に一条を加える改正規定　平成27年１月１日

（国外財産調書の提出に関する経過措置）
第59条　第８条の規定による改正後の内国税の適正な課税の確保を図るための国外送金等に係る調書の提出等に関する法律（次条において「**新国外送金等調書法**」という。）第５条の規定は、平成26年１月１日以後に提出すべき同条第１項に規定する国外財産調書について適用する。

（過少申告加算税又は無申告加算税の特例に関する経過措置）
第60条　新国外送金等調書法第６条の規定は、平成26年１月１日以後に提出すべき新国外送金等調書法第５条第１項に規定する国外財産調書に係る新国外送金等調書法第６条第１項に規定する国外財産に係る所得税又は国外財産に対する相続税に関し同項に規定する修正申告等があった場合における当該所得税又は相続税について適用する。

（罰則の適用に関する経過措置）
第79条　この法律（附則第１条各号に掲げる規定にあっては、当該規定。以下この条において同じ。）の施行前にした行為及びこの附則の規定によりなお従前の例によることとされる場合におけるこの法律の施行後にした行為に対する罰則の適用については、なお従前の例による。

附則（所得税法等の一部を改正する法律（令和２年法律第８号）第20条〔内国税の適正な課税の確保を図るための国外送金等に係る調書の提出等に関する法律の一部改正〕関係）抄

第一編　相続税

（内国税の適正な課税の確保を図るための国外送金等に係る調書の提出等に関する法律の一部改正に伴う経過措置）
第133条　第20条の規定による改正後の内国税の適正な課税の確保を図るための国外送金等に係る調書の提出等に関する法律（以下この条において「新国外送金等調書法」という。）第5条第2項の規定は、令和2年分以後の同条第1項に規定する国外財産調書について適用する。
②　新国外送金等調書法第6条第1項及び第2項の規定は、施行日以後に相続又は遺贈（贈与をした者の死亡により効力を生ずる贈与を含む。以下この条において同じ。）により取得する国外財産（内国税の適正な課税の確保を図るための国外送金等に係る調書の提出等に関する法律第2条第14号に規定する国外財産をいう。以下この条において同じ。）に係る相続税について適用し、施行日前に相続又は遺贈により取得した国外財産に係る相続税については、なお従前の例による。
③　新国外送金等調書法第6条第3項から第5項までの規定は、令和2年分以後の所得税又は施行日以後に相続若しくは遺贈により取得する国外財産に係る相続税について適用し、令和元年分以前の所得税又は施行日前に相続若しくは遺贈により取得した国外財産に係る相続税については、なお従前の例による。
④　新国外送金等調書法第6条第7項の規定は、令和2年分以後の所得税又は施行日以後に相続若しくは遺贈により取得する国外財産に係る相続税について適用する。

附則（所得税法等の一部を改正する法律（令和4年法律第4号）第17条〔内国税の適正な課税の確保を図るための国外送金等に係る調書の提出等に関する法律の一部改正〕関係）抄）

（内国税の適正な課税の確保を図るための国外送金等に係る調書の提出等に関する法律の一部改正に伴う経過措置）
1　令和4年度改正後の内国税の適正な課税の確保を図るための国外送金等に係る調書の提出等に関する法律（以下この条において「新国外送金等調書法」という。）第5条第1項（同条第2項の規定により読み替えて適用する場合を含む。）の規定は、令和5年分以後の同条第1項に規定する国外財産調書について適用し、令和4年分以前の令和4年度改正前の内国税の適正な課税の確保を図るための国外送金等に係る調書の提出等に関する法律（以下この条において「旧国外送金等調書法」という。）第5条第1項に規定する国外財産調書については、なお従前の例による。（令4所法等附72①）
2　新国外送金等調書法第6条第6項（新国外送金等調書法第6条の3第3項において準用する場合を含む。）の規定は、新国外送金等調書法第5条第1項に規定する国外財産調書又は新国外送金等調書法第6条の2第1項に規定する財産債務調書が令和6年1月1日以後に提出される場合について適用し、旧国外送金等調書法第5条第1項に規定する国外財産調書又は旧国外送金等調書法第6条の2第1項に規定する財産債務調書が同日前に提出された場合については、なお従前の例による。（令4所法等附72②）
（以下、省略）

○内国税の適正な課税の確保を図るための国外送金等に係る調書の提出等に関する法律施行令〈抜粋〉

第三章　国外財産に係る調書の提出等

（国外財産調書の提出に関し必要な事項）
第10条　法第5条第1項の国外財産の所在については、相続税法第10条第1項及び第2項の規定の定めるところによる。
②　相続税法第10条第1項第8号に掲げる社債、株式、出資又は有価証券その他財務省令で定める財産（以下この項において「有価証券等」という。）が、金融商品取引業者等の営業所、事務所その他これらに類するものに開設された口座に係る振替口座簿（社債、株式等の振替に関する法律（平成13年法律第75号）に規定する振替口座簿をいい、国外におけるこれに類するものを含む。）に記載若しくは記録がされ、又は当該口座に保管の委託がされているものである場合には、当該有価証券等の所在については、前項の規定にかかわらず、当該口座が開設された金融商品取引業者等の営業所、事務所その他これらに類するものの所在による。
③　前2項の規定による国外財産の所在の判定は、法第5条第1項に規定するその年の12月31日（次項及び第5項において「**その年の12月31日**」という。）における現況による。
④　法第5条第1項の国外財産の価額は、当該国外財産のその年の12月31日における時価又は時価に準ずるものとして財務省令で定める価額による。
⑤　前項の規定による国外財産の価額が外国通貨で表示される場合における当該国外財産の価額の本邦通貨への換算は、その年の12月31日における外国為替の売買相場により行うものとする。
⑥　相続又は包括遺贈により取得した国外財産について国外財産調書（法第5条第1項に規定する国外財産調書をいう。以下同じ。）を提出する場合において、当該相続又は包括遺贈により取得した国外財産の全部又は一部が共同相続人又

—302—

第七章　申告、更正決定及び更正の請求

は包括受遺者によってまだ分割されていないときは、その分割されていない国外財産については、各共同相続人又は包括受遺者が民法（第904条の2を除く。）の規定による相続分又は包括遺贈の割合に従って当該国外財産を取得したものとしてその価額を計算するものとする。

⑦　前各項に定めるもののほか、国外財産の所在及び国外財産調書の書式その他国外財産調書の提出に係る手続に関し必要な事項は、財務省令で定める。

（国外財産に係る過少申告加算税又は無申告加算税の特例の対象となる所得の範囲等）

第11条　法第6条第1項に規定する国外財産に関して生ずる所得で政令で定めるものは、次に掲げる所得とする。

一　国外財産から生ずる所得税法第23条第1項に規定する利子所得

二　国外財産から生ずる所得税法第24条第1項に規定する配当所得

三　国外財産の貸付けによる所得

四　国外財産の譲渡による所得

五　前各号に掲げるもののほか、国外財産に基因して生ずる所得で財務省令で定めるもの

②　法第6条第1項に規定する国外財産に係るもの以外の事実等に基づく税額として政令で定めるところにより計算した金額は、国税通則法第65条又は第66条の過少申告加算税の額又は無申告加算税の額の計算の基礎となるべき税額（以下この条、次条第2項及び第12条の3第5項において「過少申告加算税等基礎税額」という。）のうち次の各号に掲げる場合（次項から第6項まで又は第12条の3第5項の規定の適用がある場合を除く。）の区分に応じ当該各号に定める税額の合計額とする。

一　法第6条第1項に規定する税額の計算の基礎となるべき事実（以下第4項まで並びに第12条の3第3項及び第5項第1号において「**税額の計算の基礎となるべき事実**」という。）で法第6条第1項に規定する国外財産に係るもの以外の事実（国税通則法第68条第1項又は第2項（これらの規定が同条第4項の規定により適用される場合を含む。）に規定する隠蔽し、又は仮装されていない事実（以下この条並びに第12条の3第3項及び第5項において「隠蔽仮装されていない事実」という。）に係るものに限る。以下この号及び次項において「国外財産に係るもの以外の事実」という。）がある場合　当該国外財産に係るもの以外の事実のみに基づいて修正申告等（法第6条第1項に規定する修正申告等をいう。以下この条、次条及び第12条の3第5項において同じ。）があったものとした場合における当該修正申告等に基づき国税通則法第35条第2項の規定により納付すべき税額

二　税額の計算の基礎となるべき事実で隠蔽し、又は仮装された事実（次項、第4項第2号及び第12条の3第5項第2号において「隠蔽仮装された事実」という。）がある場合　国税通則法第68条第1項、第2項又は第4項の規定により過少申告加算税又は無申告加算税に代えて重加算税を課する場合における当該過少申告加算税又は無申告加算税の額の計算の基礎となるべき税額

③　100分の5控除特例規定、100分の5加算特例規定又は100分の10加算特例規定の適用がある場合において、税額の計算の基礎となるべき事実で100分の5控除特例規定、100分の5加算特例規定又は100分の10加算特例規定の適用がある国外財産以外の国外財産に係る事実（隠蔽仮装されていない事実に係るものに限る。以下この項において「特例適用国外財産以外の国外財産に係る事実」という。）があるとき（次項から第6項まで又は第12条の3第5項の規定の適用がある場合を除く。）は、過少申告加算税等基礎税額（隠蔽仮装された事実があるときは、当該隠蔽仮装された事実に基づく税額として前項第2号の規定に準じて計算した金額を控除した税額）から当該特例適用国外財産以外の国外財産に係る事実のみに基づいて修正申告等があったものとした場合における当該修正申告等に基づき国税通則法第35条第2項の規定により納付すべき税額（国外財産に係るもの以外の事実があるときは、当該特例適用国外財産以外の国外財産に係る事実及び当該国外財産に係るもの以外の事実のみに基づいて修正申告等があったものとした場合における当該修正申告等に基づき同項の規定により納付すべき税額）を控除した税額を100分の5控除特例適用対象税額、100分の5加算特例適用対象税額又は100分の10加算特例適用対象税額とする。

④　100分の5控除特例規定の適用があり、かつ、100分の5加算特例規定又は100分の10加算特例規定の適用がある場合（第6項又は第12条の3第5項の規定の適用がある場合を除く。）には、まず、100分の5加算特例規定又は100分の10加算特例規定の適用がある国外財産に係る事実（隠蔽仮装されていない事実に係るものに限る。以下この項において「加算特例適用国外財産に係る事実」という。）のみに基づいて修正申告等があったものとした場合における当該修正申告等に基づき国税通則法第35条第2項の規定により納付すべき税額（第1号に掲げる事実があるときは、加算特例適用国外財産に係る事実及び同号に掲げる事実のみに基づいて修正申告等があったものとした場合における当該修正申告等に基づき同項の規定により納付すべき税額から同号に定める税額を控除した税額）を加算特例適用対象税額とし、次に、過少申告加算税等基礎税額（次の各号に掲げる事実があるときは、当該各号に定める税額の合計額を控除した税額）から当該加算特例適用対象税額を控除した税額を100分の5控除特例適用対象税額とする。

—303—

第一編　相続税

一　税額の計算の基礎となるべき事実で100分の５控除特例規定、100分の５加算特例規定又は100分の10加算特例規定の適用がある国外財産に係るもの以外の事実（隠蔽仮装されていない事実に係るものに限る。以下この号において「特例適用国外財産に係るもの以外の事実」という。）　当該特例適用国外財産に係るもの以外の事実のみに基づいて修正申告等があったものとした場合における当該修正申告等に基づき国税通則法第35条第２項の規定により納付すべき税額

二　隠蔽仮装された事実　当該隠蔽仮装された事実に基づく税額として第２項第２号の規定に準じて計算した税額

⑤　100分の５加算特例規定の適用があり、かつ、100分の10加算特例規定の適用がある場合（次項又は第12条の３第５項の規定の適用がある場合を除く。）には、まず、100分の10加算特例規定の適用がある国外財産に係る事実（隠蔽仮装されていない事実に係るものに限る。以下この項、次項及び第12条の３第５項において「100分の10加算特例適用国外財産に係る事実」という。）のみに基づいて修正申告等があったものとした場合における当該修正申告等に基づき国税通則法第35条第２項の規定により納付すべき税額（前項第１号に掲げる事実があるときは、100分の10加算特例適用国外財産に係る事実及び同号に掲げる事実のみに基づいて修正申告等があったものとした場合における当該修正申告等に基づき同条第２項の規定により納付すべき税額から同号に定める税額を控除した税額）を100分の10加算特例適用対象税額とし、次に、過少申告加算税等基礎税額（前項各号に掲げる事実があるときは、当該各号に定める税額の合計額を控除した税額）から当該100分の10加算特例適用対象税額を控除した税額を100分の５加算特例適用対象税額とする。

⑥　100分の５控除特例規定、100分の５加算特例規定及び100分の10加算特例規定の適用がある場合（第12条の３第５項の規定の適用がある場合を除く。）には、まず、100分の10加算特例適用国外財産に係る事実のみに基づいて修正申告等があったものとした場合における当該修正申告等に基づき国税通則法第35条第２項の規定により納付すべき税額（第４項第１号に掲げる事実があるときは、100分の10加算特例適用国外財産に係る事実及び同号に掲げる事実のみに基づいて修正申告等があったものとした場合における当該修正申告等に基づき同条第２項の規定により納付すべき税額から同号に定める税額を控除した税額）を100分の10加算特例適用対象税額とし、次に、100分の５加算特例規定の適用がある国外財産に係る事実（隠蔽仮装されていない事実に係るものに限る。以下この項及び第12条の３第５項において「100分の５加算特例適用国外財産に係る事実」という。）及び100分の10加算特例適用国外財産に係る事実のみに基づいて修正申告等があったものとした場合における当該修正申告等に基づき同法第35条第２項の規定により納付すべき税額から当該100分の10加算特例適用対象税額を控除した税額（同号に掲げる事実があるときは、100分の５加算特例適用国外財産に係る事実、100分の10加算特例適用国外財産に係る事実及び同号に掲げる事実のみに基づいて修正申告等があったものとした場合における当該修正申告等に基づき同項の規定により納付すべき税額から当該100分の10加算特例適用対象税額及び同号に定める税額の合計額を控除した税額）を100分の５加算特例適用対象税額とし、次に、過少申告加算税等基礎税額（第四項各号に掲げる事実があるときは、当該各号に定める税額の合計額を控除した税額）から当該100分の５加算特例適用対象税額及び当該100分の10加算特例適用対象税額の合計額を控除した税額を100分の５控除特例適用対象税額とする。

⑦　この条において、次の各号に掲げる用語の意義は、当該各号に定めるところによる。

一　100分の５控除特例規定　法第６条第１項の規定をいう。

二　100分の５加算特例規定　法第６条第３項（同条第７項第２号の規定により読み替えて適用する場合（同号の規定により読み替えられた同条第３項の規定により同項の過少申告加算税の額又は無申告加算税の額の計算の基礎となるべき税額に100分の５の割合を乗じて計算した金額を加算する場合に該当する場合に限る。）を含む。）の規定をいう。

三　100分の10加算特例規定　法第６条第７項第２号の規定により読み替えられた同条第３項（同項の規定により同項の過少申告加算税の額又は無申告加算税の額の計算の基礎となるべき税額に100分の10の割合を乗じて計算した金額を加算する場合に該当する場合に限る。）の規定をいう。

四　100分の５控除特例適用対象税額　法第６条第１項に規定する過少申告加算税の額又は無申告加算税の額の計算の基礎となるべき税額をいう。

五　100分の５加算特例適用対象税額　100分の５加算特例規定に規定する過少申告加算税の額又は無申告加算税の額の計算の基礎となるべき税額をいう。

六　100分の10加算特例適用対象税額　100分の10加算特例規定に規定する過少申告加算税の額又は無申告加算税の額の計算の基礎となるべき税額をいう。

七　加算特例適用対象税額　100分の５加算特例適用対象税額又は100分の10加算特例適用対象税額をいう。

第七章　申告、更正決定及び更正の請求

（死亡した者に係る修正申告等の場合の過少申告加算税又は無申告加算税の特例の規定が適用される場合の国外財産に係るにおける国外財産調書等の取扱い）

第12条　法第6条第1項に規定する国外財産に係る所得税につき所得税法第124条又は第125条の規定の適用があり、かつ、当該国外財産につき国外財産調書を提出しないで死亡したことにより法第5条第1項ただし書の規定の適用がある場合において、その死亡した者に係る修正申告等があったときにおける法第6条の規定の適用については、次に定めるところによる。

一　法第6条第2項第1号に定める国外財産調書は、当該死亡した者の死亡した日の属する年の前々年分の国外財産調書とする。

二　法第6条第4項第1号に定める国外財産調書は、当該死亡した者の死亡した日の属する年の前々年分の国外財産調書（当該修正申告等の基因となる法第5条第2項に規定する相続国外財産で相続開始年（同項に規定する相続開始年をいう。以下この号において同じ。）に取得したものにあっては、相続開始年の年分の国外財産調書を除く。）とする。

②　法第6条第1項又は第3項（同条第7項第2号の規定により読み替えて適用する場合を含む。以下この条において同じ。）の規定及び国税通則法第68条第1項、第2項又は第4項の規定の適用があり、同条第1項又は第2項又は第4項の規定により過少申告加算税の額又は無申告加算税に代えて重加算税を課する場合において、同法第65条又は第66条の規定による過少申告加算税又は無申告加算税の額の計算の基礎となるべき事実（法第6条第1項又は第3項の規定の適用がある国外財産に係る事実を含む。）で隠蔽し、又は仮装されていないものに基づくことが明らかであるものがあるときは、当該重加算税の額の計算の基礎となるべき税額は、過少申告加算税等基礎税額から当該隠蔽し、又は仮装されていない事実のみに基づいて修正申告等があったものとした場合における当該修正申告等に基づき国税通則法第35条第2項の規定により納付すべき税額を控除した税額とする。

③　前2項に定めるもののほか、法第6条第1項又は第3項の規定の適用がある場合における国税通則法第32条第3項に規定する賦課決定通知書の記載事項その他過少申告加算税又は無申告加算税の特例に係る手続に関し必要な事項は、財務省令で定める。

○内国税の適正な課税の確保を図るための国外送金等に係る調書の提出等に関する法律施行規則〈抜粋〉

第三章　国外財産に係る調書の提出等

（国外財産調書の記載事項等）

第12条　国外財産調書（法第5条第1項に規定する国外財産調書をいう。第6項において同じ。）には、同条第1項本文の規定に該当する者の氏名、住所又は居所及び個人番号のほか、別表第一に定めるところにより、当該者の有する国外財産の種類、数量、価額（令第10条第4項に規定する国外財産の価額をいう。同表において同じ。）及び所在（令第10条第1項及び第2項並びに次項及び第3項の規定による国外財産の所在をいう。同表において同じ。）その他必要な事項を記載しなければならない。

②　法第5条第1項の国外財産の所在について令第10条第1項の規定により相続税法第10条第1項の規定の定めるところによる場合又は令第10条第2項の規定による場合は、同法第10条第1項第5号に規定する保険金には保険（共済を含む。別表第一及び別表第三において同じ。）の契約に関する権利を、同項第8号に規定する株式には株式に関する権利（株式を無償又は有利な価額で取得することができる権利その他これに類する権利を含む。）を、それぞれ含むものとする。

③　法第5条第1項の国外財産の所在については、令第10条第1項及び第2項並びに前項に定めるもののほか、次の各号に規定する場所による。ただし、第2号から第4号までに規定する財産に係る有価証券が金融商品取引業者等の営業所、事務所その他これらに類するものの所在に開設された口座に係る同条第2項に規定する振替口座簿に記載若しくは記録がされ、又は当該口座に保管の委託がされているものである場合には、当該有価証券の所在については、当該各号の規定にかかわらず、当該口座が開設された金融商品取引業者等の営業所、事務所その他これらに類するものの所在による。

一　預託金又は委託証拠金その他の保証金（相続税法第10条第1項第4号に掲げる財産を除く。以下この号において「**預託金等**」という。）については、当該預託金等の受入れをした営業所、事務所その他これらに類するものの所在

二　有価証券（金融商品取引法第2条第1項第16号に掲げる有価証券、同項第17号に掲げる有価証券（同項第16号に掲げる有価証券の性質を有するものに限る。）及び同項第19号に掲げる有価証券をいい、同条第2項の規定によりこれらの有価証券とみなされる権利を含む。）については、当該有価証券の発行者（同条第5項に規定する発行者をい

う。）の本店又は主たる事務所の所在

三　民法第667条第１項に規定する組合契約、匿名組合契約その他これらに類する契約に基づく出資については、これらの契約に基づいて事業を行う主たる事務所、事業所その他これらに類するものの所在

四　信託に関する権利（相続税法第10条第１項第９号及び前３号に規定する財産を除く。）については、当該信託の引受けをした営業所、事務所その他これらに類するものの所在

五　所得税法第60条の２第２項に規定する未決済信用取引等及び同条第３項に規定する未決済デリバティブ取引に係る権利については、これらの取引に係る契約の相手方である金融商品取引業者等の営業所、事務所その他これらに類するものの所在

六　相続税法第10条第１項及び第２項並びに前項並びに前各号に規定する財産以外の財産については、当該財産を有する者の住所（住所を有しない者にあっては、居所）の所在

④　令第10条第２項に規定する財務省令で定める財産は、相続税法第10条第１項第７号及び第９号に掲げる財産並びに同条第２項に規定する財産に係る有価証券とする。

⑤　令第10条第４項に規定する時価に準ずるものとして財務省令で定める価額は、法第５条第１項に規定するその年の12月31日における国外財産の見積価額（当該国外財産が、その年分の事業所得（所得税法第27条第１項に規定する事業所得をいう。以下この項、別表第一及び別表第三において同じ。）の金額の計算の基礎となった所得税法第２条第１項第16号に規定する棚卸資産である場合にあっては当該棚卸資産の評価額とし、同項第40号に規定する青色申告書を提出する者の不動産所得（同法第26条第１項に規定する不動産所得をいう。別表第一及び別表第三において同じ。）、事業所得又は山林所得（同法第32条第１項に規定する山林所得をいう。別表第一及び別表第三において同じ。）に係る同法第２条第１項第19号に規定する減価償却資産である場合にあっては同日における当該減価償却資産の償却後の価額とする。）とする。

⑥　国外財産調書の書式は、別表第二による。

⑦　国税庁長官は、別表第二の書式について必要があるときは、所要の事項を付記すること又は一部の事項を削ることができる。

（国外財産に係る過少申告加算税又は無申告加算税の特例の対象となる所得の範囲）

第13条　令第11条第１項第５号に規定する国外財産に基因して生ずる所得で財務省令で定めるものは、次に掲げる所得とする。

一　国外財産が発行法人から与えられた所得税法施行令第84条第３項の規定が適用される同条各号に掲げる権利である場合における当該権利の行使による株式の取得に係る所得

二　国外財産が所得税法施行令第183条第３項に規定する生命保険契約等に関する権利である場合における当該生命保険契約等に基づき支払を受ける一時金又は年金に係る所得

三　国外財産が特許権、実用新案権、意匠権若しくは商標権又は著作権その他これらに類するもの（以下この号及び第16条第３号において「**特許権等**」という。）である場合における当該特許権等の使用料に係る所得

四　令第11条第１項第１号から第４号まで及び前３号に掲げるもののほか、国外財産に基因して生ずるこれらに類する所得

（国外財産の取得、運用又は処分に係る書類）

第13条の２　法第６条第７項に規定する財務省令で定める書類は、次の各号に掲げる国外財産の区分に応じ当該各号に定める書類（同項の居住者が通常保存し、又は取得することができると認められるものに限る。）とする。

一　土地又は建物　当該土地又は建物の取得、貸付け（他人に当該土地又は建物を使用させることを含む。）又は譲渡に関する事項が記載された書類

二　預貯金（所得税法第２条第１項第10号に規定する預貯金をいう。以下この号において同じ。）　当該預貯金の預入、利子（これに類するものを含む。）の受領、払出し又は譲渡に関する事項が記載された書類

三　有価証券（所得税法第２条第１項第17号に規定する有価証券をいう。以下この号において同じ。）　当該有価証券の取得若しくは同法第60条の２第４項に規定する譲渡又は当該有価証券に係る同法第23条第１項に規定する利子等、同法第24条第１項に規定する配当等その他これらに類するものの受領に関する事項が記載された書類

四　匿名組合契約（所得税法第60条の２第１項に規定する匿名組合契約をいう。以下この号において同じ。）の出資の持分　当該匿名組合契約の出資の持分の取得若しくは譲渡又は当該匿名組合契約に基づいて受ける利益の分配に関する事項が記載された書類

五　未決済信用取引等（所得税法第60条の２第２項に規定する未決済信用取引等をいう。以下この号において同じ。）又

第七章　申告、更正決定及び更正の請求

は未決済デリバティブ取引（同条第３項に規定する未決済デリバティブ取引をいう。以下この号において同じ。）に係る権利　当該未決済信用取引等又は未決済デリバティブ取引に関する事項が記載された書類

六　貸付金　金銭の貸付け又は当該貸付金の利子の受領若しくは譲渡に関する事項が記載された書類

七　前各号に掲げる国外財産以外の国外財産　当該国外財産の取得、運用又は処分に関する事項が記載された書類

（国外財産に係る過少申告加算税又は無申告加算税の特例の適用がある場合における賦課決定通知書の記載事項）

第14条　法第６条第１項又は第３項（同条第７項第２号の規定により読み替えて適用する場合を含む。以下この条において同じ。）の規定の適用がある場合における過少申告加算税又は無申告加算税に係る国税通則法第32条第３項に規定する賦課決定通知書には、当該過少申告加算税又は無申告加算税について法第６条第１項又は第３項の規定の適用がある旨を付記するものとする。

附則（内国税の適正な課税の確保を図るための国外送金等に係る調書の提出等に関する法律施行規則の一部を改正する省令（令和２年財務省令第23号））

（施行期日）

①　この省令は、令和２年４月１日から施行する。ただし、第13条第１号の改正規定及び第16条第１号の改正規定は、会社法の一部を改正する法律（令和元年法律第70号）の施行の日から施行する。

別表第一（第十二条関係）　国外財産調書の記載事項

区　　分	記　載　事　項	備　　考
（一）土地	用途別及び所在別の地所数、面積及び価額	（１）庭園その他土地に附設したものを含む。 （２）用途別は、一般用及び事業用の別とする。
（二）建物	用途別及び所在別の戸数、床面積及び価額	（１）附属設備を含む。 （２）用途別は、一般用及び事業用の別とする。
（三）山林	用途別及び所在別の面積及び価額	（１）林地は、土地に含ませる。 （２）用途別は、一般用及び事業用の別とする。
（四）現金	用途別及び所在別の価額	用途別は、一般用及び事業用の別とする。
（五）預貯金	種類別、用途別及び所在別の価額	（１）種類別は、当座預金、普通預金、定期預金等の別とする。 （２）用途別は、一般用及び事業用の別とする。
（六）有価証券	種類別、用途別及び所在別の数量及び価額並びに取得価額	（１）種類別は、株式、公社債、投資信託、特定受益証券発行信託、貸付信託等の別及び銘柄の別とする。 （２）用途別は、一般用及び事業用の別とする。
（七）匿名組合契約の出資の持分	種類別、用途別及び所在別の数量及び価額並びに取得価額	（１）種類別は、匿名組合の別とする。 （２）用途別は、一般用及び事業用の別とする。
（八）未決済信用取引等に係る権利	種類別、用途別及び所在別の数量及び価額並びに取得価額	（１）種類別は、信用取引及び発行日取引の別並びに銘柄の別とする。 （２）用途別は、一般用及び事業用の別とする。
（九）未決済デリバティブ取引に係る権利	種類別、用途別及び所在別の数量及び価額並びに取得価額	（１）種類別は、先物取引、オプション取引、スワップ取引等の別及び銘柄の別とする。 （２）用途別は、一般用及び事業用の別とする。
（十）貸付金	用途別及び所在別の価額	用途別は、一般用及び事業用の別とする。
（十一）未収入金（受取手形を含む。）	用途別及び所在別の価額	用途別は、一般用及び事業用の別とする。
（十二）書画骨とう及び美術工芸品	種類別、用途別及び所在別の数量及び価額（１点10万円未満のものを除	（１）種類別は、書画、骨とう及び美術工芸品の別とする。 （２）用途別は、一般用及び事業用の別とする。

第一編　相続税

(十三)貴金属類	種類別、用途別及び所在別の数量及び価額	（1）種類別は、金、白金、ダイヤモンド等の別とする。 （2）用途別は、一般用及び事業用の別とする。
(十四)(四)、(十二)及び(十三)に掲げる財産以外の動産	種類別、用途別及び所在別の数量及び価額（1個又は1組の価額が10万円未満のものを除く。）	（1）種類別は、(四)、(十二)及び(十三)に掲げる財産以外の動産について、適宜に設けた区分とする。 （2）用途別は、一般用及び事業用の別とする。
(十五)その他の財産	種類別、用途別及び所在別の数量及び価額	（1）種類別は、(一)から(十四)までに掲げる財産以外の財産について、預託金、保険の契約に関する権利等の適宜に設けた区分とする。 （2）用途別は、一般用及び事業用の別とする。

備考　一　この表に規定する「事業用」とはその者の不動産所得、事業所得又は山林所得を生ずべき事業又は業務の用に供することをいい、「一般用」とは当該事業又は業務以外の用に供することをいうこと。
　　　二　この表に規定する「預貯金」、「有価証券」、「公社債」、「投資信託」、「特定受益証券発行信託」又は「貸付信託」とは、所得税法第2条第1項に規定する預貯金、有価証券、公社債、投資信託、特定受益証券発行信託又は貸付信託をいうこと。
　　　三　この表に規定する「取得価額」については、法第6条の2第5項の規定により同条第1項に規定する財産債務調書への記載を要しないものとされる場合に記載すること。
　　　四　この表に規定する「匿名組合契約の出資の持分」とは所得税法第60条の2第1項に規定する匿名組合契約の出資の持分をいい、「未決済信用取引等」とは同条第2項に規定する未決済信用取引等をいい、「未決済デリバティブ取引」とは同条第3項に規定する未決済デリバティブ取引をいうこと。

6　延　滞　税

　国税を納付しようとする者は、次の①から②のいずれかに該当するときは、延滞税を納付しなければならない。（通法60①）

①	期限内申告書を提出した場合において、当該申告書の提出により納付すべき国税を法定納期限までに完納しないとき
②	期限後申告書若しくは修正申告書を提出し、又は更正若しくは決定を受けた場合において、第八章第一節─の3の規定により納付すべき国税があるとき

（延滞税の額の計算）

（1）　延滞税の額は、国税の法定納期限（純損失の繰戻しによる還付金額が過大であったことにより納付すべきこととなった国税その他国税通則法施行令第25条《延滞税の計算期間の起算日の特例》に定める国税については、当該還付金について支払決定をし、又は充当をした日など同条に定める日。（4）において同じ。）の翌日からその国税を完納する日までの期間の日数に応じ、その未納の税額に年14.6％の割合を乗じて計算した金額とする。ただし、納期限（延納又は物納の許可の取消しがあった場合には、その取消しに係る書面が発せられた日。以下同じ。）までの期間又は納期限の翌日から2月を経過する日までの期間については、その未納の税額に年7.3％の割合を乗じて計算した金額とする。なお、延滞税は、その額の計算の基礎となる国税に併せて納付しなければならない。（通法60②③）

（注）（1）に規定する延滞税の年14.6パーセントの割合及び年7.3パーセントの割合は、この規定にかかわらず、各年の延滞税特例基準割合（平均貸付割合に年1パーセントの割合を加算した割合をいう。）が年7.3パーセントの割合に満たない場合には、その年中においては、年14.6パーセントの割合にあっては当該延滞税特例基準割合に年7.3パーセントの割合を加算した割合とし、年7.3パーセントの割合にあっては当該延滞税特例基準割合に年1パーセントの割合を加算した割合（当該加算した割合が年7.3パーセントの割合を超える場合には、年7.3パーセントの割合）とする。なお、この場合において、延滞税の額の計算において、その計算の過程における金額に1円未満の端数が生じたときは、これを切り捨てる。（措法94①、96）

（一部納付が行われた場合の延滞税の額の計算等）

（2）　延滞税の額の計算の基礎となる国税の一部が納付されたときは、その納付の日の翌日以後の期間に係る延滞税の額の計算の基礎となる税額は、その納付された税額を控除した金額とする。（通法62①）

─308─

第七章　申告、更正決定及び更正の請求

　　なお、本税と延滞税を併せて納付すべき場合において、納税者の納付した金額がその延滞税の額の計算の基礎となる本税の額に達するまでは、その納付した金額は、まずその計算の基礎となる本税に充てられたものとする。（通法62②）

　　（延滞税の額の計算の基礎となる期間の特例）
（３）　修正申告書（偽りその他不正の行為により国税を免れ、又は国税の還付を受けた者が当該国税についての調査があったことにより当該国税について更正があるべきことを予知して提出した当該申告書（（４）において「特定修正申告書」という。）を除く。）の提出又は更正（偽りその他不正の行為により国税を免れ、又は国税の還付を受けた者についてされた当該国税に係る更正（（３）において「特定更正」という。）を除く。）があった場合において、次の（一）から（二）のいずれかに該当するときは、当該申告書の提出又は更正により納付すべき国税については、（１）の期間から次に定める期間を控除して、延滞税の額を計算する。（通法61①）

（一）	その申告又は更正に係る国税について期限内申告書が提出されている場合において、その法定申告期限から１年を経過する日後に当該修正申告書が提出され、又は当該更正に係る更正通知書が発せられたとき	その法定申告期限から１年を経過する日の翌日から当該修正申告書が提出され、又は当該更正に係る更正通知書が発せられた日までの期間
（二）	その申告又は更正に係る国税について期限後申告書（還付を受けるための期限後申告書（「還付請求書」という。）を含む。）が提出されている場合において、その期限後申告書の提出があった日の翌日から起算して１年を経過する日後に当該修正申告書が提出され、又は当該更正に係る更正通知書が発せられたとき	その期限後申告書の提出があった日の翌日から起算して１年を経過する日の翌日から当該修正申告書が提出され、又は当該更正に係る更正通知書が発せられた日までの期間

　　（修正申告書の提出又は納付すべき税額を増加させる更正）
（４）　修正申告書の提出又は納付すべき税額を増加させる更正（これに類するものとして政令で定める更正を含む。以下（４）において「増額更正」という。）があった場合において、その申告又は増額更正に係る国税について期限内申告書又は期限後申告書が提出されており、かつ、当該期限内申告書又は期限後申告書の提出により納付すべき税額を減少させる更正（これに類するものとして政令で定める更正を含む。以下この項において「減額更正」という。）があった後に当該修正申告書の提出又は増額更正があったときは、当該修正申告書の提出又は増額更正により納付すべき国税（当該期限内申告書又は期限後申告書に係る税額（還付金の額に相当する税額を含む。）に達するまでの部分として政令で定める国税に限る。以下（４）において同じ。）については、（３）の規定にかかわらず、（１）に規定する期間から次に掲げる期間（特定修正申告書の提出又は特定更正により納付すべき国税その他の政令で定める国税にあっては、（一）に掲げる期間に限る。）を控除して、（１）の規定を適用する。（通法61②）

（一）	当該期限内申告書又は期限後申告書の提出により納付すべき税額の納付があつた日（その日が当該国税の法定納期限前である場合には、当該法定納期限）の翌日から当該減額更正に係る更正通知書が発せられた日までの期間
（二）	当該減額更正に係る更正通知書が発せられた日（当該減額更正が更正の請求に基づく更正である場合には、同日の翌日から起算して一年を経過する日）の翌日から当該修正申告書が提出され、又は当該増額更正に係る更正通知書が発せられた日までの期間

　　（延滞税の計算期間の特例規定の取扱いについて）
（５）　国税通則法第61条《上記（３）》の規定（以下「**特例規定**」という。）の取扱いを下記のとおり定めたから、今後処理するものからこれにより取り扱われたい。（参考・昭51直所１－18）
　（一）　延滞税の計算の基礎となる国税が次のいずれかに該当するものである場合には、特例規定の適用はないものとして取り扱う。
　　イ　重加算税が課されたものである場合
　　ロ　国税犯則取締法第14条の規定による通告処分若しくは告発又は同法第13条若しくは第17条の規定による告発がされたものである場合
　　（注）　延滞税の計算の基礎となった国税について、当初過少申告加算税又は不納付加算税が課されていたところ、その後これらが取り消され、重加算税が課された場合には、当初から特例規定の適用がないものとして、延滞税を徴収することになっているのであるから留意する。
　（二）　特例規定の適用に当たっては、重加算税の計算の基礎となった部分の税額又は通告処分若しくは告発の原因とな

－309－

第一編　相続税

った部分の税額についてだけ適用がないものとして取り扱う。

　　（災害等により納期限を延長した場合の延滞税の免除）
（6）　国税通則法第11条《災害等による期限の延長》の規定により国税の納期限を延長した場合には、その国税に係る延
　　滞税のうちその延長をした期間に対応する部分の金額は、免除する。（通法63②）

　　（利子税を納付する場合の延滞税の計算期間）
（7）　利子税の額の計算の基礎となる期間は、延滞税の基礎となる期間に算入しない。（通法64②）

7　相続税法による延滞税の特則

①　相続税に係る延滞税の計算

　延納の許可があった場合における相続税に係る延滞税については、その相続税額のうち当該延納の許可を受けたものと
その他のものとに区分し、更に当該延納の許可を受けたものを各分納税額ごとに区分して、それぞれの税額ごとに**6**の国
税通則法の延滞税に関する規定を適用する。この場合においては、当該延納の許可を受けた税額のうちに第八章第一節**一**
の**3**の規定により納付すべきものがあるときは、当該納付すべき税額に係る延滞税のうち同第一節**二**の**1**の規定による納
期限（以下「**法定納期限**」という。）の翌日から同**一**の**3**の規定による納期限又は納付すべき日までの期間に対応するもの
とその他のものとに区分し、更に当該その他のものについては各分納税額ごとに区分するものとする。（法51①）

　　（申告書の提出期限前に決定した場合等の延滞税）
（1）　**二**の**2**の規定により、期限内申告書の提出期限前に課税価格及び相続税額を決定した場合における当該相続税額又
　　は当該決定に係る相続税額について修正申告書の提出があった場合における当該修正申告書の提出によって増加するこ
　　ととなった相続税額に対する延滞税の額は、法定納期限の翌日を起算日として計算するのであるから留意する。したが
　　って、法定納期限前に、当該決定に係る相続税額を徴収した場合又は当該納期限前に当該決定に係る相続税額について
　　修正申告書の提出があった場合には、延滞税の徴収又は納付を要しないのであるから留意する。（基通51-1）

　　（相続税法の施行地に住所及び居所を有しなくなる者の延滞税の額の計算の起算日）
（2）　相続税法の施行地に住所又は居所を有し、かつ、期限内申告書の提出義務がある者が、国税通則法第117条第2項の
　　規定による納税管理人の届出をしないで、相続税法の施行地に住所及び居所を有しないこととなる場合において、当該
　　住所及び居所を有しないこととなる日までに相続税の申告書を提出しなかったとき又は相続税の納付をしなかったとき
　　の延滞税の額の計算の起算日は、住所及び居所を有しないこととなるために提出すべき当該申告書の提出期限の翌日で
　　あるから留意する。（基通51-2）

②　相続税に係る延滞税の計算期間の特則

　次の（一）から（四）に掲げる相続税額については、当該（一）から（四）に定める期間は、**6**の（1）の規定による延滞税の計
算の基礎となる期間に算入しない。（法51②）

	相続又は遺贈により財産を取得した者が、次に掲げる事由による期限後申告書又は修正申告書を提出したことにより納付すべき相続税額		
（一）	イ	期限内申告書の提出期限後に、その被相続人から相続又は遺贈（当該被相続人から贈与により取得した財産で第三編第一章第一節**二**の（1）の規定の適用を受けるものに係る贈与を含む。（二）のイにおいて同じ。）により財産を取得した他の者が当該被相続人から贈与により取得した財産で相続税額の計算の基礎とされていなかったものがあることを知ったこと。	法定納期限の翌日からこれらの申告書の提出があった日までの期間
	ロ	期限内申告書の提出期限後に支給が確定した第二章第二節**三**《退職手当金等》に掲げる給与の支給を受けたこと。	

-310-

	ハ	第五節二《相続税法による更正の請求の特則》の(一)から(六)までに規定する事由が生じたこと。	
(二)		相続又は遺贈により財産を取得した者について、次に掲げる事由により更正又は決定があった場合における当該更正又は決定により納付すべき相続税額	法定納期限の翌日から当該更正又は決定に係る一の5に規定する更正通知書又は決定通知書を発した日（ハに掲げる事由による更正又は決定の場合にあっては、これらの通知書を発した日と当該事由の生じた日の翌日から起算して4月を経過する日とのいずれか早い日。第八章第二節五の1及び第八章第三節七の1において同じ。）までの期間
	イ	その被相続人から相続又は遺贈により財産を取得した他の者が当該被相続人から贈与により取得した財産で相続税額の計算の基礎とされていないものがあったこと。	
	ロ	期限内申告書の提出期限後に支給が確定した第二章第二節三《退職手当金等》に掲げる給与の支給を受けたこと。	
	ハ	第五節二《相続税法による更正の請求の特則》の(一)から(六)までに規定する事由が生じたこと。	
(三)		第八章第二節の四の8《災害その他やむを得ない理由が生じた場合の申告期限等の延長》の規定の適用を受けた同四の1《延納の申請と許可》の延納の許可の申請をした者が当該申請を取り下げた場合におけるその取り下げられた申請に係る相続税額	第八章第二節の四の8の(一)の規定により読み替えて適用する同四の2の(5)のただし書に規定する災害等延長期間又は同四の8の(二)で定める期間
(四)		第八章第三節の二の9《災害その他やむを得ない理由が生じた場合の申告期限等の延長》の規定の適用を受けた同二の1《物納手続に必要な書類の提出》の物納の許可の申請をした者が当該申請を取り下げた場合におけるその取り下げられた申請に係る相続税額	第八章第三節の二の9の(一)の規定により読み替えて適用する同二の3の(5)ただし書に規定する災害等延長期間又は同二の9の(二)で定める期間

　（保険金請求権等の買取りに係る買取額の支払いを受けたことにより申告があった場合の延滞税）
（１）　②の延滞税の額の計算の基礎となるべき日数の計算の規定は、相続税の申告書の提出期限後において、保険業法第270条の6の10第3項に規定する「買取額」の支払いを受けたため当該支払いを受けた買取額を基礎として申告書の提出があった場合又は税務署長において更正若しくは決定をした場合において、当該申告書の提出により納付すべき相続税額又は更正若しくは決定に係る相続税額の延滞税の額の計算の基礎となるべき日数の計算について準用することに取り扱うものとする。この場合において、②の規定中「第五節二の(一)から(六)までに規定する事由」とあるのは「当該支払いを受けた事由」と読み替えて取り扱うものとする。（基通51－3）

　（贈与税の期限後申告の特則等により申告があった場合の延滞税）
（２）　②の延滞税の額の計算の基礎となるべき日数の計算の規定は、相続税の申告書の提出期限後において、第二編第六章第三節の(1)若しくは同第六章第四節二の規定により贈与税の期限後申告書若しくは修正申告書の提出があった場合、又は同第六章第六節二の2の規定により税務署長において更正若しくは決定をした場合において、当該申告書の提出により納付すべき贈与税額又は更正若しくは決定に係る贈与税の延滞税の額の計算の基礎となるべき日数の計算について準用することに取り扱うものとする。この場合において、②の規定中「相続税」とあるのは「贈与税」と、「相続又は遺贈により財産を取得した者」とあるのは「贈与により財産を取得した者」と、「次に掲げる事由」とあるのは「次のハに掲げる事由」と、「納付すべき相続税額」とあるのは「納付すべき贈与税額」と読み替えて取り扱うものとする。（基通51－4）

　（延滞税の計算の基礎となる期間に算入しない部分の相続税額）
（３）　期限後申告書若しくは修正申告書の提出又は更正若しくは決定により納付すべき相続税額のうちに、②に掲げる事由以外の事由に基づくものが含まれている場合には、当該納付すべき相続税額から②の事由がないものとして計算される納付すべき相続税額を控除した相続税額について、②の規定を適用する。（基通51－5）

第一編　相続税

　（徴収を猶予する期間）
（４）　第八章第三節**二**の１の（９）において準用する第八章第二節**四**の**9**の規定により徴収を猶予する期間は、物納申請に係る相続税額の第八章第一節**二**の１又は同第一節**一**の**3**に規定する納期限の翌日から、次に掲げる日までの期間をいうのであるから留意する。（基通42－16）
　（一）　物納申請に係る相続税額の全部又は一部についてその許可（物納許可があったものとみなされる場合を含む。）をした場合　　物納許可に係る納付があったものとされる日
　（二）　物納申請に係る相続税額の全部又は一部についてその却下をした場合　　物納却下があった日
　（三）　物納申請に係る相続税額の全部又は一部についてみなす取下げ又は取下げがあった場合　　みなす取下げ又は取下げがあった日

　（未分割遺産を協議分割した場合の附帯税の処理）
（５）　未分割遺産が共同相続人等の協議により分割されたことに基づく相続税額の減額更正の効果は、その相続税が確定した当初にそ及するものと解すべきである。したがって、納付すべき相続税額を計算の基礎として課する相続税の附帯税（加算税、利子税及び延滞税）についても当然に減額を要することになる。
　　なお、上記により相続税の附帯税について減額を行った場合において、その減額部分の附帯税を他の相続人等にいわゆる賦課換えを行うことについては、遺産取得者課税方式を採用している現行相続税法のもとではできないものと解するのが妥当であるから申し添える。（昭44徴管２－33）

③　**修正申告等による納付税額につき延納の許可を受けた場合の延滞税の納付期限**
　　第八章第一節**一**の**3**の規定により納付すべき相続税額につき延納の許可を受けた者は、当該延納税額に係る延滞税で法定納期限の翌日から同**3**の規定による納期限又は納付すべき日までの期間に対応するものを、当該延納に係る第１回に納付すべき分納税額に併せて納付しなければならない。（法51④）

④　**連帯納付義務の履行に係る延滞税の特則**
　　連帯納付義務者が第八章第一節**二**の２の①の本文の規定により相続税を納付する場合における当該相続税に併せて納付すべき延滞税については、当該連帯納付義務者がその延滞税の負担を不当に減少させる行為をした場合を除き、次に定めるところによる。（法51の２①）

（一）	連帯納付義務者は、納付基準日（同**2**の**⑤**の納付通知書が発せられた日の翌日から２月を経過する日又は同**2**の**⑦**の督促に係る督促状が発せられた日のいずれか早い日をいう。以下④において同じ。）までに同①の本文の規定により相続税を納付する場合には、当該相続税の第八章第一節の**二**の１の規定による納期限の翌日から納付基準日又は当該相続税を完納する日のいずれか早い日までの期間（第八章第二節**五**の**4**又は第八章第三節**七**の規定により利子税を納付すべき期間を除く。）に対応する部分の延滞税に代え、当該期間に対応する部分の利子税を併せて納付しなければならない。
（二）	（一）により納付すべき利子税の額は、納税義務者の未納の相続税額を基礎とし、（一）の期間に、年7.3パーセントの割合を乗じて算出した金額とする。
（三）	連帯納付義務者は、納付基準日後に第八章第一節**二**の２の①の本文の規定により相続税を納付する場合には、（一）の規定による利子税に加え、納税義務者の未納の相続税額を基礎とし、当該納付基準日の翌日から当該相続税を完納する日までの期間に応じ、年14.6パーセント（当該納付基準日の翌日から２月を経過する日までの期間については、年7.3パーセント）の割合を乗じて算出した金額に相当する延滞税を併せて納付しなければならない。

　（注）　（三）に規定する延滞税の年14.6パーセントの割合及び年7.3パーセントの割合は、この規定にかかわらず、各年の延滞税特例基準割合（平均貸付割合に年１パーセントの割合を加算した割合をいう。）が年7.3パーセントの割合に満たない場合には、その年中においては、年14.6パーセントの割合にあっては当該延滞税特例基準割合に年7.3パーセントの割合を加算した割合とし、年7.3パーセントの割合にあっては当該延滞税特例基準割合に年１パーセントの割合を加算した割合（当該加算した割合が年7.3パーセントの割合を超える場合には、年7.3パーセントの割合）とする。なお、この場合において、延滞税の額の計算において、その計算の過程における金額に１円未満の端数が生じたときは、これを切り捨てる。（措法94①、96）

　（利子税又は延滞税の納付があったものとみなす場合）
（１）　連帯納付義務者が④の（一）の規定による利子税又は④の（三）の規定による延滞税を納付した場合には、納税義務者の相続税に係る延滞税の額のうち当該連帯納付義務者が納付した当該利子税又は延滞税の額に相当する額については、その納付があったものとみなす。（法51の２②）

－312－

第七章　申告、更正決定及び更正の請求

（国税通則法の規定の準用）
（２）　連帯納付義務者が❹の規定により納付する利子税については、国税通則法第64条第２項及び第３項《利子税》の規
　　定を準用する。（法51の２③）

第七節　修正申告等に対する国税通則法の適用に関する特則

1　修正申告等に係る相続税の徴収権の消滅時効

　第三節二の規定による期限後申告書若しくは第四節二の1の規定による修正申告書の提出又は第六節二の3、4の規定による更正若しくは決定があった場合におけるこれらの申告書の提出又は当該更正若しくは決定により納付すべき相続税又は贈与税の徴収を目的とする国の権利については、これらの申告書の提出又は当該更正若しくは決定があった日から5年間行使しないことによって、時効により消滅する。（法50①）

2　特別縁故者の修正申告等の特則

　第四節二の2《相続財産法人から財産の分与を受けたことによる修正申告》の規定による修正申告書及び第六節二の1《相続財産法人から財産の分与を受けた者に係る更正》の更正に対する国税通則法の規定の適用については、次に定めるところによる。（法50②）

(一)	当該修正申告書で第四節二の2に規定する提出期限内に提出されたものについては、国税通則法第20条《修正申告の効力》の規定を適用する場合を除き、これを同法第17条第2項《期限内申告》に規定する期限内申告書とみなす。
(二)	当該修正申告書で第四節二の2に規定する提出期限後に提出されたもの及び当該更正については、国税通則法第2章から第7章まで《国税の納付義務の確定等》の規定中「法定申告期限」とあり、及び「法定納期限」とあるのは「第四節二の2に規定する修正申告書の提出期限」と、第六節三の6の（3）《延滞税の額の計算の基礎となる期間の特例》の(一)中「期限内申告書」とあるのは「相続税法第27条若しくは第29条《第一節一の1又は七の1》の規定による申告書又はこれらの申告書に係る期限後申告書」と、第六節三の6の（4）中「期限内申告書又は期限後申告書」とあるのは「相続税法第31条第2項の規定による修正申告書」と、第六節三の1の②の(二)及び同1の③の(二)（過少申告加算税）中「期限内申告書」とあるのは「相続税法第27条若しくは第29条の規定による申告書又はこれらの申告書に係る期限後申告書」とする。
(三)	第六節三の6の（3）《延滞税の額の計算の基礎となる期間の特例》の(二)及び同三の2の①《無申告加算税の税率》の規定は、(二)に規定する修正申告書及び更正（第四節二の1に規定する決定を受けた場合における当該修正申告書及び更正を除く。）には、適用しない。

第八章　相続税の納付

第一節　納　　付

一　国税通則法の規定

1　国税の納付方法

　国税を納付しようとする者は、その税額に相当する金銭に納付書（納税告知書の送達を受けた場合には、納税告知書）を添えて、これを日本銀行（国税の収納を行う代理店を含む。）又はその国税の収納を行う税務署の職員に納付しなければならない。ただし、証券をもってする歳入納付に関する法律の定めるところにより、証券で納付することを妨げない。（通法34①）

2　期限内申告書に係る国税の納付期限

　期限内申告書を提出した者は、国税に関する法律に定めるところにより、当該申告書の提出により納付すべきものとしてこれに記載した税額に相当する国税をその法定納期限（延納に係る国税については、その延納に係る納期限）までに国に納付しなければならない。（通法35①）

3　修正申告、更正決定等に係る国税の納付期限

　次の各号に掲げる金額に相当する国税の納税者は、その国税を当該各号に定める日（延納に係る国税その他国税に関する法律に別段の納期限の定めがある国税については、当該法律に定める納期限）までに国に納付しなければならない。（通法35②）

(一)	期限後申告書の提出により納付すべきものとしてこれに記載した税額又は修正申告書に記載した不足税額（その修正申告書の提出により納付すべき税額が新たにあることとなった場合には、当該納付すべき税額）	その期限後申告書又は修正申告書を提出した日
(二)	更正通知書に記載された不足税額（その更正により納付すべき税額が新たにあることとなった場合には、当該納付すべき税額）又は決定通知書に記載された納付すべき税額	その更正通知書又は決定通知書が発せられた日の翌日から起算して1月を経過する日

4　加算税の納付期限

　過少申告加算税、無申告加算税又は重加算税（申告納税方式による国税の重加算税に限る。以下4において同じ。）に係る賦課決定通知書を受けた者は、当該通知書に記載された金額の過少申告加算税、無申告加算税又は重加算税を当該通知書が発せられた日の翌日から起算して1月を経過する日までに納付しなければならない。（通法35③）

二　相続税法の規定

1　期限内申告に係る相続税の納付期限

　第七章第一節《期限内申告書》の規定による申告書（以下「**期限内申告書**」という。）又は第七章第四節二の2《相続財産法人から財産の分与を受けたことによる修正申告》の規定による修正申告書を提出した者は、これらの申告書の提出期限までに、これらの申告書に記載した相続税額に相当する相続税を国に納付しなければならない。（法33）

—315—

第一編　相続税

2　連帯納付の義務等

①　相続人等が2人以上いる場合の連帯納付の義務

　同一の被相続人から相続又は遺贈（第三編第一章第一節二《相続時精算課税制度の選択》の（1）の規定の適用を受ける財産に係る贈与を含む。以下同じ。）により財産を取得した全ての者は、その相続又は遺贈により取得した財産に係る相続税について、当該相続又は遺贈により受けた利益の価額に相当する金額を限度として、互いに連帯納付の責めに任ずる。（法34①）

　ただし、次に掲げる者の区分に応じ、それぞれに定める相続税については、この限りでない。

(一)	納税義務者の**1**又は**一の3**若しくは**4**の規定により納付すべき相続税額に係る相続税について、第七章第一節の**一の1**《申告書の提出期限》の規定による申告書の提出期限（当該相続税が期限後申告書若しくは修正申告書を提出したことにより納付すべき相続税額、更正若しくは決定に係る相続税額又は第七章第六節の**三の5**の（2）《更正又は決定に関する規定の準用》に規定する賦課決定に係る相続税額に係るものである場合には、当該期限後申告書若しくは修正申告書の提出があった日、当該更正若しくは決定に係る同節の**一の5**の①《更正通知書、決定通知書の送達》に規定する更正通知書若しくは決定通知書を発した日又は当該賦課決定に係る同節の**三の5**《加算税の賦課決定》に規定する賦課決定通知書を発した日とする。）から5年を経過する日までに税務署長（国税通則法第43条第3項《国税の徴収の所轄庁》の規定により国税局長が徴収の引継ぎを受けた場合には、当該国税局長。以下同じ。）が①の本文の規定により当該相続税について連帯納付の責めに任ずる者（当該納税義務者を除く。以下「連帯納付義務者」という。）に対し⑤の規定による通知を発していない場合における当該連帯納付義務者	当該納付すべき相続税額に係る相続税
(二)	納税義務者が第二節の**一の1**《延納の要件等》（第三節の**二の12**《物納申請の全部又は一部の却下に係る延納》の後段において準用する場合を含む。）又は同節の**六の2**《物納撤回に係る延納》の規定による延納の許可を受けた場合における当該納税義務者に係る連帯納付義務者	当該延納の許可を受けた相続税額に係る相続税
(三)	納税義務者の相続税について納税の猶予がされた場合として（1）の政令で定める場合における当該納税義務者に係る連帯納付義務者	その納税の猶予がされた相続税額に係る相続税

　　　（相続税の連帯納付義務の適用除外となる納税の猶予の範囲）
（1）　①の(三)に規定する政令で定める場合は、同号の納税義務者が同号の相続税に係る被相続人から相続又は遺贈により取得した財産について次に掲げる規定の適用を受けた場合とする。（令10の2）
　(一)　第四編第二章第一節の**1**《農地等についての相続税の納税猶予及び免除等》の規定
　(二)　第四編第三章第一節の**1**《山林についての相続税の納税猶予及び免除》の規定
　(三)　第五編第一節の**1**《特定の美術品についての相続税の納税猶予及び免除》の規定
　(四)　第六編第三章第一節の**1**《個人の事業用資産についての相続税の納税猶予及び免除》の規定
　(五)　第七編第二章第一節の**1**《非上場株式等を相続等した場合の相続税の納税猶予及び免除》の規定
　(六)　第七編第三章第二節《非上場株式等の贈与者が死亡した場合の相続税の納税猶予及び免除の特例》の**1**《特例適用の要件》の規定
　(七)　第七編第五章第一節《非上場株式等についての相続税の納税猶予及び免除の特例》の**1**《特例適用の要件》の規定
　(八)　第七編第六章第二節《非上場株式等の特例贈与者が死亡した場合の相続税の納税猶予及び免除の特例》の規定の**1**《特例適用の要件》の規定
　(九)　第八編第三章第一節《医療法人の持分についての相続税の納税猶予及び免除》の**1**《特例適用の要件》の規定

②　相続税の納税義務を承継した者が2人以上いる場合の連帯納付の義務

　同一の被相続人から相続又は遺贈により財産を取得した全ての者は、当該被相続人に係る相続税について、その相続又は遺贈により受けた利益の価額に相当する金額を限度として、互いに連帯納付の責めに任ずる。（法34②）

—316—

第八章　相続税の納付

③　相続税の課税財産について贈与又は寄附行為があった場合の連帯納付の義務

　相続税の課税価格計算の基礎となった財産につき贈与、遺贈若しくは寄附行為による移転があった場合においては、当該贈与若しくは遺贈により財産を取得した者又は当該寄附行為により設立された法人は、当該贈与、遺贈若しくは寄附行為をした者の当該財産を課税価格計算の基礎に算入した相続税額に当該財産の価額が当該相続税の課税価格に算入された財産の価額のうちに占める割合を乗じて算出した金額に相当する相続税について、その受けた利益の価額に相当する金額を限度として、連帯納付の責めに任ずる。（法34③）

④　納税義務者の相続税が完納されていない旨の連帯納付義務者への通知

　税務署長は、納税義務者の相続税につき当該納税義務者に対し国税通則法第37条《督促》の規定による督促をした場合において当該相続税が当該督促に係る督促状を発した日から１月を経過する日までに完納されないときは、同条の規定にかかわらず、当該相続税に係る連帯納付義務者に対し、当該相続税が完納されていない旨その他の財務省令で定める事項を通知するものとする。（法34⑤）

　　　（連帯納付義務者に通知すべき事項）
（１）　④に規定する財務省令で定める事項は、④の納税義務者の相続税に係る次に掲げる事項とする。（規18の２）
　　（一）　当該相続税が完納されていない旨
　　（二）　当該相続税について④の規定による通知を受ける④に規定する連帯納付義務者に①の本文の規定の適用がある旨
　　（三）　当該相続税に係る被相続人の氏名
　　（四）　その他必要な事項

　　　（④の通知）
（２）　④の規定による通知は、次に掲げる場合は行う必要がないことに留意する。（基通34－５）
　　（一）　督促をした納税義務者の相続税の全額が、①の（二）又は（三）の規定の適用を受ける場合
　　（二）　②③の規定により連帯納付の責めを負う場合

⑤　連帯納付義務者から相続税を徴収する旨の連帯納付義務者への通知

　税務署長は、④の規定による通知をした場合において①の規定により相続税を連帯納付義務者から徴収しようとするときは、当該連帯納付義務者に対し、納付すべき金額、納付場所その他必要な事項を記載した納付通知書による通知をしなければならない。（法34⑥）

⑥　連帯納付義務者への督促

　税務署長は、⑤の規定による通知を発した日の翌日から２月を経過する日までに当該通知に係る相続税が完納されない場合には、当該通知を受けた連帯納付義務者に対し、国税通則法第37条の規定による督促をしなければならない。（法34⑦）

⑦　繰上請求を行う場合の連帯納付義務者への督促

　税務署長は、④⑤⑥の規定にかかわらず、連帯納付義務者に国税通則法第38条第１項各号《繰上請求》のいずれかに該当する事実があり、かつ、相続税の徴収に支障があると認められる場合には、当該連帯納付義務者に対し、同法第37条の規定による督促をしなければならない。（法34⑧）

⑧　相続税の連帯納付義務等に関する経過措置

（１）　①のただし書の規定は、施行日（平成24年４月１日）以後に①に規定する申告書の提出期限（延納若しくは物納の許可の申請の却下若しくは取下げ又は延納若しくは物納の許可の取消しがあった場合には、その却下に係る書面が発せられた日若しくは取下げがあった日又は取消しに係る書面が発せられた日）又は分納税額の納期限（（２）において「申告期限等」と総称する。）が到来する相続税について適用する。（平24改所法附57①）
（２）　①のただし書の規定は、施行日（平成24年４月１日）前に申告期限等が到来した相続税で施行日において未納となっているものについて準用する。この場合において、①の（一）中「規定による通知」とあるのは、「規定による通知（平成23年６月30日前にあっては、同法第37条（督促）の規定による督促に係る督促状）」と読み替えるものとする。（平24改所法附57②）

—317—

第一編　相続税

⑨　国税の連帯納付業務についての民法の準用

　国税に関する法律の規定により国税を連帯して納付する義務については、民法第432条から第434条まで、第437条及び第439条から第444条まで《連帯債務の効力等》の規定を準用する。(通法8)

　　　　　（「相続又は遺贈により受けた利益の価額」の意義）
（1）　①又は②に規定する「相続又は遺贈により受けた利益の価額」とは、相続又は遺贈（相続時精算課税の適用を受ける財産に係る贈与を含む。以下（3）までにおいて同じ。）により取得した財産の価額（第三章各項に掲げる課税価格計算の基礎に算入されない財産の価額を含む。）から第四章第二節の**三**の規定による債務控除の額並びに相続又は遺贈により取得した財産に係る相続税額及び登録免許税額を控除した後の金額をいうものとする。(基通34-1)
　　（注）　相続又は遺贈により取得した財産が相続時精算課税の適用を受ける財産である場合には、当該財産の贈与の時における価額（第三編第一章第三節**一**の（1）《相続税の課税価格》又は同節**二**の（2）《相続時精算課税の適用を受ける財産の価額》の規定による相続時精算課税に係る基礎控除をする前の価額）となることに留意する。

　　　　　（「相続税の課税価格計算の基礎となった財産」の範囲）
（2）　③に規定する「相続税の課税価格計算の基礎となった財産」には、その相続税の課税価格の計算の基礎となった財産により取得した財産を含むものとして取り扱うものとする。(基通34-2)

　　　　　（連帯納付の責めにより相続税の納付があった場合）
（3）　①の規定による連帯納付の責めに基づいて相続税の納付があった場合において、その納付が相続若しくは遺贈により財産を取得した者がその取得した財産を費消するなどにより資力を喪失して相続税を納付することが困難であることによりなされたときは、第二編第二章第二節**四**の（7）《連帯債務者及び保証人の求償権の放棄》の取扱いの適用はないのであるから留意する。(基通34-3)
　　（注）　①の規定による連帯納付の責めに基づいて相続税の納付があった場合において、上記の場合に該当しないときには、第二編第二章第二節**四**の（7）の適用がある。

　　　　　（相続税の一部について延納の許可を受けた又は納税猶予がされた場合）
（4）　相続税の一部について延納の許可を受けた又は納税猶予（第四編第二章第一節の**1**、第四編第三章第一節の**1**、第五編第一節の**1**、第六編第三章第一節の**1**、第七編第二章第一節の**1**、同第三章第二節の**1**、第七編第五章第一節の**1**《非上場株式等についての相続税の納税猶予及び免除の特例》、第七編第六章第二節の**1**《特例適用の要件》又は第八編第三章第一節の**1**《特例適用の要件》）がされた場合においては、延納の許可を受けた又は納税猶予がされた相続税額以外の相続税については、**2**の①の（一）に該当する場合を除き、同項による連帯納付の責めの対象となることに留意する。(基通34-4)

　　　　　（相続税法第34条の連帯納付義務者の1人について生じた納付等の効果）
（5）　相続税を納税義務者が履行したとき又は納税義務者について免除がされ若しくは時効が完成し若しくは滞納処分の停止による消滅があったときは、他の者に係る①から③までに規定する連帯納付義務額は、その基因となった相続税の残額の範囲内においてなお存続するものとする。
　　なお、①から③までに規定する連帯納付義務を負う者につき生じた履行及び請求以外の事由は、相続税の納税義務者には及ばない。(国税通則法基本通達第8条関係「3」)
　　（注）　連帯納付義務者のうちに相続により連帯納付義務を承継した者がある場合において、連帯納付義務を履行したときは、上記本文と同様である。

　　　　　（相続税法第34条の連帯納付義務の徴収手続）
（6）　①から③までに規定する連帯納付義務の徴収手続は、それぞれ次によるものとする。(国税通則法基本通達第8条関係「4」)
　（一）　相続税の申告が共同してされた者に係る①又は②に規定する連帯納付義務については、その相続税の督促状（相続税が完納されている者については、連帯納付義務に係る督促状とする。以下（二）において同じ。）に「相続税法第34条の規定による連帯納付の義務がある」旨の文言を記載して行う。
　（二）　相続税の更正又は決定が同時にされた者に係る①又は②に規定する連帯納付義務については、その更正又は決定の通知書及び督促状に、上記（一）の文言を記載して行う。
　（三）、（四）（省略）

－318－

第八章　相続税の納付

第二節　延　　　納

一　相続税の延納

1　延納の要件等

　税務署長は、第一節二の1《期限内申告に係る相続税の納付期限》又は第一節一の3《修正申告、更正決定等に係る国税の納付期限》の規定により納付すべき相続税額が10万円を超え、かつ、納税義務者について納期限までに、又は納付すべき日に金銭で納付することを困難とする事由がある場合においては、納税義務者の申請により、その納付を困難とする金額として(1)の政令で定める額を限度として、5年以内（相続又は遺贈により取得した財産で当該相続税額の計算の基礎となったものの価額（特例農地等については農業投資価格を基準として計算した価額）の合計額（以下「**課税相続財産の価額**」という。）のうちに不動産、立木その他(2)で定める財産の価額の合計額（以下「**不動産等の価額**」という。）が占める割合が10分の5以上であるときは、不動産等の価額に対応する相続税額として2で定める部分の税額については15年以内とし、その他の部分の相続税額については10年以内とする。）の年賦延納の許可をすることができる。この場合において、延納税額が50万円（課税相続財産の価額のうちに不動産等の価額が占める割合が10分の5以上である場合には、150万円）未満であるときは、当該延納を許可することができる期間は、延納税額を10万円で除して得た数（その数に1未満の端数があるときは、これを1とする。）に相当する年数を超えることができない。（法38①、措法70の6㊳二）

(注)　課税相続財産の価額のうちに不動産等の価額の占める割合が10分の5以上で、延納税額の総額が130万円（うち不動産部分の税額が90万円、その他の部分の税額が40万円）の場合の延納期間は、不動産部分の税額は130万円÷10万円＝13年、その他の部分は10年となる。（編者注）

　　　（延納の許可限度額）
(1)　1に規定する政令で定める額は、(一)に掲げる額から(二)に掲げる額を控除した残額とする。（令12①）
　(一)　第一節二の1又は第一節一の3の規定により納付すべき相続税額
　(二)　納税義務者が(一)の相続税額に係る納期限又は納付すべき日において有する現金、預貯金その他換価の容易な財産（第三節一の2の各号に掲げる財産を除く。）の価額に相当する金額からその者及びその者と生計を一にする配偶者その他の親族（その者と婚姻の届出をしていないが事実上婚姻関係と同様の事情にある者及び当該事情にある者の親族を含む。）の生活のために通常必要とされる費用の3月分に相当する金額（その者が負担すべきものに限る。）並びにその者の事業の継続のために当面必要な運転資金の額を控除した残額

　　　（延納期間の延長される財産）
(2)　相続又は遺贈により財産を取得した者が1の規定により当該財産に係る相続税額について15年以内又は10年以内の延納の許可をされる場合の1に規定する財産は、不動産の上に存する権利、事業用の減価償却資産並びに株式及び出資（1の納税義務者又はその親族その他当該納税義務者と次の各号に掲げる特別の関係がある当該各号に掲げる者が法人の発行済株式又は出資（その法人が有する自己の株式又は出資を除く。）の総数又は総額の10分の5を超える数又は金額の株式又は出資を有する場合におけるその法人（その発行する株式が金融商品取引法第2条第16項《定義》に規定する金融商品取引所において上場されている法人その他これに類する法人として(3)の財務省令で定めるものを除く。）の株式又は出資に限る。）とする。（令13、令31①）
　(一)　当該納税義務者と婚姻の届出をしていないが事実上婚姻関係と同様の事情にある者及びその者の親族でその者と生計を一にしているもの
　(二)　当該納税義務者たる個人の使用人及び使用人以外の者で当該個人から受ける金銭その他の財産によって生計を維持しているもの並びにこれらの者の親族でこれらの者と生計を一にしているもの

　　　（金融商品取引所に上場されている法人に類する法人）
(3)　(2)に規定する財務省令で定める法人は、次に掲げる法人とする。（規19）
　(一)　その発行する株式（出資を含む。以下同じ。）が金融商品取引法第67条の11第1項《店頭売買有価証券登録原簿への登録》に規定する店頭売買有価証券登録原簿（(三)において「店頭売買有価証券登録原簿」という。）に登録されている法人
　(二)　その発行する株式が金融商品取引法第2条第16項《定義》に規定する金融商品取引所に類するものであって外国

－319－

第一編　相続税

に所在するものに上場されている法人

（三）　その発行する株式が店頭売買有価証券登録原簿に類するものであって外国に備えられているものに登録されている法人

（不動産等の割合の判定）

（４）　**1**又は**3**《延納年割額》に規定する課税相続財産の価額のうちに不動産等の価額が占める割合は、**1**の規定により当該延納の許可をする時までに納付すべき税額の確定した相続税額の計算の基礎となった財産の価額を基準として計算するものとする。（令14③）

（不動産等の価額の計算）

（５）　**1**前段のかっこ書の規定により、延納期間を延長することができる場合の「不動産等の価額」を計算するに当たり、（２）の「事業用の減価償却資産」とは、被相続人の事業の用に供されていた所得税法第２条第１項第19号に規定する減価償却資産をいうのであるから留意する。（基通38－７）

（不動産等の割合を計算する場合の端数処理）

（６）　**1**に規定する「課税相続財産の価額」及び「不動産等の価額」並びに「不動産等の価額が占める割合」を計算するに当たり、当該価額及び割合の端数処理は次により行うのであるから留意する。（基通38－８）

（一）　不動産等の価額の占める割合が10分の５以上であるか否かについては、端数処理を行わずに判定する。

（二）　（一）により判定した結果、不動産等の価額の占める割合が10分の５以上である場合において、**1**前段のかっこ書の規定を適用するときには、次により端数処理を行う。

①　それぞれの価額に1,000円未満の端数がある場合には、それぞれその端数を切り捨てる。

②　割合については、小数点以下第３位未満の端数があるときは、その端数を切り上げて計算する。

（注）　課税相続財産の価額のうちに、二又は三の適用を受ける価額がある場合、これに準じて端数処理を行うのであるから留意する。

（代償分割が行われた場合の不動産等の割合の計算）

（７）　代償分割の方法により相続財産の全部又は一部の分割が行われた場合における**1**に規定する「不動産等の価額が占める割合」の計算は、次に掲げる者の区分に応じ、それぞれ次に掲げるところによるものとする。（基通38－９）

（一）　代償財産の交付を受けた者　　相続又は遺贈により取得した現物の財産の価額と交付を受けた代償財産の価額との合計額をもって計算する。

（二）　代償財産の交付をした者　　相続又は遺贈により取得した財産中、代償分割の対象とならなかった財産の価額と代償分割の対象となった財産の価額から代償財産の価額に相当する金額をそれぞれの種類ごとに控除して計算した価額との合計額をもって計算する。この場合、当該代償分割が包括的に行われた場合には、その代償財産の価額は、代償分割の対象となった財産の価額によってあん分して計算した額による。

（相続税額が10万円を超えるかどうかの判定）

（８）　**1**に規定する「納付すべき相続税額が10万円を超え」るかどうかは、期限内申告書、期限後申告書又はこれらの申告書に係る修正申告書により申告された相続税額若しくは更正又は決定により納付すべき相続税額のそれぞれについて各別に判定するのであるから留意する。（以下略）（基通38－１）

（延納の許可限度額の計算）

（９）　（１）に規定する延納の許可限度額の算出方法を算式で示せば、次のとおりである。（基通38－２）

$$A-\{（B+C+D）-（[E×3]+F）\}$$

（注）　算式中の符号は次のとおりである。

Aは、（１）の（一）に掲げる額

Bは、納税義務者がAに係る納期限又は納付すべき日において有する現金の額。

なお、ここにいう現金とは、強制通用力を有する日本円を単位とする通貨のほか、証券ヲ以テスル歳入納付ニ関スル法律（大正５年法律第10号）により国税の納付に充てることのできる証券を含むものとする。

Cは、納税義務者がAに係る納期限又は納付すべき日において有する預貯金の額。

なお、ここにいう預貯金とは、第一章第四節―の１の（四）に規定する金融機関等に対する預金、貯金、積金、寄託金又は貯蓄金をいう。

Dは、納税義務者がAに係る納期限又は納付すべき日において有する換価の容易な財産の価額。

なお、ここにいう換価の容易な財産とは、次のような財産をいう。

－320－

第八章　相続税の納付

・評価が容易であり、かつ、市場性のある財産で速やかに売却等の処分をすることができるもの

・納期限又は納付すべき日において確実に取り立てることができると認められる債権

・積立金・保険等の金融資産で容易に契約が解除でき、かつ、解約等による負担が少ないもの

おって、許可限度額の計算に当たっては、納期限又は納付すべき日における当該財産の時価（又は債権額）相当額により行うものとする。

Eは、生活のため通常必要とされる1月分の費用。

なお、生活のため通常必要とされる1月分の費用とは、次の①の額から②の額を控除した額とする。

① 国税徴収法（昭和34年法律第147号）第76条第1項第1号から第4号までの規定に基づき算出される金額相当額（前年の収入金額、所得税、地方税及び社会保険料の額に1/12を乗じた額に基づき計算するものとする。なお、申請者が給与所得者でない場合は、その事業等に係る収入金額等を給与等とみなして計算するものとする。）に治療費、養育費、教育費並びに申請者及び申請者と生計を一にする配偶者その他の親族の資力・職業・社会的地位等の個別事情を勘案して社会通念上適当と認められる範囲の金額を加味した額

② 申請者と生計を一にしている収入のある配偶者及び申請者（配偶者を含む。）の扶養控除の対象とならない親族に係る生活費の額並びに申請者（配偶者を含む。）の扶養控除の対象となる親族に係る生活費の額のうち配偶者が負担する額

（注）①の額に申請者及び申請者と生計を一にする配偶者その他の親族の1月分収入額の合計額に占める申請者の1月分収入額の割合を乗じた額を用いて差し支えない。

Fは、事業の継続のために当面必要な運転資金の額。

なお、事業の継続のために当面必要な運転資金の額とは、事業の内容に応じた事業資金の循環期間の中で事業経費の支払や手形等の決済のための資金繰りが最も窮屈になる日のために留保を必要とする資金の額をいい、Aに係る納期限又は納付すべき日の翌日から資金繰りの最も窮屈になると見込まれる日までの期間の総支出見込金額から総収入見込金額を差引いた額（前年同時期の事業の実績を踏まえて推計した額による。）とする。

（注）前年の申告所得税の確定申告等に係る収支内訳書等から求めた1年間の事業に係る経費の中から、臨時的な支出項目及び減価償却費を除いた額を基礎とし、最近の事業の実績に変動がある場合には、その実績を踏まえて算出した額を加味した額に1/12（商品の回転期間が長期にわたること等の場合は事業の実態に応じた月数/12月）を乗じた額を用いて差し支えない。

（相続又は遺贈により取得した財産に含める贈与財産）

(10)　第四章第二節四の1《相続開始前7年以内の贈与財産》の規定により相続税の課税価格に加算される贈与財産で第二編第四章の4《相続開始の年に被相続人から贈与を受けた財産（特定贈与財産を除く。）の除外》の規定により贈与税の課税価格に算入されないもののうち不動産、立木等(2)に規定する財産がある場合においては、当該財産は、1に規定する「相続又は遺贈により取得した財産」に含むことに留意する。

また、相続開始の年において、特定贈与者である被相続人からの贈与により取得した相続時精算課税の適用を受ける財産（令和6年1月1日以後に取得した財産で、かつ、第三編第一章第三節一の(1)《相続税の課税価格》又は同節二の(2)《相続時精算課税の適用を受ける財産の価額》の規定の適用により、当該財産の価額の合計額から相続時精算課税に係る基礎控除をした残額が零となる場合における当該財産を除く。）のうちに不動産、立木等(2)に規定する財産がある場合についても、これに準ずることに留意する。（基通38－3）

（たな卸資産である不動産）

(11)　1に規定する「不動産」には、たな卸資産である不動産を含むのであるから留意する。（基通38－4）

（延納期間の計算）

(12)　1の規定による延納期間は、第一節二の1又は第一節一の3に規定する納期限の翌日から暦に従って計算するのであるから留意する。（基通38－6）

（連帯納付義務者の延納等）

(13)　1の相続税の延納の規定は、連帯納付の責に任ずる者のその責に任ずべき金額については適用がないのであるから留意する。

また、期限後申告又は修正申告若しくは更正又は決定により納付すべき相続税額に併せて納付すべき延滞税又は加算税についても適用がないのであるから留意する。（基通38－5）

（延納又は物納に関する事務の引継ぎ）

(14)　国税通則法第43条第3項《国税の徴収の所轄庁》の規定により国税局長が延納又は物納に関する事務の引継ぎを受けた場合における第二節及び第三節の規定の適用については、この節の規定中「税務署長」とあるのは、「国税局長」とする。（法48の3、令26）

－321－

第一編　相続税

（延納又は物納に関する事務の引継ぎ）

(15)　(14)に規定する「延納又は物納に関する事務の引継ぎ」を行う場合における国税通則法第43条第３項にいう「必要があると認めるとき」とは、例えば、納税義務者の延納又は物納の申請に係る相続税額が多額であるとき、物納申請に係る財産が納税地の管轄区域外に所在するときその他国税局長が必要があると認めるときをいうものとする。（基通48の３－１）

2　不動産等の価額に対応する相続税額

　1に規定する不動産等の価額に対応する相続税額として政令で定める部分の税額（3の(1)において「**不動産等に係る相続税額**」という。）は、1の規定による延納の許可を申請する者が1に規定する納付すべき相続税額（特例農地等に係る納税猶予分の相続税額を除くものとし、第三節の規定による物納の許可があった場合には、当該物納の許可に係る税額を控除した税額）に1に規定する課税相続財産の価額のうちに不動産等の価額が占める割合を乗じて算出した金額に相当する税額とする。（令14①、措令40の7⑦⑤）

$$
\begin{array}{l}\text{不動産等の価額に} \\ \text{対応する相続税額}\end{array} = \left[\begin{array}{l}\text{納付すべき} \\ \text{相続税額}\end{array} - \begin{array}{l}\text{物納} \\ \text{税額}\end{array}\right] \times \dfrac{\begin{array}{c}\text{課税相続財産中の不動産等の価額} \\ \text{（特例農地等については農業投資価格による価額）}\end{array}}{\begin{array}{c}\text{課税相続財産の価額} \\ \text{（特例農地等については農業投資価格による価額）}\end{array}}
$$

3　延納年割額

　1の規定により延納を許可する場合において、延納年割額は、延納税額を延納期間に相当する年数で除して計算した金額（課税相続財産の価額のうちに不動産等の価額が占める割合が10分の5以上である場合には、延納税額を不動産等の価額に対応するものとして(1)で定める部分の税額（以下「**不動産等に係る延納相続税額**」という。）とその他の部分の税額（以下「**動産等に係る延納相続税額**」という。）とに区分し、これらの税額をそれぞれの延納期間に相当する年数で除して計算した金額）とする。（法38②）

（不動産等に係る延納相続税額）

(1)　3に規定する不動産等に係る延納相続税額は、不動産等に係る相続税額に相当する税額と当該延納の許可をする税額とのいずれか少ない税額とする。（令14②）

（延納年割額の1,000円未満の端数の処理）

(2)　3の規定により延納年割額を計算する場合において、3に規定する延納税額、不動産等に係る延納相続税額又は動産等に係る延納相続税額をそれぞれの延納期間に相当する年数で除して算出した金額に1,000円未満の端数が生じたときは、当該端数金額をすべて第1回に納付すべき分納税額に合算して計算するものとする。（令14④）

4　担保の徴取

　税務署長は、1又は3の規定による延納の許可をする場合には、その延納税額に相当する担保を徴さなければならない。ただし、その延納税額が100万円以下で、かつ、その延納期間が3年以下である場合はこの限りでない。（法38④）

二　計画伐採に係る相続税の延納等の特例

1　森林計画立木部分の相続税の延納期間の特例

　税務署長（一の1の(15)の国税局長が同(15)に規定する事務の引継ぎを受けた場合には、当該国税局長。2、三の1及び第三節**四**の1の①において同じ。）は、**一の1**の規定により相続税額について延納の許可をする場合において、相続又は遺贈により取得した財産で当該相続税額の計算の基礎となったものの価額の合計額（以下**二**において「**課税相続財産の価額**」という。）のうちに第四章第二節**一の11**《特定計画山林についての相続税の課税価格の計算の特例》の②の(一)に規定する森林経営計画が定められている区域内に存する立木（同(一)に規定する森林保健施設の整備に係る地区内に存する立木を除き、一体として効率的に森林施行を行うこととされているものとして財務省令で定めるものに限る。以下**二**において同じ。）の価額の占める割合が10分の2以上であり、かつ、課税相続財産の価額のうちに**一の1**に規定する不動産等の価額の占める割合が10分の5以上であるときは、当該延納の許可をする相続税額のうち当該立木の価額に対応するものとして**3**で定めるところにより計算した部分の税額（以下**二**において「**森林計画立木部分の税額**」という。）に係る延納期間に

-322-

第八章　相続税の納付

ついては、納税義務者の申請により、一の1《延納の要件等》の規定にかかわらず、20年以内（森林法第5条第2項第4号の3に規定する公益的機能別施業森林の区域のうち注の財務省令で定める区域内に存する立木に係る森林計画立木部分の税額（以下において「**特定森林計画立木部分の税額**」という。）にあっては40年以内）とすることができる。この場合において、一の1に規定する延納税額が200万円（当該延納税額が当該特定森林計画立木部分の税額である場合には、400万円）未満であるときは、当該延納の許可をすることができる期間は、当該延納税額を10万円で除して得た数（その数に一未満の端数があるときは、これを一とする。）に相当する年数を超えることができない。（措法70の8の2①）

　　（財務省令で定める区域）
（1）　1に規定する財務省令で定める区域は、森林法施行規則第39条第2項第1号に規定する複層林施業森林又は長伐期施業森林（森林法第10条の5第1項に規定する市町村森林整備計画に定める標準伐期齢のおおむね2倍以上に相当する林齢を超える林齢において主伐を行う森林施業を推進すべき森林として当該市町村森林整備計画において定められている森林をいう。）の区域とする。（措規23の14②）

2　分納税額の特例

　税務署長は、一の1の規定により相続税額について延納の許可をする場合において、課税相続財産の価額のうちに1に規定する立木の価額の占める割合が10分の2以上であるときは、当該延納の許可をする相続税額のうち森林計画立木部分の税額については、納税義務者の申請により、一の3《延納年割額》の規定にかかわらず、当該立木の1に規定する森林経営計画に基づく伐採の時期及び材積を基礎として納付すべき分納税額を定めることができる。（措法70の8の2②）

3　森林計画立木部分の税額

　1に規定する政令で定めるところにより計算した部分の税額は、一の1の規定による延納の許可を申請する者が第一節二の1又は国税通則法第35条第2項の規定により納付すべき相続税額（その者が第四編第二章第一節の1、第四編第三章第一節の1、第五編第一節の1、第六編第三章第一節の1、第七編第二章第一節の1、第七編第三章第二節の1、第七編第五章第一節の1、同編第三章第二節の1又は第八編第三章第一節の1の規定の適用を受ける者である場合には、第四編第二章第一節の1、第四編第三章第一節の2の(五)、第五編第一節の2の(六)、第六編第三章第一節の2の(三)、第七編第二章第一節の2の(五)、第七編第三章第二節の2の(四)、第七編第五章第一節の2の(八)、同編第三章第二節の2の(四)又は第八編第三章第一節の1の(1)に規定する納税猶予分の相続税額を控除した金額）に、1に規定する課税相続財産の価額のうちに1に規定する区域内に存する立木（森林保健施設（1に規定する森林保健施設をいう。**五の6**において同じ。）の整備に係る地区内に存する立木及び第四編第三章第一節の1の規定の適用に係る同1に規定する特例山林（立木に限る。）を除き、一体として効率的に森林施業を行うこととされているものとして財務省令で定めるものに限る。下記注及び三の2において同じ。）の価額の占める割合を乗じて計算した金額に達するまでの税額とする。（措令40の9①）

　　（立木の価額の占める割合の判定）
注　一の1の(4)《不動産等の割合の判定》の規定は、1に規定する立木の価額の占める割合及び不動産等の価額の占める割合の判定について準用する。（以下略）（措令40の9②）

　　（財務省令で定める立木）
（1）　1及び3に規定する一体として効率的に森林施業を行うこととされている立木として財務省令で定めるものは、森林法施行規則第36条第1号に規定する計画的伐採対象森林（**5**において「計画的伐採対象森林」という。）とする。（措規23の14①）

4　利子税率の特例

　課税相続財産の価額のうちに1に規定する立木の価額の占める割合が10分の2以上である場合には、当該延納税額のうち森林計画立木部分の税額についての**五**《延納の利子税》の規定の適用については、同1の(一)のイ及びロ中「年5.4パーセント」とあるのは、「年1.2パーセント」とする。（措法70の8の2③）

（注）　**4**の規定を適用する場合において、各分納期間の延納特例基準割合（各分納期間の開始の日の属する年の特例基準割合（**五の8**の(1)））が年7.3パーセントの割合に満たない場合には、当該分納期間においては、当該利子税の割合に当該延納特例基準割合が年7.3パーセントの割合のうちに占める割合を乗じて計算した割合（措法93③）が適用されるので、**五の8**を参照のこと。（編者注）

第一編　相続税

（五の 1 の読替え規定）
注　4において五の 1《利子税》の規定を読み替えて適用する場合における同 1 の規定の適用については、同 1 の（一）のロ中「100分の30を超える」とあるのは、「10分の 2 以上である」とする。（措令40の 9 ⑤）

5　特例の適用手続

　1、2 及び 4 までの規定の適用を受けようとする者は、四の 1 の延納申請書に、1 に規定する立木に係る 1 に規定する森林経営計画の明細その他財務省令で定める事項を記載した書類を添付して、これを納税地の所轄税務署長に提出しなければならない。（措法70の 8 の 2 ⑥）

　　　（財務省令で定める事項）
注　5 に規定する財務省令で定める事項は、次に掲げる事項とする。（措規23の14③）
　（一）　1 に規定する相続税の課税価格の計算の基礎となった立木に係る第四章第二節一の11の②の（一）に規定する森林経営計画の基礎となった森林法第11条第 2 項第 1 号に掲げる森林の経営に関する長期の方針の明細
　（二）　森林法第11条第 1 項に規定する森林経営計画が定められている区域内に存する立木ごとの樹種及び樹齢別の価額（当該区域内に、第四章第二節一の11の②の（一）に規定する森林保健施設の整備に係る地区内又は計画的伐採対象森林の区域以外の区域内に存する立木がある場合には、これらの立木ごとの樹種及び樹齢別の価額）
　（三）　2 の規定により定めようとする分納税額の計算の明細並びに（一）に規定する森林経営計画並びに森林の経営の実施に関する長期の方針に基づく各相続人の立木ごとの伐採時期及び材積（当該立木が（二）に規定する森林保健施設の整備に係る地区内又は計画的伐採対象森林の区域以外の区域内に存する場合には、（二）に掲げる立木ごとの伐採時期及び材積）

6　森林施業計画の認定の取消し等があったときの延納税額の納期限

　1、2 及び 4 までの規定の適用を受けている者に係る 1 に規定する森林経営計画につき森林法第16条の規定による認定の取消しその他（1）の政令で定める事由が生じたときは、その事由が生じた時として（1）の政令で定める時をもって、その時以後に納付すべきであった分納税額の合計額のうち当該森林経営計画に係る森林計画立木部分の税額に係る部分（以下 6 において「納付すべき分納税額」という。）の納期限とする。この場合において、その者の延納期間のうち既に適用があった年数が15年（延納の許可を受けた年数が15年未満であるときは、当該年数）に満たないときは、税務署長は、当該納付すべき分納税額について、その者の申請により、当該満たない年数を延納期間として、一の 1《延納の要件等》及び五の 1《利子税》の規定を適用することができる。（措法70の 8 の 2 ⑦）

　　　（認定の取消しその他の政令で定める事由）
（1）　6 に規定する政令で定める事由は、6 に規定する森林経営計画（以下（2）までにおいて「森林経営計画」という。）に係る次の各号に掲げる事由とし、6 に規定する政令で定める時は、当該各号に定める時とする。（措令40の 9 ③）
　（一）　第四章第二節一の11の②の（一）に規定する認定の取消しがあったこと。当該認定の取消しがあった時
　（二）　5 年を 1 期とする森林経営計画につきその期間の満了の時に引き続いて第四章第二節一の11の②の（一）に規定する市町村長等の認定を受けなかったこと。当該期間の満了の時

　　　（税務署長への取消し等の通知義務）
（2）　第四章第二節一の11の②の（一）に規定する市町村の長は、森林経営計画につき同（一）に規定する認定をした場合又は（1）の（一）に規定する認定の取消しをした場合（当該認定又は当該認定の取消し（以下（2）において「認定等」という。）に係る森林所有者が個人である場合に限る。）には、当該認定等をした日から 4 月以内に、当該認定等をした旨、当該認定等をした年月日並びに当該森林所有者の氏名及び住所その他必要な事項を、書面により、当該森林所有者の住所地の所轄税務署長に通知しなければならない。（措令40の 9 ④）

7　延納の許可により納付すべき税額への適用

　1、2、4、5 及び 6 までの規定は、相続税の延納の許可を受けた者で、課税相続財産の価額のうちに 1 に規定する立木の価額の占める割合が10分の 2 以上であるものが当該許可により納付すべき相続税額に係る延納及び利子税について準用する。（措法70の 8 の 2 ⑨）
（注）　7 の規定により 4 の規定を準用する場合は、五の 8 の規定が適用される場合があることに留意すること。（編者注）

−324−

第八章　相続税の納付

三　不動産等に係る相続税の延納等の特例

1　不動産等部分の税額の延納期間の特例

　税務署長（**一**の**1**の(15)の国税局長が同(15)に規定する事務の引継ぎを受けた場合には、当該国税局長）は、**一**の**1**の規定により相続税額について延納の許可をする場合において、**二**の**1**に規定する課税相続財産の価額のうちに不動産、所得税法第2条第1項第19号に規定する減価償却資産で当該相続に係る被相続人の事業の用に供されていたものその他(1)で定める財産の価額の合計額（以下**三**において「**不動産等の価額**」という。）の占める割合が4分の3以上であるときは、当該延納を許可する相続税額のうち、当該不動産等の価額に対応するものとして**2**で定めるところにより計算した部分の税額（以下**三**において「**不動産等部分の税額**」という。）に係る延納期間については、納税義務者の申請により、**一**の**1**《延納の要件等》の規定にかかわらず、20年以内（**一**の**1**に規定する延納税額が200万円未満であるときは、当該延納税額を10万円で除して得た数（その数に1未満の端数があるときは、これを1とする。）に相当する年数以内）とすることができる。（措法70の10①）

　　（財産の範囲）
（1）　**1**に規定する延納等の特例の適用対象となる財産は、不動産の上に存する権利、立木並びに株式及び出資（相続又は遺贈（贈与をした者の死亡により効力を生ずる贈与を含む。）により財産を取得した者及びその者と次の各号に掲げる特別の関係がある当該各号に掲げる者が法人の発行済株式又は出資（その法人が有する自己の株式又は出資を除く。）の総数又は総額の10分の5を超える数又は金額の株式又は出資を有する場合における当該法人（その発行する株式が金融商品取引法第2条第16項に規定する金融商品取引所において上場されている法人その他これに類する法人として(2)の財務省令で定めるものを除く。）の株式又は出資に限る。）とする。（措令40の11①、令31①）
　（一）　当該納税義務者と婚姻の届出をしていないが事実上婚姻関係と同様の事情にある者及びその者の親族でその者と生計を一にしているもの
　（二）　当該納税義務者たる個人の使用人及び使用人以外の者で当該個人から受ける金銭その他の財産によって生計を維持しているもの並びにこれらの者の親族でこれらの者と生計を一にしているもの

　　（金融商品取引所に上場されている法人に類する法人）
（2）　(1)に規定する財務省令で定める法人は、次に掲げる法人とする。（措規23の16）
　（一）　その発行する株式（出資を含む。以下同じ。）が金融商品取引法第67条の11第1項に規定する店頭売買有価証券登録原簿（(三)において「店頭売買有価証券登録原簿」という。）に登録されている法人
　（二）　その発行する株式が金融商品取引法第2条第16項《定義》に規定する金融商品取引所に類するものであって外国に所在するものに上場されている法人
　（三）　その発行する株式が店頭売買有価証券登録原簿に類するものであって外国に備えられているものに登録されている法人

　　（不動産等の割合の判定）
（3）　**一**の**1**の(4)《不動産等の割合の判定》の規定は、**1**に規定する不動産等の価額の占める割合の判定について準用する。（以下略）（措令40の11③）

2　不動産等部分の税額

　1に規定する政令で定めるところにより計算した部分の税額は、**一**の**1**の規定による延納の許可を申請する者が第一節**二**の**1**又は同節の**一**の**3**の規定により納付すべき相続税額（その者が第四編第二章第一節の**1**、同編第三章第一節の**1**、第五編第一節の**1**、第六編第三章第一節の**1**、第七編第二章第一節の**1**、同編第三章第二節の**1**、同編第五章第一節の**1**、又は第八編第三章第一節の**1**の規定の適用を受ける者である場合には、第四編第二章第一節の**2**の(五)、第五編第一節の**2**の(六)、第六編第三章第一節の**2**の(三)、第七編第二章第一節の**2**の(五)、同編第三章第二節の**2**の(四)、同編第五章第一節の**2**の(八)、又は第八編第三章第一節の**1**の(1)に規定する納税猶予分の相続税額を控除した金額）に、**二**の**1**《森林計画立木部分の相続税の延納期間の特例》に規定する課税相続財産の価額のうちに**1**に規定する不動産等の価額の占める割合を乗じて計算した金額（その者が**二**の**1**の規定の適用を受ける者である場合には、同項に規定する課税相続財産の価額のうちに同項に規定する立木の価額の占める割合を乗じて計算した金額を控除した金額）に達するまでの税額とする。（措令40の11②）

—325—

3 利子税率の特例

1に規定する課税相続財産の価額のうちに不動産等の価額の占める割合が4分の3以上である場合には当該延納税額のうち不動産等部分の税額についての**五**《延納の利子税》の規定の適用については、同**1**の(一)のイ中年「5.4パーセント」とあるのは、「年3.6パーセント」とする。(措法70の10②)

(注) **3**の規定を適用する場合において、各分納期間の延納特例基準割合(各分納期間の開始の日の属する年の特例基準割合(**五の8の(1)**))が年7.3パーセントの割合に満たない場合には、当該分納期間においては、当該利子税の割合に当該延納特例基準割合が年7.3パーセントの割合のうちに占める割合を乗じて計算した割合(措法93③)が適用されるので、**五の8**を参照のこと。(編者注)

4 特例の適用手続

1及び**3**の規定の適用を受けようとする者は、**四の1**の延納申請書に**1**に規定する不動産、減価償却資産その他の財産の明細書を添付して、これを納税地の所轄税務署長に提出しなければならない。(措法70の10④)

5 延納の許可により納付すべき税額への適用

1、**3**及び**4**までの規定は、相続税の延納の許可を受けた者で、**1**に規定する課税相続財産の価額のうちに不動産等の価額の占める割合が4分の3以上であるものが当該許可により納付すべき相続税額に係る延納及び利子税について準用する。(措法70の10⑤)

(注) **5**の規定により**3**の規定を準用する場合は、**五の8**の規定が適用される場合があることに留意すること。(編者注)

【延納期間及び利子税率一覧表】

区 分		分 納 税 額	延納期間 (最高)	利子税
① 不動産等の価額が75%以上の場合	〈イ〉不動産等の価額に対応する延納相続税額(〈ロ〉を除く。)	年賦均等額	20年	年3.6%
	〈ロ〉計画伐採立木の割合が20%以上の計画伐採立木に係る延納相続税額	年賦均等額と計画伐採立木の伐採の時期及び材積に応ずる年賦不均等額との選択	20 (40)	年1.2
	〈ハ〉動産等に係る延納相続税額	年賦均等額	10	年5.4
② 不動産等の価額が50%以上75%未満の場合	〈イ〉不動産等に係る延納相続税額(〈ロ〉及び〈ハ〉を除く。)	年賦均等額	15	年3.6
	〈ロ〉計画伐採立木の割合が20%以上の計画伐採立木に係る延納相続税額	年賦均等額と計画伐採立木の伐採の時期及び材積に応ずる年賦不均等額との選択	20 (40)	年1.2
	〈ハ〉動産等に係る延納相続税額	年賦均等額	10	年5.4
③ 不動産等の価額が50%未満の場合	〈イ〉立木の割合が30%を超える場合の立木に係る延納相続税額(〈ロ〉を除く。)	年賦均等額	5	年4.8
	〈ロ〉計画伐採立木の割合が20%以上の計画伐採立木に係る延納相続税額	年賦均等額と計画伐採立木の伐採の時期及び材積に応ずる年賦不均等額との選択	5	年1.2
	〈ハ〉一般の延納相続税額(〈イ〉、〈ロ〉、〈ニ〉を除く。)	年賦均等額	5	年6.0
	〈ニ〉特別緑地保全地区内の土地に係る延納相続税額	年賦均等額	5	年4.2

(注)1 「延納期間」欄の「(40)」は、特定森林施業計画が定められた区域内に存する立木に係る森林計画立木部分の税額の最高延納期間である。(編者注)

2 利子税については、**五の8**《延納の利子税の割合の特例》の規定が適用される場合があることに留意する。(編者注)

—326—

第八章　相続税の納付

四　延納の申請手続及び許可

1　延納申請と許可

　一の1の規定による延納の許可を申請しようとする者は、その延納を求めようとする相続税の納期限までに、又は納付すべき日に金銭で納付することを困難とする金額及びその困難とする理由、延納を求めようとする税額及び期間、分納税額及びその納期限その他の(1)の財務省令で定める事項を記載した申請書《**相続税延納申請書**》に担保の提供に関する書類として(2)の財務省令で定めるもの（以下**四**において「**担保提供関係書類**」という。）を添付し、当該納期限までに、又は納付すべき日に、これを納税地の所轄税務署長に提出しなければならない。（法39①）

　　（相続税延納申請書の記載事項）
（1）　1に規定する財務省令で定める事項は、次に掲げる事項とする。この場合において、**五**《延納の利子税》の1の（一）のイ又はロ《不動産等の割合が10分の5以上である場合、又は不動産等の割合が10分の5未満で立木の価額の占める割合が30％を超える場合》に規定する場合に該当するときは、（五）又は（六）に掲げる事項については、延納を求めようとする相続税額を**一**の3の(1)に規定する不動産等に係る延納相続税額又は**五**の1の（一）のロに掲げる税額とその他の部分の延納相続税額とに区分した内訳並びに当該区分した延納相続税額に係る同イ又はロに定める割合、期間、分納税額及び納期限を併せて記載しなければならない。（規20①）
（一）　納税義務者の氏名及び住所又は居所又は名称及び所在地（納税管理人が当該申告書を提出する場合には、当該納税管理人の氏名及び住所並びに納税地）その他参考となるべき事項（個人番号を除く。以下同じ。）
（二）　納付すべき相続税額
（三）　納期限までに、又は納付すべき日に金銭で納付することを困難とする金額及びその困難とする理由
（四）　**一**の1の(1)の（二）に掲げる額及びその計算の明細
（五）　延納を求めようとする相続税額及び期間並びに分納税額及びその納期限
（六）　延納を求めようとする相続税額に併せて納付する利子税の額の計算に用いる割合
（七）　**一**の4のただし書の規定に該当しない場合には、担保を提供する旨（納税義務者以外の第三者が担保を提供する場合には、当該第三者のその旨及び氏名又は名称）並びに担保の種類、数量、価額及びその所在場所（その担保が保証人の保証である場合には、その保証人の氏名又は名称及び住所若しくは居所又は本店若しくは主たる事務所の所在地）
（八）　その他参考となるべき事項

　　（担保提供関係書類）
（2）　1に規定する財務省令で定める書類（以下「担保提供関係書類」という。）は、次の各号に掲げる担保の区分に応じ、当該各号に定める書類とする。（規20②）
（一）　有価証券　　次に掲げる有価証券の区分に応じ、それぞれ次に定める書類
　（イ）　登録国債　　国債規則（大正11年大蔵省令第31号）の規定により担保の登録をした旨の同令第41条《登録済通知書の交付》に規定する登録済通知書
　（ロ）　振替株式等（社債、株式等の振替に関する法律（平成13年法律第75号）第2条第1項第12号から第21号まで《定義》に掲げる株式その他の有価証券で同条第2項に規定する振替機関が取り扱うものをいう。）　　担保となる当該振替株式等の銘柄、数量及び金額を記載した書類
　（ハ）　（イ）及び（ロ）に掲げる有価証券以外の有価証券　　供託書の正本
（二）　土地　　次に掲げる書類（担保の提供に係る相続税の課税価格計算の基礎となった財産を担保に提供しようとする場合には、（ロ）に掲げるものを除く。）
　（イ）　担保となる土地の登記事項証明書
　（ロ）　担保となる土地の評価の明細（地方税法（昭和25年法律第226号）第341条第9号《固定資産税に関する用語の意義》に掲げる固定資産課税台帳に登録された価格について市町村長が交付する証明書（以下「固定資産税評価証明書」という。）を含む。）
　（ハ）　税務署長が提出を求めた場合には、次に掲げる書類を速やかに提出することを納税義務者が約する書類
　　①　抵当権の設定の登記に係る土地の所有者の当該設定を承諾する旨の書類（当該所有者の記名押印があるものに限る。）
　　②　①の土地の所有者の印鑑証明書

－327－

第一編　相続税

(三)　建物、立木及び登記される船舶並びに登録を受けた飛行機、回転翼航空機及び自動車並びに登記を受けた建設機械（以下(三)及び(五)において「建物等」という。）で、保険に付したもの　次に掲げる書類（担保の提供に係る相続税の課税価格計算の基礎となった財産を担保に提供しようとする場合には、(ロ)に掲げるものを除く。）

(イ)　担保となる建物等の登記事項証明書その他の登記又は登録がされている事項を明らかにする書類

(ロ)　担保となる建物等の評価の明細（固定資産税評価証明書を含む。）

(ハ)　税務署長が提出を求めた場合には、次に掲げる書類を速やかに提出することを納税義務者が約する書類

①　抵当権の設定の登記又は登録に係る建物等の所有者の当該設定を承諾する旨の書類（当該所有者の記名押印があるものに限る。）

②　①の建物等の所有者の印鑑証明書

(ニ)　保険業法（平成７年法律第105号）第２条第１項《定義》に規定する保険業その他これに類する事業を行う者に対して提出する書類で、担保となる建物等に付された保険に係る保険金請求権に質権を設定することの承認を請求するためのもの

(ホ)　担保となる建物等に付された保険に係る保険証券の写し

(四)　鉄道財団、工場財団、鉱業財団、軌道財団、運河財団、漁業財団、港湾運送事業財団、道路交通事業財団及び観光施設財団（以下(四)及び(五)において「鉄道財団等」という。）　次に掲げる書類（担保の提供に係る相続税の課税価格計算の基礎となった財産を担保に提供しようとする場合には、(ロ)に掲げるものを除く。）

(イ)　担保となる鉄道財団等の登記事項証明書その他の登記又は登録がされている事項を明らかにする書類

(ロ)　担保となる鉄道財団等の評価の明細（固定資産税評価証明書を含む。）

(ハ)　税務署長が提出を求めた場合には、次に掲げる書類を速やかに提出することを納税義務者が約する書類

①　抵当権の設定の登記又は登録に係る鉄道財団等の所有者の当該設定を承諾する旨の書類（当該所有者の記名押印があるものに限る。）

②　①の鉄道財団等の所有者の印鑑証明書

(五)　保証人の保証　保証人の保証を証する書類（当該保証人（保証人が法人の場合には、法人の代表者）の記名押印があるものに限る。）のほか、次に掲げる場合の区分に応じ、それぞれ次に定める書類

(イ)　保証人が個人の場合　次に掲げる書類

①　保証人が所有する土地、建物等及び鉄道財団等に係る(二)の(イ)及び(ロ)、(三)の(イ)及び(ロ)並びに(四)の(イ)及び(ロ)に掲げる書類（当該土地、建物等及び鉄道財団等が相続税の課税価格計算の基礎となったものである場合には、(二)の(イ)、(三)の(イ)及び(四)の(イ)に掲げる書類）

②　所得税法（昭和40年法律第33号）第226条第１項《源泉徴収票》の規定により交付された源泉徴収票その他の保証人の収入の状況を確認できる書類並びに当該保証人の財産及び債務の明細を記載した書類

③　保証人の印鑑証明書

(ロ)　保証人が法人の場合　次に掲げる書類

①　法人に係る登記事項証明書

②　法人がその役員である納税義務者のために保証する場合には、取締役会の議事録その他これに準ずる書類（法人が保証することにつき取締役会の承認その他これに準ずる手続をした事情を記載したものに限る。）

③　法人の代表者の印鑑証明書

　　（申請に対する許可又は却下）

(3)　税務署長は、**1**の規定による申請書の提出があった場合において、当該申請者及び当該申請に係る事項について**一の1**及び**一の3**の規定に該当するか否かの調査を行い、その調査に基づき、当該申請書の提出期限の翌日から起算して３月以内に当該申請に係る税額の全部又は一部について当該申請に係る条件若しくはこれを変更した条件により延納の許可をし、又は当該申請の却下をする。ただし、税務署長が延納を許可する場合において、当該申請者の提供しようとする担保が適当でないと認めるときは、その変更を求めることができる。

　　当該申請者が上記ただし書の規定による通知を受けた日の翌日から起算して20日以内にその変更に係る担保提供関係書類を納税地の所轄税務署長に提出しなかったときは、当該申請の却下をすることができる。(法39②、⑤)

　　（申請者への通知）

(4)　税務署長は、(3)の規定により許可をし、又は却下をした場合においては、当該許可に係る延納税額及び延納の条件又は当該却下をした旨及びその理由を記載した書面により、これを当該申請者に通知する。(法39③)

－328－

第八章　相続税の納付

　　　（担保の変更を求める場合の理由の通知）
（5）　税務署長は、（3）ただし書の規定により担保の変更を求める場合においては、その旨及びその理由を記載した書面により、これを当該申請者に通知する。（法39④）

　　　（延納の申請期限）
（6）　相続税の延納申請書は、延納を求めようとする相続税の納期限までに又は納付すべき日に提出しなければならないのであるが、この場合の提出期限は具体的には次に掲げる期限又は日となるのであるから留意する。（基通39－1）
　（一）　期限内申告書又は相続財産法人から財産の分与を受けたことによる修正申告書の提出により納付する相続税額　　これらの申告書の提出期限
　（二）　期限後申告書又は修正申告書（（一）に規定する修正申告書を除く。）の提出により第一節━の3の（一）の規定により納付する相続税額　　これらの申告書の提出の日
　（三）　更正又は決定により第一節━の3の（二）の規定により納付する相続税額　　その更正通知書又は決定通知書が発せられた日の翌日から起算して1月を経過する日

　　　（許可前納付があった場合の延納の許可）
（7）　延納の許可に当たり、既にその申請に係る分納税額として納付された額がある場合には、その納付額相当額を含めて延納を許可するものとする。
　　　この場合、その納付された額についても、利子税を徴収することとなることに留意する。（基通39－3）

　　　（分納税額の納期限を経過した後に延納する場合の取扱い）
（8）　延納申請に係る相続税の分納税額の全部又は一部について当該申請に係る分納税額の納期限を経過した後に延納を許可する場合においては、原則として、当該申請どおり許可し、当該許可をした延納税額のうち既に分納税額の納期限が経過しているものについては当該許可の日から1月以内の日をその分納税額の納期限とするものとする。（基通39－4）
（注）　この場合において、**8**の規定の適用があるときの利子税については、**五**の**5**の適用があることに留意する。

　　　（物納申請の却下等がされた後に延納する場合の取扱い）
（9）　相続税額の一部について延納申請がなされ、他の一部につき物納申請税額又は納税猶予税額（第四編第二章第一節の**1**、第四編第三章第一節**2**の（五）、第五編第一節**2**の（六）、第六編第三章第一節の**2**の（三）、第七編第二章第一節の**2**の（五）、同編第三章第二節の**2**の（四）、同編第五章第一節の**2**の（八）《納税猶予分の相続税額》、同編第六章第二節の**2**の（四）《納税猶予分の相続税額》又は第八編第三章第一節の**1**の（1）《経過措置医療法人・納税猶予分の相続税額の意義》に規定する納税猶予分の相続税の額をいう。以下同じ。）がある場合において、当該延納申請を許可する時までに、①物納申請が却下又は取り下げられているとき若しくは取り下げられたとみなされているとき、②納税猶予が認められないこととなっているときは、━の**1**の延納を許可することができる期間及び━の**3**の延納年割額の計算に当たっては、これらの物納申請又は納税猶予はなかったものとして計算したところにより、延納を許可するものとする。（以下略）（基通39－5）

　　　（担保が適当でないと認めるとき）
(10)　（3）ただし書きにおける「担保が適当でないと認めるとき」には、担保として提供された財産の価額が延納税額（利子税を含む。）に不足すると認められるため、追加の担保の提供を求める場合を含むのであるから留意する。（基通39－6）

2　担保提供関係書類の提出期限の延長

　　━の**1**の規定による延納の許可を申請しようとする者は、担保提供関係書類の全部又は一部を**1**の申請書の提出期限までに当該申請書に添付して提出することができない場合には、（1）の政令で定めるところにより、その旨、当該担保提供関係書類を提出する日その他（3）の財務省令で定める事項を記載した届出書（「**担保提供関係書類提出期限延長届出書**」という。）を納税地の所轄税務署長に提出することができる。この場合において、当該提出する日が記載されていないときは、当該提出期限の翌日から起算して3月を経過する日が記載されているものとみなす。（法39⑥）

－329－

第一編　相続税

（担保提供関係書類提出期限延長届出書の提出）
（１）　**2**に規定する担保提供関係書類提出期限延長届出書を提出しようとする者は、当該担保提供関係書類提出期限延長届出書を**1**の申請書に添付して納税地の所轄税務署長に提出しなければならない。（令15①）

（担保提供関係書類の一部が不足していたことを知った場合）
（２）　**1**の規定により**1**に規定する担保提供関係書類を**1**の申請書に添付して提出した者は、当該申請書の提出後において当該担保提供関係書類の一部が不足していたことを知った場合には、（１）の規定にかかわらず、**2**に規定する担保提供関係書類提出期限延長届出書を当該申請書の提出期限の翌日から起算して1月以内に限り、納税地の所轄税務署長に提出することができる。ただし、**3**の（２）の規定による当該担保提供関係書類の一部の提出を求める旨の通知があった場合は、この限りでない。（令15②）

（担保提供関係書類提出期限延長届出書の記載事項）
（３）　**2**（第三節**二**の11又は第三節**六**の**2**において準用する場合を含む。）に規定する財務省令で定める事項は、次に掲げる事項とする。（規20③）
（一）　第七章第一節**二**の（１）の（三）及び（四）に掲げる事項
（二）　**1**の申請書（第三節**六**の**2**において準用する場合には、同**2**の（２）の申請書）の提出期限までに当該申請書に添付して提出することができない担保提供関係書類
（三）　（二）の担保提供関係書類に係る担保の種類及びその所在場所（その担保が保証人の保証である場合には、その保証人の氏名又は名称）
（四）　その他参考となるべき事項

（担保提供関係書類の提出期限の延長）
（４）　**2**の規定により当該申請者が担保提供関係書類提出期限延長届出書を提出した場合には、担保提供関係書類（当該担保提供関係書類提出期限延長届出書に係るものに限る。（５）において同じ。）の提出期限は、当該担保提供関係書類提出期限延長届出書に記載された当該担保提供関係書類を提出する日（その日が**2**の提出期限の翌日から起算して3月を経過する日後である場合には、当該経過する日）とする。（法39⑦）

（提出期限までに担保提供関係書類を提出することができない場合）
（５）　**2**、（４）（（５）の規定により読み替えて適用する場合を含む。）の規定の適用を受けた者が（４）に規定する提出する日までに担保提供関係書類を提出することができない場合における**2**の規定の適用については、**2**中「**1**の申請書の提出期限までに当該申請書に添付して提出することができない場合」とあるのは、「（４）に規定する提出する日までに（４）の担保提供関係書類を提出することができない場合」とする。ただし、当該担保提供関係書類の提出期限は、**1**の申請書の提出期限の翌日から起算して6月を経過する日後とすることはできない。（法39⑧）

（申請に対する許可又は却下）
（６）　**2**、（４）、（５）の規定の適用がある場合における**1**の（３）の規定の適用については、同（３）中「当該申請書」とあるのは、「担保提供関係書類（**2**の担保提供関係書類提出期限延長届出書に係るものに限る。）」とする。（法39⑨）

（担保提供関係書類提出期限延長届出書の提出時期）
（７）　担保提供関係書類を（４）の担保提供関係書類提出期限までに提出することができないため、（５）により読み替えて**2**を適用する場合の担保提供関係書類提出期限延長届出書は、（４）の担保提供関係書類の提出期限までに提出するのであるから留意する。（基通39－7①）

（延長された提出期限までに担保提供関係書類の提出等がない場合）
（８）　（４）（（５）により読み替えて適用する場合を含む。）の規定により延長された担保提供関係書類の提出期限までに、当該申請者が担保提供関係書類の提出をしなかったときは、**1**の（３）の規定により延納の申請を却下するのであるから留意する。（基通39－8）

3　延納手続に必要な書類の補完の要請

税務署長は、**1**の規定による申請書の提出があった場合において、当該申請書についてその記載に不備があること又は

第八章　相続税の納付

担保提供関係書類についてその記載に不備があること若しくはその提出がないことその他の（1）の政令で定める事由があるときは、当該申請者に対して当該申請書の訂正又は当該担保提供関係書類の訂正若しくは提出を求めることができる。（法39⑩）

　　（担保提供関係書類等の訂正又は提出の請求）
（1）　**3**に規定する政令で定める事由は、次に掲げる事由とする。（令16）
　（一）　**1**の申請書について、その記載に不備があること。
　（二）　**1**に規定する担保提供関係書類について、その記載に不備があること又はその全部若しくは一部の提出がないこと。

　　（申請者への通知）
（2）　税務署長は、**3**の規定により申請書の訂正又は担保提供関係書類の訂正若しくは提出を求める場合においては、その旨及びその理由を記載した書面により、これを当該申請者に通知する。（法39⑪）

　　（申請書の訂正又は担保提供関係書類の訂正若しくは提出の期限）
（3）　**3**の規定により申請書の訂正又は担保提供関係書類の訂正若しくは提出を求められた当該申請者は、（2）の規定による通知を受けた日の翌日から起算して20日以内に当該申請書の訂正又は当該担保提供関係書類の訂正若しくは提出をしなければならない。この場合において、当該期間内に当該申請書の訂正又は当該担保提供関係書類の訂正若しくは提出をしなかったときは、当該申請者は、当該期間を経過した日において延納の申請を取り下げたものとみなす。（法39⑫）

4　延納手続に必要な書類の補完期限の延長

　3の規定により担保提供関係書類の訂正又は提出を求められた当該申請者は、**3**の（3）の経過した日の前日までに当該担保提供関係書類の訂正又は提出をすることができない場合には、（1）の政令で定めるところにより、その旨、当該担保提供関係書類の訂正又は提出をする日その他（2）の財務省令で定める事項を記載した届出書（（3）において「**担保提供関係書類補完期限延長届出書**」という。）を納税地の所轄税務署長に提出することができる。この場合において、当該訂正又は提出をする日が記載されていないときは、当該経過した日から起算して3月を経過する日が記載されているものとみなす。（法39⑬）

　　（担保提供関係書類補完期限延長届出書の提出）
（1）　**4**に規定する担保提供関係書類補完期限延長届出書を提出しようとする者は、当該担保提供関係書類補完期限延長届出書を**3**の（3）の経過した日の前日までに納税地の所轄税務署長に提出しなければならない。（令15③）

　　（担保提供関係書類補完期限延長届出書の記載事項）
（2）　**4**（第三節**二**の**11**又は第三節**六**の**2**において準用する場合を含む。）に規定する財務省令で定める事項は、次に掲げる事項とする。（規20④）
　（一）　第七章第一節**二**の（1）の（三）及び（四）に掲げる事項
　（二）　**3**の（3）（第三節**二**の**11**又は第三節**六**の**2**において準用する場合を含む。）の経過した日の前日までに訂正又は提出をすることができない担保提供関係書類
　（三）　（二）の担保提供関係書類に係る担保の種類及びその所在場所（その担保が保証人の保証である場合には、その保証人の氏名又は名称）
　（四）　その他参考となるべき事項

　　（担保提供関係書類の訂正又は提出の期限）
（3）　**4**の規定により当該申請者が担保提供関係書類補完期限延長届出書を提出した場合には、担保提供関係書類（当該担保提供関係書類補完期限延長届出書に係るものに限る。（4）において同じ。）の訂正又は提出の期限は、当該担保提供関係書類補完期限延長届出書に記載された当該担保提供関係書類の訂正又は提出をする日（その日が**4**の経過した日から起算して3月を経過する日後である場合には、当該経過する日）とする。（法39⑭）

－331－

第一編　相続税

　　　（提出期限までに担保提供関係書類を提出することができない場合）
（４）　**4**、（３）（（４）の規定により読み替えて適用する場合を含む。）の規定の適用を受けた者が（３）に規定する訂正又は
　　提出をする日までに担保提供関係書類の訂正又は提出をすることができない場合における**4**の規定の適用については、
　　4中「**3**の（３）の経過した日の前日」とあるのは、「（３）に規定する訂正又は提出をする日」とする。ただし、当該担保
　　提供関係書類の訂正又は提出の期限は、**3**の（２）の規定による通知を受けた日の翌日から起算して６月を経過する日後
　　とすることはできない。（法39⑮）

　　　（申請に対する許可又は却下）
（５）　**3**又は**4**、（３）、（４）の規定の適用がある場合における**1**の（３）の規定の適用については、同（３）中「以内」とあ
　　るのは、「に**3**の（２）の規定による通知を申請者が受けた日の翌日から申請書（**3**の規定に係るものに限る。）の訂正の
　　期限又は担保提供関係書類（**3**の規定に係るものに限る。）若しくは担保提供関係書類（**4**の担保提供関係書類補完期限
　　延長届出書に係るものに限る。）の訂正若しくは提出の期限（以下（５）において「申請書等の提出期限」という。）まで
　　の期間（**3**の（２）の規定による通知が複数ある場合には、それぞれの通知を受けた日の翌日から当該それぞれの通知に
　　係る申請書等の提出期限までの期間を合算した期間（これらの期間のうち重複する期間がある場合には、当該重複する
　　期間を合算した期間を除いた期間）とする。）を加算した期間内」とする。（法39⑯）

　　　（担保提供関係書類提出期限延長届出書又は変更担保提供関係書類提出期限延長届出書が提出されているときの担
　　　保提供関係書類の提出期限）
（６）　**3**の規定により担保提供関係書類の訂正又は提出が求められている場合において、当該担保提供関係書類に係る延
　　納についての担保提供関係書類提出期限延長届出書又は変更担保提供関係書類提出期限延長届出書が提出されていると
　　きは、（３）及び（４）ただし書の規定の適用については、（３）中「**4**の経過した日から起算して３月を経過する日後であ
　　る場合には、当該経過する日」とあるのは「当該訂正又は提出が求められている担保提供関係書類に係る延納について
　　の**2**の担保提供関係書類提出期限延長届出書又は**7**の変更担保提供関係書類提出期限延長届出書による期限後である場
　　合には、当該期限」と、（４）ただし書中「**3**の（２）の規定による通知を受けた日の翌日から起算して６月を経過する日」
　　とあるのは「当該訂正又は提出が求められている担保提供関係書類に係る延納についての**2**の担保提供関係書類提出期
　　限延長届出書又は**7**の変更担保提供関係書類提出期限延長届出書による期限」とする。（法39㉗）

　　　（担保提供関係書類補完期限延長届出書の提出時期）
（７）　担保提供関係書類を（３）の担保提供関係書類補完期限までに提出することができないため、（４）により読み替えて
　　4を適用する場合の担保提供関係書類補完期限延長届出書は、（３）の担保関係書類の補完期限までに提出するのである
　　から留意する。（基通39－7②）

　　　（延長された補完期限までに担保提供関係書類の訂正等がない場合）
（８）　（３）（（４）により読み替えて適用する場合を含む。）の規定により延長された担保提供関係書類の補完期限までに、
　　当該申請者が担保提供関係書類の訂正又は提出をしなかったときは、**1**の（３）の規定により延納の申請を却下するので
　　あるから留意する。（基通39－9）

5　延納申請の許可に係る審査期間

　　1の（３）の規定により、税務署長が、同（３）の調査を行う場合において、当該調査に３月を超える期間を要すると認め
　るときにおける同（３）の規定の適用については、同（３）中「３月」とあるのは、「６月」とする。（法39㉓）

　　　（調査に３月を超える期間を要すると認めるとき）
（１）　**5**に規定する「当該調査に３月を超える期間を要すると認めるとき」とは、次のようなものをいうのであるから留
　　意する。（基通39－11）
　　（一）　担保財産が多数ある場合
　　（二）　担保財産が遠隔地にある場合
　　（三）　非上場株式や保証人の保証など担保財産の評価に相当の期間を要する場合
　　（四）　自然災害等により担保財産の確認等が困難な場合（当該自然災害について**8**の（８）の規定の適用がある場合を除
　　　く。）

－332－

第八章　相続税の納付

（申請者への通知）
（２）　税務署長は、**5**又は**8**の（8）の規定の適用がある場合においては、その旨を記載した書面により、これを当該申請者に通知する。（法39㉖）

（申請に係る条件により延納の許可があったものとみなす場合）
（３）　**1**の（3）の本文に規定する期間内（**2**の（6）、**4**の（5）、**6**の（1）、**7**の（6）、**5**又は**8**の（8）の規定の適用がある場合には、これらの規定により読み替えて適用する**1**の（3）の本文に規定する期間内）に、税務署長が延納の許可又は当該延納の申請の却下をしない場合には、当該申請に係る条件により延納の許可があったものとみなす。（法39㉘）

（延納の許可があったものとみなされた場合の担保権の設定手続き等）
（４）　（3）の規定により、延納の許可があったものとみなされた場合において、申請者が当該許可に係る担保権の設定に必要な手続を了しているときは速やかに担保権の設定を行うのであるから留意する。
　　なお、延納申請書に記載された担保に係る担保提供関係書類が提出されていない場合には、申請者にその提出を求め、当該担保提供関係書類の提出が行われない場合には、**11**の規定によりあらかじめその申請者から弁明を聴いた上で当該延納許可を取り消すことができるのであるから留意する。（基通39－12）

（「当該申請に係る条件」の意義）
（５）　（3）の規定により、延納の許可があったものとみなされた場合の、当該申請に係る条件とは、延納申請書に記載された延納期間、分納期限及び分納税額（不動産対応部分と動産等対応部分に区分した各税額）をいい、これらが一の規定によっていなかった場合であっても当該申請書に記載された条件により許可したものとしてみなされるのであるから留意する。（基通39－13）

6　担保の変更を求められた場合の手続

　税務署長は、**1**の（3）ただし書の規定により担保の変更を求めた場合において、当該申請者が**1**の（5）の規定による通知を受けた日の翌日から起算して20日以内にその変更に係る担保提供関係書類を納税地の所轄税務署長に提出しなかったときは、同（3）の規定により当該申請の却下をすることができる。（法39⑤）

（担保の変更を求めた場合における申請に対する許可又は却下）
（１）　**1**の（3）ただし書の規定により担保の変更を求めた場合における同（3）本文の規定の適用については、同（3）本文中「当該申請書の提出期限」とあるのは、「**6**に規定する期限」とする。（法39⑰）

7　変更を求められた担保に係る担保提供関係書類の提出期限の延長

　1の（3）ただし書の規定により担保の変更を求められた者は、担保提供関係書類の全部又は一部を**6**に規定する期限までに提出することができない場合には、（1）の政令で定めるところにより、その旨、当該担保提供関係書類を提出する日その他（3）の財務省令で定める事項を記載した届出書（（4）及び**4**の（6）において**「変更担保提供関係書類提出期限延長届出書」**という。）を納税地の所轄税務署長に提出することができる。この場合において、当該提出する日が記載されていないときは、当該期限の翌日から起算して３月を経過する日が記載されているものとみなす。（法39⑱）

（変更担保提供関係書類提出期限延長届出書の提出）
（１）　**7**に規定する変更担保提供関係書類提出期限延長届出書を提出しようとする者は、当該変更担保提供関係書類提出期限延長届出書を**6**に規定する期限までに納税地の所轄税務署長に提出しなければならない。（令15④）

（申請者が担保提供関係書類の一部が不足していたことを知った場合）
（２）　**1**の（3）ただし書の規定による担保の変更に係る**1**に規定する担保提供関係書類を**6**に規定する期限までに提出した者は、当該期限後において当該担保提供関係書類の一部が不足していたことを知った場合には、（1）の規定にかかわらず、**7**に規定する変更担保提供関係書類提出期限延長届出書を**6**に規定する期限の翌日から起算して１月以内に限り、納税地の所轄税務署長に提出することができる。ただし、**3**の（2）の規定による当該担保提供関係書類の一部の提出を求める旨の通知があった場合は、この限りでない。（令15⑤）

－333－

第一編　相続税

（変更担保提供関係書類提出期限延長届出書の記載事項）
（３）　**7**（第三節**二**の**11**又は第三節**六**の**2**において準用する場合を含む。）に規定する財務省令で定める事項は、次に掲げる事項とする。（規20⑤）
　（一）　第七章第一節**二**の（１）の（三）及び（四）に掲げる事項
　（二）　**6**（第三節**二**の**11**又は第三節**六**の**2**において準用する場合を含む。）に規定する期限までに提出することができない担保提供関係書類
　（三）　（二）の担保提供関係書類に係る担保の種類及びその所在場所（その担保が保証人の保証である場合には、その保証人の氏名又は名称）
　（四）　その他参考となるべき事項

（担保提供関係書類の提出期限）
（４）　**7**の規定により当該申請者が変更担保提供関係書類提出期限延長届出書を提出した場合には、担保提供関係書類（当該変更担保提供関係書類提出期限延長届出書に係るものに限る。（５）において同じ。）の提出期限は、当該変更担保提供関係書類提出期限延長届出書に記載された当該担保提供関係書類を提出する日（その日が**7**の期限の翌日から起算して３月を経過する日後である場合には、当該経過する日）とする。（法39⑲）

（提出期限までに担保提供関係書類を提出することができない場合）
（５）　**7**、（４）（（５）の規定により読み替えて適用する場合を含む。）の規定の適用を受けた者が（４）に規定する提出する日までに担保提供関係書類を提出することができない場合における**7**の規定の適用については、**7**中「**6**に規定する期限」とあるのは、「（４）に規定する提出する日」とする。ただし、当該担保提供関係書類の提出期限は、**1**の（５）の規定による通知を受けた日の翌日から起算して６月を経過する日後とすることはできない。（法39⑳）

（申請に対する許可又は却下）
（６）　**7**、（４）、（５）の規定の適用がある場合における**1**の（３）及び**6**の規定の適用については、**1**の（３）中「当該申請書」とあるのは「担保提供関係書類（**7**の変更担保提供関係書類提出期限延長届出書に係るものに限る。）」と、**6**中「**1**の（５）の規定による通知を受けた日の翌日から起算して20日以内にその変更に係る」とあるのは「（６）の規定により読み替えて適用する**1**の（３）の担保提供関係書類の提出期限までにその変更に係る当該」とする。（法39㉑）

（延長された提出期限までに変更担保提供関係書類の提出等がない場合）
（７）　（４）（（５）により読み替えて適用する場合を含む。）の規定により延長された変更担保提供関係書類の提出期限までに、当該申請者が変更担保提供関係書類の提出をしなかったときは、**1**の（３）の規定により延納の申請を却下するのであるから留意する。（基通39－10）

（変更担保提供関係書類提出期限延長届出書の提出時期）
（８）　担保提供関係書類を（４）の変更担保提供関係書類提出期限までに提出することができないため、（５）により読み替えて**7**を適用する場合の変更担保提供関係書類提出期限延長届出書は、（４）の担保関係書類の提出期限までに提出するのであるから留意する。（基通39－7③）

8　災害その他やむを得ない理由が生じた場合の申告期限等の延長

　次の（一）及び（二）に掲げる場合における延納の許可の申請に係る手続をその期限までに行うことができない者に係る**四**の規定の適用については、次の（一）及び（二）に掲げる場合の区分に応じ、それぞれに定めるところによる。（法39㉒）

（一）	国税通則法第11条《災害等による期限の延長》の規定の適用がある場合	**四**の規定の適用については、**2**の（５）のただし書中「６月」とあるのは「６月に国税通則法第11条《災害等による期限の延長》に規定する災害その他やむを得ない理由が生じた日から同条の規定により延長された期限までの期間（以下**四**において「災害等延長期間」という。）を加算した期間」と、**4**の（４）のただし書、**7**の（５）のただし書及び**4**の（６）中「６月」とあるのは「６月に災害等延長期間（国税通則法第11条に規定する災害その他やむを得ない理由が生じた日以後に当該通知を受けた場合には、同日から当該通知を受けた日までの期間を除く。）を加算した期間」とする。
（二）	（一）に掲げる場合のほ	**6**に定める担保提供関係書類の提出期限その他（２）の政令で定める手続に関する期限に

－334－

	か、（1）の政令で定める やむを得ない事由が生じ た場合	ついては、当該やむを得ない事由により当該手続を行うことができない期間として（3） の政令で定める期間延長する。

（延納の許可の申請に係る手続に関する期限が延長される事由）
（1）　**8**の（二）に規定する政令で定めるやむを得ない事由は、次に掲げる事由とする。（令16の2①）
　（一）　延納の許可の申請に係る手続を行う者が死亡したこと。
　（二）　延納の許可の申請に対する処分に係る不服申立て又は訴えの提起があったこと。

（手続に関する期限）
（2）　**8**の（二）に規定する政令で定める手続に関する期限は、次に掲げる期限とする。（令16の2②）
　（一）　**6**に定める担保提供関係書類の提出の期限
　（二）　**2**の（4）に定める担保提供関係書類（**2**に規定する担保提供関係書類提出期限延長届出書〔**2**の（5）の規定により読み替えて適用する**2**の規定により提出されたものを含む。〕に係るものに限る。）の提出期限
　（三）　**2**の（5）の規定により読み替えて適用する**2**に定める担保提供関係書類提出期限延長届出書の提出期限
　（四）　**3**の（3）に定める申請書の訂正又は担保提供関係書類の訂正若しくは提出の期限
　（五）　**4**に定める担保提供関係書類補完期限延長届出書の提出の期限
　（六）　**4**の（3）に定める担保提供関係書類（**4**に規定する担保提供関係書類補完期限延長届出書〔**4**の（4）の規定により読み替えて適用する**4**の規定により提出されたものを含む。〕に係るものに限る。）の訂正又は提出の期限
　（七）　**4**の（4）の規定により読み替えて適用する**4**に定める担保提供関係書類補完期限延長届出書の提出の期限
　（八）　**7**に定める変更担保提供関係書類提出期限延長届出書の提出の期限
　（九）　**7**の（4）に定める担保提供関係書類（**7**に規定する変更担保提供関係書類提出期限延長届出書〔**7**の（5）の規定により読み替えて適用する**7**の規定により提出されたものを含む。〕に係るものに限る。）の提出期限
　（十）　**7**の（5）の規定により読み替えて適用する**7**に定める変更担保提供関係書類提出期限延長届出書の提出の期限

（やむを得ない事由により当該手続を行うことができない期間）
（3）　**8**の（二）に規定する政令で定める期間は、次の各号に掲げる場合の区分に応じ当該各号に定める期間とする。（令16の2③）

（一）	（1）の（一）に掲げる事由 に該当する場合	次のイ又はロに掲げる期間のうちいずれか長い期間 イ　（1）の（一）の者が死亡した日の翌日から同日以後10月を経過する日までの期間 ロ　イの者が死亡した日の翌日から当該者の相続財産について民法第952条第2項《相 　続財産の清算人の選任》の規定による公告があった日までの期間
（二）	（1）の（二）に掲げる事由 に該当する場合	（1）の（二）の処分があった日の翌日から同（二）の不服申立て又は訴えについての決定 若しくは裁決又は判決が確定する日までの期間

　（注）　令和5年3月31日以前に民法等の一部を改正する法律（令和3年法律第24号）第1条の規定による改正前の民法（明治29年法律第89号）第
　　　952条第1項の規定により相続財産の管理人が選任された場合における令和5年度正後の（3）の（一）のロの規定の適用については、（3）中「民
　　　法第952条第2項《相続財産の清算人の選任》」とあるのは、「民法等の一部を改正する法律（令和3年法律第24号）附則第4第4項《相続財産
　　　の清算に関する経過措置》の規定によりなお従前の例によることとされる場合における同法第1条の規定による改正前の民法第952条第2項
　　　《相続財産の管理人の選任》」とする。（令5改令附7）

（担保提供関係書類提出期限延長期限等の最大延長可能日）
（4）　**8**の（二）の適用における**2**の（5）のただし書、**4**の（4）のただし書又は**7**の（5）のただし書の規定による担保提供
　関係書類の訂正又は提出の期限は、次に掲げる日の翌日から起算して6月に同**8**の（二）に規定する期間を加算した期間
　を経過する日までとなることに留意する。（基通39-7の2）
　（一）　**2**の（5）のただし書…**1**の申請書の提出期限
　（二）　**4**の（4）のただし書…**3**の（2）の規定による通知を受けた日
　（三）　**7**の（5）のただし書…**1**の（5）の規定による通知を受けた日

第一編　相続税

　　　（延納の許可の申請に係る手続を行う者）
（5）　(1)の(一)に規定する「延納の許可の申請に係る手続を行う者」とは、1の規定による延納の許可の申請を行った者（納税義務者）をいい、当該申請を行った者が死亡したことにより当該申請者としての地位を承継した者を含むものであることに留意する。（基通39-10の2）

　　　（(1)の(二)の「不服申立て」）
（6）　(1)の(二)の「不服申立て」とは、3に規定する処分については、3の(3)に規定する期限までに行われた不服申立てに限られるのであるから留意する。（基通39-10の3）
　　（注）　3の(3)に規定する期限を経過した場合、延納申請は取り下げたものとみなされることに留意する。

　　　（処分があった日）
（7）　(3)の(二)に規定する「処分があった日」とは、延納の許可の申請に係る処分に係る書類を発した日をいうことに留意する。（基通39-10の4）

　　　（8の適用期間の重複）
（8）（一）　8の(一)又は(二)の適用において、延納の許可の申請に係る手続の期限内に8の(一)(二)に掲げる場合が複数生じた場合における延納の許可の申請に係る手続の期限は、通則法第11条による延長後の期限又は8の(二)による延長後の期限のいずれか遅い日となることに留意する。
　　（二）　延納の許可の申請に係る手続の期限内において、8の(一)又は(二)に掲げる場合が生じ延納の許可の申請に係る手続の期限が延長（以下「**一次延長**」という。）された場合において、その延長された手続の期間中に8の(1)の(一)に掲げる事由が生じたときにおける8の(2)の期限は、8の(1)の(一)の者が死亡した日の翌日から同日以後10月を経過する日と8の(1)の(一)の者が死亡した日の翌日から当該者の相続財産について民法第952条第2項の規定による公告があった日のいずれか遅い日（以下「**二次延長の期限**」という。）となることに留意する。この場合における延納の許可の申請に係る延長後の手続の期限は、一次延長の期限と二次延長の期限のいずれか遅い日となることに留意する。
　　（三）　8の(一)又は(二)の適用において、8の(一)及び(二)に掲げる場合が複数生じた場合における2の(5)ただし書、4の(4)ただし書又は7の(5)ただし書に規定する担保提供関係書類の訂正又は提出の期限は、(4)に掲げる日の翌日から起算して6月に、先に生じた8の(一)又は(二)に掲げる場合に係る災害等延長期間等（8の(一)の規定により読み替えて適用する2の(5)ただし書に規定する災害等延長期間又は8の(二)に規定する期間をいう。以下**四**において同じ。）と、後に生じた8の(一)及び(二)に掲げる場合に係る災害等延長期間等のうち先に生じた8の(一)及び(二)に掲げる場合に係る災害等延長期間等と重複する期間を除いた期間を加算した日を経過する日までとなることに留意する。（基通39-10の5）
　　（注）　8の(一)(二)の適用期間の全部又は一部が重複する場合の取扱いについて、設例を基に示せば、次のとおりである。
　　設例1　下線部分通則法第11条により延長された期限（以下「通11条期限」といい、**四**において同じ。）担保提供関係書類提出延長期限（当初）までに、通則法第11条に規定する災害その他やむを得ない理由が生じ、かつ、延納申請者が死亡した（8の(1)の(一)に掲げる事由が生じた）場合において、より延納申請者が死亡した日の翌日から10月を経過する日が遅い場合

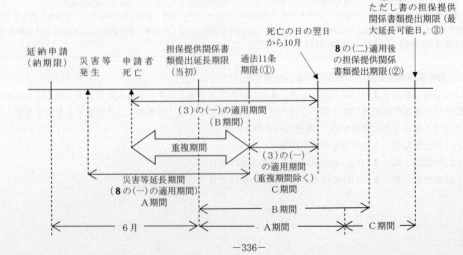

-336-

第八章　相続税の納付

　　上記の場合において、通11条期限（①）より8の（二）適用後の担保提供関係書類提出延長期限（②）が遅いことから、8適用後の担保提供関係書類提出延長期限は8の（二）適用後の担保提供関係書類提出延長期限（②）となる。また、納納申請者の死亡の日の翌日から通11条期限までの期間が、8の（一）及び（二）（（3）の（一））の規定の適用において重複することから、8の（一）及び（二）適用による2の（5）ただし書の担保提供関係書類提出期限（最大延長可能日）は、延納申請期限（1の申請書の提出期限）の翌日から起算して6月に、災害等延長期間（A期間）と8の（3）の（一）の適用期間（B期間）のうち災害等延長期間（A期間）と重複する期間を除いた期間（C期間）を加算した日（8適用後の2の（5）ただし書の担保提供関係書類提出期限（最大延長可能日。③））となる。

　　設例2　担保提供関係書類提出延長期限（当初）までに、通則法第11条に規定する災害その他やむを得ない理由が生じ、かつ、延納申請者が死亡した（8の（1）の（一）に掲げる事由が生じた）場合において、通11条期限より延納申請者が死亡した日の翌日から10月を経過する日が早い場合

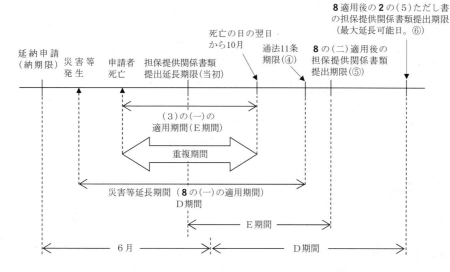

　　上記の場合において、通11条期限（④）より8の（二）適用後の担保提供関係書類提出延長期限（⑤）が遅いことから、8適用後の担保提供関係書類提出延長期限は8の（二）適用後の担保提供関係書類提出延長期限（⑤）となる。また、延納申請者の死亡の日の翌日から10月を経過する日までの期間の全てが、8の（一）及び（二）（（3）の（一））の規定の適用において重複することから、8の（一）及び（二）の規定の適用による2の（5）ただし書の担保提供関係書類提出期限（最大延長可能日）は、延納申請期限（1の申請書の提出期限）の翌日から起算して6月に、災害等延長期間（D期間）を加算した日（8適用後の2の（5）ただし書の担保提供関係書類提出期限（最大延長可能日。⑥））となる（8の（二）（（3）の（一））の適用による加算期間がない。）。

（災害その他やむを得ない理由が生じたときの申請に対する許可又は却下）
（9）　1の（3）の規定により税務署長が1の（3）の調査を行う場合において、国税通則法第11条に規定する災害その他やむを得ない理由が生じたとき、又は（1）に規定するやむを得ない事由が生じたときにおける1の（3）の規定の適用については、1の（3）中「3月以内」とあるのは、「3月（5の規定の適用がある場合には、6月）に8の（一）の規定により読み替えて適用する2の（5）のただし書に規定する災害等延長期間又は（3）の（二）で定める期間を加算した期間内」とする。（法39㉔）

（申請に対する許可又は却下の読替規定）
（10）　8の規定の適用がある場合において、2の（6）、6の（1）又は7の（6）の規定により読み替えられた1の（3）の規定を適用するときは、（4）の規定は、適用しない。（法39㉕）

（税務署長の調査期間に係る災害等延長期間の重複）
（11）　（9）の適用において、8の（一）及び（二）に掲げる場合が複数生じた場合は、3月（5の規定の適用がある場合には6月）に、先に生じた8の（一）及び（二）に掲げる場合に係る災害等延長期間等の期間と、後に生じた同項各号に掲げる場合に係る災害等延長期間等のうち先に生じた8の（一）及び（二）に掲げる場合に係る災害等延長期間等と重複する期間を除いた期間を加算した期間内となることに留意する。（基通39－11の2）

（8の規定の適用がある場合）
（12）　（10）の「8の規定の適用がある場合」には、1の（3）及び3の（3）に規定する期限が通則法第11条の規定により延長された場合を含むものとする。（基通39－11の3）

－337－

第一編　相続税

　なお、申請者が通則法第11条に規定する災害その他やむを得ない理由が生じた日以後に**1**の（5）又は**3**の（2）の通知を受けた場合における同日から当該通知を受けた日までの期間は、（8）の規定の適用があることに留意する。
（注）　通則法第11条に規定する災害その他やむを得ない理由が生じた日以後に**1**の（5）又は**3**の（2）の通知を受けた場合の取扱いについて、設例を基に示せば、次のとおりである。

　　設例　通則法第11条の延長期間中に**3**の補完通知を受領した場合

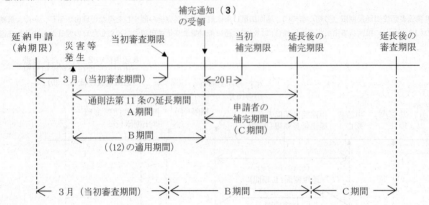

　上記の場合において、通則法第11条の延長期間のうち、同条に規定する災害その他やむを得ない理由が生じた日から**3**の（2）の通知を受領した日までの期間が、（9）の適用期間となる。

9　延納条件の変更等

①　納税義務者の変更承認申請

　延納の許可を受けた者は、その後の資力の状況の変化等により延納の条件について変更を求めようとする場合においては、その変更を求めようとする条件その他の（1）の財務省令に定める事項を記載した申請書を当該延納の許可をした税務署長に提出することができる。（法39㉚）

　　（延納条件の変更承認の申請書の記載事項）
（1）　①（第三節**二**の**11**又は第三節**六**の**2**において準用する場合を含む。）に規定する財務省令で定める事項は、次に掲げる事項とする。この場合において、**1**の（1）後段の規定は、（二）及び（三）に掲げる事項について準用する。（規20⑦）
　（一）　第七章第一節**二**の（1）の（三）及び（四）に掲げる事項又は第二編第六章第一節**二**の**1**の（二）及び（三）に掲げる事項
　（二）　許可に係る延納期間並びに分納税額及びその納期限
　（三）　変更を求めようとする延納期間又は分納税額及びその納期限並びにその変更を求めようとする理由
　（四）　その他参考となるべき事項

　　（延納条件の変更の範囲）
（2）　①の規定は、延納の許可を受けた者が、延納の許可後資力の状況の変化等により許可に係る延納の条件ではその履行が困難である場合などにおいて、分納期限が到来していない分納税額について延納の条件の変更を求めることができるという趣旨であるから留意する。
　ただし、分納期限が経過しても分納税額の履行がない場合で、その不履行が一時的な資金繰りの悪化によるものであるときは、当該延納の許可を受けた者の弁明を聴いた上で、当該分納期限経過後おおむね2月以内に、延納の条件を変更しても差し支えないものとする。
　なお、延納の条件を変更する範囲は次のとおりである。（基通39－14）
　（一）　分納期限の延長　　分納期限を延長する変更については、次回の分納期限（当初の延納の許可に係る分納期限）の前日までを限度とする。
　（二）　分納期限の再延長　　分納期限を延長した後においても、当該延長に係る延納の条件の変更事由が継続するなどやむを得ない事情が存する場合には、当該延長後の分納期限について、次回の分納期限（最初の延長に係る分納期限）の前日まで延長（再延長）しても差し支えない。
　（注）　分納期限の延長、再延長について図示すると次のとおりである。

-338-

第八章　相続税の納付

再延長された第１回目の分納期限
（延長された第２回目の前日）

延長された
第１回目の分納期限
（第２回目の前日）

延長された
第２回目の分納期限
（第３回目の前日）

第１回目の
分納期限

第２回目の
分納期限

第３回目の
分納期限

延　長　　　　　　　再延長

延　長

（三）　延納期間の延長　　延納の申請に基づいて許可された延納期間（年数）については、当該申請者について申請当時法律上延納できることとされている期間（年数）まで延長できるものとする。

（四）　延長できる最終の分納期限　　（一）から（三）により延長できる最終の分納期限は、当該延納の許可を受けた者について法律上延納できることとされている最終納期限を限度とする。

（延納条件の変更と担保）
（３）　❶の規定により延納の条件を変更する場合において、提供されている担保物の価額が条件変更後の延納税額を担保するのに不十分であると認められるときは、国税通則法第51条第１項《担保の変更等》の規定による増担保の提供等の命令を行うものであるから留意する。（基通39－15）

（申請に対する許可又は却下）
（４）　**１**の（３）及び同（４）の規定は、❶の規定による延納の許可を受けた者が❶の申請書を提出した場合について準用する。この場合において、**１**の（３）中「の提出期限」とあるのは「を提出した日」と、「３月」とあるのは「１月」と読み替えるものとする。（法39㉛）

（変更ができる場合）
（５）　延納の許可後、次のような事情が生じた場合には、原則として、分納期限未到来の延納税額について延納の条件の変更をすることができる。（平成５年５月28日徴管５－６、徴徴２－４、課資２－138、編者補正）
　イ　延納の許可を受けた者につき、相続財産の譲渡が計画どおりいかない等のため一時的に資金繰りが悪化し、許可に係る延納の条件では履行が困難となった場合
　ロ　計画伐採立木に係る相続税の延納の許可を受けた者につき、森林法第12条の規定による森林施業計画の変更があり、許可に係る延納の条件が適当でなくなった場合
　ハ　延納税額の数回分が繰上納付されたため、その納付の状況が許可に係る延納の条件と著しく異なることとなったような場合

（変更の範囲）
（６）　延納の許可後、当該許可に係る延納の条件では履行が困難であるという事由で延納の条件を変更する範囲は、次のとおりとする。（平成５年５月28日徴管５－６、徴徴２－４、課資２－138、編者補正）
　イ　分納期限の延長　　分納期限を延長する変更は、次回の分納期限（当初の許可に係るもの）の前日までを限度とする。ただし、最初の分納期限の延長が行われた後、（５）のイに掲げる事由が継続するなどやむを得ない事情が存する場合には、当該延長後の分納期限について、次回の分納期限（最初の延長に係るもの）の前日まで延長しても差し支えないものとする。
　ロ　延納期間の延長　　延納の申請に基づいて許可された延納期間（年数）については、当該申請者について申請当時法律上延納できることとされている期間（年数）まで延長することができるものとする。
　ハ　延長できる最終の分納期限　　イ及びロにより延長できる最終の分納期限は、当該延納の許可を受けた者について法律上延納できることとされている最終納期限を限度とするものであるから留意する。
　（注）　延納の条件を変更する場合には、提供されている担保物の価額が条件変更後の延納税額を担保するに不十分であると認められるときは、増担保の提供又は担保の変更を求めるものとする。

（変更の手続）
（７）　延納の条件の変更は、原則として、延納の許可を受けた者からの申請により、分納期限未到来の延納税額について

第一編　相続税

行うものとする。（平成5年5月28日徴管5－6、徴徴2－4、課資2－138、編者補正）

②　税務署長による変更又は取消し

　税務署長は、延納の許可を受けた者のその後の資力の状況の変化等により当該許可に係る条件により延納を認めることが適当でないと認める場合においては、その者の弁明を聴いた上、その許可を取り消し、又は延納期間の短縮その他延納の条件の変更をすることができる。（法39㉜）

　　　（税務署長による変更）
（1）　①の（5）のイに掲げる事由により分納期限（当初の許可又は最初の延長に係るもの）が経過しても分納税額の納付がない場合には、当該分納期限経過後おおむね2か月以内に、延納の許可を受けた者の弁明を聴いた上、延納の条件を変更することができるものとする。（平成5年5月28日徴管5－6、徴徴2－4、課資2－138、編者補正）

　　　（税務署長による取消し）
（2）　①の（5）のイに掲げる事由により分納期限（当初の許可又は最初の延長に係るもの）が経過しても分納税額の納付がないときには、（1）により、延納の条件の変更の可否を検討することとし、その間、国税徴収法第2条第12号に規定する強制換価手続が開始されたとき、延納の許可を受けた者が死亡し、その相続人が限定承認したときなど当該分納税額の徴収上支障がある場合を除き、延納の許可を取り消さないこととする。（平成5年5月28日徴管5－6、徴徴2－4、課資2－138、編者補正）

　　　（処分の通知）
（3）　税務署長は、②の規定により延納の許可を取り消し、又は延納の条件を変更した場合においては、その旨及びその理由を記載した書面により、これを納税義務者に通知する。（法39㉝）

　　　（延納期間の短縮等）
（4）　②の規定は、税務署長が延納の許可を受けた者から資力の状況の変化等について弁明を聴いた上で、その弁明に係る事情を考慮して、延納許可の取消し又は延納条件の変更の処分をする必要があると認める場合においてだけ当該処分をすることができるという趣旨であるから留意する。
　　なお、延納の許可を受けた者に対して期限を定めて弁明を求めた場合において、当該期限までに正当な理由がなく弁明をしないときは、弁明を聴くことなく当該処分をするものとする。（基通39－16）

　　　（弁明の方法）
（5）　②に規定する「弁明」の方法は、口頭又は書面のいずれによるも差し支えないものとするが、口頭による場合においては後日の紛争を避ける等のため、聴取書を作成する等その事績を明らかにしておくものとする。（基通39－17）

10　延納申請があった場合の徴収猶予

　税務署長は、1の規定による申請書の提出があった場合において相当の事由があると認めるときは、相続税の全部又は一部の徴収を猶予することができる。（法40①）

　　　（徴収を猶予する期間）
（1）　10の規定により徴収を猶予する期間は、当該申請に係る相続税額の第一節二の1又は同一の3に規定する納期限の翌日から、次に掲げる日までの期間をいうのであるから留意する。（基通40－1）
　　（一）　延納申請に係る相続税額の全部又は一部についてその許可をした場合　　延納許可の日（延納許可があったものとみなされる日）
　　（二）　延納申請に係る相続税額の全部又は一部についてその却下をした場合　　延納却下があった日
　　（三）　延納申請に係る相続税額の全部又は一部についてみなす取下げ又は取下げがあった場合　　みなす取下げ又は取下げがあった日

11　延納の取消し

　税務署長は、延納の許可を受けた者が延納税額（当該延納税額に係る利子税又は延滞税に相当する額を含む。）の滞納その他延納の条件に違反したとき、その者が当該延納税額に係る担保につき国税通則法第51条第1項《担保の変更等》の規

－340－

定による命令に応じなかったとき、当該延納税額に係る担保物につき国税徴収法第2条第12号《定義》に規定する強制換価手続が開始されたとき又は当該延納の許可を受けた者が死亡し、その相続人が限定承認をしたときは、その許可を取り消すことができる。この場合においては、当該強制換価手続が開始されたとき及び限定承認をしたときを除き、あらかじめその者の弁明を聴かなければならない。（法40②）

　　　（取消しの通知）
（1）　税務署長は、**11**の規定により延納の許可を取り消した場合においては、その旨及びその理由を記載した書面により、これを納税義務者に通知する。（法40③）

　　　（弁明の方法）
（2）　**11**に規定する「弁明」については**9**の②の（4）のなお書及び同②の（5）の取扱いに準ずるものとする。（基通40－2）

12　延納の担保

　国税に関する法律の規定により提供される担保の種類は、次に掲げるものとする。（通法50）

(一)	国債及び地方債
(二)	社債（特別の法律により設立された法人が発行する債券を含む。）その他の有価証券で税務署長等（国税に関する法律の規定により国税庁長官又は国税局長が担保を徴するものとされている場合には、国税庁長官又は国税局長。以下において同じ。）が確実と認めるもの
(三)	土地
(四)	建物、立木及び登記される船舶並びに登録を受けた飛行機、回転翼航空機及び自動車並びに登記を受けた建設機械で、保険に付したもの
(五)	鉄道財団、工場財団、鉱業財団、軌道財団、運河財団、漁業財団、港湾運送事業財団、道路交通事業財団及び観光施設財団
(六)	税務署長等が確実と認める保証人の保証
(七)	金銭

　　　（取引相場のない株式の延納担保）
注　相続若しくは遺贈により取得した取引相場のない株式を担保とした延納申請があった場合において、次のいずれかに該当する事由があるときは、当該株式を延納の担保として認めることができる。（基通39－2）
　（一）　相続若しくは遺贈により取得した財産のほとんどが取引相場のない株式であり、かつ、当該株式以外に延納の担保として提供すべき適当な財産がないと認められること。
　（二）　取引相場のない株式以外に財産があるが、当該財産が他の債務の担保となっており、延納の担保として提供することが適当でないと認められること。

五　延納の利子税

1　利子税　（利子税の割合については、**2**の特例に留意＝編者）

　延納の許可を受けた者は、次の各号のいずれかに該当する場合においては、分納税額に併せて当該各号に掲げる利子税を納付しなければならない。（法52①）

(一)	第1回に納付すべき分納税額を納付する場合においては、当該延納税額を基礎とし、当該延納の許可を受けた相続税額の第一節**二**の**1**又は第一節**一**の**3**の規定による納期限又は納付すべき日（第七章第六節三の**7**《相続税法による延滞税の特則》の②の（一）の規定に該当する場合には同（一）に規定する期限後申告書又は修正申告書を提出した日とし、同②の（二）の規定に該当する場合には同（二）に規定する更正通知書又は決定通知書を発した日とする。**4**において同じ。）の翌日から当該分納税額の納期限までの期間に応じ、年6.6パーセントの割合（次のイ又はロに掲げる延納相続税額については、それぞれイ又はロに定める割合。（二）において**「利子税の割合」**という。）を乗じて算出した金額に相当する利子税（6.6パーセントの割合については、**7**の特例に留意＝編者）

－341－

第一編　相続税

		課税相続財産の価額（一の1に規定する価額をいう。以下同じ。）のうちに不動産等の価額が占める割合（以下（一）において「不動産等の割合」という。）が10分の5以上である場合における延納相続税額	不動産等に係る延納相続税額については年5.4パーセント（（1）及び（2）に留意＝編者）、動産等に係る延納相続税額については年6パーセントの割合
	イ		
	ロ	不動産等の割合が10分の5未満であり、かつ、課税相続財産の価額のうちに立木の価額が占める割合が100分の30（令28①）を超える場合における延納相続税額のうち当該立木の価額に対応するものとして（3）の政令で定める部分の税額	年5.4パーセント（（1）に留意＝編者）の割合
（二）		第2回以後に納付すべき分納税額を納付する場合においては、当該延納税額から前回までの分納税額の合計額を控除した残額を基礎とし、前回の分納税額の納期限の翌日からその回の分納税額の納期限までの期間に応じ、利子税の割合を乗じて算出した金額に相当する利子税	

(注)　上記の表の（一）の規定を適用する場合において、各分納期間の延納特例基準割合（各分納期間の開始の日の属する年の特例基準割合（8の（1）））が年7.3パーセントの割合に満たない場合には、当該分納期間においては、当該利子税の割合に当該延納特例基準割合が年7.3パーセントの割合のうちに占める割合を乗じて計算した割合（措法93③）が適用されるので、8を参照のこと。（編者注）

イ　1回目の分納税額に係るもの

$$延納税額 \times 利子税の割合 \times \frac{納期限の翌日から1回目の分納期限までの日数}{365日}$$

ロ　2回目以降の分納税額に係るもの

$$\left(延納税額 - \begin{array}{c}前回までの分納\\税額の合計額\end{array}\right) \times \begin{array}{c}利子税\\の割合\end{array} \times \frac{\begin{array}{c}前回の分納期限の翌日から\\その回の分納期限までの日数\end{array}}{365日}$$

（森林計画立木部分の延納税額の利子税の割合の特例）

（1）　課税相続財産の価額のうちに二の1に規定する立木の価額の占める割合が10分の2以上である場合には、当該延納税額のうち森林計画立木部分の税額についての1の規定の適用については、1の（一）のイ及びロ中「年5.4パーセント」とあるのは、「年1.2パーセント」とする。（措法70の8の2③）

(注)　（1）又は（2）の規定を適用する場合において、各分納期間の延納特例基準割合（各分納期間の開始の日の属する年の特例基準割合（8の（1）））が年7.3パーセントの割合に満たない場合には、当該分納期間においては、当該利子税の割合に当該延納特例基準割合が年7.3パーセントの割合のうちに占める割合を乗じて計算した割合（措法93③）が適用されるので、8を参照のこと。（編者注）……1の(注)参照。

（不動産等の割合が4分の3以上である場合の利子税率の特例）

（2）　三の1に規定する課税相続財産の価額のうちに不動産等の価額の占める割合が4分の3以上である場合には、当該延納税額のうち不動産等部分の税額についての1の規定の適用については、1の（一）のイ中「年5.4パーセント」とあるのは、「年3.6パーセント」とする。（措法70の10②）

(注)　（1）の(注)を参照のこと。（編者注）

（立木の価額に対応する延納相続税額）

（3）　1の（一）のロに規定する立木の価額に対応する延納相続税額として政令で定める部分の税額は、一の1又は第三節二の12の規定による延納の許可を受けた者が第一節二の1又は第一節一の3の規定により納付すべき相続税額（特例農地等に係る納税猶予分の相続税額を除くものとし、第三節一の1又は第三節二の13の規定による物納の許可がされた場合には、当該物納の許可がされた税額を控除した税額）に1の（一）のロに規定する課税相続財産の価額のうちに立木の価額が占める割合を乗じて算出した税額と当該延納の許可を受けた延納相続税額とのいずれか少ない税額とする。（令28②、措令40の7⑦④）

（立木の価額の占める割合の判定）

（4）　一の1の（4）《不動産等の割合の判定》の規定は、1の（一）のロに規定する課税相続財産の価額のうちに立木の価額が占める割合の計算について準用する。（令28③）

第八章　相続税の納付

（分納税額の納期限が延長された場合の第2回目以後の利子税の計算始期）
（5）　1の（二）に規定する「前回の分納税額の納期限」には、国税通則法第11条の規定により延長された期限は含まないことに留意する。（基通52−1）

2　相続税の延納に伴う利子税の特例

　一の1《延納の要件等》、第三節二の12又は第三節六の2の規定により相続税額について延納の許可を受けた者に係る当該延納の許可を受けた相続税額（1の（1）《森林計画立木部分の延納税額の利子税の割合の特例》、（2）《不動産等の割合が4分の3以上である場合の利子税率の特例》又は7《特別緑地保全地区等内の土地に係る相続税の延納に伴う利子税の特例》の規定の適用を受けた相続税額を除く。）についての1の規定の適用については、1の（一）中「年6.6パーセント」とあるのは「年6パーセント」と、同（一）のイ中「年5.4パーセント」とあるのは「年3.6パーセント」と、「年6パーセント」とあるのは「年5.4パーセント」と、同（一）のロ中「年5.4パーセント」とあるのは「年4.8パーセント」とする。（措法70の11）

　　(注)　2の規定を適用する場合において、各分納期間の延納特例基準割合（各分納期間の開始の日の属する年の特例基準割合（8の（1）））が年7.3パーセントの割合に満たない場合には、当該分納期間においては、当該利子税の割合に当該延納特例基準割合が年7.3パーセントの割合のうちに占める割合を乗じて計算した割合（措法93③）が適用されるので、8を参照のこと。（編者注）……1の(注)参照。

3　延納の取消しがあった場合の利子税

　延納の許可を受けた者が四の9の②又は同四の11（第三節二の11又は同節の六の2の（12）において準用する場合を含む。）の規定による延納の許可の取消しを受けた場合においては、その者については、その取消しがあった時以後に納付すべきであった分納税額の合計額をその取消しがあった時に納期限が到来した分納税額とみなして、1の規定を適用する。（法52②）

4　延納の申請の却下又は取下げの場合の利子税

　相続若しくは遺贈により財産を取得した者について、四の1の（3）（第二編第七章第二節二の1又は第三節二の12において準用する場合を含む。）の規定による延納の申請の却下があった場合又は四の3の（3）（第二編第七章第二節二の1又は第三節二の12において準用する場合を含む。）の規定により延納の申請を取り下げたものとみなされる場合には、当該取得した者は、当該申請の却下又は取下げに係る相続税額の第一節二の1又は第一節一の3の規定による納期限又は納付すべき日の翌日から四の1の（3）の規定による当該延納の申請の却下があった日又は四の3の（3）の規定により当該延納の取下げがあったものとみなされる日までの期間同条第12項の規定により当該延納の取下げがあったものとみなされる日までの期間（四の8の（一）（第三節二の12において準用する場合を含む。）の規定により読み替えて適用する四の2の（5）ただし書に規定する災害等延長期間又は四の8の（二）（第三節二の12において準用する場合を含む。）に規定する政令で定める期間を除く。）につき、当該相続税額を基礎とし、当該期間に応じ、年7.3パーセントの割合を乗じて算出した金額に相当する利子税を納付しなければならない。（法52④）

5　災害等延長期間がある場合の特例

　四の8又は同8の（8）の規定の適用がある場合において延納の許可が四の1の申請書に記載された第1回に納付すべき分納税額の納期限後にされたときは、当該延納の許可を受けた者が当該延納の許可を受けた日までに当該申請書に記載された納期限が到来した分納税額に係る1の規定の適用については、当該申請書に記載された第1回に納付すべき分納税額の納期限前に延納の許可があったものとして計算したところによる。（法52⑤）

　　（災害等により申請に係る分納期限後に延納を許可した後、分納期限の延長等を行った場合）
（1）　5の規定の適用がある場合において、延納の許可を受けた分納税額の納期限（四の1の（8）による納期限をいう。）を延長又は再延長した場合においては、延納の許可をした税額の納期限の翌日から延長又は再延長した分納期限までの期間については利子税を計算することに留意する。（基通52−4）

　　(注)　5の規定の適用がある場合における分納期限の延長について図示すると次のとおりである。

−343−

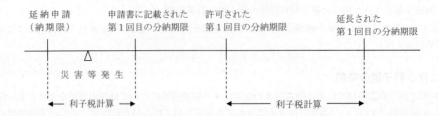

6 一部納付等があった場合の充当の順序

① 次回分納税額を超える場合の充当の順序

延納相続税額のうちに、不動産等に係る延納相続税額又は1の(一)のロ《立木の価額に対応する延納相続税額》に掲げる税額とその他の部分の延納相続税額とがある場合において、当該延納相続税額として納付された金額（既に納期限の到来している分納税額で未納のものがある場合において、その未納の税額に充当したときは、その充当した金額を控除した金額。②において同じ。）がその納付の日以後最初に納期限の到来する分納税額を超えるときは、その超える部分の金額は、その充当すべき分納税額がその納付をした者により指定されている場合を除き、当該その他の部分の延納相続税額に係る分納税額に充当し、次いで当該不動産等に係る延納相続税額又は1の(一)のロ《立木の価額に対応する延納相続税額》に掲げる税額に係る分納税額に順次充当する。この場合において、これらの分納税額のうちにあっては、その納期限の近いものから順次充当する。（法52③、令28の2①）

② 次回分納税額に満たない場合の充当順序

①に規定する場合において、当該延納相続税額として納付された金額がその納付の日以後最初に納期限の到来する分納税額に満たないときは、当該納付された金額は、まず、①に規定するその他の部分の延納相続税額に係る当該分納税額の全部又は一部に充当し、次いで不動産等に係る延納相続税額又は1の(一)のロ《立木の価額に対応する延納相続税額》に掲げる税額に係る当該分納税額の一部に充当する。（法52③、令28の2②）

③ 森林計画立木部分の延納相続税額がある場合の充当順序

①及び②の規定は、延納の許可を受けた相続税額のうちに森林計画立木部分の税額とその他の部分の税額とがある場合について準用する。この場合において、①の規定中「不動産等に係る延納相続税額又は1の(一)のロに掲げる税額と」とあるのは「森林計画立木部分の税額と」と、「当該不動産等に係る延納相続税額又は1の(一)のロに掲げる税額に」とあるのは「森林計画立木部分の税額に」と、②の規定中「不動産等に係る延納相続税額又は1の(一)のロに掲げる税額」とあるのは「森林計画立木部分の税額」と読み替えるものとする。（措法70の8の2⑤、措令40の9②）

④ 特別緑地保全地区等内土地部分の延納相続税額がある場合の充当順序

①及び②の規定は、延納の許可を受けた相続税額のうちに7に規定する特別緑地保全地区等内土地部分の税額とその他の部分の税額とがある場合について準用する。この場合において、①、②の規定中「不動産等に係る延納相続税額又は1の(一)のロに掲げる税額」とあるのは「特別緑地保全地区等内土地部分の税額」と読み替え、かつ、①の規定中「その他の部分の延納相続税額」とあるのは「その他の部分の延納相続税額（森林計画立木部分の税額を除く。）」と読み替えるものとする。（措法70の9②、法52③、措令40の10③）

⑤ 不動産等部分の税額がある場合の充当順序

①及び②の規定は、延納の許可を受けた相続税額のうちに三の1に規定する不動産等部分の税額とその他の部分の税額とがある場合について準用する。この場合において①、②の規定中「不動産等に係る延納相続税額又は1の(一)のロに掲げる税額」とあるのは、「不動産等部分の税額」と読み替え、かつ、①の規定中「その他の部分の延納相続税額」とあるのは、「その他の部分の延納相続税額（森林計画立木部分の税額を除く。）」と読み替えるものとする。（措法70の10③、法52③、措令40の11③）

7 特別緑地保全地区等内の土地に係る相続税の延納に伴う利子税の特例

一の1の規定により相続税額について延納の許可を受けた者に係る二の1に規定する課税相続財産の価額のうちに都市緑地法第12条の規定による特別緑地保全地区又は古都における歴史的風土の保存に関する特別措置法第6条第1項の規定

第八章　相続税の納付

による歴史的風土特別保存地区その他これに準ずるものとして（1）の政令で定める地区内にある土地の価額がある場合には、当該延納の許可を受けた相続税額のうち当該土地の価額に対応するものとして（2）の政令で定めるところにより計算した部分の税額《**特別緑地保全地区等内土地部分の税額**》についての**1**《利子税》の規定の適用については、**1**の（一）中「年6.6パーセント」とあるのは、「年4.2パーセント」とする。（措法70の9①）

　　（注）　**7**の規定を適用する場合において、各分納期間の延納特例基準割合（各分納期間の開始の日の属する年の特例基準割合（**8**の（1）））が年7.3パーセントの割合に満たない場合には、当該分納期間においては、当該利子税の割合に当該延納特例基準割合が年7.3パーセントの割合のうちに占める割合を乗じて計算した割合（措法93③）が適用されるので、**8**を参照のこと。（編者注）……**1**の（注）参照。

　　　（政令で定める地区）
（1）　**7**に規定する政令で定める地区内にある土地は、森林法第25条又は第25条の2の規定により同法第25条第1項第1号から第3号までに掲げる目的を達成するため保安林として指定された区域内にある土地（森林保健施設の整備に係る地区内にある土地及び第四編第三章第一節の**1**の規定の適用に係る同**1**に規定する特例山林（土地に限る）を除く。）とする。（措令40の10①）

　　　（政令で定めるところにより計算した部分の税額）
（2）　**7**に規定する政令で定めるところにより計算した部分の税額は、**一**の**1**の規定による延納の許可を申請する者が第一節**二**の**1**又は国税通則法第35条第2項の規定により納付すべき相続税額（その者が第四編第二章第一節の**1**、同編第三章第一節の**1**、第五編第一節の**1**、第六編第三章第一節の**1**、第七編第二章第一節の**1**、同編第三章第二節の**1**、同編第五章第一節の**1**又は第八編第三章第一節の**1**の規定の適用を受ける者である場合には、第四編第二章第一節の**1**、同編第三章第一節の**2**の（五）、第五編第一節の**2**の（六）、第六編第三章第一節の**2**の（三）、第七編第二章第一節の**2**の（五）、同編第三章第二節の**2**の（四）、同編第五章第一節の**2**の（八）又は第八編第三章第一節の**1**の（1）に規定する納税猶予分の相続税額を控除した金額）に、**二**の**1**に規定する課税相続財産の価額のうちに**7**に規定する地区内にある土地の価額の占める割合を乗じて計算した金額に達するまでの税額とする。（措令40の10②）

　　　（特別緑地保全地区等内土地部分の価額等）
（3）　**7**の特別緑地保全地区等内土地部分の税額の計算は、**一**の**1**の規定により延納の許可をする時までに納付すべき税額の確定した相続税額の計算の基礎となった財産の価額を基準として計算するものとする。（措令40の10③、令14③）

　　　（特例の適用手続）
（4）　**7**の規定の適用を受けようとする者は、**四**の**1**の延納申請書に、**7**に規定する地区内にある土地の明細書その他財務省令で定める書類《当該土地が**7**に規定する地区内にあることについての当該土地の所在地の都道府県知事の証明書をいう。（編者注）》を添付して、これを納税地の所轄税務署長に提出しなければならない。（措法70の9③、措規23の15）

　　　（物納の撤回により納付すべき税額への適用）
（5）　**7**の規定は、相続税の延納の許可を受けた者で、**7**に規定する課税相続財産の価額のうちに**7**に規定する土地の価額があるものが当該許可により納付すべき相続税額に係る利子税について準用する。（措法70の9④）

　　（注）　（5）の規定により**7**の規定を準用する場合は、**8**の規定が適用される場合があることに留意すること。（編者注）

8　延納の利子税の割合の特例

　　次の（一）から（七）に掲げる規定に規定する利子税の割合は、当該（一）から（七）に掲げる規定にかかわらず、各分納期間の延納特例基準割合（各分納期間の開始の日の属する年の特例基準割合（1））が年7.3パーセントの割合に満たない場合には、当該分納期間においては、当該利子税の割合に当該延納特例基準割合が年7.3パーセントの割合のうちに占める割合を乗じて計算した割合とする。（措法93③）

（一）	**1**《利子税》の表の（一）（法52①一）
（二）	第四編第二章第四節の**10**《都市計画の決定等により特定市街化区域農地等に該当することとなった場合の納税猶予打切税額への延納の適用》（措法70の6㊳三）
（三）	第五編第二章《非上場株式等についての相続税の納税猶予及び免除》第九節の（6）の（十）前段（措法70の7の2⑭の（十）前段）（同編第三章《非上場株式等の贈与者が死亡した場合の相続税の納税猶予及び免除》の**9**の（1）（措法70の7の4⑪）において準用する場合を含む。）

-345-

第一編　相続税

(四)	**二の4**《利子税率の特例》及び**五の1**の（1）《森林計画立木部分の延納税額の利子税の割合の特例》（措法70の8の2③）（第三節**七の2**の**②**の（2）《立木の価額の占める割合が10分の2以上である場合の利子税率の特例規定の準用》（措法70の8の2⑨）において準用する場合を含む。）
(五)	**7**《特別緑地保全地区等内の土地に係る相続税の延納に伴う利子税の特例》（措法70の9①）（第三節**七の2**の**②**の（3）《特別緑地保全地区等内にある土地の価額がある場合の利子税の特例規定の準用》（措法70の9④）において準用する場合を含む。）
(六)	**三の3**《利子税率の特例》及び**五の1**の（2）《不動産等の割合が4分の3以上である場合の利子税率の特例》（措法70の10②）（第三節**七の2**の**②**の（4）《不動産等の価額の占める割合が4分の3以上である場合の利子税率の特例規定の準用》（措法70の10⑤）において準用する場合を含む。）
(七)	**2**《相続税の延納に伴う利子税の特例》（措法70の11）

$$利子税の割合 \times \frac{延納特例基準割合}{7.3\%} = 利子税の特例割合$$

（利子税特例基準割合）
（1）　**8**に規定する利子税特例基準割合とは、平均貸付割合（各年の前々年の9月から前年の8月までの各月における短期貸付けの平均利率（当該各月において銀行が新たに行った貸付け（貸付期間が1年未満のものに限る。）に係る利率の平均をいう。）の合計を12で除して計算した割合として各年の前年の11月30日までに財務大臣が告示する割合をいう。以下同じ。）に年0.5パーセントの割合を加算した割合をいう。（措法93②）

（分納期間の意義）
（2）　**8**及び（2）において、次の各号に掲げる用語の意義は、当該各号に定めるところによる。（措法93④）

(一)	分納期間	**1**《利子税》の（一）又は（二）に規定する分納税額に併せて納付しなければならない利子税の額の計算の基礎となる期間をいう。
(二)	延納特例基準割合	各分納期間の開始の日の属する年の利子税特例基準割合（（1）に規定する利子税特例基準割合をいう。）をいう。

（利子税の額の計算）
（3）　**8**の規定の適用がある場合における利子税の額の計算において、**8**に規定する計算した割合に0.1パーセント未満の端数があるときはこれを切り捨てるものとし、**8**に規定する計算した割合及び加算した割合（平均貸付割合を除く。）が年0.1パーセント未満の割合であるときは年0.1パーセントの割合とする。（措法96①）

（利子税の額の計算過程における端数処理）
（4）　**8**の規定の適用がある場合における利子税の額の計算において、その計算の過程における金額に1円未満の端数が生じたときは、これを切り捨てる。（措法96②）

9　利子税の割合の特例

次の（一）から（六）に掲げる規定に規定する利子税の年7.3パーセントの割合は、当該（一）から（六）に掲げる規定にかかわらず、各年の利子税特例基準割合が年7.3パーセントの割合に満たない場合には、その年中においては、当該利子税特例基準割合とする。（措法93①）

(一)	第七章第六節**三**の**7**の**④**《連帯納付義務の履行に係る延滞税の特則》の表の（二）
(二)	**4**《延納の申請の却下又は取下げの場合の利子税》
(三)	第三節**七**の**1**《物納に係る利子税》
(四)	第三節**七**の**2**の**①**の（1）《利子税額の計算》の（一）及び（二）の（イ）
(五)	第三節**七**の**3**の**①**《物納申請の却下等に係る利子税》
(六)	第三節**七**の**3**の**②**《物納の許可の取消しに係る利子税》

第八章 相続税の納付

相続税延納申請書

税務署長殿　　　　　　　（〒　　　）

令和　年　月　日　　　　住所 _____

フリガナ
氏名 _____
法人番号 □□□□□□□□□□□□□
職業 _____　電話 _____

下記のとおり相続税の延納を申請します。

記

1　延納申請税額

①納付すべき相続税額	円
②①のうち物納申請税額	
③①のうち納税猶予をする税額	
④差引（①－②－③）	
⑤④のうち現金で納付する税額	
⑥延納申請税額（④－⑤）	

2　金銭で納付することを困難とする理由

別紙「金銭納付を困難とする理由書」のとおり。

3　不動産等の割合

区分	課税相続財産の価額（③の税額がある場合には農業投資価格等によります。）	割合
割合の判定　立木の価額	⑦	⑩（⑦／⑨）（端数処理不要）0.
不動産等（⑦を含む。）の価額	⑧	⑪（⑧／⑨）（端数処理不要）0.
全体の課税相続財産の価額	⑨	
割合の計算　立木の価額	⑫（千円未満の端数切捨て）　　　,000	⑮（小数点第三位未満切り上げ）（⑫／⑭）0.
不動産等（⑦を含む。）の価額	⑬（千円未満の端数切捨て）　　　,000	⑯（小数点第三位未満切り上げ）（⑬／⑭）0.
全体の課税相続財産の価額	⑭（千円未満の端数切捨て）　　　,000	

4　延納申請税額の内訳　　　5　延納申請年数　　6　利子税の割合

不動産等の割合（⑪）が75％以上の場合	不動産等に係る延納相続税額	④×⑯と⑥とのいずれか少ない方の金額	⑰（100円未満端数切り上げ）　00	（最高）20年以内	3.6
	動産等に係る延納相続税額	（⑥－⑰）	⑱	（最高）10年以内	5.4
不動産等の割合（⑪）が50％以上75％未満の場合	不動産等に係る延納相続税額	④×⑯と⑥とのいずれか少ない方の金額	⑲（100円未満端数切り上げ）　00	（最高）15年以内	3.6
	動産等に係る延納相続税額	（⑥－⑲）	⑳	（最高）10年以内	5.4
不動産等の割合（⑪）が50％未満の場合	立木に係る延納相続税額	④×⑮と⑥とのいずれか少ない方の金額	㉑（100円未満端数切り上げ）　00	（最高）5年以内	4.8
	その他の財産に係る延納相続税額	（⑥－㉑）	㉒	（最高）5年以内	6.0

7　不動産等の財産の明細　　　別紙不動産等の財産の明細書のとおり

8　担　保　　　　　　　　　別紙目録のとおり

（作成税理士署名　事務所所在地　電話番号）

税務署整理欄	郵送等年月日	担当者印
	令和　年　月　日	

第一編　相続税

9　分納税額、分納期限及び分納税額の計算の明細

㉓ 期　　間	分　納　期　限	延納相続税額の分納税額 [1,000円未満の端数が生ずる場合には 端数金額は第1回に含めます。]		分納税額計 （㉔＋㉕）
		㉔ 不動産等又は立木に係る税額 （⑰÷「5」欄の年数）、 （⑲÷「5」欄の年数）又は （㉑÷「5」欄の年数）	㉕ 動産等又はその他の財産に係る税額 （⑱÷「5」欄の年数）、 （⑳÷「5」欄の年数）又は （㉒÷「5」欄の年数）	
第 1 回	令和　年　月　日	円	円	円
第 2 回	年　月　日	，000	，000	，000
第 3 回	年　月　日	，000	，000	，000
第 4 回	年　月　日	，000	，000	，000
第 5 回	年　月　日	，000	，000	，000
第 6 回	年　月　日	，000	，000	，000
第 7 回	年　月　日	，000	，000	，000
第 8 回	年　月　日	，000	，000	，000
第 9 回	年　月　日	，000	，000	，000
第10回	年　月　日	，000	，000	，000
第11回	年　月　日	，000		，000
第12回	年　月　日	，000		，000
第13回	年　月　日	，000		，000
第14回	年　月　日	，000		，000
第15回	年　月　日	，000		，000
第16回	年　月　日	，000		，000
第17回	年　月　日	，000		，000
第18回	年　月　日	，000		，000
第19回	年　月　日	，000		，000
第20回	年　月　日	，000		，000
計		（⑰、⑲又は㉑の金額）	（⑱、⑳又は㉒の金額）	（⑥の金額）

10　その他参考事項

右の欄の該当の箇所を○で囲み住所氏名及び年月日を記入してください。	被相続人、遺贈者	（住所）		
		（氏名）		
	相　続　開　始　　遺　贈　年　月　日		令和　　年　　月　　日	
	申告（期限内、期限後、修正）、更正、決定年月日		令和　年　月　日	
	納　　　　　期　　　　　限		令和　年　月　日	
物納申請の却下に係る延納申請である場合は、当該却下に係る「相続税物納却下通知書」の日付及び番号			平成 令和	第　　　　号 年　月　日
担保が保証人（法人）の保証である場合は、**保証人である法人の延納許可申請日**の直前に終了した事業年度に係る法人税申告書の提出先及び提出日			令和　年　月　日	税務署

－348－

第八章　相続税の納付

森林計画伐採立木に係る相続税の延納の明細書

納税者氏名	

1　延納申請税額

	円
① 納付すべき相続税額	
② ①のうち 物納申請税額	
③ ①のうち納税猶予を する税額	
④ 差引（①－②－③）	
⑤ ④のうち 現金で納付する税額	
⑥ 延納申請税額 （④－⑤）	

2　計画伐採立木等の場合

	区　　分	課税相続財産の価額 （③の税額がある場合には 農業投資価格等によります）	割　　合
割合の判定	計画伐採立木 の価額	⑦	⑪（⑦／⑩） 0.
	立木（⑦を含 む。）の価額	⑧	⑫（⑧／⑩） 0.
	不動産等（⑦、⑧ を含む。）の価額	⑨	⑬（⑨／⑩） 0.
	全体の課税相続 財産の価額	⑩	
割合の計算	計画伐採立木 の価額	⑭（千円未満の端数切捨て） ,000	⑱(小数第三位未満切上げ) ⑭／⑰　0.
	立木（⑦を含 む。）の価額	⑮（千円未満の端数切捨て） ,000	⑲(小数第三位未満切上げ) ⑮／⑰　0.
	不動産等（⑦、⑧ を含む。）の価額	⑯（千円未満の端数切捨て） ,000	⑳(小数第三位未満切上げ) ⑯／⑰　0.
	全体の課税相続 財産の価額	⑰（千円未満の端数切捨て） ,000	

3　延納申請税額の内訳

4　延納申請年数　　5　利子税の割合

						4 延納申請年数	5 利子税の割合
不動産等の 割合が 75%以上 の場合	計画伐採立木に係る 延納相続税額	④×⑱と⑥とのいず れか少ない方の金額	㉑	0 0		（最高） 20年以内　　年	年　　% 1.2
	不動産等に係る 延納相続税額	④×⑳と⑥とのいずれか 少ない方の金額－㉑	㉒	0 0		（最高） 20年以内	3.6
	動産等に係る 延納相続税額	（⑥－㉑－㉒）	㉓			（最高） 10年以内	5.4
不動産等の 割合が 50%以上 75%未満 の場合	計画伐採立木に係る 延納相続税額	④×⑱と⑥とのいず れか少ない方の金額	㉔	0 0		（最高） 20年以内	1.2
	不動産等に係る 延納相続税額	④×⑳と⑥とのいずれか 少ない方の金額－㉔	㉕	0 0		（最高） 15年以内	3.6
	動産等に係る 延納相続税額	（⑥－㉔－㉕）	㉖			（最高） 10年以内	5.4
不動産等の 割合が 50%未満 の場合	計画伐採立木に係る 延納相続税額	④×⑱と⑥とのいず れか少ない方の金額	㉗	0 0		（最高） 5年以内	1.2
	立木に係る 延納相続税額	④×⑲と⑥とのいずれか 少ない方の金額－㉗	㉘	0 0		（最高） 5年以内	4.8
	その他の財産に係る 延納相続税額	（⑥－㉗－㉘）	㉙			（最高） 5年以内	6.0

－349－

6　分納税額、分納期限及び分納税額の計算の明細

㉟期間	分納期限	延納相続税額の分納税額〔1,000円未満の端数の生ずる場合は最終分納額(第1回)に合計します〕			分納税額計 (㉚＋㉛＋㉜)	㊲ ㉝の各期間内に計画伐採する立木の伐採時期及び材積						㊳材積合計	㊴構成割合 ㊳/㊵ ％未満(四捨五入)
		㉚計画立木に係る税額 (㉘×㊱)又は(㉘÷4の年数)、又は(㉘×㊱)を減じ(㉘÷4の年数)又は(㊱÷4の年数)	㉛不動産等又は立木に係る税額 (㉙×㊱)又は(㉙÷4の年数)又は(㉙÷4の年数)	㉜動産等又はその他の財産に係る税額 (㉚÷4の年数)、(㉛÷4の年数)又は(㉜÷4の年数)		伐採時期	材積	伐採時期	材積	伐採時期	材積		
		円	円	円	円		m³		m³		m³	m³	％
第1回	令和　年　月　日	，000	，000	，000	，000								
第2回	令和　年　月　日	，000	，000	，000	，000								
第3回	令和　年　月　日	，000	，000	，000	，000								
第4回	令和　年　月　日	，000	，000	，000	，000								
第5回	令和　年　月　日	，000	，000	，000	，000								
第6回	令和　年　月　日	，000	，000	，000	，000								
第7回	令和　年　月　日	，000	，000	，000	，000								
第8回	令和　年　月　日	，000	，000	，000	，000								
第9回	令和　年　月　日	，000	，000	，000	，000								
第10回	令和　年　月　日	，000	，000		，000								
第11回	令和　年　月　日	，000	，000		，000								
第12回	令和　年　月　日	，000	，000		，000								
第13回	令和　年　月　日	，000	，000		，000								
第14回	令和　年　月　日	，000	，000		，000								
第15回	令和　年　月　日	，000	，000		，000								
第16回	令和　年　月　日	，000	，000		，000								
第17回	令和　年　月　日	，000	，000		，000								
第18回	令和　年　月　日	，000	，000		，000								
第19回	令和　年　月　日	，000	，000		，000								
第20回	令和　年　月　日	，000	，000		，000								
計		(⑥、⑫又は㉜)の金額 円	(⑥又は⑫)の金額 円	(⑨又は⑮)の金額 円	(⑥)の金額 円	㉝延納期間中に計画伐採する立木の材積合計 (㊴欄り)						m³	100 ％

第八章　相続税の納付

延納申請書別紙（担保目録及び担保提供書：土地）

1　担保物件

土地の表示（所在、地番、地目、地積）	価　額	担保権等			
		債務金額	設定年月日	順位	権利者の住所氏名
	円				

2　担保提供書

以下の国税の担保として「1　担保物件」に記載した物件を提供します。

⑴　原　因　　　令和＿＿＿年＿＿＿月＿＿＿日＿＿＿＿＿による＿＿＿＿＿税及び利子税の額に対する延納担保

⑵　納税額　　　　　金＿＿＿＿＿＿＿＿＿＿＿＿＿＿＿＿＿＿＿円

　　内訳　　　　　　＿＿＿税額　金＿＿＿＿＿＿＿＿＿＿＿＿＿＿＿円

　　　　　　　　　　及び利子税の額　金＿＿＿＿＿＿＿＿＿＿円

　　延滞税の額　　　国税通則法所定の額

⑶　担保所有者が納税者（延納申請者）以外の所有の場合

　　　上記の担保の提供に同意します。

　　　　令和＿＿＿＿年＿＿＿＿月＿＿＿＿日

　　　　　　　　　　　　　住所＿＿＿＿＿＿＿＿＿＿＿＿＿＿＿＿＿＿＿＿

　　　　　　　　　　　　　氏名＿＿＿＿＿＿＿＿＿＿＿＿＿＿＿＿＿＿＿＿

第一編　相続税

第三節　物　　納

一　物納の要件

1　物納の要件

　税務署長は、納税義務者について第一節二の **1**《期限内申告に係る相続税の納付期限》又は第一節一の **3**《修正申告・更正決定等に係る国税の納付期限》の規定により納付すべき相続税額を延納によっても金銭で納付することを困難とする事由がある場合においては、納税義務者の申請により、その納付を困難とする金額として（1）で定める額を限度として、物納の許可をすることができる。この場合において、物納に充てる財産（以下「**物納財産**」という。）の性質、形状その他の特徴により当該（1）で定める額を超える価額の物納財産を収納することについて、税務署長においてやむを得ない事情があると認めるときは、当該（1）で定める額を超えて物納の許可をすることができる。（法41①）

　　　（物納の許可限度額）
（1）　**1**に規定する政令で定める額は、第二節一の **1**の（1）の（一）に掲げる額から同（1）の（二）に掲げる額及び次の各号に掲げる額を基に算出した延納によって納付することができる額を控除した残額とする。（令17）
　（一）　第二節一の **1**の（1）の（一）の相続税額に係る納期限又は納付すべき日以後において見込まれる納税義務者の収入の額として合理的に計算した額
　（二）　（一）の納期限又は納付すべき日以後において、納税義務者及びその者と生計を一にする配偶者その他の親族（その者と婚姻の届出をしていないが事実上婚姻関係と同様の事情にある者及び当該事情にある者の親族を含む。）の生活のために通常必要とされる費用に相当する額（その者が負担すべきものに限る。）並びにその者の事業の継続のために必要な運転資金の額（これらの額から第二節一の **1**の（1）の（二）に掲げる額を控除した残額に限る。）

　　　（物納の許可限度額の計算）
（2）　（1）に規定する物納の許可限度額の算出方法を算式で示せば、次のとおりである。（基通41－1）
　　　$A-\{((B-C-D) \times E+F) + (G-H)\}$
　（注）　算式中の符号は次のとおりである。
　　　　Aは、第二節一の **1**の（9）により計算した額
　　　　Bは、前年の申告所得税の確定申告書等に係る収支内訳書等から求めた1年間の事業に係る収入金額（給与所得者の場合は前年の給与等に係る支給金額）から臨時的な収入に係る金額を控除した額。ただし、最近の事業の実績に変動がある場合は、その実績を踏まえて算出した額を加味して差し支えないものとする。
　　　　Cは、第二節一の **1**の（9）のEの額に12を乗じた額
　　　　Dは、事業の継続のために必要な運転資金の額。事業の継続のために必要な運転資金の額とは、前年の申告所得税の確定申告等に係る収支内訳書等から求めた1年間の事業に係る経費の中から、臨時的な支出項目及び減価償却費を除いた額を当該金額とする。ただし、最近の事業の実績に変動がある場合には、その実績を踏まえて算出した額を加味して差し支えないものとする。
　　　　Eは、当該物納申請税額を延納申請税額であるとみなした場合に、第二節一の **1**の規定により延納が認められる最長年数とする。
　　　　Fは、第二節一の **1**の（9）のEの額に3を乗じた額に同（9）のFの額を加えた額
　　　　Gは、臨時的収入の額。
　　　　なお、臨時的収入の額とは、おおむね1年以内に発生が見込まれる臨時的な金銭収入（貸付金の返還、退職金の給付の確定等）をいうものとする。
　　　　Hは、臨時的支出の額。
　　　　なお、臨時的支出の額とは、おおむね1年以内に発生が見込まれる臨時的な支出（事業用資産の購入等）をいうものとする。

　　　（贈与税等についての物納規定の不適用）
（3）　一の物納の規定は、贈与税及び連帯納付の責に任ずる者のその責に任ずべき金額については適用がないのであるから留意する。
　　　また、期限後申告又は修正申告若しくは更正又は決定により納付すべき相続税額に併せて納付すべき延滞税又は加算税についても適用がないのであるから留意する。（基通41－2）

－352－

第八章　相続税の納付

（やむを得ない事情があると認めるとき）
（4）　**1**において、「物納財産の性質、形状その他の特徴により（1）で定める額を超える価額の物納財産を収納することについて、税務署長においてやむを得ない事情があると認めるとき」とは、次のような場合をいう。（基通41－3）
①　当該財産が土地の場合で、（1）で定める額に相当する価額となるように分割しようとするときには、分割後に物納に充てようとする不動産（以下「**分割不動産**」という。）又は分割不動産以外の不動産について、例えば、分筆することにより、その地域における宅地としての一般的な広さを有しなくなるなど、通常の用途に供することができない状況が生じることとなると認められる場合
②　建物、船舶、動産などのように、分割することが困難な財産である場合
③　法令等の規定により一定の数量又は面積以下に分割することが制限されている場合

（政令で定める額を超えて物納を許可する場合）
（5）　**1**の規定により、（1）で定める額を超える価額の物納財産による物納を許可する場合において、当該財産の収納価額と当該許可に係る相続税額の差額は、金銭をもって還付するものとする。（基通41－4）

（延納又は物納に関する事務の引継ぎ）
（6）　国税通則法第43条第3項《国税の徴収の所轄庁》の規定により国税局長が延納又は物納に関する事務の引継ぎを受けた場合におけるこの節の規定の適用については、同節中「税務署長」とあるのは、「国税局長」とする。（法48の3、令26）

（延納又は物納に関する事務の引継ぎ）
（7）　（6）に規定する「延納又は物納に関する事務の引継ぎ」を行う場合における国税通則法第43条第3項にいう「必要があると認めるとき」とは、例えば、納税義務者の延納又は物納の申請に係る相続税額が多額であるとき、物納申請に係る財産が納税地の管轄区域外に所在するときその他国税局長が必要があると認めるときをいうものとする。（基通48の3－1）

2　物納できる財産

1の規定による物納に充てることができる財産は、納税義務者の課税価格計算の基礎となった財産（当該財産により取得した財産を含み、第三編第一章第一節**二**の（1）の規定の適用を受ける財産を除く。）でこの法律の施行地にあるもののうち次に掲げるもの（管理又は処分をするのに不適格なものとして（2）の政令で定めるもの（**二の13**において「**管理処分不適格財産**」という。）を除く。）とする。（法41②）
（一）　不動産及び船舶
（二）　次に掲げる有価証券（その権利の帰属が社債、株式等の振替に関する法律（平成13年法律第75号）の規定により振替口座簿の記載又は記録により定まるもの及び登録国債を含む。）
　イ　国債証券及び地方債証券
　ロ　社債券（特別の法律により法人の発行する債券を含み、短期社債等に係る有価証券を除く。）
　ハ　株券（特別の法律により法人の発行する出資証券を含む。）
　ニ　投資信託及び投資法人に関する法律（昭和26年法律第198号）第2条第4項（定義）に規定する証券投資信託の受益証券
　ホ　貸付信託法（昭和27年法律第195号）第2条第1項（定義）に規定する貸付信託の受益証券
　ヘ　金融商品取引所（金融商品取引法（昭和23年法律第25号）第2条第16項（定義）に規定する金融商品取引所をいう。**4**において同じ。）に上場されている有価証券で次に掲げるもの
　（1）　新株予約権証券
　（2）　投資信託及び投資法人に関する法律第2条第3項に規定する投資信託（ニに規定する証券投資信託を除く。）の受益証券
　（3）　投資信託及び投資法人に関する法律第2条第15項に規定する投資証券（トにおいて「投資証券」という。）
　（4）　資産の流動化に関する法律（平成10年法律第105号）第2条第13項（定義）に規定する特定目的信託の受益証券
　（5）　信託法第185条第3項（受益証券の発行に関する信託行為の定め）に規定する受益証券発行信託の受益証券
　ト　投資信託及び投資法人に関する法律第2条第12項に規定する投資法人（その規約に同条第16項に規定する投資主の請求により投資口（同条第14項に規定する投資口をいう。）の払戻しをする旨が定められているものに限る。）の投資証券で(13)の財務省令で定めるもの

－353－

第一編　相続税

（三）　動産

（注）　証券決済制度等の改革による証券市場の整備のための関係法律の整備等に関する法律（平成14年法律第65号）附則第3条に規定する登録社債等については、改正前の**2**（**二**の**13**又は**三**の（5）において準用する場合を含む。）の規定は、なおその効力を有する。（平29改所法等附31④）

（短期社債等の範囲）

（1）　**2**の（二）のロに規定する短期社債等とは、次に掲げるものをいう。（法41③）

（一）　社債、株式等の振替に関する法律第66条第1号《権利の帰属》に規定する短期社債

（二）　投資信託及び投資法人に関する法律第139条の12第1項《短期投資法人債に係る特例》に規定する短期投資法人債

（三）　信用金庫法（昭和26年法律第238号）第54条の4第1項《短期債の発行》に規定する短期債

（四）　保険業法第61条の10第1項《短期社債に係る特例》に規定する短期社債

（五）　資産の流動化に関する法律第2条第8項《定義》に規定する特定短期社債

（六）　農林中央金庫法（平成13年法律第93号）第62条の2第1項《短期農林債の発行》に規定する短期農林債

（管理処分不適格財産）

（2）　**2**に規定する政令で定める財産は、次の各号に掲げる財産の区分に応じ当該各号に定めるものとする。（令18）

（一）　不動産　　次に掲げるもの

（イ）　担保権が設定されていることその他これに準ずる事情がある不動産として（3）の財務省令で定めるもの

（ロ）　権利の帰属について争いがある不動産として（4）の財務省令で定めるもの

（ハ）　境界が明らかでない土地として（5）の財務省令で定めるもの

（ニ）　隣接する不動産の所有者その他の者との争訟によらなければ通常の使用ができないと見込まれる不動産として（6）の財務省令で定めるもの

（ホ）　他の土地に囲まれて公道に通じない土地で民法第210条《公道に至るための他の土地の通行権》の規定による通行権の内容が明確でないもの

（ヘ）　借地権の目的となっている土地で、当該借地権を有する者が不明であることその他これに類する事情があるもの

（ト）　他の不動産（他の不動産の上に存する権利を含む。）と社会通念上一体として利用されている不動産若しくは利用されるべき不動産又は二以上の者の共有に属する不動産として（7）の財務省令で定めるもの

（チ）　耐用年数（所得税法の規定に基づいて定められている耐用年数をいう。）を経過している建物（通常の使用ができるものを除く。）

（リ）　敷金の返還に係る債務その他の債務を国が負担することとなる不動産として（8）の財務省令で定めるもの

（ヌ）　その管理又は処分を行うために要する費用の額がその収納価額と比較して過大となると見込まれる不動産として（9）の財務省令で定めるもの

（ル）　公の秩序又は善良の風俗を害するおそれのある目的に使用されている不動産その他社会通念上適切でないと認められる目的に使用されている不動産として（10）の財務省令で定めるもの

（ヲ）　引渡しに際して通常必要とされる行為がされていない不動産として（11）の財務省令で定めるもの（（イ）に掲げるものを除く。）

（ワ）　地上権、永小作権、賃借権その他の使用及び収益を目的とする権利が設定されている不動産で、次に掲げる者がその権利を有しているもの

　　イ　暴力団員による不当な行為の防止等に関する法律（平成3年法律第77号）第2条第6号（定義）に規定する暴力団員（イにおいて「暴力団員」という。）又は暴力団員でなくなった日から5年を経過しない者（（ワ）及び（二）の（ヘ）において「暴力団員等」という。）

　　ロ　暴力団員等によりその事業活動を支配されている者

　　ハ　法人で暴力団員等を役員等（取締役、執行役、会計参与、監査役、理事及び監事並びにこれら以外の者で当該法人の経営に従事している者並びに支配人をいう。）とするもの

（二）　株券（その権利の帰属が社債、株式等の振替に関する法律（平成13年法律第75号）の規定により振替口座簿の記載又は記録により定まるものを含む。**3**の（1）の（十四）において同じ。）　次に掲げる株式に係るもの

（イ）　譲渡に関して金融商品取引法その他の法令の規定により一定の手続が定められている株式で、当該手続がとられていないものとして（12）の財務省令で定めるもの

（ロ）　譲渡制限株式

（ハ）　質権その他の担保権の目的となっている株式

—354—

第八章　相続税の納付

(ニ)　権利の帰属について争いがある株式

(ホ)　二以上の者の共有に属する株式（共有者の全員が当該株式について物納の許可を申請する場合を除く。）

(ヘ)　暴力団員等によりその事業活動を支配されている株式会社又は暴力団員等を役員（取締役、会計参与、監査役及び執行役をいう。）とする株式会社が発行した株式

(三)　(一)(二)に掲げる財産以外の財産　　当該財産の性質が(一)(二)に定める財産に準ずるものとして税務署長が認めるもの

　　　　　　((2)の(一)の(イ)に規定する不動産)

(3)　(2)の(一)の(イ)に規定する財務省令で定める不動産は、次に掲げるものとする。（規21①）

(一)　抵当権の目的となっている不動産

(二)　譲渡により担保の目的となっている不動産

(三)　差押えがされている不動産

(四)　買戻しの特約が付されている不動産

(五)　(一)から(四)に掲げる不動産以外の不動産で、その処分が制限されているもの

　　　　　　((2)の(一)の(ロ)に規定する不動産)

(4)　(2)の(一)の(ロ)に規定する財務省令で定める不動産は、次に掲げるものとする。（規21②）

(一)　所有権の存否又は帰属について争いがある不動産

(二)　地上権、永小作権、賃借権その他の所有権以外の使用及び収益を目的とする権利の存否又は帰属について争いがある不動産

　　　　　　((2)の(一)の(ハ)に規定する土地)

(5)　(2)の(一)の(ハ)に規定する財務省令で定める土地は、次に掲げるものとする。（規21③）

(一)　境界標の設置（隣地の所有者との間の合意に基づくものに限る。）がされていないことにより他の十地との境界を認識することができない土地（境界標の設置がされていない場合であっても当該土地の取引において通常行われる他の土地との境界の確認方法により境界を認識できるものを除く。）

(二)　土地使用収益権（地上権、永小作権、賃借権その他の土地の使用及び収益を目的とする権利をいう。）が設定されている土地の範囲が明らかでない土地

　　　　　　((2)の(一)の(ニ)に規定する不動産)

(6)　(2)の(一)の(ニ)に規定する財務省令で定める不動産は、次に掲げるものとする。（規21④）

(一)　隣地の上に存する建物、工作物又は樹木その他これらに類するもの（以下(一)及び(二)において「**建物等**」という。）が、土地の境界を越える場合又は境界上に存する場合における当該土地（当該建物のひさし、当該工作物又は当該樹木の枝その他これらに類するもの（以下(6)において「**ひさし等**」という。）の境界を越える度合が軽微な場合又は境界上にある場合で、当該建物等の所有者が改築等を行うに際して当該ひさし等を撤去し、又は移動することを約するときにおける当該土地を除く。）

(二)　建物等がその敷地である土地の隣地との境界を越える場合又は境界上に存する場合における当該土地（借地借家法（平成３年法律第90号）第２条第１号《定義》に規定する借地権（以下「**借地権**」という。）を含み、当該隣地の所有者（当該隣地を使用する権利を有する者がいる場合には、その者）が当該土地の収納後においても建物等の撤去及び隣地の使用料その他の負担を求めないことを約する場合における当該土地並びに借地権が設定されている当該土地を除く。）

(三)　土地使用収益権の設定契約（以下「**土地使用収益契約**」という。）の内容が当該土地使用収益権を設定している者にとって著しく不利な場合における当該土地使用収益権の目的となっている土地

(四)　建物の使用又は収益をする契約（(五)において「**建物使用収益契約**」という。）の内容が当該使用又は収益をする権利を設定している者にとって著しく不利な場合における当該使用又は収益をする権利の目的となっている建物

(五)　賃貸料の滞納がある不動産その他収納後の円滑な土地使用収益契約又は建物使用収益契約の履行に著しい支障を及ぼす事情が存すると見込まれる不動産

(六)　その敷地を通常支払うべき地代により国が借り受けられる見込みがない場合における当該敷地の上に存する建物

第一編　相続税

（（2）の（一）の（ト）に規定する不動産）

（7）　（2）の（一）の（ト）に規定する財務省令で定める不動産は、次に掲げるものとする。（規21⑤）

（一）　二以上の者の共有に属する不動産で次に掲げる不動産以外のもの

（イ）　当該不動産の全ての共有者が当該不動産について物納の許可の申請をする場合における当該不動産

（ロ）　私道の用に供されている土地（一体となってその効用を有する他の土地とともに物納の許可の申請をする場合における当該土地に限る。）

（二）　がけ地、面積が著しく狭い土地又は形状が著しく不整形である土地でこれらの土地のみでは使用することが困難であるもの

（三）　私道の用に供されている土地（一体となってその効用を有する他の土地とともに物納の許可の申請をする場合における当該土地を除く。）

（四）　敷地とともに物納の許可の申請がされる建物以外の建物（当該建物の敷地に借地権が設定されているものを除く。）

（五）　他の不動産と一体となってその効用を有する不動産（これらの不動産の全てが1の土地使用収益権の目的となっている場合で収納後の円滑な土地使用収益契約の履行が可能なものを除く。）

（（2）の（一）の（リ）に規定する不動産）

（8）　（2）の（一）の（リ）に規定する財務省令で定める不動産は、次に掲げるものとする。（規21⑥）

（一）　敷金その他の財産の返還に係る債務を国が負うこととなる不動産

（二）　**3**の（1）の（三）の（イ）から（ニ）までに掲げる事業（以下（9）及び**二**の**1**の（3）の（六）において「**土地区画整理事業等**」という。）が施行されている場合において、収納の時までに発生した当該不動産に係る土地区画整理法（昭和29年法律第119号）第40条《経費の賦課徴収》の規定による賦課金その他これに類する債務を国が負うこととなる不動産

（三）　土地区画整理事業等の清算金の授受の義務を国が負うこととなる不動産

（（2）の（一）の（ヌ）に規定する不動産）

（9）　（2）の（一）の（ヌ）に規定する財務省令で定める不動産は、次に掲げるものとする。（規21⑦）

（一）　土壌汚染対策法（平成14年法律第53号）第2条第1項《定義》に規定する特定有害物質その他これに類する有害物質により汚染されている不動産

（二）　廃棄物の処理及び清掃に関する法律（昭和45年法律第137号）第2条第1項《定義》に規定する廃棄物（（11）において「**廃棄物**」という。）その他の物で除去しなければ通常の使用ができないものが地下にある不動産

（三）　農地法（昭和27年法律第229号）第4条第1項《農地の転用の制限》又は第5条第1項《農地又は採草放牧地の転用のための権利移動の制限》の規定による許可を受けずに転用されている土地

（四）　土留その他の施設の設置、護岸の建設その他の現状を維持するための工事が必要となる不動産

（（2）の（一）の（ル）に規定する不動産）

（10）　（2）の（一）の（ル）に規定する財務省令で定める不動産は、次に掲げるものとする。（規21⑧）

（一）　風俗営業等の規制及び業務の適正化等に関する法律（昭和23年法律第122号）第2条第1項《用語の意義》に規定する風俗営業、同条第5項に規定する性風俗関連特殊営業又は同条第11項に規定する特定遊興飲食店営業の用に供されている不動産

（二）　暴力団員による不当な行為の防止等に関する法律（平成3年法律第77号）第2条第2号《定義》に規定する暴力団の事務所その他これに類するものの用に供されている不動産

（（2）の（一）の（ヲ）に規定する不動産）

（11）　（2）の（一）の（ヲ）に規定する財務省令で定める不動産は、次に掲げるものとする。（規21⑨）

（一）　その上の建物が既に滅失している場合において、当該建物の滅失の登記がされていない土地

（二）　その上に廃棄物その他の物がある不動産

（三）　生産緑地法（昭和49年法律第68号）第2条第3号《定義》に規定する生産緑地で、同法第7条から第9条まで《生産緑地の管理等》の規定が適用されるもの（当該生産緑地において、農林漁業を営む権利を有する者が当該農林漁業を営んでいる土地を除く。）

－356－

第八章　相続税の納付

（（2）の（二）の（イ）に規定する株式）
(12)　（2）の（二）の（イ）に規定する財務省令で定める株式は、次に掲げるものとする。（規21⑩）
　（一）　物納に充てる財産（以下「**物納財産**」という。）である株式を一般競争入札により売却することとした場合（金融
　　商品取引法第4条第1項《募集又は売出しの届出》の届出及び同法第15条第2項《届出の効力発生前の有価証券の取
　　引禁止及び目論見書の交付》の目論見書（同法第2条第10項《定義》に規定する目論見書をいう。以下(12)において
　　同じ。）の交付（（二）において「**目論見書の交付**」という。）が必要とされる場合に限る。）において、当該届出に係る
　　書類及び当該目論見書の提出がされる見込みがないもの
　（二）　物納財産である株式を一般競争入札により売却することとした場合（金融商品取引法第4条第6項の通知書の提
　　出及び目論見書の交付が必要とされる場合に限る。）において、当該通知書及び目論見書の提出がされる見込みがない
　　もの

　（投資証券の範囲等）
(13)　**2**の（二）のトに規定する投資証券で財務省令で定めるものは、同（二）のトに規定する投資法人の投資証券で、その
　規約に同（二）のトの請求を行うことができる日が1月につき1日以上である旨が定められているものとする。（措規21
　の2①）

　（相続税法第19条の規定の適用がある贈与財産による物納）
(14)　**2**に規定する「課税価格計算の基礎となった財産」には、加算対象贈与財産（第四章第二節**四**の**2**の（4）《相続税
　の課税価格に加算される贈与により取得した財産の価額》の（二）の財産の価額が零となる場合における当該財産を除
　く。）を含むことに留意する。（基通41－5）

　（相続税法第38条の規定に関する取扱いの準用）
(15)　**2**に規定する「不動産」については、第二節**一**の**1**の(11)の取扱いに準ずるものとする。（基通41－6）

　（「当該財産により取得した財産」の意義）
(16)　**2**に規定する「当該財産により取得した財産」とは、当該財産を処分して取得した財産そのものをいうのであるが、
　次に掲げる財産は、これに該当するものとして取り扱うのであるから留意する。ただし、（三）に掲げる株券又は出資証
　券で収納時に旧株券（旧出資証券）がある場合においては、当該旧株券（旧出資証券）を物納税額に充ててもなお不足
　税額があるときに限るものとする。（基通41－7）
　（一）　課税価格計算の基礎となった株券又は出資証券の発行法人が合併した場合において、当該合併によって取得した
　　株券又は出資証券
　（二）　課税価格計算の基礎となった株式又は出資証券がある場合において、当該株券の消却、資本の減少又は出資の減
　　少によって取得した株券又は出資証券
　（三）　課税価格計算の基礎となった株券又は出資証券の発行法人が増資を行った場合において、当該増資によって取得
　　した株券又は出資証券

　（通常行われる他の土地との境界確認方法）
(17)　（5）の（一）に規定する「当該土地の取引において通常行われる他の土地との境界の確認方法により境界を認識でき
　るもの」とは、例えば、山林などの境界確認のように、目印となる樹木や山の尾根などをもって土地の境界とする合意
　が当事者間で行われることが一般的な例とされているものなどをいう。（基通41－8）

　（共有不動産の物納）
(18)　相続又は遺贈により取得した財産が不動産の共有持分である場合において、当該財産を取得した納税義務者が当該
　持分に応じて分割した後の不動産を物納に充てようとするときには、当該不動産は**2**に規定する「課税価格計算の基礎
　となった財産（当該財産により取得した財産を含む。）」に該当し、当該不動産による物納を許可しても差し支えないの
　であるから留意する。なお、被相続人と不動産を共有していた者が当該被相続人の持分を相続又は遺贈により取得した
　場合において、当該持分に応じて特定した不動産を物納に充てようとするときについても、これと同様に取り扱うこと
　として差し支えないのであるから留意する。（基通41－9）

－357－

第一編　相続税

（その他これに類するものの意義）
(19)　(10)の(二)に規定する「その他これに類するもの」とは、単に外見上等から判断されるものではなく、法律の規定に基づき、公の秩序等を害するおそれのある団体等であることが指定されているものをいうのであるから留意する。（基通41−10）

（特別の法律により法人の発行する債券及び出資証券）
(20)　**2**に規定する「特別の法律により法人の発行する債券及び出資証券」とは、例えば、次に掲げるような債券及び出資証券をいうのであるから留意する。（基通41−11）
　（一）　債券
　　（イ）　商工債又は農林債又は長期信用銀行債等の金融債
　　（ロ）　放送債券
　　（ハ）　都市基盤整備債券等の政府機関債
　（二）　出資証券
　　日本銀行出資証券

3　物納劣後財産
　2の各号に掲げる財産のうち物納劣後財産（物納財産ではあるが他の財産に対して物納の順位が後れるものとして（１）の政令で定めるものをいう。以下**3**及び**二**の**13**において同じ。）を物納に充てることができる場合は、税務署長において特別の事情があると認める場合を除くほか、それぞれ**2**の各号に掲げる財産のうち物納劣後財産に該当しないもので納税義務者が物納の許可の申請の際現に有するもののうちに適当な価額のものがない場合に限る。（法41④）

（物納劣後財産）
（１）　**3**に規定する政令で定める財産は、次に掲げるもの（**2**の（２）の各号に定めるものを除く。）とする。（令19）
　（一）　地上権、永小作権若しくは耕作を目的とする賃借権、地役権又は入会権が設定されている土地
　（二）　法令の規定に違反して建築された建物及びその敷地
　（三）　次の（イ）から（ニ）までに掲げる事業が施行され、その施行に係る土地につき当該（イ）から（ニ）までに規定する法律の定めるところにより仮換地（仮に使用又は収益をすることができる権利の目的となるべき土地又はその部分を含む。）又は一時利用地の指定がされていない土地（当該指定後において使用又は収益をすることができない当該仮換地又は一時利用地に係る土地を含む。）
　　（イ）　土地区画整理法（昭和29年法律第119号）による土地区画整理事業
　　（ロ）　新都市基盤整備法（昭和47年法律第86号）による土地整理
　　（ハ）　大都市地域における住宅及び住宅地の供給の促進に関する特別措置法（昭和50年法律第67号）による住宅街区整備事業
　　（ニ）　土地改良法（昭和24年法律第195号）による土地改良事業
　（四）　現に納税義務者の居住の用又は事業の用に供されている建物及びその敷地（当該納税義務者が当該建物及びその敷地について物納の許可を申請する場合を除く。）
　（五）　配偶者居住権の目的となっている建物及びその敷地
　（六）　劇場、工場、浴場その他の維持又は管理に特殊技能を要する建物及びこれらの敷地
　（七）　建築基準法（昭和25年法律第201号）第43条第1項《敷地等と道路との関係》に規定する道路に2メートル以上接していない土地
　（八）　都市計画法（昭和43年法律第100号）第29条第1項又は第2項《開発行為の許可》の規定による都道府県知事の許可を受けなければならない同法第4条第12項《定義》に規定する開発行為をする場合において、当該開発行為が同法第33条第1項第2号《開発許可の基準》に掲げる基準（都市計画法施行令（昭和44年政令第158号）第25条第2号（法第33条第1項各号を適用するについて必要な技術的細目）に掲げる技術的細目に係るものに限る。）に適合しないときにおける当該開発行為に係る土地
　（九）　都市計画法第7条第2項《区域区分》に規定する市街化区域以外の区域にある土地（宅地として造成することができるものを除く。）
　（十）　農業振興地域の整備に関する法律（昭和44年法律第58号）第8条第1項《市町村の定める農業振興地域整備計画》の農業振興地域整備計画において同条第2項第1号の農用地区域として定められた区域内の土地
　（十一）　森林法（昭和26年法律第249号）第25条又は第25条の2《指定》の規定により保安林として指定された区域内の

−358−

第八章　相続税の納付

土地

（十二）　法令の規定により建物の建築をすることができない土地（建物の建築をすることができる面積が著しく狭くなる土地を含む。）

（十三）　過去に生じた事件又は事故その他の事情により、正常な取引が行われないおそれがある不動産及びこれに隣接する不動産

（十四）　事業の休止（一時的な休止を除く。）をしている法人に係る株式に係る株券

（相続人が居住等の用に供している土地（底地）の物納）

（２）　（１）の(四)かっこ書の規定は、相続人が居住の用又は事業の用に供している建物とその敷地が併せて物納申請された場合をいうものであり、その土地（底地）のみが物納申請された場合には適用がなく、当該土地（底地）は劣後財産となるのであるから留意する。（基通41－12）

4　物納財産の順位（公債及び不動産の優先）

2の(二)のロからホまでに掲げる財産（金融商品取引所に上場されているものその他の換価の容易なものとして（１）の財務省令で定めるものを除く。以下4において同じ。）又は2の(三)に掲げる財産を物納に充てることができる場合は、税務署長において特別の事情があると認める場合を除くほか、2の(二)のロからホまでに掲げる財産については2の(一)に掲げる財産及び2の(二)に掲げる財産のうち換価の容易なものとして（２）の財務省令で定めるもの、2の(三)に掲げる財産については2の(一)及び2の(二)に掲げる財産で、納税義務者が物納の許可の申請の際現に有するもののうちに適当な価額のものがない場合に限る。（法41⑤）

（注）　証券決済制度等の改革による証券市場の整備のための関係法律の整備等に関する法律（平成14年法律第65号）附則第３条に規定する登録社債等については、改正前の4（二の13又は三の（5）において準用する場合を含む。）の規定は、なおその効力を有する。（平29改所法等附31④）

（金融商品取引所に上場されているものその他の換価の容易な財産）

（１）　4に規定する金融商品取引所に上場されているものその他の換価の容易な財産として財務省令で定めるものは、次に掲げるものとする。（規21の2②）

（一）　金融商品取引所（金融商品取引法第2条第16項（定義）に規定する金融商品取引所をいう。次号において同じ。）に上場されているもの

（二）　2の(二)のニに掲げる証券投資信託（その投資信託約款（投資信託及び投資法人に関する法律（昭和26年法律第198号）第4条第1項（投資信託契約の締結）に規定する投資信託約款をいう。）に受益者の請求により当該証券投資信託に係る信託契約の一部解約をする旨及び当該請求を行うことができる日が1月につき1日以上である旨が定められているものに限る。）の受益証券で金融商品取引所に上場されていないもの

（換価の容易なものとして財務省令で定めるもの）

（２）　4に規定する2の(二)に掲げる財産のうち換価の容易なものとして財務省令で定めるものは、同(二)のイ、ヘ及びト並びに（１）の(一)及び(二)に掲げる有価証券とする。（規21の2③）

（「特別の事情」の意義）

（３）　3及び4に規定する「特別の事情」とは、例えば、その財産を物納すれば居住し、又は営業を継続して通常の生活を維持するのに支障を生ずるような場合をいうのであるから留意する。（基通41－13）

（「適当な価額のものがない場合」の意義）

（４）　3及び4に規定する「適当な価額のものがない場合」とは、3及び4に規定する物納財産の順位により物納に充てることができる財産を納付するときは、当該財産の収納価額が1の（１）で定める額を超えるに至るような場合をいうものとする。

ただし、当該財産の収納価額が同（１）で定める額を超える場合で、次に掲げるものであるときは、「適当な価額のものがない場合」に該当しないのであるから留意する。（基通41－14）

（一）　1の後段の規定が適用される場合

（二）　当該財産が土地の場合で、同（１）で定める額に相当する価額となるように分割しても、分割不動産又は分割不動産以外の不動産について、いずれもその地域における宅地としての一般的な広さが確保されるなど、通常の用途に供することができると認められるような場合

－359－

第一編　相続税

（物納劣後財産と物納に充てることができる順位が後順位である財産がある場合の取扱い）

（５）　**3**に規定する物納劣後財産と**4**に規定する物納に充てることができる順位が後順位の財産がある場合には、まず、**4**に掲げる順位に従って物納に充てることのできる財産を区分し、その先順位財産の中に物納劣後財産として物納に充てることができる財産がない場合には、**4**による次順位の財産を物納に充てることができるのであるから留意する。

（参考）　物納に充てることのできる順位は、次の①から⑤の順となる。（基通41－15）

第1順位　①不動産・船舶・国債証券・地方債証券・金融商品取引所に上場されている株券等の有価証券・金融商品取引所に上場されていない投資法人の投資証券等のうち、その規約又は約款に投資主または受益者の請求により投資口の払戻し又は信託契約の一部解約をする旨及び当該払戻し又は当該一部解約の請求を行うことができる日が1月につき1日以上である旨が定められている有価証券

　　　　　②うち劣後財産

第2順位　③金融商品取引所に上場されていない株券等の有価証券（第1順位のものを除く。）

　　　　　④うち劣後財産

第3順位　⑤動産

（注）　特定登録美術品は上記順位にかかわらず物納に充てることができるのであるから留意する。

（「請求を行うことができる日が1月につき1日以上である旨が定められているもの」の意義）

（６）　**2**の(13)及び(1)に規定する「請求を行うことができる日が1月につき1日以上である旨が定められているもの」とは、当該目論見書等に「請求を行うことができる日が1月につき1日以上である」と明記されているもののほか、請求等に係る記載内容から「請求を行うことができる日が1月につき1日以上である」ことが確認できるものを含むのであるから留意する。（基通41－16）

二　物納の申請手続及び許可

1　物納手続に必要な書類の提出

　一の**1**の規定による物納の許可を申請しようとする者は、その物納を求めようとする相続税の納期限までに、又は納付すべき日に、金銭で納付することを困難とする金額及びその困難とする事由、物納を求めようとする税額、物納に充てようとする財産の種類及び価額その他の(1)の財務省令で定める事項を記載した申請書に物納の手続に必要な書類として(2)の財務省令で定めるもの（以下本節において「**物納手続関係書類**」という。）を添付し、これを納税地の所轄税務署長に提出しなければならない。（法42①）

（物納申請書の記載事項）

（１）　**1**（**13**において準用する場合に含む。）に規定する財務省令で定める事項は、次に掲げる事項とする。（規22①）

　（一）　第七章第一節**二**《相続税の申告書の記載事項》の(1)の(三)及び(四)に掲げる事項

　（二）　納付すべき相続税額

　（三）　物納を求めようとする税額

　（四）　延納によっても金銭で納付することを困難とする金額及びその困難とする事由

　（五）　**一**の**1**の(1)に規定する延納によって納付することができる額及びその計算の明細

　（六）　物納に充てようとする財産の種類、数量、価額及び所在場所

　（七）　**一**の**3**に規定する物納劣後財産を物納に充てようとする場合には、同**3**に規定する事由その他当該財産を物納に充てようとする特別の事由

　（八）　**一**の**2**の(二)又は(三)に掲げる財産（**一**の**4**(2)の財産を除く。）を物納に充てようとする場合には、**一**の**4**に規定する事由その他当該財産を物納に充てようとする特別の事由

　（九）　物納に充てようとする財産が当該財産の取得の時から**1**の申請書の提出の時（**13**において準用する場合には、**13**において準用する**1**の申請書の提出の時）までの間にその状況に著しい変化を生じたものである場合には、その変化の状況の詳細

　（十）　その他参考となるべき事項

（物納手続関係書類）

（２）　**1**（**13**において準用する場合を含む。）に規定する財務省令で定める書類（以下「**物納手続関係書類**」という。）は、次の各号に掲げる物納に充てようとする財産の区分に応じ当該各号に定めるものとする。（規22②）

－360－

第八章　相続税の納付

(一)　土地　　次に掲げる書類（当該土地の取引において通常必要とされない場合には、（ハ）に掲げるものを除く。）

(イ)　物納に充てようとする土地（以下（2）及び（3）において「**物納申請土地**」という。）に関する登記事項証明書

(ロ)　不動産登記法（平成16年法律第123号）第14条第1項《地図等》に規定する地図の写し又は同条第4項に規定する地図に準ずる図面の写しその他の土地の所在を明らかにする図面（（二）の（ロ）及び（三）の（ロ）において「**地図等**」という。）

(ハ)　不動産登記令（平成16年政令第379号）第2条第3号《定義》に規定する地積測量図

(二)　隣地の所有者（当該隣地が国有地又は公有地である場合には、その管理者）との間で境界の同意がある旨を確認した書類

(ホ)　物納申請土地の維持及び管理に要する費用の明細書

(ヘ)　税務署長が提出を求めた場合には、次に掲げる書類を速やかに提出することを納税義務者が約する書類

①　所有権の移転の登記に係る納税義務者の当該移転を承諾する旨の書類（当該納税義務者の記名押印があるものに限る。）

②　納税義務者の印鑑証明書

(二)　建物　　次に掲げる書類

(イ)　物納に充てようとする建物（以下「**物納申請建物**」という。）の登記事項証明書

(ロ)　地図等及び物納申請建物の建物所在図

(ハ)　建物図面、各階平面図その他の図面で部屋の配置を明らかにするもの

(二)　物納申請建物の維持及び管理に要する費用の明細書

(ホ)　(一)の(ヘ)に掲げる書類

(ヘ)　建物の区分所有等に関する法律（昭和37年法律第69号）第2条第3項《定義》に規定する専有部分その他これに類するものについて物納の許可の申請をする場合には、建物の管理規約

(三)　立木　　次に掲げる書類（登記のない立木の場合は、（イ）及び（二）に掲げるものを除く。）

(イ)　物納に充てようとする立木（以下（三）において「**物納申請立木**」という。）の登記事項証明書

(ロ)　地図等及び物納申請立木の所在を明らかにする図面

(ハ)　樹齢、樹種その他物納申請立木を特定するために必要な事項を記載した書類

(二)　(一)の(ヘ)に掲げる書類

(四)　船舶　　次に掲げる書類

(イ)　物納に充てようとする船舶の登記事項証明書、小型船舶の登録等に関する法律（平成13年法律第102号）第14条《登録事項証明書等》に規定する登録事項証明書等その他これらに類する書類

(ロ)　税務署長が提出を求めた場合には、速やかに(一)の(ヘ)の①、②に掲げる書類、小型船舶の登録等に関する法律第19条第1項《譲渡証明書》に規定する譲渡証明書その他船舶の収納の手続に必要な書類を提出することを納税義務者が約する書類

(五)　一の2の(13)に規定する投資証券及び一の4の(1)の(二)に掲げる証券投資信託の受益証券　　金融商品取引法第2条第10項《定義》に規定する目論見書その他これに類する書類で、一の2の(二)のトの請求又は一の4の(1)の(二)の請求を行うことができる日が1月につき1日以上であることを明らかにするもの

(六)　金融商品取引法第2条第16項《定義》に規定する金融商品取引所において上場されている法人が発行する株式（第19条各号に掲げる法人が発行する株式を含む。）以外の株式（以下（五）において「**非上場株式**」という。）　　次に掲げる書類

(イ)　非上場株式に係る法人の登記事項証明書

(ロ)　非上場株式に係る法人の株主名簿の写し

(ハ)　税務署長が次に掲げる行為を求めた場合には、これを履行することを納税義務者が約する書類

①　金融商品取引法その他の法令の規定により一般競争入札に際し必要なものとして定められている書類を非上場株式に係る法人が税務署長に求められた日から6月以内に提出すること。

②　株式の価額を算定する上で必要な書類を速やかに提出すること。

(二)　非上場株式に係る法人の一の2の(2)の(二)の(ヘ)に規定する役員の名簿で当該役員の氏名、生年月日、住所又は居所及び性別の記載があるもの

(ホ)　非上場株式に係る法人が一の2の(2)の(二)の(ヘ)に規定する株式会社に該当しないことを当該法人の代表者が誓約する書面

(七)　動産　　次に掲げる書類

(イ)　当該動産の価額の計算の明細を記載した書類

第一編　相続税

　　（ロ）　税務署長が収納に必要な手続をとることを求めた場合には、速やかに当該手続をとることを納税義務者が約する書類

（物納手続関係書類の追加）
（３）　（２）の（一）に掲げる財産が次の各号に掲げる場合に該当する場合には、同（一）に定める書類のほか、当該各号に定める書類を物納手続関係書類として提出しなければならない。（規22③）
　（一）　物納申請土地に土地使用収益権が設定されている場合又は設定されることとなる場合　　次に掲げる場合の区分に応じ、それぞれ次に定める書類
　　（イ）　当該土地の上に建物が存しない場合　　次に掲げる場合の区分に応じ、それぞれ次に定める書類
　　　①　物納申請土地に土地使用収益権を設定し、物納の許可の申請をする者が土地使用収益権を有する者（（一）及び（四）において「**土地使用収益権者**」という。）となる場合　　次に掲げる書類
　　　（ⅰ）　物納申請土地を国から借り受ける旨の書類
　　　（ⅱ）　土地使用収益権が設定されている土地の範囲を明らかにした図面で、当該範囲の面積及び境界を確認できるもの
　　　②　①に掲げる場合以外の場合　　次に掲げる書類
　　　（ⅰ）　土地使用収益契約の内容を確認できる書類
　　　（ⅱ）　（ⅰ）に掲げる書類により土地使用収益権が設定されている土地の範囲を明らかにできない場合には、当該土地使用収益権の設定されている土地の範囲を明らかにした書類
　　　（ⅲ）　土地使用収益権者ごとに土地使用収益権が設定されている土地の範囲を明らかにした図面で、当該範囲の面積及び境界を確認できるもの
　　　（ⅳ）　物納の許可の申請の日前３月間の地代の支払状況が確認できる書類（当該３月間に地代の支払期限がない場合には、直前の支払期限に係る支払状況が確認できる書類）
　　　（ⅴ）　敷金、保証金その他の債務については納税義務者と土地使用収益権者との間において清算し、当該債務を引き受けさせない旨を確認する書類
　　　（ⅵ）　**2**（**13**において準用する場合を含む。）に規定する申請書の提出期限（三の（５）において準用する場合には、三の（２）の提出があった日）の翌日から起算して１年以内に当該申請に係る物納の許可がされない場合において、税務署長が求めたときには、その求めた日前３月間の地代の支払状況が確認できる書類（当該３月間に地代の支払期限がない場合には、直前の支払期限に係る支払状況が確認できる書類）を提出することを約する書類
　　　（ⅶ）　土地使用収益権者（金融商品取引法第２条第16項に規定する金融商品取引所において上場されている法人（（４）の（一）の（イ）の⑤）において「**上場会社**」という。）を除く。）が**一**の**2**の（２）の（一）の（ワ）のイからハまでに掲げる者に該当しないことを当該土地使用収益権者が誓約する書面（当該土地使用収益権者が法人である場合にあっては、当該法人が同（ワ）のロ又はハに掲げる者に該当しないことを当該法人の代表者が誓約する書面並びに当該法人の同（ワ）のハに規定する役員等の名簿で当該役員等の氏名、生年月日、住所又は居所及び性別の記載があるもの）
　　（ロ）　当該土地の上に建物が存する場合　　次に掲げる場合の区分に応じ、それぞれ次に定める書類
　　　①　物納申請土地に土地使用収益権を設定し、物納の許可の申請をする者が土地使用収益権者となる場合　　次に掲げる書類
　　　（ⅰ）　（イ）の①に定める書類
　　　（ⅱ）　建物の登記事項証明書（当該建物が未登記の場合には、固定資産税評価証明書その他の書類で所有者を明らかにするもの）
　　　②　①に掲げる場合以外の場合　　次に掲げる書類
　　　（ⅰ）　（イ）の②に定める書類
　　　（ⅱ）　①の（ⅱ）に掲げる書類
　（二）　物納申請土地に係る土地使用収益契約の相手方と当該物納申請土地の占有者が異なる場合　　当該土地使用収益契約の相手方と当該物納申請土地の占有者が異なる理由を明らかにする書類
　（三）　物納申請土地の隣地の上に存する建物のひさし、工作物又は樹木の枝その他これらに類するもの（以下（三）において「**ひさし等**」という。）が境界を越える場合でその境界を越える度合が軽微な場合又は境界上にある場合　　次に掲げる書類
　　（イ）　当該ひさし等の所有者が改築等を行うに際して当該ひさし等を撤去し、又は移動することを約する書類

－362－

第八章　相続税の納付

　　（ロ）　境界を越えている状況又は境界上に存している状況を示した図面
　（四）　物納申請土地（借地権が設定されている土地を除き、物納財産である建物の所有を目的として設定されている借
　　　　地権を含む。以下（四）において同じ。）の上に存する建物、工作物又は樹木その他これらに類するもの（以下（四）に
　　　　おいて「**建物等**」という。）が、当該物納申請土地の隣地との境界を越える場合又は境界上に存する場合　　次に掲げる
　　　　書類
　　（イ）　当該隣地の所有者（当該隣地の土地使用収益権者がいる場合には、当該土地使用収益権者）が物納申請土地の
　　　　収納後においても当該建物等の撤去及び当該隣地の使用料その他の負担を求めないことを約する書類
　　（ロ）　建物等が当該物納申請土地の隣地との境界を越えている状況又は境界上に存している状況を示した図面
　（五）　物納申請土地が建築基準法（昭和25年法律第201号）第43条第1項《敷地等と道路との関係》に規定する道路に接
　　　　していない場合　　当該物納申請土地の隣地の所有者が当該隣地を通することを承諾した旨の書類
　（六）　物納申請土地が土地区画整理事業等の施行区域内にある場合　　次に掲げる書類
　　（イ）　土地区画整理法第98条第5項《仮換地の指定》、新都市基盤整備法（昭和47年法律第86号）第39条《仮換地の指
　　　　定》若しくは大都市地域における住宅及び住宅地の供給の促進に関する特別措置法（昭和50年法律第67号）第83条
　　　　《土地区画整理法の準用》若しくは土地改良法（昭和24年法律第195号）第53条の5第3項《一時利用地の指定》の
　　　　規定による仮換地（（ロ）において「**仮換地**」という。）若しくは一時利用地（（ロ）において「**一時利用地**」という。）
　　　　の指定の通知書の写し又は土地区画整理事業等の進捗状況を確認できる書類
　　（ロ）　仮換地若しくは一時利用地の位置及び形状を表示した図面の写し又は土地区画整理法第87条第1項第1号《換
　　　　地計画》、新都市基盤整備法第31条第1号《換地計画》若しくは大都市地域における住宅及び住宅地の供給の促進に
　　　　関する特別措置法第73条第1号《換地計画》若しくは土地改良法第52条の5第1号《換地計画》の換地設計の内容
　　　　を確認できる図面の写し
　　（ハ）　収納の時までに発生した土地区画整理法第40条《経費の賦課徴収》若しくは大都市地域における住宅及び住宅
　　　　地の供給の促進に関する特別措置法第50条《賦課金、負担金等》又は土地改良法第39条《賦課金等の徴収》の規定
　　　　による賦課金その他これに類する債務を納税義務者が負担することを確認できる書類
　　（ニ）　土地区画整理法第110条第1項《清算金の徴収及び交付》、新都市基盤整備法第42条《清算》若しくは大都市地
　　　　域における住宅及び住宅地の供給の促進に関する特別措置法第83条又は土地改良法第54条の3《清算金の徴収及び
　　　　支払い》の規定による清算金の授受に係る権利及び義務が納税義務者に帰属することを確認できる書類

　　（一定の建物に該当する場合の物納手続関係書類）
（4）　（2）の（二）に掲げる財産が次の各号に掲げる建物に該当する場合には、同（二）に定める書類のほか、当該各号に定
　　める書類を物納手続関係書類として提出しなければならない。（規22④）
　（一）　敷地とともに物納に充てる建物　　次に掲げる場合の区分に応じ、それぞれ次に定める書類
　　（イ）　建物に賃借人がいる場合　　次に掲げる書類
　　①　建物の賃貸借契約の内容を確認できる書類
　　②　物納の許可の申請の日前3月間の賃借料の支払状況が確認できる書類（当該3月間に賃借料の支払期限がない
　　　　場合には、直前の支払期限に係る支払状況が確認できる書類）
　　③　敷金、保証金その他の債務については納税義務者と賃借人との間において清算し、当該債務を国に引き受けさ
　　　　せないことを確認する書類
　　④　**2**（**13**において準用する場合を含む。）に規定する申請書の提出期限（**三**の（5）において準用する場合には、**三**
　　　　の（2）の提出があった日）の翌日から起算して1年以内に物納の許可がされない場合において、税務署長が求め
　　　　たときには、その求めた日前3月間の賃借料の支払状況が確認できる書類（当該3月間に賃借料の支払期限がな
　　　　い場合には、直前の支払期限に係る支払状況が確認できる書類）を提出することを約する書類
　　⑤　建物の賃借人（上場会社を除く。）が**一**の**2**の（2）の（一）の（ワ）のイからハまでに掲げる者に該当しないことを
　　　　当該建物の賃借人が誓約する書面（当該建物の賃借人が法人である場合にあっては、当該法人が同（ワ）のロ又は
　　　　ハに掲げる者に該当しないことを当該法人の代表者が誓約する書面並びに当該法人の同（ワ）のハに規定する役員
　　　　等の名簿で当該役員等の氏名、生年月日、住所又は居所及び性別の記載があるもの）
　　（ロ）　建物に賃借権を設定し、物納の許可の申請をする者が賃借人となる場合　　物納申請建物を国から借り受ける
　　　　旨の書類
　（二）　その敷地に借地権が設定されている建物　　次に掲げる場合の区分に応じ、それぞれ次に定める書類
　　（イ）　（ロ）に掲げる場合以外の場合　　次に掲げる書類（建物に賃借人がいない場合には、⑥に掲げるものを除く。）
　　①　当該建物の敷地である土地の登記事項証明書

－363－

第一編　相続税

　② 借地契約の内容を確認できる書類
　③ ②に掲げる書類により借地権が設定されている土地の範囲を明らかにできない場合には、借地権が設定されて
　　いる土地の範囲を明らかにした敷地の所有者の書類
　④ 借地権が設定されている土地の範囲を明らかにした図面で、当該範囲の面積及び境界を確認できるもの
　⑤ 敷地の所有者が当該借地権の譲渡を承諾する旨の書類
　⑥ (一)の(イ)に定める書類
(ロ) 建物に賃借権を設定し、物納の許可の申請をする者が賃借人となる場合　　次に掲げる書類
　① (イ)の①から⑤までに掲げる書類
　② (一)の(ロ)に定める書類

　　(二以上の財産を物納に充てようとする場合)
(5)　二以上の財産を物納に充てようとする場合において他の財産について同一の書類を提出するときは、(2)から(4)
　に定める書類は、重ねて提出することを要しない。(規22⑤)

　　(物納の申請期限)
(6)　物納申請書は、物納を求めようとする相続税の納期限までに又は納付すべき日に提出しなければならないのである
　が、この場合の提出期限は具体的には次に掲げる期限又は日となるのであるから留意する。(基通42−1)
(一)　期限内申告書又は第七章第四節二の2の規定による修正申告書を提出した場合に第一節二の1の規定により納付
　　する相続税額　　これらの申告書の提出期限
(二)　期限後申告書又は修正申告書(第七章第四節二の2の規定による修正申告書を除く。)を提出した場合に第一節一
　　の3の(一)の規定により納付する相続税額　　これらの申告書の提出の日
(三)　更正又は決定を行った場合に第一節一の3の(二)の規定により納付する相続税額　　その更正通知書又は決定通
　　知書が発せられた日の翌日から起算して1月を経過する日

　　(通常必要とされない場合)
(7)　(2)の(一)に規定する「当該土地の取引において通常必要とされない場合」とは、例えば、山林などのように土地
　の全体を測量することが困難であり、その測量に多大な費用を要することから、通常の取引に当たっては地積測量図を
　作成しないことが一般的な例とされているものなどをいう。(基通42−2)

　　(物納の許可)
(8)　物納の許可は、その申請に係る税額のうち物納を許可する時において収納未済となっている税額の範囲内において
　許可するものとする。(基通42−3)

　　(物納申請があった場合の徴収猶予)
(9)　第二節四の10の規定は、1の規定による申請書の提出があった場合について準用する。(法42㉜)

　　(徴収を猶予する期間)
(10)　(9)において準用する第二節四の10の規定により徴収を猶予する期間は、物納申請に係る相続税額の第一節二の1
　又は第一節一の3に規定する納期限の翌日から、次に掲げる日までの期間をいうのであるから留意する。(基通42−16)
(一)　物納申請に係る相続税額の全部又は一部についてその許可(物納許可があったものとみなされる場合を含む。)を
　　した場合　　物納許可に係る納付があったものとされる日
(二)　物納申請に係る相続税額の全部又は一部についてその却下をした場合　　物納却下があった日
(三)　物納申請に係る相続税額の全部又は一部についてみなす取下げ又は取下げがあった場合　　みなす取下げ又は取下げ
　　があった日

2　物納申請に対する許可又は却下

　税務署長は、1の規定による申請書の提出があった場合においては、当該申請者及び当該申請に係る事項について一の
規定に該当するか否かの調査を行い、その調査に基づき、当該申請書の提出期限の翌日から起算して3月以内に当該申請
に係る税額の全部又は一部について物納財産ごとに当該申請に係る物納の許可をし、又は当該申請の却下をする。(法42②)

第八章　相続税の納付

（管理官庁との協議）
（１）　税務署長は、物納申請財産が不動産、船舶又は有価証券である場合は、**2**の調査に当たり、当該物納申請財産の管理又は処分に関する意見を物納財産の管理官庁に求めるものとする。

この場合において、管理官庁による物納申請財産の調査の結果、管理又は処分に関する意見の回答があったときは、当該回答に則して**2**の規定により物納の許可をし、又は当該申請の却下をするものとする。（基通42－４）

(注)　物納財産の管理官庁とは、財務（支）局、沖縄総合事務局、財務事務所、財務（支）局出張所、沖縄総合事務局財務出張所及び財務事務所出張所をいう。

（「物納財産ごと」の意義）
（２）　**2**に規定する「物納財産ごと」とは、物納の許可をする物納財産の収納価額ごとに又は物納申請の却下をする財産の価額ごとにそれぞれ区分して、物納の許可をし、又は当該申請の却下をすることをいうのであるから留意する。

ただし、他の不動産と併せて物納申請することにより、管理処分不適格財産に該当しないこととなる不動産については、当該他の不動産と併せて物納の許可をすることをいうのであるから留意する。（基通42－５）

（申請者への通知）
（３）　税務署長は、**2**の規定により許可をし、又は却下をした場合においては、当該許可に係る税額及び物納財産又は当該却下をした旨及びその理由を記載した書面により、これを当該申請者に通知する。（法42③）

（物納の許可があったものとみなす場合）
（４）　**2**に規定する期間内（**3**の（６）、**5**の（５）、**6**（**6**の（２）の規定により読み替えて適用する場合を含む。）、**6**の（４）又は**8**の（７）の規定の適用がある場合には、これらの規定により読み替えて適用する**2**に規定する期間内）に税務署長が物納の許可又は当該物納の申請の却下をしない場合には、当該物納の許可があったものとみなす。（法42㉛）

（物納の許可があったものとみなされた場合の収納手続等）
（５）　（４）の規定により、物納の許可があったものとみなされた場合には、当該許可に係る物納財産の収納に必要な所有権移転等に関する手続を行うよう申請者に求め、みなし許可後速やかに収納手続を了するのであるから留意する。

なお、当該収納に必要な手続が履行されず、物納財産の収納ができない場合には、当該物納許可を取り消すのであるから留意する。（基通42－15）

3　物納手続関係書類の提出期限の延長

一の**1**の規定による物納の許可を申請しようとする者は、物納手続関係書類の全部又は一部を**1**の申請書の提出期限までに当該申請書に添付して提出することができない場合には、（１）の政令で定めるところにより、その旨、当該物納手続関係書類を提出する日その他（３）の財務省令で定める事項を記載した届出書（（４）及び**5**の（６）において「**物納手続関係書類提出期限延長届出書**」という。）を納税地の所轄税務署長に提出することができる。この場合において、当該提出する日が記載されていないときは、当該提出期限の翌日から起算して３月を経過する日が記載されているものとみなす。（法42④）

（物納手続関係書類提出期限延長届出書の提出）
（１）　**3**に規定する物納手続関係書類提出期限延長届出書を提出しようとする者は、当該物納手続関係書類提出期限延長届出書を**1**の申請書に添付して納税地の所轄税務署長に提出しなければならない。（令19の２①）

（物納手続関係書類の一部が不足していたことを知った場合）
（２）　**1**の規定により**1**に規定する物納手続関係書類を**1**の申請書に添付して提出した者は、当該申請書の提出後において当該物納手続関係書類の一部が不足していたことを知った場合には、（１）の規定にかかわらず、**3**に規定する物納手続関係書類提出期限延長届出書を当該申請書の提出期限の翌日から起算して１月以内に限り、納税地の所轄税務署長に提出することができる。ただし、**4**の（２）の規定による当該物納手続関係書類の一部の提出を求める旨の通知があった場合は、この限りでない。（令19の２②）

（物納手続関係書類提出期限延長届出書の記載事項）
（３）　**3**（**13**において準用する場合を含む。）に規定する財務省令で定める事項は、次に掲げる事項とする。（規22⑥）

第一編　相続税

（一）　第七章第一節二の（1）の（三）及び（四）に掲げる事項
（二）　**1**（**13**において準用する場合を含む。）の申請書の提出期限までに当該申請書に添付して提出することができない物納手続関係書類
（三）　（二）の物納手続関係書類に係る物納に充てようとする財産の種類及び所在場所
（四）　その他参考となるべき事項

　　　（物納手続関係書類の提出期限）
（4）　**3**の規定により当該申請者が物納手続関係書類提出期限延長届出書を提出した場合には、物納手続関係書類（当該物納手続関係書類提出期限延長届出書に係るものに限る。（5）において同じ。）の提出期限は、当該物納手続関係書類提出期限延長届出書に記載された当該物納手続関係書類を提出する日（その日が**3**の提出期限の翌日から起算して３月を経過する日後である場合には、当該経過する日）とする。（法42⑤）

　　　（提出期限までに物納手続関係書類を提出することができない場合）
（5）　**3**、（4）（（5）の規定により読み替えて適用する場合を含む。）の規定の適用を受けた者が（4）に規定する提出する日までに物納手続関係書類を提出することができない場合における**3**の規定の適用については、**3**中「**1**の申請書の提出期限までに当該申請書に添付して提出することができない場合」とあるのは、「（4）に規定する提出する日までに（4）の物納手続関係書類を提出することができない場合」とする。ただし、当該物納手続関係書類の提出期限は、**1**の申請書の提出期限の翌日から起算して１年を経過する日後とすることはできない。（法42⑥）

　　　（申請に対する許可又は却下）
（6）　**3**、（4）、（5）の規定の適用がある場合における**2**の規定の適用については、**2**中「当該申請書」とあるのは、「物納手続関係書類（**3**の物納手続関係書類提出期限延長届出書に係るものに限る。）」とする。（法42⑦）

　　　（物納手続関係書類提出期限延長届出書の提出時期）
（7）　物納手続関係書類を（4）の物納手続関係書類提出期限までに提出することができないため、（5）により読み替えて**3**を適用する場合の物納手続関係書類提出期限延長届出書は、（4）の物納手続関係書類提出期限までに提出するのであるから留意する。（基通42−6①）

　　　（延長された提出期限までに物納手続関係書類の提出等がない場合）
（8）　（4）（（5）により読み替えて適用する場合を含む。）の規定により延長された物納手続関係書類の提出期限までに、当該申請者が物納手続関係書類の提出をしなかったときは、**2**の規定により物納の申請を却下するのであるから留意する。（基通42−7）

4　物納手続に必要な書類の補完の要請

　税務署長は、**1**の規定による申請書の提出があった場合において、当該申請書についてその記載に不備があること又は物納手続関係書類についてその記載に不備があること若しくはその提出がないことその他の（1）の政令で定める事由があるときは、当該申請者に対して当該申請書の訂正又は当該物納手続関係書類の訂正若しくは提出を求めることができる。（法42⑧）

　　　（物納手続関係書類等の訂正又は提出の請求）
（1）　**4**に規定する政令で定める事由は、次に掲げる事由とする。（令19の3）
（一）　**1**の申請書について、その記載に不備があること。
（二）　**1**に規定する物納手続関係書類について、その記載に不備があること又はその全部若しくは一部の提出がないこと。

　　　（申請者への通知）
（2）　税務署長は、**4**の規定により申請書の訂正又は物納手続関係書類の訂正若しくは提出を求める場合においては、その旨及びその理由を記載した書面により、これを当該申請者に通知する。（法42⑨）

−366−

第八章　相続税の納付

（申請書の訂正又は物納手続関係書類の訂正若しくは提出の期限）
（3）　**4**の規定により申請書の訂正又は物納手続関係書類の訂正若しくは提出を求められた当該申請者は、（2）の規定による通知を受けた日の翌日から起算して20日以内に当該申請書の訂正又は当該物納手続関係書類の訂正若しくは提出をしなければならない。この場合において、当該期間内に当該申請書の訂正又は当該物納手続関係書類の訂正若しくは提出をしなかったときは、当該申請者は、当該期間を経過した日において物納の申請を取り下げたものとみなす。（法42⑩）

5　物納手続に必要な書類の補完期限の延長の手続

　4の規定により物納手続関係書類の訂正又は提出を求められた当該申請者は、**4**の（3）の経過した日の前日までに当該物納手続関係書類の訂正又は提出をすることができない場合には、（1）の政令で定めるところにより、その旨、当該物納手続関係書類の訂正又は提出をする日その他（2）の財務省令で定める事項を記載した届出書（（3）において「**物納手続関係書類補完期限延長届出書**」という。）を納税地の所轄税務署長に提出することができる。この場合において、当該訂正又は提出をする日が記載されていないときは、当該経過した日から起算して3月を経過する日が記載されているものとみなす。（法42⑪）

（物納手続関係書類補完期限延長届出書の提出）
（1）　**5**に規定する物納手続関係書類補完期限延長届出書を提出しようとする者は、当該物納手続関係書類補完期限延長届出書を**4**の（3）の経過した日の前日までに納税地の所轄税務署長に提出しなければならない。（令19の2③）

（物納手続関係書類補完期限延長届出書の記載事項）
（2）　**5**（**12**において準用する場合を含む。）に規定する財務省令で定める事項は、次に掲げる事項とする。（規22⑦）
　（一）　第七章第一節**二**の（1）の（三）及び（四）に掲げる事項
　（二）　**4**の（3）（**12**において準用する場合を含む。）の経過した日の前日までに訂正又は提出をすることができない物納手続関係書類
　（三）　（二）の物納手続関係書類に係る物納に充てようとする財産の種類及び所在場所
　（四）　その他参考となるべき事項

（物納手続関係書類の訂正又は提出の期限）
（3）　**5**の規定により当該申請者が物納手続関係書類補完期限延長届出書を提出した場合には、物納手続関係書類（当該物納手続関係書類補完期限延長届出書に係るものに限る。（4）において同じ。）の訂正又は提出の期限は、当該物納手続関係書類補完期限延長届出書に記載された当該物納手続関係書類の訂正又は提出をする日（その日が**5**の経過した日から起算して3月を経過する日後である場合には、当該経過する日）とする。（法42⑫）

（提出期限までに物納手続関係書類の訂正又は提出をすることができない場合）
（4）　**5**、（3）（（4）の規定により読み替えて適用する場合を含む。）の規定の適用を受けた者が（3）に規定する訂正又は提出をする日までに物納手続関係書類の訂正又は提出をすることができない場合における**5**の規定の適用については、**5**中「**4**の（3）の経過した日の前日」とあるのは、「（3）に規定する訂正又は提出をする日」とする。ただし、当該物納手続関係書類の訂正又は提出の期限は、**4**の（2）の規定による通知を受けた日の翌日から起算して1年を経過する日後とすることはできない。（法42⑬）

（申請に対する許可又は却下）
（5）　**4**又は**5**、（3）、（4）の規定の適用がある場合における**2**の規定の適用については、**2**中「以内」とあるのは、「に**4**の（2）の規定による通知を申請者が受けた日の翌日から申請書（**4**の規定に係るものに限る。）の訂正の期限又は物納手続関係書類（**4**の規定に係るものに限る。）若しくは物納手続関係書類（**5**の物納手続関係書類補完期限延長届出書に係るものに限る。）の訂正若しくは提出の期限（以下（5）において「**申請書等の提出期限**」という。）までの期間（**4**の（2）の規定による通知が複数ある場合には、それぞれの通知を受けた日の翌日から当該それぞれの通知に係る申請書等の提出期限までの期間を合算した期間（これらの期間のうち重複する期間がある場合には、当該重複する期間を合算した期間を除いた期間）とする。）を加算した期間内」とする。（法42⑭）

－367－

第一編　相続税

　（物納手続関係書類の訂正又は提出が求められている場合において、当該物納手続関係書類に係る物納財産について
　　の物納手続関係書類提出期限延長届出書が提出されているとき）
（6）　**4**の規定により物納手続関係書類の訂正又は提出が求められている場合において、当該物納手続関係書類に係る物
　　納財産についての物納手続関係書類提出期限延長届出書が提出されているときは、（3）及び（4）ただし書の規定の適用
　　については、（3）中「**5**の経過した日から起算して3月を経過する日後である場合には、当該経過する日」とあるのは
　　「当該訂正又は提出が求められている物納手続関係書類に係る物納財産についての**3**の物納手続関係書類提出期限延長
　　届出書による期限後である場合には、当該期限」と、（4）ただし書中「**4**の（2）の規定による通知を受けた日の翌日か
　　ら起算して1年を経過する日」とあるのは「当該訂正又は提出が求められている物納手続関係書類に係る物納財産につ
　　いての**3**の物納手続関係書類提出期限延長届出書による期限」とする。（法42⑮）

　（物納手続関係書類補完期限延長届出書の提出時期）
（7）　物納手続関係書類を（3）の物納手続関係書類補完期限までに提出することができないため、（4）により読み替えて
　　5を適用する場合の物納手続関係書類補完期限延長届出書は、（3）の物納手続関係書類補完期限までに提出するのであ
　　るから留意する。（基通42−6②）

　（延長された補完期限までに物納手続関係書類の訂正等がない場合）
（8）　（3）（（4）により読み替えて適用する場合を含む。）の規定により延長された物納手続関係書類の補完期限までに、
　　当該申請者が物納手続関係書類の訂正又は提出をしなかったときは、**2**の規定により物納の申請を却下するのであるか
　　ら留意する。（基通42−8）

6　物納申請の許可に係る審査期間の延長

　　2の規定により、税務署長が、**2**の調査を行う場合において、**2**の申請書に係る物納財産が多数であることその他の事
由により当該調査に3月を超える期間を要すると認めるときにおける**2**の規定の適用については、**2**中「3月」とあるの
は、「6月」とする。（法42⑯）

　（「調査に3月を超える期間を要すると認めるとき」の意義）
（1）　**6**に規定する「調査に3月を超える期間を要すると認めるとき」とは、次のようなものをいうのであるから留意す
　　る。（基通42−9）
　①　物納財産が多数ある場合
　②　物納財産が遠方に所在し、確認調査等に時間を要すると認められる場合
　③　財産の性質、形状その他の特徴により管理処分不適格財産に該当するかどうかの審査や収納価額の算定等に相当の
　　　期間を要すると認められる場合
　④　一の**2**の（2）の（一）の（ワ）又は同（2）の（二）の（ヘ）に規定する者に該当するかどうかの確認に相当の期間を要する
　　　と認められる場合

　（積雪その他の事由による延長）
（2）　**2**の規定により、税務署長が、**2**の調査を行う場合において、積雪その他これに準ずる事由により当該調査に6月
　　を超える期間を要すると認めるときにおける**6**の規定の適用については、**2**中「6月」とあるのは、「9月」とする。（法
　　42⑰）

　（その他これに準ずる事由）
（3）　（2）に規定される「その他これに準ずる事由」とは、例えば、風水害等の自然災害により、物納財産の確認調査等
　　が事実上不能な期間が継続するなど、特に調査に期間を要すると認められる場合（（4）の規定の適用がある場合を除く。）
　　をいうのであるから留意する。（基通42−10）

　（災害その他やむを得ない理由による延長）
（4）　**2**の規定により税務署長が**2**の調査を行う場合において、国税通則法第11条《災害等による期限の延長》に規定す
　　る災害その他やむを得ない理由が生じたとき、又は**9**の（1）で定めるやむを得ない事由が生じたときにおける**2**の規定
　　の適用については、**2**中「3月以内」とあるのは、「3月（**6**の規定の適用がある場合には6月とし、（2）の規定の適用
　　がある場合には9月とする。）に**9**の（一）の規定により読み替えて適用する**3**の（5）ただし書に規定する災害等延長期間

−368−

第八章　相続税の納付

11　物納の許可の取消し

　税務署長は、**10**（**13**において準用する場合を含む。以下（2）までにおいて同じ。）の規定により条件（物納財産について一定の事項の履行を求めるものに限る。）を付して物納の許可をした場合において、当該一定の事項の履行を求めるときは、当該条件に従って期限を定めて、当該一定の事項の履行を求める旨その他（5）で定める事項を記載した書面により、これを**10**の申請者に通知する。（法48①）

　　　（一定の事項の履行がない場合の物納の許可の取消し）
（1）　税務署長は、**11**の期限までに**11**の一定の事項の履行がない場合には、**10**の規定による通知をした日の翌日から起算して5年を経過する日までに**11**の規定による通知をしたときに限り、**2**（**13**において準用する場合を含む。）の規定による物納の許可を取り消すことができる。（法48②）

　　　（申請者への通知）
（2）　税務署長は、（1）の規定により物納の許可を取り消した場合においては、その旨及びその理由を記載した書面により、これを**10**の申請者に通知する。（法48③）

　　　（物納の許可の取消しに係る有益費の納付等）
（3）　（1）の規定により物納の許可の取消しを受けた者は、その取消しに係る財産につき国が支出した有益費がある場合には、その費用の額（**七の3の②**の規定により当該財産に係る有益費の額に相当する金額として控除した金額がある場合には、当該金額を控除した残額）に相当する金銭を納付しなければならない。この場合において、当該財産を管理していた財務局長又は福岡財務支局長は、その取消しを受けた者に、1月以内の期限を指定し、書面でその費用の額に相当する金銭の納付を告知するものとする。（令25の6①）

　　　（物納の許可の取消しに係る相続税の徴収を目的とする国の権利の時効）
（4）　**11**の規定による物納の許可の取消しに係る相続税（当該相続税に係る利子税及び延滞税を含む。）の徴収を目的とする国の権利の時効については、その物納の許可があった時からその物納の許可の取消しがある時までの間は完成せず、当該取消しがあった時から新たにその進行を始めるものとする。この場合において、当該相続税に係る国税徴収法第2章《国税と他の債権との調整》の規定の適用については、当該取消しに係る（2）の規定による通知に係る書面を発した日を同法第15条第1項《法定納期限等以前に設定された質権の優先》に規定する法定納期限等とみなす。（令25の6②）

　　　（物納の許可に付した条件の履行を求める通知書の記載事項）
（5）　**11**（**三の（5）**において準用する場合を含む。以下（5）において同じ。）に規定する財務省令で定める事項は、次に掲げる事項とする。（規27）
　（一）　**11**の規定により履行を求める事項
　（二）　**11**の規定による期限
　（三）　**10**（**13**又は**三の（5）**において準用する場合を含む。（四）において同じ。）に規定する条件に係る物納財産の種類及び所在場所
　（四）　**10**の規定による通知をした日
　（五）　その他参考となるべき事項

12　物納申請の全部又は一部の却下に係る延納

　税務署長は、**一の1**の規定による申請があった場合において、延納により金銭で納付することを困難とする事由がないと認めたことから**2**の規定により物納の申請の却下をしたとき、又は**一の1**に規定する納付を困難とする金額が当該申請に係る金額より少ないと認めたことから**2**の規定により当該申請に係る相続税額の一部について当該申請の却下をしたときは、これらの却下に係る相続税額につき、これらの却下の日の翌日から起算して20日以内にされた当該申請者の申請により、当該相続税額のうち金銭で一時に納付することを困難とする金額として（1）の政令で定める額を限度として、延納の許可をすることができる。（法44①）
　第二節《延納》の**一の1**、同**一の3**、同**一の4**、第二節**四**《延納の申請手続及び許可》の**1**から**10**の規定は、上記の規定による延納について準用する。この場合において、必要な技術的読替えは、政令で定める。（法44②）

—373—

第一編　相続税

　　　（物納申請の全部又は一部の却下に係る延納の許可限度額等）
（１）　第二節**一**の**1**の（１）の規定は、**12**に規定する政令で定める額について準用する。この場合において、同（１）の（二）中「（一）の相続税額に係る納期限又は納付すべき日」とあるのは、「**12**の規定により延納の許可の申請をする日」と読み替えるものとする。（令25の2①）
　　　12において第二節**一**の**1**及び第二節**四**の**1**の規定を準用する場合には、これらの規定中「納期限までに、又は納付すべき日」とあるのは、「**12**の規定により延納の許可の申請をする日」と読み替えるものとする。（令25の2②）

　　　（災害等による申請期限の延長）
（２）　次の各号に掲げる事由が生じた場合における**12**の前段の規定による延納の許可の申請をその期限までに行うことができない者に係る**12**の前段の規定の適用については、当該各号に掲げる事由の区分に応じ当該各号に定めるところによる。（令25の2④）

（一）	第二節の**四**の**8**の（１）の（一）に掲げる事由	**12**の前段中「20日以内」とあるのは、「20日に第二節の**四**の**8**の（３）で定める期間を加算した期間内」とする。
（二）	**9**の（１）の（二）に掲げる事由	**12**の前段中「20日以内」とあるのは、「20日に**9**の（３）で定める期間を加算した期間内」とする。

　　　（却下の日の翌日から起算して20日以内の意義）
（３）　**12**又は**13**に規定する「却下の日の翌日から起算して20日以内」の期間の計算に当たっては、申請者が物納申請の却下通知を受け取った日の翌日から起算して当該期間を計算するのであるから留意する。（基通44－1）

　　　（延納の許可の申請に係る手続を行う者）
（４）　**12**の後段により第二節の**四**の**1**を準用する場合における同**四**の**8**の（１）の（一）に規定する「延納の許可の申請に係る手続を行う者」とは、「**12**の後段の規定により延納の許可の申請を行おうとする者（納税義務者）」をいい、当該申請を行おうとする者が死亡したことにより当該申請者としての地位を承継した者を含むものであることに留意する。（基通44－2）

　　　（**12**の前段に規定する延納申請期限の延長）
（５）　**12**の前段に規定する延納申請期限については、通則法第11条の規定の適用があることに留意する。
　　　また、（２）により読み替える「第二節の**四**の**8**の（二）に規定する政令で定める期間」における同**四**の**8**の（１）の（二）の「不服申立て」とは、**12**の前段に規定する延納申請期限までに行われた不服申立てに限られるのであるから留意する。（基通44－3）

　　　（処分があった日）
（６）　**12**の後段により第二節の**四**を準用する場合における同**四**の**8**の（３）の（二）に規定する「処分があった日」とは、申請者が物納申請の却下通知を受け取った日をいうことに留意する。（基通44－4）

13　物納申請の却下に係る再申請

　　税務署長は、**一**の**1**の規定による申請があった場合において、同**1**の物納の許可の申請に係る物納財産が管理処分不適格財産又は物納劣後財産に該当することから**2**の規定により当該申請の却下をしたときは、当該却下の日の翌日から起算して20日以内にされた当該申請者の申請（当該物納財産以外の物納財産に係る申請に限る。）により、**一**の**1**に規定する納付を困難とする金額として（１）の政令で定める額を限度として、物納の許可をすることができる。（法45①）
　　一、**二**の**1**から**10**、**五**の規定は、上記の規定による物納について準用する。この場合において、必要な技術的読替えは、政令で定める。（法45②）

　　　（物納申請の却下に係る再申請に係る物納の許可限度額等）
（１）　**13**前段の規定の適用がある場合における**一**の**1**の（１）の規定の適用については、同（１）の（一）中「第二節**一**の**1**の（１）の（一）の相続税額に係る納期限又は納付すべき日」とあるのは「**13**の規定により物納の許可の申請をする日」と、**一**の**1**の（１）の（二）中「納期限又は納付すべき日」とあるのは「物納の許可の申請をする日」とする。（令25の3①）
　　　13後段において**1**の規定を準用する場合には、**1**中「納期限までに、又は納付すべき日」とあるのは、「**13**の規定によ

－374－

第八章　相続税の納付

り物納の許可の申請をする日」と読み替えるものとする。（令25の3②）

　　（災害等による再申請の期限の延長）
（2）　**9**の（1）の（二）で定めるやむを得ない事由が生じた場合における**13**の前段の規定による物納の許可の申請をその期限までに行うことができない者に係る**13**の前段の規定の適用については、**13**の前段中「20日以内」とあるのは、「20日に**9**の（3）で定める期間を加算した期間内」とする。（令25の3④）

　　（再申請の回数（1財産について1回限り））
（3）　物納申請の却下に係る再申請は、**一**の1の規定による申請があった場合の当該申請に係る物納申請財産が管理処分不適格財産又は物納劣後財産に該当することから、当該申請が却下された場合に認められるものであり（1財産について1回限り）、**13**により再申請された財産が却下された場合には適用がないのであるから留意する。（基通45－1）

　　（物納の許可の申請に係る手続を行う者）
（4）　**13**の後段により**二**の1から10を準用する場合における**9**の（1）の（一）の「物納の許可の申請に係る手続を行う者」とは、**13**の後段の規定により物納の許可の再申請を行おうとする者（納税義務者）をいい、当該申請を行おうとする者が死亡したことにより当該申請者としての地位を承継した者を含むものであることに留意する。（基通45－2）

　　（**13**の前段に規定する延納申請期限の延長）
（5）　**13**の前段に規定する物納再申請期限については、国税通則法第11条の規定の適用があることに留意する。
　　また、（2）により読み替える「**9**の（二）に規定する政令で定める期間」における**9**の（1）の（二）の「不服申立て」とは、**13**の前段に規定する物納再申請期限までに行われた不服申立てに限られるのであるから留意する。（基通45－3）

　　（処分があった日）
（6）　**13**の後段により**二**の1から10を準用する場合における**9**の（3）の（二）に規定する「処分があった日」とは、申請者が物納申請の却下通知を受け取った日をいうことに留意する。（基通45－4）

三　特定の延納税額に係る物納

　税務署長は、第二節**一**の1又は**二**の12の規定による延納の許可を受けた者について、第二節**一**の1（**二**の12において準用する場合を含む。）の延納税額からその納期限が到来している分納税額を控除した残額（以下**三**において「**特定物納対象税額**」という。）を第二節**四**の9の①（**二**の12において準用する場合を含む。）の規定により変更された条件による延納によっても金銭で納付することを困難とする事由が生じた場合においては、その者の申請により、特定物納対象税額のうちその納付を困難とする金額として（6）の政令で定める額を限度として、物納の許可をすることができる。（法48の2①）

　　（特定物納申請書の提出）
（1）　**三**の規定による物納（以下**三**において「**特定物納**」という。）の許可を受けようとする者は、当該特定物納に係る相続税の申告期限の翌日から起算して10年を経過する日までに、特定物納対象税額、金銭で納付することを困難とする金額及びその困難とする事由、特定物納の許可を求めようとする税額その他の（7）の財務省令で定める事項を記載した申請書に物納手続関係書類を添付し、これを納税地の所轄税務署長に提出しなければならない。（法48の2②）

　　（申請に対する許可又は却下）
（2）　税務署長は、（1）の規定による申請書の提出があった場合においては、当該申請者及び当該申請に係る事項について**三**の規定並びに（5）において準用する**一**の規定に該当するか否かの調査を行い、その調査に基づき、当該提出があった日の翌日から起算して3月以内に当該申請に係る特定物納の許可を求めようとする税額の全部又は一部について当該特定物納に係る財産ごとに当該特定物納の許可をし、又は当該申請の却下をする。（法48の2③）

　　（納期限の延長）
（3）　（1）の規定による申請書の提出があった場合において、当該申請により特定物納の許可を求めようとする税額のうち、当該提出があった日から次の各号に掲げる日までの間にその分納期限が到来する分納税額の納期限は、当該各号に定める日まで延長する。（法48の2④）

－375－

第一編　相続税

（一）　（２）の規定により申請の却下がされる日、（５）において準用する**二**の**４**の（３）の規定により申請を取り下げたものとみなされる日又は自ら申請を取り下げる日　　これらの日の翌日から起算して１月を経過する日

（二）　（５）において準用する**五**の**３**の規定により相続税の納付があったものとされる日　　当該納付があったものとされる日

　　（特定物納に係る財産の収納価額）
（４）　特定物納に係る財産の収納価額は、当該特定物納に係る申請の時の価額による。ただし、税務署長は、収納の時までに当該財産の状況に著しい変化が生じたときは、収納の時の現況により当該財産の収納価額を定めることができる。（法48の２⑤）

　　（規定の準用）
（５）　**一**《物納の要件》、**二**《物納の申請手続及び許可》、**五**《物納財産の収納》の規定は、**三**について準用する。この場合において、必要な技術的読替えは、政令で定める。（法48の２⑥）

　　（特定の延納税額に係る物納の許可限度額等）
（６）　**一**の**１**の（１）の規定は、**三**に規定する政令で定める額について準用する。この場合において、同（１）中「第二節**一**の**１**の（１）の（一）に掲げる額から同（１）の（二）に掲げる額」とあるのは「**三**に規定する特定物納対象税額から（１）の申請をする日において第二節**一**の**１**の（１）の（二）の規定に準じて計算した金額」と、同（１）の（一）中「第二節**一**の**１**の（１）の（一）の相続税額に係る納期限又は納付すべき日」とあるのは「**三**の規定により（１）に規定する特定物納の許可の申請をする日」と、同（１）の（二）中「納期限又は納付すべき日」とあるのは「特定物納の許可の申請をする日」と読み替えるものとする。（令25の７①）

　　（特定物納申請書の記載事項）
（７）　（１）に規定する財務省令で定める事項は、次に掲げる事項とする。（規28）
（一）　第七章第一節**二**の（１）の（三）及び（四）に掲げる事項
（二）　**三**に規定する特定物納対象税額
（三）　（６）において準用する**一**の**１**の（１）に規定する延納によって納付することができる額及びその計算の明細
（四）　第二節**四**の**９**の①（**二**の**12**において準用する場合を含む。）の規定により変更された条件による延納によっても金銭で納付することを困難とする金額及びその困難とする事由並びに**三**の規定による物納（以下「**特定物納**」という。）を求めようとする税額
（五）　特定物納に係る相続税の申告期限
（六）　特定物納に充てようとする財産の種類及び数量並びに当該特定物納の許可の申請をする時における当該財産の価額、その計算の明細及び所在場所
（七）　（５）において準用する**一**の**３**に規定する物納劣後財産を特定物納に充てようとする場合には、同**３**に規定する事由その他当該財産を特定物納に充てようとする特別の事由
（八）　（５）において準用する**一**の**２**の（二）又は（三）に掲げる財産を特定物納に充てようとする場合には、**一**の**４**に規定する事由その他当該財産を特定物納に充てようとする特別の事由
（九）　その他参考となるべき事項

　　（「特定物納対象税額」の範囲）
（８）　**三**に規定する「特定物納対象税額」には、利子税等の附帯税の額は含まれないのであるから留意する。（基通48の２－１）

　　（延納担保物件が特定物納申請財産として申請された場合の取扱い）
（９）　特定物納に充てようとする財産が、特定物納の許可を受けようとする延納税額の担保となっている場合には、当該財産について他の私債権の担保権の目的となっていない場合に限り、**一**の**２**の（３）の（一）の不動産に該当しないものとして取り扱うことに留意する。
　　ただし、特定物納の許可によっても被担保債権の全額が納付済みとならず担保権の抹消が行えない場合には、この限りでないのであるから留意する。（基通48の２－２）

－376－

第八章　相続税の納付

（「物納財産ごと」の意義）
(10)　（2）に規定する「物納財産ごとに当該申請に係る物納の許可をし、又は当該申請の却下をする。」については、二の**2**の（2）の取扱いに準ずる。（基通48の2−3）

（特定物納の却下又は取下げ）
(11)　（2）の規定により特定物納の申請が却下された場合、（5）において準用する二の**4**の（3）の規定により申請を取り下げたものとみなされた場合又は自ら申請を取り下げた場合は、特定物納の申請前に許可を受けた延納の条件（（3）に規定する分納税額の納期限の延長を除く。）が継続することに留意する。（基通48の2−4）

（特定物納に係る財産の収納価額）
(12)　（4）に規定する「申請の時の価額」とは、特定物納申請財産について、当該特定物納の申請書が提出された時の財産の状況により、財産評価基本通達を適用して求めた価額をいうのであるから留意する。
　　なお、次の場合にはそれぞれに掲げる価額をもって当該財産の価額として取り扱うのであるから留意する。（基通48の2−5）
　（一）　土地（路線価方式による評価を行うもの）
　　　その年分に適用する路線価が公開されるまでの期間……前年の路線価を用いて評価した価額に時点修正指数を乗じた価額
　　　（注）　時点修正指数とは、前年末から申請時までの地価の変動率をいい、その年分の地価公示における物納申請された土地の近傍の標準地の地価の変動率を用いることとして差し支えないものとする。
　（二）　土地（倍率方式による評価を行うもの）
　　　その年分に適用する倍率が公開されるまでの期間……前年の固定資産税評価額及び倍率を用いて評価した価額に時点修正指数を乗じた価額
　（三）　取引相場のない株式に係る株券（純資産価額方式による評価を行うもの）
　　　その年分に適用する路線価又は倍率が公開されるまでの期間……（一）又は（二）による土地の価額に基づき計算された取引相場のない株式に係る株券の価額

（当該財産の状況に著しい変化が生じたとき）
(13)　（4）に規定する「収納の時までに当該財産の状況に著しい変化が生じたとき」については、五の**1**の（3）の取扱いに準ずる。（基通48の2−6）

（「収納のときの現況により当該財産の収納価額を定める」の意義）
(14)　（4）に規定する「収納の時の現況により当該財産の収納価額を定める」とは、その状況に著しい変化を生じた財産が、収納の時の状態で特定物納の申請をした時にあったものとして、その特定物納を申請した時における価額によって当該収納価額を定めるという趣旨であるから留意する。
　　なお、「当該財産の状況に著しい変化を生じた」かどうかの判定は、原則として、許可の時における物納財産の現況によるのであるから留意する。（基通48の2−7）

（特定物納における物納手続関係書類の提出時期等）
(15)　（1）の規定により特定物納申請書に添付して提出することとされている物納手続関係書類については、当該提出期限の延長はできないのであるから留意する。（基通48の2−8①）

（物納手続関係書類の訂正又は提出を行わない場合）
(16)　（5）の規定により準用する二の**4**の規定により、提出があった物納手続関係書類についてその記載に不備があること又はその提出がないことについて同**4**の（2）による補完通知により、物納手続関係書類の訂正又は提出を求められた場合には、当該補完に係る期限の延長はできないことから、当該補完通知を受けた日の翌日から起算して20日以内に当該物納手続関係書類の訂正又は提出を行わない場合は、当該特定物納申請は取り下げられたものとみなされるのであるから留意する。（基通48の2−8②）

（小規模宅地等についての相続税の課税価格の計算の特例の規定の適用）
(17)　第四章第二節**一**の**10**に規定する小規模宅地等について、同**10**の規定の適用を受ける場合における（5）において準用

−377−

第一編　相続税

する一の２の規定の適用については、同２中「財産を除く」とあるのは、「財産及び第四章第二節一の10の規定の適用を受けた同10に規定する小規模宅地等を除く」とする。（措法69の４⑧）

（特定計画山林についての相続税の課税価格の計算の特例の規定の適用）
(18)　第四章第二節一の11に規定する選択特定計画山林について、同11の規定の適用を受ける場合における(5)において準用する一の２の規定の適用については、同２中「財産を除く」とあるのは、「財産及び第四章第二節一の11の規定の適用を受けた同11に規定する選択特定計画山林を除く」とする。（措法69の５⑫）

四　相続税の物納の特例

1　特定登録美術品に係る物納の特例

①　制度の概要
　税務署長は、一の１に規定する納税義務者が同１、二の13又は三の規定による物納の許可（以下①において「物納の許可」という。）を申請しようとする場合において、当該物納に充てようとする財産が美術品の美術館における公開の促進に関する法律（平成10年法律第99号）第２条第３号に規定する登録美術品（当該物納の許可の申請に係る相続の開始時において既に同法第３条第１項に規定する登録を受けているものに限る。①及び②において「**特定登録美術品**」という。）であるときは、当該特定登録美術品については、当該納税義務者の申請により、一の４（二の13又は三の(5)において準用する場合を含む。）の規定にかかわらず、物納の許可をすることができる。（措法70の12①）

②　適用手続
　①の規定の適用を受けようとする者は、二の１（二の13において準用する場合を含む。）又は三の(1)に規定する申請書に、物納に充てようとする特定登録美術品の種類及び価額その他当該特定登録美術品に関する事項を記載した書類その他の注の財務省令で定める書類を添付して、これを納税地の所轄税務署長に提出しなければならない。この場合において、これらの書類は、二の１に規定する物納手続関係書類とみなす。（措法70の12②）

（申請書に添付を要する書類）
注　２に規定する書類は、次に掲げる事項を記載した書類及び物納に充てようとする１に規定する特定登録美術品に係る美術品の美術館における公開の促進に関する法律施行規則（平成10年文部省令第43号）第17条に規定する評価価格通知書（当該物納の許可の申請に係る相続があったことにより、同令第16条第１項の規定による申請を行った個人に対し通知されたものに限る。）の写しとする。（措規23の17①）
　(一)　物納に充てようとする特定登録美術品について美術品の美術館における公開の促進に関する法律施行規則第16条第１項の規定による価格の評価の申請を行った個人の氏名及び住所又は居所
　(二)　当該特定登録美術品の名称、員数及び種類
　(三)　当該特定登録美術品の寸法、重量、材質その他の特徴
　(四)　当該特定登録美術品につき相続税の課税価格に算入した価額
　(五)　美術品の美術館における公開の促進に関する法律施行規則第３条の美術品登録簿に記載された当該特定登録美術品の登録年月日及び登録番号
　(六)　その他参考となるべき事項

2　特別保護地区等内の土地に係る物納の特例

①　制度の概要
　税務署長は、納税義務者が物納の許可を申請しようとする場合において、当該物納に充てようとする財産が次に掲げる要件を満たす土地であるときは、当該納税義務者の申請により、一の３（二の13又は三の(5)において準用する場合を含む。）の規定にかかわらず、当該土地が物納劣後財産（同３に規定する物納劣後財産をいう。以下①において同じ。）に該当するときであっても、これを物納劣後財産に該当しないものとみなして、物納の許可をすることができる。（旧措法70の12③）
　(一)　当該土地が、自然公園法第20条第１項に規定する国立公園の特別地域のうち同法第21条第１項に規定する特別保護地区その他(1)の財務省令で定める地域内の土地であること。

－378－

第八章　相続税の納付

（二）　当該土地が、当該物納の許可の申請に係る相続の開始の直前までに当該相続に係る被相続人と環境大臣との間で締結された**風景地保護協定**（自然公園法第43条第１項に規定する風景地保護協定をいい、平成23年４月１日から平成26年３月31日までの間に締結されたものであること、当該締結の時から当該相続の開始の直前まで引き続き当該被相続人に対して効力があったものであること、有効期間が10年以上であることその他（２）の政令で定める要件を満たすものに限る。②において同じ。）の目的となる土地であること。

　　（財務省令で定める地区）
（１）　①の（一）に規定する財務省令で定める地域は、自然公園法施行規則（昭和32年厚生省令第41号）第９条の２第１号に規定する第一種特別地域とする。（旧措規23の17②）

　　（相続税の物納の特例の対象となる土地に係る風景地保護協定の要件）
（２）　①の（二）に規定する政令で定める要件は、同（二）に規定する風景地保護協定（以下（２）において「**風景地保護協定**」という。）において次に掲げる事項が明らかにされていることとする。（旧措令40の11の２）
（一）　①の（二）の被相続人が環境大臣に対し当該風景地保護協定の目的となっている土地を貸し付けていること及び当該土地の貸付け（以下（２）において「**協定貸付け**」という。）の期間が10年以上であること。
（二）　協定貸付けに係る契約及び当該風景地保護協定が、当該協定貸付けの期間又は当該風景地保護協定の有効期間の中途において、当該風景地保護協定の当事者が当該風景地保護協定に違反したと認められる場合又は正当な事由があると認められる場合を除き、解除することができないものであること。
（三）　協定貸付けの期間の満了時及び当該風景地保護協定の有効期間の満了時には、正当な事由があると認められる場合を除き、従前と同一の条件で当該協定貸付けに係る契約及び当該風景地保護協定が更新されるものであること。

②　適用手続
　①の規定の適用を受けようとする者は、物納申請書に、物納に充てようとする①の土地に係る収納確認書（当該土地が**一**の２の物納に充てることができる財産（地上権、永小作権、地役権、採石権、質権、抵当権、使用貸借又は賃貸借による権利その他土地に関する所有権以外の権利（当該土地に係る風景地保護協定に基づき設定されているものを除く。）が設定されていないものに限る。）であることについての環境大臣の証明書で、当該土地が①の各号に掲げる要件を満たすものであることその他（１）の財務省令で定める事項の記載があるものをいう。）その他（２）の財務省令で定める書類を添付して、これを納税地の所轄税務署長に提出しなければならない。この場合において、これらの書類は、**二**の１に規定する物納手続関係書類とみなす。（旧措法70の12④）

　　（収納確認書の記載事項）
（１）　②に規定する財務省令で定める事項は、次に掲げる事項とする。（旧措規23の17③）
（一）　物納に充てようとする土地を相続又は遺贈（贈与をした者の死亡により効力を生ずる贈与を含む。）により取得した者の氏名及び住所又は居所
（二）　物納に充てようとする土地の所在、地番及び面積
（三）　物納に充てようとする土地のうち①の（二）に規定する風景地保護協定（（四）及び（２）において「風景地保護協定」という。）の目的となる土地の所在、地番及び面積
（四）　風景地保護協定に係る次に掲げる事項
　イ　当該風景地保護協定の名称
　ロ　当該風景地保護協定を締結した①の（二）の被相続人（ハにおいて「被相続人」という。）の氏名及びその死亡の時における住所又は居所
　ハ　当該風景地保護協定が被相続人と環境大臣との間で締結された年月日及び当該風景地保護協定の有効期間
（五）　その他参考となるべき事項

　　（申請書に添付を要する書類）
（２）　②に規定する財務省令で定める書類は、物納に充てようとする土地に係る風景地保護協定の写しとする。（旧措規23の17④）

　　（環境大臣の収納確認書の取扱い）
（３）　税務署長は、物納申請書に添付された収納確認書に基づき、当該物納申請に係る土地が**二**の物納に充てることがで

－379－

きる財産に該当するかどうかの判断及び当該財産の状況に著しい変化が生じていないかどうかの判断を行うのであるから留意する。

なお、この場合には、二の2の（1）《管理官庁との協議》に関わらず、当該土地の管理又は処分に関する意見を物納財産の管理官庁に求める必要がないものとして取り扱うことに留意する。（措通70の12－1）

五　物納財産の収納

1　収納価額

物納財産の収納価額は、課税価格計算の基礎となった当該財産の価額による。ただし、税務署長は、収納の時までに当該財産の状況に著しい変化が生じたときは、収納の時の現況により当該財産の収納価額を定めることができる。（法43①）

（「収納の時の現況により当該財産の収納価額を定める」の意義等）
（1）　1のただし書に規定する「収納の時の現況により当該財産の収納価額を定める」とは、その現況に著しい変化を生じた財産が、収納の時の状態で相続又は遺贈によって取得した時にあったものとして、その取得した時における価額によって当該収納価額を定めるという趣旨であるから留意する。

なお、「当該財産の状況に著しい変化を生じた」かどうかの判定は、原則として、許可の時における物納財産の現況によることとする。（基通43－1）

（許可後の財産の状況の変化）
（2）　物納の許可を通知した後であっても、当該許可に係る物納財産の引渡し、所有権移転の登記その他法令により第三者に対抗することのできる要件を充足するまでの間において、納税義務者の責に帰すべき事由により当該財産の状況に著しい変化を生じたときは、1のただし書の規定を適用することができるのであるから留意する。（基通43－2）

（「収納の時までに当該財産の状況に著しい変化を生じたとき」の意義）
（3）　1のただし書に規定する「収納の時までに当該財産の状況に著しい変化を生じたとき」とは、例えば、次に掲げるような場合をいうものとする。（基通43－3）
（一）　土地の地目変換があった場合（地目変換があったかどうかは土地台帳面の地目のいかんにかかわらない。）
（二）　荒地となった場合
（三）　竹木の植付け又は伐採をした場合
（四）　所有権以外の物権又は借地権の設定、変更又は消滅があった場合
（五）　配偶者居住権の設定、変更又は消滅があった場合
（六）　家屋の損壊（単なる日時の経過によるものは含まない。）又は増築があった場合
（七）　自家用家屋が貸家となった場合
（八）　引き続き居住の用に供する土地又は家屋を物納する場合
（九）　震災、風水害、落雷、火災その他天災により法人の財産が甚大な被害を受けたことその他の事由により当該法人の株式又は出資証券の価額が評価額より著しく低下したような場合
　　（注）　証券取引所に上場されている株式の価額が証券市場の推移による経済界の一般的事由に基づき低落したような場合には、この「その他の事由」に該当しないものとして取り扱うことに留意する。
（十）　相続開始の時において清算中の法人又は相続開始後解散した法人がその財産の一部を株主又は出資者に分配した場合（この場合において、当該法人の株式又は出資証券については、課税価格計算の基礎となった評価額からその分配した金額を控除した金額を収納価額として物納に充てることができる。）
（十一）　（一）から（十）までに掲げる場合のほか、その財産の使用、収益又は処分について制限が付けられた場合

（分割不動産の収納価額）
（4）　相続財産である不動産を分割し、分割不動産について物納を許可する場合における1に規定する収納価額は、原則として、次の算式により計算した金額によるものとする。（基通43－4）

$$K \times \frac{A}{A+B} = 分割不動産の収納価額$$

（注）　算式中の符号は、次のとおりである。
　　　Kは、分割前の課税価格計算の基礎となった価額

第八章　相続税の納付

　　Aは、分割不動産について、相続開始時の財産評価基本通達の定めにより評価した価額

　　Bは、分割前の不動産のうち、分割不動産部分以外の不動産について、相続開始時の財産評価基本通達の定めにより評価した価額

　　　（物納許可額等の訂正）

（５）　課税価格の更正により物納に充てた財産の価額に異動を生じたときは、異動後の価額により物納許可額を修正するのであるから留意する。（基通43－５）

　　　（収納価額の特例）

（６）　一の２《物納できる財産》に規定する「当該財産により取得した財産」による物納の申請があった場合における当該財産の収納価額は、１のただし書の規定に準じて定めるものとする。（基通43－６）

　　　（株式及び出資証券の収納価額の特例）

（７）　一の２の(16)の各号に掲げる株式又は出資証券（以下（７）においてこれらを「株式」という。）についての１株又は１口（以下（７）において、これらを「１株」という。）当たりの収納価額は、次に掲げる方法によって計算した金額によるものとする。

　　　なお、物納申請に係る株式について相続開始後収納の時までに増資新株の割当てがあった場合における旧株式の１株当たりの収納価額についても、（三）に掲げる方法によって計算した金額によるものとする。（基通43－７）

（一）　合併により株式だけの交付があったとき

$$\frac{\text{被合併法人の株式１株当たりの相続税評価額}}{\text{被合併法人の株式１株当たりの交付株式数}}$$

（二）　合併により株式と金銭との交付があったとき

$$\frac{\text{被合併法人の株式１株当たりの相続税評価額－１株当たりの合併交付金額}}{\text{被合併法人の株式１株当たりの交付株式数}}$$

（三）　増資があったとき

　イ　旧株式の相続税評価額が第九編第八章第四節の(16)《配当還元方式》以外の定めにより算出されている場合

$$\frac{\text{旧株式１株当たりの相続税評価額}+\text{新株式１株当たりの払込金額}\times\text{旧株式１株当たりの新株割当数}}{1+\text{旧株式１株当たりの新株割当数}}$$

　ロ　旧株式の相続税評価額が第九編第八章第四節の(16)《配当還元方式》の定めにより算出されている場合

　　　次の(イ)又は(ロ)のうち、いずれか低い額に相当する金額

　（イ）　旧株式１株当たりの相続税評価額

　（ロ）

$$\frac{\text{旧株式を第九編第八章第四節（２）の例により評価した１株当たりの相続税評価額}+\text{新株式１株当たりの払込金額}\times\text{旧株式１株当たりの新株割当数}}{1+\text{旧株式１株当たりの新株割当数}}$$

　◎第九編第八章第四節の（２）《取引相場のない株式の評価の原則》参照

２　物納財産による過誤納額の還付

　物納の許可を受けて相続税を納付した場合において、その相続税について過誤納額があったときは、その物納に充てた財産は、納税義務者の申請により、これを当該過誤納額の還付に充てることができる。ただし、当該財産が換価されていたとき、公用若しくは公共の用に供されており、若しくは供されることが確実であると見込まれるとき、又は当該過誤納額が当該財産の収納価額の２分の１に満たないときは、この限りでない。（法43③）

　　　（過誤納額の還付に充当する物納財産の評価書の記載事項）

（１）　２の規定により過誤納額の還付に充てる場合における当該財産の価額は、収納価額（国がその財産につき有益費を支出したときは、その費用の額に相当する金額を加算した金額）による。（法43④）

　　　（物納財産による過誤納額の還付申請書の提出）

（２）　２の規定により物納に充てた財産で過誤納額の還付を受けようとする者は、当該過誤納額、還付を受けようとする財産の種類及び収納価額その他の（３）の財務省令で定める事項を記載した申請書を当該物納の許可をした税務署長に提

－381－

第一編　相続税

出しなければならない。(法43⑤)

　　　(物納財産による過誤納額の還付申請書の記載事項)
(3)　(2)(二の**13**又は三の(5)において準用する場合を含む。)に規定する財務省令で定める事項は、次に掲げる事項とする。(規24)
　(一)　第七章第一節二の(1)の(三)及び(四)に掲げる事項
　(二)　過誤納額
　(三)　還付を受けようとする財産の種類及び当該財産の物納の許可の申請をした時における所在場所
　(四)　その他参考となるべき事項

　　　(財産の価額と当該過誤納額との差額に相当する金額の納付)
(4)　**2**の規定により物納に充てた財産で過誤納額の還付を受けようとする場合において、当該過誤納額が当該財産の価額に満たないときは、当該還付を受けようとする者は、あらかじめ、当該財産の価額と当該過誤納額との差額に相当する金額を国に納付しなければならない。(法43⑥)

　　　(公用又は公共の用に供されることが確実と見込まれる財産による還付)
(5)　**2**のただし書に規定する「公用若しくは公共の用に……供されることが確実と見込まれる」とは、例えば、物納不動産について法令等の手続を経て国の事業又は道路若しくは公園など土地収用法(昭和26年法律219号)に列記するような公共の利益となる事業の用に供されることが確実と見込まれるものをいい、必ずしも契約締結時の事務的な手続を必要としないのであるから留意する。(基通43-8)

3　物納財産の収納手続

　物納の許可を受けた税額に相当する相続税は、物納財産の引渡し、所有権の移転の登記その他法令により第三者に対抗することができる要件を充足した時において、納付があったものとする。(法43②)

　　　(有価証券の収納手続)
(1)　**一**の**2**の(二)に掲げる財産により物納の許可をされた者は、当該財産に係る証券を当該財産の物納の許可をした税務署長に提出しなければならない。ただし、記名式の証券(記名国債証券を除く。)については、その提出前に財務大臣名義に変更しなければならない。(令20①)

　　　(振替社債等の収納手続書類の提出)
(2)　振替社債等(社債等の振替に関する法律(平成13年法律第75号)第2条第1項《定義》に規定する社債等(同法第66条第1号《権利の帰属》に規定する短期社債を除く。)のうち同法の規定によりその権利の帰属が振替口座簿の記載又は記録により定まるものをいう。)により物納の許可をされた者は、(1)の規定にかかわらず、当該振替社債等について、振替口座簿の財務大臣の口座への振替の申請をし、当該申請をした日その他の(4)の財務省令で定める事項を記載した書類を当該振替社債等の物納の許可をした税務署長に提出しなければならない。(令20②)

　　　(登録国債による物納)
(3)　登録国債により物納の許可をされた者は、(1)の規定にかかわらず、当該登録国債について、財務大臣名義に変更の登録を受け、登録済通知書を当該登録国債の物納の許可をした税務署長に提出しなければならない。(令20③)

　　　(振替社債等の収納手続書類の記載事項)
(4)　(2)に規定する財務省令で定める事項は、次に掲げる事項とする。(規23)
　(一)　物納の許可をされた者に係る第七章第一節二の(1)の(三)に掲げる事項(個人番号を除く。)
　(二)　振替の申請年月日
　(三)　振替の申請をした(2)に規定する振替社債等の銘柄及び金額
　(四)　振替の申請をした口座管理機関(社債、株式等の振替に関する法律第2条第4項《定義》に規定する口座管理機関をいう。)の営業所、事務所その他これらに準ずるものの名称及び所在地
　(五)　その他参考となるべき事項

-382-

第八章　相続税の納付

　　　　　（物納財産収納済証書の交付）
（5）　税務署長は、物納財産を収納したときは、物納財産収納済証書を納税者に交付しなければならない。（令21①）

　　　　　（物納財産明細書の財務局長への送付）
（6）　税務署長は、物納財産が国有財産法（昭和23年法律第73号）第2条第1項各号《国有財産の範囲》に掲げる財産で
　　あるときは、物納財産明細書を当該税務署長の管轄区域（物納財産が不動産又は船舶である場合には、その所在地）を
　　所轄する財務局長（当該管轄区域を福岡財務支局長が所轄する場合には、福岡財務支局長）に送付し、財務局長又は福
　　岡財務支局長は、これを財務大臣に送付しなければならない。（令21②）
　　　国有財産法第2条第1項各号に掲げる財産以外の物納財産の収納後の取扱手続は、財務大臣が定める。（令21③）

　　　　　（物納報告書の財務大臣への送付）
（7）　税務署長は、その年の前年4月1日からその年3月31日までの間における相続税の物納の額（物納の撤回の額を含
　　む。以下（9）までにおいて同じ。）について物納報告書を作成し、参照書類を添付し、その年4月15日までにこれを所轄
　　国税局長に送付し、国税局長は、一の1の（6）に規定する事務の引継ぎを受けて事務の処理をした当該期間における相
　　続税の物納の額について、及び税務署長の物納報告書に基づき物納報告書を作成し、参照書類を添付し、同月20日まで
　　にこれを国税庁長官に送付し、国税庁長官は、国税局長の物納報告書に基づき物納報告書を作成し、参照書類を添付し、
　　同月30日までにこれを財務大臣に送付しなければならない。（令22）

　　　　　（物納額計算書の会計検査院への送付）
（8）　税務署長及び国税局長は、会計検査院に対する証明のため、その所掌に係る相続税の物納の額について物納額計算
　　書を作成し、証拠書類を添付し、これを会計検査院に送付しなければならない。この場合において、税務署長が作成し
　　た物納額計算書及びその証拠書類については、所轄国税局長を経由して会計検査院に送付するものとする。（令23①）
　　　予算決算及び会計令第141条《計算証明書類の様式及び提出期限》の規定は、物納額計算書について準用する。（令23
　　②）

　　　　　（物納簿の備付け）
（9）　税務署長及び国税局長は、物納簿を備え、これにその所掌に係る相続税の物納の額その他必要な事項を記入しなけ
　　ればならない。（令24）

　　　　　（書　式）
(10)　（5）及び（7）に規定する書類の様式並びに（9）に規定する帳簿の様式及び記入の方法は、財務大臣が定める。（令
　　25）

六　物納の撤回

1　物納撤回の申請及び承認
　　税務署長は、二の2（二の13において準用する場合を含む。）の規定により物納の許可をした不動産のうちに賃借権その
他の不動産を使用する権利の目的となっている不動産がある場合において、当該物納の許可を受けた者が、その後物納に
係る相続税を、金銭で一時に納付し、又は2の（4）の規定による延納の許可を受けて納付するときは、当該不動産につい
ては、その収納後においても、当該物納の許可を受けた日の翌日から起算して1年以内にされたその者の申請により、そ
の物納の撤回の承認をすることができる。ただし、当該不動産が換価されていたとき、又は公用若しくは公共の用に供さ
れており若しくは供されることが確実であると見込まれるときは、この限りでない。（法46①）

　　　　　（物納の撤回申請書の提出）
（1）　1の規定による物納の撤回を申請しようとする者は、当該撤回の承認を求めようとする理由その他の（2）の財務省
　　令で定める事項を記載した申請書を納税地の所轄税務署長に提出しなければならない。（法46②）

　　　　　（物納の撤回申請書の記載事項）
（2）　（1）に規定する財務省令で定める事項は、次に掲げる事項とする。（規25）
　　（一）　第七章第一節二の（1）の（三）及び（四）に掲げる事項

－383－

（二）　**1**の規定による物納の撤回の承認を求めようとする理由

（三）　物納の撤回を求めようとする不動産の種類、数量、収納価額及び所在場所

（四）　（三）の不動産に係る物納の許可を受けた日及び**五の3**（**二の13**において準用する場合を含む。）の規定により当該財産で相続税の納付があったものとされた日

（五）　物納の撤回に係る相続税の額及び物納の撤回に伴い金銭で一時に納付しようとする相続税の額

（六）　（三）の不動産を目的とする賃借権その他の当該不動産を使用する権利の種類並びに当該権利を有する者の氏名又は名称及び住所若しくは居所又は所在地

（七）　その他参考となるべき事項

　　　（申請に対する承認又は却下）

（3）　税務署長は、（1）の規定による申請書の提出があった場合においては、当該申請者及び当該申請に係る事項について**1**の規定に該当するか否かの調査を行い、その調査に基づき、当該申請書の提出があった日の翌日から起算して3月以内に当該申請の承認をし、又は当該申請の却下をする。（法46③）

　　　（物納の撤回に係る登記の抹消）

（4）　財務局長又は福岡財務支局長は、（3）の規定による物納の撤回の承認があった場合において、その物納の撤回に係る不動産につき物納による所有権の移転の登記がされているときは、その物納の撤回の承認を受けた者の請求により、当該登記の抹消を登記所に嘱託しなければならない。（令25の4②）

　　　（撤回財産と一体として使用されるべき財産の追加の要請）

（5）　税務署長は、（3）の場合において、物納の許可があった二以上の不動産の一部について物納の撤回の申請があり、又は物納の許可があった一の不動産を分割してその一部について物納の撤回の申請があったとき（これらの申請のあった財産以外の物納財産のうちにその物納の撤回により管理又は処分をするのに不適格な財産として（6）の政令で定めるもの（以下「**不適格財産**」という。）があるときに限る。）は、当該不適格財産を物納の撤回の申請に係る財産に追加することを求め、当該申請者が当該財産に当該不適格財産を追加するのをまって（3）の規定により当該撤回の承認をし、又は当該申請の却下をすることができる。この場合において、（3）の規定の適用については、（3）中「当該申請書の提出があった日の翌日から起算して3月」とあるのは、「（8）の規定による通知が発せられた日の翌日から起算して2月」とする。（法46④）

　　　（物納の撤回に係る不適格財産等）

（6）　（5）に規定する政令で定める財産は、**一の2**の（2）の（一）の（ト）に掲げるものとする。（令25の4①）

　　　（金銭で一時に納付すべき相続税又は納付すべき有益費）

（7）　税務署長は、（3）の場合において、物納の撤回に係る相続税のうちに金銭で一時に納付すべき相続税又は納付すべき（11）の有益費があるときは、（12）の規定による通知が発せられた日の翌日から起算して1月以内に当該相続税及び当該有益費が完納されるのをまって（3）の規定による物納の撤回の承認をし、又は物納の撤回の申請の却下をすることができる。この場合において、（3）の規定の適用については、（3）中「当該申請書の提出があった日の翌日から起算して3月」とあるのは、「（12）の規定による通知が発せられた日の翌日から起算して2月」とする。（法46⑤）

　　　（申請者への通知）

（8）　税務署長は、（3）の規定による物納の撤回の承認をし、若しくは当該撤回の申請の却下をし、又は（5）の規定による当該申請に係る不適格財産の追加を求める場合には、次の各号に掲げる場合の区分に応じ、当該各号に定める事項を記載した書面により、これを当該申請者に通知する。（法46⑥）

（一）　物納の撤回の承認をする場合　　その旨並びに当該承認をする不動産に係る事項及び当該撤回に係る相続税額

（二）　物納の撤回の申請の却下をする場合　　その旨及び却下をする理由

（三）　物納の撤回の申請に係る不適格財産の追加を求める場合　　その旨及び当該追加を求める理由

　　　（申請の取下げ）

（9）　（5）の規定による物納の撤回の申請に係る不適格財産の追加の求めがあった場合において、当該申請者が（8）（（三）に限る。）の規定による通知を受けた日の翌日から起算して20日以内（当該申請者が当該期間内にその求めに応ずること

－384－

第八章　相続税の納付

ができないことにつき税務署長においてやむを得ない事情があると認める場合には、税務署長の指定する日まで）にその求めに応じなかったときは、当該申請者は、当該申請を取り下げたものとみなす。（法46⑦）

（やむを得ない事情がある場合）
(10)　（9）に規定する税務署長においてやむを得ない事情があると認める場合における（3）の規定の適用については、（3）中「当該申請書の提出があった日の翌日から起算して3月」とあるのは、「（9）の税務署長の指定する日の翌日から起算して1月」とする。（法46⑧）

（撤回財産につき国が支出した有益費がある場合）
(11)　（3）の規定による物納の撤回の承認を受けようとする者は、当該撤回に係る財産につき国が支出した有益費がある場合には、その費用の額に相当する金銭を納付しなければならない。ただし、当該財産につき当該承認を受けることができなかった場合は、この限りでない。（法46⑨）

（撤回に係る相続税に金銭で一時に納付すべき相続税又は納付すべき有益費があるとき）
(12)　税務署長は、（3）の規定による物納の撤回の承認をする場合において、当該撤回に係る相続税のうちに金銭で一時に納付すべき相続税又は納付すべき（11）の有益費があるときは、あらかじめ、当該相続税の額及び当該有益費の額を記載した書面により、これを当該申請者に通知する。この場合において、当該申請者がその通知が発せられた日の翌日から起算して1月以内にその通知に係る当該相続税及び当該有益費を完納しないときは、当該申請者は、当該撤回の申請を取り下げたものとみなす。（法46⑩）

（撤回の承認があったものとみなす場合）
(13)　（3）に規定する期間内（（5）、（7）又は(10)の規定の適用がある場合には、これらの規定により読み替えて適用する（3）に規定する期間内）に、税務署長が物納の撤回の承認又は申請の却下をしない場合には、当該撤回の承認があったものとみなす。（法46⑪）

（物納の撤回に係る相続税の徴収を目的とする国の権利の時効）
(14)　1の規定による物納の撤回に係る相続税（当該相続税に係る利子税及び延滞税を含む。）の徴収を目的とする国の権利の時効については、その物納の許可があった時からその物納の撤回の承認がある時までの間は完成せず、当該承認があった時から新たにその進行を始めるものとする。この場合において、当該相続税に係る国税徴収法第2章《国税と他の債権との調整》の規定の適用については、当該承認に係る（8）（（一）に係る部分に限る。）の規定による通知に係る書面を発した日を同法第15条第1項《法定納期限等以前に設定された質権の優先》に規定する法定納期限等とみなす。（令25の4③）

（公用又は公共の用に供されることが確実と見込まれる財産による還付及び物納の撤回）
(15)　1のただし書に規定する「公用若しくは公共の用に……供されることが確実と見込まれる」については、**五の2の**（5）の取扱いに準ずる。（基通46-1）

（相続税額を超える価額の財産による物納が許可された場合に還付された金銭の返納）
(16)　物納の撤回を承認する場合において、撤回を求めようとする不動産の物納を許可した際に、当該財産の収納価額と相続税額の差額相当額を金銭で還付していたときには、(12)に規定する「当該撤回に係る相続税のうちに金銭で一時に納付すべき相続税」の額の通知に併せて当該還付された金銭の返納を求めるものとする。（基通46-2）

2　物納撤回に係る延納

　税務署長は、1の物納の許可を受けた者が1の規定による物納の撤回の承認を受けようとする場合において、当該物納の許可を受けた者の申請により、当該撤回に係る相続税額につき、当該相続税額のうち金銭で一時に納付することを困難とする金額として（1）の政令で定める額を限度として、延納の許可をすることができる。（法47①）

（物納の撤回に係る延納の許可限度額等）
（1）　第二節一の1の（1）の規定は、2に規定する政令で定める額について準用する。この場合において、第二節一の1の（1）の（一）中「第一節二の**1**又は同一の**3**の規定により納付すべき」とあるのは「**2**の物納の撤回に係る」と、第二

-385-

節一の1の(1)の(二)中「(一)の相続税額に係る納期限又は納付すべき日」とあるのは「2の規定により延納の許可の申請をする日」と読み替えるものとする。(令25の5①)

(物納の撤回に係る延納申請書の提出)
(2) 2の規定による延納の許可を申請しようとする者は、1の(1)の規定による物納の撤回の申請書の提出と同時に、当該撤回に係る相続税額その他の(3)の財務省令で定める事項を記載した申請書に担保提供関係書類を添付し、これを納税地の所轄税務署長に提出しなければならない。(法47②)

(物納の撤回に係る延納申請書の記載事項)
(3) (2)に規定する財務省令で定める事項は、次に掲げる事項とする。この場合において、第二節**四**の1の(1)の後段の規定は、(二)(第二節**四**の1の(1)の(五)及び(六)に関する部分に限る。)に掲げる事項について準用する。(規26)
(一) 第七章第一節**二**の(1)の(三)及び(四)に掲げる事項
(二) 第二節**四**の1の(1)の(五)から(七)までに掲げる事項
(三) 物納の撤回に係る相続税額
(四) (6)に規定する未経過延納税額のうち金銭で一時に納付することを困難とする金額及びその困難とする事由
(五) (1)において準用する第二節**一**の1の(1)の(二)に掲げる額及びその計算の明細
(六) その他参考となるべき事項

(申請の期限)
(4) 税務署長は、(2)の規定による申請書の提出があった場合においては、その申請の基因となる物納の撤回の申請の却下をする場合を除き、当該申請者及び当該申請に係る事項について1及び2、(2)の規定に該当するか否かの調査を行い、その調査に基づき、当該申請書の提出期限の翌日から起算して3月以内に当該申請に係る税額の全部又は一部について当該申請に係る条件若しくはこれを変更した条件により物納の撤回に係る延納の許可をし、又は当該申請の却下をする。ただし、税務署長が当該延納の許可をする場合において、当該申請者の提供しようとする担保が適当でないと認めるときは、その変更を求めることができる。(法47③)

(未経過延納期間内の年賦延納)
(5) 税務署長は、(4)の延納の許可をする場合には、未経過延納税額のうち金銭で一時に納付することを困難とする金額を限度として、未経過延納期間内の年賦延納により許可をしなければならない。(法47④)

(未経過延納税額)
(6) (5)の未経過延納税額とは、物納の撤回に係る相続税につきその納期限又は納付すべき日に第二節**一**の1の規定による延納の許可があったものとした場合における各延納年割額のうち、物納の撤回の承認をする日後に納付の期限が到来することとなる延納年割額((7)において「**未経過延納年割額**」という。)の合計額をいい、(5)の未経過延納期間とは、当該相続税につきその納期限又は納付すべき日に当該延納の許可があったものとした場合における延納期間のうち、物納の撤回の承認をする日後の期間をいう。ただし、当該相続税に係る課税相続財産の価額のうちに不動産等の価額が占める割合は、当該物納の撤回の承認をする時までに納付すべき税額の確定した相続税額の計算の基礎となった財産の価額を基準として計算するものとする。(法47⑤)

(延納年割額及び納期限)
(7) (4)の規定により延納の許可をする場合の延納年割額及びその納期限は、当該延納に係る未経過延納年割額及びその納期限とする。この場合において、その許可をする延納税額又は延納期間が(6)に規定する未経過延納税額又は未経過延納期間に満たないときは、当該延納年割額は、当該延納税額及び当該延納期間に応じ、第二節**一**の3の規定に準じて計算した金額とする。(法47⑥)

(不適格財産の物納撤回財産への追加)
(8) 税務署長は、(4)の場合において、1の(5)の規定により同(5)に規定する不適格財産を物納の撤回の申請に係る財産に追加することを求めたときは、当該申請者が当該財産に当該不適格財産を追加するのをまって(4)の規定による延納の許可をし、又は当該延納の申請の却下をすることができる。この場合において、(4)の規定の適用については、(4)中「当該申請書の提出期限の翌日から起算して3月」とあるのは、「1の(8)の規定による通知が発せられた日の翌日か

第八章　相続税の納付

ら起算して2月（**1**の（9）の規定による税務署長の指定する日がある場合にあっては、同日の翌日から起算して1月）」
とする。（法47⑦）

　　（撤回に係る相続税のうちに金銭で一時に納付すべき相続税又は納付すべき有益費があるとき）
（9）　税務署長は、（4）の場合において、物納の撤回に係る相続税のうちに金銭で一時に納付すべき相続税又は納付すべ
　　き**1**の(11)の有益費があるときは、**1**の(12)の規定による通知が発せられた日の翌日から起算して1月以内に当該相続
　　税及び当該有益費が完納されるのをまって（4）の規定による延納の許可をし、又は当該延納の申請の却下をすることが
　　できる。この場合において、（4）の規定の適用については、（4）中「当該申請書の提出期限の翌日から起算して3月」
　　とあるのは、「**1**の(12)の規定による通知が発せられた日の翌日から起算して2月」とする。（法47⑧）

　　（申請者への通知）
（10）　税務署長は、（4）の規定により延納の許可をした場合には、その旨並びに当該許可に係る延納税額及び延納の条件
　　を**1**の(8)の物納の撤回の承認をする書面に併せて記載して当該申請者に通知し、（4）の規定により延納の申請の却下
　　をした場合には、その旨及びその理由を記載した書面により、これを当該申請者に通知する。（法47⑨）

　　（物納の撤回の申請の却下がされたとき若しくは取下げがあったとき）
（11）　（2）の規定による延納の申請があった場合において、その基因となる物納の撤回の申請の却下がされたとき若しく
　　は取下げがあったとき、又は**1**の（9）若しくは**1**の(12)の規定により当該申請を取り下げたものとみなされたときは、
　　当該延納の申請は、併せて却下がされ、又は取下げがあったものとみなす。（法47⑩）

　　（読替え規定）
（12）　第二節**一**の**4**《担保の徴収》、第二節**四**《延納の申請手続及び許可》の**1**の（5）から**9**及び同**四**の**11**の規定は、物納
　　の撤回に係る延納について準用する。この場合において、必要な技術的読替えは、政令で定める。（法47⑪）

七　物納に係る利子税

1　物納に係る利子税
　二の**2**（**二**の**13**において準用する場合を含む。）の規定による物納の許可を受けた者は、当該物納に係る相続税額の第一
節**二**の**1**又は第一節**一**の**3**の規定による納期限又は納付すべき日（第七章第六節**三**の**7**の②の（一）の規定に該当する場合
には同（一）に規定する期限後申告書又は修正申告書を提出した日とし、同（二）の規定に該当する場合には同（二）に規定す
る更正通知書又は決定通知書を発した日とする。（2）において同じ。）の翌日から**五**の**3**（**二**の**13**において準用する場合を
含む。（2）において同じ。）の規定により納付があったものとされた日までの期間（**二**の**9**の（一）の規定により読み替えて
適用する**二**の**3**の（5）ただし書に規定する災害等延長期間又は**二**の**9**の（二）に規定する政令で定める期間（以下**二**におい
て「災害等延長期間等」という。）を除く。）につき、当該相続税額を基礎とし、当該期間に応じ、年7.3パーセントの割合
を乗じて算出した金額に相当する利子税を納付しなければならない。（法53①）

　　（利子税の計算の基礎となる相続税額）
（1）　物納の許可若しくは物納申請の却下があった場合又は物納申請を取り下げたものとみなされた場合に、納付すべき
　　利子税額を計算するに当たっては、物納財産ごとにされた物納許可等に係る税額を基礎金額として**1**の規定に基づき計
　　算するのであるから留意する。（基通53－1）

　　（納期限又は納付すべき日の翌日から納付があったものとされた日までの期間に対応する部分の利子税）
（2）　**1**の場合において、**1**に規定する納期限又は納付すべき日の翌日（**二**の**3**の物納手続関係書類提出期限延長届出書
　　（**二**の**13**において準用する**二**の**3**の物納手続関係書類提出期限延長届出書の提出があった場合には、当該物納手続関係書
　　類提出期限延長届出書。以下（2）において「**最終物納手続関係書類提出期限延長届出書**」という。）の提出があった場合
　　には、当該最終物納手続関係書類提出期限延長届出書に係る物納手続関係書類の提出期限の翌日）から**五**の**3**の規定に
　　より納付があったものとされた日までの期間（物納手続関係書類の訂正又は提出を行う期間その他の期間として（3）の
　　政令で定める期間を除く。）に対応する部分の利子税は、納付することを要しない。（法53②）

－387－

（物納に係る利子税の納付を要しない期間から除かれる期間等）

（3）（2）に規定する政令で定める期間は、次に掲げる期間とする。（令29①）

（一）　二の4の（2）（二の13の規定の適用がある場合には、同13において準用する二の4の（2）。以下（一）において同じ。）の規定による二の1の申請書の訂正又は同1に規定する物納手続関係書類の訂正若しくは提出を求める旨の通知に係る書面を発した日の翌日から当該申請書の訂正の期限又は当該物納手続関係書類（二の4（二の13の規定の適用がある場合には、同13において準用する二の4）の規定に係るものに限る。）若しくは当該物納手続関係書類（二の5（二の13の規定の適用がある場合には、同13において準用する二の5）の物納手続関係書類補完期限延長届出書に係るものに限る。）の訂正若しくは提出の期限（以下（一）において「**申請書等の提出期限**」という。）までの期間（二の4の（2）の規定による通知が複数ある場合には、それぞれの通知に係る書面を発した日の翌日から当該それぞれの通知に係る申請書等の提出期限までの期間を合算した期間（これらの期間のうち重複する期間がある場合には、当該重複する期間を合算した期間を除いた期間）とする。）

（二）　二の7の（2）（二の13の規定の適用がある場合には、同13において準用する二の7の（2））の規定による二の7（二の13の規定の適用がある場合には、同13において準用する二の7。以下（二）において同じ。）の措置をとることを命ずる旨の通知に係る書面を発した日の翌日から二の7の（3）（二の13の規定の適用がある場合には、同13において準用する二の7の（3））の規定による二の7の措置をとった旨の届出書の提出があった日までの期間

（三）　二の2（二の13の規定の適用がある場合には、同13において準用する二の2）の規定による物納の許可があった日の翌日から起算して7日を経過する日から五の3（二の13の規定の適用がある場合には、同13において準用する五の3）の規定により納付があったものとされた日までの期間

（四）　二の13の規定の適用がある場合（同13において準用する二の3の規定による同3に規定する物納手続関係書類提出期限延長届出書の提出がある場合を除く。）には、1に規定する納期限又は納付すべき日の翌日から二の13において準用する二の1の規定による同1の申請書の提出があった日までの期間

2　物納撤回に係る利子税

①　物納撤回に係る利子税

　六の1の（3）の規定による物納の撤回の承認を受けた者は、1、1の（2）の規定にかかわらず、その物納の撤回に係る相続税額の納付に併せて、次の各号に掲げる相続税額の区分に応じ、当該各号に定める期間（災害等延長期間等を除く。）につき、（1）で定めるところにより計算した金額に相当する利子税を納付しなければならない。（法53③）

（一）　六の1の（12）の規定による通知に係る相続税額　　当該相続税額の第一節二の1又は第一節一の3の規定による納期限又は納付すべき日の翌日から当該相続税額を納付した日までの期間

（二）　六の2の（4）の規定による延納の許可を受けた相続税額　　（イ）及び（ロ）に掲げる期間

（イ）　同2の（4）の規定による延納の許可を受けた相続税額の第一節二の1又は第一節一の3の規定による納期限又は納付すべき日の翌日から当該延納の許可を受けた日までの期間

（ロ）　同2の（4）の規定による延納の許可を受けた日の翌日から当該延納の許可を受けた相続税額の延納期限（当該期限前に当該相続税額の全部の納付があった場合には、その納付の日）までの期間

（利子税額の計算）

（1）　①に規定する金額は、次の各号に掲げる期間（災害等延長期間等を除く。）の区分に応じ、当該各号に定める金額とする。（法53④）

（一）　①の（一）に定める期間　　同（一）に掲げる相続税額を基礎とし、当該相続税額の第一節二の1又は第一節一の3の規定による納期限又は納付すべき日の翌日から当該相続税額を納付した日までの期間に応じ、年7.3パーセントの割合を乗じて算出した金額

（二）　①の（二）に定める期間　　（イ）又は（ロ）に掲げる期間の区分に応じ、それぞれ（イ）又は（ロ）に定める金額

（イ）　①の（二）の（イ）に掲げる期間　　六の2の（4）の規定による延納の許可を受けた相続税額を基礎とし、当該相続税額の第一節二の1又は第一節一の3の規定による納期限又は納付すべき日の翌日から当該延納の許可を受けた日までの期間に応じ、年7.3パーセントの割合を乗じて算出した金額

（ロ）　①の（二）の（ロ）に掲げる期間　　第二節五の1の（一）中「第一節二の1又は第一節一の3の規定による納期限又は納付すべき日（第七章第六節三の7の②の（一）の規定に該当する場合には同（一）に規定する期限後申告書又は修正申告書を提出した日とし、同（二）の規定に該当する場合には同（二）に規定する更正通知書又は決定通知書を発した日とする。第二節五の4において同じ。）」とあるのは、「に係る六の2の（4）の規定による延納の許可を受けた

第八章　相続税の納付

日」として、第二節**五**の**1**の規定に準じて算出した金額

（相続税の納付があったものとされた日後に相続税に係る物納の撤回の承認があったとき）
（2）　①の場合において、**五**の**3**（**二**の**13**において準用する場合を含む。）の規定により相続税の納付があったものとされた日後に当該相続税に係る物納の撤回の承認があったときは、同日の翌日からその物納の撤回の承認があった日までの期間に対応する部分の利子税は、納付することを要しないものとし、当該承認に係る不動産につき当該期間内に国が取得すべき賃貸料その他の使用料は、返還することを要しないものとする。（法53⑤）

（相続税額に係る利子税の計算上適用される割合が二以上ある場合）
（3）　第二節**五**の**6**の①及び②の規定は、①の（二）に掲げる相続税額に係る利子税の計算上適用される割合が二以上ある場合において、納付された金額が同（二）に掲げる相続税額に係る延納年割額を超え、又はこれに満たないときにおけるその納付された金額の充当の順序について準用する。（令29②）

　　①の（二）に掲げる相続税額について①及び（1）の規定の適用がある場合には、当該相続税額について第二節**五**の**1**の規定は、適用しない。（令29③）

②　物納の撤回に係る利子税の特例
　　第二節**五**の**8**の（3）の規定の適用がある場合における①の（二）の（ロ）に掲げる期間につき納付すべき同①に規定する利子税は、①の（1）の（二）の（ロ）の規定にかかわらず、第二節**五**の**1**の規定及び同**五**の**6**の②の規定に準じて計算した金額とする。（措法93⑥）

（利子税の額の計算）
（1）　②の規定の適用がある場合における利子税の額の計算において、②に規定する計算した割合に0.1パーセント未満の端数があるときはこれを切り捨てるものとし、②に規定する計算した割合及び加算した割合（平均貸付割合を除く。）が年0.1パーセント未満の割合であるときは年0.1パーセントの割合とする。（措法96①）

（利子税の額の計算過程における端数処理）
（2）　②の規定の適用がある場合における利子税の額の計算において、その計算の過程における金額に1円未満の端数が生じたときは、これを切り捨てる。（措法96②）

（立木の価額の占める割合が10分の2以上である場合の利子税率の特例規定の準用）
（3）　第二節**二**《計画伐採に係る相続税の延納等の特例》の**4**《利子税率の特例》の規定は、**二**の**12**又は**六**の**2**の規定により延納の許可を受けた者で、その課税相続財産のうちに第二節**二**の**1**《森林計画立木部分の相続の延納期間の特例》に規定する立木の価額の占める割合が10分の2以上であるものが当該物納の撤回により納付すべき相続税額に係る利子税について準用する。（措法70の8の2⑨）
（注）　（3）の規定により第二節**二**の**4**の規定を準用する場合は、第二節**五**の**8**の規定が適用される場合があることに留意すること。（編者注）

（特別緑地保全地区等内にある土地の価額がある場合の利子税の特例規定の準用）
（4）　第二節**五**の**7**《特別緑地保全地区等内の土地に係る相続税の延納に伴う利子税の特例》の規定は、**二**の**12**又は**六**の**2**の規定により延納の許可を受けた者で、第二節**五**の**7**に規定する課税相続財産の価額のうちに同**7**に規定する土地の価額があるものが当該許可により納付すべき相続税額に係る利子税について準用する。（措法70の9④）
（注）　（4）の規定により第二節**五**の**7**の規定を準用する場合は、同**五**の**8**の規定が適用される場合があることに留意すること。（編者注）

（不動産等の価額の占める割合が4分の3以上である場合の利子税率の特例規定の準用）
（5）　第二節**三**《不動産等に係る相続税の延納等の特例》の**3**《利子税率の特例》の規定は、**二**の**12**又は**六**の**2**の規定により延納の許可を受けた者で、第二節**三**の**1**に規定する課税相続財産の価額のうちに不動産等の価額の占める割合が4分の3以上であるものが当該許可により納付すべき相続税額に係る利子税について準用する。（措法70の10⑤）
（注）　（5）の規定により第二節**三**の**3**の規定を準用する場合は、第二節**五**の**8**の規定が適用される場合があることに留意すること。（編者注）

－389－

第一編　相続税

3　物納申請の却下等に係る利子税

①　物納申請の却下等に係る利子税

　相続又は遺贈により財産を取得した者について、二の**2**の規定による物納の申請の却下があった場合（当該物納に係る相続税について二の**12**において準用する第二節**四**の**1**の規定による延納の申請をした場合を除く。）又は二の**4**の（**3**）（二の**13**において準用する場合を含む。以下①において同じ。）の規定により物納の申請を取り下げたものとみなされる場合には、当該取得した者は、当該申請の却下又は取下げに係る相続税額の第一節二の**1**又は第一節一の**3**の規定による納期限又は納付すべき日の翌日から二の**2**の規定による当該物納の申請の却下があった日又は二の**4**の（**3**）の規定により物納の申請を取り下げたものとみなされる日（二の**13**において準用する二の**2**又は二の**4**の（**3**）の規定の適用がある場合には、これらの規定による却下があった日又は取り下げたものとみなされる日）までの期間（災害等延長期間等を除く。）につき、当該相続税額を基礎とし、当該期間に応じ、年7.3パーセントの割合を乗じて算出した金額に相当する利子税を納付しなければならない。（法53⑥）

　　　（物納申請を取り下げた場合）

（**1**）　**3**の規定は、物納申請を自ら取り下げた場合には適用がなく、当該取り下げた者は、当該申請の取下げに係る相続税額の第一節二の**1**又は第一節一の**3**の規定による納期限又は納付すべき日の翌日から当該相続税の完納の日までの期間については、第七章第六節三の**6**の規定による延滞税を納付しなければならないのであるから留意する。（基通53－2）

②　物納の許可の取消しに係る利子税

　二の**11**の（**1**）（三の（**5**）において準用する場合を含む。）の規定により物納の許可の取消しを受けた者は、**1**及び**1**の（**2**）の規定にかかわらず、当該取消しに係る相続税額の第一節二の**1**又は第一節一の**3**の規定による納期限又は納付すべき日（三の（**5**）において準用する二の**11**の（**1**）の規定により物納の許可の取消しがあった場合には、同（**5**）において準用する**五**の**3**の規定により納付があったものとされた日）の翌日から当該取消しのあった日までの期間（災害等延長期間等を除く。以下②について同じ。）につき、当該相続税額を基礎とし、当該期間に応じ、年7.3パーセントの割合を乗じて算出した金額に相当する利子税を納付しなければならない。この場合において、当該取消しに係る物納財産につき当該物納財産に係る**五**の**3**（二の**13**において準用する場合を含む。）の規定により納付があったものとされた日の翌日から当該取消しのあった日までの期間内に国が取得した、又は取得すべき賃貸料その他の利益に相当する金額（国が当該物納財産につき有益費を支出した場合には、当該有益費の額に相当する金額を控除した金額）を返還するものとする。（法53⑦）

－390－

第八章　相続税の納付

相続税物納申請書

税務署長殿
令和　　年　　月　　日

（〒　　－　　）

住　所＿＿＿＿＿＿＿＿＿＿＿＿＿＿
フリガナ
氏　名＿＿＿＿＿＿＿＿＿＿＿＿＿＿

| 法人番号 | | | | | | | | | | | | |

職　業＿＿＿＿＿＿＿　　電　話＿＿＿＿＿＿＿

下記のとおり相続税の物納を申請します。

記

1　物納申請税額

		円
	① 相 続 税 額	
同上のうち	②現金で納付する税額	
	③延納を求めようとする税額	
	④納税猶予を受ける税額	
	⑤物納を求めようとする税額 （①－（②＋③＋④））	

2　延納によっても金銭で納付することを困難とする理由

（物納ができるのは、延納によっても金銭で納付することが困難な範囲に限ります。）

別紙「金銭納付を困難とする理由書」のとおり。

3　物納に充てようとする財産

別紙目録のとおり。

4　物納財産の順位によらない場合等の事由

別紙「物納劣後財産等を物納に充てる理由書」のとおり。

※　該当がない場合は、二重線で抹消してください。

5　その他参考事項

（作成税理士　事務所所在地　電話番号　署名）

右の欄の該当の箇所を○で囲み住所氏名及び年月日を記入してください。	被相続人、遺贈者	（住所）		
		（氏名）		
	相続開始　遺贈年月日	令和　　年　　月　　日		
	申告(期限内、期限後、修正)、更正、決定年月日	令和　　年　　月　　日		
	納　期　限	令和　　年　　月　　日		
納税地の指定を受けた場合のその指定された納税地				
物納申請の却下に係る再申請である場合は、当該却下に係る「相続税物納却下通知書」の日付及び番号		第　　　　号 令和　　年　　月　　日		
物納申請財産が非上場株式である場合は、非上場株式に係る法人の物納許可申請の日前2年間に終了した事業年度の法人税申告書の提出先及び提出日		①　　　　　　　税務署 令和　　年　　月　　日 ②　　　　　　　税務署 令和　　年　　月　　日		

税務署整理欄	郵送等年月日	担当者印
	令和　　年　　月　　日	

第九章　不服申立て及び訴訟

（相続税、贈与税共通）

一　総　　則

国税に関する法律に基づく処分（以下「処分」という。）で、次の各号に掲げるものに不服がある者は、当該各号に掲げる不服申立てをすることができる。（通法75①～④・編者補正）

（一）	税務署長又は国税局長がした処分（（三）及び（四）に掲げる処分を除く。）	\multicolumn{2}{l}{次の表の(イ)及び(ロ)のうちその処分に不服がある者の選択するいずれかの不服申立て}
		(イ)	その処分をした税務署長、国税局長又は税関長に対する再調査の請求
		(ロ)	国税不服審判所長に対する審査請求
（二）	国税庁長官がした処分	\multicolumn{2}{l}{国税庁長官に対する審査請求}
（三）	税務署長がした処分で、その処分に係る事項に関する調査が国税局の当該職員によってされた旨の記載がある書面により通知されたもの	\multicolumn{2}{l}{その処分をした税務署長の管轄区域を所轄する国税局長に対する再調査の請求又は国税不服審判所長に対する審査請求のうちその処分に不服がある者の選択するいずれかの不服申立て}
（四）	税務署長がした処分で、その処分に係る事項に関する調査が国税庁の当該職員によってされた旨の記載がある書面により通知されたもの	\multicolumn{2}{l}{国税庁長官に対する審査請求}
（五）	(一)の右欄の(イ)又は(三)に掲げる再調査の請求（法定の再調査の請求期間経過後にされたものその他その請求が適法にされていないものを除く。(六)において同じ。）についての決定があった場合において、当該再調査の請求をした者が当該決定を経た後の処分	\multicolumn{2}{l}{国税不服審判所長に対する審査請求}
（六）	(一)の右欄の(イ)又は(三)に掲げる再調査の請求をし、次の表のいずれかに該当する場合 (イ) 再調査の請求をした日（二の1の(5)《再調査の請求書の記載事項等》により不備を補正すべきことを求められた場合にあっては、当該不備を補正した日）の翌日から起算して3月を経過しても当該再調査の請求についての決定がない場合 (ロ) その他再調査の請求についての決定を経ないことにつき正当な理由がある場合	\multicolumn{2}{l}{国税不服審判所長に対する審査請求}

（適用除外）

（1）　次に掲げる処分については、一の表に掲げる不服申立ては、適用しない。（通法76）

　（一）　国税通則法第8章第1節又は行政不服審査法の規定による処分その他一の表に掲げる不服申立てについてした処分

　（二）　行政不服審査法第7条第1項第7号《適用除外》に掲げる処分

　（注）　処分とは、法令に基づき優越的立場において、国民に対し権利を設定し、義務を課し、その他具体的に法律上の効果を発生させる行為をい

第九章　不服申立て及び訴訟

う。（編者注）

　（不作為についての審査請求の適用除外）
（２）　一による処分その他不服申立てについてする処分に係る不作為については、**四**《不作為についての不服申立て》は、適用しない。（通法76②）

　（不服申立期間）
（３）　次の（一）（二）に掲げる不服申立ては、当該各号に掲げる期間を経過したときは、することができない。ただし、正当な理由があるときは、この限りでない。（通法77①②）

（一）	一の表の不服申立て（ただし、一の表の（五）及び（六）（再調査の請求後にする審査請求）による審査請求を除く。（４）において同じ。）	処分があったことを知った日（処分に係る通知を受けた場合には、その受けた日）の翌日から起算して３月
（二）	一の表の（五）の審査請求	再調査決定書の謄本の送達があった日の翌日から起算して１月

　（注）　行政不服審査法の施行に伴う関係法律の整備等に関する法律（平成26年法律第69号）により次のものが除かれているが、平成28年４月１日前の適用については、なおその適用がある。（行政不服審査法の施行に伴う関係法律の整備等に関する法律附則１、５、平27政令第390）

　　天災その他注１に掲げる期間内に不服申立てをしなかったことについてやむを得ない理由があるときは、不服申立ては（３）にかかわらず、その理由がやんだ日の翌日から起算して７日以内にすることができる。（通法77旧③）

　（不服申立てができなくなる期間）
（４）　不服申立ては、処分があった日の翌日から起算して１年を経過したときは、することができない。ただし、正当な理由があるときは、この限りでない。（通法77③）

　（不服申立てに係る再調査の請求書及び審査請求書の提出時期）
（５）　不服申立てに係る再調査の請求書又は審査請求書が郵便又は信書便により提出された場合には、その郵便物又は信書便の通信日付印により表示された日（その表示がないとき、又はその表示が明りょうでないときは、その郵便物又は信書便について通常要する送付日数を基準とした場合にその日に相当するものと認められる日）にその提出がされたものとみなす。（通法22、77④）

　（不服申立人の地位の承継）
（６）　不服申立人が死亡したときは、相続人（民法第951条《相続財産法人の成立》の規定の適用がある場合には、同条の法人）は不服申立人の地位を承継する。この場合において、不服申立人の地位を承継した者は、承継した事実を証する書面を添付した届出書によって、国税不服審判所長等に届け出なければならない。（通法106①③）

　（代理人による不服申立て）
（７）　不服申立人は、弁護士、税理士その他適当と認める者を代理人に選任することができる。（通法107①）
　　当該代理人は、各自、不服申立人のために、当該不服申立てに関する一切の行為をすることができる。ただし、不服申立ての取下げ及び代理人の選任は、特別の委任を受けた場合に限り、することができる。（通法107②）
　　なお、代理人の権限の行使に関し必要な事項は、政令で定める。（通法107③）
　（注）１　代理人（代理の権限を有することを書面で証明した者に限る。）によって再調査の請求書又は審査請求書を提出するときは、当該再調査の請求書又は審査請求書に代理人の氏名及び住所又は居所をあわせて記載しなければならない。（通法124①）
　　　　２　行政不服審査法の施行に伴う関係法律の整備等に関する法律（平成26年法律第69号）により（７）から次のものが除かれており、改正規定は、平成28年４月１日から適用されるが、同日前にされる代理人による不服申立てについては、なおその適用がある。（行政不服審査法の施行に伴う関係法律の整備等に関する法律附則１、５、平27政令第390）

　　　また、代理人がその権限を失ったときは、不服申立人は、書面でその旨を不服申立てがされている者に届け出なければならない。（通法旧④）

－393－

第一編　相続税

（不服申立ての取下げ）
（8）　不服申立人は、不服申立てについての決定又は裁決があるまでは、いつでも、書面により当該不服申立てを取り下げることができる。（通法110①）

（不服申立てと国税の徴収との関係）
（9）　処分に対する不服申立ては、その目的となった処分の効力、処分の執行又は手続の続行を妨げない。ただし、その国税の徴収のため差し押さえた財産の滞納処分による換価は、その財産の価額が著しく減少するおそれがあるとき、又は不服申立人から別段の申出があるときを除き、その不服申立てについての決定又は裁決があるまで、することができない。（通法105①）

二　処分についての再調査の請求の手続

1　再調査の請求の手続
　処分に対する再調査の請求については、国税通則法第8章第1節《不服審査》その他国税に関する法律に別段の定めがあるものを除き、行政不服審査法（第2章及び第3章《不服申立てに係る手続》を除く。）の定めるところによる。（通法80①）

（再調査の請求書の記載事項）
（1）　再調査の請求は、次に掲げる事項を記載した書面を提出してしなければならない。（通法81①、124①）
　（一）　その書面を提出する者の氏名（法人については、名称。以下（3）において同じ。）、住所又は居所及び番号（番号を有しない者にあっては、その氏名及び住所又は居所）
　　（注）　書面を提出する者が法人であるとき、納税管理人若しくは代理人（代理の権限を有することを書面で証明した者に限る。以下（一）において同じ。）によって当該書類を提出するとき、又は不服申立人が総代を通じて当該書類を提出するときは、その代表者（人格のない社団等の管理人を含む。）、納税管理人若しくは代理人又は総代の氏名及び住所又は居所をあわせて記載しなければならない。
　（二）　再調査の請求に係る処分の内容
　（三）　再調査の請求に係る処分があったことを知った年月日（当該処分に係る通知を受けた場合には、その受けた年月日）
　（四）　再調査の請求の趣旨及び理由
　（五）　再調査の請求の年月日

（期間の経過後に再調査の請求をする場合の記載事項）
（2）　再調査の請求書には、（1）に掲げる事項のほか、一の（3）の（一）又は同一の（4）に掲げる期間の経過後に再調査の請求をする場合においては、同一の（3）のただし書又は同一の（4）のただし書に掲げる正当な理由を記載しなければならない。（通法81②）

（税務署長を経由する再調査の請求）
（3）　一の表の（三）に掲げる再調査の請求は、当該再調査の請求に係る処分をした税務署長を経由してすることもできる。この場合における再調査の請求期間の計算については、当該税務署長に再調査の請求書が提出された時に再調査の請求がされたものとみなす。（通法82①③）

（補　正）
（4）　再調査の請求人は、再調査の請求がされている税務署長、国税局長、国税庁長官（以下「**再調査審理庁**」という。）から再調査の請求の補正を求められた場合には、その再調査の請求に係る税務署その他の行政機関に出頭して補正すべき事項について陳述し、その陳述の内容を当該行政機関の職員が録取した書面を確認することによっても、することができる。（通法81③④）
　　（注）　補正は、原則として、再調査の請求書とは別の書面を提出して行う。（編者注）

（却下）
（5）　（4）の場合において再調査の請求人が同（4）の期間内に不備を補正しないとき、又は再調査の請求が不適法であって補正をすることができないことが明らかなときは、再調査審理庁は、（9）、（10）、（11）、（12）に定める審理手続を経

－394－

第九章　不服申立て及び訴訟

ないで、**2**《再調査の請求についての決定》に基づき、決定で、当該再調査の請求を却下することができる。（通法81
⑤）

　　　（納税地異動の場合における再調査の請求先等）
（6）　税務署長又は国税局長（以下「税務署長等」という。）の処分（国税の徴収に関する処分及び滞納処分（その例による処分を含む。）を除く。又は（国税通則法第36条第1項《納税の告知》の規定による納税の告知のうち同項第1号（不納付加算税及び国税通則法第68条第3項又は第4項（同条第3項の重加算税に係る部分に限る。）《重加算税》の重加算税に係る部分に限る。）若しくは第2号に係るもの（以下（6）及び（7）において単に「処分」という。）があった時以後にその納税地に異動があった場合において、その処分の際における納税地を所轄する税務署長等と当該処分について再調査の請求をする際における納税地（以下（6）及び（7）において「現在の納税地」という。）を所轄する税務署長等とが異なることとなるときは、その再調査の請求は、現在の納税地を所轄する税務署長等に対してしなければならない。この場合においては、その処分は、現在の納税地を所轄する税務署長等がしたものとみなす。（通法85①）

　　　（異動前の納税地の所轄税務署長等に提出された再調査の請求書）
（7）　（6）の場合において、再調査の請求書がその処分に係る税務署長等に提出されたときは、当該税務署長等は、その再調査の請求書を受理することができる。この場合においては、その再調査の請求書は、現在の納税地を所轄する税務署長等に提出されたものとみなす。（通法85③）

　　　（再調査の請求事件の決定機関の特例）
（8）　税務署長等の処分について再調査の請求がされている場合において、その処分に係る国税の納税地に異動があり、その再調査の請求がされている税務署長等と異動後の納税地を所轄する税務署長等とが異なることとなるときは、当該再調査の請求がされている税務署長等は、再調査の請求人の申立てにより、又は職権で、当該再調査の請求に係る事件を異動後の納税地を所轄する税務署長等に、移送することができる。（通法86①）

　　　（再調査請求人の意見陳述）
（9）　再調査審理庁は、再調査の請求人又は参加人（国税通則法第109条第3項《参加人》に規定する参加人をいう。以下一及び二において同じ。）から申立てがあった場合には、当該申立てをした者（以下（9）において「申立人」という。）に口頭で再調査の請求に係る事件に関する意見を述べる機会を与えなければならない。ただし、当該申立人の所在その他の事情により当該意見を述べる機会を与えることが困難であると認められる場合には、この限りでない。（通法84①）
　（注）1　（9）による意見の陳述（以下（9）において「口頭意見陳述」という。）は、再調査審理庁が期日及び場所を指定し、再調査の請求人及び参加人を招集してさせるものとする。（通法84②）
　　　　2　口頭意見陳述において、申立人は、再調査審理庁の許可を得て、補佐人とともに出頭することができる。（通法84③）

　　　（口頭意見陳述）
（10）　再調査審理庁は、必要があると認める場合には、その行政機関の職員に口頭意見陳述を聴かせることができる。（通法84④）

　　　（口頭意見陳述の制限）
（11）　口頭意見陳述において、再調査審理庁又は(10)に掲げる職員は、申立人のする陳述が事件に関係のない事項にわたる場合その他相当でない場合には、これを制限することができる。（通法84⑤）

　　　（証拠書類又は証拠物の提出）
（12）　再調査の請求人又は参加人は、証拠書類又は証拠物を提出することができる。この場合において、再調査審理庁が、証拠書類又は証拠物を提出すべき相当の期間を定めたときは、その期間内にこれを提出しなければならない。（通法84⑥）

　　　（3か月後の教示）
（13）　再調査審理庁は、再調査の請求がされた日（（4）により不備を補正すべきことを求めた場合にあっては、当該不備が補正された日）の翌日から起算して3月を経過しても当該再調査の請求が係属しているときは、当該再調査の請求に係る処分が審査請求をすることができないものである場合を除き、遅滞なく、当該処分について直ちに国税不服審判所

第一編　相続税

長に対して審査請求をすることができる旨を書面でその再調査の請求人に教示しなければならない。（通法111①）

　　この通知に係る書面には、再調査の請求に係る処分の理由が当該処分に係る通知書その他の書面により処分の相手方に通知されている場合を除き、その処分の理由を付記しなければならない。（通法111②、89②）

2　再調査の請求についての決定

　再調査審理庁は、再調査の請求が次の各号に掲げる場合に該当するときは、当該各号に掲げる決定をする。（通法83①～③）

①	再調査の請求が法定の期間経過後にされたものである場合、その他不適法である場合	当該再調査の請求を却下する決定
②	再調査の請求が理由がない場合	当該再調査の請求を棄却する決定
③	再調査の請求が理由がある場合	当該再調査の請求に係る処分の全部若しくは一部を取り消し、又はこれを変更する決定 ただし、再調査の請求人の不利益に当該処分を変更することはできない。

　　（再調査の請求についての決定）

（1）　再調査の請求についての決定は、主文及び理由を記載し、再調査審理庁が記名押印した再調査決定書によりしなければならない。（通法84⑦）

　　（再調査の請求に係る決定の理由の付記）

（2）　再調査の請求についての決定で当該再調査の請求に係る処分の全部又は一部を維持する場合における（1）に掲げる理由においては、その維持される処分を正当とする理由が明らかにされていなければならない。（通法84⑧）

　　（審査請求ができる旨の教示）

（3）　再調査審理庁は、（1）の再調査決定書（再調査の請求に係る処分の全部を取り消す決定に係るものを除く。）に、再調査の請求に係る処分につき国税不服審判所長に対して審査請求をすることができる旨（却下の決定である場合にあっては、当該却下の決定が違法な場合に限り審査請求をすることができる旨）及び審査請求期間を記載して、これらを教示しなければならない。（通法84⑨）

　　（再調査の請求に係る決定の効力発生時期）

（4）　再調査の請求についての決定は、再調査の請求人（当該再調査の請求が処分の相手方以外の者のしたものである場合における **2** の**③**による決定にあっては、再調査の請求人及び処分の相手方）に再調査決定書の謄本が送達された時に、その効力を生ずる。（通法84⑩）

　　（注）1　再調査審理庁は、再調査決定書の謄本を参加人に送付しなければならない。（通法84⑪）

　　　　　2　再調査審理庁は、再調査の請求についての決定をしたときは、速やかに、**1** の(13)により提出された証拠書類又は証拠物をその提出人に返還しなければならない。（通法84⑫）

－396－

第九章　不服申立て及び訴訟

三　審　査　請　求

1　審査請求の手続

　処分に対する審査請求については、国税通則法第8章第1節《不服審査》（第2款《再調査の請求》及び第3款《審査請求》を除く。）その他国税に関する法律に別段の定めがあるものを除き、行政不服審査法の定めるところによる。（通法80②）

　（審査請求書の記載事項）
（1）　審査請求は、政令で定めるところにより次に掲げる事項を記載した書面（以下「**審査請求書**」という。）を提出してしなければならない。（通法87①、124①）
　（一）　審査請求人の氏名、住所又は居所及び番号（番号を有しない者にあってはその氏名及び住所又は居所）
　（二）　審査請求に係る処分の内容
　（三）　審査請求に係る処分があったことを知った年月日（当該処分に係る通知を受けた場合にはその通知を受けた年月日、再調査の請求についての決定を経た後の処分について審査請求をする場合には再調査決定書の謄本の送達を受けた年月日）
　（四）　審査請求の趣旨及び理由
　　（注）1　趣旨は、処分の取消し又は変更を求める範囲を明らかにするように記載する。（通法87③）
　　　　2　理由は、処分に係る通知書その他の書面により通知されている処分の理由に対する審査請求人の主張を明らかにされていなければならない。（通法87③）
　　　　3　趣旨及び理由を計数的に説明する資料を添付するように努める。（通令32）
　（五）　審査請求の年月日

　（一定の場合の審査請求書の記載事項）
（2）　審査請求書には、（1）に掲げる事項のほか、次の各号に掲げる場合においては、当該各号に定める事項を記載しなければならない。（通法87②）

（一）	一の表の（六）の（イ）により再調査の請求についての決定を経ないで審査請求をする場合	再調査の請求をした年月日
（二）	同表の（六）の（ロ）により再調査の請求についての決定を経ないで審査請求をする場合	同（ロ）に掲げる正当な理由
（三）	一の（3）及び同一の（4）に掲げる期間の経過後において審査請求をする場合	これらのただし書に掲げる正当な理由

　（審査請求に係る書類の提出先）
（3）　（2）に規定する審査請求書その他国税不服審判所長に対する審査請求（以下「審査請求」という。）に関し提出する書類は、法令に別段の定めがある場合を除き、その審査請求に係る国税通則法第93条第1項《答弁書の提出等》に規定する原処分庁の管轄区域を管轄する国税不服審判所の支部（以下「支部」という。）の首席国税審判官に提出するものとする。ただし、審査請求に係る処分が所得税、法人税、地方法人税、相続税、贈与税、地価税、課税資産の譲渡等に係る消費税（国税通則法第2条第9号《定義》に規定する課税資産の譲渡等に係る消費税をいう。）又は電源開発促進税に係る税務署長又は国税局長の処分（国税の徴収に関する処分及び滞納処分（その例による処分を含む。）を除く。）又は国税通則法第36条第1項《納税の告知》の規定による納税の告知のうち同項第1号（不納付加算税及び国税通則法第68条第3項又は第4項（国税通則法同条第3項の重加算税に係る部分に限る。）《重加算税》の重加算税に係る部分に限る。）若しくは第2号に係るもの（国税通則法規則12条第2項第2号において単に「処分」という。）である場合においては、当該書類は、審査請求をする際における当該国税の納税地を管轄する支部の首席国税審判官に提出するものとする。（通規12①）

　（処分庁を経由する審査請求）
（4）　審査請求は、審査請求に係る処分（当該処分に係る再調査の請求についての決定を含む。）をした行政機関の長を経由してすることもできる。この場合において、審査請求人は、当該行政機関の長に審査請求書を提出してするものとす

－397－

る。

（一）　（4）の場合には、（4）の行政機関の長は、直ちに、審査請求書を国税不服審判所長に送付しなければならない。

（二）　（4）の場合における審査請求期間の計算については、（4）の行政機関の長に審査請求書が提出された時に審査請求がされたものとみなす。（通法88①②③）

　　　　（補　正）

（5）　国税不服審判所長は、審査請求が国税に関する法律の規定に従っていないもので補正することができるものであると認めるときは、相当の期間を定めて、その補正を求めなければならない。この場合において、不備が軽微なものであるときは、国税不服審判所長は、職権で補正することができる。

　　　また、審査請求人は、国税不服審判所長から審査請求の補正を求められた場合には、国税不服審判所に出頭して補正すべき事項について陳述し、その陳述の内容を国税不服審判所の職員が録取した書面を確認することによっても、これをすることができる。（通法91①②）

　　　　（原処分庁から提出された答弁書の送付）

（6）　国税不服審判所長は、審査請求の目的となった処分に係る税務署長（ただし、一の表の（一）の処分については、当該国税局長。以下「原処分庁」という。）から審査請求の趣旨及び理由に対応して原処分庁の主張を記載した答弁書が提出されたときは、これを審査請求人及び参加人に送付しなければならない。（通法93③）

　　　　（担当審判官の通知）

（7）　国税不服審判所長は、担当審判官を指定したときは、遅滞なく、審査請求人にその氏名及び所属を通知しなければならない。担当審判官を変更したときも、また同様とする。（通令33）

　　（注）　国税不服審判所長は、（5）の答弁書が提出されたときは、審査請求に係る事件の調査及び審理を行わせるため、担当審判官1名及び参加審判官2名以上を指定する。（通法94①）

　　　　（反論書等の提出）

（8）　審査請求人は、（5）により送付された答弁書に対する反論を記載した書面（以下（7）において「反論書」という。）を提出することができる。この場合において、担当審判官が反論書を提出をすべき相当の期間を定めたときは、その期間内にこれを提出しなければならない。（通法95①）

　　　　（口頭意見陳述）

（9）　審査請求人又は参加人の申立てがあった場合には、担当審判官は、当該申立てをした者に口頭で審査請求に係る事件に関する意見を述べる機会を与えなければならない。（通法95の2①）

　　（注）1　（9）による意見の陳述（（9）において「口頭意見陳述」という。）に際し、（9）の申立てをした者は、担当審判官の許可を得て、審査請求に係る事件に関し、原処分庁に対して、質問を発することができる。（通法95の2②）

　　　　　2　二の1（9）及び同1の（11）は、（9）の口頭意見陳述について準用する。この場合において二の1の（9）の注1中「再調査審理庁」とあるのは「担当審判官」と、「再調査の請求人及び参加人」とあるのは「全ての審理関係人」と、同（9）の注2中「再調査審理庁」とあるのは「担当審判官」と、二の1の（11）中「再調査審理庁又は前項の職員」とあるのは「担当審判官」と、それぞれ読み替えるものとする。（通法95の2③）

　　　　　3　参加審判官は、担当審判官の命を受け、注1の許可及び前項において読み替えて準用する二の1の（11）の行為をすることができる。（通法95の2④）

　　　　（審理関係人による物件の閲覧等）

（10）　審理関係人は、審理手続が終結するまでの間、担当審判官に対し、提出された書類その他の物件の閲覧（電磁的記録にあっては、記録された事項を財務省令で定めるところにより表示したものの閲覧）又は当該書類の写し若しくは当該電磁的記録に記録された事項を記載した書面の交付を求めることができる。この場合において、担当審判官は、第三者の利益を害するおそれがあると認めるとき、その他正当な理由があるときでなければ、その閲覧又は交付を拒むことができない。（通法97の3①）

2　みなす審査請求

（一）	合意によるみなす	税務署長又は国税局長に対して再調査の請求がされた場合において、当該税務署長又は国税局長がその再調査の請求を審査請求として取り扱うことを適当と認めてその旨を再調査の請求人に通知し、かつ、

－398－

	審査請求	当該再調査の請求人がこれに同意したときは、その同意があった日に、国税不服審判所長に対し、審査請求がされたものとみなす。（通法89①）
		（注）　上記により審査請求がされたものとみなされた場合には、再調査の請求がされている税務署長又は国税局長は、その再調査の請求書等を国税不服審判所長に送付し、かつ、その旨を再調査の請求人及び参加人に通知しなければならない。（通法89③）
（二）	他の審査請求に伴うみなす審査請求	次の各号により再調査の請求書等が国税不服審判所長に送付された場合には、その送付された日に、国税不服審判所長に対し、当該再調査の請求に係る処分についての審査請求がされたものとみなす。（通法90③）
		イ　更正決定等について審査請求がされている場合において、当該更正決定等に係る国税の課税標準等又は税額等（その国税に係る附帯税の額を含む。以下同じ。）についてされた他の更正決定等について税務署長又は国税局長に対し再調査の請求がされたときは、当該再調査の請求がされた税務署長又は国税局長は、その再調査の請求書等を国税不服審判所長に送付し、かつ、その旨を再調査の請求人に通知しなければならない。（通法90①）
		ロ　更正決定等について税務署長又は国税局長に対し再調査の請求がされている場合において、当該更正決定等に係る国税の課税標準等又は税額等についてされた他の更正決定等について審査請求がされたときは、当該再調査の請求がされている税務署長又は国税局長は、その再調査の請求書等を国税不服審判所長に送付し、かつ、その旨を再調査の請求人及び参加人に通知しなければならない。（通法90②）

（再調査の請求人への通知書の処分理由の附記）
（1）　上表の（一）又は（二）の通知に係る書面には、再調査の請求に係る処分の理由が当該処分に係る通知書その他の書面により処分の相手方に通知されている場合を除き、その処分の理由を附記しなければならない。（通法89②、90④）

（送付された再調査請求書）
（2）　上表の（一）又は（二）の場合において、国税不服審判所長に送付された再調査の請求書は、審査請求書とみなす。（通法89③、90④）

3　審査請求についての裁決

審査請求が次の各号に掲げる場合には、国税不服審判所長は、当該各号に掲げる裁決をする。（通法92①②、98①②③）

（一）	審査請求人が期間内に不備を補正しないとき又は審査請求が不適法であって補正することができないとき	当該審査請求を却下する裁決
（二）	審査請求が法定の期間経過後にされたものであるとき、その他不適法である場合	当該審査請求を却下する裁決
（三）	審査請求に理由がない場合	当該審査請求を棄却する裁決
（四）	審査請求に理由がある場合	当該審査請求に係る処分の全部若しくは一部を取り消し、又はこれを変更する裁決 ただし、審査請求人の不利益に当該処分を変更することはできない。

（審判官の議決）
（1）　上表の（二）から（四）までに掲げる裁決をする場合には、担当審判官及び参加審判官の議決に基づいてこれをしなければならない。（通法98④）

（効力の規定）
（2）　審査請求についての裁決は、国税不服審判所長が審査請求人に裁決書の謄本を送達して行う。（通法101③）

第一編　相続税

（原告が行うべき証拠の申出）
（5）　国税関係処分（更正決定等に限る。以下「課税処分」という。）に係る行政事件訴訟法第3条第2項《処分の取消しの訴え》に規定する処分の取消しの訴えにおいては、その訴えを提起した者が損金の額の存在その他これに類する自己に有利な事実につき課税処分の基礎とされた事実と異なる旨を主張しようとするときは、相手方当事者である国が当該課税処分の基礎となった事実を主張した日以後遅滞なくその異なる事実を具体的に主張し、併せてその事実を証明すべき証拠の申出をしなければならない。ただし、当該訴えを提起した者が、その責めに帰することができない理由によりその主張又は証拠の申出を遅滞なくすることができなかったことを証明したときは、この限りでない。（通法116①）

（時機に後れた攻撃防御方法の却下）
（6）　（5）に掲げる訴えを提起した者が（5）に違反して行った主張又は証拠の申出は、民事訴訟法第157条第1項《時機に後れた攻撃防御方法の却下》の規定の適用に関しては、同項に規定する時機に後れて提出した攻撃又は防御の方法とみなす。（通法116②）

第十章　雑則及び罰則

（相続税、贈与税共通）

第一節　雑　　則

一　法務大臣等の通知

　法務大臣は、死亡又は失踪（以下一において「死亡等」という。）に関する届書に係る戸籍法（昭和22年法律第224号）第120条の４第１項（届書等情報の提供）に規定する届書等情報（これに類するものとして（1）で定めるものを含む。）の提供を受けたときは、当該届書等情報に記録されている情報及び当該死亡等をした者の戸籍又は除かれた戸籍の副本に記録されている情報で（2）で定めるものを、当該届書等情報の提供を受けた日の属する月の翌月末日までに国税庁長官に通知しなければならない。（法58①）

　　（届書等情報に類するものの範囲等）
（1）　一に規定する届書等情報に類するものとして（1）で定めるものは、死亡又は失踪（以下一において「死亡等」という。）に関する戸籍法施行規則（昭和22年司法省令第94号）第76条第３項（受付帳）に規定する受付帳情報とする。（規29の２①）

　　（財務省令で定める情報）
（2）　一に規定する（2）で定める情報は、一に規定する届書等情報に記録されている情報及び死亡等をした者が当該死亡等により除籍された戸籍又は除かれた戸籍の副本に記録されている情報であって、当該死亡等をした者及び当該死亡等をした者に係る相続人を特定するために必要なものとする。（規29の２②）

　　（所轄税務署長への通知）
（3）　市町村長は、当該市町村長その他戸籍又は住民基本台帳に関する事務をつかさどる者が当該市町村が備える住民基本台帳に記録されている者に係る死亡等に関する届書を受理したとき又は当該届書に係る事項の通知を受けたときは、当該死亡等をした者が有していた土地又は家屋に係る固定資産課税台帳の登録事項その他の事項で（4）で定めるものを、当該届書を受理した日又は当該通知を受けた日の属する月の翌月末日までに当該市町村の事務所の所在地の所轄税務署長に通知しなければならない。（法58②）

　　（財務省令で定める事項）
（4）　（3）に規定する（4）で定める事項は、次に掲げる事項とする。（規29の２③）
　（一）　（3）の死亡等をした者の氏名、生年月日、その死亡等の時における住所及びその死亡等の年月日
　（二）　次に掲げる（3）の財産の区分に応じ、それぞれ次に定める事項（（3）の死亡等の直前において（3）の固定資産課税台帳に登録されていたものに限る。）
　　イ　土地　所在、地番、地目、地積及び価格
　　ロ　家屋　所在、家屋番号、種類、構造、床面積及び価格
　（三）　その他参考となるべき事項

　　（市町村が処理する事務の区分）
（5）　一の規定により市町村が処理することとされている事務は、地方自治法（昭和22年法律第67号）第２条第９項第１号（法定受託事務）に規定する第１号法定受託事務とする。（法58③）

第一編　相続税

二　調書の提出

1　法定調書の提出

　次の各号に掲げる者で相続税法の施行地に営業所、事務所その他これらに準ずるもの（以下**1**及び**3**において「**営業所等**」という。）を有するものは、その月中に支払った生命保険契約の保険金若しくは損害保険契約の保険金のうち注で定めるもの又は支払した**退職手当金等**（第二章第二節**三**の（二）に掲げる給与をいう。以下**1**において同じ。）について、翌月15日までに、**6**で定めるところにより作成した当該各号に定める調書を当該調書を作成した営業所等の所在地の所轄税務署長に提出しなければならない。ただし、保険金額又は退職手当金等の金額が**2**の財務省令で定める額以下である場合は、この限りでない。（法59①、規31）

（一）	保険会社等	支払った保険金（退職手当金等に該当するものを除く。）に関する受取人別の調書（第5号書式又は第6号書式による）
（二）	退職手当金等を支給した者	支給した退職手当金等に関する受給者別の調書（第7号書式による）

　　（調書の提出を要する損害保険契約の保険金等）

注　**1**に規定する損害保険契約の保険金は、自動車損害賠償保障法（昭和30年法律第97号）第5条《責任保険又は責任共済の契約の締結強制》に規定する自動車損害賠償責任保険又は自動車損害賠償責任共済の契約、原子力損害の賠償に関する法律（昭和36年法律第147号）第8条《原子力損害賠償保険契約》に規定する原子力損害賠償責任保険契約その他の損害賠償責任に関する保険又は共済に係る契約に基づく保険金（共済金を含む。以下同じ。）以外の保険金とする。（令30①、1の4）

2　調書の記載事項等

　　（相続税法の規定により作成する調書の記載事項）

（1）　保険金（**1**の（一）に規定する保険金をいう。以下（1）及び（4）において同じ。）の支払をする保険会社等（第一章第四節**一1**《原則》の（五）に規定する保険会社等をいう。**3**の（1）において同じ。）で法の施行地に営業所等（**1**に規定する営業所等をいう。（2）及び**3**の（1）において同じ。）を有するものは、**1**（（一）に係る部分に限る。）の規定により、保険金の支払を受ける者の各人別に、次に掲げる事項を記載した調書を作成しなければならない。（規30①）

　（一）　その支払を受ける者の氏名又は名称、住所若しくは居所又は本店若しくは主たる事務所の所在地及び個人番号又は法人番号

　（二）　その月中に支払った保険金の金額

　（三）　その支払の基礎となる契約に係る保険料（共済掛金を含む。（六）ロ及び**3**の（1）の（六）において同じ。）の総額

　（四）　その支払の確定した日

　（五）　その支払の直前において（三）の契約に係る契約者であった者（（六）ロにおいて「現契約者」という。）の氏名又は名称、住所若しくは居所又は本店若しくは主たる事務所の所在地及び個人番号又は法人番号

　（六）　（三）の契約（**3**の（2）の（三）から（五）までに掲げるものを除く。）の締結後に当該契約に係る契約者の変更（当該契約に係る契約者の死亡に伴い行われるものを除く。イ及びハにおいて同じ。）が行われた場合には、次に掲げる事項

　イ　当該契約者の変更（当該契約に係る契約者の変更が2回以上行われた場合には、最後の契約者の変更）前の契約者の氏名又は名称及び住所若しくは居所又は本店若しくは主たる事務所の所在地

　ロ　当該契約に係る現契約者が払い込んだ保険料の額

　ハ　当該契約に係る契約者の変更が行われた回数

　（七）　その他参考となるべき事項

（注）　（六）の規定は、保険会社等の営業所等が契約の締結後に当該契約に係る契約者の変更（当該契約に係る契約者の死亡に伴い行われるものを除く。）の手続を行うことにより、平成30年1月1日以後に当該契約者の変更の効力が生ずる場合について適用する。この場合において、同日前に効力が生じた当該契約に係る契約者の変更の回数は、同（六）のハの回数に含まないものとする。（平27改規附2）

　　（退職手当金等の規定により作成する調書の記載事項）

（2）　退職手当金等（**1**に規定する退職手当金等をいう。以下（2）及び（4）において同じ。）の支給をする者で法の施行地に営業所等を有するものは、**1**（（二）に係る部分に限る。）の規定により、退職手当金等の支給を受ける者の各人別に、次に掲げる事項を記載した調書を作成しなければならない。（規30②）

－404－

第十章　雑則及び罰則

（一）　その支給を受ける者の氏名、住所又は居所及び個人番号
（二）　その月中に支給をした退職手当金等の金額
（三）　その支給の確定した日
（四）　その他参考となるべき事項

（ただし書に規定する財務省令で定める額）
（３）　**1**のただし書に規定する財務省令で定める額は、100万円とする。（規30③）

（年金として支払う保険金又は退職手当金等の調書作製時期）
（４）　保険金又は退職手当金等を年金として支払又は支給を受ける権利については、当該権利が確定したときに第二章第二節**六**の**2**の規定により評価した金額による当該保険金又は退職手当金等の支払又は支給があったものとして、**1**の規定を適用する。（規30④）

（退職手当金等の支払調書の提出限度）
（５）　適格退職年金契約等に基づいて二以上の信託会社又は生命保険会社が支給する年金又は一時金の額が、（３）に規定する100万円の金額を超えるかどうかは、当該二以上の信託会社又は生命保険会社が支給する金額の合計額により判定するものとする。（基通59−1）
　（注）　二以上の信託会社又は生命保険会社と締結した適格退職年金契約には、次のようなものがある。
　　（一）　二以上の信託会社が共同で同一の契約書により受託する共同受託契約
　　（二）　二以上の生命保険会社が共同で同一の契約書により事務を引き受ける共同取扱契約
　　（三）　退職年金制度を一定の方法により二以上に分割し、その分割した数だけの退職年金契約を締結する分割契約

3　死亡による保険契約の契約者変更時の調書の提出

　保険会社等でこの法律の施行地に営業所等を有するものは、生命保険契約又は損害保険契約の契約書が死亡したことに伴いこれらの契約の契約者の変更の手続を行った場合には、当該変更の効力が生じた日の属する年の翌年1月31日までに、財務省令で定めるところにより作成した調書を当該調書を作成した営業所等の所在地の所轄税務署長に提出しなければならない。ただし、当該変更の手続を行った生命保険契約又は損害保険契約が、解約返戻金に相当する金額が一定金額以下のものである場合その他の財務省令で定めるものである場合は、この限りではない。（法59②）

（法の規定により作成する調書の記載事項）
（１）　生命保険契約（第二章第二節**二**《生命保険金等》の(一)に規定する生命保険契約をいう。（２）において同じ。）又は損害保険契約（同(一)に規定する損害保険契約をいう。同項において同じ。）の契約者が死亡したことに伴いこれらの契約の契約者の変更の手続を行った保険会社等で法の施行地に営業所等を有するものは、**3**の規定により、その変更後の契約者別に、次に掲げる事項を記載した調書を作成しなければならない。（規30⑤）
（一）　その変更後の契約者の氏名又は名称及び住所若しくは居所又は本店若しくは主たる事務所の所在地
（二）　その変更前の契約者の氏名及び住所又は居所
（三）　その変更前の契約者が死亡した日
（四）　その変更の効力が生じた日
（五）　その変更に係る契約の解約返戻金相当額（(三)(四)に掲げる日のいずれかの日において当該契約を解約するとしたならば支払われるべき解約返戻金の金額をいう。（２）の(一)において同じ。）
（六）　(五)の契約に係る保険料の総額及び(二)の契約者が払い込んだ保険料の金額
（七）　その他参考となるべき事項

（財務省令で定める契約）
（２）　**3**ただし書に規定する財務省令で定める契約は、次のいずれかに該当する契約とする。（規30⑥）
（一）　解約返戻金相当額が100万円以下である生命保険契約又は損害保険契約
（二）　一定期間内に保険事故（共済事故を含む。）が発生しなかった場合において返還金その他これに準ずるものの支払がない生命保険契約又は損害保険契約
（三）　第二章第二節**二**の**2**の(１)《生命保険契約等の範囲》の(三)のホ若しくはへに掲げる契約又は同**二**の**3**の(１)《損害保険契約等の範囲》の(二)のホに掲げる契約

—405—

第一編　相続税

（四）　普通保険約款において、団体又は団体の代表者を契約者とし、当該団体に所属する者を保険法（平成20年法律第56号）第2条第4号（定義）に規定する被保険者とすることとなっている生命保険契約又は損害保険契約

（五）　マンションの管理の適正化の推進に関する法律（平成12年法律第149号）第2条第3号（定義）に規定する管理組合又は同条第4号に規定する管理者等を契約者とし、建物の区分所有等に関する法律（昭和37年法律第69号）第2条第4項（定義）に規定する共用部分又は同法第67条第1項（団地共用部分）に規定する団地共用部分を保険の目的とする損害保険契約

4　信託に関する受益者の調書の提出

　信託の受託者でこの法律の施行地に当該信託の事務を行う営業所、事務所、住所、居所その他これらに準ずるもの（以下4において「**営業所等**」という。）を有するものは、次に掲げる事由が生じた場合には、当該事由が生じた日の属する月の翌月末日までに、**7**で定める様式（第8号書式による）に従って作成した受益者別（受益者としての権利を現に有する者の存しない信託にあっては、委託者別）の調書を当該営業所等の所在地の所轄税務署長に提出しなければならない。ただし、信託に関する権利又は信託財産の価額が一定金額以下であることその他（1）の財務省令で定める事由に該当する場合は、この限りでない。（法59③）

（一）　信託の効力が生じたこと（当該信託が遺言によりされた場合にあっては、当該信託の引受けがあったこと。）。

（二）　第二章第三節**五**の1の①に規定する受益者等が変更されたこと（同①に規定する受益者等が存するに至った場合又は存しなくなった場合を含む。）。

（三）　信託が終了したこと（信託に関する権利の放棄があった場合その他（2）の政令で定める場合を含む。）。

（四）　信託に関する権利の内容に変更があったこと。

（財務省令で定める事由）

（1）　**4**のただし書に規定する財務省令で定める事由は、次に掲げる事由とする。（規30⑦）

（一）　受託者の引き受けた信託について受益者（受益者としての権利を現に有する者の存しない信託にあっては、委託者。以下（一）において同じ。）別に当該信託の信託財産に属する財産を相続税法第22条から同法第25条までの規定により評価した価額（当該財産のうちこれらの規定により評価することが困難であるものについては、当該財産の見積価額。以下この（一）において同じ。）の合計額（その年の1月1日から当該信託につき**4**各号に掲げる事由が生じた日の前日までの間に当該信託と受益者が同一である他の信託（以下（一）において「従前信託」という。）について当該事由が生じていた場合には、当該信託及び当該従前信託の信託財産に属する財産を同法第22条から同法第25条までの規定により評価した価額の合計額）が50万円以下であること。

（二）　受託者の引き受けた信託が投資信託及び投資法人に関する法律（昭和26年法律第198号）第2条第3項《定義》に規定する投資信託であること。

（三）　受託者の引き受けた貸付信託（貸付信託法（昭和27年法律第195号）第2条第1項《定義》に規定する貸付信託をいう。以下（1）において同じ。）の受益権が当該貸付信託の無記名式の同条第2項に規定する受益証券に係るものであること。

（四）　受託者の引き受けた受益証券発行信託（信託法（平成18年法律第108号）第185条第3項《受益証券の発行に関する信託行為の定め》に規定する受益証券発行信託をいう。）の受益権が当該受益証券発行信託の無記名式の同条第1項に規定する受益証券に係るものであること。

（五）　次に掲げる場合の区分に応じ、それぞれ次に定める事由

　イ　**4**の（一）に掲げる事由が生じた場合　　受託者の引き受けた信託が次に掲げるものであること。

　①　第二編第三章**八**の2に規定する特定障害者扶養信託契約に基づく信託

　②　第二編第三章の**十**《直系尊属から教育資金の一括贈与を受けた場合の贈与税の非課税》の2の（二）のイに規定する教育資金管理契約に基づく信託

　③　第二編第三章の**十一**《直系尊属から結婚・子育て資金の一括贈与を受けた場合の贈与税の非課税》の2の（二）のイに規定する結婚・子育て資金管理契約に基づく信託

　④　委託者と受益者等（第二章第三節**五**の1の①に規定する受益者等をいう。以下（五）において同じ。）とが同一である信託

　ロ　**4**の（二）に掲げる事由が生じた場合　　次に掲げる事由

　①　受託者の引き受けた信託について生じた**4**の（二）に掲げる事由が所得税法第224条の3第2項《株式等の譲渡の対価の受領者の告知》に規定する株式等又は同法第224条の4《信託受益権の譲渡の対価の受領者の告知》に規定する信託受益権の譲渡によるものであることから、当該信託の受託者が同法第225条第1項《支払調書及び支払

－406－

第十章　雑則及び罰則

　　　通知書》に規定する調書を同項の規定により提出することとなること。
　　②　受託者の引き受けた信託が顧客分別金信託等（金融商品取引法第43条の２第２項《分別管理》の規定による信
　　　託、賃金の支払の確保等に関する法律施行規則（昭和51年労働省令第26号）第２条第１項第２号《貯蓄金の保全
　　　措置》に規定する信託契約に基づく信託その他これらに類する信託をいう。ハの③において同じ。）であること。
　　③　４の(二)に掲げる事由が次に掲げる事由により生じたこと。
　　（ⅰ）　受託者の引き受けた信託について受益者等の合併又は分割があったこと。
　　（ⅱ）　金融機関の信託業務の兼営等に関する法律（昭和18年法律第43号）第５条第１項《定型的信託契約約款の
　　　　変更等》に規定する定型的信託契約に基づく信託の受益権について同条第４項の規定による買取りの請求があ
　　　　ったことにより当該信託の受託者が当該受益権を買い取ったこと（当該受託者が当該受益権を遅滞なく消却す
　　　　る場合に限る。）。
　　（ⅲ）　貸付信託法第６条第６項《信託約款の変更》又は第11条《受託者による受益証券の取得》の規定により貸
　　　　付信託の受託者が当該貸付信託の同法第２条第２項に規定する受益証券を買い取ったこと（当該受託者が当該
　　　　受益証券に係る受益権を遅滞なく消却する場合に限る。）。
　ハ　４の(三)に掲げる事由が生じた場合　　次に掲げる事由
　　①　受託者の引き受けた信託が第二編第三章の**十の２**の(二)のイに規定する教育資金管理契約に基づく信託である
　　　こと。
　　②　受託者の引き受けた信託が第二編第三章の**十一の２**の(二)のイに規定する結婚・子育て資金管理契約に基づく
　　　信託であること。
　　③　受託者の引き受けた信託が顧客分別金信託等であること。
　　④　受託者の引き受けた信託の終了直前の受益者等が当該受益者等として有していた当該信託に関する権利に相当
　　　する当該信託の残余財産の給付を受けるべき、又は帰属すべき者となったこと。
　　⑤　受託者の引き受けた信託の残余財産がないこと。
　　⑥　受託者（金融機関の信託業務の兼営等に関する法律により同法第１条第１項《兼営の認可》に規定する信託業
　　　務を営む同項に規定する金融機関に限る。）の引き受けた貸付信託又は合同運用信託（法人税法第２条第26号《定
　　　義》に規定する合同運用信託をいう。）の残余財産が信託法第182条第３項《残余財産の帰属》の規定により当該
　　　受託者に帰属したこと。
　ニ　４の(四)に掲げる事由が生じた場合　　次に掲げる事由
　　①　受託者の引き受けた信託の受益者等が一の者であること。
　　②　受託者の引き受けた信託の受益者等（法人税法第２条第29号の２に規定する法人課税信託の受託者を含む。）が
　　　それぞれ有する当該信託に関する権利の価額に変動がないこと。

　　（政令で定める場合）
（２）　**４**の(三)に規定する政令で定める場合は、信託に関する権利が消滅した場合とする。（令30②）

　　（見積価額の例示等）
（３）　信託財産に属する財産を相続税法第22条から第25条までの規定により評価することが困難である場合における当該
　　財産の(1)の(注)１及び第９号書式備考三の「見積価額」とは、原則として**４**の(一)から(五)に掲げる事由が生じた日
　　における価額として、当該財産の取得価額や売買実例価額などを基に、合理的な方法により算定したものをいう。この
　　場合において、次に掲げる財産の見積価額については、例えば、それぞれ次に定める価額により算定することができる
　　こととし、その他の財産の見積価額については、平成25年３月29日付課総８－１ほか３課共同「内国税の適正な課税の
　　確保を図るための国外送金等に係る調書の提出等に関する法律（国外財産調書及び財産債務調書関係）の取扱いについ
　　て」（法令解釈通達）６の２－11《見積価額の例示》の取扱いに準じて算定して差し支えないものとする。（基通59－２）
　（一）　土地
　　　次のイ又はロに掲げる価額
　　イ　法第59条第３項各号に掲げる事由が生じた日の属する年中に課された固定資産税の計算の基となる固定資産税評
　　　価額（地方税法（昭和25年法律第226号）第381条《固定資産課税台帳の登録事項》の規定により登録された基準年
　　　度の価格又は比準価格）
　　ロ　取得価額を基にその取得後における価額の変動を合理的な方法によって見積もって算出した価額
　（二）　取引相場のない株式
　　　株式の発行法人の法第59条第３項各号に掲げる事由が生じた日又は同日前の同日に最も近い日において終了した事

－407－

業年度における決算書等に基づき、その法人の純資産価額（帳簿価額によって計算した金額）に持株割合を乗じて計算するなど合理的に算出した価額

(注)　（３）の規定は、令和５年１月１日以後に**４**の（一）から（四）に掲げる事由が生ずる場合について適用し、令和４年12月31日以前については、なお従前の例による。

5　税務署長の請求に係る調書の提出

　相続税法の施行地に営業所又は事務所を有する法人は、相続税又は贈与税の納税義務者又は納税義務があると認められる者について税務署長の請求があった場合には、これらの者の財産又は債務について当該請求に係る調書を作成して提出しなければならない。(法59④)

6　光ディスク等による調書の提出

　１の各号、**３**又は**４**に定める調書（以下**６**において単に「**調書**」という。）のうち、当該調書の提出期限の属する年の前々年の１月１日から12月31日までの間に提出すべきであった当該調書の枚数として（１）の財務省令で定めるところにより算出した数が30以上であるものについては、当該調書を提出すべき者は、**１**、**３**又は**４**の規定にかかわらず、当該調書に記載すべきものとされるこれらの規定に規定する事項（以下**６**において「**記載事項**」という。）を次に掲げる方法のいずれかによりこれらの規定に規定する所轄税務署長に提供しなければならない。(法59⑤)

(一)　（２）の財務省令で定めるところによりあらかじめ税務署長に届け出て行う電子情報処理組織（行政手続等における情報通信の技術の利用に関する法律（平成14年法律第151号）第３条第１項《電子情報処理組織による申請等》に規定する電子情報処理組織をいう。）を使用する方法として（３）の財務省令で定める方法

(二)　当該記載事項を記録した光ディスクその他の（５）の財務省令で定める記録用の媒体（以下**６**において「**光ディスク等**」という。）を提出する方法

　　(調書の枚数の算出方法)

(１)　**６**に規定する財務省令で定めるところにより算出した数は、**６**に規定する調書の提出期限の属する年の前々年の１月１日から12月31日までの間にその者が提出すべきであった当該調書の第５号書式から第９号書式までの書式ごとの枚数とする。(規30⑧)

　　(所轄税務署長への届出)

(２)　調書を提出すべき者が**６**の（一）に規定する電子情報処理組織を使用して**６**に規定する記載事項（（３）、（４）及び**７**の（３）の（三）において「記載事項」という。）を**１**、**３**又は**４**に規定する所轄税務署長に提供しようとする場合における届出その他の手続については、国税関係法令に係る行政手続等における情報通信の技術の利用に関する省令第４条《事前届出》の規定の例による。(規30⑨)

　　(財務省令で定める提出方法)

(３)　**６**の（一）に規定する財務省令で定める方法は、次の各号に掲げる者の区分に応じ当該各号に定める方法とする。(規30⑩)

(一)	国税関係法令に係る情報通信技術を活用した行政の推進等に関する省令第４条第１項の規定の例により届出をした者	同令第５条第１項（電子情報処理組織による申請等）の定めるところにより記載事項を送信する方法
(二)	国税関係法令に係る情報通信技術を活用した行政の推進等に関する省令第４条第５項の規定の例により届出をした者	同令第５条の２第１項（電子情報処理組織による申請等）の定めるところにより、記載事項を同項に規定する特定ファイルに記録し、かつ、**１**、**３**及び**４**の規定に規定する所轄税務署長（当該届出をした者が**７**の承認を受けている場合には、**７**の（４）に規定する税務署長）に対して、当該特定ファイルに記録された当該記載事項を閲覧し、及び国税庁の使用に係る電子計算機に備えられたファイルに記録する権限を付与する方法

　　(電磁的記録の保存方法)

(４)　（３）の（二）に定める方法により記載事項を提供する者は、同（二）に規定する特定ファイルに記録した当該記載事項

第十章　雑則及び罰則

の電磁的記録（電子的方式、磁気的方式その他人の知覚によっては認識することができない方式で作られる記録であって、電子計算機による情報処理の用に供されるものをいう。）を同（二）の権限を付与した状態で国税関係法令に係る情報通信技術を活用した行政の推進等に関する省令第５条の２第３項の定めるところにより保存しなければならない。（規・30⑪）

　　（財務省令で定める記録用の媒体）
（５）　**6**の（二）に規定する財務省令で定める記録用の媒体は、光ディスク又は磁気ディスクとする。（規30⑫）

　　（光ディスク等による調書に係る申請）
（６）　調書を提出すべき者（**6**の規定に該当する者を除く。）は、その者が提出すべき調書の記載事項を記録した光ディスク等の提出をもって当該調書の提出に代えることができる。（法59⑥）
　　（注）　令和５年改正後の（６）の規定は、令和５年４月１日以後に提出すべき調書（**6**に規定する調書をいう。以下（６）において同じ。）について適用し、令和５年３月31日以前に提出すべき調書については、なお従前の例による。（令５改所法等附19⑫）

　　（光ディスク等による調書に係る申請書の提出）
（７）　（６）の承認を受けようとする**6**に規定する調書を提出すべき者は、その者の氏名又は名称及び住所、その提出しようとする**6**の（二）に規定する光ディスク等の種類その他の（８）の財務省令で定める事項を記載した申請書を（９）に規定する所轄税務署長に提出しなければならない。（令30旧③）
　　（注）　（７）の規定は、令和５年４月１日以後については、削除される。（令５改令附1）

　　（申請書の記載事項）
（８）　（７）に規定する財務省令で定める事項は、次に掲げる事項とする。（規30旧⑬）
　　（一）　（７）の申請書の提出をする者の氏名又は名称、住所若しくは居所又は本店若しくは主たる事務所の所在地及び個人番号又は法人番号（個人番号を有しない者にあっては、氏名又は名称及び住所若しくは居所又は所在地。**7**の（3）において同じ。）
　　（二）　（６）の承認を受けようとする旨
　　（三）　**6**の（二）に規定する光ディスク等の種類
　　（四）　**6**の（二）に規定する光ディスク等の規格
　　（五）　その他参考となるべき事項
　　（注）　（８）の規定は、令和５年４月１日以後については、削除される。（令５改規附1）

　　（書面による通知）
（９）　**7**の（2）の所轄税務署長は、**7**の（2）の申請書の提出があつた場合において、その申請につき承認をし、又は承認をしないこととしたときは、その申請をした者に対し、その旨を書面により通知するものとする。（令30④）

　　（光ディスク等の提出等による調書の提出）
（10）　**6**又は**7**の規定により行われた記載事項の提供及び（６）の規定により行われた光ディスク等の提出については、**1**、**3**又は**4**の規定による調書の提出とみなして、これらの規定及び第二節の**4**並びに国税通則法第７章の二（国税の調査）及び第128条（罰則）の規定を適用する。（法59⑧）

7　税務署長の承認を受けた場合の調書の提出

　調書を提出すべき者が、（１）で定めるところにより**1**、**3**又は**4**の規定に規定する所轄税務署長の承認を受けた場合には、その者は、これらの規定及び**6**の規定にかかわらず、**6**の各号に掲げる方法のいずれかの方法により、当該調書の記載事項を（２）で定める税務署長に提供することができる。（法59⑦）

　　（所轄税務署長の承認）
（１）　（２）の申請書の提出があった場合において、その申請書の提出の日から２月を経過する日までにその申請につき承認をし、又は承認をしないこととした旨の通知がなかったときは、同日においてその承認があったものとみなす。（令30⑤）

－409－

第一編　相続税

（申請書の提出内容）
（2）　**7**の承認を受けようとする**6**に規定する調書を提出すべき者は、その者の氏名又は名称及び住所、当該調書の同項に規定する記載事項を提供しようとする税務署長その他の（3）の財務省令で定める事項を記載した申請書を**7**に規定する所轄税務署長に提出しなければならない。（令30③）

（財務省令で定める事項）
（3）　（2）の財務省令で定める事項は、次に掲げる事項とする。（規30⑬）
　（一）　（2）の申請書の提出をする者の氏名又は名称、住所若しくは居所又は所在地及び個人番号又は法人番号（法人番号を有しない者にあっては、氏名又は名称及び住所若しくは居所又は所在地）
　（二）　**7**の承認を受けようとする旨
　（三）　記載事項を提供しようとする税務署長及び当該税務署長に提供しようとする理由
　（四）　**6**の各号に掲げる方法のうちいずれの方法によるかの別
　（五）　その他参考となるべき事項

（財務省令で定める税務署長）
（4）　**7**に規定する税務署長は、（2）の所轄税務署長への申請に基づく**6**の（9）又は（1）の規定による承認に係る（3）の（三）の税務署長とする。（規30⑭）

8　調書の書式

　1の（一）の調書は第5号書式又は第6号書式により、**1**の（二）の調書は第7号書式により、**3**の調書は第8号書式により、**4**の調書は第9号様式による。（規31①）

（調書の書式）
（1）　国税庁長官は、第5号書式から第9号書式までに定める書式について必要があるときは、所要の事項を付記すること又は一部の事項を削ることができる。この場合において、国税庁長官は、併せてこれらの用紙の大きさを第5号書式から第9号書式までに定める大きさ以外の大きさ（産業標準化法第20条第1項《日本産業規格》に規定する日本産業規格に適合するものに限る。）とすることができる。（規31②）
　（注）　（1）の規定は、令和8年9月1日以後について適用する。（令6改規附）

－410－

第十章　雑則及び罰則

第5号書式

令和　　年分　　生命保険金・共済金受取人別支払調書

保険金等受取人	住所（居所）又は所在地		氏名又は名称	
			個人番号又は法人番号	
保険契約者等（又は保険料等払込人）		、	氏名又は名称	
			個人番号又は法人番号	
被保険者等直前の保険契約者等			氏名又は名称	

○個人番号又は法人番号」欄に個人番号（12桁）を記載する場合には、右詰で記載します。

| 保　険　金　額　等 | 増加又は割増保険金額等 | 未払利益配当金等 | 貸付金額、同未収利息 |
| 千　　　円 | 千　　　円 | 千　　　円 | 千　　　円 |

| 未払込保険料等 | 前納保険料等払戻金 | 差引支払保険金額等 | 既払込保険料等 |
| 千　　　円 | 千　　　円 | 千　　　円 | （内　　　千　　　円） |

保険事故等		保険事故等の発生年月日	年　月　日	（摘要）
保険等の種類				
契約者変更の回数		保険金等の支払年月日	年　月　日	（　　　　年　月　日提出）

| 保険会社等 | 所在地 | |
| | 名称 | （電話）　　　　　　　　法人番号 |

| 整　理　欄 | ① | ② | 323 |

備考

一　保険金等受取人及び保険契約者等（又は保険料等払込人）の個人番号又は法人番号欄には、当該保険金等受取人及び保険契約者等（又は保険料等払込人）の行政手続における特定の個人を識別するための番号の利用等に関する法律第2条第5項に規定する個人番号又は同条第15項に規定する法人番号を記載すること。

二　保険事故等欄には、死亡、満期、解約等保険金又は共済金（これらに係る解約返戻金を含み、退職手当金等として支給されるものを除く。以下同じ。）の支払事由を記載すること。

三　解約の場合には、解約返戻金相当額を保険金額等欄に記載すること。

四　契約者以外の者が保険料又は共済掛金の払込みをしていることの明らかなものについては、保険契約者等欄に保険料払込人又は共済掛金払込人を記載し、七の契約者の変更に関する事項には、保険料払込人又は共済掛金払込人の変更について記載すること。

五　相続税法第3条第1項第1号に規定する生命保険契約に基づき分配又は割戻しを受けた剰余金又は割戻金があるときは、当該剰余金又は割戻金の金額を控除した既払込保険料等の金額を既払込保険料等欄に記載すること。

六　保険金又は共済金を年金として支払うものについては、当該保険金又は共済金につき相続税法第24条の規定により評価した金額を保険金額等欄に、当該保険金又は共済金を年金として支払うものである旨及びその評価の根拠その他参考となるべき事項を摘要欄に、それぞれ記載すること。

七　契約者の変更（死亡に伴い行われるものを除く。1及び3において同じ。）があった場合の記載の要領は、次による。

　1　直前の保険契約者等欄に、当該契約者の変更（当該契約に係る契約者の変更が2回以上行われた場合には、最後の契約者の変更）前の契約者の氏名又は名称及び住所若しくは居所又は本店若しくは主たる事務所の所在地を記載すること。

　2　既払込保険料等欄の内書に、当該契約に係る現契約者が払い込んだ保険料又は共済掛金の額を記載すること。

　3　契約者変更の回数欄に、当該契約に係る契約者の変更が行われた回数を記載すること。

八　保険会社等の法人番号欄には、一に規定する法人番号を記載すること。

九　合計表をこの様式に準じて作成し添付すること。

－411－

第一編　相続税

第6号書式

損害（死亡）保険金・共済金受取人別支払調書

保険金等受取人	住所 (居所)		氏名又は名称		○「個人番号又は法人番号」欄に個人番号（12桁）を記載する場合には、右詰で記載します。
			個人番号又は法人番号		
保険契約者等 （又は保険料等払込人）	又は		氏名又は名称		
			個人番号又は法人番号		
被保険者等	所在地		氏名又は名称		
直前の保険 契約者等					

保　険　金　額　等	既　払　込　保　険　料　等
円	(内　　　　　　　　　　　　　円)

保険事故等		保険事故等の 発生年月日	年　　月　　日	(摘要)
保険等の種類		保険金等の 支払年月日	年　　月　　日	
契約者変更の回数				(　　　年　　月　　日提出)

保険会社等	所在地		
	名　称	(電話)	法　人　番　号

整　理　欄	①	②	324

備考

一　保険金等受取人及び保険契約者等（又は保険料等払込人）の個人番号又は法人番号欄には、当該保険金等受取人及び保険契
　約者等（又は保険料等払込人）の行政手続における特定の個人を識別するための番号の利用等に関する法律第2条第5項に規
　定する個人番号又は同条第15項に規定する法人番号を記載すること。

二　保険事故等欄には、保険金又は共済金（これらに係る解約返戻金を含む。）の支払事由を記載すること。

三　解約の場合には、解約返戻金相当額を保険金額等欄に記載すること。

四　契約者以外の者が保険料又は共済掛金の払込みをしていることの明らかなものについては、保険契約者等欄に保険料払込人
　又は共済掛金払込人を記載し、六の契約者の変更に関する事項は、保険料払込人又は共済掛金払込人の変更について記載する
　こと。

五　保険金又は共済金を年金として支払うものについては、当該保険金又は共済金につき相続税法第24条の規定により評価した
　金額を保険金額等欄に、当該保険金又は共済金を年金として支払うものである旨及びその評価の根拠その他参考となるべき事
　項を摘要欄に、それぞれ記載すること。

六　契約者の変更（死亡に伴い行われるものを除く。1及び3において同じ。）があった場合の記載の要領は、次による。

　1　直前の保険契約者等欄に、当該契約者の変更（当該契約に係る契約者の変更が2回以上行われた場合には、最後の契約者
　　の変更）前の契約者の氏名又は名称及び住所若しくは居所又は本店若しくは主たる事務所の所在地を記載すること。

　2　既払込保険料等欄の内書に、当該契約に係る現契約者が払い込んだ保険料又は共済掛金の額を記載すること。

　3　契約者変更の回数欄に、当該契約に係る契約者の変更が行われた回数を記載すること。

七　昭和46年3月31日以前に契約が締結されたものについては、契約の締結年月日を摘要欄に記載すること。

八　保険会社等の法人番号欄には、一に規定する法人番号を記載すること。

九　合計表をこの様式に準じて作成し添付すること。

—412—

第十章　雑則及び罰則

第7号書式

退職手当金等受給者別支払調書

受給者	住 所		氏　　名	
			個人番号	
退職者			氏　　名	
			個人番号	

退職手当金等の種類	退職手当金等の給与金額	退　職　年　月　日
	円	年　　　月　　　日
退職時の地位職務	受給者と退職者との続柄	支　払　年　月　日
		年　　　月　　　日

(摘要)

(　　　年　　　月　　　日 提出)

支払者	営業所又は事務所等の所在地	
	営業所又は事務所等の名称又は氏名	(電話)
	個人番号又は法人番号	

| 整　理　欄 | ① | ② |

325

○ 個人番号又は法人番号欄に個人番号（12桁）を記載する場合には、右詰で記載します。

備考
　一　受給者及び退職者の個人番号欄には、当該受給者及び退職者の行政手続における特定の個人を識別するための番号の利用等に関する法律第2条第5項に規定する個人番号を記載すること。
　二　退職手当金等の種類欄には、退職金、功労金、確定給付企業年金規約、企業型年金規約、個人型年金規約、適格退職年金契約又は共済契約に基づく年金又は一時金その他の年金又は一時金の名称を記載すること。
　三　退職手当金等を年金として支給するものについては、当該退職手当金等につき相続税法第24条の規定により評価した金額を退職手当金等の給与金額欄に、当該退職手当金等を年金として支給するものである旨及びその評価の根拠その他参考となるべき事項を摘要欄に、それぞれ記載すること。
　四　退職者の死亡年月日を摘要欄に記載すること。
　五　支払者の個人番号又は法人番号欄には、当該支払者の一に規定する個人番号又は行政手続における特定の個人を識別するための番号の利用等に関する法律第2条第15項に規定する法人番号を記載すること。

－413－

第一編　相続税

第8号書式

保険契約等の異動に関する調書

新保険契約者等	住所 (居所) 又は 所在地		氏　名 又は 名　称	
死亡した 保険契約者等				
被保険者等				

解約返戻金相当額	既払込保険料等の総額	死亡した保険契約者等の 払込保険料等
円	円	円

評価日	1　保険契約者等の死亡日 2　契約者変更の効力発生日	保険契約者等の 死　亡　日	年　月　日	(摘要)
保険等の 種　類		契約者変更の 効力発生日	年　月　日	(　　年　月　日提出)

保険会社等	所在地			
	名　称	(電話)	法人番号	

整　理　欄	①	②

386

備考
一　新保険契約者等の欄には、生命保険契約又は損害保険契約（共済契約を含む。）の契約者の死亡に伴う当該契約の契約者の変更（以下「契約者変更」という。）の手続をした場合における当該契約者変更後の契約者の氏名又は名称及び住所若しくは居所又は所在地を記載すること。
二　死亡した保険契約者等の欄には、契約者変更前の契約者の氏名及び住所又は居所を記載すること。
三　解約返戻金相当額の欄には、二の契約者の死亡日又は契約者変更の効力発生日いずれかの日（以下「評価日」という。）において当該契約を解約するとしたならば支払われるべき解約返戻金の金額を記載すること。
四　評価日の欄には、三の解約返戻金相当額に係る評価日に対応する番号を○で囲むこと。
五　保険会社等の法人番号欄には、行政手続における特定の個人を識別するための番号の利用等に関する法律第2条第15項に規定する法人番号を記載すること。
六　合計表をこの様式に準じて作成し添付すること。

第十章　雑則及び罰則

第9号書式

信託に関する受益者別（委託者別）調書

受益者 特定委託者 又は 委託者	住所（居所） 又は 所在地		氏名又は名称	
			個人番号又は法人番号	
			氏名又は名称	
			個人番号又は法人番号	
			氏名又は名称	
			個人番号又は法人番号	

○「個人番号又は法人番号」欄に個人番号（12桁）を記載する場合には、右詰で記載します。

信託財産の種類	信託財産の所在場所	構造・数量等	信託財産の価額

信託に関する権利の内容	信託の期間	提出事由	提出事由の生じた日	記号番号
	自　・・　至　・・		・・	

（摘要）

（令和　　年　月　　日提出）

受託者	所在地又は住所（居所）	（電話）
	営業所の所在地等	（電話）
	名称又は氏名	
	法人番号又は個人番号	

整理欄	①	②	358

備考

一　「受益者」、「特定委託者」及び「委託者」の欄の「個人番号又は法人番号」の項には、当該受益者、特定委託者及び委託者の行政手続における特定の個人を識別するための番号の利用等に関する法律第2条第5項に規定する個人番号又は同条第15項に規定する法人番号を記載すること。

二　「特定委託者」の欄には、相続税法第9条の2第5項に規定する特定委託者に関する事項を記載する。ただし、この調書を四3に掲げる場合に該当することにより提出するときには、信託法第182条第1項第2号に規定する帰属権利者（以下「帰属権利者」という。）又は同法第177条に規定する清算受託者に関する事項を記載するものとする。

三　「信託財産の価額」の欄には、信託財産を相続税法第22条から第25条までの規定により評価した価額を記載する。ただし、信託財産について当該規定により評価することを困難とする事由が存する場合は、この限りでない。

四　「提出事由」の欄には、次に掲げる場合の区分に応じ、それぞれ次に定める事由を記載する。

1　相続税法第59条第3項第1号に規定する信託の効力が生じた場合　効力発生

2　相続税法第59条第3項第2号に規定する受益者等が変更された場合　受益者変更

3　相続税法第59条第3項第3号に規定する信託が終了した場合　信託終了

4　相続税法第59条第3項第4号に規定する信託に関する権利の内容に変更があった場合　権利内容変更

五　摘要欄には、次に掲げる場合の区分に応じ、それぞれ次に定める事項を記載する。ただし、7の場合において、7に規定する従前信託について信託に関する受益者別（委託者別）調書を提出しているとき、又は当該従前信託以外の信託に関する受益者別（委託者別）調書で摘要欄に当該7に規定する従前信託に係る7イからハまでの事項を記載したものを提出しているときは、この限りでない。

1　受益者又は特定委託者が存しない場合　その存しない理由

2　相続税法第9条の3第1項に規定する受益者連続型信託の場合　その旨、その条件及びその期限並びに新たに信託に関する権利を取得する者又は同項の受益者指定権等を有する者の名称又は氏名及び所在地又は住所若しくは居所

3　法人税法第2条第29号の2に規定する法人課税信託である場合　その旨

4　信託法第182条第1項第1号に規定する残余財産受益者又は帰属権利者の定めがある場合　その旨、これらの者の名称又は氏名及び所在地又は住所若しくは居所並びに一に規定する法人番号又は個人番号

5　この調書を四2又は3に掲げる場合に該当することにより提出するとき　変更前（終了直前）の受益者又は特定委託者の名称又は氏名及び所在地又は住所若しくは居所

6　この調書を四4に掲げる場合に該当することにより提出するとき　「信託財産の種類」、「信託財産の所在場所」、「構造・数量等」、「信託財産の価額」、「信託に関する権利の内容」及び「信託の期間」の欄に係る変更のあった事項についての変更前の内容

－415－

第一編　相続税

7　その年の１月１日からその信託につき四１から４までに定める事由が生じた日の前日までの間に当該信託と受益者（受益者としての権利を現に有する者の存しない信託にあっては、委託者。）が同一である他の信託（以下「従前信託」という。）について当該事由が生じていた場合で、当該信託の信託財産を相続税法第22条から第25条までの規定により評価した価額と当該従前信託の信託財産を相続税法第22条から第25条までの規定により評価した価額との合計額が50万円を超えることとなること、又は当該信託の信託財産を相続税法第22条から第25条までの規定により評価することを困難とする事情が存することからこの調書を提出することとなったとき　当該従前信託に係るイからハまでに掲げる事項

　イ　委託者及び特定委託者の名称又は氏名及び所在地又は住所若しくは居所（委託者別の調書の場合には、委託者に係る事項を除く。）

　ロ　信託財産の種類、信託財産の所在場所、構造・数量等、信託財産の価額、信託に関する権利の内容及び信託の期間（提出事由が四４に定める事由である場合にあっては、信託に関する権利の内容の変更前後のこれらの事項）並びに提出事由、提出事由の生じた日及び記号番号

　ハ　１から６までに定める事項

六　受託者の「所在地又は住所（居所）」の欄には受託者の本店若しくは主たる事務所の所在地又は住所若しくは居所を、「営業所の所在地等」の欄には受託者が信託の引受けをした営業所、事務所その他これらに準ずるものの所在地を、「法人番号又は個人番号」の欄には受託者の一に規定する法人番号又は個人番号を記載する。

七　合計表をこの様式に準じて作成し添付すること。

三　質問検査権

1　当該職員の質問検査権

　国税庁等の当該職員は、相続税若しくは贈与税に関する調査若しくは相続税若しくは贈与税の徴収に関する調査について必要があるときは、次の各号に掲げる調査又は徴収の区分に応じ、当該各号に定める者に質問し、(一)に掲げる者の財産若しくは当該財産に関する帳簿書類その他の物件を検査し、又は当該物件の提示若しくは提出を求めることができる。(通法74の3①一)

(一)	相続税法の規定による相続税又は贈与税の納税義務がある者又は納税義務があると認められる者（以下この号及び**2**において「納税義務がある者等」という。）
(二)	**二《調書の提出》**に規定する調書を提出した者又はその調書を提出する義務があると認められる者
(三)	納税義務がある者等に対し、債権若しくは債務を有していたと認められる者又は債権若しくは債務を有すると認められる者
(四)	納税義務がある者等が株主若しくは出資者であったと認められる法人又は株主若しくは出資者であると認められる法人
(五)	納税義務がある者等に対し、財産を譲渡したと認められる者又は財産を譲渡する義務があると認められる者
(六)	納税義務がある者等から、財産を譲り受けたと認められる者又は財産を譲り受ける権利があると認められる者
(七)	納税義務がある者等の財産を保管したと認められる者又はその財産を保管すると認められる者

2　公正証書の閲覧権

　国税庁等の当該職員は、納税義務がある者等に係る相続税若しくは贈与税に関する調査又は当該相続税若しくは贈与税の徴収について必要があるときは、公証人の作成した公正証書の原本のうち当該納税義務がある者等に関する部分の閲覧を求め、又はその内容について公証人に質問することができる。(通法74の3②)

3　提出物件の留置き

　国税庁等の当該職員は、国税の調査について必要があるときは、当該調査において提出された物件を留め置くことができる。(通法74の7)

　　(提出物件の留置き、返還等)
（1）　国税庁、国税局若しくは税務署の当該職員（以下「当該職員」という。）は、**3**の規定により物件を留め置く場合には、当該物件の名称又は種類及びその数量、当該物件の提出年月日並びに当該物件を提出した者の氏名及び住所又は居所その他当該物件の留置きに関し必要な事項を記載した書面を作成し、当該物件を提出した者にこれを交付しなければならない。(通令30の3①)

　　(留め置く必要がなくなったとき)
（2）　当該職員は、**3**の規定により留め置いた物件につき留め置く必要がなくなったときは、遅滞なく、これを返還しなければならない。(通令30の3②)

　　(提出物件の管理)
（3）　当該職員は、（2）に規定する物件を善良な管理者の注意をもって管理しなければならない。(通令30の3③)

4　特定事業者等への報告の求め

　所轄国税局長は、特定取引の相手方となり、又は特定取引の場を提供する事業者（特別の法律により設立された法人を含む。）又は官公署（以下**4**において「特定事業者等」という。）に、特定取引者に係る特定事項について、特定取引者の範囲を定め、60日を超えない範囲内においてその準備に通常要する日数を勘案して定める日までに、報告することを求めることができる。(通法74の7の2①)

—417—

第一編　相続税

（調査について必要がある場合）
（１）　**4**の規定による処分は、国税に関する調査について必要がある場合において次のいずれかに該当するときに限り、することができる。（通法74の7の2②）
　（一）　当該特定取引者が行う特定取引と同種の取引を行う者に対する国税に関する過去の調査において、当該取引に係る所得の金額その他の特定の税目の課税標準が1,000万円を超える者のうち半数を超える数の者について、当該取引に係る当該税目の課税標準等又は税額等につき更正決定等（国税通則法第36条第1項（第2号に係る部分に限る。）《納税の告知》の規定による納税の告知を含む。）をすべきと認められている場合
　（二）　当該特定取引者がその行う特定取引に係る物品又は役務を用いることにより特定の税目の課税標準等又は税額等について国税に関する法律の規定に違反する事実を生じさせることが推測される場合
　（三）　当該特定取引者が行う特定取引の態様が経済的必要性の観点から通常の場合にはとられない不合理なものであることから、当該特定取引者が当該特定取引に係る特定の税目の課税標準等又は税額等について国税に関する法律の規定に違反する事実を生じさせることが推測される場合

（用語の意義）
（２）　**4**において、次に掲げる用語の意義は、それぞれに定めるところによる。（通法74の7の2③）

(一)	所轄国税局長	特定事業者等の住所又は居所の所在地を所轄する国税局長をいう。
(二)	特定取引	電子情報処理組織を使用して行われる事業者等（事業者（特別の法律により設立された法人を含む。）又は官公署をいう。以下（二）において同じ。）との取引、事業者等が電子情報処理組織を使用して提供する場を利用して行われる取引その他の取引のうち第一項の規定による処分によらなければこれらの取引を行う者を特定することが困難である取引をいう。
(三)	特定取引者	特定取引を行う者（特定事業者等を除き、（1）の（一）に掲げる場合に該当する場合にあっては、特定の税目について1,000万円の課税標準を生じ得る取引金額を超える（1）の（一）の特定取引を行う者に限る。）をいう。
(四)	特定事項	次に掲げる事項をいう。 イ　氏名（法人については、名称） ロ　住所又は居所 ハ　番号（行政手続における特定の個人を識別するための番号の利用等に関する法律（平成25年法律第27号）第2条第5項《定義》に規定する個人番号（第124条第1項《書類提出者の氏名、住所及び番号の記載等》において「個人番号」という。）又は同法第2条第15項に規定する法人番号をいう。以下同じ。）

（国税庁長官の承認）
（３）　所轄国税局長は、**4**の規定による処分をしようとする場合には、あらかじめ、国税庁長官の承認を受けなければならない。（通法74の7の2④）

（**4**の規定による処分）
（４）　**4**の規定による処分は、所轄国税局長が、特定事業者等に対し、**4**に規定する特定取引者の範囲その他**4**の規定により報告を求める事項及び**4**に規定する期日を書面で通知することにより行う。（通法74の7の2⑤）

（特定事業者等の事務負担への配慮）
（５）　所轄国税局長は、**4**の規定による処分をするに当たっては、特定事業者等の事務負担に配慮しなければならない。（通法74の7の2⑥）

5　権限の解釈

　1から**3**まで又は**4**の規定による当該職員又は国税局長の権限は、犯罪捜査のために認められたものと解してはならない。（通法74の8）

—418—

第十章　雑則及び罰則

6　納税義務者に対する調査の事前通知等

　税務署長等（国税庁長官、国税局長若しくは税務署長をいう。以下**8**《調査の終了の際の手続》までにおいて同じ。）は、国税庁等の当該職員に納税義務者に対し実地の調査において**1**《当該職員の質問検査権》の規定による質問、検査又は提示若しくは提出の要求（以下「質問検査等」という。）を行わせる場合には、あらかじめ、当該納税義務者（当該納税義務者について税務代理人がある場合には、当該税務代理人を含む。）に対し、その旨及び次に掲げる事項を通知するものとする。（通法74の9①）

(一)	質問検査等を行う実地の調査（以下**四**において単に「調査」という。）を開始する日時
(二)	調査を行う場所
(三)	調査の目的
(四)	調査の対象となる税目
(五)	調査の対象となる期間
(六)	調査の対象となる帳簿書類その他の物件
(七)	その他調査の適正かつ円滑な実施に必要なものとして（1）の政令で定める事項

（調査の事前通知に係る通知事項）
（1）　**6**の(七)に規定する政令で定める事項は、次に掲げる事項とする。（通令30の4①）

(一)	調査（**6**の(一)に規定する調査をいう。以下（1）及び（2）において同じ。）の相手方である（4）の(一)に掲げる納税義務者の氏名及び住所又は居所
(二)	調査を行う当該職員の氏名及び所属官署（当該職員が複数であるときは、当該職員を代表する者の氏名及び所属官署）
(三)	**6**の(一)又は(二)に掲げる事項の変更に関する事項
(四)	（5）の規定の趣旨

（備付け又は保存の通知）
（2）　**6**の各号に掲げる事項のうち、**6**の(二)に掲げる事項については調査を開始する日時において**6**に規定する質問検査等を行おうとする場所を、**6**の(三)に掲げる事項については納税申告書の記載内容の確認又は納税申告書の提出がない場合における納税義務の有無の確認その他これらに類する調査の目的を、それぞれ通知するものとし、**6**の(六)に掲げる事項については、同(六)に掲げる物件が国税に関する法令の規定により備付け又は保存をしなければならないこととされているものである場合にはその旨を併せて通知するものとする。（通令30の4②）

（納税義務者から変更の求めがあった場合）
（3）　税務署長等は、**6**の規定による通知を受けた納税義務者から合理的な理由を付して**6**の(一)又は(二)に掲げる事項について変更するよう求めがあった場合には、当該事項について協議するよう努めるものとする。（通法74の9②）

（用語の意義）
（4）　**6**において、次の各号に掲げる用語の意義は、当該各号に定めるところによる。（通法74の9③）

(一)	納税義務者	**1**の(一)に掲げる者
(二)	税務代理人	税理士法第30条《税務代理の権限の明示》（同法第48条の16《税理士の権利及び義務等に関する規定の準用》において準用する場合を含む。）の書面を提出している税理士若しくは同法第48条の2《設立》に規定する税理士法人又は同法第51条第1項《税理士業務を行う弁護士等》の規定による通知をした弁護士若しくは同条第3項の規定による通知をした弁護士法人

（非違が疑われることとなった場合）
（5）　**6**の規定は、当該職員が、当該調査により当該調査に係る**6**の(三)から(六)までに掲げる事項以外の事項について非違が疑われることとなった場合において、当該事項に関し質問検査等を行うことを妨げるものではない。この場合において、**6**の規定は、当該事項に関する質問検査等については、適用しない。（通法74の9④）

—419—

第一編　相続税

　　　（税務代理人がある場合における納税義務者に対する調査の事前通知）
（6）　納税義務者について税務代理人がある場合において、当該納税義務者の同意がある場合として（7）で定める場合に該当するときは、当該納税義務者への**6**の規定による通知は、当該税務代理人に対してすれば足りる。（通法74の9⑤）

　　　（納税義務者について税務代理人が数人ある場合）
（7）　納税義務者について税務代理人が数人ある場合において、当該納税義務者がこれらの税務代理人のうちから代表する税務代理人を定めた場合として（9）の財務省令で定める場合に該当するときは、これらの税務代理人への**6**の規定による通知は、当該代表する税務代理人に対してすれば足りる。（通法74の9⑥）

　　　（財務省令で定める場合）
（8）　（6）に規定する財務省令で定める場合は、税理士法施行規則（昭和26年大蔵省令第55号）第15条（税務代理権限証書）の税務代理権限証書に、（4）の（一）に規定する納税義務者への調査の通知は（二）に規定する税務代理人に対してすれば足りる旨の記載がある場合とする。（通規11の3①）

　　　（財務省令で定める場合）
（9）　（7）に規定する財務省令で定める場合は、税務代理権限書に、当該税務代理権限証書を提出する者を（7）の代表する税務代理人として定めた旨の記載がある場合とする。（通規11の3②）

7　事前通知を要しない場合

　　6の規定にかかわらず、税務署長等が調査の相手方である**6**の（4）の（一）に掲げる納税義務者の申告若しくは過去の調査結果の内容又はその営む事業内容に関する情報その他国税庁等が保有する情報に鑑み、違法又は不当な行為を容易にし、正確な課税標準等又は税額等の把握を困難にするおそれその他国税に関する調査の適正な遂行に支障を及ぼすおそれがあると認める場合には、**6**の規定による通知を要しない。（通法74の10）

8　調査の終了の際の手続

　　税務署長等は、国税に関する実地の調査を行った結果、更正決定等（国税通則法第36条第1項《納税の告知》に規定する納税の告知〔同項第2号に係るものに限る。〕を含む。以下**8**において同じ。）をすべきと認められない場合には、納税義務者（**6**の（4）の（一）《納税義務者》に掲げる納税義務者をいう。以下**8**において同じ。）であって当該調査において質問検査等の相手方となった者に対し、その時点において更正決定等をすべきと認められない旨を書面により通知するものとする。（通法74の11①）

　　　（調査結果の内容説明）
（1）　国税に関する調査の結果、更正決定等をすべきと認める場合には、当該職員は、当該納税義務者に対し、その調査結果の内容（更正決定等をすべきと認めた額及びその理由を含む。）を説明するものとする。（通法74の11②）

　　　（修正申告又は期限後申告の勧奨）
（2）　（1）の規定による説明をする場合において、当該職員は、当該納税義務者に対し修正申告又は期限後申告を勧奨することができる。この場合において、当該調査の結果に関し当該納税義務者が納税申告書を提出した場合には不服申立てをすることはできないが更正の請求をすることはできる旨を説明するとともに、その旨を記載した書面を交付しなければならない。（通法74の11③）

　　　（税務代理人がある場合）
（3）　実地の調査により質問検査等を行った納税義務者について**6**の（4）の（二）に規定する税務代理人がある場合において、当該納税義務者の同意がある場合には、当該納税義務者への**8**、（1）及び（2）までに規定する通知等に代えて、当該税務代理人への通知等を行うことができる。（通法74の11⑤）

　　　（新たに得られた情報に照らし非違があると認めるとき）
（4）　**8**の通知をした後又は（1）の調査（実地の調査に限る。）の結果につき納税義務者から修正申告書若しくは期限後申告書の提出若しくは更正決定等をした後においても、当該職員は、新たに得られた情報に照らし非違があると認めるときは、**1**《当該職員の質問検査権》の規定に基づき、当該通知を受け、又は修正申告書若しくは期限後申告書の提出若しくは更

－420－

正決定等を受けた納税義務者に対し、質問検査等を行うことができる。（通法74の11⑥）

9　当該職員の事業者等への協力要請

国税庁等の当該職員は、国税に関する調査について必要があるときは、事業者（特別の法律により設立された法人を含む。）又は官公署に、当該調査に関し参考となるべき帳簿書類その他の物件の閲覧又は提供その他の協力を求めることができる。（通法74の12①）

10　身分証明書の携帯等

国税庁等の当該職員は、**1**《当該職員の質問検査権》の規定による質問、検査、提示若しくは提出の要求、閲覧の要求、採取、移動の禁止若しくは封かんの実施をする場合又は**9**の職務を執行する場合には、その身分を示す証明書を携帯し、関係人の請求があったときは、これを提示しなければならない。（通法74の13）

11　罰則規定

次の各号のいずれかに該当する者は、1年以下の懲役又は50万円以下の罰金に処する。（通法128）

(一)	第七章第五節の**一**の**3**《更正の請求書の記載事項》又は第二編第六章第五節の**一**の**3**《更正の請求書の記載事項》に規定する更正請求書に偽りの記載をして税務署長に提出した者
(二)	**1**《当該職員の質問検査権》の規定による当該職員の質問に対して答弁せず、若しくは偽りの答弁をし、又はこれらの規定による検査、採取、移動の禁止若しくは封かんの実施を拒み、妨げ、若しくは忌避した者
(三)	**1**の規定による物件の提示又は提出の要求に対し、正当な理由がなくこれに応じず、又は偽りの記載若しくは記録をした帳簿書類その他の物件（その写しを含む。）を提示し、若しくは提出した者

四　相続財産等の調査

相続の開始があった場合においては、当該相続の開始地の所轄税務署長は、当該相続開始の時における被相続人の財産の価額及び債務の金額並びに当該財産及び債務の帰属の状況等を調査し、これを当該被相続人から相続又は遺贈（当該被相続人からの贈与により取得した財産で第三編第一章第一節**二**《相続時精算課税制度の選択》の（1）の規定の適用を受けるものに係る贈与を含む。）により財産を取得した者（当該被相続人に係る相続時精算課税適用者を含む。）の納税地の所轄税務署長に通知しなければならない。（法61）

五　同族会社等の行為又は計算の否認

同族会社等の行為又は計算で、これを容認した場合においてはその株主若しくは社員又はその親族その他これらの者と（3）で定める特別の関係がある者の相続税又は贈与税の負担を不当に減少させる結果となると認められるものがあるときは、税務署長は、相続税又は贈与税についての更正又は決定に際し、その行為又は計算にかかわらず、その認めるところにより、課税価格を計算することができる。（法64①）

（法人税法等の規定の適用があった場合における**五**の規定の準用）
（1）　**五**の規定は、同族会社等の行為又は計算につき、法人税法第132条（昭和40年法律第34号）第1項《同族会社等の行為又は計算の否認》若しくは所得税法第157条第1項《同族会社等の行為又は計算の否認等》又は地価税法（平成3年法律第69号）第32条第1項《同族会社等の行為又は計算の否認等》の規定の適用があった場合における当該同族会社等の株主若しくは社員又はその親族その他これらの者と**五**に規定する特別の関係がある者の相続税又は贈与税に係る更正又は決定について準用する。（法64②）

（同族会社等の意義）
（2）　**五**及び（1）の「同族会社等」とは、法人税法第2条《定義》第10号に規定する同族会社又は所得税法第157条第1項第2号に掲げる法人をいう。（法64③）

（同族関係者の範囲等）
（3）　**五**に規定する政令で定める特別の関係がある者は、次に掲げる者とする。（令31①）

（一）　株主又は社員と婚姻の届出をしないが事実上婚姻関係と同様の事情にある者及びその者の親族でその者と生計を一にしているもの

（二）　株主又は社員たる個人の使用人及び使用人以外の者で当該個人から受ける金銭その他の財産によって生計を維持しているもの並びにこれらの者の親族でこれらの者と生計を一にしているもの

六　移転法人又は取得法人の行為又は計算の否認

　合併、分割、現物出資若しくは法人税法第２条第12号の５の２に規定する現物分配若しくは同条第12号の16に規定する株式交換等若しくは株式移転（以下**六**において「合併等」という。）をした法人又は合併等により資産及び負債の移転を受けた法人（当該合併等により交付された株式又は出資を発行した法人を含む。以下**六**において同じ。）の行為又は計算で、これを容認した場合においては当該合併等をした法人若しくは当該合併等により資産及び負債の移転を受けた法人の株主若しくは社員又はこれらの者と政令《第七章第六節**二**の**6**の（１）～（３）に収録》で定める特別の関係がある者の相続税又は贈与税の負担を不当に減少させる結果となると認められるものがあるときは、税務署長は、相続税又は贈与税についての更正又は決定に際し、その行為又は計算にかかわらず、その認めるところにより、課税価格を計算することができる。（法64④）

七　法人課税信託の受託者又は受益者等への適用

　法人課税信託（法人税法第２条第29号の２に規定する法人課税信託をいう。以下**七**において同じ。）の受託者又は第二章第三節**五**の**1**の①に規定する受益者等について、**五**及び**六**の規定を適用する場合には、次に定めるところによる。（法64⑤）

（一）　法人課税信託の受託者については、法人税法第４条の２《法人課税信託の受託者に関するこの法律の適用》の規定により、各法人課税信託の同条第１項に規定する信託資産等及び同項に規定する固有資産等ごとに、それぞれ別の者とみなす。

（二）　法人税法第４条の３《受託法人等に関するこの法律の適用》の規定を準用する。

（三）　（一）（二）に定めるもののほか、法人課税信託の受託者又は第二章第三節**五**の**1**の①に規定する受益者等についての**五**及び**六**の規定の適用に関し必要な事項は、政令で定める。

　　（法人税法等の規定の準用）

（１）　法人税法第４条の２第２項《法人課税信託の受託者に関するこの法律の適用》の規定及び法人税法施行令第14条の６《法人課税信託》の規定は、**八**の規定の適用がある場合について準用する。（令31⑥）

八　付加税の禁止

　地方公共団体は、相続税又は贈与税の付加税を課することができない。（法67）

九　期間及び期限

1　期間の計算

　国税に関する法律において日、月又は年をもって定める期間の計算は、次に定めるところによる。（通法10①）

（一）	期間の初日は、算入しない。ただし、その期間が午前零時から始まるとき、又は国税に関する法律に別段の定めがあるときは、この限りでない。
（二）	期間を定めるのに月又は年をもってしたときは、暦に従う。
（三）	（二）の場合において、月又は年の始めから期間を起算しないときは、その期間は、最後の月又は年においてその起算日に応当する日の前日に満了する。ただし、最後の月にその応当する日がないときは、その月の末日に満了する。

（注）　国税に関する法律に基づく政令及び省令に定める期間についても適用がある。**2**についても同様である。（編者注）

　　（規定の内容）

注　この規定は、期間の計算の基本原則で、なお次に留意する。（編者注）

－422－

（一）　「期間」とは、ある時点から他の時点まで継続する時の区分をいい、「期間の計算」とは、「……から10日以内」、「……から１月後」というように日、月、年をもって定めている期間の計算をいう。

（二）　「……の日の翌日から〇月以内」というようにその期間が午前零時から始まるときは、初日を算入する。

（三）　「……から起算して」というように特に起算日を定めた場合も初日を算入する。

２　期限の特例

　国税に関する法律に定める申告、申請、請求、届出その他書類の提出、通知、納付又は徴収に関する期限（年の中途で出国をする場合の確定申告期限のように、「……の時まで」と時を持って定めた期限を除く。）が日曜日、国民の祝日に関する法律（昭和23年法律第178号）に規定する休日その他一般の休日又は政令で定める日に当たるときは、これらの日の翌日をもってその期限とみなす。（通法10②、通令２①一）

　　（政令で定める日）

注　２に規定する政令で定める日は、土曜日又は12月29日、同月30日若しくは同月31日とする。（通令２②）

３　災害等による期限の延長

　国税庁長官、国税不服審判所長、国税局長又は税務署長は、災害その他やむを得ない理由により、申告、申請、請求、届出その他書類の提出、納付又は徴収に関する期限までにこれらの行為をすることができないと認めるときは、次によりその理由のやんだ日から２月以内に限り、当該期限を延長することができる。（通法11）

国税庁長官による地域的な期限の延長（等）	国税庁長官は、都道府県の全部又は一部にわたり災害その他やむを得ない理由により、所定の期限までにこれらの行為をすることができないと認める場合には、地域及び期日を指定して当該期限を延長するものとする。（通令３①、通令３②）
納税者の申請に基づく個別的な期限の延長	国税庁長官、国税不服審判所長、国税局長又は税務署長は、災害その他やむを得ない理由により、所定の期限までにこれらの行為をすることができないと認める場合には、上記の規定の適用がある場合を除き納税者の申請により、期日を指定して当該期限を延長するものとする。（通令３③） この場合の申請は、その理由がやんだ後相当の期間内に、その理由を記載した書面でしなければならない。（通令３④）

十　納税管理人

１　納税管理人

　個人である納税者が国内に住所及び居所（事務所及び事業所を除く。）を有せず、若しくは有しないこととなる場合又は国内に本店若しくは主たる事務所を有しない法人である納税者が国内にその事務所及び事業所を有せず、若しくは有しないこととなる場合において、納税申告書の提出その他国税に関する事項を処理する必要があるときは、その者は、当該事項を処理させるため、国内に住所又は居所を有する者で当該事項の処理につき便宜を有するもののうちから納税管理人を定めなければならない。（通法117①）

２　納税管理人の届出

　納税者は、１の規定により納税管理人を定めたときは、当該納税管理人に係る国税の納税地を所轄する税務署長にその旨を届け出なければならない。その納税管理人を解任したときも、また同様とする。（通法117②）

　　（納税管理人の選任の届出）

（１）　２の前段の規定による届出は、次に掲げる事項を記載した書面でしなければならない。（通令39①）

（一）　納税者の納税地

（二）　個人である納税者が国内に住所及び居所（事務所及び事業所を除く。以下同じ。）を有しないこととなる場合には、国外における住所又は居所となるべき場所

（三）　納税管理人の氏名及び住所又は居所

（四）　納税管理人を定めた理由

（納税管理人の解任の届出）
（２）　**2**の後段の規定による届出は、次に掲げる事項を記載した書面でしなければならない。（通令39②）
　（一）　納税者の納税地
　（二）　解任した納税管理人の氏名及び住所又は居所
　（三）　納税管理人を解任した理由

3　納税管理人の届出をしなかったとき

　1の場合において、**1**の納税者が**2**の規定による納税管理人の届出をしなかったときは、当該納税者に係る国税の納税地を所轄する国税局長又は税務署長は、当該納税者に対し、**1**に規定する国税に関する事項のうち納税管理人に処理させる必要があると認められるものとして（１）の財務省令で定めるもの（（２）から（８）までにおいて「特定事項」という。）を明示して、60日を超えない範囲内においてその準備に通常要する日数を勘案して指定する日（（３）において「指定日」という。）までに、**2**の規定による納税管理人の届出をすべきことを書面で求めることができる。（通法117③）

（納税管理人に処理させる必要があると認められる国税に関する事項）
（１）　**1**に規定する財務省令で定める国税に関する事項は、次に掲げる事項その他これに類する事項とする。（通規12の２）

（一）	国税に関する調査において国税局長若しくは税務署長又は国税局若しくは税務署の当該職員（（二）において「国税局長等」という。）が**3**の納税者に対して発する書類を受領し、及び当該納税者に対して当該書類を送付すること。
（二）	国税に関する調査において**3**の納税者が国税局長等に対して提出する書類を受領し、及び当該国税局長等に対して当該書類を提出すること。

（国内便宜者に対する書面による請求）
（２）　**1**の場合において、**1**の納税者が**2**の規定による納税管理人の届出をしなかったときは、当該納税者に係る国税の納税地を所轄する国税局長又は税務署長は、この法律の施行地に住所又は居所を有する者で特定事項の処理につき便宜を有するもの（（３）において「国内便宜者」という。）に対し、当該納税者の納税管理人となることを書面で求めることができる。（通法117④）

（特定納税管理人の指定）
（３）　**3**の国税局長又は税務署長は、**3**の納税者（以下（３）及び（９）において「特定納税者」という。）が指定日までに**2**の規定による納税管理人の届出をしなかったときは、（２）の規定により納税管理人となることを求めた国内便宜者のうち次の各号に掲げる場合の区分に応じ当該各号に定める者を、特定事項を処理させる納税管理人（（８）及び（９）において「特定納税管理人」という。）として指定することができる。（通法117⑤）

（一）	当該特定納税者が個人である場合　次に掲げる者 イ　当該特定納税者と生計を一にする配偶者その他の親族で成年に達した者 ロ　当該特定納税者に係る国税の課税標準等又は税額等の計算の基礎となるべき事実について当該特定納税者との間の契約により密接な関係を有する者 ハ　電子情報処理組織を使用して行われる取引その他の取引を当該特定納税者が継続的に又は反復して行う場を提供する事業者
（二）	当該特定納税者が法人である場合　次に掲げる者 イ　当該特定納税者との間にいずれか一方の法人が他方の法人の発行済株式（投資信託及び投資法人に関する法律（昭和26年法律第198号）第２条第12項《定義》に規定する投資法人にあっては、発行済みの投資口（同条第14項に規定する投資口をいう。イにおいて同じ。））又は出資（当該他方の法人が有する自己の株式（投資口を含む。イにおいて同じ。）又は出資を除く。）の総数又は総額の100分の50以上の数又は金額の株式又は出資を直接又は間接に保有する関係その他の（４）の政令で定める特殊の関係のある法人 ロ　当該特定納税者の役員（法人税法第２条第15《定義》に規定する役員をいう。ロにおいて同じ。）又はその役員と生計を一にする配偶者その他の親族で成年に達した者 ハ　（一）のロ又はハに掲げる者

－424－

第十章　雑則及び罰則

（特定納税管理人との間の特殊の関係）
（４）　（３）の（二）のイに規定する政令で定める特殊の関係は、次に掲げる関係とする。（通令39の２①）

（一）	二の法人のいずれか一方の法人が他方の法人の発行済株式（（３）の（二）のイに規定する発行済株式をいう。）又は出資（自己が有する自己の株式（（３）の（二）のイに規定する投資口を含む。以下**3**において同じ。）又は出資を除く。）の総数又は総額（以下（６）までにおいて「発行済株式等」という。）の100分の50以上の数又は金額の株式又は出資を直接又は間接に保有する関係
（二）	二の法人が同一の者（当該者が個人である場合には、当該個人及びこれと法人税法第２条第10号《定義》に規定する政令で定める特殊の関係のある個人。（五）において同じ。）によってそれぞれその発行済株式等の100分の50以上の数又は金額の株式又は出資を直接又は間接に保有される場合における当該二の法人の関係（（二）に掲げる関係に該当するものを除く。）
（三）	次に掲げる事実その他これに類する事実（（四）及び（五）において「特定事実」という。）が存在することにより二の法人のいずれか一方の法人が他方の法人の事業の方針の全部又は一部につき実質的に決定できる関係（（一）又は（二）に掲げる関係に該当するものを除く。） イ　当該他方の法人の役員の２分の１以上又は代表する権限を有する役員が、当該一方の法人の役員若しくは使用人を兼務している者又は当該一方の法人の役員若しくは使用人であった者であること。 ロ　当該他方の法人がその事業活動の相当部分を当該一方の法人との取引に依存して行っていること。 ハ　当該他方の法人がその事業活動に必要とされる資金の相当部分を当該一方の法人からの借入れにより、又は当該一方の法人の保証を受けて調達していること。
（四）	一の法人と次に掲げるいずれかの法人との関係（（一）、（二）又は（三）に掲げる関係に該当するものを除く。） イ　当該一の法人が、その発行済株式等の100分の50以上の数若しくは金額の株式若しくは出資を直接若しくは間接に保有し、又は特定事実が存在することによりその事業の方針の全部若しくは一部につき実質的に決定できる関係にある法人 ロ　イ又はハに掲げる法人が、その発行済株式等の100分の50以上の数若しくは金額の株式若しくは出資を直接若しくは間接に保有し、又は特定事実が存在することによりその事業の方針の全部若しくは一部につき実質的に決定できる関係にある法人 ハ　ロに掲げる法人が、その発行済株式等の100分の50以上の数若しくは金額の株式若しくは出資を直接若しくは間接に保有し、又は特定事実が存在することによりその事業の方針の全部若しくは一部につき実質的に決定できる関係にある法人
（五）	二の法人がそれぞれ次に掲げるいずれかの法人に該当する場合における当該二の法人の関係（イに規定する一の者が同一の者である場合に限るものとし、（一）、（二）、（三）又は（四）に掲げる関係に該当するものを除く。） イ　一の者が、その発行済株式等の100分の50以上の数若しくは金額の株式若しくは出資を直接若しくは間接に保有し、又は特定事実が存在することによりその事業の方針の全部若しくは一部につき実質的に決定できる関係にある法人 ロ　イ又はハに掲げる法人が、その発行済株式等の100分の50以上の数若しくは金額の株式若しくは出資を直接若しくは間接に保有し、又は特定事実が存在することによりその事業の方針の全部若しくは一部につき実質的に決定できる関係にある法人 ハ　ロに掲げる法人が、その発行済株式等の100分の50以上の数若しくは金額の株式若しくは出資を直接若しくは間接に保有し、又は特定事実が存在することによりその事業の方針の全部若しくは一部につき実質的に決定できる関係にある法人

（株式又は出資を直接又は間接に保有するかどうかの判定）
（５）　（４）の（一）の場合において、一方の法人が他方の法人の発行済株式等の100分の50以上の数又は金額の株式又は出資を直接又は間接に保有するかどうかの判定は、当該一方の法人の当該他方の法人に係る直接保有の株式等の保有割合（当該一方の法人の有する当該他方の法人の株式又は出資の数又は金額が当該他方の法人の発行済株式等のうちに占める割合をいう。）と当該一方の法人の当該他方の法人に係る間接保有の株式等の保有割合とを合計した割合により行うものとする。（通令39の２②）

－425－

第一編　相続税

(間接保有の株式等の保有割合)
(6)　(5)に規定する間接保有の株式等の保有割合とは、次の各号に掲げる場合の区分に応じ当該各号に定める割合(当該各号に掲げる場合のいずれにも該当する場合には、当該各号に定める割合の合計割合)をいう。(通令39の2③)

(一)	(5)の他方の法人の株主等(法人税法第2条第14号に規定する株主等をいう。以下(一)及び(二)において同じ。)である法人の発行済株式等の100分の50以上の数又は金額の株式又は出資が同項の一方の法人により所有されている場合	当該株主等である法人の有する当該他方の法人の株式又は出資の数又は金額が当該他方の法人の発行済株式等のうちに占める割合(当該株主等である法人が二以上ある場合には、当該二以上の株主等である法人につきそれぞれ計算した割合の合計割合)
(二)	(5)の他方の法人の株主等である法人((一)に掲げる場合に該当する(一)の株主等である法人を除く。)と同項の一方の法人との間にこれらの者と発行済株式等の所有を通じて連鎖関係にある一又は二以上の法人(以下(一)において「出資関連法人」という。)が介在している場合(出資関連法人及び当該株主等である法人がそれぞれその発行済株式等の100分の50以上の数又は金額の株式又は出資を当該一方の法人又は出資関連法人(その発行済株式等の100分の50以上の数又は金額の株式又は出資が当該一方の法人又は他の出資関連法人によつて所有されているものに限る。)によつて所有されている場合に限る。)	当該株主等である法人の有する当該他方の法人の株式又は出資の数又は金額が当該他方の法人の発行済株式等のうちに占める割合(当該株主等である法人が二以上ある場合には、当該二以上の株主等である法人につきそれぞれ計算した割合の合計割合)

(株式又は出資を直接又は間接に保有するかどうかの判定の準用)
(7)　(5)の規定は、(4)の(二)、(四)及び(五)の場合における株式又は出資を直接又は間接に保有される関係の判定について準用する。(通令39の2④)

(特定納税管理人の指定の解除)
(8)　(3)の国税局長又は税務署長は、(3)の規定により特定納税管理人を指定した場合において、当該特定納税管理人に特定事項を処理させる必要がなくなったときは、(3)の規定による特定納税管理人の指定を解除するものとする。(通法117⑥)

(書面による通知)
(9)　(3)又は(8)の国税局長又は税務署長は、(3)の規定により特定納税管理人を指定したとき、又は(8)の規定により特定納税管理人の指定を解除したときは、特定納税管理人又は特定納税管理人であった者及び特定納税者に対し、書面によりその旨を通知する。(通法117⑦)

-426-

第十章　雑則及び罰則

十一　国税の課税標準等の端数計算等

1　国税の課税標準の端数計算

①　課税標準の1,000円未満切捨て

　国税（印紙税及び附帯税を除く。以下 **1** において同じ。）の課税標準（その税率の適用上課税標準から控除する金額があるときは、これを控除した金額。以下 **1** において同じ。）を計算する場合において、その額に1,000円未満の端数があるとき、又はその全額が1,000円未満であるときは、その端数金額又はその全額を切り捨てる。（通法118①）

②　附帯税の課税標準の端数計算

　附帯税の額を計算する場合において、その計算の基礎となる税額に10,000円未満の端数があるとき、又はその税額の全額が10,000円未満であるときは、その端数金額又はその全額を切り捨てる。（通法118③）

2　国税の確定金額の端数計算

①　国税の確定金額の100円未満切捨て

　国税（自動車重量税、印紙税及び附帯税を除く。）の確定金額に100円未満の端数があるとき、又はその全額が100円未満であるときは、その端数金額又はその全額を切り捨てる。（通法119①）

②　附帯税の端数計算

　附帯税の確定金額に100円未満の端数があるとき、又はその全額が1,000円未満（加算税に係るものについては、5,000円未満）であるときは、その端数金額又はその全額を切り捨てる。（通法119④）

第二節　罰　　　則

1　脱税に対する罰則

偽りその他不正の行為により相続税又は贈与税を免れた者は、10年以下の懲役若しくは1,000万円以下の罰金に処し、又はこれを併科する。（法68①）

上記の免れた相続税額又は贈与税額が1,000万円を超えるときは、情状により、上記の罰金は、1,000万円を超えその免れた相続税額又は贈与税額に相当する金額以下とすることができる。（法68②）

2　故意の申告書不提出によるほ脱犯に対する罰則

1に規定するもののほか、期限内申告書又は第七章第四節二の2の規定による修正申告書をこれらの申告書の提出期限までに提出しないことにより相続税又は贈与税を免れた者は、5年以下の懲役若しくは500万円以下の罰金に処し、又はこれを併科する。（法68③）

上記の免れた相続税額又は贈与税額が500万円を超えるときは、情状により、上記の罰金は、500万円を超えその免れた相続税額又は贈与税額に相当する金額以下とすることができる。（法68④）

3　無申告に対する罰則

正当な理由がなくて期限内申告書又は第七章第四節二の2の規定による修正申告書をこれらの申告書の提出期限までに提出しなかった者は、1年以下の懲役又は50万円以下の罰金に処する。ただし、情状により、その刑を免除することができる。（法69）

4　調書及び質問検査に関する罰則

第一節の二《調書の提出》の規定による調書を提出せず、又はその調書に虚偽の記載若しくは記録をして提出した者は、1年以下の懲役又は50万円以下の罰金に処する。（法70）

5　相続税及び贈与税の特例に係る修正申告書等の提出等に係る罰則
①　故意の修正申告書等不提出によるほ脱犯に対する罰則

第一章第二節**五**の2の①若しくは②、第三章**七**の6（第三章**八**において準用する場合を含む。）若しくは同6の（1）（同**八**において準用する場合を含む。）、第二編第三章**九**の3又は第三編第二章の5又は第八編第四章1の（1）の規定による修正申告書又は期限後申告書（②において「修正申告書等」という。）をこれらの申告書の提出期限までに提出しないことにより相続税又は贈与税を免れたときは、その違反行為をした者は、5年以下の懲役若しくは500万円以下の罰金に処し、又はこれを併科する。（措法70の13①）

上記の免れた相続税額又は贈与税額が500万円を超えるときは、情状により、上記の罰金は、500万円を超えその免れた相続税額又は贈与税額に相当する金額以下とすることができる。（措法70の13②）

②　修正申告等の不提出に対する罰則

正当な理由がなくて修正申告書等をその提出期限までに提出しなかった場合には、その違反行為をした者は、1年以下の懲役又は50万円以下の罰金に処する。ただし、情状により、その刑を免除することができる。（措法70の13③）

③　直系尊属から受ける教育資金の一括贈与の違反行為に対する罰則

次のいずれかに該当する場合には、その違反行為をした者は、1年以下の懲役又は50万円以下の罰金に処する。（措法70の13④）

（1）　第二編第三章**十**の9の①に規定する教育資金管理契約の終了に関する調書若しくは同第三章**十一**の9の①に規定する結婚・子育て資金管理契約の終了に関する調書をその提出期限までに税務署長に提出せず、又はこれらの調書に偽りの記載若しくは記録をして税務署長に提出したとき。

（2）　第二編第三章**十**の9の②の（3）若しくは同第三章**十一**の9の③の規定による当該職員の質問に対して答弁せず、若しくは偽りの答弁をし、又はこれらの規定による検査を拒み、妨げ、若しくは忌避したとき。

（3）　第二編第三章**十**の9の②の（3）又は同第三章**十一**の9の③の規定による物件の提示又は提出の要求に対し、正当な理由がなくこれに応じず、又は偽りの記載若しくは記録をした帳簿書類その他の物件（その写しを含む。）を提示し、若

－428－

しくは提出したとき。

④ 法人の代表者等による違反行為に対する罰則

（1） 法人（第一章第二節二の**1**に規定する人格のない社団又は財団を含む。以下（1）及び（2）において同じ。）の代表者（当該社団又は財団の代表者又は管理者を含む。）又は法人若しくは人の代理人、使用人その他の従業者が、その法人又は人の業務又は財産に関して❶、❷又は❸の違反行為をしたときは、その行為者を罰するほか、その法人又は人に対し、これらの規定の罰金刑を科する。（措法70の13⑤）

（2） （1）の規定により❶の違反行為につき法人又は人に罰金刑を科する場合における時効の期間は、❶の罪についての時効の期間による。（措法70の13⑥）

（3） （1）に規定する社団又は財団について（1）の規定の適用がある場合には、その代表者又は管理者がその訴訟行為につきその社団又は財団を代表するほか、法人を被告人又は被疑者とする場合の刑事訴訟に関する法律の規定を準用する。（措法70の13⑦）

6 両罰規定

（1） 法人（人格のない社団又は財団を含む。以下（1）、（2）において同じ。）の代表者（当該社団又は財団の代表者又は管理者を含む。）又は法人若しくは人の代理人、使用人その他の従業者が、その法人又は人の業務又は財産に関して**1**若しくは**2**、**3**又は**4**の違反行為をしたときは、その行為者を罰するほか、その法人又は人に対し、当該**1**若しくは**2**、**3**又は**4**の罰金刑を科する。（法71①）

（2） （1）の規定により**1**又は**2**の違反行為につき法人又は人に罰金刑を科する場合における時効の期間は、これらの規定の罪についての時効の期間による。（法71②）

（3） （1）に規定する社団又は財団について（1）の規定の適用がある場合には、その代表者又は管理者がその訴訟行為につきその社団又は財団を代表するほか、法人を被告人又は被疑者とする場合の刑事訴訟に関する法律の規定を準用する。（法71③）

7 税務職員の守秘義務違反に対する罰則

国税に関する調査（不服申立てに係る事件の審理のための調査及び第131条第1項（質問、検査又は領置等）に規定する犯則事件の調査を含む。）若しくは外国居住者等の所得に対する相互主義による所得税等の非課税等に関する法律（昭和37年法律第144号）若しくは租税条約等の実施に伴う所得税法、法人税法及び地方税法の特例等に関する法律の規定に基づいて行う情報の提供のための調査に関する事務又は国税の徴収若しくは同法の規定に基づいて行う相手国等の租税の徴収に関する事務に従事している者又は従事していた者が、これらの事務に関して知ることのできた秘密を漏らし、又は盗用したときは、これを2年以下の懲役又は100万円以下の罰金に処する。（通法127）

第一編　相続税

第三節　災害減免法による減免措置

> 災害減免法＝災害被害者に対する租税の減免、徴収猶
> 　　　　　　　予等に関する法律
> 災害減免令＝災害被害者に対する租税の減免、徴収猶
> 　　　　　　　予等に関する法律の施行に関する政令

一　申告書の提出期限後の災害の場合の税額免除

　相続税又は贈与税の納税義務者で災害に因り相続若しくは**遺贈**（贈与者の死亡に因り効力を生ずる贈与を含む。以下こ
の節において同じ。）又は**贈与**（贈与者の死亡に因り効力を生ずる贈与を除く。以下この節において同じ。）に因り取得し
た財産について第七章第一節**一**及び同第一節**七**並びに第二編第六章第一節**一**の規定による申告書の提出期限後に甚大な被
害を受けたものに対しては、（１）の政令の定めるところにより、被害があった日以後において納付すべき相続税又は贈与
税（延滞税、利子税、過少申告加算税、無申告加算税及び重加算税を除く。）のうち、被害を受けた部分に対する税額を免
除する。（災害減免法４）

　　（免除税額の計算と免除要件）
（１）　相続税又は贈与税の納税義務者で、相続若しくは遺贈又は贈与により取得した財産について第七章第一節**一**及び同
　　第一節**七**並びに第二編第六章第一節**一**の規定による申告書の提出期限後に災害により被害を受けた場合において次の各
　　号に掲げる要件のいずれかに該当するものに対しては、**一**の規定により、被害のあった日以後において納付すべき相続
　　税又は贈与税（延滞税、利子税、過少申告加算税、無申告加算税及び重加算税を除く。）のうち、その税額にその課税価
　　格の計算の基礎となった財産の価額（第四章第二節**三**の規定による債務控除をする場合においては、当該債務控除後の
　　価額。（一）において同じ。）のうちに被害を受けた部分の価額（保険金、損害賠償金等により補てんされた金額を除く。
　　以下同じ。）の占める割合を乗じて計算した金額に相当する税額を免除する。（災害減免令11①）

（一）	相続税又は贈与税の課税価格の計算の基礎となった財産の価額のうちに被害を受けた部分の価額の占める割合が10分の１以上であること。
（二）	相続税又は贈与税の課税価格の計算の基礎となった動産（金銭及び有価証券を除く。）、不動産（土地及び土地の上に存する権利を除く。）及び立木（以下「動産等」という。）の価額のうちに当該動産等について被害を受けた部分の価額の占める割合が10分の１以上であること。

　　（申請書の提出）
（２）　**一**の規定の適用を受けようとする者は、その旨、被害の状況及び被害を受けた部分の価額を記載した申請書を、災
　　害のやんだ日から２月以内に、納税地の所轄税務署長に提出しなければならない。（災害減免令11②）

　　（免除処分の通知）
（３）　税務署長は、（１）の規定により免除に関する処分をしたときは、これを納税義務者に通知する。（災害減免令17）

二　申告書の提出期限前の災害の場合の課税価格の軽減

１　相続税の課税価格の軽減

　相続税の納税義務者で災害に因り相続又は遺贈に因り取得した財産について第七章第一節**一**又は同第一節**七**の規定によ
る申告書の提出期限前に甚大な被害を受けたものの納付すべき相続税については、当該財産の価額は、（１）の命令の定め
るところにより、被害を受けた部分の価額を控除した金額により、これを計算する。（災害減免法６①）

　　（被害財産価額の控除と控除要件）
（１）　相続税の納税義務者で、相続又は遺贈により取得した財産について第七章第一節**一**又は同第一節**七**の規定による申
　　告書の提出期限前に災害により被害を受けた場合において次の各号に掲げる要件のいずれかに該当するものの納付すべ
　　き相続税については、これらの事由により取得した財産の価額は、**１**の規定により、被害を受けた部分の価額を控除し

－430－

て、これを計算する。（災害減免令12①）

(一)	相続税の課税価格の計算の基礎となるべき財産の価額（第四章第二節**三**の規定による債務控除をすべき金額がある場合においては、当該債務控除後の価額）のうちに被害を受けた部分の価額の占める割合が10分の1以上であること。
(二)	相続税の課税価格の計算の基礎となるべき動産（金銭及び有価証券を除く。）、不動産（土地及び土地の上に存する権利を除く。）及び立木（以下「動産等」という。）の価額のうちに当該動産等について被害を受けた部分の価額の占める割合が10分の1以上であること。

2　贈与税の課税価格の軽減

　1の規定は、贈与税の納税義務者で災害に因り贈与に因り取得した財産について第二編第六章第一節**一**の規定による申告書の提出期限前に甚大な被害を受けたものの納付すべき贈与税について準用する。（災害減免法6②）

　（被害財産価額の控除と控除要件）
注　**1**の(1)の規定は、贈与税の納税義務者で、贈与により取得した財産について第二編第六章第一節**一**の規定による申告書の提出期限前に災害により被害を受けた場合において次の各号に掲げる要件のいずれかに該当するものの納付すべき贈与税について、これを準用する。（災害減免令12②）

(一)	贈与税の課税価格の計算の基礎となるべき財産の価額のうちに被害を受けた部分の価額の占める割合が10分の1以上であること。
(二)	贈与税の課税価格の計算の基礎となるべき動産等の価額のうちに当該動産等について被害を受けた部分の価額の占める割合が10分の1以上であること。

3　申告書記載手続

　1及び**2**の規定の適用を受けようとする者は、第七章第一節**一**及び同第一節**七**並びに第二編第六章第一節**一**の規定による申告書（これらの申告書を提出しなかったことについて正当な事由があると認められる者がこれらの申告書の提出期限後に提出した申告書を含む。）に、その旨、被害の状況及び被害を受けた部分の価額を記載しなければならない。（災害減免令12③）

第一章　贈与税の納税義務者

居住制限納税義務者」という。）をいう。以下同じ。）　　贈与により取得した財産のうち法施行地にあるものに対してだけ贈与税の納税義務を負う。

(注)　平成29年４月１日から令和４年３月31日までの間に非居住外国人（平成29年４月１日から贈与の時まで引き続き法施行地に住所を有しない個人であって日本国籍を有しないものをいう。以下（３）において同じ。）から贈与により財産を取得した時において法施行地に住所を有しない者であり、かつ、日本国籍を有しない個人については、所得税法等の一部を改正する等の法律（平成29年法律第４号）附則第31条第２項の規定により非居住制限納税義務者に当たることに留意する。

　　なお、贈与税の非居住無制限納税義務者（日本国籍を有しない個人に限る。）に該当する者であっても、平成30年４月１日から平成31年３月31日までの間に非居住外国人から贈与により財産を取得した場合には、所得税法等の一部を改正する法律（平成30年法律第７号）附則第43条第２項の規定により非居住制限納税義務者に当たることに留意する。

(注)　以下、法令通達の文中、相続税に関する部分は贈与税編においては削除して収録した。（編者注）

（「住所」の意義）

（４）　相続税法に規定する「住所」とは、各人の生活の本拠をいうのであるが、その生活の本拠であるかどうかは、客観的事実によって判定するものとする。この場合において、同一人について同時に相続税法の施行地に２か所以上の住所はないものとする。（基通１の３・１の４共－５）

（国外勤務者等の住所の判定）

（５）　日本の国籍を有している者又は出入国管理及び難民認定法別表第二に掲げる永住者については、その者が贈与により財産を取得した時において法施行地を離れている場合であっても、その者が次に掲げる者に該当する場合は、その者の住所は、法施行地にあるものとして取り扱うものとする。（基通１の３・１の４共－６）

（一）　学術、技芸の習得のため留学している者で相続税法の施行地にいる者の扶養親族となっている者

（二）　国外において勤務その他の人的役務の提供をする者で国外における当該人的役務の提供が短期間（おおむね１年以内である場合をいうものとする。）であると見込まれる者（その者の配偶者その他生計を一にする親族でその者と同居している者を含む。）

(注)　その者が贈与により財産を取得した時において法施行地を離れている場合であっても、国外出張、国外興行等により一時的に法施行地を離れているにすぎない者については、その者の住所は法施行地にあることとなるのであるから留意する。

（納税義務の範囲）

（６）　一の(一)から(四)のいずれに該当するかは、贈与によって財産を取得した時ごとに定まるのであるから留意する。（基通21の２－１）

（日本国籍と外国国籍とを併有する者がいる場合）

（７）　一の(二)のイに規定する「日本国籍を有する個人」には、日本国籍と外国国籍とを併有する重国籍者も含まれるのであるから留意する。（基通１の３・１の４共－７）

第二編　贈与税

（譲渡所得等の特例の適用がある日本国籍を有する個人）
（8）　所得税法第137条の2《国外転出をする場合の譲渡所得等の特例の適用がある場合の納税猶予》又は第137条の3《贈与等により非居住者に資産が移転した場合の譲渡所得等の特例の適用がある場合の納税猶予》の規定の適用がある場合における一の（一）のロ又は（二）のイの（2）若しくはロの規定の適用については、次に定めるところによる。（法1の4②）

（一）　所得税法第137条の2第2項の規定により同条第1項の納税猶予に係る期限の延長を受ける個人が財産の贈与をした場合には、当該贈与に係る贈与税の一の（一）のロ又は（二）のイの（2）若しくはロの規定の適用については、当該個人は、当該贈与前10年以内のいずれかの時においてこの法律の施行地に住所を有していたものとみなす。

（二）　所得税法第137条の3第1項の規定の適用を受ける者から同項の規定の適用に係る贈与により財産を取得した者（以下（二）において「受贈者」という。）が財産の贈与（以下（二）において「二次贈与」という。）をした場合には、当該二次贈与に係る贈与税の一の（一）のロ又は（二）のイの（2）若しくはロの規定の適用については、当該受贈者は、当該二次贈与前10年以内のいずれかの時において相続税法の施行地に住所を有していたものとみなす。ただし、当該受贈者が同条第1項の規定の適用に係る贈与前10年以内のいずれの時においても相続税法の施行地に住所を有していたことがない場合は、この限りでない。

（三）　所得税法第137条の3第2項の規定の適用を受ける相続人が財産の贈与をした場合には、当該贈与に係る贈与税の一の（一）のロ又は（二）のイの（2）若しくはロの規定の適用については、当該相続人は、当該贈与前10年以内のいずれかの時において相続税法の施行地に住所を有していたものとみなす。ただし、当該相続人が同条第2項の規定の適用に係る相続の開始前10年以内のいずれの時においても相続税法の施行地に住所を有していたことがない場合は、この限りでない。

（財産取得の時期の原則）
（9）　贈与による財産取得の時期は、次に掲げる場合の区分に応じ、それぞれ次によるものとする。（基通1の3・1の4共－8）

（一）　相続又は遺贈の場合　　（省略）

（二）　贈与の場合　　書面によるものについてはその契約の効力の発生した時、書面によらないものについてはその履行の時

二　人格のない社団等の納税義務

1　人格のない社団等に対して財産の贈与があった場合の納税義務

　代表者又は管理者の定めのある人格のない社団又は財団に対し財産の贈与があった場合においては、当該社団又は財団を個人とみなして、これに贈与税を課する。この場合においては、贈与により取得した財産について、当該贈与をした者の異なるごとに、当該贈与をした者の各1人のみから財産を取得したものとみなして算出した場合の贈与税額の合計額をもって当該社団又は財団の納付すべき贈与税額とする。（法66①）

（人格のない社団又は財団等に課される贈与税の額）
（1）　1（2において準用する場合を含む。）又は三の規定の適用がある場合において、これらの規定により1若しくは2の社団若しくは財団又は三の持分の定めのない法人に課される贈与税の額については、（2）で定めるところにより、これらの社団若しくは財団又は持分の定めのない法人に課されるべき法人税その他の税の額に相当する額を控除する。（法66⑤）

（人格のない社団又は財団等に課される贈与税の額の計算の方法）
（2）　1（2において準用する場合を含む。）又は三の規定により1若しくは2の社団若しくは財団又は三の持分の定めのない法人（以下（2）及び（3）において「**社団等**」という。）に課される贈与税の額については、次に掲げる税額の合計額（当該税額の合計額が当該贈与税の額を超えるときには、当該贈与税の額に相当する額）を控除するものとする。（令33①）

（一）　社団等が贈与により取得した財産の価額から翌期控除事業税等相当額（当該価額を当該社団等の事業年度の所得とみなして地方税法の規定を適用して計算した事業税（同法第72条第3号《事業税に関する用語の意義》に規定する所得割に係るものに限る。以下（一）において同じ。）の額及び当該事業税の額を基に特別法人事業税及び特別法人事業譲与税に関する法律の規定を適用して計算した特別法人事業税の額の合計額をいう。）を控除した価額を当該社団等の

－438－

事業年度の所得とみなして法人税法の規定を適用して計算した法人税の額及び地方税法の規定を適用して計算した事業税の額

　（二）　（一）の規定により計算した当該社団等の法人税の額を基に地方法人税法の規定を適用して計算した地方法人税の額並びに地方税法の規定を適用して計算した同法第23条第1項第3号《道府県民税に関する用語の意義》に規定する法人税割に係る道府県民税の額及び同法第292条第1項第3号《市町村民税に関する用語の意義》に規定する法人税割に係る市町村民税の額

　（三）　（一）の規定により計算した当該社団等の事業税の額を基に特別法人事業税及び特別法人事業譲与税に関する法律の規定を適用して計算した特別法人事業税の額

　　（社団等に財産の贈与をした者が二以上あるとき）

（3）　（2）の規定を適用する場合において、社団等に財産の贈与をした者が二以上あるときは、当該社団等が当該贈与により取得した財産について、当該贈与をした者の異なるごとに、当該贈与をした者の各1人のみから取得したものとみなす。（令33②）

2　人格のない社団等を設立するために財産の提供があった場合の納税義務

　1の規定は、1に規定する社団又は財団を設立するために財産の提供があった場合について準用する。（法66②）

3　人格のない社団等の住所の判定

　1又は2の場合において、一の（一）から（四）までの規定の適用については、1に規定する社団又は財団の住所は、その主たる営業所又は事務所の所在地にあるものとみなす。（法66③）

　　（個人とみなされるもの）

注　贈与税の納税義務者は、贈与によって財産を取得した個人を原則とするが、次に掲げる場合においては、それぞれ次に掲げるものは第二章第二節六の2の④、二又は四の規定により個人とみなされて贈与税の納税義務者となることに留意する。（基通1の3・1の4共－2）

　（一）　第二章第二節六の2の②又は同②の（1）に規定する信託の受託者（個人以外の受託者に限る。以下注において同じ。）について同②又は同②の（1）の規定の適用がある場合　　当該信託の受託者

　（二）　代表者若しくは管理者の定めのある人格のない社団若しくは財団を設立するために財産の提供があった場合又はその社団若しくは財団に対し財産の贈与があった場合　　当該代表者若しくは管理者の定めのある人格のない社団若しくは財団

　（三）　持分の定めのない法人（持分の定めのある法人で持分を有する者がないものを含む。以下注において同じ。）を設立するために財産の提供があった場合又はこれらの法人に対し財産の贈与があった場合において、当該財産の贈与をした者の親族その他これらの者と第六章第六節二の3に規定する特別の関係がある者の贈与税の負担が不当に減少する結果となると認められるとき　　当該持分の定めのない法人

　（四）　第一編第一章第二節の四の2の（一）に規定する一般社団法人等の理事である者（当該一般社団法人等の理事でなくなった日から5年を経過していない者を含む。）が死亡した場合において、当該一般社団法人等が同節の四の2の（三）に規定する特定一般社団法人等に該当するとき　　当該特定一般社団法人等

三　持分の定めのない法人の納税義務

　二の1から3までの規定は、持分の定めのない法人に対し財産の贈与があった場合において、当該贈与により当該贈与をした者の親族その他当該贈与をした者と（1）に規定する特別の関係がある者の贈与税の負担が不当に減少する結果となると認められるときについて準用する。この場合において、二の1の規定中「代表者又は管理者の定めのある人格のない社団又は財団」とあるのは「持分の定めのない法人」と、「当該社団又は財団」とあるのは「当該法人」と、二の2及び3の規定中「社団又は財団」とあるのは「持分の定めのない法人」と読み替えるものとする。（法66④）

　　（贈与者と特別の関係のある者）

（1）　三に規定する贈与者と特別の関係がある者は、次に掲げる者とする。（令31①）

　（一）　当該贈与者と婚姻の届出をしていないが事実上婚姻関係と同様の事情にある者及びその者の親族でその者と生計を一にしているもの

－439－

第二編　贈与税

　　（二）　当該贈与者の使用人及び使用人以外の者で当該贈与者から受ける金銭その他の財産によって生計を維持しているもの並びにこれらの者の親族でこれらの者と生計を一にしているもの

　　　　（贈与税の負担が不当に減少する結果となると認められるか否かの判定）
（２）　三の贈与税の負担が不当に減少する結果となると認められるか否かの判定その他三の規定の適用に関し必要な事項は、（３）で定める。（法66⑥）

　　　　（贈与税の負担が不当に減少する結果となると認められない場合の要件）
（３）　贈与により財産を取得した第二章第二節七の１に規定する持分の定めのない法人が、次に掲げる要件の全てを満たすとき（一般社団法人又は一般財団法人（当該贈与の時において第一編第一章第二節の四の２の（１）の（一）から（四）までに掲げるものに該当するものを除く。（４）において「一般社団法人等」という。）にあっては、（４）の（一）から（三）に掲げる要件の全てを満たすときに限る。）は、三の贈与税の負担が不当に減少する結果となると認められないものとする。（令33③）
　　（一）　その運営組織が適正であるとともに、その寄附行為、定款又は規則において、その役員等のうち親族関係を有する者及びこれらと次に掲げる特殊の関係がある者（（二）において「親族等」という。）の数がそれぞれの役員等の数のうちに占める割合は、いずれも３分の１以下とする旨の定めがあること。
　　　イ　当該親族関係を有する役員等と婚姻の届出をしていないが事実上婚姻関係と同様の事情にある者
　　　ロ　当該親族関係を有する役員等の使用人及び使用人以外の者で当該役員等から受ける金銭その他の財産によって生計を維持しているもの
　　　ハ　イ又はロに掲げる者の親族でこれらの者と生計を一にしているもの
　　　ニ　当該親族関係を有する役員等及びイからハまでに掲げる者のほか、次に掲げる法人の法人税法第２条第15号《定義》に規定する役員（①において「会社役員」という。）又は使用人である者
　　　　①　当該親族関係を有する役員等が会社役員となっている他の法人
　　　　②　当該親族関係を有する役員等及びイからハまでに掲げる者並びにこれらの者と法人税法第２条第10号に規定する政令で定める特殊の関係のある法人を判定の基礎にした場合に同号に規定する同族会社に該当する他の法人
　　（二）　当該法人に財産の贈与をした者、当該法人の設立者、社員若しくは役員等又はこれらの者の親族等（（４）の（二）において「贈与者等」という。）に対し、施設の利用、余裕金の運用、解散した場合における財産の帰属、金銭の貸付け、資産の譲渡、給与の支給、役員等の選任その他財産の運用及び事業の運営に関して特別の利益を与えないこと。
　　（三）　その寄附行為、定款又は規則において、当該法人が解散した場合にその残余財産が国若しくは地方公共団体又は公益社団法人若しくは公益財団法人その他の公益を目的とする事業を行う法人（持分の定めのないものに限る。）に帰属する旨の定めがあること。
　　（四）　当該法人につき法令に違反する事実、その帳簿書類に取引の全部又は一部を隠蔽し、又は仮装して記録又は記載をしている事実その他公益に反する事実がないこと。

　　　　（贈与税の負担が不当に減少する結果となると認められる場合の要件）
（４）　贈与により財産を取得した一般社団法人等が、次に掲げる要件のいずれかを満たさないときは、三の贈与税の負担が不当に減少する結果となると認められるものとする。（令33④）
　　（一）　当該贈与の時におけるその定款において（３）の（一）に規定する定め及び（３）の（三）に規定する定めがあること。
　　（二）　当該贈与前３年以内に当該一般社団法人等に係る贈与者等に対し、施設の利用、余裕金の運用、解散した場合における財産の帰属、金銭の貸付け、資産の譲渡、給与の支給、役員等の選任その他財産の運用及び事業の運営に関する特別の利益（以下（二）において「特別利益」という。）を与えたことがなく、かつ、当該贈与の時におけるその定款において当該贈与者等に対し特別利益を与える旨の定めがないこと。
　　（三）　当該贈与前３年以内に国税又は地方税（地方税法第１条第１項第14号《用語》に規定する地方団体の徴収金（都及び特別区のこれに相当する徴収金を含む。）をいう。第一編第一章第二節の四の１の（１）の（二）のロにおいて同じ。）について重加算税又は同法の規定による重加算金を課されたことがないこと。

　　　　（三の規定の趣旨）
（５）　三の規定は、持分の定めのない法人（持分の定めのある法人で持分を有する者がないものを含む。以下同じ。）に対する財産の贈与又は当該法人を設立するための財産の提供（以下(18)までにおいて「**贈与等**」という。）により贈与等をした者又はこれらの者の親族その他これらの者と第六章第六節二の３に規定する特別の関係がある者が当該法人の施設

－440－

又は余裕金を私的に利用するなど当該法人から特別の利益を受けているような場合には、実質的には、当該贈与等をした者が、当該贈与等に係る財産を有し、又は特別の利益を受ける者に当該特別の利益を贈与したのと同じこととなり、したがって当該贈与等をした者について相続が開始した場合には、当該財産は遺産となって相続税が課され、又は特別の利益を受ける者に対し贈与税が課されるのにかかわらず、法人に対し財産の贈与等をすることによりこれらの課税を免れることとなることに顧み、当該法人に対する財産の贈与等があった際に当該法人に贈与税を課することとしているものであることに留意する。（昭和39直審（資）24「12」）

　　（持分の定めのない法人）
（6）　三に規定する「持分の定めのない法人」とは、例えば、次に掲げる法人をいうことに留意する。（昭39直審（資）24「13」）
　（一）　定款、寄附行為若しくは規則（これらに準ずるものを含む。以下（6）において「定款等」という。）又は法令の定めにより、当該法人の社員、構成員（当該法人へ出資している者に限る。以下（6）において「社員等」という。）が当該法人の出資に係る残余財産の分配請求権又は払戻請求権を行使することができない法人
　（二）　定款等に、社員等が当該法人の出資に係る残余財産の分配請求権又は払戻請求権を行使することができる旨の定めはあるが、そのような社員等が存在しない法人
　　　（注）　持分の定めがある法人（持分を有する者がないものを除く。）に対する財産の贈与等があったときは、当該法人の出資者等について第二章第二節五の1の規定を適用すべき場合があることに留意する。

　　（贈与税の負担の不当減少についての判定）
（7）　三に規定する「贈与税の負担が不当に減少する結果となると認められるとき」かどうかの判定は、次に掲げる掲げる持分の定めのない法人の区分に応じ、それぞれ定めるところにより行うものとする。（昭39直審（資）24「14」）
　（一）　（二）に掲げる持分の定めのない法人以外の持分の定めのない法人　　原則として、贈与等を受けた法人が（3）の（一）から（四）に掲げる要件を満たしているかどうかにより行うものとする。
　　　　ただし、当該法人の社員、役員等（第一編第二章第三節六の4の（1）《法人から受ける特別の利益の内容等》に規定する役員等をいう。以下同じ。）及び当該法人の職員のうちに、その財産を贈与した者若しくは当該法人の設立に当たり財産を提供した者又はこれらの者と親族その他（3）の（一）に規定する特殊の関係がある者が含まれていない事実があり、かつ、これらの者が、当該法人の財産の運用及び事業の運営に関して私的に支配している事実がなく、将来も私的に支配する可能性がないと認められる場合には、同（一）の要件を満たさないときであっても、（3）の（二）から（四）までの要件を満たしているときは、三に規定する「相続税又は贈与税の負担が不当に減少する結果となると認められるとき」に該当しないものとして取り扱う。
　（二）　持分の定めのない法人のうち（3）に規定する一般社団法人等（以下（12）までにおいて「一般社団法人等」という。）に該当するもの　　次に掲げるところによる。
　　イ　贈与等を受けた一般社団法人等が（4）の（一）から（三）に掲げる要件のいずれかを満たさない場合には、三に規定する「相続税又は贈与税の負担が不当に減少する結果となると認められるとき」に該当する。
　　ロ　贈与等を受けた一般社団法人等が（4）の（一）から（三）に掲げる要件の全てを満たす場合には、原則として、当該一般社団法人等が（3）の（一）から（四）に掲げる要件を満たしているかどうかにより行う。
　　　（注）　一般社団法人等については、（3）の（一）の要件を満たさない場合には上記イに該当することから、上記（一）のただし書の取扱いはされないことに留意する。

　　（その運営組織が適正であるかどうかの判定）
（8）　（3）の（一）に規定する「その運営組織が適正である」かどうかの判定は、財産の贈与等を受けた法人について、次に掲げる事実が認められるかどうかにより行うものとして取り扱う。（昭39直審（資）24「15」）
　（一）　次に掲げる法人の態様に応じ、定款、寄附行為又は規則（これらに準ずるものを含む。以下同じ。）において、それぞれ次に掲げる事項が定められていること。
　　イ　一般社団法人
　　　（イ）　理事の定数は6人以上、監事の定数は2人以上であること。
　　　（ロ）　理事会を設置すること。
　　　（ハ）　理事会の決議は、次の（ホ）に該当する場合を除き、理事会において理事総数（理事現在数）の過半数の決議を必要とすること。
　　　（ニ）　社員総会の決議は、法令に別段の定めがある場合を除き、総社員の議決権の過半数を有する社員が出席し、

第二編　贈与税

　　その出席した社員の議決権の過半数の決議を必要とすること。
（ホ）　次に掲げるC及びD以外の事項の決議は、社員総会の決議を必要とすること。
　　　　この場合において次のE、F及びG（事業の一部の譲渡を除く。）以外の事項については、あらかじめ理事会における理事総数（理事現在数）の3分の2以上の決議を必要とすること。
　　　　なお、贈与等に係る財産が贈与等をした者又はその者の親族が法人税法（昭和40年法律第34号）第2条第15号《定義》に規定する役員（以下「会社役員」という。）となっている会社の株式又は出資である場合には、その株式又は出資に係る議決権の行使に当たっては、あらかじめ理事会において理事総数（理事現在数）の3分の2以上の承認を得ることを必要とすること。
　　　A　収支予算（事業計画を含む。）
　　　B　決算
　　　C　重要な財産の処分及び譲受け
　　　D　借入金（その事業年度内の収入をもって償還する短期の借入金を除く。）その他新たな義務の負担及び権利の放棄
　　　E　定款の変更
　　　F　解散
　　　G　合併、事業の全部又は一部の譲渡
　　（注）　一般社団法人及び一般財団法人に関する法律（平成18年法律第48号）第15条第2項第2号《設立時役員等の選任》に規定する会計監査人設置一般社団法人で、同法第127条《会計監査人設置一般社団法人の特則》の規定により同法第126条第2項《計算書類等の定時社員総会への提出等》の規定の適用がない場合にあっては、上記Bの決算について、社員総会の決議を要しないことに留意する。
（ヘ）　役員等には、その地位にあることのみに基づき給与等（所得税法（昭和40年法律第33号）第28条第1項《給与所得》に規定する「給与等」をいう。以下同じ。）を支給しないこと。
（ト）　監事には、理事（その親族その他特殊の関係がある者を含む。）及びその法人の職員が含まれてはならないこと。また、監事は、相互に親族その他特殊の関係を有しないこと。
　　（注）1　一般社団法人とは、次の①又は②の法人をいう。
　　　　　①　一般社団法人及び一般財団法人に関する法律第22条の規定により設立された一般社団法人
　　　　　②　一般社団法人及び一般財団法人に関する法律及び公益社団法人及び公益財団法人の認定等に関する法律の施行に伴う関係法律の整備等に関する法律（平成18年法律第50号）（以下「整備法」という。）第40条第1項《社団法人及び財団法人の存続》の規定により存続する一般社団法人で、同法第121条第1項《認定に関する規定の準用》の規定において読み替えて準用する同法第106条第1項《移行の登記》の移行の登記をした当該一般社団法人（同法第131条第1項《認可の取消し》の規定により同法第45条《通常の一般社団法人又は一般財団法人への移行》の認可を取り消されたものを除く。）
　　　　　2　上記（イ）から（ト）までに掲げるほか、（3）の（一）に定める親族その他特殊の関係にある者に関する規定及び（3）の（三）に定める残余財産の帰属に関する規定が定款に定められていなければならないことに留意する。
　　　　　3　社員総会における社員の議決権は各1個とし、社員総会において行使できる議決権の数、議決権を行使することができる事項、議決権の行使の条件その他の社員の議決権に関する事項（一般社団法人及び一般財団法人に関する法律第50条《議決権の代理行使》から第52条《電磁的方法による議決権の行使》までに規定する事項を除く。）について、定款の定めがある場合には、たとえ上記（イ）から（ト）までに掲げる事項の定めがあるときであっても上記（8）の（一）に該当しないものとして取り扱う。
ロ　一般財団法人
（イ）　理事の定数は6人以上、監事の定数は2人以上、評議員の定数は6人以上であること。
（ロ）　評議員の定数は、理事の定数と同数以上であること。
（ハ）　評議員の選任は、例えば、評議員の選任のために設置された委員会の議決により選任されるなどその地位にあることが適当と認められる者が公正に選任されること。
（ニ）　理事会の決議は、次の（ヘ）に該当する場合を除き、理事会において理事総数（理事現在数）の過半数の決議を必要とすること。
（ホ）　評議員会の決議は、法令に別段の定めがある場合を除き、評議員会において評議員総数（評議員現在数）の過半数の決議を必要とすること。
（ヘ）　次に掲げるC及びD以外の事項の決議は、評議員会の決議を必要とすること。
　　　　この場合において次のE及びF（事業の一部の譲渡を除く。）以外の事項については、あらかじめ理事会における理事総数（理事現在数）の3分の2以上の決議を必要とすること。
　　　　なお、贈与等に係る財産が贈与等をした者又はその者の親族が会社役員となっている会社の株式又は出資である場合には、その株式又は出資に係る議決権の行使に当たっては、あらかじめ理事会において理事総数（理事現在数）の3分の2以上の承認を得ることを必要とすること。
　　　A　収支予算（事業計画を含む。）

－442－

第一章　贈与税の納税義務者

　　　B　・決算

　　　C　重要な財産の処分及び譲受け

　　　D　借入金（その事業年度内の収入をもって償還する短期の借入金を除く。）その他新たな義務の負担及び権利の

　　　　放棄

　　　E　定款の変更

　　　F　合併、事業の全部又は一部の譲渡

　　　（注）　一般社団法人及び一般財団法人に関する法律第153条第1項第7号《定款の記載又は記録事項》に規定する会計監査人設置一般財団

　　　　　法人で、同法第199条の規定において読み替えて準用する同法第127条の規定により同法第126条第2項の規定の適用がない場合にあっ

　　　　　ては、上記ロ（ヘ）のBの決算について、評議員会の決議を要しないことに留意する。

　　（ト）　役員等には、その地位にあることのみに基づき給与等を支給しないこと。

　　（チ）　監事には、理事（その親族その他特殊の関係がある者を含む。）及び評議員（その親族その他特殊の関係があ

　　　る者を含む。）並びにその法人の職員が含まれてはならないこと。また、監事は、相互に親族その他特殊の関係を

　　　有しないこと。

　　　（注）1　一般財団法人とは、次の①又は②の法人をいう。

　　　　　①　一般社団法人及び一般財団法人に関する法律第163条《一般財団法人の成立》の規定により設立された一般財団法人

　　　　　②　整備法第40条第1項の規定により存続する一般財団法人で、同法第121条第1項の規定において読み替えて準用する同法第106

　　　　　　条第1項の移行の登記をした当該一般財団法人（同法第131条第1項の規定により同法第45条の認可を取り消されたものを除く。）

　　　　　2　上記ロの（イ）から（チ）までに掲げるほか、（3）の（一）に定める親族その他特殊の関係にある者に関する規定及び（3）の（三）に定め

　　　　　る残余財産の帰属に関する規定が定款に定められていなければならないことに留意する。

　ハ　学校法人、社会福祉法人、更生保護法人、宗教法人その他の持分の定めのない法人

　　（イ）　その法人に社員総会又はこれに準ずる議決機関がある法人

　　　A　理事の定数は6人以上、監事の定数は2人以上であること。

　　　B　理事及び監事の選任は、例えば、社員総会における社員の選挙により選出されるなどその地位にあることが

　　　　適当と認められる者が公正に選任されること。

　　　C　理事会の議事の決定は、次のEに該当する場合を除き、原則として、理事会において理事総数（理事現在数）

　　　　の過半数の議決を必要とすること。

　　　D　社員総会の議事の決定は、法令に別段の定めがある場合を除き、社員総数の過半数が出席し、その出席社員

　　　　の過半数の議決を必要とすること。

　　　E　次に掲げる事項（次のFにより評議員会などに委任されている事項を除く。）の決定は、社員総会の議決を必

　　　　要とすること。

　　　　　この場合において、次の（E）及び（F）以外の事項については、あらかじめ理事会における理事総数（理事現

　　　　在数）の3分の2以上の議決を必要とすること。

　　　（A）　収支予算（事業計画を含む。）

　　　（B）　収支決算（事業報告を含む。）

　　　（C）　基本財産の処分

　　　（D）　借入金（その会計年度内の収入をもって償還する短期借入金を除く。）その他新たな義務の負担及び権利

　　　　　の放棄

　　　（E）　定款の変更

　　　（F）　解散及び合併

　　　（G）　当該法人の主たる目的とする事業以外の事業に関する重要な事項

　　　F　社員総会のほかに事業の管理運営に関する事項を審議するため評議員会などの制度が設けられ、上記（E）及

　　　　び（F）以外の事項の決定がこれらの機関に委任されている場合におけるこれらの機関の構成員の定数及び選任

　　　　並びに議事の決定については次によること。

　　　（A）　構成員の定数は、理事の定数の2倍を超えていること。

　　　（B）　構成員の選任については、上記ハ（イ）のBに準じて定められていること。

　　　（C）　議事の決定については、原則として、構成員総数の過半数の議決を必要とすること。

　　　G　上記ハ（イ）のCからFまでの議事の表決を行う場合には、あらかじめ通知された事項について書面をもって

　　　　意思を表示した者は、出席者とみなすことができるが、他の者を代理人として表決を委任することはできない

　　　　こと。

　　　H　役員等には、その地位にあることのみに基づき給与等を支給しないこと。

　　　I　監事には、理事（その親族その他特殊の関係がある者を含む。）及び評議員（その親族その他特殊の関係があ

－443－

第二編　贈与税

る者を含む。）並びにその法人の職員が含まれてはならないこと。また、監事は、相互に親族その他特殊の関係を有しないこと。

（ロ）　上記ハの（イ）以外の法人

A　理事の定数は6人以上、監事の定数は2人以上であること。

B　事業の管理運営に関する事項を審議するため評議員会の制度が設けられており、評議員の定数は、理事の定数の2倍を超えていること。ただし、理事と評議員との兼任禁止規定が定められている場合には、評議員の定数は、理事の定数と同数以上であること。

C　理事、監事及び評議員の選任は、例えば、理事及び監事は評議員会の議決により、評議員は理事会の議決により選出されるなどその地位にあることが適当と認められる者が公正に選任されること。

D　理事会の議事の決定は、法令に別段の定めがある場合を除き、次によること。

（A）　重要事項の決定

次のaからgまでに掲げる事項の決定は、理事会における理事総数（理事現在数）の3分の2以上の議決を必要とするとともに、原則として評議員会の同意を必要とすること。

なお、贈与等に係る財産が贈与等をした者又はその者の親族が会社役員となっている会社の株式又は出資である場合には、その株式又は出資に係る議決権の行使に当たっては、あらかじめ理事会において理事総数（理事現在数）の3分の2以上の承認を得ることを必要とすること。

a　収支予算（事業計画を含む。）

b　収支決算（事業報告を含む。）

c　基本財産の処分

d　借入金（その会計年度内の収入をもって償還する短期借入金を除く。）その他新たな義務の負担及び権利の放棄

e　寄附行為の変更

f　解散及び合併

g　当該法人の主たる目的とする事業以外の事業に関する重要な事項

（B）　その他の事項の決定

上記ハ（ロ）Dの（A）に掲げる事項以外の事項の決定は、原則として、理事会において理事総数（理事現在数）の過半数の議決を必要とすること。

E　評議員会の議事の決定は、法令に別段の定めがある場合を除き、評議員会における評議員総数（評議員現在数）の過半数の議決を必要とすること。

F　上記ハ（ロ）のD及びEの議事の表決を行う場合には、あらかじめ通知された事項について書面をもって意思を表示した者は、出席者とみなすことができるが、他の者を代理人として表決を委任することはできないこと。

G　役員等には、その地位にあることのみに基づき給与等を支給しないこと。

H　監事には、理事（その親族その他特殊の関係がある者を含む。）及び評議員（その親族その他特殊の関係がある者を含む。）並びにその法人の職員が含まれてはならないこと。また、監事は、相互に親族その他特殊の関係を有しないこと。

I　贈与等を受けた法人が、学生若しくは生徒（以下「学生等」という。）に対して学資の支給若しくは貸与をし、又は科学技術その他の学術に関する研究を行う者に対して助成金を支給する事業その他これらに類する事業を行うものである場合には、学資の支給若しくは貸与の対象となる者又は助成金の支給の対象となる者等を選考するため、理事会において選出される教育関係者又は学識経験者等により組織される選考委員会を設けること。

（注）①　上記ハの（イ）及び（ロ）に掲げるほか、（3）の（一）に定める親族その他特殊の関係にある者に関する規定及び（3）の（三）に定める残余財産の帰属に関する規定が定款、寄附行為又は規則に定められていなければならないことに留意する。

　　②　上記ハの法人の定款、寄附行為又は規則が、標準的な定款、寄附行為又は規則（租税特別措置法（昭和32年法律第26号）第40条《国等に対して財産を寄附した場合の譲渡所得等の非課税効力》の規定の適用に関し通達の定めによる標準的な定款、寄附行為又は規則をいう。）に従って定められている場合には、上記（8）の（一）に該当するものとして取り扱うことに留意する。

（注）1　特例社団法人又は特例財団法人（整備法第40条第1項の規定により存続する一般社団法人又は一般財団法人であって同法第106条第1項（同法第121条第1項において読み替えて準用する場合を含む。）の移行の登記をしていない法人又は同法第131条第1項の規定により同法第45条の認可を取り消された法人をいう。）については、法令に別段の定めがある場合を除き、上記ハに準じて取り扱うことに留意する。

　　2　公益社団法人（整備法第40条第1項に規定する一般社団法人で同法第106条第1項による移行の登記をした法人を含む。）及び公益財団法人（同法第40条第1項に規定する一般財団法人で同法第106条第1項による移行の登記をした法人を含む。）については、原則として、上記（7）の（一）に該当するものとして取り扱う。なお、この場合においては、次に掲げる事項が定款に定められていなければならないことに留意する。

—444—

第一章　贈与税の納税義務者

①　(3)の(一)に定める親族その他特殊の関係にある者に関する規定及び(3)の(三)に定める残余財産の帰属に関する規定

②　贈与等に係る財産が贈与等をした者又はこれらの者の親族が会社役員となっている会社の株式又は出資である場合には、その株式又は出資に係る議決権の行使に当たっては、あらかじめ理事会において理事総数（理事現在数）の3分の2以上の承認を得ることを必要とすること。

(二)　贈与等を受けた法人の事業の運営及び役員等の選任等が、法令及び定款、寄附行為又は規則に基づき適正に行われていること。

(注)　他の一の法人（当該他の一の法人と法人税法施行令（昭和40年政令第97号）第4条第2項《同族関係者の範囲》に定める特殊の関係がある法人を含む。）又は団体の役員及び職員の数が当該法人のそれぞれの役員等のうちに占める割合が3分の1を超えている場合には、当該法人の役員等の選任は、適正に行われていないものとして取り扱う。

(三)　贈与等を受けた法人が行う事業が、原則として、その事業の内容に応じ、その事業を行う地域又は分野において社会的存在として認識される程度の規模を有していること。この場合において、例えば、次のイからヌまでに掲げる事業がその法人の主たる目的として営まれているときは、当該事業は、社会的存在として認識される程度の規模を有しているものとして取り扱う。

イ　学校教育法第1条に規定する学校を設置運営する事業

ロ　社会福祉法第2条第2項各号及び第3項各号に規定する事業

ハ　更生保護事業法第2条第1項に規定する更生保護事業

ニ　宗教の普及その他教化育成に寄与することとなる事業

ホ　博物館法（昭和26年法律第285号）第2条第1項《定義》に規定する博物館を設置運営する事業

(注)　上記の博物館は、博物館法第11条《登録》の規定による博物館としての登録を受けたものに限られているのであるから留意する。

ヘ　図書館法（昭和25年法律第118号）第2条第1項《定義》に規定する図書館を設置運営する事業

ト　30人以上の学生等に対して学資の支給若しくは貸与をし、又はこれらの者の修学を援助するため寄宿舎を設置運営する事業（学資の支給若しくは貸与の対象となる者又は寄宿舎の貸与の対象となる者が都道府県の範囲よりも狭い一定の地域内に住所を有する学生等若しくは当該一定の地域内に所在する学校の学生等に限定されているものを除く。）

チ　科学技術その他の学術に関する研究を行うための施設（以下「研究施設」という。）を設置運営する事業又は当該学術に関する研究を行う者（以下「研究者」という。）に対して助成金を支給する事業（助成金の支給の対象となる者が都道府県の範囲よりも狭い一定の地域内に住所を有する研究者又は当該一定の地域内に所在する研究施設の研究者に限定されているものを除く。）

リ　学校教育法第124条《専修学校》に規定する専修学校又は同法第134条第1項《各種学校》に規定する各種学校を設置運営する事業で、次に掲げる要件を満たすもの

(イ)　同時に授業を受ける生徒定数は、原則として80人以上であること。

(ロ)　法人税法施行規則（昭和40年大蔵省令第12号）第7条第1号及び第2号《学校において行う技芸の教授のうち収益事業に該当しないものの範囲》に定める要件

ヌ　医療法（昭和23年法律第205号）第1条の2第2項に規定する医療提供施設を設置運営する事業を営む法人で、その事業が次の(イ)及び(ロ)の要件又は(ハ)の要件を満たすもの

(イ)　医療法施行規則（昭和23年厚生省令第50号）第30条の35の3第1項第1号ニ及び第2号《社会医療法人の認定要件》に定める要件

(ロ)　その開設する医療提供施設のうち一以上のものが、その所在地の都道府県が定める医療法第30条の4第1項に規定する医療計画において同条第2項第2号に規定する医療連携体制に係る医療提供施設として記載及び公示されていること。

(ハ)　その法人が租税特別措置法施行令第39条の25第1項第1号《特定の医療法人の法人税率の特例》に規定する厚生労働大臣が財務大臣と協議して定める基準を満たすもの

(特別の利益を与えること)

(9)　(3)の(二)の規定による特別の利益を与えることとは、具体的には、例えば、次の(一)又は(二)に該当すると認められる場合がこれに該当するものとして取り扱う。（昭39直審（資）24「16」）

(一)　贈与等を受けた法人の定款、寄附行為若しくは規則又は贈与契約書等において、次に掲げる者に対して、当該法人の財産を無償で利用させ、又は与えるなどの特別の利益を与える旨の記載がある場合

イ　贈与等をした者

ロ　当該法人の設立者、社員若しくは役員等

ハ　贈与等をした者、当該法人の設立者、社員若しくは役員等（以下(9)において「贈与等をした者等」という。）の

— 445 —

第二編　贈与税

　　　親族

　ニ　贈与等をした者等と次に掲げる特殊の関係がある者（次の（ニ）において「特殊の関係がある者」という。）

　（イ）　贈与等をした者等とまだ婚姻の届出をしていないが事実上婚姻関係と同様の事情にある者

　（ロ）　贈与等をした者等の使用人及び使用人以外の者で贈与等をした者等から受ける金銭その他の財産によって生計を維持しているもの

　（ハ）　上記（イ）又は（ロ）に掲げる者の親族でこれらの者と生計を一にしているもの

　（ニ）　贈与等をした者等が会社役員となっている他の会社

　（ホ）　贈与等をした者等、その親族、上記（イ）から（ハ）までに掲げる者並びにこれらの者と法人税法第2条第10号に規定する政令で定める特殊の関係のある法人を判定の基礎とした場合に同号に規定する同族会社に該当する他の法人

　（ヘ）　上記（ニ）又は（ホ）に掲げる法人の会社役員又は使用人

　（二）　贈与等を受けた法人が、贈与等をした者等又はその親族その他特殊の関係がある者に対して、次に掲げるいずれかの行為をし、又は行為をすると認められる場合

　イ　当該法人の所有する財産をこれらの者に居住、担保その他の私事に利用させること。

　ロ　当該法人の余裕金をこれらの者の行う事業に運用していること。

　ハ　当該法人の他の従業員に比し有利な条件で、これらの者に金銭の貸付をすること。

　ニ　当該法人の所有する財産をこれらの者に無償又は著しく低い価額の対価で譲渡すること。

　ホ　これらの者から金銭その他の財産を過大な利息又は賃貸料で借り受けること。

　ヘ　これらの者からその所有する財産を過大な対価で譲り受けること、又はこれらの者から当該法人の事業目的の用に供するとは認められない財産を取得すること。

　ト　これらの者に対して、当該法人の役員等の地位にあることのみに基づき給与等を支払い、又は当該法人の他の従業員に比し過大な給与等を支払うこと。

　チ　これらの者の債務に関して、保証、弁済、免除又は引受け（当該法人の設立のための財産の提供に伴う債務の引受けを除く。）をすること。

　リ　契約金額が少額なものを除き、入札等公正な方法によらないで、これらの者が行う物品の販売、工事請負、役務提供、物品の賃貸その他の事業に係る契約の相手方となること。

　ヌ　事業の遂行により供与する利益を主として、又は不公正な方法で、これらの者に与えること。

　　（判定の時期等）

(10)　三の規定を適用すべきかどうかの判定は、（4）の規定に該当するかどうかの判定を除き、贈与等の時を基準としてその後に生じた事実関係をも勘案して行うのであるが、贈与等により財産を取得した法人が、財産を取得した時には（3）の（一）から（四）に掲げる要件を満たしていない場合においても、当該財産に係る贈与税の申告書の提出期限又は更正若しくは決定の時までに、当該法人の組織、定款、寄附行為又は規則を変更すること等により（3）各号に掲げる要件を満たすこととなったときは、当該贈与等については三の規定を適用しないこととして取り扱う。（昭39直審（資）24「17」）

　　（相続税の負担が不当に減少する結果となると認められる場合の要件の判定）

(11)　一般社団法人等について（4）の規定の適用の判定を行う場合には、次によることに留意する。（昭39直審（資）24「17の2」）

　（一）　（4）の（一）又は（二）の要件は、一般社団法人等への贈与等の時における当該一般社団法人等の定款の定めに基づき判定するのであるから、その贈与等の後にこれらの要件を満たすものに定款の定めを変更したとしても、（4）の規定により、当該贈与等については三の規定が適用される。

　（二）　贈与等を受けた一般社団法人等が（3）の（二）に規定する贈与者等に対し（4）の（二）に規定する特別利益を与えたかどうかの判定は（9）の（二）に、当該一般社団法人等の定款において当該贈与者等に対し特別利益を与える旨の定めがないかどうかの判定は（9）の（一）に、それぞれ準じて行う。

　　（社会一般の寄附金程度の贈与等についての不適用）

(12)　（3）の各号に掲げる要件を満たしていないと認められる法人に対して財産の贈与等があった場合においても、当該財産の多寡等からみて、それが社会一般においてされている寄附と同程度のものであると認められるときは、三の規定を適用しないものとして取り扱う。（昭39直審（資）24「18」）

－446－

第一章　贈与税の納税義務者

（持分の定めのない法人に対する贈与税課税の猶予等）

(13)　法令及び通達により判断して三の規定を適用すべき場合においては、贈与等をした者の譲渡所得について措置法第40条《国等に対して財産を寄附した場合の譲渡所得等の非課税》の規定による承認申請書が提出された場合においても、課税の猶予をしないことに留意する。（昭39直審（資）24「19」）

　　(注)　(3)の規定により、一般社団法人等からは第一編第一章第二節の四の2の(1)《政令で定める一般社団法人又は一般財団法人》の(一)から(三)に掲げる法人が除かれていることから、一般社団法人等への財産の贈与等については、租税特別措置法第40条の規定の適用はないことに留意する。

（公益法人の設立の認可申請中に相続の開始があった場合の取扱い）

(14)　宗教、慈善、学術その他公益を目的とする事業を行う法人（以下(16)までにおいて「**公益法人**」という。）の設立の認可申請中に、その公益法人に財産を提供することとなっていた者について相続が開始したため、相続財産の全部又は一部が、設立の認可によりその公益法人に帰属した場合は、その財産は、その公益法人が被相続人から遺贈により取得したものと同様に取り扱うことができる（昭35直資90「1」）

　　(注)　公益法人に対する財産の帰属につき第一編第一章第二節三の適用を受ける場合は、その公益法人は個人とみなされて相続税が課税されるほか、被相続人については所得税法第59条《贈与等の場合の譲渡所得等の特例》第1項の規定により譲渡所得に対する所得税の課税関係が生ずることに留意する。

（公益法人の設立の認可申請前に相続の開始があった場合の取扱い）

(15)　公益法人の設立の認可申請前に、その公益法人に財産を提供しようとしていた者について相続が開始したため、その相続人が被相続人の意思に基づいて相続財産の全部又は一部をその公益法人に帰属させた場合において、次の各号のすべてに該当するときは、その公益法人に帰属した財産についても、(14)の取扱いを適用することができる。（昭35直資90「2」）

（一）　被相続人が公益法人の設立のため財産を提供する意思を有していたことが明らかであること。

（二）　その公益法人に帰属した財産につき上記三の規定の適用がないこと。

（三）　その公益法人が相続税の申告書の提出期限までに設立されたものであること。（当該期限までに設立されなかったことについて正当な理由があると認められる場合において、当該期限までに設立認可申請がされたときを含む。）

　　(注)　上記に該当しない場合は、その帰属した財産については、一般の例により、相続人に対しては、相続税及び譲渡所得に対する所得税、公益法人に対しては、贈与をした者の親族その他これらの者と第六章第六節二の3に規定する特別の関係がある者の相続税又は贈与税の負担が不当に減少する結果となると認められるときは、贈与税の課税関係が生ずることに留意する。

（被相続人の意思に基づくかどうかの判定）

(16)　(15)の(一)に該当するかどうかは、被相続人から指示を受けた者が、設立準備のための作業を進めていたこと、被相続人の作成に係る寄附行為があること、被相続人の日記、書簡等にその旨が記載されていること、その他被相続人の意思を立証することができる生前の事実の存否により判定すること。（昭35直資90「3」）

（既設の公益法人に対し贈与があった場合の準用）

(17)　(14)から(16)までの取扱いは、既に設立された公益法人に対する財産の贈与で、(14)又は(16)に準ずるものについて準用すること。（昭35直資90「4」）

（贈与等をした者等以外の者に特別の利益を与える場合）

(18)　持分の定めのない法人が、当該法人に対する財産の贈与等に関して、当該贈与等をした者及びその者の親族その他これらの者と第六章第六節二の3に規定する特別の関係がある者以外の者で当該法人の設立者、社員若しくは役員等又はこれらの者の親族その他これらの者と同3に規定する特別の関係がある者に対し特別の利益を与えると認められる場合には、(4)の規定に該当するときを除き、三の規定の適用はないが、当該特別の利益を受ける者に対して第二章第二節七《特別の法人から受ける利益》の規定の適用がされることに留意する。

　　この場合において、贈与等に関して特別の利益を与えると認められる場合とは、(9)の(一)及び(二)に掲げる場合をいうものとして取り扱う。（昭39直審（資）24「20」）

（持分の定めのない法人から受ける利益の価額）

(19)　(18)の場合において、第二章第二節七の1に規定する「贈与により受ける利益の価額」とは、贈与等によって法人が取得した財産の価額によるのではなく、当該法人に対する当該財産の贈与に関して当該法人から特別の利益を受けた

－447－

第二編　贈与税

と認められる者が当該法人から受けた当該特別の利益の実態により評価するのであるから留意する。（昭39直審（資）24「21」）

四　特定一般社団法人等に課された贈与税の税額の控除

(注)　四の規定は、所得税法等の一部を改正する法律（平成30年法律第7号）により創設されたもので、平成30年4月1日以後に贈与（贈与をした者の死亡により効力を生ずる贈与を除く。以下同じ。）により取得する財産に係る贈与税について適用し、平成30年3月31日以前に贈与により取得した財産に係る贈与税については、なお従前の例による。（平30改所法等附43①）

第一編第一章第二節の**四**《特定の一般社団法人等に対する課税》の規定により特定一般社団法人等に相続税が課される場合には、当該特定一般社団法人等の相続税の額については、（1）の政令で定めるところにより、**三**において準用する**二**の**1**又は**2**の規定により当該特定一般社団法人等に課された贈与税の税額を控除する。（法66の2③）

（控除対象金額の控除）
（1）　第一編第一章第二節の**四**の**1**の規定の適用がある場合において、同節の**四**の**1**の特定一般社団法人等（被相続人の相続の開始前に当該特定一般社団法人等を合併法人とする合併があった場合には、当該合併に係る被合併法人を含む。）が当該相続の開始前に贈与により取得した財産について**三**において準用する**二**の**1**又は**2**の規定により課された贈与税の税額（**二**の**1**の(1)の規定による控除後の税額とし、延滞税、利子税、過少申告加算税、無申告加算税及び重加算税に相当する税額を除く。）に相当する金額（既に**四**の規定により控除された金額を除く。以下(1)において「控除対象金額」という。）があるときは、第一編第一章第二節の**四**の**1**の規定により当該特定一般社団法人等に課される相続税の額については、当該控除対象金額（当該控除対象金額が当該相続税の額を超える場合には、当該相続税の額）を控除する。（令34⑦）

（「課された贈与税」の意義）
（2）　**四**に規定する「課された贈与」には、特定一般社団法人等が贈与により取得した財産に対して**三**において準用する**二**の**1**又は**二**の**2**の規定により課されるべき贈与税（更正又は決定をすることができなくなった贈与税を除く。）も含まれるものとして取り扱うものとする。この場合において、当該贈与税については、速やかに課税手続をとることに留意する。（基通66の2－5）

（特定一般社団法人等が相続開始の年において被相続人から贈与を受けている場合）
（3）　特定一般社団法人等が、被相続人の相続開始の年において当該被相続人から贈与により財産を取得している場合には、第一編第一章第二節**四**の**5**《特定一般社団法人等の相続開始前3年以内の贈与財産》の規定により当該財産の価額については第一編第四章第二節**四**の**1**《相続開始前3年以内に贈与財産》の規定の適用はないのであるが、当該贈与について**三**において準用する**二**の**1**又は**二**の**2**の規定の適用がある場合には、当該贈与による財産の取得につき当該特定一般社団法人等に贈与税が課されることに留意する。（基通66の2－6）
(注)　上記により課された贈与税の税額については、(1)に規定する控除対象金額に含まれることに留意する。

－448－

第三節　財産の所在等

一　財産の所在

1　原　　則

次の各号に掲げる財産の所在については、当該各号に規定する場所による。（法10①）

(一)	動産若しくは不動産又は不動産の上に存する権利	その動産又は不動産の所在。ただし、船舶又は航空機については、船籍又は航空機の登録をした機関の所在
(二)	鉱業権若しくは租鉱権又は採石権	鉱区又は採石場の所在
(三)	漁業権又は入漁権	漁場に最も近い沿岸の属する市町村又はこれに相当する行政区画
(四)	金融機関に対する預金、貯金、積金又は寄託金で政令で定めるもの 　（政令で定める預金、貯金、積金及び寄託金） 注　上記の金融機関に対する預金、貯金、積金又は寄託金で政令で定めるものは、次に掲げるものとする。（令1の13） 　（一）　銀行又は無尽会社に対する預金、貯金又は積金 　（二）　農業協同組合、農業協同組合連合会、水産業協同組合、信用協同組合、信用金庫、労働金庫又は商工組合中央金庫に対する預金、貯金又は積金	その預金、貯金、積金又は寄託金の受入れをした営業所又は事業所の所在
(五)	保険金	その保険（共済を含む。）の契約に係る保険会社等（保険業又は共済事業を行う者をいう。第一編第十章第一節二の**1**及び同**二**の**3**において同じ。）の本店又は主たる事務所（相続税法の施行地に本店又は主たる事務所がない場合において、相続税法の施行地に当該保険の契約に係る事務を行う営業所、事務所その他これらに準ずるものを有するときにあっては、当該営業所、事務所その他これらに準ずるもの。(六)において同じ。）の所在
(六)	退職手当金、功労金その他これらに準ずる給与（政令で定める給付を含む。） 　（政令で定める給付） 注　上記の政令で定める給付は、次に掲げる年金又は一時金に関する権利（これらに類するものを含む。）とする。（令1の3） 　（一）　国家公務員共済組合法（昭和33年法律第128号）第79条の4第1項（遺族に対する一時金）又は第89条第1項（公務遺族年金の受給権者）の規定により支給を受ける一時金又は年金（被用者年金制度の一元化等を図るための厚生年金保険法等の一部を改正する法律（平成24年法律第63号。以下（三）までにおいて「一元化法」という。）附則第36条第3項（改正前国共済法による職域加算額の経過措置）の規定によりなおその効力を有するものとされた一元化法第	当該給与を支払った者の住所又は本店若しくは主たる事務所の所在

－449－

２条（国家公務員共済組合法の一部改正）の規定に
よる改正前の国家公務員共済組合法（（三）において
「旧国共済法」という。）第88条第１項（遺族共済年
金の受給権者）の規定により支給を受ける年金を含
む。）

（二）　地方公務員等共済組合法（昭和37年法律第152
号）第93条第１項（遺族に対する一時金）又は第103
条第１項（公務遺族年金の受給権者）の規定により
支給を受ける一時金又は年金（一元化法附則第60条
第３項（改正前地共済法による職域加算額の経過措
置）の規定によりなおその効力を有するものとされ
た一元化法第３条（地方公務員等共済組合法の一部
改正）の規定による改正前の地方公務員等共済組合
法第99条第１項（遺族共済年金の受給権者）の規定
により支給を受ける年金を含む。）

（三）　私立学校教職員共済法（昭和28年法律第245号）
第25条（国家公務員共済組合法の準用）において準
用する国家公務員共済組合法第79条の４第１項又は
第89条第１項の規定により支給を受ける一時金又は
年金（一元化法附則第78条第２項（改正前私学共済
法による職域加算額の経過措置）の規定によりなお
その効力を有するものとされた一元化法第４条（私
立学校教職員共済法の一部改正）の規定による改正
前の私立学校教職員共済法第25条において準用する
旧国共済法第88条第１項の規定により支給を受ける
年金を含む。）

（四）　確定給付企業年金法（平成13年法律第50号）第
３条第１項《確定給付企業年金に係る規約》に規定
する確定給付企業年金に係る規約に基づいて支給を
受ける年金又は一時金（公的年金制度の健全性及び
信頼性の確保のための厚生年金保険法等の一部を改
正する法律（平成25年法律第63号。以下(六)までに
おいて「平成25年厚生年金等改正法」という。）附則
第５条第１項（存続厚生年金基金に係る改正前厚生
年金保険法等の効力等）の規定によりなおその効力
を有するものとされた平成25年厚生年金等改正法第
２条（確定給付企業年金法の一部改正）の規定によ
る改正前の確定給付企業年金法（（五）において「旧
確定給付企業年金法」という。）第115条第１項《移
行後の厚生年金基金が支給する死亡を支給理由とす
る給付等の取扱い》に規定する年金たる給付又は一
時金たる給付を含む。）

（五）　確定給付企業年金法第91条の19第３項《中途脱
退者に係る措置》、第91条の20第３項《終了制度加入
者等である老齢給付金の受給権者等に係る措置》、第
91条の21第３項《終了制度加入者等である障害給付
金の受給権者に係る措置》又は第91条の22第５項《終
了制度加入者等である遺族給付金の受給権者に係る
措置》の規定により企業年金連合会から支給を受け
る一時金（平成25年厚生年金等改正法附則第63条第

—450—

１項（確定給付企業年金中途脱退者等に係る措置に
関する経過措置）の規定によりなおその効力を有す
るものとされた旧確定給付企業年金法第91条の２第
３項（中途脱退者に係る措置）、平成25年厚生年金等
改正法附則第63条第２項の規定によりなおその効力
を有するものとされた旧確定給付企業年金法第91条
の３第３項（終了制度加入者等である老齢給付金の
受給権者等に係る措置）、平成25年厚生年金等改正法
附則第63条第３項の規定によりなおその効力を有す
るものとされた旧確定給付企業年金法第91条の４第
３項（終了制度加入者等である障害給付金の受給権
者に係る措置）又は平成25年厚生年金等改正法附則
第63条第４項の規定によりなおその効力を有するも
のとされた旧確定給付企業年金法第91条の５第５項
（終了制度加入者等である遺族給付金の受給権者に
係る措置）の規定により存続連合会（平成25年厚生
年金等改正法附則第３条第13号（定義）に規定する
存続連合会をいう。(六)において同じ。）から支給を
受ける一時金を含む。）

(六)　平成25年厚生年金等改正法附則第42条第３項
（基金中途脱退者に係る措置）、第43条第３項（解散
基金加入員等である老齢給付金の受給権者等に係る
措置）、第44条第３項（解散基金加入員等である障害
給付金の受給権者に係る措置）、第45条第５項（解散
基金加入員等である遺族給付金の受給権者に係る措
置）、第46条第３項（確定給付企業年金中途脱退者に
係る措置）、第47条第３項（終了制度加入者等である
老齢給付金の受給権者等に係る措置）、第48条第３項
（終了制度加入者等である障害給付金の受給権者に
係る措置）又は第49条第５項（終了制度加入者等で
ある遺族給付金の受給権者に係る措置）の規定によ
り存続連合会から支給を受ける一時金

(七)　確定拠出年金法（平成13年法律第88号）第４条
第３項《企業型年金規約》に規定する企業型年金規
約又は同法第56条第３項《個人型年金規約》に規定
する個人型年金規約に基づいて支給を受ける一時金

(八)　法人税法（昭和40年法律第34号）附則第20条第
３項《退職年金等積立金に対する法人税の特例》に
規定する適格退職年金契約その他退職給付金に関す
る信託又は生命保険の契約に基づいて支給を受ける
年金又は一時金

(九)　独立行政法人勤労者退職金共済機構若しくは所
得税法施行令（昭和40年政令第96号）第73条第１項
《特定退職金共済団体》に規定する特定退職金共済団
体が行う退職金共済に関する制度に係る契約その他
同項第１号に規定する退職金共済契約又はこれに類
する契約に基づいて支給を受ける年金又は一時金

(十)　独立行政法人中小企業基盤整備機構の締結した
小規模企業共済法第２条第２項《定義》に規定する
共済契約（第二章第二節一の**4**の（１）の(三)のホに

	掲げるものを除く。）に基づいて支給を受ける一時金	
	（十一）　独立行政法人福祉医療機構の締結した社会福祉施設職員等退職手当共済法（昭和36年法律第155号）第2条第9項《定義》に規定する退職手当共済契約に基づいて支給を受ける一時金	
（七）	貸付金債権	その債務者（債務者が二以上ある場合においては、主たる債務者とし、主たる債務者がないときは政令で定める一の債務者）の住所又は本店若しくは主たる事務所の所在 （政令で定める一の債務者） 注　債務者が二以上ある貸付金債権についての上記の政令で定める一の債務者は、当該貸付金債権の債務者のうちに法の施行地に住所又は本店若しくは主たる事務所を有する者があるときは、その者（その者が二以上あるときは、いずれか一の者）とし、当該貸付金債権の債務者のうちに法の施行地に住所又は本店若しくは主たる事務所を有する者がないときは、当該債務者とする。（令1の14）
（八）	社債（特別の法律により法人の発行する債券及び外国法人の発行する債券を含む。）若しくは株式、法人に対する出資又は政令で定める有価証券 （政令で定める有価証券） 注　上記の政令で定める有価証券は、外国預託証券（株主との間に締結した契約に基づき株券の預託を受けた者が外国において発行する有価証券で、その株式に係る権利を表示するものをいう。）とする。（令1の15①）	当該社債若しくは株式の発行法人、当該出資のされている法人又は当該有価証券に係る政令で定める法人の本店又は主たる事務所の所在 （政令で定める法人） 注　上記の政令で定める法人は、左欄の注の外国預託証券に係る株式の発行法人とする。（令1の15②）
（九）	法人税法第2条第29号《定義》に規定する集団投資信託又は同条第29号の2に規定する法人課税信託に関する権利	これらの信託の引受けをした営業所、事務所その他これらに準ずるものの所在
（十）	特許権、実用新案権、意匠権若しくはこれらの実施権で登録されているもの、商標権又は回路配置利用権、育成者権若しくはこれらの利用権で登録されているもの	その登録をした機関の所在
（十一）	著作権、出版権又は著作隣接権でこれらの権利の目的物が発行されているもの	これを発行する営業所又は事業所の所在
（十二）	第二章第二節三《低額譲渡を受けたことによる利益》の規定により贈与又は遺贈により取得したものとみなされる金銭	そのみなされる基因となった財産の種類に応じ、本表に規定する場所
（十三）	前各号に掲げる財産を除くほか、営業所又は事業所を有する者の当該営業所又は事業所に係る営業上又は事業上の権利	その営業所又は事業所の所在

（船籍のない船舶の所在）
（1）　1の（一）に掲げる「船舶」とは、船籍に関する定めのある法令の適用のある船舶をいうのであるから、船籍のない船舶については、その所在により判定するものとする。（基通10－1）

第一章　贈与税の納税義務者

　　（生命保険契約及び損害保険契約の所在）
（２）　第二章第二節─《生命保険金等》の**1**の（注）に規定する生命保険契約及び損害保険契約の所在については、**1**の（五）の規定に準ずるものとする。（基通10－２）

　　（「貸付金債権」の意義）
（３）　**1**の（七）に掲げる「貸付金債権」には、いわゆる融通手形による貸付金を含み、売掛債権、いわゆる商業手形債権その他事業取引に関して発生した債権で短期間内（おおむね６月以内）に返済されるべき性質のものは含まれないものとする。（基通10－３）

　　（主たる債務者が２以上ある場合の債権の所在）
（４）　主たる債務者が２以上ある場合におけるその債権の所在については、**1**の（七）右欄の注の規定により判定するものとする。（基通10－４）

　　（株式に関する権利等の所在）
（５）　**1**の（八）に掲げる「株式」には、株式に関する権利を含むものとし、「出資」には、出資に関する権利をも含むものとする。（基通10－５）

　　（営業上の権利）
（６）　**1**の（十三）に掲げる「営業上の権利」には、売掛金等のほか、その営業又は事業に関する営業権、電話加入権等をも含むものとする。（基通10－６）

２　国債、地方債の所在
　　国債又は地方債は、相続税法の施行地にあるものとし、外国又は外国の地方公共団体その他これに準ずるものの発行する公債は、当該外国にあるものとする。（法10②）

３　その他の財産の所在
　　1の各号に掲げる財産及び**2**に規定する財産以外の財産の所在については、当該財産の権利者であった贈与をした者の住所の所在による。（法10③）

　　（特別寄与料の所在）
（１）　特別寄与料については、**1**の各号に掲げる財産及び**2**に規定する財産のいずれにも該当しないことから、**3**の規定によりその所在を判定することに留意する。（基通10－７）

４　財産の所在の判定時期
　　1から**3**までの規定による財産の所在の判定は、当該財産を贈与により取得した時の現況による。（法10④）

二　財産の取得時期

１　通　　　則

　　（財産取得の時期の原則）
（１）　贈与による財産取得の時期は、次に掲げる場合の区分に応じ、それぞれ次によるものとする。（基通１の３・１の４共－８）
　　（一）　相続又は遺贈の場合　　（省略）
　　（二）　贈与の場合　　書面によるものについてはその契約の効力の発生した時、書面によらないものについてはその履行の時

　　（財産取得の時期の特例）
（２）　所有権等の移転の登記又は登録の目的となる財産について（１）の（二）の取扱いにより贈与の時期を判定する場合において、その贈与の時期が明確でないときは、特に反証のない限りその登記又は登録があった時に贈与があったものと

－453－

第二編　贈与税

して取り扱うものとする。ただし、鉱業権の贈与については、鉱業原簿に登録した日に贈与があったものとして取り扱うものとする。（基通1の3・1の4共－11）

2　停止条件付贈与

（停止条件付の遺贈又は贈与による財産取得の時期）
（1）　次に掲げる停止条件付の遺贈又は贈与による財産取得の時期は、1の（1）にかかわらず、次に掲げる場合の区分に応じ、それぞれ次によるものとする。（基通1の3・1の4共－9）
（一）　停止条件付の遺贈でその条件が遺贈をした者の死亡後に成就するものである場合　　（省略）
（二）　停止条件付の贈与である場合　　その条件が成就した時

3　農　地　等

（農地等の贈与による財産取得の時期）
（1）　農地法第3条第1項《農地又は採草放牧地の権利移動の制限》若しくは第5条第1項《農地又は採草放牧地の転用のための権利移動の制限》本文の規定による許可を受けなければならない農地若しくは採草放牧地（以下（1）においてこれらを「農地等」という。）の贈与又は同項第6号の規定による届出をしてする農地等の贈与に係る取得の時期は、当該許可があった日又は当該届出の効力が生じた日後に贈与があったと認められる場合を除き、1の（1）及び2にかかわらず、当該許可があった日又は当該届出の効力が生じた日によるものとする。（基通1の3・1の4共－10）

（贈与による農地の取得の時期について）
（2）　贈与による農地の取得の時期については、（1）の規定に基づき取り扱うこととしているのであるが、次の要件のすべてに該当する農地の贈与については、（1）の規定にかかわらず農地法第3条第1項若しくは第5条第1項に規定する許可又は同項第6号に規定する届出（以下「**許可等**」という。）に関する書類（以下「**申請書等**」という。）を農業委員会に提出した日に当該農地の贈与があったものとして取り扱っても差し支えない。（昭48直資2－62）
（一）　当該農地の所有権の移転についての許可等の効力が、当該許可等に係る申請書等を農業委員会に提出した日の属する年の翌年1月1日から3月15日までの間に生じていること。
（二）　当該農地に係る贈与税の申告書が、当該農地の所有権の移転についての許可等の効力が生じた日からその年の3月15日までの間に提出されていること。
（注）1　「許可等の効力が生じた日」とは、農地法第3条第1項又は第5条第1項に規定する許可にあっては、許可書が当該許可の申請者に到達した日をいい、同項第6号に規定する届出にあっては、同法施行令（昭和27年政令第445号）第10条《市街化区域内にある農地又は採草放牧地の転用のための権利異動についての届出》の規定による受理通知書に届出の効力が生じた日として記載された日をいうことに留意すること。
　　　2　当該農地の所有権の移転についての許可等の申請書等の提出があった日から当該許可等の効力が生ずる日までの間に当該農地の贈与者又は受贈者のいずれか一方が死亡した場合には、たとえその者の死亡後に当該許可に係る許可書等が送達されたときにおいても、その許可等の効力は生ずることにはならないのであるから留意すること。

三　相続税法の施行地

相続税法は、本州、北海道、四国、九州及びその附属の島（当分の間、歯舞群島、色丹島、国後島及び択捉島を除く。）に、施行する。（法附②、令附②）

－454－

第二章　贈与税の課税財産

第一節　贈与により取得した財産

1　居住無制限納税義務者に該当する者又は非居住無制限納税義務者に該当する者の課税財産

　第一章第二節一の(一)《居住無制限納税義務者》又は(二)《非居住無制限納税義務者》の規定に該当する者については、その者が贈与により取得した財産の全部に対し、贈与税を課する。(法2の2①)

2　制限納税義務者に該当する者の課税財産

　第一章第二節一の(三)《居住制限納税義務者》又は同一の(四)《非居住制限納税義務者》の規定に該当する者については、その者が贈与により取得した財産で相続税法の施行地にあるものに対し、贈与税を課する。(法2の2②)

　　(財産の所在の判定)
注　2に規定する「相続税法の施行地にあるもの」であるかどうかは、第一章第三節一《財産の所在》の規定により判定するのであるから留意する。(基通2・2の2共－1)

3　財産の意義

　法に規定する「財産」とは、金銭に見積もることができる経済的価値のあるすべてのものをいうのであるが、なお次に留意する。(基通11の2－1)
(一)　財産には、物権、債権及び無体財産権に限らず、信託受益権、電話加入権等が含まれること。
(二)　財産には、法律上の根拠を有しないものであっても経済的価値が認められているもの、例えば、営業権のようなものが含まれること。
(三)　質権、抵当権又は地役権(区分地上権に準ずる地役権を除く。)のように従たる権利は、主たる権利の価値を担保し、又は増加させるものであって、独立して財産を構成しないこと。

4　婚姻の取消し又は離婚により財産の取得があった場合

　婚姻の取消し又は離婚による財産の分与によって取得した財産(民法第768条《財産分与》、第771条《協議上の離婚の規定の準用》及び第749条《離婚の規定の準用》参照)については、贈与により取得した財産とはならないのであるから留意する。ただし、その分与に係る財産の額が婚姻中の夫婦の協力によって得た財産の額その他一切の事情を考慮してもなお過当であると認められる場合における当該過当である部分又は離婚を手段として贈与税若しくは相続税のほ脱を図ると認められる場合における当該離婚により取得した財産の価額は、贈与によって取得した財産となるのであるから留意する。(基通9－8)

【財産分与に関する民法の規定】

　〔財産分与〕
第768条　協議上の離婚をした者の一方は、相手方に対して財産の分与を請求することができる。
②　前項の規定による財産の分与について、当事者間に協議が調わないとき、又は協議をすることができないときは、当事者は、家庭裁判所に対して協議に代わる処分を請求することができる。ただし、離婚の時から2年を経過したときは、この限りでない。
③　前項の場合には、家庭裁判所は、当事者双方がその協力によって得た財産の額その他一切の事情を考慮して、分与をさせるべきかどうか並びに分与の額及び方法を定める。
　〔協議上の離婚の規定の準用〕
第771条　第766条から第769条までの規定は、裁判上の離婚について準用する。

〔離婚の規定の準用〕

第749条 第728条第1項、第766条から第769条まで、第790条第1項ただし書並びに第819条第2項、第3項、第5項及び第6項の規定は、婚姻の取消しについて準用する。

5　共かせぎ夫婦の間における住宅資金等の贈与

　個人が住宅金融公庫等から個人住宅建設資金又は敷地購入資金を借り入れて住宅又は敷地を取得した場合において、当該借入資金の返済がその借入者以外の者の負担によってされているときは、その負担部分は借入者に対する贈与とみるべきであるが、当該借入者及び返済者がいわゆる共かせぎの夫婦であり、かつ、借入資金の返済が事実上当該共かせぎの夫婦の収入によって共同でされていると認められるものについては、その所得あん分で負担するものとして取り扱う。

　なお、その借入者が贈与を受けたものとして取り扱う金額は、暦年ごとにその返済があった部分の金額を基として計算する。（昭34直資58）

6　無利子の金銭貸与等

　夫と妻、親と子、祖父母と孫等特殊の関係がある者相互間で、無利子の金銭の貸与等があった場合には、それが事実上贈与であるのにかかわらず貸与の形式をとったものであるかどうかについて念査を要するのであるが、これらの特殊関係のある者間において、無償又は無利子で土地、家屋、金銭等の貸与があった場合には、第二節《贈与により取得したものとみなす財産》**五**《その他の経済的利益》に規定する利益を受けた場合に該当するものとして取り扱うものとする。ただし、その利益を受ける金額が少額である場合又は課税上弊害がないと認められる場合には、強いてこの取扱いをしなくても妨げないものとする。（基通9－10）

7　負担付贈与等及び共有持分の放棄による課税財産

　　（負担付贈与等）

（1）　負担付贈与があった場合において当該負担額が第三者の利益に帰すときは、当該第三者が、当該負担額に相当する金額を、贈与によって取得したこととなるのであるから留意する。この場合において、当該負担が停止条件付のものであるときは、当該条件が成就した時に当該負担額相当額を贈与によって取得したことになるのであるから留意する。（基通9－11）

　　（共有持分の放棄）

（2）　共有に属する財産の共有者の1人が、その持分を放棄（相続の放棄を除く。）したときは、その者に係る持分は、他の共有者がその持分に応じ贈与により取得したものとして取り扱うものとする。（基通9－12）

8　父子間における農業経営者の判定

　　（父子間における農業経営者の判定並びにこれに伴う所得税及び贈与税の取扱い）

（1）　国民年金法による老齢福祉年金の特別支給の開始に伴い、従来父が農地などの所有者であることなど農村における特殊事情から父が引き続き農業の経営者であると申告していたものにつき、子を農業の経営者としたい旨の申出があった場合の農業経営者の判定及びこれに関連する贈与税の取扱いは、次による。（昭35直資15、直所1－14）

　（一）　農業経営者の判定について

　　イ　子を農業の経営者であるとする申告があった場合において、子がおおむね30歳以上で生計を主宰するに至ったと認められるとき（下記（2）以下の所得税通達参照）はもちろん、従来の生計の主宰関係にさしたる変化がないときでも、父が老齢福祉年金の受給資格年齢（70歳）以上に達し、子が生計を主宰し得るに至っていると認められるときは、その申告を容認することに取り扱うものとする。

　　ロ　イにより農業の経営者が子に移ることを容認する場合においては、これにより老年者控除の適用がなくなることなど容認に伴う問題点をあらかじめ十分に説明し、特別な事情（その後子が死亡し又は生計を別にするに至るなど）がないにもかかわらず、再び父を農業の経営者に変更するようなことがないよう特に指導すること。

　　ハ　イ及びロによる取扱いは、昭和34年分所得税から適用するものとし、昭和33年分以前の所得税については、従前の取扱い例によるものとすること。

　（二）　贈与税の取扱いについて

第二章　贈与税の課税財産

　　（一）のイにより農業経営者が子に移ったことを容認した場合の農業用財産に対する贈与税の課税については、次により取り扱うものとする。

　イ　不動産のうち、農地及び採草放牧地の所有権の移転は、農地法第３条の規定により都道府県知事の許可を受けなければできないことになっているから、その許可を受けないものについては贈与税の問題は生じないことに留意すること。

　ロ　農地及び採草放牧地以外の不動産については、特に贈与したと認められるものを除いては、贈与はなかったものとすること。

　ハ　不動産以外の農業用財産については、贈与があったものとして取り扱うこと。ただし、棚卸資産及び果樹以外の農業用財産で特に書面で贈与を留保する旨の申出があり、かつ、その申出のあった財産の価額を旧経営者を被相続人とする相続財産価額に算入することを了承したものについては、その申出を容認しても差し支えないものとすること。

◎「農地等について使用収益権の設定による農業の経営移譲を受けた場合における果樹に関する贈与税の取扱いについて」（昭53直資２−２）

（夫婦間における農業の事業主の判定）
（２）　生計を一にしている夫婦間における農業の事業主がだれであるかの判定をする場合には、両者の農業の経営についての協力度合、耕地の所有権の所在、農業の経営についての知識経験の程度、家庭生活の状況等を総合勘案して、その農業の経営方針の決定につき支配的影響力を有すると認められる者が当該農業の事業主に該当するものと推定する。この場合において、当該支配的影響力を有すると認められる者がだれであるかが明らかでないときには、生計を主宰している者が事業主に該当するものと推定する。ただし、生計を主宰している者が会社、官公庁等に勤務するなど他に主たる職業を有し、他方が家庭にあって農耕に従事している場合において、次に掲げる場合に該当するときは、その農業（次の(四)に掲げる場合に該当するときは、特有財産に係る部分に限る。）の事業主は、当該家庭にあって農耕に従事している者と推定する。（所得税基通12−３）
（一）　家庭にあって農耕に従事している者がその耕地の大部分につき所有権又は耕作権を有している場合（婚姻後に生計を一にする親族から耕作権の名義の変更を受けたことにより、その耕地の大部分につき所有権又は耕作権を有するに至ったような場合を除く。）
（二）　農業が極めて小規模であって、家庭にあって農耕に従事している者の内職の域を出ないと認められる場合
（三）　（一）又は（二）に該当する場合のほか、生計を主宰している者が、主たる職業に専念していること、農業に関する知識経験がないこと又は勤務地が遠隔であることのいずれかの事情により、ほとんど又は全く農耕に従事していない場合（その農業が相当の規模であって、生計を主宰している者を事業主とみることを相当とする場合を除く。）
（四）　（一）から（三）までに掲げる場合以外の場合において、家庭にあって農耕に従事している者が特有財産である耕地を有している場合
（注）　「家庭にあって農耕に従事している場合」には、従来家庭にあって農耕に従事していた夫婦の一方が、病気療養に専念するため、たまたまその年の農耕に従事しなかったような場合も含まれる。

（親子間における農業の事業主の判定）
（３）　生計を一にしている親子間における農業の事業主がだれであるかの判定をする場合には、両者の年齢、農耕能力、耕地の所有権の所在等を総合勘案して、その農業の経営方針の決定につき支配的影響力を有すると認められる者が当該農業の事業主に該当するものと推定する。この場合において、当該支配的影響力を有すると認められる者がだれであるかが明らかでないときには、次に掲げる場合に該当する場合はそれぞれ次に掲げる者が事業主に該当するものと推定し、その他の場合は生計を主宰している者が事業主に該当するものと推定する。（所得税基通12−４）
（一）　親と子がともに農耕に従事している場合　　当該従事している農業の事業主は、親。ただし、子が相当の年齢に達し、生計を主宰するに至ったと認められるときは、子
（二）　生計を主宰している親が会社、官公庁等に勤務するなど他に主たる職業を有し、子が主として農耕に従事している場合　　当該従事している農業の事業主は、子。ただし、子が若年であるとき、又は親が本務のかたわら農耕に従事しているなど親を事業主とみることを相当とする事情があると認められるときは、親
（三）　生計を主宰している子が会社、官公庁等に勤務するなど他に主たる職業を有し、親が主として農耕に従事している場合　　当該従事している農業の事業主は、（２）のただし書に準じて判定した者

−457−

第二編　贈与税

　　（生計を一にしている親族間における農業の経営者の判定について）
（４）　（２）及び（３）の運営については、当分の間次により取り扱う。（昭33直所１－16、昭42直所４－３改正）
　（一）　（２）の（一）の「家庭にあって主として農耕に従事している者がその耕地の大部分につき所有権又は耕作権を有している場合」とは、耕地のおおむね80％以上の所有権又は耕作権を有する場合をいうものとすること。
　（二）　（２）の（二）の「農業が極めて小規模」であるかどうかは、おおむね水田50アール（収穫量に著しい差異のある田畑又は野菜畑若しくは果樹畑などについては、平年作における稲作水田50アール程度の所得を得る面積とする。）程度未満の規模であるかどうかによるものとすること。
　（三）　（２）の（三）の「農業が相当の規模」であるかどうかは、水田150アール（収穫量に著しい差異のある田畑又は野菜畑若しくは果樹畑などについては、平年作における稲作水田150アール程度の所得を得る面積とする。）程度の規模以上であるかどうかによるものとすること。
　（四）　（２）の（三）の「主たる職業に専念していること……の事情により、ほとんど又は全く農耕に従事していない」かどうか明らかでない場合には、その者の勤務が常勤（この場合の常勤とは、１日の勤務時間が８時間以上であり、かつ、日曜日、祭日などの休日を除いては、事実上農耕に従事できない勤務をいう。）であるときは、その者の現在までの農業についての経歴、勤務先の職種、家庭における地位など周囲の事情からみてその者がその農業の経営を主宰していると認めるのを相当とする特別の事情がある場合を除き、その農業の経営者でないものとして取り扱うものとすること。（編者補正）
　（五）　（２）の（三）の「農業に関する知識経験がないこと……の事情により、ほとんど又は全く農耕に従事していない」かどうか明らかでない場合には、学校を卒業すると同時に公共団体、学校又は会社などに奉職し、現在まで引き続き勤務しているようなときは、その者が特に農業の知識経験を持ちその農業の経営を主宰していると認められる特別の事情がある場合を除き、その農業の経営者でないものとして取り扱うものとすること。（編者補正）
　（六）　（２）の（三）の「勤務地が遠隔であること……の事情により、ほとんど又は全く農耕に従事していない」かどうか明らかでない場合には、日曜日又は祭日に帰宅する程度にとどまるときは、特にその農業の経営を主宰していると認められる特別の事情がある場合を除き、その農業の経営者でないものとして取り扱うものとすること。
　（七）　（３）の（一）の「子が相当の年齢」に達したかどうかは、おおむね30歳以上となったかどうかによるものとし、（３）の（二）の「子が若年である」かどうかは、おおむね25歳未満であるかどうかによるものとすること。

9　財産の名義変更

　　不動産、株式等の名義の変更があった場合において対価の授受が行われていないとき又は他の者の名義で新たに不動産、株式等を取得した場合においては、これらの行為は、原則として贈与として取り扱うものとする。（基通９－９）

　　（他人名義により不動産、船舶等を取得した場合で贈与としない場合）
（１）　他人名義により不動産、船舶又は自動車の取得、建築又は建造の登記又は登録をしたため、**9**の規定に該当して贈与があったとされるときにおいても、その名義人となった者について次の（一）及び（二）の事実が認められるときは、これらの財産に係る最初の贈与税の申告若しくは決定又は更正（これらの財産の価額がその計算の基礎に算入されている課税価格又は税額の更正を除く。）の日前にこれらの財産の名義を取得又は建築若しくは建造をした者（以下（9）までにおいて「**取得者等**」という。）の名義としたときに限り、これらの財産については贈与がなかったものとして取り扱う。（昭39直審（資）22「１」）
　（一）　これらの財産の名義人となった者（その者が未成年者である場合には、その法定代理人を含む。）がその名義人となっている事実を知らなかったこと。（その知らないことが名義人となった者が外国旅行中であったこと又はその登記済証若しくは登録済証を保有していないこと等当時の状況等から確認できる場合に限る。）
　（二）　名義人となった者がこれらの財産を使用収益していないこと。

　　（他人名義により有価証券を取得した場合で贈与としない場合）
（２）　他人名義による有価証券の取得の株主名簿への登載等をしたため、**9**の規定に該当して贈与があったとされるときにおいても、名義人となった者について、次の（一）及び（二）の事実が認められるときは、当該有価証券に係る最初の贈与税の申告若しくは決定又は更正（当該有価証券の価額がその計算の基礎に算入されている課税価格又は税額の更正を除く。）の日前に当該有価証券の名義をその取得者の名義としたときに限り、当該有価証券については、贈与がなかったものとして取り扱う。（昭39直審（資）22「２」）
　（一）　（１）の（一）の事実
　（二）　名義人となった者がその有価証券を管理運用し、又はその収益を享受していないこと。

－458－

第二章　贈与税の課税財産

（他人名義により取得した財産の処分代金等を取得者の名義とした場合の取扱い）
（３）　（１）の（一）及び（二）又は（２）の（一）及び（二）の場合に該当する場合において、他人名義により取得、建築又は建造の登記、登録又は登載等をした不動産、船舶、自動車又は有価証券がこれらの財産に係る最初の贈与税の申告若しくは決定又は更正（これらの財産の価額がその計算の基礎に算入されている課税価格又は税額の更正を除く。）の日前に災害等により滅失し、又は処分されたこと等のため、これらの財産の名義を取得者等の名義とすることができないときは、当該取得者等がその保険金、損害賠償金又は処分に係る譲渡代金等（以下（９）までにおいて「**保険金等**」という。）を取得し、かつ、その取得していることが当該保険金等により取得した財産をその者の名義としたこと等により確認できる場合に限り、これらの財産については、（１）又は（２）に該当するものとして取り扱う。（昭39直審（資）22「3」）

（他人名義による財産の取得をした者が死亡した場合）
（４）　（１）又は（２）に該当する事実がある場合において、これらに規定する贈与税の申告若しくは決定又は更正の日前に、（１）又は（２）に定める取得者等が死亡したためその相続人の名義としたときにおいても、（１）又は（２）の適用があるものとして取り扱う。
　　　この場合において、当該財産の価額は、当該相続人の相続税の課税価格計算の基礎に算入するのであるから留意する。
（昭39直審（資）34「1」）

（他人の名義による財産の取得等に関する取扱いを熟知している者の不適用）
（５）　（１）から（３）までの取扱いは、（１）又は（２）に定める取得者等がこれらの取扱いを利用して贈与税のほ脱を図ろうとしていると認められる場合には適用がないものとし、原則として当該取得者等が既に（１）又は（２）の取扱いの適用を受けている場合又は受けていると認められる場合には、適用しないものとする。（昭39直審（資）22「4」）

（過誤等により取得財産を他人名義とした場合等の取扱い）
（６）　（１）又は（２）に該当しない場合においても、他人名義により不動産、船舶、自動車又は有価証券の取得、建築又は建造の登記、登録又は登載等をしたことが過誤に基づき、又は軽率にされたものであり、かつ、それが取得者等の年齢その他により確認できるときは、これらの財産に係る最初の贈与税の申告若しくは決定又は更正（これらの財産の価額がその計算の基礎に算入されている課税価格又は税額の更正を除く。）の日前にこれらの財産の名義を取得者等の名義とした場合に限り、これらの財産については、贈与がなかったものとして取り扱う。
　　　自己の有していた不動産、船舶、自動車又は有価証券の名義を他の者の名義に名義変更の登記、登録又は登載をした場合において、それが過誤に基づき、又は軽率に行われたものである場合においても、また同様とする。
　　　（３）の取扱いは、これらの場合について準用する。（昭39直審（資）22「5」、昭57直資2－177改正）

（法令等により取得者等の名義とすることができないため他人名義とした場合等の取扱い）
（７）　他人名義により不動産、船舶、自動車又は有価証券の取得、建築又は建造の登記、登録又は登載等が行われたことが法令に基づく所有の制限その他これに準ずる真にやむを得ない理由に基づいて行われたものである場合においては、その名義人となった者との合意により名義を借用したものであり、かつ、その事実が確認できる場合に限り、これらの財産については、贈与がなかったものとして取り扱うことができる。
　　　自己の有した不動産、船舶、自動車又は有価証券について、法令に基づく所有の制限その他これに準ずる真にやむを得ない理由が生じたため、他の名義人となる者との合意によりその名義を借用し、その者の名義に名義変更の登記、登録又は登載等をした場合において、その事実が確認できるときにおいても、また同様とする。（昭39直審（資）22「6」）

（虚偽表示により名義変更等が行われたことにつきやむを得ない事由がある場合）
（８）　（７）に定める「その他これに準ずる真にやむを得ない理由に基づいて行われたものである場合」とは、次に掲げる場合がこれに該当するものとして取り扱う。（昭39直審（資）34「2」）
（一）　当該名義変更等に係る不動産、船舶、自動車又は有価証券の従前の名義人等について、債権者の内容証明等による督促又は支払命令等があった後にその者の有する財産の全部又は大部分の名義を他人名義としている事実があることなどにより、これらの財産の名義変更等が、強制執行その他の強制換価手続を免れるため行われたと認められ、かつ、その行為をすることにつき真にやむを得ない事情（例えば、これらの財産を失うときは、通常の生活に重大な支障を来たす等の事情）がある場合（配偶者、3親等内の血族及び3親等内の姻族の名義とした場合を除く。）
（二）　住宅金融公庫その他住宅の建築に関する資金の貸付けを行う者から借入資格のある他の者の名義によって資金を借り入れ、その貸付けの条件に従い借入名義人の名義で居住の用に供する土地又は家屋を取得した場合においてその

－459－

第二編　贈与税

事実が、次のイからホまでに掲げる事実等によって確認できるとき

イ　取得者が、土地又は家屋の購入又は建築に要する頭金等の資金を調達し、かつ、住宅金融公庫等からの借入金を返済していること。

ロ　取得者は、他に居住の用に供することのできる家屋を所有していないこと。

ハ　土地又は家屋の取得直前において、取得者が住宅金融公庫その他の住宅の建築に関する資金の貸付けを行う者に対して融資の申込みをし、かつ、抽選等に外れたことによって融資を受けられなかった事実があること、又はその申込みができなかったことにつき特別の事情があること。

ニ　取得した土地又は家屋に借入名義人が居住せず、取得者が居住していること。

ホ　取得した土地又は家屋に附属する上下水道、ガス等の設備を取得者が設置していること。

（取得者等の名義とすることが更正決定後に行われた場合の取扱い）

(9)　(1)から(3)まで及び(6)に該当する事実がある場合においては、これらに定める最初の贈与税の申告若しくは決定又は更正（これらの財産の価額がその計算の基礎に算入されている課税価格又は税額の更正を除く。）の日前にその名義を取得者等又は従前の名義人の名義としなかったため、これらの取扱いの適用がないものとして贈与税の更正又は決定があった後においても、次のすべてに該当しているときはこれらの取扱いの適用があるものとして、課税価格又は税額を更正することができるものとする。（昭39直審（資）22「7」）

（一）　当該更正又は決定について異議の申立てがあること。

（二）　当該財産の名義を取得者等又は従前の名義人の名義としなかったことが、税務署からこれらの取扱いの適用についての説明を受けていない等のため、その取扱いを知らなかったことに基づくものであること。

（三）　（一）の異議申立て後速やかに当該財産の名義を取得者等若しくは従前の名義人の名義とし、又は取得財産の保険金等により取得した財産をこれらの者の名義としたこと。

（法定取消権等に基づいて贈与の取消しがあった場合の取扱い）

(10)　贈与契約が法定取消権又は法定解除権に基づいて取り消され、又は解除されその旨の申出があった場合においては、その取り消され、又は解除されたことが当該贈与に係る財産の名義を贈与者の名義に変更したことその他により確認された場合に限りその贈与はなかったものとして取り扱う。（昭39直審（資）22「8」）

（法定取消権等に基づいて取り消され、又は解除されたことの確認）

(11)　(10)の「法定取消権等に基づいて取り消され、又は解除されたことが……その他により確認された場合」とは、取消権又は解除権の種類に従い、おおむね、次に掲げる事実が認められる場合をいうものとして取り扱う。（昭39直審（資）34「3」）

（一）　民法第96条《詐欺又は強迫》の規定に基づくものについては、詐欺又は強迫をした者について公訴の提起がされたこと、又はその者の性状、社会上の風評等から詐欺又は強迫の事実が認められること。

（二）　民法第754条《夫婦間の契約の取消権》の規定に基づくものについては、その取消権を行使した者及びその配偶者の経済力その他の状況からみて取消権の行使が贈与税の回避のみを目的として行われたと認められないこと。

（三）　未成年者の行為の取消権、履行遅滞による解除権その他の法定取消権又は法定解除権に基づくものについては、その行為、行為者、事実関係の状況等からみて取消権又は解除権の行使が相当と認められること。

（贈与契約の取消し等があったときの更正の請求）

(12)　贈与税の申告又は決定若しくは更正の日後に当該贈与税に係る贈与契約が(10)に該当して取り消され、又は解除されたときは、国税通則法第23条第2項の規定による更正の請求ができるのであるから留意する。（昭39直審（資）22「9」、昭57直資2－177改正）

（贈与契約の取消し等によりその贈与財産が相続人等に帰属した場合の取扱い）

(13)　贈与契約が(10)に該当して取り消され、又は解除された場合において、贈与者について相続が開始しているため、その相続人の名義としたときにおいても、(10)の本文に該当するものとして当該贈与はなかったものとして取り扱う。この場合においては、当該相続人が当該財産を相続により取得したものとし、当該財産の価額をこれらの者に係る相続税の課税価格計算の基礎に算入する。（昭39直審（資）22「10」）

第二章　贈与税の課税財産

（合意解除により贈与の取消しがあった場合の取扱い）

(14)　(10)に該当して贈与契約が取り消され、又は解除された場合を除き、贈与契約の取消し、又は解除があった場合においても、当該贈与契約に係る財産について贈与税の課税を行うことに留意する。（昭39直審（資）22「11」）

（合意解除等による贈与の取消しがあった場合の特例）

(15)　(14)により、贈与契約が合意により取り消され、又は解除された場合においても、原則として、当該贈与契約に係る財産の価額は、贈与税の課税価格に算入するものであるが、当事者の合意による取消し又は解除が次に掲げる事由のいずれにも該当しているときは、税務署長において当該贈与契約に係る財産の価額を贈与税の課税価格に算入することが著しく負担の公平を害する結果となると認める場合に限り、当該贈与はなかったものとして取り扱うことができるものとする。（昭39直審（資）34「4」）

　(一)　贈与契約の取消し又は解除が当該贈与のあった日の属する年分の贈与税の申告書の提出期限までに行われたものであり、かつ、その取消し又は解除されたことが当該贈与に係る財産の名義を変更したこと等により確認できること。

　(二)　贈与契約に係る財産が、受贈者によって処分され若しくは担保物権その他の財産権の目的とされ又は受贈者の租税その他の債務に関して差押えその他の処分の目的とされていないこと。

　(三)　当該贈与契約に係る財産について贈与者又は受贈者が譲渡所得又は非課税貯蓄等に関する所得税その他の租税の申告又は届出をしていないこと。

　(四)　当該贈与契約に係る財産の受贈者が当該財産の果実を収受していないこと又は収受している場合には、その果実を贈与者に引き渡していること。

（贈与契約の取消し等による財産の名義変更の取扱い）

(16)　贈与契約の取消し又は解除により当該贈与に係る財産の名義を贈与者の名義に名義変更した場合の当該名義変更については、(10)、(12)から(14)までにより当該贈与がなかったものとされるかどうかにかかわらず、贈与として取り扱わない。（昭39直審（資）22「12」）

10　青色専従者給与

（青色事業専従者が事業から給与の支給を受けた場合）

(1)　青色申告書（所得税法第2条《定義》第1項第40号に規定する申告書をいう。）を提出することにつき税務署長の承認を受けている者（以下10において「青色申告者」という。）と生計を一にする配偶者その他の親族（年齢15歳未満である者を除く。）のうち、専ら当該青色申告者の営む事業で不動産所得、事業所得又は山林所得を生ずべきものに従事する者（以下10において「青色事業専従者」という。）が当該事業から給与の支給を受けた場合において、その支給を受けた金額がその年における当該青色事業専従者の職務の内容等に照らし相当と認められる金額を超えるときは、当該青色事業専従者は当該青色申告者からその超える金額に相当する金額を贈与により取得したものとする。（昭40直審（資）4「1」）

（職務の内容等に照らし相当と認められる金額の判定）

(2)　(1)において、青色事業専従者が従事する事業から支給を受けた給与の金額が当該青色事業専従者の職務の内容等に照らし相当と認められるかどうかは、その年に現実に支給を受けた給与の金額について、当該事業又はその地域における当該事業と同種、同規模の事業に従事する者で、当該青色事業専従者と同性質の職務に従事し、かつ、能力、職務に従事する程度、経験年数その他の給与を定める要因が近似すると認められるものの受ける給与の金額を基として判定するものとする。（昭40直審（資）4「2」）

—461—

第二節　贈与（又は遺贈）により取得したものとみなす財産

一　生命保険金等

1　保険事故の発生により受け取った保険金

4に規定する生命保険契約の保険事故（傷害、疾病その他これらに類する保険事故で死亡を伴わないものを除く。）又は**5**に規定する損害保険契約の保険事故（偶然な事故に基因する保険事故で死亡を伴うものに限る。）が発生した場合において、これらの契約に係る保険料の全部又は一部が保険金受取人以外の者によって負担されたものであるときは、これらの保険事故が発生した時において、保険金受取人が、その取得した保険金（当該損害保険契約の保険金については、政令で定めるものに限る。）のうち当該保険金受取人以外の者が負担した保険料の金額のこれらの契約に係る保険料でこれらの保険事故が発生した時までに払い込まれたものの全額に対する割合に相当する部分を当該保険料を負担した者から贈与により取得したものとみなす。（法5①）

(注)　生命保険契約及び損害保険契約にはこれらに類する共済契約を含み、保険金及び保険料には共済金及び共済掛金を含む。（法3①一）

$$受け取った \atop 保険金の額 \times \frac{保険金受取人以外の者 \atop が負担した保険料の額}{保険事故の発生の時までに払 \atop い込まれた保険料の総額} = 贈与によって取得したものと \atop みなされる部分の金額$$

（相続税の課税される保険金の適用除外）

（1）　**1**の規定は、第一編第二章第二節**二**《生命保険金等…みなし相続財産》又は同第二節**三**《退職手当金等…みなし相続財産》の規定により**1**に規定する保険金受取人が同**二**に掲げる保険金又は同**三**に掲げる給与を相続又は遺贈により取得したものとみなされる場合においては、当該保険金又は給与に相当する部分については、適用しない。（法5④）

（政令で定める損害保険契約の保険金）

（2）　**1**に規定する政令で定める損害保険契約の保険金は、**5**に規定する損害保険契約の保険金のうち、自動車損害賠償保障法（昭和30年法律第97号）第5条《責任保険又は責任共済の契約の締結強制》に規定する自動車損害賠償責任保険又は自動車損害賠償責任共済の契約、原子力損害の賠償に関する法律（昭和36年法律第147号）第8条《原子力損害賠償責任保険契約》に規定する原子力損害賠償責任保険契約その他の損害賠償責任に関する保険又は共済に係る契約に基づく保険金（共済金を含む。以下同じ。）以外の保険金とする。（令1の4）

（損害賠償責任に関する保険又は共済の契約に基づく保険金）

（3）　次に掲げる保険又は共済の契約（これらに類する契約を含む。）に基づき支払われるいわゆる死亡保険金のうち契約者の損害賠償責任に基づく損害賠償金に充てられることが明らかである部分については、（2）に規定する損害賠償責任に関する保険又は共済に係る契約に基づく保険金に該当するものとして取り扱っても差し支えないものとする。（基通5－4）

（一）　自動車保険搭乗者傷害危険担保特約

（二）　分割払自動車保険搭乗者傷害危険担保特約

（三）　月掛自動車保険搭乗者傷害危険担保特約

（四）　自動車運転者損害賠償責任保険搭乗者傷害危険担保特約

（五）　航空保険搭乗者傷害危険担保特約

（六）　観覧入場者傷害保険

（七）　自動車共済搭乗者傷害危険担保特約

（搭乗者保険等の契約に基づく保険金）

（4）　（3）の各号に掲げる保険又は共済の契約（これらに類する契約を含む。）に基づき相続人が取得した死亡保険金については、次によることとなるのであるから留意する。（基通5－5）

—462—

第二章　贈与税の課税財産

（一）　被相続人が当該契約に係る保険料の全部又は一部を負担した場合　　当該保険金のうち被相続人の負担した保険
　料に対応する部分は、第一編第二章第二節二《生命保険金等…みなし相続財産》に規定する保険金に該当する。
（二）　被相続人及び保険金受取人以外の者が当該契約に係る保険料を負担した場合　　当該保険金のうち被相続人及び
　保険金受取人以外の者が負担した保険料に対応する部分は、1に規定する保険金に該当する。（（3）により損害賠償責
　任に関する保険又は共済に係る契約に基づく保険金として取り扱われる部分を除く。）

（年金により支払を受ける保険金）
（5）　1の規定により贈与により取得したものとみなされる保険金には、一時金により支払を受けるもののほか、年金の
　方法により支払を受けるものも含まれるのであるから留意する。（基通5－1により準用される基通3－6）

（保険金とともに支払を受ける剰余金等）
（6）　1の規定により贈与により取得したものとみなされる保険金には、**保険契約**（1に規定する生命保険契約又は損害
　保険契約をいう。以下同じ。）に基づき分配を受ける剰余金、割戻しを受ける割戻金及び払戻しを受ける前納保険料の額
　で、当該保険契約に基づき保険金とともに当該保険契約に係る保険金受取人（共済金受取人を含む。以下同じ。）が取得
　するものを含むものとする。（基通5－1により準用される基通3－8）

（契約者貸付金等がある場合の保険金）
（7）　保険契約に基づき保険金が支払われる場合において、当該保険契約の契約者（共済契約者を含む。以下「**保険契約
　者**」という。）に対する貸付金若しくは**保険料**（共済掛金を含む。以下同じ。）の振替貸付けに係る貸付金又は未払込保
　険料の額（いずれもその元利合計金額とし、以下本項及び2の（3）においてこれらの合計金額を「**契約者貸付金等の額**」
　という。）があるため、当該保険金の額から当該契約者貸付金等の額が控除されるときの1の規定の適用については、次
　に掲げる場合の区分に応じ、それぞれ次による。（基通5－1により準用される基通3－9）
（一）　保険料負担者が保険契約者である場合
　　保険金受取人は、当該契約者貸付金等の額を控除した金額に相当する保険金を取得したものとし、当該控除に係る
　契約者貸付金等の額に相当する保険金及び当該控除に係る契約者貸付金等の額に相当する債務はいずれもなかったも
　のとする。
（二）　保険料負担者以外の者が保険契約者である場合
　　保険金受取人は、当該契約者貸付金等の額を控除した金額に相当する保険金を取得したものとし、当該控除に係る
　契約者貸付金等の額に相当する部分については、保険契約者が当該相当する部分の保険金を取得したものとする。

（無保険車傷害保険契約に係る保険金）
（8）　無保険車傷害保険契約に基づいて取得する保険金は、損害賠償金としての性格を有することから1の規定により贈
　与により取得したものとみなされる保険金には含まれないものとして取り扱うものとする。（基通5－1により準用さ
　れる基通3－10）

（「保険金受取人」の意義）
（9）　1に規定する「保険金受取人」とは、その保険契約に係る保険約款等の規定に基づいて保険事故の発生により保険
　金を受け取る権利を有する者（以下(10)において「**保険契約上の保険金受取人**」という。）をいうものとする。（基通5
　－2により準用される基通3－11）

（保険金受取人の実質判定）
(10)　保険契約上の保険金受取人以外の者が現実に保険金を取得している場合において、保険金受取人の変更の手続がな
　されていなかったことにつきやむを得ない事情があると認められる場合など、現実に保険金を取得した者がその保険金
　を取得することについて相当な理由があると認められるときは、（9）にかかわらず、その者を1に規定する保険金受取
　人とするものとする。（基通5－2により準用される基通3－12）

（保険金受取人以外の者が負担した保険料等）
(11)　1に規定する保険金受取人以外の者が負担した保険料は、保険契約に基づき払い込まれた保険料の合計額によるも
　のとし、次に掲げる場合における保険料については、それぞれ次によるものとする。（基通5－3により準用される基通
　3－13）

第二編　贈与税

（一）　保険料の一部につき払込みの免除があった場合　　当該免除に係る部分の保険料は保険契約に基づき払い込まれた保険料には含まれない。

（二）　振替貸付けによる保険料の払込みがあった場合（当該振替貸付けに係る貸付金の金銭による返済がされたときを除く。）又は未払込保険料があった場合　　当該振替貸付けに係る部分の保険料又は控除された未払込保険料に係る部分の保険料は保険契約者が払い込んだものとする。

（注）　1に規定する生命保険契約が、いわゆる契約転換制度により、既存の生命保険契約（以下「**転換前契約**」という。）を新たな生命保険契約（以下「**転換後契約**」という。）に転換したものである場合における1に規定する「保険金受取人以外の者が負担した保険料」には、転換前契約に基づいて保険金受取人以外の者が負担した保険料（2の（3）の適用がある場合の当該保険料の額については、転換前契約に基づき払い込まれた保険料の額の合計額に、当該転換前契約に係る保険金額のうちに当該転換前契約に係る保険金額から責任準備金（共済掛金積立金、剰余金、割戻金及び前納保険料を含む。）をもって精算された契約者貸付金等の金額を控除した金額の占める割合を乗じて得た金額）も含むのであるから留意する。

（保険料の全額）

(12)　1に規定する「保険料でこれらの保険事故が発生した時までに払い込まれたものの全額」の計算については、(11)の取扱いに準ずるものとする。（基通5－3により準用される基通3－14）

（養育年金付こども保険に係る保険契約者が死亡した場合）

(13)　被保険者（子）が一定の年齢に達するごとに保険金が支払われるほか、保険契約者（親）が死亡した場合にはその後の保険料を免除するとともに満期に達するまで年金を支払ういわゆる養育年金付こども保険に係る保険契約者が死亡した場合における取扱いは、次に掲げるところによるものとする。（基通3－15）

（一）　年金受給権に係る課税関係

保険契約者の死亡により被保険者等が取得する年金の受給権の課税関係については、次による。

イ　保険契約者が負担した保険料に対応する部分の年金の受給権　　第一編第二章第二節**二**《生命保険金等…みなし相続財産》に規定する保険金とする。

ロ　保険契約者以外の者（当該受給権を取得した被保険者を除く。）が負担した保険料に対応する部分の年金の受給権　　1に規定する保険金とする。

（注）　イ及びロの年金の受給権の評価については（基通24－2）**6**の（1）参照。

（二）　生命保険契約に関する権利に係る課税関係

保険契約者の死亡後被保険者が一定の年齢に達するごとに支払われる保険金に係る生命保険契約に関する権利のうち保険契約者が負担した保険料に対応する部分については、当該保険契約者の権利義務を承継する被保険者について第一編第二章第二節の**四**《生命保険契約に関する権利》の規定を適用する。

◎雇用主が保険料を負担している場合の取扱い（基通3－17）……第一編第二章第一節**二**の**1**の（6）参照

2　返還金等への準用

1の規定は、1の生命保険契約又は損害保険契約（傷害を保険事故とする損害保険契約で政令で定めるものに限る。）について返還金その他これに準ずるものの取得があった場合について準用する。（法5②）

（政令で定める損害保険契約）

（1）　2に規定する政令で定める損害保険契約は、1の（2）に規定する損害賠償責任に関する保険若しくは共済に係る契約以外の損害保険契約で傷害を保険事故とするもの又は共済に係る契約で5の（1）の（二）のイからへまでに掲げるものとする。（令1の5）

（「返還金その他これに準ずるもの」の意義）

（2）　2に規定する「返還金その他これに準ずるもの」とは、生命保険契約の定めるところにより生命保険契約の解除（保険金の減額の場合を含む。）又は失効によって支払を受ける金額又は一定の事由（被保険者の自殺等）に基づき保険金の支払をしない場合において支払を受ける払戻金等をいうものとする。（基通5－6により準用される基通3－39）

（生命保険契約の転換があった場合）

（3）　いわゆる契約転換制度により生命保険契約を転換前契約から転換後契約に転換した場合において、当該転換に際し転換前契約に係る契約者貸付金等の額が転換前契約に係る責任準備金（共済掛金積立金、剰余金、割戻金及び前納保険料を含む。）をもって精算されたときは、当該精算された契約者貸付金等《1の（7）参照》の額に相当する金額は、転換

－464－

第二章　贈与税の課税財産

前契約に係る契約者が取得した**2**に規定する「返還金その他これに準ずるもの」に該当するものとする。（基通5−7）

3　保険料の負担者

1又は**2**の規定の適用については、**1**（**2**において準用する場合を含む。）に規定する保険料を負担した者の被相続人が負担した保険料は、その者が負担した保険料とみなす。ただし、第一編第二章第二節**四**《生命保険契約に関する権利》の規定により**1**又は**2**に規定する保険金受取人又は返還金その他これに準ずるものの取得者が当該被相続人から同**四**に掲げる財産を相続又は遺贈により取得したものとみなされた場合においては、当該被相続人が負担した保険料については、この限りでない。（法5③）

4　生命保険契約等の範囲

（生命保険契約等の範囲）

（1）　法に規定する生命保険会社と締結した保険契約その他の政令で定める契約は、次に掲げる契約とする。（令1の2①）

(一)	保険業法（平成7年法律第105号）第2条第3項《定義》に規定する生命保険会社と締結した保険契約又は同条第6項に規定する外国保険業者若しくは同条第18項に規定する少額短期保険業者と締結したこれに類する保険契約
(二)	郵政民営化法等の施行に伴う関係法律の整備等に関する法律（平成17年法律第102号）第2条《法律の廃止》の規定による廃止前の簡易生命保険法（昭和24年法律第68号）第3条《政府保証》に規定する簡易生命保険契約（簡易生命保険法の一部を改正する法律（平成2年法律第50号）附則第5条第15号《用語の定義》に規定する年金保険契約及び同条第16号に規定する旧年金保険契約を除く。）
(三)	次に掲げる契約 イ　農業協同組合法（昭和22年法律第132号）第10条第1項第10号《事業の種類》の事業を行う農業協同組合又は農業協同組合連合会と締結した生命共済に係る契約 ロ　水産業協同組合法（昭和23年法律第242号）第11条第1項第11号《事業の種類》若しくは第93条第1項第6号の2《事業の種類》の事業を行う漁業協同組合若しくは水産加工業協同組合又は共済水産業協同組合連合会と締結した生命共済に係る契約（漁業協同組合又は水産加工業協同組合と締結した契約にあっては、下記(注)の財務省令で定める要件を備えているものに限る。） <small>(注)　上記(三)のロに規定する財務省令で定める要件は、これらの規定に規定する漁業協同組合又は水産加工業協同組合（以下「漁業協同組合等」という。）が、その締結した生命共済又は傷害共済に係る契約により負う共済責任を共済水産業協同組合連合会（当該漁業協同組合等を会員とするものであって、その業務が全国の区域に及ぶものに限る。）との契約により連帯して負担していること（当該契約により当該漁業協同組合等が当該共済責任について負担部分を有しない場合に限る。）とする。（規1の2）</small> ハ　消費生活協同組合法（昭和23年法律第200号）第10条第1項第4号《事業の種類》の事業を行う消費生活協同組合連合会と締結した生命共済に係る契約 ニ　中小企業等協同組合法（昭和24年法律第181号）第9条の2第7項《事業協同組合及び事業協同小組合》に規定する共済事業を行う同項に規定する特定共済組合と締結した生命共済に係る契約 ホ　独立行政法人中小企業基盤整備機構と締結した小規模企業共済法（昭和40年法律第102号）第2条第2項《定義》に規定する共済契約のうち小規模企業共済法及び中小企業事業団法の一部を改正する法律（平成7年法律第44号）附則第5条第1項（旧第二種共済契約に係る小規模企業共済法の規定の適用についての読替規定）の規定により読み替えられた小規模企業共済法第9条第1項各号《共済金》に掲げる事由により共済金が支給されることとなるもの ヘ　<u>第一編第三章**五**</u>に規定する共済制度に係る契約 ト　法律の規定に基づく共済に関する事業を行う法人と締結した生命共済に係る契約で、その事業及び契約の内容がイからニまでに掲げるものに準ずるものとして財務大臣の指定するもの

（法施行令第1条の2第1項に含まれる契約）

（2）　（1）の（一）に規定する保険契約及び（1）の（三）に規定する契約には、同（一）又は同（三）に掲げる者と締結した保険法（平成20年法律第56号）第2条第9号《定義》に規定する傷害疾病定額保険契約が含まれることに留意する。（基通3−4）

−465−

（財務大臣の指定した生命共済に係る契約）

（3）　（1）の（三）のトの規定に基づき、同トに規定する生命共済に係る契約を次のように指定し、昭和56年10月１日以後に遺贈（贈与をした者の死亡により効力を生ずる贈与を含む。）又は贈与（贈与をした者の死亡により効力を生ずる贈与を除く。）により取得する財産に係る贈与税について適用する。（昭56蔵告125、平30財告245改正）

　　消費生活協同組合法第10条第１項第４号の事業を行う次に掲げる法人の締結した生命共済に係る契約

①　神奈川県民共済生活協同組合
②　教職員共済生活協同組合
③　警察職員生活協同組合
④　埼玉県民共済生活協同組合
⑤　全国交通運輸産業労働者共済生活協同組合
⑥　電気通信産業労働者共済生活協同組合

5　損害保険契約等の範囲

（損害保険契約等の範囲）

（1）　法に規定する損害保険会社と締結した保険契約その他の政令で定める契約は、次に掲げる契約とする。（令１の２②）

（一）	保険業法第２条第４項に規定する損害保険会社と締結した保険契約又は同条第６項に規定する外国保険業者若しくは同条第18項に規定する少額短期保険業者と締結したこれに類する保険契約
（二）	次に掲げる契約 イ　**4**の（1）の（三）のイに規定する農業協同組合又は農業協同組合連合会と締結した傷害共済に係る契約 ロ　**4**の（1）の（三）のロに規定する漁業協同組合若しくは水産加工業協同組合又は共済水産業協同組合連合会と締結した傷害共済に係る契約（漁業協同組合又は水産加工業協同組合と締結した契約にあっては、下記（注）の財務省令で定める要件を備えているものに限る。） 　　（注）　上記（二）のロに規定する財務省令で定める要件は、これらの規定に規定する漁業協同組合又は水産加工業協同組合（以下「漁業協同組合等」という。）が、その締結した生命共済又は傷害共済に係る契約により負う共済責任を共済水産業共同組合連合会（当該漁業協同組合等を会員とするものであって、その業務が全国の区域に及ぶものに限る。）との契約により連帯して負担していること（当該契約により当該漁業協同組合等が当該共済責任について負担部分を有しない場合に限る。）とする。（規１の２） ハ　**4**の（1）の（三）のハに規定する消費生活協同組合連合会と締結した傷害共済に係る契約 ニ　**4**の（1）の（三）のニに規定する特定共済組合と締結した傷害共済に係る契約 ホ　条例の規定により地方公共団体が交通事故に基因する傷害に関して実施する共済制度に係る契約 ヘ　法律の規定に基づく共済に関する事業を行う法人と締結した傷害共済に係る契約で、その事業及び契約の内容がイからニまでに掲げるものに準ずるものとして財務大臣の指定するもの

（法施行令第１条の２第２項に含まれる契約）

（2）　（1）の（一）に規定する保険契約及び（1）の（二）に規定する契約には、同（一）又は（二）に掲げる者と締結した傷害疾病定額保険契約が含まれることに留意する。（基通３−５）

（財務大臣の指定した傷害共済に係る契約）

（3）　（1）の（二）のヘの規定に基づき、同ヘに規定する傷害共済に係る契約を指定する等の件の一部を次のように指定し、昭和56年10月１日以後に遺贈（贈与をした者の死亡により効力を生ずる贈与を含む。）又は贈与（贈与をした者の死亡により効力を生ずる贈与を除く。）により取得する財産に係る贈与税について適用する。（昭56蔵告126、平26財告110最終改正）

　　消費生活協同組合法第10条第１項第４号の事業を行う次に掲げる法人の締結した交通傷害共済に係る契約

①　尼崎市民共済生活協同組合
②　大阪市民共済生活協同組合
③　神奈川県民共済生活協同組
④　神戸市民共済生活協同組合
⑤　全国交通運輸産業労働者共済生活協同組合
⑥　全国たばこ販売生活協同組合
⑦　電気通信産業労働者共済生活協同組合
⑧　新潟市火災共済生活協同組合
⑨　西宮市民共済生活協同組合
⑩　姫路市民共済生活協同組合

第二章　贈与税の課税財産

6　年金により支払を受ける保険金の評価

（年金により支払を受ける生命保険金等の額）
（1）　年金の方法により支払又は支給を受ける生命保険契約若しくは損害保険契約に係る保険金の額は、法第24条（（2）参照）の規定により計算した金額による。

　　なお、一時金で支払又は支給を受ける生命保険契約若しくは損害保険契約に係る保険金又は退職手当金等の額は、当該一時金の額を分割の方法により利息を付して支払又は支給を受ける場合であっても当該一時金の額であることに留意する。（基通24－2）

（有期定期金に関する権利の評価）
（2）　定期金給付契約で当該契約に関する権利を取得した時において定期金給付事由が発生しているものに関する権利の価額は、次の各号に掲げる定期金又は一時金の区分に応じ、当該各号に定める金額による。（法24①）
　（一）　有期定期金　　次に掲げる金額のうちいずれか多い金額
　　イ　当該契約に関する権利を取得した時において当該契約を解約するとしたならば支払われるべき解約返戻金の金額
　　ロ　定期金に代えて一時金の給付を受けることができる場合には、当該契約に関する権利を取得した時において当該一時金の給付を受けるとしたならば給付されるべき当該一時金の金額
　　ハ　当該契約に関する権利を取得した時における当該契約に基づき定期金の給付を受けるべき残りの期間に応じ、当該契約に基づき給付を受けるべき金額の1年当たりの平均額に、当該契約に係る予定利率による複利年金現価率(複利の計算で年金現価を算出するための割合として財務省令で定めるものをいう。）を乗じて得た金額
　（二）　無期定期金
　（三）　終身定期金　　　　　　　省略
　（四）　二の3の(注)に規定する一時金

二　定期金に関する権利

1　定期金給付契約に関する権利の取得

　定期金給付契約（生命保険契約を除く。2において同じ。）の定期金給付事由が発生した場合において、当該契約に係る掛金又は保険料の全部又は一部が定期金受取人以外の者によって負担されたものであるときは、当該定期金給付事由が発生した時において、定期金受取人が、その取得した定期金給付契約に関する権利のうち当該定期金受取人以外の者が負担した掛金又は保険料の金額の当該契約に係る掛金又は保険料で当該定期金給付事由が発生した時までに払い込まれたものの全額に対する割合に相当する部分を当該掛金又は保険料を負担した者から贈与により取得したものとみなす。（法6①）

$$\text{定期金給付契約に関する権利の価額} \times \frac{\text{定期金受取人以外の者が負担した掛金又は保険料の額}}{\text{給付事由の発生の時までに払い込まれた掛金又は保険料の総額}} = \text{贈与によって取得したものとみなされる部分の金額}$$

（定期金受取人が掛金又は保険料の負担者である場合）
（1）　定期金給付契約（生命保険契約を除く。）の定期金の給付事由が発生した場合においても、その定期金受取人が取得した定期金給付契約に関する権利のうち、その者が（注）の規定により相続又は遺贈によって取得したとみなされた部分及び自ら負担した掛金又は保険料の金額のその給付事由の発生した時までに払い込まれた掛金又は保険料の全額に対する割合に相当する部分については、相続税及び贈与税の課税関係は生じないのであるから留意する。（基通6－3）
　（注）　相続開始の時において、まだ定期金給付事由が発生していない定期金給付契約（生命保険契約を除く。）で被相続人が掛金又は保険料の全部又は一部を負担し、かつ、被相続人以外の者が当該定期金給付契約の契約者であるものがある場合においては、当該定期金給付契約の契約者について、当該契約に関する権利のうち被相続人が負担した掛金又は保険料の金額の当該契約に係る掛金又は保険料で当該相続開始の時までに払い込まれたものの全額に対する割合に相当する部分は、相続又は遺贈により取得したものとみなす。（法3①四）

（定期金受取人以外の者が負担した掛金又は保険料）
（2）　1に規定する「定期金受取人以外の者が負担した掛金又は保険料」及び3に規定する「当該第三者が負担した掛金又は保険料」の金額の計算については、（3）の規定によるものとする。（基通6－2）

－467－

第二編　贈与税

（定期金受取人以外の者が負担した掛金等）

（3）　**1**又は**3**に規定する定期金受取人以外の者又は第三者が負担した掛金又は保険料（以下「掛金等」という。）は、定期金給付契約に基づき払い込まれた掛金等の合計額によるものとし、次に掲げる場合における掛金等については、それぞれ次によるものとする。（基通6−2により読み替えて適用される基通3−13、編者において読替え）

（一）　掛金等の一部につき払込みの免除があった場合　　当該免除に係る部分の掛金等は定期金給付契約に基づき払い込まれた掛金等には該当しない。

（二）　振替貸付けによる掛金等の払い込みがあった場合（当該振替貸付けに係る貸付金の金銭による返済がされたときを除く。）又は未払込掛金等があった場合　　当該振替貸付けに係る部分の掛金等又は控除された未払込掛金等に係る部分の掛金等は定期金給付契約の契約者が払い込んだものとする。

（注）1　定期金給付契約が、いわゆる契約転換制度により、既存の定期金給付契約（以下「**転換前契約**」という。）を新たな定期金給付契約（以下「**転換後契約**」という。）に転換したものである場合における**3**に規定する「当該第三者が負担した掛金又は保険料」には、転換前契約に基づいて第三者が負担した保険料（（注）2の適用がある場合の当該保険料の額については、転換前契約に基づき払い込まれた保険料の額の合計額に、当該転換前契約に係る保険金額のうちに当該転換前契約に係る保険金額から責任準備金（共済掛金積立金、剰余金、割戻金及び前納保険料を含む。）をもって精算された契約者貸付金等の金額を控除した金額の占める割合を乗じて得た金額）も含むのであるから留意する。

　　　2　いわゆる契約転換制度により定期金給付契約を転換前契約から転換後契約に転換した場合において、当該転換に際し転換前契約に係る契約者貸付金等の額が転換前契約に係る責任準備金（共済掛金積立金、剰余金、割戻金及び前納保険料を含む。）をもって精算されたときは、当該精算された契約者貸付金等の額に相当する金額は、転換前契約に係る契約者が取得した**2**に規定する「返還金その他これに準ずるもの」に該当するものとする。（基通5−7）

2　返還金等に対する準用

1の規定は、定期金給付契約について返還金その他これに準ずるものの取得があった場合について準用する。（法6②）

◎「返還金等」の意義……**一**の**2**の（2）参照

3　保証期間付定期金に関する権利を相続等により取得した場合

下記の（注）の規定に該当する場合において、（注）に規定する定期金給付契約に係る掛金又は保険料の全部又は一部が、（注）に規定する定期金受取人又は一時金受取人及び被相続人以外の第三者によって負担されたものであるときは、相続の開始があった時において、当該定期金受取人又は一時金受取人が、その取得した定期金給付契約に関する権利のうち当該第三者が負担した掛金又は保険料の金額の当該契約に係る掛金又は保険料で当該相続開始の時までに払い込まれたものの全額に対する割合に相当する部分を当該第三者から贈与により取得したものとみなす。（法6③）

（注）　定期金給付契約で定期金受取人に対しその生存中又は一定期間にわたり定期金を給付し、かつ、その者が死亡したときはその死亡後遺族その他の者に対して定期金又は一時金を給付するものに基づいて定期金受取人たる被相続人の死亡後相続人その他の者が定期金受取人又は一時金受取人となった場合においては、当該定期金受取人又は一時金受取人となった者について、当該定期金給付契約に関する権利のうち被相続人が負担した掛金又は保険料の金額の当該契約に係る掛金又は保険料で当該相続開始の時までに払い込まれたものの全額に対する割合に相当する部分は、相続又は遺贈により取得したものとみなす。（法3①五）

$$\text{保証期間付定期金に関する権利の価額} \times \frac{\text{被相続人が負担した掛金又は保険料の額}}{\text{相続開始の時までに払い込まれた掛金又は保険料の総額}} = \text{相続又は遺贈により取得したものとみなされる財産}$$

（「定期金受取人」等の意義）

（1）　**3**に規定する「定期金受取人」とは、定期金の継続受取人をいい、「被相続人」とは、上記（注）に規定する定期金受取人たる被相続人をいうのであるから留意する。（基通6−1）

（保証据置年金契約の年金受取人が死亡した場合）

（2）　保証据置年金契約（年金受取人が年金支払開始年齢に達した日からその死亡に至るまで年金の支払をするほか、一定の期間内に年金受取人が死亡したときは、その残存期間中年金継続受取人に継続して年金の支払をするものをいう。）又は保証期間付年金保険契約（保険事故が発生した場合に保険金受取人に年金の支払をするほか、一定の期間内に保険金受取人が死亡した場合には、その残存期間中継続受取人に継続して年金の支払をするものをいい、これに類する共済契約を含む。）の年金給付事由又は保険事故が発生した後、保証期間内に年金受取人（保険金受取人を含む。以下同じ。）が死亡した場合には、次に掲げるところによるのであるから留意する。（基通3−45）

（一）　年金受取人が掛金又は保険料の負担者であるときは、**3**の（注）の規定により継続受取人が掛金又は保険料の負

−468−

第二章　贈与税の課税財産

担者からその負担した掛金又は保険料の金額のその相続開始の時までに払い込まれた掛金又は保険料の全額に対する割合に相当する部分を相続又は遺贈によって取得したものとみなされること。

（二）　年金受取人が掛金又は保険料の負担者でないときは、**3**の規定により継続受取人が掛金又は保険料の負担者からその負担した掛金又は保険料の金額の相続の開始の時までに払い込まれた掛金又は保険料の全額に対する割合に相当する部分を贈与によって取得したものとみなされること。

（三）　掛金又は保険料の負担者と継続受取人とが同一人であるときは課税しないものとすること。

4　掛金等の負担者

　1から**3**までの規定の適用については、**1**（**2**において準用する場合を含む。）又は**3**に規定する掛金又は保険料を負担した者の被相続人が負担した掛金又は保険料は、その者が負担した掛金又は保険料とみなす。ただし、**1**の（1）の（注）の規定により**1**から**3**までに規定する定期金受取人若しくは一時金受取人又は返還金その他これに準ずるものの取得者が当該被相続人から**1**の（1）の（注）に掲げる財産を相続又は遺贈により取得したものとみなされた場合においては、当該被相続人が負担した掛金又は保険料については、この限りではない。（法6④）

5　給付事由が発生している定期金に関する権利の評価

　定期金給付契約で当該契約に関する権利を取得した時において定期金給付事由が発生しているものに関する権利の価額は、次の各号に掲げる定期金又は一時金の区分に応じ、当該各号に定める金額による。（法24①）

（一）　有期定期金　　次に掲げる金額のうちいずれか多い金額

イ　当該契約に関する権利を取得した時において当該契約を解約するとしたならば支払われるべき解約返戻金の金額

ロ　定期金に代えて一時金の給付を受けることができる場合には、当該契約に関する権利を取得した時において当該一時金の給付を受けるとしたならば給付されるべき当該一時金の金額

ハ　当該契約に関する権利を取得した時における当該契約に基づき定期金の給付を受けるべき残りの期間に応じ、当該契約に基づき給付を受けるべき金額の1年当たりの平均額に、当該契約に係る予定利率による複利年金現価率（複利の計算で年金現価を算出するための割合として財務省令で定めるものをいう。（三）のハにおいて同じ。）を乗じて得た金額

（二）　無期定期金　　次に掲げる金額のうちいずれか多い金額

イ　当該契約に関する権利を取得した時において当該契約を解約するとしたならば支払われるべき解約返戻金の金額

ロ　定期金に代えて一時金の給付を受けることができる場合には、当該契約に関する権利を取得した時において当該一時金の給付を受けるとしたならば給付されるべき当該一時金の金額

ハ　当該契約に関する権利を取得した時における、当該契約に基づき給付を受けるべき金額の1年当たりの平均額を、当該契約に係る予定利率で除して得た金額

（三）　終身定期金　　次に掲げる金額のうちいずれか多い金額

イ　当該契約に関する権利を取得した時において当該契約を解約するとしたならば支払われるべき解約返戻金の金額

ロ　定期金に代えて一時金の給付を受けることができる場合には、当該契約に関する権利を取得した時において当該一時金の給付を受けるとしたならば給付されるべき当該一時金の金額

ハ　当該契約に関する権利を取得した時におけるその目的とされた者に係る余命年数として政令で定めるものに応じ、当該契約に基づき給付を受けるべき金額の1年当たりの平均額に、当該契約に係る予定利率による複利年金現価率を乗じて得た金額

（四）　**3**の（注）に規定する一時金　　その給付金額

（注）　平成23年4月1日以後に贈与により取得する定期金給付契約に関する権利について適用する（平22改所法等附32）。

　　　　（権利の取得後申告期限までに死亡した場合の評価の特例）

（1）　**5**に規定する定期金給付契約に関する権利で**5**の（三）の規定の適用を受けるものにつき、その目的とされた者が当該契約に関する権利を取得した時後贈与税申告書の提出期限までに死亡し、その死亡によりその給付が終了した場合においては、当該定期金給付契約に関する権利の価額は、同（三）の規定にかかわらず、その権利者が当該契約に関する権利を取得した時後給付を受け、又は受けるべき金額（当該権利者の遺族その他の第三者が当該権利者の死亡により給付を受ける場合には、その給付を受け、又は受けるべき金額を含む。）による。（法24②）

　　　　（生存中給付を受ける定期金に関する権利の評価）

（2）　**5**に規定する定期金給付契約に関する権利で、その権利者に対し、一定期間、かつ、その目的とされた者の生存中、

－469－

定期金を給付する契約に基づくものの価額は、**5**の(一)に規定する有期定期金として算出した金額又は**5**の(三)に規定する終身定期金として算出した金額のいずれか少ない金額による。(法24③)

(保証期間付定期金に関する権利の評価)
(3)　**5**に規定する定期金給付契約に関する権利で、その目的とされた者の生存中定期金を給付し、かつ、その者が死亡したときはその権利者又はその遺族その他の第三者に対し継続して定期金を給付する契約に基づくものの価額は、**5**の(一)に規定する有期定期金として算出した金額又は**5**の(三)に規定する終身定期金として算出した金額のいずれか多い金額による。(法24④)

三　低額譲渡を受けたことによる利益

　著しく低い価額の対価で財産の譲渡を受けた場合においては、当該財産の譲渡があった時において、当該財産の譲渡を受けた者が、当該対価と当該譲渡があった時における当該財産の時価(当該財産の評価について第六編に特別の定めがある場合には、その規定により評価した価額)との差額に相当する金額を当該財産を譲渡した者から贈与(当該財産の譲渡が遺言によりなされた場合には、遺贈)により取得したものとみなす。ただし、当該財産の譲渡が、その譲渡を受ける者が資力を喪失して債務を弁済することが困難である場合において、その者の扶養義務者(配偶者及び民法第877条に規定する親族をいう。以下同じ。)から当該債務の弁済に充てるためになされたものであるときは、その贈与又は遺贈により取得したものとみなされた金額のうちその債務を弁済することが困難である部分の金額については、この限りではない。(法7)

(著しく低い価額の判定)
(1)　**三**に規定する「著しく低い価額」であるかどうかは、譲渡があった財産が二以上ある場合には、譲渡があった個々の財産ごとに判定するのではなく、財産の譲渡があった時ごとに譲渡があった財産を一括して判定するものとする。(基通7−1)

(公開の市場等で著しく低い価額で財産を取得した場合)
(2)　不特定多数の者の競争により財産を取得する等公開された市場において財産を取得したような場合においては、たとえ、当該取得価額が当該財産と同種の財産に通常付けられるべき価額に比べて著しく低いと認められる価額であっても、課税上弊害があると認められる場合を除き、**三**の規定を適用しないことに取り扱うものとする。(基通7−2)

(債務の範囲)
(3)　**三**に規定する「債務」には、公租公課を含むものとして取り扱うものとする。(基通7−3)

(「資力を喪失して債務を弁済することが困難である場合」の意義)
(4)　**三**に規定する「資力を喪失して債務を弁済することが困難である場合」とは、その者の債務の金額が積極財産の価額を超えるときのように社会通念上債務の支払が不能(破産手続開始の原因となる程度に至らないものを含む。)と認められる場合をいうものとする。(基通7−4)

(弁済することが困難である部分の金額の取扱い)
(5)　**三**に規定する「債務を弁済することが困難である部分の金額」は、債務超過の部分の金額から、債務者の信用による債務の借換え、労務の提供等の手段により近い将来において当該債務の弁済に充てることができる金額を控除した金額をいうものとするのであるが、特に支障がないと認められる場合においては、債務超過の部分の金額を「債務を弁済することが困難である部分の金額」として取り扱っても妨げないものとする。(基通7−5)

四　債務免除等を受けたことによる利益

　対価を支払わないで、又は著しく低い価額の対価で債務の免除、引受け又は第三者のためにする債務の弁済による利益を受けた場合においては、当該債務の免除、引受け又は弁済があった時において、当該債務の免除、引受け又は弁済による利益を受けた者が、当該債務の免除、引受け又は弁済に係る債務の金額に相当する金額(対価の支払があった場合には、その価額を控除した金額)を当該債務の免除、引受け又は弁済をした者から贈与(当該債務の免除、引受け又は弁済が遺

−470−

第二章　贈与税の課税財産

言によりなされた場合には、遺贈）により取得したものとみなす。ただし、当該債務の免除、引受け又は弁済が次の各号のいずれかに該当する場合においては、その贈与又は遺贈により取得したものとみなされた金額のうちその債務を弁済することが困難である部分の金額については、この限りでない。（法8）

（一）	債務者が資力を喪失して債務を弁済することが困難である場合において、当該債務の全部又は一部の免除を受けたとき
（二）	債務者が資力を喪失して債務を弁済することが困難である場合において、その債務者の扶養義務者によって当該債務の全部又は一部の引受け又は弁済がなされたとき

（著しく低い価額の計算）

（1）　四に規定する「著しく低い価額」であるかどうかは、債務の免除、引受け又は弁済（以下「債務の免除等」という。）が二以上ある場合には、個々の債務ごとに判定するのではなく、債務の免除等があった時ごとに免除等された債務を一括して判定するものとする。（基通8－4、7－1）

（債務の範囲）

（2）　四に規定する「債務」には、公租公課を含むものとして取り扱うものとする。（基通8－4、7－3）

（「資力を喪失して債務を弁済することが困難である場合」の意義）

（3）　四に規定する「資力を喪失して債務を弁済することが困難である場合」とは、その者の債務の金額が積極財産の価額を超えるときのように社会通念上債務の支払が不能（破産手続開始の原因となる程度に至らないものを含む。）と認められる場合をいうものとする。（基通8－4、7－4）

（弁済することが困難である部分の金額の取扱い）

（4）　四に規定する「債務を弁済することが困難である部分の金額」は、債務超過の部分の金額から、債務者の信用による債務の借換え、労務の提供等の手段により近い将来において当該債務の弁済に充てることができる金額を控除した金額をいうものとするのであるが、特に支障がないと認められる場合においては、債務超過の部分の金額を「債務を弁済することが困難である部分の金額」として取り扱っても妨げないものとする。（基通8－4、7－5）

（債務の免除）

（5）　四の（一）に掲げる場合に該当する「債務の免除」には、その債務者の扶養義務者以外の者によってされた免除をも含むのであるから留意する。（基通8－1）

（事業所得の総収入金額に算入される債務免除益）

（6）　所得税法の規定により事業所得の総収入金額に算入される割引又は割戻しによる利益については、四の規定は適用しないものとして取り扱うものとする。（基通8－2）

（連帯債務者及び保証人の求償権の放棄）

（7）　次に掲げる場合には、それぞれ次に掲げる金額につき四の規定による贈与があったものとみなされるのであるから留意する。（基通8－3）

　（一）　連帯債務者が自己の負担に属する債務の部分を超えて弁済した場合において、その超える部分の金額について他の債務者に対し求償権を放棄したとき　　その超える部分の金額

　（二）　保証債務者が主たる債務者の弁済すべき債務を弁済した場合において、その求償権を放棄したとき　　その代わって弁済した金額

（連帯納付の責めにより相続税又は贈与税の納付があった場合）

（8）　第七章第一節一の1又は同第一節二の2の③の規定による連帯納付の責めに基づいて相続税又は贈与税の納付があった場合において、その納付が相続若しくは遺贈により財産を取得した者又は贈与により財産を取得した者がその取得した財産を費消するなどにより資力を喪失して相続税又は贈与税を納付することが困難であることによりなされたときは、（7）の取扱いの適用はないのであるから留意する。（基通34－3）

　（注）　第七章第一節一の1又は同第一節二の2の③の規定による連帯納付の責めに基づいて相続税又は贈与税の納付があった場合において、上記

－471－

第二編　贈与税

の場合に該当しないときには、（7）の適用がある。

五　その他の経済的利益

1　一　般　規　定

　一から**四**までに規定する場合を除くほか、対価を支払わないで、又は著しく低い価額の対価で利益を受けた場合においては、当該利益を受けた時において、当該利益を受けた者が、当該利益を受けた時における当該利益の価額に相当する金額（対価の支払があった場合には、その価額を控除した金額）を当該利益を受けさせた者から贈与（当該行為が遺言によりなされた場合には、遺贈）により取得したものとみなす。ただし、当該行為が、当該利益を受ける者が資力を喪失して債務を弁済することが困難である場合において、その者の扶養義務者から当該債務の弁済に充てるためになされたものであるときは、その贈与又は遺贈により取得したものとみなされた金額のうちその債務を弁済することが困難である部分の金額については、この限りでない。（法9）

　　（著しく低い価額の判定）
（1）　**1**に規定する「著しく低い価額」であるかどうかは、授与された利益が二以上ある場合には、授与された個々の利益ごとに判定するのではなく、利益の授与があった時ごとに授与された利益を一括して判定するものとする。（基通9－14、7－1）

　　（債務の範囲）
（2）　**1**に規定する「債務」には、公租公課を含むものとして取り扱うものとする。（基通9－14、7－3）

　　（「資力を喪失して債務を弁済することが困難である場合」の意義）
（3）　**1**に規定する「資力を喪失して債務を弁済することが困難である場合」とは、その者の債務の金額が積極財産の価額を超えるときのように社会通念上債務の支払が不能（破産手続開始の原因となる程度に至らないものを含む。）と認められる場合をいうものとする。（基通9－14、7－4）

　　（弁済することが困難である部分の金額の取扱い）
（4）　**1**に規定する「債務を弁済することが困難である部分の金額」は、債務超過の部分の金額から、債務者の信用による債務の借換え、労務の提供等の手段により近い将来において当該債務の弁済に充てることができる金額を控除した金額をいうものとするのであるが、特に支障がないと認められる場合においては、債務超過の部分の金額を「債務を弁済することが困難である部分の金額」として取り扱っても妨げないものとする。（基通9－14、7－5）

　　（「利益を受けた」の意義）
（5）　**1**に規定する「利益を受けた」とは、おおむね利益を受けた者の財産の増加又は債務の減少があった場合等をいい、労務の提供等を受けたような場合は、これに含まないものとする。（基通9－1）
　◎　婚姻の取消し又は離婚により財産の取得があった場合（基通9－8）
　◎　財産の名義変更があった場合（基通9－9）
　◎　無利子の金銭貸与等（基通9－10）　　　　　　　　　　　…第一節に収録
　◎　負担付贈与等（基通9－11）
　◎　共有持分の放棄（基通9－12）

2　同族会社の株式又は募集株式引受権に係る経済的利益

　　（株式又は出資の価額が増加した場合）
（1）　同族会社（法人税法（昭和40年法律第34号）第2条第10号に規定する同族会社をいう。以下同じ。）の株式又は出資の価額が、例えば、次に掲げる場合に該当して増加したときにおいては、その株主又は社員が当該株式又は出資の価額のうち増加した部分に相当する金額を、それぞれ次に掲げる者から贈与によって取得したものとして取り扱うものとする。この場合における贈与による財産の取得の時期は、財産の提供があった時、債務の免除があった時又は財産の譲渡があった時によるものとする。（基通9－2）
　（一）　会社に対し無償で財産の提供があった場合　　当該財産を提供した者

－472－

第二章　贈与税の課税財産

（二）　時価より著しく低い価額で現物出資があった場合　　当該現物出資をした者

（三）　対価を受けないで会社の債務の免除、引受け又は弁済があった場合　　当該債務の免除、引受け又は弁済をした者

（四）　会社に対し時価より著しく低い価額の対価で財産を譲渡した場合　　当該財産の譲渡をした者

　　　（会社が資力を喪失した場合における私財提供等）
（２）　同族会社の取締役、業務を執行する社員その他の者が、その会社が資力を喪失した場合において（１）の（一）から（四）までに掲げる行為をしたときは、それらの行為によりその会社が受けた利益に相当する金額のうち、その会社の債務超過額に相当する部分の金額については、（１）にかかわらず、贈与によって取得したものとして取り扱わないものとする。
　　　なお、会社が資力を喪失した場合とは、法令に基づく会社更生、再生計画認可の決定、会社の整理等の法定手続による整理のほか、株主総会の決議、債権者集会の協議等により再建整備のために負債整理に入ったような場合をいうのであって、単に一時的に債務超過となっている場合は、これに該当しないのであるから留意する。（基通９－３）

　　　（同族会社の募集株式引受権）
（３）　同族会社が新株の発行（当該同族会社の有する自己株式の処分を含む。以下（６）までにおいて同じ。）をする場合において、当該新株に係る引受権（以下（４）までにおいて「**募集株式引受権**」という。）の全部又は一部が会社法（平成17年法律第86号）第206条各号《募集株式の引受け》に掲げる者（当該同族会社の株主の親族等（親族その他**七**の**１**の（１）に定める特別の関係がある者をいう。以下同じ。）に限る。）に与えられ、当該募集株式引受権に基づき新株を取得したときは、原則として、当該株主の親族等が、当該募集株式引受権を当該株主から贈与によって取得したものとして取り扱うものとする。ただし、当該募集株式引受権が給与所得又は退職所得として所得税の課税対象となる場合を除くものとする。（基通９－４）

　　　（贈与により取得したものとする募集株式引受権数の計算）
（４）　（３）において、だれからどれだけの数の募集株式引受権の贈与があったものとするかは、次の算式により計算するものとする。この場合において、その者の親族等が２人以上あるときは、当該親族等の１人ごとに計算するものとする。（基通９－５）

$$A \times \frac{C}{B} = その者の親族等から贈与により取得したものとする募集株式引受権数$$

（注）　算式中の符号は、次のとおりである。
　　　Aは、他の株主又は従業員と同じ条件により与えられる募集株式引受権の数を超えて与えられた者のその超える部分の募集株式引受権の数
　　　Bは、当該法人の株主又は従業員が他の株主又は従業員と同じ条件により与えられる募集株式引受権のうち、その者の取得した新株の数が、当該与えられる募集株式引受権の数に満たない数の総数
　　　Cは、Bの募集株式引受権の総数のうち、Aに掲げる者の親族等（親族等が２人以上あるときは、当該親族等の１人ごと）の占めているものの数

　　　（合同会社等の増資）
（５）　同族会社である合同会社及び合資会社の増資については、（３）及び（４）の取扱いに準ずるものとする。（基通９－６）

　　　（同族会社の新株の発行に伴う失権株に係る新株の発行が行われなかった場合）
（６）　同族会社の新株の発行に際し、会社法第202条第1項《株主に株式の割当てを受ける権利を与える場合》の規定により株式の割当てを受ける権利（以下（６）において「**株式割当権**」という。）を与えられた者が株式割当権の全部若しくは一部について同法第204条第4項《募集株式の割当て》に規定する申込みをしなかった場合又は当該申込みにより同法第206条第1号に規定する募集株式の引受人となった者が同法第208条第3項《出資の履行》に規定する出資の履行をしなかった場合において、当該申込み又は出資の履行をしなかった新株（以下「**失権株**」という。）に係る新株の発行が行われなかったことにより結果的に新株発行割合（新株の発行前の当該同族会社の発行済株式の総数（当該同族会社の有する自己株式の数を除く。以下（６）において同じ。）に対する新株の発行により出資の履行があった新株の総数の割合をいう。以下（６）において同じ。）を超えた割合で新株を取得した者があるときは、その者のうち失権株主（新株の全部の取得をしなかった者及び結果的に新株発行割合に満たない割合で新株を取得した者をいう。以下（６）において同じ。）の親族等については、当該失権株の発行が行われなかったことにより受けた利益の総額のうち、次の算式により計算した金額に相当する利益をその者の親族等である失権株主のそれぞれから贈与によって取得したものとして取り扱うものとする。

－473－

第二編　贈与税

（基通9－7）

（一）　その者が受けた利益の総額

$$\text{新株の発行後の1株} \atop \text{当たりの価額（A）} \times \left[{\text{その者の新株の発行前に} \atop \text{おける所有株式数（B）}} + {\text{その者が取得した} \atop \text{新株の数（C）}} \right]$$

$$- \left[{\text{新株の発行前の1株} \atop \text{当たりの価額（D）}} \times {\text{その者の新株の発行前に} \atop \text{おける所有株式数（B）}} + {\text{新株の1株当たり} \atop \text{の払込金額（E）}} \times {\text{その者が取得し} \atop \text{た新株の数（C）}} \right]$$

（二）　親族等である失権株主のそれぞれから贈与により取得したものとする利益の金額

$$\text{その者が受けた利益の総額} \times \frac{{\text{親族等である各失権株主} \atop \text{が与えた利益の金額（G）}}}{\text{各失権株主が与えた利益の総額（F）}}$$

（注）1　（一）の算式中の「A」は次により計算した価額による。

$$\frac{(\text{D}×\text{新株の発行前の発行済株式数（H）}) + \text{E} × {\text{新株の発行により出資の履} \atop \text{行があった新株の総数（I）}}}{(\text{H}+\text{I})}$$

　　2　（二）の算式中の「F」は失権株主のそれぞれについて次により計算した金額の合計額による。

$$(\text{D}×\text{B}+\text{E}×\text{C}) - \text{A}×（\text{B}+\text{C}）$$

　　3　（二）の算式中の「G」は、失権株主のうち親族等である失権株主のそれぞれについて（注）2の算式により計算した金額による。

3　土地の使用貸借に係る経済的利益

（使用貸借による土地の借受けがあった場合）

（1）　建物又は構築物（以下（7）までにおいて「**建物等**」という。）の所有を目的として使用貸借による土地の借受けがあった場合においては、**借地権**（建物等の所有を目的とする地上権又は賃借権をいう。以下（7）までにおいて同じ。）の設定に際し、その設定の対価として通常権利金その他の一時金（以下（7）までにおいて「**権利金**」という。）を支払う取引上の慣行がある地域（以下（7）までにおいて「**借地権の慣行のある地域**」という。）においても、当該土地の使用貸借に係る使用権の価額は、ゼロとして取り扱う。

　　この場合において、**使用貸借**とは、民法第593条に規定する契約をいう。したがって、例えば、土地の借受者と所有者との間に当該借受けに係る土地の公租公課に相当する金額以下の金額の授受があるにすぎないものはこれに該当し、当該土地の借受けについて地代の授受がないものであっても権利金その他地代に代わるべき経済的利益の授受のあるものはこれに該当しない。（昭48直資2－189「1」）

（注）　（1）から（7）までの取扱いは、個人間の貸借関係についてのみ定めたものであり、当事者の一方が法人である場合には、法人税の取扱いに準拠することとなることに留意する。

（使用貸借による借地権の転借があった場合）

（2）　借地権を有する者（以下（7）までにおいて「**借地権者**」という。）からその借地権の目的となっている土地の全部又は一部を使用貸借により借り受けてその土地の上に建物等を建築した場合又は借地権の目的となっている土地の上に存する建物等を取得し、その借地権者からその建物等の敷地を使用貸借により借り受けることとなった場合においては、借地権の慣行のある地域においても、当該借地権の使用貸借に係る使用権の価額は、ゼロとして取り扱う。

　　この場合において、その貸借が使用貸借に該当するものであることについては、当該使用貸借に係る借受者、当該借地権者及び当該土地の所有者についてその事実を確認するものとする。（昭48直資2－189「2」）

（注）1　上記の確認に当たっては、「借地権の使用貸借に関する確認書」を用いる。

　　2　上記確認の結果、その貸借が上記の使用貸借に該当しないものであるときは、その実態に応じ、借地権又は転借権の贈与として贈与税の課税関係を生ずる場合があることに留意する。

（使用貸借に係る土地等を相続又は贈与により取得した場合）

（3）　使用貸借に係る土地又は借地権を相続（遺贈及び死因贈与を含む。以下（7）までにおいて同じ。）又は贈与により取得した場合における相続税又は贈与税の課税価格に算入すべき価額は、当該土地の上に存する建物等又は当該借地権の目的となっている土地の上に存する建物等の自用又は貸付けの区分にかかわらず、すべて当該土地又は借地権が自用のものであるとした場合の価額とする。（昭48直資2－189「3」）

－474－

第二章　贈与税の課税財産

（使用貸借に係る土地等の上に存する建物等を相続又は贈与により取得した場合）
（４）　使用貸借に係る土地の上に存する建物等又は使用貸借に係る借地権の目的となっている土地の上に存する建物等を相続又は贈与により取得した場合における相続税又は贈与税の課税価格に算入すべき価額は、当該建物等の自用又は貸付けの区分に応じ、それぞれ当該建物等が自用又は貸付けのものであるとした場合の価額とする。（昭48直資２－189「４」）

（借地権の目的となっている土地を当該借地権者以外の者が取得し、地代の授受が行われないこととなった場合）
（５）　借地権の目的となっている土地を当該借地権者以外の者が取得し、その土地の取得者と当該借地権者との間に当該土地の使用の対価としての地代の授受が行われないこととなった場合においては、その土地の取得者は、当該借地権者から当該土地に係る借地権の贈与を受けたものとして取り扱う。ただし、当該土地の使用の対価としての地代の授受が行われないこととなった理由が使用貸借に基づくものでないとしてその土地の取得者からその者の住所地の所轄税務署長に対し、当該借地権者との連署による「当該借地権者は従前の土地の所有者との間の土地の賃貸借契約に基づく借地権者としての地位を放棄していない」旨の申出書が提出されたときは、この限りでない。（昭48直資２－189「５」）
（注）１　上記の「土地の使用の対価としての地代の授受が行われないこととなった場合」には、例えば、土地の公租公課に相当する金額以下の金額の授受がある場合を含み、権利金その他地代に代わるべき経済的利益の授受のある場合は含まれないことに留意する。（以下（７）において同じ。）
　　　２　上記の申出書は、「借地権者の地位に変更がない旨の申出書」を用いる。

（経過的取扱い──土地の無償借受け時に借地権相当額の課税が行われている場合）
（６）　従前の取扱いにより、建物等の所有を目的として無償で土地の借受けがあった時に当該土地の借受者が当該土地の所有者から当該土地に係る借地権の価額に相当する利益を受けたものとして当該借受者に贈与税が課税されているもの、又は無償で借り受けている土地の上に存する建物等を相続若しくは贈与により取得した時に当該建物等を相続若しくは贈与により取得した者が当該土地に係る借地権に相当する使用権を取得したものとして当該建物等の取得者に相続税若しくは贈与税が課税されているものについて、今後次に掲げる場合に該当することとなったときにおける当該建物等又は当該土地の相続税又は贈与税の課税価格に算入すべき価額は、次に掲げる場合に応じ、それぞれ次に掲げるところによる。（昭48直資２－189「６」）
　（一）　当該建物等を相続又は贈与により取得した場合　　当該建物等の自用又は貸付けの区分に応じ、それぞれ当該建物等が自用又は貸付けのものであるとした場合の価額とし、当該建物等の存する土地に係る借地権の価額に相当する金額を含まないものとする。
　（二）　当該土地を相続又は贈与により取得した場合　　当該土地を相続又は贈与により取得する前に、当該土地の上に存する当該建物等の所有者が異動している場合でその時に当該建物等の存する土地に係る借地権の価額に相当する金額について相続税又は贈与税の課税が行われていないときは、当該土地が自用のものであるとした場合の価額とし、当該建物等の所有者が異動していない場合及び当該建物等の所有者が異動している場合でその時に当該建物等の存する土地に係る借地権の価額に相当する金額について相続税又は贈与税の課税が行われているときは、当該土地が借地権の目的となっているものとした場合の価額とする。

（経過的取扱い──借地権の目的となっている土地をこの通達の施行前に当該借地権者以外の者が取得している場合）
（７）　（１）から（５）までの取扱いの施行前に、借地権の目的となっている土地を当該借地権者以外の者が取得し、その者と当該借地権者との間に当該土地の使用の対価としての地代の授受が行われないこととなったもの（この通達の施行後に処理するものを除く。）について、今後次に掲げる場合に該当することとなったときにおける当該土地の上に存する建物等又は当該土地の相続税又は贈与税の課税価格に算入すべき価額は、次に掲げる場合に応じ、それぞれ次に掲げるところによる。（昭48直資２－189「７」）
　（一）　当該建物等を相続又は贈与により取得した場合　　当該建物等の自用又は貸付けの区分に応じ、それぞれ当該建物等が自用又は貸付けのものであるとした場合の価額とし、当該建物等の存する土地に係る借地権の価額に相当する金額を含まないものとする。
　（二）　当該土地を相続又は贈与により取得した場合　　当該土地を相続又は贈与により取得する前に、当該土地の上に存する当該建物等の所有者が異動している場合でその時に当該建物等の存する土地に係る借地権の価額に相当する金額について相続税又は贈与税の課税が行われていないときは、当該土地が自用のものであるとした場合の価額とし、当該建物等の所有者が異動していない場合及び当該建物等の所有者が異動している場合でその時に当該建物等の存す

－475－

る土地に係る借地権の価額に相当する金額について相続税又は贈与税の課税が行われているときは、当該土地が借地権の目的となっているものとした場合の価額とする。

◎ 相当の地代を支払っている場合等の借地権等についての相続税及び贈与税の取扱いについて……第七編第二章第二節の(55)参照

◎ 負担付贈与又は対価を伴う取引により取得した土地等及び家屋等に係る評価並びに相続税法第7条及び第9条の規定の適用について……第七編第二章第二節の(56)参照

4 信託が合意等により終了した場合

六の2の①に規定する受益者連続型信託（以下「受益者連続型信託」という。）以外の信託（**六の1の①の(1)**に規定する信託を除く。以下同じ。）で、当該信託に関する収益受益権（信託に関する権利のうち信託財産の管理及び運用によって生ずる利益を受ける権利をいう。以下同じ。）を有する者（以下「収益受益者」という。）と当該信託に関する元本受益権（信託に関する権利のうち信託財産自体を受ける権利をいう。以下同じ。）を有する者（以下「元本受益者」という。）とが異なるもの（以下**六の2の①の(3)**において「受益権が複層化された信託」という。）が、信託法（平成18年法律第108号）第164条《委託者及び受益者の合意等による信託の終了》の規定により終了した場合には、原則として、当該元本受益者が、当該終了直前に当該収益受益者が有していた当該収益受益権の価額に相当する利益を当該収益受益者から贈与によって取得したものとして取り扱うものとする。（基通9－13）

5 配偶者居住権が合意等により消滅した場合

配偶者居住権が、被相続人から配偶者居住権を取得した配偶者と当該配偶者居住権の目的となっている建物の所有者との間の合意若しくは当該配偶者による配偶者居住権の放棄により消滅した場合又は民法第1032条第4項《建物所有者による消滅の意思表示》の規定により消滅した場合において、当該建物の所有者又は当該建物の敷地の用に供される土地（土地の上に存する権利を含む。）の所有者（以下**5**において「建物等所有者」という。）が、対価を支払わなかったとき、又は著しく低い価額の対価を支払ったときは、原則として、当該建物等所有者が、その消滅直前に、当該配偶者が有していた当該配偶者居住権の価額に相当する利益又は当該土地を当該配偶者居住権に基づき使用する権利の価額に相当する利益に相当する金額（対価の支払があった場合には、その価額を控除した金額）を、当該配偶者から贈与によって取得したものとして取り扱うものとする。（基通9－13の2）

(注) 民法第1036条《使用貸借及び賃貸借の規定の準用》において準用する同法第597条第1項及び第3項《期間満了及び借主の死亡による使用貸借の終了》並びに第616条の2《賃借物の全部滅失等による賃貸借の終了》の規定により配偶者居住権が消滅した場合には、上記の取り扱いはないことに留意する。

六 信託財産

1 信託に関する権利の原則

① 信託の効力が生じた場合

信託（退職年金の支給を目的とする信託その他の信託で(1)の政令で定めるものを除く。以下同じ。）の効力が生じた場合において、適正な対価を負担せずに当該信託の受益者等（受益者としての権利を現に有する者及び特定委託者をいう。以下**六**において同じ。）となる者があるときは、当該信託の効力が生じた時において、当該信託の受益者等となる者は、当該信託に関する権利を当該信託の委託者から贈与（当該委託者の死亡に基因して当該信託の効力が生じた場合には、遺贈）により取得したものとみなす。（法9の2①）

（退職年金の支給を目的とする信託等の範囲）
(1) **①**に規定する政令で定めるものは、次に掲げる信託とする。（令1の6）
  (一) 確定給付企業年金法第65条第3項《事業主の積立金の管理及び運用に関する契約》に規定する資産管理運用契約に係る信託
  (二) 確定拠出年金法第8条第2項《資産管理契約の締結》に規定する資産管理契約に係る信託
  (三) 第一編第一章第四節**一**の1の(六)の注の(八)に規定する適格退職年金契約に係る信託
  (四) 前3号に掲げる信託に該当しない退職給付金に関する信託で、その委託者の使用人（法人の役員を含む。）又はその遺族を当該信託の受益者とするもの

－476－

第二章　贈与税の課税財産

　　（特定委託者）
（２）　①の「特定委託者」とは、信託の変更をする権限（軽微な変更をする権限として（３）の政令で定めるものを除く。）を現に有し、かつ、当該信託の信託財産の給付を受けることとされている者（受益者を除く。）をいう。（法9の2⑤）

　　（信託の変更をする権限）
（３）　（２）に規定する政令で定めるものは、信託の目的に反しないことが明らかである場合に限り信託の変更をすることができる権限とする。（令1の7①）

　　（他の者との合意により信託の変更をする権限）
（４）　（２）に規定する信託の変更をする権限には、他の者との合意により信託の変更をすることができる権限を含むものとする。（令1の7②）

　　（受益者としての権利を現に有する者）
（５）　①に規定する「受益者としての権利を現に有する者」には、原則として例えば、信託法（平成18年法律第108号）第182条第1項第1号《残余財産の帰属》に規定する残余財産受益者は含まれるが、停止条件が付された信託財産の給付を受ける権利を有する者、信託法第90条第1項各号《委託者の死亡の時に受益権を取得する旨の定めのある信託等の特例》に規定する委託者死亡前の受益者及び同法第182条第1項第2号に規定する帰属権利者（以下（６）において「帰属権利者」という。）は含まれないことに留意する。（基通9の2－1）

　　（特定委託者）
（６）　①に規定する特定委託者（以下「**特定委託者**」という。）とは、公益信託ニ関スル法律（大正11年法律第62号）第1条《公益信託》に規定する公益信託（以下⑤の（2）において「**公益信託**」という。）の委託者（その相続人その他の一般承継人を含む。以下同じ。）を除き、原則として次に掲げる者をいうことに留意する。（基通9の2－2）
　　（一）　委託者（当該委託者が信託行為の定めにより帰属権利者として指定されている場合、信託行為に信託法第182条第2項に規定する残余財産受益者等（以下④の（1）までにおいて「**残余財産受益者等**」という。）の指定に関する定めがない場合又は信託行為の定めにより残余財産受益者等として指定を受けた者のすべてがその権利を放棄した場合に限る。）
　　（二）　停止条件が付された信託財産の給付を受ける権利を有する者（（２）に規定する信託の変更をする権限を有する者に限る。）

②　受益者等の存する信託について、新たに信託の受益者等が存するに至った場合

　　受益者等の存する信託について、適正な対価を負担せずに新たに当該信託の受益者等が存するに至った場合（④の規定の適用がある場合を除く。）には、当該受益者等が存するに至った時において、当該信託の受益者等となる者は、当該信託に関する権利を当該信託の受益者等であった者から贈与（当該受益者等であった者の死亡に基因して受益者等が存するに至った場合には、遺贈）により取得したものとみなす。（法9の2②）

　　（信託の受益者等が存するに至った場合）
（１）　②に規定する「信託の受益者等が存するに至った場合」とは、例えば、次に掲げる場合をいうことに留意する。（基通9の2－3）
　　（一）　信託の受益者等（①に規定する受益者等をいう。以下同じ。）として受益者Aのみが存するものについて受益者Bが存することとなった場合（受益者Aが並存する場合を含む。）
　　（二）　信託の受益者等として特定委託者Cのみが存するものについて受益者Aが存することとなった場合（特定委託者Cが並存する場合を含む。）
　　（三）　信託の受益者等として信託に関する権利を各々半分ずつ有する受益者A及びBが存する信託についてその有する権利の割合が変更された場合

③　受益者等の存する信託について、一部の受益者等が存しなくなった場合

　　受益者等の存する信託について、当該信託の一部の受益者等が存しなくなった場合において、適正な対価を負担せずに既に当該信託の受益者等である者が当該信託に関する権利について新たに利益を受けることとなるときは、当該信託の一部の受益者等が存しなくなった時において、当該利益を受ける者は、当該利益を当該信託の一部の受益者等であった者か

－477－

ら贈与（当該受益者等であった者の死亡に基因して当該利益を受けた場合には、遺贈）により取得したものとみなす。（法9の2③）

④　受益者等の存する信託が終了した場合

受益者等の存する信託が終了した場合において、適正な対価を負担せずに当該信託の残余財産の給付を受けるべき、又は帰属すべき者となる者があるときは、当該給付を受けるべき、又は帰属すべき者となった時において、当該信託の残余財産の給付を受けるべき、又は帰属すべき者となった者は、当該信託の残余財産（当該信託の終了の直前においてその者が当該信託の受益者等であった場合には、当該受益者等として有していた当該信託に関する権利に相当するものを除く。）を当該信託の受益者等から贈与（当該受益者等の死亡に基因して当該信託が終了した場合には、遺贈）により取得したものとみなす。（法9の2④）

（信託が終了した場合）
（1）　④の規定の適用を受ける者とは、信託の残余財産受益者等に限らず、当該信託の終了により適正な対価を負担せずに当該信託の残余財産（当該信託の終了直前においてその者が当該信託の受益者等であった場合には、当該受益者等として有していた信託に関する権利に相当するものを除く。）の給付を受けるべき又は帰属すべき者となる者をいうことに留意する。（基通9の2－5）

⑤　その他

①②③の規定により贈与又は遺贈により取得したものとみなされる信託に関する権利又は利益を取得した者は、当該信託の信託財産に属する資産及び負債を取得し、又は承継したものとみなして、相続税法（第41条第2項を除く。）の規定を適用する。ただし、法人税法第2条第29号《定義》に規定する集団投資信託、同条第29号の2に規定する法人課税信託又は同法第12条第4項第1号《信託財産に属する資産及び負債並びに信託財産に帰せられる収益及び費用の帰属》に規定する退職年金等信託の信託財産に属する資産及び負債については、この限りでない。（法9の2⑥）

（信託に関する権利の一部について放棄又は消滅があった場合）
（1）　受益者等の存する信託に関する権利の一部について放棄又は消滅があった場合には、原則として、当該放棄又は消滅後の当該信託の受益者等が、その有する信託に関する権利の割合に応じて、当該放棄又は消滅した信託に関する権利を取得したものとみなされることに留意する。（基通9の2－4）

（公益信託の委託者の地位が異動した場合）
（2）　公益信託の委託者の地位が異動した場合には、それに伴い当該公益信託に関する権利も異動するのであるが、相続税又は贈与税の課税上、当該公益信託のうち所得税法施行令第217条の2第1項各号に掲げる要件を満たすものに関する権利の価額は零として取り扱うものとする。（基通9の2－6）
（注）　2の②の（8）参照

（生命保険信託）
（3）　いわゆる生命保険信託に関する権利については、生命保険契約に関する規定（第一編第二章第二節**二**及び**一**の**1**）の適用があることに留意する。（基通9の2－7）

2　信託に関する権利の特例

①　受益者連続型信託の特例

受益者連続型信託（信託法第91条《受益者の死亡により他の者が新たに受益権を取得する旨の定めのある信託の特例》に規定する信託、同法第89条第1項《受益者指定権等》に規定する受益者指定権等を有する者の定めのある信託その他これらの信託に類するものとして（2）の政令で定めるものをいう。以下①において同じ。）に関する権利を受益者（受益者が存しない場合にあっては、1の①の（2）に規定する特定委託者）が適正な対価を負担せずに取得した場合において、当該受益者連続型信託に関する権利（異なる受益者が性質の異なる受益者連続型信託に係る権利（当該権利のいずれかに収益に関する権利が含まれるものに限る。）をそれぞれ有している場合にあっては、収益に関する権利が含まれるものに限る。）で当該受益者連続型信託の利益を受ける期間の制限その他の当該受益者連続型信託に関する権利の価値に作用する要因としての制約が付されているものについては、当該制約は、付されていないものとみなす。ただし、当該受益者連続型信託

－478－

第二章　贈与税の課税財産

に関する権利を有する者が法人（代表者又は管理者の定めのある人格のない社団又は財団を含む。）である場合は、この限りでない。（法9の3①）

（受益者）
（1）　①の「受益者」とは、受益者としての権利を現に有する者をいう。（法9の3②）

（受益者連続型信託）
（2）　①に規定する政令で定めるものは、次に掲げる信託とする。（令1の8）
　（一）　受益者等（1の①に規定する受益者等をいう。）の死亡その他の事由により、当該受益者等の有する信託に関する権利が消滅し、他の者が新たな信託に関する権利（当該信託の信託財産を含む。以下（一）及び（二）において同じ。）を取得する旨の定め（受益者等の死亡その他の事由により順次他の者が信託に関する権利を取得する旨の定めを含む。）のある信託（信託法第91条《受益者の死亡により他の者が新たに受益権を取得する旨の定めのある信託の特例》に規定する信託を除く。）
　（二）　受益者等の死亡その他の事由により、当該受益者等の有する信託に関する権利が他の者に移転する旨の定め（受益者等の死亡その他の事由により順次他の者に信託に関する権利が移転する旨の定めを含む。）のある信託
　（三）　信託法第91条に規定する信託及び同法第89条第1項《受益者指定権等》に規定する受益者指定権等を有する者の定めのある信託並びに前2号に掲げる信託以外の信託でこれらの信託に類するもの

（受益者連続型信託に関する権利の価額）
（3）　受益者連続型信託に関する権利の価額は、例えば、次の場合には、次に掲げる価額となることに留意する。（基通9の3－1）
　（一）　受益者連続型信託に関する権利の全部を適正な対価を負担せず取得した場合　　信託財産の全部の価額
　（二）　受益者連続型信託で、かつ、受益権が複層化された信託（以下（5）までにおいて「**受益権が複層化された受益者連続型信託**」という。）に関する収益受益権の全部を適正な対価を負担せず取得した場合　　信託財産の全部の価額
　（三）　受益権が複層化された受益者連続型信託に関する元本受益権の全部を適正な対価を負担せず取得した場合（当該元本受益権に対応する収益受益権について①のただし書の適用がある場合又は当該収益受益権の全部若しくは一部の受益者等が存しない場合を除く。）　　　零
　　　（注）　①の規定の適用により、上記（二）又は（三）の受益権が複層化された受益者連続型信託の元本受益権は、価値を有しないとみなされることから、相続税又は贈与税の課税関係は生じない。ただし、当該信託が終了した場合において、当該元本受益権を有する者が、当該信託の残余財産を取得したときは、1の④の規定の適用があることに留意する。

（受益権が複層化された受益者連続型信託に関する元本受益権の全部又は一部を有する法人の株式の時価の算定）
（4）　受益権が複層化された受益者連続型信託で、個人がその収益受益権の全部又は一部を、法人（当該収益受益権を有する個人が当該法人の株式（出資を含む。）を有する場合に限る。）がその元本受益権の全部又は一部をそれぞれ有している場合において、当該個人の死亡に基因して、当該個人から当該法人の株式を相続又は遺贈により取得した者の相続税の課税価格の計算に当たっては、当該株式の時価の算定における昭和39年4月25日付直資56ほか1課共同「財産評価基本通達」（以下「評価基本通達」という。）185《純資産価額》の計算上、当該法人の有する当該受益者連続型信託に関する元本受益権（当該死亡した個人が有していた当該受益者連続型信託に関する収益受益権に対応する部分に限る。）の価額は零として取り扱う。（基通9の3－2）

（相続税法第9条の3第1項本文又は法令第1条の12第3項の規定の適用がある場合の信託財産責任負担債務の帰属）
（5）　信託財産責任負担債務（信託法第2条第9項《定義》に規定する信託財産責任負担債務をいう。以下「**信託財産責任負担債務**」という。）は、次に掲げる場合には、次に掲げる信託に関する権利に帰属することに留意する。（基通9の3－3）
　（一）　信託財産責任負担債務に係る信託に関する権利について①の本文の規定の適用がある場合　　①の本文に規定する制約が付されていないものとみなされた受益者連続型信託に関する権利
　（二）　信託財産責任負担債務に係る信託に関する権利について⑤の（1）の規定の適用がある場合　　同（1）各号に規定する受益者等が有するものとみなされた信託に関する権利

第二編　贈与税

②　受益者等が存しない信託等の特例

受益者等が存しない信託の効力が生ずる場合において、当該信託の受益者等となる者が当該信託の委託者の親族として（2）の政令で定める者（以下②及び③において「**親族**」という。）であるとき（当該信託の受益者等となる者が明らかでない場合にあっては、当該信託が終了した場合に当該委託者の親族が当該信託の残余財産の給付を受けることとなるとき）は、当該信託の効力が生ずる時において、当該信託の受託者は、当該委託者から当該信託に関する権利を贈与（当該委託者の死亡に基因して当該信託の効力が生ずる場合にあっては、遺贈）により取得したものとみなす。（法9の4①）

（受益者等の次に受益者等となる者が親族であるとき）
（1）　受益者等の存する信託について、当該信託の受益者等が存しないこととなった場合（以下（1）において「**受益者等が不存在となった場合**」という。）において、当該受益者等の次に受益者等となる者が当該信託の効力が生じた時の委託者又は当該次に受益者等となる者の前の受益者等の親族であるとき（当該次に受益者等となる者が明らかでない場合にあっては、当該信託が終了した場合に当該委託者又は当該次に受益者等となる者の前の受益者等の親族が当該信託の残余財産の給付を受けることとなるとき）は、当該受益者等が不存在となった場合に該当することとなった時において、当該信託の受託者は、当該次に受益者等となる者の前の受益者等から当該信託に関する権利を贈与（当該次に受益者等となる者の前の受益者等の死亡に基因して当該次に受益者等となる者の前の受益者等が存しないこととなった場合にあっては、遺贈）により取得したものとみなす。（法9の4②）

（親族の範囲）
（2）　②に規定する政令で定める者は、次に掲げる者とする。（令1の9）
（一）　六親等内の血族
（二）　配偶者
（三）　三親等内の姻族
（四）　当該信託の受益者等となる者（②又は（1）の信託の残余財産の給付を受けることとなる者及び（1）の次に受益者等となる者を含む。）が信託の効力が生じた時（（1）に規定する受益者等が不存在となった場合に該当することとなった時及び③に規定する契約締結時等を含む。（五）において同じ。）において存しない場合には、その者が存するものとしたときにおいて（一）（二）（三）に掲げる者に該当する者
（五）　当該信託の委託者（（1）の次に受益者等となる者の前の受益者等を含む。）が信託の効力が生じた時において存しない場合には、その者が存するものとしたときにおいて（一）から（三）までに掲げる者に該当する者

（受託者に対する通知）
（3）　②の規定の適用を受ける信託（②又は（1）の規定の適用を受けることが見込まれる信託を含む。以下（3）及び（5）において「**特定信託**」という。）をする委託者は、当該特定信託以外の特定信託（以下（3）及び（5）において「**従前特定信託**」という。）をしている場合には、当該特定信託をする際に、当該特定信託の受託者に対して、当該従前特定信託の受託者の名称又は氏名、住所その他（4）の財務省令で定める事項を通知しなければならない。（令1の10⑥）

（特定信託の委託者が通知すべき事項）
（4）　（3）に規定する財務省令で定める事項は、次に掲げる事項とする。（規1の3①）
（一）　（3）に規定する特定信託（（6）において「特定信託」という。）の委託者の氏名及び住所又は居所
（二）　（3）に規定する従前特定信託（以下（4）において「従前特定信託」という。）の受託者の名称又は氏名、本店若しくは主たる事務所の所在地又は住所若しくは居所及び信託の引受けをした営業所、事務所その他これらに準ずるものの所在地
（三）　従前特定信託の信託財産の価額
（四）　従前特定信託の効力が生じた日又は生ずる日（これらの日が明らかでない場合には、当該従前特定信託の効力が生ずる条件その他の事項）
（五）　従前特定信託の受益者等（1の①に規定する受益者等をいう。（6）の（五）において同じ。）が存しないこととなる要件

（受託者への通知）
（5）　（3）の場合において、特定信託をした委託者は、当該特定信託をした後遅滞なく、従前特定信託の受託者に対して、当該特定信託の受託者の名称又は氏名、住所その他（6）の財務省令で定める事項を通知しなければならない。（令1の10

－480－

第二章　贈与税の課税財産

⑦）

　（受託者への通知事項）
（6）　（5）に規定する財務省令で定める事項は、次に掲げる事項とする。（規1の3②）
　（一）　特定信託の委託者の氏名及び住所又は居所
　（二）　特定信託の受託者の名称又は氏名、本店若しくは主たる事務所の所在地又は住所若しくは居所及び信託の引受け
　　　をした営業所、事務所その他これらに準ずるものの所在地
　（三）　特定信託の信託財産の価額
　（四）　特定信託の効力が生じた日又は生ずる日（これらの日が明らかでない場合には、当該特定信託の効力が生ずる条
　　　件その他の事項）
　（五）　特定信託の受益者等が存しないこととなる要件

　（目的信託についての相続税法第1章第3節の規定の不適用）
（7）　信託法第258条第1項《受益者の定めのない信託の要件》に規定する受益者の定め（受益者を定める方法の定めを含
　　む。）のない信託で、かつ、特定委託者の存しないものについては、**六**の規定の適用がないことに留意する。（基通9の
　　4−1）

　（受益者等が存しない信託の委託者が死亡した場合）
（8）　受益者等が存しない信託の委託者が死亡した場合には、②の規定の適用により当該信託の受託者が当該信託に関す
　　る権利を遺贈によって取得したものとみなされる場合を除き、当該信託に関する権利は当該死亡した委託者の相続税の
　　課税財産を構成しないことに留意する。（基通9の4−2）

　（受益者等が存しない信託の受益者等となる者）
（9）　②に規定する「当該信託の受益者等となる者」又は（1）に規定する「当該受益者等の次に受益者等となる者」が複
　　数名存する場合で、そのうちに1人でも当該信託の委託者（（1）の次に受益者等となる者の前の受益者等を含む。）の親
　　族（（2）に規定する者をいう。以下③の（2）において同じ。）が存するときは、②又は（1）の規定の適用があることに留
　　意する。（基通9の4−3）

　（受益者等が存しない信託の受託者が死亡した場合）
（10）　②又は（1）の規定の適用により、信託に関する権利を贈与又は遺贈により取得したものとみなされた受託者が死亡
　　した場合であっても、当該信託に関する権利については、当該死亡した受託者の相続税の課税財産を構成しないことに
　　留意する。（基通9の4−4）

③　受益者等が存しない信託について、受益者等が存することとなった場合
　　受益者等が存しない信託について、当該信託の契約が締結された時その他の時として（1）の政令で定める時（以下「**契**
約締結時等」という。）において存しない者が当該信託の受益者等となる場合において、当該信託の受益者等となる者が当
該信託の契約締結時等における委託者の親族であるときは、当該存しない者が当該信託の受益者等となる時において、当
該信託の受益者等となる者は、当該信託に関する権利を個人から贈与により取得したものとみなす。（法9の5）

　（契約締結時等の範囲）
（1）　③に規定する政令で定める時は、次の各号に掲げる信託の区分に応じ当該各号に定める時とする。（令1の11）
　（一）　信託法第3条第1号《信託の方法》に掲げる方法によってされる信託　　委託者となるべき者と受託者となるべ
　　　き者との間の信託契約の締結の時
　（二）　信託法第3条第2号に掲げる方法によってされる信託　　遺言者の死亡の時
　（三）　信託法第3条第3号に掲げる方法によってされる信託　　次に掲げる場合の区分に応じそれぞれ次に定める時
　　（イ）　公正証書又は公証人の認証を受けた書面若しくは電磁的記録（（イ）及び（ロ）において「公正証書等」と総称す
　　　る。）によってされる場合　　当該公正証書等の作成の時
　　（ロ）　公正証書等以外の書面又は電磁的記録によってされる場合　　受益者となるべき者として指定された第三者
　　　（当該第三者が2人以上ある場合にあっては、その1人）に対する確定日付のある証書による当該信託がされた旨及
　　　びその内容の通知の時

−481−

第二編　贈与税

　　　（❸の規定の適用がある場合）
（2）　受益者等が存しない信託については、❷又は❷の(1)の規定の適用の有無にかかわらず、当該信託について受益者等（❷又は❷の(1)の信託の残余財産の給付を受けることとなる者及び同(1)の次に受益者等となる者を含む。）が存することとなり、かつ、当該受益者等が、当該信託の契約締結時（(1)各号に規定する時をいう。）における委託者の親族であるときは、❸の規定の適用があることに留意する。（基通9の5−1）

　　　（規定の準用）
（3）　1の❺の本文の規定は、❷若しくは❷の(1)の信託の受託者又は❸の受益者等となる者が、これらの規定により信託に関する権利を取得したものとみなされる場合について準用する。（令1の12⑤）

❹　受益者等が存しない信託等の受託者への課税
　　❷及び❷の(1)の規定の適用がある場合において、これらの信託の受託者が個人以外であるときは、当該受託者を個人とみなして、この法律その他相続税又は贈与税に関する法令の規定を適用する。（法9の4③）

　　　（受託者に課される贈与税又は相続税の額の法人税等相当額の控除）
（1）　❷、❷の(1)、❹の規定の適用がある場合において、これらの規定により❷又は❷の(1)の受託者に課される贈与税又は相続税の額については、政令で定めるところにより、当該受託者に課されるべき法人税その他の税の額に相当する額を控除する。（法9の4④）

　　　（受益者等が存しない信託等の受託者の贈与税額又は相続税額の計算）
（2）　❷又は❷の(1)の信託の受託者については、これらの規定により贈与（贈与をした者の死亡により効力を生ずる贈与を除く。以下同じ。）により取得したものとみなされる当該信託に関する権利及び当該信託に関する権利以外の贈与により取得した財産ごとに、それぞれ別の者とみなして、贈与税額を計算する。この場合において、当該信託に関する権利に係る贈与税額の計算については、第四章の**4**、第三章**八**の**1**及び第五章第二節の**1**並びに第三編の規定は適用しない。（令1の10①）

　　　（信託が二以上ある場合において、信託の受託者が同一であるとき）
（3）　❷又は❷の(1)の規定の適用を受ける信託が二以上ある場合において、当該信託の受託者が同一であるときは、信託ごとにそれぞれ別の者とみなして(2)の規定を適用する。ただし、委託者が同一である信託については、この限りでない。（令1の10②）

　　　（信託が二以上ある場合において、信託の受託者が二以上であるとき）
（4）　❷又は❷の(1)の規定の適用を受ける信託が二以上ある場合において、当該信託の受託者が二以上であるときは、委託者が同一である信託の受託者に係る贈与税については、(2)(3)に定めるもののほか、次に定めるところによる。（令1の10③）
　（一）　第四章及び第五章第一節の**1**の規定の適用については、❷又は❷の(1)の規定の適用を受ける信託で委託者が同一であるものの受託者は、一の者とみなす。
　（二）　（一）の規定により一の者とみなされた信託の受託者が贈与税を納める場合においては、それぞれの受託者ごとに贈与税を納めるものとする。
　（三）　（二）の場合において、第五章第三節**一**、第五章第四節及び第六章第一節**一**の**1**の規定の適用については、第五章第三節**一**中「第一節及び第二節」とあるのは「(4)の(一)の規定の適用を受けた第二編第五章第一節の**1**」と、「金額と」とあるのは「金額に(4)の規定の適用を受ける信託に関する権利に係る課税価格に算入すべき価額の合計額のうちに一の受託者に係る当該信託に関する権利に係る課税価格に算入すべき価額の占める割合を乗じて算出した金額と」と、第五章第四節中「第三節**一**」とあるのは「(三)の規定により読み替えられた第三節**一**」と、「贈与税の」とあるのは「第三節**一**の一の受託者に係る贈与税の」と、第六章第一節**一**の**1**中「、第二編第五章第三節**一**及び第二編第五章第四節」とあるのは「並びに(三)の規定により読み替えられた第二編第五章第三節**一**、第二編第五章第四節」とする。

　　　（相続又は遺贈により取得した信託財産ごとの受託者）
（5）　❷又は❷の(1)の信託の受託者については、これらの規定により当該信託の委託者又は同(1)の次に受益者等とな

第二章　贈与税の課税財産

る者の前の受益者等（以下(5)において「**信託に係る被相続人**」という。）から遺贈（贈与をした者の死亡により効力を生ずる贈与を含む。以下同じ。）により取得したものとみなされる当該信託に関する権利及び当該信託に関する権利以外の当該信託に係る被相続人から相続又は遺贈により取得した財産ごとに、それぞれ別の者とみなして、相続税額を計算する。この場合において、第一編第三章**一〜六**、第一編第四章（第二節**二**を除く。）、第一編第五章〜第六章第一節から第八節まで及び第九編第五章第二節の(18)の規定の適用については、次に定めるところによる。（令１の10④）

(一)　当該信託の受託者が当該信託の信託に係る被相続人の相続人である場合には、当該信託に係る被相続人から遺贈により取得したものとみなされる信託に関する権利に係る受託者の数は、第一編第五章第一節の**2**の相続人の数に算入しない。

(二)　第一編第六章第二節の規定の適用については、同第二節中「相続税額は、」とあるのは、「相続税額及び**②**又は**②**の(1)の規定により信託の受託者が遺贈により取得したものとみなされる当該信託に関する権利に係る相続税額は、」とする。

(三)　当該信託に関する権利に係る相続税額の計算については、第一編第六章第三節から第七節まで及び第九編第五章第二節(18)の規定は適用しない。

（法人税等相当額の控除）

(6)　(2)から(5)の規定により計算した贈与税額又は相続税額については、次に掲げる税額の合計額（当該税額の合計額が当該贈与税額又は相続税額を超えるときには、当該贈与税額又は相続税額に相当する額）を控除するものとする。（令１の10⑤）

(一)　**②**又は**②**の(1)の規定により贈与又は遺贈により取得したものとみなされる信託に関する権利の価額から翌期控除事業税等相当額（当該価額を当該信託の受託法人（法人税法第４条の３《受託法人等に関するこの法律の適用》に規定する受託法人をいう。以下(6)において同じ。）の事業年度の所得とみなして地方税法（昭和25年法律第226号）の規定を適用して計算した事業税の額及び当該事業税の額を基に特別法人事業税及び特別法人事業譲与税に関する法律（平成31年法律第４号）の規定を適用して計算した特別法人事業税の額の合計額をいう。）を控除した価額を当該信託の受託法人の事業年度の所得とみなして法人税法の規定を適用して計算した法人税の額及び地方税法の規定を適用して計算した事業税の額

(二)　(一)の規定により計算した(一)の信託の受託法人の法人税の額を基に地方法人税法（平成26年法律第11号）の規定を適用して計算した地方法人税の額並びに地方税法の規定を適用して計算した道府県民税の額及び市町村民税の額

(三)　(一)の規定により計算した(一)の信託の受託法人の事業税の額を基に特別法人事業税及び特別法人事業譲与税に関する法律の規定を適用して計算した特別法人事業税の額

（二以上の信託に関する権利に係る贈与税額が一の者の贈与税として計算される場合）

(7)　二以上の信託に関する権利に係る贈与税額が(2)及び(3)の規定により一の者の贈与税として計算される場合において、各信託に関する権利に係る信託財産責任負担債務（信託法第２条第９項《定義》に規定する信託財産責任負担債務をいう。）の額は、一の者の贈与税として(2)、(3)及び(6)の規定により算出した贈与税額（第五章第四節の規定による控除前の税額とする。）に各信託に関する権利に係る課税価格に算入すべき価額の合計額のうちに各信託に関する権利に係る課税価格に算入すべき価額の占める割合を乗じて算出した金額（各信託に関する権利について同節の規定の適用がある場合には、当該金額から同第四節の規定により控除すべき金額を控除した金額）とする。（令１の10⑧）

（明細書の添付）

(8)　(7)の場合において、二以上の信託に係る受託者が第六章第一節**一**の**1**の規定により申告書を提出するときは、各信託の信託財産の種類、課税価格に算入すべき価額、(7)の規定により計算した各信託に係る信託財産責任負担債務の額その他(9)の財務省令で定める事項を記載した明細書を添付しなければならない。（令１の10⑨）

（受益者等が存しない信託等の受託者の贈与税の申告書に添付する明細書の記載事項）

(9)　(8)に規定する財務省令で定める事項は、次に掲げる事項とする。（規１の４①）

(一)　各信託の信託財産の種類及び課税価格に算入すべき価額

(二)　各信託の信託財産について第五章第四節の規定の適用がある場合には、同節の規定により控除すべき金額

(三)　各信託に係る(7)に規定する信託財産責任負担債務の額

－483－

第二編　贈与税

　　　（二以上の信託に関する権利に係る相続税額が一の者の相続税として計算される場合）
(10)　二以上の信託に関する権利に係る相続税額が（5）の規定により一の者の相続税として計算される場合において、各信託に関する権利に係る信託財産責任負担債務の額及び第一編第七章第一節━の**1**の規定による相続税の申告書の提出については、（7）及び（8）の規定を準用する。この場合において、（7）中「贈与税として（2）、（3）」とあるのは「相続税として（5）」と、「贈与税額（」とあるのは「相続税額（」と、「第二編第五章第四節」とあるのは「第一編第六章第八節」と読み替えるものとする。（令1の10⑩）

　　　（受益者等が存しない信託等の受託者の相続税の申告書に添付する明細書の記載事項）
(11)　(10)において準用する（8）に規定する財務省令で定める事項は、次に掲げる事項とする。（規1の4②）
　（一）　（9）の（一）及び（三）に掲げる事項
　（二）　各信託の信託財産について第一編第六章第八節の規定の適用がある場合には、同節の規定により控除すべき金額

　　　（受益者等が存しない信託の受託者の住所等）
(12)　❷又は❷の（1）の信託の受託者について第一編第一章第二節━及び第一章第二節━の規定を適用する場合には、次に定めるところによる。（令1の12①）
　（一）　❷又は❷の（1）の信託の受託者の住所は、当該信託の引受けをした営業所、事務所その他これらに準ずるものの所在地にあるものとする。
　（二）　❷又は❷の（1）の信託の受託者は、第一編第一章第二節━の（二）又は第一章第二節━の（二）の規定の適用については、日本国籍を有するものとする。

　　　（個人の住所）
(13)　第一章第二節━の適用については、❸の個人の住所は❸の委託者の住所にあるものとみなす。（令1の12②）

　　　（停止条件が付された信託財産の給付を受ける権利を有する者）
(14)　停止条件が付された信託財産の給付を受ける権利を有する者は、**1**の①の（2）に規定する信託財産の給付を受けることとされている者に該当するものとする。（令1の12④）

　　　（信託の受託者が贈与税又は相続税を納める場合において、一の信託について受託者が二以上あるとき）
(15)　❷の規定により信託の受託者が贈与税又は相続税を納める場合（（2）から（6）までの規定により贈与税額又は相続税額を計算する場合を含む。）において、一の信託について受託者が二以上あるときは、当該信託の信託事務を主宰する受託者が納税義務者として当該贈与税又は相続税を納めるものとする。（令1の12⑥）

　　　（(15)の場合の信託に関する権利）
(16)　(15)の場合において、(15)の信託に関する権利は、当該信託の信託事務を主宰する受託者が有するものとみなす。（令1の12⑦）

　　　（信託の信託事務を主宰する受託者が納めるものとされている贈与税又は相続税）
(17)　(15)及び(16)の規定により(15)の信託の信託事務を主宰する受託者が納めるものとされている贈与税又は相続税については、法人税法第152条第3項及び第4項《連帯納付の責任》の規定を準用する。（令1の12⑧）

　　　（相続税法第34条の信託事務を主宰する受託者以外の受託者への適用）
(18)　第一編第八章第一節━の**2**の①及び②の規定は、(15)の規定により相続税を納める(15)の信託の信託事務を主宰する受託者以外の受託者に適用があるものとする。（令1の12⑨）

⑤　その他
　受益者等の有する信託に関する権利が当該信託に関する権利の全部でない場合における**1**の①の規定の適用、同①の（2）に規定する信託財産の給付を受けることとされている者に該当するか否かの判定その他**六**の規定の適用に関し必要な事項は、（1）の政令で定める。（法9の6）

—484—

第二章　贈与税の課税財産

（受益者等の有する信託に関する権利が当該信託に関する権利の全部でない場合）
（１）　受益者等の有する信託に関する権利が当該信託に関する権利の全部でない場合における**六**の規定の適用については、次に定めるところによる。（令１の12③）
　（一）　当該信託についての受益者等が一である場合には、当該信託に関する権利の全部を当該受益者等が有するものとする。
　（二）　当該信託についての受益者等が二以上存する場合には、当該信託に関する権利の全部をそれぞれの受益者等がその有する権利の内容に応じて有するものとする。

3　相続税法の一部改正に伴う経過措置

（１）　**六**の規定（**2**の①に規定する受益者連続型信託に係る部分を除く。）は、信託法施行日（平成19年９月30日）以後に効力が生ずる信託（遺言によってされた信託にあっては信託法施行日以後に遺言がされたものに限り、新法信託を含む。）について適用し、信託法施行日前に効力が生じた信託（遺言によってされた信託にあっては信託法施行日前に遺言がされたものを含み、新法信託を除く。）については、なお従前の例による。（平19改所法等附49①）
（２）　**六**の規定（**2**の①に規定する受益者連続型信託に係る部分に限る。）は、信託法施行日（平成19年９月30日）以後に信託に関する権利（当該権利に係る利益及び当該信託に係る残余財産を含む。以下（２）において同じ。）を取得する場合について適用し、信託法施行日前に信託に関する権利を取得した場合については、なお従前の例による。（平19改所法等附49②）
（３）　（２）の規定により信託法施行日（平成19年９月30日）前に効力が生じた信託（遺言によってされた信託にあっては信託法施行日前に遺言がされたものを含み、新法信託を除く。）について**1**及び**2**の①の規定の適用がある場合におけるこれらの規定の適用については、**1**の①中「受益者等（受益者としての権利を現に有する者及び特定委託者をいう。以下**六**において同じ。）」とあるのは「受益者等（受益者としての権利を現に有する者（その者が存しない場合にあっては、委託者）をいう。以下**1**及び**2**の①において同じ。）」と、**2**の①中「**1**の①の（２）に規定する特定委託者」とあるのは「委託者」とする。（平19改所法等附49③）

七　特別の法人から受ける利益

1　特別の法人から受ける利益に対する課税

　持分の定めのない法人（持分の定めのある法人で持分を有する者がないものを含む。第一章第二節**二**及び同第二節**三**において同じ。）で、その施設の利用、余裕金の運用、解散した場合における財産の帰属等について設立者、社員、理事、監事若しくは評議員、当該法人に対し贈与をした者又はこれらの者の親族その他これらの者と（１）に規定する特別の関係がある者に対し特別の利益を与えるものに対して財産の贈与があった場合においては、第一章第二節**三**《持分の定めのない法人の納税義務》の規定の適用がある場合を除くほか、当該財産の贈与があった時において、当該法人から特別の利益を受ける者が、当該財産（第三章《贈与税の非課税財産》**三**に規定する公益事業用財産を除く。）の贈与により受ける利益の価額に相当する金額を当該財産の贈与をした者から贈与により取得したものとみなす。（法65①）

　　（特別の関係がある者）
（１）　**1**に規定する「これらの者と特別の関係がある者」は、**1**に規定する法人の設立者、社員、理事若しくは監事、当該法人に対し贈与をした者（以下「**設立者等**」という。）と次に掲げる関係のある者とする。（令31①）
　（一）　設立者等と婚姻の届出をしていないが事実上婚姻関係と同様の事情にある者及びその者の親族でその者と生計を一にしているもの
　（二）　設立者等の使用人及び使用人以外の者で当該設立者等から受ける金銭その他の財産によって生計を維持しているもの並びにこれらの者の親族でこれらの者と生計を一にしているもの

　　（贈与等をした者等以外の者に特別の利益を与える場合）
（２）　持分の定めのない法人が、当該法人に対する財産の贈与等に関して、当該贈与等をした者及びその者の親族その他これらの者と第六章第六節**二**の**3**に規定する特別の関係がある者以外の者で当該法人の設立者、社員若しくは役員等又はこれらの者の親族その他これらの者と同**3**に規定する特別の関係がある者に対し特別の利益を与えると認められる場合には、第一章第二節**三**の（４）《相続税の負担が不当に減少する結果となると認められる場合の要件》に該当するときを除き、同節**三**《持分の定めのない法人の納税義務》の規定の適用はないが、当該特別の利益を受ける者に対して**1**又は**2**の規定が適用されることに留意する。

－485－

第二編　贈与税

　この場合において、贈与等に関して特別の利益を与えると認められる場合とは、同**三**の（8）の（一）及び（二）に掲げる場合をいうものとして取り扱う。（昭39直審（資）24「20」）

　　　（持分の定めのない法人から受ける利益の価額）
（3）　（2）の場合において、**1**に規定する「贈与により受ける利益の価額」とは、贈与等によって法人が取得した財産の価額によるのではなく、当該法人に対する当該財産の贈与に関して当該法人から特別の利益を受けたと認められる者が当該法人から受けた当該特別の利益の実態により評価するのであるから留意する。（昭39直審（資）24「21」）

2　公益事業の用に供しなかった場合
　1に規定する公益事業用財産を取得した持分の定めのない法人がその財産を取得した日から2年を経過した日において、なお当該財産を公益を目的とする事業の用に供していない場合においては、当該財産の贈与により受ける利益の価額に相当する金額は、**1**に規定する特別の利益を受ける者の贈与税の課税価格に算入する。（法65②により準用される法12②）

3　特別の法人の設立のために財産の提供があった場合の準用
　1及び**2**の規定は、**1**に規定する持分の定めのない法人の設立があった場合において、**1**の法人から特別の利益を受ける者が当該法人の設立により受ける利益について準用する。（法65③）

4　法人から受ける特別の利益の内容及び特別の利益を受ける者の範囲
　1の法人から特別の利益を受ける者の範囲、法人から受ける特別の利益の内容その他**1**の規定の適用に関し必要な事項は、（1）で定める。（法65④）

　　　（法人から受ける特別の利益の内容等）
（1）　**1**の法人から受ける特別の利益は、施設の利用、余裕金の運用、解散した場合における財産の帰属、金銭の貸付け、資産の譲渡、給与の支給、役員等（理事、監事、評議員その他これらの者に準ずるものをいう。第一章第二節**三**の（3）及び（4）の（二）において同じ。）の選任その他財産の運用及び事業の運営に関して当該法人から受ける特別の利益（以下（1）において「特別利益」という。）とし、**1**の法人から特別の利益を受ける者は、**1**の贈与をした者からの当該法人に対する当該財産の贈与に関して当該法人から特別利益を受けたと認められる者とする。（令32）

－486－

第三章　贈与税の非課税財産

一　法人からの贈与により取得した財産

次に掲げる財産の価額は、贈与税の課税価格に算入しない。（法21の3①）

（一）	法人からの贈与により取得した財産及び公益信託から給付を受けた財産

（注）1　公益信託に関する法律（令和6年法律第30号）の施行の日前については、「及び公益信託から給付を受けた財産」は削除する。（令6改法等附1九ハ）

　　　2　法人からの贈与により取得した財産は業務に関して受けるもの及び継続的に受けるものを除き一時所得として所得税の課税対象とされている。（編者注。所得税基通34－1（五）参照）

（法人の範囲）

（1）　一に規定する「法人」には、国、地方公共団体のほか、外国法人をも含むのであるから留意する。（基通21の3－1）

（人格のない社団又は財団からの贈与）

（2）　代表者又は管理者の定めのある人格のない社団又は財団からの贈与によって取得した財産については、一に規定する法人からの贈与に準じ贈与税を課税しないことに取り扱う。（基通21の3－2）

◎民法上の組合からの贈与……第四章の **5** 参照

二　扶養義務者から贈与を受けた教育費及び生活費

次に掲げる財産の価額は、贈与税の課税価格に算入しない。（法21の3①）

（二）	扶養義務者相互間において生活費又は教育費に充てるためにした贈与により取得した財産のうち通常必要と認められるもの

（「生活費」の意義）

（1）　二に規定する「生活費」とは、その者の通常の日常生活を営むのに必要な費用（教育費を除く。）をいい、治療費、養育費その他これらに準ずるもの（保険金又は損害賠償金により補てんされる部分の金額を除く。）を含むものとして取り扱うものとする。（基通21の3－3）

（「教育費」の意義）

（2）　二に規定する「教育費」とは、被扶養者の教育上通常必要と認められる学資、教材費、文具費等をいい、義務教育費に限らないのであるから留意する。（基通21の3－4）

（生活費及び教育費の取扱い）

（3）　二の規定により生活費又は教育費に充てるためのものとして贈与税の課税価格に算入しない財産は、生活費又は教育費として必要なつど直接これらの用に充てるために贈与によって取得した財産をいうものとする。したがって、生活費又は教育費の名義で取得した財産を預貯金した場合又は株式の買入代金若しくは家屋の買入代金に充当したような場合における当該預貯金又は買入代金等の金額は、通常必要と認められるもの以外のものとして取り扱うものとする。（基通21の3－5）

（生活費等で通常必要と認められるもの）

（4）　二に規定する「通常必要と認められるもの」は、被扶養者の需要と扶養者の資力その他一切の事情を勘案して社会通念上適当と認められる範囲の財産をいうものとする。（基通21の3－6）

第二編　贈与税

（生活費等に充てるために財産の名義変更があった場合）
（5）　財産の果実だけを生活費又は教育費に充てるために財産の名義変更があったような場合には、その名義変更の時に
その利益を受ける者が当該財産を贈与によって取得したものとして取り扱うものとする。（基通21の3－7）

《参考》

扶養義務者（父母や祖父母）から「生活費」又は「教育費」の贈与を受けた場合の贈与税に関するQ&A

平成25年12月
国税庁

1　生活費又は教育費の全般に関するQ&A

【Q1－1】　扶養義務者（父母や祖父母）から生活費又は教育費の贈与を受けましたが、贈与税の課税対象となります
か。
【A】　扶養義務者相互間において生活費又は教育費に充てるために贈与を受けた財産のうち「通常必要と認められるも
の」については、贈与税の課税対象となりません。

(注)1　「扶養義務者」とは、次の者をいいます。
①　配偶者
②　直系血族及び兄弟姉妹
③　家庭裁判所の審判を受けて扶養義務者となった三親等内の親族
④　三親等内の親族で生計を一にする者
なお、扶養義務者に該当するかどうかは、贈与の時の状況により判断します。
2　「生活費」とは、その者の通常の日常生活を営むのに必要な費用（教育費を除きます。）をいいます。また、治療費や養育費その他これ
らに準ずるもの（保険金又は損害賠償金により補てんされる部分の金額を除きます。）を含みます。
3　「教育費」とは、被扶養者（子や孫）の教育上通常必要と認められる学資、教材費、文具費等をいい、義務教育費に限られません。

【関係法令等】法1の2一、21の3①二、基通1の2－1、21の3－3、21の3－4、民法第877条

【Q1－2】　贈与税の課税対象とならない生活費又は教育費に充てるために贈与を受けた財産のうち「通常必要と認め
られるもの」とは、どのような財産をいいますか。
【A】　贈与税の課税対象とならない生活費又は教育費に充てるために贈与を受けた財産のうち「通常必要と認められる
もの」とは、贈与を受けた者（被扶養者）の需要と贈与をした者（扶養者）の資力その他一切の事情を勘案して社会
通念上適当と認められる範囲の財産をいいます。

【関係法令等】基通21の3－6

【Q1－3】　数年間分の「生活費」又は「教育費」を一括して贈与を受けた場合、贈与税の課税対象となりますか。
【A】　贈与税の課税対象とならない生活費又は教育費は、生活費又は教育費として必要な都度直接これらの用に充てる
ために贈与を受けた財産であり、したがって、数年間分の生活費又は教育費を一括して贈与を受けた場合において、
その財産が生活費又は教育費に充てられずに預貯金となっている場合、株式や家屋の購入費用に充てられた場合等の
ように、その生活費又は教育費に充てられなかった部分については、贈与税の課税対象となります。

(注)　「教育費」については、別途、「直系尊属から教育資金の一括贈与を受けた場合の贈与税の非課税（措法第70条の2の2）」が設けられて
います。

【関係法令等】基通21の3－5

2　結婚費用に関するQ&A

【Q2－1】　婚姻に当たって子が親から金品の贈与を受けた場合、贈与税の課税対象となりますか。
【A】　婚姻に当たって、子が親から婚姻後の生活を営むために、家具、寝具、家電製品等の通常の日常生活を営むのに
必要な家具什器等の贈与を受けた場合、又はそれらの購入費用に充てるために金銭の贈与を受け、その全額を家具什
器等の購入費用に充てた場合等には、贈与税の課税対象となりません。
なお、贈与を受けた金銭が預貯金となっている場合、株式や家屋の購入費用に充てられた場合等のように、その生
活費（家具什器等の購入費用）に充てられなかった部分については、贈与税の課税対象となります。

(注)1　子が親から金品を受け取った場合は、原則として贈与税の課税対象となります。

－488－

第三章 贈与税の非課税財産

　　　ただし、扶養義務者相互間において生活費に充てるために贈与を受けた財産のうち通常必要と認められるものであり、必要な都度直接生活費に充てるために贈与を受けた財産については、贈与税の課税対象となりません。
　　2　個人から受ける結婚祝等の金品は、社交上の必要によるもので贈与をした者と贈与を受けた者との関係等に照らして社会通念上相当と認められるものについては、贈与税の課税対象となりません。
　【関係法令等】法21の3①二、基通21の3－5、21の3－9

【Q2－2】　子の結婚式及び披露宴の費用を親が負担した場合、贈与税の課税対象となりますか。

【A】　結婚式・披露宴の費用を誰（子（新郎・新婦）、その親（両家））が負担するかは、その結婚式・披露宴の内容、招待客との関係・人数や地域の慣習などによって様々であると考えられますが、それらの事情に応じて、本来費用を負担すべき者それぞれが、その費用を分担している場合には、そもそも贈与には当たらないことから、贈与税の課税対象となりません。

3　出産費用に関するQ＆A

【Q3－1】　出産に当たって子が親から検査・検診、分娩・入院に要する費用について贈与を受けた場合、贈与税の課税対象となりますか。

【A】　扶養義務者相互間において生活費に充てるために贈与を受けた場合に、贈与税の課税対象とならない「生活費」とは、その者の通常の日常生活を営むのに必要な費用（教育費を除きます。）をいい、治療費、養育費その他これらに準ずるもの（保険金又は損害賠償金により補てんされる部分の金額を除きます。）も含まれます。

　　したがって、出産に要する費用で、検査・検診代、分娩・入院費に充てるために贈与を受けた場合には、これらについては治療費に準ずるものであることから、（保険等により補てんされる部分を除き、）贈与税の課税対象となりません。

　　また、新生児のための寝具、産着等ベビー用品の購入費に充てるため金銭の贈与を受けた場合についても、生まれてくる子供が通常の日常生活を営むのに必要なものの購入費に充てられている部分については、贈与税の課税対象となりません。

（注）　個人から受ける出産祝の金品は、社交上の必要によるもので贈与をした者と贈与を受けた者との関係等に照らして社会通念上相当と認められるものについては、贈与税の課税対象となりません。
　【関係法令等】法21の3①二、基通21の3－3、21の3－9

4　教育費に関するQ＆A

【Q4－1】　贈与税の課税対象とならない「教育費」とは、どのようなものをいいますか。

【A】　贈与税の課税対象とならない「教育費」とは、子や孫（被扶養者）の教育上通常必要と認められる学資、教材費、文具費、通学のための交通費、学級費、修学旅行参加費等をいい、義務教育に係る費用に限りません。

（注）　個人から受ける入学祝等の金品は、社交上の必要によるもので贈与をした者と贈与を受けた者との関係等に照らして社会通念上相当と認められるものについては、贈与税の課税対象となりません。
　【関係法令等】法21の3①二、基通21の3－4、21の3－9

5　その他の生活費に関するQ＆A

【Q5－1】　子が居住する賃貸住宅の家賃等を親が負担した場合、贈与税の課税対象となりますか。

【A】　扶養義務者相互間において生活費に充てるために贈与を受けた場合に、贈与税の課税対象とならない「生活費」とは、その者の通常の日常生活を営むのに必要な費用（教育費を除きます。）をいい、通常の日常生活を営むのに必要な費用に該当するかどうかは、贈与を受けた者（被扶養者）の需要と贈与をした者（扶養者）の資力その他一切の事情を勘案して社会通念上適当と認められる範囲かどうかで判断することとなります。

　　したがって、子が自らの資力によって居住する賃貸住宅の家賃等を負担し得ないなどの事情を勘案し、社会通念上適当と認められる範囲の家賃等を親が負担している場合には、贈与税の課税対象となりません。

　【関係法令等】法21の3①二、基通21の3－3、21の3－6

－489－

三　公益事業用財産

次に掲げる財産の価額は、贈与税の課税価格に算入しない。（法21の3①）

(三)	宗教、慈善、学術その他公益を目的とする事業を行う者で**1**で定めるものが贈与により取得した財産で当該公益を目的とする事業の用に供することが確実なもの　(**四**に掲げるものを除く。)

1　公益事業を行う者の範囲

　三に規定する宗教、慈善、学術その他公益を目的とする事業を行う者は、専ら社会福祉法第2条《定義》に規定する社会福祉事業、更生保護事業法第2条第1項《定義》に規定する更生保護事業、児童福祉法（昭和22年法律第164号）第6条の3第9項《定義》に規定する家庭的保育業、同条第10項に規定する小規模保育事業又は同条第12項に規定する事業所内保育事業、学校教育法第1条《学校の範囲》に規定する学校又は就学前の子どもに関する教育、保育等の総合的な提供の推進に関する法律（平成18年法律第77号）第2条第6項《定義》に規定する認定こども園を設置し、運営する事業その他の宗教、慈善、学術その他公益を目的とする事業で、その事業活動により文化の向上、社会福祉への貢献その他公益の増進に寄与するところが著しいと認められるものを行う者とする。ただし、その者が個人である場合には(一)に掲げる事実、その者が第一章第二節**二**《人格のない社団等の納税義務》に規定する人格のない社団又は財団（以下において「**社団等**」という。）である場合には(二)及び(三)に掲げる事実がない場合に限る。（令4の5により読み替えて準用される令2）

(一)	その者に当該財産の贈与をした者、その者又はこれらの者の親族その他これらの者と特別関係がある者に対してその事業に係る施設の利用、余裕金の運用、金銭の貸付、資産の譲渡、給与の支給その他財産の運用及び事業の運営に関し特別の利益を与えること。
(二)	当該社団等の役員その他の機関の構成、その選任方法その他当該社団等の事業の運営の基礎となる重要事項について、その事業の運営が特定の者又はその親族その他その特定の者と特別関係がある者の意思に従ってなされていると認められる事実があること。
(三)	当該社団等の機関の地位にある者、当該財産の贈与をした者又はこれらの者の親族その他これらの者と特別関係がある者に対して当該社団等の事業に係る施設の利用、余裕金の運用、解散した場合における財産の帰属、金銭の貸付、資産の譲渡、給与の支給、当該社団等の機関の地位にある者への選任その他財産の運用及び事業の運営に関し特別の利益を与えること。

　　（特別の関係がある者）
(1)　特別の関係がある者は、**1**の(一)に規定する贈与者又は受贈者若しくは**1**の(二)又は(三)に規定する特定の者（以下「**贈与者等**」という。）と次に掲げる関係のある者とする。（令31①）
　(一)　贈与者等と婚姻の届出をしていないが事実上婚姻関係と同様の事情にある者及びその者の親族でその者と生計を一にしているもの
　(二)　贈与者等の使用人及び使用人以外の者で当該贈与者等から受ける金銭その他の財産によって生計を維持しているもの並びにこれらの者の親族でこれらの者と生計を一にしているもの

　　（公益を目的とする事業を行う者の範囲）
(2)　**三**に規定する「公益を目的とする事業を行う者で**1**で定めるもの」とは、財産取得の時において**1**に規定する公益の増進に寄与するところが著しいと認められる事業で、かつ、当該事業の運営等について**1**の各号に掲げる事実のないもの（以下**三**において「**1の規定に該当する事業**」という。）を行っている者をいうのであるが、次に掲げる者もこれに該当するものとして取り扱うものとする。（昭39直審（資）24「1」）
　(一)　財産取得の時においては、**1**の規定に該当する事業以外の公益を目的とする事業を行っていた者で、財産取得の日の属する年の末日までに、当該財産をその事業の用に供することにより、**1**の規定に該当する事業を行うこととなったもの
　(二)　財産取得の日の属する年の末日までに、当該財産をもって**1**の規定に該当する事業を開始した者

　　（公益の増進に寄与するところが著しいと認められる事業）
(3)　公益を目的とする事業のうち、事業の種類、規模及び運営がそれぞれ次の(一)から(三)までに該当すると認められ

る事業は、「公益の増進に寄与するところが著しいと認められる事業」に該当するものとして取り扱う。（昭39直審（資）24「2」）

（一）　事業の種類

　イ　公益社団法人及び公益財団法人の認定等に関する法律（平成18年法律第49号）第2条第4号《定義》に規定する公益目的事業

　ロ　社会福祉法（昭和26年法律第45号）第2条第2項各号及び第3項各号《定義》に掲げる事業

　ハ　更生保護事業法第2条第1項《定義》に掲げる更生保護事業

　ニ　学校教育法（昭和22年法律第26号）第1条《学校の範囲》に規定する学校を設置運営する事業

　ホ　育英事業

　ヘ　科学技術に関する知識の普及又は学術の研究に関する事業

　ト　図書館若しくは博物館又はこれらに類する施設を設置運営する事業

　チ　宗教の普及その他教化育成に寄与することとなる事業

　リ　保健衛生に関する知識の普及その他公衆衛生に寄与することとなる事業

　ヌ　政治資金規正法（昭和23年法律第194号）第3条《定義等》に規定する目的のために政党、政治団体の行う事業

　ル　公園その他公衆の利用に供される施設を設置運営する事業

　ヲ　イからルまでに掲げる事業を直接助成する事業

（二）　事業の規模

　　事業の内容に応じ、その事業を営む地域又は分野において社会的存在として認識される程度の規模を有しており、かつ、その事業を行うために必要な施設その他の財産を有していること。

（三）　事業の運営

　イ　事業の遂行により与えられる公益が、それを必要とする者の現在又は将来における勤務先、職業等により制限されることなく、公益を必要とするすべての者（やむを得ない場合においてはこれらの者から公平に選出された者）に与えられるなど公益の分配が適正に行われること。

　ロ　公益の対価は、原則として無料（事業の維持運営についてやむを得ない事情があって対価を徴収する場合においても、その対価は事業の与える公益に比し社会一般の通念に照らし著しく低廉）であること。

　　（専ら公益の増進に寄与するところが著しい事業を行う者）

（4）　1に規定する「専ら……公益の増進に寄与するところが著しいと認められる事業を行う者」とは、その者が個人である場合には公益の増進に寄与するところが著しいと認められる事業（以下（7）までにおいて「**高度の公益事業**」という。）のみを専念して行う者をいい、その者が1に規定する社団等（以下（9）までにおいて「**社団等**」という。）である場合には高度の公益事業のみをその目的事業として行う社団等をいうものとして取り扱う。（昭39直審（資）24「3」）

　　（個人が特別の利益を与えること）

（5）　1の（一）に規定する「特別の利益を与えること」とは、高度の公益事業を行う者に対し財産を贈与（贈与をした者の死亡により効力を生ずる贈与を除く。以下同じ。）した者、当該事業を行う者又はこれらの者の親族その他これらの者と1に規定する特別関係がある者（以下（8）までにおいて、当該「親族その他これらの者と1に規定する特別関係がある者」を「**特別関係がある者**」という。）について、例えば、次に掲げる事実があると認められる場合がこれに該当するものとして取り扱う。（昭39直審（資）24「4」）

（一）　これらの者が役務を提供し、又はこれらの者の財産を利用に供している等の有無に関係なく、高度の公益事業に係る金銭その他の財産の支給を受けていること。

（二）　これらの者が高度の公益事業に係る余裕金を生活資金に利用し、又はその施設を居住の用に供している等これらの財産を無償又は有償で利用していること。

（三）　これらの者が利息の有無に関係なく、高度の公益事業に係る金銭の貸付けを受けていること。

（四）　これらの者が対価の有無に関係なく、高度の公益事業に係る資産を譲り受けていること。

　　（重要事項）

（6）　1の（二）に規定する「事業の運営の基礎となる重要事項」とは、役員その他の機関の構成、その選任方法のほか、次に掲げる事項がこれに該当するものとして取り扱う。（昭39直審（資）24「5」）

（一）　当該事業の遂行により与えられる公益を受ける者の選任、与えられる公益の種類及びその程度の決定

（二）　事業の運営に関する諸規則の制定

（三） 事業計画及び予算の決定並びに決算の承認

（四） 事業の廃止又は縮小

（五） （四）により不用となった財産の処分

（特別関係がある者の意思に従ってなされていると認められる事実があること）

（７） 1の（二）に規定する「特別関係がある者の意思に従ってなされていると認められる事実があること」とは、社団等の運営の基本となる規則、規約その他の規定（以下（７）において**「規約等」**という。）に次の（一）から（四）までの事項が定められていないこと、又は社団等の事績に（五）から（七）までの事実が認められることをいうものとして取り扱う。（昭39直審（資）24「6」）

（一） 特定の者及びその者と特別関係がある者が社団等の構成員又は役員その他の機関の地位にある者の総数の3分の1以下であること。

（二） 社団等の機関の地位にある者の選任は、社団等の代表者の指名又は委嘱によるなど恣意的に選任されることなく、例えば、社団等の総会若しくは公正に選任されている評議員会の選挙により選出されるなど、その行う事業の種類に応じ、機関の地位にあることが適当と認められる者がその地位に選任されること。

（三） 事業の種類に応じ相当数の評議員、運営委員又はこれらの者に準ずるもの（以下（７）において**「評議員等」**という。）を置くこと。

（四） （6）に掲げる重要事項の決定又は変更は、評議員等の意見を聴き、役員の全部又は大部分の賛成を得てされること。

（五） 公益が主として特定の者及びその者と特別関係がある者に与えられること。

（六） 高度の公益事業のために支出される費用の額が社団等の収入からみて過少であるなど社団等の経理がその事業の目的に照らし適正でないこと。

（七） 社団等の運営がその規約等に違反して行われたこと。

（社団等が特別の利益を与えること）

（８） 1の（三）に規定する「特別の利益を与える」とは、社団等の機関の地位にある者、贈与をした者又はこれらの者と特別の関係がある者について、例えば、次に掲げる事実がある場合又はその事実があると認められる場合がこれに該当するものとして取り扱う。（昭39直審（資）24「7」）

（一） 当該社団等の施設その他の財産を居住、担保、生活資金その他私的の用に利用していること。

（二） 当該社団等の余裕金をこれらの者の行う事業に運用していること。

（三） 当該社団等が解散した場合に残余財産がこれらの者に帰属することとなっていること。

（四） 当該社団等の他の従業員に比し有利な条件で、これらの者に金銭の貸付けをしていること。

（五） 当該社団等の所有する財産をこれらの者に無償又は著しく低い対価で譲渡していること。

（六） これらの者が過大な給与の支給を受け、又は当該社団等の機関の地位にあることのみに基づき報酬を受けていること。

（七） これらの者の債務が社団等によって保証、弁済、免除又は引受けされていること。

（八） 当該社団等の事業の廃止等により不用に帰する財産がこれらの者に帰属することとなっていること。

（九） 当該社団等がこれらの者から金銭その他の財産を過大な利息又は賃貸料で借り受けていること。

（十） 当該社団等がこれらの者からその所有する財産を過大な対価で譲り受けていること、又はこれらの者から公益を目的とする事業の用に供するとは認められない財産を取得していること。

（十一） 契約金額が少額なものを除き、入札等公正な方法によらないで、これらの者が行う物品の販売、工事請負、役務提供、物品の賃貸その他事業に係る契約の相手方となっていること。

（十二） 事業の遂行により供与する公益を主として、又は不公正な方法で、これらの者に与えていること。

（贈与により取得した財産）

（９） 三に規定する「贈与により取得した財産」とは、原則として贈与により取得した財産そのものをいうのであるが、1の規定に該当する事業を行う者が社団等である場合には、次に掲げる財産は、これに該当するものとして取り扱う。（昭39直審（資）24「8」）

（一） 贈与により取得した財産を譲渡して得た譲渡代金の全部又は当該譲渡代金及び譲渡代金により取得した財産の全部を当該事業の用に供することが確実である場合における当該財産

（二） 贈与により取得した財産との交換により取得した財産（交換差金を取得した場合には交換差金の全部を含む。）を

－492－

第三章　贈与税の非課税財産

当該事業の用に供することが確実である場合の当該財産

（三）　贈与により取得した財産の果実の全部を当該事業の用に供することが確実な場合における当該財産

　　（公益を目的とする事業の用に供することが確実なもの）

(10)　三に規定する「公益を目的とする事業の用に供することが確実なもの」であるかどうかは、次により判断すること
に取り扱う。（昭39直審（資）24「9」）

（一）　調査時において、贈与により取得した財産が1の規定に該当する事業の用に供されている場合には、その時まで
に当該事業以外の用に供されたことがなく、かつ、最初に当該事業の用に供した日から調査時まで引き続き当該事業
の用に供されていること。

（二）　調査時において、贈与により取得した財産が1の規定に該当する事業の用に供されていない場合には、事業計画
等から判断して財産取得の日から2年を経過した日までに当該事業の用に供されることが確実と認められること。

2　公益事業の用に供しなかった財産への課税

　三に掲げる財産を取得した者がその財産を取得した日から2年を経過した日において、なお当該財産を当該公益を目的
とする事業の用に供していない場合においては、当該財産の価額は、課税価格に算入する。（法21の3②により準用される
法12②）

　　（「当該財産を当該公益を目的とする事業の用に供していない場合」の意義）

（1）　2に規定する「当該財産を当該公益を目的とする事業の用に供していない場合」とは、財産を取得した者が当該財
産を現実に当該公益を目的とする事業の用に供している場合以外の場合をいうのであるから、当初当該財産を公益を目
的とする事業の用に供していても2年を経過した日現在において、その用に供しなくなった場合をも含むことに留意す
る。（基通12-6）

　　（公益事業の用に供しなかった財産）

（2）　2の規定により、財産を取得した日から2年を経過した日において、なお当該財産を三に規定する公益を目的とす
る事業の用に供していないために、当該財産の価額を課税価格に算入することになった場合においては、当該財産を取
得した時の時価によって評価し、贈与税の課税価格の計算の基礎に算入するものとする。この場合において、その者に
ついては延滞税及び各種加算税の納付義務があるのであるから留意する。（基通12-7）

　　（2年を経過した日においてなおその用に供していないこと）

（3）　2に規定する「2年を経過した日において、なお当該財産を当該公益を目的とする事業の用に供していない場合」
とは、財産取得の日から2年を経過した日（以下（4）までにおいて「**2年を経過した日**」という。）において、贈与によ
り取得した財産を1の規定に該当する事業の用に供していない場合のほか次のいずれかの事実があると認められる場合
をいうのであるから留意する。（昭39直審（資）24「10」）

（一）　財産取得の日から2年を経過した日まで、贈与により取得した財産の全部又は一部を1の規定に該当する事業以
外の用に供した事実があること。

（二）　贈与により取得した財産を最初に1の規定に該当する事業の用に供した日から2年を経過した日まで引き続き当
該事業の用に供している事実がないこと。

（三）　2年を経過した日以後も事業計画等によって贈与により取得した財産の全部を1の規定に該当する事業の用に供
すると認められないこと。

　　（2年を経過した日において取得財産が公益事業の用に供されていた場合の更正）

（4）　1の（9）の（二）の事実が認められないため、1の規定に該当する事業を行う者が取得した財産を贈与税の課税価格
に算入した場合においても、2年を経過した日において当該財産を当該事業の用に供しており、かつ、（3）の（一）から
（三）までの事実が認められないときは、当該事業を行う者からその旨の申出がある場合に限り、当該財産は公益を目的
とする事業の用に供することが確実であったものとして課税価格及び税額を更正することができることに取り扱う。
（昭39直審（資）24「11」）

－493－

四　公益信託による財産

次に掲げる財産の価額は、贈与税の課税価格に算入しない。（法21の3①）

(四)	公益信託の受託者が贈与により取得した財産（その信託財産として取得したものに限る。）

(注)　改正後の**四**は、公益信託に関する法律（令和6年法律第30号）の施行の日以後適用する。（令6改法等附1九ハ）

五　心身障害者扶養共済制度に基づく給付金の受給権

次に掲げる財産の価額は、贈与税の課税価格に算入しない。（法21の3①）

(五)	条例の規定により地方公共団体が精神又は身体に障害のある者に関して実施する共済制度で政令で定めるものに基づいて支給される給付金を受ける権利

　（心身障害者扶養共済制度で政令で定めるもの）

注　**五**に規定する政令で定める共済制度は、所得税法施行令第20条第2項《地方公共団体が実施する共済制度》に規定する共済制度とする。（令2の2）

　(注)　所得税法施行令第20条第2項　　所得税法第9条第1項第3号ハに規定する政令で定める共済制度は、地方公共団体の条例において精神又は身体に障害のある者（以下この項において「**心身障害者**」という。）を扶養する者を加入者とし、その加入者が地方公共団体に掛金を納付し、当該地方公共団体が心身障害者の扶養のための給付金を定期に支給することを定めている制度（脱退一時金（加入者が当該制度から脱退する場合に支給される一時金をいう。）の支給に係る部分を除く。）で、次に掲げる要件を備えているものとする。

　　(一)　心身障害者の扶養のための給付金（その給付金の支給開始前に心身障害者が死亡した場合に加入者に対して支給される弔慰金を含む。）のみを支給するものであること。

　　(二)　(一)の給付金の額は、心身障害者の生活のために通常必要とされる費用を満たす金額（(一)の弔慰金にあっては、掛金の累積額に比して相当と認められる金額）を超えず、かつ、その額について、特定の者につき不当に差別的な取扱いをしないこと。

　　(三)　(一)の給付金（(一)の弔慰金を除く。(四)において同じ。）の支給は、加入者の死亡、重度の障害その他地方公共団体の長が認定した特別の事故を原因として開始されるものであること。

　　(四)　(一)の給付金の受取人は、心身障害者又は(三)の事故発生後において心身障害者を扶養する者とするものであること。

　　(五)　(一)の給付金に関する経理は、他の経理と区分して行い、かつ、掛金その他の資金が銀行その他の金融機関に対する運用の委託、生命保険への加入その他これらに準ずる方法を通じて確実に運用されるものであること。

六　公職選挙の候補者が選挙費用として贈与を受けた財産

次に掲げる財産の価額は、贈与税の課税価格に算入しない。（法21の3①）

(六)	公職選挙法（昭和25年法律第100号）の適用を受ける選挙における公職の候補者が選挙運動に関し贈与により取得した金銭、物品その他の財産上の利益で同法第189条《選挙運動に関する収入及び支出の報告書の提出》の規定による報告がなされたもの

　（選挙費用等の取扱い）

注　選挙費用等については、次に掲げるところによるものであるから留意する。（基通21の3－8）

　(一)　公職選挙法（昭和25年法律第100号）の適用を受ける公職の候補者が選挙運動に関し、金銭、物品その他の財産上の利益を取得した場合

　　イ　個人からの贈与によって取得した金銭、物品その他の財産上の利益については、その取得した金銭、物品その他の財産上の利益のうち公職選挙法第189条《選挙運動に関する収入及び支出の報告書の提出》の規定による報告がされたものは、課税価格に算入しないこと。

　　ロ　法人からの贈与によって取得した金銭、物品その他の財産上の利益については、**一**《法人からの贈与により取得した財産》に該当するから課税価格に算入しないこと。

　(二)　政治資金規正法（昭和23年法律第194号）の適用を受ける政党（政党交付金の交付を受ける政党等に対する法人格の付与に関する法律第4条《法人格の取得等》の規定により法人格が付与されたものを除く。以下同じ。）、政治資金団体その他の政治団体が政治資金として金銭、物品その他の財産上の利益を取得した場合

第三章　贈与税の非課税財産

　　イ　個人からの贈与によって取得した金銭、物品その他の財産上の利益については、その政党、政治資金団体その他
　　　の政治団体が三《公益事業用財産》の公益を目的とする事業を行う者に該当し、かつ、その取得した財産を政治資
　　　金に供することが確実であるときは、課税価格に算入しないこと。
　　ロ　法人からの贈与によって取得した金銭、物品その他の財産上の利益については、一に該当するから課税価格に算
　　　入しないこと。

七　香　典　等

　　個人から受ける香典、花輪代、年末年始の贈答、祝物又は見舞等のための金品で、法律上贈与に該当するものであって
も、社交上の必要によるもので贈与者と受贈者との関係等に照らして社会通念上相当と認められるものについては、贈与
税を課税しないことに取り扱うものとする。（基通21の3－9）

八　特定障害者に対する贈与税の非課税

1　特定障害者扶養信託契約の受益権のうち6,000万円までの部分の非課税

　　特定障害者（（1）に規定する特別障害者（第一章第二節一の（二）《非居住無制限納税義務者》から（四）《非居住制限納
税義務者》までの規定に該当する者を除く。以下1において「**特別障害者**」という。）及び第一編第六章第六節《障害者控
除》に規定する障害者（特別障害者を除く。）のうち精神上の障害により事理を弁識する能力を欠く常況にある者その他の
精神に障害がある者として（2）で定めるもの（第一章第二節一の（二）《非居住無制限納税義務者》から（四）《非居住制限
納税義務者》までの規定に該当する者を除く。）をいう。以下1及び2において同じ。）が、信託会社及び信託業務を兼営
する銀行（以下八において「**受託者**」という。）の営業所、事務所その他これらに準ずるもので相続税法の施行地にあるも
の（3①において「**受託者の営業所**」という。）において当該特定障害者を受益者とする特定障害者扶養信託契約に基づ
いて当該特定障害者扶養信託契約に係る財産の信託がされることによりその信託の利益を受ける権利（以下八において「**信
託受益権**」という。）を有することとなる場合において、3の①の（1）で定めるところにより、その信託の際、当該信託受
益権につき1の規定の適用を受けようとする旨その他必要な事項を記載した申告書（以下八において「**障害者非課税信託
申告書**」という。）を納税地の所轄税務署長に提出したときは、当該信託受益権でその価額のうち6,000万円（特定障害者
のうち特別障害者以外の者にあっては、3,000万円）までの金額（既に他の信託受益権について障害者非課税信託申告書を
提出している場合には、当該他の信託受益権でその価額のうち本項の規定の適用を受けた部分の価額を控除した残額）に
相当する部分の価額については、贈与税の課税価格に算入しない。（法21の4①、令4の7、9）
（注）　昭和63年12月改正後の八の規定（以下「新規定」という。）の適用を受けようとする者がその者の昭和62年12月31日以前に贈与により取得した
　　　財産に係る贈与税について昭和63年改正前の八の規定（以下「旧規定」という。）の適用を受けたことがある者である場合には、その者の新規定
　　　に規定する信託受益権の価額のうち、新規定により贈与税の課税価格に算入しない価額は、6,000万円から既にその者の旧規定及び新規定に規定
　　　する信託受益権の価額のうち、これらの規定により贈与税の課税価格に算入しないこととされた価額の合計額を控除した残額に相当する部分の
　　　価額とする。（昭和63年法律第109号附則31②）

　　　　　（特別障害者）
（1）　1に規定する特別障害者とは、次に掲げる者をいう。（令4の4②）
　（一）　所得税法施行令第10条第2項第1号から第4号まで及び第6号に掲げる者
　（二）　所得税法施行令第10条第1項第5号に掲げる者
　（三）　所得税法施行令第10条第1項第6号に掲げる者のうち、その障害の程度が所得税法施行令第10条第2項第1号又
　　　は第3号に掲げる者に準ずるものとして同条第1項第7号に規定する市町村長等の認定を受けている者

　　　　　（特別障害者以外の特定障害者の範囲）
（2）　1に規定する精神に障害のある者として政令で定めるものは、次に掲げる者とする。（令4の8）
　（一）　所得税法施行令第10条第1項第1号及び第2号《障害者及び特別障害者の範囲》に掲げる者
　（二）　所得税法施行令第10条第1項第7号に掲げる者のうち、その障害の程度が同項第1号に掲げる者に準ずるものと
　　　して同項第7号に規定する市町村長等の認定を受けている者

　　　　　（特別障害者の範囲）
（3）　（1）に規定する特別障害者とは、次に掲げる者をいうのであるから留意する。（基通19の4－2）
　（一）　精神上の障害により事理を弁識する能力を欠く常況にある者又は児童相談所、知的障害者更生相談所、精神保健

－495－

第二編　贈与税

福祉センター若しくは精神保健指定医の判定により重度の知的障害者とされた者

(二)　精神障害者保健福祉手帳に障害等級が1級である者として記載されている者

(三)　身体障害者手帳に身体上の障害の程度が1級又は2級である者として記載されている者

(四)　(一)、(二)又は(三)に掲げる者のほか、戦傷病者特別援護法第4条の規定により交付を受けた戦傷病者手帳に精神上又は身体上の障害の程度が恩給法別表第一号表ノ二の特別項症から第三項症までである者として記載されている者

(五)　上記(三)及び(四)に掲げる者のほか、原子爆弾被爆者に対する援護に関する法律（平成6年法律第117号）第11条第1項《認定》の規定による厚生労働大臣の認定を受けている者

(六)　常に就床を要し、複雑な介護を要する者のうち、精神又は身体の障害の程度が(一)又は(三)に掲げる者に準ずるものとして市町村長等の認定を受けている者

(七)　精神又は身体に障害のある年齢65歳以上の者で、精神又は身体の障害の程度が(一)又は(三)に掲げる者に準ずるものとして市町村長等の認定を受けている者

（非課税限度額）

(4)　1の規定により非課税とされる価額は、1の規定の適用を受ける1に規定する特別障害者1人について6,000万円（特別障害者以外の1に規定する特定障害者（以下(5)において「一般障害者」という。）の場合には特別障害者1人について3,000万円）を限度とすることに留意する。（基通21の4-1）

（一般障害者から特別障害者となった場合等）

(5)　一般障害者が1に規定する信託受益権を取得し、1の規定の適用を受けた後に、特別障害者に該当することとなった場合において、新たに1に規定する信託受益権を取得したときに1の規定の適用を受けることをできる金額は6,000万円から既に1の規定の適用を受けた金額を控除した残額となることに留意する。

また、特別障害者が3,000万円を超える金額の1に規定する信託受益権を取得し、1の規定の適用を受けた後に、一般障害者に該当することとなった場合において、新たに同1に規定する信託受益権を取得したときには1の規定の適用を受けることができる金額はないが、既に1の規定の適用を受けていた額について遡及して1の規定の適用を受けることができないこととはならないことに留意する。（基通21の4-2）

2　特定障害者扶養信託契約の意義

1に規定する特定障害者扶養信託契約とは、個人が受託者と締結した金銭、有価証券その他の財産で(1)の政令で定めるものの信託に関する契約で、当該個人以外の1人の特定障害者を信託の利益の全部についての受益者とするもののうち、当該契約に基づく信託が特定障害者の死亡の日に終了することとされていることその他の(2)の政令で定める要件を備えたものをいう。（法21の4②）

（信託財産の範囲）

(1)　2に規定する信託財産は、次に掲げるものとする。（令4の11）

(一)　金銭

(二)　有価証券

(三)　金銭債権

(四)　立木及び当該立木の生立する土地（当該立木とともに信託されるものに限る。）

(五)　継続的に相当の対価を得て他人に使用させる不動産

(六)　特定障害者扶養信託契約に基づく信託の受益者である特定障害者の居住の用に供する不動産（当該特定障害者扶養信託契約に基づいて(一)から(五)に掲げる財産のいずれかとともに信託されるものに限る。）

（特定障害者扶養信託契約の要件）

(2)　2に規定する特別障害者扶養信託契約の要件は、次に掲げる要件とする。（令4の12）

(一)　当該特定障害者扶養信託契約に基づく信託は、当該特定障害者扶養信託契約の締結の際における当該信託の受益者である特定障害者の死亡の日に終了することとされていること。

(二)　当該特定障害者扶養信託契約に、当該特定障害者扶養信託契約に基づく信託は、取消し又は合意による終了ができず、かつ、当該信託の期間及び当該特定障害者扶養信託契約に係る(一)の受益者は変更することができない旨の定めがあること。

-496-

第三章　贈与税の非課税財産

（三）　当該特定障害者扶養信託契約に基づく（一）の特定障害者に係る信託財産の交付に係る金銭（収益の分配を含む。）の支払は、当該特定障害者の生活又は療養の需要に応じるため、定期に、かつ、その実際の必要に応じて適切に、行われることとされていること。

（四）　当該特定障害者扶養信託契約に基づき信託された財産の運用は、安定した収益の確保を目的として適正に行うこととされているものであること。

（五）　当該特定障害者扶養信託契約に、当該特定障害者扶養信託契約に基づく信託に係る信託受益権については、その譲渡に係る契約を締結し、又はこれを担保に供することができない旨の定めがあること。

3　特別障害者の非課税申告等

①　障害者非課税信託申告書

　障害者非課税信託申告書には、受託者の営業所等のうちいずれか一のものに限り記載することができるものとし、一の障害者非課税信託申告書を提出した場合には、当該障害者非課税信託申告書に記載された受託者の営業所等において新たに特定障害者扶養信託契約に基づき信託される財産に係る信託受益権につき**1**の規定の適用を受けようとする場合その他の場合で（3）の政令で定める場合を除き、他の障害者非課税信託申告書は、提出することができないものとする。（法21の4③）

（障害者非課税信託申告書の提出方法）

（1）　**1**の規定の適用を受けようとする特定障害者は、**1**に規定する信託がされるごとに、次に掲げる事項を記載した障害者非課税信託申告書に、当該障害者非課税信託申告書に係る特定障害者扶養信託契約の契約書の写しその他（2）の財務省令で定める書類を添付し、これを当該障害者非課税信託申告書に記載した受託者の営業所等を経由し、当該営業所等において当該特定障害者扶養信託契約に基づいて当該信託がされる日までに、納税地の所轄税務署長に提出しなければならない。（令4の10①）

（一）～（六）省略（記載事項については、別添書式を参照のこと。**②**以下の申告書についても同じ。）

（障害者非課税信託申告書の添付書類）

（2）　（1）に規定する財務省令で定める書類は、次に掲げる書類とする。（規2）

（一）　**1**の規定の適用を受けようとする特定障害者の次のイからへまでに掲げる区分に応じイからへまでに定める書類

　イ　**1**の（3）の（一）に掲げる者に該当する者　　同（一）に掲げる者に該当する者であることについての児童相談所、知的障害者福祉法（昭和35年法律第37号）第9条第6項《更生援護の実施者》に規定する知的障害者更生相談所、精神保健及び精神障害者福祉に関する法律（昭和25年法律第123号）第6条第1項《精神保健福祉センター》に規定する精神保健福祉センター又は精神保健指定医の証明書

　ロ　**1**の（3）の（二）に掲げる者に該当する者　　同（二）の精神障害者保健福祉手帳の写し

　ハ　**1**の（3）の（三）に掲げる者に該当する者　　身体障害者手帳の写し

　ニ　**1**の（3）の（四）に掲げる者に該当する者　　戦傷病者手帳の写し

　ホ　**1**の（3）の（五）に掲げる者に該当する者　　同（五）の規定に該当する者であることについての厚生労働大臣の証明書

　へ　**1**の（3）の（六）又は（七）に掲げる者のうちその障害の程度が**1**の（3）の（一）若しくは（三）に掲げる者に準ずるものとして市町村長等の認定を受けている者若しくは同（七）に掲げる者のうちその障害の程度が同**1**の（一）に掲げる者に準ずるものとして同**1**の（七）に規定する市町村長等の認定を受けている者　　これらの者に該当する者であることについての当該市町村長等の証明書

（二）　（1）の（四）に規定する信託受益権の価額の計算の明細書

（二以上の障害者非課税信託申告書の提出ができる場合）

（3）　**3**に規定する二以上の障害者非課税信託申告書を提出できる場合は、特定障害者の既に提出した障害者非課税信託申告書に係る特定障害者扶養信託契約に基づく信託に係る信託受益権の価額のうち**1**の規定の適用を受けた部分の価額（当該障害者非課税信託申告書が二以上提出されている場合には、これらの申告書に係る当該適用を受けた部分の価額の合計額）が6,000万円（特定障害者のうち特別障害者以外の者にあっては、3,000万円）に満たない場合において、当該特定障害者が、当該障害者非課税信託申告書に記載された受託者の営業所等において当該特定障害者扶養信託契約に基づき追加して信託される財産に係る信託受益権につき障害者非課税信託申告書を提出するとき、又は当該受託者の営業

－497－

所等において新たな特定障害者扶養信託契約に基づき信託される財産に係る信託受益権につき障害者非課税信託申告書を提出するときとする。（令4の13）

② 障害者非課税信託取消申告書

既に提出した障害者非課税信託申告書に係る特定障害者扶養信託契約に基づいて信託された財産の一部につき信託法第11条第1項《詐害信託の取消し等》の規定による取消権の行使があったことにより当該障害者非課税信託申告書に記載された信託受益権の価額が減少することとなった場合又は当該特定障害者扶養信託契約に基づく信託が遺留分を侵害するものとして行われた遺留分侵害額の請求に基づき当該信託受益権の価額の一部に相当する額の金銭を支払うべきことが確定した場合には、当該障害者非課税信託申告書を提出した特定障害者は、遅滞なく、その旨、当該信託受益権の価額のうち当該減少することとなった部分の価額又は当該請求に基づき支払うべき金銭の額（注において「**信託受益権減価額**」という。）その他財務省令で定める事項を記載した申告書を、現に当該信託に関する事務を取り扱う受託者の営業所等を経由し、納税地の所轄税務署長に提出しなければならない。（令4の14①）

（取消申告書の提出があった場合の取扱い）

注　障害者非課税信託取消申告書の提出があった場合には、当該障害者非課税信託取消申告書に係る障害者非課税信託申告書に記載された信託受益権についての当該提出があった後における**ハ**の規定の適用については、当該信託受益権の価額のうち当該障害者非課税信託取消申告書に記載された信託受益権減価額に相当する金額（当該金額が当該信託受益権で当該障害者非課税信託申告書の提出により**1**の規定の適用を受けた部分の価額を超える場合には、当該適用を受けた部分の価額に相当する金額）は、**1**の規定の適用を受けた部分の価額に含まれないものとする。（令4の14③）

③ 障害者非課税信託廃止申告書

既に提出した障害者非課税信託申告書に係る特定障害者扶養信託契約の締結に関する行為が無効であったこと若しくは当該行為が取り消すことのできる行為であったことにより取り消されたことにより当該障害者非課税信託申告書に記載された信託受益権がないこととなった場合又は当該特定障害者扶養信託契約に基づく信託が遺留分を侵害するものとして行われた遺留分侵害額の請求に基づき当該信託受益権の価額に相当する額の金銭を支払うべきことが確定した場合には、当該障害者非課税信託申告書を提出した特定障害者は、遅滞なく、その旨その他財務省令で定める事項を記載した申告書を、現に当該信託に関する事務を取り扱う受託者の営業所等を経由し、納税地の所轄税務署長に提出しなければならない。（令4の15①）

（廃止申告書の提出があった場合の取扱い）

注　障害者非課税信託廃止申告書の提出があった場合には、当該障害者非課税信託廃止申告書に係る障害者非課税信託申告書に記載された信託受益権についての当該提出があった後における**ハ**の規定の適用については、**1**の規定の適用がなかったものとみなす。（令4の15③）

④ 障害者非課税信託に関する異動申告書

（住所、氏名等の異動申告）

（1）障害者非課税信託申告書を提出した特定障害者が、その提出後、その住所若しくは居所、氏名又は個人番号の変更をした場合には、その者は、遅滞なく、その旨その他財務省令で定める事項を記載した申告書を、現に当該障害者非課税信託申告書に係る特定障害者扶養信託契約に基づく信託に関する事務を取り扱う受託者の営業所等を経由し、納税地（住所又は居所を変更したことにより納税地の異動があった場合には、その異動前の納税地）の所轄税務署長に提出しなければならない。（令4の16①）

（受託者の営業所の異動申告）

（2）障害者非課税信託申告書を提出した特定障害者が、その提出後、現に当該障害者非課税信託申告書に係る特定障害者扶養信託契約に基づく信託に関する事務を取り扱う受託者の営業所等（以下において「**前の営業所等**」という。）から当該事務の全部を当該受託者の前の営業所等以外の営業所、事務所その他これらに準ずるもので相続税法の施行地にあるもの（以下「**受託者の他の営業所等**」という。）に移管すべきことを前の営業所等に依頼し、かつ、その移管があった場合には、当該特定障害者は、遅滞なく、その旨その他財務省令で定める事項を記載した申告書を、前の営業所等を経由し、納税地の所轄税務署長に提出しなければならない。（令4の16②）

—498—

第三章 贈与税の非課税財産

（異動申告があった場合の取扱い）
（3）　（2）の規定による障害者非課税信託に関する異動申告書の提出があった後においては、当該障害者非課税信託に関する異動申告書を提出した特定障害者に係る❶の（3）の規定の適用については、当該障害者非課税信託に関する異動申告書に係る受託者の他の営業所等は、同（3）に規定する受託者の営業所等とみなす。（令4の16④）

❺　障害者非課税信託申告書等の提出の特例

　❶の（1）、❷、❸又は❹の（1）若しくは❹の（2）の規定により障害者非課税信託申告書、障害者非課税信託取消申告書、障害者非課税信託廃止申告書又は障害者非課税信託に関する異動申告書を提出しようとする特定障害者は、これらの申告書の提出に代えて、これらの規定に規定する受託者の営業所等に対し、これらの申告書に記載すべき事項を電磁的方法（電子情報処理組織を使用する方法その他の情報通信の技術を利用する方法をいう。（1）において同じ。）により提供することができる。この場合において、当該特定障害者は、これらの申告書を当該受託者の営業所等に提出したものとみなす。（令4の17①）

（注）　❺の規定は、令和3年4月1日以後に❺の受託者の営業所等に対して行う❺に規定する電磁的方法による❶に規定する障害者非課税信託申告書、❷に規定する障害者非課税信託取消申告書、❸に規定する障害者非課税信託廃止申告書若しくは❹に規定する障害者非課税信託に関する異動申告書に記載すべき事項又は（1）に規定する添付書類に記載されている事項の提供について適用する。（令3改令附3）

（添付書類を添付したものとみなされる場合）
（1）　❺の規定により障害者非課税信託申告書に記載すべき事項を電磁的方法により提供する特定障害者は、当該障害者非課税信託申告書への添付書類（特定障害者扶養信託契約の契約書の写し及び❶の（2）で定める書類をいう。以下（1）において同じ。）の添付に代えて、（2）で定めるところにより、❶に規定する受託者の営業所等に対し、当該添付書類に記載されている事項を電磁的方法により提供することができる。この場合において、当該特定障害者は、当該障害者非課税信託申告書に当該添付書類を添付したものとみなす。（令4の17③）

（電磁的方法により提供することができる添付書類）
（2）　（1）に規定する添付書類に記載されている事項を電磁的方法（❺に規定する電磁的方法をいう。）により提供する特定障害者は、❶の（1）に規定する受託者の営業所等に対し、国税関係法令に係る情報通信技術を活用した行政の推進等に関する省令（平成15年財務省令第71号）第5条第3項第二号《電子情報処理組織による申請等》に規定する方法により作成した当該添付書類に記載されている事項が記録された同号に規定する電磁的記録を障害者非課税信託申告書に記載すべき事項と併せて提供しなければならない。（規5の2）

4　受託者の手続

❶　受託者の変更等があった場合の申告

　受託者の変更又は受託者の営業所等の廃止により、既に提出された障害者非課税信託申告書に係る特定障害者扶養信託契約に基づく信託に関する事務の全部が他の受託者の営業所、事務所その他これらに準ずるもので相続税法の施行地にあるもの又は同一の受託者の他の営業所、事務所その他これらに準ずるもので相続税法の施行地にあるもの（以下「**移管先の営業所等**」という。）に移管された場合には、当該移管先の営業所等の長は、遅滞なく、その旨その他（2）の財務省令で定める書類を当該移管先の営業所等の所在地の所轄税務署長に提出しなければならない。（令4の18①）

（申告があった場合の取扱い）
（1）　❶の規定による書類の提出があった後においては、❶の障害者非課税信託申告書を提出した特定障害者に係る**3**の❶の（3）の規定の適用については、当該書類の提出に係る移管先の営業所等は、同（3）に規定する受託者の営業所等とみなす。（令4の18②）

（受託者の変更等があった場合に提出すべき書類の記載事項）
（2）　❶に規定する財務省令で定める書類は、❶に規定する事項のほか次に掲げる事項を記載した書類とする。（規6①）
　（一）　特定障害者扶養信託契約に基づく信託に関する事務の全部の移管がされた❶に規定する移管先の営業所等の名称、所在地（受託者の変更により当該移管がされた場合には、当該移管がされた❶に規定する他の受託者の名称及び所在地並びに当該移管先の営業所等の名称及び所在地）及び法人番号並びにその移管がされた年月日
　（二）　（一）の特定障害者扶養信託契約に基づく信託に関する事務の全部の移管をした受託者の営業所等の名称及び所在地（受託者の変更により当該移管をした場合には、当該移管をした受託者の名称及び所在地並びに当該移管をした当

－499－

該受託者の営業所等の名称及び所在地)

（三）　（一）の移管に係る特定障害者扶養信託契約に基づく信託の受益者である特定障害者の氏名及び住所又は居所及び個人番号並びに当該特定障害者扶養信託契約に基づいて信託された財産の種類、数量及び所在場所並びにその信託された年月日

（四）　（三）の特定障害者扶養信託契約に基づいて信託された財産に係る信託受益権の価額及び当該信託受益権の価額のうち障害者非課税信託申告書の提出により**1**の規定の適用を受けた部分の価額

（五）　（四）の信託受益権につき既に障害者非課税信託取消申告書が提出されている場合には、その旨、当該障害者非課税信託取消申告書を提出した年月日及び当該障害者非課税信託取消申告書に記載された**3**の**②**に規定する信託受益権減価額並びに当該信託受益権の価額のうち当該障害者非課税信託取消申告書の提出により**1**の規定の適用を受けた部分の価額に含まれないものとされた価額

（六）　その他参考となるべき事項

②　申告書の税務署長への送付

　受託者の営業所等の長は、特定障害者の提出する障害者非課税信託申告書（当該障害者非課税信託申告書に添付された特定障害者扶養信託契約の契約書の写し及び**3**の**①**の（2）に規定する書類を含む。）、障害者非課税信託取消申告書、障害者非課税信託廃止申告書又は障害者非課税信託に関する異動申告書を受理した場合には、遅滞なく、これらの申告書をその受託者の営業所等の所在地の所轄税務署長に送付しなければならない。（令4の19①）

　これらの申告書は、受託者の営業所等においてこれを受理した日に税務署長への提出があったものとみなす。（令4の10③ほか）

③　帳簿書類及び申告書の整理保存

（帳簿書類の備付け）

（1）　受託者の営業所等の長は、特定障害者から提出された障害者非課税信託申告書に係る特定障害者扶養信託契約に基づいて信託された財産及び当該信託に係る信託受益権につき帳簿を備え、各人別に、その財産及び信託受益権の明細及びその異動並びに当該特定障害者扶養信託契約に基づく当該特定障害者に係る信託財産の交付に係る金銭（収益の分配を含む。）の支払に関する事項を明らかにし、かつ、当該帳簿を（3）の財務省令で定めるところにより保存しなければならない。（令4の20①）

（申告書の写しの保存等）

（2）　受託者の営業所等の長は、特定障害者の提出する障害者非課税信託申告書（当該障害者非課税信託申告書に添付された書類を含む。）、障害者非課税信託取消申告書、障害者非課税信託廃止申告書又は障害者非課税信託に関する異動申告書を受理した場合には、（4）の財務省令で定めるところにより、これらの申告書の写し（これに準ずるものを含む。）を作成し、これを保存しなければならない。（令4の20②）

（帳簿書類の整理保存等の方法）

（3）　受託者の営業所等の長は、その作成した（1）に規定する帳簿並びに障害者非課税信託申告書（当該障害者非課税信託申告書に添付された書類を含む。（4）において同じ。）、障害者非課税信託取消申告書、障害者非課税信託廃止申告書及び障害者非課税信託に関する異動申告書の写しを、各人別に整理し、当該帳簿及びこれらの申告書に係る特定障害者扶養信託契約に基づいて財産の信託がされた日から5年を経過する日の属する年の12月31日又は当該信託が終了した日の属する年の翌年12月31日のいずれか遅い日まで保存しなければならない。（規7①）

（申告書の写しの作成）

（4）　受託者の営業所等の長は、特定障害者から提出された障害者非課税信託申告書、障害者非課税信託取消申告書、障害者非課税信託廃止申告書又は障害者非課税信託に関する異動申告書を受理した場合には、これらの申告書の写しを作成しなければならない。ただし、これらの申告書に記載された事項を（3）の帳簿に記載する場合には、この限りでない。（規7②）

第三章　贈与税の非課税財産

九　直系尊属から住宅取得等資金の贈与を受けた場合の贈与税の非課税

1　制度の概要

　令和6年1月1日から令和8年12月31日までの間（**5**の（4）、**5**の（6）及び**5**の（7）において「適用期間」という。）にその直系尊属からの贈与により住宅取得等資金の取得をした特定受贈者が、次に掲げる場合に該当するときは、当該贈与により取得をした住宅取得等資金のうち住宅資金非課税限度額（既に**1**の規定の適用を受けて贈与税の課税価格に算入しなかった金額がある場合には、当該算入しなかった金額を控除した残額）までの金額については、贈与税の課税価格に算入しない。（措法70の2①）

（一）　特定受贈者が贈与により住宅取得等資金の取得をした日の属する年の翌年3月15日までに当該住宅取得等資金の全額を住宅用家屋の新築若しくは建築後使用されたことのない住宅用家屋の取得又はこれらの住宅用家屋の新築若しくは取得とともにするその敷地の用に供されている土地若しくは土地の上に存する権利（以下**九**において「**土地等**」という。）の取得（当該住宅用家屋の新築に先行してするその敷地の用に供されることとなる土地等の取得を含む。**2**の（五）のイにおいて同じ。）のための対価に充てて当該住宅用家屋の新築（新築に準ずる状態として（1）の財務省令で定めるものを含む（以下（一）及び**5**の（1）から（7）までにおいて同じ。）。）をした場合又は当該建築後使用されたことのない住宅用家屋の取得をした場合において、同日までに新築若しくは取得をしたこれらの住宅用家屋を当該特定受贈者の居住の用に供したとき、又は新築若しくは取得をしたこれらの住宅用家屋を同日後遅滞なく当該特定受贈者の居住の用に供することが確実であると見込まれるとき。

（二）　特定受贈者が贈与により住宅取得等資金の取得をした日の属する年の翌年3月15日までに当該住宅取得等資金の全額を既存住宅用家屋の取得又は当該既存住宅用家屋の取得とともにするその敷地の用に供されている土地等の取得のための対価に充てて当該既存住宅用家屋の取得をした場合において、同日までに当該既存住宅用家屋を当該特定受贈者の居住の用に供したとき、又は当該既存住宅用家屋を同日後遅滞なく当該特定受贈者の居住の用に供することが確実であると見込まれるとき。

（三）　特定受贈者が贈与により住宅取得等資金の取得をした日の属する午の翌午3月15日までに当該住宅取得等資金の全額を当該特定受贈者が居住の用に供している住宅用の家屋について行う増改築等又は当該家屋についての当該増改築等とともにするその敷地の用に供されることとなる土地等の取得の対価に充てて当該住宅用の家屋について当該増改築等（増改築等の完了に準ずる状態として（2）の財務省令で定めるものを含む（以下（三）、**5**の（1）の（三）、**5**の（5）の（三）及び**5**の（7）において同じ。）。）をした場合において、同日までに増改築等をした当該住宅用の家屋を当該特定受贈者の居住の用に供したとき、又は増改築等をした当該住宅用の家屋を同日後遅滞なく当該特定受贈者の居住の用に供することが確実であると見込まれるとき。

(注)1　改正後の**九**の規定は、特定受贈者が令和4年1月1日以後に贈与（贈与をした者の死亡により効力を生ずる贈与を除く。以下**九**において同じ。）により取得をする住宅取得等資金に係る贈与税について適用し、改正前の特定受贈者が同日前に贈与により取得をした住宅取得等資金に係る贈与税については、なお従前の例による。（令4改所法等附51①）

　2　平成21年から平成26年中に直系尊属から住宅取得等資金の贈与を受けて、既にこの規定（平成22年度、平成24年度又は平成27年度の税制改正前の措法70の2）の適用を受けている場合には、平成27年以降の直系尊属からの住宅取得等資金の贈与について、この特例を適用しない。（平27改所法等附97②）

　　　（新築に準ずる状態）
（1）　**1**の（一）に規定する新築に準ずる状態として財務省令で定めるものは、屋根（その骨組みを含む。）を有し、土地に定着した建造物として認められる時以後の状態とする。（措規23の5の2①）

　　　（増改築等の完了に準ずる状態）
（2）　**1**の（三）に規定する増改築等の完了に準ずる状態として財務省令で定めるものは、増築又は改築部分の屋根（その骨組みを含む。）を有し、既存の家屋と一体となって土地に定着した建造物として認められる時以後の状態とする。（措規23の5の2②）

　　　（相続開始前3年以内の贈与財産）
（3）　特定受贈者が**1**の規定の適用を受けた場合における第一編第四章第二節**四**の**1**《相続開始前3年以内の贈与財産》及び第三編第一章第三節**一**の（1）の規定の適用については、これらの規定中「規定により」とあるのは、「規定並びに**九**《直系尊属から住宅取得等資金の贈与を受けた場合の贈与税の非課税》の規定により」とする。（措法70の2③）

—501—

第二編　贈与税

（直系尊属の範囲）
（4）　**1**に規定する直系尊属には、**2**の（一）に規定する特定受贈者（以下**6**の（11）までにおいて「特定受贈者」という。）の養親及び当該養親の直系尊属は含まれるが、例えば、次に掲げるものは含まれないことに留意する。（措通70の2−1）
　　（一）　当該特定受贈者の配偶者の直系尊属（民法第727条《縁組による親族関係の発生》に規定する親族関係がある場合を除く。（二）において同じ。）
　　（二）　当該特定受贈者の父母が養子の縁組による養子となっている場合において、当該特定受贈者が当該養子の縁組前に出生した子である場合の当該父母の養親及びその養親の直系尊属
　　（三）　当該特定受贈者が民法第817条の2第1項《特別養子縁組の成立》に規定する特別養子縁組による養子である場合のその実方の父母及び実方の直系尊属
　　（注）　養親及び当該養親の直系尊属から**1**に規定する住宅取得等資金を贈与により取得した場合において、当該贈与の時に民法第727条に規定する親族関係がないときは、**1**の規定の適用はないことに留意する。

（課税価格に算入されない住宅資金非課税限度額の算定）
（5）　贈与により**2**の（五）に規定する住宅取得等資金（以下**6**の（11）までにおいて「住宅取得等資金」という。）を取得した年分に係る**1**に規定する住宅資金非課税限度額（以下（5）において単に「非課税限度額」という。）は、既に**1**の規定の適用を受けて贈与税の課税価格に算入しなかった金額がある場合には、**2**の（六）のイ又はロに定める金額から当該算入しなかった金額を控除して算定することに留意する。
　　なお、贈与により取得した住宅取得等資金を充てて**1**の新築等（**2**の（一）に規定する新築等をいう。以下**2**の（7）までにおいて同じ。）をした住宅用の家屋が、**2**の（六）のイ又はロのいずれの場合に該当するかの判定は、当該新築等をした直後の住宅用の家屋がいずれの場合に該当するかにより行うことに留意する。（措通70の2−1の2）
　　（注）1　同一年中に贈与により取得した住宅取得等資金を充てて**1**の（一）から（三）の新築等をした住宅用の家屋で**2**の（六）のイの場合に該当するものと同（六）のロの場合に該当するものがある場合には、特定受贈者ごとに同（六）のイ又はロに定めるいずれか多い金額により非課税限度額を計算することに留意する。
　　　　2　既に**1**の規定の適用を受けて贈与税の課税価格に算入しなかった金額がある場合であっても**5**の（7）の規定の適用がある場合には、当該金額は非課税限度額の算定に当たって控除しないことに留意する。

（居住の用に供したとき等）
（6）　**1**の（一）、（二）及び（三）に規定する「当該特定受贈者の居住の用に供したとき」又は「同日後遅滞なく当該特定受贈者の居住の用に供することが確実であると見込まれるとき」とは、住宅取得等資金の贈与を受け、その全額を充てて住宅用家屋等（住宅用家屋、既存住宅用家屋又は増改築対象家屋をいう。以下（6）において同じ。）の新築等をした者が、当該住宅用家屋等を現にその居住の用に供したとき、又は当該住宅用家屋等をその居住の用に供することが確実であると見込まれるときをいうのであるが、その者が、転勤、転地療養その他のやむを得ない事情により、配偶者、扶養親族その他その者と生計を一にする親族（以下（6）において「生計を一にする親族」という。）と日常の起居を共にしていない場合において、その者と生計を一にする親族が居住の用に供し、又は居住の用に供することが確実であると見込まれるときで、当該やむを得ない事情が解消した後はその者が共に当該住宅用家屋等に居住することとなると認められるときは、これに該当するものとして取り扱う。
　　なお、この取扱いの適用がある場合において、**6**《申告要件》の（1）の規定により贈与税の申告書に添付して提出しなければならないとされている書類については、次の（一）又は（二）に掲げるところによることとする。（措通70の2−2）
　　（一）　**6**の（2）の（一）又は（二）に掲げる場合　　同（2）の（一）のロの③又は同（2）の（二）のロの③に掲げる書類にあっては、当該住宅用家屋等をその者と生計を一にする親族の居住の用に供すること及びその居住の用に供したときは遅滞なくその生計を一にする親族が居住していることを明らかにするものの提出を約するもので、また、**6**の（2）の（一）のホの④又は同（2）の（二）のホの③に掲げる書類にあっては、当該住宅用家屋等をその者と生計を一にする親族の居住の用に供する予定時期の記載があるもので差し支えない。
　　（二）　**6**の（2）の（三）に掲げる場合　　同（三）のロの③に掲げる書類にあっては、当該増改築対象家屋をその者と生計を一にする親族の居住の用に供すること並びにその居住の用に供したときは遅滞なくその生計を一にする親族の戸籍の附票の写しその他の書類で当該生計を一にする親族が増改築等（**2**の（四）に規定する増改築等をいう。）前に当該増改築対象家屋に居住していたこと及び当該増改築等後に当該増改築対象家屋に居住していることを明らかにするものの提出を約するもので、**6**の（2）の（三）のホの④に掲げる書類にあっては、当該増改築対象家屋をその者と生計を一にする親族の居住の用に供する予定時期の記載があるもので差し支えない。
　　（注）1　上記の住宅用家屋とは、**2**の（二）に規定する住宅用家屋（以下（7）、（8）、（9）、**2**の（1）、**2**の（2）、**2**の（3）において「住宅用家屋」

−502−

第三章　贈与税の非課税財産

という。）を、既存住宅用家屋とは、**2**の（三）に規定する既存住宅用家屋（以下（7）、（8）、（9）、**2**の（1）、**2**の（2）、**2**の（3）において「既存住宅用家屋」という。）を、増改築対象家屋とは、特定受贈者が居住の用に供している住宅用の家屋をいうことに留意する。

2　上記の取扱いは、その者と生計を一にする親族が当該住宅用家屋等を居住の用に供する前に、そのやむを得ない事情が解消している場合には、適用がないことに留意する。

3　**1**の（三）に規定する「当該特定受贈者が居住の用に供している住宅用の家屋」の判定については、上記に準じて取り扱う。

（住宅用家屋の新築若しくは取得とともに取得するその敷地の用に供されている土地等）

（7）　**1**の（一）に規定する住宅用家屋の新築若しくは取得とともに取得するその敷地の用に供されている土地若しくは土地の上に存する権利については、第三編第二章の**1**の（5）《住宅用家屋の新築若しくは取得とともに取得するその敷地の用に供されている土地等》（（注）3を除く。）を準用する。（措通70の2－3）

（住宅取得等資金が法施行地外にある場合等）

（8）　住宅取得等資金の所在が相続税法の施行地外である場合については、第三編第二章の**1**の（6）《住宅取得等資金が法施行地外にある場合等》を準用する。（措通70の2－4）

（住宅用家屋の取得の意義）

（9）　**1**の（一）に規定する住宅用家屋の取得及び**1**の（二）に規定する既存住宅用家屋の取得の意義については、第三編第二章の**1**の（8）《住宅用家屋の取得の意義》を準用する。（措通70の2－8）

（措置法第70条の2に規定する非課税の適用順序）

(10)　相続又は遺贈により財産を取得した者が、当該相続又は遺贈に係る被相続人から相続開始の日の属する年の3年前の年に2回以上にわたって**1**の規定の適用を受けることのできる住宅取得等資金の贈与を受け、当該年分の贈与税につき**1**の規定の適用を受けている場合で、当該贈与により取得した住宅取得等資金の価額の合計額が**1**の規定の適用を受けることができる金額を超え、かつ、当該贈与に係る住宅取得等資金のうちに相続開始前3年以内の贈与に該当するものと該当しないものとがあるときにおける第一編第四章第二節**四**の**1**の規定の適用に当たっては、**1**の規定の適用を受ける住宅取得等資金は、まず、相続税の課税価格の計算上、相続開始前3年以内の贈与に該当する住宅取得等資金から適用されたものとして取り扱う。（措通70の2－12）

2　用語の意義

本節において、次の各号に掲げる用語の意義は、当該各号に定めるところによる。（措法70の2②）

（一）	**特定受贈者**	第一章第二節**一**の（一）又は（二）の規定に該当する個人のうち、住宅取得等資金の贈与を受けた日の属する年の1月1日において18歳以上であって、当該年の年分の所得税に係る所得税法第2条第1項第30号の合計所得金額が2,000万円（住宅取得等資金を充てて新築、取得又は増改築等（（五）及び（六）において「新築等」という。）をした住宅用の家屋の床面積が（1）の政令で定める規模未満である場合には、1,000万円）以下である者をいう。 （住宅用の家屋の床面積の規模） （1）　上記（一）に規定する政令で定める規模は、50平方メートルとする。（措令40の4の2①）
（二）	**住宅用家屋**	住宅用の家屋で（1）の政令で定めるものをいう。 （住宅用の家屋） （1）　上記（二）に規定する住宅用の家屋で政令で定めるものは、特定受贈者（（一）に規定する特定受贈者をいう。）がその居住の用に供する次に掲げる家屋（その家屋の床面積の2分の1以上に相当する部分が専ら当該居住の用に供されるものに限る。）で相続税法の施行地にあるものとし、その者の居住の用に供する家屋が二以上ある場合には、これらの家屋のうち、その者が主としてその居住の用に供すると認められる一の家屋に限るものとする。（措令40の4の2②） （一）　一棟の家屋で床面積が240平方メートル以下で、かつ40平方メートル以上であるもの （二）　一棟の家屋で、その構造上区分された数個の部分を独立して住居その他の用途に供

－503－

第二編　贈与税

することができるものにつきその各部分を区分所有する場合には、その者の区分所有する部分の床面積が240平方メートル以下で、かつ40平方メートル以上であるもの

建築後使用されたことのある住宅用家屋（耐震基準（地震に対する安全性に係る規定又は基準として（1）の政令で定めるものをいう。**4**において同じ。）に適合するものに限る。）で（2）の政令で定めるものをいう。

（地震に対する安全性に係る規定又は基準）
（1）　上記（三）に規定する地震に対する安全性に係る規定又は基準として政令で定めるものは、建築基準法施行令第3章及び第5章の4の規定又は国土交通大臣が財務大臣と協議して定める地震に対する安全性に係る基準若しくは（二）に規定する住宅用家屋が昭和57年1月1日以後に建築されたものであることとする。（措令40の4の2③）

（建築後使用されたことのある住宅用家屋）
（2）　上記（三）に規定する建築後使用されたことのある住宅用家屋で政令で定めるものは、特定受贈者がその居住の用に供する家屋（その家屋の床面積の2分の1以上に相当する部分が専ら当該居住の用に供されるものに限る。）で相続税法の施行地にあるもののうち、次に掲げる要件の全てに該当するものであることにつき（4）の財務省令で定めるところにより証明がされたもの又は確認を受けたもので建築後使用されたことのあるものとし、その者の居住の用に供する家屋が二以上ある場合には、これらの家屋のうち、その者が主としてその居住の用に供すると認められる一の家屋に限るものとする。（措令40の4の2④）
（一）　当該家屋が**2**の（二）の（1）の（一）又は（二）のいずれかに該当するものであること。
（二）　当該家屋が（1）に規定する規定又は基準のいずれかに適合するものであること。

（財務省令で定める証明又は確認）
（3）　（2）に規定する建築後使用されたことのある住宅用家屋は、（2）の各号に掲げる要件の全てに該当することについて、次の各号に掲げる場合の区分に応じ当該各号に定める方法により証明又は確認を受けなければならない。（措規23の5の2③）
（一）　（二）に掲げる場合以外の場合　次に掲げる方法（当該住宅用家屋が耐震基準（上記（三）に規定する耐震基準をいう。ロにおいて同じ。）のうち、昭和57年1月1日以後に建築されたものであることについて証明又は確認を受ける場合には、イに掲げる方法）
　イ　次に掲げる方法のうちいずれかの方法（当該住宅用家屋が（2）の各号のいずれかに該当すること又は昭和57年1月1日以後に建築されたものであることが登記事項証明書に記載された事項によって明らかでない場合には、当該住宅用家屋が（2）の各号のいずれかに該当すること又は同日以後に建築されたものであることを明らかにする書類を提出することを含む。）
　①　当該住宅用家屋の登記事項証明書を**6**の（1）に規定する申告書（以下**九**において「贈与税の申告書」という。）に添付する方法
　②　当該住宅用家屋に係る情報通信技術を活用した行政の推進等に関する法律施行令第5条の表の第2号の下欄のイ⑵又は⑶に掲げる事項が記載された書類を贈与税の申告書に添付することにより、納税地の所轄税務署長に当該住宅用家屋の登記事項証明書に係る情報を入手させ、又は参照させる方法
　ロ　当該住宅用家屋が耐震基準（建築基準法施行令第3章及び第5章の4の規定又は国土交通大臣が財務大臣と協議して定める地震に対する安全性に係る基準に限る。**4**の（4）において同じ。）に適合する旨を証する書類で国土交通大臣が財務大臣と協議して定めるものを贈与税の申告書に添付する方法
（二）　災害（**5**の（1）の（一）に規定する災害をいう。以下**九**及び第三編第二章において同じ。）に基因するやむを得ない事情により（五）に規定する住宅取得等資金（以下**九**において「住宅取得等資金」という。）を贈与（贈与をした者の死亡により効力を生ずる贈与を除く。以下**九**において同じ。）により取得した日の属する年の翌年3月15日までに当該住

（三）　**既存住宅用家屋**

—504—

第三章　贈与税の非課税財産

宅用家屋の取得ができなかった場合　当該住宅用家屋の取得をしたときは、遅滞なく、（一）に定める方法に準じて、当該住宅取得等資金を贈与により取得した日の属する年分の贈与税に係る納税地の所轄税務署長に対し、当該住宅用家屋が（2）の各号に掲げる要件の全てに該当することを明らかにすることを約する書類を贈与税の申告書に添付する方法

	特定受贈者が所有している家屋につき行う増築、改築その他の（1）の政令で定める工事（当該工事と併せて行う当該家屋と一体となって効用を果たす設備の取替え又は取付けに係る工事を含む。）で次に掲げる要件を満たすものをいう。

イ	当該工事に要した費用の額が100万円以上であること。
ロ	当該工事をした家屋が特定受贈者が主としてその居住の用に供すると認められるものであること。
ハ	その他（2）の政令で定める要件

（四）増改築等

（政令で定める工事）

（1）　上記（四）に規定する政令で定める工事は、次に掲げる工事で相続税法の施行地で行われるもののうち、当該工事に該当するものであることにつき（3）の財務省令で定めるところにより証明がされたものとする。（措令40の4の2⑤）

（一）　増築、改築、建築基準法第2条第14号に規定する大規模の修繕又は同条第15号に規定する大規模の模様替

（二）　一棟の家屋でその構造上区分された数個の部分を独立して住居その他の用途に供することができるもののうちその者が区分所有する部分について行う次に掲げるいずれかの修繕又は模様替（（一）に掲げる工事に該当するものを除く。）

イ　その区分所有する部分の床（建築基準法第2条第5号に規定する主要構造部（以下（二）において「**主要構造部**」という。）である床及び最下階の床をいう。）の過半又は主要構造部である階段の過半について行う修繕又は模様替

ロ　その区分所有する部分の間仕切壁（主要構造部である間仕切壁及び建築物の構造上重要でない間仕切壁をいう。）の室内に面する部分の過半について行う修繕又は模様替（その間仕切壁の一部について位置の変更を伴うものに限る。）

ハ　その区分所有する部分の主要構造部である壁の室内に面する部分の過半について行う修繕又は模様替（当該修繕又は模様替に係る壁の過半について遮音又は熱の損失の防止のための性能を向上させるものに限る。）

（三）　家屋（（二）の家屋にあっては、その者が区分所有する部分に限る。）のうち居室、調理室、浴室、便所その他の室で国土交通大臣が財務大臣と協議して定めるものの一室の床又は壁の全部について行う修繕又は模様替（（一）（二）に掲げる工事に該当するものを除く。）

（四）　家屋について行う建築基準法施行令第3章及び第5章の4の規定又は国土交通大臣が財務大臣と協議して定める地震に対する安全性に係る基準に適合させるための修繕又は模様替（（一）から（三）に掲げる工事に該当するものを除く。）

（五）　家屋について行う国土交通大臣が財務大臣と協議して定める高齢者等（**2の（六）のイの（ロ）**に規定する高齢者等をいう。同（六）の（3）において同じ。）が自立した日常生活を営むのに必要な構造及び設備の基準に適合させるための修繕又は模様替（（一）〜（四）に掲げる工事に該当するものを除く。）

（六）　家屋について行う国土交通大臣が財務大臣と協議して定めるエネルギーの使用の合理化に資する修繕又は模様替（（一）〜（五）に掲げる工事に該当するものを除く。）

（七）　家屋について行う給水管、排水管又は雨水の浸入を防止する部分（住宅の品質確保の促進等に関する法律施行令（平成12年政令第64号）第5条第2項に規定する雨水の浸入を防止する部分をいう。）に係る修繕又は模様替（当該家屋の瑕疵を担保すべき責任の履行に関し国土交通大臣が財務大臣と協議して定める保証保険契約が締結されているものに限り、（一）〜（六）に掲げる工事に該当するものを除く。）

−505−

（八）　家屋について行う**2**の（六）の（3）に規定する基準に適合させるための修繕又は模様
　　　替（（一）～（七）に掲げる工事に該当するものを除く。）

　　（政令で定めるその他の要件）
（2）　上記（四）のハに規定する政令で定める要件は、次に掲げる要件とする。（措令40の4の
　　2⑥）
　（一）　上記（四）に規定する工事をした家屋の当該工事に係る部分のうちにその者の居住の
　　　用以外の用に供する部分がある場合には、当該居住の用に供する部分に係る当該工事に
　　　要した費用の額が当該工事に要した費用の額の2分の1以上であること。
　（二）　上記（四）に規定する工事をした家屋が、その者のその居住の用に供される次に掲げ
　　　る家屋（その家屋の床面積の2分の1以上に相当する部分が専ら当該居住の用に供され
　　　るものに限る。）のいずれかに該当するものであること。
　　イ　一棟の家屋で床面積が240平方メートル以下で、かつ、40平方メートル以上であるも
　　　の
　　ロ　（1）の（二）の家屋につきその各部分を区分所有する場合には、その者の区分所有す
　　　る部分の床面積が240平方メートル以下で、かつ、40平方メートル以上であるもの

　　（証明がされた工事）
（3）　（1）に規定する財務省令で定めるところにより証明がされた工事は、次の（一）、（二）
　　に掲げる場合の区分に応じ当該各号に定める書類を贈与税の申告書に添付することにより
　　証明がされた工事とする。（措規23の5の2④）
　（一）　住宅取得等資金を贈与により取得した日の属する年の翌年3月15日までに、特定受
　　　贈者（**2**の（一）に規定する特定受贈者をいう。以下同じ。）の居住の用に供している家屋
　　　（以下「**増改築対象家屋**」という。）の上記（四）に規定する増改築等（以下「**増改築等**」
　　　という。）をした場合　　次に掲げる工事の区分に応じそれぞれ次に定める書類
　　イ　（1）の（一）に掲げる工事　　当該工事に係る建築基準法第6条第1項に規定する確
　　　認済証の写し若しくは同法第7条第5項に規定する検査済証の写し又は当該工事が国
　　　土交通大臣が財務大臣と協議して定める同号に掲げる工事に該当する旨を証する書類
　　ロ　（1）の（二）に掲げる工事　　当該工事が国土交通大臣が財務大臣と協議して定める
　　　同（二）のイからハまでに掲げるいずれかの工事に該当する旨を証する書類
　　ハ　（1）の（三）に掲げる工事　　当該工事が国土交通大臣が財務大臣と協議して定める
　　　同（三）に掲げる工事に該当する旨を証する書類
　　ニ　（1）の（四）に掲げる工事　　当該工事が国土交通大臣が財務大臣と協議して定める
　　　同（四）に掲げる工事に該当する旨を証する書類
　　ホ　（1）の（五）に掲げる工事　　当該工事が国土交通大臣が財務大臣と協議して定める
　　　同（五）に掲げる工事に該当する旨を証する書類
　　ヘ　（1）の（六）に掲げる工事　　当該工事が国土交通大臣が財務大臣と協議して定める
　　　同（六）に掲げる工事に該当する旨を証する書類
　　ト　（1）の（七）に掲げる工事　　当該工事が国土交通大臣が財務大臣と協議して定める
　　　同（七）に掲げる工事に該当する旨を証する書類
　　チ　（1）の（八）に掲げる工事　　当該工事が国土交通大臣が財務大臣と協議して定める
　　　同（八）に掲げる工事に該当する旨を証する書類
　（二）　住宅取得等資金を贈与により取得した日の属する年の翌年3月15日において増改築
　　　対象家屋が**1**の（2）に規定する増改築等の完了に準ずる状態にある場合又は災害に基
　　　因するやむを得ない事情により同日までに増改築対象家屋の増改築等ができなかった
　　　場合　　当該増改築対象家屋の工事が完了したときは遅滞なく（一）のイからチまでに掲
　　　げる工事の区分に応じそれぞれ（一）のイからチまでに定める書類を住宅取得等資金を贈
　　　与により取得した日の属する年分（以下「**増改築適用年分**」という。）の贈与税に係る納
　　　税地の所轄税務署長に提出することを約する書類

—506—

		次のいずれかに掲げる新築等（特定受贈者の配偶者その他の特定受贈者と特別の関係がある者として（1）の政令で定める者との請負契約その他の契約に基づき新築若しくは増改築等をする場合又は当該（1）で定める者から取得をする場合を除く。）の対価に充てるための金銭をいう。

	イ	特定受贈者による住宅用家屋の新築又は建築後使用されたことのない住宅用家屋の取得（これらの住宅用家屋の新築又は取得とともにするその敷地の用に供されている土地等の取得を含む。）
	ロ	特定受贈者による既存住宅用家屋の取得（当該既存住宅用家屋の取得とともにするその敷地の用に供されている土地等の取得を含む。）
	ハ	特定受贈者が所有している家屋につき行う増改築等（当該家屋についての当該増改築等とともにするその敷地の用に供されることとなる土地等の取得を含む。）

（五）**住宅取得等資金**

（政令で定める特別の関係がある者）
（1）　上記（五）に規定する政令で定める者は、次に掲げる者とする。（措令40の4の2⑦）
　（一）　当該特定受贈者の配偶者及び直系血族
　（二）　当該特定受贈者の親族（（一）に掲げる者を除く。）で当該特定受贈者と生計を一にしているもの
　（三）　当該特定受贈者と婚姻の届出をしていないが事実上婚姻関係と同様の事情にある者及びその者の親族でその者と生計を一にしているもの
　（四）　（一）から（三）に掲げる者以外の者で当該特定受贈者から受ける金銭その他の財産によって生計を維持しているもの及びその者の親族でその者と生計を一にしているもの

（六）**住宅資金非課税限度額**

特定受贈者が住宅取得等資金を充てて新築等をした住宅用の家屋の次に掲げる場合の区分に応じ、当該特定受贈者ごとにそれぞれ次に定める金額（次に掲げる場合のいずれにも該当する場合には、当該特定受贈者ごとにそれぞれ次に定める金額のうちいずれか多い金額）をいう。
<u>イ　当該住宅用の家屋が次に掲げる要件のいずれかを満たすものである場合　1,000万円</u>
　<u>（イ）　当該住宅用の家屋（新築をした住宅用の家屋又は取得をした建築後使用されたことのない住宅用の家屋に限る。）がエネルギーの使用の合理化に著しく資する住宅用の家屋として（1）で定めるものであること。</u>
　<u>（ロ）　当該住宅用の家屋がエネルギーの使用の合理化に資する住宅用の家屋（新築をした住宅用の家屋又は取得をした建築後使用されたことのない住宅用の家屋を除く。）、地震に対する安全性に係る基準に適合する住宅用の家屋又は高齢者等（措置法第41条の3の2第1項に規定する高齢者等をいう。）が自立した日常生活を営むのに必要な構造及び設備の基準に適合する住宅用の家屋として（3）で定めるものであること。</u>
ロ　当該住宅用の家屋がイに規定する住宅用の家屋以外の住宅用の家屋である場合　　500万円

（政令で定める住宅用の家屋）
（1）　イの（イ）で定める住宅用の家屋は、エネルギーの使用の合理化に著しく資する住宅用の家屋として国土交通大臣が財務大臣と協議して定める基準に適合するものであることにつき（2）で定めるところにより証明がされたものとする。（措令40の4の2⑧）

（（1）で定めるところにより証明がされたもの）
（2）　（1）で定めるところにより証明がされた住宅用の家屋は、次のイ又はロに掲げる場合の区分に応じ当該イ又はロに定める書類を贈与税の申告書に添付することにより証明がされたものとする。（措規23の5の2⑤）
　イ　ロに掲げる場合以外の場合　当該住宅用の家屋が国土交通大臣が財務大臣と協議して定める（1）に規定する住宅用の家屋に該当する旨を証する書類

第二編　贈与税

　　　　　　　　　ロ　住宅取得等資金を贈与により取得した日の属する年の翌年３月15日において住宅用の家屋が **1** の（1）に規定する新築に準ずる状態にある場合又は災害に基因するやむを得ない事情により同日までに住宅用の家屋の新築若しくは取得ができなかった場合　当該住宅用の家屋の工事が完了したとき、又は当該住宅用の家屋の新築若しくは取得をしたときは遅滞なくイに定める書類を当該贈与の日の属する年分の贈与税に係る納税地の所轄税務署長に提出することを約する書類

　　　　　　　（政令で定める住宅用の家屋）
　　　　　　（3）　イの（ロ）に規定する政令で定める住宅用の家屋は、エネルギーの使用の合理化に資する住宅用の家屋、大規模な地震に対する安全性を有する住宅用の家屋又は高齢者等が自立した日常生活を営むのに特に必要な構造及び設備の基準に適合する住宅用の家屋として国土交通大臣が財務大臣と協議して定める基準に適合するものであることにつき財務省令で定めるところにより証明がされたものとする。（措令40の４の２⑨）

（注）１　次に掲げる者が、令和６年１月１日以後に贈与により取得をする（五）に規定する住宅取得等資金については、**九**の規定は、適用しない。（令６改所法等附54⑥）
　　　①　所得税法等の一部を改正する法律（平成22年法律第６号）第18条の規定による改正前の租税特別措置法第70条の２第１項の規定の適用を受けた同条第２項第１号に規定する特定受贈者
　　　②　租税特別措置法等の一部を改正する法律（平成24年法律第16号）第１条の規定による改正前の租税特別措置法第70条の２第１項の規定の適用を受けた同条第２項第１号に規定する特定受贈者
　　　③　所得税法等の一部を改正する法律（平成27年法律第９号）第８条の規定による改正前の租税特別措置法第70条の２第１項の規定の適用を受けた同条第２項第１号に規定する特定受贈者
　　　④　所得税法等の一部を改正する法律（令和４年法律第４号）第11条の規定による改正前の租税特別措置法第70条の２第１項の規定の適用を受けた同条第２項第１号に規定する特定受贈者
　　　⑤　旧租税特別措置法第70条の２第１項の規定の適用を受けた同条第２項第１号に規定する特定受贈者
　　２　国土交通大臣は、**2**の（三）の（1）の規定により基準を定め、**2**の（四）の（1）の（三）の規定により居室、調理室、浴室、便所その他の室を定め、同（1）の（四）の規定により基準を定め、**2**の（五）若しくは（六）の規定により修繕若しくは模様替を定め、（六）の（1）の規定により保証保険契約を定め、又は（六）の（1）若しくは（3）の規定により基準を定めたときは、これを告示する。（措令40の４の２⑯）

　　　（床面積の意義）
（1）　**2**の（一）の（1）及び**2**の（二）の（1）の（一）に規定する家屋の床面積、同（1）の（二）に規定する区分所有する部分の床面積、**2**の（四）の（2）の（二）に規定する家屋の床面積及び同（二）に規定する区分所有する部分の床面積については、第三編第二章の**3**の(10)《床面積の意義》（（注）３を除く。）を準用する。（措通70の２－５）

　　　（店舗兼住宅等の場合の床面積の基準の判定）
（2）　**2**の（二）の（1）及び**2**の（二）並びに**2**の（四）の（2）の（二）に規定する床面積の基準の判定については、第三編第二章の**3**の(11)《店舗兼住宅等の場合の床面積基準の判定》を準用する。（措通70の２－６）

　　　（定期借地権等の設定に際し保証金等の支払いがある場合）
（3）　借地権（借地借家法（平成３年法律第90号）第22条《定期借地権》及び第24条《建物譲渡特約付借地権》に規定する借地権をいう。）の設定に際し、借地権者から借地権設定者に対し、保証金、敷金などその名称のいかんを問わず借地契約の終了の時に返還を要するものとされる金銭等の預託があった場合については、第三編第二章の**3**の(12)《定期借地権等の設定に際し保証金等の支払いがある場合》を準用する。（措通70の２－７）

　　　（既存住宅用家屋等が面積要件及び建築日要件を満たすことの確認を受けるための書類）
（4）　**2**の（三）の（2）及び**4**の（1）に規定する建築後使用されたことのある住宅用家屋が**2**の（三）の（2）の（一）に掲げる要件に該当すること及び昭和57年１月１日以後に建築されたものであることについて**2**の（三）の（4）の（一）のイの②に掲げる方法により確認を受ける場合の「情報通信技術を活用した行政の推進等に関する法律施行令第５条の表の第３号の下欄のイ（2）又は（3）に掲げる事項が記載された書類」とは、次のいずれかの事項が記載された書類をいい、その書類の種類及び様式は問わないことに留意する。（措通70の２－８の２）
　　（一）　当該住宅用家屋の所在する市、区、郡、町、村、字及び土地の地番並びに当該住宅用家屋の家屋番号
　　（二）　当該住宅用家屋に係る不動産登記規則第34条第２項に規定する不動産番号

－508－

第三章　贈与税の非課税財産

（「特定受贈者から受ける金銭その他の財産によって生計を維持しているもの」の意義）
（５）　**2**の（五）の（１）の（四）に規定する「当該特定受贈者から受ける金銭その他の財産によって生計を維持しているもの」
の意義については、第三編第二章の**3**の(13)《「特定受贈者から受ける金銭その他の財産によって生計を維持しているも
の」の意義》を準用する。（措通70の２－９）

（店舗兼住宅等の場合の増改築等の工事に要した費用の額の判定）
（６）　**2**の（四）のイに規定する工事に要した費用の額の判定については、第三編第二章の**3**の(14)《店舗兼住宅等の場合
の増改築等の工事に要した費用の額の判定》を準用する。（措通70の２－10）

（国土交通大臣が財務大臣と協議して定める書類）
（７）　**2**の（四）の（３）の（一）のイからチまでに規定する国土交通大臣が財務大臣と協議して定める書類とは、次に掲げる
工事の区分に応じ、それぞれに定める書類をいうことに留意する。（措通70の２－11）
（１）　**2**の（四）の（３）の（一）のイからヘまでに掲げる工事
1の規定の適用を受けようとする者から**2**の（四）の（３）の証明の申請を受けた建築士（建築士法（昭和25年法律第
202号）第23条の３《登録の実施》第１項の規定により登録された建築士事務所に属する建築士に限るものとし、当該
申請に係る住宅用の家屋が同法第３条《一級建築士でなければできない設計又は工事監理》第１項各号に掲げる建築
物であるときは一級建築士に、同法第３条の２《一級建築士又は二級建築士でなければできない設計又は工事監理》
第１項各号に掲げる建築物であるときは一級建築士又は二級建築士に限るものとする。以下同じ。）、指定確認検査機
関（建築基準法（昭和25年法律第201号）第77条の21《指定の公示等》第１項に規定する指定確認検査機関をいう。以
下同じ。）、登録住宅性能評価機関（住宅の品質確保の促進等に関する法律（平成11年法律第81号）第５条第１項《住
宅性能評価》に規定する登録住宅性能評価機関をいう。以下同じ。）又は住宅瑕疵担保責任保険法人（特定住宅瑕疵担
保責任の履行の確保等に関する法律（平成19年法律第66号）第17条《指定》第１項に規定する住宅瑕疵担保責任保険
法人をいう。以下同じ。）が、平成24年３月31日付国土交通省告示第391号の別表で定める書式により、当該申請に係
る工事が相続税法の施行地内で行われるもので、**2**の（四）の（１）の（一）に規定する増築、改築、大規模の修繕若しく
は大規模の模様替又は同（１）の（二）から（六）までに規定する修繕若しくは模様替に該当する旨を証する書類
（２）　**2**の（四）の（３）の（一）のトに掲げる工事
1の規定の適用を受けようとする者から**2**の（四）の（３）の証明の申請を受けた建築士、指定確認検査機関、登録住
宅性能評価機関又は住宅瑕疵担保責任保険法人が、平成24年３月31日付国土交通省告示第391号の別表で定める書式に
より、当該申請に係る工事が相続税法の施行地内で行われるもので、**2**の（四）の（１）の（七）に規定する修繕又は模様
替に該当する旨を証する書類及び平成27年３月31日付国土交通省告示第482号に掲げる国土交通大臣が財務大臣と協
議して定める保証保険契約が締結されていることを証する書類
（３）　**2**の（四）の（３）の（一）チに掲げる工事
1の規定の適用を受けようとする者から**2**の（四）の（３）の証明の申請を受けた指定確認検査機関、登録住宅性能評
価機関又は住宅瑕疵担保責任保険法人が平成24年３月31日付国土交通省告示第391号の別表で定める書式により、当該
申請に係る工事が相続税法の施行地内で行われるもので、**2**の（四）の（１）の（八）に規定する修繕又は模様替に該当す
る旨を証する書類

3　居住の用に供しなかった場合の修正申告等

（居住の用に供しなかった場合）
（１）　住宅取得等資金について**1**の規定の適用を受けた特定受贈者が、当該住宅取得等資金の贈与を受けた日の属する年
の翌年３月15日後において、次の（一）又は（二）又は（三）に掲げる場合に該当するときは、**1**の規定は、適用しない。こ
の場合において、当該特定受贈者は、当該各号に掲げる場合に該当することとなった日から２月以内に、**1**の規定の適
用を受けた年分の贈与税についての修正申告書を提出し、かつ、当該期限内に当該修正申告書の提出により納付すべき
税額を納付しなければならない。（措法70の２④）
（一）　当該特定受贈者が**1**の（一）に定めるところにより同（一）の新築をした住宅用家屋又は取得をした建築後使用され
たことのない住宅用家屋を贈与により住宅取得等資金の取得をした日の属する年の翌年３月15日後遅滞なく当該特定
受贈者の居住の用に供することが確実であると見込まれることにより**1**の規定の適用を受けた場合において、これら
の住宅用家屋を同年12月31日までに当該特定受贈者の居住の用に供していなかったとき。

－509－

第二編　贈与税

（二）　当該特定受贈者が**1**の（二）に定めるところにより同（二）の既存住宅用家屋を贈与により住宅取得等資金の取得を
　　した日の属する年の翌年3月15日後遅滞なく当該特定受贈者の居住の用に供することが確実であると見込まれること
　　により**1**の規定の適用を受けた場合において、当該既存住宅用家屋を同年12月31日までに当該特定受贈者の居住の用
　　に供していなかったとき。

（三）　当該特定受贈者が**1**の（三）に定めるところにより同（三）の増改築等をした住宅用の家屋を贈与により住宅取得等
　　資金の取得をした日の属する年の翌年3月15日後遅滞なく当該特定受贈者の居住の用に供することが確実であると見
　　込まれることにより**1**の規定の適用を受けた場合において、当該住宅用の家屋を同年12月31日までに当該特定受贈者
　　の居住の用に供していなかったとき。

　　　（修正申告の不提出による更正）
（２）　（１）の規定に該当することとなった場合において、（１）の規定による修正申告書の提出がないときは、納税地の所
　　轄税務署長は、当該修正申告書に記載すべきであった贈与税の額その他の事項につき国税通則法第24条又は第26条の規
　　定による更正を行う。（措法70の2⑤）

　　　（国税通則法の適用規定）
（３）　（１）の規定による修正申告書及び（２）の更正に対する国税通則法及び第六章第六節**二**の**7**の規定の適用について
　　は、次に定めるところによる。（措法70の2⑥）
（一）　当該修正申告書で（１）に規定する提出期限内に提出されたものについては、国税通則法第20条の規定を適用する
　　場合を除き、これを期限内申告書とみなす。
（二）　当該修正申告書で（１）に規定する提出期限後に提出されたもの及び当該更正については、国税通則法第2章から
　　第7章までの規定中「法定申告期限」とあり、及び「法定納期限」とあるのは「（１）に規定する修正申告書の提出期
　　限」と、同法第61条第1項第1号中「期限内申告書」とあるのは「第六章第一節**一**の**1**の規定による申告書」と、同
　　条第2項中「期限内申告書又は期限後申告書」とあるのは「（１）の規定による修正申告書」と、同法第65条第1項、
　　第3項第2号及び第5項第2号中「期限内申告書」とあるのは「第六章第一節の**一**の規定による申告書」とする。
（三）　国税通則法第61条第1項第2号及び第66条の規定は、（二）に規定する修正申告書及び更正には、適用しない。
（四）　国税通則法第2条第6号ハの規定の適用については、同号ハ（3）中「相続税法」とあるのは、「**九**《直系尊属から
　　住宅取得等資金の贈与を受けた場合の贈与税の非課税》の規定の適用を受けて贈与税の課税価格に算入しなかった金
　　額がある場合における当該金額を**2**の（六）に規定する住宅資金非課税限度額から控除した残額又は相続税法」とする。
（五）　第六章第六節**二**の**7**、同**7**の（3）及び（4）中「第一節**一**の**1**又は同**一**の**2**の規定による申告書の提出期限」とあ
　　るのは、「（１）に規定する修正申告書の提出期限」とする。

　　　（修正申告書の提出期限）
（４）　住宅取得等資金を贈与により取得をした日の属する年の翌年3月15日後遅滞なく特定受贈者の居住の用に供するこ
　　とが確実であると見込まれることにより**1**の規定の適用を受けた者が、**3**の（１）の各号に該当する場合において、**3**の
　　規定により当該取得をした日の属する年分の贈与税についての修正申告書を提出しなければならない限りは、当該取得
　　をした日の属する年の翌年の12月31日から2月を経過する日とする。（措通70の2－13）
（注）1　**5**の（5）の規定の適用を受けた場合には、（5）中「翌年の12月31日」とあるのは、「翌々年の12月31日」とする。
　　　2　**5**の（6）の規定の適用を受けた場合には、（6）中「翌年3月15日」とあるは、「翌々年3月15日」と、「翌年の12月31日」とあるのは、「翌々
　　　　年の12月31日」とする。
　　　3　上記の修正申告書に係る贈与税は、当該贈与により財産を取得した者が、当該贈与をした者に係る第三編第一章第一節**二**の（2）に規定す
　　　　る相続時精算課税適用者（以下（4）において「相続時精算課税適用者」という。）以外の者である場合には第四章の**4**に規定する暦年課税（以
　　　　下第四編第一章第一節の**1**までにおいて「暦年課税」という。）により、相続時精算課税適用者である場合には同**二**の（1）により、贈与税を
　　　　計算することに留意する。なお、同（1）の規定により贈与税を計算する場合には、第三編第一章第二節**一**の（1）の規定の適用がないことに
　　　　留意する。

4　建築後使用されたことのある住宅用家屋を取得した場合

　　直系尊属からの贈与により住宅取得等資金の取得をした特定受贈者が、当該贈与により住宅取得等資金の取得をした日
の属する年の翌年3月15日（以下**4**において「取得期限」という。）までに当該住宅取得等資金の全額を建築後使用された
ことのある住宅用家屋（耐震基準に適合するもの以外のものに限る。）で（1）の政令で定めるもの（以下**4**において「要耐
震改修住宅用家屋」という。）の取得のための対価に充てて当該要耐震改修住宅用家屋の取得をした場合において、当該要
耐震改修住宅用家屋の取得の日までに同日以後当該要耐震改修住宅用家屋の耐震改修（地震に対する安全性の向上を目的

—510—

第三章　贈与税の非課税財産

とした増築、改築、修繕又は模様替をいう。以下**4**において同じ。）を行うことにつき建築物の耐震改修の促進に関する法律第17条第１項の申請その他（３）の財務省令で定める手続をし、かつ、取得期限までに当該耐震改修により当該要耐震改修住宅用家屋が耐震基準に適合することとなったことにつき（４）の財務省令で定めるところにより証明がされたときは、当該要耐震改修住宅用家屋の取得は既存住宅用家屋の取得と、当該要耐震改修住宅用家屋は既存住宅用家屋とそれぞれみなして、**九**の規定を適用することができる。（措法70の２⑦）

（建築後に使用されたことのある住宅用家屋）
（１）　**4**に規定する建築後使用されたことのある住宅用家屋で政令で定めるものは、特定受贈者がその居住の用に供する家屋（その家屋の床面積の２分の１以上に相当する部分が専ら当該居住の用に供されるものに限る。）で相続税法の施行地にあるもののうち、**2**の（二）の（１）の（一）、（二）のいずれかに該当するものであることにつき（２）の財務省令で定めるところにより証明がされたもの又は確認を受けたもので建築後使用されたことのあるもの（**2**の（三）に規定する耐震基準に適合するもの以外のものに限る。）とし、その者の居住の用に供する家屋が二以上ある場合には、これらの家屋のうち、その者が主としてその居住の用に供すると認められる一の家屋に限るものとする。（措令40の４の２⑩）

（証明又は確認がされたもの）
（２）　（１）に規定する建築後使用されたことのある住宅用家屋は、**2**の（二）の（１）の各号のいずれかに該当することについて、**2**の（三）の（４）の（一）のイに掲げる方法により証明又は確認を受けなければならない。（措規23の５の２⑨）

（財務省令で定める手続）
（３）　**4**に規定する財務省令で定める手続は、**4**に規定する要耐震改修住宅用家屋の取得の日までに同日以後当該要耐震改修住宅用家屋の耐震改修（**4**に規定する耐震改修をいう。（４）及び**6**の（２）の（二）の八の①の（ⅱ）において同じ。）を行うことにつき国土交通大臣が財務大臣と協議して定める書類に基づいて行う申請とする。（措規23の５の２⑦）

（耐震基準に適合することとなった証明）
（４）　**4**の規定する適用を受けようとする者は、**4**に規定する要耐震改修住宅用家屋が同項に規定する取得期限までに耐震改修により耐震基準に適合することとなったことにつき国土交通大臣が財務大臣と協議して定める書類により証明を受けなければならない。（措規23の５の２⑧）

5　住宅用家屋が災害により滅失をした場合等

（居住の用に供することが確実であると見込まれた場合）
（１）　住宅取得等資金について**1**の規定の適用を受けた特定受贈者が、次に掲げる場合に該当するときは、**3**の（１）から（３）までの規定は、適用しない。（措法70の２⑧）
（一）　当該特定受贈者が**1**の（一）に定めるところにより住宅用家屋の新築又は建築後使用されたことのない住宅用家屋の取得をして当該特定受贈者が贈与により住宅取得等資金の取得をした日の属する年の翌年３月15日後遅滞なくこれらの住宅用家屋を当該特定受贈者の居住の用に供することが確実であると見込まれることにより**1**の規定の適用を受けた場合において、これらの住宅用家屋が災害（震災、風水害、火災その他（２）の政令で定める災害をいう。以下（１）から（６）までにおいて同じ。）により滅失（通常の修繕によっては原状回復が困難な損壊を含む。以下（１）、（４）及び（７）において同じ。）をしたことによってその居住の用に供することができなくなったとき。
（二）　当該特定受贈者が**1**の（二）に定めるところにより既存住宅用家屋を当該特定受贈者が贈与により住宅取得等資金の取得をした日の属する年の翌年３月15日後遅滞なく当該特定受贈者の居住の用に供することが確実であると見込まれることにより**1**の規定の適用を受けた場合において、当該既存住宅用家屋が災害により滅失をしたことによってその居住の用に供することができなくなったとき。
（三）　当該特定受贈者が**1**の（三）に定めるところにより増改築等をした住宅用の家屋を当該特定受贈者が贈与により住宅取得等資金の取得をした日の属する年の翌年３月15日後遅滞なく当該特定受贈者の居住の用に供することが確実であると見込まれることにより**1**の規定の適用を受けた場合において、当該住宅用の家屋が災害により滅失をしたことによってその居住の用に供することができなくなったとき。

（政令で定める災害）
（２）　（１）の（一）に規定する政令で定める災害は、冷害、雪害、干害、落雷、噴火その他の自然現象の異変による災害及び鉱害、

－511－

第二編　贈与税

火薬類の爆発その他の人為による異常な災害並びに害虫、害獣その他の生物による異常な災害とする。（措令40の4の2⑪）

　　　（通常の修繕によっては原状回復が困難な損壊）
（3）　（1）に規定する「通常の修繕によっては原状回復が困難な損壊」とは、**1**に規定する災害によって被害を受けた住宅用家屋（**4**に規定する要耐震改修住宅用家屋を含む。以下（3）において同じ。）につき、今後取壊し若しくは除去せざるを得ないと認められる場合又は相当の修繕を行わなければ今後居住の用に供することができないと認められる場合の当該住宅用家屋に係る損壊をいうことに留意する。（措通70の2－13の2）

　　　（住宅用の家屋が災害によって滅失をした場合）
（4）　適用期間内にその直系尊属からの贈与により金銭の取得をした個人が、当該金銭を住宅用の家屋（**4**に規定する要耐震改修住宅用家屋を含む。以下（4）及び（6）において同じ。）の新築若しくは取得又はその者が所有している住宅用の家屋につき行う増築（改築その他の工事を含む。）の対価に充てて当該贈与により金銭の取得をした日の属する年の翌年3月15日までに当該新築若しくは取得又は増築をした場合には、当該新築若しくは取得又は増築をした住宅用の家屋が災害によって滅失をしたことにより同日までにその居住の用に供することができなくなったときであっても、当該個人は、**九**（**3**の（1）から（3）までを除く。）の規定の適用を受けることができる。（措法70の2⑨）

　　　（災害により居住の用に供することができなかった場合）
（5）　住宅取得等資金について**1**の規定の適用を受けた特定受贈者が、贈与により住宅取得等資金の取得をした日の属する年の翌年3月15日後において、次に掲げる場合に該当するときにおける**3**の（1）の規定の適用については、**3**の（1）の（一）から（三）中「同年12月31日」とあるのは、「当該贈与により住宅取得等資金の取得をした日の属する年の翌々年12月31日」とする。（措法70の2⑩）
（一）　当該特定受贈者が**1**の（一）に定めるところにより住宅用家屋の新築又は建築後使用されたことのない住宅用家屋の取得をして当該特定受贈者が贈与により住宅取得等資金の取得をした日の属する年の翌年3月15日後遅滞なくこれらの住宅用家屋を当該特定受贈者の居住の用に供することが確実であると見込まれることにより**1**の規定の適用を受けた場合において、災害に基因するやむを得ない事情によりこれらの住宅用家屋を同年12月31日までに当該特定受贈者の居住の用に供することができなかったとき。
（二）　当該特定受贈者が**1**の（二）に定めるところにより既存住宅用家屋を当該特定受贈者が贈与により住宅取得等資金の取得をした日の属する年の翌年3月15日後遅滞なく当該特定受贈者の居住の用に供することが確実であると見込まれることにより**1**の規定の適用を受けた場合において、災害に基因するやむを得ない事情により当該既存住宅用家屋を同年12月31日までに当該特定受贈者の居住の用に供することができなかったとき。
（三）　当該特定受贈者が**1**の（三）に定めるところにより増改築等をした住宅用の家屋を当該特定受贈者が贈与により住宅取得等資金の取得をした日の属する年の翌年3月15日後遅滞なく当該特定受贈者の居住の用に供することが確実であると見込まれることにより**1**の規定の適用を受けた場合において、災害に基因するやむを得ない事情により当該住宅用の家屋を同年12月31日までに当該特定受贈者の居住の用に供することができなかったとき。

　　　（災害により新築等ができなかったとき）
（6）　適用期間内にその直系尊属からの贈与により金銭の取得をした個人が、当該金銭を住宅用の家屋の新築若しくは取得又はその者が所有している住宅用の家屋につき行う増築（改築その他の工事を含む。）の対価に充てて当該新築若しくは取得又は増築をする場合には、災害に基因するやむを得ない事情により当該贈与により金銭の取得をした日の属する年の翌年3月15日までに当該新築若しくは取得又は増築ができなかったときであっても、当該個人は、**九**の規定の適用を受けることができる。この場合において、**1**の（一）から（三）、**3**の（1）及び**4**中「翌年3月15日」とあるのは、「翌々年3月15日」とする。（措法70の2⑪）

　　　（被災者生活再建支援法の自然災害により滅失をした場合）
（7）　**1**の規定の適用を受けた特定受贈者が新築若しくは取得をした住宅用家屋、取得をした既存住宅用家屋又は増改築等をした住宅用の家屋が被災者生活再建支援法第2条第2号に規定する政令で定める自然災害により滅失をした場合において、当該特定受贈者が適用期間内にその直系尊属からの贈与により金銭の取得をし、当該金銭を住宅用の家屋の新築若しくは取得又はその者が所有している住宅用の家屋につき行う増築（改築その他の工事を含む。）の対価に充てて当該新築若しくは取得又は増築をするときにおける**九**の規定の適用については、**1**中「（既に**1**の規定の適用を受けて贈与税の課税価格に算入しなかった金額がある場合には、当該算入しなかった金額を控除した残額）まで」とあるのは、「ま

－512－

第三章　贈与税の非課税財産

で」とする。（措法70の2⑫）

　　（読替え規定）
（8）　2の（注）1の①から⑤に掲げる者が、（7）に規定する場合に該当する場合における2の（注）1の規定の適用については、2の（注）1中「適用しない」とあるのは、「適用しない。ただし、（7）に規定する場合に該当する場合は、この限りでない」とする。（措法70の2⑬）

6　申告要件

　　（書類の提出）
（1）　1の規定は、1の規定の適用を受けようとする者の第六章第一節一の1の規定による申告書に1の規定の適用を受けようとする旨を記載し、1の規定による計算の明細書その他の（2）の財務省令で定める書類の添付がある場合に限り、適用する。（措法70の2⑭）

　　（添付書類）
（2）　1の規定の適用を受けようとする者が（1）の規定により贈与税の申告書に添付する書類は、次の（一）から（三）に掲げる住宅取得等資金の区分に応じ（一）から（三）に定める書類（5の（7）に規定する場合に該当する場合には、当該書類及び市町村長又は特別区の区長の証明書その他の書類で5の（7）の新築若しくは取得をした住宅用家屋、取得をした既存住宅用家屋又は増改築等をした住宅用の家屋が5の（7）に規定する自然災害により滅失（通常の修繕によっては原状回復が困難な損壊を含む。（一）のニ、（二）のニ及び（三）のニにおいて同じ。）をしたことを明らかにするもの）とする。（措規23の5の2⑩）
（一）　2の（五）のイに掲げる2の（二）に規定する住宅用家屋（以下「**住宅用家屋**」という。）の新築又は取得の対価に充てるための住宅取得等資金　次に掲げる場合の区分に応じそれぞれ次に定める書類
　イ　住宅取得等資金を贈与により取得した日の属する年の翌年3月15日までに、住宅用家屋の1の（一）に規定する新築又は取得をし、当該住宅用家屋を特定受贈者の居住の用に供した場合　次に掲げる書類
　　①　住宅取得等資金を贈与により取得した日の属する年分（以下「**適用年分**」という。）の当該特定受贈者に係る贈与税の課税価格及び贈与税の額その他の贈与税の額の計算に関する明細書で次に掲げる事項の記載があるもの
　　　（ⅰ）　当該住宅取得等資金を贈与により取得した日
　　　（ⅱ）　当該住宅取得等資金の金額
　　　（ⅲ）　当該住宅取得等資金のうち1の規定の適用を受ける部分の金額
　　　（ⅳ）　当該住宅取得等資金に係る2の（六）に規定する住宅資金非課税限度額
　　　（ⅴ）　その他参考となるべき事項
　　②　当該特定受贈者の戸籍の謄本その他の書類で当該特定受贈者の氏名及び生年月日並びに当該住宅取得等資金の贈与をした者が当該特定受贈者の直系尊属に該当することを証するもの
　　③　当該特定受贈者の適用年分の所得税に係る所得税法第2条第1項第30号の合計所得金額を明らかにする書類（当該所得税に係る同項第37号に規定する確定申告書を当該所得税の納税地の所轄税務署長に提出した特定受贈者にあっては、その旨を記載した書類）
　　④　当該住宅用家屋（当該住宅取得等資金により当該住宅用家屋の新築又は取得とともにその敷地の用に供されている土地又は土地の上に存する権利（以下「土地等」という。）の1の（一）に規定する取得をする場合には、当該土地等を含む。⑤において同じ。）に関する登記事項証明書（当該住宅用家屋が2の（二）の（1）の（一）又は同（1）の（二）に掲げる家屋に該当することが当該登記事項証明書に記載された事項によって明らかでないときは、当該登記事項証明書及び同（1）の（一）又は同（1）の（二）に掲げる家屋に該当することを明らかにする書類）
　　⑤　当該住宅用家屋の新築の工事又は取得に係る契約書の写しその他の書類で当該住宅用家屋を2の（五）の（1）に掲げる者以外の者との請負契約その他の契約に基づき新築をしたこと又は2の（五）の（1）に掲げる者以外の者から取得をしたことを明らかにするもの
　ロ　住宅取得等資金を贈与により取得した日の属する年の翌年3月15日までに住宅用家屋の1の（一）に規定する新築又は取得をし、当該住宅用家屋を同日後遅滞なく特定受贈者の居住の用に供することが確実であると認められる場合　次に掲げる書類
　　①　イに定める書類
　　②　当該住宅用家屋の当該新築又は取得後直ちに当該住宅用家屋を当該特定受贈者の居住の用に供することができ

－513－

第二編　贈与税

ない事情及び当該居住の用に供する予定時期を記載した書類

③　当該住宅用家屋を**1**の（一）に規定する同日後遅滞なく当該特定受贈者の居住の用に供することを約する書類

ハ　住宅取得等資金を贈与により取得した日の属する年の翌年3月15日において、住宅用家屋が**1**の（1）に規定する新築に準ずる状態にある場合　　次に掲げる書類

①　イ（④を除く。）に定める書類

②　当該家屋の新築の工事の契約書の写しその他の書類で当該家屋が住宅用家屋に該当することを明らかにするもの

③　当該住宅用家屋の新築の工事を請け負った建設業法第2条第3項に規定する建設業者その他の者の当該住宅用家屋が新築に準ずる状態にあることを証する書類でその工事の完了予定年月の記載があるもの

④　当該住宅用家屋を**1**の（一）に規定する同日後遅滞なく当該特定受贈者の居住の用に供すること及び当該住宅用家屋を居住の用に供したときは遅滞なくイの④に掲げる書類を適用年分の贈与税に係る納税地の所轄税務署長に提出することを約する書類で、当該居住の用に供する予定時期の記載があるもの

ニ　住宅取得等資金を贈与により取得した日の属する年の翌年3月15日までに住宅用家屋の**1**の（一）に規定する新築又は取得をした場合において、当該住宅用家屋が災害により滅失をしたことにより同日までに特定受贈者の居住の用に供することができなくなったとき　　次に掲げる書類

①　イに定める書類

②　市町村長又は特別区の区長の証明書その他の書類で当該住宅用家屋が災害により滅失をしたことにより住宅取得等資金を贈与により取得した日の属する年の翌年3月15日までに特定受贈者の居住の用に供することができなくなったことを明らかにするもの

ホ　災害に基因するやむを得ない事情により住宅取得等資金を贈与により取得した日の属する年の翌年3月15日までに住宅用家屋の**1**の（一）に規定する新築又は取得ができなかった場合　　次に掲げる書類

①　イ（④を除く。）に定める書類

②　ハの②に掲げる書類

③　災害に基因するやむを得ない事情により住宅取得等資金を贈与により取得した日の属する年の翌年3月15日までに当該住宅用家屋の新築又は取得ができなかったことを明らかにする書類

④　当該住宅用家屋の新築又は取得をしたときは遅滞なくイの④に掲げる書類を適用年分の贈与税に係る納税地の所轄税務署長に提出することを約する書類で、当該新築又は取得の予定時期及び特定受贈者の居住の用に供する予定時期の記載があるもの

（二）　**2**の（五）のロに掲げる**2**の（三）に規定する既存住宅用家屋（以下「**既存住宅用家屋**」という。）の取得の対価に充てるための住宅取得等資金　　次に掲げる場合の区分に応じそれぞれ次に定める書類

イ　住宅取得等資金を贈与により取得した日の属する年の翌年3月15日までに、既存住宅用家屋の**1**の（二）に規定する取得をし、当該既存住宅用家屋を特定受贈者の居住の用に供した場合　　次に掲げる書類

①　（一）のイの①から③までに掲げる書類

②　当該既存住宅用家屋（当該住宅取得等資金により当該既存住宅用家屋の取得とともにその敷地の用に供されている土地等の取得をする場合には、当該土地等を含む。③において同じ。）に関する登記事項証明書

③　当該既存住宅用家屋の取得に係る契約書の写しその他の書類で当該既存住宅用家屋を**2**の（五）の（1）に掲げる者以外の者から取得をしたことを明らかにするもの

ロ　住宅取得等資金を贈与により取得した日の属する年の翌年3月15日までに既存住宅用家屋の**1**の（二）に規定する取得をし、当該既存住宅用家屋を同日後遅滞なく特定受贈者の居住の用に供することが確実であると認められる場合　　次に掲げる書類

①　イに定める書類

②　当該既存住宅用家屋の当該取得後直ちに当該既存住宅用家屋を当該特定受贈者の居住の用に供することができない事情及び当該居住の用に供する予定時期を記載した書類

③　当該既存住宅用家屋を**1**の（二）に規定する同日後遅滞なく当該特定受贈者の居住の用に供することを約する書類

ハ　当該既存住宅用家屋が**4**の規定により**2**の（三）に規定する既存住宅用家屋とみなされたものである場合　　次に掲げる場合の区分に応じそれぞれ次に定める書類

①　イに掲げる場合　　次に掲げる書類

（ⅰ）　イに定める書類

（ⅱ）　当該既存住宅用家屋の耐震改修に係る建築物の耐震研修の促進に関する法律施行規則別記第5号様式に規定する認定申請書又は**4**の（3）に規定する書類の写しで**4**の（3）の申請をしたことを証するもの

—514—

（ⅲ）　当該既存住宅用家屋に係る**4**の（4）に規定する書類で**4**の（4）の証明がされたことを証するもの

②　ロに掲げる場合　　次に掲げる書類

（ⅰ）　ロに定める書類

（ⅱ）　①の（ⅱ）及び（ⅲ）に掲げる書類

ニ　住宅取得等資金を贈与により取得した日の属する年の翌年3月15日までに既存住宅用家屋の**1**の（二）に規定する取得をした場合において、当該既存住宅用家屋が災害により滅失をしたことにより同日までに特定受贈者の居住の用に供することができなくなったとき　　次に掲げる書類

①　イに定める書類

②　ハに掲げる場合には、ハの①（ⅱ）及び（ⅲ）に掲げる書類

③　市町村長又は特別区の区長の証明書その他の書類で当該既存住宅用家屋が災害により滅失をしたことにより住宅取得等資金を贈与により取得した日の属する年の翌年3月15日までに特定受贈者の居住の用に供することができなくなったことを明らかにするもの

ホ　災害に基因するやむを得ない事情により住宅取得等資金を贈与により取得した日の属する年の翌年3月15日までに既存住宅用家屋の**1**の（二）に規定する取得ができなかった場合　　次に掲げる書類

①　イ（②を除く。）に定める書類

②　災害に基因するやむを得ない事情により住宅取得等資金を贈与により取得した日の属する年の翌年3月15日までに当該既存住宅用家屋の取得ができなかったことを明らかにする書類

③　当該既存住宅用家屋の取得をしたときは遅滞なく次に掲げる書類を適用年分の贈与税に係る納税地の所轄税務署長に提出することを約する書類で、当該取得の予定時期及び特定受贈者の居住の用に供する予定時期の記載があるもの

（ⅰ）　イの②に掲げる書類

（ⅱ）　ハに掲げる場合には、ハの①の（ⅱ）及び（ⅲ）に掲げる書類

（三）　増改築等の対価に充てるための住宅取得等資金　　次に掲げる場合の区分に応じそれぞれ次に定める書類

イ　住宅取得等資金を贈与により取得した日の属する年の翌年3月15日までに、増改築対象家屋の増改築等をし、当該増改築対象家屋を特定受贈者の居住の用に供した場合　　次に掲げる書類

①　（一）のイの①から③までに掲げる書類

②　当該増改築対象家屋（当該住宅取得等資金により当該増改築等とともにその敷地の用に供されることとなる土地等の取得をする場合には、当該土地等を含む。）に関する登記事項証明書

③　当該増改築対象家屋の増改築等の工事の契約書の写しその他の書類で当該増改築等をした年月日並びに当該増改築等の工事に要した費用の額及びその明細を明らかにするもの

④　当該増改築対象家屋の増改築等（当該増改築対象家屋の増改築等とともにするその敷地の用に供されることとなる土地等の取得を含む。）の工事の契約書の写しその他の書類で当該増改築等が**2**の（五）の（1）に掲げる者以外の者との請負契約その他の契約に基づきされたものであることを明らかにするもの

ロ　住宅取得等資金を贈与により取得した日の属する年の翌年3月15日までに増改築対象家屋の増改築等をし、当該増改築対象家屋を同日後遅滞なく特定受贈者の居住の用に供することが確実であると認められる場合　　次に掲げる書類

①　イに定める書類

②　当該増改築対象家屋の当該増改築等後直ちに当該増改築対象家屋を当該特定受贈者の居住の用に供することができない事情及び当該居住の用に供する予定時期を記載した書類

③　当該増改築対象家屋を**1**の（三）に規定する同日後遅滞なく当該特定受贈者の居住の用に供することを約する書類

ハ　住宅取得等資金を贈与により取得した日の属する年の翌年3月15日において、増改築対象家屋が**1**の（2）に規定する増改築等の完了に準ずる状態にある場合　　次に掲げる書類

①　イの①及び④に掲げる書類

②　当該増改築対象家屋の増改築等の工事の契約書の写しその他の書類で当該工事により当該増改築対象家屋が**2**の（四）の（2）の（二）に掲げる要件を満たすこととなることを明らかにするもの

③　当該増改築対象家屋の増改築等の工事を請け負った建設業法第2条第3項に規定する建設業者その他の者の当該増改築対象家屋が工事の完成に準ずる状態にあることを証する書類でその工事の完了予定日の記載があるもの

④　当該増改築対象家屋の工事が完了したとき（当該増改築対象家屋を当該特定受贈者の居住の用に供した時が当該工事が完了した時後となる場合には、当該居住の用に供したとき）は遅滞なくイの②及び③に掲げる書類を増改築適用年分の贈与税に係る納税地の所轄税務署長に提出することを約する書類

第二編　贈与税

　　　ニ　住宅取得等資金を贈与により取得した日の属する年の翌年3月15日までに増改築対象家屋の増改築等をした場合
　　　　において、当該増改築対象家屋が災害により滅失をしたことにより同日までに特定受贈者の居住の用に供すること
　　　　ができなくなったとき　　次に掲げる書類
　　　①　イに定める書類
　　　②　市町村長又は特別区の区長の証明書その他の書類で当該増改築対象家屋が災害により滅失をしたことにより住
　　　　宅取得等資金を贈与により取得した日の属する年の翌年3月15日までに特定受贈者の居住の用に供することがで
　　　　きなくなったことを明らかにするもの
　　　ホ　災害に基因するやむを得ない事情により住宅取得等資金を贈与により取得した日の属する年の翌年3月15日まで
　　　　に増改築対象家屋の増改築等ができなかった場合　　次に掲げる書類
　　　①　イの①及び④に掲げる書類
　　　②　ハの②に掲げる書類
　　　③　災害に基因するやむを得ない事情により住宅取得等資金を贈与により取得した日の属する年の翌年3月15まで
　　　　に当該増改築対象家屋の増改築等ができなかったことを明らかにする書類
　　　④　当該増改築対象家屋の工事が完了したときは遅滞なくイの②及び③に掲げる書類を増改築適用年分の贈与税に
　　　　係る納税地の所轄税務署長に提出することを約する書類で、当該工事の完了予定日及び特定受贈者の居住の用に
　　　　供する予定時期の記載があるもの

　　　（ゆうじょ規定）
（3）　税務署長は、（1）の記載又は添付がない第六章第一節**一**の**1**の規定による申告書の提出があった場合において、そ
　　の記載又は添付がなかったことについてやむを得ない事情があると認めるときは、その記載をした書類及び（2）の財務
　　省令で定める書類の提出があった場合に限り、**1**の規定を適用することができる。（措法70の2⑮）

　　　（住宅用の家屋が災害によって滅失をした場合の適用）
（4）　**5**の（4）又は（6）に規定する個人がこれらの規定により**1**の規定の適用を受けようとする場合における（1）の規定
　　の適用については、（1）中「申告書に**1**」とあるのは、「申告書（当該申告書に係る期限後申告書及びこれらの申告書に
　　係る修正申告書を含む。）又は第六章第五節**一**の**3**《更正の請求書の記載事項》に規定する更正請求書に、**1**」とする。
　　（措令40の4の2⑫）

　　　（（4）の場合の読替え規定）
（5）　（4）の規定により（1）の規定を読み替えて適用する場合における**2**の表の（三）の（4）、同表の（四）の（3）、**6**の（7）
　　及び**6**の（2）の規定の適用については、**2**の表の（三）の（4）中「**6**の（1）に規定する申告書」とあるのは「**6**の（4）の
　　規定により読み替えて適用する**6**の（1）に規定する申告書又は更正請求書」と、「贈与税の申告書」とあるのは「贈与税
　　の申告書等」と、**2**の表の（四）の（3）及び**6**の（7）中「贈与税の申告書」とあるのは「贈与税の申告書等」と、**6**の（2）
　　中「（1）」とあるのは「（4）の規定により読み替えて適用する（1）」と、「贈与税の申告書」とあるのは「贈与税の申告
　　書等」とする。（措規23の5の2⑪）

　　　（住宅資金贈与者が死亡した場合）
（6）　**2**の（五）に規定する住宅取得等資金（以下「**住宅取得等資金**」という。）の贈与（贈与をした者の死亡により効力を
　　生ずる贈与を除く。）をした者（以下「**住宅資金贈与者**」という。）が当該贈与をした年の中途において死亡した場合（（8）
　　に規定する場合を除く。）において、当該住宅取得等資金の取得をした特定受贈者が当該住宅資金贈与者から相続又は遺
　　贈（贈与をした者の死亡により効力を生ずる贈与を含む。）により財産の取得をしたときにおける第一編第四章第二節**四**
　　の**1**《相続開始前3年以内の贈与財産》の規定の適用については、同**1**中「特定贈与財産」とあるのは、「特定贈与財産
　　及び当該相続の開始の年において当該被相続人から贈与により取得をした**2**の（五）に規定する住宅取得等資金のうち**1**
　　の規定の適用があるものとした場合において**1**の規定により贈与税の課税価格に算入されないこととなるもの」とする。
　　（措令40の4の2⑬）

　　　（証明に要する添付書類）
（7）　**2**の（六）の（3）に規定する財務省令で定めるところにより証明がされた住宅用の家屋は、次の（一）（二）（三）に掲げ
　　る場合の区分に応じ（一）から（三）に定める書類を贈与税の申告書に添付することにより証明がされたものとする。（措
　　規23の5の2⑥）

―516―

第三章　贈与税の非課税財産

（一）　（二）及び（三）に掲げる場合以外の場合　　当該住宅用の家屋が国土交通大臣が財務大臣と協議して定める**2**の（六）の（3）に規定する住宅用の家屋に該当する旨を証する書類

（二）　住宅取得等資金を贈与により取得した日の属する年の翌年3月15日において住宅用の家屋が**1**の（1）に規定する新築に準ずる状態にある場合又は災害に基因するやむを得ない事情により同日までに住宅用の家屋の新築若しくは取得ができなかった場合　　当該住宅用の家屋の工事が完了したとき、又は当該住宅用の家屋の新築若しくは取得をしたときは遅滞なく（一）に定める書類を当該贈与の日の属する年分の贈与税に係る納税地の所轄税務署長に提出することを約する書類

（三）　住宅取得等資金を充てて増改築等をした場合　　次に掲げる場合の区分に応じそれぞれ次に定める書類

（イ）　住宅取得等資金を贈与により取得した日の属する年の翌年3月15日までに、住宅用の家屋の増改築等をした場合　　（一）に定める書類又は**2**の（四）の（3）の（一）のチに定める書類

（ロ）　住宅取得等資金を贈与により取得した日の属する年の翌年3月15日において住宅用の家屋が**1**の（2）に規定する増改築等の完了に準ずる状態にある場合又は災害に基因するやむを得ない事情により同日までに住宅用の家屋の増改築等ができなかった場合　　増改築等の工事が完了したときは遅滞なく（イ）に定める書類を増改築適用年分の贈与税に係る納税地の所轄税務署長に提出することを約する書類

（相続時精算課税の適用を受ける住宅資金贈与者が死亡した場合）

（8）　住宅資金贈与者が住宅取得等資金の贈与をした年の中途において死亡した場合（当該住宅取得等資金の取得をした特定受贈者が次の（一）（二）のいずれかに該当する場合に限る。）における第六章第一節**一**の**4**の規定の適用については、同**4**中「財産を」とあるのは、「財産（**2**の（五）に規定する住宅取得等資金のうち**1**の規定の適用があるものとした場合において**1**の規定により贈与税の課税価格に算入されないこととなるものを除く。以下（8）において同じ。）を」とする。（措令40の4の2⑭）

（一）　住宅資金贈与者に係る第三編第一章第一節**二**の（2）に規定する相続時精算課税適用者

（二）　贈与により住宅取得等資金の取得をした日の属する年中において、当該住宅取得等資金の贈与をした住宅資金贈与者から贈与を受けた財産について、第三編第一章第一節**二**（第三編第一章第一節の**三**又は第三編第**二**章の**1**において準用する場合を含む。）の届出書を提出する者

（特定受贈者が申告書等を提出しないで死亡した場合）

（9）　特定受贈者が（1）に規定する申告書及び書類の提出期限前に当該申告書及び書類を提出しないで死亡した場合には、その死亡した特定受贈者の相続人（包括受遺者を含む。）は、当該申告書及び書類を提出することにより本節の規定の適用を受けることができる。この場合において、（1）の規定の適用については、（1）中「第六章第一節**一**の**1**」とあるのは「死亡に係る第六章第一節**一**の**2**」と、「に**1**」とあるのは「に**1**」とする。（措令40の4の2⑮）

（（9）の場合の読替え規定）

（10）　（9）の規定により（9）に規定する相続人が（1）に規定する書類を提出する場合における（2）の規定の適用については、（2）の（一）のイの②中「もの」とあるのは、「もの、当該特定受贈者が**2**の（一）に規定する新築等をした住宅用の家屋を居住の用に供していたことを証する書類並びに戸籍の謄本その他の書類で（9）の規定の適用を受けようとする者が（9）に規定する相続人に該当することを証するもの」とする。（措規23の5の2⑫）

（住宅取得等資金の贈与をした者が贈与をした年中に死亡した場合の贈与税及び相続税の課税）

（11）　住宅取得等資金の贈与をした者が当該住宅取得等資金の贈与をした年中に死亡した場合において、特定受贈者が当該贈与により取得した住宅取得等資金について**1**の規定の適用を受けるときには、**6**の（1）に規定する申告書に**1**の規定の適用を受けようとする旨を記載し、**1**の規定による計算の明細書その他の財務省令で定める書類を添付したものを提出しなければならないことに留意する。

なお、当該住宅取得等資金について当該申告書の提出がない場合には、**1**の規定の適用がなく、当該住宅取得等資金の金額は、第一編第四章第二節**四**の**1**、第三編第一章第三節**一**の（1）又は同第三節**二**の（1）の規定により当該贈与をした者の死亡に係る相続税の課税価格の計算の基礎に算入されることに留意する。

また、住宅取得等資金を贈与により取得をした日の属する年の翌年3月15日後遅滞なく特定受贈者の居住の用に供することが確実であると見込まれることにより**1**の規定の適用を受けた者が、**3**の（1）の（一）又は（二）又は（三）に該当する場合には、同（1）の規定により当該取得をした日の属する年分の贈与税についての修正申告書を提出し、当該修正申告書の提出により納付すべき税額を納付しなければならないのであるが、この場合において、住宅取得等資金のうち**1**

－517－

第二編　贈与税

の規定の適用がなかった金額は、同**四**の**1**、同第三節**一**の（1）又は同第三節**二**の（1）の規定により当該贈与をした者の死亡に係る相続税の課税価格の計算の基礎に算入され、当該修正申告書の提出により納付すべき贈与税の税額又は当該贈与税の税額に相当する金額は、同**四**の**1**、同第三節**一**の（4）又は同第三節**二**の（3）の規定の適用があることに留意する。（措通70の2－14）

（期限後申告による「直系尊属から住宅取得等資金の贈与を受けた場合の贈与税の非課税」の適用）

(12)　期限後申告（**5**の（4）又は**5**の（6）に規定する個人がこれらの規定により**1**の規定の適用を受けようとする場合における期限後申告を除く。）又は決定による贈与税については、**1**の規定の適用がないことに留意する。なお、修正申告又は更正による贈与税については、**5**の（4）、**5**の（6）又は**6**の（3）に該当する場合にのみ**1**の規定の適用があることに留意する。（措通70の2－15）

7　経過措置

(1)　平成22年1月1日前に旧租税特別措置法第70条の2第2項第1号に規定する特定受贈者が贈与により取得をした同項第5号に規定する住宅取得等資金に係る贈与税については、なお従前の例による。（平22改所法等附124②）

(2)　**九**の規定は、**2**の（一）に規定する特定受贈者が平成22年1月1日以後に贈与により取得をする**2**の（五）に規定する住宅取得等資金に係る贈与税について適用する。この場合において、同日前に贈与により取得をした旧租税特別措置法第70条の2第2項第5号に規定する住宅取得等資金について同条第1項の規定の適用を受けた者に係る**九**の規定の適用については、**1**中「平成23年12月31日」とあるのは「同年12月31日」と、「住宅資金非課税限度額」とあるのは「1,500万円」と、「この項」とあるのは「所得税法等の一部を改正する法律（平成22年法律第6号）第18条の規定による改正前の租税特別措置法第70条の2第1項」と、**3**の（3）の（四）中「**2**の（六）に規定する住宅資金非課税限度額」とあるのは「1,500万円」とし、**2**の（六）の規定は、適用しない。（平22改所法等附124③）

(3)　平成22年1月1日から同年12月31日までの間にその直系尊属からの贈与により旧租税特別措置法第70条の2第2項第5号に規定する住宅取得等資金の取得をする同項第1号に規定する特定受贈者が、同条第1項各号に掲げる場合に該当するときは、（2）の規定にかかわらず、その者の選択により、同条の規定を適用することができる。（平22改所法等附124④）

(4)　（3）の規定により旧法第70条の2第1項の規定の適用を受けた同条第2項第1号に規定する特定受贈者が平成23年1月1日以後にその直系尊属からの贈与により取得をする**2**の（五）に規定する住宅取得等資金については、**九**の規定は、適用しない。（平22改措令附49④）

(5)　**1**及び**2**の規定は、平成23年1月1日以後の贈与（贈与をした者の死亡により効力を生ずる贈与を除く。以下同じ。）により取得をする財産に係る贈与税について適用し、同日前に贈与により取得をした財産に係る贈与税については、なお従前の例による。（平23改所法等附78①）

(6)　**九**の規定は、**2**の（一）に規定する特定受贈者が平成24年1月1日以後に贈与により取得する**2**の（五）に規定する住宅取得等資金に係る贈与税について適用し、旧租税特別措置法第70条の2第2項第1号に規定する特定受贈者が同日前に贈与により取得をした同条第2項5号に規定する住宅取得等資金に係る贈与税については、なお従前の例による。（平24改措法等附41⑤）

(7)　所得税法等の一部を改正する法律（平成22年法律第6号）第18条の規定による改正前の租税特別措置法第70条の2第1項又は旧租税特別措置法第70条の2第1項の規定の適用を受けた特定受贈者が平成24年1月1日以後の贈与により取得をする**2**の（五）に規定する住宅取得等資金については、**九**の規定は適用しない。（平24改措法等附41⑥）

(8)　平成27年1月1日から平成28年12月31日までの間に贈与により取得をした旧租税特別措置法第70条の2第2項第5号に規定する住宅取得等資金に係る贈与税について同条第1項の規定の適用を受けた同条第2項第1号に規定する特定受贈者は、同年4月1日以後に発生した災害（**5**の（1）の（一）に規定する災害に相当する災害をいう。）により、旧租税特別措置法第70条の2第1項の規定の適用に係る住宅用の家屋の滅失（通常の修繕によっては原状回復が困難な損壊を含む。）により当該住宅用の家屋を居住の用に供することができなくなった場合、旧租税特別措置法第70条の2第1項各号に規定する期限までに当該住宅用の家屋の新築、取得若しくは同条第2項第4号に規定する増改築等ができなかった場合、当該期限までに当該住宅用の家屋を居住の用に供することができなかった場合又は同条第4項各号に規定する期限までに当該住宅用の家屋を居住の用に供することができなかった場合には、**5**の（1）から（6）までの規定の適用を受けることができる。（平29改所法等附88⑤）

-518-

第三章　贈与税の非課税財産

十　直系尊属から教育資金の一括贈与を受けた場合の贈与税の非課税

1　制度の概要

　平成25年4月1日から令和8年3月31日までの間に、個人（教育資金管理契約を締結する日において30歳未満の者に限る。）が、その直系尊属と信託会社（信託業法第3条又は第53条第1項の免許を受けたものに限るものとし、金融機関の信託業務の兼営等に関する法律により同法第1条第1項に規定する信託業務を営む同項に規定する金融機関を含む。**2**及び**6**の**①**において「**受託者**」という。）との間の教育資金管理契約に基づき信託の受益権（以下**十**において「**信託受益権**」という。）を取得した場合、その直系尊属からの書面による贈与により取得した金銭を教育資金管理契約に基づき銀行等（銀行その他の預金又は貯金の受入れを行う金融機関として（1）の政令で定める金融機関をいう。**2**及び**3**の**②**において同じ。）の営業所、事務所その他これらに準ずるものでこの法律の施行地にあるもの（**4**を除き、以下**十**において「**営業所等**」という。）において預金若しくは貯金として預入をした場合又は教育資金管理契約に基づきその直系尊属からの書面による贈与により取得した金銭若しくはこれに類するものとして（2）の政令で定めるもの（以下**十**において「**金銭等**」という。）で金融商品取引法第2条第9項に規定する金融商品取引業者（同法第28条第1項に規定する第一種金融商品取引業を行う者に限る。**2**及び**3**の**②**において同じ。）の営業所等において有価証券を購入した場合には、当該信託受益権、金銭又は金銭等の価額のうち1,500万円までの金額（既に**1**の規定の適用を受けて贈与税の課税価格に算入しなかった金額がある場合には、当該算入しなかった金額を控除した残額）に相当する部分の価額については、贈与税の課税価格に算入しない。ただし、当該個人の当該信託受益権、金銭又は金銭等を取得した日の属する年の前年分の所得税に係る所得税法第2条《定義》第1項第30号の合計所得金額が1,000万円を超える場合は、この限りでない。（措法70の2の2①）

（注）　**1**に規定する直系尊属の範囲については、**九の1の（4）**（措通70の2-1《直系尊属の範囲》）を準用する。（措通70の2の2-3）

　　　（政令で定める金融機関の範囲）
（1）　**1**に規定する（1）の政令で定める金融機関は、銀行、信用金庫、信用金庫連合会、労働金庫、労働金庫連合会、信用協同組合、信用協同組合連合会（中小企業等協同組合法第9条の9第1項第1号の事業を行う協同組合連合会をいう。）、農林中央金庫及び株式会社商工組合中央金庫並びに貯金の受入れをする農業協同組合、農業協同組合連合会、漁業協同組合、漁業協同組合連合会、水産加工業協同組合及び水産加工業協同組合連合会とする。（措令40の4の3①）

　　　（政令で定める金銭の範囲）
（2）　**1**に規定する金銭に類するものとして（2）の政令で定めるものは、公社債投資信託（投資信託及び投資法人に関する法律第2条第4項に規定する証券投資信託のうち、その信託財産を公債又は社債（会社以外の法人が特別の法律により発行する債券を含む。）に対する投資として運用することを目的とするもので、株式又は出資に対する投資として運用しないものをいう。）のうち投資信託及び投資法人に関する法律施行規則第25条第2号に規定する公社債投資信託（計算期間が1日のものに限る。）の受益証券とする。（措令40の4の3②、措規23の5の3①）

　　　（書面による贈与）
（3）　贈与者からの書面による贈与（贈与をした者の死亡により効力を生ずる贈与を除く。以下**十一**において同じ。）により金銭又は金銭等の取得をした受贈者は、当該取得後2月以内に、教育資金管理契約（**2の（二）のロ**又は**ハ**に係るものに限る。）に基づき、当該金銭を預金若しくは貯金として預入をし、又は当該金銭等で有価証券を購入しなければならない。（措令40の4の3④）

　　　（有価証券のみなし購入）
（4）　贈与者からの書面による贈与により（2）に規定する受益証券の取得をした受贈者が、当該取得後2月以内に、当該受益証券を当該受益証券の保管の委託がされている口座から教育資金管理契約（**2の（二）のハ**に係るものに限る。）に基づき有価証券の保管の委託をする口座へ移管をした場合には、当該移管を**1**又は**3**の**②**の有価証券の購入とみなして、**十一**の規定を適用する。（措令40の4の3⑤）

　　　（外国国籍を有する者等に係る**1**の適用）
（5）　外国国籍を有する者又は相続税法の施行地に住所を有しない者であっても、**1**の適用要件を満たす場合には、**1**の本文の規定の適用を受けることができることに留意する。（措通70の2の2-2）

－519－

第二編　贈与税

（信託受益権等を取得した日の属する年の前年分の所得税に係る合計所得金額が1,000万円を超えていた場合）

（6）　受贈者が贈与者から信託受益権又は金銭等の取得（平成31年4月1日以後の取得に限る。）をした日の属する年（（6）において「特定年」という。）の前年分の当該受贈者の所得税に係る所得税法第2条第1項第30号の合計所得金額（以下（6）において「合計所得金額」という。）が1,000万円を超えていた場合には、特定年分の合計所得金額が1,000万円以下であっても、当該取得をした信託受益権又は金銭等の価額について、**1**の本文の規定の適用を受けることはできないことに留意する。ただし、当該特定年の翌年に取得した信託受益権又は金銭等については、当該特定年分の合計所得金額が1,000万円以下であるため、**1**の本文の規定の適用を受けることができることに留意する。（措通70の2の2－3の2）

（**1**の本文の規定により贈与税の課税価格に算入されない価額）

（7）　**1**の本文の規定により贈与税の課税価格に算入されない価額は、**3**の①又は**3**の②の期限までに提出された教育資金非課税申告書又は追加教育資金非課税申告書に係る非課税拠出額（1,500万円までの金額に限る。）の範囲内の金額であり、かつ、（3）又は（4）の要件を満たした部分の金額に限られることに留意する。（措通70の2の2－7）

　（注）1　贈与者が2以上ある場合の贈与者ごとの贈与税の課税価格に算入されない価額の判定は、受贈者が教育資金非課税申告書又は追加教育資金非課税申告書に贈与者ごとに**1**の本文の規定の適用を受けるものとして記載した金額により行うことに留意する。

　　　　2　贈与により取得した信託受益権又は金銭等のうち上記により贈与税の課税価格に算入されない価額に該当しない価額については、贈与税の課税価格に算入されるのであるが、受贈者が当該贈与に係る贈与者に係る相続時精算課税適用者である場合には、当該算入される価額のうち当該贈与者から取得した部分について相続時精算課税が適用され、相続時精算課税適用者でない場合には、相続時精算課税の適用要件を満たしていれば当該部分について相続時精算課税を選択できることに留意する。

2　用語の意義

　十において、次の（一）から（十一）までに掲げる用語の意義は、当該（一）から（十一）までに定めるところによる。（措法70の2の2②⑩、措令40の4の3③、措通70の2の2－1）

| （一） | 教育資金 | イ | 学校教育法（昭和22年法律第26号）第1条に規定する学校、同法第124条に規定する専修学校、同法第134条第1項に規定する各種学校その他これらに類する施設として①の政令で定めるものを設置する者（ロ並びに**6**の②及び**7**において「学校等」という。）に直接支払われる入学金、授業料その他の金銭で②の政令で定めるもの

　（政令で定める施設）
①　上記政令で定める施設は、次に掲げるものとする。（措令40の4の3⑥、措規23の5の3②③）
　ⅰ　児童福祉法（昭和22年法律第164号）第39条第1項に規定する保育所その他これに類するものとして次に定めるもの
　（ⅰ）　児童福祉法第6条の2第1項に規定する障害児通所支援事業（同条第2項に規定する児童発達支援を行う事業に限る。）が行われる施設
　（ⅱ）　児童福祉法第6条の3第9項に規定する家庭的保育事業、同条第10項に規定する小規模保育事業、同条第11項に規定する居宅訪問型保育事業又は同条第12項に規定する事業所内保育事業に係る施設
　（ⅲ）　児童福祉法第59条の2第1項に規定する施設であって、子ども・子育て支援法（平成24年法律第65号）第61条第1項に規定する市町村子ども・子育て支援事業計画において教育・保育を目的とする施設として定められているもの
　（ⅳ）　児童福祉法第59条の2第1項に規定する施設であって、内閣総理大臣及び文部科学大臣が財務大臣と協議して定める事項に該当するもの（（ⅲ）に掲げるものを除く。）
　ⅱ　就学前の子どもに関する教育、保育等の総合的な提供の推進に関する法律（平成18年法律第77号）第2条第6項に規定する認定こども園（学校教育法第1条に規定する幼稚園及び児童福祉法第39条第1項に規定する保育所を除く。）
　ⅲ　学校教育法第1条に規定する学校若しくは同法第124条に規定する専修学校に相当する外国の教育施設又はこれらに準ずる外国の教育施設のうち、外国において外国の学校教育制度により位置付けられた教育施設その他の教育施設であって文部科学大臣が財務大臣と協議して定めるものとする。 |

－520－

第三章　贈与税の非課税財産

		iv　国立研究開発法人水産研究・教育機構法（平成11年法律第199号）に規定する国立研究開発法人水産研究・教育機構の施設、独立行政法人海技教育機構法（平成11年法律第214号）に規定する独立行政法人海技教育機構の施設、独立行政法人航空大学校法（平成11年法律第215号）に規定する独立行政法人航空大学校及び高度専門医療に関する研究等を行う国立研究開発法人に関する法律（平成20年法律第93号）に規定する国立研究開発法人国立国際医療研究センターの施設	

v　職業能力開発促進法（昭和44年法律第64号）に規定する職業能力開発総合大学校、職業能力開発大学校、職業能力開発短期大学校、職業能力開発校、職業能力開発促進センター及び障害者職業能力開発校（職業能力開発大学校、職業能力開発短期大学校、職業能力開発校及び職業能力開発促進センターにあっては、国若しくは地方公共団体又は同法に規定する職業訓練法人が設置するものに限る。）

（政令で定める入学金、授業料、その他の金銭）

②　上記入学金、授業料その他の金銭で②の政令で定めるものは、入学金、授業料及び入園料並びに施設設備費その他の文部科学大臣が財務大臣と協議して定める金銭とする。（措令40の４の３⑦）

（注）　文部科学大臣は、②の規定により金銭を定め、及びロの注の規定により金銭を定めたときは、これを告示する。（措令40の４の３㊺）

ロ	学校等以外の者に、教育に関する役務の提供の対価として直接支払われる金銭その他の教育を受けるために直接支払われる金銭で次の注の政令で定めるもの （政令で定める教育のために直接支払われる金銭） 注　上記教育を受けるために直接支払われる金銭で注の政令で定めるものは、教育に関する役務の提供の対価、施設の使用料その他の受贈者の教養、知識、技術又は技能の向上のために直接支払われる金銭として文部科学大臣が財務大臣と協議して定めるものとする。（措令40の４の３⑧）

（注）　令和５年３月31日以前に改正前の①の ⅰ の（ⅳ）の規定により文部科学大臣及び厚生労働大臣が定めた事項は、改正後の①の ⅰ の（ⅳ）の規定により内閣総理大臣及び文部科学大臣が定めた事項とみなす。（令５改措規附８）

（二）	**教育資金管理契約**	個人（以下**十**において「**受贈者**」という。）の教育に必要な教育資金を管理することを目的とする契約であって次に掲げるものをいう。	
		イ	当該受贈者の直系尊属と受託者との間の信託に関する契約で右欄の ⅰ から ⅳ に掲げる事項が定められているもの	ⅰ　信託の主たる目的は、教育資金の管理とされていること。 ⅱ　受託者がその信託財産として受け入れる資産は、金銭等に限られるものであること。 ⅲ　当該受贈者を信託の利益の全部についての受益者とするものであること。 ⅳ　その他次の注の政令で定める事項 （政令で定めるその他の事項） 注　上記 ⅳ に規定する注の政令で定める事項は、次に掲げる事項とする。（措令40の４の３⑨） （ⅰ）　信託財産から教育資金の支払に充てた金銭に相当する額の払出しを受ける場合又は教育資金の支払に充てるための金銭の交付を受ける場合には、受贈者は受託者に領収書等の提出又は提供をすること。 （ⅱ）　教育資金管理契約に基づく信託は、取消しができず、かつ、**7**の（一）から（五）までに掲げる事由の区分に応じ当該（一）から（五）に定める日のいずれか早い日に終了すること。 （ⅲ）　教育資金管理契約に基づく信託の受益者は変更することができないこと。

― 521 ―

第二編　贈与税

			（ⅳ）　教育資金管理契約に基づく信託受益権については、その譲渡に係る契約を締結し、又はこれを担保に供することができないこと。
		ロ　当該受贈者と銀行等との間の普通預金その他の右欄の(ロ)の財務省令で定める預金又は貯金に係る契約で右欄のⅰ及びⅱに掲げる事項が定められているもの	ⅰ　教育資金の支払に充てるために預金又は貯金を払い出した場合には、当該受贈者は銀行等に**4**に規定する領収書等の提出又は提供をすること。 ⅱ　その他次の(イ)の政令で定める事項 　（政令で定めるその他の事項） （イ）　上記ⅱに規定する(イ)の政令で定める事項は、次に掲げる事項とする。（措令40の4の3⑩） （ⅰ）　教育資金管理契約に係る預金又は貯金に係る契約は、受贈者が解約の申入れをすることができず、かつ、**7**の(一)から(五)までに掲げる事由の区分に応じ当該(一)から(五)までに定める日のいずれか早い日に終了すること。 （ⅱ）　教育資金管理契約に係る預金又は貯金については、その譲渡に係る契約を締結し、又はこれを担保に供することができないこと。 　（財務省令で定める預金又は貯金に係る契約） （ロ）　左記のロの右欄に規定する右欄の(ロ)の財務省令で定める預金又は貯金に係る契約は、次に掲げるものとする。（措規23の5の3④） ⅰ　普通預金（普通貯金を含む。）又は貯蓄預金（貯蓄貯金を含む。）に係る契約 ⅱ　定期預金（定期貯金を含む。）又は通知預金（通知貯金を含む。）に係る契約
		ハ　当該受贈者と金融商品取引業者との間の有価証券の保管の委託に係る契約で右欄のⅰ及びⅱに掲げる事項が定められているもの	ⅰ　教育資金の支払に充てるために有価証券の譲渡、償還その他の事由により金銭の交付を受けた場合には、当該受贈者は金融商品取引業者に**4**に規定する領収書等の提出又は提供をすること。 ⅱ　その他次の注の政令で定める事項 　（政令で定めるその他の事項） 注　上記ⅱに規定する注の政令で定める事項は、次に掲げる事項とする。（措令40の4の3⑪） ⅰ　教育資金管理契約に係る有価証券の保管の委託に関する契約は、受贈者が解約の申入れをすることができず、かつ、**7**の(一)から(五)までに掲げる事由の区分に応じ当該(一)から(五)までに定める日のいずれか早い日に終了すること。 ⅱ　受贈者が有する有価証券の保管の委託に関する契約に係る権利については、譲渡に係る契約を締結することができないこと。 ⅲ　教育資金管理契約に基づいて保管される有価証券は、これを担保に供することができないこと。
(三)	**教育資金非課税申告書**		**1**の本文の規定の適用を受けようとする旨、受贈者の氏名及び住所又は居所その他次の注の財務省令で定める事項を記載した申告書をいう。

第三章　贈与税の非課税財産

（その他財務省令で定める事項）

注　上記に規定する注の財務省令で定める事項は、次に掲げる事項とする。（措規23の5の3
⑤）

イ　(二)に規定する受贈者（以下ロからトにおいて「**受贈者**」という。）の氏名、住所又は
居所及び個人番号（個人番号を有しない者にあっては、氏名及び住所又は居所。以下**十**
において同じ。）並びに生年月日

ロ　(十)に規定する贈与者（以下ハからトにおいて「**贈与者**」という。）の氏名、住所又は
居所、生年月日及び受贈者との続柄

ハ　ロの贈与者からの信託又は書面による贈与（贈与をした者の死亡により効力を生ずる
贈与を除く。以下ニからトにおいて同じ。）により取得をした1に規定する信託受益権（以
下ハからトにおいて「**信託受益権**」という。）、金銭又は1に規定する金銭等（以下ハか
らトにおいて「**金銭等**」という。）の価額及び当該信託受益権、金銭又は金銭等の価額の
うち1の本文の規定の適用を受けようとする価額

ニ　ロの贈与者からの書面による贈与により金銭又は金銭等の取得をした場合にあって
は、当該取得の年月日

ホ　(五)に規定する取扱金融機関（以下**十**において「**取扱金融機関**」という。）の1に規定
する営業所等（以下ホからトにおいて「**営業所等**」という。）の名称及び所在地

ヘ　イの受贈者が(十一)に規定する教育資金非課税申告書等（以下ヘからトにおいて「**教
育資金非課税申告書等**」という。）を提出したことがある場合にあっては、当該教育資金
非課税申告書等に記載した(四)に規定する非課税拠出額（以下トにおいて「**非課税拠出
額**」という。）並びに取扱金融機関の営業所等の名称及び所在地並びに当該教育資金非課
税申告書等を提出した税務署の名称

ト　その他参考となるべき事項

(四)	非課税拠出額	教育資金非課税申告書又は3の②の本文に規定する追加教育資金非課税申告書に1の本文の規定の適用を受けるものとして記載された金額を合計した金額をいう。
(五)	教育資金支出額	5の規定により取扱金融機関（受贈者の直系尊属と教育資金管理契約を締結した受託者又は受贈者と教育資金管理契約を締結した銀行等若しくは金融商品取引業者をいう。4を除き、以下3から9において同じ。）の営業所等において教育資金の支払の事実が確認され、かつ、記録された金額を合計した金額をいう。
(六)	受託者、信託受益権、銀行等、営業所等、金銭等又は金融商品取引業者	それぞれ1に規定する受託者、信託受益権、銀行等、営業所等、金銭等又は金融商品取引業者をいう。
(七)	教育資金、学校等、教育資金管理契約、受贈者、教育資金非課税申告書、非課税拠出額又は取扱金融機関	それぞれ2に規定する教育資金、学校等、教育資金管理契約、受贈者、教育資金非課税申告書、非課税拠出額又は取扱金融機関をいう。
(八)	追加教育資金非課税申告書	3の②に規定する追加教育資金非課税申告書をいう。
(九)	領収書等	4に規定する領収書等をいう。
(十)	贈与者	受託者との間の教育資金管理契約に基づき受贈者を受益者とする信託をした当該受贈者の直系尊属、受贈者に対し教育資金管理契約に基づき預金若しくは貯金の預入をするための金銭の書面による贈与をした当該受贈者の直系尊属又は受贈者に対し教育資金管理契約に基づき有価証券の購入をするための金銭等の書面による贈与をした当該受贈者の直系尊属をいう。
(十一)	教育資金非課税申告書等	教育資金非課税申告書及び追加教育資金非課税申告書をいう。

－523－

第二編　贈与税

(十二)	管　理　残　額	**6**の**①**の(一)に規定する管理残額をいう。

3　適用手続

①　教育資金非課税申告書の提出

　1の本文の規定は、**1**の本文の規定の適用を受けようとする受贈者が教育資金非課税申告書を当該教育資金非課税申告書に記載した取扱金融機関の営業所等を経由し、信託がされる日、預金若しくは貯金の預入をする日又は有価証券を購入する日までに、当該受贈者の納税地の所轄税務署長に提出した場合に限り、適用する。(措法70の2の2③)

　　　(教育資金非課税申告書又は追加教育資金非課税申告書の添付書類)
(1)　受贈者が**①**の規定により提出する教育資金非課税申告書又は**②**の本文の規定により提出する追加教育資金非課税申告書には、次の(一)及び(二)に掲げる書類を添付しなければならない。ただし、当該受贈者が追加教育資金非課税申告書を提出する場合において、既に提出した教育資金非課税申告書等に係る贈与者について(二)に掲げる書類を当該教育資金非課税申告書等に添付したときは(二)に掲げる書類、同一の年分の所得税に係る所得税法第2条第1項第30号の合計所得金額((三)及び**十一**の**3**の**①**の(2)において「合計所得金額」という。)についての(三)に掲げる書類を既に提出した教育資金非課税申告書等に添付したときは(三)に掲げる書類は、それぞれ、添付することを要しない。(措令40の4の3⑫)

(一)	信託又は贈与に関する契約書その他の信託又は贈与の事実及び年月日を証する書類の写し
(二)	当該受贈者の戸籍の謄本又は抄本、住民票の写しその他の書類で当該受贈者の氏名、生年月日、住所又は居所及び贈与者との続柄を証する書類
(三)	当該受贈者の(一)の信託又は贈与により信託受益権、金銭又は金銭等を取得した日の属する年の前年分の所得税に係る合計所得金額を明らかにする書類

　　　(添付書類の保存期間)
(2)　取扱金融機関の営業所等は、教育資金非課税申告書等に添付された(1)の(一)及び(二)に掲げる書類又は**7**の(1)若しくは(3)の本文の規定により提出された届出書(当該届出書に添付された書類を含む。)を受理したときは、当該受理した日から当該教育資金非課税申告書等に係る教育資金管理契約が終了した日の属する年の翌年3月15日後6年を経過する日までの間、各人別に、当該書類又は届出書を保存しなければならない。(措令40の4の3⑭)

　　　(郵便等により教育資金非課税申告書等の提出があった場合)
(3)　郵便又は民間事業者による信書の送達に関する法律(平成14年法律第99号)第2条第6項《定義》に規定する一般信書便事業者若しくは同条第9項に規定する特定信書便事業者による同条第2項に規定する信書便(以下(3)において「**信書便**」という。)により取扱金融機関の営業所等に教育資金非課税申告書、追加教育資金非課税申告書、教育資金非課税取消申告書、教育資金非課税廃止申告書又は教育資金管理契約に関する異動申告書(以下(3)において「**教育資金非課税申告書等**」という。)の提出があった場合には、当該教育資金非課税申告書等はその発信日(郵便物又は同条第3項に規定する信書便物(以下(3)において「**信書便物**」という。)の通信日付印により表示された日)に受理されたものとする。(措通70の2の2-6)

　(注)1　取扱金融機関の営業所等の長は、郵便又は信書便による教育資金非課税申告書等を受理した場合には、当該教育資金非課税申告書等に当該営業所等における受理日付のほか、郵便又は信書便によって受理した旨及びその郵便物又は信書便物の通信日付印の日付を付記するものとする。
　　　2　**4**に規定する領収書等が郵便又は信書便により提出された場合については、上記に準じて取り扱って差し支えない。

②　教育資金非課税申告書を提出している場合

　受贈者(30歳未満の者に限る。)が既に教育資金非課税申告書を提出している場合(当該教育資金非課税申告書に記載された金額が1,500万円に満たない場合に限る。)において、当該教育資金非課税申告書に係る教育資金管理契約に基づき、当該受贈者が新たにその直系尊属の行為により信託受益権を取得したとき、その直系尊属からの書面による贈与により取得した金銭を銀行等の営業所等において預金若しくは貯金として預入をしたとき、又はその直系尊属からの書面による贈与により取得した金銭等で金融商品取引業者の営業所等において有価証券を購入したときは、当該受贈者は、当該信託受益権、金銭又は金銭等の価額について**1**の本文の規定の適用を受けようとする旨その他次の(1)の財務省令で定める事項

—524—

を記載した申告書（**③**から**⑪**までにおいて「**追加教育資金非課税申告書**」という。）を当該教育資金非課税申告書を提出した取扱金融機関の営業所等を経由し、新たに信託がされる日、預金若しくは貯金の預入をする日又は有価証券を購入する日までに、当該受贈者の納税地の所轄税務署長に提出した場合に限り、**1**の本文の規定の適用を受けることができる。ただし、当該受贈者の当該信託受益権、金銭又は金銭等を取得した日の属する年の前年分の所得税に係る所得税法第２条《定義》第１項第30号の合計所得金額が1,000万円を超える場合は、この限りでない。（措法70の２の２④）

(その他財務省令で定める事項)
（１）　**②**に規定する（１）の財務省令で定める事項は、次に掲げる事項とする。（措規23の５の３⑥）

(一)	受贈者の氏名、住所又は居所及び個人番号並びに生年月日
(二)	贈与者の氏名、住所又は居所、生年月日及び(一)の受贈者との続柄
(三)	(二)の贈与者からの信託又は書面による贈与により新たに取得をした信託受益権、金銭又は金銭等の価額及び当該信託受益権、金銭又は金銭等の価額のうち新たに**1**の本文の規定の適用を受けようとする価額
(四)	(二)の贈与者からの書面による贈与により金銭又は金銭等の取得をした場合にあっては、当該取得の年月日
(五)	(一)の受贈者が既に提出した教育資金非課税申告書等に記載した非課税拠出額並びに取扱金融機関の営業所等の名称及び所在地並びに当該教育資金非課税申告書等を提出した税務署の名称
(六)	その他参考となるべき事項

(追加教育資金非課税申告書を提出することができない取扱金融機関の営業所等に追加教育資金非課税申告書が提出された場合におけるその申告書の効力)
（２）　**②**の規定に反して、既に教育資金非課税申告書を提出した取扱金融機関の営業所等以外の取扱金融機関の営業所等に提出された追加教育資金非課税申告書は、その効力を有しないことに留意する。（措通70の２の２−４）
　(注)１　**②**の規定により効力を有しない追加教育資金非課税申告書に該当するかどうかの判定は、教育資金非課税申告書又は追加教育資金非課税申告書の取扱金融機関の営業所等における受理日付（**①**の（３）《郵便等により教育資金非課税申告書等の提出があった場合》の適用があった場合には通信日付印により表示された日）の早い順に行うことに留意する。
　　２　上記によりその効力を有しないこととなった追加教育資金非課税申告書に**1**の本文の規定の適用を受けるものとして記載された金額については**1**の本文の規定の適用はないことに留意する。
　　３　上記の教育資金非課税申告書又は追加教育資金非課税申告書の提出には、**⑪**の規定に基づき、これらの申告書に記載すべき事項の電磁的方法による提供を含むことに留意する（以下、**⑦**の注及び**1**の（７）において同じ。）。

③　教育資金非課税申告書の提出の効果
　①及び**②**の場合において、**①**の教育資金非課税申告書又は**②**の追加教育資金非課税申告書がこれらの規定に規定する取扱金融機関の営業所等に受理されたときは、これらの申告書は、その受理された日にこれらの規定に規定する税務署長に提出されたものとみなす。（措法70の２の２⑤）

④　住所、氏名等の異動申告
　教育資金非課税申告書を提出した受贈者が、その提出後、その住所若しくは居所、氏名又は個人番号（行政手続における特定の個人を識別するための番号の利用等に関する法律第２条第５項に規定する個人番号をいう。）の変更をした場合には、当該受贈者は、遅滞なく、その旨その他（１）の財務省令で定める事項を記載した申告書を、当該教育資金非課税申告書に係る教育資金管理契約に基づく事務を取り扱う取扱金融機関の営業所等を経由し、納税地（住所又は居所を変更したことにより納税地の異動があった場合には、その異動前の納税地）の所轄税務署長に提出しなければならない。（措令40の４の３㉝）

(財務省令で定める事項)
（１）　**④**に規定する（１）の財務省令で定める事項は、次に掲げる事項とする。（措規23の５の３⑳）

(一)	受贈者の氏名、住所又は居所及び個人番号並びに生年月日（当該受贈者が氏名又は住所若しくは居所の変更をした場合には、当該受贈者の氏名、住所又は居所及び生年月日）
(二)	**④**に規定する変更前の氏名、住所若しくは居所又は個人番号及び変更後の氏名、住所若しくは居所又は個人番号
(三)	その他参考となるべき事項

（教育資金非課税申告書又は追加教育資金非課税申告書に記載された非課税拠出額が1,500万円を超えていた場合等におけるこれらの申告書の効力）

注　⑦の規定に反して、提出され又は受理された教育資金非課税申告書又は追加教育資金非課税申告書は、いずれもその効力を有しないことに留意する。（措通70の2の2−5）

（注）⑦の規定により効力を有しない教育資金非課税申告書又は追加教育資金非課税申告書に該当するかどうかの判定及びこれらの申告書に1の本文の規定の適用を受けるものとして記載された金額についての1の本文の規定の適用については、3の②の（2）《追加教育資金非課税申告書を提出することができない取扱金融機関の営業所等に追加教育資金非課税申告書が提出された場合におけるその申告書の効力》の（注）にそれぞれ準じて行うことに留意する。

⑧　無効等による教育資金非課税の取消

既に提出した教育資金非課税申告書等に係る教育資金管理契約（**2**の（二）のイに係るものに限る。）の締結に関する行為若しくは教育資金管理契約（同（二）のロ又はハに係るものに限る。）に係る贈与が無効であったこと若しくは当該行為若しくは当該贈与が取り消すことのできる行為であったことにより取り消されたことにより当該教育資金非課税申告書等に記載された非課税拠出額がないこととなった場合又は教育資金管理契約に基づく信託若しくは教育資金管理契約に係る贈与が遺留分を侵害するものとして行われた遺留分侵害額の請求に基づき当該非課税拠出額に相当する額の金銭を支払うべきことが確定した場合には、当該教育資金非課税申告書等を提出した受贈者は、遅滞なく、その旨その他（1）の財務省令で定める事項を記載した申告書を、当該教育資金管理契約に係る取扱金融機関の営業所等を経由し、納税地の所轄税務署長に提出しなければならない。（措令40の4の3㉚）

（財務省令で定める事項）

（1）　⑧に規定する（1）の財務省令で定める事項は、次に掲げる事項とする。（措規23の5の3⑲）

（一）	受贈者の氏名、住所又は居所及び個人番号並びに生年月日
（二）	（一）の受贈者が既に提出した教育資金非課税申告書等に係る取扱金融機関の営業所等の名称及び所在地
（三）	（二）の教育資金非課税申告書等に記載した非課税拠出額、贈与者の氏名及び当該教育資金非課税申告書等を提出した税務署の名称
（四）	（三）の非課税拠出額がないこととなった事情又は⑧の遺留分侵害額の請求の基因となった事情の詳細及びその事情の生じた年月日
（五）	その他参考となるべき事項

（教育資金非課税廃止申告書のみなし提出）

（2）　⑧の場合において、⑧の規定による申告書（以下**十**において「**教育資金非課税廃止申告書**」という。）が⑧に規定する取扱金融機関の営業所等に受理されたときは、当該教育資金非課税廃止申告書は、その受理された日に⑧に規定する税務署長に提出されたものとみなす。（措令40の4の3㉛）

（教育資金非課税廃止申告書提出後の**1**の適用）

（3）　教育資金非課税廃止申告書の提出があった場合には、当該教育資金非課税廃止申告書に係る教育資金非課税申告書等に記載された非課税拠出額についての当該提出があった後における**十**の規定の適用については、**1**の本文の規定の適用がなかったものとみなす。（措令40の4の3㉜）

⑨　非課税拠出額が減少した場合

既に提出した教育資金非課税申告書等に係る教育資金管理契約に基づいて信託された金銭等若しくは教育資金管理契約に係る贈与により取得をした金銭等の一部につき信託法第11条第1項の規定による取消権の行使があったこと若しくは民法第424条第1項の規定による取消権の行使があったことにより当該教育資金非課税申告書等に記載された非課税拠出額が減少することとなった場合又は教育資金管理契約に基づく信託若しくは教育資金管理契約に係る贈与が遺留分を侵害するものとして行われた遺留分侵害額の請求に基づき当該非課税拠出額の一部に相当する額の金銭を支払うべきことが確定した場合には、当該教育資金非課税申告書等を提出した受贈者は、遅滞なく、その旨、当該非課税拠出額のうち当該減少することとなった部分の価額又は当該請求に基づき支払うべき金銭の額（（3）において「**非課税拠出額減価額**」という。）その他（1）の財務省令で定める事項を記載した申告書を、当該教育資金管理契約に係る取扱金融機関の営業所等を経由し、納税地の所轄税務署長に提出しなければならない。（措令40の4の3㉗）

第三章　贈与税の非課税財産

(一)	遺留分による減殺の請求があったこと。
(二)	信託法第11条第１項の規定による取消権の行使があったこと又は民法第424条第１項の規定による取消権の行使があったこと。

　　　（財務省令で定める事項）
（１）　❾に規定する（１）の財務省令で定める事項は、次に掲げる事項とする。（措規23の５の３⑱）

(一)	受贈者の氏名、住所又は居所及び個人番号並びに生年月日
(二)	(一)の受贈者が既に提出した教育資金非課税申告書等に係る取扱金融機関の営業所等の名称及び所在地
(三)	(二)の教育資金非課税申告書等に記載した非課税拠出額、贈与者の氏名及び当該教育資金非課税申告書等を提出した税務署の名称
(四)	❾の取消権の行使又は❾の遺留分侵害額の請求の基因となった事情の詳細及びその事情の生じた年月日
(五)	その他参考となるべき事項

　　　（教育資金非課税取消申告書のみなし提出）
（２）　❾の場合において、❾の規定による申告書（以下十において「**教育資金非課税取消申告書**」という。）が❾に規定する取扱金融機関の営業所等に受理されたときは、当該教育資金非課税取消申告書は、その受理された日に❾に規定する税務署長に提出されたものとみなす。（措令40の４の３㉘）

　　　（取消後に再度**１**を適用する場合）
（３）　教育資金非課税取消申告書の提出があった場合には、当該教育資金非課税取消申告書に係る教育資金非課税申告書等に記載された非課税拠出額についての当該提出があった後における十の規定の適用については、当該非課税拠出額のうち当該教育資金非課税取消申告書に記載された非課税拠出額減価額に相当する金額は、**１**の本文の規定の適用を受けた部分の価額に含まれないものとする。（措令40の４の３㉙）

❿　教育資金非課税申告書等の書式
　　教育資金非課税申告書、追加教育資金非課税申告書、教育資金非課税取消申告書、教育資金非課税廃止申告書及び教育資金管理契約に関する異動申告書の書式は、注の財務省令で定める。（措令40の４の３㊻）

　　　（財務省令で定める教育資金非課税申告書等）
注　❿に規定する教育資金非課税申告書、追加教育資金非課税申告書、教育資金非課税取消申告書、教育資金非課税廃止申告書及び教育資金管理契約に関する異動申告書の書式は、別表第十一（一）から別表第十一（五）までによる。（措規23の５の３㉗）

⓫　電磁的方法による申告書の記載事項
　　３の①又は**３**の②の規定により教育資金非課税申告書又は追加教育資金非課税申告書を提出しようとする受贈者は、これらの申告書の提出に代えて、これらの規定に規定する取扱金融機関の営業所等に対し、これらの申告書に記載すべき事項を電磁的方法（電子情報処理組織を使用する方法その他の情報通信の技術を利用する方法をいう。十一の**３**の❿において同じ。）により提供することができる。この場合において、当該受贈者は、これらの申告書を当該取扱金融機関の営業所等に提出したものとみなす。（措法70の２の２⑦）

　　　（読み替え規定）
（１）　⓫の規定の適用がある場合における❸の規定の適用については、❸中「又は」とあるのは「に記載すべき事項又は」と、「がこれら」とあるのは「に記載すべき事項がこれら」と、「受理された」とあるのは「提供された」とする。（措法70の２の２⑧）

　　　（教育資金非課税申告書等の添付書類）
（２）　⓫の規定により教育資金非課税申告書等に記載すべき事項を電磁的方法により提供する受贈者は、当該教育資金非課税申告書等への**３**の①の（１）各号に掲げる書類の添付に代えて、（３）の財務省令で定めるところにより、⓫の取扱

－529－

金融機関の営業所等に対し、当該書類に記載されている事項を電磁的方法により提供することができる。この場合において、当該受贈者は、当該教育資金非課税申告書等に当該書類を添付したものとみなす。（措令40の４の３⑬）

（電磁的記録の提供）

（3）（2）の規定により（2）の書類に記載されている事項を電磁的方法により提供する受贈者は、（2）の取扱金融機関の営業所等に対し、当該書類に記載されている事項をスキャナにより読み取る方法その他これに類する方法により作成された電磁的記録を教育資金非課税申告書等に記載すべき事項と併せて提供しなければならない。この場合において、当該受贈者は、当該電磁的記録に記録された事項について、当該取扱金融機関の営業所等がディスプレイの画面への表示ができるようにするための措置を講じなければならない。（措規23の５の３⑦）

（記載すべき事項の電磁的方法による提供）

（4）**7**の（1）又は上記の（2）本文の規定による届出をしようとする受贈者は、これらの規定に規定する届出書の提出に代えて、**7**の(一)又は(二)に規定する取扱金融機関の営業所等に対し、当該届出書に記載すべき事項を電磁的方法により提供することができる。この場合において、当該受贈者は、当該届出書を当該取扱金融機関の営業所等に提出したものとみなす。（措令40の４の３㉔）

（添付書類の電磁的方法により提供）

（5）（4）により**7**の（1）又は**7**の（3）本文に規定する届出書に記載すべき事項を電磁的方法により提供する受贈者は、当該届出書へのこれらの規定に規定する書類の添付に代えて、（6）の財務省令で定めるところにより、（4）の取扱金融機関の営業所等に対し、当該書類に記載されている事項を電磁的方法により提供することができる。この場合において、当該受贈者は、当該届出書に当該書類を添付したものとみなす。（措令40の４の３㉕）

（準用規定）

（6）（3）の規定は、受贈者が（5）の規定により（5）の書類に記載されている事項を電磁的方法により提供する場合について準用する。（措規23の５の３⑰）

（電磁的方法による提供）

（7）**④**、**④**の（2）又は**⑧**若しくは**⑨**の規定により教育資金非課税取消申告書、教育資金非課税廃止申告書又は教育資金管理契約に関する異動申告書を提出しようとする受贈者は、これらの申告書の提出に代えて、これらの規定に規定する取扱金融機関の営業所等に対し、これらの申告書に記載すべき事項を電磁的方法により提供することができる。この場合において、当該受贈者は、これらの申告書を当該取扱金融機関の営業所等に提出したものとみなす。（措令40の４の３㊲）

（読み替え規定）

（8）（7）の適用がある場合における**④**の（5）、**⑧**の（2）及び**⑨**の（2）の規定の適用については、これらの規定中「）が」とあるのは「）に記載すべき事項が」と、「受理された」とあるのは「提供された」とする。（措令40の４の３㊳）

4　領収書等の提出

1の本文の規定の適用を受ける受贈者は、政令で定めるところにより選択した次の(一)又は(二)に掲げる場合の区分に応じ当該(一)又は(二)に定める日までに、教育資金の支払に充てた金銭に係る領収書その他の書類（電磁的記録（電子的方式、磁気的方式その他の人の知覚によっては認識することができない方式で作られる記録であって、電子計算機による情報処理の用に供されるものをいう。**6**の**②**、**④**の(一)及び**9**の**②**の（3）において同じ。）を含む。以下**4**において同じ。）でその支払の事実を証するもの（**二**の(二)の規定の適用を受けた贈与により取得した財産が充てられた教育費に係るもの及び**十一**の**2**の(一)に規定する結婚・子育て資金の支払に充てた金銭に係る**十一**の**4**に規定する領収書等であって同**4**の規定により**十一**の**2**の(五)に規定する取扱金融機関の**十一**の**1**の本文に規定する営業所等に提出したものを除き、その支払が少額の支払として（1）の財務省令で定める金額以下のものである場合における当該支払の事実の記載又は記録をした書類として（2）の財務省令で定める書類を含む。以下**十**において「**領収書等**」という。）を**2**の(五)に規定する取扱金融機関の**1**の本文に規定する営業所等に提出又は提供をしなければならない。（措法70の２の２⑨）

(一)	教育資金の支払に充てた金銭に相当する額を払い出す	当該領収書等に記載又は記録がされた支払年月日から１年

第三章　贈与税の非課税財産

	方法により専ら払出しを受ける場合	を経過する日
(二)	(一)に掲げる場合以外の場合	当該領収書等に記載又は記録がされた支払年月日の属する年の翌年3月15日

　　　（財務省令で定める金額）

（1）　**4**に規定する少額の支払として財務省令で定める金額は、一回の支払について1万円とし、かつ、その支払の金額とその年中の教育資金（**2**の(一)に規定する教育資金をいう。（2）、（8）及び**9**の②の（1）の(一)のイにおいて同じ。）の支払のうち既に取扱金融機関の営業所等に提出又は提供をした（2）に規定する書類に記載又は記録をしたものの金額との合計額について24万円（取扱金融機関と教育資金管理契約（**2**の(二)に規定する教育資金管理契約をいう。以下**十**において同じ。）を締結した日又は**7**の(一)若しくは(三)に掲げる事由に該当したことにより教育資金管理契約が終了した日の属する年にあっては、2万円にその年における当該締結した日以後又は当該終了した日以前の期間の月数（当該月数は、暦に従って計算し、1月に満たない端数を生じたときは、これを1月とする。）を乗じて計算した金額）とする。（措規23の5の3⑧）

　　　（財務省令で定める書類）

（2）　**4**に規定する財務省令で定める書類は、**4**の教育資金の支払の金額及び年月日、支払先の氏名又は名称及び住所又は所在地並びに支払の内容その他参考となるべき事項を記載又は記録をした書類（電磁的記録（**4**に規定する電磁的記録をいう。（8）及び（9）において同じ。）を含む。）とする。（措規23の5の3⑨）

　　　（領収書等に記載又は記録がされた金額が外国通貨により表示されている場合の邦貨換算）

（3）　取扱金融機関の営業所等は、**4**の規定により提出又は提供がされた**4**に規定する領収書等に記載又は記録がされた金額が外国通貨により表示されている場合には、当該取扱金融機関の営業所等が確認した当該領収書等に記載又は記録がされた支払の年月日における最終の為替相場（取扱金融機関などの金融機関が公表する対顧客直物電信売相場をいう。また、同日に当該相場がない場合には、同日前の当該相場のうち、同日に最も近い日の当該相場とする。）により邦貨換算を行い**5**の記録を行うこととする。（措通70の2の2－8）

　　(注)　当該取扱金融機関の営業所等が当該最終の為替相場を確認できない場合には、領収書等に記載又は記録がされた支払の年月日における最終の為替相場（取扱金融機関などの金融機関が公表する対顧客直物電信売相場と対顧客直物電信買相場の仲値をいう。また、同日に当該相場がない場合には、同日前の当該相場のうち、同日に最も近い日の当該相場とする。）によっても差し支えない。

　　　（領収書等の金額の限度額）

（4）　**4**の(二)に掲げる場合において、その年中に払い出した金銭の合計額がその年中に教育資金の支払に充てたものとして提出又は提供を受けた領収書等（当該領収書等に記載又は記録がされた支払年月日その他の記録によりその年中に教育資金の支払に充てられたことを確認できるものに限る。）により教育資金の支払に充てたことを確認した金額の合計額を下回るときは、**5**の規定により取扱金融機関の営業所等が記録する金額は、当該払い出した金銭の合計額を限度とする。（措法70の2の2⑪）

　　　（提出期限の選択）

（5）　受贈者は、教育資金管理契約の締結の際に当該教育資金管理契約において、**4**の(一)又は(二)のいずれかの場合の選択をするものとし、当該選択は変更することができないものとする。（措令40の4の3⑮）

　　　（過去に支払われた教育資金）

（6）　**1**の本文の規定により最初に信託がされる日、預金若しくは貯金の預入をする日又は有価証券を購入する日の属する年に支払われた教育資金がある場合における**4**又は（4）の規定の適用については、これらの規定に規定する領収書等には、当該信託がされる日、預金若しくは貯金の預入をする日又は有価証券を購入する日前に支払われた教育資金に係るものを含まないものとする。（措令40の4の3⑯）

　　　（契約終了後の領収書等の提出期限と限度額）

（7）　**7**の各号（(四)を除く。）に掲げる事由により教育資金管理契約が終了した場合における**4**又は（4）の規定の適用については、次に定めるところによる。（措令40の4の3⑰）

—531—

第二編　贈与税

(一)	**4**又は（4）に規定する領収書等には、教育資金管理契約が終了する日後に支払われた教育資金に係るものを含まないものとする。
(二)	教育資金管理契約が終了した日において取扱金融機関の営業所等に対してまだ提出又は提供をしていない領収書等がある場合には、受贈者は、**4**の規定にかかわらず、当該教育資金管理契約が終了する日の属する月の翌月末日までに、当該領収書等を当該取扱金融機関の営業所等に提出又は提供をしなければならない。

（電磁的記録で作成された領収書等を取扱金融機関の営業所等に提供する場合）

（8）　**1**の本文の規定の適用を受ける受贈者は、電磁的記録で作成された**4**に規定する領収書等（以下（9）及び**5**の（1）において「領収書等」という。）を**4**の規定により取扱金融機関の営業所等に提供する場合には、当該領収書等に記録された教育資金の支払の金額その他の事項について、当該取扱金融機関の営業所等がディスプレイの画面への表示ができるようにするための措置を講じなければならない。（措規23の5の3⑩）

（取扱金融機関の営業所等が受贈者から提供を受けた電磁的記録で作成された領収書等を保存する場合）

（9）　取扱金融機関の営業所等は、受贈者から提供を受けた領収書等（電磁的記録に限る。）を**5**の（1）の（一）に定める方法により保存する場合には、当該電磁的記録の保存をする場所に当該電磁的記録を電子計算機処理（電子計算機を使用して行われる情報の入力、蓄積、編集、加工、修正、更新、検索、消去、出力又はこれらに類する処理をいう。）の用に供することができる電子計算機、プログラム、ディスプレイ及びプリンタ並びにこれらの操作説明書を備え付け、当該電磁的記録をディスプレイの画面及び書面に、整然とした形式及び明瞭な状態で、速やかに出力することができるようにしなければならない。（措規23の5の3⑫）

5　取扱金融機関の領収書等による確認・記録・保存

　取扱金融機関の営業所等は、**4**の規定により受贈者から提出又は提供を受けた領収書等により払い出した金銭が教育資金の支払に充てられたことを確認し、当該領収書等に記載又は記録がされた支払の金額及び年月日について記録をし、かつ、当該領収書等を受領した日から当該受贈者に係る教育資金管理契約が終了した日の属する年の翌年3月15日後6年を経過する日までの間、（1）の財務省令で定める方法により当該領収書等及び当該記録（**6**の**①**の（一）及び（三）の規定による記録を含む。）を保存しなければならない。（措法70の2の2⑩）

（財務省令で定める方法）

（1）　**5**に規定する財務省令で定める方法は、次の（一）又は（二）に掲げるものの区分に応じ、当該（一）又は（二）に定める方法とする。（措規23の5の3⑪）

(一)	**4**に規定する領収書等	当該領収書等又はその写しを各人別に整理し保存する方法
(二)	**5**に規定する記録	当該記録を各人別に整理し保存する方法

（領収書等の記録）

（2）　取扱金融機関の営業所等が**5**の記録をする場合（**4**の（4）の規定の適用がある場合に限る。）において、その記録をしようとする金額のうちに**2**の（一）のイに掲げる金銭の額と同（一）のロに掲げる金銭の額とがあるときは、まず同（一）のイに掲げる金銭の額の記録をし、なお**4**の（4）のその年中に払い出した金銭の合計額に満たない金額があるときは、**2**の（一）のロに掲げる金銭の額のうち当該満たない金額の記録をするものとする。（措令40の4の3⑱）

6　贈与者が契約終了の日までに死亡した場合

①　贈与者が契約終了の日までに死亡した場合

　贈与者（受託者との間の教育資金管理契約に基づき受贈者を受益者とする信託をした当該受贈者の直系尊属、受贈者に対し教育資金管理契約に基づき預金若しくは貯金の預入をするための金銭の書面による贈与をした当該受贈者の直系尊属又は受贈者に対し教育資金管理契約に基づき有価証券の購入をするための金銭等の書面による贈与をした当該受贈者の直系尊属をいう。以下**十**において同じ。）が**1**の本文の規定の適用に係る教育資金管理契約に基づき信託をした日、**1**の本文の規定の適用に係る教育資金管理契約に基づき預金若しくは貯金をするための金銭の書面による贈与をした日又は**1**の本文の規定の適用に係る教育資金管理契約に基づき有価証券の購入をするための金銭等の書面による贈与をした日からこれ

－532－

第三章　贈与税の非課税財産

らの教育資金管理契約の終了の日までの間に当該贈与者が死亡した場合には、次に定めるところによる。(措法70の2の2⑫)

(一)　当該贈与者に係る受贈者は、当該贈与者が死亡した事実を知った場合には、速やかに、当該贈与者が死亡した旨を取扱金融機関の営業所等に届け出なければならない。この場合において、その届出を受けた取扱金融機関の営業所等は、当該贈与者が死亡した日及び同日における非課税拠出額から教育資金支出額(**9**の**②**の(2)の規定による訂正があった場合には、その訂正後のものとし、**2**の(一)のロに掲げる教育資金については、500万円を限度とする。**8**及び**8**の(2)において同じ。)を控除した残額として(2)で定める金額(以下**①**及び**8**において「管理残額」という。)を記録しなければならない。

(二)　当該贈与者に係る受贈者については、管理残額を当該贈与者から相続(当該受贈者が当該贈与者の相続人以外の者である場合には、遺贈。**8**において同じ。)により取得したものとみなして、相続税法その他相続税に関する法令の規定を適用する。

(三)　取扱金融機関の営業所等は、(二)の規定の適用があったことを知った場合には、その適用に係る管理残額を記録しなければならない。

(四)　当該贈与者から相続又は遺贈により管理残額以外の財産を取得しなかった受贈者に係る第一編第四章第二節**四**《相続開始前3年以内に贈与があった場合の相続税額》の規定の適用については、同**四**の**1**中「遺贈」とあるのは、「遺贈(第二編第三章**十一**の**6**の**①**の(二)の規定により相続又は遺贈により取得したものとみなされる場合を除く。)」とする。

(注)　改正後の**①**の規定は、令和5年4月1日以後に**1**に規定する信託受益権、金銭又は**1**に規定する金銭等(以下(注)2において「信託受益権等」という。)を取得する個人(以下(注)2において「新法適用者」という。)に係る当該信託受益権等に係る相続税又は贈与税について適用し、令和5年3月31日以前に信託受益権等を取得した個人(新法適用者を除く。)に係る当該信託受益権等に係る相続税又は贈与税については、なお従前の例による。この場合において、令和5年3月31日以前に信託受益権等を取得した新法適用者に係る(一)に規定する管理残額及び当該新法適用者に係る**8**の(二)の規定により第五章第三節**二**の(2)に規定する一般贈与財産とみなされる**8**に規定する残額の計算に関し必要な事項は、**8**の(1)の(注)2で定める。(令5改所法等附51②)

(教育資金支出額に含まれるもの)

(1)　**①**の(一)の贈与者が死亡した日における教育資金支出額には、同日以前に支払われた教育資金であって同日においてまだ**5**の規定による確認及び記録がされていないものを含むものとする。(措令40の4の3⑳)

(政令で定める金額)

(2)　**①**の(一)に規定する政令で定める金額は、贈与者が死亡した日における**①**の教育資金管理契約に係る非課税拠出額から同日における当該教育資金管理契約に係る教育資金支出額(同日前に死亡した他の贈与者がある場合において、その死亡につき**①**の(二)の規定により相続又は遺贈(贈与をした者の死亡により効力を生ずる贈与を含む。)により取得したものとみなされた**①**の(一)に規定する管理残額があるときは、当該管理残額を含む。)を控除した残額に、当該贈与者から取得をした信託受益権又は金銭等のうち**1**の本文の規定の適用を受けて贈与税の課税価格に算入しなかった金額に相当する部分の価額が当該非課税拠出額(当該他の贈与者の死亡につき**①**の(二)の規定の適用があった場合には、当該非課税拠出額から当該他の贈与者から取得をした信託受益権又は金銭等(当該他の贈与者の死亡前3年以内に取得をしたものに限る。)のうち**1**の本文の規定の適用を受けて贈与税の課税価格に算入しなかった金額に相当する部分の価額を控除した残額)のうちに占める割合を乗じて算出した金額とする。(措令40の4の3㉑)

(注)1　令和5年3月31日以前に信託受益権等を取得した新法適用者が**②**本文に規定する23歳未満である場合等に該当する場合において、管理残額を計算するときにおける改正後の(2)の規定の適用については、(2)中「」に」とあるのは「以下(2)において同じ。)に」とし、「当該贈与者から取得をした信託受益権又は金銭等」とあるのは「当該贈与者から取得をした信託受益権又は金銭等(令和5年3月31日以前に取得をしたものを除く。)」と、「の贈与者から取得をした信託受益権又は金銭等」とあるのは「の贈与者から取得をした信託受益権又は金銭等(**①**の(二)の規定により相続又は遺贈により取得したものとみなされた**①**の(一)に規定する管理残額に係る部分に限る。)」とする。(令5改措令附14②)

2　令和5年3月31日以前に信託受益権等を取得した新法適用者が**②**本文に規定する23歳未満である場合等に該当しない場合において、管理残額を計算するときにおける改正後の(2)の規定の適用については、(2)中「」に」とあるのは「以下(2)において同じ。)に」とし、「当該贈与者から取得をした信託受益権又は金銭等」とあるのは「当該贈与者から取得をした信託受益権又は金銭等(令和2年3月31日以前に取得をしたもの及び同年4月1日から令和3年3月31日までの間に取得をしたもの(当該贈与者の死亡前3年以内に取得をしたものを除く。)を除く。)」とし、「の贈与者から取得をした信託受益権又は金銭等」とあるのは「の贈与者から取得をした信託受益権又は金銭等(**①**の(二)の規定により相続又は遺贈により取得したものとみなされた**①**の(一)に規定する管理残額に係る部分に限る。)」とする。(令5改措令附14③)

3　(注)2の新法適用者についての第一編第六章第二節の規定の適用に係る相続税額の計算の基礎となる管理残額は、(注)2の規定により読み替えて適用する改正後の(2)の規定により算出した金額に、令和3年4月1日以後に(2)の贈与者から取得をした信託受益権等のうち改正前の**1**本文又は改正後の**1**本文の規定により贈与税の課税価格に算入しなかった金額に相当する部分の価額が、当該価額と令和2年4月

－533－

第二編　贈与税

１日から令和３年３月31日までの間に当該贈与者から取得をした信託受益権等（当該贈与者の死亡前３年以内に取得をしたものに限る。）のうち改正前の**１**本文の規定により贈与税の課税価格に算入しなかった金額に相当する部分の価額との合計額のうちに占める割合を乗じて計算するものとする。（令５改措令附14④）

（教育資金管理契約の終了の日までに贈与者が死亡した場合の相続税の課税関係等）
（３）　贈与者が**１**の本文の規定の適用に係る教育資金管理契約に基づき信託をした日、**１**の本文の規定の適用に係る教育資金管理契約に基づき預金若しくは貯金をするための金銭の書面による贈与をした日又は**１**の本文の規定の適用に係る教育資金管理契約に基づき有価証券の購入をするための金銭等の書面による贈与をした日からこれらの教育資金管理契約の終了の日までの間に、当該贈与者が死亡した場合の相続税の課税関係等は、これらの信託又は贈与による受贈者の信託受益権、金銭又は金銭等の取得（以下、（３）において「信託受益権等の取得」という。）をした日の次に掲げる場合の区分に応じ、それぞれ次に定めるところによることに留意する。（措通70の２の２－９）
　１　令和５年４月１日以後に贈与者から信託受益権等の取得をした場合
　　（一）　受贈者が当該贈与者の死亡の日において23歳未満である場合等に該当しない場合　　次のイからホまでに定めるところによる。
　　　（注）　上記の「23歳未満である場合等」とは次に掲げる場合（②又は③に掲げる場合に該当する場合にあっては、当該受贈者がその旨を明らかにする書類（**４**に規定する電磁的記録を含む。）を次のイの贈与者死亡の届出と併せて提出又は提供した場合に限る。）をいう（以下**8**の（5）までにおいて同じ。）。
　　　　①　23歳未満である場合
　　　　②　学校等に在学している場合
　　　　③　雇用保険法第60条の２第１項《教育訓練給付金》に規定する教育訓練を受けている場合
　　　イ　贈与者死亡の届出（**❶**の（一）、下図１の（1）イ）
　　　　　当該贈与者に係る受贈者は、当該贈与者が死亡した事実を知った場合には、速やかに、当該贈与者が死亡した旨を取扱金融機関の営業所等に届け出なければならない。
　　　ロ　管理残額の相続税課税（**❶**の（二）、下図１の（1）ロ）
　　　　　当該贈与者に係る受贈者については、当該贈与者が死亡した日における管理残額（（4）参照）を当該贈与者から相続（当該受贈者が当該贈与者の相続人以外の者である場合には、遺贈。以下**8**の（5）（（3）（1（一）ホ）及び（5）を除く。）までにおいて同じ。）により取得したものとみなして、相続税法その他の相続税に関する法令の規定を適用する。
　　　ハ　非課税適用額の生前贈与加算等（**8**の（3）等、下図１の（1）ハ）
　　　　　１本文の規定の適用を受けて贈与税の課税価格に算入しなかった金額については、第一編第四章第二節**四**の**１**、第三編第一章第三節**一**及び同節の**二**の（1）の規定の適用がない。
　　　ニ　相続税額の２割加算（第一編第六章第二節、下図１の（1）ニ）
　　　　　相続により取得したものとみなされる管理残額（令和３年４月１日以後に取得をした信託受益権又は金銭等のうち**１**本文の規定の適用を受けて贈与税の課税価格に算入しなかった金額に相当する部分に限る。）については、第一編第六章第二節《相続税額の加算》の規定の適用がある。
　　　ホ　管理残額以外の財産を取得しなかった者の生前贈与加算（**❶**の（四）、下図１の（1）ホ）
　　　　　当該贈与者から相続又は遺贈により管理残額以外の財産を取得しなかった受贈者（当該受贈者が当該贈与者に係る相続時精算課税適用者である場合を除く。）については、第一編第四章第二節**四**の規定の適用がない。
　　（二）　受贈者が当該贈与者の死亡の日において23歳未満である場合等に該当し、かつ、当該贈与者に係る相続税の課税価格の合計額（**❷**ただし書に規定する「贈与者に係る相続税の課税価格の合計額」（（5）参照）をいう。以下同じ。）が５億円を超える場合（下図２の（1））　　上記（一）に同じ。
　　　（注）　当該受贈者は、当該贈与者の死亡に係る第一編第七章第一節一の１の規定による期限内申告書の提出期限を経過した後、速やかに、当該贈与者に係る相続税の課税価格の合計額が５億円を超えるかどうかを確認するために必要と認められる書類（**４**に規定する電磁的記録を含む。以下（3）において「確認書類等」という。）を取扱金融機関の営業所等に提出又は提供しなければならない。
　　（三）　受贈者が当該贈与者の死亡の日において23歳未満である場合等に該当する場合（上記（二）に該当する場合を除く。）（下図２の（1））　　上記（一）イ《贈与者死亡の届出》及びハ《非課税適用額の生前贈与加算等》に同じ。
　　　（注）1　当該受贈者は、当該贈与者の死亡に係る第一編第七章第一節一の１の規定による期限内申告書の提出期限を経過した後、速やかに、確認書類等を取扱金融機関の営業所等に提出又は提供しなければならない。
　　　　　2　上記（一）ロ《管理残額の相続税課税》（ニ《相続税額の２割加算》及びホ《管理残額以外の財産を取得しなかった者の生前贈与加算》を含む。）の適用はないことに留意する。
　２　令和５年３月31日以前に贈与者から信託受益権等の取得をした場合（上記１又は下図３に該当する場合を除く。）
　　（一）　受贈者が当該贈与者の死亡の日において23歳未満である場合等に該当しない場合（下図１の（2））　上記１（一）

－534－

第三章　贈与税の非課税財産

に同じ。
（二）　受贈者が当該贈与者の死亡の日において23歳未満である場合等に該当する場合（下図2の(2)）　上記1（三）
　　（(注)1を除く。）に同じ。
3　平成31年3月31日以前又は平成31年4月1日から令和3年3月31日までの間（贈与者の死亡前3年以内を除く。）の
　信託受益権等の取得のみである場合（下図1の(3)及び下図2の(3)）　上記1（一）ハ《非課税適用額の生前贈与加算
　等》に同じ。
　（注）　上記1（一）イ《贈与者死亡の届出》及びロ《管理残額の相続税課税》（ニ《相続税額の2割加算》及びホ《管理残額以外の財産を取得しな
　　　　かった者の生前贈与加算》を含む。）の適用はないことに留意する。

[図1]　信託受益権等の取得をした日の区分に応じた課税関係等（23歳未満である場合等に該当しない場合）

課税関係等／信託受益権等の取得をした日	イ 贈与者死亡の届出	ロ 管理残額の相続税課税	ハ 非課税適用額の生前贈与加算等	ニ ロの課税がある場合の相続税額の2割加算	ホ 管理残額以外の財産を取得しなかった者の生前贈与加算
（1）令和5年4月1日以後の取得あり	必要	一定期間の取得分に限り課税あり(注1)	加算なし	一定期間の取得分に限り加算あり(注3)	加算なし
（2）令和5年3月31日以前の取得あり（上記(1)又は下記(3)に該当する場合を除く。）	必要	一定期間の取得分に限り課税あり(注2)	加算なし	一定期間の取得分に限り加算あり(注3)	加算なし
（3）次に掲げる期間内の取得のみ　A 平成31年3月31日以前　B 平成31年4月1日から令和3年3月31日までの間（贈与者の死亡前3年以内を除く。）	不要	課税なし	加算なし		

　（注）1　令和2年4月1日から令和3年3月31日までの間（贈与者の死亡前3年以内に限る。）及び令和3年4月1日以後の取得分に限る。
　　　　2　平成31年4月1日から令和3年3月31日までの間（贈与者の死亡前3年以内に限る。）及び令和3年4月1日以後の取得分に限る。
　　　　3　令和3年4月1日以後の取得分に限る。

[図2]　信託受益権等の取得をした日の区分に応じた課税関係等（23歳未満である場合等に該当する場合）

課税関係等／信託受益権等の取得をした日	イ 贈与者死亡の届出	ロ 管理残額の相続税課税	ハ 非課税適用額の生前贈与加算等	ニ ロの課税がある場合の相続税額の2割加算	ホ 管理残額以外の財産を取得しなかった者の生前贈与加算
（1）令和5年4月1日以後の取得あり	必要	一定の場合に限り課税あり(注)	加算なし	加算あり	加算なし
（2）令和5年3月31日以前の取得あり（上記(1)又は下記(3)に該当する場合を除く。）	必要	課税なし	加算なし		

第二編　贈与税

（３）. 次に掲げる期間内の取得のみ 　A　平成31年３月31日以前 　B　平成31年４月１日から令和３年 　　３月31日までの間（贈与者の死亡 　　前３年以内を除く。）	不要	課税なし	加算なし		

(注)　令和５年４月１日以後の取得分で、かつ、贈与者に係る相続税の課税価格の合計額が５億円を超える場合に限る。

　（管理残額及び相続税額の２割加算の計算）
（４）　管理残額及び管理残額を相続により取得したものとみなされる場合における第一編第六章第二節《相続税額の加算》の規定により受贈者に係る相続税額に加算する金額の算出方法を算式で示せば、次のとおりである。（措通70の２の２－10）
　１　管理残額
　（一）　贈与者の死亡の日において受贈者が23歳未満である場合等に該当する場合（令和５年４月１日以後に当該贈与者から信託受益権等の取得をした場合に限る。）（①の（一）、租税特別措置法施行令等の一部を改正する政令（令和５年政令第145号。以下（４）において「令和５年改正令」という。）附則14②、（３）の１の（二）又は（三）の場合）
　　（算式）
$$\left(A - B(※1) \right) \times \frac{C - D}{A(※2)}$$

(注)　当該贈与者に係る相続税の課税価格の合計額が５億円を超える場合には、上記算式により算出された管理残額が当該贈与者から相続により取得したものとみなされることに留意する。
　（二）　贈与者の死亡の日において受贈者が23歳未満である場合等に該当しない場合（①の（一）、令和５年改正令附則14③、租税特別措置法施行令等の一部を改正する政令（令和３年政令第119号。以下（４）において「令和３年改正令」という。）附則29②、（３）の１の（一）又は２（一）の場合）
　　（算式）
$$\left(A - B(※1) \right) \times \frac{C - (E + F)}{A(※2)}$$

　　　A＝贈与者が死亡した日における教育資金管理契約に係る非課税拠出額
　　　B＝贈与者が死亡した日における教育資金管理契約に係る教育資金支出額（**9**の**②**の（２）の規定による訂正があった場合には、その訂正後のものとし、**2**の（一）のロに掲げる教育を受けるために学校等以外の者に直接支払われる金銭については、500万円を限度とする。**7**の（５）において同じ。）
　　　C＝死亡した贈与者から取得をした信託受益権又は金銭等のうち**1**本文の規定の適用を受けて贈与税の課税価格に算入しなかった金額に相当する部分の価額
　　　D＝Cのうち令和５年３月31日以前に取得をした部分の価額
　　　E＝Cのうち平成31年４月１日から令和３年３月31日までの間に取得（当該贈与者の死亡前３年以内に取得をしたものを除く。）をした部分の価額
　　　F＝Cのうち平成31年３月31日以前に取得をした部分の価額
　　　※１　当該贈与者の死亡の日前に死亡した他の贈与者がある場合において、その死亡につき①の（二）の規定により相続により取得したものとみなされた管理残額がある場合には、当該みなされた管理残額を含むことに留意する。
　　　※２　当該贈与者の死亡の日前に死亡した他の贈与者がある場合において、その死亡につき①の（二）の規定の適用があったときは、非課税拠出額から、次に掲げる場合の区分に応じ、それぞれ次に定める価額を控除した残額となることに留意する。
　　　　①　当該他の贈与者の死亡の日において当該受贈者が23歳未満である場合等に該当しない場合
　　　　　当該他の贈与者から取得をした信託受益権又は金銭等（平成31年４月１日から令和３年３月31日までの間（当該他の贈与者の死亡前３年以内に限る。）及び令和３年４月１日以後に取得をしたものに限る。）のうち**1**本文の規定の適用を受けて贈与税の課税価格に算入しなかった金額に相当する部分の価額
　　　　②　当該他の贈与者の死亡の日において当該受贈者が23歳未満である場合等に該当し、かつ、当該贈与者に係る相続税の課税価格の合計額が５億円を超える場合
　　　　　当該他の贈与者から取得をした信託受益権又は金銭等（令和５年４月１日以後に取得をしたものに限る。）のうち**1**本文の規定の適用を受けて贈与税の課税価格に算入しなかった金額に相当する部分の価額
　２　管理残額を相続により取得したものとみなされる場合における第一編第六章第二節《相続税額の加算》の規定により受贈者に係る相続税額に加算する金額

第三章　贈与税の非課税財産

(一)　贈与者の死亡の日において受贈者が23歳未満である場合等に該当する場合（令和5年4月1日以後に当該贈与者から信託受益権等の取得をした場合に限る。）（第一編第六章第二節、（3）の1（二）の場合）

　　管理残額の全てが、当該受贈者に係る相続税額に加算する金額の計算の基礎となる。

(二)　贈与者の死亡の日において受贈者が23歳未満である場合等に該当しない場合

イ　令和5年4月1日以後に当該贈与者から信託受益権等の取得をしている場合（令和5年改正令附則14④、所得税法等の一部を改正する法律（令和3年法律第11号。以下（4）において「令和3年改正法」という。）附則75③、令和3年改正法による改正前の措置法70の2の2⑩四、令和3年改正令による改正前の措置法令40の4の3㉑、（3）の1（一）の場合）

（算式）

$$\begin{pmatrix}受贈者に係る相続税額\\に加算する金額\end{pmatrix} = \left[\begin{pmatrix}受贈者に係る第一編第六章第一節\\の規定により算出した相続税額\end{pmatrix} - \begin{pmatrix}管理残額に対応する相続\\税額(注)\end{pmatrix}\right] \times \frac{20}{100}$$

(注)　管理残額に対応する相続税額は、次の算式により算出する。

$$\begin{pmatrix}受贈者に係る第一編第六章第一節の\\規定により算出した相続税額\end{pmatrix} \times \frac{管理残額 - 管理残額 \times \left[\dfrac{B}{A+B}\right]}{受贈者の相続税の課税価格}$$

ロ　令和5年3月31日以前に当該贈与者から信託受益権等の取得をしている場合（上記イに該当する場合を除く。）（令和3年改正法附則75③、令和3年改正令附則29⑤、令和3年改正法による改正前の措置法70の2の2⑩四、令和3年改正令による改正前の措置法令40の4の3㉑、（3）の2（一）の場合）

（算式）

$$\begin{pmatrix}受贈者に係る相続税額\\に加算する金額\end{pmatrix} = \left[\begin{pmatrix}受贈者に係る第一編第六章第一節\\の規定により算出した相続税額\end{pmatrix} - \begin{pmatrix}管理残額に対応する相続\\税額(注)\end{pmatrix}\right] \times \frac{20}{100}$$

(注)　管理残額に対応する相続税額は、次の算式により算出する。

$$\begin{pmatrix}受贈者に係る第一編第六章第一節の\\規定により算出した相続税額\end{pmatrix} \times \frac{管理残額 \times \left[\dfrac{A}{A+B}\right]}{受贈者の相続税の課税価格}$$

A＝当該贈与者の死亡前3年以内に当該贈与者から取得をした信託受益権又は金銭等（平成31年4月1日から令和3年3月31日までの間の取得に限る。）のうち**1**本文の規定の適用を受けて贈与税の課税価格に算入しなかった金額

B＝令和3年4月1日以後に当該贈与者から取得をした信託受益権又は金銭等のうち**1**本文の規定の適用を受けて贈与税の課税価格に算入しなかった金額

　（贈与者に係る相続税の課税価格の合計額の意義）

(5)　②ただし書に規定する「贈与者に係る相続税の課税価格の合計額」とは、贈与者から相続又は遺贈（当該贈与者からの贈与により取得した財産で相続時精算課税の適用を受けるものに係る贈与を含む。）により財産を取得した者（以下（5）及び**9**の②の（8）において「相続人等」という。）の全てについて、①の（二）の規定の適用がないものとして計算した相続税の課税価格の合計額をいうことに留意する。したがって、相続人等のうちに相続税の課税価格に当該贈与者から相続（当該受贈者が当該贈与者の相続人以外の者である場合には、遺贈）により取得したものとみなされる管理残額が含まれている受贈者がある場合の当該贈与者に係る相続税の課税価格の合計額については、当該受贈者が当該贈与者から相続又は遺贈により取得した財産の価額から当該管理残額を控除して計算した相続税の課税価格及び当該受贈者以外の相続人等の相続税の課税価格の合計額となることに留意する。（措通70の2の2－11）

(注)1　贈与者に係る相続税の課税価格の合計額の計算に当たっては、全ての相続人等に係る相続税の課税価格の合計額から管理残額を控除するものではないことに留意する。

2　②ただし書の「贈与者に係る相続税の課税価格の合計額が5億円を超えるとき」は、第六章第六節の**8**の（一）若しくは同**8**の（二）又は同節**二**の**6**の規定により国税通則法第58条第1項第1号イに規定する更正決定等をすることができないこととなる日（以下（5）において「除斥期間経過日」という。）前の相続税額の計算の基礎となった財産の価額及び債務の金額を基準として計算された当該相続税の課税価格の合計額により判定することに留意する。したがって、除斥期間経過日以後に第六章第五節**二**の**1**各号又は国税通則法第23条第2項各号の事由に該当し、その課税価格が異なることとなった場合においても、当該事由は考慮しないことに留意する。

　（管理残額に異動等があった場合）

(6)　贈与者の死亡の日前に当該贈与者以外の贈与者（以下（6）において「他の贈与者」という。）が死亡している場合において、同日以後に当該他の贈与者に係る管理残額について、①の（二）の規定が適用されることとなること又は適用さ

第二編　贈与税

れないこととなることその他当該管理残額の異動（以下（6）において「異動等」という。）があったときにおける当該贈与者に係る管理残額は、当該異動等があった後の当該他の贈与者に係る管理残額を基礎として、（2）の規定により計算した金額となることに留意する。（措通70の2の2－12）

(注)　教育資金管理契約の終了の日以後に、**8**に規定する残額の計算の基礎となる管理残額に異動等があった場合における当該残額についても、当該異動等があった後の管理残額を基礎として、**8**又は**8**の（1）の（三）の規定により計算した金額となることに留意する。

②　贈与者が死亡した場合の不適用

①（（一）に係る部分を除く。）の規定は、**①**の贈与者の死亡の日において受贈者が次に掲げる場合に該当する場合（（二）又は（三）に掲げる場合に該当する場合にあっては、当該受贈者がその旨を明らかにする書類（電磁的記録を含む。）を**①**の（一）の規定による届出と併せて提出した場合に限る。**④**において「23歳未満である場合等」という。）には、適用しない。ただし、当該贈与者から相続又は遺贈（当該贈与者からの贈与により取得した財産で第三編第一章第一節二の（1）（同節三、第六編第一章第八節（第七編第四章第九節において準用する場合を含む。）又は第三編第二章の**1**において準用する場合を含む。）の規定の適用を受けるものに係る贈与を含む。）により財産を取得した全ての者に係る**①**の（二）の規定の適用がないものとした場合における相続税の課税価格の合計額（**③**、**④**の（一）及び**9**の**②**の（四）において「贈与に係る相続税の課税価格の合計額」という。）が5億円を超えるときは、この限りでない。（措法70の2の2⑬）

（一）　23歳未満である場合
（二）　学校等に在学している場合
（三）　教育訓練（雇用保険法第60条の2第1項に規定する教育訓練をいう。**7**において同じ。）を受けている場合

(注)　改正後の**②**の規定は、令和5年4月1日以後に**1**に規定する信託受益権、金銭又は**1**に規定する金銭等（以下**②**において「信託受益権等」という。）を取得した個人（以下**②**において「新法適用者」という。）に係る当該信託受益権等に係る相続税又は贈与税について適用し、、令和5年3月31日以前に信託受益権等を取得した個人（新法適用者を除く。）に係る当該信託受益権等に係る相続税又は贈与税については、なお従前の例による。この場合において、令和5年3月31日以前に信託受益権等を取得した新法適用者に係る**①**の（一）に規定する管理残額及び当該新法適用者に係る**8**の（二）の規定により第五章第三節二の（2）に規定する一般贈与財産とみなされる改正後の**8**に規定する残額の計算に関し必要な事項は、**8**の（1）の(注)2で定める。（令5改所法等附51②）

③　贈与者に係る相続税の課税価格の合計額

②のただし書の贈与者に係る相続税の課税価格の合計額は、国税通則法第70条第1項若しくは第3項又は相続税法第36条の規定により国税通則法第58条第1項第1号イに規定する更正決定等をすることができないこととなる日前に相続税額の計算の基礎となった財産の価額及び債務の金額を基準として計算するものとする。（措法70の2の2⑭）

④　期限内申告書の提出期限を経過したとき

②の受贈者が23歳未満である場合等に該当した場合において、**②**の贈与者の死亡に係る第一編第七章第一節一の**1**の規定による期限内申告書の提出期限を経過したときは、次に定めるところによる。（措法70の2の2⑮）

（一）　当該受贈者は、速やかに、贈与者に係る相続税の課税価格の合計額が5億円を超えるかどうかを確認するために必要と認められる書類として（1）で定めるもの（電磁的記録を含む。以下**④**において「確認書類等」という。）を取扱金融機関の営業所等に提出又は提供をしなければならない。
（二）　（一）の取扱金融機関の営業所等は、（一）の確認書類等に記載又は記録がされた事項に基づき、**①**の（二）の規定の適用を受けた者について、**①**の（三）の規定による記録をしなければならない。
（三）　（一）の取扱金融機関の営業所等は、（2）で定めるところにより、（一）の確認書類等を保存しなければならない。

（財務省令で定める書類）
（1）　**④**の（一）に規定する財務省令で定める書類は、**④**に規定する提出期限において次の各号に掲げる場合のいずれに該当するかに応じ、当該各号に定める書類とする。（措規23の5の3⑬）
　（一）　**④**の（一）の贈与者に係る相続税の課税価格の合計額（**6**の**②**ただし書に規定する贈与者に係る相続税の課税価格の合計額をいう。以下（1）及び**9**の**②**の（1）の（四）のイにおいて同じ。）が5億円を超える場合　その旨を記載した書類及び次に掲げる場合の区分に応じ、それぞれ次に定める書類
　　イ　受贈者が**④**の贈与者の死亡に係る第一編第七章第一節一の**1**の規定による申告書を提出している場合　当該申告書の写し
　　ロ　イに掲げる場合以外の場合　当該贈与者に係る相続税の課税価格の合計額の計算に関する明細を記載した書類
　（二）　（一）に掲げる場合以外の場合　**④**の（一）の贈与者に係る相続税の課税価格の合計額が5億円を超えない旨を記載した書類

－538－

第三章　贈与税の非課税財産

（確認書類等の保存）
（２）　取扱金融機関の営業所等は、受贈者から提出又は提供を受けた④の（一）に規定する確認書類等を、各人別に整理し、当該受贈者に係る教育資金管理契約が終了した日の属する年の翌年３月15日後６年を経過する日まで保存しなければならない。（措規23の５の３⑭）

7　教育資金管理契約の終了した場合

　教育資金管理契約は、次の（一）から（五）までに掲げる事由の区分に応じ当該（一）から（五）までに定める日のいずれか早い日に終了するものとする。（措法70の２の２⑯）

（一）	受贈者が30歳に達したこと（当該受贈者が30歳に達した日において学校等に在学している場合又は教育訓練を受けている場合（当該受贈者がこれらの場合に該当することについて（１）の政令で定めるところにより取扱金融機関の営業所等に届け出た場合に限る。）を除く。）	当該受贈者が30歳に達した日
（二）	受贈者（30歳以上の者に限る。（三）において同じ。）がその年中のいずれかの日において学校等に在学した日又は教育訓練を受けた日があることを（３）の政令で定めるところにより取扱金融機関の営業所等に届け出なかったこと	その年の12月31日
（三）	受贈者が40歳に達したこと	当該受贈者が40歳に達した日
（四）	受贈者が死亡したこと	当該受贈者が死亡した日
（五）	教育資金管理契約に係る信託財産の価額が零となった場合、教育資金管理契約に係る預金若しくは貯金の額が零となった場合又は教育資金管理契約に基づき保管されている有価証券の価額が零となった場合において受贈者と取扱金融機関との間でこれらの教育資金管理契約を終了させる合意があったこと	当該教育資金管理契約が当該合意に基づき終了する日

（教育訓練を受けている場合の届出）
（１）　7の（一）の規定による届出は、受贈者が30歳に達した日の属する月の翌月末日までに、当該受贈者が30歳に達した日において学校等に在学していた旨又は6の②の（三）に規定する教育訓練を受けていた旨その他（2）の財務省令で定める事項を記載した届出書に、これらの事由に該当することを明らかにする書類を添付して行うものとする。（措令40の４の３㉒）

（財務省令で定める事項）
（２）　（1）に規定する財務省令で定める事項は、次に掲げる事項とする。（措規23の５の３⑮）
　（一）　受贈者の氏名、住所又は居所及び生年月日
　（二）　（一）の受贈者が30歳に達した日において在学していた2の（一）のイに規定する学校等（（4）の（二）において「学校等」という。）の名称及び所在地又は受講していた6の②の（三）に規定する教育訓練（（4）の（二）において「教育訓練」という。）の講座名及び指定番号並びに当該教育訓練に係る教育訓練施設の名称及び所在地

（学校等に在学した日又は教育訓練を受けた日があることの届出）
（３）　7の（二）の規定による届出は、その年の12月31日までに、その年中のいずれかの日において受贈者が学校等に在学していた旨又は教育訓練を受けていた旨その他（4）の財務省令で定める事項を記載した届出書に、これらの事由に該当することを明らかにする書類を添付して行うものとする。ただし、当該受贈者が30歳に達した日の属する年にあっては、当該届出書を提出することを要しない。（措令40の４の３㉓）

（財務省令で定める事項）
（４）　（3）に規定する財務省令で定める事項は、次に掲げる事項とする。（措規23の５の３⑯）
　（一）　受贈者の氏名、住所又は居所及び生年月日
　（二）　（一）の受贈者がその年において在学していた学校等の名称及び所在地又は受講していた教育訓練の講座名及び指定番号並びに当該教育訓練に係る教育訓練施設の名称及び所在地

－539－

第二編　贈与税

（教育資金管理契約が終了した場合の贈与税の課税関係等）

（5）　**7**の規定により教育資金管理契約が終了した場合において、非課税拠出額から教育資金支出額（**6**の**①**の（二）の規定により相続により取得したものとみなされた管理残額を含む。）を控除した残額（以下「残額」という。）があるときの当該残額に係る当該終了時の贈与税の課税関係は、次の表のとおりとなることに留意する。（措通70の2の2－13）

終　了　事　由	終了の日における贈与者の状況	贈　与　税　の　課　税　関　係	
		課税価格への算入の有無	課税方式
（一）　受贈者が（二）以外の一定の事由（注1）に該当したこと。	生　存	有（注3）	暦年課税（注4）又は相続時精算課税（注5）
	死亡（注2）	有（注3）	暦　年　課　税
（二）　受贈者が死亡したこと。		無（注6）	

（注）1　一定の事由とは、次に掲げる事由をいう。

　　①　受贈者が30歳に達したこと（当該受贈者が30歳に達した日において学校等に在学している場合又は教育訓練を受けている場合において、受贈者がこれらの場合に該当することについて（1）の規定により取扱金融機関の営業所等に届出書を提出（**3**の**⑪**の（4）の規定による当該届出書に記載すべき事項についての電磁的方法による提供を含む。）したときを除く。）。

　　②　受贈者（30歳以上の者に限る。③において同じ。）が、その年中のいずれかの日において学校等に在学した日又は雇用保険法第60条の2第1項に規定する教育訓練を受けた日があることを（3）の規定により取扱金融機関の営業所等に届出書を提出（**3**の**⑪**の（4）の規定による当該届出書に記載すべき事項についての電磁的方法による提供を含む。）しなかったこと。

　　③　受贈者が40歳に達したこと。

　　④　教育資金管理契約に係る信託財産の価額、預金若しくは貯金の額又は有価証券の価額が零となった場合において、受贈者と取扱金融機関との間で当該教育資金管理契約を終了させる合意があったこと。

　　2　終了の日前に贈与者が死亡している場合には、個人から贈与により取得したものとみなされ、第一章第二節**一**《贈与税の納税義務者》の規定の適用については、当該個人は日本国籍を有するものと、当該個人の住所は贈与者の死亡の時における住所にあるものと、それぞれみなされること、また、旧法適用残額（残額のうち令和5年3月31日以前に取得をした信託受益権又は金銭等で**1**本文の規定の適用を受けて贈与税の課税価格に算入しなかった金額に相当する部分の価額に対応する金額をいう。）に対する第五章第三節**二**（同**二**の（1）及び同**二**の（8）を除く。）の規定の適用については、当該個人は受贈者の直系尊属とみなされることに留意する。

　　3　贈与者が2以上ある場合には、当該残額に次の割合を乗じて算出した金額を各贈与者（当該教育資金管理契約の終了の日前に当該各贈与者が死亡した場合には、個人）からそれぞれ取得をしたものとみなされることに留意する。

$$\frac{各贈与者から取得した信託受益権又は金銭等※1のうち贈与税の課税価格に算入しなかった金額に相当する部分の価額}{非課税拠出額※2}$$

　　※1　当該教育資金管理契約の終了の日前に当該各贈与者が死亡した場合において、その死亡につき**6**の**①**の（二）の規定の適用があったときは、当該死亡した贈与者から取得をしたもののうち、次に掲げる場合の区分に応じ、それぞれ次に定めるものを除くことに留意する。

　　　①　当該各贈与者の死亡の日において受贈者が23歳未満である場合等に該当しない場合

　　　　平成31年4月1日から令和3年3月31日までの間（当該各贈与者の死亡前3年以内に限る。）及び令和3年4月1日以後に当該各贈与者から取得をした信託受益権又は金銭等

　　　②　当該各贈与者の死亡の日において受贈者が23歳未満である場合等に該当する場合

　　　　令和5年4月1日以後に当該各贈与者から取得をした信託受益権又は金銭等

　　※2　当該教育資金管理契約の終了の日前に死亡した贈与者がある場合において、その死亡につき**6**の**①**の（二）の規定の適用があったときは、次に掲げる場合の区分に応じ、それぞれ次に定める信託受益権又は金銭等のうち**1**本文の規定の適用を受けて贈与税の課税価格に算入しなかった金額に相当する部分の価額を控除した金額となることに留意する。

　　　①　当該贈与者の死亡の日において受贈者が23歳未満である場合等に該当しない場合

　　　　平成31年4月1日から令和3年3月31日までの間（当該贈与者の死亡前3年以内に限る。）及び令和3年4月1日以後に当該贈与者から取得をした信託受益権又は金銭等

　　　②　当該贈与者の死亡の日において受贈者が23歳未満である場合等に該当する場合

　　　　令和5年4月1日以後に当該贈与者から取得をした信託受益権又は金銭等

　　4　残額のうち令和5年4月1日以後に贈与者から取得をした信託受益権又は金銭等で、**1**本文の規定の適用を受けて贈与税の課税価格に算入しなかった金額に相当する部分の価額に対応する金額については、第五章第三節**二**の（2）に規定する一般贈与財産とみなされることに留意する。

　　5　受贈者が贈与者に係る相続時精算課税適用者である場合には、当該贈与者から取得したとみなされた価額について相続時精算課税が適用され、相続時精算課税適用者でない場合には、相続時精算課税の適用要件を満たしていれば当該価額について相続時精算課税を選択できることに留意する。

　　6　受贈者が死亡したことにより教育資金管理契約が終了した場合には、その死亡の日において当該残額があるときであっても当該残額については贈与税の課税価格に算入されないことに留意する。

－540－

第三章　贈与税の非課税財産

8　契約終了後の教育資金支出額の残額の課税価格

　7の各号（（四）を除く。）に掲げる事由に該当したことにより教育資金管理契約が終了した場合において、当該教育資金管理契約に係る非課税拠出額から教育資金支出額（**6**の**①**の（二）の規定により相続により取得したものとみなされた管理残額を含む。（2）において同じ。）を控除した残額があるときは、次に定めるところによる。（措法70の2の2⑰）

（一）　当該残額については、当該教育資金管理契約に係る受贈者の**7**の各号（（四）を除く。）に定める日の属する年の贈与税の課税価格に算入する。

（二）　第五章第三節**二**の規定の適用については、当該残額は、同**二**の（2）に規定する一般贈与財産とみなす。

　（注）1　改正後の**8**の規定は、令和5年4月1日以後に**1**に規定する信託受益権、金銭又は**1**に規定する金銭等（以下**8**において「信託受益権等」という。）を取得する個人（以下**8**において「新法適用者」という。）に係る当該信託受益権等に係る相続税又は贈与税について適用し、令和5年3月31日以前に信託受益権等を取得した個人（新法適用者を除く。）に係る当該信託受益権等に係る相続税又は贈与税については、なお従前の例による。この場合において、令和5年3月31日以前に信託受益権等を取得した新法適用者に係る管理残額及び当該新法適用者に係る**8**の（二）の規定により第五章第三節**二**の（2）に規定する一般贈与財産とみなされる改正後の**8**に規定する残額の計算に関し必要な事項は、（注）2で定める。（令5改所法等附51②）

　　　2　令和5年3月31日以前に贈与者から信託受益権等を取得した新法適用者に係る（注）1に規定する一般贈与財産とみなされる改正後の**8**に規定する残額は、**8**に規定する残額に、令和5年4月1日以後に当該贈与者から取得をした信託受益権等（**6**の**①**の（二）の規定により相続又は遺贈により取得したものとみなされた管理残額に係る部分を除く。）のうち**1**本文の規定の適用を受けて贈与税の課税価格に算入しなかった金額に相当する部分の価額が、当該価額と令和5年3月31日以前に当該贈与者から取得をした信託受益権等（改正前の**6**の**①**の（二）の規定により相続又は遺贈により取得したものとみなされた金額に係る部分及び改正後の**6**の**①**の（二）の規定により相続又は遺贈により取得したものとみなされた管理残額に係る部分を除く。）のうち改正前の**1**本文の規定の適用を受けて贈与税の課税価格に算入しなかった金額に相当する部分の価額との合計額のうちに占める割合を乗じて計算するものとする。（令5改措令附14⑤）

　（残額に対する贈与税）

（1）　教育資金管理契約が終了した場合において、**8**の規定により贈与税の課税価格に算入される残額があるときにおける当該残額に係る贈与税については、次に定めるところによる。（措令40の4の3㉖）

（一）	受贈者が、次のイ又はロに掲げる場合の区分に応じ、それぞれイ又はロに定める者から当該教育資金管理契約の終了の日において贈与により取得したものとみなして、相続税法その他贈与税に関する法令の規定を適用する。 　イ　当該教育資金管理契約の終了の時において贈与者が生存している場合　当該贈与者 　ロ　当該教育資金管理契約の終了の時前に贈与者が死亡した場合　個人
（二）	（一）のロに掲げる場合に該当する場合における第一章第二節**一**の規定の適用については、同（一）のロに定める個人は日本国籍を有するものと、当該個人の住所は同（一）のロの贈与者の死亡の時における住所にあるものと、それぞれみなす。
（三）	当該受贈者に係る贈与者が二以上ある場合には、当該残額に各贈与者から取得をした信託受益権又は金銭等（当該教育資金管理契約の終了の日前に当該各贈与者が死亡した場合において、その死亡につき**6**の**①**の（二）の規定の適用があったときは、当該死亡前3年以内に取得をしたものを除く。）のうち**1**の本文の規定の適用を受けて贈与税の課税価格に算入しなかった金額に相当する部分の価額が当該教育資金管理契約に係る非課税拠出額（当該教育資金管理契約の終了の日前に死亡した贈与者がある場合において、その死亡につき**6**の**①**の（二）の規定の適用があったときは、当該非課税拠出額から当該死亡した贈与者から取得をした信託受益権又は金銭等（当該死亡前3年以内に取得をしたものに限る。）のうち**1**の本文の規定の適用を受けて贈与税の課税価格に算入しなかった金額に相当する部分の価額を控除した残額）のうちに占める割合をそれぞれ乗じて算出した金額を当該各贈与者（当該教育資金管理契約の終了の日前に当該各贈与者が死亡した場合には、個人）からそれぞれ取得をしたものとみなして、相続税法その他贈与税に関する法令の規定を適用する。

　（注）　令和5年3月31日以前に**8**の（注）1に規定する新法適用者が改正前の**6**の**①**に規定する贈与者から**1**本文の規定の適用に係る信託受益権等（**8**の（注）1に規定する信託受益権等をいう。以下同じ。）を取得した場合において、**2**の（二）に規定する教育資金管理契約の終了の日前に当該贈与者が死亡したときは、（一）に掲げる金額に（二）に掲げる割合を乗じて計算した金額に係る贈与税については、改正前の（四）の規定は、なおその効力を有する。（令5改措令附14①）

　　（一）　改正後の**8**に規定する残額（（三）の規定の適用がある場合には、当該贈与者に係る（三）の規定により算出した金額）

　　（二）　令和5年3月31日以前に当該贈与者から取得をした信託受益権等（改正前の**6**の**①**の（二）の規定により相続又は遺贈（贈与をした者の死亡により効力を生ずる贈与を含む。以下同じ。）により取得したものとみなされた金額に係る部分及び改正後の**6**の**①**の（二）の規定により相続又は遺贈により取得したものとみなされた**6**の**①**の（一）に規定する管理残額に係る部分を除く。）のうち改正前の**1**本文の規定の適用を受けて贈与税の課税価格に算入しなかった金額に相当する部分の価額が、当該価額と令和5年4月1日以後に当該贈与者から取得をした信託受益権等（改正後の**6**の**①**の（二）の規定により相続又は遺贈により取得したものとみなされた管理残額に係る部分を除く。）のうち改正後の**1**本文の規定の適用を受けて贈与税の課税価格に算入しなかった金額に相当する部分の価額との合計額のうちに占める割合

—541—

第二編　贈与税

（教育資金支出額の残額の非課税額）
（２）　**7**の(四)に掲げる事由に該当したことにより教育資金管理契約が終了した場合には、当該教育資金管理契約に係る非課税拠出額から教育資金支出額を控除した残額については、贈与税の課税価格に算入しない。（措法70の２の２⑱）

（契約の途中で贈与者が死亡した場合）
（３）　贈与者が教育資金管理契約に基づき信託をした日又は教育資金管理契約に基づき預金若しくは貯金の預入若しくは有価証券の購入をするための金銭等の書面による贈与をした日からこれらの教育資金管理契約の終了の日までの間に当該贈与者が死亡した場合において、当該贈与者に係る受贈者が**1**の本文の規定の適用を受けたときは、当該受贈者が当該信託又は当該贈与により取得をした信託受益権又は金銭等の価額（**1**の本文の規定の適用を受けて贈与税の課税価格に算入しなかった金額に相当する部分の価額に限る。）については、第一編第四章第二節**四**の１の規定は、適用しない。（措令40の４の３⑲）

（教育資金管理契約が終了した後に贈与者が死亡した場合の第一編第四章第二節**四**等の適用）
（４）　**8**に規定する事由に該当したことにより教育資金管理契約が終了し**8**の規定の適用により贈与税の課税価格に算入すべき価額がある場合において、当該贈与税に係る贈与者が死亡したときは、当該贈与者の死亡に係る相続税の課税価格の計算において、当該算入すべき価額は、第一編第四章第二節**四**の１《相続開始前３年以内に贈与があった場合の相続税額》、第三編第一章第三節**一**の(1)《相続時精算課税に係る相続税の課税価格》又は同節**二**の(1)《相続時精算課税に係る相続税の課税価格に算入されるみなし相続財産》の規定の適用により当該贈与者の死亡に係る相続税の課税価格に算入されることに留意する。（措通70の２の２－15）

　なお、**8**に規定する事由に該当したことにより教育資金管理契約が終了し、**1**の規定の適用を受けて贈与税の課税価格に算入されなかった価額がある場合において、当該贈与者が死亡したときの当該算入されなかった価額は、第一編第四章第二節**四**の１、第三編第一章第三節**一**の(1)又は同節**二**の(1)の規定の適用により当該贈与者の死亡に係る相続税の課税価格に算入されないことに留意する。
　(注)　第一編第四章第二節**四**の１、第三編第一章第三節**一**の(1)又は同節**二**の(1)の規定の適用により贈与者の死亡に係る相続税の課税価格に算入されることとなるのは、これらの規定の適用要件を満たす場合に限られることに留意する。

（贈与税の課税価格に算入される残額のうち一般贈与財産とみなされる部分の計算等）
（５）　令和５年４月１日以後及び同年３月31日以前のいずれにおいても贈与者から信託受益権等の取得をした受贈者に係る**8**の(二)の規定により一般贈与財産とみなされる残額は、次の算式により計算した金額となることに留意する。（措通70の２の２－14）
（算式）

$$\text{残額（※１）} \times \frac{\text{令和５年４月１日以後に当該贈与者から取得をした信託受益権又は金銭等（※２）のうち贈与税の課税価格に算入しなかった金額に相当する部分の価額}}{\text{当該贈与者から取得をした信託受益権又は金銭等（※２）のうち贈与税の課税価格に算入しなかった金額に相当する部分の価額}}$$

※１　贈与者が２以上ある場合は、**7**の(5)(注)３の定めにより算出した残額となることに留意する。
※２　教育資金管理契約の終了の日前に当該贈与者の死亡につき相続により取得したものとみなされた管理残額がある場合には、当該贈与者から取得をした信託受益権又は金銭等のうち、次に掲げる場合の区分に応じ、それぞれ次に定めるものを除くことに留意する。
　①　当該贈与者の死亡の日において受贈者が23歳未満である場合等に該当しない場合
　　平成31年４月１日から令和３年３月31日までの間（当該贈与者の死亡前３年以内に限る。）及び令和３年４月１日以後に当該贈与者から取得をした信託受益権又は金銭等
　②　当該贈与者の死亡の日において受贈者が23歳未満である場合等に該当する場合
　　令和５年４月１日以後に当該贈与者から取得をした信託受益権又は金銭等
　(注)１　令和５年４月１日以後に贈与者から信託受益権等の取得をしている受贈者に係る当該残額から上記の算式により算出した一般贈与財産とみなされる部分の金額を控除した金額については、旧法適用残額（**7**の(5)(注)２に定める旧法適用残額をいう。(注)２において同じ。）として取り扱う。
　　２　令和５年４月１日以後に贈与者から信託受益権等の取得をしていない受贈者に係る当該残額については、**8**の(二)の規定の適用がないため、当該残額の全てが旧法適用残額に該当することに留意する。

－542－

第三章　贈与税の非課税財産

9　教育資金管理契約が終了した場合の調書の提出・通知義務など

①　調書の税務署長への提出

　取扱金融機関の営業所等の長は、教育資金管理契約が終了した場合には、当該教育資金管理契約に係る受贈者の氏名及び住所又は居所その他の注の財務省令で定める事項を記載した調書（②の（３）及び（４）において「**教育資金管理契約の終了に関する調書**」という。）を当該教育資金管理契約が終了した日（当該教育資金管理契約が**7**の（四）に掲げる事由に該当したことにより終了した場合には、取扱金融機関の営業所等の長が当該事由を知った日）の属する月の翌々月末日までに当該受贈者の納税地の所轄税務署長に提出しなければならない。（措法70の2の2⑲）

(注)1　①に規定する教育資金管理契約の終了に関する調書の様式は、注の財務省令で定める。（措令40の4の3㊼）
　　2　注1に規定する教育資金管理契約の終了に関する調書の様式は、別表第十一（六）による。（措規23の5の3㉖）
　　3　国税庁長官は、別表第十一（六）の様式について必要があるときは、所要の事項を付記すること又は一部の事項を削ることができる。（措規23の5の3㉗）

　（財務省令で定める事項）

注　①に規定する注の財務省令で定める事項は、次に掲げる事項とする。（措規23の5の3㉔）

（一）	①に規定する教育資金管理契約の終了に関する調書に係る教育資金管理契約が終了した日における当該教育資金管理契約に係る受贈者の氏名、住所又は居所及び個人番号並びに生年月日
（二）	（一）の教育資金管理契約に係る贈与者の氏名
（三）	（一）の教育資金管理契約が終了した事由及び終了した日（当該教育資金管理契約が**7**の（四）に掲げる事由により終了した場合にあっては、当該教育資金管理契約が終了した日及び取扱金融機関の営業所等の長が当該事由を知った日）
（四）	（一）の教育資金管理契約に係る非課税拠出額及び**2**の（五）に規定する教育資金支出額（**2**の（一）のロに掲げる教育資金については、500万円を限度とする。）
（五）	（二）の贈与者が（一）の教育資金管理契約の終了の日までに死亡した場合において、その死亡につき**6**の①の（二）の規定の適用があったときは、当該贈与者の氏名、当該贈与者が死亡した年月日及び（一）の規定により相続又は遺贈により取得したものとみなされた当該贈与者に係る（一）に規定する管理残額
（六）	（一）の教育資金管理契約に係る教育資金非課税申告書等、**3**の⑨の（2）に規定する教育資金非課税取消申告書又は**3**の④の（5）に規定する教育資金管理契約に関する異動申告書を提出した税務署の名称及び提出年月日
（七）	その他参考となるべき事項

②　税務署長の通知義務

　税務署長は、次に掲げる事実を知った場合には、取扱金融機関の営業所等の長にその旨その他の（1）の財務省令で定める事項を通知するものとする。（措法70の2の2⑳）

（一）	受贈者が教育資金の支払に充てるために取扱金融機関の営業所等から払い出した金銭が教育資金の支払に充てられていないこと。
（二）	当該受贈者に係る教育資金非課税申告書が2以上の取扱金融機関の営業所等に提出されていること又は当該受贈者に係る非課税拠出額が1,500万円を超えること。
（三）	受贈者が贈与者から**1**の本文の規定の適用に係る信託受益権、金銭又は金銭等を取得した日の属する年の前年分の当該受贈者の所得税に係る所得税法第2条《定義》第1項第30号の合計所得金額が1,000万円を超えること。
（四）	当該受贈者の贈与者に係る相続税の課税価格の合計額が、国税通則法第24条若しくは第26条の規定による更正若しくは同法第25条の規定による決定又は期限後申告書若しくは修正申告書の提出により5億円を超えることとなること又は5億円以下となること。

　（財務省令で定める事項）

（1）　②に規定する（1）の財務省令で定める事項は、次の（一）又は（二）に掲げる場合の区分に応じ、当該（一）又は（二）に定める事項とする。（措規23の5の3㉕）

（一）	税務署長が②	イ　受贈者が教育資金の支払に充てるために取扱金融機関の営業所等から払い出した金銭が教育

－543－

第二編　贈与税

	の(一)に掲げる事実を知った場合	資金の支払に充てられていない旨
		ロ　イの受贈者の氏名、住所又は居所及び生年月日
		ハ　イの教育資金の支払に充てられていない金銭の額
		ニ　その他参考となるべき事項
(二)	税務署長が②の(二)に掲げる事実を知った場合	イ　受贈者に係る教育資金非課税申告書等が2以上の取扱金融機関の営業所等に提出された旨又は受贈者に係る教育資金非課税申告書等に記載された非課税拠出額が1,500万円を超えている旨
		ロ　イの受贈者の氏名、住所又は居所及び生年月日
		ハ　その他参考となるべき事項
(三)	税務署長が②の(三)に掲げる事実を知った場合	イ　受贈者が贈与者から1の本文の規定の適用に係る信託受益権、金銭又は金銭等を取得した日の属する年の前年分の当該受贈者の所得税に係る所得税法第2条第1項第30号の合計所得金額が1,000万円を超えている旨
		ロ　イの受贈者の氏名、住所又は居所及び生年月日
		ハ　その他参考となるべき事項
(四)	税務署長が②の(四)に掲げる事実を知った場合	イ　受贈者の贈与者に係る相続税の課税価格の合計額が5億円を超えた旨又は5億円以下となった旨
		ロ　イの受贈者の氏名、住所又は居所及び生年月日
		ハ　当該事実に係る贈与者の氏名及び当該贈与者が死亡した年月日
		ニ　その他参考となるべき事項

　　（保存記録の訂正）
（2）　取扱金融機関の営業所等の長は、②の規定による税務署長からの通知（②の(一)又は(四)に掲げる事実に係るものに限る。）を受けたときは、当該通知に基づき**5**（**6**の①の(三)の規定による記録を含む。）の記録を訂正しなければならない。（措法70の2の2㉑）

　　（税務職員の検査権）
（3）　国税庁、国税局又は税務署の当該職員は、教育資金管理契約の終了に関する調書の提出に関する調査について必要があるときは、当該教育資金管理契約の終了に関する調書を提出する義務がある者に質問し、その者の教育資金管理契約に関する帳簿書類（その作成又は保存に代えて電磁的記録の作成又は保存がされている場合における当該電磁的記録を含む。**十一**の**9**の③及び**10**の(三)において同じ。）その他の物件を検査し、又は当該物件（その写しを含む。）の提示若しくは提出を求めることができる。（措法70の2の2㉓）

　　（調査物件の留置き）
（4）　国税庁、国税局又は税務署の当該職員は、教育資金管理契約の終了に関する調書の提出に関する調査について必要があるときは、当該調査において提出された物件を留め置くことができる。（措法70の2の2㉔）

　　（国税通則法施行令の準用）
（5）　第一編第十章第一節**四**の**3**《提出物件の留置き、返還等》の規定は、（4）の規定により物件を留め置く場合について準用する。（措令40の4の3㊸）

　　（身分証の提示）
（6）　国税庁、国税局又は税務署の当該職員は、（3）の規定による質問、検査又は提示若しくは提出の要求をする場合には、その身分を示す証明書を携帯し、関係人の請求があったときは、これを提示しなければならない。（措法70の2の2㉕）

　　（税務職員の権限の意義）
（7）　（3）及び（4）の規定による当該職員の権限は、犯罪捜査のために認められたものと解してはならない。（措法70の2の2㉖）

第三章　贈与税の非課税財産

（取扱金融機関の営業所等の長への通知）

（8）　②の(四)の贈与者に係る相続税の課税価格の合計額は、令和5年4月1日以後に受贈者に**1**本文の規定の適用に係る信託受益権又は金銭等の贈与をした贈与者に係る相続税の課税価格の合計額であることに留意する。したがって、当該贈与者以外の贈与者（以下（8）において「他の贈与者」という。）から同日以後に当該信託受益権又は金銭等を取得していない場合において、当該他の贈与者に係る相続税の課税価格の合計額が②の(四)に掲げる事実に該当したときであっても、②の規定の適用はないことに留意する。（措通70の2の2−16）

（注）　②（(四)に係る部分に限る。）の規定は、贈与者の相続人等に対する国税通則法第24条若しくは第26条の規定による更正若しくは国税通則法第25条に規定する決定又は当該相続人等から提出された当該贈与者の死亡に係る相続税の期限後申告書若しくは修正申告書の提出（以下（8）において「更正決定等」という。）により、納付すべき税額の確定した相続税額の計算の基礎となった当該受贈者の当該贈与者に係る相続税の課税価格の合計額（※）が同号の「5億円を超えることとなること」又は「5億円以下となること」に該当した場合に限り適用があることから、当該更正決定等がない場合には、②（(四)に係る部分に限る。）の規定の適用がないことに留意する。

※　贈与者に係る相続税の課税価格の合計額に管理残額が含まれている場合には、**6**の**①**の（5）の定めにより算出した相続税の課税価格の合計額となることに留意する。

10　罰則規定

次の(一)から(三)までのいずれかに該当する者は、1年以下の懲役又は50万円以下の罰金に処する。（措法70の13④・編者補正）

(一)	**9**の**①**に規定する教育資金管理契約の終了に関する調書をその提出期限までに税務署長に提出せず、又は当該教育資金管理契約の終了に関する調書に偽りの記載若しくは記録をして税務署長に提出した者
(二)	**9**の**②**の（3）の規定による当該職員の質問に対して答弁せず、若しくは偽りの答弁をし、又は当該規定による検査を拒み、妨げ、若しくは忌避した者
(三)	**9**の**②**の（3）の規定による物件の提示又は提出の要求に対し、正当な理由がなくこれに応じず、又は偽りの記載若しくは記録をした帳簿書類その他の物件（その写しを含む。）を提示し、若しくは提出した者

十一　直系尊属から結婚・子育て資金の一括贈与を受けた場合の贈与税の非課税

1　制度の概要

平成27年4月1日から令和7年3月31日までの間に、個人（結婚・子育て資金管理契約を締結する日において18歳以上50歳未満の者に限る。）が、その直系尊属と信託会社（信託業法第3条又は第53条第1項の免許を受けたものに限るものとし、金融機関の信託業務の兼営等に関する法律により同法第1条第1項に規定する信託業務を営む同項に規定する金融機関を含む。**2**及び**7**において「**受託者**」という。）との間の結婚・子育て資金管理契約に基づき信託の受益権（以下**1**、**3**の**②**及び**9**の**②**の(三)において「**信託受益権**」という。）を取得した場合、その直系尊属からの書面による贈与により取得した金銭を結婚・子育て資金管理契約に基づき銀行等（銀行その他の預金又は貯金の受入れを行う金融機関として（1）の政令で定める金融機関をいう。**2**及び**3**の**②**において同じ。）の営業所、事務所その他これらに準ずるものでこの法律の施行地にあるもの（**4**を除き、以下**十一**において「**営業所等**」という。）において預金若しくは貯金として預入をした場合又は結婚・子育て資金管理契約に基づきその直系尊属からの書面による贈与により取得した金銭若しくはこれに類するものとして（2）の政令で定めるもの（以下**十一**において「**金銭等**」という。）で金融商品取引法第2条第9項に規定する金融商品取引業者（同法第28条第1項に規定する第一種金融商品取引業を行う者に限る。**2**及び**3**の**②**において同じ。）の営業所等において有価証券を購入した場合には、当該信託受益権、金銭又は金銭等の価額のうち、1,000万円までの金額（既に**1**の規定の適用を受けて贈与税の課税価格に算入しなかった金額がある場合には、当該算入しなかった金額を控除した残額）に相当する部分の価額については、贈与税の課税価格に算入しない。ただし、当該個人の当該信託受益権、金銭又は金銭等を取得した日の属する年の前年分の所得税に係る所得税法第2条《定義》第1項第30号の合計所得金額が1,000万円を超える場合は、この限りでない。（措法70の2の3①）

（政令で定める金融機関の範囲）

（1）　**1**に規定する政令で定める金融機関は、銀行、信用金庫、信用金庫連合会、労働金庫、労働金庫連合会、信用協同組合、信用協同組合連合会（中小企業等協同組合法第9条の9第1項第1号の事業を行う協同組合連合会をいう。）、農林中央金庫及び株式会社商工組合中央金庫並びに貯金の受入れをする農業協同組合、農業協同組合連合会、漁業協同組合、漁業協同組合連合会、水産加工業協同組合及び水産加工業協同組合連合会とする。（措令40の4の4①）

−545−

第二編　贈与税

（政令で定める金銭の範囲）
（２）　**1**に規定する金銭に類するものとして政令で定めるものは、公社債投資信託（投資信託及び投資法人に関する法律第２条第４項に規定する証券投資信託のうち、その信託財産を公債又は社債（会社以外の法人が特別の法律により発行する債券を含む。）に対する投資として運用することを目的とするもので、株式又は出資に対する投資として運用しないものをいう。）の投資信託及び投資法人に関する法律施行規則第25条第２号に規定する公社債投資信託（計算期間が一日のものに限る。）の受益証券とする。（措令40の４の４②、措規23の５の４①）

（書面による贈与）
（３）　贈与者からの書面による贈与（贈与をした者の死亡により効力を生ずる贈与を除く。以下**十一**において同じ。）により金銭又は金銭等の取得をした受贈者は、当該取得後２月以内に、結婚・子育て資金管理契約（**2**の（二）のロ又はハに係るものに限る。）に基づき、当該金銭を預金若しくは貯金として預入をし、又は当該金銭等で有価証券を購入しなければならない。（措令40の４の４④）

（有価証券のみなし購入）
（４）　贈与者からの書面による贈与により（２）に規定する受益証券の取得をした受贈者が、当該取得後２月以内に、当該受益証券を当該受益証券の保管の委託がされている口座から結婚・子育て資金管理契約（**2**の（二）のハに係るものに限る。）に基づき有価証券の保管の委託をする口座へ移管をした場合には、当該移管を**1**又は**3**の②の有価証券の購入とみなして、**十一**の規定を適用する。（措令40の４の４⑤）

（外国国籍を有する者等に係る**十**の適用）
（５）　外国国籍を有する者又は相続税法の施行地に住所を有しない者であっても、**1**の適用要件を満たす場合には、**1**の本文の規定の適用を受けることができることに留意する。（措通70の２の３－２）

（直系尊属の範囲）
（６）　**1**に規定する直系尊属の範囲については、**九**の**1**の（４）を準用する。（措通70の２の３－３）

（信託受益権等を取得した日の属する年の前年分の所得税に係る合計所得金額が1,000万円を超えていた場合）
（７）　受贈者が贈与者から信託受益権又は金銭等の取得（平成31年４月１日以後の取得に限る。）をした日の属する年（（７）において「特定年」という。）の前年分の当該受贈者の所得税に係る所得税法第２条第１項第30号の合計所得金額（以下（７）において「合計所得金額」という。）が1,000万円を超えていた場合には、特定年分の合計所得金額が1,000万円以下であっても、当該取得をした信託受益権又は金銭等の価額について、**1**の本文の規定の適用を受けることはできないことに留意する。ただし、当該特定年の翌年に取得した信託受益権又は金銭等については、当該特定年分の合計所得金額が1,000万円以下であるため、**1**の本文の規定の適用を受けることができることに留意する。（措通70の２の３－３の２）

（**1**の規定により贈与税の課税価格に算入されない価額）
（８）　**1**の本文の規定により贈与税の課税価格に算入されない価額は、**3**の①又は②の期限までに提出された結婚・子育て資金非課税申告書又は追加結婚・子育て資金非課税申告書に係る非課税拠出額（1,000万円までの金額に限る。）の範囲内の金額であり、かつ、（３）又は（４）の要件を満たした部分の金額に限られることに留意する。（措通70の２の３－７）

（注）１　贈与者が２以上ある場合の贈与者ごとの贈与税の課税価格に算入されない価額の判定は、受贈者が結婚・子育て資金非課税申告書又は追加結婚・子育て資金非課税申告書に贈与者ごとに**1**の本文の適用を受けるものとして記載した金額により行うことに留意する。

　　２　贈与により取得した信託受益権又は金銭等のうち上記により贈与税の課税価格に算入されない価額に該当しない価額については、贈与税の課税価格に算入されるのであるが、受贈者が当該贈与に係る贈与者に係る相続時精算課税適用者である場合には、当該算入される価額のうち当該贈与者から取得した部分について相続時精算課税が適用され、相続時精算課税適用者でない場合には、相続時精算課税の適用要件を満たしていれば当該部分について相続時精算課税を選択できることに留意する。

2　用語の意義

十一において、次の（一）から（十二）までに掲げる用語の意義は、（一）から（十二）までに定めるところによる。（措法70の２の３②、措令40の４の４③、措通70の２の３－１）

| （一） | 結婚・子育て資金 | 次に掲げる金銭をいう。 |

第三章　贈与税の非課税財産

| | | イ | 1の本文の規定の適用を受ける個人（以下**十一**において「**受贈者**」という。）の結婚に際して支出する費用で下記の政令で定めるものに充てる金銭

（政令で定める費用）
注　イに規定する政令で定める費用は、次に掲げる費用とする。（措令40の4の4⑥）
①　受贈者の婚姻の日の1年前の日以後に支払われる当該婚姻に係る婚礼（結婚披露を含む。）のために要する費用として内閣総理大臣が財務大臣と協議して定めるもの
②　受贈者又は当該受贈者の配偶者の居住の用に供する家屋の賃貸借契約（当該受贈者が締結をするものに限る。以下②において同じ。）であって当該受贈者の婚姻の日の1年前の日から当該婚姻の日以後1年を経過する日までの期間に締結をされるものに基づき当該締結の日（当該期間内に締結をされた当該受贈者又は当該受贈者の配偶者の居住の用に供する家屋の賃貸借契約が2以上ある場合には、これらの賃貸借契約のうち、最初の賃貸借契約の締結の日）以後3年を経過する日までに支払われる家賃、敷金その他これらに類する費用として内閣総理大臣が財務大臣と協議して定めるもの
③　受贈者が、当該受贈者及び当該受贈者の配偶者の居住の用に供するための家屋に転居（当該受贈者の婚姻の日の1年前の日から当該婚姻の日以後1年を経過する日までの期間にする転居に限る。）をするための費用として内閣総理大臣が財務大臣と協議して定めるもの |
| | | ロ | 受贈者（当該受贈者の配偶者を含む。）の妊娠、出産又は育児に要する費用で（1）の政令で定めるものに充てる金銭

（政令で定める費用）
（1）　ロに規定する政令で定める費用は、次に掲げる費用とする。（措令40の4の4⑦）
①　受贈者（当該受贈者の配偶者を含む。②において同じ。）の不妊治療のために要する費用又は妊娠中に要する費用として内閣総理大臣が財務大臣と協議して定めるもの
②　受贈者の出産の日以後1年を経過する日までに支払われる当該出産に係る分べん費その他これに類する費用として内閣総理大臣が財務大臣と協議して定めるもの（①に掲げる費用を除く。）
③　受贈者の学校教育法第1条に規定する小学校就学前の子（④において単に「子」という。）の医療のために要する費用として内閣総理大臣が財務大臣と協議して定めるもの
④　学校教育法第1条に規定する幼稚園、児童福祉法第39条第1項に規定する保育所その他これらに類する施設として（2）の財務省令で定めるものを設置する者に支払う子に係る保育料その他これに類する費用として内閣総理大臣が財務大臣と協議して定めるもの

（財務省令で定める施設）
（2）　（1）に規定する財務省令で定める施設は、次に掲げる施設とする。（措規23の5の4②）
①　就学前の子どもに関する教育、保育等の総合的な提供の推進に関する法律第2条第6項に規定する認定こども園
②　児童福祉法第6条の2の2第1項に規定する障害児通所支援事業（同条第3項に規定する放課後等デイサービスを行う事業を除く。）、同法第6条の3第3項に規定する子育て短期支援事業、同条第6項に規定する地域子育て支援拠点事業、同条第7項に規定する一時預かり事業、同条第8項に規定する小規模住居型児童 |

—547—

<table>
<tr><td colspan="3"></td><td>

養育事業、同条第9項に規定する家庭的保育事業、同条第10項に規定する小規模保育事業、同条第11項に規定する居宅訪問型保育事業、同条第12項に規定する事業所内保育事業、同条第13項に規定する病児保育事業、同条第14項に規定する子育て援助活動支援事業、<u>同条第19項に規定する子育て世帯訪問支援事業、同条第21項に規定する親子関係形成支援事業</u>又は同法第6条の4に規定する里親に係る施設

③　児童福祉法第7条第1項に規定する児童福祉施設（①及び②に掲げる施設、同法第36条に規定する助産施設、同法第39条第1項に規定する保育所<u>、同法第44条の2第1項に規定する児童家庭支援センター及び同法第44条の3第1項に規定する里親支援センターを除く。</u>）

④　児童福祉法第7条第2項に規定する障害児入所支援が行われる独立行政法人国立病院機構法（平成14年法律第191号）に規定する独立行政法人国立病院機構又は高度専門医療に関する研究等を行う国立研究開発法人に関する法律（平成20年法律第93号）に規定する国立研究開発法人国立精神・神経医療研究センターの設置する医療機関であって内閣総理大臣が財務大臣と協議して定めるもの

⑤　児童福祉法第59条の2第1項に規定する施設であって、子ども・子育て支援法第61条第1項に規定する市町村子ども・子育て支援事業計画において教育・保育を目的とする施設として定められているもの

⑥　母子及び父子並びに寡婦福祉法（昭和39年法律第129号）第20条に規定する母子家庭日常生活支援事業、同法第31条の5第1項に規定する母子家庭生活向上事業、同法第31条の7第4項に規定する父子家庭日常生活支援事業又は同法第31条の11第1項に規定する父子家庭生活向上事業に係る施設

⑦　①から⑥に掲げるもののほか、保育を目的とする施設であって内閣総理大臣が財務大臣と協議して定めるもの

(注)　改正後の(2)の規定は、令和6年4月1日以後適用する。(令6改措規附1)

</td></tr>
<tr><td colspan="3"></td><td>

（政令で定める費用の告示）

注　内閣総理大臣は、イの①から③の規定により費用を定め、及びロの(1)の①から④の規定により費用を定めたときは、これを告示する。(措令40の4の4㊹)

</td></tr>
<tr><td rowspan="4">(二)</td><td rowspan="4">結婚・子育て資金管理契約</td><td colspan="2">結婚・子育て資金を管理することを目的とする契約であって次に掲げるものをいう。</td></tr>
<tr><td rowspan="3">イ</td><td>

受贈者の直系尊属と受託者との間の信託に関する契約で次に掲げる事項が定められているもの

①　信託の主たる目的は、結婚・子育て資金の管理とされていること。

②　受託者がその信託財産として受け入れる資産は、金銭等に限られるものであること。

③　当該受贈者を信託の利益の全部についての受益者とするものであること。

④　その他下記の政令で定める事項

</td></tr>
<tr><td>

（その他政令で定める事項）

注　イの④に規定する政令で定める事項は、次に掲げる事項とする。(措令40の4の4⑧)

①　信託財産から結婚・子育て資金の支払に充てた金銭に相当する額の払出しを受ける場合又は結婚・子育て資金の支払に充てるための金銭の交付を受ける場合には、受贈者は受託者に領収書等を提出すること。

②　結婚・子育て資金管理契約に基づく信託は、取消しができず、かつ、**6**の(一)から(三)に掲げる事由の区分に応じ当該**6**の(一)から(三)に定める日のいずれか早い日に終了すること。

③　結婚・子育て資金管理契約に基づく信託の受益者は変更することができないこと。

</td></tr>
</table>

第三章　贈与税の非課税財産

		④　結婚・子育て資金管理契約に基づく信託受益権については、その譲渡に係る契約を締結し、又はこれを担保に供することができないこと。
	ロ	受贈者と銀行等との間の普通預金その他の（1）の財務省令で定める預金又は貯金に係る契約で次に掲げる事項が定められているもの ①　結婚・子育て資金の支払に充てるために預金又は貯金を払い出した場合には、当該受贈者は銀行等に**4**に規定する領収書等を提出すること。 ②　その他（2）の政令で定める事項 （財務省令で定める預金又は貯金に係る契約） （1）　ロに規定する財務省令で定める預金又は貯金に係る契約は、次に掲げるものとする。（措規23の5の4③） ①　普通預金（普通貯金を含む。）又は貯蓄預金（貯蓄貯金を含む。）に係る契約 ②　定期預金（定期貯金を含む。）又は通知預金（通知貯金を含む。）に係る契約 （その他政令で定める事項） （2）　ロの②に規定する政令で定める事項は、次に掲げる事項とする。（措令40の4の4⑨） ①　結婚・子育て資金管理契約に係る預金又は貯金に係る契約は、受贈者が解約の申入れをすることができず、かつ、**6**の（一）から（三）に掲げる事由の区分に応じ当該**6**の（一）から（三）に定める日のいずれか早い日に終了すること。 ②　結婚・子育て資金管理契約に係る預金又は貯金については、その譲渡に係る契約を締結し、又はこれを担保に供することができないこと。
	ハ	受贈者と金融商品取引業者との間の有価証券の保管の委託に係る契約で次に掲げる事項が定められているもの ①　結婚・子育て資金の支払に充てるために有価証券の譲渡、償還その他の事由により金銭の交付を受けた場合には、当該受贈者は金融商品取引業者に**4**に規定する領収書等を提出すること。 ②　その他下記の政令で定める事項 （その他政令で定める事項） 注　②に規定する政令で定める事項は、次に掲げる事項とする。（措令40の4の4⑩） ①　結婚・子育て資金管理契約に係る有価証券の保管の委託に関する契約は、受贈者が解約の申入れをすることができず、かつ、**6**の（一）から（三）に掲げる事由の区分に応じ当該**6**の（一）から（三）に定める日のいずれか早い日に終了すること。 ②　受贈者が有する有価証券の保管の委託に関する契約に係る権利については、譲渡に係る契約を締結することができないこと。 ③　結婚・子育て資金管理契約に基づいて保管される有価証券は、これを担保に供することができないこと。
（三）	**結婚・子育て資金非課税申告書**	**1**の本文の規定の適用を受けようとする旨、受贈者の氏名及び住所又は居所その他下記の財務省令で定める事項を記載した申告書をいう。 （財務省令で定める事項） 注　（三）に規定する財務省令で定める事項は、次に掲げる事項とする。（措規23の5の4④） ①　（一）のイに規定する受贈者（以下**十一**において「**受贈者**」という。）の氏名、住所又は居所及び個人番号（個人番号を有しない者にあっては、氏名及び住所又は居所。以下**十一**において同じ。）並びに生年月日 ②　**7**に規定する贈与者（以下**十一**において「**贈与者**」という。）の氏名、住所又は居所、生年月日及び①の受贈者との続柄 ③　②の贈与者からの信託又は書面による贈与（贈与をした者の死亡により効力を生ずる

第二編　贈与税

　　2　上記によりその効力を有しないこととなった追加結婚・子育て資金非課税申告書に1の本文の規定の適用を受けるものとして記載された金額については1の本文の規定の適用はないことに留意する。

　　3　上記の結婚・子育て資金非課税申告書又は追加結婚・子育て資金非課税申告書の提出には、❿の規定に基づき、これらの申告書に記載すべき事項の電磁的方法による提供を含むことに留意する（以下、❼の注及び1の（8）において同じ。）。

❸　結婚・子育て資金非課税申告書の提出の効果

　❶又は❷の場合において、❶の結婚・子育て資金非課税申告書又は❷の追加結婚・子育て資金非課税申告書がこれらの規定に規定する取扱金融機関の営業所等に受理されたときは、これらの申告書は、その受理された日にこれらの規定に規定する税務署長に提出されたものとみなす。（措法70の2の3⑤）

❹　住所、氏名等の異動申告

　結婚・子育て資金非課税申告書を提出した受贈者が、その提出後、その住所若しくは居所、氏名又は個人番号の変更をした場合には、当該受贈者は、遅滞なく、その旨その他（1）の財務省令で定める事項を記載した申告書を、当該結婚・子育て資金非課税申告書に係る結婚・子育て資金管理契約に基づく事務を取り扱う取扱金融機関の営業所等を経由し、納税地（住所又は居所を変更したことにより納税地の異動があった場合には、その異動前の納税地）の所轄税務署長に提出しなければならない。（措令40の4の4㉜）

　　　（その他財務省令で定める事項）

（1）　❹に規定する財務省令で定める事項は、次に掲げる事項とする。（措規23の5の4⑬）

（一）	受贈者の氏名、住所又は居所及び個人番号並びに生年月日（当該受贈者が氏名又は住所若しくは居所の変更をした場合には、当該受贈者の氏名、住所又は居所及び生年月日）
（二）	❹に規定する変更前の氏名、住所若しくは居所又は個人番号及び変更後の氏名、住所若しくは居所又は個人番号
（三）	その他参考となるべき事項

　　　（結婚・子育て資金非課税申告書提出後の取扱金融機関の変更）

（2）　結婚・子育て資金非課税申告書を提出した受贈者が、その提出後、当該結婚・子育て資金非課税申告書に係る結婚・子育て資金管理契約に基づく事務を取り扱う取扱金融機関の営業所等（以下（2）において「**移管前の営業所等**」という。）に対して当該事務の全部を移管前の営業所等以外の営業所等（（5）において「**移管先の営業所等**」という。）に移管すべきことを依頼し、かつ、その移管があった場合には、当該受贈者は、遅滞なく、その旨その他（3）の財務省令で定める事項を記載した申告書を、移管前の営業所等を経由し、納税地の所轄税務署長に提出しなければならない。（措令40の4の4㉝）

　　　（財務省令で定める事項）

（3）　（2）に規定する財務省令で定める事項は、次に掲げる事項とする。（措規23の5の4⑮）

（一）	受贈者の氏名、住所又は居所及び個人番号並びに生年月日
（二）	（2）に規定する移管前の営業所等の名称及び所在地並びに（2）に規定する移管先の営業所等の名称及び所在地
（三）	その他参考となるべき事項

　　　（結婚・子育て資金管理契約に関する異動申告書のみなし提出）

（4）　❹又は（2）の場合において、これらの規定による申告書（以下**十一**において「**結婚・子育て資金管理契約に関する異動申告書**」という。）がこれらの規定に規定する取扱金融機関の営業所等に受理されたときは、当該結婚・子育て資金管理契約に関する異動申告書は、その受理された日にこれらの規定に規定する税務署長に提出されたものとみなす。（措令40の4の4㉞）

　　　（移管先の取扱金融機関）

（5）　（2）の規定による結婚・子育て資金管理契約に関する異動申告書の提出があった後においては、当該結婚・子育て資金管理契約に関する異動申告書を提出した受贈者に係る❷の本文及び❼の規定の適用については、当該結婚・子育て資金管理契約に関する異動申告書に係る移管先の営業所等は、これらの規定に規定する取扱金融機関の営業所等とみな

－552－

第三章　贈与税の非課税財産

す。（措令40の4の4㉟）

　　　（結婚・子育て資金管理契約に基づく事務を取り扱う取扱金融機関の営業所等の移管が可能な取扱金融機関の営業所
　　　等）
（6）　（2）の規定により結婚・子育て資金管理契約に基づく事務の移管が可能な取扱金融機関の営業所等は、同一の取扱
　　金融機関内の営業所等に限られることに留意する。（措通70の2の3－12）

　　　（取扱金融機関の営業所等の長の受贈者の個人番号の付記）
（7）　④の規定による申告書（個人番号を有する受贈者が提出するものに限り、個人番号の変更をした場合に提出するも
　　のを除く。）を受理した取扱金融機関の営業所等の長は、当該申告書に、当該申告書を提出した受贈者の個人番号を付記
　　するものとする。（措規23の5の4⑭）

⑤　金融機関の事業譲渡等があった場合の手続

　　事業の譲渡若しくは合併若しくは分割又は取扱金融機関の営業所等の新設若しくは廃止若しくは業務を行う区域の変更
により、結婚・子育て資金非課税申告書を提出した受贈者に係る結婚・子育て資金管理契約に関する事務の全部がその事
業の譲渡を受けた受託者、銀行等若しくは金融商品取引業者（以下⑤において「**金融機関**」という。）、その合併により設
立した金融機関若しくはその合併後存続する金融機関若しくはその分割により資産及び負債の移転を受けた金融機関の営
業所、事務所その他これらに準ずるもの又は同一の金融機関の他の営業所、事務所その他これらに準ずるもの（以下⑤及
び（2）において「**移管先の営業所等**」という。）に移管された場合には、当該移管先の営業所等の長は、遅滞なく、その旨
その他（1）の財務省令で定める事項を記載した書類を当該移管先の営業所等の所在地の所轄税務署長に提出しなければな
らない。（措令40の4の4㊳）

　　　（財務省令で定める事項）
（1）　⑤に規定する財務省令で定める事項は、次に掲げる事項とする。（措規23の5の4⑯）

(一)	2の(二)に規定する結婚・子育て資金管理契約（以下この条において「**結婚・子育て資金管理契約**」という。）に関する事務の全部の移管がされた⑤に規定する移管先の営業所等の名称、所在地及び法人番号並びにその移管がされた年月日
(二)	(一)の結婚・子育て資金管理契約に関する事務の全部の移管をした取扱金融機関の営業所等の名称及び所在地
(三)	(一)の移管があった結婚・子育て資金管理契約に係る結婚・子育て資金非課税申告書等を提出した受贈者の氏名、住所又は居所及び個人番号並びに生年月日
(四)	(三)の受贈者が既に提出した結婚・子育て資金非課税申告書等に記載した非課税拠出額並びに取扱金融機関の営業所等の名称及び所在地並びに当該結婚・子育て資金非課税申告書等を提出した税務署の名称
(五)	その他参考となるべき事項

　　　（移管先の営業所等を取扱金融機関の営業所等とみなす規定）
（2）　⑤の規定による書類の提出があった後においては、⑤の結婚・子育て資金非課税申告書を提出した受贈者に係る②
　　の本文及び⑦の規定の適用については、当該書類の提出に係る移管先の営業所等は、これらの規定に規定する取扱金融
　　機関の営業所等とみなす。（措令40の4の4㊴）

⑥　取扱金融機関の営業所等の長の各種申告書等の提出

　　取扱金融機関の営業所等の長は、受贈者の提出する結婚・子育て資金非課税申告書、追加結婚・子育て資金非課税申告
書、結婚・子育て資金非課税取消申告書、結婚・子育て資金非課税廃止申告書又は結婚・子育て資金管理契約に関する異
動申告書を受理した場合には、遅滞なく、これらの申告書を当該取扱金融機関の営業所等の所在地の所轄税務署長に送付
しなければならない。
　　また、上記の申告書の送付を受けた税務署長が受贈者の納税地の所轄税務署長でないときは、その送付を受けた税務署
長は、遅滞なく、当該申告書を当該所轄税務署長に送付しなければならない。（措令40の4の4㊵㊶）

第二編　贈与税

　　　（取扱金融機関の営業所等の長の各種書類等の保存義務）
（1）　取扱金融機関の営業所等の長は、受贈者から提出された結婚・子育て資金非課税申告書に係る結婚・子育て資金管理契約に基づいて、信託された財産及び当該財産に係る信託受益権、預入された預金若しくは貯金又は保管している有価証券につき帳簿を備え、各人別に、その財産及び信託受益権、預金若しくは貯金の額又は保管している有価証券の価額の明細及びその異動並びに当該結婚・子育て資金管理契約に係る金銭の払出しに関する事項を明らかにし、かつ、当該帳簿を（2）の財務省令で定めるところにより保存しなければならない。

　　　また、取扱金融機関の営業所等の長は、受贈者の提出する結婚・子育て資金非課税申告書、追加結婚・子育て資金非課税申告書、結婚・子育て資金非課税取消申告書、結婚・子育て資金非課税廃止申告書又は結婚・子育て資金管理契約に関する異動申告書を受理した場合には、（2）の財務省令で定めるところにより、これらの申告書の写し（これに準ずるものを含む。）を作成し、これを保存しなければならない。（措令40の4の4㊷㊸）

　　　（財務省令で定めるところ）
（2）　取扱金融機関の営業所等の長は、その作成した（1）の前段に規定する帳簿並びに（1）の後段に規定する結婚・子育て資金非課税申告書、追加結婚・子育て資金非課税申告書、結婚・子育て資金非課税取消申告書、結婚・子育て資金非課税廃止申告書及び結婚・子育て資金管理契約に関する異動申告書の写しを、各人別に整理し、当該帳簿及びこれらの申告書に係る結婚・子育て資金管理契約が終了した日の属する年の翌年3月15日後6年を経過する日まで保存しなければならない。（措規23の5の4⑲）

　　　（取扱金融機関の法人番号の付記）
（3）　（1）の後段に規定する結婚・子育て資金非課税申告書、追加結婚・子育て資金非課税申告書、結婚・子育て資金非課税取消申告書、結婚・子育て資金非課税廃止申告書又は結婚・子育て資金管理契約に関する異動申告書を受理した取扱金融機関の営業所等の長は、これらの申告書に、当該取扱金融機関の法人番号を付記するものとする。（措規23の5の4㉓）

⑦　結婚・子育て資金非課税申告書の不受理

　結婚・子育て資金非課税申告書は、受贈者が既に結婚・子育て資金非課税申告書を提出している場合（既に提出した結婚・子育て資金非課税申告書に係る結婚・子育て資金管理契約が**6**の(三)に掲げる事由に該当したことにより終了している場合を除く。）には提出することができないものとし、結婚・子育て資金非課税申告書に**1**の本文の規定の適用を受けるものとして記載された金額が1,000万円を超えるものである場合又は追加結婚・子育て資金非課税申告書に係る結婚・子育て資金管理契約について既に受理された結婚・子育て資金非課税申告書及び追加結婚・子育て資金非課税申告書に**1**の本文の規定の適用を受けるものとして記載された金額を合計した金額が1,000万円を超えるものである場合には、取扱金融機関の営業所等は、これらの申告書を受理することができない。（措法70の2の3⑥）

　　　（結婚・子育て資金非課税申告書又は追加結婚・子育て資金非課税申告書に記載された非課税拠出額が1,000万円を超えていた場合等におけるこれらの申告書の効力）
注　⑦の規定に反して、提出され又は受理された結婚・子育て資金非課税申告書又は追加結婚・子育て資金非課税申告書は、いずれもその効力を有しないことに留意する。（措通70の2の3—5）
　　（注）　⑦の規定により効力を有しない結婚・子育て資金非課税申告書又は追加結婚・子育て資金非課税申告書に該当するかどうかの判定及びこれらの申告書に**1**の本文の規定の適用を受けるものとして記載された金額についての**1**の本文の規定の適用については、②の(2)《追加結婚・子育て資金非課税申告書を提出することができない取扱金融機関の営業所等に追加結婚・子育て資金非課税申告書が提出された場合におけるその申告書の効力》の(注)にそれぞれ準じて行うことに留意する。

⑧　無効等による結婚・子育て資金非課税の取消

　既に提出した結婚・子育て資金非課税申告書等に係る結婚・子育て資金管理契約（**2**の(二)のイに係るものに限る。）の締結に関する行為若しくは結婚・子育て資金管理契約（同(二)のロ又はハに係るものに限る。）に係る贈与が無効であったこと若しくは当該行為若しくは当該贈与が取り消すことのできる行為であったことにより取り消されたことにより当該結婚・子育て資金非課税申告書等に記載された非課税拠出額がないこととなった場合又は結婚・子育て資金管理契約に基づく信託若しくは結婚・子育て資金管理契約に係る贈与が遺留分を侵害するものとして行われた遺留分侵害額の請求に基づき当該非課税拠出額に相当する額の金銭を支払うべきことが確定した場合には、当該結婚・子育て資金非課税申告書等を提出した受贈者は、遅滞なく、その旨その他（1）の財務省令で定める事項を記載した申告書を、当該結婚・子育て資金管

—554—

理契約に係る取扱金融機関の営業所等を経由し、納税地の所轄税務署長に提出しなければならない。（措令40の4の4㉙）

　　　（財務省令で定める事項）
（1）　⑧に規定する財務省令で定める事項は、次に掲げる事項とする。（措規23の5の4⑫）

(一)	受贈者の氏名、住所又は居所及び個人番号並びに生年月日
(二)	(一)の受贈者が既に提出した結婚・子育て資金非課税申告書等に係る取扱金融機関の営業所等の名称及び所在地
(三)	(二)の結婚・子育て資金非課税申告書等に記載した非課税拠出額、贈与者の氏名及び当該結婚・子育て資金非課税申告書等を提出した税務署の名称
(四)	(三)の非課税拠出額がないこととなった事情又は⑧の遺留分侵害額の請求の基因となった事情の詳細及びその事情の生じた年月日
(五)	その他参考となるべき事項

　　　（結婚・子育て資金非課税廃止申告書のみなし提出）
（2）　⑧の場合において、⑧の規定による申告書（以下**十一**において「**結婚・子育て資金非課税廃止申告書**」という。）が⑧に規定する取扱金融機関の営業所等に受理されたときは、当該結婚・子育て資金非課税廃止申告書は、その受理された日に⑧に規定する税務署長に提出されたものとみなす。（措令40の4の4㉚）

　　　（結婚・子育て資金非課税廃止申告書の提出後の取扱）
（3）　結婚・子育て資金非課税廃止申告書の提出があった場合には、当該結婚・子育て資金非課税廃止申告書に係る結婚・子育て資金非課税申告書等に記載された非課税拠出額についての当該提出があった後における**十一**の規定の適用については、**1**の本文の規定の適用がなかったものとみなす。（措令40の4の4㉛）

⑨　非課税拠出額が減少した場合

　既に提出した結婚・子育て資金非課税申告書等に係る結婚・子育て資金管理契約に基づいて信託された金銭等若しくは結婚・子育て資金管理契約に係る贈与により取得をした金銭等の一部につき信託法第11条第1項の規定による取消権の行使があつたこと若しくは民法第424条第1項の規定による取消権の行使があつたことにより当該結婚・子育て資金非課税申告書等に記載された非課税拠出額が減少することとなった場合又は結婚・子育て資金管理契約に基づく信託若しくは結婚・子育て資金管理契約に係る贈与が遺留分を侵害するものとして行われた遺留分侵害額の請求に基づき当該非課税拠出額の一部に相当する額の金銭を支払うべきことが確定した場合には、当該結婚・子育て資金非課税申告書等を提出した受贈者は、遅滞なく、その旨、当該非課税拠出額のうち当該減少することとなった部分の価額又は当該請求に基づき支払うべき金銭の額（（3）において「**非課税拠出額減価額**」という。）その他（1）の財務省令で定める事項を記載した申告書を、当該結婚・子育て資金管理契約に係る取扱金融機関の営業所等を経由し、納税地の所轄税務署長に提出しなければならない。（措令40の4の4㉖）

　　　（財務省令で定める事項）
（1）　⑨に規定する財務省令で定める事項は、次に掲げる事項とする。（措規23の5の4⑪）

(一)	受贈者の氏名、住所又は居所及び個人番号並びに生年月日
(二)	(一)の受贈者が既に提出した結婚・子育て資金非課税申告書等に係る取扱金融機関の営業所等の名称及び所在地
(三)	(二)の結婚・子育て資金非課税申告書等に記載した非課税拠出額、贈与者の氏名及び当該結婚・子育て資金非課税申告書等を提出した税務署の名称
(四)	⑨の取消権の行使又は⑨の遺留分侵害額の請求の基因となった事情の詳細及びその事情の生じた年月日
(五)	その他参考となるべき事項

　　　（結婚・子育て資金非課税取消申告書のみなし提出）
（2）　⑨の場合において、⑨の規定による申告書（以下**十一**において「**結婚・子育て資金非課税取消申告書**」という。）が⑨に規定する取扱金融機関の営業所等に受理されたときは、当該結婚・子育て資金非課税取消申告書は、その受理された日に⑨に規定する税務署長に提出されたものとみなす。（措令40の4の4㉗）

第二編　贈与税

　　　（取消後の再適用）
（3）　結婚・子育て資金非課税取消申告書の提出があった場合には、当該結婚・子育て資金非課税取消申告書に係る結婚・子育て資金非課税申告書等に記載された非課税拠出額についての当該提出があった後における**十一**の規定の適用については、当該非課税拠出額のうち当該結婚・子育て資金非課税取消申告書に記載された非課税拠出額減価額に相当する金額は、**1**の本文の規定の適用を受けた部分の価額に含まれないものとする。（措令40の4の4㉘）

⑩　**電磁的方法による申告書の記載事項**
　　3の**①**又は**3**の**②**の規定により結婚・子育て資金非課税申告書又は追加結婚・子育て資金非課税申告書を提出しようとする受贈者は、これらの申告書の提出に代えて、これらの規定に規定する取扱金融機関の営業所等に対し、これらの申告書に記載すべき事項を電磁的方法により提供することができる。この場合において、当該受贈者は、これらの申告書を当該取扱金融機関の営業所等に提出したものとみなす。（措法70の2の3⑦）

　　　（読み替え規定）
（1）　⑩の規定の適用がある場合における**③**の規定の適用については、**③**中「又は」とあるのは「に記載すべき事項又は」と、「がこれら」とあるのは「に記載すべき事項がこれら」と、「受理された」とあるのは「提供された」とする。（措法70の2の2⑧）

　　　（結婚・子育て資金非課税申告書等の添付書類）
（2）　⑩の規定により結婚・子育て資金非課税申告書等に記載すべき事項を電磁的方法により提供する受贈者は、当該結婚・子育て資金非課税申告書等への**①**の（2）の（一）から（三）に掲げる書類の添付に代えて、（3）の財務省令で定めるところにより、⑩の取扱金融機関の営業所等に対し、当該書類に記載されている事項を電磁的方法により提供することができる。この場合において、当該受贈者は、当該結婚・子育て資金非課税申告書等に当該書類を添付したものとみなす。（措令40の4の4⑫）

　　　（電磁的記録の提供）
（3）　（2）の規定により（2）の書類に記載されている事項を電磁的方法により提供する受贈者は、（2）の取扱金融機関の営業所等に対し、当該書類に記載されている事項をスキャナにより申告書等に記載すべき事項と併せて提供しなければならない。この場合において、当該受贈者は、当該電磁的記録に記録された事項について、当該取扱金融機関の営業所等がディスプレイの画面への表示ができるようにするための措置を講じなければならない。（措規23の5の4⑥）

　　　（電磁的方法による提供）
（4）　**④**、**④**の（2）又は**⑧**若しくは**⑨**の規定により結婚・子育て資金非課税取消申告書、結婚・子育て資金非課税廃止申告書又は結婚・子育て資金管理契約に関する異動申告書を提出しようとする受贈者は、これらの申告書の提出に代えて、これらの規定に規定する取扱金融機関の営業所等に対し、これらの申告書に記載すべき事項を電磁的方法により提供することができる。この場合において、当該受贈者は、これらの申告書を当該取扱金融機関の営業所等に提出したものとみなす。（措令40の4の4㊱）
　　（注）　（4）及び（5）の規定は、令和3年4月1日以後に（4）の取扱金融機関の営業所等に対して行う電磁的方法による**⑨**の（2）に規定する結婚・子育て資金非課税取消申告書、**⑧**の（2）に規定する結婚・子育て資金非課税廃止申告書又は**④**の（4）に規定する結婚・子育て資金管理契約に関する異動申告書に記載すべき事項の提供について適用する。（令3改措令附29⑥）

　　　（読み替え規定）
（5）　（4）の規定の適用がある場合における**④**の（4）、**⑧**の（2）及び**⑨**の（2）の規定の適用については、これらの規定中「）が」とあるのは「）に記載すべき事項が」と、「受理された」とあるのは「提供された」とする。（措令40の4の4㊲）

4　領収書等の提出
　　1の本文の規定の適用を受ける受贈者は、（2）の政令で定めるところにより選択した次の（一）又は（二）に掲げる場合の区分に応じ（一）又は（二）に定める日までに、結婚・子育て資金の支払に充てた金銭に係る領収書その他の書類でその支払の事実を証するもの（二の規定の適用を受けた贈与により取得した財産が充てられた生活費又は教育費に係るもの及び一に規定する教育資金の支払に充てた金銭に係る**十**の4に規定する領収書等であって同4の規定により**十**の2の（五）に規定する取扱金融機関の**十**の1の本文に規定する営業所等に提出又は提供をしたもの（**十**の4に規定する財務省令で定める書

－556－

第三章　贈与税の非課税財産

類に記載又は記録がされた支払に係る領収書その他の書類でその支払の事実を証するものを含む。）を除く。以下**十一**において「**領収書等**」という。）を、**2**の（五）に規定する取扱金融機関の**1**の本文に規定する営業所等に提出しなければならない。（措法70の2の3⑨）

（一）	結婚・子育て資金の支払に充てた金銭に相当する額を払い出す方法により専ら払出しを受ける場合	当該領収書等に記載された支払年月日から1年を経過する日
（二）	（一）に掲げる場合以外の場合	当該領収書等に記載された支払年月日の属する年の翌年3月15日

　（領収書等の記録）
（1）　**4**の（二）に掲げる場合において、その年中に払い出した金銭の合計額がその年中に結婚・子育て資金の支払に充てたものとして提出を受けた領収書等（当該領収書等に記載された支払年月日その他の記録によりその年中に結婚・子育て資金の支払に充てられたことを確認できるものに限る。）により結婚・子育て資金の支払に充てたことを確認した金額の合計額を下回るときは、**5**の規定により取扱金融機関の営業所等が記録する金額は、当該払い出した金銭の合計額を限度とする。（措法70の2の3⑨）

　（提出期限の選択）
（2）　受贈者は、結婚・子育て資金管理契約の締結の際に当該結婚・子育て資金管理契約において、**4**の（一）又は（二）のいずれかの場合の選択をするものとし、当該選択は変更することができないものとする。（措令40の4の4⑬）

　（領収書の提出方法）
（3）　受贈者は、**4**又は**6**の（1）の（二）の規定により領収書等を取扱金融機関の営業所等に提出する場合には、当該領収書等が**2**の（一）のイの①から③又は**2**の（一）のロの（1）の①から④に掲げる費用に係るものであることを証する書類として（4）の財務省令で定める書類を併せて提出しなければならない。（措令40の4の4⑮）

　（財務省令で定める書類）
（4）　（3）に規定する財務省令で定める書類は、次の（一）又は（二）に掲げる費用の区分に応じ、当該（一）又は（二）に定める書類とする。（措規23の5の4⑦）

（一）	**2**の（一）のイの①から③に掲げる費用　次に掲げる費用の区分に応じ、それぞれ次に定める書類	イ　**2**の（一）のイの①に掲げる費用　　受贈者の戸籍の謄本その他の書類で当該費用に係る婚姻の事実及び当該婚姻の年月日を証するもの
		ロ　**2**の（一）のイの②に掲げる費用　　次に掲げる書類（②に掲げる書類に受贈者又は当該受贈者の配偶者が**2**の（一）のイの②の家屋に居住する旨の記載がある場合には、①及び②に掲げる書類） ①　当該受贈者の戸籍の謄本その他の書類で当該費用に係る婚姻の事実及び当該婚姻の年月日を証するもの ②　**2**の（一）のイの②に規定する賃貸借契約に係る契約書の写しその他の書類で当該賃貸借契約を締結した者及び契約年月日を証するもの ③　当該受贈者又は当該受贈者の配偶者の住民票の写しその他の書類で当該受贈者又は当該受贈者の配偶者が**2**の（一）のイの②の家屋を居住の用に供したことを証するもの
		ハ　**2**の（一）のイの③に掲げる費用　　次に掲げる書類 ①　受贈者の戸籍の謄本その他の書類で当該費用に係る婚姻の事実及び当該婚姻の年月日を証するもの ②　受贈者の住民票の写しその他の書類で当該受贈者が**2**の（一）のイの③の家屋に転居をした事実及び当該転居の年月日を証するもの
（二）	**2**の（一）のロの①から④に掲げる費用　次に掲げる費用の区分に応	イ　**2**の（一）のロの①に掲げる費用（受贈者の配偶者に係るものに限る。）　　当該受贈者の配偶者の住民票の写しその他の書類で当該費用に係る当該受贈者の配偶者の氏名及び当該受贈者の配偶者である旨を証するもの
		ロ　**2**の（一）のロの②に掲げる費用　　次に掲げる書類 ①　受贈者の配偶者の住民票の写しその他の書類で当該費用に係る当該受贈者の配偶者の氏名

第二編　贈与税

	じ、それぞれ次に定める書類	及び当該受贈者の配偶者である旨を証するもの（当該費用が当該受贈者の配偶者に係るものである場合に限る。） ②　当該費用に係る出産の事実及び当該出産の年月日を証する書類
	ハ	2の（一）のロの③又は④に掲げる費用　受贈者の子の住民票の写し、戸籍の謄本その他の書類でこれらの費用に係る当該受贈者の子の氏名及び生年月日並びに当該受贈者の子である旨を証するもの

（提出の必要がない書類）

（5）　（4）の規定にかかわらず、受贈者が既に取扱金融機関の営業所等に提出した**4**に規定する領収書等（**5**の（1）の（一）において「**領収書等**」という。）に係る（4）の（一）又は（二）に定める書類と同一の書類を提出することとなる場合には、当該書類は、提出することを要しない。（措規23の5の4⑧）

（未婚姻により提出できない場合）

（6）　（3）の規定により領収書等が**2**の（一）のイの①から③に掲げる費用に係るものであることを証する書類を提出しなければならない場合において、当該領収書等を提出する日にまだ婚姻の届出をしていないため当該書類を提出できないときは、その旨その他（7）の財務省令で定める事項を記載した届出書を当該領収書等と併せて提出し、かつ、当該領収書等に記載された支払年月日から1年を経過する日（**5**の（4）において「**提出期限**」という。）までに当該書類を前項の取扱金融機関の営業所等に提出しなければならない。ただし、既に当該届出書を当該取扱金融機関の営業所等に提出したことがある場合には、この限りでない。（措令40の4の4⑯）

（財務省令で定める事項）

（7）　（6）に規定する財務省令で定める事項は、次に掲げる事項とする。（措規23の5の4⑨）

（一）	受贈者の氏名、住所又は居所及び生年月日
（二）	（一）の受贈者の配偶者となる予定の者の氏名、住所又は居所及び生年月日
（三）	婚姻の予定年月日
（四）	（6）に規定する提出期限までに（4）の（一）に定める書類を提出することを約する旨

（過去に支払われた結婚・子育て資金）

（8）　**1**の本文の規定により最初に信託がされる日、預金若しくは貯金の預入をする日又は有価証券を購入する日の属する年に支払われた結婚・子育て資金がある場合における**4**又は**4**の（1）の規定の適用については、これらの規定に規定する領収書等には、当該信託がされる日、預金若しくは貯金の預入をする日又は有価証券を購入する日前に支払われた結婚・子育て資金に係るものを含まないものとする。（措令40の4の4⑭）

（郵便等により結婚・子育て資金非課税申告書等の提出があった場合）

（9）　郵便又は民間事業者による信書の送達に関する法律第2条第6項に規定する一般信書便事業者若しくは同条第9項に規定する特定信書便事業者による同条第2項に規定する信書便（以下（9）において「信書便」という。）により取扱金融機関の営業所等に結婚・子育て資金非課税申告書、追加結婚・子育て資金非課税申告書、結婚・子育て資金非課税取消申告書、結婚・子育て資金非課税廃止申告書又は結婚・子育て資金管理契約に関する異動申告書（以下（9）において「結婚・子育て資金非課税申告書等」という。）の提出があった場合には、当該結婚・子育て資金非課税申告書等はその発信日（郵便物又は同条第3項に規定する信書便物（以下（9）において「信書便物」という。）の通信日付印により表示された日）に受理されたものとする。（措通70の2の3−6）

（注）1　取扱金融機関の営業所等の長は、郵便又は信書便による結婚・子育て資金非課税申告書等を受理した場合には、当該結婚・子育て資金非課税申告書等に当該営業所等における受理日付のほか、郵便又は信書便によって受理した旨及びその郵便物又は信書便物の通信日付印の日付を付記するものとする。

　　　2　**4**に規定する領収書等が郵便又は信書便により提出された場合については、上記に準じて取り扱って差し支えない。

（領収書等に記載された金額が外国通貨により表示されている場合の邦貨換算）

（10）　取扱金融機関の営業所等は、**4**の規定により提出された**4**に規定する領収書等に記載された金額が外国通貨により表示されている場合には、当該取扱金融機関の営業所等が確認した当該領収書等に記載された支払の年月日における最

—558—

終の為替相場（取扱金融機関などの金融機関が公表する対顧客直物電信売相場をいう。また、同日に当該相場がない場合には、同日前の当該相場のうち、同日に最も近い日の当該相場とする。）により邦貨換算を行い**5**の記録を行うこととする。（措通70の2の3－8）

(注) 当該取扱金融機関の営業所等が当該最終の為替相場を確認できない場合には、領収書等に記載された支払の年月日における最終の為替相場（取扱金融機関などの金融機関が公表する対顧客直物電信売相場と対顧客直物電信買相場の仲値をいう。また、同日に当該相場がない場合には、同日前の当該相場のうち、同日に最も近い日の当該相場とする。）によっても差し支えない。

5 取扱金融機関の領収書等による確認・記録・保存

　取扱金融機関の営業所等は、**4**の規定により受贈者から提出を受けた領収書等により払い出した金銭が結婚・子育て資金の支払に充てられたことを確認し、当該領収書等に記載された支払の金額及び年月日について記録をし、かつ、当該領収書等を受領した日から当該受贈者に係る結婚・子育て資金管理契約が終了した日の属する年の翌年3月15日後6年を経過する日までの間、（1）の財務省令で定める方法により当該領収書等及び当該記録（**7**の（三）の規定による記録を含む。）を保存しなければならない。（措法70の2の3⑩）

　（財務省令で定める方法）
（1）　**5**に規定する財務省令で定める方法は、次の（一）又は（二）に掲げるものの区分に応じ、当該（一）又は（二）に定める方法とする。（措規23の5の4⑩）

（一）	領収書等　　当該領収書等又はその写しを各人別に整理し保存する方法
（二）	**5**に規定する記録　　当該記録を各人別に整理し保存する方法

　（領収書等の保存）
（2）　取扱金融機関の営業所等は、**6**本文の規定により結婚・子育て資金非課税申告書等に添付された**6**の（一）から（三）に掲げる書類を受理したとき、**4**の（3）及び（6）の規定により提出された**4**の（3）の書類を受理したとき、又は**4**の（6）の規定により提出された**4**の（6）の届出書を受理したときは、これらの書類又は届出書を受理した日からこれらの規定の適用に係る結婚・子育て資金管理契約が終了した日の属する年の翌年3月15日後六年を経過する日までの間、各人別に、これらの書類又は届出書を保存しなければならない。（措令40の4の4⑰）

　（領収書等の記録）
（3）　取扱金融機関の営業所等が**5**の記録をする場合（**4**の（1）の規定の適用がある場合に限る。）において、その記録をしようとする金額のうちに**2**の（一）のイに掲げる金銭の額と**2**の（一）のロに掲げる金銭の額とがあるときは、まず同ロに掲げる金銭の額の記録をし、なお**4**の（1）のその年中に払い出した金銭の合計額に満たない金額があるときは、**2**の（一）のイに掲げる金銭の額のうち当該満たない金額の記録をするものとする。（措令40の4の4⑲）

　（未婚姻者の領収書等の記録）
（4）　取扱金融機関の営業所等は、**4**の（6）本文の規定により**4**の（6）の届出書が領収書等と併せて提出された場合には、**5**の規定により結婚・子育て資金の支払に充てられたことを確認したものとして**5**の記録をするものとする。この場合において、**4**の（6）本文の規定により提出期限までに当該領収書等が**2**の（一）のイの①から③に掲げる費用に係るものであることを証する書類の提出がなかったときは、当該取扱金融機関の営業所等は、当該記録を訂正しなければならない。（措令40の4の4⑳）

　（結婚・子育て資金支出額の訂正）
（5）　（4）後段の規定による訂正があった場合における**7**の（二）、**8**及び**8**の（2）の規定の適用については、結婚・子育て資金支出額（**7**の（二）に規定する結婚・子育て資金支出額をいう。**7**の（1）及び（2）において同じ。）は、その訂正後のものとする。（措令40の4の4㉑）

6 結婚・子育て資金管理契約の終了

　結婚・子育て資金管理契約は、次の（一）から（三）までに掲げる事由の区分に応じ当該（一）から（三）までに定める日のいずれか早い日に終了するものとする。（措法70の2の3⑬）

（一）	受贈者が50歳に達したこと	当該受贈者が50歳に達した日

第二編　贈与税

（ニ）	受贈者が死亡したこと	当該受贈者が死亡した日
（三）	結婚・子育て資金管理契約に係る信託財産の価額が零となった場合、結婚・子育て資金管理契約に係る預金若しくは貯金の額が零となった場合又は結婚・子育て資金管理契約に基づき保管されている有価証券の価額が零となった場合において受贈者と取扱金融機関との間でこれらの結婚・子育て資金管理契約を終了させる合意があったこと	当該結婚・子育て資金管理契約が当該合意に基づき終了する日

（終了した場合の領収書の適用）
（1）　**6**の（一）又は（三）に掲げる事由により結婚・子育て資金管理契約が終了した場合における**4**又は**4**の（1）の規定の適用については、次に定めるところによる。（措令40の4の4⑱）

（一）	**4**又は**4**の（1）に規定する領収書等には、結婚・子育て資金管理契約が終了する日後に支払われた結婚・子育て資金に係るものを含まないものとする。
（ニ）	結婚・子育て資金管理契約が終了した日において取扱金融機関の営業所等に対してまだ提出していない領収書等がある場合には、受贈者は、**4**の規定にかかわらず、当該結婚・子育て資金管理契約が終了する日の属する月の翌月末日までに、当該領収書等を当該取扱金融機関の営業所等に提出しなければならない。

（結婚・子育て資金管理契約が終了した場合の贈与税の課税関係等）
（2）　**6**の規定により結婚・子育て資金管理契約が終了した場合において、非課税拠出額から結婚・子育て資金支出額（**7**の（ニ）の規定により相続により取得したものとみなされた管理残額を含む。）を控除した残額（以下（2）において「残額」という。）があるときの当該残額に係る贈与税の課税関係は、次の表のとおりとなることに留意する。（措通70の2の3－10）

終了事由	贈与税の課税関係	
	課税価格への算入の有無	課税方法
（一）　受贈者が50歳に達したこと。 （ニ）　結婚・子育て資金管理契約に係る信託財産の価額、預金若しくは貯金の額又は有価証券の価額が零となった場合において、受贈者と取扱金融機関との間で当該結婚・子育て資金管理契約を終了させる合意があったこと。	有（注1）	暦年課税（注2）又は相続時精算課税（注3）
（三）　受贈者が死亡したこと。	無（注4）	

（注）1　生存贈与者（結婚・子育て資金管理契約の終了の日において生存している贈与者をいう。（以下（2）において同じ。））が2以上ある場合には、残額に次の割合を乗じて算出した金額をそれぞれの生存贈与者から贈与により取得をしたものとみなされることに留意する。

$$\frac{各生存贈与者から取得した信託受益権又は金銭等のうち贈与税の課税価格に算入しなかった金額に相当する部分の価額}{※非課税拠出額}$$

　　　※　当該結婚・子育て資金管理契約の終了の日までに死亡した贈与者がある場合には、当該非課税拠出額から当該死亡した贈与者から取得した信託受益権又は金銭等のうち贈与税の課税価格に算入しなかった金額に相当する部分の価額を控除した金額となることに留意する。

　　　2　**8**の（一）の規定により贈与税の課税価格に算入される残額（※）に次の割合を乗じて算出した金額については、第五章第三節二の（2）に規定する一般贈与財産とみなされることに留意する。

$$\frac{令和5年4月1日以後に当該生存贈与者から取得をした信託受益権又は金銭等のうち贈与税の課税価格に算入しなかった金額に相当する部分の価額}{当該生存贈与者から取得をした信託受益権又は金銭等のうち贈与税の課税価格に算入しなかった金額に相当する部分の価額}$$

　　　※　生存贈与者が2以上ある場合は、（注）1の定めにより算出した残額となることに留意する。

　　　3　受贈者が生存贈与者に係る相続時精算課税適用者である場合には、当該生存贈与者から取得をしたものとみなされた残額について相続時精算課税が適用され、相続時精算課税適用者でない場合には、相続時精算課税の適用要件を満たしていれば当該残額について相続時精算課税を選択できることに留意する。

　　　4　**6**の（ニ）に掲げる事由により結婚・子育て資金管理契約が終了した場合には、**6**の（ニ）に定める日において残額があるときであっても当該残額については贈与税の課税価格に算入されないことに留意する。

第三章　贈与税の非課税財産

（結婚・子育て資金管理契約が終了した後に贈与者が死亡した場合の相続税法第19条等の適用）

（3）　**6**の（一）又は（三）に掲げる事由により結婚・子育て資金管理契約が終了し**8**の規定の適用により贈与税の課税価格に算入すべき価額がある場合において、当該贈与者に係る贈与者が死亡したときは、当該贈与者の死亡に係る相続税の課税価格の計算において、当該課税価格に算入すべき価額は、第一編第四章第二節**四**の1、第三編第一章第三節**一**又は同節**二**の適用により当該贈与者の死亡に係る相続税の課税価格に算入されることに留意する。

　　なお、**6**の（一）又は（三）に掲げる事由により結婚・子育て資金管理契約が終了し、**1**の本文の規定の適用を受けて贈与税の課税価格に算入されなかった価額がある場合において、当該贈与者が死亡したときの当該算入されなかった価額は、第一編第四章第二節**四**の1、第三編第一章第三節**一**又は同節**二**の規定の適用により当該贈与者の死亡に係る相続税の課税価格に算入されないことに留意する。（措通70の2の3−11）

（注）　第一編第四章第二節**四**の1、第三編第一章第三節**一**又は同節**二**の規定の適用により贈与者の死亡に係る相続税の課税価格に算入されることとなるのは、これらの規定の適用要件を満たす場合に限られることに留意する。

7　贈与者が契約終了の日までに死亡した場合

　贈与者（受託者との間の結婚・子育て資金管理契約に基づき受贈者を受益者とする信託をした当該受贈者の直系尊属又は受贈者に対し結婚・子育て資金管理契約に基づき預金若しくは貯金の預入若しくは有価証券の購入をするための金銭等の書面による贈与をした当該受贈者の直系尊属をいう。以下**7**及び**9**の②の（三）において同じ。）が**1**の本文の規定の適用に係る結婚・子育て資金管理契約に基づき信託をした日、**1**の本文の規定の適用に係る結婚・子育て資金管理契約に基づき預金若しくは貯金をするための金銭の書面による贈与をした日又は**1**の本文の規定の適用に係る結婚・子育て資金管理契約に基づき有価証券の購入をするための金銭等の書面による贈与をした日からこれらの結婚・子育て資金管理契約の終了の日までの間に、当該贈与者が死亡した場合には、次に定めるところによる。（措法70の2の3⑫）

（一）	当該贈与者に係る受贈者は、当該贈与者が死亡した事実を知った場合には、速やかに、当該贈与者が死亡した旨を取扱金融機関の営業所等に届け出なければならない。
（二）	当該贈与者に係る受贈者については、当該贈与者が死亡した日における非課税拠出額から結婚・子育て資金支出額（**9**の②の（2）の規定による訂正があった場合には、その訂正後のものとし、**2**の（一）のイに掲げる結婚・子育て資金については、300万円を限度とする。**8**及び**8**の（2）において同じ。）を控除した残額として（1）の政令で定める金額（以下**7**及び**8**において「**管理残額**」という。）を当該贈与者から相続（当該受贈者が当該贈与者の相続人以外の者である場合には、遺贈。（三）及び**8**において同じ。）により取得したものとみなして、相続税法その他相続税に関する法令の規定を適用する。
（三）	取扱金融機関の営業所等は、（二）の規定により相続により取得したものとみなされた管理残額及び当該贈与者が死亡した日を記録しなければならない。
（四）	当該贈与者から相続又は遺贈により管理残額以外の財産を取得しなかった受贈者に係る第一編第四章第二節の**四**の規定の適用については、同**四**の1中「遺贈」とあるのは、「遺贈（第二編第三章**十一**の7の（二）（直系尊属から結婚・子育て資金の一括贈与を受けた場合の贈与税の非課税）の規定によりみなされる相続又は遺贈を除く。）」とする。

　　（政令で定める金銭）

（1）　**7**の（二）に規定する政令で定める金額は、贈与者が死亡した日における**7**の結婚・子育て資金管理契約に係る非課税拠出額から同日における当該結婚・子育て資金管理契約に係る結婚・子育て資金支出額（**5**の（4）後段の規定による訂正があった場合には、その訂正後のものとし、同日前に**7**の（二）の規定により相続又は遺贈（贈与をした者の死亡により効力を生ずる贈与を含む。）により取得したものとみなされた金額がある場合には、当該みなされた金額を含む。）を控除した残額に、当該贈与者から取得をした信託受益権又は金銭等のうち**1**の本文の規定の適用を受けて贈与税の課税価格に算入しなかった金額に相当する部分の価額が当該非課税拠出額（同日前に死亡した他の贈与者がある場合には、当該非課税拠出額から当該他の贈与者から取得をした信託受益権又は金銭等のうち**1**の本文の規定の適用を受けて贈与税の課税価格に算入しなかった金額に相当する部分の価額を控除した残額）のうちに占める割合を乗じて算出した金額とする。（措令40の4の4㉔）

　　（死亡日において未確認の領収書等の取扱い）

（2）　**7**の（二）の贈与者が死亡した日における結婚・子育て資金支出額には、同日以前に支払われた結婚・子育て資金であって同日においてまだ**5**の規定による確認及び記録がされていないものを含むものとする。（措令40の4の4㉓）

—561—

第二編　贈与税

（第一編第四章第二節**四**の1の不適用）
（3）　贈与者が結婚・子育て資金管理契約に基づき信託をした日又は結婚・子育て資金管理契約に基づき預金若しくは貯金の預入若しくは有価証券の購入をするための金銭等の書面による贈与をした日からこれらの結婚・子育て資金管理契約の終了の日までの間に当該贈与者が死亡した場合において、当該贈与者に係る受贈者が1の本文の規定の適用を受けたときは、当該受贈者が当該信託又は当該贈与により取得をした信託受益権又は金銭等の価額（1の本文の規定の適用を受けて贈与税の課税価格に算入しなかった金額に相当する部分の価額に限る。）については、第一編第四章第二節**四**の1の規定は、適用しない。（措令40の4の4㉒）

（結婚・子育て資金管理契約の終了の日までに贈与者が死亡した場合の相続税の課税関係等）
（4）　贈与者が1の本文の規定の適用に係る結婚・子育て資金管理契約に基づき信託をした日、1の本文の規定の適用に係る結婚・子育て資金管理契約に基づき預金若しくは貯金をするための金銭の書面による贈与をした日又は1の本文の規定の適用に係る結婚・子育て資金管理契約に基づき有価証券の購入をするための金銭等の書面による贈与をした日からこれらの結婚・子育て資金管理契約の終了の日までの間に、当該贈与者が死亡した場合の相続税の課税関係は、次のとおりとなることに留意する。（措通70の2の3－9）
（一）　当該贈与者に係る受贈者については、当該贈与者が死亡した日において非課税拠出額から結婚・子育て資金支出額（9の②の（2）の規定による訂正があった場合には、その訂正後のものとし、2の（一）のイに掲げる結婚に際して支出する費用については、300万円を限度とする。以下同じ。）を控除した残額として計算した金額（以下「管理残額」という。）を当該贈与者から相続（当該受贈者が当該贈与者の相続人以外の者である場合には、遺贈。以下（5）（（四）を除く。）において同じ。）により取得したものとみなして、相続税法その他の相続税に関する法令の規定を適用する。この場合において、管理残額は、次の算式により算出した金額である。

$$
\left[
\begin{array}{l}
\text{贈与者が死亡した日にお}\\
\text{ける結婚・子育て資金管}\\
\text{理契約に係る非課税拠出}\\
\text{額}
\end{array}
-
\begin{array}{l}
\text{贈与者が死亡した日にお}\\
\text{ける結婚・子育て資金管}\\
\text{理契約に係る結婚・子育}\\
\text{て資金支出額（注1）}
\end{array}
\right]
\times
\dfrac{
\begin{array}{l}
\text{死亡した贈与者から取得した信託受益権又は金銭}\\
\text{等のうち1の規定の適用を受け、贈与税の課税価格}\\
\text{に算入しなかった金額に相当する部分の価額}
\end{array}
}{\text{非課税拠出額（注2）}}
$$

(注)1　5の（4）後段の規定による訂正があった場合には、その訂正後の金額とし、当該贈与者の死亡の日前に7の（二）の規定により相続により取得したものとみなされた金額がある場合には、当該みなされた金額を含むことに留意する。
　　2　当該贈与者の死亡の日前に死亡した他の贈与者がある場合には、当該非課税拠出額から当該他の贈与者から取得をした信託受益権又は金銭等のうち1の本文の規定の適用を受けて贈与税の課税価格に算入しなかった金額に相当する部分の価額を控除した残額となることに留意する。
（二）　1の本文の規定の適用を受け贈与税の課税価格に算入しなかった金額については、第一編第四章第二節**四**の1、第三編第一章第三節**一**及び同節**二**の規定の適用がない。
（三）　管理残額を相続により取得したものとみなされる場合（死亡した贈与者から令和3年3月31日以前に取得した信託受益権又は金銭等のうち1の本文の規定の適用を受け、贈与税の課税価格に算入しなかった金額がある場合に限る（注1）。）における第一編第六章第二節（相続税額の加算）の規定の適用により受贈者に係る相続税額に加算する金額の計算ついては、次に掲げる算式により行う。

$$
\begin{array}{l}\text{受贈者に係る相続税}\\\text{額に加算する金額}\end{array}
=
\left(
\begin{array}{l}\text{受贈者に係る相続税法第17条の}\\\text{規定により算出した相続税額}\end{array}
-
\begin{array}{l}\text{管理残額に対応する}\\\text{相続税額（注2）}\end{array}
\right)
\times
\dfrac{20}{100}
$$

(注)1　当該贈与者からの信託受益権又は金銭等の取得が令和3年4月1日以後のみである場合には、上記の算式による計算を行う必要がないことに留意する。
　　2　管理残額に対応する相続税額は、次の算式により算出する。

$$
\begin{array}{l}\text{受贈者に係る相続税法第17条の}\\\text{規定により算出した相続税額}\end{array}
\times
\dfrac{A}{B}
$$

$$
A=\text{管理残額}\times
\dfrac{
\begin{array}{l}\text{令和3年3月31日以前に当該贈与者から取得した信託受益権又は金銭等のうち1の本文の}\\\text{規定の適用を受け贈与税の課税価格に算入しなかった金額}\end{array}
}{
\begin{array}{l}\text{当該贈与者から取得した信託受益権又は金銭等のうち1の本文の規定の適用を受け贈与税}\\\text{の課税価格に算入しなかった金額}\end{array}
}
$$

B＝当該受贈者の相続税の課税価格
A/Bの割合が1を超える場合には、1とする。
（四）　当該贈与者から相続又は遺贈により管理残額以外の財産を取得しなかった受贈者（当該受贈者が当該贈与者に係る相続時精算課税適用者である場合を除く。）については、第一編第四章第二節**四**の1の規定の適用がない。

第三章　贈与税の非課税財産

8　契約終了後の結婚・子育て資金の残高の課税価格

　6の(一)又は(三)に掲げる事由に該当したことにより結婚・子育て資金管理契約が終了した場合において、当該結婚・子育て資金管理契約に係る非課税拠出額から結婚・子育て資金支出額（7の(二)の規定により相続により取得したものとみなされた管理残額を含む。（2）において同じ。）を控除した残額があるときは、次に定めるところによる。（措法70の2の3⑭）

（一）　当該残額については、当該結婚・子育て資金管理契約に係る受贈者の6の(一)又は(三)に定める日の属する年の贈与税の課税価格に算入する。

（二）　第五章第三節**二**の規定の適用については、当該残額は、同**二**の（2）に規定する一般贈与財産とみなす。

　　（注）1　改正後の**8**の規定は、令和5年4月1日以後に**1**に規定する信託受益権、金銭又は**1**に規定する金銭等（以下**8**において「信託受益権等」という。）を取得する個人（以下**8**において「新法適用者」という。）に係る当該信託受益権等に係る贈与税について適用し、令和5年3月31日以前に信託受益権等を取得した個人（新法適用者を除く。）に係る当該信託受益権等に係る贈与税については、なお従前の例による。この場合において、令和5年3月31日以前に信託受益権等を取得した新法適用者に係る改正後の**8**の(二)の規定により一般贈与財産とみなされる**8**に規定する残額の計算に関し必要な事項は、（注）2で定める。（令5改所法等附51③）

　　　　2　令和5年3月31日以前に**7**に規定する贈与者から（注）1に規定する信託受益権等を取得した（注）1に規定する新法適用者に係る一般贈与財産とみなされる**8**に規定する残額は、**8**に規定する残額（（1）の(二)の規定の適用がある場合には、当該贈与者に係る（1）の(二)の規定により算出した金額）に、令和5年4月1日以後に当該贈与者から取得をした信託受益権等のうち改正後の**1**本文の規定の適用を受けて贈与税の課税価格に算入しなかった金額に相当する部分の価額が、当該価額と令和5年3月31日以前に当該贈与者から取得をした信託受益権等のうち改正前の**1**本文の規定の適用を受けて贈与税の課税価格に算入しなかった金額に相当する部分の価額との合計額のうちに占める割合を乗じて計算するものとする。（令5改措令附則14⑥）

（残額に対する贈与税）

（1）　結婚・子育て資金管理契約が終了した場合において、**8**の(一)の規定により贈与税の課税価格に算入される残額があるときにおける当該残額に係る贈与税については、次に定めるところによる。（措令40の4の4㉕）

（一）	受贈者が、当該残額を贈与者（当該結婚・子育て資金管理契約の終了の日までに死亡した贈与者を除く。（二)において「**生存贈与者**」という。）から当該結婚・子育て資金管理契約の終了の日において贈与により取得したものとみなして、相続税法その他贈与税に関する法令の規定を適用する。
（二）	（一)の受贈者に係る生存贈与者が2以上ある場合には、当該残額に当該生存贈与者から取得をした信託受益権又は金銭等のうち**1**本文の規定の適用を受けて贈与税の課税価格に算入しなかった金額に相当する部分の価額が当該結婚・子育て資金管理契約に係る非課税拠出額（当該結婚・子育て資金管理契約の終了の日までに死亡した贈与者がある場合には、当該非課税拠出額から当該死亡した贈与者から取得をした信託受益権又は金銭等のうち**1**本文の規定の適用を受けて贈与税の課税価格に算入しなかった金額に相当する部分の価額を控除した残額）のうちに占める割合をそれぞれ乗じて算出した金額を当該生存贈与者からそれぞれ取得をしたものとみなして、相続税法その他贈与税に関する法令の規定を適用する。

（結婚・子育て資金支出額の残額の非課税額）

（2）　6の(二)に掲げる事由に該当したことにより結婚・子育て資金管理契約が終了した場合には、当該結婚・子育て資金管理契約に係る非課税拠出額から結婚・子育て資金支出額を控除した残額については、贈与税の課税価格に算入しない。（措法70の2の3⑮）

9　結婚・子育て資金管理契約が終了した場合の調書の提出・通知義務など

①　調書の税務署長への提出

　取扱金融機関の営業所等の長は、結婚・子育て資金管理契約が終了した場合には、当該結婚・子育て資金管理契約に係る受贈者の氏名及び住所又は居所その他の(1)の財務省令で定める事項を記載した調書（**③**及び**③**の(1)において「**結婚・子育て資金管理契約の終了に関する調書**」という。）を当該結婚・子育て資金管理契約が終了した日（当該結婚・子育て資金管理契約が**6**の(二)に掲げる事由に該当したことにより終了した場合には、取扱金融機関の営業所等の長が当該事由を知った日）の属する月の翌々月末日までに当該受贈者の納税地の所轄税務署長に提出しなければならない。（措法70の2の3⑯）

（財務省令で定める事項）

（1）　①に規定する財務省令で定める事項は、次に掲げる事項とする。（措規23の5の4⑰）

—563—

第二編　贈与税

（一）	①に規定する結婚・子育て資金管理契約の終了に関する調書（以下（1）において**「結婚・子育て資金管理契約の終了に関する調書」**という。）に係る結婚・子育て資金管理契約が終了した日における当該結婚・子育て資金管理契約に係る受贈者の氏名、住所又は居所及び個人番号並びに生年月日
（二）	（一）の結婚・子育て資金管理契約に係る贈与者の氏名
（三）	（一）の結婚・子育て資金管理契約が終了した事由及び終了した日（当該結婚・子育て資金管理契約が**6**の（二）に掲げる事由により終了した場合にあっては、当該結婚・子育て資金管理契約が終了した日及び取扱金融機関の営業所等の長が当該事由を知った日）
（四）	（一）の結婚・子育て資金管理契約に係る非課税拠出額及び**7**の（二）に規定する結婚・子育て資金支出額（結婚・子育て資金管理契約の終了に関する調書の提出の時までに（2）後段の規定による訂正があった場合には、その訂正後のもの）
（五）	（二）の贈与者が（一）の結婚・子育て資金管理契約の終了の日までに死亡した場合にあっては、当該贈与者の氏名、当該贈与者が死亡した年月日及び**7**の（二）の規定により相続又は遺贈により取得したものとみなされた当該贈与者に係る同（二）に規定する管理残額
（六）	（一）の結婚・子育て資金管理契約に係る結婚・子育て資金非課税申告書等、**3**の**⑨**の（2）に規定する結婚・子育て資金非課税取消申告書又は**3**の**④**の（4）に規定する結婚・子育て資金管理契約に関する異動申告書を提出した税務署の名称及び提出年月日
（七）	**4**の（6）本文の規定により同（6）の届出書を提出している場合において、結婚・子育て資金管理契約の終了に関する調書の提出の時においてまだ**4**の（4）の（一）に定める書類の提出がなく、かつ、**4**の（6）に規定する提出期限が到来していないときは、その旨及び**5**の（4）前段の規定により結婚・子育て資金の支払に充てられたものとして記録をした金額
（八）	その他参考となるべき事項

（結婚・子育て資金管理契約の終了に関する調書の様式）
（2）　①に規定する結婚・子育て資金管理契約の終了に関する調書の様式は、別表第十二（六）による。（措令40の4の4㊹、措規23の5の4㉑）

（別表十二（六）の一部削除）
（3）　国税庁長官は、別表第十二（六）の様式について必要があるときは、所要の事項を付記すること又は一部の事項を削ることができる。（措規23の5の4㉒）

②　税務署長の通知義務

　税務署長は、次に掲げる事実を知った場合には、取扱金融機関の営業所等の長にその旨その他下記の財務省令で定める事項を通知するものとする。（措法70の2の3⑰）

（一）	受贈者が結婚・子育て資金の支払に充てるために取扱金融機関の営業所等から払い出した金銭が結婚・子育て資金の支払に充てられていないこと。
（二）	当該受贈者に係る結婚・子育て資金非課税申告書が2以上の取扱金融機関の営業所等に提出されていること又は当該受贈者に係る非課税拠出額が1,000万円を超えること。
（三）	受贈者が贈与者から**1**の本文の規定の適用に係る信託受益権、金銭又は金銭等を取得した日の属する年の前年分の当該受贈者の所得税に係る所得税法第2条《定義》第1項第30号の合計所得金額が1,000万円を超えること。

（財務省令で定める事項）
（1）　②に規定する財務省令で定める事項は、次の（一）又は（二）に掲げる場合の区分に応じ、当該（一）又は（二）に定める事項とする。（措規23の5の4⑱）

（一）	税務署長が②の（一）に掲げる事実を知った場合　次に掲げる事項	イ　受贈者が**2**の（一）に規定する結婚・子育て資金（イにおいて**「結婚・子育て資金」**という。）の支払に充てるために取扱金融機関の営業所等から払い出した金銭が結婚・子育て資金の支払に充てられていない旨 ロ　イの受贈者の氏名、住所又は居所及び生年月日

－564－

第三章　贈与税の非課税財産

		ハ　イの結婚・子育て資金の支払に充てられていない金銭の額
		ニ　その他参考となるべき事項
(二)	税務署長が**②**の(二)に掲げる事実を知った場合　次に掲げる事項	イ　受贈者に係る結婚・子育て資金非課税申告書等が２以上の取扱金融機関の営業所等に提出された旨又は受贈者に係る結婚・子育て資金非課税申告書等に記載された非課税拠出額が1,000万円を超えている旨
		ロ　イの受贈者の氏名、住所又は居所及び生年月日
		ハ　その他参考となるべき事項
(三)	税務署長が**②**の(三)に掲げる事実を知った場合	イ　受贈者が贈与者から**1**の本文の規定の適用に係る信託受益権、金銭又は金銭等を取得した日の属する年の前年分の当該受贈者の所得税に係る所得税法第２条第１項第30号の合計所得金額が1,000万円を超えている旨
		ロ　イの受贈者の氏名、住所又は居所及び生年月日
		ハ　その他参考となるべき事項

（保存記録の訂正）

（２）　取扱金融機関の営業所等の長は、**②**の規定による税務署長からの通知（**②**の(一)に掲げる事実に係るものに限る。）を受けたときは、当該通知に基づき**5**の記録を訂正しなければならない。（措法70の２の３⑱）

③　税務職員の検査権

　国税庁、国税局又は税務署の当該職員は、結婚・子育て資金管理契約の終了に関する調書の提出に関する調査について必要があるときは、当該結婚・子育て資金管理契約の終了に関する調書を提出する義務がある者に質問し、その者の結婚・子育て資金管理契約に関する帳簿書類その他の物件を検査し、又は当該物件（その写しを含む。）の提示若しくは提出を求めることができる。（措法70の２の３⑳）

（調査物件の留置き）

（１）　国税庁、国税局又は税務署の当該職員は、結婚・子育て資金管理契約の終了に関する調書の提出に関する調査について必要があるときは、当該調査において提出された物件を留め置くことができる。（措法70の２の３㉑）

（国税通則法施行令の準用）

（２）　国税通則法施行令第30条の３の規定は、（１）の規定により物件を留め置く場合について準用する。（措令40の４の４㊼）

（身分証の提示）

（３）　国税庁、国税局又は税務署の当該職員は、**③**の規定による質問、検査又は提示若しくは提出の要求をする場合には、その身分を示す証明書を携帯し、関係人の請求があったときは、これを提示しなければならない。（措法70の２の３㉒）

（税務職員の権限の意義）

（４）　**③**及び（１）の規定による当該職員の権限は、犯罪捜査のために認められたものと解してはならない。（措法70の２の３㉓）

第四章　贈与税の課税価格

1　居住無制限納税義務者に該当する者又は非居住無制限納税義務者に該当する者の課税価格

　贈与により財産を取得した者がその年中における贈与による財産の取得について第一章第二節一の(一)《居住無制限納税義務者》又は同一の(二)《非居住無制限納税義務者》の規定に該当する者である場合においては、その者については、その年中において贈与により取得した財産の価額の合計額をもって、贈与税の課税価格とする。(法21の2①)

2　制限納税義務者に該当する者の課税価格

　贈与により財産を取得した者がその年中における贈与による財産の取得について第一章第二節一の(三)《居住制限納税義務者》又は同一の(四)《非居住制限納税義務者》の規定に該当する者である場合においては、その者については、その年中において贈与により取得した財産で相続税法の施行地にあるものの価額の合計額をもって、贈与税の課税価格とする。(法21の2②)

3　無制限納税義務者と制限納税義務者のいずれにも該当する者の課税価格

　贈与により財産を取得した者がその年中における贈与による財産の取得について第一章第二節一の(一)の規定に該当し、かつ、同一の(三)若しくは同一の(四)の規定に該当する者又は同一の(二)の規定に該当し、かつ、同(三)若しくは同(四)の規定に該当する者である場合においては、その者については、その者が相続税法の施行地に住所を有していた期間内に贈与により取得した財産で政令で定めるものの価額及び相続税法の施行地に住所を有していなかった期間内に贈与により取得した財産で注の政令で定めるものの価額の合計額をもって、贈与税の課税価格とする。(法21の2③)

　　(年の中途において課税財産の範囲が異なることとなった場合の贈与税の課税価格)
注　3に規定する住所を有していた期間内に贈与により取得した財産で政令で定めるものは、次の(一)又は(二)に掲げる
　　場合の区分に応じ、当該(一)又は(二)に定める財産とする。(令4の4の2①)

(一)	贈与により財産を取得した者が当該贈与により財産を取得した時において第一章第二節一の(一)《居住無制限納税義務者》の規定に該当する者である場合	当該贈与により取得した財産
(二)	贈与により財産を取得した者が当該贈与により財産を取得した時において第一章第二節一の(三)《居住制限納税義務者》の規定に該当する者である場合	当該贈与により取得した財産で相続税法の施行地にあるもの

4　相続開始の年に被相続人から贈与を受けた財産（特定贈与財産を除く。）の除外

　相続又は遺贈により財産を取得した者が相続開始の年において当該相続に係る被相続人から受けた贈与により取得した財産の価額で第一編第四章第二節四の1《相続開始前3年以内の贈与財産》の規定により相続税の課税価格に加算されるものは、1から3までの規定にかかわらず、贈与税の課税価格に算入しない。(法21の2④)

　　(相続又は遺贈により財産を取得しなかった者の贈与税の課税価格)
(1)　相続開始の年において、当該相続に係る被相続人からの贈与により財産を取得した者が当該被相続人からの相続又は遺贈により財産を取得しなかった場合の贈与税の課税価格は、第五章第一節から第三節までの規定（第五章第三節二を含む。以下「暦年課税」という。）の適用を受けるもの又は相続時精算課税の適用を受けるもののいずれであるかに応じて、それぞれ次に掲げるとおりとなることに留意する。(基通21の2-3)
　　(一)　暦年課税
　　　　4の規定は適用されず、当該贈与により取得した財産の価額は、贈与税の課税価格に算入される。
　　(二)　相続時精算課税
　　　　第三編第一章第二節《相続時精算課税に係る課税価格及び特別控除》一の規定により、当該贈与により取得した財産の価額は、贈与税の課税価格に算入されるが、第六章第一節の4《特定贈与者が贈与をした年の中途において死

－566－

第四章　贈与税の課税価格

亡したとき》の規定により贈与税の申告書の提出を要しない。この場合、当該財産の価額について贈与税の更正又は決定は行わないのであるから留意する。

（注）　相続開始の年において当該相続に係る被相続人からの贈与により財産を取得した者で当該贈与を受けた年より前の年に当該被相続人からの贈与により取得した財産について相続時精算課税選択届出書を提出していないものが、当該財産について相続時精算課税の適用を受けるためには、相続時精算課税選択届出書を提出しなければならないことに留意する。

　　　（贈与税の課税価格の端数処理）
（２）　贈与によって財産を取得した者の贈与税の課税価格を計算する場合において、その額に1,000円未満の端数があるとき又はその全額が1,000円未満であるときのその端数又はその全額の取扱いは、次に掲げる区分に応じ、それぞれに掲げるところによることに留意する。（基通21の2-5）
　　（一）　暦年課税における贈与税の課税価格
　　　　その年中において贈与により取得した財産のうち暦年課税の適用を受けるものの価額を合計した額について、その額の1,000円未満の端数金額又はその全額が1,000円未満であるときのその全額を切り捨てる。
　　（二）　相続時精算課税における贈与税の課税価格
　　　　その年中において贈与により取得した財産のうち相続時精算課税の適用を受けるものについて、特定贈与者ごとにその価額を合計した額について、それぞれの額の1,000円未満の端数金額又はそれぞれの全額が1,000円未満であるときのその1,000円未満であるものの全額を切り捨てる。

（注）　上記により端数処理を行うときの贈与税の課税価格は、第五章第二節の1《贈与税の配偶者控除》及び第三編第一章第二節一の(5)《相続時精算課税に係る贈与税の特別控除》並びに第五章第一節の2《基礎控除の特例》及び第三編第一章第二節三《相続時精算課税に係る贈与税の基礎控除の特例》の規定による控除後の額であることに留意する。

5　民法上の組合からの贈与
　民法上の組合から財産の贈与を受けたときは、当該贈与に係る財産は、当該組合の組合員からその出資の価額に応じて取得したものとなるのであるから留意する。（基通21の2-2）

6　負担付贈与の課税価格
　負担付贈与に係る贈与財産の価額は、負担がないものとした場合における当該贈与財産の価額から当該負担額を控除した価額によるものとする。（基通21の2-4）
　◎**負担付贈与又は低額譲渡に係る土地等及び家屋等の評価の特例**（平元直評5、直資2-204）……第九編第二章第二節の(56)参照

7　特定土地等及び特定株式等に係る贈与税の課税価格の計算の特例
（注）　特定土地等及び特定株式等に係る贈与税の課税価格の計算の特例に係る通達（租税特別措置法第69条の6《特定土地等及び特定株式等に係る相続税の課税価格の計算の特例》及び同法第69条の7《特定土地等及び特定株式等に係る贈与税の課税価格の計算の特例》に規定する特定土地等及び特定株式等の評価について）については、第一編第四章第二節の一の12の③を参照。

①　課税価格の計算の特例
　個人が特定非常災害（特定非常災害の被害者の権利利益の保全等を図るための特別措置に関する法律第2条第1項の規定により特定非常災害として指定された非常災害をいう。）に係る同法第2条第1項の特定非常災害発生日（以下7において「特定非常災害発生日」という。）の属する年（当該特定非常災害発生日が1月1日から同法第28条第1項の規定により提出すべき申告書の提出期限までの間にある場合には、その前年。②において同じ。）の1月1日から当該特定非常災害発生日の前日までの間に贈与により取得した財産で当該特定非常災害発生日において所有していたもののうちに、当該特定非常災害により被災者生活再建支援法第3条第1項の規定の適用を受ける地域（同項の規定の適用がない場合には、当該特定非常災害により相当な損害を受けた地域として財務大臣が指定する地域。以下①において「特定地域」という。）内にある土地若しくは土地の上に存する権利（以下7において「特定土地等」という。）又は特定地域内に保有する資産の割合が高い法人として(1)の政令で定める法人の株式若しくは出資（金融商品取引法第2条第16項に規定する金融商品取引所に上場されている株式その他これに類するものとして(2)の政令で定めるものを除く。以下①において「特定株式等」という。）がある場合には、当該特定土地等又は当該特定株式等については、1又は第三編第一章第二節一《課税価格及び特別控除》に規定する贈与税の課税価格に算入すべき価額は、第九編第一章《総則》の規定にかかわらず、当該特定非常災害発生日に係る特定非常災害の発生直後の価額として(4)の政令で定めるものの金額とすることができる。（措法69の7①）

－567－

第二編　贈与税

　　　（特定地域内に保有する資産の割合が高い法人）
（1）　①に規定する政令で定める法人は、贈与（贈与をした者の死亡により効力を生ずる贈与を除く。）により財産を取得
　　した者が当該贈与によりその法人の株式又は出資を取得した時において、当該法人の保有していた資産の価額（当該取
　　得した時における時価をいう。以下（1）において同じ。）の合計額のうちに占める①に規定する特定地域内にあった動産
　　（金銭及び有価証券を除く。）、不動産、不動産の上に存する権利及び立木（（5）の（二）において「動産等」という。）の
　　価額の合計額の割合が10分の3以上である法人とする。（措令40の3①）

　　　（特定株式等の判定）
（2）　評価対象法人の株式又は出資が特定株式等に該当するかどうかは、（1）の規定により、評価対象法人が課税時期に
　　保有していた資産の価額の合計額のうちに占める特定地域内にあった動産等の価額の合計額の割合が10分の3以上であ
　　るかどうかにより判定するのであるが、この場合に当該動産等の価額の合計額の割合が10分の3以上であるかどうかは、
　　評価対象法人の保有していた各資産を課税時期において評価基本通達の定めるところにより評価した価額に基づき判定
　　することに留意する。（措通69の6・69の7共-3）

　　　（特定株式等に該当しないもの）
（3）　①に規定する政令で定める株式その他これに類するものは、次に掲げる株式又は出資（以下（3）において「株式等」
　　という。）とする。（措令40の3②）
　　（一）　金融商品取引法第2条第8項第10号ハに規定する店頭売買有価証券に該当する株式等
　　（二）　（一）に掲げる株式等に類する株式等で（4）の財務省令で定めるもの

　　　（店頭売買有価証券に該当する株式等に類するものの範囲）
（4）　（3）の（二）に規定する財務省令で定めるものは、金融商品取引法第2条第16項に規定する金融商品取引所が同法第
　　121条の規定による内閣総理大臣への届出をするため当該届出を行うことを明らかにした株式（（3）の（一）に掲げる株式
　　等（（3）に規定する株式等をいう。）に該当するものを除く。）及び同法第67条第1項の認可金融商品取引業協会が同法
　　第67条の11第1項に規定する店頭売買有価証券登録原簿に登録することを明らかにした株式とする。（措規23の2の3）

　　　（特定非常災害の発生直後の価額）
（5）　①に規定する政令で定める特定非常災害の発生直後の価額は、次の（一）又は（二）に掲げる財産の区分に応じ、当該
　　（一）又は（二）に定める金額による。（措令40の3③）
　　（一）　①に規定する特定土地等　当該特定土地等（当該特定土地等の上にある不動産を含む。）の状況が①の規定の適用
　　　　に係る特定非常災害（①に規定する特定非常災害をいう。（二）において同じ。）の発生直後も引き続き贈与により取得
　　　　した時の現況にあったものとみなして、当該特定非常災害の発生直後における当該特定土地等の価額として評価した
　　　　額に相当する金額
　　（二）　①に規定する特定株式等　当該特定株式等を贈与により取得した時において当該特定株式等に係る株式の発行法
　　　　人又は出資のされている法人が保有していた①に規定する特定地域内にある動産等（当該法人が①の規定の適用に係
　　　　る特定非常災害発生日（①に規定する特定非常災害発生日をいう。）において保有していたものに限る。）の当該特定
　　　　株式等を贈与により取得した時の状況が、①の規定の適用に係る特定非常災害の発生直後の現況にあったものとみな
　　　　して、当該贈与により取得した時における当該特定株式等の価額として評価した額に相当する金額

　　　（特定株式等の特定非常災害の発生直後の価額）
（6）　（5）の（二）に規定する金額は、評価基本通達の定めによって評価した1株当たりの特定株式等の価額にその特定株
　　式等の数を乗じて計算した額による。ただし、次に掲げる場合には、それぞれ次に掲げるところによる。（措通69の6・
　　69の7共-4）
　　（一）　第九編第八章第四節（3）《類似業種比準価額》に定める類似業種比準価額によって評価する場合
　　　　第九編第八章第四節（7）《評価会社の1株当たりの配当金額等の計算》に定める評価会社の「1株当たりの配当金
　　　　額」、「1株当たりの利益金額」及び「1株当たりの純資産価額（帳簿価額によって計算した金額）」を次に掲げるとこ
　　　　ろにより計算した金額によって評価した1株当たりの特定株式等の価額
　　　　イ　「1株当たりの配当金額」
　　　　　次のロにより計算した「1株当たりの利益金額」に次に掲げる割合を乗じて計算した金額

－568－

第四章　贈与税の課税価格

$$\frac{\text{第九編第八章第四節（7）の（一）に定めるところにより計算した直前期末以前2年間}}{\text{の評価対象法人の剰余金の配当金額の合計額}}{\text{第九編第八章第四節（7）の（二）に定めるところにより計算した直前期末以前2年間}の評価対象法人の法人税の課税所得金額を基として計算した利益金額の合計額}$$

ロ　「1株当たりの利益金額」

　　第九編第八章第四節（7）の（二）に定めるところにより計算した「1株当たりの利益金額」と特定非常災害の発生直後の状況に基づいて合理的に見積もった特定非常災害発生日の属する事業年度の末日以前1年間における所得金額を基として計算した利益金額の見積額（以下（6）において「見積利益金額」という。）を直前期末における発行済株式数（1株当たりの資本金等の額が50円以外の金額である場合には、直前期末における資本金等の額を50円で除して計算した数によるものとする。以下（6）において同じ。）で除して計算した金額との合計額（その金額が負数のときは0とする。）の2分の1に相当する金額

ハ　「1株当たりの純資産価額（帳簿価額によって計算した金額）」

　　第九編第八章第四節（7）の（三）に定める「1株当たりの純資産価額（帳簿価額によって計算した金額）」。

　　ただし、上記ロの見積利益金額が欠損となる場合には、次に掲げる金額の合計額を直前期末における発行済株式数で除して計算した金額とする。

　（イ）　第九編第八章第四節（7）の（三）に定める直前期末における資本金等の額

　（ロ）　同（7）の（三）に定める法人税法（昭和40年法律第34号）第2条（（定義））第18号に規定する利益積立金額に相当する金額（法人税申告書別表五（一）「利益積立金額及び資本金等の額の計算に関する明細書」の差引翌期首現在利益積立金額の差引合計額）

　（ハ）　上記ロに定める見積利益金額

　　（注）　上記（イ）から（ハ）の合計額が負数となる場合には、その金額を0とすることに留意する。

（二）　第九編第八章第四節(10)《純資産価額》に定める「1株当たりの純資産価額（相続税評価額によって計算した金額）」によって評価する場合

　　課税時期において特定地域内にあった動産等（評価対象法人が特定非常災害発生日において保有していたものに限る。）の状況が特定非常災害の発生直後の現況にあったものとみなして特定非常災害の発生直後におけるその動産等の価額を評価した場合の各資産の価額の合計額が、第九編第八章第四節(10)に定める「課税時期における各資産をこの通達の定めるところにより評価した価額の合計額」であるものとして評価した1株当たりの特定株式等の価額

　　（注）　評価対象法人が課税時期前3年以内に取得又は新築した土地及び土地の上に存する権利並びに家屋及びその附属設備又は構築物の価額についても、特定非常災害の発生直後におけるこれらの資産の価額として評価することに留意する。

（三）　第九編第八章第四節(16)《同族株主以外の株主等が取得した株式の評価》の定めによって評価する場合

　　第九編第八章第四節(16)に定める評価会社の「その株式に係る年配当金額」を上記（1）イにより計算した金額（ただし、その金額が2円50銭未満のものにあっては2円50銭とする。）によって評価した1株当たりの特定株式等の価額

（用語の定義）

（7）　**7**において、次に掲げる用語の意義は、それぞれ次に定めるところによる。（措通69の6・69の7共－1）

（一）　特定非常災害　　第一編第四章第二節一の**12**の①《課税価格の計算の特例》に規定する特定非常災害をいう。

（二）　特定非常災害発生日　　第一編第四章第二節一の**12**の①《課税価格の計算の特例》に規定する特定非常災害発生日をいう。

（三）　特定地域　　第一編第四章第二節一の**12**の①《課税価格の計算の特例》に規定する特定地域をいう。

（四）　特定土地等　　第一編第四章第二節一の**12**の①《課税価格の計算の特例》に規定する特定土地等をいう。

（五）　特定株式等　　第一編第四章第二節一の**12**の①《課税価格の計算の特例》に規定する特定株式等をいう。

（六）　評価対象法人　　評価しようとする株式の発行法人又は出資に係る出資のされている法人をいう。

（七）　動産等　　（1）に規定する動産等をいう。

（八）　課税時期　　相続、遺贈若しくは贈与により財産を取得した日又は相続税法の規定により相続、遺贈若しくは贈与により取得したものとみなされた財産のその取得の日をいう。

（九）　直前期末　　課税時期の直前に終了した事業年度の末日をいう。

（特定土地等の特定非常災害の発生直後の価額）

（8）　特定土地等の特定非常災害の発生直後の価額については、（5）の（一）の規定により、特定土地等の課税時期における現況が特定非常災害の発生直後も継続していたものとみなして当該特定土地等を評価した価額となることに留意す

第二編　贈与税

る。

　　したがって、特定土地等について、課税時期から特定非常災害の発生直後までの間に区画形質、権利関係の変更等があった場合でも、これらの事由は考慮しないことに留意する。

　　なお、特定土地等の特定非常災害の発生直後の価額については、国税局長（沖縄国税事務所長を含む。）が不動産鑑定士等の意見を基として特定地域内の一定の地域ごとに特定土地等の特定非常災害の発生直後の価額を算出するための率（以下（8）において「調整率」という。）を別途定めている場合には、特定非常災害発生日の属する年分の評価基本通達（昭和39年4月25日付直資56ほか1課共同「財産評価基本通達」をいう。以下第七編までにおいて同じ。）第九編第二章第二節の（3）《路線価》に定める路線価及び同節の（16）《倍率方式による評価》に定める倍率に調整率を乗じたものを当該年分の路線価及び倍率として評価することができるものとする。（措通69の6・69の7共－2）

　　　　（特定株式等の特定の評価会社の株式等の判定）
（9）　特定株式等が第九編第八章第四節の（21）《特定の評価会社の株式》の（一）から（六）のいずれに該当するかは、課税時期における当該特定株式等に係る評価対象法人の現況により判定することに留意する。（措通69の6・69の7共－5）

　　　　（①に規定する「贈与により取得した財産」）
（10）　①の規定の適用がある贈与により取得した財産とは、次に掲げる区分に応じ、それぞれに掲げる期間において贈与により取得した財産をいうことに留意する。（措通69の7－1）

　（一）　次の（二）に掲げる場合以外の場合　　特定非常災害発生日が属する年の1月1日から当該特定非常災害発生日の前日までの期間

　（二）　特定非常災害発生日が1月1日から第二編第六章第一節一の1及び第三編第一章第五節一の（1）の規定により提出すべき申告書の提出期限までの間にある場合　　その前年の1月1日から当該特定非常災害発生日の前日までの期間

　　　　（申告書の記載事項）
（11）　第一編第四章第二節一の12《特定土地等及び特定株式等に係る相続税の課税価格の計算の特例》の（8）《申告書の記載事項》の規定は、①の規定の適用を受けようとする場合について準用する。この場合において、同（8）中「これらの規定に規定する申告書（これらの申告書」とあるのは「相続税法第28条《贈与の申告書》の規定による申告書（当該申告書」と、「これらの規定の」とあるのは「①の規定の」と読み替えるものとする。（措法69の7②）

②　贈与税の申告書の提出期限の特例

　　特定非常災害発生日の属する年の1月1日から12月31日までの間に贈与により財産を取得した個人で①の規定の適用を受けることができるものが第六章第一節一の1《申告書の提出期限》の規定により提出すべき申告書の提出期限が特定日（①の特定非常災害に係る第十章第一節九の3の規定により延長された申告に関する期限と特定非常災害発生日の翌日から10月を経過する日とのいずれか遅い日をいう。以下②において同じ。）の前日以前である場合には、当該申告書の提出期限は、特定日とする。（措法69の8③）

　　　　（贈与により財産を取得した個人の相続人）
（1）　②に規定する者の相続人（包括受遺者を含む。）が第六章第一節一の2《申告書の提出義務者が死亡した場合の相続人による申告》の規定により提出すべき申告書の提出期限が特定日の前日以前であるときは、当該申告書の提出期限は、特定日とする。（措法69の8④）

－570－

第五章　贈与税の税額

第一節　贈与税の基礎控除

1　原　　則
　贈与税については、課税価格から60万円を控除する。（法21の5）

2　基礎控除の特例
　平成13年1月1日以後に贈与により財産を取得した者に係る贈与税については、1の規定にかかわらず、課税価格から110万円を控除する。（措法70の2の4①）

　（贈与税に関する法令の規定の適用）
注　2の規定により控除された額は、相続税法その他贈与税に関する法令の規定の適用については、1の規定により控除されたものとみなす。（措法70の2の4②）

第二節　贈与税の配偶者控除

1　贈与税の配偶者控除
　その年において贈与によりその者との婚姻期間が20年以上である配偶者から専ら居住の用に供する土地若しくは土地の上に存する権利若しくは家屋で相続税法の施行地にあるもの（以下本節において「**居住用不動産**」という。）又は金銭を取得した者（その年の前年以前のいずれかの年において贈与により当該配偶者から取得した財産に係る贈与税につき本節の規定の適用を受けた者を除く。）が、当該取得の日の属する年の翌年3月15日までに当該居住用不動産をその者の居住の用に供し、かつ、その後引き続き居住の用に供する見込みである場合又は同日までに当該金銭をもって居住用不動産を取得して、これをその者の居住の用に供し、かつ、その後引き続き居住の用に供する見込みである場合においては、その年分の贈与税については、課税価格から2,000万円（当該贈与により取得した居住用不動産の価額に相当する金額と当該贈与により取得した金銭のうち居住用不動産の取得に充てられた部分の金額との合計額が2,000万円に満たない場合には、当該合計額）を控除する。（法21の6①）

　（1に規定する「当該配偶者」の意義）
注　1に規定する「当該配偶者」とは、今回の贈与者である配偶者をいうのであるから留意する。（基通21の6-8）

2　居住用不動産の範囲

　（居住用不動産の範囲）
（1）　1の規定による贈与税の配偶者控除の適用を受けられる者（以下（7）までにおいて「**受贈配偶者**」という。）が取得した次に掲げる土地若しくは土地の上に存する権利（以下（1）、（2）及び（7）において「**土地等**」という。）又は家屋は、1に規定する居住用不動産に該当するものとして取り扱うものとする。（基通21の6-1）
　（一）　受贈配偶者が取得した土地等又は家屋で、例えば、その取得の日の属する年の翌年3月15日現在において、店舗兼住宅及び当該店舗兼住宅の敷地の用に供されている土地等のように、その専ら居住の用に供している部分と居住の用以外の用に供されている部分がある場合における当該居住の用に供している部分の土地等及び家屋
　　　なお、この場合において、その居住の用に供している部分の面積が、その土地等又は家屋の面積のそれぞれのおおむね10分の9以上であるときは、その土地等又は家屋の全部を居住用不動産に該当するものとして差し支えない。

-571-

第二編　贈与税

　（二）　受贈配偶者がその者の専ら居住の用に供する家屋の存する土地等のみを取得した場合で、当該家屋の所有者が当該受贈配偶者の配偶者又は当該受贈配偶者と同居するその者の親族であるときにおける当該土地等

　　　　なお、この場合における土地等には、受贈配偶者の配偶者又は当該受贈配偶者と同居するその者の親族の有する借地権の設定されている土地（いわゆる底地）及び配偶者居住権の目的となっている家屋の敷地の用に供される土地等を含むことに留意する。（（三）において同じ。）

　（三）　受贈配偶者が、例えば、店舗兼住宅の用に供する家屋の存する土地等のみを取得した場合で、当該受贈配偶者が当該家屋のうち住宅の部分に居住し、かつ、当該家屋の所有者が当該受贈配偶者の配偶者又は当該受贈配偶者と同居するその者の親族であるときにおける当該居住の用に供している部分の土地等

　　　（店舗兼住宅等の居住用部分の判定）
（２）　受贈配偶者の居住の用に供している家屋のうちに居住の用以外の用に供されている部分のある家屋及び当該家屋の敷地の用に供されている土地等（以下（３）において「**店舗兼住宅等**」という。）に係る（１）に定めるその居住の用に供している部分は、次により判定するものとする。（基通21の６－２）

　（一）　当該家屋のうちその居住の用に供している部分は、次の算式により計算した面積に相当する部分とする。

$$\text{当該家屋のうちその居住の用に専ら供している部分の床面積（A）}+\text{当該家屋のうちその居住の用と居住の用以外の用とに併用されている部分の床面積（B）}\times\frac{A}{\text{当該家屋の床面積}-B}$$

　（二）　当該土地等のうちその居住の用に供している部分は、次の算式により計算した面積に相当する部分とする。

$$\text{当該土地等のうちその居住の用に専ら供している部分の面積}+\text{当該土地等のうちその居住の用と居住の用以外の用とに併用されている部分の面積}\times\frac{\text{当該家屋の面積のうち（一）の算式により計算した面積}}{\text{当該家屋の床面積}}$$

　　　（店舗兼住宅等の持分の贈与があった場合の居住用部分の判定）
（３）　配偶者から店舗兼住宅等の持分の贈与を受けた場合には、（２）により求めた当該店舗兼住宅等の居住の用に供している部分の割合にその贈与を受けた持分の割合を乗じて計算した部分を居住用不動産に該当するものとする。

　　　　ただし、その贈与を受けた持分の割合が（２）により求めた当該店舗兼住宅等の居住の用に供している部分（当該居住の用に供している部分に受贈配偶者とその配偶者との持分の割合を合わせた割合を乗じて計算した部分をいう。以下（３）において同じ。）の割合以下である場合において、その贈与を受けた持分の割合に対応する当該店舗兼住宅等の部分を居住用不動産に該当するものとして申告があったときは、１の規定の適用に当たってはこれを認めるものとする。また、贈与を受けた持分の割合が（２）により求めた当該店舗兼住宅等の居住の用に供している部分の割合を超える場合におけるその居住の用に供している部分についても同様とする。（基通21の６－３）

　（注）　相続の開始の年に当該相続に係る被相続人から贈与により取得した居住用不動産で特定贈与財産に該当するものについて１の規定を適用する場合において、第一編第四章第二節**四**の２の(10)《店舗兼住宅等の持分の贈与を受けた場合の特定贈与財産の判定》により上記のただし書に準じて当該居住用不動産に該当する部分の計算を行っているときは、１の適用を受ける居住用不動産は上記のただし書により計算するものとする。

　　　（家屋の増築）
（４）　１に規定する「取得」には、家屋の増築を含むものとする。（基通21の６－４）

　　　（居住用不動産と同時に居住用不動産以外の財産を取得した場合）
（５）　配偶者から贈与により取得した金銭及び当該金銭以外の資金をもって、居住用不動産と同時に居住用不動産以外の財産を取得した場合には、１の規定の適用上、当該金銭はまず居住用不動産の取得に充てられたものとして取り扱うことができるものとする。（基通21の６－５）

　　　（適用の順序）
（６）　１の規定の適用を受ける場合には、贈与税の基礎控除に先だって贈与税の配偶者控除を行うものであるから留意する。（基通21の６－６）

第五章　贈与税の税額

（信託財産である居住用不動産についての贈与税の配偶者控除の適用）

（７）　受贈配偶者の取得した信託に関する権利（第二章第二節**六**の**１**の**⑤**ただし書に規定する信託に関する権利及び同**六**の**２**の**②**又は**②**の（１）の規定により贈与により取得したものとみなされる信託に関する権利を除く。）で、当該信託の信託財産に属する資産が次に掲げるいずれかのものである場合には、当該信託に関する権利（次に掲げるいずれかのものに対応する部分に限る。）は、居住用不動産に該当することに留意する。（基通21の６－９）

（一）　当該信託の信託財産に属する土地等又は家屋が居住用不動産に該当するもの

（二）　当該信託の委託者である受贈配偶者が信託した金銭により、当該信託の受託者が、信託財産として取得した土地等又は家屋（当該信託の委託者である受贈配偶者が信託した金銭（**１**に規定する配偶者から贈与により取得した金銭に限る。）により取得したもので、かつ、当該金銭に対応する部分に限る。）が居住用不動産に該当するもの

　　この場合において、受贈配偶者が、**４**の規定により贈与税の申告書に添付すべき**４**の（２）の（二）に掲げる居住用不動産に関する登記事項証明書その他の書類で当該贈与を受けた者が当該居住用不動産を取得したことを証するものについては、上記（一）の場合には、当該土地等又は家屋に係る信託目録が含まれた登記事項証明書その他の書類で不動産登記法（平成16年法律第123号）第97条第１項各号に掲げる事項を明らかにするもの、上記（二）の場合には、当該信託の受託者が信託財産として当該土地又は家屋を取得したことを明らかにするものが必要であることに留意する。

（金銭を取得した者が信託に関する権利を取得した場合）

（８）　**１**の規定により金銭を取得した者が当該金銭をもって信託に関する権利（第二章第二節**六**の**１**の**⑤**ただし書に規定する信託に関する権利を除く。）を取得した場合には、当該信託の信託財産に属する資産を取得したものとみなして、本節の規定を適用する。（令４の６③）

3　婚姻期間の計算

　４に定めるもののほか、贈与をした者が**１**に規定する婚姻期間が20年以上である配偶者に該当するか否かの判定その他**１**の規定の適用に関し必要な事項は、（１）及び（２）の政令で定める。（法21の６④）

（婚姻期間が20年以上である配偶者に該当するか否かの判定）

（１）　**１**に規定する贈与をした者が**１**に規定する婚姻期間が20年以上である配偶者に該当するか否かの判定は、**１**の財産の贈与の時の現況によるものとする。（令４の６①）

（婚姻期間の計算の細目）

（２）　**１**に規定する婚姻期間は、**１**に規定する配偶者と当該配偶者からの贈与により**１**に規定する居住用不動産又は金銭を取得した者との婚姻につき民法第739条第１項《婚姻の届出》の届出があった日から当該居住用不動産又は金銭の贈与があった日までの期間（当該期間中に当該居住用不動産又は金銭を取得した者が当該贈与をした者の配偶者でなかった期間がある場合には、当該配偶者でなかった期間を除く。）により計算する。（令４の６②）

（贈与税の配偶者控除の場合の婚姻期間の計算）

（３）　**１**に規定する婚姻期間を計算する場合において、その計算した婚姻期間に１年未満の端数があるときであっても、その端数は切り上げないのであるから留意する。したがって、その婚姻期間が19年を超え20年未満であるときは、贈与税の配偶者控除の適用がない。（基通21の６－７）

4　特例の適用手続

　１の規定は、贈与税申告書（期限後申告書及び修正申告書を含む。）又は、国税通則法第23条第３項《更正の請求》に規定する更正請求書に、**１**の規定により控除を受ける金額その他その控除に関する事項及びその控除を受けようとする年の前年以前の各年分の贈与税につき**１**の規定の適用を受けていない旨を記載した書類その他（２）の財務省令で定める書類の添付がある場合に限り、適用する。（法21の６②）

（ゆうじょ規定）

（１）　税務署長は、**４**の財務省令で定める書類の添付がない申告書又は更正請求書の提出があった場合においても、その添付がなかったことについてやむを得ない事情があると認めるときは、当該書類の提出があった場合に限り、**１**の規定を適用することができる。（法21の６③）

（添付書類）

（2）　**4**に規定する添付書類は、次に掲げる書類とする。（規9）

（一）	戸籍の謄本又は抄本及び戸籍の附票の写し（**1**の財産の贈与を受けた日から十日を経過した日以後に作成されたものに限る。）
（二）	**1**の財産の贈与を受けた者が取得した**1**に規定する居住用不動産に関する登記事項証明書その他の書類で当該贈与を受けた者が当該居住用不動産を取得したことを証するもの

第五章　贈与税の税額

第三節　贈与税の税率

一　贈与税の税率

　贈与税の額は、第一節及び第二節の規定による控除後の課税価格を次の表の左欄に掲げる金額に区分してそれぞれの金額に同表の右欄に掲げる税率を乗じて計算した金額を合計した金額とする。（法21の7）

200万円以下の金額	100分の10
200万円を超え300万円以下の金額	100分の15
300万円を超え400万円以下の金額	100分の20
400万円を超え600万円以下の金額	100分の30
600万円を超え1,000万円以下の金額	100分の40
1,000万円を超え1,500万円以下の金額	100分の45
1,500万円を超え3,000万円以下の金額	100分の50
3,000万円を超える金額	100分の55

【贈与税の速算表】

区　　　分	200万円以下	300万円以下	400万円以下	600万円以下	1,000万円以下	1,500万円以下	3,000万円以下	3,000万円超
税　　　率	10%	15%	20%	30%	40%	45%	50%	55%
控　除　額	—	10万円	25万円	65万円	125万円	175万円	250万円	400万円

　この速算表の使用方法は、次のとおりです。
　基礎控除・配偶者控除後の課税価格（A）×税率－控除額＝税額
　例えば、（A）の金額240万円に対する税額は、240万円×15％－10万円＝26万円

　　（贈与税額の端数処理）
（1）　その年において贈与により取得した財産に係る贈与税の税額を計算する場合において、暦年課税において計算された贈与税額と相続時精算課税において計算された贈与税額との合計額に100円未満の端数があるとき又はその全額が100円未満であるときは、その端数金額又はその全額を切り捨てるのであるから留意する。（基通21の7－1）

　　（国税の課税標準の端数計算等）
（2）　国税（印紙税及び附帯税を除く。）の課税標準（その税率の適用上課税標準から控除する金額があるときは、これを控除した金額。）を計算する場合において、その額に1,000円未満の端数があるとき、又はその全額が1,000円未満であるときは、その端数金額又はその全額を切り捨てる。（通法118①）

　　（国税の確定金額の端数計算等）
（3）　国税（自動車重量税、印紙税及び附帯税を除く。）の確定金額に100円未満の端数があるとき、又はその全額が100円未満であるときは、その端数金額又はその全額を切り捨てる。（通法119①）
　　（注）　人格のない社団等又は持分の定めのない法人に対する贈与税額については、第一章第二節二又は同第二節三を参照。

二　直系尊属から贈与を受けた場合の贈与税の税率の特例

　平成27年1月1日以後に直系尊属からの贈与により財産を取得した者（その年1月1日において18歳以上の者に限る。）のその年中の当該財産に係る贈与税の額は、一の規定にかかわらず、第一節の2の規定による控除後の課税価格を次の表の左欄に掲げる金額に区分してそれぞれの金額に同表の右欄に掲げる税率を乗じて計算した金額を合計した金額とする。

－575－

（措法70の２の５①）

200万円以下の金額	100分の10
200万円を超え400万円以下の金額	100分の15
400万円を超え600万円以下の金額	100分の20
600万円を超え1,000万円以下の金額	100分の30
1,000万円を超え1,500万円以下の金額	100分の40
1,500万円を超え3,000万円以下の金額	100分の45
3,000万円を超え4,500万円以下の金額	100分の50
4,500万円を超える金額	100分の55

【贈与税の速算表】

区　分	200万円以下	400万円以下	600万円以下	1,000万円以下	1,500万円以下	3,000万円以下	4,500万円以下	4,500万円超
税　率	10%	15%	20%	30%	40%	45%	50%	55%
控除額	―	10万円	30万円	90万円	190万円	265万円	415万円	640万円

この速算表の使用方法は**一**と同じ

　　（贈与後に直系卑属となった場合）
（１）　その年１月１日において18歳以上の者が、贈与により財産を取得した場合において、その年の中途において当該贈与をした者の直系卑属となったときは、直系卑属となった時前に当該贈与をした者からの贈与により取得した財産については、**二**の規定の適用はないものとする。（措法70の２の５②）

　　（年中に**二**の適用を受けない財産を取得したとき）
（２）　贈与により**二**の規定の適用を受ける財産（（一）において「**特例贈与財産**」という。）を取得した者がその年中に贈与により**二**の規定の適用を受けない財産（（二）において「**一般贈与財産**」という。）を取得した場合における贈与税の額は、**二**及び第二節の１の規定にかかわらず、次に掲げる金額を合計した金額とする。（措法70の２の５③）
　　（一）　第一節の２及び第二節の１の規定による控除後の課税価格について**二**の規定により計算した金額に特例贈与財産の価額がその年中に贈与により取得した財産の価額の合計額（贈与税の課税価格の計算の基礎に算入されるものに限り、第二節の１の規定による控除後のものとする。（二）において「**合計贈与価額**」という。）のうちに占める割合を乗じて計算した金額
　　（二）　第一節の２及び第二節の１の規定による控除後の課税価格について**一**の規定により計算した金額に一般贈与財産の価額（第二節の１の規定による控除後のものとする。）が合計贈与価額のうちに占める割合を乗じて計算した金額

　　（直系尊属の範囲）
（３）　**二**に規定する「直系尊属」については、第三章**九**の１の（４）《直系尊属の範囲》を準用する。（措通70の２の５－１）

　　（特例贈与財産と一般贈与財産がある場合の贈与税額の計算）
（４）　贈与により**二**の規定の適用を受ける財産（以下「特例贈与財産」という。）を取得した者がその年中に贈与により**二**の規定の適用を受けない財産（以下「一般贈与財産」という。）を取得した場合における贈与税額の算出方法を算式で示せば、次のとおりである。（措通70の２の５－２）
　　　贈与税額＝Ａ＋Ｂ
　（注）１　Ａは、次の算式により計算する。
　　　　　　Ａ＝Ｃ×特例税率×（特例贈与財産の価額／合計贈与価額）
　　　　２　Ｂは、次の算式により計算する。
　　　　　　Ｂ＝Ｃ×一般税率×（一般贈与財産の価額／合計贈与価額）
　　　　３　上記１及び２のＣは、第五章第一節及び第五章第二節**一**（以下（４）において「贈与税の配偶者控除」という。）の規定による控除後の課税価格をいう。
　　　　４　上記１の「特例税率」とは、**二**に掲げる税率をいう。
　　　　５　上記２の「一般税率」とは、**一**に掲げる税率をいう。

第五章　贈与税の税額

　　6　上記1及び2の「合計贈与価額」とは、贈与があった年中に贈与により取得した財産の合計額で、贈与税の課税価格の計算の基礎に算入
　　　されるものに限り、贈与税の配偶者控除後のものをいう。
　　7　上記2の「一般贈与財産の価額」とは、一般贈与財産の価額で、贈与税の配偶者控除後のものをいう。

　　（申告書の記載事項及び添付書類）
（5）　二又は（2）の規定の適用を受ける者は、第六章第一節一の**1**の規定による申告書（当該申告書に係る期限後申告書
　　及びこれらの申告書に係る修正申告書を含む。）又は同章第五節一の**3**に規定する更正請求書に二又は（2）の規定の適用
　　を受ける旨を記載し、これらの規定による計算の明細書その他（6）の財務省令で定める書類を添付しなければならない。
　　この場合において、第六章第一節一の**1**及び同一の**2**中「第五章第四節」とあるのは、「第五章第四節並びに二《直系尊
　　属から贈与を受けた場合の贈与税の税率の特例》」とする。（措法70の2の5④）

　　（財務省令で定める書類）
（6）　（5）に規定する財務省令で定める書類は、贈与税の額の計算に関する明細書並びに二の贈与により財産を取得した
　　者の戸籍の謄本又は抄本その他の書類でその者の氏名、生年月日及びその者が当該贈与をした者の直系卑属に該当する
　　ことを証するもの（既に（5）の規定により当該証する書類を添付した（5）に規定する申告書又は更正請求書を提出して
　　いる場合には、当該申告書又は更正請求書を提出した税務署の名称及びその提出に係る年分を記載した書類）とする。
　　（措規23の5の5①）

　　（控除後の課税価格が300万円以下である場合）
（7）　（6）にかかわらず、第一節の**2**及び第二節の規定による控除後の課税価格が300万円以下である場合には、（6）に規
　　定する証する書類は、添付することを要しない。（措規23の5の5②）

　　（相続時精算課税適用者が取得した財産）
（8）　第三編第一章第一節二の（2）に規定する相続時精算課税適用者が同二の（2）に規定する特定贈与者からの贈与によ
　　り取得した財産については、第三編第一章第二節一の（5）中「第21条の7まで」とあるのは、「第21条の7まで及び租税
　　特別措置法第70条の2の5（直系尊属から贈与を受けた場合の贈与税の税率の特例）」とする。（措法70の2の5⑤）

第四節　在外財産に対する贈与税額の控除

　贈与により相続税法の施行地外にある財産を取得した場合において、当該財産についてその地の法令により贈与税に相当する税が課せられたときは、当該財産を取得した者については、第三節又は第三編第一章第二節の二の規定により計算した金額からその課せられた税額に相当する金額を控除した残額をもって、その納付すべき贈与税額とする。ただし、その控除すべき金額が、その者について第三節又は第三編第一章第二節の二の規定により計算した金額に当該財産の価額が当該財産を取得した日の属する年分の贈与税の課税価格に算入された財産の価額のうちに占める割合を乗じて計算した金額を超える場合においては、その超える部分の金額については、当該控除をしない。（法21の8）

　　（邦貨換算）
（1）　上記の規定による控除税額を計算する場合におけるその地の法令により課された贈与税に相当する税の邦貨換算については、第一編第六章第八節の(1)《邦貨換算》の取扱いに準ずるものとする。（基通21の8－1）

　　（税額控除の適用区分）
（2）　上記の規定は、暦年課税（第三節二の(2)の場合には、同(2)の(一)、(二)に掲げる金額の別）又は相続時精算課税の別（相続時精算課税に係る特定贈与者が2以上ある場合には、当該特定贈与者の別）にそれぞれ適用するものとする。（基通21の8－2）

　　（「当該財産の価額」等の意義）
（3）　上記に規定する「当該財産の価額」及び「課税価格に算入された財産の価額」とは、暦年課税においては贈与税の配偶者控除及び贈与税の基礎控除前の当該財産の価額、相続時精算課税においては相続時精算課税に係る基礎控除及び第三編第一章第二節一の(5)に規定する特別控除前の当該財産の価額をいうものとする。（基通21の8－3）

第六章　申告、更正決定及び更正の請求

第一節　期限内申告書

一　贈与税の申告

1　申告書の提出期限

　贈与により財産を取得した者は、その年分の贈与税の課税価格に係る第五章第一節《贈与税の基礎控除》、第五章第三節**一**《贈与税の税率》及び第五章第四節《在外財産に対する贈与税額の控除》の規定による贈与税額がある場合、又は当該財産が第三編第一章第一節**二**《相続時精算課税制度の選択》の（1）の規定の適用を受けるものである場合（第三編第一章第二節**一**の（1）《相続時精算課税に係る贈与税の基礎控除》の規定による控除後の贈与税の課税価格がある場合に限る。）には、その年の翌年2月1日から3月15日まで（同年1月1日から3月15日までに国税通則法第117条第2項《納税管理人》の規定による納税管理人の届出をしないで相続税法の施行地に住所及び居所を有しないこととなる場合は、当該住所及び居所を有しないこととなる日まで）に、課税価格、贈与税額その他**二**の**1**の財務省令で定める事項を記載した申告書を納税地の所轄税務署長に提出しなければならない。（法28①）

（注）　令和5年度改正後の**1**の規定は、令和6年1月1日以後に贈与により財産を取得する者が提出する贈与税の申告書について適用し、令和5年12月31日以前に贈与により財産を取得した者が提出する贈与税の申告書については、なお従前の例による。（令5改所法等附19⑥）

2　申告書の提出義務者が死亡した場合の相続人による申告

　次の（一）から（三）に掲げる場合には、当該（一）から（三）に掲げる死亡した者の相続人（包括受遺者を含む。）は、その相続の開始があったことを知った日の翌日から10月以内（その者が国税通則法第117条第2項の規定による納税管理人の届出をしないで当該期間内に相続税法の施行地に住所及び居所を有しないこととなるときは、当該住所及び居所を有しないこととなる日まで）に、**二**の**2**に定めるところにより、その死亡した者に係る**1**の申告書をその死亡した者の納税地の所轄税務署長に提出しなければならない。（法28②により準用される法27②）

（一）	年の中途において死亡した者がその年1月1日から死亡の日までに贈与により取得した財産の価額のうち贈与税の課税価格に算入される部分の合計額につき第五章第一節、第三節及び第四節の規定を適用した場合において、贈与税額があることとなるとき
（二）	相続時精算課税適用者が年の中途において死亡した場合において、その年1月1日から死亡の日までに第三編第一章第一節**二**《相続時精算課税制度の選択》の（1）の規定の適用を受ける財産を贈与により取得したとき（第三編第一章第二節**一**の（1）《相続時精算課税に係る贈与税の基礎控除》の規定による控除後の贈与税の課税価格がある場合に限る。）
（三）	**1**の規定により申告書を提出すべき者が当該申告書の提出期限前に当該申告書を提出しないで死亡した場合

（注）　令和5年度改正後の**2**の規定は、令和6年1月1日以後に贈与により財産を取得する者が提出する贈与税の申告書について適用し、令和5年12月31日以前に贈与により財産を取得した者が提出する贈与税の申告書については、なお従前の例による。（令5改所法等附19⑥）

　　（相続人が2人以上いる場合の申告書の共同提出）

（1）　**2**に規定する死亡した者の相続人（包括受遺者を含む。）で**2**の規定による申告書を提出すべきものが2人以上ある場合においては、これらの者は、（2）に定めるところにより、当該申告書を共同して提出することができる。（法28②、27⑤）

　　（申告書の共同提出）

（2）　（1）の規定により2人以上の者が共同して行う**2**の申告書の提出は、これらの者が一の申告書に連署してするものとする。（令7）

－579－

3　提出期限前に決定があった場合の申告の省略

　1又は2の規定は、1又は2に規定する申告書の提出期限前に贈与税について国税通則法第25条の規定による決定があった場合には、適用しない。（法28③により準用する法27⑥）

4　特定贈与者が贈与をした年の中途において死亡したとき

　特定贈与者からの贈与により第三編第一章第一節二《相続時精算課税制度の選択》の(1)の規定の適用を受ける財産を相続時精算課税適用者が取得した場合において、当該特定贈与者が当該贈与をした年の中途において死亡したときは、当該贈与により取得した財産については、1の規定は、適用しない。（法28④）

5　短期非居住贈与者の申告

①　短期非居住贈与者が贈与をした場合の申告の省略

　第一章第二節の一《個人の納税義務者》の(二)のロに掲げる者が短期非居住贈与者（贈与の時において相続税法の施行地に住所を有していなかった当該贈与をした者であって、当該贈与前10年以内のいずれかの時において相続税法の施行地に住所を有していたことがあるもののうち相続税法の施行地に住所を有しなくなった日前15年以内において相続税法の施行地に住所を有していた期間の合計が10年を超えるもの（当該期間引き続き日本国籍を有していなかったものに限る。）で、同日から2年を経過していないものをいう。②及び③において同じ。）から贈与により財産を取得した場合には、1の規定は、適用しない。（旧法28⑤）

（注）　令和3年4月1日以後、①の規定は削除されたが、令和3年3月31以前に①に規定する短期非居住贈与者から贈与により財産を取得した者に係る1の規定による相続税又は贈与税の申告書の提出については、なお従前の例による。（令3改所法等附11②、令3改令附2）

（短期非居住贈与者の死亡に係る相続開始前3年以内に贈与があった場合の相続税額の適用除外）

（1）　①の規定の適用を受けた者に①の贈与をした①に規定する短期非居住贈与者が当該贈与をした日から3年以内に死亡した場合（その死亡の日前に②又は③に規定する場合に該当することとなった場合を除く。）には、その者が当該贈与により取得した財産で相続税法の施行地外にあったもの（第三編第一章第一節の二の(1)《相続時精算課税選択届出書に係る贈与財産の税額の計算》の規定の適用を受けるものを除く。）については、第一編第六章第三節の1《相続開始前3年以内に贈与があった場合の相続税額》の規定は、適用しない。（旧令4③）

（短期非居住贈与者の死亡に係る贈与税の非課税）

（2）　①の規定の適用を受けた者に①の贈与をした①に規定する短期非居住贈与者又は当該短期非居住贈与者以外の者であって当該贈与の日の属する年（以下(2)において「適用年」という。）においてその者に対し財産の贈与をした者（以下(2)において「短期非居住贈与者等」という。）が死亡（当該適用年の中途における死亡を除くものとし、その死亡の日前に②又は③に規定する場合に該当することとなった場合には、その該当することとなった日の属する年の中途における死亡に限る。）をした場合には、その者が当該適用年において当該短期非居住贈与者等から贈与により取得した財産の価額で第一編第六章第三節の1《相続開始前3年以内に贈与があった場合の相続税額》の規定により相続税の課税価格に加算されるものは、第四章の1《居住無制限納税義務者に該当する者又は非居住無制限納税義務者に該当する者の課税価格》から3《無制限納税義務者と制限納税義務者のいずれにも該当する者の課税価格》までの規定にかかわらず、贈与税の課税価格に算入しない。（旧令4の4の2③）

（短期非居住贈与者が死亡した場合における在外財産に対する相続時精算課税の不適用）

（3）　①の規定の適用を受けた者に①の贈与をした①に規定する短期非居住贈与者が死亡した場合（その死亡の日前に②又は③に規定する場合に該当することとなった場合を除く。）には、その者が当該贈与により取得した財産で相続税法の施行地外にあったもの（第三編第一章第一節の二の(1)《相続時精算課税選択届出書に係る贈与財産の税額の計算》の規定の適用を受けるものに限る。）については、同章第三節の一の(1)《相続税の課税価格》及び同節の二の(1)《課税価格、税率及び控除》の規定は、適用しない。（旧令5の2）

（特定贈与者である短期非居住贈与者等の死亡により贈与税の申告書の提出を要しない場合）

（4）　①の規定の適用を受けた者に①の贈与をした①に規定する短期非居住贈与者又は当該短期非居住贈与者以外の者であって当該贈与の日の属する年（以下5において「適用年」という。）においてその者に対し財産の贈与をした者（以下5において「短期非居住贈与者等」という。）が死亡（当該適用年の中途における死亡を除くものとし、その死亡の日前

第六章　申告、更正決定及び更正の請求

に②又は③に規定する場合に該当することとなった場合には、その該当することとなった日の属する年の中途における死亡に限る。）をした場合には、その者が当該適用年においてその死亡した短期非居住贈与者等から贈与により取得した財産（第三編第一章第一節の二の（1）《相続時精算課税選択届出書に係る贈与財産の税額の計算》の規定の適用を受けるものに限る。）については、②又は③の規定にかかわらず、①の規定は、適用しない。（旧令7の2）

　　　（①の規定の適用を受けた者の贈与税の申告期限）
（5）　①の規定の適用を受けた者の贈与税の申告期限は、次に掲げる場合の区分に応じ、それぞれ次に定めるとおりであることに留意する。（旧基通28－1）
（一）　その者に係る短期非居住贈与者（①に規定する短期非居住贈与者をいう。以下（5）において同じ。）が法施行地に住所を有しなくなった日から2年を経過する日までに再び法施行地に住所を有することとなった場合　　住所を有することとなった日の属する年の翌年3月15日
（二）　その者に係る短期非居住贈与者が法施行地に住所を有しなくなった日から2年を経過した場合　　2年を経過した日の属する年の翌年3月15日
　（注）　①の規定は、非居住無制限納税義務者（日本国籍を有しない個人に限る。）が、その年中において短期非居住贈与者及び短期非居住贈与者以外の者から贈与により取得した財産の全部について適用があることに留意する。

②　短期非居住贈与者が2年経過前に再び国内に住所を有することとなった場合

　①の規定の適用を受けた者に係る短期非居住贈与者が相続税法の施行地に住所を有しなくなった日から2年を経過する日までに再び相続税法の施行地に住所を有することとなった場合には、①の規定にかかわらず、1の規定を適用する。この場合において、1中「その年の」とあるのは、「5の①に規定する短期非居住贈与者が相続税法の施行地に住所を有することとなった日の属する年の」とする。（旧法28⑥）

③　短期非居住贈与者を非居住贈与者とみなす場合

　①の規定の適用を受けた者に係る短期非居住贈与者が相続税法の施行地に住所を有しなくなった日から2年を経過した場合には、①の規定にかかわらず、当該短期非居住贈与者を第一章第二節の一の（1）《用語の意義》の（三）に規定する非居住贈与者とみなして、1の規定を適用する。この場合において、1中「その年の」とあるのは、「5の①に規定する短期非居住贈与者が相続税法の施行地に住所を有しなくなった日から2年を経過した日の属する年の」とする。（旧法28⑦）

6　納　税　地

①　居住無制限納税義務者の納税地

　贈与税は、第一章第二節一の（一）《居住無制限納税義務者》若しくは同一の（三）《居住制限納税義務者》の規定に該当する者については、相続税法の施行地にある住所地（相続税法の施行地に住所を有しないこととなった場合には、居所地）をもって、その納税地とする。（法62①）

②　非居住制限納税義務者又は非居住無制限納税義務者等の納税地

　第一章第二節一の（二）《非居住無制限納税義務者》若しくは同一の（四）《非居住制限納税義務者》の規定に該当する者及び同一の（一）《居住無制限納税義務者》若しくは同一の（三）《居住制限納税義務者》の規定に該当する者で相続税法の施行地に住所及び居所を有しないこととなるものは、納税地を定めて、納税地の所轄税務署長に申告しなければならない。その申告がないときは、国税庁長官がその納税地を指定し、これを通知する。（法62②）

③　死亡した納税義務者の納税地

　納税義務者が死亡した場合においては、その者に係る贈与税（2の規定に該当する場合の贈与税を含む。）については、その死亡した者の死亡当時の納税地をもって、その納税地とする。（法62③）

－581－

第二編　贈与税

二　贈与税申告書の記載事項及び添付書類

1　一般の場合の記載事項

一の 1 の規定による申告書に記載すべき事項は、次に掲げる事項とする。（規17①）

（一）	特定贈与者ごとの課税価格、相続時精算課税に係る基礎控除額及び贈与税額、第二章第二節**六**の 2 の**②**又は同**②**の（1）の信託に係る委託者ごとの課税価格及び贈与税額並びに特定贈与者及び当該委託者以外の者に係る課税価格及び贈与税額並びにこれらの贈与税額の合計額
（二）	納税義務者の氏名及び住所又は居所（当該納税義務者が第二章第二節**六**の 2 の**②**又は同**②**の（1）の信託の受託者（当該信託に関する権利を取得したものとみなして贈与税額を計算する場合における当該信託の受託者に限る。）である場合には当該受託者の名称又は氏名、本店若しくは主たる事務所の所在地又は住所若しくは居所及び信託の引受けをした営業所、事務所その他これらに準ずるものの所在地並びに当該信託の名称並びに委託者の氏名及び住所又は居所とし、当該納税義務者が第一章第二節**二**《人格のない社団等の納税義務》の 1 若しくは 2 の社団若しくは財団又は同第二節**三**《持分の定めのない法人の納税義務》の持分の定めのない法人（以下（二）において「社団等」という。）である場合には当該社団等の名称及び主たる営業所若しくは事務所又は本店の所在地並びに当該社団等の代表者又は管理者の氏名及び住所又は居所とする。以下（二）において同じ。）並びに個人番号又は法人番号（個人番号又は法人番号を有しない者にあっては、氏名及び住所又は居所）
（三）	国税通則法第117条第 2 項《納税管理人》の規定により届け出た納税管理人が当該申告書を提出する場合には、当該納税管理人の氏名及び住所並びに納税地
（四）	課税価格の計算の基礎となる財産の贈与をした者の氏名及び住所又は居所
（五）	（四）の贈与をした者が当該贈与に係る特定贈与者に該当する者である場合には、その旨及び当該特定贈与者に係る相続時精算課税選択届出書の提出をした税務署の名称及びその提出に係る年分
（六）	（四）の贈与をした者（（一）の委託者を含む。）の異なるごとに、その年において取得した財産の種類、数量、価額及び所在場所の明細、当該財産の取得の事由並びにその取得の年月日
（七）	第三章《贈与税の非課税財産》の規定により課税価格に算入しない財産に関する事項
（八）	第五章第四節《在外財産に対する贈与税額の控除》の規定並びに第二章第三節**五**の 2 の**④**の（6）、第一章第二節**二**の 1 の（2）の規定による控除に関する事項
（九）	その他参考となるべき事項

(注)　改正後の 1 の規定は、令和 6 年 1 月 1 日以後に贈与により取得する財産に係る贈与税について適用し、令和 5 年12月31日以前に贈与により取得した財産に係る贈与税については、なお従前の例による。（令 5 改規附 2 ②）

（有効な申告書としての取扱い）

注　期限内申告書、期限後申告書又は修正申告書に記載すべき事項のうちその一部について記載のないものの提出があった場合においても、財産の取得年月日、贈与をした者の氏名の記載がないもの等、その欠陥を税務署長が照会することにより補正することができる程度のものであるときは、その提出があった日において申告書の提出があったものとして取り扱うものとする。（基通27－ 7 ）

2　相続人の提出する申告書の記載事項

一の 2 の規定による贈与税の申告書に記載すべき事項は、 1 の（二）及び（三）に規定する事項並びに死亡した者に係る 1 の（一）及び（四）から（九）までに掲げる事項のほか、自己の納付すべき贈与税額並びに次に掲げる事項とする。（規17②）

（一）	死亡した者の氏名及びその死亡の時における住所又は居所並びにその死亡の年月日
（二）	相続人が 2 人以上ある場合には、当該申告書を提出する者が当該相続又は遺贈により受けた利益の価額及び当該利益の価額の相続人の全員が相続又は遺贈により受けた利益の価額の合計額に対する割合

（期限後申告書への準用）

注　 2 の規定は、一の 1 の規定による申告書を提出すべき者で当該申告書を提出しないでその提出期限後に死亡したものの相続人が当該申告書に係る期限後申告書を提出する場合における当該期限後申告書について準用する。（規17③）

－582－

第六章　申告、更正決定及び更正の請求

3　配偶者控除の適用を受ける場合の記載事項及び添付書類

　第五章第二節の**1**《贈与税の配偶者控除》の規定は、**一**の**1**に規定する申告書（当該申告書に係る期限後申告書及びこれらの申告書に係る修正申告書を含む。）又は国税通則法第23条第3項《更正の請求》に規定する更正請求書に同第二節の**1**の規定により控除を受ける金額その他その控除に関する事項及びその控除を受けようとする年の前年以前の各年分の贈与税につき同**1**の規定の適用を受けていない旨を記載した書類その他次の財務省令で定める書類の添付がある場合に限り、適用する。（法21の6②）

　（財務省令で定める添付書類）
注　**3**に規定する財務省令で定める書類は、次に掲げる書類とする。（規9）
　（一）　戸籍の謄本又は抄本及び戸籍の附票の写し（第五章第二節の**1**の財産の贈与を受けた日から10日を経過した日以後に作成されたものに限る。）
　（二）　第五章第二節の**1**の財産の贈与を受けた者が取得した同**1**に規定する居住用不動産に関する登記事項証明書その他の書類で当該贈与を受けた者が当該居住用不動産を取得したことを証するもの

4　農地等の贈与について納税猶予の適用を受ける場合の添付書類

　第四編第一章《農地等についての贈与税の納税猶予》の規定の適用を受ける者は、贈与税申告書に、次に掲げる書類を添付しなければならない。（措法70の4㉖、措令40の6③、⑤、措規23の7③、編者において要約）

	添　付　書　類
1	この特例の適用を受ける旨、特例の適用を受ける農地等の明細及び納税猶予税額の計算に関する明細を記載した書類（「**農地等の贈与税の納税猶予税額の計算書**」に必要な事項を記載する。）
2	農地等の贈与者及び受贈者がこの特例の適用を受ける要件に該当している旨の農業委員会の証明書
3	受贈者が贈与者の推定相続人であることを証する書類（例えば、戸籍の抄本など）
4	農地等のうちに平成3年1月1日において首都圏、近畿圏及び中部圏の特定市（東京都の特別区を含みます。）の区域内に所在する農地又は採草放牧地がある場合には、その農地又は採草放牧地が都市営農地等である旨又は市街化区域以外の区域に所在するものである旨の市長（区長）の証明書
5	準農地についてこの特例の適用を受ける場合には、その土地が準農地に該当する旨の市町村長の証明書
6	担保として提供しようとする財産の明細書その他担保の提供に関する書類
7	贈与の事実を証する書類（例えば、贈与契約書など）

		添付書類
8		贈与者が第四編第一章第一節の**2**に規定する個人に該当する旨を明らかにする贈与者の書類で次に掲げる事項の記載があるもの（「**農地等の贈与に関する確認書**」など）。 ①　贈与者が今回の贈与の前年以前にその農業の用に供していた農地をその者の推定相続人に対し相続時精算課税の適用に係る贈与をしていないこと。 ②　今回の贈与の年中に今回の贈与以外の贈与により、農地及び採草放牧地並びに準農地を贈与していないこと。 ③　次に掲げる採草放牧地及び準農地の面積
	A	贈与者が今回贈与をした採草放牧地
	B	贈与者が今回の贈与の日までその農業の用に供していた採草放牧地
	C	次に掲げる採草放牧地 イ　今回の贈与の前年以前に贈与者が贈与した採草放牧地のうち相続時精算課税の特例の適用を受けるもの ロ　今回の贈与の年中に今回の贈与以外の贈与により採草放牧地を贈与している場合におけるその採草放牧地
	D	贈与者が今回贈与をした準農地
	E	贈与者が今回の贈与の日まで有していた準農地
	F	次に掲げる準農地 イ　今回の贈与の前年以前に贈与者が贈与した準農地のうち相続時精算課税の特例の適用を受けるもの ロ　今回の贈与の年中に今回の贈与以外の贈与により準農地を贈与している場合におけるその準農地

④　Aの面積が、Bの面積及びCの面積の合計の3分の2以上となること。

⑤　Dの面積が、Eの面積及びFの面積の合計の3分の2以上となること。

第六章　申告、更正決定及び更正の請求

第二節　申告書の様式及び書き方

> 本書に記載した書き方、申告書等の様式は、令和5年分の申告内容であり、令和6年分の申告とは書き方、様式が異なる部分がありますので、注意してください。

一　贈与税の申告書の書き方

　贈与税の申告書には、「**第一表**」、「**第一表の二（住宅取得等資金の非課税の計算明細書）**」と「**第二表（相続時精算課税の計算明細書）**」があります。使用する贈与税の申告書については、次の表のとおりとなっています。（第二節においては、暦年課税のみを申告する人についての設例を掲載しています。）

申　告　の　内　容	使　用　す　る　申　告　書
暦年課税のみを申告する人	第一表
相続時精算課税のみを申告する人	第一表と第二表
暦年課税と相続時精算課税の両方を申告する人	第一表と第二表
住宅取得等資金の非課税と暦年課税を申告する人	第一表と第一表の二
住宅取得等資金の非課税と相続時精算課税を申告する人	第一表、第一表の二と第二表

（注）1　第一表の二は、1枚に記載できる贈与者は2人ですので、贈与者が3人以上の場合には複数枚を使用することになります。
　　　2　第二表は、特定贈与者ごとに作成するため、特定贈与者が複数いる場合には、その人数分の枚数を使用することになります。

1　住所・氏名等

　イ　申告書第一表「　　　税務署長」欄及び「令和　年　月　日提出」欄
　　　住所を所轄する税務署名及び申告書の提出年月日を記入します。
　ロ　申告書第一表「令和0□年分の贈与税の申告書」欄
　　　申告書第一表の標題の□□に「3」と記入します。
　　　なお、この申告書が期限後申告書又は修正申告書である場合には、「令和0□年分の贈与税の申告書」欄の右の余白に「（期限後）」又は「（修正）」と記入します。（申告書第二表も同様です。）
　ハ　申告書第一表「住所」欄
　　　住所、住所地の郵便番号及び電話番号を記入します。
　ニ　申告書第一表及び申告書第二表「氏名」欄及び申告書第一表「フリガナ」欄
　　　申告をする人の氏名及びフリガナをそれぞれ記入します。
　ホ　申告書第一表「個人番号又は法人番号」欄
　　　申告をする人のマイナンバー（個人番号）又は法人番号を記入します。
　ヘ　申告書第一表「生年月日」欄
　　　元号に対応する数字（明治は「1」、大正は「2」、昭和は「3」、平成は「4」、令和は「5」）を記載します。
　【例：昭和58年9月21日生まれの場合】
　　　③⑤⑧年⓪⑨月②①日
　ト　申告書第一表「職業」欄
　　　申告をする人の職業を記入します。
　チ　申告書第一表の二「受贈者の氏名」欄
　　　申告をする人の氏名を記入します。

2　贈与者又は特定贈与者の住所・氏名等

　イ　申告書第一表「贈与者の住所・氏名（フリガナ）」欄、申告書第一表の二「贈与者の住所・氏名（フリガナ）」欄及び申告書第二表「特定贈与者の住所・氏名（フリガナ）・生年月日」欄
　　　上記**1**ハ、ニ及びへと同様に記入します。
　ロ　申告書第一表、申告書第一表の二及び申告書第二表「贈与者の生年月日」欄

－585－

【例：昭和24年11月３日生まれの場合】

| 3 | 2 | 4 | . | 1 | 1 | . | 0 | 3 |

　ハ　特例贈与財産を取得した場合の申告書第一表「続柄」欄

　　　申告をする人からみた贈与者の続柄を記入します。

　　　贈与者の続柄に応じて「１〜５」のいずれかの数字を記入します。

　　　「５」と記入した場合には、※欄に具体的な続柄を記入します。

　ニ　一般贈与財産を取得した場合の申告書第一表「続柄」欄

　　　申告をする人からみた贈与者の続柄を記入します。

　　　【贈与者が直系尊属である場合】

　　　贈与者の続柄に応じて「１〜５」のいずれかの数字を記入します。

　　　「５」と記入した場合には、※欄に具体的な続柄を記入します。

　　　【贈与者が直系尊属以外である場合】

　　　贈与者の続柄に応じて「６〜８」のいずれかの数字を記入します。

　・　「８」と記入した場合には、※欄に具体的な続柄を記入します。

　ホ　申告書第一表の二・申告書第二表「続柄」欄

　　　申告をする人からみた贈与者又は特定贈与者の続柄を記入します。

　　　贈与者の続柄に応じて「１〜５」のいずれかの数字を記入します。

　　　「５」と記入した場合には、※欄に具体的な続柄を記入します。

3　取得した財産の明細等

　申告書第一表「取得した財産の明細」欄、申告書第一表の二「取得した財産の所在場所等」欄及び申告書第二表「左の特定贈与者から取得した財産の明細」欄には、贈与を受けた財産の明細を、財産の別に、例えば、土地は各筆ごと及び利用区分ごと、家屋は各棟ごと及び利用区分ごと、有価証券は各銘柄ごとに、次によって記入します。

　イ　「種類、細目、利用区分・銘柄等」欄

　　(イ)　「種類」、「細目」欄には、贈与を受けた財産について、588ページの表により、各財産の種類と細目を記入します。

　　(ロ)　「利用区分・銘柄等」欄には、その財産の種類、細目に応じ、588ページの表により、その利用区分、銘柄等を記入します。

　ロ　「所在場所等」欄

　　　各財産の所在場所等を記入します。この場合、次に掲げる財産については、それぞれ次の事柄を記入します。

　　(イ)　売掛金……………相手方の住所又は所在地及び氏名又は名称

　　(ロ)　船舶、自動車……登録機関の名称及び登録番号

　　(ハ)　有価証券…………発行法人の所在地と名称

　　　　　　　　　　　　　なお、公債及び上場有価証券で保護預り、保証金の代用、担保などとして提供されているものについては、その提供先証券会社などの所在地と名称

　　(ニ)　現金………………贈与者の住所

　　(ホ)　預貯金等…………預金、貯金、金銭信託については預入先店舗などの所在地及び名称

　　(ヘ)　生命保険金………支払保険会社の所在地及び名称

　　(ト)　その他の債権……債務者の住所又は所在地及び氏名又は名称

　ハ　「数量、固定資産税評価額」欄

　　(イ)　「数量」欄には、面積、株数などを記入します。

　　(ロ)　「固定資産税評価額」欄には、固定資産税評価額を基として評価する土地及び家屋の固定資産税評価額を記入します。

　ニ　「単価、倍数」欄

　　(イ)　「単価」欄には、１平方メートル当たり、１株当たりなどその財産の単位当たりの価額を記載します。（固定資産税評価額を基として評価する土地と家屋については記入を要しません。）

　　(ロ)　「倍数」欄には、固定資産税評価額を基として評価する土地及び家屋について、固定資産税評価額に掛ける一定の倍率を記入します。

第六章　申告、更正決定及び更正の請求

4　申告書第一表及び申告書第二表の「財産を取得した年月日」欄、申告書第一表の二の「住宅取得等資金を取得した年月日」欄

贈与により財産を取得した年月日を記入します。

5　申告書第一表及び申告書第二表の「財産の価額」欄、申告書第一表の二の「住宅取得等資金の金額」欄

3の財産の価額を記入します。

6　申告書第一表「過去の贈与税の申告状況」欄

過去に、特例税率の適用を受けるために**2**のイに記入した贈与者との続柄を明らかにする書類を税務署に提出している場合には、その提出した年分及び税務署名を記入します（提出をしていない場合には記入しません。）。

7　申告書第一表の「①から⑳」欄及び申告書第二表の「㉖から㉞」欄

各欄に記載されている事項を基として計算した金額を記入します。

8　申告書第一表「この申告書が修正申告書である場合」欄

申告書第一表又は申告書第二表が修正申告書である場合にのみ記入する必要があります。

9　申告書第一表の二「非課税限度額（㊲の金額）」欄

住宅用の家屋の新築若しくは取得又は増改築等に係る契約を締結した日及び住宅用の家屋の種類に応じて次の表のとおりとなります。ただし、平成27年分から令和3年分の贈与税の申告で住宅取得等資金の非課税の適用を受けている場合には、これらの金額と異なる場合がありますので、詳しくは税務署にお尋ねください。

○　受贈者ごとの非課税限度額

省エネ等住宅	左記以外の住宅
1,000万円	500万円

10　申告書第一表の二「㊳のうち非課税の適用を受ける金額」及び「㊴のうち非課税の適用を受ける金額」欄

㉟の金額及び㊱の金額の合計額を超えないように住宅取得等資金の非課税の適用を受ける金額を記入します。

なお、住宅取得等資金の非課税に係る贈与者が2人以上いる場合には、各贈与者からの贈与について非課税の適用を受ける金額の合計額が㉟の金額及び㊱の金額の合計額を超えないように各贈与者ごとの住宅取得等資金の非課税の適用を受ける金額を記入します。

11　申告書第一表の二「非課税の適用を受ける金額の合計額」欄

住宅取得等資金の非課税の適用を受ける金額の合計額を記入します（㉟の金額及び㊱の金額の合計額を超えることはありません。）。

12　申告書第一表の二「㉟のうち課税価格に算入される金額」及び「㊱のうち課税価格に算入される金額」欄

㉟の金額から㊳の金額を控除した後の金額及び㊱の金額から㊴の金額を控除した金額を記入します。

なお、それらの金額を控除した金額に残額がある場合には、その金額を住宅取得等資金に係る贈与者の「財産の価額」欄（申告書第一表又は第二表）に転記します。この場合には、申告書第一表又は第二表の贈与者の「住所・氏名（フリガナ）・申告者との続柄・生年月日」欄の記入は、贈与者の「氏名（フリガナ）」のみとして差し支えありません。

13　申告書第一表の二「所得税及び復興特別所得税の確定申告書を提出した年月日」及び「提出した税務署」欄

令和5年分の所得税及び復興特別所得税の確定申告書を提出した人は、所得税及び復興特別所得税の確定申告書を提出した年月日及び税務署名を記入してください。記入した場合には、別途「合計所得金額を明らかにする書類」を提出する必要はありません。

—587—

第二編　贈与税

取得した財産の種類、細目、利用区分・銘柄等の記載要領

種　類	細　　目			利　用　区　分　・　銘　柄　等
土　　地 （土地の上に存する権利を含みます。）	田			自用地、貸付地、賃借権（耕作権）、永小作権の別
	畑			
	宅地			自用地、貸宅地、貸家建付地、借地権、居住建物^(注)の敷地の用に供される土地などの別
	山林			普通山林、保安林の別（これらの山林の地上権又は賃借権であるときは、その旨）
	その他の土地			原野、牧場、池沼、鉱泉地、雑種地の別（これらの土地の地上権、賃借権、温泉権又は引湯権であるときは、その旨）
家　　　　屋	家屋（構造及び用途）、構築物			家屋については自用家屋、貸家、居住建物^(注)の別、構築物については駐車場、養魚池、広告塔などの別
事　業（農業） 用　財　産	機械、器具、農機具その他の減価償却資産			機械、器具、農機具、自動車、船舶などについてはその名称と年式、牛馬等についてはその用途と年齢、果樹についてはその樹種と樹齢、営業権についてはその事業の種目と商号など
	商品、製品、半製品、原材料、農産物等			商品、製品、半製品、原材料、農産物等の別に、その合計額を「財産の価額」欄に記入し、それらの明細は、適宜の用紙に記載して添付してください。
	売掛金			
	その他の財産			電話加入権、受取手形、その他その財産の名称
有　価　証　券	株式、出資	上場株式等		その銘柄
		取引相場のない株式、出資	配当還元方式によったもの	
			その他の方式によったもの	
	公債、社債			
	証券投資信託、貸付信託の受益証券			
現金、預貯金等				現金、普通預金、当座預金、定期預金、通常貯金、定額貯金、定期積金、金銭信託などの別及び贈与の目的
家庭用財産				その名称と銘柄
その他の財産 （利益）	生命保険金等			
	立木			その樹種と樹齢（保安林であるときは、その旨）
	その他			1　事業に関係ない自動車、特許権、著作権、貸付金、書画・骨とうなどの別 2　自動車についてはその名称と年式、書画・骨とうなどについてはその名称と作者名など 3　著しく低い価額の対価で財産を譲り受けた場合など贈与によって取得したものとみなされる財産（生命保険金等を除きます。）については、その財産（利益）の内容

(注)　「居住建物」とは、配偶者居住権の目的となっている建物をいいます。

－588－

第六章　申告、更正決定及び更正の請求

二　農地等の贈与税の納税猶予税額の計算書の書き方

1　「Ⅰ　納税猶予の適用を受ける農地等の明細」

　この欄には、納税猶予の特例の適用を受ける農地等の明細を、田、畑、採草放牧地又は準農地の順で、各筆ごとに、次によって記入します。

　イ　「田、畑、採草放牧地、準農地の別」欄

　　この欄には、農地等の細目について、贈与を受けた日現在の現況に応じ、田、畑、採草放牧地又は準農地の別を記入します。

　ロ　「地上権、永小作権、使用貸借による権利、賃借権（耕作権）の場合のその別」欄

　　この欄には、他人から借り受けて農業の用に供している農地等について、地上権、永小作権、使用貸借による権利又は賃借権（耕作権）の別を記入します。

　ハ　「所在場所」欄

　　この欄には、農地等の所在場所を土地登記簿上の表示に従って、地番まで記入します。

　ニ　「面積・固定資産税評価額」欄

　（イ）「面積」欄には、田、畑、採草放牧地及び準農地の各筆ごとの面積を記入します。

　　なお、田、畑、採草放牧地及び準農地ごとにそれぞれ「計」を付すとともに、「合計」欄には、それらの合計面積を記入します。

　（ロ）「固定資産税評価額」欄には、固定資産税評価額を基として評価する農地等について、その固定資産税評価額を記入します。

　ホ　「単価・倍数」欄

　（イ）「単価」欄には、固定資産税評価額を基として評価することになっていない農地等について、その1平方メートル当たりの価額を記入します。

　（ロ）「倍数」欄には、固定資産税評価額を基として評価することになっている農地等について、その固定資産税評価額に掛ける一定の倍率を記入します。

　ヘ　「価額」欄

　　この欄には、田、畑、採草放牧地及び準農地の各筆ごとの価額を記入します。

　　なお、田、畑、採草放牧地及び準農地ごとにそれぞれ「計」を付すとともに、Ⓐの「合計」欄に、それらの合計額を記入します。

2　「Ⅱ　納税猶予税額の計算（農地等以外の財産に対する贈与税額の計算）」

　農地等以外の財産として、一般贈与財産又は特例贈与財産のどちらか一方のみを贈与により取得している場合には、「①」から「⑧」までの各欄に、農地等以外の財産として、一般贈与財産及び特例贈与財産の両方を贈与により取得している場合には、「⑨」から「㉒」までの各欄に、それぞれ該当する各欄に記載されている事項を基として計算した金額を記入します。

三　株式等納税猶予税額の計算書（贈与税）〔暦年課税〕の書き方

1　使用目的等

　この計算書は、非上場株式等についての贈与税の納税猶予及び免除の特例（租税特別措置法第70条の7第1項（第七編第一章を参照））の適用を受ける場合で暦年課税を適用して納税猶予税額の計算を行うときに使用します。なお、この特例の適用を受ける場合で相続時精算課税を適用して納税猶予税額の計算を行うときは、「株式等納税猶予税額の計算書（贈与税）〔相続時精算課税〕」を使用してください。

　また、次に掲げる場合には、それぞれの会社及び贈与者ごとにこの計算書又は「株式等納税猶予税額の計算書（贈与税）〔相続時精算課税〕」を作成した上で、「株式等納税猶予税額の計算書（贈与税）〔暦年課税〕（別表）」又は「株式等納税猶予税額の計算書（贈与税）〔相続時精算課税〕（別表）」により納税猶予税額を計算してください。

　イ　異なる贈与者から同一の非上場会社の株式等を贈与により取得している場合

　ロ　異なる贈与者から複数の非上場会社の株式等を贈与により取得している場合

　ハ　同一の贈与者から複数の非上場会社の株式等を贈与により取得している場合

　※1　贈与者が贈与の時において会社の代表権を有している場合は、この特例の適用を受けることはできません。

—589—

第二編　贈与税

※2　「非上場株式等についての贈与税の納税猶予及び免除の特例」（租税特別措置法第70条の7の5）【特例措置】の適用を受ける場合には、「特例株式等納税猶予税額の計算書（贈与税）〔暦年課税〕」又は「特例株式等納税猶予税額の計算書（贈与税）〔相続時精算課税〕」を使用してください。

2　「1　対象受贈非上場株式等に係る会社」の記入に当たっての留意事項

イ　⑦欄は、具体的にその役職を、例えば、「代表取締役」と記入します。

なお、代表権に制限のある代表者については、この特例の適用を受けることはできません。

ロ　⑨欄は、中小企業における経営の承継の円滑化に関する法律施行規則第6条第1項第7号又は9号に掲げる事由に該当するものとして第七編第二章第五節の2《経営承継期間内の納税猶予税額の一部確定》に定める円滑化法の認定を受けた年月日及び認定番号をそれぞれ記入します。

ハ　⑩欄は、対象受贈非上場株式等に係る会社又はその会社の特別関係会社（第七編第一章第一節2の(6)《政令で定める特別の関係がある会社》の特別の関係がある会社をいいます。3ハにおいて同じです。）であって対象受贈非上場株式等に係る会社との間に支配関係（同2の(9)《政令で定める支配関係》に規定する関係をいいます。3ハにおいて同じです。）がある法人が保有する会社法第2条第2号に規定する外国会社（対象受贈非上場株式等に係る会社の特別関係会社に該当するものに限ります。）、同2の(21)《政令で定める医療法人》の(一)に掲げる法人（対象受贈非上場株式等に係る会社が資産保有型会社等に該当する場合に限ります。）又は同(21)の(二)に規定する医療法人の株式等の有無について記入します。

3　「2　対象贈与の判定及び納税猶予及び免除の特例の適用を受ける株式等の数等の限度数（限度額）の計算並びに対象受贈非上場株式等の明細」の記入に当たっての留意事項

イ　①から⑦欄までの「総数等」及び「数等」には、議決権に制限のある株式等の数等は含まれません。

ロ　この制度の適用を受けるには、⑥欄の(イ)に該当する場合には**b**の全部、⑥欄の(ロ)に該当する場合には（a－c）以上の株式等を贈与により取得していることが要件となります。

ハ　⑧欄の金額は、贈与の時における価額を記入します。なお、対象受贈非上場株式等に係る会社又はその会社の特別関係会社であって対象受贈非上場株式等に係る会社との間に支配関係がある法人（以下「会社等」といいます。）が会社法第2条第2号に規定する外国会社（対象受贈非上場株式等に係る会社の特別関係会社に該当するものに限ります。）の株式等又は第七編第一章第一節2の(21)に規定する法人（医療法人を除きます。）の株式等（対象受贈非上場株式等に係る会社が資産保有型会社等に該当する場合に限ります。）若しくは同項に規定する医療法人の出資を有する場合の納税猶予分の贈与税の計算の基となる対象受贈非上場株式等の価額は、会社等がこれらの株式等を有していなかったものとして計算した価額となります。

ニ　この計算書を2以上作成する場合には、次の「3　株式等納税猶予税額の計算」欄への記入は不要です。その場合には、「株式等納税猶予税額の計算書（贈与税）〔暦年課税〕（別表）」を使用し、この計算書の**A**欄の金額とこの計算書以外の計算書の**A**欄の金額との合計額を「株式等納税猶予税額の計算書（贈与税）〔暦年課税〕（別表）」の1の①欄に記入します。

4　「3　株式等納税猶予税額の計算」の記入に当たっての留意事項

④欄の金額は、申告書第一表（控用）の裏面の「贈与税の速算表」を使用して、一般税率又は特例税率により計算し、算出された納税猶予税額を「申告書第一表」の⑯欄に転記します。なお、この計算書及び「株式等納税猶予税額の計算書（贈与税）〔相続時精算課税〕」を使用して納税猶予税額の計算を行う場合には、④の金額を「株式等納税猶予税額の計算書（贈与税）〔相続時精算課税〕（別表）」の3の②欄に転記します。

5　「4　対象受贈非上場株式等の内訳等」の記入に当たっての留意事項

この欄は、対象受贈非上場株式等の全部又は一部が第七編第一章第一節の1《非上場株式等を贈与した場合の贈与税の納税猶予及び免除》に規定する贈与者の同章第七節の1《贈与者等の死亡等による納税猶予税額の免除》（(三)に係る部分に限り、同編第四章第六節の1《贈与者等の死亡等による納税猶予税額の免除》において準用する場合を含みます。）の規定の適用に係る贈与により取得したものである場合には、同編第一章第二節の1の(1)《財務省令で定める添付書類に記載する事項》の(六)の規定に基づいて、同章第一節の1の(7)《政令で定める者》の各号に定める者に対象受贈非上場株式等の贈与をした者ごとに、贈与年月日、氏名、住所（この計算書を提出する時点の住所）及び対象受贈非上場株式等の数又は金額の内訳を記入します。

第六章　申告、更正決定及び更正の請求

6 「5 最初の非上場株式等についての贈与税の納税猶予及び免除等の適用に関する事項」の記入に当たっての留意事項

- イ 「相続等」とは、相続又は遺贈をいいます。
- ロ ①欄は、取得の原因を丸で囲んでください。
- ハ ③欄は、最初の贈与又は相続等によるその会社の非上場株式等の取得について、非上場株式等についての贈与税の納税猶予及び免除等の適用を受け、又は受けようとする贈与税又は相続税の申告書の提出先の税務署名を記入してください。
- ニ ④欄は、最初の贈与又は相続等によるその会社の非上場株式等の取得に係る贈与者又は被相続人の氏名を記入してください。

7 「6 会社が現物出資又は贈与により取得した資産の明細書」の記入に当たっての留意事項

- イ 「経営承継受贈者と特別の関係がある者」とは、経営承継受贈者の親族などその経営承継受贈者と第七編第一章第一節の2の(15)《政令で定める特別の関係がある者》に定める特別の関係がある者をいいます。
- ロ ①欄の金額は、会社が現物出資又は贈与により取得した資産（以下「現物出資等資産」といいます。）の非上場株式等の贈与があった時における価額を記入します。

  なお、会社が、非上場株式等の贈与があった時において現物出資等資産を既に有していない場合は、その贈与があった時に有しているものとしたときにおける当該現物出資等資産の価額を記入します。
- ハ ③欄の金額は、非上場株式等の贈与があった時における会社の全ての資産の価額の合計額を記入します。
- ニ ④欄の保有割合が70％以上の場合は、この特例の適用を受けることはできません。
- ホ この様式に記入しきれないときは、適宜の用紙に現物出資等資産の明細を記載し添付してください。

四 死亡した者の令和＿＿＿年分　贈与税の申告書付表（兼相続人の代表者指定届出書）の書き方等

1 使用目的等

- イ この申告書付表は、死亡した人の贈与税について相続人や包括受遺者（死亡した人から包括遺贈を受けている人をいいます。）が申告をするときに使用するものです。
- ロ この申告書付表を記入する前に、申告書で死亡した人の納める税金を計算してください。
- ハ 死亡した人の贈与税について相続人や包括受遺者が提出する申告書とこの申告書付表は、その死亡を知った日の翌日から起算して10か月を経過した日の前日（例えば、死亡を知った日が2月20日であるときは、12月20日）までに提出してください。
- ニ 死亡した人の死亡した年の前年以前の年分の贈与税（その年の1月1日から3月15日までに死亡した場合のその前年分の贈与税を除きます。）が無申告であったことにより提出する申告書と申告書付表については、上記ハの10か月の申告期間の特例の適用はありませんから早めに提出してください。
- ホ 相続人や包括受遺者が1人の場合には、申告書付表の提出を省略して差し支えありません。
- ヘ 一緒に申告できない相続人や包括受遺者は、別に申告書と申告書付表を提出することになります。

2 死亡した人の申告書の書き方

死亡した人の申告書の書き方は、「贈与税の申告のしかた」などにならって記入しますが、次の点に留意してください。
- イ 「令和〇□年分贈与税の申告書」には、標題の右側余白部に「(準)」と記入してください。
- ロ 「住所」と「氏名」欄は、死亡した人の住所、氏名を記入してください。この場合、氏名の頭部に「被相続人」と記入してください。

  なお、相続人や包括受遺者が1人のためにこの申告書付表の提出を省略する場合は、これらの欄を2段に分け次のように記入してください。
  - (イ) 上段には、死亡した人について記入し、その氏名上部に相続開始（死亡）年月日を記入してください。
  - (ロ) 下段には、相続人や包括受遺者について記入してください。この場合、相続人や包括受遺者の住所は住所地を記入するとともに、相続人や包括受遺者の氏名を記入する場合にその氏名の頭部に、「相続人又は包括受遺者」と記入し、署名、なつ印してください。
- ハ 死亡した人の贈与税の申告書の提出に当たっては、相続人や包括受遺者の個人番号（法人である場合は法人番号。以下同じです。）の記入が必要となります。

－591－

第二編　贈与税

　　なお、相続人や包括受遺者が１人のためこの申告書付表の提出を省略する場合は、相続人や包括受遺者の個人番号は申告書上部余白に記入してください。

3　申告書付表の書き方

イ　「死亡した者の令和　　年分　贈与税の申告書付表」の標題の「　　年分」欄

　　死亡した人の申告書の年分と同じ年分を記入してください。

ロ　「1　死亡した者の住所・氏名等」欄の「住所」欄

　　死亡した人の申告書の「住所」欄に記入した住所地を記入してください。

ハ　「2　死亡した者の納める税金」欄

　　死亡した人の申告書第一表の⑳欄（修正申告の場合には㉒欄）の金額を転記してください。

ニ　「5　相続人等に関する事項」

　　一緒に申告するかどうかにかかわらず、全ての相続人や包括受遺者（相続を放棄した人を除く。）について記入してください。なお、一緒に申告できない相続人や包括受遺者の個人番号を記入する必要はありません。

　（イ）「住所」欄

　　　相続人や包括受遺者がこの申告書付表を提出するときの住所地（法人である場合は所在地）を記入してください。

　（ロ）「氏名」欄

　　　この申告書付表で申告する相続人や包括受遺者は、署名、なつ印してください。

　　　なお、一緒に申告できない相続人や包括受遺者については、氏名（法人である場合は名称）を〇で囲んでください。

　（ハ）「個人番号又は法人番号」欄

　　　この申告書付表で申告する相続人や包括受遺者は、それぞれの個人番号を記入してください。

　（注）　この申告書付表の控えを保管する場合においては、その控えには相続人や包括受遺者の個人番号を記入しない（複写により控えを作成し保管する場合は個人番号部分が複写されない措置を講ずる。）など、個人番号の取扱いには十分ご注意ください。

　（ニ）「相続分・・・B」欄

　　　法定相続分（民法第900条、901条）により財産を取得している人は「法定」の文字を、遺言による指定相続分（民法第902条）により財産を取得している人は「指定」の文字を、それぞれ〇で囲んだ上、その割合を記入してください。

　　（注1）　次に掲げる場合の法定相続分は、次の表のとおりになります。

　　　　なお、子、父母、兄弟姉妹がそれぞれ２人以上あるときは、それぞれの法定相続分は均分になります。

		相続人	法定相続分
被相続人に	子がいる場合	配偶者	2分の1
		子	2分の1
	子がいない場合	配偶者	3分の2
		父母	3分の1
	子も父母もいない場合	配偶者	4分の3
		兄弟姉妹	4分の1

　　（注2）　指定相続分とは、相続人や包括受遺者が遺言によって指定を受ける相続分をいいます。

　（ホ）「相続又は遺贈により取得した財産の価額」欄

　　　各人が相続や包括遺贈により取得する積極財産の相続時の時価を記入してください。

　　　なお、相続財産についてまだ分割が行われていないときは、積極財産の総額に各人の相続分（「5（7）相続分・・・B」に記入されている各人の割合）を乗じて求めた金額をそれぞれ記入してください。

ホ　「6　各人の納付税額」欄

　　この欄には、「2　死亡した者の納める税金」欄の納める税金に各人の相続分（「5（7）相続分・・・B」に記入されている各人の割合）を乗じて求めた金額（100円未満の端数切捨て）を記入してください。

−592−

第六章　申告、更正決定及び更正の請求

〔暦年課税（一般税率及び特例税率）を適用する場合の記載例〕

■　　　××　税務署長　　令和 ０５ 年分贈与税の申告書（兼贈与税の額）　修正　　ＦＤ４７５１　■
　　　　6 年 2 月 16日 提出　　　　　　　　　　　　　　　　　の計算明細書

提出用

税務署受付印

明治 1
大正 2
昭和 3
平成 4
令和 5

住所　〒 123-4567 （電話 ○××- 31 - 2131 ）
　　　××市○○町○番×号

フリガナ　コウノ　タロウ

氏名　甲野　太郎

個人番号又は法人番号　↓個人番号の記載に当たっては、左端を空欄とし、ここから記入してください。
　×××××○○○○○△△△△

生年月日　3 4 6 0 5 2 4　職業　自営業

整理番号　　　　　　名簿
補完　　　　　　　　事案
申告書提出年月日　　　財産細目コード　　短期処理　確認／関与区分
災害等延長年月日　　　　　　　　　　　　訂正作成区分　修正枚数
出国年月日
死亡年月日

第一表（令和４年分以降用）（住宅取得等資金の非課税の申告は申告書第一表の二又は第一表の三と、相続時精算課税の申告は申告書第二表と、一緒に提出してください。）

私は、租税特別措置法第70条の2の5第1項又は第3項の規定による直系尊属から贈与を受けた場合の贈与税の税率（特例税率）の特例の適用を受けます。

I 暦年課税分

i 特例贈与財産分

贈与者の住所・氏名（フリガナ）・申告者との続柄・生年月日
（フリガナの濁点（゛）や半濁点（゜）は一字一字とし、姓と名の間は一字空けて記入してください。）

住所　○○市△町×番×号
フリガナ氏名　コウノ　タマ
　　　　甲野　たま　統柄 2　父母祖父母
生年月日　3 2 0 1 1 0 4

取得した財産の明細
種類　現金・預貯金等
細目　現金・預貯金等
利用区分・銘柄等　現金
所在場所等　○○市△町×番×号
過去の贈与の申告状況　平成・令和　　年分　署

財産を取得した年月日　令和 ０５ 年 ０９ 月 ２５ 日
財産の価額　3000000

過去に、特例税率の適用を受けるために左記の贈与者との続柄を明らかにする書類を提出している場合には、その提出した年分及び税務署名を記入します。

令和　　年　　月　　日

住所
フリガナ氏名　　　　統柄　父母祖父母
生年月日

取得した財産の明細
過去の贈与の申告状況　平成・令和　　年分　署

令和　　年　　月　　日

過去に、特例税率の適用を受けるために左記の贈与者との続柄を明らかにする書類を提出している場合には、その提出した年分及び税務署名を記入します。

特例贈与財産の価額の合計額（課税価格）① 3000000

ii 一般贈与財産分

住所　△△市××町○番○号
フリガナ氏名　コウノ　ケンタ
　　　　甲野　健太　統柄 8　兄
生年月日　3 4 4 1 2 2 4

取得した財産の明細
種類　有価証券
細目　上場株式等
利用区分・銘柄等　○○株式会社
所在場所等　大阪市中央区○○町×丁目×番×号　△△証券○○支店

財産を取得した年月日　令和 ０５ 年 ０１ 月 １５ 日
財産の価額　1500000
数量 500株　単価 3,000

住所
フリガナ氏名　　　　統柄
生年月日

取得した財産の明細

令和　　年　　月　　日

一般贈与財産の価額の合計額（課税価格）② 1500000

配偶者控除額　③
（右の事実に該当する場合には、「□」にレ印を記入します。）
（贈与を受けた居住用不動産の価額及び贈与を受けた金銭のうち居住用不動産の取得に充てた部分の金額の合計額）
私は、今回の贈与者からの贈与について、初めて贈与税の配偶者控除の適用を受けます。
（最高2,000万円）

不動産番号　1件目　　　　2件目
※贈与税の配偶者控除の適用を受ける場合は、登記事項証明書等に記載されている13桁の不動産番号を記入してください。

【合計欄】　（単位：円）　暦年課税分（③の控除後の課税価格）

I 相続時精算課税分

暦年課税分の課税価格の合計額 ④ 4500000
（①＋（②−③））

基礎控除額 ⑤ 1100000

⑤の控除後の課税価格 ⑥ 3400000
（④−⑤）

⑥に対する税額 ⑦ 416666
「贈与税の速算表」を使用して計算します。

外国税額の控除額 ⑧

医療法人持分税額控除額 ⑨

差引税額 ⑩ 416666
（⑦−⑧−⑨）

II 相続時精算課税分の課税価格の合計額 ⑪
（特定贈与者ごとの第二表の⑥の金額の合計）

相続時精算課税分の差引税額の合計額 ⑫
（特定贈与者ごとの第二表の⑩の金額の合計）

⑦欄の税額の計算方法等については、申告書第一表（控用）の裏面をご確認ください。

III 合計

課税価格の合計額 ⑬ 4500000
（④＋⑫＋⑪）

差引税額の合計額（納付すべき税額） ⑭ 416600
（⑩＋⑫）

農地等納税猶予税額 ⑮ 00

株式等納税猶予税額 ⑯ 00

特例株式等納税猶予税額 ⑰ 00

医療法人持分納税猶予税額 ⑱ 00

事業用資産納税猶予税額 ⑲ 00

申告期限までに納付すべき税額 ⑳ 416600
（⑭−⑮−⑯−⑰−⑱−⑲）

この申告書が修正申告である場合の修正前の

差引税額の合計額（納付すべき税額） ㉑ 00

納税猶予税額の合計額 ㉒ 00

申告期限までに納付すべき税額 ㉓ 00

この申告書が修正申告である場合の異動の内容等

作成税理士の事務所所在地・署名・電話番号
税理士法書面提出　30条　33条の2
通信日付印
確認

差引税額の合計額（納付すべき税額の増加額）（⑭−㉑） ㉔ 00

申告期限までに納付すべき税額の増加額（⑳−㉓） ㉕ 00

税務署整理欄（記入しないでください。）　義務的修正期限　　　年　　月　　日

（表5−10−1−1−Ａ4統一）（令5.12）

—593—

第二編　贈与税

贈与税（暦年課税）の税額の計算明細

（注） この計算明細は、贈与税（暦年課税）の税額を算出するために使用するものですので、税務署に提出する必要はありません。

> 国税庁ホームページの「確定申告書等作成コーナー」では、贈与税の申告書が作成できます。画面の案内に沿って金額等を入力すれば、贈与税額などが自動で計算されますので、ご利用ください。

（右側縦書き）令和5年分以降用（特例贈与財産と一般贈与財産の両方を取得した場合用）

● **特例贈与財産と一般贈与財産の両方を贈与により取得した場合（申告書第一表の①欄及び②欄の両方に金額の記載がある場合）**

「特例税率」及び「一般税率」の両方を適用して計算します。

特例贈与財産の価額の合計額（申告書第一表の①の金額）	Ⓐ	**3,000,000** 円
一般贈与財産の価額の合計額（申告書第一表の②の金額）	Ⓑ	**1,500,000** 円
配偶者控除額（申告書第一表の③の金額）	Ⓒ	**0** 円
暦年課分の課税価格の合計額【Ⓐ＋Ⓑ－Ⓒ】（申告書第一表の④の金額）	Ⓓ	**4,500,000** 円
基礎控除額	Ⓔ	1,100,000 円
Ⓔの控除後の課税価格【Ⓓ－Ⓔ】（申告書第一表の⑥の金額）	Ⓕ	**3,400**,000 円
Ⓕの金額に「特例税率」を適用した税額※　下記の【速算表（特例贈与財産用）】を使用して計算します。	Ⓖ	**410,000** 円
特例贈与財産に対応する税額【Ⓖ×Ⓐ／Ⓓ】	Ⓗ	**273,333** 円
Ⓕの金額に「一般税率」を適用した税額※　下記の【速算表（一般贈与財産用）】を使用して計算します。	Ⓘ	**430,000** 円
一般贈与財産に対応する税額【Ⓘ×（Ⓑ－Ⓒ）／Ⓓ】	Ⓙ	**143,333** 円
税額（Ⓗ＋Ⓙ）（申告書第一表の⑦欄に転記します。）	Ⓚ	**416,666** 円

（例）特例贈与財産 5,000,000 円及び一般贈与財産 10,000,000 円を取得した場合

> 特例贈与財産の価額（Ⓐ）と一般贈与財産の価額（Ⓑ）の合計額（Ⓓ）から基礎控除額（Ⓔ）を控除した課税価格（Ⓕ）に【速算表（特例贈与財産用）】及び【速算表（一般贈与財産用）】を使用して計算した税額（Ⓖ・Ⓘ）について、それぞれ(1)及び(2)のとおり按分計算し、その合計額（Ⓚ）を計算します。

(1) **特例贈与財産に対応する税額（Ⓖ及びⒽ欄の計算）**

Ⓕ13,900,000 円×40%（特例税率）－1,900,000 円（控除額）＝Ⓖ3,660,000 円

Ⓖ3,660,000 円×（Ⓐ5,000,000 円／Ⓓ15,000,000 円）＝Ⓗ1,220,000 円（注）1 円未満の端数があるときは、その端数金額を切り捨てます。

(2) **一般贈与財産に対応する税額（Ⓘ及びⒿ欄の計算）**

Ⓕ13,900,000 円×45%（一般税率）－1,750,000 円（控除額）＝Ⓘ4,505,000 円

Ⓘ4,505,000 円×{（Ⓑ10,000,000 円－Ⓒ0 円）／Ⓓ15,000,000 円}＝Ⓙ3,003,333 円（注）1 円未満の端数があるときは、その端数金額を切り捨てます。

(3) **贈与税額の計算（Ⓚ欄の計算）**

Ⓗ1,220,000 円＋Ⓙ3,003,333 円＝Ⓚ4,223,333 円

【速算表（特例贈与財産用）】

贈与により財産を取得した人（贈与を受けた年の1月1日において18歳以上の人に限ります。）が、直系尊属（父母や祖父母など）から贈与により取得した財産（「**特例贈与財産**」といいます。）に係る贈与税の額は、「**特例税率**」を適用して計算します。

基礎控除後の課税価格	2,000 千円以下	4,000 千円以下	6,000 千円以下	10,000 千円以下	15,000 千円以下	30,000 千円以下	45,000 千円以下	45,000 千円超
特 例 税 率	10%	15%	20%	30%	40%	45%	50%	55%
控除額（特例税率）	－	100 千円	300 千円	900 千円	1,900 千円	2,650 千円	4,150 千円	6,400 千円

＜ご注意ください！＞　「特例税率」の適用を受ける場合で、次の①又は②のいずれかに該当するときは、贈与税の申告書とともに、贈与により財産を取得した人の戸籍の謄本又は抄本その他の書類でその人の氏名、生年月日及びその人が贈与者の直系卑属に該当することを証する書類を提出する必要があります。ただし、過去の年分において同じ贈与者からの贈与について「特例税率」の適用を受けるために当該書類を提出している場合には、申告書第一表の「過去の贈与税の申告状況」欄に、その提出した年分及び税務署名を記入します（当該書類を重ねて提出する必要はありません。）。

①「特例贈与財産」のみの贈与を受けた場合で、その財産の価額から基礎控除額（1,100 千円）を差し引いた後の課税価格が 3,000 千円を超えるとき

②「一般贈与財産」と「特例贈与財産」の両方の贈与を受けた場合で、その両方の財産の価額の合計額から基礎控除額（1,100 千円）を差し引いた後の課税価格※が 3,000 千円を超えるとき

※「一般贈与財産」について配偶者控除の特例の適用を受ける場合には、基礎控除額（1,100 千円）と配偶者控除額を差し引いた後の課税価格となります。

【速算表（一般贈与財産用）】

「特例税率」の適用がない贈与により取得した財産（「**一般贈与財産**」といいます。）に係る贈与税の額は、「**一般税率**」を適用して計算します。

基礎控除後の課税価格	2,000 千円以下	3,000 千円以下	4,000 千円以下	6,000 千円以下	10,000 千円以下	15,000 千円以下	30,000 千円以下	30,000 千円超
一 般 税 率	10%	15%	20%	30%	40%	45%	50%	55%
控除額（一般税率）	－	100 千円	250 千円	650 千円	1,250 千円	1,750 千円	2,500 千円	4,000 千円

－594－

令和５年分贈与税の申告書（住宅取得等資金の非課税の計算明細書）

修正　FD4749

提出用

受贈者の氏名

第一表の二（令和５年分用）（第一表の二は、必要な添付書類とともに申告書第一表と一緒に提出してください。）

住宅取得等資金の非課税分

次の住宅取得等資金の非課税の適用を受ける人は、□の中にレ印を記入してください。

□ 私は、租税特別措置法第70条の２第１項の規定による住宅取得等資金の非課税の適用を受けます。（注１）

（単位：円）

贈与者の住所・氏名（フリガナ）・申告者との続柄・生年月日 ○フリガナの濁点（゛）や半濁点（゜）は一字分とし、姓と名の間は一字空けて記入してください。	取得した財産の所在場所等	住宅取得等資金を取得した年月日 / 住宅取得等資金の金額
住所		令和　年　月　日
フリガナ		
氏名　続柄（直系尊属）父 1、母 2、祖父 3、祖母 4、上記以外 5 ※5の場合に記入します。		令和　年　月　日
生年月日（明治 1、大正 2、昭和 3、平成 4）		
	住宅取得等資金の合計額 ㉟	

贈与者の住所・氏名（フリガナ）・申告者との続柄・生年月日 ○フリガナの濁点（゛）や半濁点（゜）は一字分とし、姓と名の間は一字空けて記入してください。	取得した財産の所在場所等	住宅取得等資金を取得した年月日 / 住宅取得等資金の金額
住所		令和　年　月　日
フリガナ		
氏名　続柄（直系尊属）父 1、母 2、祖父 3、祖母 4、上記以外 5 ※5の場合に記入します。		令和　年　月　日
生年月日（明治 1、大正 2、昭和 3、平成 4）		
	住宅取得等資金の合計額 ㊱	

区分	項目	番号	金額
非課税限度額の計算	住宅資金非課税限度額（1,000万円又は500万円）（注２）	㊲	
	令和４年分の贈与税の申告で非課税の適用を受けた金額	㊳	
	住宅資金非課税限度額の残額（㊲－㊳）	㊴	
贈与者別の非課税の適用を受ける金額の計算	㉟のうち非課税の適用を受ける金額	㊵	
	㊱のうち非課税の適用を受ける金額	㊶	
	非課税の適用を受ける金額の合計額（㊵＋㊶）（㊴の金額を限度とします。）	㊷	
贈与者別の課税価格に算入される金額の計算	㉟のうち課税価格に算入される金額（㉟－㊵）（㉟に係る贈与者の「財産の価額」欄（申告書第一表又は第二表）にこの金額を転記します。）	㊸	
	㊱のうち課税価格に算入される金額（㊱－㊶）（㊱に係る贈与者の「財産の価額」欄（申告書第一表又は第二表）にこの金額を転記します。）	㊹	

不動産番号等の明細

新築・取得・増改築等をした住宅用の家屋等の登記事項証明書等に記載されている13桁の不動産番号等を記入してください。
※不動産番号等の記載されている書類の写しを添付した場合には下記の記入を省略することができます。

不動産の種別	所在地番又は家屋番号	不動産番号
□土地 □建物		
□土地 □建物		
□土地 □建物		

（注１）住宅取得等資金の非課税の適用を受ける人で、令和５年分の所得税及び復興特別所得税の確定申告書を提出した人は次の欄を記入し、提出していない人は合計所得金額を明らかにする書類を贈与税の申告書に添付する必要があります（令和５年分の所得税に係る合計所得金額が2,000万円超（新築若しくは取得又は増改築等をした住宅用の家屋の床面積が50㎡未満である場合は1,000万円超）の場合には、住宅取得等資金の非課税の適用を受けることができません。）。

所得税及び復興特別所得税の確定申告書を提出した年月日	・　・	提出した税務署	税務署

（注２）新築若しくは取得又は増改築等をした住宅用の家屋が、一定の省エネルギー性、耐震性又はバリアフリー性を満たす住宅用の家屋（租税特別措置法施行令第40条の４の２第８項の規定により証明がされたものをいいます。）である場合は「1,000万円」と、それ以外の住宅用の家屋である場合は「500万円」となります。

（注３）住宅取得等資金の非課税又は住宅取得等資金の贈与を受けた場合の相続時精算課税選択の特例（以下、これらを「住宅取得等資金の贈与の特例」といいます。）の適用を受ける人が、所得税の住宅借入金等特別控除の適用を受ける場合には、住宅借入金等特別控除額の計算上、住宅の取得等又は住宅の増改築等の対価等の額から住宅取得等資金の贈与の特例の適用を受けた部分の金額を差し引く必要がありますのでご注意ください。

＊	税務署整理欄	整理番号		名簿		確認	

＊欄には記入しないでください。

（資５－10－１－３－Ａ４統一）（令5.12）

第二編　贈与税

農地等の贈与税の納税猶予税額の計算書

贈与者の氏名 _____　　受贈者の氏名 _____

生　年　月　日（明・大・昭・平　　年　　月　　日）

私（受贈者）は、租税特別措置法第70条の4第1項の規定による農地等についての贈与税の納税猶予の適用を受けます。

提出用

○農地等の明細についてこの計算書に書ききれない場合には、この計算書を追加して記入してください。

（平成27年分以降用）

Ⅰ　納税猶予の適用を受ける農地等の明細

田・畑 採草放牧地 準農地の別	地上権、永小作権、使用貸借による権利、賃借権（耕作権）の場合のその別	所　在　場　所	面　積 固定資産税評価額	単　価 倍　数	価　　額
			㎡ 円	円 倍	円
合　計			㎡	Ⓐ	

Ⅱ　納税猶予税額の計算（農地等以外の財産に対する贈与税額の計算）

A　農地等以外の財産として、一般贈与財産又は特例贈与財産のどちらか一方のみを贈与により取得している場合

農地等以外の財産の課税価格（申告書第一表の④の金額－上欄のⒶの金額）	①	円	差引税額の合計額（申告書第一表の⑭の金額）	⑤	円 00
基礎控除額	②	1,100,000	相続時精算課税分の差引税額の合計額（申告書第一表の⑫の金額）	⑥	
農地等以外の財産の基礎控除後の課税価格（①－②）（1,000円未満の端数は切り捨てます。また、この金額が1,000円未満のときは、その金額を切り捨てます。）	③	,000	農地等以外の財産に対する贈与税額（④＋⑥）（100円未満の端数は切り捨てます。また、この金額が100円未満のときは、その金額を切り捨てます。）	⑦	00
③に対する税額（申告書第一表（控用）の裏面の速算表を使用して、一般税率又は特例税率により計算します。）	④	00	納税猶予税額（⑤－⑦）	⑧	00

B　農地等以外の財産として、一般贈与財産及び特例贈与財産の両方を贈与により取得している場合

農地等以外の財産（特例贈与財産）の価額の合計額（納税猶予の適用を受ける農地等が特例贈与財産である場合には、「申告書第一表の①の金額」から「上欄のⒶの金額」を差し引いた金額となります。）	⑨	円	農地等以外の財産（特例贈与財産）に対応する税額（⑮×⑨／⑫）	⑯	円
農地等以外の財産（一般贈与財産）の価額の合計額（納税猶予の適用を受ける農地等が一般贈与財産である場合には、「申告書第一表の②の金額」から「上欄のⒶの金額」を差し引いた金額となります。）	⑩		⑭の金額に「一般税率」を適用した税額（申告書第一表（控用）の裏面の速算表を使用して、一般税率により計算します。）	⑰	
配偶者控除額（申告書第一表の③の金額）	⑪		農地等以外の財産（一般贈与財産）に対応する税額（⑰×（⑩－⑪）／⑫）	⑱	
農地等以外の財産の課税価格の合計額（⑨＋⑩－⑪）	⑫		差引税額の合計額（申告書第一表の⑭の金額）	⑲	00
基礎控除額	⑬	1,100,000	相続時精算課税分の差引税額の合計額（申告書第一表の⑫の金額）	⑳	
農地等以外の財産の基礎控除後の課税価格（⑫－⑬）（1,000円未満の端数は切り捨てます。また、この金額が1,000円未満のときは、その金額を切り捨てます。）	⑭	,000	農地等以外の財産に対する贈与税額（⑯＋⑱＋⑳）（100円未満の端数は切り捨てます。また、この金額が100円未満のときは、その金額を切り捨てます。）	㉑	00
⑭の金額に「特例税率」を適用した税額（申告書第一表（控用）の裏面の速算表を使用して、特例税率により計算します。）	⑮		納税猶予税額（⑲－㉑）	㉒	00

（資5－11－1－A4統一）（令5.12）

令和＿＿年分　農地等の贈与に関する確認書

1　農地等の受贈者

住所		氏名	

2　前年以前の農地等の贈与の状況

次のいずれか該当する項目の□の中に✓印を記入してください。

□　私は、農地等を贈与した年の前年以前において、その農業の用に供していた租税特別措置法第70条の4第1項に規定する農地を私の推定相続人に贈与したことはありません。

□　私は、農地等を贈与した年の前年以前において、その農業の用に供していた租税特別措置法第70条の4第1項に規定する農地を私の推定相続人に贈与したことはありますが、当該農地は相続税法第21条の9第3項の規定(相続時精算課税)の適用を受けるものではありません。

3　本年における農地等の贈与の状況

次に該当する場合は□の中に✓印を記入してください。

□　私は、農地等を贈与した年において、今回の贈与以外の贈与により租税特別措置法第70条の4第1項に規定する農地及び採草放牧地並びに準農地の贈与をしていません。

4　採草放牧地に関する事項（今回の贈与以前に採草放牧地を所有していた場合のみ記入してください。）

贈与者が今回の贈与の日までその農業の用に供していた租税特別措置法第70条の4第1項に規定する採草放牧地の面積	①	㎡
贈与者が今回の贈与をした年の前年以前において贈与をした採草放牧地のうち相続時精算課税の適用を受けるものの面積	②	㎡
①の面積と②の面積の合計（①＋②）	③	㎡
③の面積の$\frac{2}{3}$（③×$\frac{2}{3}$）	④	㎡
贈与者が今回贈与をした租税特別措置法第70条の4第1項に規定する採草放牧地の面積（「農地等の贈与税の納税猶予税額の計算書」に記載した採草放牧地の面積の合計を記入します。）	⑤	㎡

上記のとおり、⑤の面積は、④の面積以上となります。

5　準農地に関する事項（今回の贈与以前に準農地を所有していた場合のみ記入してください。）

贈与者が今回の贈与の日まで有していた租税特別措置法第70条の4第1項に規定する準農地の面積	①	㎡
贈与者が今回の贈与をした年の前年以前において贈与をした準農地のうち相続時精算課税の適用を受けるものの面積	②	㎡
①の面積と②の面積の合計（①＋②）	③	㎡
③の面積の$\frac{2}{3}$（③×$\frac{2}{3}$）	④	㎡
贈与者が今回贈与をした租税特別措置法第70条の4第1項に規定する準農地の面積（「農地等の贈与税の納税猶予税額の計算書」に記載した準農地の面積の合計を記入します。）	⑤	㎡

上記のとおり、⑤の面積は、④の面積以上となります。

上記の事実に相違ありません。

令和＿＿年＿＿月＿＿日

農地等の贈与者

住所＿＿＿＿＿＿＿＿＿＿＿＿＿＿＿　氏名＿＿＿＿＿＿＿＿＿＿＿＿＿＿＿

（資5－45－A4統一）　（令5.12）

（令和2年分以降用）

第二編　贈与税

死亡した者の令和＿＿年分　贈与税の申告書付表
（兼相続人の代表者指定届出書）

（令和４年分以降用）　〇この付表は、贈与税の申告書第一表と一緒に提出してください。

1	死亡した者の住所・氏名等				
住所		氏名	フリガナ	相続開始年月日	令和　　年　　月　　日

2	死亡した者の納める税金 （贈与税の申告書第一表の㉓欄又は㉕欄の金額）	円・・・・A

3	相続人等の代表者の指定 （贈与税に関する書類を受領する代表者を指定するときに記入してください。）	相続人等の代表者の氏名　＿＿＿＿＿＿＿＿

4	限定承認の有無 （相続人等が限定承認しているときは、右の「限定承認」の文字を〇で囲んでください。）	限 定 承 認

5 相続人等に関する事項	(1) 住　　　所	〒	〒	〒	〒
	(2) 氏　　　名	フリガナ	フリガナ	フリガナ	フリガナ
	(3) 個 人 番 号 又 は 法 人 番 号	個人番号の記入に当たっては、左端を空欄とし、ここから記入してください。↓	個人番号の記入に当たっては、左端を空欄とし、ここから記入してください。↓	個人番号の記入に当たっては、左端を空欄とし、ここから記入してください。↓	個人番号の記入に当たっては、左端を空欄とし、ここから記入してください。↓
	(4) 職業及び被相続人との続柄	職業　　　　続柄	職業　　　　続柄	職業　　　　続柄	職業　　　　続柄
	(5) 生 年 月 日	明・大・昭・平・令　　年　　月　　日	明・大・昭・平・令　　年　　月　　日	明・大・昭・平・令　　年　　月　　日	明・大・昭・平・令　　年　　月　　日
	(6) 電 話 番 号				
	(7) 相 続 分 … B	法定・指定　＿＿＿＿＿	法定・指定　＿＿＿＿＿	法定・指定　＿＿＿＿＿	法定・指定　＿＿＿＿＿
	(8) 相続又は遺贈により取得した財産の価額	円	円	円	円
	(9) 各 人 の (8) の 合 計	＿＿＿＿＿＿＿＿＿＿＿＿＿＿＿＿円			
	(10) (8) の (9) に対する割合 $\left[\dfrac{(8)}{(9)}\right]$	＿＿＿＿＿	＿＿＿＿＿	＿＿＿＿＿	＿＿＿＿＿

6 各人の納付税額 A × B 各人の100円未満の端数切捨て	00 円	00 円	00 円	00 円

(注)　「5　相続人等に関する事項」欄については、相続を放棄した人は記入の必要はありません。

税務署整理欄	整 理 番 号	0	0	0	0
	番号確認　身元確認				

（資５−10−４−Ａ４統一）　（令4.12）

−598−

第六章　申告、更正決定及び更正の請求

第三節　期限後申告

　期限内申告書を提出すべきであった者（所得税法第123条第1項《確定損失申告》、第125条第3項《年の中途で死亡した場合の確定損失申告》又は第127条第3項《年の中途で出国をする場合の確定損失申告》（これらの規定を同法第166条《非居住者に対する準用》において準用する場合を含む。）の規定による申告書を提出することができる者でその提出期限内に当該申告書を提出しなかったもの及びこれらの者の相続人その他これらの者の財産に属する権利義務を包括して承継した者（法人が分割をした場合にあっては、第7条の2第4項《信託に係る国税の納付義務の承継》の規定により当該分割をした法人の国税を納める義務を承継した法人に限る。）を含む。）は、その提出期限後においても、決定があるまでは、納税申告書を税務署長に提出することができる。（通法18①）
　上記の規定により提出する納税申告書は、期限後申告書という。（通法18②）
　期限後申告書には、その申告に係る国税の期限内申告書に記載すべきものとされている事項を記載し、その期限内申告書に添付すべきものとされている書類があるときは当該書類を添付しなければならない。（通法18③）

　　（期限後申告の特則）
（1）　第一節一の1《申告書の提出期限》の規定による申告書の提出期限後において第一編第七章第三節二《相続税法による期限後申告の特則》の(一)から(六)までに規定する事由が生じたことにより相続又は遺贈による財産の取得をしないこととなったため新たに第一節一の1に規定する申告書を提出すべき要件に該当することとなった者は、期限後申告書を提出することができる。（法30②）

　　（法第30条第2項の規定による期限後申告書を提出することができる者）
（2）　贈与によって財産を取得した者で、第一節一の1の規定による申告書の提出期限内に期限内申告書の提出義務がなく、その後において第一編第七章第三節二の(一)から(六)までに掲げる事由により相続又は遺贈による財産の取得をしないこととなったため新たに納付すべき贈与税額があることとなったものについては、(1)の規定による期限後申告書を提出することができるのであるから留意する。したがって、その者は、第一編第七章第三節二の(3)の(一)から(七)までに掲げるような事由により贈与税の申告書の提出期限後において新たに納付すべき贈与税額があることとなった場合には期限後申告書の提出ができることとなる。（基通30－2）

　　（決定通知書の送達中に期限後申告書の提出があった場合）
（3）　期限後申告書は、課税価格及び贈与税額の決定通知書が納税義務者に到達するまではいつでも提出することができるのであるから、当該通知書の発送後納税義務者に到達前に期限後申告書の提出があったときは、当該決定を取消し、当該申告書に係る課税価格及び贈与税額の是認又は更正をするものとする。（基通30－4）

－599－

第四節　修　正　申　告

一　国税通則法の規定による修正申告

1　修正申告

納税申告書を提出した者（その相続人その他当該提出した者の財産に属する権利義務を包括して承継した者（法人が分割をした場合にあっては、第7条の2第4項《信託に係る国税の納付義務の承継》の規定により当該分割をした法人の国税を納める義務を承継した法人に限る。）を含む。以下第五節―の1及び同―の2《更正の請求》において同じ。）は、次の(一)から(四)までのいずれかに該当する場合には、その申告について第六節の規定による更正があるまでは、その申告に係る課税標準等又は税額等を修正する納税申告書を税務署長に提出することができる。（通法19①）

この規定により提出する納税申告書は、修正申告書という。（通法19③）

(一)	先の納税申告書の提出により納付すべきものとしてこれに記載した税額に不足額があるとき
(二)	先の納税申告書に記載した純損失等の金額が過大であるとき
(三)	先の納税申告書に記載した還付金の額に相当する税額が過大であるとき
(四)	先の納税申告書に当該申告書の提出により納付すべき税額を記載しなかった場合において、その納付すべき税額があるとき

（注）　純損失等の金額とは、第三編第一章第二節―の(1)《相続時精算課税に係る贈与税の特別控除》の規定により同(1)の規定を受けて控除した金額がある場合における当該金額の合計額を2,500万円から控除した残額をいう。（通法2六ハ(3)）

2　更正又は決定を受けた者の修正申告

第六節の規定による更正又は決定を受けた者（その相続人その他当該更正又は決定を受けた者の財産に属する権利義務を包括して承継した者（法人が分割をした場合にあっては、第7条の2第4項の規定により当該分割をした法人の国税を納める義務を承継した法人に限る。）を含む。第五節―の2において同じ。）は、次の(一)から(四)までのいずれかに該当する場合には、その更正又は決定について第六節―の3《再更正》の規定による更正があるまでは、その更正又は決定に係る課税標準等又は税額等を修正する納税申告書を税務署長に提出することができる。（通法19②）

この規定により提出する納税申告書は、修正申告書という。（通法19③）

(一)	その更正又は決定により納付すべきものとしてその更正又は決定に係る更正通知書又は決定通知書に記載された税額に不足額があるとき
(二)	その更正に係る更正通知書に記載された純損失等の金額が過大であるとき
(三)	その更正又は決定に係る更正通知書又は決定通知書に記載された還付金の額に相当する税額が過大であるとき
(四)	納付すべき税額がない旨の更正を受けた場合において、納付すべき税額があるとき

3　修正申告書の記載事項及び添付書類

修正申告書には、次に掲げる事項を記載し、その申告に係る国税の期限内申告書に添付すべきものとされている書類があるときは、当該書類に記載すべき事項のうちその申告に係るものを記載した書類を添付しなければならない。（通法19④）

(一)		その申告後の課税標準等及び税額等
(二)		その申告に係る次に掲げる金額
	イ	その申告前の納付すべき税額がその申告により増加するときは、その増加する部分の税額
	ロ	その申告前の還付金の額に相当する税額がその申告により減少するときは、その減少する部分の税額
	ハ	純損失の繰戻し等による還付金額に係る還付加算金があるときは、その還付加算金のうちロに掲げる税額に対応する部分の金額
(三)		その申告前の納付すべき税額及び還付金の額に相当する税額

―600―

| （四） | （一）から（三）までに掲げるもののほか、当該期限内申告書に記載すべきものとされている事項でその申告に係るものその他参考となるべき事項 |

(注) 令和４年度改正後の**3**の規定は、令和４年12月31日以後に課税期間が終了する国税（課税期間のない国税については、同日後にその納税義務が成立する当該国税）に係る**3**に規定する修正申告書について適用し、同日前に課税期間が終了した国税（課税期間のない国税については、同日以前にその納税義務が成立した当該国税）に係る令和４年度改正前の**3**に規定する修正申告書については、なお従前の例による。（令４所法等附20①）

4　修正申告の効力

修正申告書で既に確定した納付すべき税額を増加させるものの提出は、既に確定した納付すべき税額に係る部分の国税についての納税義務に影響を及ぼさない。（通法20）

　　（期限内申告書の修正）

注　期限内申告書を提出した者が、当該申告書の提出期限内にその申告に係る課税価格、贈与税額を修正した申告書を提出した場合においては、当該修正した申告書は国税通則法第19条第１項の規定による修正申告書とはしないで期限内申告書として取り扱うものとする。（基通31−１）

二　相続税法の規定による修正申告の特則

第一節**一**の**1**《申告書の提出期限》の規定による申告書又は当該申告書に係る期限後申告書を提出した者（贈与税について決定を受けた者を含む。）は、第一編第七章第三節**二**の（一）から（六）までに規定する事由が生じたことにより相続又は遺贈による財産の取得をしないこととなったため既に確定した贈与税額に不足を生じた場合には、修正申告書を提出することができる。（法31④）

第五節　更正の請求

一　国税通則法の規定による更正の請求

1　法定申告期限から5年以内に行う更正の請求

　納税申告書を提出した者は、次の(一)から(三)までのいずれかに該当する場合には、当該申告書に係る国税の法定申告期限から5年以内に限り、税務署長に対し、その申告に係る課税標準等又は税額等（当該課税標準等又は税額等に関し第六節一の**1**又は同一の**3**による更正があった場合には、当該更正後の課税標準等又は税額等）につき更正をすべき旨の請求をすることができる。(通法23①)

(一)	当該申告書に記載した課税標準等若しくは税額等の計算が国税に関する法律の規定に従っていなかったこと又は当該計算に誤りがあったことにより、当該申告書の提出により納付すべき税額（当該税額に関し更正があった場合には、当該更正後の税額）が過大であるとき
(二)	(一)に規定する理由により、当該申告書に記載した純損失等の金額（当該金額に関し更正があった場合には、当該更正後の金額）が過少であるとき、又は当該申告書（当該申告書に関し更正があった場合には、更正通知書）に純損失等の金額の記載がなかったとき
(三)	(一)に規定する理由により、当該申告書に記載した還付金の額に相当する税額（当該税額に関し更正があった場合には、当該更正後の税額）が過少であるとき、又は当該申告書（当該申告書に関し更正があった場合には、更正通知書）に還付金の額に相当する税額の記載がなかったとき

2　判決等があった日から2月以内に行う更正の請求

　納税申告書を提出した者又は第六節一の**2**による決定を受けた者は、次の(一)から(三)までのいずれかに該当する場合（納税申告書を提出した者については、当該(一)から(三)までに定める期間の満了する日が**1**に規定する期間の満了する日後に到来する場合に限る。）には、**1**の規定にかかわらず、当該(一)から(三)までに定める期間において、その該当することを理由として**1**の規定による更正の請求（以下「更正の請求」という。）をすることができる。(通法23②、通令6①)

(一)		その申告、更正又は決定に係る課税標準等又は税額等の計算の基礎となった事実に関する訴えについての判決（判決と同一の効力を有する和解その他の行為を含む。）により、その事実が当該計算の基礎としたところと異なることが確定したとき　　その確定した日の翌日から起算して2月以内
(二)		その申告、更正又は決定に係る課税標準等又は税額等の計算に当たってその申告をし、又は決定を受けた者に帰属するものとされていた所得その他課税物件が他の者に帰属するものとする当該他の者に係る国税の更正又は決定があったとき　　当該更正又は決定があった日の翌日から起算して2月以内
(三)		その他当該国税の法定申告期限後に生じた(一)又は(二)に類するやむを得ない理由として次のイからニまでに掲げる理由があるとき　　当該理由が生じた日の翌日から起算して2月以内
	イ	その申告、更正又は決定に係る課税標準等又は税額等の計算の基礎となった事実のうちに含まれていた行為の効力に係る官公署の許可その他の処分が取り消されたこと。
	ロ	その申告、更正又は決定に係る課税標準等又は税額等の計算の基礎となった事実に係る契約が、解除権の行使によって解除され、若しくは当該契約の成立後生じたやむを得ない事情によって解除され、又は取り消されたこと。
	ハ	帳簿書類の押収その他やむを得ない事情により、課税標準等又は税額等の計算の基礎となるべき帳簿書類その他の記録に基づいて国税の課税標準等又は税額等の計算をすることができなかった場合において、その後、当該事情が消滅したこと。
	ニ	我が国が締結した所得に対する租税に関する二重課税の回避又は脱税の防止のための条約に規定する権限のある当局間の協議により、その申告、更正又は決定に係る課税標準等又は税額等に関し、その内容と異なる内容の合意が行われたこと。
	ホ	その申告、更正又は決定に係る課税標準等又は税額等の計算の基礎となった事実に係る国税庁長官が発した

通達に示されている法令の解釈その他の国税庁長官の法令の解釈が、更正又は決定に係る審査請求若しくは訴えについての裁決若しくは判決に伴って変更され、変更後の解釈が国税庁長官により公表されたことにより、当該課税標準等又は税額等が異なることとなる取扱いを受けることとなったことを知ったこと。

3 更正の請求書の記載事項

　更正の請求をしようとする者は、その請求に係る更正後の課税標準等又は税額等、その更正の請求をする理由、当該請求をするに至った事情の詳細、当該請求に係る更正前の納付すべき税額及び還付金の額に相当する税額その他参考となるべき事項を記載した更正請求書を税務署長に提出しなければならない。（通法23③）

（注）　令和４年度改正後の**3**の規定は、令和４年12月31日以後に課税期間が終了する国税（課税期間のない国税については、同日後にその納税義務が成立する当該国税）に係る**3**に規定する更正請求書について適用し、同日前に課税期間が終了した国税（課税期間のない国税については、同日以前にその納税義務が成立した当該国税）に係る令和４年度改正前の**3**に規定する更正請求書については、なお従前の例による。（令４所法等附20①）

4 更正の請求書の添付書類

　更正の請求をしようとする者は、その更正の請求をする理由が課税標準たる所得が過大であることその他その理由の基礎となる事実が一定期間の取引に関するものであるときは、その取引の記録等に基づいてその理由の基礎となる事実を証明する書類を更正請求書に添付しなければならない。その更正の請求をする理由の基礎となる事実が一定期間の取引に関するもの以外のものである場合において、その事実を証明する書類があるときも、また同様とする。（通令6②）

5 更正の請求に対する処理

① 更正の請求に対する処理と通知

　税務署長は、更正の請求があった場合には、その請求に係る課税標準等又は税額等について調査し、更正をし、又は更正をすべき理由がない旨をその請求をした者に通知する。（通法23④）

② 更正の請求があった場合の徴収猶予

　更正の請求があった場合においても、税務署長は、その請求に係る納付すべき国税（その滞納処分費を含む。以下同じ。）の徴収を猶予しない。ただし、税務署長において相当の理由があると認めるときは、その国税の全部又は一部の徴収を猶予することができる。（通法23⑤）

二　相続税法による更正の請求の特則

1 ４月以内に行う更正の請求の特則

　贈与税について申告書を提出した者又は決定を受けた者は、次の(一)から(十)までのいずれかに該当する事由により当該申告又は決定に係る課税価格及び贈与税額（当該申告書を提出した後又は当該決定を受けた後修正申告書の提出又は更正があった場合には、当該修正申告又は更正に係る課税価格及び贈与税額）が過大となったときは、当該(一)から(十)までに規定する事由が生じたことを知った日の翌日から４月以内に限り、納税地の所轄税務署長に対し、その課税価格及び贈与税額につき更正の請求（**一**の**1**の規定による更正の請求をいう。第三編第一章第三節**四**において同じ。）をすることができる。（法32①）

(一)・(二)省略（相続税関係）
(三)　贈与について遺留分侵害額の請求に基づき支払うべき金銭の額が確定したこと。
(四)省略（相続税関係）
(五)　第一編第八章第三節**二**の**9**（第一編第八章第三節**二**の**12**において準用する場合を含む。）の規定により条件を付して物納の許可がされた場合（第一編第八章第三節**二**の**10**の(1)の規定により当該許可が取り消され、又は取り消されることとなる場合に限る。）において、当該条件に係る物納に充てた財産の性質その他の事情に関し(1)の政令で定めるものが生じたこと。
(六)　(一)から(五)までに規定する事由に準ずるものとして(2)の政令で定める事由が生じたこと。
(七)・(八)省略（相続税関係）

—603—

	次に掲げる事由が生じたこと。
（九）	イ　省略（相続税関係） ロ　所得税法第137条の3第15項《贈与等により非居住者に資産が移転した場合の譲渡所得等の特例の適用がある場合の納税猶予》の規定により同条第7項に規定する適用贈与者等に係る同条第4項に規定する納税猶予分の所得税額に係る納付の義務を承継した当該適用贈与者等の相続人が当該納税猶予分の所得税額に相当する所得税を納付することとなったこと。 ハ　イ及びロに類する事由として（3）の政令で定める事由
（十）	贈与税の課税価格計算の基礎に算入した財産のうちに第四章《贈与税の課税価格》の**4**《相続開始の年に被相続人から贈与を受けた財産（特定贈与財産を除く。）の除外》の規定に該当するものがあったこと

（更正の請求の対象となる事由）

（1）　**二の1の(五)**に規定する政令で定めるものは、次に掲げるものとする。（令8①）

（一）	物納に充てた財産が土地である場合において、当該土地の土壌が土壌汚染対策法第2条第1項《定義》に規定する特定有害物質その他これに類する有害物質により汚染されていることが判明したこと。
（二）	物納に充てた財産が土地である場合において、当該土地の地下に廃棄物の処理及び清掃に関する法律第2条第1項《定義》に規定する廃棄物その他の物で除去しなければ当該土地の通常の使用ができないものがあることが判明したこと。

（更正の請求の対象となる事由）

（2）　**二の1の(六)**に規定する政令で定める事由は、次に掲げる事由とする。（令8②）

（一）	相続若しくは遺贈により取得した財産についての権利の帰属に関する訴えについての判決があったこと
（二）・（三）省略（相続税関係）	

（更正の請求の対象となる事由）

（3）　**二の1の(九)**のハに規定する政令で定める事由は、所得税法第137条の3第2項（贈与等により非居住者に資産が移転した場合の譲渡所得等の特例の適用がある場合の納税猶予）の規定の適用を受ける同項の相続人が同項に規定する相続等納税猶予分の所得税額に相当する所得税を納付することとなったこととする。（令8③）

（「判決があったこと」の意義）

（4）　（2）の（一）に規定する「判決があったこと」とは、判決の確定をいい、第一編第六章第四節《配偶者の税額軽減》の**2**の(14)に準じて取り扱うものとする。（基通32−4）

2　贈与税についての更正の請求の特則

　贈与税について申告書を提出した者に対する**一**の規定の適用については、**一**の**1**中「5年」とあるのは、「6年」とする。（法32②）

第六節　更正、決定及び加算税等

一　国税通則法の規定による更正又は決定

1　更　　　正

　税務署長は、納税申告書の提出があった場合において、その納税申告書に記載された課税標準等又は税額等の計算が国税に関する法律の規定に従っていなかったとき、その他当該課税標準等又は税額等がその調査したところと異なるときは、その調査により、当該申告書に係る課税標準等又は税額等を更正する。（通法24）

2　決　　　定

　税務署長は、納税申告書を提出する義務があると認められる者が当該申告書を提出しなかった場合には、その調査により、当該申告書に係る課税標準等及び税額等を決定する。ただし、決定により納付すべき税額及び還付金の額に相当する税額が生じないときは、この限りでない。（通法25）

3　再　更　正

　税務署長は、1、2又は3の規定による更正又は決定をした後、その更正又は決定をした課税標準等又は税額等が過大又は過少であることを知ったときは、その調査により、当該更正又は決定に係る課税標準等又は税額等を更正する。（通法26）

4　国税庁又は国税局の職員の調査に基づく更正又は決定

　1から3までの場合において、国税庁又は国税局の当該職員の調査があったときは、税務署長は、当該調査したところに基づき、これらの規定による更正又は決定をすることができる。（通法27）

5　更正又は決定の手続

①　更正通知書、決定通知書の送達

　1から3までの規定による更正又は決定は、税務署長が更正通知書又は決定通知書を送達して行う。（通法28①）

②　更正通知書の記載事項

　更正通知書には、次に掲げる事項を記載しなければならない。この場合において、その更正が国税庁又は国税局の当該職員の調査に基づくものであるときは、その旨を付記しなければならない。（通法28②）

(一)		その更正前の課税標準等及び税額等
(二)		その更正後の課税標準等及び税額等
(三)		その更正に係る次に掲げる金額
	イ	その更正前の納付すべき税額がその更正により増加するときは、その増加する部分の税額
	ロ	その更正前の還付金の額に相当する税額がその更正により減少するときは、その減少する部分の税額
	ハ	純損失の繰戻し等による還付金額に係る還付加算金があるときは、その還付加算金のうちロに掲げる税額に対応する部分の金額
	ニ	その更正前の納付すべき税額がその更正により減少するときは、その減少する部分の税額
	ホ	その更正前の還付金の額に相当する税額がその更正により増加するときは、その増加する部分の税額

③　決定通知書の記載事項

　決定通知書には、その決定に係る課税標準等及び税額等を記載しなければならない。この場合において、その決定が国税庁又は国税局の当該職員の調査に基づくものであるときは、その旨を付記しなければならない。（通法28③）

6 更正等の効力

① 更正及び再更正の効力

1又は**3**《再更正》の規定による更正で既に確定した納付すべき税額を増加させるものは、既に確定した納付すべき税額に係る部分の国税についての納税義務に影響を及ぼさない。（通法29①）

② 既に確定した税額を減少させる更正の効力

既に確定した納付すべき税額を減少させる更正は、その更正により減少した税額に係る部分以外の部分の国税についての納税義務に影響を及ぼさない。（通法29②）

③ 更正又は決定を取り消す処分又は判決の効力

更正又は決定を取り消す処分又は判決は、その処分又は判決により減少した税額に係る部分以外の部分の国税についての納税義務に影響を及ぼさない。（通法29③）

7 更正又は決定の所轄庁

更正又は決定は、これらの処分をする際における国税の納税地（以下「現在の納税地」という。）を所轄する税務署長が行う。（通法30①）

国税についてその課税期間が開始した時以後にその納税地に異動があった場合において、その異動に係る納税地で現在の納税地以外のもの（以下「旧納税地」という。）を所轄する税務署長においてその異動の事実が知れず、又はその異動後の納税地が判明せず、かつ、その知れないこと又は判明しないことにつきやむを得ない事情があるときは、その旧納税地を所轄する税務署長は、上記にかかわらず、その国税について更正又は決定をすることができる。（通法30②）

上記に規定する税務署長は、更正又は決定をした後、当該更正又は決定に係る国税につき既に適法に、他の税務署長に対し納税申告書が提出され、又は他の税務署長が決定をしていたため、当該更正又は決定をすべきでなかったものであることを知った場合には、遅滞なく、当該更正又は決定を取り消さなければならない。（通法30③）

8 更正又は決定の期間制限

更正又は決定の期間制限は、次による。（通法70、71）

<table>
<tr><td colspan="4">次のイからハに掲げる更正決定等は、当該イからハに定める期限又は日から5年（ロに規定する課税標準申告書の提出を要する国税で当該申告書の提出があったものに係る賦課決定（納付すべき税額を減少させるものを除く。）については、3年）を経過した日以後においては、することができない。（通法70①）</td></tr>
<tr><td rowspan="3">（一）</td><td>イ</td><td>更正又は決定</td><td>その更正又は決定に係る国税の法定申告期限（還付請求申告書に係る更正については当該申告書を提出した日）</td></tr>
<tr><td>ロ</td><td>課税標準申告書の提出を要する国税に係る賦課決定</td><td>当該申告書の提出期限</td></tr>
<tr><td>ハ</td><td>課税標準申告書の提出を要しない賦課課税方式による国税に係る賦課決定</td><td>その納税義務の成立の日</td></tr>
<tr><td>（二）</td><td colspan="3">（一）の規定により更正をすることができないこととなる日前6月以内にされた更正の請求に係る更正又は当該更正に伴って行われることとなる加算税についてする賦課決定は、（一）の規定にかかわらず、当該更正の請求があった日から6月を経過する日まで、することができる。（通法70③）</td></tr>
<tr><td>（三）</td><td colspan="3">（一）の規定により賦課決定をすることができないこととなる日前3月以内にされた納税申告書の提出（源泉徴収等による国税の納付を含む。以下（三）において同じ。）に伴って行われることとなる無申告加算税（第66条第8項《無申告加算税》の規定の適用があるものに限る。）又は不納付加算税（第67条第2項《不納付加算税》の規定の適用があるものに限る。）についてする賦課決定は、（一）の規定にかかわらず、当該納税申告書の提出があった日から3月を経過する日まで、することができる。（通法70④）</td></tr>
<tr><td rowspan="2">（四）</td><td colspan="3">次のイからハに掲げる更正決定等は、（一）から（三）の規定にかかわらず、（一）のイからハに掲げる更正決定等の区分に応じ、（一）のイからハに定める期限又は日から7年を経過する日まで、することができる。（通法70⑤）</td></tr>
<tr><td>イ</td><td colspan="2">偽りその他不正の行為によりその全部若しくは一部の税額を免れ、又はその全部若しくは一部の税額の還付を受けた国税（当該国税に係る加算税及び過怠税を含む。）についての更正決定等</td></tr>
</table>

第六章　申告、更正決定及び更正の請求

	ロ	偽りその他不正の行為により当該課税期間において生じた純損失等の金額が過大にあるものとする納税申告書を提出していた場合における当該申告書に記載された当該純損失等の金額（当該金額に関し更正があった場合には、当該更正後の金額）についての更正（（ニ）の規定の適用を受ける法人税に係る純損失等の金額に係るものを除く。）
	ハ	所得税法第60条の2第1項から第3項まで《国外転出をする場合の譲渡所得等の特例》又は第60条の3第1項から第3項まで《贈与等により非居住者に資産が移転した場合の譲渡所得等の特例》の規定の適用がある場合（第117条第2項《納税管理人》の規定による納税管理人の届出及び税理士法（昭和26年法律第237号）第30条《税務代理の権限の明示》（同法第48条の16《税理士の権利及び義務等に関する規定の準用》において準用する場合を含む。）の規定による書面の提出がある場合その他の政令で定める場合を除く。）の所得税（当該所得税に係る加算税を含む。第73条第3項《時効の中断及び停止》において「国外転出等特例の適用がある場合の所得税」という。）についての更正決定等

(五)		更正決定等で次のイからニに掲げるものは、当該イからニに定める期間の満了する日が（一）から（四）の規定により更正決定等をすることができる期間の満了する日後に到来する場合には、（一）から（四）の規定にかかわらず、当該イからニに定める期間においても、することができる。（通法71①、通令30）
	イ	更正決定等に係る不服申立て若しくは訴えについての裁決、決定若しくは判決（以下「裁決等」という。）による原処分の異動又は更正の請求に基づく更正に伴って課税標準等又は税額等に異動を生ずべき国税（当該裁決等又は更正に係る国税の属する税目に属するものに限る。）で当該裁決等又は更正を受けた者に係るものについての更正決定等　　当該裁決等又は更正があった日から6月間
	ロ	申告納税方式による国税につき、その課税標準の計算の基礎となった事実のうちに含まれていた無効な行為により生じた経済的成果がその行為の無効であることに基因して失われたこと、当該事実のうちに含まれていた取り消しうべき行為が取り消されたことその他これらに準ずる理由（国税通則法施行令第24条第4項《還付加算金の計算期間の特例に係る理由》に規定する理由——第五節一の2の（一）及び（三）（ホを除く。）並びに国税通則法以外の国税に関する法律の規定により更正の請求の基因とされている理由（修正申告書の提出又は更正若しくは決定があったことを理由とするものを除く。）で法定申告期限後に生じたもの）に基づいてする更正（納付すべき税額を減少させる更正又は純損失等の金額で当該課税期間において生じたもの若しくは還付金の額を増加させる更正若しくはこれらの金額があるものとする更正に限る。）又は当該更正に伴い当該国税に係る加算税についてする賦課決定　　当該理由が生じた日から3年間
	ハ	更正の請求をすることができる期限について国税通則法第10条第2項《期間の計算及び期限の特例》又は第11条《災害等による期限の延長》の規定の適用がある場合における当該更正の請求に係る更正又は当該更正に伴って行われることとなる加算税についてする賦課決定　　当該更正の請求があった日から6月間
	ニ	（イ）に掲げる事由が生じた場合において、（ロ）に掲げる事由に基づいてする更正決定等　　（ロ）の租税条約等の相手国等に対し（ロ）の要請に係る書面が発せられた日から3年間 （イ）　国税庁、国税局又は税務署の当該職員が納税者にその国税に係る国外取引（非居住者若しくは外国法人との間で行う資産の販売、資産の購入、役務の提供その他の取引又は非居住者若しくは外国法人が提供する場を利用して行われる資産の販売、資産の購入、役務の提供その他の取引をいう。）又は国外財産（第一編第六章第八節《在外財産に対する相続税額の控除》に規定する財産をいう。）に関する書類（その作成又は保存に代えて電磁的記録の作成又は保存がされている場合における当該電磁的記録を含む。）又はその写しの提示又は提出を求めた場合において、その提示又は提出を求めた日から60日を超えない範囲内においてその準備に通常要する日数を勘案して当該職員が指定する日までにその提示又は提出がなかったこと（当該納税者の責めに帰すべき事由がない場合を除く。）。 （ロ）　国税庁長官（その委任を受けた者を含む。）が租税条約等の規定に基づき当該租税条約等の相手国等にイの国外取引又は国外財産に関する情報の提供の要請をした場合（当該要請が（一）から（四）の規定により更正決定等をすることができないこととなる日の6月前の日以後にされた場合を除くものとし、当該要請をした旨の（イ）の納税者への通知が当該要請をした日から3月以内にされた場合に限る。）において、その国税に係る課税標準等又は税額等に関し、当該相手国等から提供があった情報に照らし非違があると認められること。

—607—

二　相続税法の規定による更正又は決定の特則

1　申告書の提出期限前における更正、決定

　税務署長は、次の(一)から(五)のいずれかに該当する場合においては、申告書の提出期限前においても、その課税価格又は贈与税額の更正又は決定をすることができる。（法35②）

(一)	省略（相続税関係）
(二)	第一節一の**2**《申告書の提出義務者が死亡した場合の相続人による申告》の(一)に掲げる場合において、同(一)に規定する者が死亡した日の翌日から10月を経過したとき。
(三)	第一節一の**2**の(二)に掲げる場合において、同(二)に規定する者が死亡した日の翌日から10月を経過したとき。
(四)	第一節一の**2**の(三)に掲げる場合において、同(三)に規定する申告書の提出期限を経過したとき。
(五)	省略（相続税関係）

2　新たに贈与税の申告書を提出すべきこととなった場合の更正、決定

　税務署長は、第四章《贈与税の課税価格》の**4**の規定の適用を受けていた者が、第一編第七章第三節二の(一)から(六)までに規定する事由が生じたことにより相続又は遺贈による財産の取得をしないこととなったため新たに第一節一の**1**に規定する申告書を提出すべき要件に該当することとなった場合又は既に確定した贈与税額に不足を生じた場合には、その者に係る贈与税の課税価格又は贈与税額の更正又は決定をする。ただし、これらの事由が生じた日から１年を経過した日と**6**の規定により更正又は決定をすることができないこととなる日とのいずれか遅い日以後においては、この限りでない。（法35⑤）

3　同族会社等の行為計算の否認等

　同族会社等の行為又は計算で、これを容認した場合においてはその株主若しくは社員又はその親族その他これらの者と(1)の政令で定める特別の関係がある者の贈与税の負担を不当に減少させる結果となると認められるものがあるときは、税務署長は、贈与税についての更正又は決定に際し、その行為又は計算にかかわらず、その認めるところにより、課税価格を計算することができる。（法64①）

　上記の規定は、同族会社等の行為又は計算につき、法人税法第132条第１項《同族会社等の行為又は計算の否認》若しくは所得税法第157条第１項《同族会社等の行為又は計算の否認等》又は地価税法第32条第１項《同族会社等の行為又は計算の否認等》の規定の適用があった場合における当該同族会社等の株主若しくは社員又はその親族その他これらの者と上記に規定する特別の関係がある者の贈与税に係る更正又は決定について準用する。（法64②）

　上記の「同族会社等」とは、法人税法第２条第10号《定義》に規定する同族会社又は所得税法第157条第１項第２号に掲げる法人をいう。（法64③）

　　（同族関係者の範囲等）
(1)　**3**に規定する政令で定める特別の関係がある者は、次に掲げる者とする。（令31①）
　(一)　株主又は社員と婚姻の届出をしていないが事実上婚姻関係と同様の事情にある者及びその者の親族でその者と生計を一にしているもの
　(二)　株主又は社員たる個人の使用人及び使用人以外の者で当該個人から受ける金銭その他の財産によって生計を維持しているもの並びにこれらの者の親族でこれらの者と生計を一にしているもの

4　移転法人又は取得法人の行為又は計算の否認

　合併、分割、現物出資若しくは法人税法第２条第12号の５の２に規定する現物分配若しくは同条第12号の16に規定する株式交換等若しくは株式移転（以下**4**において「合併等」という。）をした法人又は合併等により資産及び負債の移転を受けた法人（当該合併等により交付された株式又は出資を発行した法人を含む。以下**4**において同じ。）の行為又は計算で、これを容認した場合においては当該合併等をした法人若しくは当該合併等により資産及び負債の移転を受けた法人の株主若しくは社員又はこれらの者と政令《第一編第七章第六節二の**5**の(1)～(3)に収録》で定める特別の関係がある者の贈与税の負担を不当に減少させる結果となると認められるものがあるときは、税務署長は、贈与税についての更正又は決定に際し、その行為又は計算にかかわらず、その認めるところにより課税価格を計算することができる。（法64④）

5 法人課税信託の受託者又は受益者等への適用

法人課税信託（法人税法第2条第29号の2に規定する法人課税信託をいう。以下5において同じ。）の受託者又は第二章第二節**六**の1の①に規定する受益者等について、**3**及び**4**の規定を適用する場合には、次に定めるところによる。（法64⑤）

(一)　法人課税信託の受託者については、法人税法第4条の2《法人課税信託の受託者に関するこの法律の適用》の規定により、各法人課税信託の同条第1項に規定する信託資産等及び同項に規定する固有資産等ごとに、それぞれ別の者とみなす。

(二)　法人税法第4条の3《受託法人等に関するこの法律の適用》の規定を準用する。

(三)　(一)(二)に定めるもののほか、法人課税信託の受託者又は第二章第二節**六**の1の①に規定する受益者等についての**3**及び**4**の規定の適用に関し必要な事項は、政令で定める。

（法人税法等の規定の準用）
（1）　法人税法第4条の2第2項《法人課税信託の受託者に関するこの法律の適用》の規定及び法人税法施行令第14条の6《法人課税信託》の規定は、**5**の規定の適用がある場合について準用する。（令31⑥）

6 贈与税についての更正、決定等の期間制限の特則

税務署長は、贈与税について、国税通則法第70条《国税の更正、決定等の期間制限》の規定にかかわらず、次の(一)から(三)に掲げる更正若しくは決定（以下**6**及び(3)において「更正決定」という。）又は賦課決定（同法第32条第5項《賦課決定》に規定する賦課決定をいう。以下同じ。）を当該(一)から(三)に定める期間又は日から6年を経過する日まで、することができる。この場合において、同法第71条第1項《国税の更正、決定等の期間制限の特例》の規定の適用については、同項中「日が前条」とあるのは「日が前条及び相続税法第37条第1項から第4項まで《贈与税についての更正、決定等の期間制限の特則》」と、「同条」とあるのは「前条及び同法第37条第1項から第4項まで」とする。（法37①）

(一)	贈与税についての更正決定　　その更正決定に係る贈与税の第一節**一**の**1**又は同**一**の**2**の規定による申告書の提出期限
(二)	(一)に掲げる更正決定に伴い国税通則法第19条第1項《修正申告》に規定する課税標準等又は税額等に異動を生ずべき贈与税に係る更正決定　　その更正決定に係る贈与税の第一節**一**の**1**又は同**一**の**2**の規定による申告書の提出期限
(三)	(一)及び(二)に掲げる更正決定若しくは期限後申告書若しくは修正申告書の提出又はこれらの更正決定若しくは提出に伴い異動を生ずべき贈与税に係る更正決定若しくは期限後申告書若しくは修正申告書の提出に伴いこれらの贈与税に係る国税通則法第69条《加算税の税目》に規定する加算税（(1)及び(3)において「加算税」という。）についてする賦課決定　　その納税義務の成立の日

（更正の請求に係る更正又は当該更正に伴い贈与税に係る加算税についてする賦課決定）
（1）　**6**の規定により更正をすることができないこととなる日前6月以内にされた第五節の**一**の**1**《法定申告期限から5年以内に行う更正の請求》の規定による更正の請求に係る更正又は当該更正に伴い贈与税に係る加算税についてする賦課決定は、**6**の規定にかかわらず、当該更正の請求があった日から6月を経過する日まで、することができる。この場合において、国税通則法第72条第1項《国税の徴収権の消滅時効》の規定の適用については、同項中「第70条第3項（国税の更正、決定等の期間制限）」とあるのは「相続税法第37条第2項（贈与税についての更正、決定等の期間制限の特則）」と、「、第70条第3項」とあるのは「、同法第37条第2項」とする。（法37②）

（無申告加算税についてする賦課決定）
（2）　**6**の規定により賦課決定をすることができないこととなる日前3月以内にされた国税通則法第2条第6号《定義》に規定する納税申告書の提出に伴い贈与税に係る無申告加算税（同法第66条第7項《無申告加算税》の規定の適用があるものに限る。）についてする賦課決定は、**6**の規定にかかわらず、当該納税申告書の提出があった日から3月を経過する日まで、することができる。この場合において、同法第72条第1項の規定の適用については、同項中「同条第4項」とあり、及び「第70条第4項」とあるのは、「相続税法第37条第3項《贈与税についての更正、決定等の期間制限の特則》」とする。（法37③）

第二編　贈与税

（不正行為により税額を免れ若しくは税額の還付を受けた場合の更正決定等）

（３）　偽りその他不正の行為によりその全部若しくは一部の税額を免れ、若しくはその全部若しくは一部の税額の還付を受けた贈与税（その贈与税に係る加算税を含む。）についての更正決定若しくは賦課決定又は偽りその他不正の行為により国税通則法第２条第９号に規定する課税期間において生じた同条第６号ハに規定する純損失等の金額が過大にあるものとする同号に規定する納税申告書を提出していた場合における当該納税申告書に記載された当該純損失等の金額（当該金額に関し更正があった場合には、当該更正後の金額）についての更正は、**6**、（１）又は（２）の規定にかかわらず、次の（一）又は（二）に掲げる更正決定又は賦課決定の区分に応じ、当該（一）又は（二）に定める期限又は日から７年を経過する日まで、することができる。（法37④）

（一）	贈与税に係る更正決定　　その更正決定に係る贈与税の第一節**一の1**又は同**一の2**の規定による申告書の提出期限
（二）	贈与税に係る加算税についてする賦課決定　　その納税義務の成立の日

（国税の徴収権の時効）

（４）　**6**の場合において、贈与税に係る国税通則法第72条第１項に規定する国税の徴収権の時効は、同法第73条第３項《時効の中継及び停止》の規定の適用がある場合を除き、当該贈与税の第一節**一の1**又は同**一の2**の規定による申告書の提出期限から１年間は、進行しない。（法37⑤）

（国税通則法第73条第３項ただし書の準用）

（５）　（４）の場合においては、国税通則法第73条第３項ただし書の規定を準用する。この場合において、同項ただし書中「２年」とあるのは、「１年」と読み替えるものとする。（法37⑥）

三　加算税及び延滞税

1　過少申告加算税

①　過少申告加算税の税率

期限内申告書（還付請求申告書を含む。②の（１）において同じ。）が提出された場合（期限後申告書が提出された場合において、**2**の①のただし書又は⑧の規定の適用があるときを含む。）において、修正申告書の提出又は更正があったときは、当該納税者に対し、その修正申告又は更正に基づき第七章第一節**一の3**の規定により納付すべき税額《**不足税額**》に100分の10の割合（修正申告書の提出が、その申告に係る国税についての調査があったことにより当該国税について更正があるべきことを予知してされたものでないときは、100分の５の割合）を乗じて計算した金額に相当する過少申告加算税を課する。（通法65①）

②　期限内申告税額を超える部分の増差税額に対する過少申告加算税の加重

①の規定に該当する場合（④の規定の適用がある場合を除く。）において、①に規定する納付すべき税額（①の修正申告又は更正前に当該修正申告又は更正に係る国税について修正申告書の提出又は更正があったときは、その国税に係る累積増差税額を加算した金額）がその国税に係る期限内申告税額に相当する金額と50万円とのいずれか多い金額を超えるときは、①の過少申告加算税の額は、①の規定にかかわらず、①の規定により計算した金額に、その超える部分に相当する税額（①に規定する納付すべき税額が当該超える部分に相当する税額に満たないときは、当該納付すべき税額）に100分の５の割合を乗じて計算した金額を加算した金額とする。（通法65②）

（用語の意義）

（１）　②において、次の（一）及び（二）に掲げる用語の意義は、当該（一）及び（二）の右欄に定めるところによる。（通法65③）

（一）	累積増差税額	①の修正申告又は更正前にされたその国税についての修正申告書の提出又は更正に基づき第七章第一節**一の3**の規定により納付すべき税額の合計額（当該国税について、当該納付すべき税額を減少させる更正又は更正に係る不服申立て若しくは訴えについての決定、裁決若しくは判決による原処分の異動があったときはこれらにより減少した部分の税額に相当する金額を控除した金額とし、③の規定の適用があったときは③の規定により控除すべきであった金額を控除

−610−

第六章　申告、更正決定及び更正の請求

		した金額とする。)
(二)	期限内申告税額	期限内申告書（**2**の❶ただし書又は同❽の規定の適用がある場合には、期限後申告書を含む。❸の(二)において同じ。）の提出に基づき第七章第一節一の**2**又は同一の**3**の規定により納付すべき税額（これらの申告書に係る国税について、次に掲げる金額があるときは当該金額を加算した金額とし、所得税又は法人税、地方法人税に係るこれらの申告書に記載された還付金の額に相当する税額があるときは当該税額を控除した金額とする。） イ、ロ、ハ　（省略）……所得税及び法人税、地方法人税関係規定 ニ　在外財産に対する相続税額の控除（法20の２）、在外財産に対する贈与税額の控除（法21の８）又は相続時精算課税に係る相続税額（法21の15③、法21の16④）の規定による控除をされるべき金額 ホ　（省略）……消費税法関係規定

(図解)　……累積増差税額がある場合の上記の規定を図示すれば次のとおり。（編者注）

（帳簿に記載すべき事項等に係るもの以外の事実があるとき）
（２）　❶の規定に該当する場合において、当該納税者が、帳簿（(3)の財務省令で定めるものに限るものとし、その作成又は保存に代えて電磁的記録の作成又は保存がされている場合における当該電磁的記録を含む。以下(2)及び**2**の❹の(1)において同じ。）に記載し、又は記録すべき事項に関しその修正申告書の提出又は更正（以下(2)において「修正申告等」という。）があった時前に、国税庁、国税局又は税務署の当該職員（以下(2)及び**2**の❹の(1)において「当該職員」という。）から当該帳簿の提示又は提出を求められ、かつ、次に掲げる場合のいずれかに該当するとき（当該納税者の責めに帰すべき事由がない場合を除く。）は、❶の過少申告加算税の額は、❶及び❷の規定にかかわらず、これらの規定により計算した金額に、❶に規定する納付すべき税額（その税額の計算の基礎となるべき事実で当該修正申告等の基因となる当該帳簿に記載し、又は記録すべき事項に係るもの以外のもの（以下(2)において「帳簿に記載すべき事項等に係るもの以外の事実」という。）があるときは、当該帳簿に記載すべき事項等に係るもの以外の事実に基づく税額として(4)の政令で定めるところにより計算した金額を控除した税額）に100分の10の割合（(二)に掲げる場合に該当するときは、100分の５の割合）を乗じて計算した金額を加算した金額とする。（通法65④）

(一)	当該職員に当該帳簿の提示若しくは提出をしなかった場合又は当該職員にその提示若しくは提出がされた当該帳簿に記載し、若しくは記録すべき事項のうち、納税申告書の作成の基礎となる重要なものとして(5)の財務省令で定める事項（(二)及び**2**の❹の(1)において「特定事項」という。）の記載若しくは記録が著しく不十分である場合として(6)の財務省令で定める場合
(二)	当該職員にその提示又は提出がされた当該帳簿に記載し、又は記録すべき事項のうち、特定事項の記載又は記録が不十分である場合として(7)の財務省令で定める場合（(一)に掲げる場合を除く。）

(注)　(2)の規定は令和６年１月１日以後に法定申告期限（国税に関する法律の規定により当該法定申告期限とみなされる期限を含み、**6**の(3)の(二)に規定する還付請求申告書については、当該申告書を提出した日とする。）が到来する国税について適用する。（令４所法等附20②、１六ハ）

（加重された過少申告加算税等の対象となる帳簿等）
（３）　(2)に規定する財務省令で定める帳簿は、(2)に規定する修正申告等又は**2**の❸の(1)に規定する期限後申告等の基因となる事項に係る次に掲げる帳簿のうち、(2)の(一)に規定する特定事項（以下「特定事項」という。）に関する調査について必要があると認められるものとする。（通規11の２①）
（一）　所得税法施行規則（昭和40年大蔵省令第11号）第58条第１項《取引に関する帳簿及び記載事項》に規定する仕訳帳及び総勘定元帳
（二）　所得税法施行規則第56条第１項ただし書《青色申告者の備え付けるべき帳簿書類》の規定により同項ただし書に規定する財務大臣の定める簡易な記録の方法及び記載事項によることができる帳簿

第二編　贈与税

- （三）　所得税法施行規則第102条第1項《事業所得等に係る取引に関する帳簿の記録の方法及び帳簿書類の保存》に規定する帳簿

- （四）　法人税法施行規則（昭和40年大蔵省令第12号）第54条《取引に関する帳簿及び記載事項》に規定する仕訳帳及び総勘定元帳

- （五）　法人税法施行規則第66条第1項《取引に関する帳簿及びその記載事項等》に規定する帳簿

- （六）　消費税法第30条第7項《仕入れに係る消費税額の控除》に規定する帳簿（同条第8項第1号又は第2号に掲げるものに限る。）、同法第38条第2項《売上げに係る対価の返還等をした場合の消費税額の控除》に規定する帳簿、同法第38条の2第2項《特定課税仕入れに係る対価の返還等を受けた場合の消費税額の控除》に規定する帳簿及び同法第58条《帳簿の備付け等》に規定する帳簿（同法第2条第1項第8号《定義》に規定する資産の譲渡等又は同項第12号に規定する課税仕入れに関する事項の記録に係るものに限る。）

（政令で定めるところにより計算した金額）
（4）　（2）に規定する帳簿に記載すべき事項等に係るもの以外の事実に基づく税額として政令で定めるところにより計算した金額は、過少申告加算税の額の計算の基礎となるべき税額のうち（2）に規定する税額の計算の基礎となるべき事実で（2）に規定する帳簿に記載すべき事項等に係るもの以外の事実のみに基づいて（2）に規定する修正申告等があったものとした場合における当該修正申告等に基づき第七章第一節**一の3**（申告納税方式による国税等の納付）の規定により納付すべき税額とする。（通令27①）

（財務省令で定める事項）
（5）　（2）の（一）に規定する財務省令で定める事項は、売上げ（業務に係る収入を含む。）とする。（通規11の2②）

（財務省令で定める場合）
（6）　（2）の（一）に規定する財務省令で定める場合は、同（一）の特定事項の金額の記載又は記録が、同（一）の帳簿に記載し、又は記録すべき特定事項の金額の2の1に満たない場合とする。（通規11の2③）

（財務省令で定める場合）
（7）　（2）の（二）に規定する財務省令で定める場合は、同（二）の特定事項の金額の記載又は記録が、同（二）の帳簿に記載し、又は記録すべき特定事項の金額の3の2に満たない場合とする。（通規11の2④）

③　正当な理由に基づく場合の不適用
　①又は②に規定する納付すべき税額から次に定める税額として注で定めるところにより計算した金額を控除して、これらの規定を適用する。（通法65⑤）

（一）	①又は②に規定する納付すべき税額の計算の基礎となった事実のうちにその修正申告又は更正前の税額（還付金の額に相当する税額を含む。）の計算の基礎とされていなかったことについて正当な理由があると認められるものがある場合　　その正当な理由があると認められる事実に基づく税額
（二）	①の修正申告又は更正前に当該修正申告又は更正に係る国税について期限内申告書の提出により納付すべき税額を減少させる更正その他これに類するものとして政令で定める更正（更正の請求に基づく更正を除く。）があった場合　　当該期限内申告書に係る税額（還付金の額に相当する税額を含む。）に達するまでの税額

（過少申告加算税等を課さない部分の税額の計算等）
注　③に規定する正当な理由があると認められる事実に基づく税額として計算した金額は、次の（一）から（三）に掲げる場合の区分に応じ、当該（一）から（三）に定める税額（**2の⑥**において準用する場合にあっては、（一）に定める税額）とする。（通令27②）

（一）	③の（一）に掲げる場合に該当する場合（（三）に掲げる場合を除く。）　　③の（一）に規定する正当な理由があると認められる事実のみに基づいて修正申告書の提出又は更正があったものとした場合におけるその申告又は更正に基づき第七章第一節**一の3**の規定により納付すべき税額
（二）	③の（二）に掲げる場合に該当する場合（（三）に掲げる場合を除く。）　　次に掲げる場合の区分に応じ、それぞれ次に定める税額

第六章　申告、更正決定及び更正の請求

	イ		期限内申告書（②の(注)の(二)に規定する期限内申告書をいう。以下(二)及び2において同じ。）の提出により納付すべき税額がある場合　　次に掲げる税額のうちいずれか少ない税額
		(1)	①に規定する修正申告書の提出又は更正（以下(二)において「修正申告書の提出等」という。）により納付すべき税額
		(2)	期限内申告書の提出により納付すべき税額から①の修正申告又は更正（以下(二)において「修正申告等」という。）前の税額を控除した税額（修正申告等前の還付金の額に相当する税額があるときは、期限内申告書の提出により納付すべき税額に当該還付金の額に相当する税額を加算した税額）
	ロ		期限内申告書の提出により納付すべき税額がない場合（ハに掲げる場合を除く。）　　次に掲げる税額のうちいずれか少ない税額
		(1)	修正申告書の提出等により納付すべき税額
		(2)	修正申告等前の還付金の額に相当する税額
	ハ		期限内申告書に係る還付金の額がある場合　　次に掲げる税額のうちいずれか少ない税額
		(1)	修正申告書の提出等により納付すべき税額
		(2)	修正申告等前の還付金の額に相当する税額から期限内申告書に係る還付金の額に相当する税額を控除した税額
(三)			③に掲げる場合のいずれにも該当する場合　　（一）、（二）に定める税額のうちいずれか多い税額

2　③の(二)に規定する納付すべき税額を減少させる更正に類するものとして政令で定める更正は、期限内申告書に係る還付金の額を増加させる更正又は期限内申告書に係る還付金の額がない場合において還付金の額があるものとする更正とする。（通令27③）

3　④に規定する政令で定める事項は、法第74条の9第1項《納税義務者に対する調査の事前通知等》に規定する実地の調査において質問検査等（同項に規定する質問検査等をいう。第30条の4第2項《調査の事前通知に係る通知事項》において同じ。）を行わせる旨（法第74条の10《事前通知を要しない場合》の規定に該当する場合には、調査（法第74条の9第1項第1号に規定する調査をいう。第30条の4において同じ。）を行う旨）とする。（通令27④）

4　④に規定する通知には、法第74条の9第5項に規定する場合に該当する場合において同項に規定する税務代理人（当該税務代理人について同条第6項に規定する場合に該当する場合には、同項に規定する代表する税務代理人）に対してする通知を含むものとする。（通令27⑤）

④　更正を予知しないでした修正申告の場合の不適用

　①の規定は、修正申告書の提出が、その申告に係る国税についての調査があったことにより当該国税について更正があるべきことを予知してされたものでない場合において、その申告に係る国税についての調査に係る第74条の9第1項第4号及び第5号（納税義務者に対する調査の事前通知等）に掲げる事項その他政令で定める事項の通知（2の⑤の(注)2の(二)及び⑦において「調査通知」という。）がある前に行われたものであるときは、適用しない。（通法65⑥）

2　無申告加算税

①　無申告加算税の税率

　次の(一)又は(二)のいずれかに該当する場合には、当該納税者に対し、当該(一)又は(二)に規定する申告、更正又は決定に基づき第七章第一節—の3の規定により納付すべき不足税額に100分の15の割合（期限後申告書又は(二)の修正申告書の提出が、その申告に係る国税についての調査があったことにより当該国税について更正又は決定があるべきことを予知してされたものでないときは、100分の10の割合）を乗じて計算した金額に相当する無申告加算税を課する。ただし、期限内申告書の提出がなかったことについて正当な理由があると認められる場合は、この限りでない。（通法66①）

(一)	期限後申告書の提出又は決定があった場合
(二)	期限後申告書の提出又は決定があった後に修正申告書の提出又は更正があった場合

—613—

第二編　贈与税

②　納付すべき税額が50万円を超える部分の税率

　①の規定に該当する場合（①ただし書又は⑧の規定の適用がある場合を除く。③及び⑤において同じ。）において、①に規定する納付すべき税額（①の（二）の修正申告書の提出又は更正があったときは、その国税に係る累積納付税額を加算した金額。③において「加算後累積納付税額」という。）が50万円を超えるときは、①の無申告加算税の額は、①の規定にかかわらず、①の規定により計算した金額に、その超える部分に相当する税額（①に規定する納付すべき税額が当該超える部分に相当する税額に満たないときは、当該納付すべき税額）に100分の5の割合を乗じて計算した金額を加算した金額とする。（通法66②）

③　加算後累積納付税額が300万円を超えるとき

　①の規定に該当する場合において、加算後累積納付税額（当該加算後累積納付税額の計算の基礎となった事実のうちに①各号に規定する申告、更正又は決定前の税額（還付金の額に相当する税額を含む。）の計算の基礎とされていなかったことについて当該納税者の責めに帰すべき事由がないと認められるものがあるときは、その事実に基づく税額として（1）で定めるところにより計算した金額を控除した税額）が300万円を超えるときは、①の無申告加算税の額は、①及び②の規定にかかわらず、加算後累積納付税額を次の（一）から（三）までに掲げる税額に区分してそれぞれの税額に当該（一）から（三）までに定める割合（期限後申告書又は①の（二）の修正申告書の提出が、その申告に係る国税についての調査があったことにより当該国税について更正又は決定があるべきことを予知してされたものでないときは、その割合から100分の5の割合を減じた割合。以下③において同じ。）を乗じて計算した金額の合計額から累積納付税額を当該（一）から（三）までに掲げる税額に区分してそれぞれの税額に当該（一）から（三）までに定める割合を乗じて計算した金額の合計額を控除した金額とする。（通法66③）

（一）	50万円以下の部分に相当する税額	100分の15の割合
（二）	50万円を超え300万円以下の部分に相当する税額	100分の20の割合
（三）	300万円を超える部分に相当する税額	100分の30の割合

　　　（③に規定する（1）で定めるところにより計算した金額）
（1）　③に規定する（1）で定めるところにより計算した金額は、③に規定する当該納税者の責めに帰すべき事由がないと認められる事実のみに基づいて①各号に規定する申告、更正又は決定があつたものとした場合におけるその申告、更正又は決定に基づき国税通則法第35条第2項の規定により納付すべき税額とする。（通令27⑥）

④　累積納付税額

　②及び③において、累積納付税額とは、①の（二）の修正申告書の提出又は更正前にされたその国税についての次に掲げる納付すべき税額の合計額（当該国税について、当該納付すべき税額を減少させる更正又は更正若しくは国税通則法第25条の規定による決定に係る不服申立て若しくは訴えについての決定、裁決若しくは判決による原処分の異動があったときはこれらにより減少した部分の税額に相当する金額を控除した金額とし、⑤において準用する1の③（（一）に係る部分に限る。以下④及び⑤において同じ）の規定の適用があったときは1の③の規定により控除すべきであった金額を控除した金額とする。）をいう。（通法66④）
（一）　期限後申告書の提出又は国税通則法第25条の規定による決定に基づき同法第35条第2項の規定により納付すべき税額
（二）　修正申告書の提出又は更正に基づき国税通則法第35条第2項の規定により納付すべき税額

　　　（帳簿に記載すべき事項等に係るもの以外の事実があるとき）
（1）　①の規定に該当する場合において、当該納税者が、帳簿に記載し、又は記録すべき事項に関しその期限後申告書若しくは修正申告書の提出又は更正若しくは決定（以下（1）において「期限後申告等」という。）があつた時前に、当該職員から当該帳簿の提示又は提出を求められ、かつ、次に掲げる場合のいずれかに該当するとき（当該納税者の責めに帰すべき事由がない場合を除く。）は、①の無申告加算税の額は、①から③までの規定にかかわらず、これらの規定により計算した金額に、①に規定する納付すべき税額（その税額の計算の基礎となるべき事実で当該期限後申告等の基因となる当該帳簿に記載し、又は記録すべき事項に係るもの以外のもの（以下（1）において「帳簿に記載すべき事項等に係るもの以外の事実」という。）があるときは、当該帳簿に記載すべき事項等に係るもの以外の事実に基づく税額として（2）の政令で定めるところにより計算した金額を控除した税額）に100分の10の割合（（二）に掲げる場合に該当するときは、100分の5の割合）を乗じて計算した金額を加算した金額とする。（通法66⑤）

－614－

第六章　申告、更正決定及び更正の請求

(一)	当該職員に当該帳簿の提示若しくは提出をしなかった場合又は当該職員にその提示若しくは提出がされた当該帳簿に記載し、若しくは記録すべき事項のうち、特定事項の記載若しくは記録が著しく不十分である場合として(3)の財務省令で定める場合
(二)	当該職員にその提示又は提出がされた当該帳簿に記載し、又は記録すべき事項のうち、特定事項の記載又は記録が不十分である場合として(4)の財務省令で定める場合（(一)に掲げる場合を除く。）

(注)　(1)の規定は令和6年1月1日以後に法定申告期限（国税に関する法律の規定により当該法定申告期限とみなされる期限を含み、**6**の(3)の(二)に規定する還付請求申告書については、当該申告書を提出した日とする。）が到来する国税について適用する。（令4所法等附20②、16八）

　　（政令で定めるところにより計算した金額）
（2）　(1)に規定する帳簿に記載すべき事項等に係るもの以外の事実に基づく税額として政令で定めるところにより計算した金額は、無申告加算税の額の計算の基礎となるべき税額のうち(1)に規定する税額の計算の基礎となるべき事実で(1)に規定する帳簿に記載すべき事項等に係るもの以外の事実のみに基づいて(1)に規定する期限後申告等があったものとした場合における当該期限後申告等に基づき第七章第一節一の**3**（申告納税方式による国税等の納付）の規定により納付すべき税額とする。（通令27⑦）

　　（財務省令で定める場合）
（3）　(1)の(一)に規定する財務省令で定める場合は、同(一)の特定事項の金額の記載又は記録が、同(一)の帳簿に記載し、又は記録すべき特定事項の金額の2分の1に満たない場合とする。（通規11の2⑤）

　　（財務省令で定める場合）
（4）　(1)の(二)に規定する財務省令で定める場合は、同(二)の特定事項の金額の記載又は記録が、同(二)の帳簿に記載し、又は記録すべき特定事項の金額の3分の2に満たない場合とする。（通規11の2⑥）

⑤　①の規定に該当する場合において、次の(一)及び(二)のいずれかに該当するときは、①の無申告加算税の額は、①から③までの規定にかかわらず、これらの規定により計算した金額に、①に規定する納付すべき税額に100分の10の割合を乗じて計算した金額を加算した金額とする。（通法66⑥）

(一)	その期限後申告書若しくは①の(二)の修正申告書の提出（その申告に係る国税についての調査があつたことにより当該国税について更正又は決定があるべきことを予知してされたものに限る。）又は更正若しくは決定があつた日の前日から起算して5年前の日までの間に、その申告又は更正若しくは決定に係る国税の属する税目について、無申告加算税（期限後申告書又は①の(二)の修正申告書の提出が、その申告に係る国税についての調査があつたことにより当該国税について更正又は決定があるべきことを予知してされたものでない場合において課されたものを除く。）又は重加算税（国税通則法第68条第4項第1号《重加算税》において「無申告加算税等」という。）を課されたことがある場合
(二)	その期限後申告書若しくは①の(二)の修正申告書の提出（その申告に係る国税についての調査があつたことにより当該国税について更正又は決定があるべきことを予知してされたものでない場合において、その申告に係る国税についての調査通知がある前に行われたものを除く。）又は更正若しくは決定に係る国税の課税期間の初日の属する年の前年及び前々年に課税期間が開始した当該国税（課税期間のない当該国税については、当該国税の納税義務が成立した日の属する年の前年及び前々年に納税義務が成立した当該国税）の属する税目について、無申告加算税（⑧の規定の適用があるものを除く。）若しくは3の②の重加算税（以下(二)及び国税通則法第68条第4項第2号において「特定無申告加算税等」という。）を課されたことがあり、又は特定無申告加算税等に係る賦課決定をすべきと認める場合

(注)　改正後の⑤の規定は、令和6年1月1日以後に法定申告期限（国税に関する法律の規定により当該法定申告期限とみなされる期限を含む。以下「法定申告期限」という。）が到来する国税について適用し、同日前に法定申告期限が到来した国税については、なお従前の例による。この場合において、同日前に法定申告期限が到来した国税に係る改正前の⑤の無申告加算税（⑥の規定の適用があるものを除く。）又は改正前の**3**の②の重加算税は、改正後の⑤の(二)に規定する特定無申告加算税等とみなす。（令5改所法等附23③）

⑥　**正当な理由に基づく場合の不適用**

　　1の**3**の規定は、①の(二)の場合について準用する。（通法66⑦）

－615－

第二編　贈与税

⑦　**更正又は決定を予知しないでした修正申告又は期限後申告の場合の税率の軽減**

　期限後申告書又は①の（二）の修正申告書の提出が、その申告に係る国税についての調査があったことにより当該国税について更正又は決定があるべきことを予知してされたものでない場合において、その申告に係る国税についての調査通知がある前に行われたものであるときは、その申告に基づき第七章第一節━の３の規定により納付すべき税額に係る①の無申告加算税の額は、①及び②の規定にかかわらず、当該納付すべき税額に100分の５の割合を乗じて計算した金額とする。（通法66⑧）

⑧　**無申告加算税の不適用**

　①の規定は、期限後申告書の提出が、その申告に係る国税についての調査があったことにより当該国税について国税通則法第25条の規定による決定があるべきことを予知してされたものでない場合において、期限内申告書を提出する意思があったと認められる場合として政令で定める場合に該当してされたものであり、かつ、当該期限後申告書の提出が法定申告期限から１月を経過する日までに行われたものであるときは、適用しない。（通法66⑧）

　（期限内申告書を提出する意思等があったと認められる場合）
（１）　⑧に規定する期限内申告書を提出する意思があったと認められる場合として政令で定める場合は、次の（一）及び（二）のいずれにも該当する場合とする。（通令27の２①）
　（一）　⑧に規定する期限後申告書の提出があった日の前日から起算して５年前の日（消費税等（消費税法第２条第９号《定義》に規定する課税資産の譲渡等に係る消費税を除く。）、航空機燃料税、電源開発促進税及び印紙税に係る期限後申告書（印紙税法第12条第５項《預貯金通帳等に係る申告及び納付等の特例》の規定によるものを除く。）である場合には、１年前の日）までの間に、当該期限後申告書に係る国税の属する税目について、①の（一）に該当することにより無申告加算税又は重加算税を課されたことがない場合であって、⑧の規定の適用を受けていないとき。
　（二）　（一）に規定する期限後申告書に係る納付すべき税額の全額が法定納期限（当該期限後申告書に係る納付について、国税通則法第34条の２第１項《口座振替納付に係る納付書の送付等》に規定する依頼を税務署が受けていた場合又は電子情報処理組織による税関手続の特例等に関する法律第４条第１項《口座振替納付に係る納付書の送付等》に規定する依頼を税関長が受けていた場合には、当該期限後申告書を提出した日。以下（二）において同じ。）までに納付されていた場合又は当該税額の全額に相当する金銭が法定納期限までに国税通則法第34条の３第１項（第１号に係る部分に限る。）《納付受託者に対する納付の委託》の規定による委託に基づき納付受託者に交付されていた場合若しくは当該税額の全額について法定納期限までに同項（第２号に係る部分に限る。）の規定により納付受託者が委託を受けていた場合

３　重加算税

①　**過少申告加算税に代えて課される重加算税の税率**

　１の①《過少申告加算税の税率》の規定に該当する場合（修正申告書の提出が、その申告に係る国税についての調査があったことにより当該国税について更正があるべきことを予知してされたものでない場合を除く。）において、納税者がその国税の課税標準等又は税額等の計算の基礎となるべき事実の全部又は一部を隠蔽し、又は仮装し、その隠蔽し、又は仮装したところに基づき納税申告書を提出していたときは、当該納税者に対し、（１）の政令に定めるところにより、過少申告加算税の額の計算の基礎となるべき税額（その税額の計算の基礎となるべき事実で隠蔽し、又は仮装されていないものに基づくことが明らかであるものがあるときは、当該隠蔽し、又は仮装されていない事実に基づく税額として（２）の政令で定めるところにより計算した金額を控除した税額）に係る過少申告加算税に代え、当該基礎となるべき税額に100分の35の割合を乗じて計算した金額に相当する重加算税を課する。（通法68①）

　（加重された過少申告加算税等が課される場合における重加算税に代えられるべき過少申告加算税等）
（１）　①又は国税通則法第68条第４項（①の重加算税に係る部分に限る。）の規定により過少申告加算税に代えて重加算税を課する場合において、当該過少申告加算税について１の②又は②の（２）の規定により加算すべき金額があるときは、当該重加算税の額の計算の基礎となるべき税額に相当する金額を当該過少申告加算税の額の計算の基礎となるべき税額から控除して計算するものとした場合における過少申告加算税以外の部分の過少申告加算税に代え、重加算税を課するものとする。（通令27の３①）

－616－

第六章　申告、更正決定及び更正の請求

（重加算税を課さない部分の税額の計算）
（２）　**①**（国税通則法第68条第４項の規定により適用される場合を含む。）に規定する隠蔽し、又は仮装されていない事実に基づく税額として計算した金額は、過少申告加算税の額の計算の基礎となるべき税額のうち当該事実のみに基づいて修正申告書の提出又は更正があったものとした場合におけるその申告又は更正に基づき第七章第一節━の**3**の規定により納付すべき税額とする。（通令28①）

②　無申告加算税に代えて課される重加算税の税率
　2の**①**《無申告加算税の税率》の規定に該当する場合（同**①**ただし書若しくは**2**の**⑧**の規定の適用がある場合又は納税申告書の提出が、その申告に係る国税についての調査があったことにより当該国税について更正又は決定があるべきことを予知してされたものでない場合を除く。）において、納税者がその国税の課税標準等又は税額等の計算の基礎となるべき事実の全部又は一部を隠蔽し、又は仮装し、その隠蔽し、又は仮装したところに基づき法定申告期限までに納税申告書を提出せず、又は法定申告期限後に納税申告書を提出していたときは、当該納税者に対し、政令で定めるところにより、無申告加算税の額の計算の基礎となるべき税額（その税額の計算の基礎となるべき事実で隠蔽し、又は仮装されていないものに基づくことが明らかであるものがあるときは、当該隠蔽し、又は仮装されていない事実に基づく税額として注で定めるところにより計算した金額を控除した税額）に係る無申告加算税に代え、当該基礎となるべき税額に100分の40の割合を乗じて計算した金額に相当する重加算税を課する。（通法68②）

（重加算税を課さない部分の税額の計算）
注　**②**（国税通則法第68条第４項（**①**の重加算税に係る部分に限る。））に規定する隠蔽し、又は仮装されていない事実に基づく税額として政令で定めるところにより計算した金額は、無申告加算税の額の計算の基礎となるべき税額のうち当該事実のみに基づいて期限後申告書若しくは修正申告書の提出又は決定若しくは更正があったものとした場合におけるその申告又は決定若しくは更正に基づき第七章第一節━の**3**の規定により納付すべき税額とする。（通令28②）

4　加算税の税目
　過少申告加算税、無申告加算税及び重加算税は、その額の計算の基礎となる税額の属する税目の国税とする。（通法69）

5　加算税の賦課決定
　加算税は、税務署長がその調査により賦課決定し、その賦課決定は、税務署長がその決定に係る加算税額及びその計算の基礎となる税額を記載した賦課決定通知書を送達して行う。（通法32①③）

（変更決定）
（１）　税務署長は、加算税の賦課決定をした後、その決定をした加算税額が過大又は過少であることを知ったときは、その調査により、その決定に係る加算税額を変更する決定をする。（通法32②）
　　この変更決定は、税務署長が次に掲げる事項を記載した賦課決定通知書を送達して行う。（通法32④）
　（一）　その決定前の加算税額及びその決定の基礎となった税額
　（二）　その決定後の加算税額及びその決定の基礎となる税額
　（三）　その決定により増加し又は減少する加算税額

（更正又は決定に関する規定の準用）
（２）　━の**4**、**5**の**③**後段及び**6**は、加算税の賦課決定及び変更決定について準用する。（通法32⑤）

（賦課決定の所轄庁等）
（３）　賦課決定は、現在の納税地を所轄する税務署長が行う。（通法33①）
　　次の（一）から（二）のいずれかに該当する場合には、当該（一）から（二）に定める税務署長は、上記の規定にかかわらず、当該（一）から（二）に規定する更正若しくは決定若しくは期限後申告書若しくは修正申告書の提出により納付すべき国税又は源泉徴収による国税に係る当該加算税についての賦課決定をすることができる。（通法33②）
　（一）　━の**7**に掲げる国税通則法第30条第２項の更正又は決定があったとき　　当該更正又は決定をした税務署長
　（二）　更正若しくは決定で（一）以外のもの若しくは期限後申告書若しくは修正申告書の提出があった後に納税地に異動があった場合又は源泉徴収による国税につき納付すべき税額が確定した時以後に当該国税の納税地に異動があった場合において、その旧納税地を所轄する税務署長においてその異動の事実が知れず、又はその異動後の納税地が判明せ

－617－

第二編　贈与税

ず、かつ、その知れないこと又は判明しないことにつきやむを得ない事情があるとき　旧納税地を所轄する税務署長

（加算税の賦課決定の期間制限）
（4）　加算税の賦課決定は、その加算税に係る国税の申告書の提出期限から5年を経過した日以後においては、することができない。（通法70①二、15②十三）

（加算税の納付）
（5）　過少申告加算税、無申告加算税又は重加算税に係る賦課決定通知書を受けた者は、当該通知書に記載された金額の過少申告加算税、無申告加算税又は重加算税を当該通知書が発せられた日の翌日から起算して1月を経過する日までに納付しなければならない。（通法35③）

6　延　滞　税

国税を納付しようとする者は、次の①又は②のいずれかに該当するときは、延滞税を納付しなければならない。（通法60①）

①	期限内申告書を提出した場合において、当該申告書の提出により納付すべき国税を法定納期限までに完納しないとき
②	期限後申告書若しくは修正申告書を提出し、又は更正若しくは決定を受けた場合において、第七章第一節一の**3**の規定により納付すべき国税があるとき

（延滞税の額の計算）
（1）　延滞税の額は、国税の法定納期限（純損失の繰戻しによる還付金額が過大であったことにより納付すべきこととなった国税その他国税通則法施行令第25条《延滞税の計算期間の起算日の特例》に定める国税については、当該還付金について支払決定をし、又は充当をした日など同条に定める日。（4）の（一）において同じ。）の翌日からその国税を完納する日までの期間の日数に応じ、その未納の税額に年14.6%の割合を乗じて計算した金額とする。ただし、納期限（延納又は物納の許可の取消しがあった場合には、その取消しに係る書面が発せられた日。以下同じ。）までの期間又は納期限の翌日から2月を経過する日までの期間については、その未納の税額に年7.3%の割合を乗じて計算した金額とする。なお、延滞税は、その額の計算の基礎となる国税に併せて納付しなければならない。（通法60②③）
（注）　（1）に規定する延滞税の年14.6パーセントの割合及び年7.3パーセントの割合は、この規定にかかわらず、各年の延滞税特例基準割合（平均貸付割合に年1パーセントの割合を加算した割合をいう。）が年7.3パーセントの割合に満たない場合には、その年中においては、年14.6パーセントの割合にあっては当該延滞税特例基準割合に年7.3パーセントの割合を加算した割合とし、年7.3パーセントの割合にあっては当該延滞税特例基準割合に年1パーセントの割合を加算した割合（当該加算した割合が年7.3パーセントの割合を超える場合には、年7.3パーセントの割合）とする。なお、この場合において、延滞税の額の計算において、その計算の過程における金額に1円未満の端数が生じたときは、これを切り捨てる。（措法94①、96）

（一部納付が行われた場合の延滞税の額の計算等）
（2）　延滞税の額の計算の基礎となる国税の一部が納付されたときは、その納付の日の翌日以後の期間に係る延滞税の額の計算の基礎となる税額は、その納付された税額を控除した金額とする。（通法62①）
　　なお、本税と延滞税を併せて納付すべき場合において、納税者の納付した金額がその延滞税の額の計算の基礎となる本税の額に達するまでは、その納付した金額は、まずその計算の基礎となる本税に充てられたものとする。（通法62②）

（延滞税の額の計算の基礎となる期間の特例）
（3）　修正申告書（偽りその他不正の行為により国税を免れ、又は国税の還付を受けた者が当該国税についての調査があったことにより当該国税について更正があるべきことを予知して提出した当該申告書（（4）において「特定修正申告書」という。）を除く。）の提出又は更正（偽りその他不正の行為により国税を免れ、又は国税の還付を受けた者についてされた当該国税に係る更正（（4）において「特定更正」という。）を除く。）があった場合において、次の（一）、（二）のいずれかに該当するときは、当該申告書の提出又は更正により納付すべき国税については、（1）の期間から次に定める期間を控除して、延滞税の額を計算する。（通法61①）

（一）	その申告又は更正に係る国税について期限内申告書が	その法定申告期限から1年を経過する日の翌日から当該

－618－

第六章　申告、更正決定及び更正の請求

	提出されている場合において、その法定申告期限から1年を経過する日後に当該修正申告書が提出され、又は当該更正に係る更正通知書が発せられたとき	修正申告書が提出され、又は当該更正に係る更正通知書が発せられた日までの期間
（二）	その申告又は更正に係る国税について期限後申告書（還付を受けるための期限後申告書（「還付請求書」という。）を含む。）が提出されている場合において、その期限後申告書の提出があった日の翌日から起算して1年を経過する日後に当該修正申告書が提出され、又は当該更正に係る更正通知書が発せられたとき	その期限後申告書の提出があった日の翌日から起算して1年を経過する日の翌日から当該修正申告書が提出され、又は当該更正に係る更正通知書が発せられた日までの期間

（減額更正があった場合の延滞税の額の計算の基礎となる期間）
（４）　修正申告書の提出又は納付すべき税額を増加させる更正（これに類するものとして政令で定める更正を含む。以下（４）において「増額更正」という。）があった場合において、その申告又は増額更正に係る国税について期限内申告書又は期限後申告書が提出されており、かつ、当該期限内申告書又は期限後申告書の提出により納付すべき税額を減少させる更正（これに類するものとして政令で定める更正を含む。以下（４）において「減額更正」という。）があった後に当該修正申告書の提出又は増額更正があったときは、当該修正申告書の提出又は増額更正により納付すべき国税（当該期限内申告書又は期限後申告書に係る税額（還付金の額に相当する税額を含む。）に達するまでの部分として政令で定める国税に限る。以下（４）において同じ。）については、（３）の規定にかかわらず、（１）に規定する期間から次に掲げる期間（特定修正申告書の提出又は特定更正により納付すべき国税その他の政令で定める国税にあっては、（一）に掲げる期間に限る。）を控除して、（１）の規定を適用する。（通法61②）

（一）	当該期限内申告書又は期限後申告書の提出により納付すべき税額の納付があった日（その日が当該国税の法定納期限前である場合には、当該法定納期限）の翌日から当該減額更正に係る更正通知書が発せられた日までの期間
（二）	当該減額更正に係る更正通知書が発せられた日（当該減額更正が更正の請求に基づく更正である場合には、同日の翌日から起算して1年を経過する日）の翌日から当該修正申告書が提出され、又は当該増額更正に係る更正通知書が発せられた日までの期間

（延滞税の計算期間の特例規定の取扱いについて）
（５）　国税通則法第61条《上記（３）》の規定（以下「特例規定」という。）の取扱いを下記のとおり定めたから、今後処理するものからこれにより取り扱われたい。（昭51徴管2−35）
　（一）　延滞税の計算の基礎となる国税が次のいずれかに該当するものである場合には、特例規定の適用はないものとして取り扱う。
　　イ　重加算税が課されたものである場合
　　ロ　国税犯則取締法第14条の規定による通告処分若しくは告発又は同法第13条若しくは第17条の規定による告発がされたものである場合
　　（注）　延滞税の計算の基礎となった国税について、当初過少申告加算税又は無申告加算税が課されていたところ、その後これらが取消しされ、重加算税が課された場合には、当初から特例規定の適用がないものとして、延滞税を徴収することになるのであるから留意する。
　（二）　特例規定の適用に当たっては、重加算税の計算の基礎となった部分の税額又は通告処分若しくは告発の原因となった部分の税額についてだけ適用がないものとして取り扱う。

（災害等により納期限を延長した場合の延滞税の免除）
（６）　国税通則法第11条《災害等による期限の延長》の規定により国税の納期限を延長した場合には、その国税に係る延滞税のうちその延長をした期間に対応する部分の金額は、免除する。（通法63②）

（利子税を納付する場合の延滞税の計算期間）
（７）　利子税の額の計算の基礎となる期間は、延滞税の基礎となる期間に算入しない。（通法64②）

−619−

第二編　贈与税

7　相続税法の規定による延滞税の特則

①　延納の許可があった場合の贈与税に係る延滞税の特則

　延納の許可があった場合における贈与税に係る延滞税については、その贈与税額のうち当該延納の許可を受けたものとその他のものとに区分し、更に当該延納の許可を受けたものを各分納税額ごとに区分して、それぞれの税額ごとに**6**の国税通則法の延滞税に関する規定を適用する。この場合においては、当該延納の許可を受けた税額のうちに第七章第一節**一**の**3**の規定により納付すべきものがあるときは、当該納付すべき税額に係る延滞税のうち同第一節**二**の規定による納期限（以下「**法定納期限**」という。）の翌日から同第一節**一**の**3**の規定による納期限又は納付すべき日までの期間に対応するものとその他のものとに区分し、更に当該その他のものについては各分納税額ごとに区分するものとする。（法51①）

（申告書の提出期限前に決定した場合等の延滞税）
（1）　**二**の**1**の規定により、期限内申告書の提出期限前に課税価格及び贈与税額を決定した場合における当該贈与税額又は当該決定に係る贈与税額について修正申告書の提出があった場合における当該修正申告書の提出によって増加することとなった贈与税額に対する延滞税の額は、法定納期限の翌日を起算日として計算するのであるから留意する。したがって、法定納期限前に、当該決定に係る贈与税額を徴収した場合又は当該納期限前に当該決定に係る贈与税額について修正申告書の提出があった場合には、延滞税の徴収又は納付を要しないのであるから留意する。（基通51−1）

（法施行地に住所及び居所を有しなくなる者の延滞税の額の計算の起算日）
（2）　法施行地に住所又は居所を有し、かつ、期限内申告書の提出義務がある者が、国税通則法第117条第2項の規定による納税管理人の届出をしないで、法施行地に住所及び居所を有しないこととなる場合において、当該住所及び居所を有しないこととなる日までに贈与税の申告書を提出しなかったとき又は贈与税の納付をしなかったときの延滞税の額の計算の起算日は、住所及び居所を有しないこととなるために提出すべき当該申告書の提出期限の翌日であるから留意する。（基通51−2）

（贈与税の期限後申告の特則等により申告があった場合の延滞税）
（3）　第一編第七章第六節**三**の**7**の②の延滞税の額の計算の基礎となるべき日数の計算の規定は、相続税の申告書の提出期限後において、第三節の（1）若しくは第四節**二**の規定により贈与税の期限後申告書若しくは修正申告書の提出があった場合、又は**二**の**2**の規定により税務署長において更正若しくは決定をした場合において、当該申告書の提出により納付すべき贈与税額又は更正若しくは決定に係る贈与税の延滞税の額の計算の基礎となるべき日数の計算について準用することに取り扱うものとする。この場合において、第一編第七章第六節**三**の**7**の②の規定中「相続税」とあるのは「贈与税」と、「相続又は遺贈により財産を取得した者」とあるのは「贈与により財産を取得した者」と、「次に掲げる事由」とあるのは「同②の（二）のハに掲げる事由」と、「納付すべき相続税額」とあるのは「納付すべき贈与税額」と読み替えて取り扱うものとする。（基通51−4）

②　贈与税に係る延滞税の計算期間の特則

　次の（一）から（三）に掲げる贈与税額については、当該（一）から（三）に定める期間は、**6**の（1）の規定による延滞税の計算の基礎となる期間に算入しない。（法51③）

（一）	第四章の**4**の規定の適用を受けていた者が、第五節**二**の（一）から（六）までに規定する事由が生じたことにより相続又は遺贈による財産の取得をしないこととなったため期限後申告書又は修正申告書を提出したことにより納付すべき贈与税額	第七章第一節**二**の**1**の規定による納期限の翌日からこれらの申告書の提出があった日までの期間
（二）	第四章の**4**の規定の適用を受けていた者について、第五節**二**の（一）から（六）までに規定する事由が生じたことにより相続又は遺贈による財産の取得をしないこととなったため更正又は決定があった場合における当該更正又は決定により納付すべき贈与税額	第七章第一節**二**の**1**の規定による納期限の翌日から当該更正又は決定に係る**一**の**5**の①に規定する更正通知書又は決定通知書を発した日と当該事由の生じた日の翌日から起算して4月を経過する日とのいずれか早い日までの期間
（三）	第七章第二節の**二**の**8**の規定の適用を受けた同**二**の**1**の延納の許可の申請をした者が当該申請を取り下げた場合におけるその取り下げられた申請に係る贈与税額	第七章第二節の**二**の**8**の（一）の規定により読み替えて適用する同**二**の**2**の（5）のただし書に規定する災害等延長期間又は同**二**の**8**の（3）に規定する政令で

−620−

第六章　申告、更正決定及び更正の請求

		定める期間

（延滞税の計算の基礎となる期間に算入しない部分の贈与税額）

（1）　期限後申告書若しくは修正申告書の提出又は更正若しくは決定により納付すべき贈与税額のうちに、❷に掲げる事由以外の事由に基づくものが含まれている場合には、当該納付すべき贈与税額から❷の事由がないものとして計算される納付すべき贈与税額を控除した贈与税額について、❷の規定を適用する。（基通51－5）

❸　修正申告等による納付税額につき延納の許可を受けた場合の延滞税の納付期限

第七章第一節一の**3**の規定により納付すべき贈与税額につき延納の許可を受けた者は、当該延納税額に係る延滞税で同第一節二の**1**の規定による納期限の翌日から同**3**の規定による納期限又は納付すべき日までの期間に対応するものを、当該延納に係る第1回に納付すべき分納税額に併せて納付しなければならない。（法51④）

－621－

第七章　贈与税の納付

第一節　納　　付

一　国税通則法の規定

1　国税の納付方法

　国税を納付しようとする者は、その税額に相当する金銭に納付書（納税告知書の送達を受けた場合には、納税告知書）を添えて、これを日本銀行（国税の収納を行う代理店を含む。）又はその国税の収納を行う税務署の職員に納付しなければならない。ただし、証券をもってする歳入納付に関する法律の定めるところにより、証券で納付することを妨げない。（通法34①）

2　期限内申告書に係る国税の納付期限

　期限内申告書を提出した者は、国税に関する法律に定めるところにより、当該申告書の提出により納付すべきものとしてこれに記載した税額に相当する国税をその法定納期限（延納に係る国税については、その延納に係る納期限）までに国に納付しなければならない。（通法35①）

3　修正申告、更正決定等に係る国税の納付期限

　次の(一)から(二)に掲げる金額に相当する国税の納税者は、その国税を当該(一)から(二)に定める日（延納に係る国税その他国税に関する法律に別段の納期限の定めがある国税については、当該法律に定める納期限）までに国に納付しなければならない。（通法35②）

(一)	期限後申告書の提出により納付すべきものとしてこれに記載した税額又は修正申告書に記載した不足税額（その修正申告書の提出により納付すべき税額が新たにあることとなった場合には、当該納付すべき税額）	その期限後申告書又は修正申告書を提出した日
(二)	更正通知書に記載された不足税額（その更正により納付すべき税額が新たにあることとなった場合には、当該納付すべき税額）又は決定通知書に記載された納付すべき税額	その更正通知書又は決定通知書が発せられた日の翌日から起算して１月を経過する日

4　加算税の納付期限

　過少申告加算税、無申告加算税又は重加算税（申告納税方式による国税の重加算税に限る。以下 **4** において同じ。）に係る賦課決定通知書を受けた者は、当該通知書に記載された金額の過少申告加算税、無申告加算税又は重加算税を当該通知書が発せられた日の翌日から起算して１月を経過する日までに納付しなければならない。（通法35③）

二　相続税法の規定

1　期限内申告に係る贈与税の納付期限

　第六章第一節《期限内申告書》の規定による申告書（以下 **「期限内申告書」** という。）を提出した者は、申告書の提出期限までに、申告書に記載した贈与税額に相当する贈与税を国に納付しなければならない。（法33）

－622－

第七章　贈与税の納付

2　連帯納付の義務等

❶　贈与税の納税義務者の相続人が２人以上いる場合
　同一の被相続人から相続又は遺贈により財産を取得した全ての者は、当該被相続人に係る相続税又は贈与税について、その相続又は遺贈により受けた利益の価額に相当する金額を限度として、互いに連帯納付の責めに任ずる。(法34②)

　　（「相続又は遺贈により受けた利益の価額」の意義）
注　❶に規定する「相続又は遺贈により受けた利益の価額」とは、相続又は遺贈（相続時精算課税の適用を受ける財産に係る贈与を含む。以下❸の（２）及び❹の（１）において同じ。）により取得した財産の価額（相続の課税価格計算の基礎に算入されない財産の価額を含む。）から債務控除の額並びに相続又は遺贈により取得した財産に係る相続税額及び登録免許税額を控除した後の金額をいうものとする。(基通34－１)
　　(注)　相続又は遺贈により取得した財産が相続時精算課税の適用を受ける財産である場合には、当該財産の贈与の時における価額（第三編第一章第三節一の（１）《相続税の課税価格》又は同節二の（２）《相続時精算課税の適用を受ける財産の価額》の規定による相続時精算課税に係る基礎控除をする前の価額）となることに留意する。

❷　贈与税の課税財産の贈与、遺贈又は寄附行為があった場合
　贈与税の課税価格計算の基礎となった財産につき贈与、遺贈若しくは寄附行為による移転があった場合においては、当該贈与若しくは遺贈により財産を取得した者又は当該寄附行為により設立された法人は、当該贈与、遺贈若しくは寄附行為をした者の当該財産を課税価格計算の基礎に算入した年分の贈与税額に当該財産の価額が当該贈与税の課税価格に算入された財産の価額のうちに占める割合を乗じて算出した金額に相当する贈与税について、その受けた利益の価額に相当する金額を限度として、連帯納付の責めに任ずる。(法34③)

❸　贈与者の連帯納付義務
　財産を贈与した者は、当該贈与により財産を取得した者の当該財産を取得した年分の贈与税額に当該財産の価額が当該贈与税の課税価格に算入された財産の価額のうちに占める割合を乗じて算出した金額として（１）の政令で定める金額に相当する贈与税について、当該財産の価額に相当する金額を限度として、連帯納付の責めに任ずる。(法34④)

　　（贈与税の連帯納付義務の範囲）
（１）　❸に規定する政令で定める金額は、❸に規定する贈与をした者の当該贈与をした財産につき次の（一）又は（二）に掲げる財産の区分に応じ、当該（一）又は（二）に定める金額とする。(令11)
　　（一）　第三編第一章第一節二《相続時精算課税制度の選択》の（１）の規定の適用を受ける財産　　当該贈与により財産を取得した者の当該財産を取得した年分において当該財産について同章第二節《相続時精算課税に係る贈与税の課税価格及び税額》の規定により計算された贈与税額
　　（二）　（一）に掲げる財産以外のもの　　当該贈与により財産を取得した者の当該財産を取得した年分の贈与税額（当該財産について同第一章第二節《相続時精算課税に係る贈与税の課税価格及び税額》の規定により計算された贈与税額がある場合には、当該贈与税額を除く。）に当該財産の価額が当該年分の贈与税の課税価格（当該財産について同第一章第二節の規定により計算された課税価格がある場合には、当該課税価格を除く。）に算入された財産の価額のうちに占める割合を乗じて算出した金額
　　(注)　令和５年度改正後の（１）の規定に係る第三編第一章第二節は、令和６年１月１日以後に贈与により取得する財産に係る贈与税について適用し、令和５年12月31日以前に贈与により取得した財産に係る贈与税については、なお従前の例による。(令５改令附１、６)

　　（連帯納付の責めにより贈与税の納付があった場合）
（２）　❸の規定による連帯納付の責めに基づいて贈与税の納付があった場合において、その納付が贈与により財産を取得した者がその取得した財産を費消するなどにより資力を喪失して贈与税を納付することが困難であることによりなされたときは、第二章第二節四の（７）《連帯債務者及び保証人の求償権の放棄》の取扱いの適用はないのであるから留意する。(基通34－３)
　　(注)　❸の規定による連帯納付の責めに基づいて贈与税の納付があった場合において、上記の場合に該当しないときには、第二章第二節四の（７）の適用がある。

　　（第一編第八章第一節の二の２の❹の通知）
（３）　第一編第八章第一節の二の２の❹の規定による通知は、次に掲げる場合は行う必要がないことに留意する。(基通34

－623－

－5）

① 督促をした納税義務者の相続税の全額が、同2の①の（二）又は（三）の規定の適用を受ける場合

② ①、②、③の規定により連帯納付の責めを負う場合

④ 国税の連帯納付義務についての民法の準用

国税に関する法律の規定により国税を連帯して納付する義務については、民法第432条から第434条まで、第437条及び第439条から第444条まで《連帯債務の効力等》の規定を準用する。（通法8）

（「贈与税の課税価格計算の基礎となった財産」の範囲）

（1）②に規定する「贈与税の課税価格計算の基礎となった財産」には、その贈与税の課税価格の計算の基礎となった財産により取得した財産を含むものとして取り扱うものとする。（基通34－2）

（相続税法第34条の連帯納付義務者の1人について生じた納付等の効果）

（2）贈与税の納税義務を納税義務者が履行したとき又は納税義務者について免除がされ若しくは時効が完成し若しくは滞納処分の停止による消滅があったときは、他の者に係る2の①から③までに規定する連帯納付義務額は、その基因となった贈与税の残額の範囲内においてなお存続するものとする。

なお、2の①から③までに規定する連帯納付義務を負う者につき生じた履行及び請求以外の事由は、贈与税の納税義務者には及ばない。（国税通則法基本通達第8条関係「3」）

(注) 連帯納付義務者のうちに相続により連帯納付義務を承継した者がある場合において、連帯納付義務を履行したときは、上記本文と同様である。

（相続税法第34条の連帯納付義務の徴収手続）

（3）2の①から③までに規定する連帯納付義務の徴収手続は、それぞれ次によるものとする。（国税通則法基本通達第8条関係「4」）

（一）贈与税の申告が共同してされた者に係る2の①に規定する連帯納付義務については、その贈与税の督促状（贈与税が完納されている者については、連帯納付義務に係る督促状とする。以下（二）において同じ。）に「2の①又は②の規定による連帯納付の義務がある」旨の文言を記載して行う。

（二）贈与税の更正又は決定が同時にされた者に係る2の①に規定する連帯納付義務については、その更正又は決定の通知書及び督促状に、上記（一）の文言を記載して行う。

（三）、（四）（省略）

第七章　贈与税の納付

第二節　延　　　納

一　贈与税の延納

　税務署長は、第一節二の **1**《期限内申告に係る贈与税の納付期限》又は第一節一の **3**《修正申告、更正決定等に係る国税の納付期限》の規定により納付すべき贈与税額が10万円を超え、かつ、納税義務者について納期限までに、又は納付すべき日に金銭で納付することを困難とする事由がある場合においては、納税義務者の申請により、その納付を困難とする金額として（1）の政令で定める額を限度として、5年以内の年賦延納の許可をすることができる。（法38③）

　（延納の許可限度額）
（1）　一に規定する政令で定める額は、（一）に掲げる額から（二）に掲げる額を控除した残額とする。（令12①②）
　（一）　第一節二の **1** 又は第一節一の **3** の規定により納付すべき贈与税額
　（二）　納税義務者が（一）の贈与税額に係る納期限又は納付すべき日において有する現金、預貯金その他換価の容易な財産の価額に相当する金額からその者及びその者と生計を一にする配偶者その他の親族（その者と婚姻の届出をしていないが事実上婚姻関係と同様の事情にある者及び当該事情にある者の親族を含む。）の生活のために通常必要とされる費用の3月分に相当する金額（その者が負担すべきものに限る。）並びにその者の事業の継続のために当面必要な運転資金の額を控除した残額

　（担保の徴取）
（2）　税務署長は、一の規定による延納の許可をする場合には、その延納税額に相当する担保を徴さなければならない。ただし、その延納税額が100万円以下で、かつ、その延納期間が3年以下である場合は、この限りでない。（法38④）

　（贈与税額が10万円を超えるかどうかの判定）
（3）　一に規定する「納付すべき贈与税額が10万円を超え」るかどうかは、期限内申告書、期限後申告書又はこれらの申告書に係る修正申告書により申告された贈与税額若しくは更正又は決定により納付すべき贈与税額のそれぞれについて各別に判定するのであるから留意する。（基通38－1）

　（延納の許可限度額の計算）
（4）　（1）に規定する延納の許可限度額の算出方法を算式で示せば、次のとおりである。（基通38－2）
　$A-\{(B+C+D)-([E\times3]+F)\}$
（注）　算式中の符号は次のとおりである。
　　　Aは、（1）の（一）に掲げる額
　　　Bは、納税義務者がAに係る納期限又は納付すべき日において有する現金の額。
　　　なお、ここにいう現金とは、強制通用力を有する日本円を単位とする通貨のほか、証券ヲ以テスル歳入納付ニ関スル法律（大正5年法律第10号）により国税の納付に充てることのできる証券を含むものとする。
　　　Cは、納税義務者がAに係る納期限又は納付すべき日において有する預貯金の額。
　　　なお、ここにいう預貯金とは、第一章第四節一の **1** の（四）に規定する金融機関等に対する預金、貯金、積金、寄託金又は貯蓄金をいう。
　　　Dは、納税義務者がAに係る納期限又は納付すべき日において有する換価の容易な財産の価額。
　　　なお、ここにいう換価の容易な財産とは、次のような財産をいう。
　　　　・評価が容易であり、かつ、市場性のある財産で速やかに売却等の処分をすることができるもの
　　　　・納期限又は納付すべき日において確実に取り立てることができると認められる債権
　　　　・積立金・保険等の金融資産で容易に契約が解除でき、かつ、解約等による負担が少ないもの
　　おって、許可限度額の計算に当たっては、納期限又は納付すべき日における当該資産の時価（又は債権額）相当額により行うものとする。
　　　Eは、生活のため通常必要とされる1月分の費用。
　　　なお、生活のため通常必要とされる1月分の費用とは、次の①の額から②の額を控除した額とする。
　　①　国税徴収法（昭和34年法律第147号）第76条第1項第1号から第4号までの規定に基づき算出される金額相当額（前年の収入金額、所得税、地方税及び社会保険料の額に1/12を乗じた額に基づき計算するものとする。なお、申請者が給与所得者でない場合は、その事業等に係る収入金額等を給与等とみなして計算するものとする。）に治療費、養育費、教育費並びに申請者及び申請者と生計を一にする配偶者その他の親族の資力・職業・社会的地位等の個別事情を勘案して社会通念上適当と認められる範囲の金額を加味した額
　　②　申請者と生計を一にしている収入のある配偶者及び申請者（配偶者を含む。）の扶養控除の対象とならない親族に係る生活費の額並びに

－625－

第二編　贈与税

申請者（配偶者を含む。）の扶養控除の対象となる親族に係る生活費の額のうち配偶者が負担する額

(注)　①の額に申請者及び申請者と生計を一にする配偶者その他の親族の１月分収入額の合計額に占める申請者の１月分収入額の割合を乗じた額を用いて差し支えない。

Ｆは、事業の継続のために当面必要な運転資金の額。

なお、事業の継続のために当面必要な運転資金の額とは、事業の内容に応じた事業資金の循環期間の中で事業経費の支払や手形等の決済のための資金繰りが最も窮屈になる日のために留保を必要とする資金の額をいい、Ａに係る納期限又は納付すべき日の翌日から資金繰りの最も窮屈になると見込まれる日までの期間の総支出見込金額から総収入見込金額を差引いた額（前年同時期の事業の実績を踏まえて推計した額による。）とする。

(注)　前年の申告所得税の確定申告等に係る収支内訳書等から求めた１年間の事業に係る経費の中から、臨時的な支出項目及び減価償却費を除いた額を基礎とし、最近の事業の実績に変動がある場合には、その実績を踏まえて算出した額を加味した額に１/12（商品の回転期間が長期にわたること等の場合は事業の実態に応じた月数/12月）を乗じた額を用いて差し支えない。

（延納期間の計算）

（５）　一の規定による延納期間は、第一節二の**１**又は第一節一の**３**に規定する納期限の翌日から暦に従って計算するのであるから留意する。（基通38－６）

（贈与税の延納期間）

（６）　贈与税の延納期間は、納税義務者の申請に基づき、その者の事業の継続又は生活の状況等を考慮し、５年の範囲内で適当と認められる期間を定めるものとする。（基通38－10）

（贈与税の延納年割額）

（７）　相続税の延納年割額に関する規定は、贈与税の年賦延納については適用がないのであるから留意する。（基通38－11）

（連帯納付義務者の延納等）

（８）　贈与税の延納の規定は、連帯納付の責に任ずる者のその責に任ずべき金額については適用がないのであるから留意する。（基通38－５）

（贈与税等についての物納規定の不適用）

（９）　法第41条の物納の規定は、贈与税及び連帯納付の責めに任ずる者のその責めに任ずべき金額については適用がないのであるから留意する。（基通41－２）

（延納又は物納に関する事務の引継ぎ）

(10)　国税通則法第43条第３項《国税の徴収の所轄庁》の規定により国税局長が延納又は物納に関する事務の引継ぎを受けた場合におけるこの節の規定の適用については、この節中「税務署長」とあるのは、「国税局長」とする。（法48の３）

二　延納の申請及び許可並びに担保

1　延納申請と許可

　一の規定による延納の許可を申請しようとする者は、その延納を求めようとする贈与税の納期限までに、又は納付すべき日に金銭で納付することを困難とする金額及びその困難とする理由、延納を求めようとする税額及び期間、分納税額及びその納期限その他の（１）の財務省令で定める事項を記載した申請書《**贈与税延納申請書**》に担保の提供に関する書類として（２）の財務省令で定めるもの（以下二において「**担保提供関係書類**」という。）を添付し、当該納期限までに、又は納付すべき日に、これを納税地の所轄税務署長に提出しなければならない。（法39㉙により準用する法39①）

（延納申請書の記載事項）

（１）　**1**に規定する財務省令で定める事項は、次に掲げる事項とする。（規20⑥により準用する規20①）

（一）　第六章第一節**二**の**1**の（二）及び（三）に掲げる事項（個人番号を除く。以下同じ。）

（二）　納付すべき贈与税額

（三）　納期限までに、又は納付すべき日に金銭で納付することを困難とする金額及びその困難とする理由

（四）　一の（１）の（二）に掲げる額及びその計算の明細

－626－

第七章　贈与税の納付

(五)　延納を求めようとする贈与税額及び期間並びに分納税額及びその納期限

(六)　延納を求めようとする贈与税額に併せて納付する利子税の額の計算に用いる割合

(七)　一の(2)のただし書の規定に該当しない場合には、担保を提供する旨(納税義務者以外の第三者が担保を提供する場合には、当該第三者のその旨及び記名押印)並びに担保の種類、数量、価額及びその所在場所(その担保が保証人の保証である場合には、その保証人の氏名又は名称及び住所若しくは居所又は本店若しくは主たる事務所の所在地)

(八)　その他参考となるべき事項

(担保提供関係書類)

(2)　1に規定する財務省令で定める書類(以下「**担保提供関係書類**」という。)は、次の(一)から(五)に掲げる担保の区分に応じ、当該(一)から(五)に定める書類とする。(規20②)

(一)　有価証券　　次に掲げる有価証券の区分に応じ、それぞれ次に定める書類

　(イ)　登録国債　　国債規則(大正11年大蔵省令第31号)の規定により担保の登録をした旨の同令第41条《登録済通知書の交付》に規定する登録済通知書

　(ロ)　振替株式等(社債、株式等の振替に関する法律(平成13年法律第75号)第2条第1項第12号から第21号まで《定義》に掲げる株式その他の有価証券で同条第2項に規定する振替機関が取り扱うものをいう。)　　担保となる当該振替株式等の銘柄、数量及び金額を記載した書類

　(ハ)　(イ)及び(ロ)に掲げる有価証券以外の有価証券　　供託書の正本

(二)　土地　　次に掲げる書類(担保の提供に係る贈与税の課税価格計算の基礎となった財産を担保に提供しようとする場合には、(ロ)に掲げるものを除く。)

　(イ)　担保となる土地の登記事項証明書

　(ロ)　担保となる土地の評価の明細(地方税法(昭和25年法律第226号)第341条第9号《固定資産税に関する用語の意義》に掲げる固定資産課税台帳に登録された価格について市町村長が交付する証明書(以下「固定資産税評価証明書」という。)を含む。)

　(ハ)　税務署長が提出を求めた場合には、次に掲げる書類を速やかに提出することを納税義務者が約する書類

　　①　抵当権の設定の登記に係る土地の所有者の当該設定を承諾する旨の書類(当該所有者の記名押印があるものに限る。)

　　②　①の土地の所有者の印鑑証明書

(三)　建物、立木及び登記される船舶並びに登録を受けた飛行機、回転翼航空機及び自動車並びに登記を受けた建設機械(以下(三)及び(五)において「建物等」という。)で、保険に付したもの　　次に掲げる書類(担保の提供に係る贈与税の課税価格計算の基礎となった財産を担保に提供しようとする場合には、(ロ)に掲げるものを除く。)

　(イ)　担保となる建物等の登記事項証明書その他の登記又は登録がされている事項を明らかにする書類

　(ロ)　担保となる建物等の評価の明細(固定資産税評価証明書を含む。)

　(ハ)　税務署長が提出を求めた場合には、次に掲げる書類を速やかに提出することを納税義務者が約する書類

　　①　抵当権の設定の登記又は登録に係る建物等の所有者の当該設定を承諾する旨の書類(当該所有者の記名押印があるものに限る。)

　　②　①の建物等の所有者の印鑑証明書

　(ニ)　保険業法(平成7年法律第105号)第2条第1項《定義》に規定する保険業その他これに類する事業を行う者に対して提出する書類で、担保となる建物等に付された保険に係る保険金請求権に質権を設定することの承認を請求するためのもの

　(ホ)　担保となる建物等に付された保険に係る保険証券の写し

(四)　鉄道財団、工場財団、鉱業財団、軌道財団、運河財団、漁業財団、港湾運送事業財団、道路交通事業財団及び観光施設財団(以下(四)及び(五)において「鉄道財団等」という。)　　次に掲げる書類(担保の提供に係る贈与税の課税価格計算の基礎となった財産を担保に提供しようとする場合には、(ロ)に掲げるものを除く。)

　(イ)　担保となる鉄道財団等の登記事項証明書その他の登記又は登録がされている事項を明らかにする書類

　(ロ)　担保となる鉄道財団等の評価の明細(固定資産税評価証明書を含む。)

　(ハ)　税務署長が提出を求めた場合には、次に掲げる書類を速やかに提出することを納税義務者が約する書類

　　①　抵当権の設定の登記又は登録に係る鉄道財団等の所有者の当該設定を承諾する旨の書類(当該所有者の記名押印があるものに限る。)

　　②　①の鉄道財団等の所有者の印鑑証明書

(五)　保証人の保証　　保証人の保証を証する書類(当該保証人(保証人が法人の場合には、法人の代表者)の記名押

印があるものに限る。）のほか、次に掲げる場合の区分に応じ、それぞれ次に定める書類

（イ）　保証人が個人の場合　　次に掲げる書類

①　保証人が所有する土地、建物等及び鉄道財団等に係る（二）の（イ）及び（ロ）、（三）の（イ）及び（ロ）並びに（四）の（イ）及び（ロ）に掲げる書類（当該土地、建物等及び鉄道財団等が贈与税の課税価格計算の基礎となったものである場合には、（二）の（イ）、（三）の（イ）及び（四）の（イ）に掲げる書類）

②　所得税法（昭和40年法律第33号）第226条第１項《源泉徴収票》の規定により交付された源泉徴収票その他の保証人の収入の状況を確認できる書類並びに当該保証人の財産及び債務の明細を記載した書類

③　保証人の印鑑証明書

（ロ）　保証人が法人の場合　　次に掲げる書類

①　法人に係る登記事項証明書

②　法人がその役員である納税義務者のために保証する場合には、取締役会の議事録その他これに準ずる書類（法人が保証することにつき取締役会の承認その他これに準ずる手続をした事情を記載したものに限る。）

③　法人の代表者の印鑑証明書

　　　　（申請に対する許可又は却下）

（３）　税務署長は、１の規定による申請書の提出があった場合においては、当該申請者及び当該申請に係る事項について一の規定に該当するか否かの調査を行い、その調査に基づき、当該申請書の提出期限の翌日から起算して３月以内に当該申請に係る税額の全部又は一部について当該申請に係る条件若しくはこれを変更した条件により延納の許可をし、又は当該申請の却下をする。ただし、税務署長が延納を許可する場合において、当該申請者の提供しようとする担保が適当でないと認めるときは、その変更を求めることができる。この場合において、当該申請者がその変更の求めに応じなかったときは、当該申請を却下することができる。

当該申請者が上記ただし書の規定による通知を受けた日の翌日から起算して20日以内にその変更に係る担保提供関係書類を納税地の所轄税務署長に提出しなかったときは、当該申請の却下をすることができる。（法39②⑤）

　　　　（申請者への通知）

（４）　税務署長は、（３）の規定により許可をし、又は却下をした場合においては、当該許可に係る延納税額及び延納の条件又は当該却下をした旨及びその理由を記載した書面により、これを当該申請者に通知する。（法39③）

　　　　（担保の変更を求める場合の理由の通知）

（５）　税務署長は、（３）ただし書の規定により担保の変更を求める場合においては、その旨及びその理由を記載した書面により、これを当該申請者に通知する。（法39④）

　　　　（延納の申請期限）

（６）　贈与税の延納申請書は、延納を求めようとする贈与税の納期限までに又は納付すべき日に提出しなければならないのであるが、この場合の提出期限は具体的には次に掲げる期限又は日となるのであるから留意する。（基通39－１）

（一）　期限内申告書の提出により第一節二の１の規定により納付する贈与税額　　これらの申告書の提出期限

（二）　期限後申告書又は修正申告書の提出により第一節一の３の（一）の規定により納付する贈与税額　　これらの申告書の提出の日

（三）　更正又は決定により第一節一の３の（二）の規定により納付する贈与税額　　その更正通知書又は決定通知書が発せられた日の翌日から起算して１月を経過する日

　　　　（許可前納付があった場合の延納の許可）

（７）　延納の許可に当たり、既にその申請に係る分納税額として納付された額がある場合には、その納付額相当額を含めて延納を許可するものとする。

この場合、その納付された額についても、利子税を徴収することとなることに留意する。（基通39－３）

　　　　（分納税額の納期限を経過した後に延納する場合の取扱い）

（８）　延納申請に係る贈与税の分納税額の全部又は一部について当該申請に係る分納税額の納期限を経過した後に延納を許可する場合においては、原則として、当該申請どおり許可し、当該許可をした延納税額のうち既に分納税額の納期限が経過しているものについては当該許可の日から１月以内の日をその分納税額の納期限とするものとする。（基通39－

－628－

第七章　贈与税の納付

４）

(注)　この場合において、**8**の規定の適用があるときの利子税については、**三**の**5**の規定の適用があることに留意する。

　　　（納税猶予の却下がされた後に延納する場合の取扱い）
（9）　**一**に規定する贈与税額の一部について延納申請がなされ、他の一部につき第四編第一章第一節の**1**、第七編第一章第一節の**1**、第七編第四章第二節の**2**《継続届出書が提出されなかった場合》又は第八編第一章第一節の**1**《特例適用の要件》に規定する納税猶予を受けようとする贈与税額がある場合において、その延納申請を許可するときまでに、納税猶予が認められないこととなっているときは、**一**の延納を許可することができる期間の計算に当たっては、納税猶予はなかったものとして計算したところにより、延納を許可するものとする。（基通39－5）

　　　（担保が適当でないと認めるとき）
（10）　（3）ただし書きにおける「担保が適当でないと認めるとき」には、担保として提供された財産の価額が延納税額（利子税を含む。）に不足すると認められるため、追加の担保の提供を求める場合を含むのであるから留意する。（基通39－6）

2　担保提供関係書類の提出期限の延長
　一の規定による延納の許可を申請しようとする者は、担保提供関係書類の全部又は一部を**1**の申請書の提出期限までに当該申請書に添付して提出することができない場合には、（1）の政令で定めるところにより、その旨、当該担保提供関係書類を提出する日その他（3）の財務省令で定める事項を記載した届出書（「**担保提供関係書類提出期限延長届出書**」という。）を納税地の所轄税務署長に提出することができる。この場合において、当該提出する日が記載されていないときは、当該提出期限の翌日から起算して3月を経過する日が記載されているものとみなす。（法39⑥）

　　　（担保提供関係書類提出期限延長届出書の提出）
（1）　**2**に規定する担保提供関係書類提出期限延長届出書を提出しようとする者は、当該担保提供関係書類提出期限延長届出書を**1**の申請書に添付して納税地の所轄税務署長に提出しなければならない。（令15①）

　　　（担保提供関係書類の一部が不足していたことを知った場合）
（2）　**1**の規定により**1**に規定する担保提供関係書類を**1**の申請書に添付して提出した者は、当該申請書の提出後において当該担保提供関係書類の一部が不足していたことを知った場合には、（1）の規定にかかわらず、**2**に規定する担保提供関係書類提出期限延長届出書を当該申請書の提出期限の翌日から起算して1月以内に限り、納税地の所轄税務署長に提出することができる。ただし、**3**の（2）の規定による当該担保提供関係書類の一部の提出を求める旨の通知があった場合は、この限りでない。（令15②）

　　　（担保提供関係書類提出期限延長届出書の記載事項）
（3）　**2**に規定する財務省令で定める事項は、次に掲げる事項とする。（規20③）
　（一）　第六章第一節**二**の**1**の（二）及び（三）に掲げる事項
　（二）　**1**の申請書の提出期限までに当該申請書に添付して提出することができない担保提供関係書類
　（三）　（二）の担保提供関係書類に係る担保の種類及びその所在場所（その担保が保証人の保証である場合には、その保証人の氏名又は名称）
　（四）　その他参考となるべき事項

　　　（担保提供関係書類の提出期限の延長）
（4）　**2**の規定により当該申請者が担保提供関係書類提出期限延長届出書を提出した場合には、担保提供関係書類（当該担保提供関係書類提出期限延長届出書に係るものに限る。（5）において同じ。）の提出期限は、当該担保提供関係書類提出期限延長届出書に記載された当該担保提供関係書類を提出する日（その日が**2**の提出期限の翌日から起算して3月を経過する日後である場合には、当該経過する日）とする。（法39⑦）

　　　（提出期限までに担保提供関係書類を提出することができない場合）
（5）　**2**、（4）の規定の適用を受けた者が（4）に規定する提出する日までに担保提供関係書類を提出することができない場合における**2**の規定の適用については、**2**中「**1**の申請書の提出期限までに当該申請書に添付して提出することがで

－629－

第二編　贈与税

きない場合」とあるのは、「（４）に規定する提出する日までに（４）の担保提供関係書類を提出することができない場合」とする。ただし、当該担保提供関係書類の提出期限は、**１**の申請書の提出期限の翌日から起算して６月を経過する日後とすることはできない。（法39⑧）

（申請に対する許可又は却下）

（６）　**２**、（４）、（５）の規定の適用がある場合における**１**の（３）の規定の適用については、同（３）中「当該申請書」とあるのは、「担保提供関係書類（**２**の担保提供関係書類提出期限延長届出書に係るものに限る。）」とする。（法39⑨）

（担保提供関係書類提出期限延長届出書の提出時期）

（７）　担保提供関係書類を（４）の担保提供関係書類提出期限までに提出することができないため、（５）により読み替えて**２**を適用する場合の担保提供関係書類提出期限延長届出書は、（４）の担保提供関係書類の提出期限までに提出するのであるから留意する。（基通39−７①）

（延長された提出期限までに担保提供関係書類の提出等がない場合）

（８）　（４）（（５）により読み替えて適用する場合を含む。）の規定により延長された担保提供関係書類の提出期限までに、当該申請者が担保提供関係書類の提出をしなかったときは、**１**の（３）の規定により延納の申請を却下するのであるから留意する。（基通39−８）

3　延納手続に必要な書類の補完の要請

税務署長は、**１**の規定による申請書の提出があった場合において、当該申請書についてその記載に不備があること又は担保提供関係書類についてその記載に不備があること若しくはその提出がないことその他の（１）の政令で定める事由があるときは、当該申請者に対して当該申請書の訂正又は当該担保提供関係書類の訂正若しくは提出を求めることができる。（法39⑩）

（担保提供関係書類等の訂正又は提出の請求）

（１）　**３**に規定する政令で定める事由は、次に掲げる事由とする。（令16）

（一）　**１**の申請書について、その記載に不備があること。

（二）　**１**に規定する担保提供関係書類について、その記載に不備があること又はその全部若しくは一部の提出がないこと。

（申請者への通知）

（２）　税務署長は、**３**の規定により申請書の訂正又は担保提供関係書類の訂正若しくは提出を求める場合においては、その旨及びその理由を記載した書面により、これを当該申請者に通知する。（法39⑪）

（申請書の訂正又は担保提供関係書類の訂正若しくは提出の期限）

（３）　**３**の規定により申請書の訂正又は担保提供関係書類の訂正若しくは提出を求められた当該申請者は、（２）の規定による通知を受けた日の翌日から起算して20日以内に当該申請書の訂正又は当該担保提供関係書類の訂正若しくは提出をしなければならない。この場合において、当該期間内に当該申請書の訂正又は当該担保提供関係書類の訂正若しくは提出をしなかったときは、当該申請者は、当該期間を経過した日において延納の申請を取り下げたものとみなす。（法39⑫）

4　延納手続に必要な書類の補完期限の延長

３の規定により担保提供関係書類の訂正又は提出を求められた当該申請者は、**３**の（３）の経過した日の前日までに当該担保提供関係書類の訂正又は提出をすることができない場合には、（１）の政令で定めるところにより、その旨、当該担保提供関係書類の訂正又は提出をする日その他（２）の財務省令で定める事項を記載した届出書（（３）において**「担保提供関係書類補完期限延長届出書」**という。）を納税地の所轄税務署長に提出することができる。この場合において、当該訂正又は提出をする日が記載されていないときは、当該経過した日から起算して３月を経過する日が記載されているものとみなす。（法39⑬）

−630−

第七章　贈与税の納付

（担保提供関係書類補完期限延長届出書の提出）
（１）　**4**に規定する担保提供関係書類補完期限延長届出書を提出しようとする者は、当該担保提供関係書類補完期限延長届出書を**3**の（３）の経過した日の前日までに納税地の所轄税務署長に提出しなければならない。（令15③）

（担保提供関係書類補完期限延長届出書の記載事項）
（２）　**4**に規定する財務省令で定める事項は、次に掲げる事項とする。（規20④）
　（一）　第六章第一節**二**の**1**の（二）及び（三）に掲げる事項
　（二）　**3**の（３）の経過した日の前日までに訂正又は提出をすることができない担保提供関係書類
　（三）　（二）の担保提供関係書類に係る担保の種類及びその所在場所（その担保が保証人の保証である場合には、その保証人の氏名又は名称）
　（四）　その他参考となるべき事項

（担保提供関係書類の訂正又は提出の期限）
（３）　**4**の規定により当該申請者が担保提供関係書類補完期限延長届出書を提出した場合には、担保提供関係書類（当該担保提供関係書類補完期限延長届出書に係るものに限る。（４）において同じ。）の訂正又は提出の期限は、当該担保提供関係書類補完期限延長届出書に記載された当該担保提供関係書類の訂正又は提出をする日（その日が**4**の経過した日から起算して３月を経過する日後である場合には、当該経過する日）とする。（法39⑭）

（提出期限までに担保提供関係書類を提出することができない場合）
（４）　**4**、（３）（（４）の規定により読み替えて適用する場合を含む。）の規定の適用を受けた者が（３）に規定する訂正又は提出をする日までに担保提供関係書類の訂正又は提出をすることができない場合における**4**の規定の適用については、**4**中「**3**の（３）の経過した日の前日」とあるのは、「（３）に規定する訂正又は提出をする日」とする。ただし、当該担保提供関係書類の訂正又は提出の期限は、**3**の（２）の規定による通知を受けた日の翌日から起算して６月を経過する日後とすることはできない。（法39⑮）

（申請に対する許可又は却下）
（５）　**3**又は**4**、（３）、（４）の規定の適用がある場合における**1**の（３）の規定の適用については、同（３）中「以内」とあるのは、「に**3**の（２）の規定による通知を申請者が受けた日の翌日から申請書（**3**の規定に係るものに限る。）の訂正の期限又は担保提供関係書類（**3**の規定に係るものに限る。）若しくは担保提供関係書類（**4**の担保提供関係書類補完期限延長届出書に係るものに限る。）の訂正若しくは提出の期限（以下（５）において「申請書等の提出期限」という。）までの期間（**3**の（２）の規定による通知が複数ある場合には、それぞれの通知を受けた日の翌日から当該それぞれの通知に係る申請書等の提出期限までの期間を合算した期間（これらの期間のうち重複する期間がある場合には、当該重複する期間を合算した期間を除いた期間）とする。）を加算した期間内」とする。（法39⑯）

（担保提供関係書類提出期限延長届出書又は変更担保提供関係書類提出期限延長届出書が提出されているときの担保提供関係書類の提出期限）
（６）　**3**の規定により担保提供関係書類の訂正又は提出が求められている場合において、当該担保提供関係書類に係る延納についての担保提供関係書類提出期限延長届出書又は変更担保提供関係書類提出期限延長届出書が提出されているときは、（３）及び（４）ただし書の規定の適用については、（３）中「**4**の経過した日から起算して３月を経過する日後である場合には、当該経過する日」とあるのは「当該訂正又は提出が求められている担保提供関係書類に係る延納についての**2**の担保提供関係書類提出期限延長届出書又は**7**の変更担保提供関係書類提出期限延長届出書による期限後である場合には、当該期限」と、（４）ただし書中「**3**の（２）の規定による通知を受けた日の翌日から起算して６月を経過する日」とあるのは「当該訂正又は提出が求められている担保提供関係書類に係る延納についての**2**の担保提供関係書類提出期限延長届出書又は**7**の変更担保提供関係書類提出期限延長届出書による期限」とする。（法39㉗）

（担保提供関係書類補完期限延長届出書の提出時期）
（７）　担保提供関係書類を（３）の担保提供関係書類補完期限までに提出することができないため、（４）により読み替えて**4**を適用する場合の担保提供関係書類補完期限延長届出書は、（３）の担保関係書類の補完期限までに提出するのであるから留意する。（基通39−7②）

—631—

第二編　贈与税

（延長された補完期限までに担保提供関係書類の訂正等がない場合）

（8）（3）（（4）により読み替えて適用する場合を含む。）の規定により延長された担保提供関係書類の補完期限までに、当該申請者が担保提供関係書類の訂正又は提出をしなかったときは、1の(3)の規定により延納の申請を却下するのであるから留意する。（基通39－9）

5　延納申請の許可に係る審査期間

1の(3)の規定により、税務署長が、同(3)の調査を行う場合において、当該調査に3月を超える期間を要すると認めるときにおける同(3)の規定の適用については、同(3)中「3月」とあるのは、「6月」とする。（法39㉓）

（調査に3月を超える期間を要すると認めるとき）

（1）　5に規定する「当該調査に3月を超える期間を要すると認めるとき」とは、次のようなものをいうのであるから留意する。（基通39－11）
①　担保財産が多数ある場合
②　担保財産が遠隔地にある場合
③　非上場株式や保証人の保証など担保財産の評価に相当の期間を要する場合
④　自然災害等により担保財産の確認等が困難な場合（当該自然災害について8の(9)の規定の適用がある場合を除く。）

（申請者への通知）

（2）　税務署長は、5又は8の(9)の規定の適用がある場合においては、その旨を記載した書面により、これを当該申請者に通知する。（法39㉖）

（申請に係る条件により延納の許可があったものとみなす場合）

（3）　1の(3)の本文に規定する期間内（2の(6)、4の(5)、6の(1)、7の(6)、5又は8の(9)の規定の適用がある場合には、これらの規定により読み替えて適用する1の(3)の本文に規定する期間内）に、税務署長が延納の許可又は当該延納の申請の却下をしない場合には、当該申請に係る条件により延納の許可があったものとみなす。（法39㉘）

（延納の許可があったものとみなされた場合の担保権の設定手続き等）

（4）　(3)の規定により、延納の許可があったものとみなされた場合において、申請者が当該許可に係る担保権の設定に必要な手続を了しているときは速やかに担保権の設定を行うのであるから留意する。
　　なお、延納申請書に記載された担保に係る担保提供関係書類が提出されていない場合には、申請者にその提出を求め、当該担保提供関係書類の提出が行われない場合には、11の規定によりあらかじめその申請者から弁明を聴いた上で当該延納許可を取り消すことができるのであるから留意する。（基通39－12）

（「当該申請に係る条件」の意義）

（5）　(3)の規定により、延納の許可があったものとみなされた場合の、当該申請に係る条件とは、延納申請書に記載された延納期間、分納期限及び分納税額（不動産等対応部分と動産等対応部分に区分した各税額）をいい、これらが一の規定によっていなかった場合であっても当該申請書に記載された条件により許可したものとしてみなされるのであるから留意する。（基通39－13）

6　担保の変更を求められた場合の手続

税務署長は、1の(3)ただし書の規定により担保の変更を求めた場合において、当該申請者が1の(5)の規定による通知を受けた日の翌日から起算して20日以内にその変更に係る担保提供関係書類を納税地の所轄税務署長に提出しなかったときは、1の(3)の規定により当該申請の却下をすることができる。（法39⑤）

（担保の変更を求めた場合における申請に対する許可又は却下）

（1）　1の(3)ただし書の規定により担保の変更を求めた場合における同(3)本文の規定の適用については、同(3)本文中「当該申請書の提出期限」とあるのは、「6に規定する期限」とする。（法39⑰）

－632－

第七章　贈与税の納付

7　変更を求められた担保に係る担保提供関係書類の提出期限の延長

　　1の(3)ただし書の規定により担保の変更を求められた者は、担保提供関係書類の全部又は一部を**6**に規定する期限までに提出することができない場合には、(1)の政令で定めるところにより、その旨、当該担保提供関係書類を提出する日その他(3)の財務省令で定める事項を記載した届出書（(4)及び**4**の(6)において「**変更担保提供関係書類提出期限延長届出書**」という。）を納税地の所轄税務署長に提出することができる。この場合において、当該提出する日が記載されていないときは、当該期限の翌日から起算して３月を経過する日が記載されているものとみなす。(法39⑱)

　　（変更担保提供関係書類提出期限延長届出書の提出）
（１）　**7**に規定する変更担保提供関係書類提出期限延長届出書を提出しようとする者は、当該変更担保提供関係書類提出期限延長届出書を**6**に規定する期限までに納税地の所轄税務署長に提出しなければならない。(令15④)

　　（申請者が担保提供関係書類の一部が不足していたことを知った場合）
（２）　**1**の(3)ただし書の規定による担保の変更に係る**1**に規定する担保提供関係書類を**6**に規定する期限までに提出した者は、当該期限後において当該担保提供関係書類の一部が不足していたことを知った場合には、(1)の規定にかかわらず、**7**に規定する変更担保提供関係書類提出期限延長届出書を**6**に規定する期限の翌日から起算して１月以内に限り、納税地の所轄税務署長に提出することができる。ただし、**3**の(2)の規定による当該担保提供関係書類の一部の提出を求める旨の通知があった場合は、この限りでない。(令15⑤)

　　（変更担保提供関係書類提出期限延長届出書の記載事項）
（３）　**7**に規定する財務省令で定める事項は、次に掲げる事項とする。(規20⑤)
　　（一）　第六章第一節**二**の1の(二)及び(三)に掲げる事項
　　（二）　**6**に規定する期限までに提出することができない担保提供関係書類
　　（三）　（二)の担保提供関係書類に係る担保の種類及びその所在場所（その担保が保証人の保証である場合には、その保証人の氏名又は名称）
　　（四）　その他参考となるべき事項

　　（担保提供関係書類の提出期限）
（４）　**7**の規定により当該申請者が変更担保提供関係書類提出期限延長届出書を提出した場合には、担保提供関係書類（当該変更担保提供関係書類提出期限延長届出書に係るものに限る。(5)において同じ。）の提出期限は、当該変更担保提供関係書類提出期限延長届出書に記載された当該担保提供関係書類を提出する日（その日が**7**の期限の翌日から起算して３月を経過する日後である場合には、当該経過する日）とする。(法39⑲)

　　（提出期限までに担保提供関係書類を提出することができない場合）
（５）　**7**、(4)（(5)の規定により読み替えて適用する場合を含む。）の規定の適用を受けた者が(4)に規定する提出する日までに担保提供関係書類を提出することができない場合における**7**の規定の適用については、**7**中「**6**に規定する期限」とあるのは、「(4)に規定する提出する日」とする。ただし、当該担保提供関係書類の提出期限は、**1**の(5)の規定による通知を受けた日の翌日から起算して６月を経過する日後とすることはできない。(法39⑳)

　　（申請に対する許可又は却下）
（６）　**7**、(4)、(5)の規定の適用がある場合における**1**の(3)及び**6**の規定の適用については、**1**の(3)中「当該申請書」とあるのは「担保提供関係書類（**7**の変更担保提供関係書類提出期限延長届出書に係るものに限る。）」と、**6**中「**1**の(5)の規定による通知を受けた日の翌日から起算して20日以内にその変更に係る」とあるのは「(6)の規定により読み替えて適用する**1**の(3)の担保提供関係書類の提出期限までにその変更に係る当該」とする。(法39㉑)

　　（延長された提出期限までに変更担保提供関係書類の提出等がない場合）
（７）　（4)（(5)により読み替えて適用する場合を含む。）の規定により延長された変更担保提供関係書類の提出期限までに、当該申請者が変更担保提供関係書類の提出をしなかったときは、**1**の(3)の規定により延納の申請を却下するのであるから留意する。(基通39－10)

－633－

第二編　贈与税

（変更担保提供関係書類提出期限延長届出書の提出時期）
（8）　担保提供関係書類を（4）の変更担保提供関係書類提出期限までに提出することができないため、（5）により読み替えて**7**を適用する場合の変更担保提供関係書類提出期限延長届出書は、（4）の担保関係書類の提出期限までに提出するのであるから留意する。（基通39－7③）

8　災害その他やむを得ない理由が生じた場合の申告期限等の延長

　次の（一）又は（二）に掲げる場合における延納の許可の申請に係る手続をその期限までに行うことができない者に係る**二**の規定の適用については、当該（一）又は（二）に掲げる場合の区分に応じ、当該（一）又は（二）に定めるところによる。（法39㉒）

（一）	国税通則法第11条《災害等による期限の延長》の規定の適用がある場合	**二**の規定の適用については、**2**の（5）のただし書中「6月」とあるのは「6月に国税通則法第11条《災害等による期限の延長》に規定する災害その他やむを得ない理由が生じた日から同条の規定により延長された期限までの期間（以下**二**において「災害等延長期間」という。）を加算した期間」と、**4**の（4）のただし書、**7**の（5）のただし書及び**4**の（6）中「6月」とあるのは「6月に災害等延長期間（国税通則法第11条に規定する災害その他やむを得ない理由が生じた日以後に当該通知を受けた場合には、同日から当該通知を受けた日までの期間を除く。）を加算した期間」とする。
（二）	（一）に掲げる場合のほか、（1）の政令で定めるやむを得ない事由が生じた場合	担保提供関係書類の提出期限その他（2）の政令で定める手続に関する期限については、当該やむを得ない事由により当該手続を行うことができない期間として（3）の政令で定める期間延長する。

（延納の許可の申請に係る手続に関する期限が延長される事由）
（1）　**8**の（二）に規定する政令で定めるやむを得ない事由は、次に掲げる事由とする。（令16の2①）
　（一）　延納の許可の申請に係る手続を行う者が死亡したこと。
　（二）　延納の許可の申請に対する処分に係る不服申立て又は訴えの提起があったこと。

（手続に関する期限）
（2）　**8**の（二）に規定する政令で定める手続に関する期限は、次に掲げる期限とする。（令16の2②）
　（一）　**6**に定める担保提供関係書類の提出の期限
　（二）　**2**の（4）に定める担保提供関係書類（**2**に規定する担保提供関係書類提出期限延長届出書〔**2**の（5）の規定により読み替えて適用する**2**の規定により提出されたものを含む。〕に係るものに限る。）の提出期限
　（三）　**2**の（5）の規定により読み替えて適用する**2**に定める担保提供関係書類提出期限延長届出書の提出期限
　（四）　**3**の（3）に定める申請書の訂正又は担保提供関係書類の訂正若しくは提出の期限
　（五）　**4**に定める担保提供関係書類補完期限延長届出書の提出の期限
　（六）　**4**の（3）に定める担保提供関係書類（**4**に規定する担保提供関係書類補完期限延長届出書〔**4**の（4）の規定により読み替えて適用する**4**の規定により提出されたものを含む。〕に係るものに限る。）の訂正又は提出の期限
　（七）　**4**の（4）の規定により読み替えて適用する**4**に定める担保提供関係書類補完期限延長届出書の提出の期限
　（八）　**7**に定める変更担保提供関係書類提出期限延長届出書の提出の期限
　（九）　**7**の（4）に定める担保提供関係書類（**7**に規定する変更担保提供関係書類提出期限延長届出書〔**7**の（5）の規定により読み替えて適用する**7**の規定により提出されたものを含む。〕に係るものに限る。）の提出期限
　（十）　**7**の（5）の規定により読み替えて適用する**7**に定める変更担保提供関係書類提出期限延長届出書の提出の期限

（やむを得ない事由により当該手続を行うことができない期間）
（3）　**8**の（二）に規定する政令で定める期間は、次の（一）又は（二）に掲げる場合の区分に応じ当該（一）又は（二）に定める期間とする。（令16の2③）

（一）	（1）の（一）に掲げる事由に該当する場合	次のイ又はロに掲げる期間のうちいずれか長い期間 イ　（1）の（一）の者が死亡した日の翌日から同日以後10月を経過する日までの期間 ロ　イの者が死亡した日の翌日から当該者の相続財産について民法第952条第2項《相続財産の管理人の選任》の規定による公告があった日までの期間

－634－

（二）	（1）の（二）に掲げる事由に該当する場合	（1）の（二）の処分があった日の翌日から同（二）の不服申立て又は訴えについての決定若しくは裁決又は判決が確定する日までの期間

　　（担保提供関係書類提出期限延長期限等の最大延長可能日）

（4）　**8**の（二）の適用における**2**の（5）のただし書、**4**の（4）のただし書又は**7**の（5）のただし書の規定による担保提供関係書類の訂正又は提出の期限は、次に掲げる日の翌日から起算して６月に同**8**の（二）に規定する期間を加算した期間を経過する日までとなることに留意する。（基通39－7の2）

①　**2**の（5）のただし書……**1**の申請書の提出期限
②　**4**の（4）のただし書……**3**の（2）の規定による通知を受けた日
③　**7**の（5）のただし書……**1**の（5）の規定による通知を受けた日

　　（延納の許可の申請に係る手続を行う者）

（5）　（1）の（一）に規定する「延納の許可の申請に係る手続を行う者」とは、**1**の規定による延納の許可の申請を行った者（納税義務者）をいい、当該申請を行った者が死亡したことにより当該申請者としての地位を承継した者を含むものであることに留意する。（基通39－10の2）

　　（（1）の（二）の「不服申立て」）

（6）　（1）の（二）の「不服申立て」とは、**3**に規定する処分については、**3**の（3）に規定する期限までに行われた不服申立てに限られるのであるから留意する。（基通39－10の3）
　　（注）　**3**の（3）に規定する期限を経過した場合、延納申請は取り下げたものとみなされることに留意する。

　　（処分があった日）

（7）　（3）の（二）に規定する「処分があった日」とは、延納の許可の申請に係る処分に係る書類を発した日をいうことに留意する。（基通39－10の4）

　　（**8**の適用期間の重複）

（8）（一）　**8**の（一）又は（二）の適用において、延納の許可の申請に係る手続の期限内に同**8**の（一）又は（二）のに掲げる場合が複数生じた場合における延納の許可の申請に係る手続の期限は、国税通則法第11条による延長後の期限又は**8**の（二）のによる延長後の期限のいずれか遅い日となることに留意する。（基通39－10の5）

（二）　延納の許可の申請に係る手続の期限内において、**8**の（一）又は（二）のに掲げる場合が生じ延納の許可の申請に係る手続の期限が延長（以下（二）において「**一次延長**」という。）された場合において、その延長された手続の期間中に（1）の（一）に掲げる事由が生じたときにおける（2）の期限は、（1）の（一）の者が死亡した日の翌日から同日以後10月を経過する日と（1）の（一）の者が死亡した日の翌日から当該者の相続財産について民法第952条第2項の規定による公告があった日のいずれか遅い日（以下（二）において「**二次延長の期限**」という。）となることに留意する。この場合における延納の許可の申請に係る延長後の手続の期限は、一次延長の期限と二次延長の期限のいずれか遅い日となることに留意する。

（三）　**8**の（一）又は（二）の適用において、**8**の（一）又は（二）のに掲げる場合が複数生じた場合における**2**の（5）ただし書、**4**の（4）のただし書又は**7**の（5）のただし書に規定する担保提供関係書類の訂正又は提出の期限は、**8**の（4）の①から③に掲げる日の翌日から起算して６月に、先に生じた**8**の（一）又は（二）に掲げる場合に係る災害等延長期間等（**8**の（一）の規定により読み替えて適用する**2**の（5）ただし書に規定する災害等延長期間又は同**8**の（二）のに規定する期間をいう。以下**二**関係において同じ。）と、後に生じた**8**の（一）又は（二）に掲げる場合に係る災害等延長期間等のうち先に生じた**8**の（一）又は（二）に掲げる場合に係る災害等延長期間等と重複する期間を除いた期間を加算した日を経過する日までとなることに留意する。

　　（注）　**8**の（一）又は（二）の適用期間の全部又は一部が重複する場合の取扱いについて、設例を基に示せば、次のとおりである。

　　設例1　担保提供関係書類提出延長期限（当初）までに、国税通則法第11条に規定する災害その他やむを得ない理由が生じ、かつ、延納申請者が死亡した（（1）の（一）に掲げる事由が生じた）場合において、国税通則法第11条により延長された期限（以下「通11条期限」といい、**二**関係において同じ。）より延納申請者が死亡した日の翌日から10月を経過する日が遅い場合

－635－

第二編　贈与税

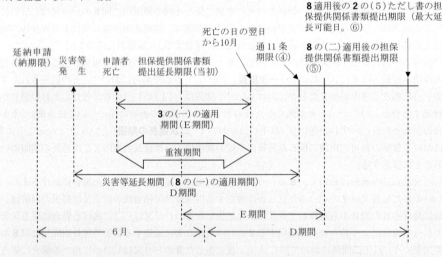

　上記の場合において、通11条期限(①)より8の(二)の適用後の担保提供関係書類提出延長期限(②)が遅いことから、8適用後の担保提供関係書類提出延長期限は8の(二)適用後の担保提供関係書類提出延長期限(②)となる。

　また、延納申請者の死亡の日の翌日から通11条期限までの期間が、8の(一)と(二)((3)の(一))の規定の適用において重複することから、8の(一)及び(二)適用による2の(5)のただし書の担保提供関係書類提出期限(最大延長可能日)は、延納申請期限(二の1の申請書の提出期限)の翌日から起算して6月に、災害等延長期間(A期間と(3)の(一)の適用期間(B期間))のうち災害等延長期間(A期間)と重複する期間を除いた期間(C期間)を加算した日(8の適用後の2の(5)のただし書の担保提供関係書類提出期限(最大延長可能日。③))となる。

設例2　担保提供関係書類提出延長期限(当初)までに、国税通則法第11条に規定する災害その他やむを得ない理由が生じ、かつ、延納申請者が死亡した((1)の(一)に掲げる事由が生じた)場合において、通11条期限より延納申請者が死亡した日の翌日から10月を経過する日が早い場合

　上記の場合において、通11条期限(④)より8の(二)の適用後の担保提供関係書類提出延長期限(⑤)が遅いことから、8の適用後の担保提供関係書類提出延長期限は8の(二)の適用後の担保提供関係書類提出延長期限(⑤)となる。

　また、延納申請者の死亡の日の翌日から10月を経過する日までの期間の全てが、8の(一)と(二)((3)の(一))の規定の適用において重複することから、8の(一)及び(二)の規定の適用による2の(5)のただし書の担保提供関係書類提出期限(最大延長可能日)は、延納申請期限(二の1の申請書の提出期限)の翌日から起算して6月に、災害等延長期間(D期間)を加算した日(8の適用後の2の(5)のただし書の担保提供関係書類提出期限(最大延長可能日。⑥))となる(同8の(二)((3)の(一))の適用による加算期間がない。)。

(災害その他やむを得ない理由が生じたときの申請に対する許可又は却下)
(9)　1の(3)の規定により税務署長が1の(3)の調査を行う場合において、国税通則法第11条に規定する災害その他や

― 636 ―

第七章　贈与税の納付

むを得ない理由が生じたとき、又は**8**の(二)に規定するやむを得ない事由が生じたときにおける**1**の(3)の規定の適用については、**1**の(3)中「3月以内」とあるのは、「3月（**5**の規定の適用がある場合には、6月）に**8**の(一)の規定により読み替えて適用する**2**の(5)のただし書に規定する災害等延長期間又は(3)で定める期間を加算した期間内」とする。(法39㉔)

　　（申請に対する許可又は却下の読替規定）
(10)　**8**の規定の適用がある場合において、**2**の(6)、**6**の(1)又は**7**の(6)の規定により読み替えられた**1**の(3)の規定を適用するときは、(9)の規定は、適用しない。(法39㉕)

　　（税務署長の調査期間に係る災害等延長期間の重複）
(11)　(9)の適用において、**8**の(一)又は(二)に掲げる場合が複数生じた場合は、3月（**5**の規定の適用がある場合には6月）に、先に生じた**8**の(一)又は(二)に掲げる場合に係る災害等延長期間等の期間と、後に生じた**8**の(一)又は(二)に掲げる場合に係る災害等延長期間等のうち先に生じた**8**の(一)又は(二)に掲げる場合に係る災害等延長期間等と重複する期間を除いた期間を加算した期間内となることに留意する。(基通39－11の2)

　　（**8**の規定の適用がある場合）
(12)　(10)の「**8**の規定の適用がある場合」には、**1**の(3)及び**3**の(3)に規定する期限が国税通則法第11条の規定により延長された場合を含むものとする。(基通39－11の3)
　なお、申請者が国税通則法第11条に規定する災害その他やむを得ない理由が生じた日以後に**1**の(5)又は**3**の(2)の通知を受けた場合における同日から当該通知を受けた日までの期間は、(9)の規定の適用があることに留意する。
　(注)　国税通則法第11条に規定する災害その他やむを得ない理由が生じた日以後に**1**の(5)又は**3**の(2)の通知を受けた場合の取扱いについて、設例を基に示せば、次のとおりである。

設例　国税通則法第11条の延長期間中に**3**の補完通知を受領した場合

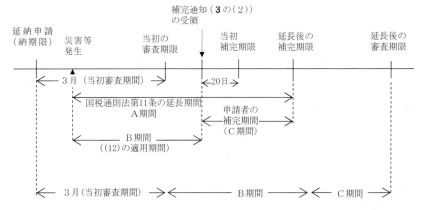

上記の場合において、国税通則法第11条の延長期間のうち、同条に規定する災害その他やむを得ない理由が生じた日から**3**の(2)の通知を受領した日までの期間が、(9)の適用期間となる。

9　延納条件の変更等

①　納税義務者の変更承認申請
　延納の許可を受けた者は、その後の資力の状況の変化等により延納の条件について変更を求めようとする場合においては、その変更を求めようとする条件その他の(1)の財務省令で定める事項を記載した申請書を当該延納の許可をした税務署長に提出することができる。(法39㉚)

　　（延納条件の変更承認の申請書の記載事項）
(1)　①に規定する財務省令で定める事項は、次に掲げる事項とする。(規20⑦)
　(一)　第六章第一節**二**の**1**の(二)及び同**1**の(三)に掲げる事項
　(二)　許可に係る延納期間並びに分納税額及びその納期限

(三)　変更を求めようとする延納期間又は分納税額及びその納期限並びにその変更を求めようとする理由
　　(四)　その他参考となるべき事項

　　　(延納条件の変更の範囲)
(2)　①の規定は、延納の許可を受けた者が、延納の許可後資力の状況の変化等により許可に係る延納の条件ではその履行が困難である場合などにおいて、分納期限が到来していない分納税額について延納の条件の変更を求めることができるという趣旨であるから留意する。
　　ただし、分納期限が経過しても分納税額の履行がない場合で、その不履行が一時的な資金繰りの悪化によるものであるときは、当該延納の許可を受けた者の弁明を聴いた上で、当該分納期限経過後おおむね2月以内に、延納の条件を変更しても差し支えないものとする。
　　なお、延納の条件を変更する範囲は次のとおりである。(基通39－14)
　(一)　分納期限の延長　　分納期限を延長する変更については、次回の分納期限(当初の延納の許可に係る分納期限)の前日までを限度とする。
　(二)　分納期限の再延長　　分納期限を延長した後においても、当該延長に係る延納の条件の変更事由が継続するなどやむを得ない事情が存する場合には、当該延長後の分納期限について、次回の分納期限(最初の延長に係る分納期限)の前日まで延長(再延長)しても差し支えない。
　　(注)　分納期限の延長、再延長について図示すると次のとおりである。

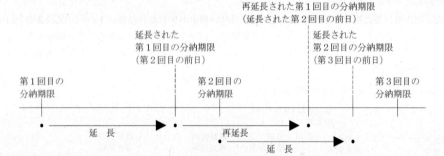

　(三)　延納期間の延長　　延納の申請に基づいて許可された延納期間(年数)については、当該申請者について申請当時法律上延納できることとされている期間(年数)まで延長できるものとする。
　(四)　延長できる最終の分納期限　　(一)から(三)により延長できる最終の分納期限は、当該延納の許可を受けた者について法律上延納できることとされている最終納期限を限度とする。

　　　(延納条件の変更と担保)
(2)　①の規定により延納の条件を変更する場合において、提供されている担保物の価額が条件変更後の延納税額を担保するのに不十分であると認められるときは、国税通則法第51条第1項《担保の変更等》の規定による増担保の提供等の命令を行うものであるから留意する。(基通39－15)

　　　(規定の準用)
(3)　1の(3)及び(4)の規定は、①の規定による延納の許可を受けた者が①の申請書を提出した場合について準用する。この場合において、1の(3)中「の提出期限」とあるのは「を提出した日」と、「3月」とあるのは「1月」と読み替えるものとする。(法39㉛)

② 税務署長の変更又は取消し
　税務署長は、延納の許可を受けた者のその後の資力の状況の変化等により当該許可に係る条件により延納を認めることが適当でないと認める場合においては、その者の弁明を聴いた上、その許可を取り消し、又は延納期間の短縮その他延納の条件の変更をすることができる。(法39㉜)

　　　(変更処分の通知)
(1)　税務署長は、②の規定により延納の許可を取り消し、又は延納の条件を変更した場合においては、その旨及びその理由を記載した書面により、これを納税義務者に通知する。(法39㉝)

第七章　贈与税の納付

（延納期間の短縮等）

（２）　②の規定は、税務署長が延納の許可を受けた者から資力の状況の変化等について弁明を聴いた上で、その弁明に係る事情を考慮して、延納許可の取消し又は延納条件の変更の処分をする必要があると認める場合においてだけ当該処分をすることができるという趣旨であるから留意する。

　　なお、延納の許可を受けた者に対して期限を定めて弁明を求めた場合において、当該期限までに正当な理由がなく弁明をしないときは、弁明を聴くことなく当該処分をするものとする。（基通39－16）

（弁明の方法）

（３）　②に規定する「弁明」の方法は、口頭又は書面のいずれによるも差し支えないものとするが、口頭による場合においては後日の紛争を避ける等のため、聴取書を作成する等その事績を明らかにしておくものとする。（基通39－17）

10　延納申請があった場合の徴収猶予

　税務署長は、**1**の規定による申請書の提出があった場合において相当の事由があると認めるときは、贈与税の全部又は一部の徴収を猶予することができる。（法40①）

（徴収を猶予する期間）

（１）　**10**の規定により徴収を猶予する期間は、当該申請に係る贈与税額の第一節**二**の**1**又は第一節**一**の**3**に規定する納期限の翌日から、次に掲げる日までの期間をいうのであるから留意する。（基通40－1）

（一）　延納申請に係る贈与税額の全部又は一部についてその許可をした場合　　延納許可の日（延納許可があったものとみなされる日）

（二）　延納申請に係る贈与税額の全部又は一部についてその却下をした場合　　延納却下があった日

（三）　延納申請に係る贈与税額の全部又は一部についてみなす取下げ又は取下げがあった場合　　みなす取下げ又は取下げがあった日

11　延納の取消し

　税務署長は、延納の許可を受けた者が延納税額（当該延納税額に係る利子税又は延滞税に相当する額を含む。）の滞納その他延納の条件に違反したとき、その者が当該延納税額に係る担保につき国税通則法第51条第1項《担保の変更等》の規定による命令に応じなかったとき、当該延納税額に係る担保物につき国税徴収法第2条第12号に規定する強制換価手続が開始されたとき又は当該延納の許可を受けた者が死亡し、その相続人が限定承認をしたときは、その許可を取り消すことができる。この場合においては、当該強制換価手続が開始されたとき及び限定承認をしたときを除き、あらかじめその者の弁明を聴かなければならない。（法40②）

（取消通知）

（１）　税務署長は、**11**の規定により延納の許可を取り消した場合においては、その旨及びその理由を記載した書面により、これを納税義務者に通知する。（法40③）

（弁明の方法）

（２）　**11**に規定する「弁明」については、**9**の②の（2）なお書及び同②の（3）の取扱いに準ずるものとする。（基通40－2）

12　延納の担保

　国税に関する法律の規定により提供される担保の種類は、次に掲げるものとする。（通法50）

(一)	国債及び地方債
(二)	社債（特別の法律により設立された法人が発行する債券を含む。）その他の有価証券で税務署長等（国税に関する法律の規定により国税庁長官又は国税局長が担保を徴するものとされている場合には、国税庁長官又は国税局長。以下において同じ。）が確実と認めるもの
(三)	土地
(四)	建物、立木及び登記される船舶並びに登録を受けた飛行機、回転翼航空機及び自動車並びに登記を受けた建設機械で、保険に付したもの
(五)	鉄道財団、工場財団、鉱業財団、軌道財団、運河財団、漁業財団、港湾運送事業財団、道路交通事業財団及び観光

－639－

第二編　贈与税

	施設財団
(六)	税務署長等が確実と認める保証人の保証
(七)	金銭

(取引相場のない株式の延納担保)

（１）　贈与により取得した取引相場のない株式を担保とした延納申請があった場合において、次のいずれかに該当する事由があるときは、当該株式を延納の担保として認めることができる。(基通39－2)

　（一）　贈与により取得した財産のほとんどが取引相場のない株式であり、かつ、当該株式以外に延納の担保として提供すべき適当な財産がないと認められること。

　（二）　取引相場のない株式以外に財産があるが、当該財産が他の債務の担保となっており、延納の担保として提供することが適当でないと認められること。

(担保の提供手続——有価証券)

（２）　**12**の(一)、(二)又は(七)に掲げる担保を提供しようとする者は、これを供託してその供託書の正本をその提供先の国税庁長官、国税局長、税務署長又は税関長（以下において「**国税庁長官等**」という。）に提出しなければならない。ただし、登録国債又は社債等登録法の規定により登録した社債、地方債その他の債券については、その登録を受け、登録済通知書又は担保権登録内容証明書を国税庁長官等に提出しなければならない。(通令16①)

(担保の提供手続——不動産等)

（３）　**12**の(三)から(五)までに掲げる担保を提供しようとする者は、抵当権を設定するために必要な書類を国税庁長官等に提出しなければならない。この場合において、その提出を受けた国税庁長官等は、抵当権の設定の登記又は登録を関係機関に嘱託しなければならない。(通令16③)

(保証人の保証による担保提供)

（４）　**12**の(六)に掲げる担保を提供しようとする者は、保証人の保証を証する書面を国税庁長官等に提出しなければならない。(通令16④)

(担保の解除)

（５）　国税庁長官等は、担保の提供があった場合において、担保の提供されている国税が完納されたこと、担保を提供した者が担保の変更の承認を受けて変更に係る担保を提供したことその他の理由によりその担保を引き続いて提供させる必要がないこととなったときは、その担保を解除しなければならない。(通令17①)

　担保の解除は、担保を提供した者にその旨を書面で通知することによって行う。(同②)

(担保の解除の手続)

（６）　国税庁長官等は、次に掲げる担保を解除したときは、当該(一)から(三)に定める手続をしなければならない。(通令17③)

(一)	**12**の(一)、(二)又は(七)に掲げる担保	提出された供託書の正本又は登録済通知書若しくは担保権登録内容証明書の返還
(二)	振替株式等	当該振替株式等について、振替口座簿における減少又は減額の記載又は記録を受けた者の口座に、増加又は増額の記載又は記録をするための振替の申請
(三)	**12**の(三)から(五)までに掲げる担保	関係機関に嘱託した抵当権の登記又は登録の抹消の嘱託

三　延納の利子税

1　利　子　税

　延納の許可を受けた者は、次の(一)から(二)のいずれかに該当する場合においては、分納税額に併せて当該(一)から(二)に掲げる利子税を納付しなければならない。(法52①)

(一)	第1回に納付すべき分納税額を納付する場合においては、当該延納税額を基礎とし、当該延納の許可を受けた贈与税額の第一節**二**の**1**又は第一節**一**の**3**の規定による納期限又は納付すべき日の翌日から当該分納税額の納期限までの期間に応じ、年6.6パーセントの割合（（二）において「**利子税の割合**」という。）を乗じて算出した金額に相当する利子税
(二)	第2回以後に納付すべき分納税額を納付する場合においては、当該延納税額から前回までの分納税額の合計額を控除した残額を基礎とし、前回の分納税額の納期限の翌日からその回の分納税額の納期限までの期間に応じ、利子税の割合を乗じて算出した金額に相当する利子税

(注) 贈与税の延納については、第一編第八章第二節**五**の**2**《相続税の延納に伴う利子税の特例》に相当する規定は設けられていない。（編者注）

イ 1回目の分納税額に係るもの

$$\text{延納税額} \times \text{利子税の割合} \times \frac{\text{納期限の翌日から1回目}}{365\text{日}}$$

ロ 2回目以降の分納税額に係るもの

$$\left(\text{延納税額} - \begin{array}{c} \text{前回までの分納} \\ \text{税額の合計額} \end{array} \right) \times \begin{array}{c} \text{利子税} \\ \text{の割合} \end{array} \times \frac{\begin{array}{c} \text{前回の分納期限の翌日から} \\ \text{その回の分納期限までの日数} \end{array}}{365\text{日}}$$

（分納税額の納期限が延長された場合の第2回目以後の利子税の計算始期）

（1） **1**の（二）に規定する「前回の分納税額の納期限」には、国税通則法第11条《災害等による期限の延長》の規定により延長された期限は含まないことに留意する。（基通52−1）

2 延納の取消しがあった場合の利子税

延納の許可を受けた者が**二**の**9**の**②**又は**11**の規定による延納の許可の取消しを受けた場合においては、その者については、その取消しがあった時以後に納付すべきであった分納税額の合計額をその取消しがあった時に納期限が到来した分納税額とみなして、**1**の規定を適用する。（法52②）

3 延納の申請の却下又は取下げの場合の利子税

贈与により財産を取得した者について、**二**の**1**の（3）の規定による延納の申請の却下があった場合又は**二**の**3**の（3）の規定により延納の申請を取り下げたものとみなされる場合には、当該取得した者は、当該申請の却下又は取下げに係る贈与税額の第一節**二**の**1**又は第一節**一**の**3**の規定による納期限又は納付すべき日の翌日から**二**の**1**の（3）の規定による当該延納の申請の却下があった日又は**二**の**3**の（3）の規定により当該延納の取下げがあったものとみなされる日までの期間（**二**の**8**の（一）の規定により読み替えて適用する**二**の**2**の（5）ただし書に規定する災害等延長期間又は**二**の**8**の（3）で定める期間を除く。）につき、当該贈与税額を基礎とし、当該期間に応じ、年7.3パーセントの割合を乗じて算出した金額に相当する利子税を納付しなければならない。（法52④）

4 延納の利子税の割合の特例

1の表の（一）に規定する利子税の割合は、同（一）の規定にかかわらず、各分納期間の延納特例基準割合（各分納期間の開始の日の属する年の特例基準割合）が年7.3パーセントの割合に満たない場合には、当該分納期間においては、当該利子税の割合に当該延納特例基準割合が年7.3パーセントの割合のうちに占める割合を乗じて計算した割合とする。（措法93③）

$$\text{利子税の割合（本則）} \times \frac{\text{延納特例基準割合}}{7.3\%} = \text{利子税の特例割合}$$

（利子税特例基準割合）

（1） 利子税特例基準割合とは、平均貸付割合（各年の前々年の9月から前年の8月までの各月における短期貸付けの平均利率（当該各月において銀行が新たに行った貸付け（貸付期間が1年未満のものに限る。）に係る利率の平均をいう。）の合計を12で除して計算した割合として各年の前年の11月30日までに財務大臣が告示する割合をいう。以下同じ。）に年0.5パーセントの割合を加算した割合をいう。（措法93②）

(分納期間の意義)

（２）　４及び（２）において、次の（一）から（二）に掲げる用語の意義は、当該（一）から（二）に定めるところによる。（措法93④）

（一）	分納期間	１《利子税》の（一）又は（二）に規定する分納税額に併せて納付しなければならない利子税の額の計算の基礎となる期間をいう。
（二）	延納特例基準割合	各分納期間の開始の日の属する年の利子税特例基準割合（（１）に規定する利子税特例基準割合をいう。）をいう。

(利子税の額の計算)

（３）　８の規定の適用がある場合における利子税の額の計算において、８に規定する計算した割合に0.1パーセント未満の端数があるときはこれを切り捨てるものとし、８に規定する計算した割合及び加算した割合（平均貸付割合を除く。）が年0.1パーセント未満の割合であるときは年0.1パーセントの割合とする。（措法96①）

(利子税の額の計算過程における端数処理)

（４）　４の規定の適用がある場合における利子税の額の計算において、その計算の過程における金額に１円未満の端数が生じたときは、これを切り捨てる。（措法96②）

５　災害等延長期間がある場合の特例

　二の８又は同８の（４）の規定の適用がある場合において延納の許可が二の１の申請書に記載された第１回に納付すべき分納税額の納期限後にされたときは、当該延納の許可を受けた者が当該延納の許可を受けた日までに当該申請書に記載された納期限が到来した分納税額に係る１の規定の適用については、当該申請書に記載された第１回に納付すべき分納税額の納期限前に延納の許可があったものとして計算したところによる。（法52⑤）

(災害等により申請に係る分納期限後に延納を許可した後、分納期限の延長等を行った場合)

（１）　５の規定の適用がある場合において、延納の許可を受けた分納税額の納期限（二の１の（８）による納期限をいう。）を延長又は再延長した場合においては、延納の許可をした税額の納期限の翌日から延長又は再延長した分納期限までの期間については利子税を計算することに留意する。（基通52－４）

　　(注)　５の規定の適用がある場合における分納期限の延長について図示すると次のとおりである。

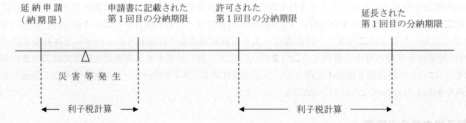

第七章　贈与税の納付

贈 与 税 延 納 申 請 書

税務署長殿
令和　年　月　日

（〒　　　）
住所　　　　　　　　　　　　
フリガナ
氏名　　　　　　　　　　　　
法人番号 ☐☐☐☐☐☐☐☐☐☐☐☐☐
職業　　　　　　　電話　　　　　

下記のとおり贈与税の延納を申請します。

記

1　延納申請税額

① 納付すべき贈与税額	円
② ①のうち納税猶予をする税額	
③ 差引（①－②）	
④ ③のうち現金で納付する税額	
⑤ 延納申請税額（③－④）	

2　金銭で納付することを困難とする理由

（延納できるのは、金銭で納付することが困難な範囲に限られます。）

別紙「金銭納付を困難とする理由書」のとおり。

――ご注意――
1　担保の種類は、おおむね次のとおりです。
　(1)　国債及び地方債並びに税務署長が確実と認める社債その他の有価証券
　(2)　土地
　(3)　保険に付した家屋、立木、船舶等
　(4)　鉄道財団、工場財団、鉱業財団等
　(5)　税務署長が確実と認める保証人の保証
2　延納期間中は、年6.6%の割合で利子税がかかります。利子税は、延納分納税額にあわせて納付することになります。

3　分納税額及び分納期限

作成税理士事務所所在地（電話番号）署名

期間	分納税額	分納期限
第1回	円	令和　年　月　日
第2回	,000	年　月　日
第3回	,000	年　月　日
第4回	,000	年　月　日
第5回	,000	年　月　日
計		

4　担保　別紙目録のとおり

5　その他参考事項

右の欄の該当の箇所を○で囲み年月日を記入してください。	贈与年月日	令和　年　月　日	令和　年　月　日
	申告（期限内、期限後、修正）、更正、決定年月日		令和　年　月　日
	納　期　限		令和　年　月　日
担保が保証人（法人）の保証である場合は、保証人である法人の延納許可申請日の直前に終了した事業年度に係る法人税申告書の提出先及び提出日			税務署
令和　年　月　日

税務署	郵送等年月日	担当者
整理欄	令和　年　月　日	

第三編　相続時精算課税制度

第一章　相続時精算課税制度

第一節　相続時精算課税制度の適用対象者・選択の届出

一　相続時精算課税制度の適用対象者

　贈与により財産を取得した者がその贈与をした者の推定相続人（その贈与をした者の直系卑属である者のうちその年1月1日において<u>18歳以上</u>であるものに限る。）であり、かつ、その贈与をした者が同日において60歳以上の者である場合には、その贈与により財産を取得した者は、その贈与に係る財産について、本章の規定の適用を受けることができる。（法21の9①）

（注）　上記一の──線部分の規定は、令和4年3月31日以前は、「18歳」とあるのは「20歳」とする。（平31改所法等附23③）

　　　（年の中途において推定相続人となった場合）
（1）　その年1月1日において<u>18歳以上</u>の者が同日において60歳以上の者からの贈与により財産を取得した場合にその年の中途においてその者の養子となったことその他の事由によりその者の推定相続人となったとき（配偶者となったときを除く。）には、推定相続人となった時前にその者からの贈与により取得した財産については、一の規定の適用はないものとする。（法21の9④）

　　（注）　上記（1）の──線部分の規定は、令和4年3月31日以前は、「18歳」とあるのは「20歳」とする。（平31改所法等附23③）

　　　（推定相続人の判定）
（2）　一に規定する「贈与をした者の推定相続人」とは、当該贈与をした日現在においてその贈与をした者の最先順位の相続権（代襲相続権を含む。）を有する者をいい、推定相続人であるかどうかの判定は、当該贈与の日において行うのであるから留意する。（基通21の9－1）

　　　（年の中途において贈与者の推定相続人になった場合）
（3）　年の中途において、その年の1月1日において18歳以上（注）1の者が同日において60歳以上の者の推定相続人になったこと（その者の養子になった場合など）から、（1）の規定により相続時精算課税が適用されない贈与があるときにおける当該贈与により取得した財産に係る贈与税額は、暦年課税により計算することとなり、第二編第五章第一節《贈与税の基礎控除》の1（同第一節の2を含む。）の規定の適用があることに留意する。（基通21の9－4）

　　（注）1　令和4年3月31日以前に贈与により財産を取得する者については、20歳以上。
　　　　　2　年の中途において贈与をした者の推定相続人となり、二の（1）の規定の適用を受ける場合においても、その年分の相続時精算課税に係る基礎控除の額は、110万円（同一年中において2人以上の特定贈与者からの贈与により財産を取得した場合には、特定贈与者ごとに第二節一の（4）《特定贈与者が2人以上ある場合における相続時精算課税に係る基礎控除の額》の定めにより計算した金額）となることに留意する。

二　相続時精算課税制度の選択

　一の規定の適用を受けようとする者は、（3）の政令で定めるところにより、第二編第六章第一節一の1《贈与税の申告書の提出期限》の期間内に一に規定する贈与をした者からのその年中における贈与により取得した財産について一の規定の適用を受けようとする旨その他（4）の財務省令で定める事項を記載した届出書を納税地の所轄税務署長に提出しなければならない。（法21の9②）

　　　（相続時精算課税選択届出書に係る贈与財産の税額の計算）
（1）　二の届出書に係る贈与をした者からの贈与により取得する財産については、当該届出書に係る年分以後、第二編《贈与税》及び本章の規定により、贈与税額を計算する。（法21の9③）

－647－

第三編　相続時精算課税制度

（相続時精算課税適用者が特定贈与者の推定相続人でなくなった場合）
（２）　二の届出書を提出した者（以下「**相続時精算課税適用者**」という。）が、その届出書に係る一の贈与をした者（以下「**特定贈与者**」という。）の推定相続人でなくなった場合においても、当該特定贈与者からの贈与により取得した財産については、（１）の規定の適用があるものとする。また、相続時精算課税適用者は、二の届出書を撤回することができない。（法21の9⑤⑥）

（相続時精算課税選択届出書の提出）
（３）　二の規定による二に規定する届出書（以下「**相続時精算課税選択届出書**」という。）の提出は、一の贈与をした者ごとに、納税地の所轄税務署長にしなければならない。この場合において、第二編第六章第一節一の1《贈与税の申告書の提出期限》の規定による申告書を提出するときは、相続時精算課税選択届出書の提出は、当該申告書に添付してしなければならない。（令5①）

（相続時精算課税選択届出書の記載事項）
（４）　二に規定する財務省令で定める事項は、次に掲げる事項とする。（規10①）

(一)	相続時精算課税選択届出書を提出する者の氏名、生年月日、住所又は居所及び個人番号（個人番号を有しない者又は（３）後段若しくは（７）の規定により相続時精算課税選択届出書を提出する者にあっては、氏名、生年月日及び住所又は居所）並びに一の贈与をした者との続柄
(二)	(一)の贈与をした者の氏名、生年月日及び住所又は居所
(三)	(一)の提出する者が年の中途において一の（１）の贈与をした者の推定相続人となった場合には、当該贈与をした者の推定相続人となった事由及びその年月日
(四)	第五節一の（１）の規定による申告書を提出しない場合には、その旨
(五)	その他参考となるべき事項

（相続時精算課税選択届出書の添付書類）
（５）　相続時精算課税選択届出書には、贈与により財産を取得した者の戸籍の謄本その他の相続時精算課税選択届出書の提出をする者の戸籍の謄本又は抄本その他の書類でその者の氏名及び生年月日並びにその者が一の贈与をした者の推定相続人に該当することを証する書類を添付しなければならない。（令5②、規11①）

（贈与者が年の中途に死亡した場合）
（６）　贈与をした者が年の中途において死亡した場合には、相続時精算課税選択届出書の提出は、（３）の規定にかかわらず、当該贈与をした者の死亡に係る相続税の納税地の所轄税務署長にしなければならない。（令5③）

（贈与者の死亡に係る相続税の申告期限が贈与に係る贈与税の申告期限までに到来するとき）
（７）　（６）に規定する場合において、（６）の贈与に係る第二編第六章第一節一の1《贈与税の申告書の提出期限》の規定による申告書の提出期限までに当該贈与をした者の死亡に係る第一編第七章第一節一の1《相続税の申告書の提出期限》（以下（７）において「相続税の申告期限」という。）が到来するときは、相続時精算課税選択届出書の提出は、当該相続税の申告期限までにしなければならない。この場合において、当該贈与をした者の死亡に係る同1の規定による申告書を提出するときは、相続時精算課税選択届出書の提出は、当該申告書に添付してしなければならない。（令5④）

（「相続時精算課税選択届出書」の提出先等）
（８）　贈与者が贈与をした年の中途において死亡した場合又は贈与により財産を取得した者が相続時精算課税選択届出書の提出期限前に当該相続時精算課税選択届出書を提出しないで死亡した場合において、当該贈与を受けた財産について相続時精算課税の適用を受けるために提出する相続時精算課税選択届出書の提出先及び提出期限は、次に掲げる場合に応じ、それぞれに掲げるところによることに留意する。（基通21の9－2）

区　　　　　　　分		提　出　先	提　出　期　限
（１）　贈与者が贈与をした年の中途で死亡した場合	①　受贈者に係る贈与税の申告書の提出期限（第二編第六章第一節一の1又は同一の2に規定する期限）以前に当該贈与者の死亡に係	当該贈与者に係る相続税の納税地を所轄する税務署長	当該贈与者に係る相続税の申告書の提出期限

－648－

（注）　相続時精算課税選択届出書に係る受贈財産については、贈与税の申告を要しないのであるから留意する。	る相続税の申告書の提出期限（第一編第七章第一節**一**の**1**又は同第一節**四**の**1**に規定する期限）が到来するとき		
	②　贈与者の死亡に係る相続税の申告書の提出期限（第一編第七章第一節**一**の**1**又は同第一節**四**の**1**に規定する期限）前に受贈者に係る贈与税の申告書の提出期限（第二編第六章第一節**一**の**1**又は同**一**の**2**に規定する期限）が到来するとき		当該受贈者に係る贈与税の申告書の提出期限
（２）　贈与により財産を取得した者が相続時精算課税選択届出書の提出期限に当該届出書を提出しないで死亡した場合（上記（１）に該当する場合を除く。）		当該受贈者に係る贈与税の納税地を所轄する税務署長	当該受贈者に係る贈与税の申告書の提出期限

　　　（相続時精算課税選択届出書の提出）
（９）　贈与により取得した財産について、相続時精算課税の適用を受けようとする者は、その年分の贈与税の申告書の提出を要しない場合であっても、**二**及び（３）前段の規定に基づき相続時精算課税選択届出書をその提出期限までに提出する必要があることに留意する。なお、相続時精算課税選択届出書をその提出期限までに提出しなかった場合には、相続時精算課税の適用を受けることはできないことに留意する。（基通21の９－３）
（注）1　提出期限までに相続時精算課税選択届出書が提出されなかった場合におけるゆうじょ規定は設けられていない。
　　　2　**二**及び（３）前段の規定に基づき相続時精算課税選出書のみをその提出期限までに提出した場合には、相続時精算課税の適用を受けることができることから、例えば、贈与により財産を取得した者が当該規定に基づいてその提出期限までに相続時精算課税選択届出書のみを提出していた場合において、当該贈与を受けた年分に係る贈与税についての期限後申告書を提出することとなった場合でも、引き続き相続時精算課税の適用を受けることができることに留意する。

　　　（令和２年１月１日前の贈与に係る相続時精算課税選択届出書の添付書類）
（10）　相続税法施行規則等の一部を改正する省令（平成31年財令第８号。以下(10)において「平成31年改正省令」という。）附則第２条《相続時精算課税選択届出書の添付書類に関する経過措置》及び相続税法施行規則の一部を改正する省令（平成27年財令第24号。以下(10)において「平成27年改正省令」という。）附則第２条第２項《申告書の添付書類に関する経過措置》の規定により、令和２年１月１日前の贈与に係る相続時精算課税選択届出書には、次に掲げる書類の添付が必要とされていることに留意する。この場合において、当該書類のうち住所又は居所を証する書類については、当該贈与をした者又は当該提出をする者に係る平成15年１月１日以後の住所又は居所を証する書類に代えることができることに留意する。（基通21の９－５）
（一）　平成31年改正省令第１条の規定による改正前の法施行規則第11条第１項第２号に掲げる贈与をした者の氏名、生年月日及びその者が60歳に達した時以後の住所又は居所を証する書類
（二）　平成27年改正省令による改正前の法施行規則第11条第１項第１号に掲げる相続時精算課税選択届出書の提出をする者が20歳に達した時以後の住所又は居所を証する書類（当該提出をする者が平成27年１月１日において20歳以上である場合に限る。）
（注）　平成31年改正省令による改正前の法施行規則第11条第２項に掲げる住所又は居所を証する書類についても上記と同様であることに留意する。

三　相続時精算課税適用者の特例

　　平成27年１月１日以後に贈与により財産を取得した者がその贈与をした者の孫（その年１月１日において<u>18歳以上であ</u>る者に限る。）であり、かつ、その贈与をした者がその年１月１日において60歳以上の者である場合には、その贈与により財産を取得した者については、第一節の規定を準用する。（措法70の２の６①）
（注）　上記**三**の――線部分の規定は、令和４年３月31日以前は、「18歳」とあるのは「20歳」とする。（平31改所法等附79⑥）

　　　（贈与後に孫となった場合）
（１）　その年１月１日において18歳以上の者が同日において60歳以上の者からの贈与により財産を取得した場合において、当該贈与により財産を取得した者がその年の中途において当該贈与をした者の孫となったときは、孫となった時前に当該贈与をした者からの贈与により取得した財産については、**三**の規定の適用はないものとする。（措法70の２の６

—649—

第三編　相続時精算課税制度

②）

（注）　上記（1）の──線部分の規定は、令和4年3月31日以前は、「18歳」とあるのは「20歳」とする。（平31改所法等附79⑥）

（贈与後に孫でなくなった場合）
（2）　三において準用する二の届出書を提出した者が、その届出書に係る三の贈与をした者の孫でなくなった場合においても、当該贈与をした者からの贈与により取得した財産については、三において準用する二の（1）の規定の適用があるものとする。（措法70の2の6③）

（みなし財産）
（3）　三において準用する二の届出書に係る贈与（贈与をした者の死亡により効力を生ずる贈与を除く。以下（3）及び第五編第四章第九節の（4）において同じ。）をした者からの贈与により取得する財産については、二の（1）の規定の適用を受ける財産とみなして、同法その他相続税又は贈与税に関する法令の規定を適用する。（措令40の4の6①）

（みなし特定贈与者）
（4）　三において準用する二の届出書を提出した者については二の（1）の規定の適用を受ける財産を取得した二の（2）に規定する相続時精算課税適用者と、三の贈与をした者については二の（1）の規定の適用を受ける財産の贈与をした二の（2）に規定する特定贈与者とそれぞれみなして、相続税又は贈与税に関する法令の規定を適用する。（措法70の2の6④）

（年の中途において贈与者の孫になった場合）
（5）　年の中途において、その年の1月1日において18歳以上(注)1の者が同日において60歳以上の者の孫になったことから、（1）の規定により相続時精算課税が適用されない贈与があるときにおける当該贈与により取得した財産に係る贈与税額は、暦年課税により計算することとなり、第二編第五章第一節**1**（第二編第三章**十一**を含む。）の規定の適用があることに留意する。（措通70の2の6－1）

（注）1　令和4年3月31日以前に贈与により財産を取得する者については、20歳以上。
　　　2　年の中途において贈与をした者の孫となり、三の規定の適用を受ける場合においても、その年分の相続時精算課税に係る基礎控除の額は、110万円（同一年中において2人以上の特定贈与者（二の（2）に規定する特定贈与者をいう。以下第七編第一章第一節の**3**の②の（5）《対象受贈非上場株式等に係る贈与者又は認定贈与承継会社が二以上ある場合の納税猶予分の贈与税額の計算》までにおいて同じ。）からの贈与により財産を取得した場合には、第二節**一**の（4）《特定贈与者が2人以上ある場合における相続時精算課税に係る基礎控除の額》の定めにより計算した金額）となることに留意する。

（相続時精算課税関係通達の準用）
（6）　第三節三の（19）《相続時精算課税適用者に対する第一編第四章第二節**四**の**1**の規定の適用》、二の（8）《「相続時精算課税選択届出書」の提出先等》、二の（9）《相続時精算課税選択届出書の提出》及び二の（10）《住所又は居所を証する書類》から第四節二の（10）《相続人が2人以上いる場合》までについては、三に規定する贈与をした者の孫が同条の規定の適用を受ける場合について準用する。（措通70の2の6－2）

※「個人の事業用資産についての贈与税の納税猶予及び免除に係る相続時精算課税適用者の特例」（措法70の2の7①）については、第六編第一章第八節に、「非上場株式等についての贈与税の納税猶予及び免除の特例に係る相続時精算課税適用者の特例」（措法70の2の8）については、第七編第四章第九節にそれぞれ掲載している。（編者）

－650－

第一章　相続時精算課税制度

第二節　相続時精算課税に係る贈与税の課税価格及び税額

一　課税価格及び特別控除

　相続時精算課税適用者が特定贈与者からの贈与により取得した財産については、特定贈与者ごとにその年中において贈与により取得した財産の価額を合計し、それぞれの合計額をもって、贈与税の課税価格とする。（法21の10）

　（注）　相続又は遺贈により財産を取得しなかった者の贈与税の課税価格（基通21の2－3）（暦年課税又は相続時精算課税の適用を受けるものについての規定）及び贈与税の課税価格の端数処理（基通21の2－5）については、第二編第四章《贈与税の課税価格》の**4**の（1）及び（2）を参照。（編者注）

　（相続時精算課税に係る贈与税の基礎控除）
（1）　相続時精算課税適用者がその年中において特定贈与者からの贈与により取得した財産に係るその年分の贈与税については、贈与税の課税価格から60万円を控除する。（法21の11の2①）

　（相続時精算課税に係る基礎控除の額）
（2）　相続時精算課税に係る基礎控除の額は、各年分において、相続時精算課税適用者ごとに110万円であることに留意する。（基通21の11の2－1）

　（注）1　同一年中に2人以上の特定贈与者からの贈与により財産を取得した場合の相続時精算課税に係る基礎控除の額は、特定贈与者ごとに（4）の定めにより計算した金額となることに留意する。

　　　2　上記の「110万円」は、**三**の規定の適用後の金額であることに留意する。

　（特定贈与者が2人以上ある場合における特定贈与者ごとの贈与税の課税価格から控除する金額の計算）
（3）　相続時精算課税適用者がその年中において2人以上の特定贈与者からの贈与により財産を取得した場合には、（1）の規定により控除する金額は、特定贈与者の異なるごとに、60万円に、特定贈与者ごとの贈与税の課税価格が当該課税価格の合計額のうちに占める割合を乗じて計算するものとする。（法21の11の2②、令5の2）

　（特定贈与者が2人以上ある場合における相続時精算課税に係る基礎控除の額）
（4）　相続時精算課税適用者が同一年中において2人以上の特定贈与者からの贈与により財産を取得した場合における特定贈与者ごとの贈与税の課税価格から控除される相続時精算課税に係る基礎控除の額の計算を算式で示せば、次のとおりである。（基通21の11の2－2）

$$110万円 \times \frac{特定贈与者ごとの贈与税の課税価格}{特定贈与者ごとの贈与税の課税価格の合計額}$$

　（注）1　上記の算式により計算した特定贈与者ごとの相続時精算課税に係る基礎控除の額に1円未満の端数がある場合には、特定贈与者ごとの相続時精算課税に係る基礎控除の額の合計額が110万円になるようにその端数を調整して差し支えない。

　　　2　上記算式中の「特定贈与者」には、贈与をした年の中途において死亡した特定贈与者も含まれることに留意する。

　（相続時精算課税に係る贈与税の特別控除）
（5）　相続時精算課税適用者がその年中において特定贈与者からの贈与により取得した財産に係るその年分の贈与税については、特定贈与者ごとの（1）の規定による控除後の贈与税の課税価格からそれぞれ次に掲げる金額のうちいずれか低い金額を控除する。（法21の12①）

（一）	2,500万円（既に（5）の規定の適用を受けて控除した金額がある場合には、その金額の合計額を控除した残額）
（二）	特定贈与者ごとの贈与税の課税価格

　（注）　令和5年度改正後の（3）の規定は、令和6年1月1日以後に贈与により取得する財産に係る贈与税について適用し、令和5年12月31日以前に贈与により取得した財産に係る贈与税については、なお従前の例による。（令5改所法等附19⑤）

　（相続時精算課税に係る贈与税の特別控除の適用を受けるための申告書の記載事項）
（6）　（5）の規定は、期限内申告書に（5）の規定により控除を受ける金額、既に（5）の規定の適用を受けて控除した金額

－651－

第三編　相続時精算課税制度

がある場合の控除した金額その他（7）の財務省令で定める事項の記載がある場合に限り、適用する。（法21の12②）

　　　（財務省令で定める申告書の記載事項）
（7）　（6）に規定する財務省令で定める事項は、（5）の規定により控除を受けようとする者の第一節二の（2）に規定する特定贈与者（以下「**特定贈与者**」という。）ごとの次に掲げる事項とする。（規12）

（一）	（5）の規定の適用を受けようとする年分の当該特定贈与者に係る贈与税の課税価格、（1）の規定により控除する金額（第一編第七章第一節二の（1）の（七）及び第二編第六章第一節二の**1**の（一）において「相続時精算課税に係る基礎控除額」という。）及び贈与税額その他の贈与税の額の計算に関する明細
（二）	相続時精算課税選択届出書の提出をした税務署の名称及びその提出に係る年分
（三）	既に当該特定贈与者からの贈与により取得した財産について（5）の規定の適用を受けて控除した金額がある場合には、当該控除を受けた年分及び当該控除を受けた年分の贈与税の申告書を提出した税務署の名称
（四）	その他参考となるべき事項

　　（注）　令和5年度改正後の（7）の規定は、令和6年1月1日以後に贈与により取得する財産に係る贈与税について適用し、令和5年12月31日以前に贈与により取得した財産に係る贈与税については、なお従前の例による。（令5改規附2②）

　　　（特定贈与者からの贈与により取得した財産に係る贈与税の課税価格に異動があった場合）
（8）　相続時精算課税適用者が同一年中に2人以上の特定贈与者からの贈与により財産を取得している場合において、当該贈与に係るその年分の贈与税の申告書の提出期限の経過後に、当該年分の贈与税の課税価格に異動が生じたときにおける特定贈与者ごとの相続時精算課税に係る基礎控除の額は、当該異動後の贈与税の課税価格を基礎として計算した金額となることに留意する。（基通21の11の2－3）

　　　（特別の事情がある場合の特別控除の適用）
（9）　税務署長は、（5）の財産について（6）の記載がない期限内申告書の提出があった場合において、その記載がなかったことについてやむを得ない事情があると認めるときは、その記載をした書類の提出があった場合に限り、（5）の規定を適用することができる。（法21の12③）

　　　（特定贈与者から取得した贈与財産についての適用除外）
（10）　相続時精算課税適用者が特定贈与者からの贈与により取得した財産については、第二編第五章第一節《贈与税の基礎控除》、第二節《贈与税の配偶者控除》、第三節《贈与税の税率》の規定は、適用しない。（法21の11）

　　（注）　第一節二の（2）に規定する相続時精算課税適用者が同（2）に規定する特定贈与者からの贈与により取得した財産については、上記（10）の中の「第三節《贈与税の税率》」とあるのは、「第三節一《贈与税の税率》及び第三節二《直系尊属から贈与を受けた場合の贈与税の税率の特例》」とする。（措法70の2の5⑤）

　　　（特別控除を適用する場合の申告要件）
（11）　（5）の規定は、贈与税の期限内申告書の提出がない限り、適用がないのであるから留意する。（基通21の12－1）

　　（注）　贈与税の期限内申告書の提出がなかった場合におけるゆうじょ規定は設けられていない。

二　税　　率

　　相続時精算課税適用者がその年中において特定贈与者からの贈与により取得した財産に係るその年分の贈与税の額は、特定贈与者ごとに、一の（1）の規定による控除後の贈与税の課税価格（一の（5）の規定の適用がある場合には、同（5）の規定による控除後の金額）にそれぞれ100分の20の税率を乗じて計算した金額とする。（法21の13）

　　（注）1　令和5年度改正後の二の規定は、令和6年1月1日以後に贈与により取得する財産に係る贈与税について適用し、令和5年12月31日以前に贈与により取得した財産に係る贈与税については、なお従前の例による。（令5改所法等附19⑤）

　　　　　2　その年において贈与により取得した財産に係る贈与税の税額を計算する場合において、暦年課税において計算された贈与税額と相続時精算課税において計算された贈与税額との合計額に100円未満の端数があるとき又はその金額が100円未満であるときは、その端数金額又はその全額を切り捨てるのであるから留意する。（基通21の7－1）

第一章　相続時精算課税制度

三　相続時精算課税に係る贈与税の基礎控除の特例

　令和6年1月1日以後に相続時精算課税適用者がその年中において特定贈与者からの贈与により取得した財産に係るその年分の贈与税については、**一**の（1）の規定にかかわらず、贈与税の課税価格から110万円を控除する。（措法70の3の2①）

　(注)　**三**の規定は、令和6年1月1日以後に贈与により取得する財産に係る贈与税について適用する。（令5改所法等附1三ニ、51④）

　　　（特例により控除された金額）
（1）　**三**の規定により控除された金額は、相続税法その他相続税又は贈与税に関する法令の規定の適用については、**一**の（1）の規定により控除されたものとみなす。（措法70の3の2②）

　　　（特定贈与者が2人以上ある場合）
（2）　**三**の相続時精算課税適用者に係る特定贈与者が2人以上ある場合における各特定贈与者から贈与により取得した財産に係る課税価格から控除する金額の計算については、（3）で定める。（措法70の3の2③）

　　　（特定贈与者が2人以上ある場合における特定贈与者ごとの贈与税の課税価格から控除する金額の計算）
（3）　**三**に規定する相続時精算課税適用者がその年中において2人以上の**三**に規定する特定贈与者からの贈与（贈与をした者の死亡により効力を生ずる贈与を除く。）により財産を取得した場合には、**三**の規定により控除する金額は、特定贈与者の異なるごとに、110万円に、特定贈与者ごとの贈与税の課税価格が当該課税価格の合計額のうちに占める割合を乗じて計算するものとする。（措令40の5の2）

四　相続時精算課税に係る土地又は建物の価額の特例

　相続時精算課税適用者が特定贈与者からの贈与により取得した土地又は建物が、当該贈与を受けた日から当該特定贈与者の死亡に係る第五節**二**の（1）の規定による期限内申告書の提出期限までの間に災害（震災、風水害、火災その他（3）で定める災害をいう。以下**四**において同じ。）によって相当の被害として（8）で定める程度の被害を受けた場合（当該相続時精算課税適用者（第四節**一**又は**二**の規定により当該相続時精算課税適用者に係る権利又は義務を承継した当該相続時精算課税適用者の同一**一**に規定する相続人を含む。（2）において同じ。）が当該土地又は建物を当該贈与を受けた日から当該災害が発生した日まで引き続き所有していた場合に限る。）において、当該相続時精算課税適用者が、（10）で定めるところにより贈与税の納税地の所轄税務署長の承認を受けたときにおける第三節**一**及び**二**の規定の適用については、第三節**一**の（1）中「価額から」とあるのは「価額（当該財産のうち第二節**四**《相続時精算課税に係る土地又は建物の価額の特例》に規定する災害によって被害を受けた土地又は建物にあっては、当該価額から当該被害を受けた部分に対応するものとして（20）で定めるところにより計算した金額を控除した金額）から」と、第三節**二**の（2）の（注）の（二）中「価額」とあるのは「価額（当該財産のうち第二節**四**《相続時精算課税に係る土地又は建物の価額の特例》に規定する災害によって被害を受けた土地又は建物にあっては、当該価額から当該被害を受けた部分に対応するものとして（20）で定めるところにより計算した金額を控除した金額）」とする。（措法70の3の3①）

　(注)　**四**の規定は、令和6年1月1日以後に**四**の土地又は建物が**四**に規定する災害により被害を受ける場合について適用する。この場合において、令和5年12月31日以前に贈与により取得した当該土地又は建物に係る相続税については、附則第19条第1項の規定にかかわらず、令和5年度改正後の第三節**一**の（1）又は第三節**二**の（2）の規定を適用する。（令5改所法等附1三ニ、51⑤）

　　　（読替え規定）
（1）　**四**の規定の適用がある場合における第五節**三**の規定の適用については、第五節**三**の（1）の（注）1の（二）中「贈与税の課税価格」とあるのは、「贈与税の課税価格（第二節**四**《相続時精算課税に係る土地又は建物の価額の特例》に規定する災害によって被害を受けた土地又は建物にあっては、第二節**四**の規定により読み替えて適用する第三節**一**の（1）又は第三節**二**の（2）の（注）の（二）に規定する残額）」とする。（措法70の3の3②）

　　　（特例の不適用）
（2）　**四**又は（1）の規定は、相続時精算課税適用者が**四**の土地又は建物について災害被害者に対する租税の減免、徴収猶予等に関する法律（昭和22年法律第175号）第4条又は第6条第2項の規定の適用を受けようとする場合又は受けた場合は、適用しない。（措法70の3の3③）

—653—

第三編　相続時精算課税制度

　　　（（3）で定める災害）
（3）　**四**に規定する（3）で定める災害は、冷害、雪害、干害、落雷、噴火その他の自然現象の異変による災害及び鉱害、火薬類の爆発その他の人為による異常な災害並びに害虫、害獣その他の生物による異常な災害とする。（措令40の5の3①）

　　　（用語の意義）
（4）　**四**において、次の各号に掲げる用語の意義は、当該各号に定めるところによる。（措令40の5の3②）

（一）	想定価額	**四**に規定する災害により被害を受けた建物の特定贈与者からの贈与（贈与をした者の死亡により効力を生ずる贈与を除く。以下同じ。）の時における価額にイに掲げる年数をロに掲げる年数で除して得た数を乗じて計算した金額をいう。 イ　当該災害が発生した日において当該建物の使用可能期間のうちいまだ経過していない期間として（5）で定める期間の年数 ロ　当該贈与の日において当該建物の使用可能期間のうちいまだ経過していない期間として（7）で定める期間の年数
（二）	被災価額	**四**の土地又は建物が災害により被害を受けた部分の価額から保険金、損害賠償金その他これらに類するものにより補塡される金額を控除した残額をいう。

　　　（（5）で定める期間の年数）
（5）　（4）の（一）のイに規定する（5）で定める期間の年数は、（一）に掲げる年数から（二）に掲げる年数を控除した年数とする。（措規23の6の2①）
　（一）　次に掲げる建物の区分に応じそれぞれ次に定める年数
　　イ　（4）の（一）に規定する贈与（以下（5）、（11）及び（14）において「贈与」という。）の日において想定使用可能期間の年数（建物の全部が事務所用であるものとした場合における当該建物に係る減価償却資産の耐用年数等に関する省令別表第一に定める耐用年数をいう。以下（一）において同じ。）の全部を経過している建物　当該想定使用可能期間の年数の百分の二十に相当する年数
　　ロ　イに掲げる建物以外の建物　当該建物の新築の日から贈与の日までの期間の年数を当該建物の想定使用可能期間の年数から控除した年数に、当該新築の日から贈与の日までの期間の年数の百分の二十に相当する年数を加算した年数
　（二）　贈与の日から**四**に規定する災害（（11）及び（14）において「災害」という。）が発生した日までの期間の年数（当該年数が（一）に掲げる年数を超える場合には、（一）に掲げる年数）

　　　（1年未満の端数がある場合）
（6）　（5）の（一）のイ及びロ並びに（二）の年数が1年未満である場合又はこれらの年数に1年未満の端数がある場合には、それぞれこれらの年数又は端数を切り捨てる。（措規23の6の2②）

　　　（（7）で定める期間の年数）
（7）　（4）の（一）ロに規定する（7）で定める期間の年数は、（5）の（一）に掲げる年数とする。（措規23の6の2③）

　　　（（8）で定める程度の被害）
（8）　**四**に規定する（8）で定める程度の被害は、第一節**二**の（2）に規定する相続時精算課税適用者が特定贈与者からの贈与により取得した次の各号に掲げる財産の区分に応じ当該各号に定める程度の被害とする。（措令40の5の3③）

（一）	土地	当該土地の贈与の時における価額のうちに当該土地に係る被災価額の占める割合が10分の1以上となる被害
（二）	建物	当該建物の想定価額のうちに当該建物に係る被災価額の占める割合が10分の1以上となる被害

　　　（被災価額）
（9）　（8）の（一）及び（二）の被災価額は、（8）の（一）の土地に係るものについては、当該土地の贈与の時における価額を限度とし、（8）の（二）の建物に係るものについては、当該建物の想定価額を限度とする。この場合において、当該想定

－654－

第一章　相続時精算課税制度

価額が零となるときは、当該建物に係る被災価額は、ないものとみなす。（措令40の5の3④）

　　　（申請書の提出）
(10)　**四**の承認を受けようとする第一節**二**の（2）に規定する相続時精算課税適用者（第四節**一**又は**二**の規定により当該相続時精算課税適用者に係る権利又は義務を承継した当該相続時精算課税適用者の相続人（包括受遺者を含む。）を含む。以下同じ。）は、災害による被害を受けた部分の価額その他の(11)で定める事項を記載した申請書を、当該災害が発生した日から3年を経過する日（同日までに当該相続時精算課税適用者が死亡した場合には、同日と当該相続時精算課税適用者の相続人（包括受遺者を含む。）が当該相続時精算課税適用者の死亡による相続の開始があつたことを知った日の翌日から6月を経過する日とのいずれか遅い日）までに当該相続時精算課税適用者の贈与税の納税地の所轄税務署長に提出しなければならない。（措令40の5の3⑤）

　　　（(11)で定める事項）
(11)　(10)に規定する(11)で定める事項は、次に掲げる事項とする。（措規23の6の2④）
　(一)　(10)に規定する相続時精算課税適用者（(14)において「相続時精算課税適用者」という。）の氏名、住所又は居所及び生年月日
　(二)　**四**に規定する特定贈与者の氏名及び住所又は居所
　(三)　災害により被害を受けた次に掲げる財産の区分に応じそれぞれ次に定める事項
　　イ　土地　当該土地の贈与の時における価額並びに当該土地の所在、地番、地目及び面積
　　ロ　建物　当該建物の贈与の時における価額並びに当該建物の(4)の(一)に規定する想定価額及びその計算の根拠を明らかにする事項並びに所在、家屋番号及び床面積
　(四)　(三)の財産を贈与により取得した年分及び当該贈与に係る第五節**一**の（1）の規定による申告書（当該申告書に係る国税通則法第18条第2項に規定する期限後申告書及びこれらの申告書に係る同法第19条第3項に規定する修正申告書を含む。）を提出した税務署の名称
　(五)　災害が発生した日
　(六)　災害による被害を受けた部分の価額及び(4)の(二)の保険金、損害賠償金その他これらに類するものにより補填される金額
　(七)　(8)の(一)及び(二)の被災価額（(4)の(二)に規定する被災価額をいう。(18)において同じ。）及びその計算の根拠を明らかにする事項
　(八)　その他参考となるべき事項

　　　（申請書を提出する場合）
(12)　第四節**一**又は**二**の規定により権利又は義務の承継をした者が(10)の申請書（以下(12)及び(18)の(三)において「申請書」という。）を提出する場合には、次に定めるところによる。（措規23の6の2⑥）
　(一)　申請書には、(11)の(一)から(八)までに掲げる事項のほか、次に掲げる事項を記載しなければならない。
　　イ　第四節**一**又は**二**の規定により権利又は義務の承継をされた者のその死亡の時における住所又は居所及びその死亡の年月日
　　ロ　当該承継をした全ての者のイの承継をされた者との続柄
　(二)　申請書には、前項に規定する書類のほか、戸籍の謄本又は抄本その他の書類で(一)のイの承継をされた者の全ての相続人を明らかにするものを添付しなければならない。
　(三)　当該承継をした者が2人以上ある場合には、申請書の提出は、これらの承継をした者が一の申請書に連署して行うものとする。

　　　（申請書の添付書類）
(13)　(10)の規定による申請書には、(10)の災害による被害を受けた部分の価額を明らかにする書類その他の(14)で定める書類を添付しなければならない。（措令40の5の3⑥）

　　　（(14)で定める書類）
(14)　(13)に規定する財務省令で定める書類は、災害により被害を受けた次の(一)及び(二)に掲げる財産の区分に応じ当該(一)及び(二)に定める書類とする。（措規23の6の2⑤）
　(一)　土地　次に掲げる書類

－655－

イ　土地の登記事項証明書その他の書類で相続時精算課税適用者が当該土地を贈与の日から災害が発生した日まで引き続き所有していたことを明らかにするもの

ロ　土地が災害により被害を受けたこと及び当該災害が発生した日を明らかにする書類

ハ　土地の原状回復に要する費用に係る見積書の写しその他の書類で当該土地に係る(11)の(六)に掲げる事項を明らかにするもの

ニ　その他参考となるべき書類

(二)　建物　次に掲げる書類

イ　建物の登記事項証明書その他の書類で当該建物の新築をした年月日及び相続時精算課税適用者が当該建物を贈与の日から災害が発生した日まで引き続き所有していたことを明らかにするもの

ロ　市町村長又は特別区の区長の証明書その他の書類で建物が災害により被害を受けたこと及び当該災害が発生した日を明らかにするもの

ハ　建物の修繕に要する費用に係る見積書の写し、保険金の支払通知書の写しその他の書類で当該建物に係る(11)の(六)に掲げる事項を明らかにするもの

ニ　その他参考となるべき書類

（所轄税務署長の通知）

(15)　(10)の所轄税務署長は、(10)の申請書の提出があつた場合には、これを審査し、その申請に係る承認又は却下をする。この場合において、当該所轄税務署長は、その申請をした者に対し、その旨を通知する。（措令40の5の3⑦）

（被災価額の通知）

(16)　(10)の所轄税務署長は、(15)の規定により承認をする場合には、その審査した被災価額を併せて通知するものとする。（措令40の5の3⑧）

（申請書の提出）

(17)　(15)の規定により承認を受けた相続時精算課税適用者は、保険金の支払を受けたことその他の被災価額に異動を生ずべき事由が生じた場合には、遅滞なく、当該事由その他の(18)で定める事項を記載した届出書に、当該事項を明らかにする書類として(19)で定めるものを添付し、これを(10)の所轄税務署長に提出しなければならない。（措令40の5の3⑨）

（(18)で定める事項）

(18)　(17)に規定する(18)で定める事項は、次に掲げる事項とする。（措規23の6の2⑦）

(一)　(11)の(一)から(四)までに掲げる事項

(二)　保険金、損害賠償金その他これらに類するものの支払を受けたことその他の被災価額に異動を生ずる事由

(三)　(二)の被災価額に係る申請書を提出した税務署の名称

(四)　その他参考となるべき事項

（(19)で定める書類）

(19)　(17)に規定する(19)で定める書類は、保険金の支払通知書の写しその他の書類で(18)の(二)に掲げる事項を明らかにするものとする。（措規23の6の2⑧）

（被災価額の合計額）

(20)　四の規定により読み替えて適用する第三節一の(1)及び第三節二の(2)の(注)の(二)に規定する被害を受けた部分に対応するものとして(20)で定めるところにより計算した金額は、(15)の規定により承認を受けた災害に係る土地又は建物ごとの(8)の各号の被災価額の合計額とする。この場合において、当該合計額は、それぞれこれらの土地又は建物の贈与の時における価額を限度とする。（措令40の5の3⑩）

（読替え規定）

(21)　四の規定の適用がある場合において、税務署長が、第五節三の(14)の規定により開示をするときは、(16)の審査した被災価額に基づいて(1)の規定により読み替えて適用する第五節三の(1)の(注)1の(二)に掲げる金額を計算するものとする。（措令40の5の3⑪）

第一章　相続時精算課税制度

（**四**の適用対象となる土地又は建物の範囲）

(22)　**四**の適用対象となる土地又は建物には、土地の上に存する権利及び構築物は含まれないことに留意する。（措通70の3の3－1）

　　(注)1　**四**の規定は、令和6年1月1日以後に土地又は建物が災害（**四**に規定する災害をいう。以下(37)までにおいて同じ。）により被害を受けた場合について適用されるため、令和5年12月31日以前に特定贈与者からの贈与により取得した土地又は建物が令和6年1月1日以後に災害により被害を受けた場合についても**四**の規定の適用対象となることに留意する。

　　　　2　特定贈与者からの贈与により取得した土地又は建物について、第五節一の(3)《特定贈与者が贈与をした年の中途において死亡したとき》の規定により贈与税の申告を要しない場合においても、当該土地又は建物は**四**の規定の適用対象となることに留意する。

（「被害を受けた場合」の意義）

(23)　**四**の「被害を受けた場合」とは、土地又は建物が災害により物理的な損失を受けた場合をいうことに留意する。（措通70の3の3－2）

　　(注)1　**四**の規定は、土地又は建物の贈与を受けた日から当該贈与をした特定贈与者の死亡に係る第五節二の(1)《相続時精算課税の適用に係る相続税の申告》の規定による相続税の期限内申告書の提出期限までの間に災害によって被害を受けた場合に限り適用されることに留意する。

　　　　2　上記の「物理的な損失」とは、例えば、地割れ等土地そのものの形状が変わったことによる損失又は建物の損壊及び滅失等をいうことに留意する。

（**四**の(4)、(8)、(9)及び(20)に規定する「贈与の時における価額」）

(24)　**四**の(4)、(8)、(9)及び(20)に規定する「贈与の時における価額」（以下(37)までにおいて「贈与の時における価額」という。）は、第三節一の(1)《相続税の課税価格》の規定により相続税の課税価格に加算される「第一節二の(1)の規定の適用を受けるものの価額」又は第三節二の(2)の規定により相続税の課税価格に算入される同(2)の(一)に規定する「(1)の贈与の時における価額」であることに留意する。

　　ただし、災害が発生する日前に、土地又は建物の一部の所有をしないこととなった場合における当該土地又は建物の「贈与の時における価額」には、当該所有をしないこととなった部分の当該価額は含まれないことに留意する。（措通70の3の3－3）

　　(注)　**四**の適用を受ける土地について、第一編第四章第二節一の**12**の①《課税価格の計算の特例》又は第二編第四章**7**の①《課税価格の計算の特例》の規定の適用がある場合における当該土地の「贈与の時における価額」は、これらの規定の適用後の価額となることに留意する。

（想定価額の計算）

(25)　災害により被害を受けた建物の想定価額（(4)の(一)に規定する想定価額をいう。以下(33)までにおいて同じ。）の算出方法を算式で示せば、次のとおりである。（措通70の3の3－4）

　　（算式）

$$A \times \frac{B-C}{B}$$

　　(注)　上記算式中の符号は次のとおりである。

　　　　Aは、災害により被害を受けた建物の特定贈与者からの贈与の時における価額

　　　　Bは、次に掲げる建物の区分に応じ、それぞれ次に定める年数

　　　①　当該建物を贈与により取得した日において、当該建物の想定使用可能期間の年数（建物の全部が事務所用であるものとした場合における当該建物に係る減価償却資産の耐用年数等に関する省令（昭和40年大蔵省令第15号）別表第一に定める耐用年数をいう。以下(26)までにおいて同じ。）の全部を経過している建物　次の算式により算出した年数

　　（算式）

$$\text{当該建物の想定使用可能期間の年数} \times \frac{20}{100}$$

　　　②　上記①に掲げる建物以外の建物　次の算式により算出した年数

　　（算式）

$$\left[\text{当該建物の想定使用可能期間の年数} - \text{当該建物の新築の日から当該贈与の日までの期間の年数} \right] + \text{当該建物の新築の日から当該贈与の日までの期間の年数} \times \frac{20}{100}$$

　　　　Cは、当該建物の贈与の日から災害が発生した日までの期間の年数（上記Bの年数を限度とする。）

　　(注)1　上記B及びCの年数が1年未満である場合又はこれらの年数に1年未満の端数がある場合には、それぞれこれらの年数又は端数は切り捨てることに留意する。

　　　　2　当該建物に増改築等がされている場合における上記B②の当該建物の新築の日から当該贈与の日までの期間の年数は、当該増改築等にかかわらず、当該建物の新築の日から当該贈与の日までの経過年数によることに留意する。

第三編　相続時精算課税制度

　　　（2以上の構造からなる建物の想定使用可能期間の年数）
(26)　災害により被害を受けた建物が、2以上の構造からなる建物である場合におけるその想定使用可能期間の年数は、
　　当該建物の主要柱、耐力壁又ははり等その建物全体の主要部分により判定した構造に対応する年数によるものとする。
　　（措通70の3の3−5）

　　　（被災価額の計算等）
(27)　（4）の（二）に規定する被災価額（以下(37)までにおいて「被災価額」という。）は、被害を受けた土地又は建物ごと
　　に計算し、（4）の（二）に規定する「保険金、損害賠償金その他これらに類するもの」（以下(27)において「保険金等」と
　　いう。）により補填される金額が確定していない場合には、当該保険金等の見積額に基づいて計算することに留意する。
　　　なお、(15)の申請に係る承認（以下(35)までにおいて「災害承認」という。）を受けた後に、当該保険金等の確定額と
　　当該見積額とが異なることとなるなど被災価額に異動を生ずべき事由が生じた場合には、(17)に規定する届出書（以下
　　(27)において「被災価額の異動届出書」という。）を相続時精算課税適用者の贈与税の納税地の所轄税務署長へ提出しな
　　ければならないことに留意する。（措通70の3の3−6）
　　（注）　相続時精算課税適用者に係る納税義務等承継人（第四節一又は同節二の規定により相続時精算課税適用者が有していた相続時精算課税の適
　　　　用を受けていたことに伴う納税に係る権利又は義務を承継した当該相続時精算課税適用者の相続人（包括受遺者を含む。）をいう。以下(38)
　　　　までにおいて同じ。）が被災価額の異動届出書を提出する場合も、当該相続時精算課税適用者の死亡の時における贈与税の納税地の所轄税務署
　　　　長に提出しなければならないことに留意する。

　　　（災害により被害を受けた部分の価額）
(28)　（4）の（二）に規定する「災害により被害を受けた部分の価額」は、災害により被害を受けた土地又は建物の贈与の
　　時における現況に基づいた価額ではなく、災害が発生する直前の現況に基づいた価額であることに留意する。（措通70
　　の3の3−7）

　　　（保険金、損害賠償金に類するものの範囲）
(29)　（4）の（二）の「その他これらに類するもの」には、例えば、次に掲げるようなものが含まれることに留意する。（措
　　通70の3の3−8）
　　（一）　損害保険契約又は火災共済契約に基づき被災者が支払を受ける見舞金
　　（二）　資産の損害の補填を目的とする任意の互助組織から支払を受ける災害見舞金

　　　（相当の被害として政令で定める程度の被害を受けた場合）
(30)　相当の被害として（8）の（一）又は（二）に定める被害は、被害を受けた財産ごとに当該（一）又は（二）に定める被害に
　　該当するか否かの判定をすることに留意する。
　　　なお、同一の土地又は建物についての持分を2以上の贈与により取得した場合においては、これらの贈与を受けた持
　　分ごとに当該各号に定める被害に該当するか否かの判定をすることに留意する。（措通70の3の3−9）

　　　（「引き続き所有していた場合」の意義）
(31)　四の「引き続き所有していた場合」とは、災害により被害を受けた土地又は建物について、当該土地又は建物を贈
　　与により取得した相続時精算課税適用者（当該相続時精算課税適用者が当該災害の発生した日前に死亡している場合に
　　は、当該相続時精算課税適用者に係る納税義務等承継人。以下(31)において同じ。）が当該贈与を受けた日から当該災害
　　が発生した日まで継続して所有していた場合をいうことに留意する。したがって、例えば、災害が発生した日前におい
　　て、相続時精算課税適用者がその推定相続人に対し当該土地又は建物を贈与した場合は、四の「引き続き所有していた
　　場合」に該当しないことに留意する。
　　　なお、贈与を受けた日から災害が発生した日までの間に、「土地又は建物への賃借権等の設定」、「土地又は建物の持分
　　の一部の譲渡（引き続き当該土地又は建物の残りの持分を有している場合に限る。）」又は「建物の増改築等」を行った
　　場合においても、相続時精算課税適用者によりこれらの土地又は建物の所有が継続しているときは、四の「引き続き所
　　有していた場合」に該当することに留意する。（措通70の3の3−10）

　　　（承認申請書の提出等）
(32)　(10)の申請書（以下(38)までにおいて「承認申請書」という。）は、災害承認を受ける災害ごとに提出しなければな
　　らないことに留意する。したがって、同一の土地又は建物が2以上の災害により被害を受けた場合には、その災害ごと

−658−

第一章　相続時精算課税制度

に承認申請書を提出しなければならないことに留意する。

　また、相続時精算課税適用者に係る納税義務等承継人が承認申請書を提出する場合も、当該相続時精算課税適用者の死亡の時における贈与税の納税地の所轄税務署長に提出しなければならないことに留意する。（措通70の3の3－11）

（注）　提出期限までに承認申請書が提出されなかった場合におけるゆうじょ規定は設けられていないことに留意する。

　　　（土地又は建物の価額から控除される被災価額）
(33)　災害承認を受けた土地又は建物の価額から控除される被災価額は、土地にあっては贈与の時における価額、建物にあっては当該災害承認に係る災害の発生した日における想定価額が限度となることに留意する。

　　なお、2以上の災害についてそれぞれ災害承認を受けている場合における土地又は建物の価額から控除される金額は、当該災害承認を受けた土地又は建物ごとに被災価額を合計した金額となるが、それらの金額は、当該土地又は建物のそれぞれの贈与の時における価額を超えないことに留意する。したがって、それらの金額が当該土地又は建物の贈与の時における価額を超える場合には、当該超える部分の金額を災害承認を受けた他の土地又は建物の価額から控除できないことに留意する。（措通70の3の3－12）

（注）　被災価額は、災害承認を受けた土地又は建物を贈与により取得した日の属する年分の贈与税の課税価格からは控除しないことに留意する。

　　　（災害承認を受けた土地又は建物の被災価額に異動があった場合）
(34)　災害承認後に被災価額に異動を生ずべき事由が生じた場合には、(16)の規定により通知された被災価額にかかわらず、当該異動後の被災価額に基づいて(8)の(一)又は(二)に定める被害に該当するか否かの判定及び(20)の被災価額の合計額の計算をすることに留意する。

　　したがって、災害承認を受けている場合であっても、被災価額の異動により(8)の(一)又は(二)に定める被害に該当しないこととなるときは、**四**の規定の適用はないことに留意する。（措通70の3の3－13）

　　　（災害承認を受けた土地又は建物の価額から控除される相続時精算課税に係る基礎控除の額）
(35)　災害承認を受けた土地又は建物を贈与により取得した年中に当該贈与をした特定贈与者以外の特定贈与者からの贈与により取得した財産がある場合において、**四**の規定により読み替えて適用する第三節**一**の(1)又は同節**二**の(2)の規定の適用により当該土地又は建物の価額から控除される相続時精算課税に係る基礎控除の額は、当該年分の贈与税の申告書の提出又は更正若しくは決定がされている場合には、その申告書の提出又は更正若しくは決定に係る相続時精算課税に係る基礎控除の額となることに留意する（第三節**一**の(4)《「第二節**一**の(1)の規定による控除」の意義》参照）。（措通70の3の3－14）

（注）　令和5年12月31日以前に贈与により取得した土地又は建物について、**四**の規定の適用がある場合における第三節**一**の(1)又は同節**二**の(2)の規定により相続税の課税価格に加算又は算入される金額については、相続時精算課税に係る基礎控除はないことに留意する。

　　　（災害減免法との重複適用）
(36)　相続時精算課税適用者（当該相続時精算課税適用者に係る納税義務等承継人を含む。）が、災害により被害を受けた土地又は建物について、災害減免法第4条又は第6条第2項の規定の適用を受けようとする場合又は受けた場合には、当該土地又は建物が当該災害以外の他の災害により被害を受けたときであっても、当該土地又は建物については、**四**の規定の適用はないことに留意する。（措通70の3の3－15）

（注）　(2)に規定する「適用を受けようとする場合又は受けた場合」とは、相続時精算課税適用者が贈与により取得した当該土地又は建物に係る贈与税について災害減免法第4条又は第6条第2項の規定の適用を受けようとする場合又は受けた場合をいうことに留意する。

　　　（個人の事業用資産についての納税猶予及び免除との重複適用）
(37)　第六編第一章第一節1《個人の事業用資産についての贈与税の納税猶予及び免除》の規定の適用を現に受けている同1に規定する特例受贈事業用資産に該当する土地又は建物が災害により被害を受けた場合においても、当該災害に係る承認申請書の提出ができることに留意する。

　　ただし、当該土地又は建物のうち同編第二章1《特例適用の要件》の規定の適用により相続又は遺贈により取得したものとみなされる部分については、**四**の規定の適用はないことに留意する。

　　この場合において、**四**の規定により当該土地又は建物の価額から控除される被災価額は、被災価額に次の割合を乗じて計算した金額とする。（措通70の3の3－16）

－659－

第三編　相続時精算課税制度

$$\frac{\text{当該土地又は建物の贈与の時における価額のうち納税猶予分の贈与税額の全部又}}{\text{当該土地又は建物の贈与の時における価額}}$$

（相続時精算課税関係通達の準用）

(38)　第四節二の（9）《相続人が特定贈与者のみである場合》及び同二の(10)《相続人が2人以上いる場合》については、相続時精算課税適用者が承認申請書の提出期限前に当該承認申請書を提出しないで死亡した場合において、当該相続時精算課税適用者の納税義務等承継人が当該承認申請書の提出をするときについて準用する。（措通70の3の3－17）

第一章　相続時精算課税制度

第三節　相続時精算課税に係る相続税の課税価格及び税額

一　相続又は遺贈により財産を取得した相続時精算課税適用者

（相続税の課税価格）
（１）　特定贈与者から相続又は遺贈により財産を取得した相続時精算課税適用者については、当該特定贈与者からの贈与により取得した財産で第一節二の（１）《相続時精算課税選択届出書に係る贈与財産の税額の計算》の規定の適用を受けるもの（第二編第四章《贈与税の課税価格》の**１**から**３**まで、第二編第三章《贈与税の非課税財産》の**一**から**七**まで、同章の**八**《特定障害者に対する贈与税の非課税》及び第二節《相続時精算課税に係る贈与税の課税価格及び税額》の**一**の規定により当該取得の日の属する年分の贈与税の課税価格計算の基礎に算入されるものに限る。）の価額から第二節**一**の（１）の規定による控除をした残額を相続税の課税価格に加算した価額をもって、相続税の課税価格とする。（法21の15①）

（相続税の課税価格への加算の対象となる財産）
（２）　（１）の規定による相続税の課税価格への加算の対象となる財産は、被相続人である特定贈与者からの贈与により取得した財産（相続時精算課税選択届出書の提出に係る財産の贈与を受けた年以後の年に贈与により取得した財産に限る（当該相続時精算課税選択届出書の提出に係る年の中途において特定贈与者の推定相続人となったときには、推定相続人となった時前に当該特定贈与者からの贈与により取得した財産を除く。）。）のうち、第二編第三章の**一**から**十一**までの規定及び第一編第十一章**四**の**１**により贈与税の課税価格の計算の基礎に算入されないもの以外の贈与税の課税価格計算の基礎に算入されるすべてのものであり、贈与税が課されているかどうかを問わないことに留意する。（基通21の15－１）
（注）　第二節**一**の（１）に規定する相続時精算課税に係る贈与税の特別控除の金額に相当する金額及び所得税法等の一部を改正する法律（平成22年法律第６号）により廃止された租税特別措置法第70条の３の２第２項に規定する住宅資金特別控除額に相当する金額についても（１）の規定により相続税の課税価格に加算されることに留意する。
　　ただし、令和６年１月１日以後に特定贈与者からの贈与により取得した財産に係る（１）の規定により相続税の課税価格に加算される金額は、当該財産の価額から相続時精算課税に係る基礎控除をした残額となることに留意する。

（相続時精算課税の適用を受ける財産の価額）
（３）　（１）に規定する「第一節二の（１）《相続時精算課税選択届出書に係る贈与財産の税額の計算》の規定の適用を受けるものの価額」は、相続開始時における当該財産の状態にかかわらず、当該財産に係る贈与の時における価額となり、（１）の規定により相続税の課税価格に加算される金額は、第一節二の（１）の規定の適用を受けるものの価額の合計額から相続時精算課税に係る基礎控除をした残額となることに留意する。（基通21の15－２）
（注）１　特定贈与者が贈与をした年の中途で死亡した場合において、その年中に当該特定贈与者からの贈与により取得した財産に係る（１）の規定により相続税の課税価格に加算される金額についても同様であることに留意する。
　　２　当該残額は、特定贈与者から贈与により財産を取得した年分ごとに計算することに留意する。
　　３　令和５年12月31日以前に特定贈与者からの贈与により取得した財産に係る（１）の規定により相続税の課税価格に加算される金額については、当該財産の価額から相続時精算課税に係る基礎控除の額は控除しないことに留意する。

（「第二節一の（１）の規定による控除」の意義）
（４）　（１）に規定する「第二節**一**の（１）の規定による控除」は、第二節**一**の（１）の贈与に係る贈与税の申告書の提出又は更正若しくは決定（以下（４）において「贈与税の申告等」という。）がされている場合には、当該贈与税の申告等に係る相続時精算課税に係る基礎控除の額によることに留意する。
　　なお、相続時精算課税の適用を受ける財産に係る贈与税の申告等がない場合における相続時精算課税に係る基礎控除の額は、110万円（同一年中に２人以上の特定贈与者からの贈与により財産を取得した場合には、特定贈与者ごとに第二節**一**の（４）の定めにより計算した金額）となることに留意する。（基通21の15－２の２）

（納付すべき相続税額）
（５）　（１）の場合において、相続時精算課税の適用を受ける財産につき課せられた贈与税があるときは、相続税額から当該贈与税の税額（第二編第五章第四節《在外財産に対する贈与税額の控除》の規定による控除前の税額とし、延滞税、

－661－

利子税、過少申告加算税、無申告加算税及び重加算税に相当する税額を除く。）に相当する金額を控除した金額をもって、その納付すべき相続税額とする。（法21の15③）

（「課せられた贈与税」の意義）
（６）　（５）に規定する「課せられた贈与税」には、相続時精算課税の適用を受ける贈与財産に対して課されるべき贈与税（第二編第六章第六節二の**7**《贈与税についての更正、決定等の期間制限の特則》の規定による更正又は決定をすることができなくなった贈与税を除く。）も含まれるものとして取り扱うものとする。この場合において、当該贈与税については、速やかに課税手続をとることに留意する。（基通21の15－３）

（相続時精算課税に係る贈与税に相当する税額の控除の順序）
（７）　（５）又は二の（３）の規定により控除する贈与税の税額に相当する金額は、第一編第五章第一節《遺産に係る基礎控除》から第一編第六章第八節《在外財産に対する相続税額の控除》まで（同第六章第四節の**1**《配偶者に対する相続税額の軽減》を除く。）の規定により算出した金額から控除する。（令５の３）

（贈与税相当額の控除の順序）
（８）　（５）の規定による贈与税の税額に相当する金額の控除は、第一編第六章第八節の（４）《相続税の税額控除等の順序》（一）から（六）までに掲げる控除を順次行った後に相続税額の残額がある場合に当該残額（注書きに該当する場合には零となる。）から控除するのであるから留意する。（基通21の15－４）

二　相続又は遺贈により財産を取得しなかった相続時精算課税適用者

（課税価格、税率及び控除）
（１）　特定贈与者から相続又は遺贈により財産を取得しなかった相続時精算課税適用者については、当該特定贈与者からの贈与により取得した財産で相続時精算課税の適用を受けるものを当該特定贈与者から相続（当該相続時精算課税適用者が当該特定贈与者の相続人以外の者である場合には、遺贈）により取得したものとみなして第一編第三章**一**から**六**、第一編第四章第一節、同第四章第二節**一**の**1**から**9**、同第二節**三**、**四**、第一編第五章及び第一編第六章第一節から第八節までの規定を適用する。（法21の16①）

（相続時精算課税の適用を受ける財産の価額）
（２）　（１）の規定により特定贈与者から相続又は遺贈により取得したものとみなされた財産に係る相続税の規定の適用については、次に定めるところによる。（法21の16③）
（一）　当該財産の価額は、（１）の贈与の時における価額とする。
（二）　当該財産の価額から第二節**一**の（１）の規定による控除をした残額を第一編第四章第二節**一**《相続税の課税価格》の相続税の課税価格に算入する。

（納付すべき相続税額）
（３）　（１）の場合において相続時精算課税の適用を受ける財産につき課せられた贈与税があるときは、相続税額から当該贈与税の税額（第二編第五章第四節《在外財産に対する贈与税額の控除》の規定による控除前の税額とし、延滞税、利子税、過少申告加算税、無申告加算税及び重加算税に相当する税額を除く。）に相当する金額を控除した金額をもって、その納付すべき相続税額とする。（法21の16④）

（**一**の規定に関する取扱いの準用）
（４）　（２）の規定により相続税の課税価格に算入する金額については**一**の（３）、二の（２）の（二）に規定する「第二節**一**の（１）の規定による控除」については**一**の（４）、（３）に規定する「課せられた贈与税」については**一**の（６）、（３）による贈与税の税額に相当する金額の控除の順序については**一**の（８）の取扱いに準ずるものとする。（基通21の16－１）

三　相続時精算課税に係る相続税法の規定の適用

（基礎控除の適用に係る読替え）
（１）　特定贈与者から相続又は遺贈により財産を取得した者及び当該特定贈与者に係る相続時精算課税適用者の相続税の

－662－

第一章　相続時精算課税制度

（納税義務の範囲）

（9）　第一編第一章第二節一の（一）から（五）に掲げる者の相続税の納税義務の範囲は、次のとおりであるから留意する。（基通1の3・1の4共－3）

（一）・（二）　省略

（三）　特定納税義務者　被相続人が特定贈与者であるときの当該被相続人からの贈与により取得した財産で相続時精算課税の適用を受けるものに対して相続税の納税義務を負う。

　　（注）　特定納税義務者とは、被相続人から相続又は遺贈により財産を取得しなかった者のうち、二の（1）の規定により相続時精算課税の適用を受ける財産を当該被相続人から相続又は遺贈により取得したものとみなされるものをいう。

（相続開始の年に当該相続に係る被相続人から受けた贈与財産の価額）

（10）　相続開始の年において特定贈与者である被相続人からの贈与により取得した相続時精算課税の適用を受ける財産の価額については、第二節一の規定により贈与税の課税価格に算入される（第五節一の（3）の規定により当該財産については贈与税の申告を要しない。）とともに、本節一の（1）又は二の（1）の規定により相続税の課税価格にも算入されることとなるのであるから留意する。（基通11の2－5）

　　（注）　相続開始の年において当該相続に係る被相続人からの贈与により財産を取得した者が当該財産について相続時精算課税の適用を受けるためには、当該相続開始の年の前年以前の年分の贈与について相続時精算課税選択届出書を提出している場合を除き、当該相続時精算課税選択届出書を提出しなければならないのであるから留意する。

（相続時精算課税適用者の債務控除）

（11）　相続時精算課税適用者に係る第一編第四章第二節三《債務控除》の1及び2の規定の適用については、当該相続時精算課税適用者の相続又は遺贈による財産の取得の有無に応じて、それぞれ次に掲げるとおりとなるのであるから留意する。（基通13－9）

（一）　相続又は遺贈により財産を取得した相続時精算課税適用者（一の（1）に該当する者）　無制限納税義務者である場合には第一編第四章第二節三の1の規定、制限納税義務者である場合には同三の2の規定が適用される。

　　（注）　当該相続時精算課税適用者が、相続人に該当せず、かつ、特定遺贈のみによって財産を取得した場合には、同三の規定は適用されないのであるから留意する。

（二）　相続又は遺贈により財産を取得しなかった相続時精算課税適用者（二の（1）に該当する者）　当該相続に係る被相続人の相続開始の時において法施行地に住所を有する者である場合には第一編第四章第二節三の1の規定、法施行地に住所を有しない者である場合には同三の2の規定が適用される。

　　（注）　当該相続時精算課税適用者が、相続人又は包括受遺者に該当しない場合には、同三の規定は適用されないのであるから留意する。

（死亡した相続時精算課税適用者に係る債務控除）

（12）　特定贈与者の死亡に係る相続税額の計算において、当該特定贈与者の死亡前に死亡している相続時精算課税適用者については、第一編第四章第二節三の規定の適用がないのであるから留意する。（基通13－10）

　　（注）　特定贈与者の死亡に係る相続税額の計算上、当該特定贈与者の債務及び当該特定贈与者に係る葬式費用については、当該特定贈与者の相続人又は包括受遺者の課税価格から控除するのであるから留意する。

（相続時精算課税適用者の死亡により承継した相続税の納税に係る義務の債務控除）

（13）　特定贈与者の死亡以前に当該特定贈与者に係る相続時精算課税適用者が死亡したことから第四節一の規定により当該相続時精算課税適用者の相続人（包括受遺者を含み、当該特定贈与者を除く。以下（13）において同じ。）が当該相続時精算課税適用者の有していた相続時精算課税の適用を受けていたことに伴う納税に係る権利若しくは義務を承継した場合において、又は贈与者の死亡前に相続時精算課税選択届出書を提出しないで受贈者が死亡したことから第四節二の規定により当該受贈者の相続人（包括受遺者を含み、当該贈与者を除く。以下（13）において同じ。）が当該受贈者の有することとなる相続時精算課税の適用を受けることに伴う納税に係る権利若しくは義務を承継した場合において、その承継した納税に係る義務は、当該相続時精算課税適用者又は当該受贈者の死亡に係る、当該相続時精算課税適用者の相続人又は当該受贈者の相続人の相続税の課税価格の計算上、債務控除の対象とすることはできないことに留意する。（基通14－5）

（被相続人である特定贈与者よりも先に相続時精算課税適用者が死亡している場合の相続人の数）

（14）　特定贈与者の死亡以前に当該特定贈与者に係る相続時精算課税適用者が死亡したことから、第四節一又は第四節二の規定により相続時精算課税適用者が有していた相続時精算課税の適用を受けたことに伴う納税に係る権利又は義務に

－665－

第三編　相続時精算課税制度

ついて承継があった場合において、当該相続時精算課税適用者に係る特定贈与者である被相続人の死亡に係る相続税額を計算するときは、第一編第五章第一節《遺産に係る基礎控除》の**1**に規定する相続人の数には、当該相続時精算課税適用者は算入されないのであるから留意する。（基通15－7）

(注)　同**一**又は同**二**の規定により相続時精算課税適用者の有していた相続時精算課税の適用を受けたことに伴う納税に係る権利又は義務を承継した者については、当該被相続人の相続人である場合（第一編第五章第一節の**2**の本文のかっこ書き及び同（2）に該当する場合を除く。）に限り、同第一節の**1**に規定する相続人の数に算入されることに留意する。

（特定贈与者よりも先に死亡した相続時精算課税適用者が一親等の血族であるかどうかの判定時期）

(15)　第一編第六章第二節《相続税額の加算》の規定に該当するかどうかは、被相続人の死亡の時の状況により判定するのであるが、特定贈与者の死亡に係る当該特定贈与者よりも先に死亡した相続時精算課税適用者の相続税の計算において、当該相続時精算課税適用者が同節に規定する一親等の血族であるかどうかは、当該相続時精算課税適用者が死亡した時の状況により判定するものとする。（基通18－2）

(注)　当該特定贈与者と当該相続時精算課税適用者が離縁している場合などにおいて、当該相続時精算課税適用者が同節に規定する被相続人の一親等の血族であるかどうかの判定は、上記により行うのであるが、同節の規定による相続税額の加算の対象とならない部分の金額については、(16)により計算することに留意する。

（相続時精算課税適用者について一親等の血族とする場合）

(16)　**三**の（2）及び（3）の規定により第一編第六章第二節の規定を読み替えて適用する場合の「被相続人の一親等の血族」には、当該被相続人の直系卑属が相続開始以前に死亡し、又は相続権を失ったため、代襲して相続人となった当該被相続人の直系卑属を含むものとして取り扱うものとする。（基通18－4）

（相続税額の加算の対象とならない相続税額）

(17)　相続時精算課税選択届出書の提出後に特定贈与者と相続時精算課税適用者が離縁した場合など、相続開始の時において第一編第六章第二節に規定する被相続人の一親等の血族に該当しないことから同節の規定により相続税額が加算される相続時精算課税適用者の相続税額のうち、**三**の（2）及び（3）の規定により当該加算の対象とされないこととなる部分の金額の算定方法を算式で示せば次のとおりである。（基通18－5）

$$A \times \frac{C}{B}$$

(注)　算式中の符号は、次のとおりである。

Aは、当該相続時精算課税適用者に係る第一編第六章第一節《各相続人等の算出税額》の規定により算出した相続税額

Bは、当該相続時精算課税適用者に係る特定贈与者の死亡に係る相続税の**三**の（2）及び（3）の規定により読み替えて適用される第一編第四章第二節**四**《相続開始前3年以内に贈与があった場合の相続税額》の**1**、本節**一**、**二**、**三**の（1）及び第四節の規定により計算された課税価格に算入された財産の価額

Cは、次に掲げる場合の区分に応じ、それぞれ次に定める金額の合計額

(1)　令和6年1月1日以後に当該特定贈与者からの贈与により取得した財産の場合

当該相続時精算課税適用者が当該特定贈与者から贈与を受けた年分ごとに次の算式により算出した金額の合計額

当該相続時精算課税適用者の相続時精算課税の適用を受ける財産で当該特定贈与者の一親等の血族（第一編第六章第二節《相続税額の加算》に規定する一親等の血族に限る。）であった期間内に当該特定贈与者から取得したもの（以下(17)において「一親等時贈与財産」という。）の当該取得の時の価額　－　当該期間内の当該特定贈与者に係る各年分の贈与税の相続時精算課税に係る基礎控除の額（※）

※　同一年中に当該特定贈与者から一親等時贈与財産と一親等時贈与財産以外の相続時精算課税の適用を受ける財産（以下(17)において「一親等時贈与財産以外の財産」という。）のいずれも取得した年分については、次の算式により算出した金額（(4)に規定する「調整控除額」をいう。）となる。

当該年分において当該特定贈与者からの贈与により取得した財産の価額から控除した相続時精算課税に係る基礎控除の額　×　$\dfrac{当該年分における一親等時贈与財産の当該取得の時の価額}{当該年分における一親等時贈与財産の当該取得の時の価額と一親等時贈与財産以外の財産の当該取得の時の価額との合計額}$

(2)　令和5年12月31日以前に当該特定贈与者からの贈与により取得した財産の場合

一親等時贈与財産の当該取得の時の価額

－666－

第一章　相続時精算課税制度

（相続の放棄等をした者が当該相続の加算対象期間内に贈与を受けた財産）

(18)　相続時精算課税適用者については、被相続人から相続又は遺贈により財産を取得しなかった場合であっても、第一編第四章第二節**四**の**1**《相続開始前７年以内の贈与財産》の規定の適用があることに留意する。（基通19－３）

（相続時精算課税適用者に対する第一編第四章第二節**四**の**1**《相続開始前７年以内の贈与財産》の規定の適用）

(19)　相続時精算課税適用者が特定贈与者からの贈与により取得した相続時精算課税の適用を受ける財産については第一編第四章第二節**四**の**1**の規定の適用はないが、当該特定贈与者の相続に係る加算対象期間内で、かつ、相続時精算課税の適用を受ける年分前に当該相続時精算課税適用者が、特定贈与者である被相続人からの贈与により取得した財産（年の中途において特定贈与者の推定相続人となったときには、推定相続人となった時前に当該特定贈与者からの贈与により取得した財産を含む。）については、同**四**の**1**の規定により当該財産の価額を相続税の課税価格に加算することとなることに留意する。

　また、当該被相続人から相続又は遺贈により財産を取得しなかった者であっても、その者が当該被相続人を特定贈与者とする相続時精算課税適用者であり、かつ、当該被相続人から加算対象期間内に贈与により取得した財産（相続時精算課税の適用を受ける財産を除く。）がある場合においては、その者については、同**四**の**1**の規定の適用があることに留意する。（基通19－11）

(注)　当該相続時精算課税適用者が当該特定贈与者からの贈与により取得した相続時精算課税の適用を受ける財産について、**二**の（2）《相続時精算課税の適用を受ける財産の価額》の（二）の規定の適用により相続税の課税価格に算入する金額がない場合においても、当該被相続人から加算対象期間内に贈与により取得した財産（相続時精算課税の適用を受ける財産を除く。）があるときは、当該相続時精算課税適用者については、第一編第四章第二節の**四**の**1**の規定の適用があることに留意する。

（死亡している相続時精算課税適用者からの未成年者控除）

(20)　被相続人である特定贈与者よりも先に相続が開始した相続時精算課税適用者については、第一編第六章第五節の**2**《扶養義務者からの未成年者控除》の規定の適用はないのであるから留意する。（基通19の３－６）

（死亡している相続時精算課税適用者の障害者控除）

(21)　被相続人である特定贈与者よりも先に相続が開始した相続時精算課税適用者については、第一編第六章第六節の**1**及び同第六節の**3**の規定の適用はないのであるから留意する（基通19の４－６）

（相次相続控除の算式）

(22)　第一編第六章第七節の**1**に規定する相次相続控除額の算出方法を算式で示すと、次に掲げるとおりであるから留意する。（基通20－３）

$$A \times \frac{C}{B-A} \left[\text{求めた割合が } \frac{100}{100} \text{を超えるときは、} \frac{100}{100} \text{ とする。} \right] \times \frac{D}{C} \times \frac{10-E}{10} = \text{控除額}$$

(注)　算式中の符号は、次のとおりである。

　　Aは、第二次相続に係る被相続人が第一次相続により取得した財産（当該第一次相続に係る被相続人からの贈与により取得した財産で相続時精算課税の適用を受けるものを含む。）につき課せられた相続税額（相続時精算課税の適用を受ける財産につき課せられた贈与税があるときは、当該課せられた贈与税の税額（第二編第五章第四節《在外財産に対する贈与税額の控除》の規定による控除前の税額とし、延滞税、利子税、過少申告加算税、無申告加算税及び重加算税に相当する税額を除く。）を控除した後の金額をいう。

　　Bは、第二次相続に係る被相続人が第一次相続により取得した財産の価額及び当該第一次相続に係る被相続人からの贈与により取得した財産で相続時精算課税の適用を受けるものの価額（令和６年１月１日以後に贈与により取得した財産については、当該贈与により取得した年分ごとに**一**の（1）《相続税の課税財産》又は**二**の（2）《相続時精算課税の適用を受ける財産の価額》の規定により相続時精算課税に係る基礎控除をした残額の合計額。以下(22)において同じ。）の合計額から債務控除をした後の金額

　　Cは、第二次相続により相続人及び受遺者の全員が取得した財産の価額及び当該相続に係る被相続人からの贈与により取得した財産で相続時精算課税の適用を受けるものの価額の合計額から債務控除をした後の金額

　　Dは、第二次相続により当該控除対象者が取得した財産の価額及び当該相続に係る被相続人からの贈与により取得した財産で相続時精算課税の適用を受けるものの価額の合計額から債務控除をした後の金額

　　Eは、第一次相続開始の時から第二次相続開始の時までの期間に相当する年数（１年未満の端数は切捨て）

四　相続時精算課税に係る贈与税額の還付

①　贈与税額の還付

（贈与税額の還付）
（1）　税務署長は、**一**から**三**まで及び第四節の規定により相続税額から控除される相続時精算課税の適用を受ける財産に係る贈与税の税額（第二編第五章第四節《在外財産に対する贈与税額の控除》の規定による控除前の税額とし、延滞税、利子税、過少申告加算税、無申告加算税及び重加算税に相当する税額を除く。）に相当する金額がある場合において、当該金額を当該相続税額から控除してもなお控除しきれなかった金額があるときは、第一編第七章第一節**五**《環付を受けるための相続税の申告》の申告書に記載されたその控除しきれなかった金額（相続時精算課税の適用を受ける財産に係る贈与税について第二編第五章第四節《在外財産に対する贈与税額の控除》の規定の適用を受けた場合にあっては、当該金額から同第四節の規定により控除した金額を控除した残額）に相当する税額を還付する。この規定は、同**五**の申告書が提出された場合に限り、適用する。（法33の2①④）

（還付の手続）
（2）　税務署長は、（1）に規定する控除しきれなかった金額の記載がある第一編第七章第一節**五**の規定による申告書の提出があった場合には、当該金額が過大であると認められる事由がある場合を除き、遅滞なく、（1）の規定による還付又は充当の手続をしなければならない。（令9）

（還付加算金の計算）
（3）　（1）の規定による還付金について還付加算金を計算する場合には、その計算の基礎となる国税通則法第58条第1項《還付加算金》の期間は、次の（一）から（二）に掲げる場合の区分に応じ当該（一）から（二）に定める日の翌日からその還付のための支払決定をする日又はその還付金につき充当をする日（同日前に充当をするのに適することとなった日がある場合には、その適することとなった日）までの期間とする。（法33の2②）

（一）	（1）の申告書が基準日までに提出された場合	その基準日
（二）	（1）の申告書が基準日後に提出された場合	その提出の日

（「基準日」の意義）
（4）　（3）の「基準日」とは、（1）の申告書に係る被相続人についての相続の開始があった日の翌日から10月を経過する日をいう。（法33の2③）

（相続時精算課税に係る相続税につき決定があった場合の贈与税額の還付）
（5）　相続時精算課税適用者が贈与により取得した財産で相続時精算課税の適用を受けるものに係る相続税につき国税通則法第25条《決定》の規定による決定があった場合において、その決定に係る（1）に規定する控除しきれなかった金額があるときは、税務署長は、当該相続時精算課税適用者に対し、当該金額に相当する税額を還付する。（法33の2⑤）

（相続時精算課税に係る相続税につき更正があった場合の贈与税額の還付）
（6）　相続時精算課税適用者が贈与により取得した財産で相続時精算課税の適用を受けるものに係る相続税につき更正（当該相続税についての処分等（更正の請求に対する処分又は国税通則法第25条の規定による決定をいう。）に係る不服申立て又は訴えについての決定若しくは裁決又は判決を含む。以下（6）及び（7）において「更正等」という。）があった場合において、その更正等により（1）に規定する控除しきれなかった金額が増加したときは、税務署長は、当該相続時精算課税適用者に対し、その増加した部分の金額に相当する税額を還付する。（法33の2⑥）

（更正又は決定があった場合の還付加算金の計算）
（7）　（5）又は（6）の規定による還付金について還付加算金を計算する場合には、その計算の基礎となる国税通則法第58条第1項の期間は、次の（一）から（二）に掲げる還付金の区分に応じ当該（一）から（二）に定める日の翌日からその還付のための支払決定をする日又はその還付金につき充当をする日（同日前に充当をするのに適することとなった日がある場合には、その適することとなった日）までの期間とする。（法33の2⑦）

－668－

第一章　相続時精算課税制度

(一)	（5）の規定による還付金	（5）の決定があった日	
(二)	（6）の規定による還付金	（6）の更正等があった日の翌日以後1月を経過する日（当該更正等が次に掲げるものである場合には、それぞれ次に定める日）	
		イ　更正の請求に基づく更正（当該請求に対する処分に係る不服申立て又は訴えについての決定若しくは裁決又は判決を含む。イにおいて同じ。）	当該請求があった日の翌日以後3月を経過する日と当該更正があった日の翌日以後1月を経過する日とのいずれか早い日
		ロ　国税通則法第25条の規定による決定に係る更正（当該決定に係る不服申立て又は訴えについての決定若しくは裁決又は判決を含み、更正の請求に基づく更正及び相続税の課税価格の計算の基礎となった事実のうちに含まれていた無効な行為により生じた経済的成果がその行為の無効であることに基因して失われたこと、当該事実のうちに含まれていた取り消しうべき行為が取り消されたことその他これらに準ずる（8）の政令で定める理由に基づき行われた更正を除く。）	当該決定があった日

（政令で定める理由）
（8）　（7）の（二）のロに規定する政令で定める理由は、国税通則法第58条第5項《還付加算金》に規定する政令で定める理由とする。（令10④）

②　還付すべき税額の充当

（還付すべき税額の充当の順序等）
（1）　①の（1）、（5）又は（6）の規定による還付金（これに係る還付加算金を含む。）を未納の国税及び滞納処分費に充当する場合には、次の（一）から（三）の順序により充当するものとする。（令10①）

(一)	①の（1）、（5）又は（6）の規定による還付を受けようとする者が相続若しくは遺贈により取得した財産又は第一編第四章第二節**四**《相続開始前3年以内に贈与があった場合の相続税額》若しくは相続時精算課税の適用を受ける財産に係る相続税で修正申告書の提出又は更正により納付すべきものがあるときは、当該相続税に充当する。
(二)	（一）の充当をしてもなお還付すべき金額がある場合において、第一編第四章第二節**四**又は相続時精算課税の適用を受ける財産に係る贈与があった年分の贈与税で未納のものがあるときは、当該未納の贈与税に充当する。
(三)	（一）及び（二）の充当をしてもなお還付すべき金額があるときは、その他の未納の国税及び滞納処分費に充当する。

（充当する贈与税のうちに法定納期限を異にするものがあるとき）
（2）　（1）の（二）の充当をする場合において、充当することとされる贈与税のうちに国税通則法第2条第8号《定義》に規定する法定納期限（法定納期限後に納付すべき税額が確定した贈与税にあっては、修正申告書若しくは期限後申告書の提出があった時又は同法第28条第1項《更正又は決定》に規定する更正通知書若しくは決定通知書を発した時）を異にするものがあるときは、当該法定納期限が最も早いものから順次還付すべき金額に達するまで充当する。（令10②）

（滞納処分の停止又は徴収権の消滅した贈与税額があるとき）
（3）　①の（1）に規定する贈与税の税額のうちに国税徴収法第153条第4項若しくは第5項《滞納処分の停止の要件等》の規定により納付する義務又は国税通則法第72条第1項《国税の徴収権の消滅時効》に規定する国税の徴収権が消滅した贈与税の税額がある場合の①の規定の適用については、①の（1）中「税額とし、」とあるのは、「税額とし、国税徴収法

－669－

第三編　相続時精算課税制度

第153条第4項及び第5項《滞納処分の停止の要件等》の規定により納付する義務並びに国税通則法第72条第1項《国税の徴収権の消滅時効》に規定する国税の徴収権が消滅した贈与税の税額並びに」とする。（令10③）

第四節　相続時精算課税に係る納税の権利・義務の承継

一　特定贈与者よりも先に相続時精算課税適用者が死亡した場合

　特定贈与者の死亡以前に当該特定贈与者に係る相続時精算課税適用者が死亡した場合には、当該相続時精算課税適用者の相続人（包括受遺者を含む。以下**一**及び**二**同じ。）は、当該相続時精算課税適用者が有していた第一章の規定の適用を受けていたことに伴う納税に係る権利又は義務を承継する。ただし、当該相続人のうちに当該特定贈与者がある場合には、当該特定贈与者は、当該納税に係る権利又は義務については、これを承継しない。（法21の17①）

　　（相続時精算課税適用者の相続人が限定承認をした場合）
（１）　**一**の場合において、相続時精算課税適用者の相続人が限定承認をしたときは、当該相続人は、相続により取得した財産（当該相続時精算課税適用者からの遺贈又は贈与により取得した財産を含む。）の限度においてのみ**一**の納税に係る権利又は義務を承継する。（法21の17②）

　　（相続時精算課税適用者の相続人が２人以上いる場合）
（２）　国税通則法第５条第２項及び第３項《相続による国税の納付義務の承継》の規定は、**一**の規定により相続時精算課税適用者の相続人が有することとなる**一**の納税に係る権利又は義務について、準用する。（法21の17③）

　　（特定贈与者よりも先に承継者が死亡した場合）
（３）　**一**、（１）及び（２）の規定は、**一**の権利又は義務を承継した者が死亡した場合について、準用する。（法21の17④）

　　（相続時精算課税適用者の相続人が２人以上いる場合の読替え）
（４）　（２）の規定により国税通則法第５条第２項及び第３項の規定を準用する場合には、同条第２項中「各相続人」とあるのは「各相続人（相続人のうちに第一項**二**の（２）に規定する特定贈与者（以下「**特定贈与者**」という。）がある場合には、当該特定贈与者を除く。）」と、「その相続分」とあるのは「その相続分（相続人のうちに特定贈与者がある場合には、当該特定贈与者がないものとして計算した相続分）」と、同条第３項中「その相続人」とあるのは「その相続人（相続人のうちに特定贈与者がある場合には、当該特定贈与者を除く。）」と読み替えるものとする。（令５の５）

　　（承継される納税に係る権利又は義務）
（５）　相続時精算課税適用者の相続人（包括受遺者を含み、特定贈与者を除く。以下第四節において同じ。）が特定贈与者の死亡前に死亡した場合には、（３）の規定により、当該相続時精算課税適用者が有していた相続時精算課税の適用を受けていたことに伴う納税に係る権利又は義務（以下「**相続時精算課税の適用に伴う権利義務**」という。）は、当該相続人の相続人（以下（５）において「**再承継相続人**」という。）に承継されるが、再承継相続人が当該特定贈与者の死亡前に死亡した場合には、当該相続時精算課税の適用に伴う権利義務は当該再承継相続人の相続人には承継されず消滅することになるのであるから留意する。（基通21の17－１）

　　（承継の割合）
（６）　相続時精算課税適用者の相続人が２人以上あるときに各相続人が承継する相続時精算課税の適用に伴う権利義務の割合について、基本的な設例を基に示せば、次のとおりである。（基通21の17－２）
　〈設例１〉

```
　　　　　　　　　　　特定贈与者
　　　　　　　　　　　　｜
　　　相続時精算課税適用者 ───── 配偶者
　　　　　　　　　　　　｜
　　　　　　　　　　　　子
```

　上記の場合において、特定贈与者の死亡前に相続時精算課税適用者が死亡したときには、配偶者及び子が相続時精算課税の適用に伴う権利義務を承継することになり、その割合は、配偶者と子がそれぞれ２分の１ずつとなる。

－671－

〈設例２〉　　　　　　特定贈与者━━━母
　　　　　　　　　　　　　　　　　│
　　　　　　　　相続時精算課税適用者━━配偶者

　　上記の場合において、特定贈与者の死亡前に相続時精算課税適用者が死亡したときには、母及び配偶者が相続時精算課税の適用に伴う権利義務を承継することになり（特定贈与者には承継されない。）、その割合は、母が３分の１、配偶者が３分の２となる。

　　（相続人が特定贈与者のみである場合）
（７）　相続時精算課税適用者の相続人が特定贈与者のみである場合には、相続時精算課税の適用に伴う権利義務は当該特定贈与者及び当該相続時精算課税適用者の民法第889条《直系尊属及び兄弟姉妹の相続権》の規定による後順位の相続人となる他の者には承継されないのであるから留意する。

　　したがって、この場合には、当該特定贈与者の死亡に係る当該相続時精算課税適用者の相続税の申告は必要がないこととなる。（基通21の17－３）

　　（限定承認をした場合の承継）
（８）　（１）は、特定贈与者の死亡に係る相続税額の計算において算出された相続時精算課税適用者の相続税額を当該相続時精算課税適用者の相続人が納付する場合のその限度額について規定しているものであり、当該相続時精算課税適用者に係る納付すべき相続税額の計算方法についての規定ではないことに留意する。（基通21の17－４）

二　受贈者が相続時精算課税選択届出書の提出前に死亡した場合

　　贈与により財産を取得した者（以下「**被相続人**」という。）が第一節一の規定の適用を受けることができる場合に、当該被相続人が第一節二の規定による同二の届出書の提出期限前に当該届出書を提出しないで死亡したときは、当該被相続人の相続人（当該贈与をした者を除く。以下二において同じ。）は、その相続の開始があったことを知った日の翌日から10月以内（相続人が国税通則法第117条第２項《納税管理人》の規定による納税管理人の届出をしないで当該期間内に相続税法の施行地に住所及び居所を有しないこととなるときは、当該住所及び居所を有しないこととなる日まで）に、（１）の政令で定めるところにより、当該届出書を当該被相続人の納税地の所轄税務署長に共同して提出することができる。（法21の18①）

　　（相続時精算課税選択届出書を提出しないで死亡した者の相続人に係る相続時精算課税選択届出書の提出）
（１）　二の規定による相続時精算課税選択届出書の提出は、第一節一の贈与をした者ごとに、当該贈与により財産を取得した者の死亡の時における納税地の所轄税務署長にしなければならない。この場合において、第二編第六章第一節一の**2**《贈与税の申告書の提出義務者が死亡した場合の相続人による申告》の規定による申告書を提出するときは、相続時精算課税選択届出書の提出は、当該申告書に添付してしなければならない。（令５の６①）
　　（注）　令和５年度改正後の（１）の規定は、令和６年１月１日以後に贈与により財産を取得する者が提出する新相続時精算課税選択届出書について適用し、令和５年12月31日以前に贈与により財産を取得した者が提出する旧相続時精算課税選択届出書については、なお従前の例による。（令５改令附５）

　　（受贈者が相続時精算課税選択届出書の提出前に死亡した場合の相続時精算課税選択届出書の記載事項）
（２）　二の規定により相続時精算課税選択届出書を提出する場合における第一節二の（４）で定める事項は、同（４）の規定にかかわらず、次に掲げる事項とする。（規10②）

（一）	二に規定する被相続人の氏名、生年月日、その死亡の時における住所又は居所及びその死亡の年月日並びに第一節一の贈与をした者との続柄
（二）	（一）の贈与をした者の氏名、生年月日及び住所又は居所
（三）	二の規定により相続時精算課税選択届出書を提出する者の氏名、住所又は居所及び個人番号（個人番号を有しない者又は（１）後段の規定若しくは（８）において準用する第一節二の（７）の規定により相続時精算課税選択届出書を提出する者にあっては、氏名及び住所又は居所）並びに（一）の被相続人との続柄
（四）	（一）の被相続人が年の中途において第一節一の（１）の贈与をした者の推定相続人となった場合には、当該贈与をした者の推定相続人となった事由及びその年月日

第一章　相続時精算課税制度

（五）	第五節一の（2）において準用する第一編第七章第一節四の**1**の規定による申告書を提出しない場合には、その旨
（六）	その他参考となるべき事項

(注)　令和5年度改正後の（2）の規定は、令和6年1月1日以後に贈与（贈与をした者の死亡により効力を生ずる贈与を除く。以下同じ。）により財産を取得する者（当該者の相続人（包括受遺者を含む。以下（注）2において同じ。）が第四節二の規定の適用を受ける場合には、当該相続人）が提出する令和5年度改正後の第一節二の（4）の（一）に規定する相続時精算課税選択届出書について適用し、令和5年12月31日以前に贈与により財産を取得した者（当該者の相続人が第四節二の規定の適用を受ける場合には、当該相続人）が提出する令和5年度改正前の第一節二の（4）の（一）に規定する相続時精算課税選択届出書については、なお従前の例による。（令5改規附2①）

（被相続人の相続人であることを証する書類の添付）

（3）　相続時精算課税選択届出書には、二に規定する被相続人の相続人であることを証する書類その他の（4）の財務省令で定める書類を添付しなければならない。（令5の6②）

（被相続人の相続人であることを証する書類等相続時精算課税選択届出書に添付する書類）

（4）　（3）に規定する財務省令で定める書類は、次に掲げる書類とする。（規11②）

（一）	二の規定により相続時精算課税選択届出書を提出する者の戸籍の謄本又は抄本その他の書類で二に規定する被相続人の全ての相続人を明らかにする書類
（二）	（一）の被相続人の戸籍の謄本又は抄本その他の書類で当該被相続人の氏名、生年月日及びその死亡の年月日並びに当該被相続人が第一節一の贈与をした者の推定相続人に該当することを証する書類

(注)　住所又は居所を証する書類については、第一節二の（10）と同様であるから留意する。

（相続人が2人以上ある場合の相続時精算課税選択届出書の提出）

（5）　（3）の相続人が2人以上ある場合には、相続時精算課税選択届出書の提出は、これらの者が一の相続時精算課税選択届出書に連署して行うものとする。（令5の6③）

（相続時精算課税選択届出書を提出した相続人の納税に係る権利又は義務の承継の準用）

（6）　二の規定により第一節二の届出書を提出した相続人は、被相続人が有することとなる第一節一の規定の適用を受けることに伴う納税に係る権利又は義務を承継する。この場合において、一の（1）及び一の（2）の規定を準用する。（法21の18②）

（相続時精算課税選択届出書の提出前に相続人が死亡した場合の準用）

（7）　二の規定により第一節二の届出書を提出することができる被相続人の相続人が当該届出書を提出しないで死亡した場合には、二及び（6）の規定を準用する。（法21の18③）

（（1）の読替え規定）

（8）　第一節二の（6）及び同二の（7）の規定は、（1）の贈与をした者が年の中途において死亡した場合について準用する。この場合において、同（6）中「（3）」とあるのは「（1）」と、同（7）中「第二編第六章第一節一の**1**」とあるのは「第二編第六章第一節一の**2**」と読み替えるものとする。（令5の6④）

（相続人が特定贈与者のみである場合）

（9）　贈与により財産を取得した者の相続人が当該贈与をした者のみである場合には、相続時精算課税選択届出書を提出することはできないのであるから留意する。（基通21の18－1）

（相続人が2人以上いる場合）

（10）　二の規定による相続時精算課税選択届出書を提出しようとする相続人（贈与者を除く。以下（10）において同じ。）が2人以上いる場合の当該相続時精算課税選択届出書の提出は、一の相続時精算課税選択届出書に当該相続人全員が連署して行うのであるが、当該相続人のうち1人でも欠けた場合には、相続時精算課税の適用を受けることはできないのであるから留意する。（基通21の18－2）

第五節　相続時精算課税に係る申告及び還付等

一　相続時精算課税の適用に係る贈与税の申告

（相続時精算課税の適用に係る贈与税の申告）

（1）　贈与により財産を取得した者は、当該財産が第一節二の（1）の規定の適用を受けるものである場合（第三編第一章第二節一の（1）《相続時精算課税に係る贈与税の基礎控除》の規定による控除後の贈与税の課税価格がある場合に限る。）には、その年の翌年2月1日から3月15日まで（同年1月1日から3月15日までに国税通則法第117条第2項《納税管理人》の規定による納税管理人の届出をしないで相続税法の施行地に住所及び居所を有しないこととなる場合は、当該住所及び居所を有しないこととなる日まで）に、課税価格、贈与税額その他第二編第六章第一節《贈与税申告書の記載事項及び添付書類》の1で定める事項を記載した申告書を納税地の所轄税務署長に提出しなければならない。（法28①）

（注）1　第五節については、特に相続時精算課税に係る部分の記述をしている。（編者注）

　　　2　令和5年度改正後の（1）の規定は、令和6年1月1日以後に贈与により財産を取得する者が提出する贈与税の申告書について適用し、令和5年12月31日以前に贈与により財産を取得した者が提出する贈与税の申告書については、なお従前の例による。（令5改所法等附19⑥）

（相続税の申告に関する規定の準用）

（2）　第一編第七章第一節四の1《申告書を提出しないで死亡した者の相続人の申告義務》の規定は、次に掲げる場合について準用する。（法28②）

（一）　省略

（二）　相続時精算課税適用者が年の中途において死亡した場合には、その年1月1日から死亡の日までに第一節二の（1）の規定の適用を受ける財産を贈与により取得したとき（第三編第一章第二節一の（1）《相続時精算課税に係る贈与税の基礎控除》の規定による控除後の贈与税の課税価格がある場合に限る。）

（三）　（1）の規定により申告書を提出すべき者が当該申告書の提出期限前に当該申告書を提出しないで死亡した場合

（注）　令和5年度改正後の（2）の規定は、令和6年1月1日以後に贈与により財産を取得する者が提出する贈与税の申告書について適用し、令和5年12月31日以前に贈与により財産を取得した者が提出する贈与税の申告書については、なお従前の例による。（令5改所法等附19⑥）

（特定贈与者が贈与をした年の中途において死亡したとき）

（3）　特定贈与者からの贈与により第一節二の（1）の規定の適用を受ける財産を相続時精算課税適用者が取得した場合において、当該特定贈与者が当該贈与をした年の中途において死亡したときは、当該贈与により取得した財産については、（1）の規定は適用しない。（法28④）

（国税通則法の規定による贈与税の修正申告）

（4）　納税申告書を提出した者は、次の（一）から（四）の一に該当する場合には、その申告について国税通則法第24条の規定による更正があるまでは、その申告に係る課税標準等又は税額等を修正する納税申告書を税務署長に提出することができる。（通法19①）

（一）	省略
（二）	先の納税申告書に記載した純損失等の金額が過大であるとき
（三）	省略
（四）	省略

（注）　純損失等の金額とは、次に掲げる金額をいう。（通法2六ハ）

　　（一）・（二）　省略

　　（三）　第二節一の（1）《相続時精算課税に係る贈与税の特別控除》の規定により同（1）の規定の適用を受けて控除した金額がある場合における当該金額の合計額を2,500万円から控除した残額

第一章　相続時精算課税制度

二　相続時精算課税の適用に係る相続税の申告

（相続時精算課税の適用に係る相続税の申告）

（１）　相続又は遺贈（当該相続に係る被相続人からの贈与により取得した財産で第一節二の（１）の規定の適用を受けるものに係る贈与を含む。）により財産を取得した者及び当該被相続人に係る相続時精算課税適用者は、当該被相続人からこれらの事由により財産を取得したすべての者に係る相続税の課税価格（第一編第四章第二節**四**《相続開始前３年以内に贈与があった場合の相続税額》又は第三節から第四節までの規定の適用がある場合には、これらの規定により相続税の課税価格とみなされた金額）の合計額がその遺産に係る基礎控除額を超える場合において、その者に係る相続税の課税価格（第一編第四章第二節**四**又は第三節から第四節までの規定の適用がある場合には、これらの規定により相続税の課税価格とみなされた金額）に係る第一編第五章《相続税の総額》から第一編第六章第八節《在外財産に対する相続税額の控除》まで（同第六章第四節《配偶者の税額軽減》を除く。）及び第三節から第四節までの規定による相続税額があるときは、その相続の開始があったことを知った日の翌日から10月以内（その者が国税通則法第117条第２項《納税管理人》の規定による納税管理人の届出をしないで当該期間内に相続税法の施行地に住所及び居所を有しないこととなるときは、当該住所及び居所を有しないこととなる日まで）に課税価格、相続税額その他第一編第七章第一節**二**の（１）《一般の場合の記載事項》で定める事項を記載した申告書を納税地の所轄税務署長に提出しなければならない。（法27①）

（注）　当該相続に係る被相続人を特定贈与者とする相続時精算課税適用者に係る「相続の開始があったことを知った日」とは、第一編第七章第一節**一**の３の（５）の（一）から（九）にかかわらず、当該特定贈与者が死亡したこと又は当該特定贈与者について民法第30条《失踪の宣告》の規定による失踪の宣告に関する審判の確定のあったことを知った日となるのであるから留意する。（基通27－４）

（納税に係る権利又は義務を承継した者が申告書に記載すべき事項）

（２）　第四節**一**又は第四節**二**の規定により納税に係る権利又は義務を承継した者が提出する（１）の規定による申告書に記載すべき事項は、第一編第七章第一節**二**《相続税の申告書の記載事項》の（三）及び同**二**の（四）に掲げる事項のほか、次に掲げる事項とする。（規13②）

（一）	第四節**一**又は第四節**二**の死亡した者の氏名及びその死亡の時における住所又は居所並びにその死亡の年月日
（二）	当該承継をした者の承継の割合及び当該承継をした者が２人以上ある場合には、当該承継をした者が（一）の死亡した者に係る相続又は遺贈により受けた利益の価額
（三）	当該承継をした者が限定承認をした場合には、その旨
（四）	自己の納付すべき相続税額
（五）	（一）の死亡した者に係る第一編第七章第一節**二**の（一）、（二）及び（五）から（十）までに掲げる事項

（相続時精算課税適用者に係る相続税の還付申告）

（３）　相続時精算課税適用者は、（１）の規定により申告書を提出すべき場合のほか、第三節**四**の**①**の（１）《贈与税額の還付》の規定による還付を受けるため、第一節二の（１）の規定の適用を受ける財産に係る相続の課税価格、還付を受ける税額その他（４）から（６）までの財務省令で定める事項を記載した申告書を納税地の所轄税務署長に提出することができる。（法27③）

（還付を受けるための相続税の申告書の記載事項）

（４）　（３）に規定する財務省令で定める事項は、次に掲げる事項とする。（規15①）

（一）	課税価格（第一編第四章第二節**四**《相続開始前３年以内に贈与があった場合の相続税額》又は第三節から第四節までの規定の適用がある場合には、課税価格及びこれらの規定により相続税の課税価格とみなされた金額）及び第三節**一**の（４）又は第三節**二**の（３）の規定により贈与税の税額に相当する金額を控除する前の相続税額
（二）	第一編第七章第一節**二**の（二）から（十）までに掲げる事項
（三）	第三節**四**の**１**の（１）に規定する相続税額から控除しきれなかった金額

（納税の権利・義務の承継をした者が還付を受けるための相続税の申告書の記載事項）

（５）　第四節**一**又は第四節**二**の規定により納税に係る権利又は義務の承継をした者が（３）の規定による申告書を提出することができる場合における当該申告書に記載すべき事項は第一編第七章第一節**二**の（三）及び同**二**の（四）に掲げる事項の

ほか、次に掲げる事項とする。（規15②）

（一）	（2）の（一）から（三）までに掲げる事項
（二）	自己が還付を受けようとする金額
（三）	第四節**一**又は第四節**二**の死亡した者に係る第一編第七章第一節**二**の（二）及び（五）から（十）まで並びに（4）の（一）及び（三）に掲げる事項

（還付を受けるための申告書を提出することができる者が提出前に死亡した場合）

（6）　（3）の規定により第三節**四**の①の（1）の規定による還付を受けるための申告書を提出することができる者が当該申告書の提出前に死亡した場合において、当該申告書を提出することができるその相続人が当該申告書に記載すべき事項は、第一編第七章第一節**二**の（三）及び同**二**の（四）に掲げる事項のほか、次に掲げる事項とする。（規15③）

（一）	第一編第七章第一節**四**の**2**の注《死亡した者に係る申告書の記載事項》の（一）及び（二）に掲げる事項
（二）	自己が還付を受けようとする金額
（三）	死亡した者に係る第一編第七章第一節**二**の（二）及び（五）から（十）まで並びに（4）の（一）及び（三）に掲げる事項

（還付を受けるための申告書の提出期限）

（7）　（3）に規定する申告書は、相続開始の日の翌日から起算して5年を経過する日まで提出することができるのであるから留意する。（基通27−8）

（還付を受けるための申告に係る更正の請求）

（8）　（3）に規定する申告書についても、国税通則法第23条の規定の適用があることに留意する。この場合において同条第1項に規定する「当該申告書に係る国税の法定申告期限」とあるのは、「当該申告書を提出した日」と読み替えるものとする。（基通27−9）

三　相続時精算課税に係る贈与税の申告内容の開示等

（相続時精算課税に係る贈与税の申告内容の開示等）

（1）　相続又は遺贈（当該相続に係る被相続人からの贈与により取得した財産で第一節**二**の（1）の規定の適用を受けるものに係る贈与を含む。）により財産を取得した者は、当該相続又は遺贈により財産を取得した他の者（以下「**他の共同相続人等**」という。）がある場合には、当該被相続人に係る相続税の期限内申告書、期限後申告書若しくは修正申告書の提出又は国税通則法第23条第1項《更正の請求》の規定による更正の請求に必要となるときに限り、次に掲げる金額（他の共同相続人等が2人以上ある場合にあっては、全ての他の共同相続人等の当該金額の合計額）について、（4）の政令で定めるところにより、当該相続に係る被相続人の死亡の時における所在地その他の(12)の政令で定める場所の所轄税務署長に開示の請求をすることができる。（法49①）

（一）　他の共同相続人等が当該被相続人から贈与により取得した次に掲げる加算対象贈与財産（第一編第四章第二節**四**の**1**《相続開始前3年以内の贈与財産》に規定する加算対象贈与財産をいう。以下（一）において同じ。）の区分に応じそれぞれ次に定める贈与税の課税価格に係る金額の合計額

　　イ　相続の開始前3年以内に取得した加算対象贈与財産　贈与税の申告書に記載された贈与税の課税価格の合計額

　　ロ　イに掲げる加算対象贈与財産以外の加算対象贈与財産　贈与税の申告書に記載された贈与税の課税価格の合計額から100万円を控除した残額

（二）　他の共同相続人等が当該被相続人から贈与により取得した第一節**二**の（1）の規定の適用を受けた財産に係る贈与税の申告書に記載された第二節**一**の（1）の規定による控除後の贈与税の課税価格の合計額

（注）1　令和5年度改正後の（1）の規定は、令和6年1月1日以後に相続又は遺贈により財産を取得する者がする（1）の規定による開示の請求について適用し、令和5年12月31日以前に相続又は遺贈により財産を取得した者がする令和5年度改正前の（1）の規定による開示の請求については、なお従前の例による。（令5改所法等附19⑧）

　　　2　令和6年1月1日から令和8年12月31日までの間に相続又は遺贈により財産を取得する者に係る令和5年度改正後の（1）（（一）に係る部分に限る。）の規定の適用については、（一）中「第一編第四章第二節**四**の**1**《相続開始前3年以内の贈与財産》に規定する加算対象贈与財産」とあるのは、「当該他の共同相続人等が当該被相続人から当該相続の開始前3年以内に取得した財産（第一節**二**の（1）の規定の適用を受けた財産を除く。）」とする。（令5改所法等附19⑨）

　　　3　令和9年1月1日から令和12年12月31日までの間に相続又は遺贈により財産を取得する者に係る令和5年度改正後の（1）（（一）に係る部

—676—

第一章　相続時精算課税制度

分に限る。）の規定の適用については、（一）中「第一編第四章第二節**四**の**1**《相続開始前3年以内の贈与財産》に規定する加算対象贈与財産」とあるのは、「令和6年1月1日から当該相続の開始の日までの間に当該他の共同相続人等が当該被相続人から取得した財産（第一節**二**の（1）の規定の適用を受けた財産を除く。）」とする。（令5改所法等附19⑩）

4　令和5年12月31日以前に贈与により取得した第一節**二**の（1）の規定の適用を受けた財産に係る令和5年度改正後の（1）（（二）に係る部分に限る。）の規定の適用については、（二）中「第二節**一**の（1）の規定による控除後の贈与税」とあるのは、「贈与税」とする。（令5改所法等附19⑪）

（修正申告書の提出又は更正若しくは決定があった場合）

（2）　（1）の（一）又は（二）の贈与税について修正申告書の提出又は更正若しくは決定があった場合には、（1）の（一）又は（二）の贈与税の課税価格は、当該修正申告書に記載された贈与税の課税価格又は当該更正若しくは決定後の贈与税の課税価格とする。（法49②）

（開示の請求をすることができる者）

（3）　（1）の規定による開示の請求をすることができる者は、相続若しくは遺贈又は相続時精算課税の適用を受ける財産を特定贈与者である被相続人からの贈与により取得した者であるが、次に掲げる者も開示の請求ができるのであるから留意する。（基通49－1）

（一）　相続税の申告書を提出すべき者が当該申告書の提出前に死亡した場合において、国税通則法第5条の規定により相続税の納付義務を承継した者

（二）　第四節**一**又は第四節**二**の規定により相続時精算課税の適用に伴う権利義務を承継した者

（贈与税の申告内容の開示請求の方法等）

（4）　（1）の規定により開示の請求をする者は、請求の対象とする（1）に規定する他の共同相続人等ごとに、当該他の共同相続人等の氏名、住所その他の（5）又は（6）の財務省令で定める事項を記載した開示請求書に当該他の共同相続人等が（1）に規定する被相続人の相続人若しくは受遺者であること又は当該被相続人の推定相続人であったことを証する書類その他の（7）の財務省令で定める書類を添付し、これを（1）に規定する所轄税務署長に提出しなければならない。（令27①）

（開示請求書の記載事項等）

（5）　（4）に規定する財務省令で定める事項は、次に掲げる事項とする。（規29①）

（一）	（4）に規定する開示請求書（以下「**開示請求書**」という。）を提出する者（以下「開示請求者」という。）が（1）の規定により（1）に規定する相続又は遺贈により財産を取得した他の者（（三）において「他の共同相続人等」という。）について開示の請求をする旨及び当該請求をする理由
（二）	開示請求者の氏名、住所又は居所及び個人番号（個人番号を有しない者にあっては、氏名又は居所並びに（1）に規定する被相続人（以下「被相続人」という。）との続柄
（三）	（1）の請求の対象とする他の共同相続人等（（7）において「対象共同相続人等」という。）ごとの氏名、住所又は居所及び相続人との続柄
（四）	被相続人の氏名及びその死亡の時における住所又は居所並びにその死亡の年月日
（五）	その他参考となるべき事項

（納税の権利・義務の承継をした者が開示の請求をする場合の記載事項）

（6）　（5）の規定にかかわらず、第四節**一**又は第四節**二**の規定により納税に係る権利又は義務の承継をした者が（1）の規定により開示の請求をする場合における（5）の財務省令で定める事項は、（5）の（一）及び（三）から（五）までに掲げる事項のほか、次に掲げる事項とする。また、承継をした者が2人以上ある場合には、開示請求書の提出は、これらの者が一の開示請求書に連署して行うものとする。（規29②③）

（一）	第四節**一**又は第四節**二**の規定により納税に係る権利又は義務を承継された者の氏名及びその死亡の時における住所又は居所並びにその死亡の年月日並びにその者が被相続人に係る相続時精算課税適用者であった旨
（二）	当該承継をした全ての者の氏名、住所又は居所及び個人番号（個人番号を有しない者にあっては、氏名及び住所又は居所）並びに（一）の承継された者との続柄

－677－

第三編　相続時精算課税制度

　　　　（開示請求書の添付書類等）
（7）　（4）に規定する財務省令で定める書類は、対象共同相続人等ごとの次の（一）から（三）に掲げる場合の区分に応じ、当該（一）から（三）に定める書類とする。（規29④）

（一）	対象共同相続人等が被相続人の相続人である場合　　　イに掲げる書類又はロ及びハに掲げる書類 イ　財産の分割の協議に関する書類（当該書類に当該相続に係る全ての共同相続人及び包括受遺者が自署しているものに限る。）の写しその他の書類で当該対象共同相続人等が当該被相続人から相続により財産を取得していることを証する書類 ロ　戸籍の謄本又は抄本その他の書類で当該対象共同相続人等が当該被相続人の相続人であることを証する書類 ハ　当該被相続人から相続又は遺贈により取得した財産の全部又は一部が共同相続人又は包括受遺者によってまだ分割されていない旨を記載した書類
（二）	対象共同相続人等が被相続人の受遺者である場合　　　遺言書の写しその他の書類で当該対象共同相続人等が当該被相続人から遺贈を受けたことを証する書類
（三）	対象共同相続人等が被相続人の推定相続人であった場合（当該対象共同相続人等が相続又は遺贈により財産を取得している場合を除く。）　　　戸籍の謄本又は抄本その他の書類で当該対象共同相続人等が当該被相続人の推定相続人であったことを証する書類

　　　　（開示請求書に添付する開示請求者に関する添付書類）
（8）　（4）の請求をしようとする者は、（4）の開示請求書に（1）に規定する被相続人に係る相続時精算課税適用者であることを明らかにする書類、当該被相続人から相続若しくは遺贈により財産を取得したことを証する書類その他の（8）の財務省令で定める書類を添付しなければならない。（令27②）

　　　　（開示請求者に関する添付書類）
（9）　（8）に規定する財務省令で定める書類は、次の（一）から（二）に掲げる場合の区分に応じ、当該（一）から（二）に定める書類とする。（規29⑤）

（一）	開示請求者が被相続人に係る相続時精算課税適用者であり、かつ、当該相続人から相続又は遺贈により財産を取得しなかった場合　　　当該開示請求者が当該被相続人に係る相続時精算課税適用者であることを明らかにする書類
（二）	（一）に掲げる場合以外の場合　　　次に掲げるいずれかの書類 イ　（一）に定める書類 ロ　財産の分割の協議に関する書類（当該書類に当該相続に係る全ての共同相続人及び包括受遺者が自署しているものに限る。）の写しその他の書類で開示請求者が被相続人から相続により財産を取得していることを証する書類 ハ　戸籍の謄本又は抄本その他の書類で開示請求者が被相続人の相続人であることを証する書類及び当該被相続人から相続又は遺贈により取得した財産の全部又は一部が共同相続人又は包括受遺者によってまだ分割されていない旨を記載した書類 ニ　遺言書の写しその他の書類で開示請求者が被相続人から遺贈を受けたことを証する書類

　　　　（納税の権利・義務の承継をした者である開示請求者に関する添付書類）
（10）　（6）に規定する場合における（8）に規定する財務省令で定める書類は、（9）の（一）及び（二）に定める書類のほか、戸籍の謄本又は抄本その他の書類で（6）の（一）の納税に係る権利又は義務を承継された者の全ての相続人を明らかにする書類とする。（規29⑥）

　　　　（開示請求期限）
（11）　（4）の請求は、（4）に規定する被相続人に係る相続の開始の日の属する年の3月16日以後にしなければならない。（令27③）

　　　　（被相続人の死亡の時における住所地その他の政令で定める場所）
（12）　（1）に規定する政令で定める場所は、（1）に規定する被相続人の死亡の時において当該被相続人が次の（一）から

－678－

第一章　相続時精算課税制度

(三)に掲げる場合のいずれに該当するかに応じ当該(一)から(三)に定める場所とする。（令27④）

(一)	相続税法の施行地に当該被相続人の住所がある場合	当該住所地
(二)	相続税法の施行地に当該被相続人の住所がなく、居所がある場合	当該居所地
(三)	相続税法の施行地に当該被相続人の住所及び居所がない場合	(13)で定める場所

（開示請求者に係る財務省令で定める場所）

(13)　(12)の(三)に規定する財務省令で定める場所は、開示請求者の開示請求書を提出する時において当該開示請求者が次の(一)から(三)に掲げる場合のいずれに該当するかに応じ当該(一)から(三)に定める場所とする。（規29⑦）

(一)	相続税法の施行地に当該開示請求者の住所がある場合	当該住所地
(二)	相続税法の施行地に当該開示請求者の住所がなく、居所がある場合	当該居所地
(三)	相続税法の施行地に当該開示請求者の住所及び居所がない場合	麹町税務署の管轄区域内の場所

（贈与税の申告内容の開示期限）

(14)　(1)の請求があった場合には、税務署長は、当該請求をした者に対し、当該請求後2月以内に(1)の開示をしなければならない。（法49③）

（課税価格の合計額の開示）

(15)　税務署長は、(14)の規定により開示をする場合には、(1)の(一)又は(二)に掲げる金額ごとに開示するものとする。（令27⑤）

(一)	被相続人に係る相続の開始前3年以内に当該被相続人からの贈与により取得した財産の価額（(二)に規定する価額を除く。）の合計額
(二)	被相続人からの贈与により取得した財産で第一節二の(1)の規定の適用を受けたものの価額の合計額

○相続税法第49条第1項の規定に基づく開示請求書の書き方等

1　「開示請求者」欄には、開示請求者の住所又は居所（所在地）、フリガナ・氏名（名称）、個人番号、生年月日及び被相続人との続柄（長男、長女等）を記入します。

　　なお、相続税法第21条の17又は第21条の18の規定により相続時精算課税適用者から納税に係る権利又は義務を承継したことにより開示の請求を行った場合において、その承継する者が2名以上いるときは、本開示請求書を連名で提出しなければなりません。この場合は、開示請求者の代表者の方を本開示請求書の「開示請求者」欄に記入し、他の開示請求者の方は開示請求書付表（「相続税法第49条第1項の規定に基づく開示請求書付表」）の【開示請求者】（開示請求者が2人以上の場合に記入してください。）」欄に記入します（開示書は代表者に交付することになります。）。

2　「1　開示対象者に関する事項」欄には、贈与税の課税価格の開示を求める方（開示対象者）の住所又は居所（所在地）、過去の住所等、フリガナ・氏名又は名称（氏名については旧姓も記入します。）、生年月日及び被相続人との続柄（長男、長女等）を記入します。

　　なお、開示対象者が5名以上いる場合は、5人目以降を開示請求書付表の「1　開示対象者に関する事項（開示対象者が5人以上いる場合に記入してください。）」欄に記入します。

(注)　「1 開示対象者に関する事項」欄には、相続又は遺贈（被相続人から取得した財産で相続税法第21条の9第3項の規定の適用を受けるものに係る贈与を含みます。）により財産を取得した全ての方を記入してください（開示請求者を除きます。）。

3　「2　被相続人に関する事項」欄には、被相続人の住所又は居所、過去の住所等、フリガナ・氏名、生年月日及び相続開始年月日（死亡年月日）を記入します。

4　「3　承継された者（相続時精算課税選択届出者）に関する事項」欄には、相続税法第21条の17又は第21条の18の規定により納税に係る権利又は義務を承継された者の死亡時の住所又は居所、フリガナ・氏名、生年月日、相続開始年月日（死亡年月日）及び「精算課税適用者である旨の記載」欄に相続時精算課税選択届出書を提出した税務署名を記入します。

5　「4　開示の請求をする理由」欄及び「5　遺産分割に関する事項」欄は、該当する□にレ印を記入します。

6　「6　添付書類等」欄には、添付している書類の□にレ印を記入します。

　　なお、添付書類は、開示請求者及び開示対象者が相続等により財産を取得したことを証する書類として、下記のもの

－679－

を提出します。
（1） 全部分割の場合：遺産分割協議書の写し
（2） 遺言書がある場合：開示請求者及び開示対象者に関する遺言書の写し
（3） 上記以外の場合：開示請求者及び開示対象者に係る戸籍の謄（抄）本
　開示請求者が被相続人を特定贈与者とする相続時精算課税適用者である場合には、「私は、相続時精算課税選択届出書を_____署へ提出しています。」の前の□にレ印を記入するとともに相続時精算課税選択届出書を提出した税務署名を記入します。
　開示請求者が承継した者である場合には、承継した者全員の戸籍の謄（抄）本も提出します。
7　「7　開示書の受領方法」欄には、希望される受領方法の□にレ印を記入します。
　なお、「直接受領」の場合は、受領時に開示請求者本人又は代理人本人であることを確認するもの（運転免許証など）が必要となります（代理人が「直接受領」をする場合は、開示請求者の委任状も必要となります。）。
　「送付受領」の場合には、開示請求時に返信用切手、封筒及び住民票の写し等の住所を確認できるものを提出します。
　（注）　「送付受領」の場合の送付先は、開示請求者本人の住所となります。
8　この請求書の控えを保管する場合においては、その控えには個人番号を記載しない（複写により控えを保管する場合は、個人番号が複写されない措置を講ずる）など、個人番号の取扱いには十分ご注意ください。

○相続税法第49条第１項の規定に基づく開示請求書付表の書き方等
1　「開示請求者（代表者）の氏名」欄には、開示請求書の「開示請求者」欄に記載している人の氏名を記入します。
2　「1　開示対象者に関する事項（開示対象者が５人以上いる場合に記入してください。）」欄には、５人目以降の開示対象者の住所又は居所（所在地）、過去の住所等、フリガナ・氏名又は名称（氏名については旧姓も記入します。）、生年月日及び被相続人との続柄（長男、長女等）を記入します。
3　「【開示請求者】」欄には、開示請求者（開示請求書の「開示請求者」欄に記載している人以外の人）の住所又は居所、フリガナ・氏名、個人番号、生年月日及び被相続人との続柄（長男、長女等）を記入します。
4　この請求書付表の控えを保管する場合においては、その控えには個人番号を記載しない（複写により控えを保管する場合は、個人番号が複写されない措置を講ずる）など、個人番号の取扱いには十分ご注意ください。

四　相続時精算課税の適用を受けた財産に係る延納及び物納の取扱い

　延納の延納期間及び利子税については、課税相続財産（相続又は遺贈により取得した財産で相続税額の計算の基礎となったものの価額の合計額をいう。）のうちに不動産等の価額が占める割合に応じて規定されているが、この課税相続財産の価額には、特定贈与者である被相続人からの贈与により取得した相続時精算課税の適用を受ける財産の価額は含まれないこととされている。ただし、相続開始の年において取得した相続時精算課税の適用を受ける財産のうちに不動産、立木等第一編第八章第二節一の１の（2）《延納期間の延長される財産》に規定する財産がある場合においては、当該財産は、同第二節一の１《延納の要件等》に規定する「相続又は遺贈により取得した財産」に含む。（法38①、基通38－３＝編者注）
　また、物納に充てることができる財産から相続時精算課税（第一節二の（1）の規定）の適用を受ける財産が除かれる。（法41②＝編者注）

第二章　特定の贈与者から住宅取得等資金の贈与を受けた場合の相続時精算課税の特例

1　住宅取得等資金の贈与を受けた場合の相続時精算課税の特例

　平成15年1月1日から令和8年12月31日までの間にその年1月1日において60歳未満の者からの贈与により住宅取得等資金の取得をした特定受贈者が、次の(一)から(三)に掲げる場合に該当するときは、当該特定受贈者については、第一章第一節二《相続時精算課税制度の選択》の(1)の規定を準用する。(措法70の3①)

(一)	特定受贈者が贈与により住宅取得等資金の取得をした日の属する年の翌年3月15日までに当該住宅取得等資金の全額を住宅用家屋の新築若しくは建築後使用されたことのない住宅用家屋の取得又はこれらの住宅用家屋の新築若しくは取得とともにするその敷地の用に供されている土地若しくは土地の上に存する権利(以下本章において「**土地等**」という。)の取得(当該住宅用家屋の新築に先行してするその敷地の用に供されることとなる土地等の取得を含む。3の(五)のイにおいて同じ。)のための対価に充てて当該住宅用家屋の新築(新築に準ずる状態として(1)の財務省令で定めるものを含む。)をした場合又は当該建築後使用されたことのない住宅用家屋の取得をした場合において、同日までに新築若しくは取得をしたこれらの住宅用家屋を当該特定受贈者の居住の用に供したとき、又は新築若しくは取得をしたこれらの住宅用家屋を同日後遅滞なく当該特定受贈者の居住の用に供することが確実であると見込まれるとき
(二)	特定受贈者が贈与により住宅取得等資金の取得をした日の属する年の翌年3月15日までに当該住宅取得等資金の全額を既存住宅用家屋の取得又は当該既存住宅用家屋の取得とともにするその敷地の用に供されている土地等の取得のための対価に充てて当該既存住宅用家屋の取得をした場合において、同日までに当該既存住宅用家屋を当該特定受贈者の居住の用に供したとき、又は当該既存住宅用家屋を同日後遅滞なく当該特定受贈者の居住の用に供することが確実であると見込まれるとき
(三)	特定受贈者が贈与により住宅取得等資金の取得をした日の属する年の翌年3月15日までに当該住宅取得等資金の全額を当該特定受贈者が居住の用に供している住宅用の家屋について行う増改築等又は当該家屋についての当該増改築等とともにするその敷地の用に供されることとなる土地等の取得の対価に充てて当該住宅用の家屋について当該増改築等(増改築等の完了に準ずる状態として(2)の財務省令で定めるものを含む。)をした場合において、同日までに増改築等をした当該住宅用の家屋を当該特定受贈者の居住の用に供したとき、又は増改築等をした当該住宅用の家屋を同日後遅滞なく当該特定受贈者の居住の用に供することが確実であると見込まれるとき

(注)　改正後の本章の規定は、特定受贈者が令和4年1月1日以後に贈与により取得をする住宅取得等資金に係る贈与税について適用し、改正前の特定受贈者が同日前に贈与により取得をした住宅取得等資金に係る贈与税については、なお従前の例による。(令4改所法等附51④)

　　　(新築に準ずる状態として財務省令で定めるもの)
(1)　上記(一)に規定する新築に準ずる状態として財務省令で定めるものは、屋根(その骨組みを含む。)を有し、土地に定着した建造物として認められる時以後の状態とする。(措規23の6①)

　　　(増改築等の完了に準ずる状態として財務省令で定めるもの)
(2)　上記(三)に規定する増改築等の完了に準ずる状態として財務省令で定めるものは、増築又は改築部分の屋根(その骨組みを含む。)を有し、既存の家屋と一体となって土地に定着した建造物として認められる時以後の状態とする。(措規23の6②)

　　　(居住の用に供したとき等)
(3)　1の(一)、(二)及び(三)に規定する「当該特定受贈者の居住の用に供したとき」、又は「同日後遅滞なく当該特定受贈者の居住の用に供することが確実であると見込まれるとき」とは、3の(五)に規定する住宅取得等資金(以下「**住宅取得等資金**」という。)の贈与を受け、その全額を充てて住宅用家屋等(住宅用家屋、既存住宅用家屋又は増改築対象家屋をいう。以下(6)において同じ。)の新築等(新築、取得又は増改築等(3の(四)に規定する増改築等をいう。以下同じ。)をいう。以下(6)までにおいて同じ。)をした者が、当該住宅用家屋等を現にその居住の用に供したとき、又は当該住宅用家屋等をその居住の用に供することが確実であると見込まれるときをいうのであるが、その者が、転勤、転地

第三編　相続時精算課税制度

療養その他のやむを得ない事情により、配偶者、扶養親族その他その者と生計を一にする親族（以下（3）において「生計を一にする親族」という。）と日常の起居を共にしていない場合において、その者と生計を一にする親族が居住の用に供し、又は居住の用に供することが確実であると見込まれるときで、当該やむを得ない事情が解消した後はその者が共に当該住宅用家屋等に居住することとなると認められるときは、これに該当するものとして取り扱う。

なお、この取扱いの適用がある場合において、**6**の規定により贈与税の申告書に添付して提出しなければならないとされている書類については、次の（一）又は（二）に掲げるところによることとする。（措通70の3－1）

（一）　**6**の（2）の（一）又は（二）に掲げる場合　　**6**の（2）の（一）のロの（3）又は同（二）のロの（3）に掲げる書類にあっては、当該住宅用家屋等をその者と生計を一にする親族の居住の用に供すること及びその居住の用に供したときは遅滞なくその生計を一にする親族が居住していることを明らかにするものの提出を約するもので、また、同（一）のホの（4）又は同（二）のホの（3）に掲げる書類にあっては、当該住宅用家屋等をその者と生計を一にする親族の居住の用に供する予定時期の記載があるもので差し支えない。

（二）　**6**の（2）の（三）に掲げる場合　　**6**の（2）の（三）のロの（3）に掲げる書類にあっては、当該増改築対象家屋をその者と生計を一にする親族の居住の用に供すること並びにその居住の用に供したときは遅滞なくその生計を一にする親族の戸籍の附票の写しその他の書類で当該生計を一にする親族が当該増改築等前に当該増改築対象家屋に居住していたこと及び当該増改築等後に当該増改築対象家屋に居住していることを明らかにするものの提出を約するもので、また、同（三）のホの（4）に掲げる書類にあっては、当該増改築対象家屋をその者と生計を一にする親族の居住の用に供する予定時期の記載があるもので差し支えない。

（注）1　上記の住宅用家屋とは、**3**の（二）に規定する住宅用家屋（以下「住宅用家屋」という。）を、既存住宅用家屋とは、**3**の（三）に規定する既存住宅用家屋（以下「既存住宅用家屋」という。）を、増改築対象家屋とは、**3**の（一）に規定する特定受贈者（以下「特定受贈者」という。）が居住の用に供している住宅用の家屋をいうのであるから留意する。

2　上記の取扱いは、その者と生計を一にする親族が当該住宅用家屋等を居住の用に供する前に、そのやむを得ない事情が解消している場合には、適用がないことに留意する。

3　**1**の（三）に規定する「当該特定受贈者が居住の用に供している住宅用の家屋」の判定については、上記に準じて取り扱う。

（住宅取得等資金の贈与の特例と特定同族株式等の贈与の特例の重複適用）

（4）　特定受贈者が住宅取得等資金の贈与を受けた年の前年以前において当該住宅取得等資金の贈与をした者（以下**6**の（8）までにおいて「住宅資金贈与者」という。）からの贈与により取得した平成21年改正前措置法第70条の3の3第3項第2号に規定する特定同族株式等について同条第1項の規定の適用を受けている場合には、当該住宅取得等資金について**1**の規定の適用は受けられないことに留意する。（措通70の3－1の2）

（住宅用家屋の新築若しくは取得とともに取得するその敷地の用に供されている土地等）

（5）　**1**の（一）に規定する住宅用家屋の新築若しくは取得とともに取得するその敷地の用に供されている土地若しくは土地の上に存する権利（以下（5）において「土地等」という。）とは、次に掲げる場合の区分に応じ次に掲げる土地等をいうことに留意する。（措通70の3－2）

（一）　住宅用家屋の新築の場合

家屋の新築請負契約と同時に締結された売買契約若しくは家屋の新築請負契約を締結することを条件とする売買契約によって取得した土地等又は家屋を新築する前に取得したその家屋の敷地の用に供されることとなる土地等

（二）　住宅用家屋の取得の場合

家屋とその敷地を同時に取得する売買契約によって取得したいわゆる建売住宅、分譲マンションの土地等

（注）1　贈与により取得した金銭が上記本文（一）に該当する土地等の取得の対価に充てられ、住宅用家屋の新築（（1）に規定する新築に準ずる状態を含む。以下（5）において同じ。）の対価に充てられた金銭がない場合であっても、当該土地等の取得の対価に充てられた金銭は住宅取得等資金に該当することに留意する。ただし、当該贈与があった日の属する年の翌年の3月15日まで（**5**の（5）の規定の適用を受けた場合には、当該贈与があった日の属する年の翌々年の3月15日まで）に、住宅用家屋の新築をしていない場合には、当該贈与により取得した金銭については**1**の規定の適用はないことに留意する。

2　**1**の（二）に規定する既存住宅用家屋の取得とともに取得するその敷地の用に供されている土地等とは、上記本文（二）の場合に準じた土地等をいうことに留意する。

3　上記本文及び（注）2に該当する土地等以外の土地等の取得のための金銭（以下（5）において「土地等取得資金」という。）は、住宅取得等資金には該当しないことになるが、当該土地等取得資金を贈与により取得した同一年中に住宅取得等資金を当該贈与をした者より取得し、**1**の規定の適用を受ける場合には、当該土地等取得資金についても相続時精算課税の適用となることに留意する（**2**の注参照）。

－682－

第二章　特定の贈与者から住宅取得等資金の贈与を受けた場合の相続時精算課税の特例

（住宅取得等資金が法施行地外にある場合等）
（6）　特定受贈者が贈与により取得した住宅取得等資金について、**1**の規定の適用を受ける場合にあっては、当該住宅取得等資金により新築等する住宅用家屋等の所在地は相続税法の施行地内でなければならないが、当該住宅取得等資金の所在地は同法の施行地内又は施行地外のいずれでもよいことに留意する。（措通70の3−3）

（措置法第70条の2第1項の規定の適用後に住宅取得等資金について贈与税の課税価格に算入すべき価額がない場合の措置法第70条の3の適用関係）
（7）　**1**の規定は、住宅資金贈与者から贈与により取得した住宅取得等資金のうち贈与税の課税価格に算入される価額について適用があることから、第二編第三章**九**《直系尊属から住宅取得等資金の贈与を受けた場合の贈与税の非課税》の**1**の規定の適用を受けた結果、当該住宅取得等資金について贈与税の課税価格に算入すべき価額がない場合には、適用がないことに留意する。（措通70の3−3の2）

（住宅用家屋の取得の意義）
（8）　**1**の(一)に規定する住宅用家屋の取得及び**1**の(二)に規定する既存住宅用家屋の取得とは、売主から住宅用家屋の引渡しを受けたことをいうものとする。したがって、いわゆる建売住宅や分譲マンションについては、売買契約が締結されている場合又はこれらの建物が（1）に規定する新築に準ずる状態にある場合であっても、その引渡しを受けていない限り、**1**の(一)に規定する住宅用家屋の取得には該当しないことに留意する。（措通70の3−8）

（令和2年1月1日前の贈与に係る贈与者の住所又は居所を証する書類）
（9）　相続税法施行規則等の一部を改正する省令（平成31年財令第8号。以下（9）において「平成31年改正省令」という。）附則第2条《相続時精算課税選択届出書の添付書類に関する経過措置》の規定により、令和2年1月1日前の贈与に係る相続時精算課税選択届出書には、当該贈与をした者の氏名、生年月日及びその者が60歳に達した時以後の住所又は居所を証する書類の添付が必要とされていることに留意する。
　　この場合において、**1**の規定により第一章第一節の規定を準用する場合における同第　節**二**の改正前の旧（5）の(二)に掲げる当該贈与をした者の60歳に達した時以後の住所又は居所を証する書類については、当該贈与をした者に係る平成15年1月1日以後の住所又は居所を証する書類をいうのであるから留意する。（措通70の3−12）
　　（注）　第一章第四節**二**の改正前の旧（4）に規定する住所又は居所を証する書類についても上記と同様であることに留意する。

2　届出書を提出する場合における相続税法の規定の適用

　1において準用する第一章第一節**二**《相続時精算課税制度の選択》の届出書を提出した者については同**二**の（1）《相続時精算課税選択届出書に係る贈与財産の税額の計算》の規定の適用を受ける財産を取得した同**二**の（2）《相続時精算課税適用者が特定贈与者の推定相続人でなくなった場合》に規定する相続時精算課税適用者と、住宅取得等資金の贈与をした者については同（1）の規定の適用を受ける財産の贈与をした同（2）に規定する特定贈与者とそれぞれみなして、同法その他相続税又は贈与税に関する法令の規定を適用する。（措法70の3②）

（住宅取得等資金を贈与により取得した年分以降に財産の贈与を受けた場合の取扱い）
（1）　**1**の規定の適用を受けた者が、住宅取得等資金を贈与により取得した年分以降に当該住宅取得等資金の贈与をした者から財産の贈与を受けた場合には、当該財産の贈与をした者が当該贈与をした年の1月1日において60歳未満であっても、当該財産については相続時精算課税の適用があることに留意する。（措通70の3−4）
　　（注）　同一の者から同一年中に住宅取得等資金の贈与とそれ以外の財産の贈与があった場合において、当該住宅取得等資金以外の財産の贈与が当該住宅取得等資金の贈与前にあったとしても、当該住宅取得等資金について**1**の規定の適用を受けるとき（**1**の（7）参照）には、当該住宅取得等資金以外の財産についても相続時精算課税が適用されるのであるから留意する。

3　用語の意義

　本章において、次の(一)から(五)に掲げる用語の意義は、当該(一)から(五)に定めるところによる。（措法70の3③）

(一)	特定受贈者	イ	第二編第一章第二節**一**《個人の納税義務者》の(一)《居住無制限納税義務者》又は同**一**の(二)《非居住無制限納税義務者》の規定に該当する個人であること。
		ロ	住宅取得等資金の贈与をした者の直系卑属である推定相続人（孫を含む。）であること。

−683−

第三編　相続時精算課税制度

	ハ	住宅取得等資金の贈与を受けた日の属する年の1月1日において<u>18歳以上の者であること</u>。
	(注)1	（一）のハの――線部分の規定は、令和3年12月31日以前については、「18歳」とあるのは「20歳」とする。（令4改所法等附51④）
	2	令和4年1月1日から同年3月31日までの間に贈与により住宅取得等資金の取得をする場合における（一）のハの規定の適用については、同ハ中「18歳」とあるのは、「20歳」とする。（令4改所法等附51⑤）
（二） **住 宅 用 家 屋**		住宅用の家屋で（1）の政令で定めるものをいう。
（三） **既存住宅用家屋**		建築後使用されたことのある住宅用家屋（耐震基準（地震に対する安全性に係る規定又は基準として（2）で定めるものをいう。**4**において同じ。）に適合するものに限る。）で（4）の政令で定めるものをいう。
（四） **増　改　築　等**		特定受贈者が所有している家屋につき行う増築、改築その他の（6）の政令で定める工事（当該工事と併せて行う当該家屋と一体となって効用を果たす設備の取替え又は取付けに係る工事を含む。）で次に掲げる要件を満たすものをいう。
	イ	当該工事に要した費用の額が100万円以上であること。
	ロ	当該工事をした家屋が特定受贈者が主としてその居住の用に供すると認められるものであること。
	ハ	その他（8）の政令で定める要件
（五） **住宅取得等資金**		次のいずれかに掲げる新築、取得又は増改築等（特定受贈者の配偶者その他の特定受贈者と特別の関係がある者として（9）の政令で定める者との請負契約その他の契約に基づき新築若しくは増改築等をする場合又は当該（9）の政令で定める者から取得をする場合を除く。）の対価に充てるための金銭をいう。
	イ	特定受贈者による住宅用家屋の新築又は建築後使用されたことのない住宅用家屋の取得（これらの住宅用家屋の新築又は取得とともにするその敷地の用に供されている土地等の取得を含む。）
	ロ	特定受贈者による既存住宅用家屋の取得（当該既存住宅用家屋の取得とともにするその敷地の用に供されている土地等の取得を含む。）
	ハ	特定受贈者が所有している家屋につき行う増改築等（当該家屋についての当該増改築等とともにするその敷地の用に供されることとなる土地等の取得を含む。）

（住宅用の家屋で政令で定めるもの）
（1）　**3**の（二）に規定する住宅用の家屋で政令で定めるものは、特定受贈者（同（一）に規定する特定受贈者をいう。以下同じ。）がその居住の用に供する次に掲げる家屋（その家屋の床面積の2分の1以上に相当する部分が専ら当該居住の用に供されるものに限る。）で相続税法の施行地にあるものとし、その者の居住の用に供する家屋が二以上ある場合には、これらの家屋のうち、その者が主としてその居住の用に供すると認められる一の家屋に限るものとする。（措令40の5①）

（一）	一棟の家屋で床面積が40平方メートル以上であるもの
（二）	一棟の家屋で、その構造上区分された数個の部分を独立して住居その他の用途に供することができるものにつきその各部分を区分所有する場合には、その者の区分所有する部分の床面積が40平方メートル以上であるもの

（地震に対する安全性に係る規定又は基準）
（2）　**3**の（三）に規定する地震に対する安全性に係る規定又は基準として政令で定めるものは、建築基準法施行令第3章及び第5章の4の規定又は国土交通大臣が財務大臣と協議して定める地震に対する安全性に係る基準若しくは**3**の（二）に規定する住宅用家屋が昭和57年1月1日以後に建築されたものであることとする。（措令40の5②）

（建築後使用されたことのある住宅用家屋で政令で定めるもの）
（3）　**3**の（三）に規定する建築後使用されたことのある住宅用家屋で政令で定めるものは、特定受贈者がその居住の用に

−684−

供する家屋（その家屋の床面積の２分の１以上に相当する部分が専ら当該居住の用に供されるものに限る。）で相続税法の施行地にあるもののうち、次に掲げる要件の全てに該当するものであることにつき（４）の財務省令で定めるところにより証明がされたもの又は確認を受けたもので建築後使用されたことのあるものとし、その者の居住の用に供する家屋が二以上ある場合には、これらの家屋のうち、その者が主としてその居住の用に供すると認められる一の家屋に限るものとする。（措令40の５③）

（一）	当該家屋が（１）の（一）又は（二）のいずれかに該当するものであること。
（二）	当該家屋が（１）に規定する規定又は基準のいずれかに適合するものであること。

（財務省令で定めるところにより証明又は確認がされた特定受贈者が居住の用に供する家屋）
（４）　（３）に規定する建築後使用されたことのある住宅用家屋は、（３）の各号に掲げる要件の全てに該当することについて、次の各号に掲げる場合の区分に応じ当該各号に定める方法により証明又は確認を受けなければならない。（措規23の６③）

（一）　（二）に掲げる場合以外の場合　　次に掲げる方法（当該住宅用家屋が耐震基準（**3**の（三）に規定する耐震基準をいう。ロにおいて同じ。）のうち、昭和57年１月１日以後に建築されたものであることについて証明又は確認を受ける場合には、イに掲げる方法）

イ　次に掲げる方法のうちいずれかの方法（当該住宅用家屋が（１）の各号のいずれかに該当すること又は昭和57年１月１日以後に建築されたものであることが登記事項証明書に記載された事項によって明らかでない場合には、当該住宅用家屋が同項各号のいずれかに該当すること又は同日以後に建築されたものであることを明らかにする書類を提出することを含む。）
①　当該住宅用家屋の登記事項証明書を**6**に規定する申告書（以下「贈与税の申告書」という。）に添付する方法
②　当該住宅用家屋に係る情報通信技術を活用した行政の推進等に関する法律施行令第５条の表の第２号の下欄のイ（２）又は（３）に掲げる事項が記載された書類を贈与税の申告書に添付することにより、納税地の所轄税務署長に当該住宅用家屋の登記事項証明書に係る情報を入手させ、又は参照させる方法
ロ　当該住宅用家屋が耐震基準（建築基準法施行令第３章及び第５章の４の規定又は国土交通大臣が財務大臣と協議して定める地震に対する安全性に係る基準に限る。**4**の（４）において同じ。）に適合する旨を証する書類で国土交通大臣が財務大臣と協議して定めるものを贈与税の申告書に添付する方法

（二）　災害に基因するやむを得ない事情により**3**の（五）に規定する住宅取得等資金（以下「住宅取得等資金」という。）を贈与（贈与をした者の死亡により効力を生ずる贈与を除く。以下同じ。）により取得した日の属する年の翌年３月15日までに当該住宅用家屋の取得ができなかった場合　　当該住宅用家屋の取得をしたときは、遅滞なく、（一）に定める方法に準じて、当該住宅取得等資金を贈与により取得した日の属する年分の贈与税に係る納税地の所轄税務署長に対し、当該住宅用家屋が（３）の各号に掲げる要件の全てに該当することを明らかにすることを約する書類を贈与税の申告書に添付する方法

（増改築等の工事で政令で定めるもの）
（５）　**3**の（四）に規定する政令で定める工事は、次に掲げる工事で相続税法の施行地で行われるもののうち、当該工事に該当するものであることにつき（６）の財務省令で定めるところにより証明がされたものとする。（措令40の５④）

（一）		増築、改築、建築基準法第２条第14号に規定する大規模の修繕又は同条第15号に規定する大規模の模様替
（二）		一棟の家屋でその構造上区分された数個の部分を独立して住居その他の用途に供することができるもののうちその者が区分所有する部分について行う次に掲げるいずれかの修繕又は模様替（（一）に掲げる工事に該当するものを除く。）
	イ	その区分所有する部分の床（建築基準法第２条第５号に規定する主要構造部（以下「主要構造部」という。）である床及び最下階の床をいう。）の過半又は主要構造部である階段の過半について行う修繕又は模様替
	ロ	その区分所有する部分の間仕切壁（主要構造部である間仕切壁及び建築物の構造上重要でない間仕切壁をいう。）の室内に面する部分の過半について行う修繕又は模様替（その間仕切壁の一部について位置の変更を伴うものに限る。）
	ハ	その区分所有する部分の主要構造部である壁の室内に面する部分の過半について行う修繕又は模様替（当該修繕又は模様替に係る壁の過半について遮音又は熱の損失の防止のための性能を向上させるものに限る。）

第三編　相続時精算課税制度

(三)	家屋（(二)の家屋にあっては、その者が区分所有する部分に限る。）のうち居室、調理室、浴室、便所その他の室で国土交通大臣が財務大臣と協議して定めるものの一室の床又は壁の全部について行う修繕又は模様替（(一)及び(二)に掲げる工事に該当するものを除く。）
(四)	家屋について行う建築基準法施行令第三章及び第五章の四の規定又は国土交通大臣が財務大臣と協議して定める地震に対する安全性に係る基準に適合させるための修繕又は模様替（(一)から(三)までに掲げる工事に該当するものを除く。）
(五)	家屋について行う国土交通大臣が財務大臣と協議して定める高齢者等（租税特別措置法第41条の３の２第１項に規定する高齢者等をいう。）が自立した日常生活を営むのに必要な構造及び設備の基準に適合させるための修繕又は模様替（(一)から(四)に掲げる工事に該当するものを除く。）
(六)	家屋について行う国土交通大臣が財務大臣と協議して定めるエネルギーの使用の合理化に資する修繕又は模様替（(一)から(五)に掲げる工事に該当するものを除く。）
(七)	家屋について行う給水管、排水管又は雨水の浸入を防止する部分（住宅の品質確保の促進等に関する法律施行令第五条第二項に規定する雨水の浸入を防止する部分をいう。）に係る修繕又は模様替（当該家屋の瑕疵を担保すべき責任の履行に関し国土交通大臣が財務大臣と協議して定める保証保険契約が締結されているものに限り、(一)から(六)に掲げる工事に該当するものを除く。）
(八)	家屋について行う第二編第三章**九**の２の表の(六)の(3)《政令で定める特別の関係がある者》に規定する基準に適合させるための修繕又は模様替（(一)から(七)に掲げる工事に該当するものを除く。）

（財務省令で定めるところにより証明がされた増改築等の工事）
(6)　(5)に規定する財務省令で定めるところにより証明がされた工事は、次の(一)から(二)に掲げる場合の区分に応じ当該(一)から(二)に定める書類を贈与税の申告書に添付することにより証明がされた工事とする。（措規23の６④）

(一)		住宅取得等資金（「住宅取得等資金」という。）を贈与により取得した日の属する年の翌年３月15日までに、特定受贈者（**3**の(一)に規定する特定受贈者をいう。以下同じ。）の居住の用に供している家屋（(二)及び**6**の(2)の(三)において「増改築対象家屋」という。）の**3**の(四)に規定する増改築等（(二)及び**6**の(2)の(三)において「増改築等」という。）をした場合　　次に掲げる工事の区分に応じ次に定める書類
	イ	(5)の(一)に掲げる工事　　当該工事に係る建築基準法第６条第１項に規定する確認済証の写し若しくは同法第７条第５項に規定する検査済証の写し又は当該工事が国土交通大臣が財務大臣と協議して定める(5)の(一)に掲げる工事に該当する旨を証する書類
	ロ	(5)の(二)に掲げる工事　　当該工事が国土交通大臣が財務大臣と協議して定める(5)の(二)のイからハまでに掲げるいずれかの工事に該当する旨を証する書類
	ハ	(5)の(三)に掲げる工事　　当該工事が国土交通大臣が財務大臣と協議して定める(5)の(三)に掲げる工事に該当する旨を証する書類
	ニ	(5)の(四)に掲げる工事　　当該工事が国土交通大臣が財務大臣と協議して定める(5)の(四)に掲げる工事に該当する旨を証する書類
	ホ	(5)の(五)に掲げる工事　　当該工事が国土交通大臣が財務大臣と協議して定める(5)の(五)に掲げる工事に該当する旨を証する書類
	ヘ	(5)の(六)に掲げる工事　　当該工事が国土交通大臣が財務大臣と協議して定める(5)の(六)に掲げる工事に該当する旨を証する書類
	ト	(5)の(七)に掲げる工事　　当該工事が国土交通大臣が財務大臣と協議して定める(5)の(七)に掲げる工事に該当する旨を証する書類
	チ	(5)の(八)に掲げる工事　　当該工事が国土交通大臣が財務大臣と協議して定める(5)の(八)に掲げる工事に該当する旨を証する書類
(二)		住宅取得等資金を贈与により取得した日の属する年の翌年３月15日において増改築対象家屋が**1**の(2)に規定する増改築等の完了に準ずる状態にある場合又は災害に基因するやむを得ない事情により同日までに増改築対象家屋の増改築等ができなかった場合　　当該増改築対象家屋の工事が完了したときは遅滞なく(一)のイからチまでに掲げる工事の区分に応じ(一)のイからチまでに定める書類を住宅取得等資金を贈与により取得した日の属する

－686－

第二章　特定の贈与者から住宅取得等資金の贈与を受けた場合の相続時精算課税の特例

	年分（**6**の（2）の（三）において「増改築適用年分」という。）の贈与税に係る納税地の所轄税務署長に提出することを約する書類

（増改築等のその他の政令で定める要件）

（7）　**3**の（四）のハに規定する政令で定める要件は、次に掲げる要件とする。（措令40の5⑤）

（一）	**3**の（四）に規定する工事をした家屋の当該工事に係る部分のうちにその者の居住の用以外の用に供する部分がある場合には、当該居住の用に供する部分に係る当該工事に要した費用の額が当該工事に要した費用の額の2分の1以上であること。
（二）	**3**の（四）に規定する工事をした家屋が、その者のその居住の用に供される次に掲げる家屋（その家屋の床面積の2分の1以上に相当する部分が専ら当該居住の用に供されるものに限る。）のいずれかに該当するものであること。

（二）	イ	一棟の家屋で床面積が40平方メートル以上であるもの
	ロ	（5）の（二）の家屋につきその各部分を区分所有する場合には、その者の区分所有する部分の床面積が50平方メートル以上であるもの

（特定受贈者と特別の関係がある者として政令で定める者）

（8）　**3**の（五）に規定する政令で定める者は、次に掲げる者とする。（措令40の5⑥）

（一）	当該特定受贈者の配偶者及び直系血族
（二）	当該特定受贈者の親族（（一）に掲げる者を除く。）で当該特定受贈者と生計を一にしているもの
（三）	当該特定受贈者と婚姻の届出をしていないが事実上婚姻関係と同様の事情にある者及びその者の親族でその者と生計を一にしているもの
（四）	（一）から（三）までに掲げる者以外の者で当該特定受贈者から受ける金銭その他の財産によって生計を維持しているもの及びその者の親族でその者と生計を一にしているもの

（床面積の意義）

（9）　（1）の（一）に規定する家屋の床面積とは、家屋の各階又はその一部で壁その他の区画の中心線で囲まれた部分の水平投影面積（登記簿上表示される床面積）をいい、その家屋が二以上の階を有する家屋であるときは、各階の床面積の合計となる。

また、（1）の（二）に規定する区分所有する部分の床面積とは、建物の区分所有等に関する法律（昭和37年法律第69号）第2条第3項《定義》に規定する専有部分の床面積をいうのであるが、当該床面積は、登記簿上表示される壁その他の区画の内側線で囲まれた部分の水平投影面積による。（措通70の3－5）

(注)1　（7）の（二）に規定する床面積についても、上記に準じて取り扱う。

　　2　専有部分の床面積には、数個の専有部分に通ずる廊下、階段室、エレベーター室、共用の便所及び洗面所、屋上等の部分の床面積は含まれない。

　　3　**1**の規定の適用対象となる住宅用の家屋に係る床面積については第二編の第三章の**九**の**1**の規定の適用対象となる住宅用の家屋に係る床面積と異なり、上限面積の要件が付されていないことに留意する。

（店舗兼住宅等の場合の床面積基準の判定）

（10）　（1）に規定する床面積基準の判定に当たり、次に掲げる家屋については、それぞれに掲げる床面積により行うのであるから留意する。（措通70の3－6）

（一）　その一部が住宅取得等資金の贈与を受けた者の居住の用以外の用に供されている家屋（（1）の（二）に規定する家屋にあっては、その者の区分所有する部分。以下(10)において同じ。）

　　当該居住の用以外の用に供される部分の床面積を含めた家屋全体の床面積

（二）　2人以上の者で共有されている家屋

　　当該家屋全体の床面積

(注)　（7）の（二）に規定する床面積基準の判定についても、上記に準じて行う。

第三編　相続時精算課税制度

（定期借地権等の設定に際し保証金等の支払いがある場合）
(11)　借地権（借地借家法（平成３年法律第90号）第22条《定期借地権》及び第24条《建物譲渡特約付借地権》に規定する借地権をいう。以下(11)において「定期借地権等」という。）の設定に際し、借地権者から借地権設定者に対し、保証金、敷金などその名称のいかんを問わず借地契約の終了の時に返還を要するものとされる金銭等（以下(11)において「保証金等」という。）の預託があった場合において、その保証金等につき定期借地権等を設定した日における基準年利率（第九編第一章の（7）《基準年利率》に定める年利率をいう。以下(12)において同じ。）未満の利率（以下(11)において「約定利率」という。）による利息の支払いがあるとき又は支払うべき利息がないときには、次の算式により計算した金額が、**1** 又は **3** の(五)のイからハまでに規定する土地の上に存する権利の取得の対価に該当するものとする。（措通70の3－7）

（算式）

$$
\text{保証金等の額に相当する金額(a)} - \left\{ \begin{array}{c} (a) \times \text{定期借地権等の設定期間年数に応じる基準年利率の複利現価率} \end{array} \right.
$$
$$
\left. + \begin{array}{c} (a) \times \text{約定利率} \times \text{定期借地権等の設定期間年数に応じる基準年利率の複利年金現価率} \end{array} \right\}
$$

（既存住宅用家屋等が面積要件及び建築日要件を満たすことの確認を受けるための書類）
(12)　（3）及び **4** の（1）に規定する建築後使用されたことのある住宅用家屋が（3）の（一）に掲げる要件に該当すること及び昭和57年1月1日以後に建築されたものであることについて（4）の（一）のイの②に掲げる方法により確認を受ける場合の「情報通信技術を活用した行政の推進等に関する法律施行令第5条の表の第3号の下欄のイ（2）又は（3）に掲げる事項が記載された書類」とは、次のいずれかの事項が記載された書類をいい、その書類の種類及び様式は問わないことに留意する。（措通70の3－8の2）
(一)　当該住宅用家屋の所在する市、区、郡、町、村、字及び土地の地番並びに当該住宅用家屋の家屋番号
(二)　当該住宅用家屋に係る不動産登記規則第34条第2項に規定する不動産番号

（「特定受贈者から受ける金銭その他の財産によって生計を維持しているもの」の意義）
(13)　（8）の（四）に規定する「当該特定受贈者から受ける金銭その他の財産によって生計を維持しているもの」とは、当該特定受贈者から給付を受ける金銭その他の財産又は給付を受けた金銭その他の財産の運用によって生ずる収入を日常生活の資の主要部分としている者をいうのであるが、当該特定受贈者から離婚に伴う財産分与、損害賠償その他これらに類するものとして受ける金銭その他の財産によって生計を維持している者は含まれないものとして取り扱う。（措通70の3－9）

（店舗兼住宅等の場合の増改築等の工事に要した費用の額の判定）
(14)　**3** の（四）のイに規定する工事に要した費用の額（以下(14)において「当該工事に要した費用の額」という。）の判定は、家屋の増改築等の工事に要した費用の総額により行うのであるから留意する。（措通70の3－10）
(注)1　その家屋（（5）の（二）に規定する家屋にあっては、その者の区分所有する部分。以下(14)において同じ。）の一部が **3** の（五）に規定する増改築等の対価に充てるための金銭（以下(14)において「住宅増改築資金」という。）の贈与を受けた者の居住の用以外の用に供されているもの又は供されるものである場合には、当該工事に要した費用の額には、その居住の用に供されていない部分又は供されない部分の工事に要した費用の額も含まれることに留意する。
　　2　その家屋が2人以上の者で共有されているものにあっては、住宅増改築資金の贈与を受けた者以外の共有者の共有持分の部分の工事に要した費用の額も当該工事に要した費用の額に含まれることに留意する。

（国土交通大臣が財務大臣と協議して定める書類）
(15)　（6）の（一）のイからチまでに規定する国土交通大臣が財務大臣と協議して定める書類とは、次に掲げる工事の区分に応じ、それぞれに定める書類をいうことに留意する。（措通70の3－11）
(一)　（6）の（一）のイからヘまでに掲げる工事
　　1 の規定の適用を受けようとする者から（6）の証明の申請を受けた建築士、指定確認検査機関、登録住宅性能評価機関又は住宅瑕疵担保責任保険法人が、平成24年3月31日付国土交通省告示第391号の別表で定める書式により、当該申請に係る工事が相続税法の施行地内で行われるもので、（5）の（一）に規定する増築、改築、大規模の修繕若しくは大規模の模様替又は（5）の（二）から（5）の（六）までに規定する修繕若しくは模様替に該当する旨を証する書類

－688－

第二章　特定の贈与者から住宅取得等資金の贈与を受けた場合の相続時精算課税の特例

（二）　（6）の（一）のトに掲げる工事

　　　　1の規定の適用を受けようとする者から（6）の証明の申請を受けた建築士、指定確認検査機関、登録住宅性能評価機関又は住宅瑕疵担保責任保険法人が、平成24年3月31日付国土交通省告示第391号の別表で定める書式により、当該申請に係る工事が相続税法の施行地内で行われるもので、（5）の（七）に規定する修繕又は模様替に該当する旨を証する書類及び平成27年3月31日付国土交通省告示第482号に掲げる国土交通大臣が財務大臣と協議して定める保証保険契約が締結されていることを証する書類

（三）　（6）の（一）のチに掲げる工事

　　　　1の規定の適用を受けようとする者から（6）の証明の申請を受けた指定確認検査機関、登録住宅性能評価機関又は住宅瑕疵担保責任保険法人が平成24年3月31日付国土交通省告示第391号の別表で定める書式により、当該申請に係る工事が相続税法の施行地内で行われるもので、（5）の（八）に規定する修繕又は模様替に該当する旨を証する書類

4　建築後使用されたことのある住宅用家屋を取得した場合

　　60歳未満の者からの贈与により住宅取得等資金の取得をした特定受贈者が、当該贈与により住宅取得等資金の取得をした日の属する年の翌年3月15日（以下4において「取得期限」という。）までに当該住宅取得等資金の全額を建築後使用されたことのある住宅用家屋（耐震基準に適合するもの以外のものに限る。）で（1）の政令で定めるもの（以下4において「要耐震改修住宅用家屋」という。）の取得のための対価に充てて当該要耐震改修住宅用家屋の取得をした場合において、当該要耐震改修住宅用家屋の取得の日までに同日以後当該要耐震改修住宅用家屋の耐震改修（地震に対する安全性の向上を目的とした増築、改築、修繕又は模様替をいう。以下4において同じ。）を行うことにつき建築物の耐震改修の促進に関する法律第17条第1項の申請その他（3）の財務省令で定める手続をし、かつ、取得期限までに当該耐震改修により当該要耐震改修住宅用家屋が耐震基準に適合することとなったことにつき（4）の財務省令で定めるところにより証明がされたときは、当該要耐震改修住宅用家屋の取得は既存住宅用家屋の取得と、当該要耐震改修住宅用家屋は既存住宅用家屋とそれぞれみなして、1の規定を適用することができる。（措法70の3⑦）

　　　　（建築後使用されたことのある住宅用家屋）

（1）　4に規定する建築後使用されたことのある住宅用家屋で政令で定めるものは、特定受贈者がその居住の用に供する家屋（その家屋の床面積の2分の1以上に相当する部分が専ら当該居住の用に供されるものに限る。）で相続税法の施行地にあるもののうち、3の（1）の（一）から（二）のいずれかに該当するものであることにつき（2）の財務省令で定めるところにより証明がされたもの又は確認を受けたもので建築後使用されたことのあるもの（3の（三）に規定する耐震基準に適合するもの以外のものに限る。）とし、その者の居住の用に供する家屋が二以上ある場合には、これらの家屋のうち、その者が主としてその居住の用に供すると認められる一の家屋に限るものとする。（措令40の5⑦）

　　　　（証明又は確認がされたもの）

（2）　（1）に規定する建築後使用されたことのある住宅用家屋は、3の（1）の各号のいずれかに該当することについて、3の（5）の（一）のイに掲げる方法により証明又は確認を受けなければならない。（措規23の6⑦）

　　　　（財務省令で定める手続）

（3）　4に規定する財務省令で定める手続は、4に規定する要耐震改修住宅用家屋の取得の日までに同日以後当該要耐震改修住宅用家屋の耐震改修（4に規定する耐震改修をいう。（4）及び6の（2）の（二）のハの（1）の（二）において同じ。）を行うことにつき国土交通大臣が財務大臣と協議して定める書類に基づいて行う申請とする。（措規23の6⑤）

　　　　（耐震基準に適合することとなった証明）

（4）　4の規定の適用を受けようとする者は、4に規定する要耐震改修住宅用家屋が4に規定する取得期限までに耐震改修により耐震基準に適合することとなったことにつき国土交通大臣が財務大臣と協議して定める書類により証明を受けなければならない。（措規23の6⑥）

5　住宅用家屋が災害により滅失をした場合等

　　　　（居住の用に供することが確実であると見込まれた場合）

（1）　住宅取得等資金について1の適用を受けた特定受贈者が、次に掲げる場合に該当するときは、7の規定は、適用しない。（措法70の3⑧）

－689－

第三編　相続時精算課税制度

（一）　当該特定受贈者が**1**の（一）に定めるところにより住宅用家屋の新築又は建築後使用されたことのない住宅用家屋
の取得をして当該特定受贈者が贈与により住宅取得等資金の取得をした日の属する年の翌年3月15日後遅滞なくこれ
らの住宅用家屋を当該特定受贈者の居住の用に供することが確実であると見込まれることにより**1**の規定の適用を受
けた場合において、これらの住宅用家屋が災害（震災、風水害、火災その他（**2**）の政令で定める災害をいう。以下（**1**）
から（**5**）までにおいて同じ。）により滅失（通常の修繕によっては原状回復が困難な損壊を含む。以下（**1**）及び（**3**）
において同じ。）をしたことによってその居住の用に供することができなくなったとき。

（二）　当該特定受贈者が**1**の（二）に定めるところにより既存住宅用家屋を当該特定受贈者が贈与により住宅取得等資金
の取得をした日の属する年の翌年3月15日後遅滞なく当該特定受贈者の居住の用に供することが確実であると見込ま
れることにより**1**の規定の適用を受けた場合において、当該既存住宅用家屋が災害により滅失をしたことによってそ
の居住の用に供することができなくなったとき。

（三）　当該特定受贈者が**1**の（三）に定めるところにより増改築等をした住宅用の家屋を当該特定受贈者が贈与により住
宅取得等資金の取得をした日の属する年の翌年3月15日後遅滞なく当該特定受贈者の居住の用に供することが確実で
あると見込まれることにより**1**の規定の適用を受けた場合において、当該住宅用の家屋が災害により滅失をしたこと
によってその居住の用に供することができなくなったとき。

（政令で定める災害）
（**2**）　（**1**）の（一）に規定する政令で定める災害は、冷害、雪害、干害、落雷、噴火その他の自然現象の異変による災害及
び鉱害、火薬類の爆発その他の人為による異常な災害並びに害虫、害獣その他の生物による異常な災害とする。（措令40
の4の2⑩）

（住宅用の家屋が災害によって滅失をした場合）
（**3**）　適用期間内にその年1月1日において60歳未満の者からの贈与により金銭の取得をした個人が、当該金銭を住宅用
の家屋（**4**に規定する要耐震改修住宅用家屋を含む。以下（**3**）及び（**5**）において同じ。）の新築若しくは取得又はその者
が所有している住宅用の家屋につき行う増築（改築その他の工事を含む。）の対価に充てて当該贈与により金銭の取得を
した日の属する年の翌年3月15日までに当該新築若しくは取得又は増築をした場合には、当該新築若しくは取得又は増
築をした住宅用の家屋が災害によって滅失をしたことにより同日までにその居住の用に供することができなくなったと
きであっても、当該個人は、第二章（**7**を除く。）の規定の適用を受けることができる。（措法70の3⑨）

（災害により居住の用に供することができなかった場合）
（**4**）　住宅取得等資金について**1**の規定の適用を受けた特定受贈者が、贈与により住宅取得等資金の取得をした日の属す
る年の翌年3月15日後において、次に掲げる場合に該当するときにおける**7**の規定の適用については、**7**の（一）から（三）
中「同年12月31日」とあるのは、「当該贈与により住宅取得等資金の取得をした日の属する年の翌々年12月31日」とする。
（措法70の3⑩）
（一）　当該特定受贈者が**1**の（一）に定めるところにより住宅用家屋の新築又は建築後使用されたことのない住宅用家屋
の取得をして当該特定受贈者が贈与により住宅取得等資金の取得をした日の属する年の翌年3月15日後遅滞なくこれ
らの住宅用家屋を当該特定受贈者の居住の用に供することが確実であると見込まれることにより**1**の規定の適用を受
けた場合において、災害に基因するやむを得ない事情によりこれらの住宅用家屋を同年12月31日までに当該特定受贈
者の居住の用に供することができなかったとき。

（二）　当該特定受贈者が**1**の（二）に定めるところにより既存住宅用家屋を当該特定受贈者が贈与により住宅取得等資金
の取得をした日の属する年の翌年3月15日後遅滞なく当該特定受贈者の居住の用に供することが確実であると見込ま
れることにより**1**の規定の適用を受けた場合において、災害に基因するやむを得ない事情により当該既存住宅用家屋
を同年12月31日までに当該特定受贈者の居住の用に供することができなかったとき。

（三）　当該特定受贈者が**1**の（三）に定めるところにより増改築等をした住宅用の家屋を当該特定受贈者が贈与により住
宅取得等資金の取得をした日の属する年の翌年3月15日後遅滞なく当該特定受贈者の居住の用に供することが確実で
あると見込まれることにより**1**の規定の適用を受けた場合において、災害に基因するやむを得ない事情により当該住
宅用の家屋を同年12月31日までに当該特定受贈者の居住の用に供することができなかったとき。

（災害により新築等ができなかったとき）
（**5**）　適用期間内にその年1月1日において60歳未満の者からの贈与により金銭の取得をした個人が、当該金銭を住宅用
の家屋の新築若しくは取得又はその者が所有している住宅用の家屋につき行う増築（改築その他の工事を含む。）の対価

－690－

第二章　特定の贈与者から住宅取得等資金の贈与を受けた場合の相続時精算課税の特例

に充てて当該新築若しくは取得又は増築をする場合には、災害に基因するやむを得ない事情により当該贈与により金銭の取得をした日の属する年の翌年3月15日までに当該新築若しくは取得又は増築ができなかったときであっても、当該個人は、第二章の規定の適用を受けることができる。この場合において、**1**の（一）から（三）、**4**及び**7**中「翌年3月15日」とあるのは、「翌々年3月15日」とする。（措法70の3⑪）

（災害による場合の特例の適用手続）
（6）　（3）又は（5）に規定する個人がこれらの規定により**1**の規定の適用を受けようとする場合における**6**の規定の適用については、**6**中「申告書に**1**」とあるのは、「申告書（当該申告書に係る期限後申告書及びこれらの申告書に係る修正申告書を含む。）又は第二編第六章第五節─の**3**《更正の請求書の記載事項》に規定する更正請求書に、**1**」とする。（措令40の5⑧）

（読替え規定）
（7）　（6）の規定により**6**の規定を読み替えて適用する場合における**3**の（4）、**3**の（6）及び**6**の（2）の規定の適用については、**3**の（4）中「**6**に規定する申告書」とあるのは「（6）の規定により読み替えて適用する**6**に規定する申告書又は更正請求書」と、「贈与税の申告書」とあるのは「贈与税の申告書等」と、**3**の（6）中「贈与税の申告書」とあるのは「贈与税の申告書等」と、**6**の（2）中「**6**」とあるのは「**5**の（6）の規定により読み替えて適用する**6**」と、「贈与税の申告書」とあるのは「贈与税の申告書等」とする。（措規23の6⑨）

（通常の修繕によっては原状回復が困難な損壊）
（8）　（1）に規定する「通常の修繕によっては原状回復が困難な損壊」とは、（1）の（一）に規定する災害によって被害を受けた住宅用家屋等につき、今後取壊し若しくは除去せざるを得ないと認められる場合又は相当の修繕を行わなければ今後居住の用に供することができないと認められる場合の当該住宅用家屋等に係る損壊をいうことに留意する。（措通70の3−11の2）
（注）　上記の住宅用家屋等とは、次に掲げる家屋をいう。
　　イ　（1）の（一）に規定する住宅用家屋、（1）の（二）に規定する既存住宅用屋及び（1）の（三）に規定する住宅用の家屋
　　ロ　（3）に規定する住宅用の家屋

6　特例の適用手続

　1の規定は、**1**の規定の適用を受けようとする者の第二編第六章第一節─の**1**《贈与税の申告書の提出期限》の規定による申告書に**1**の規定の適用を受けようとする旨を記載し、**1**の規定による計算の明細書その他の（2）の財務省令で定める書類の添付がある場合に限り、適用する。（措法70の3⑫）

（特例適用手続書類の住宅資金贈与者ごとの作成）
（1）　**6**に規定する書類は、住宅取得等資金（**3**の（五）に規定する住宅取得等資金をいう。）の贈与（贈与をした者の死亡により効力を生ずる贈与を除く。）をした者（以下「住宅資金贈与者」という。）ごとに作成しなければならない。（措令40の5⑨）

（財務省令で定める贈与税の申告書に添付する書類）
（2）　**1**の規定を受けようとする者が**6**の規定により贈与税の申告書に添付する書類は、次の（一）から（三）に掲げる住宅取得等資金の区分に応じ当該（一）から（三）に定める書類とする。（措規23の6⑧）

		3の（五）のイに掲げる**3**の（二）に規定する住宅用家屋（以下（一）において「住宅用家屋」という。）の新築又は取得の対価に充てるための住宅取得等資金　　次に掲げる場合の区分に応じ次に定める書類
（一）	イ	住宅取得等資金を贈与により取得した日の属する年の翌年3月15日までに、住宅用家屋の**1**の（一）に規定する新築又は取得をし、当該住宅用家屋を特定受贈者の居住の用に供した場合　　次に掲げる書類 （1）　住宅取得等資金を贈与により取得した日の属する年分（以下（一）及び（二）において「適用年分」という。）の当該特定受贈者に係る贈与税の課税価格及び贈与税の額その他の贈与税の額の計算に関する明細書 （2）　当該住宅用家屋（当該住宅取得等資金により当該住宅用家屋の新築又は取得とともにその敷地の用に供されている土地又は土地の上に存する権利（以下「土地等」という。）の**1**の（一）に規定する取得をする場合には、当該土地等を含む。（3）において同じ。）に関する登記事項証明書（当該住宅用家屋が**3**

─691─

の（1）の（一）又は（二）に掲げる家屋に該当することが当該登記事項証明書に記載された事項によって明らかでないときは、当該登記事項証明書及び**3**の（1）の（一）又は（二）に掲げる家屋に該当することを明らかにする書類）

（3）　当該住宅用家屋の新築の工事又は取得に係る契約書の写しその他の書類で当該住宅用家屋を**3**の（9）の（一）から（四）に掲げる者以外の者との請負契約その他の契約に基づき新築をしたこと又は**3**の（9）の（一）から（四）に掲げる者以外の者から取得をしたことを明らかにするもの

	ロ	住宅取得等資金を贈与により取得した日の属する年の翌年3月15日までに住宅用家屋の**1**の（一）に規定する新築又は取得をし、当該住宅用家屋を同日後遅滞なく特定受贈者の居住の用に供することが確実であると認められる場合　　次に掲げる書類 （1）　上記イに定める書類 （2）　当該住宅用家屋の当該新築又は取得後直ちに当該住宅用家屋を当該特定受贈者の居住の用に供することができない事情及び当該居住の用に供する予定時期を記載した書類 （3）　当該住宅用家屋を**1**の（一）に規定する同日後遅滞なく当該特定受贈者の居住の用に供することを約する書類
	ハ	住宅取得等資金を贈与により取得した日の属する年の翌年3月15日において、住宅用家屋が**1**の（1）に規定する新築に準ずる状態にある場合　　次に掲げる書類 （1）　上記イ（（2）を除く。）に定める書類 （2）　当該家屋の新築の工事の契約書の写しその他の書類で当該家屋が住宅用家屋に該当することを明らかにするもの （3）　当該住宅用家屋の新築の工事を請け負った建設業法第2条第3項に規定する建設業者その他の者の当該住宅用家屋が新築に準ずる状態にあることを証する書類でその工事の完了予定年月の記載があるもの （4）　当該住宅用家屋を**1**の（一）に規定する同日後遅滞なく当該特定受贈者の居住の用に供すること並びに当該住宅用家屋を居住の用に供したときは遅滞なくイの（2）に掲げる書類を適用年分の贈与税に係る納税地の所轄税務署長に提出することを約する書類で、当該居住の用に供する予定時期の記載があるもの
	ニ	住宅取得等資金を贈与により取得した日の属する年の翌年3月15日までに住宅用家屋の**1**の（一）に規定する新築又は取得をした場合において、当該住宅用家屋が災害により滅失（通常の修繕によっては原状回復が困難な損壊を含む。（2）、（二）のニ及び（三）のニにおいて同じ。）をしたことにより同日までに特定受贈者の居住の用に供することができなくなったとき　　次に掲げる書類 （1）　イに定める書類 （2）　市町村長又は特別区の区長の証明書その他の書類で当該住宅用家屋が災害により滅失をしたことにより住宅取得等資金を贈与により取得した日の属する年の翌年3月15日までに特定受贈者の居住の用に供することができなくなったことを明らかにするもの
	ホ	災害に基因するやむを得ない事情により住宅取得等資金を贈与により取得した日の属する年の翌年3月15日までに住宅用家屋の**1**の（一）に規定する新築又は取得ができなかった場合　　次に掲げる書類 （1）　イ（（2）を除く。）に定める書類 （2）　ハの（2）に掲げる書類 （3）　災害に基因するやむを得ない事情により住宅取得等資金を贈与により取得した日の属する年の翌年3月15日までに当該住宅用家屋の新築又は取得ができなかったことを明らかにする書類 （4）　当該住宅用家屋の新築又は取得をしたときは遅滞なくイの（2）に掲げる書類を適用年分の贈与税に係る納税地の所轄税務署長に提出することを約する書類で、当該新築又は取得の予定時期及び特定受贈者の居住の用に供する予定時期の記載があるもの
（二）		**3**の（五）のロに掲げる**3**の（三）に規定する既存住宅用家屋（以下（二）において「既存住宅用家屋」という。）の取得の対価に充てるための住宅取得等資金　　次に掲げる場合の区分に応じ次に定める書類
	イ	住宅取得等資金を贈与により取得した日の属する年の翌年3月15日までに、既存住宅用家屋の**1**の（二）に規定する取得をし、当該既存住宅用家屋を特定受贈者の居住の用に供した場合　　次に掲げる書類 （1）　（一）のイの（1）に掲げる書類 （2）　当該既存住宅用家屋（当該住宅取得等資金により当該既存住宅用家屋の取得とともにその敷地の用

第二章　特定の贈与者から住宅取得等資金の贈与を受けた場合の相続時精算課税の特例

		に供されている土地等の取得をする場合には、当該土地等を含む。（3）において同じ。）に関する登記事項証明書 （3）　当該既存住宅用家屋の取得に係る契約書の写しその他の書類で当該既存住宅用家屋を**3**の（9）の（一）から（四）に掲げる者以外の者から取得したことを明らかにするもの
	ロ	住宅取得等資金を贈与により取得した日の属する年の翌年3月15日までに、既存住宅用家屋の**1**の（二）に規定する取得をし、当該既存住宅用家屋を同日後遅滞なく特定受贈者の居住の用に供することが確実であると認められる場合　　次に掲げる書類 （1）　上記イに定める書類 （2）　当該既存住宅用家屋の当該取得後直ちに当該既存住宅用家屋を当該特定受贈者の居住の用に供することができない事情及び当該居住の用に供する予定時期を記載した書類 （3）　当該既存住宅用家屋を**1**の（二）に規定する同日後遅滞なく当該特定受贈者の居住の用に供することを約する書類
	ハ	当該既存住宅用家屋が**4**の規定により**3**の（三）に規定する既存住宅用家屋とみなされたものである場合　　次に掲げる場合の区分に応じ次に定める書類 （1）　イに掲げる場合　　次に掲げる書類 （一）　イに定める書類 （二）　当該既存住宅用家屋の耐震改修に係る建築物の耐震改修の促進に関する法律施行規則別記第5号様式に規定する認定申請書又は**4**の（3）に規定する書類の写しで同（3）の申請をしたことを証するもの （三）　当該既存住宅用家屋に係る**4**の（4）に規定する書類で同（4）の証明がされたことを証するもの （2）　ロに掲げる場合　　次に掲げる書類 （一）　ロに定める書類 （二）　（1）の（二）及び（三）に掲げる書類
	ニ	住宅取得等資金を贈与により取得した日の属する年の翌年3月15日までに既存住宅用家屋の**1**の（二）に規定する取得をした場合において、当該既存住宅用家屋が災害により滅失をしたことにより同日までに特定受贈者の居住の用に供することができなくなったとき　　次に掲げる書類 （1）　イに定める書類 （2）　ハに掲げる場合には、ハの（1）の（二）及び（三）に掲げる書類 （3）　市町村長又は特別区の区長の証明書その他の書類で当該既存住宅用家屋が災害により滅失をしたことにより住宅取得等資金を贈与により取得した日の属する年の翌年3月15日までに特定受贈者の居住の用に供することができなくなったことを明らかにするもの
	ホ	災害に基因するやむを得ない事情により住宅取得等資金を贈与により取得した日の属する年の翌年3月15日までに既存住宅用家屋の**1**の（二）に規定する取得ができなかった場合　　次に掲げる書類 （1）　イ（（2）を除く。）に定める書類 （2）　災害に基因するやむを得ない事情により住宅取得等資金を贈与により取得した日の属する年の翌年3月15日までに当該既存住宅用家屋の取得ができなかったことを明らかにする書類 （3）　当該既存住宅用家屋の取得をしたときは遅滞なく次に掲げる書類を適用年分の贈与税に係る納税地の所轄税務署長に提出することを約する書類で、当該取得の予定時期及び特定受贈者の居住の用に供する予定時期の記載があるもの （一）　イの（2）に掲げる書類 （二）　ハに掲げる場合には、ハの（1）の（二）及び（三）に掲げる書類
（三）		増改築等の対価に充てるための住宅取得等資金　　次に掲げる場合の区分に応じ次に定める書類
	イ	住宅取得等資金を贈与により取得した日の属する年の翌年3月15日までに、増改築対象家屋の増改築等をし、当該増改築対象家屋を特定受贈者の居住の用に供した場合　　次に掲げる書類 （1）　（一）のイの（1）に掲げる書類 （2）　当該増改築対象家屋（当該住宅取得等資金により当該増改築等とともにその敷地の用に供されることとなる土地等の取得をする場合には、当該土地等を含む。）に関する登記事項証明書（当該増改築対象家屋が**3**の（7）の（二）に掲げる要件を満たすことを当該登記事項証明書に記載された事項によって明ら

第三編　相続時精算課税制度

<table>
<tr><td></td><td></td><td>かにすることができないときは、当該登記事項証明書及び当該増改築対象家屋が同（二）に掲げる要件を満たすことを明らかにする書類）
（3）　当該増改築対象家屋の増改築等の工事の契約書の写しその他の書類で当該増改築等をした年月日並びに当該増改築等の工事に要した費用の額及びその明細を明らかにするもの
（4）　当該増改築対象家屋の増改築等（当該増改築対象家屋の増改築等とともにするその敷地の用に供されることとなる土地等の取得を含む。）の工事の契約書の写しその他の書類で当該増改築等が**3**の（8）の（一）から（四）に掲げる者以外の者との請負契約その他の契約に基づきされたものであることを明らかにするもの</td></tr>
<tr><td></td><td>ロ</td><td>住宅取得等資金を贈与により取得した日の属する年の翌年3月15日までに増改築対象家屋の増改築等をし、当該増改築対象家屋を同日後遅滞なく特定受贈者の居住の用に供することが確実であると認められる場合　　次に掲げる書類
（1）　イに定める書類
（2）　当該増改築対象家屋の当該増改築等後直ちに当該増改築対象家屋を当該特定受贈者の居住の用に供することができない事情及び当該居住の用に供する予定時期を記載した書類
（3）　当該増改築対象家屋を**1**の（三）に規定する同日後遅滞なく当該特定受贈者の居住の用に供することを約する書類</td></tr>
<tr><td></td><td>ハ</td><td>住宅取得等資金を贈与により取得した日の属する年の翌年3月15日において、増改築対象家屋が**1**の（2）に規定する増改築等の完了に準ずる状態にある場合　　次に掲げる書類
（1）　上記イの（1）及び（4）に掲げる書類
（2）　当該増改築対象家屋の増改築等の工事の契約書の写しその他の書類で当該工事により当該増改築対象家屋が**3**の（7）の（二）に掲げる要件を満たすこととなることを明らかにするもの
（3）　当該増改築対象家屋の増改築等の工事を請け負った建設業法第2条第3項に規定する建設業者その他の者の当該増改築対象家屋が工事の完成に準ずる状態にあることを証する書類でその工事の完了予定日の記載があるもの
（4）　当該増改築対象家屋の工事が完了したとき（当該増改築対象家屋を当該特定受贈者の居住の用に供した時が当該工事が完了した時後となる場合には、当該居住の用に供したとき）は遅滞なく上記イの（2）及び（3）までに掲げる書類を増改築適用年分の贈与税に係る納税地の所轄税務署長に提出することを約する書類</td></tr>
<tr><td></td><td>ニ</td><td>住宅取得等資金を贈与により取得した日の属する年の翌年3月15日までに増改築対象家屋の増改築等をした場合において、当該増改築対象家屋が災害により滅失をしたことにより同日までに特定受贈者の居住の用に供することができなくなったとき　　次に掲げる書類
（1）　イに定める書類
（2）　市町村長又は特別区の区長の証明書その他の書類で当該増改築対象家屋が災害により滅失をしたことにより住宅取得等資金を贈与により取得した日の属する年の翌年3月15日までに特定受贈者の居住の用に供することができなくなったことを明らかにするもの</td></tr>
<tr><td></td><td>ホ</td><td>災害に基因するやむを得ない事情により住宅取得等資金を贈与により取得した日の属する年の翌年3月15日までに増改築対象家屋の増改築等ができなかった場合　　次に掲げる書類
（1）　イの（1）及び（4）に掲げる書類
（2）　ハの（2）に掲げる書類
（3）　災害に基因するやむを得ない事情により住宅取得等資金を贈与により取得した日の属する年の翌年3月15日までに当該増改築対象家屋の増改築等ができなかったことを明らかにする書類
（4）　当該増改築対象家屋の工事が完了したときは遅滞なくイの（2）及び（3）に掲げる書類を増改築適用年分の贈与税に係る納税地の所轄税務署長に提出することを約する書類で、当該工事の完了予定日及び特定受贈者の居住の用に供する予定時期の記載があるもの</td></tr>
</table>

（住宅資金贈与者が住宅取得等資金の贈与をした年の中途において死亡した場合）

（3）　住宅資金贈与者が住宅取得等資金の贈与をした年の中途において死亡した場合において、当該贈与に係る第二編第六章第一節**一**の**1**の規定による申告書の提出期限（（6）までにおいて「贈与税の申告書の提出期限」という。）までに当

—694—

該住宅資金贈与者の死亡に係る第一編第七章第一節—の1の規定による申告書の提出期限（（6）までにおいて「相続税の申告書の提出期限」という。）が到来するとき（（7）に規定する場合を除く。）における6の規定の適用については、6中「1の規定の適用を受けようとする者の第二編第六章第一節—の1の規定による申告書に1の規定の適用を受けようとする旨を記載し、」とあるのは「住宅取得等資金の贈与をした者の死亡に係る第一編第七章第一節—の1の規定による申告書の提出期限までに当該贈与をした者の死亡に係る相続税の納税地の所轄税務署長に対し、1の規定の適用を受けようとする旨を記載した書類及び」と、「添付がある」とあるのは「提出がある」と、「適用する」とあるのは「適用する。この場合において、当該贈与をした者の死亡に係る第一章第五節二の（1）の規定による申告書を提出するときは、これらの書類の提出は、当該申告書に添付してしなければならない」とする。（措令40の5⑩）

　　（住宅資金贈与者が住宅取得等資金の贈与をした年の中途において死亡した場合）
（4）　住宅資金贈与者が住宅取得等資金の贈与をした年の中途において死亡した場合において、当該住宅資金贈与者の死亡に係る相続税の申告書の提出期限までに当該贈与に係る贈与税の申告書の提出期限が到来するとき（（6）に規定する場合を除く。）における6の規定の適用については、6中「に1の規定の適用を受けようとする旨を記載し、」とあるのは「の提出期限までに住宅取得等資金の贈与をした者の死亡に係る相続税の納税地の所轄税務署長に対し、1の規定の適用を受けようとする旨を記載した書類及び」と、「添付がある」とあるのは「提出がある」とする。（措令40の5⑪）

　　（特定受贈者が提出期限前に当該書類を提出しないで死亡した場合）
（5）　特定受贈者が（1）の書類の提出期限前に当該書類を提出しないで死亡した場合（（6）に規定する場合を除く。）には、その死亡した特定受贈者の相続人（包括受遺者を含み、当該特定受遺者に係る住宅資金贈与者を除く。（6）において同じ。）は、当該書類を提出することにより—の規定の適用を受けることができる。この場合において、6の規定の適用については、6中「第二編第六章第一節—」とあるのは「死亡に係る第二編第六章第一節—の2において準用する第一編第七章第一節四の1」とする。（措令40の5⑫）

　　（住宅資金贈与者が住宅取得等資金の贈与をした年の中途において死亡し、特定受贈者が書類の提出期限前に書類を提出しないで死亡した場合で、被相続人の死亡に係る相続税の申告書の提出期限までに贈与税の申告書の提出期限が到来する場合）
（6）　住宅資金贈与者が住宅取得等資金の贈与をした年の中途において死亡し、かつ、当該贈与により当該住宅取得等資金を取得した特定受贈者が（1）の書類の提出期限前に当該書類を提出しないで死亡した場合（当該被相続人の死亡に係る相続税の申告書の提出期限までに当該贈与に係る贈与税の申告書の提出期限が到来する場合に限る。）には、その死亡した特定受贈者の相続人は、当該書類を提出することにより—の規定の適用を受けることができる。この場合において、6の規定の適用については、6中「の第二編第六章第一節—の規定による申告書に1の規定の適用を受けようとする旨を記載し、」とあるのは「に係る住宅取得等資金の贈与をした者の死亡に係る第一章第五節—の（2）において準用する第一編第七章第一節四の1の規定による申告書の提出期限までに当該贈与をした者の死亡に係る相続税の納税地の所轄税務署長に対し、1の規定の適用を受けようとする旨を記載した書類及び」と、「添付がある」とあるのは「提出がある」とする。（措令40の5⑬）

　　（住宅資金贈与者が住宅取得等資金の贈与をした年の中途において死亡し、特定受贈者が提出期限前に当該書類を提出しないで死亡した場合）
（7）　住宅資金贈与者が住宅取得等資金の贈与をした年の中途において死亡し、かつ、当該贈与により当該住宅取得等資金を取得した特定受贈者が（1）の書類の提出期限前に当該書類を提出しないで死亡した場合（（6）に規定する場合を除く。）には、その死亡した特定受贈者の相続人は、当該書類を提出することにより—の規定の適用を受けることができる。この場合において、6の規定の適用については、6中「の第二編第六章第一節—の規定による申告書に1の規定の適用を受けようとする旨を記載し、」とあるのは「に係る住宅取得等資金の贈与をした者の死亡に係る第一編第七章第一節—の2の規定による申告書の提出期限までに当該贈与をした者の死亡に係る相続税の納税地の所轄税務署長に対し、1の規定の適用を受けようとする旨を記載した書類及び」と、「添付がある」とあるのは「提出がある」と、「適用する」とあるのは「適用する。この場合において、当該贈与をした者の死亡に係る第一編第七章第一節四の1の規定による申告書を提出するときは、これらの書類の提出は、当該申告書に添付してしなければならない」とする。（措令40の5⑭）

　　（6に規定する書類の提出先等）
（8）　被相続人である特定贈与者が住宅取得等資金の贈与をした年の中途において死亡した場合又は住宅取得等資金を贈

与により取得した特定受贈者が**6**に規定する書類（以下（8）において「**6**に規定する書類」という。）の提出期限前に**6**に規定する書類を提出しないで死亡した場合において、当該贈与を受けた住宅取得等資金について**1**の規定の適用を受けるために提出する**6**に規定する書類の提出先及び提出期限は、次に掲げる場合に応じ、それぞれ掲げるところによることに留意する。（措通70の3−13）

区　　　　分		提　出　先	提　出　期　限
（1）　被相続人である特定贈与者が住宅取得等資金の贈与をした年の中途で死亡した場合 （注）　**6**に規定する書類に係る受贈財産については、贈与税の申告を要しないのであるから留意する。	①　特定受贈者に係る贈与税の申告書の提出期限（第二編第六章第一節**一**の**1**又は同**一**の**2**に規定する期限）以前に当該特定贈与者の死亡に係る相続税の申告書の提出期限（第一編第七章第一節**一**の**1**又は同第一節**四**の**1**に規定する期限）が到来するとき	当該特定贈与者に係る相続税の納税地を所轄する税務署長	当該特定贈与者に係る相続税の申告書の提出期限
	②　特定贈与者の死亡に係る相続税の申告書の提出期限（第一編第七章第一節**一**の**1**又は同第一節**四**の**1**に規定する期限）前に特定受贈者に係る贈与税の申告書の提出期限（第二編第六章第一節**一**の**1**又は同**一**の**2**に規定する期限）が到来するとき		当該特定受贈者に係る贈与税の申告書の提出期限
（2）　住宅取得等資金を贈与により取得した特定受贈者が**6**に規定する書類の提出期限前に当該書類を提出しないで死亡した場合（上記（1）に該当する場合を除く。）		当該特定受贈者に係る贈与税の納税地を所轄する税務署長	当該特定受贈者に係る贈与税の申告書の提出期限

　　　　　（期限後申告等に係る「特定の贈与者から住宅取得等資金の贈与を受けた場合の相続時精算課税の特例」の適用）
（9）　**1**の規定は、**5**の（3）又は**5**の（5）に規定する個人がこれらの規定により**1**の規定の適用を受けようとする場合を除き、期限後申告若しくは修正申告又は更正若しくは決定に係る贈与税については、適用がないことに留意する。（措通70の3−15）

7　特定受贈者が居住の用に供していなかった場合の修正申告書の提出等

　　住宅取得等資金について**1**の規定の適用を受けた特定受贈者が、当該住宅取得等資金の贈与を受けた日の属する年の翌年3月15日後において、次の（一）から（三）に掲げる場合に該当するときは、**1**において準用する第一章第一節**二**《相続時精算課税制度の選択》の届出書を提出していた場合であっても当該届出書を提出していなかったものとみなす。この場合において、当該特定受贈者は、当該（一）から（三）に掲げる場合に該当することとなった日から2月以内に、同第一節**一**《相続時精算課税制度の適用対象者》の規定の適用を受けたものに係る年分の贈与税についての修正申告書を提出し、かつ、当該期限内に当該修正申告書の提出により納付すべき税額を納付しなければならない。（措法70の3④）

（一）	当該特定受贈者が**1**の（一）に定めるところにより同（一）の新築をした住宅用家屋又は取得をした建築後使用されたことのない住宅用家屋を贈与により住宅取得等資金の取得をした日の属する年の翌年3月15日後遅滞なく当該特定受贈者の居住の用に供することが確実であると見込まれることにより**1**において準用する第一章第一節**二**の届出書を提出した場合において、これらの住宅用家屋を同年12月31日までに当該特定受贈者の居住の用に供していなかったとき
（二）	当該特定受贈者が**1**の（二）に定めるところにより同（二）の既存住宅用家屋を贈与により住宅取得等資金の取得をした日の属する年の翌年3月15日後遅滞なく当該特定受贈者の居住の用に供することが確実であると見込まれることにより**1**において準用する第一章第一節**二**の届出書を提出していた場合において、当該既存住宅用家屋を同年12月31日までに当該特定受贈者の居住の用に供していなかったとき
（三）	当該特定受贈者が**1**の（三）に定めるところにより同（三）の増改築等をした住宅用の家屋を贈与により住宅取得等資金の取得をした日の属する年の翌年3月15日後遅滞なく当該特定受贈者の居住の用に供することが確実であると見込まれることにより**1**において準用する第一章第一節**二**の届出書を提出していた場合において、当該住宅用の家屋

| | を同年12月31日までに当該特定受贈者の居住の用に供していなかったとき |

（更　正）

（1）　**7**の規定に該当することとなった場合において、**7**の規定による修正申告書の提出がないときは、納税地の所轄税務署長は、当該修正申告書に記載すべきであった贈与税の額その他の事項につき国税通則法第24条又は第26条の規定による更正を行う。（措法70の3⑤）

（修正申告書及び更正に対する国税通則法の規定の適用）

（2）　**7**の規定による修正申告書及び（1）の更正に対する国税通則法及び第二編第六章第六節**二**の**6**の規定の適用については、次に定めるところによる。（措法70の3⑥）

（一）	当該修正申告書で**7**に規定する提出期限内に提出されたものについては、国税通則法第20条の規定を適用する場合を除き、これを期限内申告書とみなす。
（二）	当該修正申告書で**7**に規定する提出期限後に提出されたもの及び当該更正については、国税通則法第二章から第七章までの規定中「法定申告期限」とあり、及び「法定納期限」とあるのは「**7**に規定する修正申告書の提出期限」と、同法第61条第1項第1号「期限内申告書」とあるのは「第二編第六章第一節**一**の**1**《贈与税の申告書の提出期限》の規定による申告書」と、同条第2項中「期限内申告書又は期限後申告書」とあるのは「**7**の規定による修正申告書」と、同法第65条第1項、第3項第2号及び第4項第2号中「期限内申告書」とあるのは「第一章第五節の**一**の規定による申告書」とする。
（三）	国税通則法第61条第1項第2号及び第66条の規定は、（二）に規定する修正申告書及び更正には、適用しない。
（四）	第二編第六章第六節**二**の**6**及び同**6**の（3）及び（4）中「第一節**一**の**1**又は**2**の規定による申告書の提出期限」とあるのは、「**7**に規定する修正申告書の提出期限」とする。

（修正申告書の提出期限）

（3）　住宅取得等資金を贈与により取得をした日の属する年の翌年3月15日後遅滞なく特定受贈者の居住の用に供することが確実であると見込まれることにより**1**の規定の適用を受けた者が、**7**の（一）から（三）に該当する場合において、**7**の（一）から（三）の規定により当該取得をした日の属する年分の贈与税についての修正申告書を提出しなければならない期限は、当該取得をした日の属する年の翌年の12月31日から2か月を経過する日とする。（措通70の3－14）

（注）1　**5**の（4）の規定の適用を受けた場合には、上記通達中「翌年の12月31日」とあるのは、「翌々年の12月31日」とする。
　　　2　**5**の（5）の規定の適用を受けた場合には、上記通達中「翌年3月15日」とあるのは、「翌々年3月15日」と、「翌年の12月31日」とあるのは、「翌々年の12月31日」とする。
　　　3　上記の修正申告書に係る贈与税は、第二編第四章の**4**（1）に規定する暦年課税（以下「暦年課税」という。）により計算することとなることに留意する。
　　　4　当該贈与の属する年の翌年以降に贈与により財産を取得した場合において、当該財産について相続時精算課税の適用を受けようとするときは、第一章第一節**二**の届出書の提出が再度必要となることに留意する。

8　経過措置

（1）　**1**及び**3**の規定は、平成23年1月1日以後の贈与（贈与をした者の死亡により効力を生ずる贈与を除く。以下同じ。）により取得をする財産に係る贈与税について適用し、同日前に贈与により取得をした財産に係る贈与税については、なお従前の例による。（平23改所法等附78①）

（2）　平成27年1月1日から平成28年12月31日までの間に贈与により取得をした旧租税特別措置法第70条の3第3項第5号に規定する住宅取得等資金に係る贈与税について同条第1項の規定の適用を受けた同条第3項第1号に規定する特定受贈者は、同年4月1日以後に発生した災害により、同条第1項の規定の適用に係る住宅用の家屋の滅失により当該住宅用の家屋を居住の用に供することができなくなった場合、同項各号に規定する期限までに当該住宅用の家屋の新築、取得若しくは同条第3項第4号に規定する増改築等ができなかった場合、当該期限までに当該住宅用の家屋を居住の用に供することができなかった場合又は同条第4項各号に規定する期限までに当該住宅用の家屋を居住の用に供することができなかった場合には、**5**の規定の適用を受けることができる。（平29改所法等附88⑧）

第三編　相続時精算課税制度

相続時精算課税に係る申告書等の書き方

> 　本書に記載した書き方、申告書等の様式は、令和5年分の申告内容であり、令和6年分の申告とは書き方、様式が異なる部分がありますので、注意してください。

一　相続時精算課税選択届出書の書き方

イ　この届出書は、この届出書に記載された特定贈与者から贈与を受けた財産について初めて相続時精算課税の適用を受ける場合に、税務署長に届け出るために使用します（この届出に係る贈与者から贈与を受けた財産について、前年以前にこの届出書を提出している場合には、再度提出する必要はありません。）。

ロ　この届出書は、贈与税の申告期限までに、贈与税の申告書（第一表及び第二表）に添付して提出してください**（申告期限までに提出しなかった場合には、相続時精算課税の適用は受けられません。）。**

　　なお、特定贈与者が贈与をした年の中途で死亡した場合や、受贈者がこの書類を提出しないで死亡した場合のこの書類の提出先等については、税務署におたずねください。

ハ　「受贈者」欄には、受贈者の住所又は居所、氏名（フリガナ）、生年月日及び特定贈与者との続柄を記入してください。

ニ　「1　特定贈与者に関する事項」欄には、特定贈与者の住所又は居所、氏名（フリガナ）及び生年月日を記入してください。

ホ　「2　年の途中で特定贈与者の推定相続人又は孫となった場合」欄には、推定相続人又は孫となった理由（養子縁組等）及び推定相続人又は孫となった年月日を記入してください。なお、孫が年の途中で特定贈与者の推定相続人となった場合で、推定相続人となった時前の特定贈与者からの贈与について相続時精算課税の適用を受けるとき（第一章第一節三《相続時精算課税適用者の特例》の規定の適用により、同節一《相続時精算課税制度の適用対象者》の規定の適用を受けるとき）には、この欄の記入は要しません（その年の1月1日から推定相続人となった時前までの間に、特定贈与者の孫となった場合には、孫となった理由及び孫となった年月日を記入してください。）。

　　また、孫が年の途中で特定贈与者の推定相続人となった場合で、推定相続人となった時前の特定贈与者からの贈与について相続時精算課税の適用を受けないとき（同節三の規定の適用を受けないとき）には、推定相続人となった時前の特定贈与者からの贈与については、暦年課税により贈与税額を計算します。

ヘ　その他

（イ）　受贈者が年の途中で養子縁組等により特定贈与者の推定相続人又は孫になった場合、原則として、推定相続人又は孫となる前にその特定贈与者から贈与により取得した財産については、相続時精算課税の適用を受けることはできません。

（ロ）　受贈者が相続時精算課税選択届出書を提出する前に死亡している場合、その贈与を受けた財産について相続時精算課税の適用を受けるためには、受贈者の相続人（包括受贈者を含み、特定贈与者を除きます。）全員が連名で相続時精算課税選択届出書をその死亡を知った日の翌日から10か月以内に提出することになります。

　　この場合は、「相続時精算課税選択届出書付表」も併せて提出することとなります。

－698－

二　贈与税の申告書の書き方

　贈与税の申告書には、「**第一表**」「**第一表の二（住宅取得等資金の非課税の計算明細書）**」と「**第二表（相続時精算課税の計算明細書）**」があります。使用する贈与税の申告書については、次の表のとおりとなっています。

申　告　の　内　容	使用する申告書
暦年課税のみを申告する人	第一表
相続時精算課税のみを申告する人	第一表と第二表
暦年課税と相続時精算課税の両方を申告する人	第一表と第二表
住宅取得等資金の非課税と暦年課税を申告する人	第一表と第一表の二
住宅取得等資金の非課税と相続時精算課税を申告する人	第一表、第一表の二と第二表

（注）1　第一表の二は、1枚に記載できる贈与者は2人ですので、贈与者が3人以上の場合には複数枚を使用することになります。
　　　2　第二表は、特定贈与者ごとに作成するため、特定贈与者が複数いる場合には、その人数分の枚数を使用することになります。
　贈与税の申告書の書き方については、第二編第六章第二節━《贈与税の申告書の書き方》を参照してください。

三　相続時精算課税選択届出書付表の書き方

イ　この付表は、受贈者が「相続時精算課税選択届出書」を提出する前に死亡している場合において、その者の相続人等が、その受贈者が特定の贈与者から贈与を受けた財産について相続時精算課税の適用を受けるときに、税務署長に届け出るために使用します。

ロ　この付表は、贈与税の申告期限までに、「贈与税の申告書（第一表及び第二表）」及び「相続時精算課税選択届出書」に添付して提出してください**（申告期限までに提出しなかった場合には、相続時精算課税の適用は受けられません。）**。

ハ　「受贈者の氏名」欄には、受贈者の氏名を記入します。

ニ　「4　受贈者の相続開始年月日」欄には、受贈者の相続開始年月日（死亡年月日）を記入します。

ホ　「5　受贈者の相続人に関する事項」欄には、受贈者の相続人（包括受遺者を含み、特定贈与者を除きます。）全員の住所又は居所、氏名（フリガナ）、生年月日及び受贈者との続柄を記入します。

ヘ　「6　添付書類」欄には、添付している書類の□にレ印を記入します。

四　令和＿年分　特定受贈森林経営計画対象山林に係る届出書の書き方等

イ　この届出書は、特定贈与者の死亡に係る相続税において、相続時精算課税に係る贈与を受けた特定受贈森林施業計画対象山林について、相続税の課税価格の軽減措置を受けようとする場合に、その受けようとする旨等を税務署長に届け出るために使用します。

ロ　この届出書は、贈与税の申告期限までに、贈与税の申告書（第一表及び第二表）に添付して提出してください**（申告期限までに提出しなかった場合には、相続時精算課税の軽減措置は受けられません。）**。

　なお、特定贈与者が贈与をした年の中途で死亡した場合や、受贈者がこの書類を提出しないで死亡した場合のこの書類の提出先等については、税務署におたずねください。

ハ　受贈者がこの届出書を提出する前に死亡している場合には「令和＿年分　特定受贈森林経営計画対象山林に係る届出書付表」をこの届出書と一緒に提出してください。

ニ　「受贈者」欄には、受贈者の住所又は居所、氏名（フリガナ）、生年月日及び特定贈与者との続柄を記入してください。

ホ　「1　特定贈与者に関する事項」欄には、特定贈与者の住所又は居所、氏名（フリガナ）及び生年月日を記入してください。

ヘ　「2　相続時精算課税選択届出書に関する事項」欄には、相続時精算課税選択届出書を提出した（する）税務署名及びその提出に係る贈与税の年分を記入してください。

ト　「3　特例の適用を受ける特定受贈森林経営計画対象山林に関する事項」欄には、相続税の課税価格の軽減措置を受けるために届け出る特定受贈森林経営計画対象山林に係る森林経営計画の認定年月日及び認定番号並びにその特定受贈森林経営計画対象山林の所在場所、立木又は土地等の別、面積及びその価額を記入してください。

五 令和__年分 特定受贈森林経営計画対象山林に係る届出書付表の書き方等

イ この付表は、受贈者が「令和__年分 特定受贈森林経営計画対象山林に係る届出書」を提出する前に死亡している場合で、その者の相続人等が、その特定受贈森林経営計画対象山林に係る特定贈与者の死亡に係る相続税において、相続時精算課税に係る贈与を受けた特定受贈森林経営計画対象山林について、相続税の課税価格の軽減措置を受けようとするときに、その受けようとする旨等を税務署長に贈与税の申告の際に届け出るために使用します。

ロ この付表は、贈与税の申告期限までに、贈与税の申告書（第一表及び第二表）及び「令和__年分 特定受贈森林経営計画対象山林に係る届出書」に添付して提出してください（**申告期限までに提出しなかった場合には、特例は受けられません。**）。

ハ 「受贈者の氏名」欄には、受贈者の氏名を記入してください。

ニ 「5 受贈者の相続開始年月日」欄には、受贈者の死亡年月日を記入してください。

ホ 「6 受贈者の相続人に関する事項」欄には、受贈者の相続人（包括受遺者を含み、特定贈与者を除きます。）全員の住所又は居所、氏名（フリガナ）、生年月日及び受贈者との続柄を記入してください。

相続時精算課税に係る申告書等の書き方

相 続 時 精 算 課 税 選 択 届 出 書

（令和2年分以降用）

令和 **6** 年 **2** 月 **18** 日

_____**××**_____ 税務署長

受贈者	住所又は居所	〒 **123-4567** 電話（ ○×× ‐ **31** ‐ **2131** ）
		××市○○町○番×号
	フリガナ	**コウノ　ハナコ**
	氏 名（生年月日）	**甲野　花子**
		（大・㊑・平 **58** 年 **8** 月 **28** 日）
	特定贈与者との続柄	**長女**

　私は、下記の特定贈与者から令和 **5** 年中に贈与を受けた財産については、相続税法第21条の9第1項の規定の適用を受けることとしましたので、下記の書類を添えて届け出ます。

記

1　特定贈与者に関する事項

住 所又は居所	**××市○○町○番×号**
フリガナ	**ヤマノ　ハルオ**
氏 名	**山野　春夫**
生年月日	明・大・㊑・平 **29** 年 **1** 月 **15** 日

2　年の途中で特定贈与者の推定相続人又は孫となった場合

| 推定相続人又は孫となった理由 | |
| 推定相続人又は孫となった年月日 | 令和　　　年　　　月　　　日 |

（注）孫が年の途中で特定贈与者の推定相続人となった場合で、推定相続人となった時前の特定贈与者からの贈与について相続時精算課税の適用を受けるときには、記入は要しません。

3　添付書類

次の書類が必要となります。

なお、贈与を受けた日以後に作成されたものを提出してください。

（書類の添付がなされているか確認の上、□に✓印を記入してください。）

☑　受贈者や特定贈与者の戸籍の謄本又は抄本その他の書類で、次の内容を証する書類

（1）　受贈者の氏名、生年月日

（2）　受贈者が特定贈与者の直系卑属である推定相続人又は孫であること

（※）1　租税特別措置法第70条の6の8（（個人の事業用資産についての贈与税の納税猶予及び免除））の適用を受ける特例事業受贈者が同法第70条の2の7（（相続時精算課税適用者の特例））の適用を受ける場合には、「(1)の内容を証する書類」及び「その特例事業受贈者が特定贈与者からの贈与により租税特別措置法第70条の6の8第1項に規定する特例受贈事業用資産の取得をしたことを証する書類」となります。

2　租税特別措置法第70条の7の5（（非上場株式等についての贈与税の納税猶予及び免除の特例））の適用を受ける特例経営承継受贈者が同法第70条の2の8（（相続時精算課税適用者の特例））の適用を受ける場合には、「(1)の内容を証する書類」及び「その特例経営承継受贈者が特定贈与者からの贈与により租税特別措置法第70条の7の5第1項に規定する特例対象受贈非上場株式等の取得をしたことを証する書類」となります。

（注）この届出書の提出により、特定贈与者からの贈与については、特定贈与者に相続が開始するまで相続時精算課税の適用が継続されるとともに、その贈与を受ける財産の価額は、相続税の課税価格に加算されます（**この届出書による相続時精算課税の選択は撤回することができません。**）。

| 作成税理士 | | 電話番号 | |

| ※　税務署整理欄 | 届 出 番 号 | 　　　　　－ | 名 簿 | | | | | 確認 | |

※欄には記入しないでください。

（資5－42－A4統一）（令4.12）

○　「相続時精算課税選択届出書」は、必要な添付書類とともに**申告書第一表及び第二表**と一緒に提出してください。

第三編　相続時精算課税制度

令和 **05** 年分贈与税の申告書（兼贈与税の額の計算明細書）　修正　**F D 4 7 5 1**

××　税務署長
6 年 2 月 18 日提出

第一表（令和4年分以降用）（住宅取得等資金の非課税の申告は申告書第一表の二又は第一表の三と、相続時精算課税の申告は申告書第二表と、一緒に提出してください。）

提出用
税務署受付印
明治 1
大正 2
昭和 3
平成 4
令和 5

住所	〒123-4567 （電話 ○××-31-2131） ××市○○町○番×号
フリガナ	コウノ　ハナコ
氏名	甲野　花子
個人番号又は法人番号	
生年月日	3 6 2 0 8 2 8　職業　自営業

税務署整理欄（記入しないでください。）

整理番号		名簿	
補完		事案	
申告書提出年月日		財産細目コード	短期	確認
災害等延長年月日			処理	関与区分
出国年月日			訂正	修正
死亡年月日			作成区分	枚数

私は、租税特別措置法第70条の2の5第1項又は第3項の規定による直系尊属から贈与を受けた場合の贈与税の税率（特例税率）の特例の適用を受けます。

i 特例贈与財産分　I 暦年課税分

贈与者の住所・氏名（フリガナ）・申告者との続柄・生年月日
（フリガナの濁点（゛）や半濁点（゜）は一字分とし、姓と名の間は一字空けて記入してください。）

| | 種類 | 細目 | 利用区分・銘柄等 | 財産を取得した年月日 |
| 所在場所等 | | | 数量 単価 固定資産税評価額 倍数 | 財産の価額（単位：円） |

住所
フリガナ
氏名　続柄
生年月日

取得した財産の明細
過去の贈与税の申告状況　平成・令和　年分　署
令和　年　月　日
円　倍
過去に、特例税率の適用を受けるために左記の贈与者との続柄を明らかにする書類を提出している場合には、その提出した年月分及び税務署名を記入します。

特例贈与財産の価額の合計額（課税価格）①

ii 一般贈与財産分

住所
フリガナ
氏名　続柄
生年月日

取得した財産の明細
令和　年　月　日
円　倍

一般贈与財産の価額の合計額（課税価格）②

配偶者控除額（右の事実に該当する場合には、「□」にレ印を記入します。……　□　私は、今回の贈与者からの贈与について、初めて贈与税の配偶者控除の適用を受けます。）　（最高2,000万円）③
（贈与を受けた居住用不動産の価額及び贈与を受けた金銭のうち居住用不動産の取得に充てた部分の金額の合計額）　　円

不動産番号　1件目　　　　　2件目
←贈与税の配偶者控除の適用を受ける場合は、登記事項証明書等に記載されている13桁の不動産番号を記入してください。

⑦欄の税額の計算方法等については、申告書第一表（控用）の裏面をご確認ください。

【合計欄】（単位：円）

暦年課税分（③の控除後の課税価格）

I			
暦年課税分の課税価格の合計額（①＋（②－③））	④		
基礎控除額	⑤	1 1 0 0 0 0 0	
⑤の控除後の課税価格（④－⑤）	⑥	0 0 0	
⑥に対する税額（贈与税の速算表を使用して計算します。）	⑦		
外国税額の控除額	⑧		
医療法人持分税額控除額	⑨		
差引税額（⑦－⑧－⑨）	⑩		

II 相続時精算課税分

| 相続時精算課税分の課税価格の合計額（特定贈与者ごとの第二表の⑧の金額の合計額） | ⑪ | 2 7 4 0 0 0 0 0 |
| 相続時精算課税分の差引税額の合計額（特定贈与者ごとの第二表の⑨の金額の合計額） | ⑫ | 4 8 0 0 0 0 |

（この申告が修正申告である場合の異動の内容等）

III 合計

課税価格の合計額（①＋②＋⑪）	⑬	2 7 4 0 0 0 0 0
差引税額の合計額（納付すべき税額）（⑩＋⑫）	⑭	4 8 0 0 0 0
農地等納税猶予税額	⑮	0 0
株式等納税猶予税額	⑯	0 0
特例株式等納税猶予税額	⑰	0 0
医療法人持分納税猶予税額	⑱	0 0
事業用資産納税猶予税額	⑲	0 0
申告期限までに納付すべき税額（⑭－⑮－⑯－⑰－⑱－⑲）	⑳	4 8 0 0 0 0

この申告書が修正申告である場合　修正前の

差引税額の合計額（納付すべき税額）	㉑	0 0
納税猶予税額の合計額	㉒	0 0
申告期限までに納付すべき税額	㉓	0 0

この申告書が修正申告である場合　正合

| 差引税額の合計額（納付すべき税額）の増加額（⑭－㉑） | ㉔ | 0 0 |
| 申告期限までに納付すべき税額の増加額（⑳－㉓） | ㉕ | 0 0 |

作成税理士の事務所所在地・署名・電話番号
税理士法書面提出　30条　33条の2
通信日付印　確認

税務署整理欄（記入しないでください。）　義務的修正期限　　年　　月　　日

（資5-10-1-1-A4統一）（令5.12）

―702―

相続時精算課税に係る申告書等の書き方

令和 05 年分贈与税の申告書 （相続時精算課税の計算明細書） 修正

FD4737

受贈者の氏名　**甲野　花子**

第二表　（令和４年分以降用）　（第二表は、必要な添付書類とともに申告書第一表と一緒に提出してください。）

提出用

次の特例の適用を受ける場合には、□の中にレ印を記入してください。

□　私は、租税特別措置法第70条の３第１項の規定による**相続時精算課税選択**の特例の適用を受けます。

（単位：円）

特定贈与者の住所・氏名(フリガナ)・申告者との続柄・生年月日		種類	細目	利用区分・銘柄等	財産を取得した年月日		
（○フリガナの濁点(゛)や半濁点(゜)は一字分とし、姓と名の間は一字空けて記入してください。）		所在場所等			数量	単価	財産の価額
							固定資産税評価額 / 倍数

相続時精算課税分

左の特定贈与者から取得した財産の明細

住所

××市○○町○番×号

フリガナ　ヤマノ　ハルオ

氏名　山野　春夫

続柄　**1**　父 1 、母 2 、祖父 3 、祖母 4 、1～4以外 5

生年月日　**3　29，01，15**　明治 1 、大正 2 、昭和 3 、平成 4

種類	細目	利用区分・銘柄等	財産を取得した年月日	数量	単価	財産の価額
土地	宅地	自用地	令和 **05** 年 **07** 月 **03** 日			**25950000**
××市○○町○番×号			**86.50**㎡	**300,000**		
有価証券	上場株式	○○(株式会社)	令和 **05** 年 **10** 月 **16** 日			**1450000**
××市○○町○番×号 △△証券△△支店			**5,000株**	**290**		
			令和　　年　　月　　日			

財産の価額の合計額 （課税価格）	㉖	**27400000**
特別控除額の計算	過去の年分の申告において控除した特別控除額の合計額　（最高2,500万円）	㉗	**0**
	特別控除額の残額　（2,500万円－㉗）	㉘	**25000000**
	特別控除額（㉖の金額と㉘の金額のいずれか低い金額）	㉙	**25000000**
	翌年以降に繰り越される特別控除額　（2,500万円－㉗－㉙）	㉚	**0**
税額の計算	㉙の控除後の課税価格（㉖－㉙）　【1,000円未満切捨て】	㉛	**2400000**
	㉛に対する税額（㉛×20％）	㉜	**480000**
	外国税額の控除額（外国にある財産の贈与を受けた場合で、外国の贈与税を課せられたときに記入します。）	㉝	
	差引税額（㉜－㉝）	㉞	**480000**

上記の特定贈与者からの贈与により取得した過去の相続時精算課税分の贈与税の申告状況	申告した税務署名	控除を受けた年分	受贈者の住所及び氏名（「相続時精算課税選択届出書」に記載した住所・氏名と異なる場合にのみ記入します。）
	署	平成 / 令和　　年分	
	署	平成 / 令和　　年分	
	署	平成 / 令和　　年分	
	署	平成 / 令和　　年分	

（注）上記の欄に記入しきれないときは、適宜の用紙に記載し提出してください。

◎　上記に記載された特定贈与者からの贈与について初めて相続時精算課税の適用を受ける場合には、申告書第一表及び第二表と一緒に「相続時精算課税選択届出書」を必ず提出してください。なお、同じ特定贈与者から翌年以降財産の贈与を受けた場合には、「相続時精算課税選択届出書」を改めて提出する必要はありません。

＊	税務署整理欄	整理番号		名簿		届出番号		－	
		財産細目コード			確認				

＊欄には記入しないでください。

（資5－10－2－1－A4統一）（令5.12）

－703－

第三編　相続時精算課税制度

相続時精算課税選択届出書付表

受贈者の氏名 _____

（令和２年分以降用）

4　受贈者の相続開始年月日

令和　　　　年　　　　月　　　　日

5　受贈者の相続人に関する事項

住　　所 又は 居　　所	
フリガナ	
氏　　名	
生年月日	大・昭・平・令　　　年　　　月　　　日　｜　大・昭・平・令　　　年　　　月　　　日
受贈者との続柄	

住　　所 又は 居　　所	
フリガナ	
氏　　名	
生年月日	大・昭・平・令　　　年　　　月　　　日　｜　大・昭・平・令　　　年　　　月　　　日
受贈者との続柄	

住　　所 又は 居　　所	
フリガナ	
氏　　名	
生年月日	大・昭・平・令　　　年　　　月　　　日　｜　大・昭・平・令　　　年　　　月　　　日
受贈者との続柄	

（注）受贈者の相続人（包括受遺者を含みます。）に特定贈与者がいる場合は、特定贈与者の記入は必要ありません。
　　　また、その相続人が２人以上いる場合には、その全ての相続人が連署しなければなりません。

6　添付書類

次の書類が必要となります。
（書類の添付がなされているか確認の上、□に✓印を記入してください。）

□　**上記5に記入した者の戸籍の謄本又は抄本**その他の書類で、受贈者の全ての相続人（包括受遺者を含み、特定贈与者を除きます。）を明らかにする書類（贈与を受けた日以後に作成されたものを提出してください。）

（注）この付表は、受贈者の相続開始を知った日の翌日から10か月以内に、その受贈者の相続人（包括受遺者を含み、特定贈与者を除きます。）が、「相続時精算課税選択届出書」と一緒に提出してください。

（資５−４３−Ａ４統一）（令4.12）

相続時精算課税に係る申告書等の書き方

令和___年分　特定受贈森林経営計画対象山林に係る届出書

（令和元年分以降用）

	受贈者	住　所 又　は 居　所	〒　　　　　　　　電話（　　　－　　　－　　　）
令和___年___月___日 _____税務署長		フリガナ	
		氏　　名 （生年月日）	（大・昭・平　　　年　　月　　日）
		特定贈与者との続柄	

　私は、下記の特定贈与者からの贈与により取得した特定受贈森林経営計画対象山林について、租税特別措置法第69条の5第1項の規定の適用を受けることとしましたので、租税特別措置法施行規則第23条の2の2第9項各号に掲げる書類を添付して届出します。

記

1　特定贈与者に関する事項

住　所 又　は 居　所	
フリガナ	
氏　　名 （生年月日）	（明・大・昭・平　　　年　　月　　日）

2　相続時精算課税選択届出書に関する事項

届出書を提出した税務署名及び提出に係る年分	_____署　平成・令和_____年分

3　特例の適用を受ける特定受贈森林経営計画対象山林に関する事項

森林経営計画の 認定年月日 （認定番号）	所　在　場　所	立木又は 土地等の別	面　積	立 木 又 は 土 地 等 の 価 額
・　・ （　　　）			ha.	円
・　・ （　　　）				
・　・ （　　　）				
合　　計		立　木		
		土地等		

　（注）上欄に記入しきれないときは、適宜の用紙にその明細を記入して添付してください。

4　添付書類

　次の書類が必要となります。
　（書類の添付がなされているか確認の上、□に✓印を記入してください。）

　□　特定受贈森林経営計画対象山林について贈与の前に市町村長等の認定を受けていた森林経営計画に係る森林経営計画書の写し及びその森林経営計画に係る認定書の写し並びにその他参考となるべき事項を記載した書類

作 成 税 理 士		電 話 番 号	

※	税 務 署 整 理 欄	整理番号	□□□□□□□	名簿	□□□□□□	確認	

※欄には記入しないでください。

（資5－46－A4統一）（令4.12）

－705－

第三編　相続時精算課税制度

令和＿＿年分　特定受贈森林経営計画対象山林に係る届出書付表

（令和２年分以降用）

	受贈者の氏名	

5　受贈者の相続開始年月日

令和	年	月	日

6　受贈者の相続人に関する事項

住　所 又は 居　所		
フリガナ		
氏　　名		
生年月日	大・昭・平・令　　年　　　月　　　日	大・昭・平・令　　年　　　月　　　日
受贈者との続柄		
住　所 又は 居　所		
フリガナ		
氏　　名		
生年月日	大・昭・平・令　　年　　　月　　　日	大・昭・平・令　　年　　　月　　　日
受贈者との続柄		
住　所 又は 居　所		
フリガナ		
氏　　名		
生年月日	大・昭・平・令　　年　　　月　　　日	大・昭・平・令　　年　　　月　　　日
受贈者との続柄		

（注）受贈者の相続人（包括受遺者を含みます。）に特定贈与者がいる場合は、特定贈与者の記入は必要ありません。

7　添付書類
　　次の書類が必要となります。
　　（書類の添付がなされているか確認の上、□に✔印を記入してください。）
□　**上記６に記入した者の戸籍の謄本又は抄本**その他の書類で、受贈者の全ての相続人（包括受遺者を含み、特定贈与者を除きます。）を明らかにする書類（贈与を受けた日以後に作成されたものを提出してください。）

（注）この付表は、受贈者の相続開始を知った日の翌日から 10 か月以内に、その受贈者の相続人（包括受遺者を含み、特定贈与者を除きます。）が、「令和＿＿年分　特定受贈森林経営計画対象山林に係る届出書」と一緒に提出してください。

（資５－47－Ａ４統一）（令４.12）

第四編　農地等に係る相続税・贈与税の納税猶予及び免除

第四編

第一章　農地等についての贈与税の納税猶予及び免除

第一節　特例適用の要件

1　農地等を贈与した場合の贈与税の納税猶予及び免除

　農業を営む個人で**2**《農地等の贈与者》で定める者（以下本章において「**贈与者**」という。）が、その農業の用に供している農地（特定市街化区域農地等に該当するもの及び利用意向調査（農地法第32条第1項又は第33条第1項の規定による同法第32条第1項に規定する利用意向調査をいう。）に係るもののうち(1)の政令で定めるものを除く。(2)を除き以下本章において同じ。）の全部及び当該用に供している採草放牧地（特定市街化区域農地等に該当するものを除く。(2)を除き以下本章において同じ。）のうち(5)の政令で定める部分並びに当該農地及び採草放牧地とともに農業振興地域の整備に関する法律第8条第2項第1号に規定する農用地区域として定められている区域内にある土地で農地又は採草放牧地に準ずるものとして**3**《対象農地等》の**②**《準農地》で定めるもの（以下本章において「**準農地**」という。）のうち(6)の政令で定める部分を当該贈与者の推定相続人で**4**《農地等の受贈者》で定める者のうちの1人の者に贈与した場合（当該贈与者が既に本章の規定その他これに類するものとして(4)の政令で定める規定の適用に係る贈与をしている場合を除く。）には、当該農地及び採草放牧地並びに準農地（以下本章において「**農地等**」という。）の贈与を受けた者（第十七節の**8**を除き、以下本章において「**受贈者**」という。）の当該贈与の日の属する年分の第二編第六章第一節━《贈与税の申告》の1の規定による期限内申告書（以下本章において「**贈与税の申告書**」という。）の提出により納付すべき贈与税の額のうち、当該農地等の価額に対応する部分の金額として第二節《納税猶予額の計算》で定めるところにより計算した金額に相当する贈与税については、当該年分の贈与税の申告書の提出期限までに当該納税猶予分の贈与税額に相当する担保を提供した場合に限り、第二編第七章第一節二の**1**《期限内申告に係る贈与税の納付期限》の規定にかかわらず、当該贈与者の死亡の日まで、その納税を猶予する。（措法70の4①本文）

　（政令で定める利用意向調書）
（1）　**1**に規定する利用意向調査に係るもののうち政令で定めるものは、当該利用意向調査に係る農地で農地法第36条第1項各号に該当するとき（同項ただし書に規定する正当の事由があるときを除く。）における当該農地とする。（措令40の6②）

　（用語の意義）
（2）　本章において、次に掲げる用語の意義は、それぞれ次に定めるところによる。（措法70の4②）
（一）　**農地**　農地法第2条第1項に規定する農地（同法第43条第1項の規定により農作物の栽培を耕作に該当するものとみなして適用する同法第2条第1項に規定する農地並びにこれらの農地の上に存する地上権、永小作権、使用貸借による権利及び賃借権を含む。）をいう。
（二）　**採草放牧地**　農地法第2条第1項に規定する採草放牧地（当該採草放牧地の上に存する地上権、永小作権、使用貸借による権利及び賃借権を含む。）をいう。
（三）　**特定市街化区域農地等**　都市計画法第7条第1項に規定する市街化区域内に所在する農地又は採草放牧地で、平成3年1月1日において次に掲げる区域内に所在するもの（都市営農農地等を除く。）をいう。
　イ　都の区域（特別区の存する区域に限る。）
　ロ　首都圏整備法第2条第1項に規定する首都圏、近畿圏整備法第2条第1項に規定する近畿圏又は中部圏開発整備法第2条第1項に規定する中部圏内にある地方自治法第252条の19第1項の市の区域
　ハ　ロに規定する市以外の市でその区域の全部又は一部が首都圏整備法第2条第3項に規定する既成市街地若しくは同条第4項に規定する近郊整備地帯、近畿圏整備法第2条第3項に規定する既成都市区域若しくは同条第4項に規定する近郊整備区域又は中部圏開発整備法第2条第3項に規定する都市整備区域内にあるものの区域
（四）　**都市営農農地等**　都市計画法第7条第1項に規定する市街化区域内に所在する次に掲げる農地又は採草放牧地で平成3年1月1日において(三)のイからハまでに掲げる区域内に所在するものをいう。

—709—

イ　都市計画法第8条第1項第14号に掲げる生産緑地地区内にある農地又は採草放牧地（生産緑地法第10条（同法第10条の5の規定により読み替えて適用する場合を含む。）又は第15条第1項の規定による買取りの申出がされたもの並びに同法第10条第1項に規定する申出基準日までに同法第10条の2第1項の特定生産緑地（イにおいて「特定生産緑地」という。）の指定がされなかったもの、同法第10条の3第2項に規定する指定期限日までに特定生産緑地の指定の期限の延長がされなかったもの及び同法第10条の6第1項の規定による指定の解除がされたものを除く。）

ロ　都市計画法第8条第1項第1号に掲げる田園住居地域内にある農地（イに掲げる農地を除く。）

ハ　都市計画法第58条の3第2項に規定する地区計画農地保全条例による制限を受ける同条第1項に規定する区域内にある農地（イ及びロに掲げる農地を除く。）

（農地等の受贈者が贈与税の納税猶予の適用を受ける場合の相続時精算課税制度の適用除外）

（3）　次に掲げる者がその者に係る第三編第一章第一節二の（2）《相続時精算課税適用者が特定贈与者の推定相続人でなくなった場合》に規定する特定贈与者からの贈与により取得した農地等について**1**の規定の適用を受ける場合には、**1**の規定の適用を受ける農地等については、第三編《相続時精算課税制度》の規定は、適用しない。（措法70の4③）

（一）　第三編第一章第一節二の（2）に規定する相続時精算課税適用者

（二）　**1**の規定の適用を受ける農地等を贈与により取得した日の属する年中において、当該農地等の贈与をした者から贈与を受けた当該農地等以外の財産について、第三編第一章第一節二《相続時精算課税制度の選択》（第三編第二章の**1**において準用する場合を含む。）の届出書を提出する者

（政令で定める規定）

（4）　**1**に規定する政令で定める規定は、次に掲げる規定とする。（措令40の6⑦）

（一）　租税特別措置法の一部を改正する法律（昭和50年法律第16号）による改正前の租税特別措置法第70条の4の規定

（二）　租税特別措置法の一部を改正する法律（平成3年法律第16号）による改正前の租税特別措置法第70条の4の規定

（三）　租税特別措置法の一部を改正する法律（平成7年法律第55号）による改正前の租税特別措置法第70条の4の規定

（四）　租税特別措置法等の一部を改正する法律（平成12年法律第13号）第1条の規定による改正前の租税特別措置法第70条の4の規定

（五）　租税特別措置法等の一部を改正する法律（平成13年法律第7号）第1条の規定による改正前の租税特別措置法第70条の4の規定

（六）　租税特別措置法等の一部を改正する法律（平成14年法律第15号）第1条の規定による改正前の租税特別措置法第70条の4の規定

（七）　所得税法等の一部を改正する法律（平成15年法律第8号）第12条の規定による改正前の租税特別措置法第70条の4の規定

（八）　所得税法等の一部を改正する法律（平成17年法律第21号）第5条の規定による改正前の租税特別措置法第70条の4の規定

（九）　所得税法等の一部を改正する法律（平成21年法律第13号）第5条の規定による改正前の租税特別措置法第70条の4の規定

（十）　所得税法等の一部を改正する法律（平成26年法律第10号）第10条の規定による改正前の租税特別措置法第70条の4の規定

（十一）　所得税法等の一部を改正する法律（平成28年法律第15号）第10条の規定による改正前の租税特別措置法第70条の4の規定

（十二）　所得税法等の一部を改正する法律（平成30年法律第7号）第15条の規定による改正前の租税特別措置法第70条の4の規定

（十三）　所得税法等の一部を改正する法律（令和2年法律第8号）第15条の規定による改正前の租税特別措置法第70条の4の規定

（十四）　所得税法等の一部を改正する法律（令和4年法律第4号）第11条の規定による改正前の租税特別措置法第70条の4の規定

（採草放牧地のうちの政令で定める部分）

（5）　**1**の採草放牧地のうち政令で定める部分は、**1**に規定する贈与者が贈与の日までその農業の用に供していた当該採草放牧地のうち、その面積（当該採草放牧地に係る地上権、永小作権、使用貸借による権利及び賃借権については、これらの権利の存する土地の面積。以下（5）において同じ。）及び従前採草放牧地（当該贈与者が当該贈与をした日の属す

－710－

第一章　農地等についての贈与税の納税猶予及び免除
（第一節　特例適用の要件）

る年（以下（5）において「対象年」という。）の前年以前においてその農業の用に供している**2**の（二）に規定する採草放
牧地を当該贈与者の推定相続人に対し贈与をしている場合であって当該採草放牧地が第三編第一章第一節**二**の（1）《相
続時精算課税選択届出書に係る贈与財産の税額の計算》の規定の適用を受けるものであるとき又は対象年において当該
贈与以外の贈与により当該採草放牧地の贈与をしている場合におけるこれらの採草放牧地をいう。）の面積の合計の３分
の２以上の面積となる部分とする。（措令40の6③）

　　　（準農地のうちの政令で定める部分）
（6）　**1**の準農地のうち政令で定める部分は、贈与者が贈与の日において有していた当該準農地のうち、その面積及び従
前準農地（当該贈与者が当該贈与をした日の属する年（以下（6）において「対象年」という。）の前年以前において有し
ていた**2**の（二）に規定する準農地を当該贈与者の推定相続人に対し贈与をしている場合であって当該準農地が第三編第
一章第一節**二**の（1）《相続時精算課税選択届出書に係る贈与財産の税額の計算》の規定の適用を受けるものであるとき
又は対象年において当該贈与以外の贈与により当該準農地の贈与をしている場合におけるこれらの準農地をいう。）の面
積の合計の３分の２以上の面積となる部分とする。（措令40の6⑤）

　　　（都市営農農地等を一時的道路用地等の用に供した場合）
（7）　受贈者が、（2）の（四）に規定する都市営農農地等に該当する農地等を第九節《一時的道路用地等の用に供するため
の地上権等の設定》の**1**に規定する一時的道路用地等の用に供した場合においては、当該農地等は（2）の（四）に規定す
る都市営農農地等に該当するものとして租税特別措置法第70条の4（第6項から第16項までを除く。）の規定を適用する。
（措令40の6㊾）

　　　（一時的道路用地等の用に供されている農地等に対する適用）
（8）　次に掲げるものについては、**1**の規定の適用を受ける農地等に該当するものとして、（一）に掲げるものにあっては
租税特別措置法第70条の4（第6項から第16項までを除く。）の規定を、（二）及び（三）に掲げるものにあっては同条（第
6項から第14項までを除く。）の規定を適用する。（措令40の6㊻）
　（一）　一時的道路用地等の用に供されている農地等
　（二）　第四節の**1**の（1）《政令で定める転用》に規定する事務所、作業場、倉庫その他の施設又は使用人の宿舎の敷地
　（三）　第四節の**2**の（1）《農地、採草放牧地の保全又は利用上必要な施設》に規定する道路、用水路、排水路、かんが
　　　い用施設その他これらに類する施設の用地

　　　（都市営農農地等を事務所等の施設又は使用人の宿舎の敷地に転用した場合）
（9）　受贈者が、（2）の（四）に規定する都市営農農地等に該当する農地等を（8）の（二）に掲げるものに転用した場合にお
いては、当該農地等は（2）の（四）に規定する都市営農農地等に該当するものとして租税特別措置法第70条の4（第6項
から第14項までを除く。）の規定を適用する。（措令40の6㊼）

　　　（一時的道路用地等の用に供されている特例農地等に対する適用）
(10)　第二章第九節《一時的道路用地等の用に供するための地上権等の設定》**1**の規定の適用を受けている第二章第一節
の**1**に規定する農業相続人が第二章第十三節《納税猶予税額の免除》の**1**の（二）又は（三）の贈与をした場合における**1**
の規定の適用については、第二章第九節の**1**に規定する一時的道路用地等の用に供されている第二章第一節の**1**に規定
する特例農地等〔財務省令で定めるもの（第二章第一節の**1**の（5）の規定により特例農地等に該当するものとされる同
（5）の（二）又は（三）に掲げる敷地又は用地を一時的道路用地等の用に供している場合における当該敷地又は用地）を除
く。〕は当該農業相続人が当該贈与の日まで農業の用に供していたものと、当該特例農地等は第九節の**1**の承認を受けた
農地等とみなして、**1**の規定を適用する。この場合において、当該贈与に係る贈与税の課税価格の計算の基礎に算入す
べき当該農地等の価額は、当該一時的道路用地等の用に供されていないものとした場合における農地等としての価額に
よる。（措令40の6㊽、措規23の7㊺）

　　　（一時的道路用地等の用に供されている特例農地等について贈与税の課税価格の計算の基礎に算入すべき価額）
(11)　(10)に規定する「当該一時的道路用地等の用に供されていないものとした場合における農地等としての価額」とは、
当該農地等の状況が一時的道路用地等の用に供される直前の現況にあるものとした場合の(10)に定める贈与の日におけ
る当該農地等としての価額をいうことに留意する。（措通70の4－79）

第四編　農地等に係る相続税・贈与税の納税猶予及び免除

（特定市街化区域農地等の範囲）
(12)　(2)の(三)に規定する「特定市街化区域農地等」とは、都市計画法第7条第1項《区域区分》に規定する市街化区域内に所在する農地又は採草放牧地で、平成3年1月1日において次表に掲げる市（東京都の特別区を含む。）の区域内にあるもののうち(2)の(四)に規定する都市営農地等に該当するもの以外のものをいうのであるから留意する。（措通70の4－2）

区　分	都府県名	都　　市　　名
首都圏(106市)	茨城県(5市)	竜ケ崎市、水海道市、取手市、岩井市、牛久市
	埼玉県(36市)	川口市、川越市、浦和市、大宮市、行田市、所沢市、飯能市、加須市、東松山市、岩槻市、春日部市、狭山市、羽生市、鴻巣市、上尾市、与野市、草加市、越谷市、蕨市、戸田市、志木市、和光市、桶川市、新座市、朝霞市、鳩ケ谷市、入間市、久喜市、北本市、上福岡市、富士見市、八潮市、蓮田市、三郷市、坂戸市、幸手市
	東京都(27市)	特別区、武蔵野市、三鷹市、八王子市、立川市、青梅市、府中市、昭島市、調布市、町田市、小金井市、小平市、日野市、東村山市、国分寺市、国立市、福生市、多摩市、稲城市、狛江市、武蔵村山市、東大和市、清瀬市、東久留米市、保谷市、田無市、秋川市
	千葉県(19市)	千葉市、市川市、船橋市、木更津市、松戸市、野田市、成田市、佐倉市、習志野市、柏市、市原市、君津市、富津市、八千代市、浦安市、鎌ケ谷市、流山市、我孫子市、四街道市
	神奈川県(19市)	(横浜市)、(川崎市)、横須賀市、平塚市、鎌倉市、藤沢市、小田原市、茅ケ崎市、逗子市、相模原市、三浦市、秦野市、厚木市、大和市、海老名市、座間市、伊勢原市、南足柄市、綾瀬市
中部圏(28市)	愛知県(26市)	(名古屋市)、岡崎市、一宮市、瀬戸市、半田市、春日井市、津島市、碧南市、刈谷市、豊田市、安城市、西尾市、犬山市、常滑市、江南市、尾西市、小牧市、稲沢市、東海市、尾張旭市、知立市、高浜市、大府市、知多市、岩倉市、豊明市
	三重県(2市)	四日市市、桑名市
近畿圏(56市)	京都府(7市)	(京都市)、宇治市、亀岡市、向日市、長岡京市、城陽市、八幡市
	大阪府(32市)	(大阪市)、守口市、東大阪市、堺市、岸和田市、豊中市、池田市、吹田市、泉大津市、高槻市、貝塚市、枚方市、茨木市、八尾市、泉佐野市、富田林市、寝屋川市、河内長野市、松原市、大東市、和泉市、箕面市、柏原市、羽曳野市、門真市、摂津市、泉南市、藤井寺市、交野市、四条畷市、高石市、大阪狭山市
	兵庫県(8市)	(神戸市)、尼崎市、西宮市、芦屋市、伊丹市、宝塚市、川西市、三田市
	奈良県(9市)	奈良市、大和高田市、大和郡山市、天理市、橿原市、桜井市、五条市、御所市、生駒市

（注）　□は(1)の(三)のイに掲げる区域、（　）書は同(三)のロに掲げる区域、その他は同(三)のハに掲げる区域に所在する市を示す。なお、┈書は、同(三)のハに掲げる区域のうち首都圏整備法の既成市街地又は近畿圏整備法の既成都市区域に所在する市を示す。

（生産緑地地区内にある農地又は採草放牧地）
(13)　(2)の(四)のイに規定する「都市計画法第8条第1項第14号に掲げる生産緑地地区内にある農地又は採草放牧地」には、旧生産緑地地区（生産緑地法の一部を改正する法律（平成3年法律第39号）による改正前の生産緑地法第3条第1項《第1種生産緑地地区に関する都市計画》の規定により定められている第1種生産緑地地区をいう。以下(13)において同じ。）の区域内にある農地又は採草放牧地が含まれることに留意する。

　　なお、旧生産緑地地区の区域内にある土地等は生産緑地法第10条の2第1項の特定生産緑地の指定の対象とならないため、当該区域内にある農地又は採草放牧地については、(2)の(四)のイに規定する「申出基準日までに特定生産緑地の指定がされなかつたもの」に該当しないことに留意する。（措通70の4－3）

（生産緑地法第10条又は第15条第1項の規定による買取りの申出がされたもの）
(14)　(2)の(四)のイに規定する「生産緑地法第10条（同法第10条の5の規定により読み替えて適用する場合を含む。）又

－712－

第一章　農地等についての贈与税の納税猶予及び免除
（第一節　特例適用の要件）

は第15条第１項の規定による買取りの申出がされたもの」とは、生産緑地法施行規則第６条《買取申出書の様式》又は第９条《買取り希望の申出手続》に定める「別記様式第２「生産緑地買取申出書」」又は「別記様式第３「生産緑地買取希望申出書」」により市長（東京都の特別区の区長を含む。）に対し買取りの申出がされた農地又は採草放牧地をいう。第四節の１の（５）《政令で定める譲渡又は設定》の（一）の場合においても同様とする。

　　なお、１の規定の適用を受ける農地又は採草放牧地が農地又は採草放牧地の上に存する権利である場合においても同様であるから留意する。（措通70の４－４）

　　（従前採草放牧地の意義等）
(15)　（５）に規定する「従前採草放牧地」とは、次に掲げる採草放牧地をいうのであるから留意する。（措通70の４－６の２）
　（一）　（５）に規定する対象年（以下(15)において「対象年」という。）の前年以前において、（５）に規定する贈与者が贈与した採草放牧地のうち相続時精算課税の適用を受けるもの
　（二）　対象年において、当該贈与者が当該贈与（以下(15)において「対象贈与」という。）以外の贈与により採草放牧地の贈与をしている場合における当該採草放牧地
　　(注)　上記(二)の対象贈与以外の採草放牧地の贈与がある場合には、対象贈与に係る採草放牧地の面積が当該対象贈与をした者が当該対象贈与の日までその農業の用に供していた採草放牧地、上記(一)及び(二)の面積の合計面積の３分の２以上の面積であっても、２の(二)の規定により、当該対象贈与により採草放牧地を取得した者の贈与税について、１の規定の適用はないのであるから留意する。

　　（従前準農地の意義等）
(16)　（６）に規定する「従前準農地」の意義等については、(15)を準用する。（措通70の４－６の３）

　　（相続時精算課税適用者等に係る贈与税の納税猶予）
(17)　１の（３）の各号に掲げる者が特定贈与者から贈与により取得した農地等について１の規定の適用を受ける場合には、当該贈与により取得した農地等に係る贈与税については、暦年課税により計算するのであるから留意する。（措通70の４－36の２）

　　（特定生産緑地の指定がされなかった場合等）
(18)　都市営農農地等である特例適用農地等について、（２）の（四）のイに規定する特定生産緑地の指定がされなかった場合及び同（四）のイに規定する指定期限日までに特定生産緑地の指定の期限の延長がされなかった場合であっても、これらの場合は第四節３《買取りの申し出等による納税猶予の一部打切り》に規定する場合に該当しないため、納税猶予の期限は確定しないことに留意する。
　　ただし、これらの場合に該当する同（四）のイに掲げる農地又は採草放牧地については、都市営農農地等に該当しないこととなるため、当該農地又は採草放牧地を贈与により取得しても１の規定の適用はないことに留意する。（措通70の４－37の２）

　　（平成30年前旧法適用受贈者が有する特例適用農地等が特定生産緑地である場合の納税猶予期限の確定事由）
(19)　所得税法等の一部を改正する法律（平成30年法律第７号）第15条による改正後の（２）の（四）及び第四節３《買取りの申し出等による納税猶予の一部打切り》の規定は、平成30年４月１日以後に贈与により取得をする農地等に係る贈与税について適用することとされ、同日前に贈与により取得をした農地等に係る贈与税については、なお従前の例によることとされている。
　　したがって、平成30年前旧法適用受贈者（次に掲げる受贈者をいう。以下(19)において同じ。）が有する特例適用農地等（同（四）のイに規定する特定生産緑地に該当するものに限る。）について、第四節３のロに規定する指定の解除があった場合であっても、原則として、納税猶予の期限は確定しないことに留意する。
　　なお、当該特例適用農地等について、生産緑地法の規定による買取りの申出があった場合又は都市計画法の規定に基づく都市計画の決定若しくは変更により特定市街化区域農地等に該当することとなった場合（当該変更により（２）の（四）のロ又はハに掲げる農地でなくなった場合を除く。）については、原則として、納税猶予の期限は確定することに留意する（所得税法等の一部を改正する法律（平成30年法律第７号）附則118⑦、所得税法等の一部を改正する法律（令和２年法律第８号。以下第二章第七節の１の（９）までにおいて「令和２年改正法」という。）附則108①）。（措通70の４－37の３）
　　(注)　(18)《特定生産緑地の指定がされなかった場合等》は、平成30年前旧法適用受贈者が有する特例適用農地等についても同様であることに留意する。

－713－

第四編　農地等に係る相続税・贈与税の納税猶予及び免除

(一)　租税特別措置法の一部を改正する法律（昭和50年法律第16号）による改正前の租税特別措置法（以下「昭和50年改正前の措置法」という。）第70条の4第1項本文の規定の適用を受けている同項に規定する受贈者

(二)　租税特別措置法の一部を改正する法律（平成3年法律第16号）による改正前の租税特別措置法（以下「平成3年改正前の措置法」という。）第70条の4第1項本文の規定の適用を受けている同項に規定する受贈者

(三)　租税特別措置法の一部を改正する法律（平成7年法律第55号）による改正前の租税特別措置法（以下「平成7年改正前の措置法」という。）第70条の4第1項本文の規定の適用を受けている同項に規定する受贈者

(四)　租税特別措置法等の一部を改正する法律（平成12年法律第13号）第1条の規定による改正前の租税特別措置法（以下「平成12年改正前の措置法」という。）第70条の4第1項本文の規定の適用を受けている同項に規定する受贈者

(五)　租税特別措置法等の一部を改正する法律（平成13年法律第7号）第1条の規定による改正前の租税特別措置法（以下「平成13年改正前の措置法」という。）第70条の4第1項本文の規定の適用を受けている同項に規定する受贈者

(六)　租税特別措置法等の一部を改正する法律（平成14年法律第15号）第1条の規定による改正前の租税特別措置法（以下「平成14年改正前の措置法」という。）第70条の4第1項本文の規定の適用を受けている同項に規定する受贈者

(七)　所得税法等の一部を改正する法律（平成15年法律第8号）第12条の規定による改正前の租税特別措置法（以下「平成15年改正前の措置法」という。）第70条の4第1項本文の規定の適用を受けている同項に規定する受贈者

(八)　所得税法等の一部を改正する法律（平成17年法律第21号）第5条の規定による改正前の租税特別措置法（以下「平成17年改正前の措置法」という。）第70条の4第1項本文の規定の適用を受けている同項に規定する受贈者

(九)　所得税法等の一部を改正する法律（平成21年法律第13号）第5条の規定による改正前の租税特別措置法（以下「平成21年改正前の措置法」という。）第70条の4第1項本文の規定の適用を受けている同項に規定する受贈者

(十)　所得税法等の一部を改正する法律（平成26年法律第10号）第10条の規定による改正前の租税特別措置法（以下「平成26年改正前の措置法」という。）第70条の4第1項本文の規定の適用を受けている同項に規定する受贈者

(十一)　所得税法等の一部を改正する法律（平成28年法律第15号）第10条の規定による改正前の租税特別措置法（以下「平成28年改正前の措置法」という。）第70条の4第1項本文の規定の適用を受けている同項に規定する受贈者

(十二)　所得税法等の一部を改正する法律（平成30年法律第7号）第15条の規定による改正前の租税特別措置法（以下「平成30年改正前の措置法」という。）第70条の4第1項本文の規定の適用を受けている同項に規定する受贈者

（平成30年改正前の措置法第70条の4の規定による贈与税の納税猶予についての取扱い）

(20)　平成30年改正前の措置法第70条の4の規定による贈与税の納税猶予の適用を受けているものに係る所得税法等の一部を改正する法律（平成30年法律第7号）附則第118条第7項及び第13項の規定の適用については、平成30年7月3日付課資2-9ほか2課共同「相続税法基本通達等の一部改正について」通達による改正前の「租税特別措置法（相続税法の特例関係）の取扱いについて」通達の70の4-1《農地又は採草放牧地の意義》から70の6-107《既往通達の廃止》の取扱いの例により、同条第6項並びに第11項及び第12項の規定の適用については、平成30年12月19日付課資2-19ほか2課共同「「租税特別措置法（相続税法の特例関係）の取扱いについて」等の一部改正について」通達による改正前の「租税特別措置法（相続税法の特例関係）の取扱いについて」通達の70の4-1《農地又は採草放牧地の意義》から70の6-108《既往通達の廃止》の取扱いの例による。（措通70の6-107）

2　農地等の贈与者

1に規定する農地等の贈与者は、1に規定する農地等の1に規定する贈与（以下本章において「**贈与**」という。）をした日まで引き続き3年以上農業を営んでいた個人で次に掲げる場合に該当する者以外の者とする。（措令40の6①）

(一)　当該贈与をした日の属する年（(二)において「対象年」という。）の前年以前において、その農業の用に供していた1に規定する農地をその者の推定相続人に対し贈与をしている場合であって当該農地が第三編第一章第一節**二**の(1)《相続時精算課税選択届出書に係る贈与財産の税額の計算》の規定の適用を受けるものであるとき

(二)　対象年において、当該贈与以外の贈与により1に規定する農地及び採草放牧地並びに準農地の贈与をしている場合

（農業を営む個人等）

(1)　1に規定する「農業を営む個人」とは、耕作又は養畜の行為を反復、かつ、継続的に行う個人をいう。したがって、個人が耕作若しくは養畜による生産物を自家消費に充てている場合又は会社、官庁等に勤務するなど他に職を有し若しくは他に主たる事業を有している場合であっても、その耕作又は養畜の行為を反復、かつ、継続的に行っている限り、その者は農業を営む個人に該当する。

なお、1に規定する受贈者が4の(三)の規定による農業経営を行う者に該当するかどうかについても、これと同様とする。（措通70の4-6）

(注)　上記により、住居及び生計を一にする親族の2人以上の者が、農業を営む個人に該当する場合には、それらの者が所得税の課税上農業の事業主となっているかどうかは問わないのであるから留意する。

-714-

第一章　農地等についての贈与税の納税猶予及び免除
（第一節　特例適用の要件）

（贈与者が贈与の日まで農業を営んでいない場合の取扱い）

（２）　**1**に規定する「農業を営む個人で**2**で定める者」とは、**1**に規定する農地及び採草放牧地の贈与をした日まで引き続き３年以上農業を営んでいた個人をいうのであるが、その贈与をした者が、その贈与をした日まで引き続き農業を営んでいない場合であっても、既往において引き続き３年以上農業を営んでおり、かつ、次の（一）又は（二）に掲げる事実がある場合において、当該贈与がその贈与に係る農地又は採草放牧地について現に農業を営んでいる者に対して行われたものであるときは、当該贈与の日前において当該贈与に係る農地のうちに、利用意向調査に係る農地で農地法第36条第１項各号に該当するときにおける当該農地について、**1**の規定の適用を受けようとする場合を除き、当該贈与をした者は、**1**に規定する農業を営む個人に該当するものとして取り扱う。（措通70の４－７）

（一）　贈与者が老齢又は病弱のため、当該贈与の日前において、その者と住居及び生計を一にする親族並びにその者が行っていた耕作又は養畜の事業に従事していたその他の２親等内の親族に農業経営を移譲していたこと。

（注）　贈与者とその親族が住居又は生計を一にしない場合であっても、その住居又は生計を一にしない理由が農地法第２条第２項《定義》に掲げる事由に該当するものであるときには、当該事由に基づき住居又は生計を一にしない期間は、なお、住居又は生計を一にしているものとして取り扱うものとする。

（二）　贈与者が独立行政法人農業者年金基金法第18条第２号《給付の種類》に規定する特例付加年金又は同法附則第６条第３項の規定によりなおその効力を有するものとされる農業者年金基金法の一部を改正する法律附則第８条第１項に規定する経営移譲年金の支給を受けるため、当該贈与の日前に、その者の親族に農業経営を移譲していたこと。

（贈与者が特例付加年金又は経営移譲年金の支給を受けるため贈与の日まで農業を営んでいない場合の農業の用に供している農地の取扱い）

（３）　（２）により贈与をした者を**1**に規定する「農業を営む個人」に該当するものとして取り扱う場合において、当該贈与者が所有する農地のうちに、利用意向調査に係る農地で農地法第36条第１項各号に該当するときにおける当該農地については、**1**に規定する「農地」には含まれないものとして取り扱う。（措通70の４－12の２）

3　対象農地等

①　農地又は採草放牧地

　1に規定する「農地」又は「採草放牧地」とは、次に掲げるもののうち**1**の（２）《用語の意義》の（三）に規定する「特定市街化区域農地等」に該当するもの及び農地法（昭和27年法律第229号）第32条第１項《利用意向調査》又は第33条第１項の規定による同法第32条第１項に規定する利用意向調査（以下「利用意向調査」という。）に係るもののうち同法第36条第１項各号《農地中間管理権の取得に関する協議の勧告》に該当するとき（同項ただし書に規定する正当の事由があるときを除く。以下第二章第一節**2**《被相続人》までにおいて同じ。）における当該農地以外のものをいう。（措通70の４－１）

（一）　「農地」とは、耕作の目的に供される土地をいう。この場合、耕作の目的に供される土地には、現に耕作されている土地のほか、現に耕作されていない土地のうち正常な状態の下においては耕作されていると認められるものが含まれるものとする。ただし、現に耕作されている土地であっても、いわゆる家庭菜園や通常であれば耕作されないと認められる土地、例えば、運動場、工場敷地等を一時、耕作しているものは、農地に該当しないことに留意する。

　　　　ただし、農地法第43条第１項《農作物栽培高度化施設に関する特例》の規定による届出に係る同条第２項に規定する農作物栽培高度化施設の用に供される土地については、当該農作物栽培高度化施設において行われる農作物の栽培を耕作に該当するものとみなして、農地と同様に、農地法の全ての規定が適用されることに留意する。

（注）１　上記において、「耕作」とは、土地に労資を加え、肥培管理を行って作物を栽培することをいい、肥培管理とは、作物の生育を助けるため、その土地及びそこに植栽される作物について行う耕うん、整地、播種、かんがい、排水、施肥、農薬散布、除草等の一連の人為的作業をいう。

　　　２　上記において、「現に耕作されていない土地のうち正常な状態の下においては耕作されていると認められるもの」とは、（1）の（一）ないし（三）に掲げる土地その他通常であれば耕作されていると認められる土地をいう。

（二）　「採草放牧地」とは、農地以外の土地で主として耕作又は養畜の事業のための採草又は家畜の放牧の目的に供されるものをいう。この場合、農地以外の土地で主として採草又は養畜の事業のための採草又は家畜の放牧の目的に供されている土地のほか、現にこれらの目的に供されていない土地のうち正常な状態の下においてはこれらの目的に供されていると認められるものが含まれるものとする。

　　　　なお、主として耕作又は養畜の事業のための採草又は家畜の放牧の目的に供される土地であっても、肥培管理が行われているものは、農地に該当し、採草放牧地には該当しないのであるから留意する。

（注）１　上記において、「養畜」とは、家畜、家きん、毛皮獣などの生産、育成、肥育、採卵又は採乳を行うことをいう。

—715—

第四編　農地等に係る相続税・贈与税の納税猶予及び免除

　　2　上記において、「現にこれらの目的に供されていない土地のうち正常な状態の下においてはこれらの目的に供されていると認められる
　　　もの」とは、(1)の(一)ないし(三)に掲げる土地その他通常であれば主として耕作又は養蓄の事業のための採草又は家畜の放牧の目的に
　　　供されていると認められる土地をいう。

（贈与者等の農業の用に供している農地又は採草放牧地）
（1）　1に規定する農業を営む個人がその農業の用に供している農地又は採草放牧地には、その者が贈与の時において現
　　に農業の用に供していない農地又は採草放牧地（1の(10)の規定により1の規定の適用を受ける農地又は採草放牧地を
　　除く。）は含まれないのであるが、次に掲げる土地は、それぞれ次に掲げる事由の生ずる直前において、農地又は採草放
　　牧地で、その者が農業の用に供していた場合に限り、その農業の用に供している農地又は採草放牧地に該当するものと
　　して取り扱う。
　　　また、1に規定する贈与を受けた者が贈与により取得した1の規定の適用を受ける農地又は採草放牧地が次に掲げる
　　土地に該当することとなった場合であっても、その土地は、その者の農業の用に供している農地又は採草放牧地に該当
　　するものとして取り扱う。（措通70の4－12）
　（一）　災害、疾病等のためやむを得ず一時的に農業の用に供されていない土地
　（二）　土地改良法による土地改良事業若しくは土地区画整理法による土地区画整理事業又は石炭鉱業の構造調整の完了
　　　等に伴う関係法律の整備等に関する法律附則第2条の規定によりなお効力を有することとされる場合及び同条の規定
　　　によりなお従前の例によることとされる場合における廃止前の臨時石炭鉱害復旧法による復旧工事施行中のため農業
　　　の用に供することができない土地
　（三）　国又は地方公共団体等の行う事業のため一時的に農業の用に供することができない土地で、かつ、その時期が、
　　　例えば、気温、積雪その他の自然条件により概ね農作物の作付ができない期間、連作の害を防ぐため休耕している期
　　　間に当たる場合などその土地の農業上の利用を害さないと認められるもの
　　　（注）　次のいずれかに該当する場合には、上記(三)の土地には当たらないものとする。
　　　　　①　その土地が国又は地方公共団体の行う事業のため一時的に農業の用に供することができなくなることについて、公共性、緊急性及び非
　　　　　　代替性が認められない場合
　　　　　②　その土地を国又は地方公共団体等の行う事業のために農業の用に供することができなくなる期間が、その事業のため必要最小限の期間
　　　　　　でない場合又はその土地を農業の用に供することができなくなる期間がその事業のため必要最小限の期間であっても、その期間が1年を
　　　　　　超える場合
　　　　　③　その土地が農業の用に供することができることとなった時において、その土地が従前の農地又は採草放牧地と同等以上の利用価値を有
　　　　　　する農地又は採草放牧地に復元されることが確実であると認められない場合

（国又は地方公共団体等の行う事業のため特例適用農地等が一時的に農業の用に供されなくなった場合）
（2）　特例適用農地等が(1)の(三)に掲げる土地に該当することとなった場合は、第四節の1の(一)又は第四節の2に規
　　定する譲渡等には当たらないものとして取り扱う。（措通70の4－25）

（請負耕作に係る農地）
（3）　農地の所有者が、いわゆる請負耕作契約により他人に耕作を請け負わせている農地は、その請負耕作の内容が当該
　　農地に係る耕作の作業の一部である場合を除き、1の規定によるその者の農業の用に供している農地に該当しないので
　　あるから留意する。（措通70の4－13）

（農地等の贈与の日）
（4）　農地等に係る1に規定する「贈与の日」とは、第二編第一章第三節二の3の(1)《農地等の贈与による財産取得の
　　時期》の定めによる農地等の贈与による取得の日をいう。
　　　この場合において、同一の贈与により取得した農地又は採草放牧地が、受贈者の住所のある市町村の区域内にあるも
　　のとその他の区域内にあるものとに分かれているため、その所有権等の移転について各市町村の農業委員会の許可を要
　　する場合において、これらの許可があった日が年を異にしているときは、当該農地又は採草放牧地のうち、面積の多い
　　方の許可があった日をもって、当該農地又は採草放牧地の全部に係る贈与の日として取り扱うことができる。
　　　なお、農地又は採草放牧地とともに準農地の贈与が行われており、かつ、当該農地又は採草放牧地の贈与の日と当該
　　準農地の贈与の日とが年を異にするときは、当該準農地についても、当該農地又は採草放牧地の贈与の日にその贈与が
　　あったものとして取り扱うこととする。（措通70の4－8）

－716－

第一章　農地等についての贈与税の納税猶予及び免除
（第一節　特例適用の要件）

　　　（農地又は採草放牧地の上に存する権利の贈与）
（5）　農地又は採草放牧地の上に存する権利の贈与について、土地所有者の承諾が得られない場合においては、当該権利が土地所有者又は贈与者による解約（その解約について農地法第18条《農地又は採草放牧地の賃貸借の解約等の制限》の規定による都道府県知事の許可を要する場合には、その許可を受けて解約したときに限る。）により消滅したときに限り、当該権利がはじめからなかったものとして、**1**の規定による農地若しくは農地の上に存する権利の全部又は採草放牧地若しくは採草放牧地の上に存する権利のうち**1**の（5）に規定する３分の２以上の面積となる部分を贈与したかどうかの判定をすることができるものとして取り扱う。（措通70の４－14）

　　　（農地等以外の農業用財産等）
（6）　贈与者の農業の用に供している農地等の贈与があったことに伴い、農業経営者の変更があった場合における農業用財産等の取扱いについては、昭和35年２月17日付直資15ほか１課共同「父子間における農業経営者の判定並びにこれに伴う所得税及び贈与税の取扱いについて」通達《第二編第二章第一節の**8**》の（1）の（二）のハ及び昭和53年１月７日付直資２－２「農地等について使用収益権の設定による農業の経営移譲を受けた場合における果樹に関する贈与税の取扱いについて」通達の別紙２の本文による。（措通70の４－15）
　（注）　昭53.1.7付直資２－２通達の別紙２の本文は次のとおり。（編者注）
　　　（一）　同一世帯員間において、樹園地について使用収益権の設定を行った場合において、その使用収益権が設定された樹園地に植栽されている果樹については、所轄税務署長に贈与の留保を希望する旨及び使用収益権設定時におけるその果樹の相続税評価額を旧経営者を被相続人とする相続財産の価額に算入する旨を、書面により申し出たものに限り、その申出が容認されること。
　　　（二）　（一）に掲げる書面は、別紙様式「農業の経営移譲に係る果樹についての申出書」のとおりとし、使用収益権の設定された日の属する年分の贈与税の申告期間中に提出するものとすること。

　　　（立毛、果樹等）
（7）　**1**に規定する「農地等」には、これらの土地に栽培されている立毛、果樹等を含まないのであるから留意する。（措通70の４－５）

②　準農地

　1に規定する農地又は採草放牧地に準ずる土地《準農地》は、農地法第２条第１項に規定する農地及び採草放牧地以外の土地で農業振興地域の整備に関する法律第８条第１項に規定する農業振興地域整備計画において同条第２項第１号に規定する農業上の用途区分が当該農地又は採草放牧地とされているものであって、開発して当該農地又は採草放牧地として当該受贈者の農業の用に供することが適当であるものとして財務省令で定めるところにより市町村長が証明したものとする。（措令40の６④）

　　　（財務省令で定める証明手続等）
注　②に規定する証明は、②に規定する農業振興地域整備計画において農業上の用途区分が農地法第２条第１項に規定する農地又は採草放牧地とされている土地の**1**に規定する贈与をした者の申請に基づき、その者が有していた当該土地の所在地を管轄する市町村長が、当該土地につき、当該土地の当該農業上の用途区分及び当該土地を開発して当該農地又は採草放牧地として農業の用に供することが適当であるものと認められる旨を記載した書類《次ページに様式見本》により行うものとする。（措規23の７①）

（見本）

贈与税
相続税 の納税猶予の特例適用の準農地該当証明書

証　明　願

（年号）　年　　月　　日

市町村長　　　　殿

住　所
氏　名

　下記1に記載した土地は租税特別措置法 第７０条の４第１項 に規定する
第７０条の６第１項

準農地に該当するものであることを証明願います。

1　証明願の土地

土地の所在地	地　目	面　積	農業振興地域整備計画における農業上の用途区分	贈与・相続の年月日
		㎡		・　・
				・　・
				・　・
				・　・
				・　・

2　参考事項
（1）農地、採草放牧地としての開発予定年月日（年号）　　年　　　月
（2）開発計画等の参考事項

上記の土地は、その用途区分及びこれを開発して農地又は採草放牧地として
　贈与により取得した者

　相続・遺贈により取得した者（その者が租税特別措置法施行令第４０
　条の７第２項第２号に該当する者である場合には、同号に規定する推
　定相続人）
の農業の用に供することが適当であることを証明する。
　（年号）　　年　　月　　　日

市町村長　　　　　　　印

－718－

第二節　納税猶予税額の計算

　第一節の**1**に規定する農地等の価額に対応する部分の金額《納税猶予税額》は、当該農地等の贈与があった日の属する年分の同**1**に規定する贈与税の申告書の提出により納付すべき贈与税の額から、当該農地等の贈与がなかったものとして計算した場合に贈与税の期限内申告に係る納付期限までに納付すべきものとされる当該年分の贈与税の額を控除した金額とする。（措令40の6⑧）

　　（修正申告等に係る贈与税額の納税猶予）

注　第一節の**1**の規定は、農地等の贈与に係る贈与税についての期限後申告、修正申告又は更正に係る税額については、適用がないことに留意する。ただし、修正申告又は更正があった場合で、当該修正申告又は更正が期限内申告に係る同**1**の規定による贈与税の納税猶予の適用を受けた農地等（以下「**特例適用農地等**」という。）の評価又は税額計算の誤りのみに基づいてされるときにおける当該修正申告又は更正により納付すべき贈与税額（附帯税を除く。）については、当初から同**1**の規定の適用があることとして取り扱う。

　　この場合において、当該修正申告又は更正により納税猶予を受ける贈与税の本税の額と当該本税に係る利子税の額に相当する担保については、当該修正申告書の提出の日又は当該更正に係る通知書が発せられた日の翌日から起算して1月を経過する日までに提供しなければならないこととして取り扱う。（措通70の4－18）

第四編　農地等に係る相続税・贈与税の納税猶予及び免除

第三節　特例の適用を受けるための手続

1　申告手続

　第一節の1の規定は、同1の規定の適用を受けようとする受贈者の同1に規定する農地等の贈与を受けた日の属する年分の贈与税の申告書に、同1の規定の適用を受けようとする旨並びに当該農地等の明細及び納税猶予分の贈与税額の計算に関する明細その他(1)の財務省令で定める事項を記載した書類を添付しない場合には、適用しない。(措法70の4㉖)

　　(財務省令で定める添付書類)
(1)　1の規定により1に規定する贈与税の申告書に添付する書類は、次に掲げる書類とする。(措規23の7③)

(一)	1に規定する事項のほか提供しようとする担保の種類、数量、価額及びその所在場所の明細（その担保が保証人の保証である場合には、その保証人の氏名及び住所若しくは居所又は名称及び本店若しくは主たる事務所の所在地並びにその資産状態の明細）を記載した書類
(二)	担保の提供に関する書類
(三)	農地等の当該贈与をした贈与者が第一節の2に規定する当該贈与をした日まで引き続き3年以上農業を営んでいた個人に該当する者である旨の当該農地等の所在地を管轄する農業委員会の証明書
(四)	贈与者から当該贈与により農地等を取得した者が当該贈与者の推定相続人に該当することを証する書類《第一節の4の(2)》及び当該受贈者に係る農業委員会の書類
(五)	贈与者から当該贈与により農地等を取得した場合における当該贈与に係る契約書その他その事実を証する書類
(六)	贈与者から当該贈与により取得した農地等の地目、面積及びその所在場所その他の明細を記載した書類並びに当該農地等のうちに次に掲げる農地等がある場合には、それぞれ次に定める書類 　イ　農地法第43条第1項の規定により農作物の栽培を耕作に該当するものとみなして適用する同法第2条第1項に規定する農地　当該農地が同法第43条第2項に規定する農作物栽培高度化施設（以下本章において「農作物栽培高度化施設」という。）の用に供されているものである旨を証する当該農地の所在地を管轄する農業委員会の書類 　ロ　第一節の1の(2)の(四)に規定する都市営農農地等　当該都市営農農地等が第一節の1に規定する農地又は採草放牧地に該当する旨を証する当該都市営農農地等の所在地を管轄する市長又は特別区の区長の書類の写し 　ハ　第一節の1に規定する準農地　第一節の3の②の注に規定する市町村長の書類
(七)	贈与者が第一節の2《農地等の贈与者》に規定する個人に該当する旨を明らかにする贈与者の書類で次に掲げる事項の記載があるもの 　イ　贈与者が同2の(一)に規定する対象年（ロにおいて「対象年」という。）の前年以前において、その農業の用に供していた第一節の1に規定する農地をその者の推定相続人に対し贈与をしていないこと（その贈与をしている場合にあっては、当該農地が第三編第一章第一節二《相続時精算課税制度の選択》の(1)の規定の適用を受けるものでないこと。）。 　ロ　対象年において、当該贈与以外の贈与により第一節の1に規定する農地及び採草放牧地並びに準農地の贈与をしていないこと。 　ハ　次に掲げるものの面積並びに次の(1)の面積が(2)の面積及び(3)の面積の合計の3分の2以上となること。 　　(1)　贈与者が当該贈与をした第一節の1に規定する採草放牧地 　　(2)　贈与者が当該贈与の日までその農業の用に供していた第一節の1に規定する採草放牧地 　　(3)　贈与者の第一節の1の(5)に規定する従前採草放牧地 　ニ　次に掲げるものの面積並びに次の(1)の面積が(2)の面積及び(3)の面積の合計の3分の2以上となること。 　　(1)　贈与者が当該贈与をした第一節の1に規定する準農地 　　(2)　贈与者が当該贈与の日まで有していた第一節の1に規定する準農地

第一章　農地等についての贈与税の納税猶予及び免除
（第三節　特例の適用を受けるための手続）

　　　　　（３）　贈与者の第一節の**1**の（６）に規定する従前準農地

　　（農地等の贈与者が贈与税の申告期限前に死亡した場合）
（２）　第一節の**1**に規定する農地の全部並びに採草放牧地の同**1**の（５）に規定する３分の２以上の面積となる部分及び準
　　農地の同**1**の（６）に規定する３分の２以上の面積となる部分の贈与（以下「**贈与税の納税猶予の対象となる農地等の贈**
　　与」という。）に係る贈与者が、当該贈与に係る贈与税の申告書の提出期限前に、かつ、受贈者による当該申告書の提出
　　前に死亡した場合における同**1**の規定の適用については、次に掲げるところによることに留意する。（措通70の４−19）
　（一）　贈与者が当該農地等の贈与があった日の属する年に死亡した場合
　　イ　受贈者が贈与者の死亡に係る相続又は遺贈により財産を取得したとき
　　　　当該農地等については、第二編第四章の**4**《相続開始の年に被相続人から贈与を受けた財産（特定贈与財産を除
　　　く。）の除外》の規定に該当する場合には贈与税の課税価格の計算の基礎に算入されないので、第一節の**1**の規定の
　　　適用はない。
　　　（注）　上記の場合、贈与者の死亡に係る相続税については、当該農地等は、第二章第一節**3**《対象農地等》の②の規定により受贈者が贈与者
　　　　　から相続又は遺贈により取得したものとみなされることから第二章の規定による相続税の納税猶予の適用を受けることができることに
　　　　　留意する。
　　ロ　受贈者が贈与者の死亡に係る相続又は遺贈により財産を取得しなかったとき
　　　　受贈者が、当該農地等について第一節の**1**の規定による贈与税の納税猶予の適用を受ける旨の贈与税の申告書を
　　　提出したとき（同**1**の規定の適用に係る要件を満たしている場合に限る。）は、当該申告書は、同**1**の規定による贈
　　　与税の納税猶予の適用のある申告書となることに留意する。
　　　　この場合において、同**1**の規定による贈与税の納税猶予の適用要件のうち担保の提供については、その提供を要
　　　しないものとし、第十三節の規定による贈与税の免除の規定の適用に当たっては、当該贈与税の申告書の提出があ
　　　った時に免除の効果が生ずるものとして取り扱う。
　　　　なお、当該受贈者が当該贈与者に係る相続時精算課税適用者（相続時精算課税の適用を受けようとする者を含む。）
　　　であり、同**1**の規定の適用を受けないときは上記イを準用することに留意する。
　（二）　贈与者が当該農地等の贈与があった日の属する年の翌年に死亡した場合
　　　　上記（一）のロ（なお書を除く。）を準用する。

　　（農地等の受贈者が贈与税の申告期限前に死亡した場合）
（３）　贈与税の納税猶予の対象となる農地等の贈与に係る受贈者が、当該農地等の贈与を受けた日の属する年の中途にお
　　いて死亡した場合又は当該贈与に係る贈与税の申告書の提出期限前に当該申告書を提出しないで死亡した場合におい
　　て、当該受贈者の相続人（包括受遺者を含む。）が当該受贈者の取得した農地等に係る贈与税について第一節の**1**の規定
　　による贈与税の納税猶予の適用を受ける旨の申告書を提出したときは、同**1**の規定による贈与税の納税猶予の適用要件
　　（担保の提供に係る要件及び受贈者の要件のうち第一節の**4**《農地等の受贈者》の（三）に掲げるものを除く。）を満たして
　　いる場合に限り、当該申告書を同**1**の規定による贈与税の納税猶予の適用のある申告書として取り扱って差し支えない。
　　　この場合において、第十三節《納税猶予税額の免除》の規定の適用に当たっては、当該贈与税の申告書の提出があっ
　　た時に免除の効果が生ずるものとして取り扱う。（措通70の４−20）

　　（申告書の提出前に農地等の譲渡等があった場合）
（４）　贈与税の納税猶予の対象となる農地等の贈与に係る受贈者が、第一節の**1**の規定による贈与税の納税猶予の適用を
　　受ける旨の贈与税の申告書の提出前に当該贈与を受けた農地等につき、第四節の**1**《納税猶予の全部打切り》の（一）の
　　規定による譲渡等（以下第一章において「**譲渡等**」という。）をしている場合における第一節の**1**の規定による当該贈与
　　税の納税の猶予の適用については、次による。（措通70の４−21）
　（一）　第四節の**1**の（一）の規定を準用して計算した当該譲渡等に係る農地等の面積が、当該贈与を受けた農地等の面積
　　　の100分の20を超える場合には、当該贈与税の納税猶予の適用は受けられない。
　（二）　第四節の**1**の（一）の規定を準用して計算した当該譲渡等に係る農地等の面積が当該贈与を受けた農地等の面積の
　　　100分の20以下の場合には、当該贈与税の納税猶予の適用を受けられることとし、この場合における納税猶予税額は、
　　　当該譲渡等をした農地等の譲渡等がなかったものとして第二節《納税猶予税額の計算》の規定を適用して計算した金
　　　額から当該譲渡等があった農地等の価額に対応する贈与税額として第四節の**2**《納税猶予の一部打切り》の（２）《納
　　　税猶予が打ち切られる贈与税額》の規定に準じて計算した金額を控除した金額とする。
　　　　なお、当該譲渡等があった農地等の価額に対応する贈与税額については、当該贈与に係る贈与税の申告書の提出期

−723−

限までに納付しなければならないのであるから留意する。

(三)　(一)又は(二)の場合において、当該譲渡等に係る対価の全部又は一部をもって、当該贈与税の申告書の提出期限までに農地若しくは採草放牧地(当該譲渡等が第一節の**1**《農地等を贈与した場合の贈与税の納税猶予》の(２)の(三)イからハまでに掲げる区域に所在する農地等の租税特別措置法第33条の４第１項に規定する収用交換等による譲渡である場合には、農地若しくは採草放牧地又は１年以内に農地若しくは採草放牧地に該当する見込みのある当該区域内に所在する土地)を取得しているとき又は当該譲渡等があった日から１年以内に農地若しくは採草放牧地を取得する見込みであるときは、当該農地等の贈与に係る贈与税の申告書の提出期限までに第七節の**2**の**①**《代替農地等の取得に関する承認申請書の提出》の規定による代替農地等の取得に関する承認申請書の提出があった場合に限り、当該農地等の譲渡等について第七節《特例適用農地等の買換え》の**1**の規定の適用があるものとする。

(四)　(一)又は(二)の場合において、当該譲渡等が第一節の**1**の(２)の(三)イからハまでに掲げる区域内に所在する農地等の租税特別措置法第33条の４第１項に規定する収用交換等による譲渡であり、第一節の**1**の規定の適用を受ける農地等以外の当該区域内に所在する農地若しくは採草放牧地(同**1**の本文の規定の適用を受ける受贈者が当該譲渡があった日において有していたものに限り、当該譲渡等に係る農地等の贈与を受けた日前に取得したものを除く。)で、当該譲渡等の時におけるその価額が当該譲渡等の対価の額の全部又は一部に相当するものを当該譲渡等に係る農地等に代わるものとして当該受贈者の農業の用に供しているとき又は当該譲渡等があった日から１年以内に、同項の規定の適用を受ける農地等以外の当該区域内に所在する農地若しくは採草放牧地又は当該１年以内に農地又は採草放牧地に該当する見込みのある当該区域内に所在する土地(同**1**の本文の規定の適用を受ける受贈者が当該譲渡があった日において有していたものに限り、当該譲渡等に係る農地等の贈与を受けた日前に取得したものを除く。)で、当該譲渡等の時におけるその価額が当該譲渡等の対価の額の全部又は一部に相当するものを当該譲渡等に係る農地等に代わるものとして当該受贈者の農業の用に供する見込みであるときは、当該農地等の贈与に係る贈与税の申告書の提出期限までに第八節の**2**の**②**《特定市街化区域農地等を収用交換等による譲渡に関する承認申請書の提出》の規定による申請書の提出があった場合に限り、当該農地等の譲渡等について同節の**1**《特定市街化区域農地等の収用交換等による譲渡》の規定の適用があるものとする。

(注)1　上記(一)から(四)までにより納税猶予の適用が受けられない贈与税については、第四節の**9**《納税猶予打切税額に係る延納の不適用》の規定の適用はなく、第二編第七章第二節―《贈与税の延納》の規定による延納の適用を受けることができるのであるから留意する。

　　2　上記(二)のなお書により期限内納付の対象となる贈与税額に対応する譲渡等があった農地等の面積は、その後における第四節の**1**の(一)に規定する100分の20を超えるかどうかの計算上の譲渡等の面積に含めるのであるから留意する。

　　3　上記(四)の場合において、第八節の**1**の規定の対象となる農地若しくは採草放牧地又は土地には、第一節の**1**の規定の適用を受ける農地等とともに贈与により取得した農地等は含まれないことに留意する。

　　(申告書の提出前に農地等の買取りの申出等があった場合)

(5)　贈与により取得した農地又は採草放牧地につき第一節の**1**に規定する受贈者が、同**1**の規定による贈与税の納税猶予の適用を受ける旨の贈与税の申告書の提出前に第四節の**3**《買取りの申出等による納税猶予の一部打切り》に規定する買取りの申出等(以下措通70の５―６までにおいて「買取りの申出等」という。)があった場合における第一節の**1**の規定による当該贈与税の納税猶予の適用については、次による。(措通70の４－22)

(一)　買取りの申出等があった場合においても当該贈与税の納税猶予の適用を受けられることとし、この場合における納税猶予税額は、当該買取りの申出等のあった農地又は採草放牧地の買取りの申出等がなかったものとして第二節《納税猶予税額の計算》の規定を適用して計算した金額から当該買取りの申出等があった農地又は採草放牧地の価額に対応する贈与税額として第四節の**2**の(２)《納税猶予が打ち切られる贈与税額》の規定に準じて計算した金額を控除した金額とする。

　　なお、当該買取りの申出等があった農地又は採草放牧地の価額に対応する贈与税額については、当該贈与に係る贈与税の申告書の提出期限までに納付しなければならないのであるから留意する。

(二)　(一)の場合において、次のいずれかの場合に該当するときは、当該農地又は採草放牧地の贈与に係る贈与税の申告書の提出期限までに第十一節《買取りの申出等があった農地等の買換え等》の**2**の**①**の規定による申請書の提出があった場合に限り、当該農地又は採草放牧地の買取りの申出等について第十一節の**1**の規定の適用があるものとする。

イ　当該買取りの申出等に係る都市営農農地等若しくは特定市街化区域農地等に係る農地若しくは採草放牧地(以下「**特定農地等**」という。)の譲渡等をし、かつ、当該譲渡等に係る対価の全部若しくは一部をもって、当該贈与税の申告書の提出期限までに第一節の**1**に規定する農地若しくは採草放牧地を取得している場合又は当該買取りの申出等があった日から１年以内に譲渡等をする見込み(当該贈与税の申告書の提出期限までに譲渡等をしている場合を含む。)であり、かつ、当該譲渡等があった日から１年以内に当該農地若しくは採草放牧地を取得する見込みである場合。

—724—

第一章　農地等についての贈与税の納税猶予及び免除
（第三節　特例の適用を受けるための手続）

ロ　第四節の**3**《買取りの申出等による納税猶予の一部打切り》に規定する告示若しくは事由に係る特定市街化区域農地等に係る農地若しくは採草放牧地の全部若しくは一部が当該贈与税の申告書の提出期限までに都市営農農地等に該当することとなった場合又は当該告示があった日若しくは当該事由が生じた日から1年以内に都市営農農地等に該当することとなる見込みである場合。

(注)　上記(一)及び(二)により納税猶予の適用が受けられない贈与税については、第四節の**3**《買取りの申出等による納税猶予の一部打切り》の(一)のイに係る部分についても第四節の**9**《納税猶予打切税額に係る延納の不適用》の規定の適用はなく、第二編第七章第二節**一**《贈与税の延納》の規定による延納の適用を受けることができることに留意する。

2　担保の提供

第一節の**1**の規定による担保の提供については、国税通則法第50条《担保の種類》から第54条《担保の提供等に関する細目》までの規定の適用があることに留意する。したがって、**1**の（1）の（二）の「担保の提供に関する書類」とは、国税通則法施行令第16条《担保の提供手続》の規定により担保を提供しようとする者が提出すべき書類のほか国税通則法基本通達（徴収部関係）の第54条関係の1《担保提供書等の提出》及び3《抵当権を設定するために必要な書類》に定める書類をいうのであるから留意する。（措通70の4－16）

(注)　国税通則法第50条、同施行令第16条については第二編第七章第二節《贈与税の延納》に収録した。（編者注）

　　　（担保提供書等の提出）

（1）　国税の担保の提供に当たっては、第二編第七章第二節**二**の**12**の（2）に規定する書類のほか、次の書類を併せて提出させるものとする。（国税通則法基本通達第54条関係「1」）

（一）　担保を提供する旨の書面

（二）　第三者の所有物を担保とする場合には、担保を提供することについてのその第三者の承諾書及び印鑑証明書

（三）　担保が、法人又は制限行為能力者の所有財産である場合には、代表者、法定代理人（その代理行為が民法第826条の規定に該当するときは特別代理人）、保佐人若しくは補助人の資格を証する書面又は保佐人若しくは補助人がその担保の設定に同意した旨が記載された書面及び印鑑証明書

（四）　担保が保証人の保証である場合には、保証人の印鑑証明書（法人による保証にあっては、代表者の資格を証する書面及び印鑑証明書とする。）

（五）　法人による保証（物上保証を含む。）が会社法第356条第1項第3号（競業及び利益相反取引の制限）、第365条第1項（競業及び取締役会設置会社との取引等の制限）又は第595条第1項第2号（利益相反取引の制限）の規定に該当する場合には、その提供等につき株主総会の承認、取締役会の承認又は社員の過半数の承認を受けたことを証する書面

　　　（抵当権を設定するために必要な書類）

（2）　第二編第七章第二節**二**の**12**の（2）の「抵当権を設定するために必要な書類」は、（1）に定める書類のほか、次のものとする。（国税通則法基本通達第54条関係「3」）

（一）　担保物所有者の抵当権設定登記についての承諾書

（二）　担保物所有者（法定代理人がある場合はその代理人とし、法人の場合はその代表者とする。）の印鑑証明書（（1）により提出する場合を除く。）

(注)　この印鑑証明書は、不動産登記令第16条第3項の規定による有効期限の制限はない。

　　　（納税猶予分の贈与税額に相当する担保）

（3）　第一節の**1**に規定する「当該納税猶予分の贈与税額に相当する担保」とは、納税猶予に係る贈与税の本税の額と当該本税に係る納税猶予期間中の利子税の額との合計額に相当する担保をいうものとする。（措通70の4－17）

（一）　この場合において、同**1**の規定の適用を受ける農地等の全部を担保として提供する場合（当該農地等につき当該納税猶予分の贈与税額に優先する担保権が設定されている場合を除く。）には、同**1**に規定する「当該納税猶予分の贈与税額に相当する担保を提供した場合」に該当するものとする。

（二）　なお、上記以外の方法により担保を提供する場合には、納税猶予に係る贈与税の本税の額とこれに係る贈与者の平均余命年数に相当する納税猶予期間中の利子税の額との合計額に相当する担保が提供された場合が同**1**に規定する「当該納税猶予分の贈与税額に相当する担保を提供した場合」に該当するものとして取り扱う。

(注)　上記平均余命年数は、第九編第十一章第一節の**①**の（8）《定期金給付契約の目的とされた者に係る平均余命》に定める平均余命によることに留意する（第二章第三節の**3**の（2）《納税猶予分の相続税額に相当する担保》において同じ。）。

－725－

第四編　農地等に係る相続税・贈与税の納税猶予及び免除

第四節　納税猶予の打切り

1　納税猶予の全部打切り

（本文略＝第一節の**1**に掲載）　ただし、当該受贈者が、当該贈与者の死亡の日前において(一)から(三)までに掲げる場合のいずれかに該当することとなった場合には、これらに定める日から2月を経過する日（その該当することとなった後同日以前に当該受贈者が死亡した場合には、当該**受贈者の相続人**（包括受遺者を含む。以下この章において同じ。）が当該贈与者の死亡による相続の開始があったことを知った日の翌日から6月を経過する日）まで、当該贈与者の死亡の日前において(四)に掲げる場合に該当することとなった場合には(四)に定める日まで、それぞれ当該納税を猶予する。（措法70の4①ただし書）

(一)	当該贈与により取得した第一節の**1**の適用を受ける農地等の譲渡、贈与若しくは転用（採草放牧地の農地への転用、準農地の採草放牧地又は農地への転用その他(1)の政令で定める転用を除く。）をし、当該農地等につき地上権、永小作権、使用貸借による権利若しくは賃借権の設定（当該農地等につき民法第269条の2第1項の地上権の設定があった場合において当該受贈者が当該農地等を耕作（農地法第43条第1項の規定により耕作に該当するものとみなされる農作物の栽培を含む。第一節の**1**の(2)の(一)を除き、本章において同じ。）又は養畜の用に供しているときにおける当該設定を除く。）をし、若しくは当該農地等につき耕作の放棄（農地について農地法第36条第1項の規定による勧告（当該農地が農業振興地域の整備に関する法律第6条第1項の規定により指定された農業振興地域外に所在する場合には、農業委員会その他(3)の政令で定める者が、(3)の政令で定めるところにより、当該農地の所在地の所轄税務署長に対し、当該農地が利用意向調査に係るものであって農地法第36条第1項各号に該当する旨の通知をするときにおける当該通知。第六節**3**の(二)において同じ。）があったことをいう。以下この章において同じ。）をし、又は当該取得に係る第一節の**1**の規定の適用を受けるこれらの権利の消滅（これらの権利に係る農地又は採草放牧地の所有権の取得に伴う消滅を除く。）があった場合（租税特別措置法第33条の4第1項に規定する収用交換等による譲渡その他(5)の政令で定める譲渡又は設定があった場合を除く。）において、当該譲渡、贈与、転用、設定若しくは耕作の放棄又は消滅（以下この章において「**譲渡等**」という。）があった当該農地等に係る土地の面積（当該譲渡等の時前に第一節の**1**の規定の適用を受ける農地等につき譲渡等（同法第33条の4第1項に規定する収用交換等による譲渡その他(5)の政令で定める譲渡又は設定を除く。）があった場合には、当該譲渡等に係る土地の面積を加算した面積）が、当該受贈者のその時の直前における第一節の**1**の規定の適用を受ける農地等に係る耕作又は養畜の用に供する土地（当該受贈者が当該贈与により取得した農地等のうち準農地で農地又は採草放牧地への転用がされたもの以外のものに係る土地を含む。）の面積（その時前に第一節の**1**の規定の適用を受ける農地等のうち農地又は採草放牧地につき譲渡等があった場合には、当該譲渡等に係る土地の面積を加算した面積）の100分の20を超えるとき	その事実が生じた日
(二)	当該贈与により取得した農地等に係る農業経営を廃止した場合	その廃止の日
(三)	当該贈与者の推定相続人に該当しないこととなった場合	その該当しないこととなった日
(四)	当該受贈者が第一節の**1**の規定の適用を受けることをやめようとする場合において、**6**の(一)に規定する贈与税及び当該贈与税に係る**6**に規定する利子税を納付してその旨を記載した届出書を納税地の所轄税務署長に提出したとき	当該届出書の提出があった日

　　（政令で定める転用）
(1)　**1**の(一)に規定する政令で定める転用は、**1**に規定する受贈者が、当該農地等を当該受贈者の**1**の(一)に規定する耕作若しくは養畜の事業（当該受贈者が第五節《受贈農地等に係る使用貸借による権利の設定》の**1**の規定の適用を受けた者である場合には、その推定相続人の**1**の(一)に規定する耕作又は養畜の事業を含む。）に係る事務所、作業場、倉庫その他の施設又はこれらの事業に従事する使用人の宿舎の敷地にするための転用とする。（措令40の6⑨）

－726－

第一章　農地等についての贈与税の納税猶予及び免除
（第四節　納税猶予の打切り）

（使用人の範囲）
（２）　（１）に規定する「使用人」には、受贈者の親族が受贈者の営む農業に従事する場合であっても、その親族は含まないことに取り扱う。（措通70の４−24）

（政令で定める者）
（３）　１の（一）に規定する政令で定める者は農業委員会とし、当該農業委員会は、１の規定の適用を受ける農地が農地法第36条第１項各号に該当する場合には、遅滞なく、その旨その他（４）の財務省令で定める事項を当該農地の所在地の所轄税務署長に通知しなければならない。ただし、同項ただし書に規定する正当の事由があるときは、この限りでない。（措令40の６⑩）

（財務省令で定める事項）
（４）　（３）に規定する財務省令で定める事項は、次に掲げる事項とする。（措規23の７④）
　（一）　第一節の１の規定の適用を受ける農地が農地法第36条第１項各号に該当する旨
　（二）　（一）の農地の地目、面積及びその所在場所並びに当該農地につき第一節の１の規定の適用を受けている受贈者の氏名及び住所又は居所
　（三）　その他参考となるべき事項

（政令で定める譲渡又は設定）
（５）　１の（一）に規定する政令で定める譲渡又は設定は、農地等の譲渡が次に掲げる場合に該当する場合におけるその譲渡又は当該農地等についての地上権、永小作権、使用貸借による権利若しくは賃借権の設定が次の（二）若しくは（三）に掲げる場合に該当する場合におけるその設定とする。ただし、１の（一）に規定する譲渡等があった当該農地等に係る土地の面積に加算される当該譲渡等の時前の同（一）に規定する譲渡等に係る土地の面積を計算する場合における（５）の規定の適用については、（二）中「者が」とあるのは、「者が現に」と、「常時従事者になる場合」とあるのは「常時従事者である場合」と、（三）中「共同利用する場合」とあるのは「現に共同利用している場合」とする。（措令40の６⑪）

（一）	都市計画法第８条第１項第14号に掲げる生産緑地地区内にある第一節の１に規定する農地及び採草放牧地（贈与により取得した日前に生産緑地法第10条（同法第10条の５の規定により読み替えて適用する場合を含む。）又は第15条第１項の規定による買取りの申出がされたものを除く。）が、生産緑地法第11条第１項又は第12条第２項の規定に基づき、同法第11条第２項に規定する地方公共団体等に買い取られた場合
（二）	農地法第２条第３項に規定する農地所有適格法人に出資をした場合（当該出資をした者が当該農業生産法人の同項第２号ホに規定する常時従事者になる場合に限る。）
（三）	農地法等の一部を改正する法律（平成21年法律第57号）附則第７条第２項の規定によりなお従前の例によることとされる同法第１条の規定による改正前の農地法第75条の７第１項の協議若しくは同条第２項において準用する同法第75条の５第１項の裁定に基づき同法第75条の２第１項に規定する草地利用権が設定され、又は同法第75条の８第１項の裁定に基づき買い取られた場合（当該設定又は買取りに係る同法第75条の２第１項に規定する土地所有者等が、当該設定又は買取りに係る当該草地利用権に係る土地を他の者とともに共同利用する場合に限る。）

（四）		農業振興地域の整備に関する法律第８条第２項第１号に規定する農用地区域として定められている区域内にある農地等について、農業経営基盤強化促進法第７条第１号に規定する農地売買等事業のために譲渡をした場合（当該譲渡をした受贈者の次に掲げる区分に応じ、それぞれ次に定める要件を満たす場合に限る。）
	イ	当該譲渡をした日において65歳以上である受贈者　第一節の１の贈与に係る同項に規定する贈与税の申告書の提出期限から当該譲渡をした日までの期間（ロにおいて「適用期間」という。）が10年以上であること。
	ロ	イに掲げる受贈者以外の受贈者　適用期間が20年以上であること。

（財務省令で定める譲渡又は設定の届出）
（６）　第一節の１の規定の適用を受けている受贈者は、その有する農地等が次の各号に掲げる場合に該当することとなった場合には、その該当することとなった日から１月以内に、当該各号に掲げる書類を、納税地の所轄税務署長に提出しなければならない。（措規23の７⑤）

−727−

(一)	(5)の(一)に掲げる場合	(5)の(一)に規定する農地又は採草放牧地の買取りをした地方公共団体等の長のその旨を証する書類	
(二)	(5)の(二)に掲げる場合	その者が農地等を農地所有適格法人に出資をした旨及びその者が当該農地所有適格法人の常時従事者になると認められる旨を証する当該農地等の所在地を管轄する農業委員会の書類	
(三)	(5)の(三)に掲げる場合	次に掲げる書類	
		イ	都道府県知事の(5)の(三)に規定する協議に係る承認又は同(三)に規定する裁定をした旨を証する書類
		ロ	イの協議又は裁定に基づき農地等につき(5)の(三)に規定する草地利用権の設定を受け、又は当該草地利用権に係る当該土地の買取りをした市町村長又は農業協同組合の当該設定を受け、又は当該買取りをした旨を証する書類及びこれらの市町村長又は農業協同組合の当該設定又は当該買取りに係る同(三)に規定する土地所有者等が当該草地利用権に係るこれらの土地を他の者とともに共同利用する旨を証する書類
(四)	(5)の(四)に規定する区域内にある農地等について(5)の(四)に規定する農地売買等事業（イにおいて「農地売買等事業」という。）のために譲渡をした場合　届出者の生年月日及び当該農地等を贈与により取得した日を記載した書類、当該農地等が当該区域内にある旨を証する当該農地等の所在地の市町村長の書類並びに次に掲げる場合の区分に応じそれぞれ次に定める書類		
		イ	ロ及びハに掲げる場合以外の場合　当該農地等について当該農地売買等事業のために買入れを行った旨及び当該買入れを行った年月日を証する当該買入れを行った農地中間管理事業の推進に関する法律（平成25年法律第101号）第2条第4項に規定する農地中間管理機構（以下「農地中間管理機構」という。）の書類並びに当該譲渡につき農地法第3条第1項第13号の届出を受理した旨を証する当該農地等の所在地を管轄する農業委員会の書類
		ロ	当該農地等を農地中間管理事業の推進に関する法律第18条第1項の農用地利用集積等促進計画の定めるところにより譲渡をした場合　当該農地等に係る当該農用地利用集積等促進計画につき同条第7項の規定による公告をした者の当該公告をした旨及び当該公告の年月日を証する書類
		ハ	当該農地等を福島復興再生特別措置法第17条の31第1項の農用地利用集積等促進計画の定めるところにより譲渡をした場合　当該農地等に係る当該農用地利用集積等促進計画につき同法第17条の26の規定による公告をした旨及び当該公告の年月日を証する福島県知事の書類

（買取りの申出等に係る農地の転用等）
（7）　3《買取りの申出等による納税猶予の一部打切り》に規定する買取りの申出等に係る3の農地又は採草放牧地について1の(一)の転用又は譲渡若しくは設定があったときは、当該転用又は譲渡若しくは設定は、同(一)に規定する政令で定める転用又は政令で定める譲渡若しくは設定に含まれるものとする。（措令40の6⑫）

（貸付特例適用農地等を貸し付けている場合）
（8）　第六節の1の規定の適用を受ける貸付特例適用農地等に係る賃借権等の設定をした受贈者が当該設定をした後当該貸付特例適用農地等を当該設定に基づき借り受けた者に引き続き貸し付けている場合における当該受贈者に係る1及び2の規定の適用については、1の(一)中「が当該農地等」とあるのは「又は第10項第3号に規定する借り受けた者が当該農地等」と、「（以下この章」とあるのは「（第六節の1の規定の適用を受ける同1に規定する賃借権等が設定されている同1に規定する貸付特例適用農地等の当該受贈者による当該譲渡、贈与、転用若しくは設定又は消滅に伴う当該賃借権等の消滅を除く。以下この章」と、「に係る土地を含む」とあるのは「及び第六節の1の規定の適用を受ける同1に規定する貸付特例適用農地等に係る土地を含む」と、2中「供されているもの」とあるのは「供されているもの及び第六節の1の規定の適用を受ける同1に規定する貸付特例適用農地等」とする。（措令40の6㉘）

（一時的道路用地等の用に供されている農地等を貸し付けている場合）
（9）　第九節の1の規定の適用を受ける一時的道路用地等の用に供されている農地等に係る地上権等の設定をした受贈者が当該地上権の設定をした後当該一時的道路用地等の用に供されている農地等を引き続き当該一時的道路用地等に係る

第一章 農地等についての贈与税の納税猶予及び免除
(第四節 納税猶予の打切り)

事業の施行者に貸し付けている場合における当該受贈者に係る**1**及び**2**の規定の適用については、**1**の(一)中「受贈者が当該農地等を耕作（農地法第43条第１項の規定により耕作に該当するものとみなされる農作物の栽培を含む。第一節の**1**の(2)の(一)を除き、本章において同じ。）又は養畜の用に供している」とあるのは「農地等が第九節の**1**に規定する一時的道路用地等の用に供されている」と、「(以下この章」とあるのは「(第九節の**1**の規定の適用を受ける同**1**に規定する地上権等の設定がされている同**1**に規定する一時的道路用地等の用に供されている農地等の当該受贈者による当該譲渡、贈与、転用若しくは設定又は消滅に伴う同項の規定の適用に係る同項の地上権、賃借権又は使用賃借による権利の消滅を除く。以下この章」と、「に係る土地を含む」とあるのは「及び第九節の**1**の規定の適用を受ける同**1**に規定する一時的道路用地等の用に供されている農地等に係る土地を含む」と、**2**中「供されているもの」とあるのは「供されているもの及び第九節の**1**の規定の適用を受ける同**1**に規定する一時的道路用地等の用に供されている農地等」とする。(措令40の６㊿)

　　　（準農地に区分地上権が設定された場合）

(10)　第一節の**1**の規定の適用を受ける同**1**に規定する準農地につき民法第269条の２第１項の地上権の設定（以下(10)において「区分地上権の設定」という。）があった場合において、当該準農地が同**1**の贈与税の申告書の提出期限後10年を経過する日までに、同**1**に規定する農地又は採草放牧地として同**1**の規定の適用を受ける受贈者の農業の用に供される見込みであるときには、当該区分地上権の設定は、**1**の(一)又は**2**に規定する譲渡等には該当しないことに留意する。(措通70の４－25の２)

　　　（譲渡の時期）

(11)　特例適用農地等の譲渡があった場合における**1**の(一)に規定する「その事実が生じた日」（以下(11)において「その事実が生じた日」という。）及び**2**《納税猶予の一部打切り》、第七節《特例適用農地等の買換え》の**1**、第八節の**1**又は第十一節の**1**に規定する「譲渡等があった日」（以下この(11)において「譲渡等があった日」という。）とは、次の(一)、(二)又は(三)に掲げる日とする。(措通70の４－23)

(一)　農地法第３条第１項本文《農地又は採草放牧地の権利移動の制限》若しくは第５条第１項本文《農地又は採草放牧地の転用のための権利移動の制限》の規定による許可又は同項第６号の規定による届出を要する農地又は採草放牧地の譲渡については、当該許可又は届出の効力が生じた日と当該農地又は採草放牧地の引渡しがあった日とのうち、いずれか遅い日

(二)　農地中間管理事業の推進に関する法律（平成25年法律第101号）第18条第８項《農用地利用集積等促進計画》に規定する農用地利用集積等促進計画（以下第十七節の**1**の(7)までにおいて「農用地利用集積等促進計画」という。）の定めるところによる農地又は採草放牧地の所有権の移転については、当該農用地利用集積等促進計画に定める日と当該農地又は採草放牧地の引渡しがあった日とのうち、いずれか遅い日

(三)　(一)又は(二)に該当しない農地若しくは採草放牧地又は準農地の譲渡については、これらの土地の引渡しがあった日

(注)１　次のいずれかに該当する場合には、上記(一)、(二)又は(三)にかかわらず、それぞれに掲げる日をもって、「その事実が生じた日」又は「譲渡等があった日」として取り扱って差し支えない。

　　イ　特例適用農地等の譲渡の対価の全部又は一部をもって農地又は採草放牧地（当該譲渡等が第一節**1**《農地等を贈与した場合の贈与税の納税猶予》の(2)の(三)イからハまでに掲げる区域に所在する農地等の租税特別措置法第33条の４第１項に規定する収用交換等による譲渡である場合には、農地若しくは採草放牧地又は１年以内に農地若しくは採草放牧地に該当する見込みのある当該区域内に所在する土地）を取得する見込みであることにつき、第七節の**1**又は第十一節の**1**の規定による税務署長の買換えの承認を受ける場合において、当該特例適用農地等の譲渡に関する契約の締結された日をもって当該譲渡があった日とする第七節の**2**の①又は第十一節の**2**の①に規定する申請書が提出されたとき　　当該契約の締結された日

　　ロ　譲渡の時におけるその価額が当該譲渡の対価の額の全部若しくは一部に相当する農地若しくは採草放牧地又は１年以内に農地又は採草放牧地に該当することとなる見込みのある土地を、当該特例適用農地等に代わるものとして当該受贈者の農業の用に供する見込みであることにつき、第八節《特定市街化区域農地等の収用交換等による譲渡》の**1**の規定による税務署長の付替えの承認を受ける場合において、当該特例適用農地等の譲渡に関する契約の締結された日をもって当該譲渡があった日とする第八節の**2**の②《特定市街化区域農地等を収用交換等による譲渡に関する承認申請書の提出》に規定する申請書が提出されたとき　　当該契約の締結された日

　　ハ　**8**《農地等についての贈与税の納税猶予等に係る利子税の特例》の規定の適用を受ける場合において、特例適用農地等の譲渡に関する契約の効力の発生した日をもって当該譲渡があった日とする**8**の(1)に規定する届出書が提出されたとき（当該譲渡により納付すべき納税猶予額及び当該猶予税額に係る利子税の額が、上記(一)又は(三)に掲げる日までに納付された場合に限る。）　　当該契約の効力の発生した日

２　農業経営基盤強化促進法等の一部を改正する法律（令和４年法律第56号）附則第５条第２項の規定によりなお その 効力を有するものとされる同項に規定する農用地利用集積計画（以下第十七節の**1**の(7)までにおいて「農用地利用集積計画」という。）の定めるところによる農地又は採草放牧地の所有権の移転についても、上記(二)と同様である ことに留意する。

第四編　農地等に係る相続税・贈与税の納税猶予及び免除

（譲渡等をした特例適用農地等の面積が100分の20を超えるかどうかの計算）

(12)　1の(一)に規定する100分の20を超えるかどうかの計算は、次に掲げる場合に応じ、それぞれ次に掲げる算式により行うことに留意する。（措通70の4−26）

(一)　既往において第七節《特例適用農地等の買換え》の1の(三)若しくは第十一節《買取りの申出等があった農地等の買換え等》の1の(三)の規定に該当する農地又は採草放牧地（以下において「**代替取得農地等**」という。）を取得していない場合又は第八節の1に規定する代替農地等（以下第二章第一節の**3**の**③**までにおいて「**代替農地等**」という。）で、第八節の1の(三)の規定に該当する農地若しくは採草放牧地（以下第七節の1までにおいて「**付替農地等**」という。）を農業の用に供していない場合

$$\frac{B+C}{A}$$

(二)　既往において、第七節の1の(三)の規定に該当する代替取得農地等を取得している場合

$$\frac{B+C}{A+（F-D+E）}$$

(三)　既往において、付替農地等を農業の用に供している場合

$$\frac{B+C}{A+（F-D'+E'）}$$

(四)　既往において、第十一節の1の(三)の規定に該当する代替取得農地等を取得している場合

$$\frac{B+C}{A+（F-D''+E''）}$$

(注)　算式中の符号は、次のとおりである。

　Aは、贈与により取得した特例適用農地等の受贈時の面積をいう。

　Bは、今回譲渡等をした特例適用農地等の面積をいう。

　　この場合の譲渡等には、1の(一)に規定する収用交換等による譲渡その他(5)に規定する譲渡又は設定（以下(17)までにおいて「**収用交換等による譲渡等**」という。）を含まない。

　Cは、既往において譲渡等（収用交換等による譲渡等を除く。）をした特例適用農地等の面積をいい、この面積は、第七節の1の(一)の規定により譲渡等がなかったものとみなされるものの面積を除き、第七節の1の(二)の規定により譲渡等がされたものとみなされるものの面積を含む。

　Dは、既往において第七節の1の(一)の規定により譲渡等がなかったものとみなされた特例適用農地等の面積をいい、次の算式により計算する。

$$譲渡等をした特例\atop 適用農地等の面積 \times \frac{譲渡等の対価の額のうち代替取得農地等の取得に充てる見込金額}{譲渡等をした特例適用農地等の対価の額}$$

　Eは、Dの面積のうち、第七節の1の(二)の規定によりその後譲渡等がされたものとみなされた特例適用農地等の面積をいい、次の算式により計算する。

$$Dの面積 \times \frac{Dの面積に係る譲渡等の対価の額のうち代替取得農地等の取得に充てられなかった金額}{Dの面積に係る譲渡等の対価の額}$$

　Fは、代替取得農地等又は付替農地等の面積をいう。

　D'は、既往において第八節の1の(一)の規定により譲渡等がなかったものとみなされた特例適用農地等の面積をいい、次の算式により計算する。

$$譲渡等をした特例\atop 適用農地等の面積 \times \frac{譲渡等の対価の額に相当する代替農地等の価額}{譲渡等をした特例適用農地等の対価の額}$$

　E'は、D'の面積のうち、第八節の1の(二)の規定により譲渡等がされたものとみなされた特例適用農地等の面積をいい、次の算式により計算する。

$$D'の面積 \times \frac{代替農地等の価額のうち農業の用に供していない部分に相当する価額}{D'の面積に係る譲渡等の対価の額}$$

　D''は、既往において第十一節の1の(一)の規定により譲渡等がなかったものとみなされた特定農地等の面積をいい、次の算式により計算する。

第一章　農地等についての贈与税の納税猶予及び免除
（第四節　納税猶予の打切り）

$$\text{譲渡等をする見込みで} \times \frac{\begin{array}{c}\text{譲渡等の対価の見積額のうち代替}\\\text{取得農地等の取得に充てる見込金額}\end{array}}{\begin{array}{c}\text{譲渡等をする見込みである}\\\text{特定農地等の対価の見積額}\end{array}}$$

E″は、D″の面積のうち、第十一節の**1**の（二）のハの規定によりその後買取りの申出等があったものとみなされた特定農地等の面積をいい、次の算式により計算する。

$$\text{D″の面積} \times \frac{\begin{array}{c}\text{D″の面積に係る譲渡等の対価の額のうち代替}\\\text{取得農地等の取得に充てられなかった金額}\end{array}}{\text{D″の面積に係る譲渡等の対価の額}}$$

（具体的計算例）

例1　既往において、代替取得農地等を取得していない場合

①　贈与により取得した特例適用農地等の受贈時の面積　　　　　　　　　　10ヘクタール

②　今回の譲渡等（収用交換等による譲渡等を除く。）をした特例適
　　用農地等の面積　　　　　　　　　　　　　　　　　　　　　　　　　　2ヘクタール

③　既往において譲渡等（収用交換等による譲渡等を除く。）をした
　　特例適用農地等の面積　　　　　　　　　　　　　　　　　　　　　　　0.5ヘクタール

（計算）

〈イ〉　「A」の数値（①）　　　　　　　　10ヘクタール

〈ロ〉　「B」の数値（②）　　　　　　　　2ヘクタール

〈ハ〉　「C」の数値（③）　　　　　　　　0.5ヘクタール

〈ニ〉　100分の20を超えるかどうかの計算

$$\frac{B+C}{A} = \frac{2+0.5}{10} = \frac{2.5}{10} > \frac{20}{100}$$

この場合には、**1**の（一）の規定に該当する。

例2　既往において、第七節の**1**の（三）の規定に該当する代替取得農地等を取得している場合

①　贈与により取得した特例適用農地等の受贈時の面積　　　　　　　　　　20ヘクタール

②　既往において譲渡等をした特例適用農地等の面積　　　　　　　　　　　4ヘクタール

　　うち収用交換等による譲渡等に係る特例適用農地等の面積　　　　　　　0.5ヘクタール

　　差引　　　　　　　　　　　　　　　　　　　　　　　　　　　　　　　3.5ヘクタール

③　②のうち第七節の**1**の（一）の規定により

　　譲渡等がなかったものとみなされた特例適用農地等の面積　　　　　　　3ヘクタール

④　③のうち第七節の**1**の（二）の規定により

　　譲渡等があったものとみなされた特例適用農地等の面積　　　　　　　　2ヘクタール

⑤　代替取得農地等の面積　　　　　　　　　　　　　　　　　　　　　　　2.5ヘクタール

⑥　今回譲渡等をした特例適用農地等の面積　　　　　　　　　　　　　　　1ヘクタール

　　うち収用交換等による譲渡等に係る特例適用農地等の面積　　　　　　　0

　　差引　　　　　　　　　　　　　　　　　　　　　　　　　　　　　　　1ヘクタール

（計算）

〈イ〉　「A」の数値（①）　　　　　　　　20ヘクタール

〈ロ〉　「B」の数値（⑥）　　　　　　　　1ヘクタール

〈ハ〉　「C」の数値
　　　　（②－③＋④＝3.5－3＋2）　　　2.5ヘクタール

〈ニ〉　「D」の数値（③）　　　　　　　　3ヘクタール

〈ホ〉　「E」の数値（④）　　　　　　　　2ヘクタール

〈ヘ〉　「F」の数値（⑤）　　　　　　　　2.5ヘクタール

〈ト〉　100分の20を超えるかどうかの計算

$$\frac{B+C}{A+(F-D+E)} = \frac{1+2.5}{20+(2.5-3+2)} = \frac{3.5}{21.5} < \frac{20}{100}$$

この場合には、**1**の（一）の規定に該当しない。

例3　既往において、第十一節の**1**の（三）の規定に該当する代替取得農地等を取得している場合

①	贈与により取得した特例適用農地等の受贈時の面積	20ヘクタール
②	既往において買取りの申出等があった特定農地等の面積	4ヘクタール
	うち譲渡等に係る特定農地等の面積	3.5ヘクタール
③	②のうち旧第八節の**1**の（一）の規定により 譲渡等がなかったものとみなされた特定農地等の面積	3ヘクタール
④	③のうち旧第八節の**1**の（二）のロ又はハの規定により買取りの申出 等があったものとみなされた特定農地等の面積	1ヘクタール
⑤	代替取得農地等の面積	4ヘクタール
⑥	今回譲渡等をした特例適用農地等の面積	4.5ヘクタール
	うち収用交換等による譲渡等に係る特例適用農地等の面積	0
	差引	4.5ヘクタール

（計算）

〈イ〉	「A」の数値（①）	20ヘクタール
〈ロ〉	「B」の数値（⑥）	4.5ヘクタール
〈ハ〉	「C」の数値	0
〈ニ〉	「D″」の数値（③）	3ヘクタール
〈ホ〉	「E″」の数値（④）	1ヘクタール
〈ヘ〉	「F」の数値（⑤）	4ヘクタール

〈ト〉　100分の20を超えるかどうかの計算

$$\frac{B+C}{A+(F-D''+E'')} = \frac{4.5+0}{20+(4-3+1)} = \frac{4.5}{22} > \frac{20}{100}$$

この場合には、**1**の（一）の規定に該当する。

（100分の20の計算から除外される耕作又は養畜の事業に係る施設）

(13)　**1**の（一）の規定による100分の20を超えるかどうかの計算をする場合の同（一）に規定する特例適用農地等の転用から除外される（1）に規定する「その他の施設の敷地にするための転用」には、第一節の**1**の規定の適用を受けた準農地を**2**の（1）《農地、採草放牧地の保全又は利用上必要な施設》に規定する農地又は採草放牧地の保全又は利用上必要な道路等の施設の敷地にするための転用が含まれることに留意する。（措通70の4－27）

（100分の20の計算から除外される作業場の敷地等に転用された特例適用農地等）

(14)　**1**の（一）の規定による特例適用農地等の転用から除外される（1）に規定する「転用」が行われた土地（（13）により（1）に規定する「その他の施設」に含むものとされる施設の敷地を含む。）は、その転用後も転用前の状態のままあるものとして特例適用農地等に含まれるのであるから留意する。（措通70の4－28）

（農地所有適格法人の常時従事者に該当しなくなった場合などの100分の20の計算）

(15)　（5）の（二）の規定に該当する農地所有適格法人の常時従事者となった者が、その後当該法人の常時従事者に該当しなくなった場合、又は（5）の（三）の規定に該当する草地利用権に係る土地の共同利用者となった者がその後当該土地の共同利用者に該当しなくなった場合には、その常時従事者又は共同利用者に該当しなくなった時においては、**1**の（一）に規定する100分の20を超えるかどうかの計算は行わないのであるが、その後、当該100分の20を超えるかどうかの計算を要する特例適用農地等の譲渡等があった時においては、当該譲渡等に係る特例適用農地等の面積に当該農地所有適格法人に対する出資又は草地利用権の設定若しくは買取りに係る土地の面積を加算して、当該100分の20の計算を行うことに留意する。（措通70の4－29）

（農業経営基盤強化促進法に規定する事業による譲渡をした場合）

(16)　**1**の（一）の規定による100分の20を超えるかどうかの計算上の分子の対象となる譲渡等から除外される譲渡等は、第二章第四節の**1**の（一）に規定する「第33条の4第1項に規定する収用交換等による譲渡その他（5）の政令で定める譲渡又は設定」とは異なることに留意する。

したがって、**1**の（5）の（四）のイ又はロの要件を満たさない受贈者が行った農業振興地域の整備に関する法律（昭和44年法律第58号）第8条第2項第1号《市町村の定める農業振興地域整備計画》に規定する農用地区域として定められている区域内にある特例適用農地等の農業経営基盤強化促進法（平成25年法律第101号）第7条第1号に規定する農地売

－732－

第一章　農地等についての贈与税の納税猶予及び免除
（第四節　納税猶予の打切り）

買等事業のための譲渡は、収用交換等による譲渡等に該当しないことに留意する。（措通70の4－29の2）

（注）1　第一節の**1**の規定の適用を受けている受贈者で**1**の（5）の（四）のイ若しくはロの要件を満たす受贈者が行った当該農地売買等事業のための譲渡又は第二章第一節の**1**の規定の適用を受けている相続人が行った当該譲渡は、それぞれ第四節の**1**の（一）又は第二章第四節の**1**の（一）の規定による100分の20を超えるかどうかの計算上の分子の対象となる譲渡等から除外されることに留意する。

　　　2　農用地利用集積計画の定めるところによる譲渡も、当該農地売買等事業のための譲渡と同様であることに留意する。

　　　　　（100分の20の計算から除外される収用交換等による譲渡等があった場合）

(17)　特例適用農地等について収用交換等による譲渡等があった場合における当該収用交換等による譲渡等に係る特例適用農地等の面積は、**1**の（一）の規定による100分の20を超えるかどうかの計算上の分子に該当する譲渡等の面積からは除外されるのであるが、当該収用交換等による譲渡等は、**2**《納税猶予の一部打切り》の規定により納税猶予の期限が確定する贈与税の額の計算をする場合の譲渡等には含まれ、当該譲渡等に係る特例適用農地等の価額に対応する贈与税の額（当該贈与税の額に係る利子税の額を含む。）は納付を要することに留意する。（措通70の4－30）

　　　　　（買取りの申出等があった場合）

(18)　第一節の**1**の規定の適用を受ける農地又は採草放牧地について買取りの申出等があった場合における当該買取りの申出等に係る特定農地等の面積は、**1**の（一）の規定による100分の20を超えるかどうかの計算上の分子に該当する譲渡等の面積に含まれないのであるが、当該買取りの申出等は、**3**《買取りの申出等による納税猶予の一部打切り》の規定により納税猶予の期限の確定事由に該当し、当該買取りの申出等に係る特定農地等の価額の対応する贈与税の額（当該贈与税の額に係る利子税の額を含む。）は納付を要するのであるから留意する。

　　　なお、買取りの申出等があった特定農地等についてその後譲渡等があった場合には、当該譲渡等は納税猶予の期限が確定する贈与税の額を計算するときの譲渡等には含まれないのであるから留意する。（措通70の4－31）

　　　　　（推定相続人に該当しないこととなった場合）

(19)　**1**の（三）に規定する「贈与者の推定相続人に該当しないこととなった場合」とは、次に掲げる場合などをいうのであるから留意する。（措通70の4－34）

（一）　受贈者が贈与者の養子又は養親である場合において、養子縁組の取消し又は離縁が行われたとき

（二）　受贈者が贈与者の配偶者である場合において、婚姻の取消し又は離婚が行われたとき

（三）　受贈者が贈与者の尊属又は兄弟姉妹である場合において、出生、認知又は養子縁組により贈与者に子があることとなったとき（兄弟姉妹がその事実の生ずる前に贈与者の養子となった場合を除く。）

（四）　受贈者が民法第892条《推定相続人の廃除》の規定に基づき廃除された場合

　　　　　（受贈者が納税猶予の適用をやめる場合の期限）

(20)　**1**の（四）の規定に該当することによる納税猶予の期限は、第一節の**1**の規定の適用を受けている受贈者から同**1**の規定の適用を受けることをやめる旨の届出書の提出があった場合においても、当該納税猶予に係る贈与税及び当該贈与税に係る利子税（以下(20)において「贈与税等」という。）の全部の納付がない限り、確定しないことに留意する。

　　　なお、当該届出書の提出があった後に贈与税等の全部の納付があったときは、当該届出書は、当該贈与税等の全部の納付があった日に提出されたものとして取り扱う。（措通70の4－35）

第四編　農地等に係る相続税・贈与税の納税猶予及び免除

贈 与 税 の 納 税 猶 予 取 り や め 届 出 書

令和＿＿＿年＿＿＿月＿＿＿日

＿＿＿＿＿＿＿＿税務署長

〒

届出者住所＿＿＿＿＿＿＿＿＿＿＿＿＿＿＿＿＿

氏名＿＿＿＿＿＿＿＿＿＿＿＿＿＿＿
（ 電話番号　　　　－　　　　－　　　　）

※ 欄は記入しないでください。

　贈与税の納税猶予を受けている税額及びその利子税を納付し、納税猶予の適用を
受けることを取りやめたいので、その旨届け出ます。

記

1　受贈年月日　　　　昭和
　　　　　　　　　　平成　＿＿＿年＿＿＿月＿＿＿日
　　　　　　　　　　令和

2　納付した猶予税額 ------------------------------------＿＿＿＿＿＿＿＿＿円

3　2の税額とともに納付した利子税の額 ----------------------＿＿＿＿＿＿＿＿＿円

4　納付年月日　　　　令和＿＿＿年＿＿＿月＿＿＿日

関与税理士		電話番号	

※	通信日付印の年月日	（確　認）	猶予整理簿	検　算	整理簿番号
	年　　月　　日				

（ 資１２－１７－Ａ４統一）　（令 3.3）

－734－

第一章　農地等についての贈与税の納税猶予及び免除
（第四節　納税猶予の打切り）

2　納税猶予の一部打切り

　　第一節の**1**の規定の適用を受ける農地等の全部又は一部につき当該農地等に係る贈与者の死亡の日（同日前に本節の**1**の(一)から(四)のいずれかに掲げる場合に該当することとなった場合には、当該(一)から(四)に定める日）前に当該農地等に係る受贈者による譲渡等があった場合（当該譲渡等により同(一)に掲げる場合に該当することとなる場合を除く。）又は当該死亡の日前における第一節の**1**の贈与税の申告書の提出期限後10年を経過する日において当該受贈者が有する第一節の**1**の規定の適用を受ける準農地（同日前に**1**の(一)に規定する権利の設定又は転用がされたものを除く。）のうちに農地若しくは採草放牧地として当該受贈者の農業の用に供されていないもの（農地又は採草放牧地の保全又は利用上必要な施設として(1)の政令で定めるものの用に供されているものを除く。）がある場合には、納税猶予分の贈与税額のうち当該譲渡等があった農地等又は当該農業の用に供されていない準農地の価額に対応する部分の金額として(2)の政令で定めるところにより計算した金額に相当する贈与税については、第一節の**1**及び**1**の規定にかかわらず、当該譲渡等があった日又は当該10年を経過する日の翌日から**2**月を経過する日（当該譲渡等があった後又は当該10年を経過する日後当該**2**月を経過する日以前に当該受贈者が死亡した場合には、当該受贈者の相続人が当該受贈者の死亡による相続の開始があったことを知った日の翌日から**6**月を経過する日）をもって第一節の**1**の規定による納税の猶予に係る期限とする。（措法70の4④）

　　　（農地、採草放牧地の保全又は利用上必要な施設）
（1）　**2**に規定する農地又は採草放牧地の保全又は利用上必要な施設として政令で定めるものは、これらの土地の保全又は利用上必要な道路、用水路、排水路、かんがい用施設その他これらに類する施設とする。（措令40の6⑬前段）

　　　（納税猶予が打ち切られる贈与税額）
（2）　**2**、**3**及び第十四節の**3**の(1)に規定する政令で定めるところにより計算した金額は、第一節の**1**に規定する納税猶予分の贈与税額に、**2**又は**3**の規定の適用があった農地等の贈与者からの贈与の時における価額（当該農地等が第七節の**1**の(三)、第八節の**1**の(三)又は第十一節の**1**の(三)の規定により、第一節の**1**の規定の適用を受ける農地等とみなされたもの（以下「**代替取得農地等**」という。）である場合には、当該贈与により取得した農地等で第七節の**1**又は同(1)の承認に係る譲渡等があったものの当該贈与の時における価額のうち当該代替取得農地等の価額に対応する部分の金額として(3)で定めるところにより計算した金額）が贈与者から贈与により取得した全ての農地等の当該贈与の時における価額の合計額のうちに占める割合を乗じて計算した金額とする。この場合において、当該計算した金額に100円未満の端数があるとき、又はその全額が100円未満であるときは、その端数金額又はその全額を切り捨てる。（措令40の6⑭）
（注）　上記及び(3)の算式は(6)参照（編者注）

　　　（代替取得農地等対応分の計算）
（3）　(2)に規定する特例適用農地等で買換えによる譲渡等があったものの贈与時の価額のうち、代替取得農地等の価額に対応する部分の金額として計算した金額は、贈与者から贈与により取得した農地等で第七節の**1**から第十一節の**1**までの規定による承認に係るこれらの規定に規定する譲渡等があったものの当該贈与の時における価額（既に当該農地等が第七節の**1**の(三)、第八節の**1**の(三)又は第十一節の**1**の(三)の規定により第一節の**1**の規定の適用を受ける農地等とみなされたもの《代替取得農地等》である場合には、(3)の規定により計算した金額）に、当該譲渡等の対価で当該譲渡等があった日から**1**年を経過する日までに農地等の取得に充てられたものの額又は第八節の**1**の(1)に規定する代替農地等価額が当該譲渡等の対価の額のうちに占める割合を乗じて計算した金額とする。（措規23の7⑥）

　　　（申告期限後10年経過日において納税猶予の期限が確定する準農地から除かれる転用）
（4）　**2**に規定する「準農地（同日前に……転用がされたものを除く。）」の「転用」には、**2**の規定による譲渡等に該当する準農地の転用のほか、当該譲渡等に該当しない**1**の(一)の規定による準農地の採草放牧地又は農地への転用その他**1**の(1)《政令で定める転用》の規定による受贈者（第五節《受贈農地等に係る使用貸借による権利の設定》の**1**の規定の適用を受けている受贈者にあっては、その受贈者の推定相続人を含む。）の耕作又は養畜の事業に係る事務所等の施設の敷地にするための転用が含まれるのであるから留意する。（措通70の4－32）

　　　（交換又は換地処分により農地又は採草放牧地を取得した場合）
（5）　特例適用農地等について交換又は換地処分が行われた場合で、当該交換又は換地処分が所得税法第58条《固定資産の交換の場合の譲渡所得の特例》又は租税特別措置法第33条の3《換地処分等に伴い資産を取得した場合の課税の特例》

－735－

の規定により所得税の課税上譲渡がなかったものとみなされたときであっても、当該交換又は換地処分は、**1**の(一)又は**2**の規定による譲渡等に該当することに留意する。

したがって、当該交換若しくは換地処分により取得した農地若しくは採草放牧地又は租税特別措置法第33条の4第1項に規定する収用交換等による譲渡で、1年以内に農地若しくは採草放牧地に該当することとなる見込みのある第一節《特例適用の要件》の**1**の(2)の(三)イからハまでに掲げる区域内に所在する土地につき、第七節《特例適用農地等の買換え》の規定の適用を受ける場合には、当該交換又は換地処分があった日から1月以内に第七節の**2**の**❶**の規定による申請書の提出を要することとなる。(措通70の4-33)

(納税猶予税額の一部について納税猶予の期限が確定する場合の贈与税の額の計算)
(6) **2**又は**3**の規定により納税猶予税額の一部について、納税猶予の期限が確定する場合における贈与税の額の計算は、次の算式により行うのであるから留意する。

なお、これにより算出された金額に100円未満の端数があるとき又はその全額が100円未満であるときは、その端数金額又はその全額を切り捨て、その切り捨てた金額は、納税猶予税額として残るのであるから留意する。(措通70の4-37)

$$納税猶予の適用を受けた贈与税の額(A) \times \frac{譲渡等又は買取りの申出等があった特例適用農地等の贈与時の価額(B)}{贈与により取得した全ての特例適用農地等の贈与時の価額の合計額}$$

(注)1 上記算式中の(A)の金額は、第一節の**1**の規定による納税猶予の適用を受けた当初の納税猶予税額をいう。したがって、その後当該納税猶予税額の一部について納税猶予の期限が確定している場合であっても、当初の納税猶予税額によることとなる。
2 上記算式中の(B)の金額は、譲渡等又は買取りの申出等があった特例適用農地等が代替取得農地等又は付替農地等である場合には、次の算式により計算した金額による。

$$贈与により取得した特例適用農地等で買換え又は付替えの承認に係る譲渡等があったものの贈与時の価額 \times \frac{(C)のうち代替取得農地等の取得に充てられた金額又は付替農地等の価額}{贈与により取得した特例適用農地等で買換え又は付替えの承認に係る譲渡等の対価の額(C)}$$

3 買取りの申出等による納税猶予の一部打切り

第一節の**1**の規定の適用を受ける農地又は採草放牧地の全部又は一部につき当該農地又は採草放牧地に係る贈与者の死亡の日(同日前に**1**《納税猶予の全部打切り》の(一)から(四)のいずれかに掲げる場合に該当することとなった場合には、当該各号に定める日)前に次の(一)から(二)に掲げる場合に該当することとなった場合には、納税猶予分の贈与税額のうち当該(一)から(二)に規定する買取りの申出若しくは指定の解除又は告示若しくは事由(以下本章において「**買取りの申出等**」という。)に係る農地又は採草放牧地の価額に対応する部分の金額として**2**の(2)《納税猶予が打ち切られる贈与税額》で定めるところにより計算した金額に相当する贈与税については、第一節の**1**及び**1**の規定にかかわらず、当該各号に定める日の翌日から2月を経過する日(当該買取りの申出等があった後同日以前に当該受贈者が死亡した場合には、当該受贈者の相続人が当該受贈者の死亡による相続の開始があったことを知った日の翌日から6月を経過する日)をもって第一節の**1**及び**1**の規定による納税の猶予に係る期限とする。(措法70の4⑤)

(一)	当該農地又は採草放牧地が都市営農農地等である場合において、当該都市営農農地等について次に掲げる場合に該当したとき イ 生産緑地法第10条(同法第10条の5の規定により読み替えて適用する場合を含む。)又は第15条第1項の規定による買取りの申出があった場合 ロ 生産緑地法第10条の6第1項の規定による指定の解除があった場合	当該買取りの申出があった日又は当該指定の解除があった日
(二)	当該農地又は採草放牧地が都市計画法の規定に基づく都市計画の決定若しくは変更又は下記注の政令で定める事由により、特定市街化区域農地等に該当することとなった場合(当該変更により第一節**1**の(2)の(四)のロ又はハに掲げる農地でなくなった場合を除く。)	同法第20条第1項(同法第21条第2項において準用する場合を含む。)の規定による告示があった日又は当該事由が生じた日

第一章　農地等についての贈与税の納税猶予及び免除
（第四節　納税猶予の打切り）

　　　（政令で定める事由）
（１）　上記(二)に規定する政令で定める事由は、生産緑地法の一部を改正する法律（平成３年法律第39号）附則第４条第
　　２項に規定する第二種生産緑地地区に関する都市計画の失効とする。（措令40の6⑬後段）

　　　（相続税の特例に関する経過措置）
（２）　次に掲げる者は、第一節の**1**に規定する受贈者とみなして、**3**（(二)に係る部分に限る。）及び第七節、第八節及び
　　第十一節の規定を適用する。（令２改所法等附108①）
　　（一）　租税特別措置法の一部を改正する法律（昭和50年法律第16号）附則第20条第２項の規定によりなおその効力を有
　　　　するものとされる同法による改正前の租税特別措置法第70条の４第１項本文の規定の適用を受けている同項に規定す
　　　　る受贈者
　　（二）　租税特別措置法の一部を改正する法律（平成３年法律第16号）附則第19条第１項の規定によりなお従前の例によ
　　　　ることとされる場合における同法による改正前の租税特別措置法第70条の４第１項本文の規定の適用を受けている同
　　　　項に規定する受贈者
　　（三）　租税特別措置法の一部を改正する法律（平成７年法律第55号）附則第36条第２項の規定によりなおその効力を有
　　　　するものとされる同法による改正前の租税特別措置法第70条の４第１項本文の規定の適用を受けている同項に規定す
　　　　る受贈者
　　（四）　租税特別措置法等の一部を改正する法律（平成12年法律第13号）第１条の規定による改正前の租税特別措置法第
　　　　70条の４第１項本文の規定の適用を受けている同項に規定する受贈者
　　（五）　租税特別措置法等の一部を改正する法律（平成13年法律第７号）第一条の規定による改正前の租税特別措置法第
　　　　70条の４第１項本文の規定の適用を受けている同項に規定する受贈者
　　（六）　租税特別措置法等の一部を改正する法律（平成14年法律第15号）附則第32条第４項の規定によりなお従前の例に
　　　　よることとされる場合における同法第１条の規定による改正前の租税特別措置法第70条の４第１項本文の規定の適用
　　　　を受けている同項に規定する受贈者
　　（七）　所得税法等の一部を改正する法律（平成15年法律第８号）附則第123条第10項の規定によりなお従前の例によるこ
　　　　ととされる場合における同法第12条の規定による改正前の租税特別措置法第70条の４第１項本文の規定の適用を受け
　　　　ている同項に規定する受贈者
　　（八）　所得税法等の一部を改正する法律（平成17年法律第21号）附則第55条第２項の規定によりなおその効力を有する
　　　　ものとされる同法第５条の規定による改正前の租税特別措置法第70条の４第１項本文の規定の適用を受けている同項
　　　　に規定する受贈者
　　（九）　所得税法等の一部を改正する法律（平成21年法律第13号）附則第66条第２項の規定によりなおその効力を有する
　　　　ものとされる同法第５条の規定による改正前の租税特別措置法第70条の４第１項本文の規定の適用を受けている同項
　　　　に規定する受贈者
　　（十）　所得税法等の一部を改正する法律（平成26年法律第10号）附則第128条第３項の規定によりなお従前の例によるこ
　　　　ととされる場合における同法第10条の規定による改正前の租税特別措置法第70条の４第１一項本文の規定の適用を受
　　　　けている同項に規定する受贈者
　　（十一）　所得税法等の一部を改正する法律（平成28年法律第15号）附則第127条第５項の規定によりなお従前の例による
　　　　こととされる場合における同法第10条の規定による改正前の租税特別措置法第70条の４第１項本文の規定の適用を受
　　　　けている同項に規定する受贈者
　　（十二）　所得税法等の一部を改正する法律（平成30年法律第７号）附則第118条第６項又は第７項の規定によりなお従前
　　　　の例によることとされる場合における同法第15条の規定による改正前の租税特別措置法第70条の４第１項本文の規定
　　　　の適用を受けている同項に規定する受贈者
　　（十三）　旧租税特別措置法第70条の４第１項本文の規定の適用を受けている同項に規定する受贈者

4　3年ごとの納税猶予の継続届出書を提出しなかった場合の打切り

　　「贈与税の納税猶予の継続届出書」がその提出期限（贈与の日の属する年分の贈与税の申告書の提出期限の翌日から起
算して３年を経過する日をいう。）までに提出されない場合には、第一節の**1**に規定する贈与税《納税猶予税額》につい
ては、同**1**の規定にかかわらず、当該期限の翌日から２月を経過する日（当該期限後同日以前に当該贈与税に係る受贈者が
死亡した場合には、当該受贈者の相続人が当該受贈者の死亡による相続の開始があったことを知った日の翌日から６月を
経過する日）をもって第一節の**1**及び**1**の規定による納税の猶予に係る期限とする。（措法70の4㉚）

－737－

5 担保変更等の命令に応じなかった場合の打切り

第一節の **1** の場合において、受贈者が同 **1** に規定する担保について国税通則法第51条第1項《担保の変更等》の規定による命令に応じないときは、税務署長は、同 **1** に規定する贈与税《納税猶予税額》（既に **2** 又は **3** の規定の適用があった場合には、これらの規定による納税の猶予に係る期限が到来しているものを除く。）に係る第一節の **1** 又は **1** の規定による納税の猶予に係る期限を繰り上げることができる。この場合においては、同法第49条第2項及び第3項《納税猶予の取消しをする場合の弁明の聴取等》の規定を準用する。（措法70の4㉛）

　（増担保命令等に応じない場合の納税猶予の期限の繰上げ）

注　**5** の規定により、増担保命令等に応じないため納税の猶予に係る期限を繰り上げる場合には、当該担保不足に対応する納税猶予税額だけでなく、納税猶予税額の全額（既に **2** 又は **3** の規定により、納税猶予の期限が到来しているものを除く。）について納税猶予の期限を繰り上げるのであるから留意する。（措通70の4－36）

6 納税猶予の打切りがあった場合の利子税の納付

第一節の **1** の規定の適用を受けた受贈者は、次の（一）から（五）のいずれかに掲げる場合に該当する場合には、当該（一）から（五）に規定する贈与税に相当する金額とし、当該贈与税に係る贈与税の申告書の提出期限の翌日から当該各号に定める納税の猶予に係る期限までの期間に応じ、年3.6パーセントの割合を乗じて計算した金額に相当する利子税を、当該各号に規定する贈与税にあわせて納付しなければならない。（措法70の4㉟）

（一）	**1** 《納税猶予の全部打切り》の規定の適用があった場合（（五）に掲げる場合に該当する場合を除く。）	第一節の **1** に規定する贈与税《納税猶予税額》（既に **2** 《納税猶予の一部打切り》又は **3** 《買取りの申出等による納税猶予の一部打切り》の規定の適用があった場合には、これらの規定の適用があった農地等の価額に対応する部分の金額として **2** の（2）で定めるところにより計算した金額に相当するものを除く。）に係る **1** の規定による納税の猶予に係る期限
（二）	**2** の規定の適用があった場合（（五）に掲げる場合に該当する場合を除く。）	**2** の（2）で定めるところにより計算した金額に相当する贈与税に係る **2** の規定による納税の猶予に係る期限
（三）	**3** の規定の適用があった場合（（五）に掲げる場合に該当する場合を除く。）	**2** の（2）で定めるところにより計算した金額に相当する贈与税に係る **3** の規定による納税の猶予に係る期限
（四）	**4** の規定の適用があった場合（（五）に掲げる場合に該当する場合を除く。）	**4** に規定する贈与税に係る **4** の規定による納税の猶予に係る期限
（五）	**5** の規定の適用があった場合	**5** に規定する贈与税に係る **5** の規定による納税の猶予に係る期限

7 納税猶予の打切りがあった場合の利子税の割合の特例

6 に規定する利子税の割合は、これらの規定にかかわらず、各年の利子税特例基準割合が年7.3パーセントの割合に満たない場合には、その年中においては、当該利子税の割合に当該利子税特例基準割合が年7.3パーセントの割合のうちに占める割合を乗じて計算した割合とする。（措法93⑤）

$$\text{利子税の割合（本則）} \times \frac{\text{利子税特例基準割合}}{7.3\%} = \text{利子税の特例割合}$$

　（利子税特例基準割合）

（1）　**7** に規定する利子税特例基準割合とは、平均貸付割合（各年の前々年の9月から前年の8月までの各月における短期貸付けの平均利率（当該各月において銀行が新たに行った貸付け（貸付期間が1年未満のものに限る。）に係る利率の平均をいう。）の合計を12で除して計算した割合として各年の前年の11月30日までに財務大臣が告示する割合をいう。以下同じ。）に年0.5パーセントの割合を加算した割合をいう。（措法93②）

　（利子税の額の計算）

（2）　**6** の規定の適用がある場合における利子税の額の計算において、**7** に規定する計算した割合に0.1パーセント未満の端数があるときはこれを切り捨てるものとし、**7** に規定する計算した割合及び加算した割合（平均貸付割合を除く。）が

第一章　農地等についての贈与税の納税猶予及び免除
(第四節　納税猶予の打切り)

年0.1パーセント未満の割合であるときは年0.1パーセントの割合とする。(措法96①)

　　　(利子税の額の計算過程における端数処理)
(3)　7の規定の適用がある場合における利子税の額の計算において、その計算の過程における金額に1円未満の端数が生じたときは、これを切り捨てる。(措法96②)

8　農地等についての贈与税の納税猶予に係る利子税の特例

　第一節の1の規定の適用を受ける同1に規定する受贈者が同1の規定の適用を受ける同1に規定する農地等の全部又は一部につき租税特別措置法第33条の4第1項に規定する収用交換等(以下8において「**収用交換等**」という。)による譲渡をしたことにより、6の(二)に掲げる場合に該当することとなった場合には、6の規定により当該受贈者の納付すべき利子税の額は、6の規定にかかわらず、6の規定により計算した金額の2分の1に相当する金額(平成26年4月1日から令和8年3月31日までの間に当該受贈者が当該農地等の全部又は一部につき当該収用交換等による譲渡をしたことにより同(二)に掲げる場合に該当することとなった場合には、零)とする。)とする。(措法70の8①)

(注)　7の規定の適用がある場合は、8の規定中の「6の規定により計算した金額」は7の利子税の割合の特例により計算した金額となることに留意する。(編者注)

　　　(届出書の提出)
(1)　8の規定は、8の受贈者が(2)で定めるところにより8の規定の適用を受けたい旨の届出書を1又は2の規定による納税の猶予に係る期限までに納税地の所轄税務署長に提出した場合(当該税務署長においてやむを得ない事情があると認める場合には、当該届出書を当該期限後に提出した場合を含む。)に限り、適用する。(措法70の8②)

　　　(届出書の記載事項等)
(2)　8の規定の適用を受けようとする8の受贈者は、(1)の届出書に8の規定の適用を受けたい旨及び次に掲げる事項を記載し、かつ、公共事業施行者(租税特別措置法第33条の4第3項第1号に規定する公共事業施行者をいう。)の(二)の農地等につき収用交換等による譲渡を受けたことを証する書類((二)に掲げる事項の記載があるものに限る。)を添付して、これを当該受贈者の納税地の所轄税務署長に提出しなければならない。(措規23の13①②)

(一)	届出者の氏名及び住所又は居所
(二)	収用交換等による譲渡をした8に規定する農地等の地目、面積及びその所在場所その他の明細並びに当該収用交換等による譲渡をした年月日
(三)	(二)の農地等の譲渡先の名称及び所在地
(四)	その他参考となるべき事項

　　　(納税猶予期限後に提出する届出書)
(3)　(1)に規定する納税の猶予に係る期限後に(1)の届出書を提出する場合には、当該届出書に、(2)各号に掲げる事項のほか当該届出書を当該期限までに提出することができなかった事情の詳細を記載しなければならない。(措規23の13③)

　　　(旧法の適用に当たっての読替規定)
(4)　8の規定は、租税特別措置法の一部を改正する法律(平成3年法律第16号)附則第19条第1項の規定の適用を受けている者について準用する。この場合において必要な技術的読替えは、政令で定める。(平8改措法附20②)

(注)　上記の政令(平8改措令附17①)及び省令(平8改措規附8③)は省略。(編者注)

9　納税猶予打切税額に係る延納の不適用

　1から5までの規定(3の(一)のイに係る部分に限る。)に該当する贈与税については、第二編第七章第二節一《贈与税の延納》の規定は、適用しない。(措法70の4㉝)

第四編　農地等に係る相続税・贈与税の納税猶予及び免除

第五節　受贈農地等に係る使用貸借による権利の設定

1　特例適用の要件

　第一節の **1** の規定の適用を受ける受贈者が独立行政法人農業者年金基金法（平成14年法律第127号）の規定に基づく特例付加年金（同法附則第６条第３項の規定によりなおその効力を有するものとされる農業者年金基金法の一部を改正する法律附則第８条第１項の経営移譲年金を含む。）の支給を受けるため同 **1** の規定の適用を受ける農地等に係る贈与者の死亡の日前に当該受贈者の推定相続人で（1）の政令で定める者のうちの一人の者に対し当該農地等につき（4）の政令で定めるところにより使用貸借による権利の設定をした場合において、当該設定をしたこと及び当該受贈者が当該設定に関し（6）の政令で定める要件を満たしていることについての届出書が、**2** の財務省令で定めるところにより、当該設定の日から２月を経過する日までに当該受贈者の納税地の所轄税務署長に提出されたときは、当該受贈者に係る第四節の **1**《納税猶予の全部打切り》及び第四節の **2**《納税猶予の一部打切り》の規定の適用については、当該設定は、なかったものとみなす。（措法70の４⑥）

　（推定相続人のうち政令で定めるもの）
（1）　**1** に規定する推定相続人で政令で定める者は、次に掲げる要件の全てに該当する個人であることにつき（2）の財務省令で定めるところにより農業委員会（市町村長）が証明した個人とする。（措令40の６⑮）
　（一）　受贈者から **1** の規定の適用を受けようとする使用貸借による権利の設定を受けた日における年齢が18歳以上であること。
　（二）　受贈者から（一）の権利の設定を受けた日まで引き続き３年以上農業に従事していたこと。
　（三）　受贈者から（一）の権利の設定を受けた日後速やかに当該権利が設定されている農地及び採草放牧地に係る農業経営を行うと認められること。

　（財務省令で定める証明手続）
（2）　（1）に規定する証明は、**1** の規定の適用を受けようとする使用貸借による権利の設定をした受贈者の申請に基づき、当該権利が設定されている農地等の所在地を管轄する農業委員会（農業委員会を置かない市町村にあっては市町村長）が、当該受贈者の推定相続人が（1）の各号に掲げる要件の全てに該当することを明らかにする事実を記載した書類により行うものとする。（措規23の７⑦）

　（推定相続人が３年以上農業に従事していたこと）
（3）　（1）の（二）の規定による３年以上農業に従事していたかどうかを判定する場合の３年以上の期間については、第一節の **4** の（3）《３年以上農業に従事していたこと》と同様とする。（措通70の４－42）

　（使用貸借による権利の設定方法）
（4）　**1** の使用貸借による権利の設定は、**1** の推定相続人に対し **1** の規定の適用を受けようとする当該権利の設定の時の直前において **1** の受贈者が有する農地等で第一節の **1** の規定の適用を受けているものの全てについて行われるものでなければならない。（措令40の６⑯）

　（使用貸借による権利の設定をしなければならないこととされている特例適用農地等の範囲）
（5）　（4）に規定する「当該権利の設定の時の直前において **1** の受贈者が有する農地等で第一節の **1** の規定の適用を受けているものの全て」とは、当該権利の設定の時の直前において当該受贈者が有する農地等のうち、第一節の **1** の規定の適用を受けるもの（代替取得農地等及び付替農地等を含む。）のみをいうのであるが、第六節の **1** に規定する貸付特例適用農地等又は第一節の **1** の（8）の各号に掲げる農地等又は敷地若しくは用地については、（4）の使用貸借による権利の設定を行わなくても差し支えないものとして取り扱う。（措通70の４－40）

　（政令等で定める設定の要件）
（6）　**1** に規定する政令で定める要件は、次に掲げる要件とする。（措令40の６⑰、措規23の７⑧）
　（一）　**1** の規定の適用を受ける使用貸借による権利の設定後当該受贈者が遅滞なく独立行政法人農業者年金基金法の規

－740－

定に基づく特例付加年金の支給を受けるため当該受贈者が農業を営む者でなくなったことを証する財務省令で定める届出（農業者年金基金法施行規則第27条の届出とする。同法附則第6条第3項の規定によりなおその効力を有するものとされる農業者年金基金法の一部を改正する法律附則第8条第2項の規定によりなお従前の例によることとされる同法による改正前の農業者年金基金法の規定に基づく経営移譲年金の支給を受ける場合には、同法第34条第1項の請求）を行っていること。

（二）　（一）の権利の設定をした受贈者が当該設定に係る農地等につき当該設定を受けた1の推定相続人が営むこととなる農業に従事する見込みであること。

　　（農地等以外の農業用財産等の取扱い）

（7）　受贈者が1の規定の適用を受けた場合における農業用財産等の取扱いについては、第一節の3の①の（6）《農地等以外の農業用財産等》と同様とする。（措通70の4－43）

　　（使用貸借による権利の設定があった場合の担保）

（8）　特例適用農地等が第一節の1に規定する担保に提供されている場合において、その特例適用農地等につき1に規定する使用貸借による権利の設定があったときにおいても、その担保を提供した受贈者に対して国税通則法第51条第1項《担保の変更等》に規定する増担保の提供等を命ずる必要はないのであるから留意する。（措通70の4－44）

2　適用手続

　1の規定の適用を受けようとする1の受贈者は、1の届出書に次に掲げる事項を記載し、かつ、（1）に定める書類を添付して、これを当該受贈者の納税地の所轄税務署長に提出しなければならない。（措規23の7⑨）

（一）	届出者の氏名及び住所又は居所
（二）	1の規定の適用を受けようとする農地等につき使用貸借による権利の設定を受けて農業経営を行う1の推定相続人の氏名及び住所又は居所並びに当該受贈者との続柄
（三）	（一）の届出者が贈与者から贈与により（二）の農地等を取得した年月日
（四）	（二）の使用貸借による権利の設定が1の（4）の規定に該当するものである旨及び当該設定を行った年月日
（五）	受贈者から（二）の推定相続人が使用貸借による権利の設定を受けた（二）の農地等の地目、面積及びその所在場所その他の明細
（六）	（一）の届出者が1の（6）の各号に掲げる要件の全てを満たしている旨及びその事実の詳細
（七）	その他参考となるべき事項

　　（添付書類）

（1）　2の届出書に添付すべき書類は、次に掲げる書類とする。（措規23の7⑩）

　（一）　2の（二）の使用貸借による権利の設定を受けた者が1に規定する受贈者の推定相続人に該当することを証する書類及び当該推定相続人に係る1の（2）に規定する農業委員会の書類

　（二）　2の（二）の農地等につき同（二）の推定相続人に対して行われた使用貸借による権利の設定に係る契約書の写しその他その事実を証する書類

　（三）　1の（6）の（一）に規定する届出に係る書類の写しその他当該届出がされていることを証する書類（独立行政法人農業者年金基金法（平成14年法律第127号）附則第6条第3項の規定によりなおその効力を有するものとされる農業者年金基金法の一部を改正する法律附則第8条第2項の規定によりなお従前の例によることとされる同法による改正前の農業者年金基金法（昭和45年法律第78号）の規定に基づく経営移譲年金の支給を受ける場合には、同法第34条第1項の請求に係る書類の写しその他当該請求がされていることを証する書類）及び当該受贈者が1の（6）の（二）の要件を満たしていることを証する1の（2）の農業委員会の書類

　　（推定相続人に該当することを証する書類）

（2）　（1）の（一）に規定する「推定相続人に該当することを証する書類」とは、次に掲げる書類をいうものとして取り扱う。（措通70の4－41）

　（一）　推定相続人が受贈者の子である場合　　推定相続人の戸籍抄本

（二）　推定相続人が受贈者の孫である場合　　受贈者の子及び推定相続人の戸籍抄本

　　　（使用貸借による権利の設定の日）
（3）　1に規定する「当該設定の日」とは、贈与税の納税猶予の適用を受けている農地又は採草放牧地に係る使用貸借による権利の設定につき農地法第3条第1項の規定による許可があった日（当該許可があった日後に当該権利の設定の効力が生じる場合には当該効力が生じた日をいう。以下（3）において同じ。）をいうのであるから留意する。ただし、この場合において、農地又は採草放牧地が、受贈者の推定相続人の住所のある市町村の区域内にあるものとその他の区域内にあるものとに分かれているため、その設定について各市町村の農業委員会の許可を要するときにおいて、これらの許可があった日が異なるときは、これらの許可があった日のうち最も遅い日をもって当該設定の日として取り扱うものとする。（措通70の4－38）

　　　（使用貸借による権利の設定に関する届出書）
（4）　1の規定の適用を受けようとする受贈者は、1に規定する届出書を使用貸借による権利の設定の日から2か月を経過する日まで（以下（4）において「期限内」という。）に提出しなければならないが、期限内に提出された届出書についてその記載又は添付すべき書類の不備が軽微なもので、速やかに補完されると認められる場合には、当分の間、1の規定の適用があるものとして取り扱って差し支えない。（措通70の4－39）
　　（注）　当該受贈者が届出書を期限内に提出しなかった場合には、1の規定の適用は受けられず、第四節の1《納税猶予の全部打切り》の規定によりその贈与税の納税猶予税額の全部について、納税猶予の期限が確定するのであるから留意する。

3　一時的道路用地等の用に供するための地上権等の設定をしている受贈者に対する適用

　　第九節《一時的道路用地等の用に供するための地上権等の設定》の1の規定の適用を受けている受贈者が、本節の1の規定の適用を受けようとする場合における第九節の1及び第八節の1の規定の適用については、第九節の1の（二）中「一部を当該受贈者の農業の用に供していない場合には、当該農地等のうち当該受贈者の農業の用に供して」とあるのは「一部について、第五節の1に規定する当該受贈者の推定相続人で政令で定める者のうちの1人の者に対し使用貸借による権利の設定を行っていない場合には、当該農地等のうち当該使用貸借による権利の設定を行って」と、第八節の1中「受けているもの」とあるのは「受けているもの（第九節の1に規定する一時的道路用地等の用に供されているものを除く。）」とする。（措令40の6㊽）

4　納税猶予の打切規定の調整

①　推定相続人の農業経営の廃止等の場合の調整

　　1の規定の適用を受ける使用貸借による権利の設定をした受贈者が当該設定をした後当該農地等を引き続きその推定相続人に使用させている場合における当該受贈者に係る第四節の1《納税猶予の全部打切り》及び第四節の2《納税猶予の一部打切り》の規定の適用については、次に定めるところによる。（措法70の4⑦）

（一）	被設定者が使用借権を譲渡し、又は農業経営を廃止した場合	当該農地等につき使用貸借による権利の設定を受けている推定相続人（以下において「**被設定者**」という。）がその有する当該権利の譲渡等をした場合又は当該権利が設定されている農地等に係る農業経営の廃止をした場合には、当該受贈者が当該譲渡等又は廃止をしたものとみなす。
（二）	被設定者が推定相続人に該当しなくなった場合	被設定者が当該受贈者の推定相続人に該当しないこととなった場合には、当該受贈者がその者に係る贈与者の推定相続人に該当しないこととなったものとみなす。

　　　（使用貸借による権利の譲渡又は消滅の対価）
（1）　特例適用農地等に設定されている使用貸借による権利の譲渡又は消滅があった場合における当該権利の譲渡又は消滅の対価の額は、第七節《特例適用農地等の買換え》の1、第八節の1又は第十一節《買取りの申出等があった場合の農地等の買換え等》の1の規定の適用上零であるものとして取り扱う。（措通70の4－46）

　　　（1の適用を受けた特例適用農地等の買換えがあった場合）
（2）　1の規定の適用を受けている受贈者及び被設定者が、特例適用農地等及び当該特例適用農地等に設定されている使用貸借による権利の譲渡等をした場合には、当該受贈者が、その譲渡等の対価の額の全部又は一部をもって農地又は採

－742－

第一章　農地等についての贈与税の納税猶予及び免除
(第五節　受贈農地等に係る使用貸借による権利の設定)

草放牧地（当該譲渡が第一節《特例適用の要件》の**1**の（2）の（三）のイからハまでに掲げる区域内に所在する農地等の措置法第33条の4第1項に規定する収用交換等による譲渡である場合には、農地若しくは採草放牧地又は1年以内に農地若しくは採草放牧地に該当することとなる見込みのある当該区域内に所在する土地）を取得する見込みであり、かつ、当該取得に係る農地又は採草放牧地の全てについて、当該被設定者に対し当該取得の日から2か月以内に再び使用貸借による権利を設定する旨並びに当該被設定者の氏名及び住所を付記した第七節の**2**の①の申請書を提出し承認を受けたときに限り、当該取得に係る農地又は採草放牧地に相当する当該譲渡等をした特例適用農地等に設定されている使用貸借による権利の譲渡等はなかったものとして取り扱う。（措通70の4－47）

（**1**の適用を受けた特例適用農地等の付替えがあった場合）

（3）　**1**の規定の適用を受けている受贈者及び被設定者が、特例適用農地等及び当該特例適用農地等に設定されている使用貸借による権利の譲渡等（特例適用農地等のうち第一節《特例適用の要件》の**1**の（2）の（三）のイからハまでに掲げる区域内に所在する特例適用農地等の措置法第33条の4第1項に規定する収用交換等による譲渡に限る。）をした場合には、代替農地等で、当該譲渡等の時におけるその価額が当該譲渡等の対価の額の全部又は一部に相当するものを当該譲渡等に係る農地等に代わるものとして当該被設定者の農業の用に供する見込みであり、かつ、当該農業の用に供する見込みである農地若しくは採草放牧地又は土地の全てについて、当該被設定者に対し当該被設定者の農業の用に供した日から2か月以内に再び使用貸借による権利を設定する旨並びに当該被設定者の氏名及び住所を付記した第八節《特定市街化区域農地等の収用交換等による譲渡》の**2**の②の申請書を提出し承認を受けたときに限り、当該農業の用に供した農地又は採草放牧地に相当する当該譲渡等をした特例適用農地等に設定されている使用貸借による権利の譲渡等はなかったものとして取り扱う。（措通70の4－47の2）

（**1**の適用を受けた特定農地等の買換えがあった場合）

（4）　**1**の規定の適用を受けている受贈者及び被設定者が、第一節の**1**の規定の適用を受ける農地又は採草放牧地につき第四節の**3**の買取りの申出等があった場合において、当該買取りの申出等に係る特定農地等及び当該特定農地等に設定されている使用貸借による権利の全部又は一部の譲渡等をする見込みであるときには、当該受贈者が、その譲渡等の対価の額の全部又は一部をもって第一節の**1**に規定する農地又は採草放牧地を取得する見込みであり、かつ、当該取得に係る農地又は採草放牧地の全てについて、当該被設定者に対し当該取得の日から2か月以内に再び使用貸借による権利を設定する旨並びに当該被設定者の氏名及び住所を付記した第十一節の**2**の①の申請書を提出し承認を受けたときに限り、当該取得に係る農地又は採草放牧地に相当する当該譲渡等をした特定農地等に設定されている使用貸借による権利の譲渡等はなかったものとして取り扱う。（措通70の4－48）

（**1**の適用を受けた特例適用農地等の買換え若しくは付替え又は特定農地等の買換えがあった場合に提出する書類）

（5）　受贈者が（2）、（3）又は（4）により第七節の**2**の①、第八節の**2**の②又は第十一節の**2**の①の申請書を提出し、第七節の**1**、第八節の**1**又は第十一節の**1**に規定する税務署長の承認を受けた場合において、特例適用農地等又は特定農地等の譲渡等の対価の額の全部又は一部をもって農地又は採草放牧地を取得し、又は譲渡等の対価の額の全部又は一部に相当する価額の代替農地等を農業の用に供し、かつ、その取得の日又は当該代替農地等を農業の用に供した日から2か月以内にその被設定者に対し再び使用貸借による権利の設定をしたときに、当該受贈者が提出する第七節の**2**の②、第八節の**2**の③又は第十一節の**2**の②の書類には、次の（一）に掲げる事項の付記及び次の（二）に掲げる書類の添付を依頼するものとする。（措通70の4－49）

（一）　使用貸借による権利の設定を行った年月日、当該権利を設定した農地又は採草放牧地の地目、面積及びその所在場所その他の明細並びに当該権利の設定を受ける被設定者の氏名及び住所又は居所

（二）　（一）に掲げる権利の設定に係る契約書及び農地法第3条第1項の許可に関する書類の写し

（被設定者が農業経営の廃止をし受贈者が再び農業経営の開始をした場合）

（6）　被設定者がその使用貸借による権利の設定されている農地等に係る農業経営の廃止をした場合（被設定者の死亡により当該農業経営の廃止をした場合を除く。）には、**1**の規定の適用を受けた受贈者が再び農業経営を開始したときにおいても、第四節の**1**の規定によりその贈与税の納税猶予税額の全部について、納税猶予の期限が確定することに留意する。（措通70の4－51）

(注)　被設定者が、死亡によりその農業経営の廃止をした場合には、②の（二）又は（三）の規定に該当するときを除き、受贈者に係る贈与税の納税猶予税額の全部について、納税猶予の期限が確定することとなる。

－743－

第四編　農地等に係る相続税・贈与税の納税猶予及び免除

（受贈者の推定相続人に該当しないこととなった場合）

（7）　4の①の（二）に規定する「被設定者が当該受贈者の推定相続人に該当しないこととなった場合」とは、次に掲げる場合などをいうのであるから留意する。（措通70の4－55）
（一）　被設定者が受贈者の養子である場合において、養子縁組の取消し又は離縁が行われたとき
（二）　被設定者が民法第892条《推定相続人の廃除》の規定に基づき廃除された場合

②　その他の調整規定

第一節の1の規定の適用を受ける受贈者で本節の1の規定の適用を受けたものが1の農地等につき使用貸借による権利の設定をした後当該農地等を引き続きその被設定者に使用させている場合その他の場合における当該受贈者に係る第四節の1《納税猶予の全部打切り》、第四節の2《納税猶予の一部打切り》及び①の規定の適用については、次に定めるところによる。（措法70の4㊴、措令40の6⑱）

（一）	第四節の1《納税猶予の全部打切り》及び第四節の2《納税猶予の一部打切り》の規定の読替え	第四節の1の（一）中「）又は養畜の用」とあるのは「）又は養畜の用（第六項の規定の適用を受けた受贈者にあっては、その推定相続人の耕作又は養畜の用を含む。以下この号において同じ。）」と、「（以下この章）」とあるのは「（第五節の1の規定の適用を受けた同1の使用貸借による権利が設定されている農地等の当該受贈者による当該譲渡、贈与、転用若しくは設定又は消滅に伴う当該権利の消滅を除く。以下この章）」と、第四節の2中「当該受贈者の農業の用」とあるのは「当該受贈者の農業の用（第五節の1の規定の適用を受けた受贈者にあっては、その推定相続人の農業の用を含む。）」とする。
（二）	被設定者の死亡による他の推定相続人等への農業経営の承継	贈与者の死亡の日（贈与者の死亡前に受贈者が死亡した場合には、受贈者の死亡の日）前に当該被設定者が死亡した場合において、その者に使用させていた農地等につきその者の相続人又は当該受贈者の他の推定相続人（以下（二）において「**他の推定相続人等**」という。）で1の（1）《推定相続人のうち政令で定めるもの》に掲げる要件に準ずる要件の全てに該当する個人であることにつき（3）の財務省令で定めるところにより農業委員会が証明した個人のうちの1人の者に対し1の（4）《使用貸借による権利の設定方法》の規定に準じて使用貸借による権利が設定され、かつ、当該設定についての届出書が、財務省令で定めるところにより当該死亡の日から2月を経過する日までに当該受贈者の納税地の所轄税務署長に提出されたときは、当該他の推定相続人等が1の規定の適用に係る推定相続人として当該使用貸借による権利を引き続き有しているものとみなす。
（三）	被設定者の死亡による設定者への農業経営の承継	贈与者の死亡の日前に当該被設定者が死亡した場合において、その者が使用していた農地等につき当該受贈者により速やかに農業経営が開始され、かつ、その開始についての届出書が、（9）の財務省令で定めるところにより当該死亡の日から2月を経過する日までに当該受贈者の納税地の所轄税務署長に提出されたときは、当該死亡の日以後における当該受贈者に係る第四節の1及び第四節の2の規定の適用については、当該死亡による①の（一）又は（二）に該当する事実は、生じなかったものとみなす。
（四）	被設定者による農地等の転用	当該被設定者が1の規定の適用を受けた使用貸借による権利の設定に係る農地等につきその転用をした場合には、当該受贈者が当該転用をしたものとみなす。

（使用貸借による権利が設定されている特例適用農地等の譲渡等に伴う当該権利の消滅）

（1）　②の（一）に規定する第四節の1の（一）の読替え規定中「第五節の1の規定の適用を受けた同1の使用貸借による権利が設定されている農地等の当該受贈者による当該譲渡、贈与、転用若しくは設定又は消滅に伴う当該権利の消滅」は、1の規定の適用を受けている受贈者が特例適用農地等の譲渡等をしたことに伴い、その特例適用農地等の上に存する使用貸借による権利が同時に消滅する場合には、同一の特例適用農地等につき、第四節の1の（一）に規定する「当該譲渡等に係る土地の面積」が二重に計算されることになるので、この二重計算を排除するために設けられていることに留意する。

なお、受贈者が特例適用農地等の譲渡又は贈与をしたことに伴い、被設定者が、その特例適用農地等の上に存する使用貸借による権利について譲渡又は贈与をした場合には、上記の当該権利の消滅の場合の取扱いに準じて、取り扱うものとする。（措通70の4－45）

－744－

第一章　農地等についての贈与税の納税猶予及び免除
（第五節　受贈農地等に係る使用貸借による権利の設定）

（他の推定相続人に係る証明手続）
（２）　②の（二）に規定する証明は、同（二）に規定する他の推定相続人等（以下（４）までにおいて「**他の推定相続人等**」という。）に対して同（二）の規定の適用を受けようとする使用貸借による権利の設定をした受贈者の申請に基づき、当該権利が設定されている農地等の所在地を管轄する農業委員会（農業委員会を置かない市町村にあっては、市町村長）が、当該他の推定相続人等が**1**の（１）《推定相続人のうち政令で定めるもの》の各号に掲げる要件に準ずる要件の全てに該当することを明らかにする事実を記載した書類により行うものとする。（措規23の７⑪）

（（二）の届出書の提出手続）
（３）　②の（二）の規定の適用を受けようとする同（二）の受贈者は、同（二）の届出書に次に掲げる事項を記載し、かつ、（４）に定める書類を添付して、これを当該受贈者の納税地の所轄税務署長に提出しなければならない。（措規23の７⑫）
　（一）　届出者の氏名及び住所又は居所
　（二）　②の（二）の規定の適用を受けようとする農地等につき使用貸借による権利の設定を受けて農業経営を行う他の推定相続人等の氏名及び住所又は居所並びに当該受贈者及び（三）の推定相続人との続柄
　（三）　死亡した推定相続人の氏名及び住所又は居所並びにその死亡した年月日
　（四）　（二）の使用貸借による権利の設定が②の（二）の規定に該当するものである旨及び当該設定を行った年月日
　（五）　受贈者から当該他の推定相続人等が使用貸借による権利の設定を受けた（二）の農地等の地目、面積及びその所在場所その他の明細
　（六）　その他参考となるべき事項

（添付書類）
（４）　（３）の届出書に添付すべき書類は、次に掲げる書類とする。（措規23の７⑬）
　（一）　（３）の（二）の使用貸借による権利の設定を受けた者が（３）の（二）の受贈者の他の推定相続人等に該当することを証する書類及び当該他の推定相続人等に係る（２）に規定する農業委員会の書類
　（二）　（３）の（二）の農地等につき（３）の（二）の他の推定相続人等に対して行われた使用貸借による権利の設定に係る契約書の写しその他その事実を証する書類

（他の推定相続人の範囲）
（５）　②の（二）に規定する「他の推定相続人」については、（６）を準用する。（措通70の４−52）

（推定相続人の範囲）
（６）　第一節の**1**に規定する「推定相続人」とは、同**1**に規定する贈与をした日現在において最先順位の相続権（代襲相続権を含む。）を有する者をいうのであるから留意する。
　　したがって、贈与者の子（代襲相続人である孫等を含む。以下同じ。）又は配偶者は、これに該当するが、直系尊属は子が、兄弟姉妹は子及び直系尊属が、それぞれ贈与をした日現在において存在していない場合にのみこれに該当することになる。（措通70の４−９）

（他の推定相続人等の要件）
（７）　②の（二）に規定する「**1**の（１）《推定相続人のうち政令で定めるもの》各号に掲げる要件に準ずる要件」とは、次に掲げる要件をいうことに留意する。（措通70の４−54）
　（一）　受贈者から②の（二）に規定する使用貸借による権利の設定を受けた日における年齢が18歳以上であること。
　（二）　受贈者から（一）の権利の設定を受けた日まで引き続き３年以上農業に従事していたこと。
　（三）　受贈者から（一）の権利の設定を受けた日後速やかに当該権利が設定されている第一節の**1**に規定する農地及び採草放牧地に係る農業経営を行うと認められること。

（他の推定相続人等に該当することを証する書類）
（８）　（４）の（一）に規定する「他の推定相続人等に該当することを証する書類」とは、次に掲げる書類をいうものとして取り扱う。（措通70の４−53）
　（一）　受贈者から②の（二）の使用貸借による権利の設定を受けた者が同（二）の死亡した推定相続人の相続人である場合　相続人の戸籍抄本
　（二）　受贈者から②の（二）の使用貸借による権利の設定を受けた者が当該受贈者の他の推定相続人である場合

第四編　農地等に係る相続税・贈与税の納税猶予及び免除

　　イ　他の推定相続人が受贈者の子又は配偶者であるとき　　他の推定相続人の戸籍抄本

　　ロ　他の推定相続人が受贈者の孫等、尊属又は兄弟姉妹であるとき　　受贈者及び受贈者の子の戸籍謄本並びに他の推定相続人の戸籍抄本

　　（推定相続人の死亡による受贈者の農業経営開始の届出）

(9)　❷の(三)の規定の適用を受けようとする同(三)の受贈者は、同(三)の届出書に次に掲げる事項を記載し、かつ、当該受贈者が同(三)の被設定者が使用していた農地等につき農業経営を開始したと認められる旨の当該農地等の所在地を管轄する農業委員会（農業委員会を置かない市町村にあっては市町村長）の証明書を添付して、これを当該受贈者の納税地の所轄税務署長に提出しなければならない。（措規23の7⑭）

(一)　届出者の氏名及び住所又は居所

(二)　死亡した推定相続人の氏名及び住所又は居所並びにその死亡した年月日

(三)　当該受贈者が当該農地等に係る農業経営を開始した年月日

(四)　その他参考となるべき事項

　　（被設定者による転用）

(10)　被設定者がその使用貸借による権利の設定を受けた特例適用農地等の転用をした場合には、❷の(四)の規定により受贈者が当該転用をしたものとみなされるのであるが、当該転用が、当該被設定者の耕作若しくは養畜の事業に係る施設又はこれらの事業に従事する使用人の宿舎の敷地にするための転用である場合には、第四節の1の(1)《政令で定める転用…納税猶予の打切りの基因とならないもの》に規定する転用に該当することに留意する。（措通70の4-50）

　　（注）　上記の転用につき農地法第4条《農地の転用の制限》の規定による許可を受け又は届出をする場合には、当該農地等の所有者である受贈者の同意が必要とされている（平成21年12月11日付21経営第4608号・21農振第1599号「農地法関係事務処理要領の制定について」農林水産省経営局長・農村振興局長連名通知の別紙1第4の1の(1)イ(キ)参照）。

5　一時的道路用地等の用に供するために貸付けを行った場合の調整

　　第九節《一時的道路用地等の用に供するための地上権等の設定》の規定は、本節の1の規定により同1に規定する使用貸借による権利の設定をした受贈者が、当該設定に係る農地等の全部又は一部について、第九節の1の(1)に規定する一時的道路用地等の用に供するために当該使用貸借による権利を消滅させ、かつ、当該用に供するために同1の(1)に規定する地上権等の設定に基づき貸付けを行った場合について準用する。この場合において、次表の左欄の規定中同表の中欄に掲げる字句は、同表の右欄に掲げる字句に読み替えるものとする。（措令40の6⑲）

第九節の1	農地等を当該受贈者の農業の用に供する	農地等の全部について第五節の1の規定により使用貸借による権利の設定を受けている推定相続人（同1の規定の適用を受ける農地等の全部について一時的道路用地等の用に供する場合には、当該一時的道路用地等の用に供する直前に同1の規定により使用貸借による権利の設定を受けていた推定相続人。以下1において「特定推定相続人」という。）に対し使用貸借による権利の設定を行い、かつ、当該特定推定相続人の農業の用に供する
第九節の1の表の(一)	地上権等の設定	使用貸借による権利の消滅及び地上権等の設定
第九節の1の表の(二)	一部を当該受贈者の農業の用に供していない場合には、当該農地等のうち当該受贈者の農業の用に供して	一部について、特定推定相続人に対し使用貸借による権利の設定を行い、かつ、当該特定推定相続人の農業の用に供していない場合には、当該農地等のうち当該使用貸借による権利の設定を行っていない、又は農業の用に供して

6　経過措置の適用を受けている受贈者に対する適用

　　次に掲げる者は、第一節の1《農地等を贈与した場合の贈与税の納税猶予》に規定する受贈者とみなして、本節の1及び4の規定その他の規定を適用する。この場合において、当該受贈者に係るこれらの規定の適用に関し必要な事項は、政令《当該政令＝平14改措令附30②は省略》で定める。（平14改措法附32⑤）

(一)　租税特別措置法の一部を改正する法律（昭和50年法律第16号）附則第20条第2項の規定によりなおその効力を有するものとされる同法による改正前の租税特別措置法第70条の4第1項本文の規定の適用を受けている同項に規定する受贈者

-746-

第一章　農地等についての贈与税の納税猶予及び免除
（第五節　受贈農地等に係る使用貸借による権利の設定）

（二）　租税特別措置法の一部を改正する法律（平成３年法律第16号）附則第19条第１項の規定によりなお従前の例によることとされる場合における同法による改正前の租税特別措置法第70条の４第１項本文の規定の適用を受けている同項に規定する受贈者

（三）　租税特別措置法の一部を改正する法律（平成７年法律第55号）附則第36条第２項の規定によりなおその効力を有するものとされる同法による改正前の租税特別措置法第70条の４第１項本文の規定の適用を受けている同項に規定する受贈者

（四）　租税特別措置法の一部を改正する法律（平成12年法律第13号）第１条の規定による改正前の租税特別措置法第70条の４第１項本文の規定の適用を受けている同項に規定する受贈者

（五）　租税特別措置法の一部を改正する法律（平成13年法律第７号）第１条の規定による改正前の租税特別措置法第70条の４第１項本文の規定の適用を受けている同項に規定する受贈者

（六）　旧租税特別措置法第70条の４第１項本文の規定の適用を受けている同項に規定する受贈者

－747－

第四編　農地等に係る相続税・贈与税の納税猶予及び免除

推定相続人の死亡に伴う他の推定相続人等に対する使用貸借による権利の設定に関する届出書

※欄は記入しないでください。

税務署受付印

令和＿＿＿年＿＿＿月＿＿＿日

＿＿＿＿＿＿税務署長

〒

届出者住所＿＿＿＿＿＿＿＿＿＿＿＿＿＿＿＿

氏名＿＿＿＿＿＿＿＿＿＿＿＿＿＿＿＿
(電話番号　　　　　－　　　　　－　　　　　)

　　推定相続人＿＿＿＿＿＿＿＿＿＿＿＿の死亡によりその者に使用させていた農地等

につき　死亡推定相続人の相続人　他の推定相続人＿＿＿＿＿＿＿＿＿＿＿に対し使用貸借による権利

の設定をしたので届け出ます。

死亡推定相続人の相続人　他 の 推 定 相 続 人	住所		氏名		死亡推定相続人又は届出者との続　柄	
死亡した推定相続人	住所		氏名		死亡年月日	令　和　　　年　　　月　　　日

　1　使用貸借による権利の設定は、推定相続人＿＿＿＿＿＿＿＿＿＿＿の死亡に伴い、他の推定相続人

　　等＿＿＿＿＿＿＿＿＿＿＿に対し、租税特別措置法第70条の4第1項の適用を受けている農地等のす

　　べてについて行われたものであり、その権利設定の日は、令和＿＿＿年＿＿＿月＿＿＿日です。

　2　使用貸借による権利の設定をした農地等の明細は、別紙のとおりです。

添 付 書 類

○　＿＿＿＿＿＿＿＿＿が届出者の他の推定相続人等であることを証する書類（戸籍の謄本又は抄本）

○　他の推定相続人等の適格証明書（農業委員会の証明書）

○　使用貸借による権利設定の契約書の写しその他その事実を証する書類（農地法第3条の許可書の写し）

○　届出者が他の推定相続人等の営む農業経営に従事していることを証する書類（農地等の所在地の農業委員

　　会の証明書）

関 与 税 理 士		電 話 番 号	

※	通信日付印の年月日	(確　認)	猶予整理簿	審　査	整理簿番号
	年　　月　　日				

（資12－23－A4統一）　　　（令3.3）

第一章　農地等についての贈与税の納税猶予及び免除
（第五節　受贈農地等に係る使用貸借による権利の設定）

推定相続人の死亡に伴う受贈者の
農業経営開始の届出書

税務署
受付印

令和＿＿＿年＿＿＿月＿＿＿日

＿＿＿＿＿＿＿税務署長

〒

届出者住所＿＿＿＿＿＿＿＿＿＿＿＿＿＿＿

氏名＿＿＿＿＿＿＿＿＿＿＿＿＿＿
（電話番号　　　　　－　　　－　　　　）

推定相続人＿＿＿＿＿＿＿＿＿＿＿＿＿の死亡によりその者に使用させていた農地等

につき私が農業経営を開始したので届け出ます。

死亡した推定相続人	住所		氏名		死亡年月日	令和　　　　年　　　月　　　日
届出者が農地等に係る農業経営を開始した年月日			令和　　　　年　　　月　　　日			

添付書類

〇　届出者が農業経営を開始したと認められる旨の証明書（農地等の所在地の農業委員会の証明書）

関与税理士		電話番号	

※	通信日付印の年月日	（確認）	猶予整理簿	審査	整理簿番号
	年　月　日				

※欄は記入しないでください。

（資１２－２４－Ａ４統一）　（令3.3）

第六節　貸付特例適用農地等に係る賃借権等の設定

1　特例の適用要件

　第一節の **1**《農地等を贈与した場合の贈与税の納税猶予》の規定の適用を受ける受贈者が、同 **1** の規定の適用を受ける農地又は採草放牧地に係る贈与者の死亡の日前に当該農地又は採草放牧地の全部又は一部を農地中間管理事業の推進に関する法律第18条第8項に規定する農用地利用集積等促進計画の定めるところによる使用貸借による権利又は賃借権（以下本節において「**賃借権等**」という。）の設定に基づき貸し付けた場合において、当該受贈者が当該貸し付けた農地又は採草放牧地で（1）の政令で定めるもの（以下本節において「**貸付特例適用農地等**」という。）に代わるものとして当該受贈者の農業の用に供する農地又は採草放牧地を同項に規定する農用地利用集積等促進計画の定めるところによる賃借権等の設定に基づき借り受けており、かつ、当該借り受けている農地又は採草放牧地（以下本節において「**借受代替農地等**」という。）の全てに係る土地の面積の合計の当該貸付特例適用農地等に係る土地の面積に対する割合が100分の80以上であることその他（2）の政令で定める要件を満たすときは、当該受贈者に係る第四節の **1**《納税猶予の全部打切り》及び第四節の **2**《納税猶予の一部打切り》の規定の適用については、当該貸付特例適用農地等に係る賃借権等の設定はなかったものとみなす。（措法70の4⑧）

　　　　（貸付特例適用農地等とされる農地又は採草放牧地）
（1）　**1** に規定する農地又は採草放牧地で政令で定めるものは、受贈者が **1** に規定する農用地利用集積等促進計画の定めるところによる賃借権等の設定に基づき貸し付けた第一節の **1** の規定の適用を受ける同 **1** の農地又は採草放牧地（**1** に規定する農用地利用集積等促進計画の定めるところによる賃借権等の設定に基づき貸し付けた当該農地又は採草放牧地が二以上ある場合には、当該農用地利用集積等促進計画において定められている賃借権等の存続期間が同一であるものに限る。）で当該受贈者が **1** の規定の適用を受けようとして **2** の規定により届け出たものとする。（措令40の6⑳）

　　　　（政令で定める要件）
（2）　**1** に規定する政令で定める要件は、次に掲げる要件とする。（措令40の6㉑、措規23の7⑮）
　（一）　借受代替農地等に係る賃借権等の設定をした日が当該借受代替農地等に係る貸付特例適用農地等に係る賃借権等の設定をした日以前2月以内の日であること。
　（二）　貸付特例適用農地等に係る賃借権等の存続期間の満了の日が当該貸付特例適用農地等に係る全ての借受代替農地等に係る賃借権等の存続期間の満了の日以前の日であること。
　（三）　借受代替農地等につき **2** の規定により届け出たものであること。
　（注）1　（2）に規定する「賃借権等の設定をした日」及び「賃借権等の存続期間の満了の日」とは、農用地利用集積等促進計画に定める日をいうことに留意する。（措通70の4-58）
　　　　2　上記の農用地利用集積等促進計画には、農用地利用集積計画が含まれることに留意する。

　　　　（貸付特例適用農地等の対象から除かれる農地又は採草放牧地）
（3）　**1** の規定により貸し付けることができる第一節の **1** の規定の適用を受ける農地又は採草放牧地は、第一節の **1** の（8）《一時的道路用地等の用に供されている農地等に対する適用》各号に掲げる農地等又は敷地若しくは用地、第五節《受贈農地等に係る使用貸借による権利の設定》の **1**《特例適用の要件》の規定により受贈者の推定相続人の1人に対し使用貸借による権利の設定が行われている農地又は採草放牧地、第十節《営農困難時貸付けの特例》の **1** の規定により同 **1** に規定する営農困難時貸付けを行っている農地又は採草放牧地及び第十七節の **1** の規定により同 **1** に規定する特定貸付けを行っている農地又は採草放牧地以外のものをいうことに留意する。（措通70の4-56）

　　　　（賃借権等の設定があった場合の担保）
（4）　特例適用農地等が第一節の **1**《農地等を贈与した場合の贈与税の納税猶予》に規定する担保に提供されている場合において、その特例適用農地等につき本節の **1** に規定する賃借権等の設定があったときにおいても、その担保を提供した受贈者に対して国税通則法第51条第1項に規定する増担保の提供等を命ずる必要はないのであるから留意する。（措通70の4-60）

第一章　農地等についての贈与税の納税猶予及び免除
（第六節　貸付特例適用農地等に係る賃借権等の設定）

（相続税の特例に関する経過措置）

（5）　次に掲げる者は、第一節の**1**に規定する受贈者とみなして、本節の規定を適用する。（令4改所法等附51⑦）

（一）　租税特別措置法の一部を改正する法律（昭和50年法律第16号）附則第20条第2項の規定によりなおその効力を有するものとされる同法による改正前の租税特別措置法第70条の4第1項本文の規定の適用を受けている同項に規定する受贈者

（二）　租税特別措置法の一部を改正する法律（平成3年法律第16号）附則第19条第1項の規定によりなお従前の例によることとされる場合における同法による改正前の租税特別措置法第70条の4第1項本文の規定の適用を受けている同項に規定する受贈者

（三）　租税特別措置法の一部を改正する法律（平成7年法律第55号）附則第36条第2項の規定によりなおその効力を有するものとされる同法による改正前の租税特別措置法第70条の4第1項本文の規定の適用を受けている同項に規定する受贈者

（四）　租税特別措置法等の一部を改正する法律（平成12年法律第13号）第1条の規定による改正前の租税特別措置法第70条の4第1項本文の規定の適用を受けている同項に規定する受贈者

（五）　租税特別措置法等の一部を改正する法律（平成13年法律第7号）第1条の規定による改正前の租税特別措置法第70条の4第1項本文の規定の適用を受けている同項に規定する受贈者

（六）　租税特別措置法等の一部を改正する法律（平成14年法律第15号）附則第32条第4項の規定によりなお従前の例によることとされる場合における同法第1条の規定による改正前の租税特別措置法第70条の4第1項本文の規定の適用を受けている同項に規定する受贈者

（七）　所得税法等の一部を改正する法律（平成15年法律第8号）附則第123条第10項の規定によりなお従前の例によることとされる場合における同法第12条の規定による改正前の租税特別措置法第70条の4第一1本文の規定の適用を受けている同項に規定する受贈者

（八）　所得税法等の一部を改正する法律（平成17年法律第21号）附則第55条第2項の規定によりなおその効力を有するものとされる同法第5条の規定による改正前の租税特別措置法第70条の4第1項本文の規定の適用を受けている同項に規定する受贈者

（九）　所得税法等の一部を改正する法律（平成21年法律第13号）附則第66条第2項の規定によりなおその効力を有するものとされる同法第5条の規定による改正前の租税特別措置法第70条の4第1項本文の規定の適用を受けている同項に規定する受贈者

（十）　所得税法等の一部を改正する法律（平成26年法律第10号）附則第128条第3項の規定によりなお従前の例によることとされる場合における同法第10条の規定による改正前の租税特別措置法第70条の4第1項本文の規定の適用を受けている同項に規定する受贈者

（十一）　所得税法等の一部を改正する法律（平成28年法律第15号）附則第127条第5項の規定によりなお従前の例によることとされる場合における同法第10条の規定による改正前の租税特別措置法第70条の4第1項本文の規定の適用を受けている同項に規定する受贈者

（十二）　所得税法等の一部を改正する法律（平成30年法律第7号）附則第118条第6項又は第7項の規定によりなお従前の例によることとされる場合における同法第15条の規定による改正前の租税特別措置法第70条の4第1項本文の規定の適用を受けている同項に規定する受贈者

（十三）　令和2年改正法第15条の規定による改正前の租税特別措置法第70条の4第1項本文の規定の適用を受けている同項に規定する受贈者

（十四）　旧租税特別措置法第70条の4第1項本文の規定の適用を受けている同項に規定する受贈者

（注）　（5）の規定により適用する本節の規定は、基盤強化法等改正法の施行の日以後に**1**に規定する農用地利用集積等促進計画の定めるところにより貸し付けられ、又は借り受けられる場合について適用し、同日前に改正前の**1**に規定する農用地利用集積計画の定めるところにより貸し付けられ、又は借り受けられた場合については、なお従前の例による。（令4改所法等附51⑧）

2　適用手続

1の規定は、**1**の規定の適用を受けようとする**1**に規定する受贈者が、（1）の政令で定めるところにより、**1**の規定の適用を受ける旨及び**1**に規定する要件を満たすものである旨並びに貸付特例適用農地等に係る賃借権等の設定に関する事項その他（2）の財務省令で定める事項を記載した届出書を納税地の所轄税務署長に提出した場合に限り、適用する。（措法70の4⑨）

第四編　農地等に係る相続税・贈与税の納税猶予及び免除

　　（届出書の提出）
（１）　１の規定の適用を受けようとする受贈者は、貸付特例適用農地等について１の規定の適用を受ける旨及び１に規定する要件を満たすものである旨並びに貸付特例適用農地等に係る賃借権等の設定に関する事項その他（２）の財務省令で定める事項を記載した届出書に、（３）の財務省令で定める書類を添付し、これを当該貸付特例適用農地等に係る賃借権等の設定をした日から２月以内に納税地の所轄税務署長に提出しなければならない。（措令40の６㉒）

　　（財務省令で定める事項）
（２）　２及び（１）に規定する財務省令で定める事項は、次に掲げる事項とする。（措規23の７⑯）
　（一）　届出者の氏名及び住所又は居所
　（二）　貸付特例適用農地等に係る事項で次に掲げるもの
　イ　貸付特例適用農地等の所在、地番、地目及び面積
　ロ　当該貸付特例適用農地等に係る贈与者の氏名、住所及び当該贈与者から贈与により当該貸付特例適用農地等を取得した年月日
　ハ　当該貸付特例適用農地等が第一節の１《農地等を贈与した場合の贈与税の納税猶予》の規定の適用を受けている同１に規定する農地又は採草放牧地の一部である場合には、同１の規定の適用を受けている当該農地又は採草放牧地の全部の面積
　（三）　当該貸付特例適用農地等に係る借受代替農地等の使用貸借による権利又は賃借権（以下「賃借権等」という。）の設定に関する事項で次に掲げるもの（当該貸付特例適用農地等に係る借受代替農地等が二以上ある場合には、それぞれの借受代替農地等の賃借権等の設定に関する事項。以下（２）及び（３）において同じ。）
　イ　当該借受代替農地等の所在、地番、地目及び面積
　ロ　当該借受代替農地等に係る１に規定する農用地利用集積等促進計画（ハ及び（３）の（二）において「借受代替農地等に係る農用地利用集積等促進計画」という。）の農地中間管理事業の推進に関する法律第18条第７項に規定する公告があった年月日
　ハ　当該借受代替農地等に係る農用地利用集積等促進計画において定められている借受代替農地等に係る賃借権等の設定を行った者の氏名及び住所
　ニ　当該貸付特例適用農地等に係る賃借権等の種類、設定をした日及び存続期間
　（四）　当該貸付特例適用農地等に係る借受代替農地等の全てに係る土地の面積の合計の当該貸付特例適用農地等に係る土地の面積に対する割合
　（五）　その他参考となるべき事項

　　（届出書の添付書類）
（３）　（１）の規定により（１）に規定する届出書に添付する書類は、次に掲げる書類とする。（措規23の７⑰）
　（一）　貸付特例適用農地等に係る１に規定する農用地利用集積等促進計画（以下「貸付特例適用農地等に係る農用地利用集積等促進計画」という。）につき農地中間管理事業の推進に関する法律第18条第７項の規定による公告をした者の当該公告をした旨及び当該公告の年月日を証する書類
　（二）　借受代替農地等に係る農用地利用集積等促進計画につき農地中間管理事業の推進に関する法律第18条第７項の規定による公告をした者の当該公告をした旨及び当該公告の年月日を証する書類
　（三）　当該届出書に記載した貸付特例適用農地等に係る賃借権等の設定に関する事項、貸付特例適用農地等に係る農用地利用集積等促進計画の定めるところによる賃借権等の設定に基づき貸し付けた１に規定する農地又は採草放牧地が二以上ある場合には、それぞれの農地又は採草放牧地に係る賃借権等の設定に関する事項及び借受代替農地等に係る賃借権等の設定に関する事項を明らかにする書類並びに（２）の（四）に規定する割合の計算の明細を記載した書類

　　（貸付特例適用農地等に係る賃借権等の設定に関する届出の要件）
（４）　２に規定する届出書（以下「借換届出書」という。）は、農用地利用集積等促進計画の定めるところによる賃借権等の設定に基づき貸し付けた第一節の１の規定の適用を受ける農地又は採草放牧地が２以上ある場合には、当該農用地利用集積等促進計画において定められている賃借権等の存続期間（始期及び終期）が同一であるものごとに提出しなければならないことに留意する。したがって、その賃借権等の存続期間を異にする場合には、それぞれの貸付けごとに借換届出書を提出しなければならない。
　　なお、２以上の農用地利用集積等促進計画によりその貸付けが行われた場合には、それぞれの農用地利用集積等促進計画ごとに、かつ、その貸付けに係る賃借権等の存続期間が同一であるものごとに借換届出書を提出しなければならな

－752－

第一章　農地等についての贈与税の納税猶予及び免除
（第六節　貸付特例適用農地等に係る賃借権等の設定）

い。(措通70の4－57)

(注)1　1に規定する面積要件及び1の(2)《政令で定める要件》に規定する期間要件の判定も借換届出書ごとに行うことに留意する。

2　上記の農用地利用集積等促進計画には、農用地利用集積計画が含まれることに留意する。

（貸付特例適用農地等に係る賃借権等の設定に係る届出書）

(5)　1の規定の適用を受けようとする受贈者は、借換届出書を1に規定する貸付特例適用農地等に係る賃借権等の設定をした日から2月以内（以下(5)において「期限内」という。）に提出しなければならないのであるが、期限内に提出された借換届出書についてその記載又は添付すべき書類の不備が軽微なもので、速やかに補完される場合には、1の規定の適用があるものとして取り扱って差し支えない。(措通70の4－59)

(注)　当該受贈者が借換届出書を期限内に提出しなかった場合には、1の規定の適用は受けられず、第四節の1《納税猶予の全部打切り》又は第四節の2《納税猶予の一部打切り》の規定の適用によりその贈与税の納税猶予税額の全部又は一部について、納税猶予の期限が確定するのであるから留意する。

3　賃借権等の設定があったものとして納税猶予が打ち切られる場合

　1の規定の適用を受ける貸付特例適用農地等につき、次の(一)から(三)に掲げる場合のいずれかに該当することとなった場合には、当該(一)から(三)に定める日から2月を経過する日に当該貸付特例適用農地等に係る賃借権等の設定があったものとして第四節の1《納税猶予の全部打切り》及び第四節の2《納税猶予の一部打切り》の規定を準用する。(措法70の4⑩)

(一)	当該貸付特例適用農地等に係る借受代替農地等の全てに係る土地の面積の合計（当該借受代替農地等につき、当該受贈者の農業の用に供されていないものがある場合には、当該借受代替農地等のうちその者の農業の用に供されていない借受代替農地等に係る土地の面積を除いた面積）の当該貸付特例適用農地等に係る土地の面積に対する割合が100分の80未満となった場合（(二)に掲げる場合を除く。）	その事実が生じた日
(二)	当該貸付特例適用農地等に係る借受代替農地等の全部又は一部につき耕作の放棄があった場合	当該借受代替農地等について農地法第36条第1項の規定による勧告があった日
(三)	当該貸付特例適用農地等を借り受けた者（農地中間管理事業の推進に関する法律第2条第4項に規定する農地中間管理機構が借り受けた者である場合には、当該農地中間管理機構から借り受けた者）が当該貸付特例適用農地等の全部又は一部につき、農地又は採草放牧地としてその者の農業の用に供していない場合（当該貸付特例適用農地等につき耕作の放棄があった場合を含む。）	当該受贈者がその事実が生じたことを知った日

（貸付特例適用農地等に係る納税猶予期限が確定する場合）

(1)　1の規定の適用を受ける貸付特例適用農地等について、3の各号のいずれかに該当することとなったときには、4の規定の適用がある場合を除き、当該貸付特例適用農地等の全部について賃借権等の設定があったものとして第四節の1又は第四節の2の規定によりその贈与税の納税猶予税額の全部又は一部について、納税猶予の期限が確定することに留意する。(措通70の4－61)

（借受代替農地等が農業の用に供されていない場合等の100分の80の計算の基礎）

(2)　3の(一)に規定する「当該貸付特例適用農地等に係る借受代替農地等の全てに係る土地の面積の合計」には、当該借受代替農地等のうち農地又は採草放牧地として受贈者の農業の用に供されていない部分又は賃借権等が消滅した部分に係る土地の面積は含まれず、また、「当該貸付特例適用農地等に係る土地の面積」とは、1の規定の適用を受けた当該貸付特例適用農地等の面積をいうことに留意する。(措通70の4－62)

(注)　3の(一)に規定する100分の80の計算は、借換届出書ごとに行うことに留意する。

（借受代替農地等の面積が貸付特例適用農地等の面積の100分の80未満とならない場合）

(3)　1の規定の適用を受ける貸付特例適用農地等に係る借受代替農地等の一部について、農地又は採草放牧地として受

－753－

第四編　農地等に係る相続税・贈与税の納税猶予及び免除

贈者の農業の用に供されていないもの又は賃借権等が消滅したものがある場合であっても、当該部分を除いた土地の面積の当該貸付特例適用農地等に係る土地の面積に対する割合が100分の80以上となるときには、**3**の(二)の規定に該当する場合を除き、第四節の**1**又は第四節の**2**の規定の適用はないことに留意する。(措通70の4－63)

　　　(借受代替農地等の全部又は一部につき耕作の放棄があった場合)
(4)　**1**の規定の適用を受ける貸付特例適用農地等に係る**1**に規定する借受代替農地等の全部又は一部につき**3**の(二)に規定する耕作の放棄があった場合には、当該貸付特例適用農地等の全部について賃借権等の設定があったものとして第四節の**1**又は第四節の**2**の規定によりその贈与税の納税猶予税額の全部又は一部について、納税猶予の期限が確定することに留意する。(措通70の4－63の2)

　　　(貸付特例適用農地等の全部又は一部に係る賃借権等の解約が行われた場合)
(5)　**1**の規定の適用を受ける貸付特例適用農地等の全部又は一部に係る賃借権等の解約が行われたことにより当該賃借権等が消滅した場合には、**3**の(三)に該当することとなることに留意する。(措通70の4－64)

4　再借受代替農地等を借り受けた場合又は賃借権等を消滅させた場合の納税猶予の継続

　1の規定の適用を受ける貸付特例適用農地等につき、**3**の(一)又は**3**の(三)に掲げる場合のいずれかに該当することとなった場合において、当該貸付特例適用農地等に係る受贈者が同(一)若しくは同(三)に定める日から2月を経過する日までに当該貸付特例適用農地等に代わるものとして当該受贈者の農業の用に供する農地若しくは採草放牧地(**1**に規定する農用地利用集積等促進計画の定めるところによる賃借権等の設定に基づき借り受けたことその他(1)の政令で定める要件を満たすものに限る。以下(3)を除き本節において「**再借受代替農地等**」という。)を借り受けたとき(当該再借受代替農地等及び当該貸付特例適用農地等に係る借受代替農地等の全てに係る土地の面積の当該貸付特例適用農地等に係る土地の面積に対する割合が100分の80以上となる場合に限る。)又は当該受贈者が同日までに当該貸付特例適用農地等の全部に係る賃借権等を消滅させたときは、当該受贈者が、(2)の政令で定めるところにより、**2**に規定する届出書の変更の届出書を納税地の所轄税務署長に提出したときに限り、**3**の規定は適用しない。この場合における**3**の規定の適用については、当該再借受代替農地等及び当該借受代替農地等は、**1**の規定の適用を受ける貸付特例適用農地等に係る借受代替農地等とみなす。(措法70の4⑪)

　　　(政令で定める要件)
(1)　**4**に規定する政令で定める要件は、**4**の規定により借り受けた農地又は採草放牧地に係る賃借権等の存続期間の満了の日が当該農地又は採草放牧地に係る貸付特例適用農地等に係る賃借権等の存続期間の満了の日以後であることとする。(措令40の6㉓)
　　(注)1　(1)に規定する「賃借権等の存続期間の満了の日」とは、農用地利用集積等促進計画に定める日をいうことに留意する。(措通70の4－58)
　　　　2　上記の農用地利用集積等促進計画には、農用地利用集積計画が含まれることに留意する。

　　　(届出書の提出)
(2)　**4**の規定の適用を受けようとする受贈者は、次の(一)(二)に掲げる場合の区分に応じ、当該(一)(二)に定める事項を記載した届出書に、(3)の財務省令で定める書類を添付し、これを**3**の(一)又は**3**の(三)の右欄に定める日から2月を経過する日までに、納税地の所轄税務署長に提出しなければならない。(措令40の6㉔)
　(一)　**3**の表の(一)に掲げる場合に該当することとなった場合　　次に掲げる事項
　　イ　届出者の氏名及び住所
　　ロ　**4**に規定する再借受代替農地等に係る賃借権等の設定に関する事項
　　ハ　その他参考となるべき事項
　(二)　**3**の表の(三)に掲げる場合に該当することとなった場合　　次に掲げる事項
　　イ　届出者の氏名及び住所
　　ロ　賃借権等が消滅した貸付特例適用農地等に関する事項
　　ハ　その他参考となるべき事項

　　　(届出書の添付書類)
(3)　(2)に規定する書類は、次の(一)(二)に掲げる場合の区分に応じ、当該(一)(二)に定める書類とする。(措規23の7⑱)

－754－

第一章　農地等についての贈与税の納税猶予及び免除
（第六節　貸付特例適用農地等に係る賃借権等の設定）

（一）　**3**の表の（一）に掲げる場合に該当することとなった場合　次に掲げる書類

イ　**3**の表の（一）に掲げる場合に該当することとなった事由及び当該該当することとなった年月日を記載した書類

ロ　**4**に規定する再借受代替農地等（再借受代替農地等で既に**4**の規定により**1**の規定の適用を受ける貸付特例適用農地等に係る借受代替農地等とみなされたものを除く。以下（3）において「再借受代替農地等」という。）の賃借権等に関する事項で次に掲げるもの（貸付特例適用農地等に係る再借受代替農地等が二以上ある場合には、それぞれの再借受代替農地等の賃借権等に関する事項。以下（一）において同じ。）を記載した書類

（イ）　当該再借受代替農地等の所在、地番、地目及び面積

（ロ）　当該再借受代替農地等に係る**4**に規定する農用地利用集積等促進計画（（ハ）及びハにおいて「再借受代替農地等に係る農用地利用集積等促進計画」という。）の農地中間管理事業の推進に関する法律第18条第7項に規定する公告があった年月日

（ハ）　当該再借受代替農地等に係る農用地利用集積等促進計画において定められている当該再借受代替農地等に係る賃借権等の設定を行った者の氏名及び住所

（ニ）　当該再借受代替農地等に係る賃借権等の種類、設定をした日及び存続期間

（ホ）　その他参考となるべき事項

ハ　当該再借受代替農地等に係る農用地利用集積等促進計画につき農地中間管理事業の推進に関する法律第18条第7項の規定による公告をした者の当該公告をした旨及び当該公告の年月日を証する書類

ニ　当該再借受代替農地等及び当該再借受代替農地等に係る貸付特例適用農地等に係る借受代替農地等の全てに係る土地の面積の合計の当該貸付特例適用農地等に係る土地の面積に対する割合及び当該割合に関する計算の明細を記載した書類

（二）　**3**の表の（三）に掲げる場合に該当することとなった場合　次に掲げる書類

イ　貸付特例適用農地等の利用の状況及び**3**の表の（三）に掲げる場合に該当することとなった状況並びに当該事実が生じたことを知った年月日を記載した書類

ロ　当該賃借権等の解約をした者が当該解約をした旨及び当該解約の年月日を証する書類

5　1年ごとの継続届出書の提出

1の規定の適用を受ける貸付特例適用農地等に係る賃借権等の設定をした受贈者は、**2**に規定する届出書を提出した日の翌日から起算して1年を経過するごとの日までに、（1）の政令で定めるところにより、当該貸付特例適用農地等に係る賃借権等の設定に関する事項その他（2）の財務省令で定める事項を記載した届出書（**6**において「継続届出書」という。）を納税地の所轄税務署長に提出しなければならない。（措法70の4⑫）

（継続届出書の提出手続）
（1）　**5**の規定により提出する継続届出書には、貸付特例適用農地等に係る賃借権等の設定に関する事項その他（2）の財務省令で定める事項を記載し、かつ、（3）の財務省令で定める書類を添付しなければならない。（措令40の6㉕）

（財務省令で定める事項）
（2）　**5**及び（1）に規定する財務省令で定める事項は、次に掲げる事項とする。（措規23の7⑲）

（一）　継続届出書を提出する者の氏名及び住所又は居所

（二）　**5**の規定による継続届出書を提出する日における貸付特例適用農地等の利用の状況及び当該貸付特例適用農地等に係る借受代替農地等の利用の状況

（三）　当該継続届出書を提出する日において、**2**に規定する届出書（**4**に規定する変更の届出書を提出している場合又は当該継続届出書の提出前に既に継続届出書を提出している場合には、当該継続届出書の提出の日の直前において提出した変更の届出書又は既に提出した継続届出書）に記載した**1**に規定する借受代替農地等に異動がある場合には、当該異動があった借受代替農地等についての明細及び当該異動後の借受代替農地等の全てに係る土地の面積の合計の貸付特例適用農地等に係る土地の面積に対する割合

（四）　その他参考となるべき事項

（継続届出書の添付書類）
（3）　（1）に規定する書類は、次に掲げる書類とする。（措規23の7⑳）

（一）　（2）の（二）に規定する貸付特例適用農地等の利用の状況及び当該貸付特例適用農地等に係る借受代替農地等の利用の状況を記載した書類

（二）　（2）の（三）に規定する借受代替農地等についての明細を記載した書類及び割合の計算の明細を記載した書類

（三）　（二）の借受代替農地等のうちに（2）の（三）の異動により農地法第43条第1項の規定により農作物の栽培を耕作に該当するものとみなして適用する同法第2条第1項に規定する農地に該当することとなった農地がある場合には、当該農地が農作物栽培高度化施設の用に供されているものである旨を証する当該農地の所在地を管轄する農業委員会の書類

（貸付特例適用農地等が農業の用に供されていない場合）

（4）　**1**の規定の適用を受ける貸付特例適用農地等について、**3**の（三）に該当した場合には、受贈者が、その事実を知った日から2月を経過する日までに、当該貸付特例適用農地等の全部に係る賃借権等を消滅させ（貸付特例適用農地等の全部に係る賃借権等の解約が行われたことにより当該賃借権等が消滅した場合を除く。）、かつ、**4**に規定する変更の届出書を提出しない限り、当該貸付特例適用農地等の全部について賃借権等の設定があったものとして第四節の**1**又は第四節の**2**の規定によりその贈与税の納税猶予税額の全部又は一部について、納税猶予の期限が確定することに留意する。（措通70の4−65）

(注)　**4**に規定する変更の届出書を提出する場合には、**7**に規定する届出書の提出は要しないことに留意する。

（貸付特例適用農地等に係る継続届出書の提出期間）

（5）　**5**に規定する継続届出書は、借換届出書を提出した日の翌日から起算して1年を経過するごとの日までに提出しなければならないのであるが、その提出期間は、当該1年を経過するごとの日の属する月の前々月の初日から当該1年を経過するごとの日までの期間として取り扱う。（措通70の4−66）

(注)　**4**に規定する変更の届出書を提出した場合であっても、継続届出書の提出期限は、借換届出書を提出した日の翌日から起算して1年を経過するごとの日までに提出しなければならないことに留意する。

6　継続届出書が提出されなかった場合の納税猶予の打切り

5に規定する継続届出書がその提出期限までに納税地の所轄税務署長に提出されなかった場合には、当該提出期限の翌日から2月を経過する日に当該継続届出書に係る貸付特例適用農地等に係る賃借権等の設定があったものとして、第四節の**1**《納税猶予の全部打切り》及び第四節の**2**《納税猶予の一部打切り》の規定を適用する。ただし、当該継続届出書が当該提出期限までに提出されなかった場合においても、当該所轄税務署長が当該提出期限内にその提出がなかったことについてやむを得ない事情があると認める場合において、注で定めるところにより当該継続届出書が当該所轄税務署長に提出されたときは、この限りでない。（措法70の4⑬）

（提出期限後における継続届出書の提出手続）

注　**6**の規定により提出する**5**に規定する継続届出書には、**5**の（1）に規定する事項のほか当該継続届出書を**5**に規定する期限までに提出することができなかった事情の詳細を記載し、かつ、**5**の（3）で定める書類を添付しなければならない。（措令40の6㉖）

7　賃借権等が消滅した場合の届出書の提出

1の規定の適用を受ける貸付特例適用農地等につき、当該貸付特例適用農地等に係る農用地利用集積等促進計画に基づく賃借権等の存続期間が満了をしたことにより当該賃借権等が消滅した場合又は当該存続期間の満了する前に当該賃借権等の解約が行われたことにより当該賃借権等が消滅した場合には、その消滅した旨その他注で定める事項を記載した届出書を、当該賃借権等の消滅した日から2月以内に納税地の所轄税務署長に提出しなければならない。（措令40の6㉗）

(注)　**4**に規定する変更の届出書を提出する場合には、**7**に規定する届出書の提出は要しないことに留意する。（措通70の4−65(注)）

（届出書の記載事項）

注　**7**に規定する事項は、次の（一）（二）に掲げる場合の区分に応じ、当該（一）（二）に定める事項とする。（措規23の7㉑）

（一）　貸付特例適用農地等に係る農用地利用集積等促進計画に基づく賃借権等の存続期間が満了をしたことにより当該賃借権等が消滅した場合　次に掲げる事項

イ　届出者の氏名及び住所又は居所

ロ　貸付特例適用農地等に係る賃借権等の存続期間が満了をした年月日並びに当該貸付特例適用農地等の所在、地番、地目及び面積

ハ　当該貸付特例適用農地等に係る贈与者の氏名、住所及び当該贈与者から贈与により当該貸付特例適用農地等を取

−756−

第一章　農地等についての贈与税の納税猶予及び免除
（第六節　貸付特例適用農地等に係る賃借権等の設定）

　　　得した年月日
　　ニ　その他参考となるべき事項
（二）　貸付特例適用農地等に係る農用地利用集積等促進計画に基づく賃借権等の存続期間の満了する前に当該賃借権等
　　の解約が行われたことにより当該賃借権等が消滅した場合　　次に掲げる事項
　　イ　届出者の氏名及び住所又は居所
　　ロ　貸付特例適用農地等に係る賃借権等の解約をした年月日並びに当該貸付特例適用農地等の所在、地番、地目及び
　　　面積
　　ハ　当該貸付特例適用農地等に係る贈与者の氏名、住所及び当該贈与者から贈与により当該貸付特例適用農地等を取
　　　得した年月日

第七節　特例適用農地等の買換え

1　買換えの承認があった場合の納税猶予の継続

　第四節の **1** 《納税猶予の全部打切り》の（一）又は第四節の **2** 《納税猶予の一部打切り》の場合において、これらの規定に規定する譲渡等があった日から１年以内に当該譲渡等の対価の額の全部又は一部をもって農地又は採草放牧地（当該譲渡等が第一節の **1** の（２）の（三）のイからハまでに掲げる区域内に所在する農地等の租税特別措置法第33条の４第１項に規定する収用交換等による譲渡である場合には、農地若しくは採草放牧地又は当該１年以内に農地若しくは採草放牧地に該当することとなる見込みのある当該区域内に所在する土地）を取得する見込みであることにつき、**2** の**①**の政令で定めるところにより、納税地の所轄税務署長の承認を受けたときにおける第一節及び第四節の **1** 及び第四節の **2** の規定の適用については、次に定めるところによる。（措法70の４**⑮**）

（一）	当該承認に係る譲渡等は、なかったものとみなす。
（二）	当該譲渡等があった日から１年を経過する日において、当該承認に係る譲渡等の対価の額の全部又は一部が農地又は採草放牧地の取得に充てられていない場合には、当該譲渡等に係る農地等のうちその充てられていないものに対応するものとして（１）の政令で定める部分は、同日において譲渡等をされたものとみなす。
（三）	当該譲渡等があった日から１年を経過する日までに当該承認に係る譲渡等の対価の額の全部又は一部が農地又は採草放牧地の取得に充てられた場合には、当該取得に係る農地又は採草放牧地は、第一節の **1** の規定の適用を受ける農地等とみなす。

　　（譲渡等をされたものとみなす部分）
（１）　**1** の（二）により譲渡等をされたものとみなす部分は、**1** の（二）に規定する譲渡等に係る農地等のうち、当該譲渡等の対価で当該譲渡等があった日から１年を経過する日までに **1** の（二）の農地又は採草放牧地の取得に充てられなかったものの額が当該譲渡等の対価の額のうちに占める割合を、当該譲渡等に係る農地等の贈与者からの贈与の時における価額に乗じて計算した金額に相当する部分とする。（措令40の６**㉛**）

　　（譲渡等があった日前に農地又は採草放牧地の取得が行われた場合）
（２）　**1** の規定による特例適用農地等の買換えに係る承認に当たり、特例適用農地等の譲渡等があった日前に農地又は採草放牧地の取得が行われた場合においては、その取得に関する契約が、譲渡等に関する契約又は収用等についての事業認定があった日以後に行われていると認められるときに限り、**1** の規定の適用があるものとして取り扱う。第十一節《買取りの申出等があった農地等の買換え等》の **1** の規定による特定農地等の買換えについてもこの取扱いに準ずるものとする。
　　これらの場合又は（３）《対価の全部又は一部が農地又は採草放牧地の取得に充てられていない場合》において、農地又は採草放牧地の取得について、農業委員会の許可又は農用地利用集積等促進計画の定めを要するときにおける当該農地又は採草放牧地の取得の日は、次の（一）又は（二）に掲げる日に行われたこととすることに留意する。（措通70の４－67）
　　（一）　農地又は採草放牧地の取得について農業委員会の許可を要するもの　　当該許可のあった日と当該農地又は採草放牧地の引渡しがあった日とのうち、いずれか遅い日
　　（二）　農地又は採草放牧地の取得について農用地利用集積等促進計画の定めを要するもの　　当該農用地利用集積等促進計画に定められた日と当該農地又は採草放牧地の引渡しがあった日とのうち、いずれか遅い日
　　（注）　農地又は採草放牧地の取得について農用地利用集積計画の定めを要するものについても、上記（二）と同様であることに留意する。

　　（対価の全部又は一部が農地又は採草放牧地の取得に充てられていない場合）
（３）　農地又は採草放牧地の取得につき農地法第３条の農業委員会の許可を要するもの又は農用地利用集積等促進計画の定めを要するものについては、その許可又は定めがない限り、当該農地又は採草放牧地の取得のための対価の授受が行われている場合であっても、**1** の（二）に規定する「譲渡等の対価の額の全部又は一部が農地又は採草放牧地の取得に充てられていない場合」又は第十一節の **1** の（二）のハに規定する「譲渡等の対価の額の全部又は一部が農地又は採草放牧

－758－

地の取得に充てられていないとき」に該当することに留意する。ただし、譲渡等があった日から1年を経過する日まで
に農地又は採草放牧地の取得について農業委員会の許可がない場合であっても、同日までに農地又は採草放牧地の取得
についての農業委員会に対する許可申請書が提出されており、かつ、農地又は採草放牧地の取得代金の過半が支払われ
ているときは、同日までに農地又は採草放牧地の取得が行われたものとして取り扱うことができるものとする。(措通70
の4－68)

(注)　農地又は採草放牧地の取得について農用地利用集積計画の定めを要するものについても、農用地利用集積等促進計画の場合と同様であるこ
　　とに留意する。

　　(仲介料、登記費用等の費用)
(4)　1又は第十一節の1の規定による買換えの承認を受けている場合においてこれらの規定に規定する特例適用農地等
　若しくは特定農地等の譲渡等又は農地若しくは採草放牧地の取得に要した仲介料、登記費用等の費用があるときは、次
　により取り扱う。(措通70の4－69)
　(一)　1又は第十一節の1に規定する特例適用農地等又は特定農地等の譲渡等について仲介料、登記費用等の費用を要
　　した場合には、当該譲渡等の対価の額から当該譲渡等に要した費用の額を控除した金額をもって1の(二)及び(三)又
　　は第十一節の1の(二)のハ及び(三)に規定する「譲渡等の対価の額」とする。
　(二)　1の(三)又は第十一節の1の(三)に規定する農地又は採草放牧地の取得について仲介料、登記費用等の費用を要
　　した場合には、当該費用の額は、当該農地又は採草放牧地の取得に充てられたものとする。

　　(農地又は採草放牧地と同時に農地又は採草放牧地以外の財産を取得した場合)
(5)　1又は第十一節の1の規定による買換えの承認を受けている場合において、農地又は採草放牧地の取得と同時に農
　地又は採草放牧地以外の財産を取得したときは、譲渡等をした特例適用農地等又は特定農地等の対価の額は、まず農地
　又は採草放牧地の取得に充てられたものとして取り扱う。(措通70の4－70)

　　(譲渡等の対価の額を超過する農地又は採草放牧地の取得があった場合)
(6)　1の(三)又は第十一節の1の(三)の規定の適用に当たり、譲渡等をした特例適用農地等又は特定農地等の対価の額
　を超える対価で、第一節の1に規定する農地又は採草放牧地の取得があった場合には、その取得した農地又は採草放牧
　地のうち、次の算式により計算した部分を1の(三)に規定する「第一節の1の規定の適用を受ける農地等とみなす」又
　は第十一節の1の(三)に規定する「第一節の1の規定の適用を受ける農地又は採草放牧地とみなす」ものとして取り扱
　う。
　　この場合において、当該部分の面積については、分筆等により特定させる必要があることに留意する。(措通70の4
　－71)

$$A \times \frac{C}{B}$$

(注)　Aは、取得した農地又は採草放牧地の面積
　　Bは、取得した農地又は採草放牧地の対価の額((4)により取得に要した費用の額を含む。)
　　Cは、譲渡等をした特例適用農地等又は特定農地等の対価の額((4)により譲渡等に要した費用の額を除く。)

　　(令和2年前旧法適用受贈者が第七節、第八節及び第十一節の規定の適用を受ける場合に取得等ができる農地等)
(7)　令和2年前旧法適用受贈者(第一節の1の(19)に規定する平成30年前旧法適用受贈者及び令和2年改正法第15条の
　規定による改正前の租税特別措置法(以下第二章第七節の1の(9)までにおいて「令和2年改正前の措置法」という。)
　第一節の1の規定の適用を受けている同1に規定する受贈者をいう。)が、令和2年改正法附則第108条第1項の規定に
　より、1、第八節の1、第十一節の1の規定の適用を受ける場合には、第一節の(2)の(四)のロに規定する田園住居地
　域内にある農地又は同(四)のハに規定する区域内にある農地を代替取得農地等又は付替農地等とすることができること
　に留意する。
　　また、これらの農地が都市計画法の規定に基づく都市計画の変更により当該田園住居地域内にある農地又は当該区域
　内にある農地でなくなったことにより特定市街化区域農地等に該当することとなった場合には、納税猶予の期限は確定
　しないことに留意する。(措通70の4－71の3)

第四編　農地等に係る相続税・贈与税の納税猶予及び免除

代 替 農 地 等 の 取 得 価 額 等 の 明 細 書

※欄は記入しないでください。

（税務署受付印）

＿＿＿＿＿＿＿＿＿税務署長

　　　　　　　　　　　　　　　　　　　　〒
　　　　　　　　　　　　　申請者 住 所 ＿＿＿＿＿＿＿＿＿＿＿＿＿

　　　　　　　　　　　　　　　　　氏 名 ＿＿＿＿＿＿＿＿＿＿＿＿＿
　　　　　　　　　　　　　　　（電話番号　　　　－　　　－　　　　）

次の規定による承認申請に係る代替農地等の取得価額等は、下記のとおりです。

規定	贈与税	☐	租税特別措置法施行令第40条の6第29項（代替農地等の取得）
		☐	租税特別措置法施行令第40条の6第32項（代替農地等の付替え）
	相続税	☐	租税特別措置法施行令第40条の7第29項（代替農地等の取得）
		☐	租税特別措置法施行令第40条の7第33項（代替農地等の付替え）

（注）　贈与税又は相続税について、代替農地等の取得と付替えに関する承認を併せて受けた場合には、それぞれの「☐」にレ印を記入してください。

記

譲渡等をした特例農地等	所 在 地					
	地 目 等 、 面 積	①	㎡	㎡	㎡	
	譲 渡 年 月 日 、 態 様		令和　年　月　日	令和　年　月　日	令和　年　月　日	
	贈 与 価 額農業投資価格超過額	②	円	円	円	
	譲 渡 の 対 価 の 額	③	円	円	円	
取得等をした農地又は採草放牧地等	所 在 地					
	地 目 等 、 面 積	④	㎡	㎡	㎡	
	取 得 年 月 日		年　月　日	年　月　日	年　月　日	
	農地法の規定による許可又は届出の受理年月日		令和　年　月　日　許可届出	令和　年　月　日　許可届出	令和　年　月　日　許可届出	
	取 得 の 態 様					
	取 得 価 額（代替農地等の取得の場合）	⑤	円	円	円	
	譲 渡 等 の 時 に お け る 価 額（代替農地等の付替えの場合）	⑥	円	円	円	
	買入先　住 所 又 は 所 在 地					
	氏 名 又 は 名 称					
譲渡等があった分	② × $\dfrac{③-(⑤+⑥)}{③}$		円	円	円	
譲渡等がなかった分	① × $\dfrac{⑤+⑥}{③}$ ｛1を超えるときは1とする。｝	⑦	㎡	㎡	㎡	
	② × $\dfrac{⑤+⑥}{③}$ ｛1を超えるときは1とする。｝	⑧	円	円	円	
摘要						

（注）　1　「農地法の規定による許可又は届出の受理年月日」欄は、代替農地等の取得に関する承認に基づき取得した農地又は採草放牧地について、農地法上の手続を行った場合に記載してください。
　　　　2　「買入先」欄は、代替農地等の取得に関する承認の場合に記載してください。

関 与 税 理 士		電話番号	

※	検　算	整理簿番号

（資12－20－A4統一）　　（令3.3）

－762－

第一章　農地等についての贈与税の納税猶予及び免除
（第八節　特定市街化区域農地等の収用交換等による譲渡）

第八節　特定市街化区域農地等の収用交換等による譲渡

1　特定市街化区域農地等を収用交換等による譲渡をした場合の特例

　第四節の **2** の場合において、同 **2** に規定する譲渡等（第一節の **1** の規定の適用を受ける農地等のうち同 **1** の（2）の（三）のイからハまでに掲げる区域内に所在する農地等の租税特別措置法第33条の4第1項に規定する収用交換等による譲渡に限る。）があった日から1年以内に、同 **1** の規定の適用を受ける農地等以外の同号イからハまでに掲げる区域内に所在する農地若しくは採草放牧地又は当該1年以内に農地若しくは採草放牧地に該当することとなる見込みのある当該区域内に所在する土地（同 **1** の規定の適用を受ける受贈者が当該譲渡等があった日において有していたものに限り、当該譲渡等に係る農地等の贈与を受けた日前に取得したものを除く。（二）及び（三）並びに第十八節の **2** において「代替農地等」という。）で、当該譲渡等の時におけるその価額が当該譲渡等の対価の額の全部又は一部に相当するものを当該譲渡等に係る農地等に代わるものとして当該受贈者の農業の用に供する見込みであることにつき、**2** の**②**の政令で定めるところにより、納税地の所轄税務署長の承認を受けたときにおける第四節の **2** の規定の適用については、次に定めるところによる。（措法70の4⑯）

（一）	当該承認に係る譲渡等は、なかったものとみなす。
（二）	当該譲渡等があった日から1年を経過する日において、当該承認に係る譲渡等の対価の額の全部又は一部に相当する価額の代替農地等を当該譲渡等に係る農地等に代わるものとして当該受贈者の農業の用に供する農地又は採草放牧地としていない場合には、当該譲渡等に係る農地等のうちその農業の用に供していないものに対応するものとして（1）の政令で定める部分は、同日において譲渡等をされたものとみなす。
（三）	当該譲渡等があった日から1年を経過する日までに当該承認に係る譲渡等の対価の額の全部又は一部に相当する価額の代替農地等を当該譲渡等に係る農地等に代わるものとして当該受贈者の農業の用に供する農地又は採草放牧地とした場合には、当該譲渡等に係る農地等に代わるものとして当該受贈者の農業の用に供した代替農地等は、第一節の **1** の規定の適用を受ける農地等とみなす。

　（農業の用に供していないものに対応するものとして定める部分）
（1）　**1** の（二）に規定する政令で定める部分は、同（二）に規定する譲渡等に係る農地等のうち、当該譲渡等の対価の額から当該譲渡等の時における代替農地等価額（**1** に規定する代替農地等で当該譲渡等があった日から1年を経過する日までに **1** の（三）の農業の用に供する農地又は採草放牧地とした部分に相当する価額をいう。（2）の（二）において同じ。）を控除した額が当該譲渡等の対価の額のうちに占める割合を、当該譲渡等に係る農地等の贈与者からの贈与の時における価額に乗じて計算した金額に相当する部分とする。（措令40の6㉞）

　（併用があった場合の金額の計算）
（2）　第四節の **2** に規定する譲渡等に係る農地等につき、第七節の **1** 及び **1** の承認を併せて受けている場合における第七節の **1** の（二）及び **1** の（二）の規定により譲渡等をされたものとみなされる部分は、第七節の **1** の（1）及び **1** の（1）の規定にかかわらず、当該譲渡等の対価の額から次に掲げる額の合計額を控除した額が当該譲渡等の対価の額のうちに占める割合を、当該譲渡等に係る農地等の贈与者からの贈与の時における価額に乗じて計算した金額に相当する部分とする。（措令40の6㉟）

（一）	当該譲渡等の対価で当該譲渡等があった日から1年を経過する日までに第七節の **1** の（三）の農地又は採草放牧地の取得に充てられた額
（二）	当該譲渡等の時における代替農地等価額

　（収用交換等による譲渡の日から1年以内に農地又は採草放牧地となる見込みの土地を取得した場合の費用）
（3）　第七節 **1** の規定による買換えの承認を受けている場合において、同 **1** に規定する譲渡等があった日から1年以内に農地又は採草放牧地に該当することとなる見込みのある第一節《特例適用の要件》の **1** の（2）の（三）のイからハまでに掲げる区域内に所在する土地を、農地又は採草放牧地とするために要した費用があるときは、当該費用を第七節の **1** の

－763－

第四編　農地等に係る相続税・贈与税の納税猶予及び免除

（三）に規定する農地又は採草放牧地の取得に充てられた費用として差し支えないものとする。（措通70の４－69の２）

（収用交換等による譲渡の時における代替農地等の価額）
（４）　**1**の規定による付替えの承認を受けている場合において、**1**に規定する譲渡等があった日から１年以内に農地又は採草放牧地に該当することとなる見込みのある第一節《特例適用の要件》の**1**の（２）の（三）のイからハまでに掲げる区域内に所在する土地を、農地又は採草放牧地とするために要した費用があるときは、**2**の**③**に規定する「公共事業施行者の当該受贈者の農業の用に供する農地又は採草放牧地として同項に規定する代替農地等の当該譲渡等の時における価額を明らかにする書類」に記載された当該土地の当該譲渡等の時における価額に当該費用を加算した金額を、当該承認に係る譲渡等の対価の額の全部又は一部に相当する価額として差し支えないものとする。（措通70の４－69の３）

（代替農地等の譲渡等の時における価額が譲渡等の対価の額を超過する場合）
（５）　**1**の（三）の規定の適用に当たり、同項の承認に係る譲渡等の時における代替農地等の価額が、譲渡等をした特例適用農地等の対価の額を超える場合には、次の算式により計算した部分を**1**の（三）に規定する「第一節の**1**の規定の適用を受ける農地等とみなす」ものとして取り扱う。

この場合において、当該部分の面積については、分筆等により特定させる必要があることに留意する。（措通70の４－71の２）

$$ A \times \frac{C}{B} $$

（注）　Aは、代替農地等の面積
　　　　Bは、**1**の承認に係る譲渡等の時における代替農地等の価額（（４）により取得に要した費用の額を含む。）
　　　　Cは、譲渡等をした特例適用農地等の対価の額

2　収用交換等の特例の適用手続

①　代替農地等の取得に関する証明書の提出

第七節の**2**の**①**の申請書（第一節の**1**の（２）の（三）のイからハまでに掲げる区域内に所在する農地等の租税特別措置法第33条の４第１項に規定する収用交換等による譲渡の場合であって、当該譲渡があった日から１年以内に第一節の**1**に規定する農地又は採草放牧地に該当することとなる見込みのある当該区域内に所在する土地について第七節の**1**の承認を受けようとするときにおける当該承認に係る申請書に限る。）又は**②**の申請書を提出する受贈者は、これらの申請書に、第七節の**1**又は**1**に規定する譲渡等があった農地等に係る公共事業施行者（租税特別措置法第33条の４第３項第１号に規定する公共事業施行者をいう。**③**において同じ。）の買取り等（同号に規定する買取り等をいう。）の年月日及び当該買取り等に係る農地等の明細を記載した当該買取り等があったことを証する書類を添付しなければならない。（措規23の７**㉒**）

②　特定市街化区域農地等を収用交換等による譲渡に関する承認申請書の提出

1の税務署長の承認を受けようとする受贈者は、**1**に規定する譲渡等に係る農地等について**1**の規定の適用を受けようとする旨及び次に掲げる事項を記載した申請書を、当該譲渡等があった日から１月以内に、納税地の所轄税務署長に提出しなければならない。（措令40の６**㉜**）

（一）	申請者の氏名及び住所
（二）	**1**に規定する譲渡等に係る農地等の明細、当該農地等の贈与者からの贈与の時における価額及び当該譲渡等の対価の額
（三）	**1**に規定する譲渡等に係る農地等に代わるものとして**1**の受贈者の農業の用に供する見込みである**1**に規定する代替農地等の明細及び当該譲渡等の時における価額並びに当該代替農地等を当該受贈者の農業の用に供する予定年月日
（四）	その他参考となるべき事項

（申請のみなす承認）
注　**③**の規定による申請書の提出があった場合その提出があった日から１月以内に、当該申請の承認又は却下の処分がなかったときは、当該申請の承認があったものとみなす。（措令40の６**㉝**により準用する措令40の６**㉚**）

－764－

③ 特定市街化区域農地等を収用交換等による譲渡等をした場合の代替農地等の取得価額等の明細書の提出

　第一節の1の規定の適用を受ける農地等の1に規定する譲渡等（以下「譲渡等」という。）につき1の税務署長の承認を受けた受贈者は、当該譲渡等があった日から1年を経過する日までに当該承認に係る1に規定する代替農地等を当該譲渡等に係る農地等に代わるものとして当該受贈者の1の(三)の農業の用に供する農地又は採草放牧地とした場合には、当該農業の用に供した後遅滞なく、公共事業施行者の当該受贈者の農業の用に供する農地又は採草放牧地とした1に規定する代替農地等の当該譲渡等の時における価額を明らかにする書類及び次に掲げる書類を、当該承認をした税務署長に提出しなければならない。（措規23の7㉔）

(一)	次に掲げる事項を記載した書類 　イ　当該書類を提出する者の氏名及び住所又は居所 　ロ　当該承認に係る譲渡等があった日及び当該譲渡等の対価の額 　ハ　1の(三)の農業の用に供する農地又は採草放牧地とした1に規定する代替農地等の地目、面積、その所在場所及び取得年月日その他の明細 　ニ　その他参考となるべき事項
(二)	当該農地のうちに農地法第43条第1項の規定により農作物の栽培を耕作に該当するものとみなして適用する同法第2条第1項に規定する農地がある場合には、当該農地が農作物栽培高度化施設の用に供されているものである旨を証する当該農地の所在地を管轄する農業委員会の書類
(三)	当該農地又は採草放牧地のうちに都市営農地等がある場合には、当該都市営農地等が第一節の1に規定する農地又は採草放牧地に該当する旨を証する当該都市営農地等の所在地を管轄する市長又は特別区の区長の書類の写し

第四編　農地等に係る相続税・贈与税の納税猶予及び免除

第九節　一時的道路用地等の用に供するための地上権等の設定

1　特例の適用要件

　第一節の1《農地等を贈与した場合の贈与税の納税猶予》の規定の適用を受ける受贈者が、同1の規定の適用を受ける農地等に係る贈与者の死亡の日前に当該農地等の全部又は一部を**一時的道路用地等**（道路法による道路に関する事業、河川法が適用される河川に関する事業、鉄道事業法（昭和61年法律第92号）による鉄道事業者がその鉄道事業で一般の需要に応ずるものの用に供する施設に関する事業その他これらの事業に準ずる事業として当該事業に係る主務大臣が認定したもののために一時的に使用する道路、水路、鉄道その他の施設の用地で代替性のないものとして当該主務大臣が認定したものをいう。以下本節において同じ。）の用に供するために地上権、賃借権又は使用貸借による権利の設定（民法第269条の2第1項の地上権の設定を除く。以下本節において「**地上権等の設定**」という。）に基づき貸付けを行った場合において、当該貸付けに係る期限（以下本節において「貸付期限」という。）の到来後遅滞なく当該一時的道路用地等の用に供していた農地等を当該受贈者の農業の用に供する見込みであることにつき、（1）の政令で定めるところにより、納税地の所轄税務署長の承認を受けたときにおける第一節の1、第四節の1《納税猶予の全部打切り》及び第四節の2《納税猶予の一部打切り》の規定の適用については、次に定めるところによる。（措法70の4⑱）

（一）	当該承認に係る地上権等の設定は、なかったものとみなす。
（二）	当該受贈者が、当該貸付期限から2月を経過する日までに当該一時的道路用地等の用に供されていた農地等の全部又は一部を当該受贈者の農業の用に供していない場合には、当該農地等のうち当該受贈者の農業の用に供していない部分は、同日において地上権等の設定があったものとみなす。
（三）	当該一時的道路用地等の用に供されている農地等の全部又は一部のうちに準農地がある場合の第四節の2の規定の適用については、同2中「10年を経過する日において当該受贈者が有する第一節の1」とあるのは「10年を経過する日（当該受贈者が有する準農地が1の規定の適用を受ける場合における当該準農地については、同日又は同1に規定する貸付期限から2月を経過する日のいずれか遅い日とする。以下2において同じ。）において当該受贈者が有する第一節の1」と、「同日」とあるのは「当該10年を経過する日」とする。

（税務署長の承認を受ける場合の手続）

（1）　1の税務署長の承認を受けようとする受贈者は、一時的道路用地等の用に供するため地上権等の設定に基づき貸付けを行った農地等について1の規定の適用を受けようとする旨の申請書で次に掲げる事項を記載したものを、当該地上権等の設定に基づき貸付けを行った日から1月以内に、納税地の所轄税務署長に提出しなければならない。（措令40の6㊴）

　（一）　申請者の氏名及び住所

　（二）　当該地上権等の設定に基づき貸し付けた農地等の明細

　（三）　当該地上権等の設定に基づき貸し付けた農地等を当該受贈者の農業の用に供する予定年月日

　（四）　その他参考となるべき事項

（申請書の添付書類）

（2）　（1）の規定により提出する申請書には、1の規定の適用を受けようとする農地等について1に規定する主務大臣が一時的道路用地等に係る1に規定する代替性のない施設の用地として認定（当該一時的道路用地等に係る事業が1に規定する道路に関する事業、河川に関する事業及び鉄道事業以外のものである場合には、1に規定する準ずる事業としての認定を含む。）を行ったことを証する書類で次に掲げる事項を記載したもの及び（3）の財務省令で定める書類を添付しなければならない。（措令40の6㊵）

　（一）　当該一時的道路用地等の用に供される農地等の所有者の氏名及び住所

　（二）　当該一時的道路用地等の用に供される農地等の明細

　（三）　当該一時的道路用地等の用に供するために事業の施行者が地上権等の設定に基づき借り受ける日及び当該借受けに係る期限

　（四）　1に規定する主務大臣が1の規定により認定した一時的道路用地等に係る事業及び施設の用地に関すること

－766－

第一章　農地等についての贈与税の納税猶予及び免除
(第九節　一時的道路用地等の用に供するための地上権等の設定)

　(五)　その他参考となるべき事項

　　　(財務省令で定める書類)
(3)　(2)に規定する書類は、申請者と一時的道路用地等に係る事業の施行者 (以下本節において「事業施行者」という。)
　との間の地上権等の設定に基づき第一節の1に規定する農地等 (第一節の1の(8)((一)を除く。)の規定により農地等
　に該当するものとして第一節の1の規定の適用を受けるものを含む。以下本節において同じ。)を当該一時的道路用地等
　の用に供するために貸し付ける旨の契約書で当該農地等を貸し付ける日及び1に規定する貸付期限の記載のあるものの
　写し又は土地収用法の規定に基づく裁決書で当該農地等を使用するためのものの写し若しくは同法に規定された収用委
　員会の勧告に基づく和解により作成された和解調書で当該農地等を使用するためのものの写しとする。(措規23の7㉗)

　　　(申請のみなす承認)
(4)　(1)の規定による申請書の提出があった場合において、その提出があった日から1月以内に当該申請の承認又は却
　下の処分がなかったときは、当該申請の承認があったものとみなす。(措令40の6㊶により準用する措令40の6㉚)

　　　(一時的道路用地等として貸付けの対象となる特例適用農地等の範囲)
(5)　1に規定する一時的道路用地等の用に供するための地上権、賃借権、又は使用貸借による権利の設定 (民法第269
　条の2第1項の地上権の設定を除く。以下(8)までにおいて「地上権等の設定」という。)に基づく貸付けの対象となる
　特例適用農地等には、第六節の1に規定する貸付特例適用農地等は含まれないが、次の(一)に掲げる敷地又は用地、(二)
　から(四)までに掲げる特例適用農地等は含まれることに留意する。(措通70の4-72)
　(一)　第一節の1の(8)の(二)又は同(8)の(三)に掲げる敷地又は用地
　(二)　第五節の1の規定の適用を受ける特例適用農地等 (受贈者が一時的道路用地等の用に供するために当該特例適用
　　　農地等に係る使用貸借による権利を消滅させたものに限る。)
　(三)　第十節の1の規定の適用を受ける同1に規定する営農困難時貸付けが行われている特例適用農地等 (受贈者が一
　　　時的道路用地等の用に供するために当該特例適用農地等に係る地上権、永小作権、使用貸借による権利又は賃借権 (以
　　　下(5)において「賃借権等」という。)を消滅させたものに限る。)
　(四)　第十七節の1の規定の適用を受ける同1に規定する特定貸付けが行われている特例適用農地等 (受贈者が一時的
　　　道路用地等の用に供するために当該特例適用農地等に係る賃借権等を消滅させたものに限る。)

　　　(主務大臣の認定を要しない事業)
(6)　1に規定する一時的道路用地等に係る事業が1に規定する道路に関する事業、河川に関する事業及び鉄道事業であ
　る場合には、1に規定する事業に係る主務大臣の認定は要しないのであるから留意する。ただし、その場合であっても、
　一時的道路用地等として地上権等の設定に基づき貸し付けられる特例適用農地等が1に規定する代替性のない施設の用
　地であることの主務大臣の認定は必要である。(措通70の4-73)

　　　(一時的道路用地等としての貸付先)
(7)　1に規定する一時的道路用地等の用に供するための地上権等の設定に基づく貸付けは、当該一時的道路用地等に係
　る事業の施行者に対して行わなければならないことに留意する。
　　したがって、その事業の施行者から業務を請け負った業者等に対してその貸付けを行った場合には、1の規定の適用
　はない。(措通70の4-74)

　　　(地上権等の設定があった場合の担保)
(8)　特例適用農地等が第一節の1に規定する担保に提供されている場合において、その特例適用農地等につき本節の1
　に規定する地上権等の設定があったときにおいても、その担保を提供した受贈者に対して国税通則法第51条第1項に規
　定する増担保の提供等を命ずる必要はないのであるから留意する。(措通70の4-75)

　　　(貸付期限が到来した一時的道路用地等の用途)
(9)　1の規定の適用を受ける受贈者は、1に規定する貸付期限 (当該貸付期限の到来前に地上権、賃借権又は使用貸借
　による権利 (以下(9)において「地上権等」という。)の解約が行われたことにより当該地上権等が消滅した場合には、
　当該地上権等の消滅した日。2の(4)において同じ。)から2月を経過する日までに、一時的道路用地等の用に供されて
　いた特例適用農地等を自己の農業の用 (当該受贈者が第五節の1の規定の適用を受ける特例適用農地等を一時的道路用

－767－

地等の用に供していた場合には、当該特例適用農地等に係る第五節の**5**に規定する特定推定相続人の農業の用、また、第十節の**1**の適用を受ける特例適用農地等を一時的道路用地等の用に供していた場合には、当該特例適用農地等を同**1**に規定する営農困難時貸付け又は自己の農業の用。以下（9）において同じ。）に供しなければならないのであるが、この場合、その特例適用農地等の利用状況が、一時的道路用地等の用に供されていた特例適用農地等の貸付けの直前の利用状況と異なる場合であっても、その特例適用農地等を自己の農業の用（第一節の**1**の（8）の（二）又は同（8）の（三）に掲げる施設又は用地としての利用を含む。）に供する限り、本節の**1**の（二）の規定の適用はないのであるから留意する。（措通70の4－77）

（注）　当該特例適用農地等について第十節の**1**に規定する営農困難時貸付けを行う場合には、同**1**の（3）、第十節の**4**の（7）の規定の適用があることに留意する。

2　1年ごとの継続貸付届出書の提出

　1の規定の適用を受ける受贈者は、**1**の承認を受けた日の翌日から起算して1年を経過するごとの日までに、（1）の政令で定めるところにより、当該一時的道路用地等の用に供されている当該農地等に係る地上権等の設定に関する事項その他（2）の財務省令で定める事項を記載した届出書（**3**において「**継続貸付届出書**」という。）を納税地の所轄税務署長に提出しなければならない。（措法70の4⑲）

　　（継続貸付届出書の添付書類）
（1）　**2**の規定により受贈者が提出する**2**に規定する継続貸付届出書には、当該一時的道路用地等に係る事業の施行者の当該継続貸付届出書に係る**2**に規定する期限の2月前において当該一時的道路用地等の用に供されている農地等について引き続き借り受けている旨及び当該事業を引き続き施行している旨を証する書類で次に掲げる事項を記載したものを添付しなければならない。（措令40の6㊷）
　　（一）　当該一時的道路用地等の用に供されている農地等を事業の施行者に貸し付けている者の氏名及び住所
　　（二）　当該事業の施行者が借り受けている農地等の明細
　　（三）　その他参考となるべき事項

　　（継続貸付届出書の記載事項）
（2）　**2**に規定する継続貸付届出書に記載する事項は、次に掲げる事項とする。（措規23の7㉘）
　　（一）　届出者の氏名及び住所又は居所
　　（二）　一時的道路用地等の用に供されている農地等の明細
　　（三）　貸付期限
　　（四）　当該農地等を引き続き一時的道路用地等の用に供している旨
　　（五）　その他参考となるべき事項

　　（一時的道路用地等に係る継続貸付届出書の提出期間）
（3）　**2**に規定する届出書は、**1**の承認を受けた日の翌日から起算して1年を経過するごとの日までに提出しなければならないのであるが、その提出期間は、当該1年を経過するごとの日の属する月の前々月の初日から当該1年を経過するごとの日までの期間として取り扱う。（措通70の4－76）

　　（貸付期限到来前に贈与者等が死亡した場合）
（4）　**2**に規定する届出書、**4**に規定する届出書又は**5**に規定する届出書は、一時的道路用地等の用に供されている特例適用農地等に係る貸付期限の到来前に第十三節の**1**《贈与者又は受贈者が死亡した場合の贈与税額の免除》の規定により第一節の**1**に規定する贈与税が免除された場合には、その提出を要しないことに留意する。（措通70の4－78）

（注）　当該受贈者の相続人又は当該受贈者が、当該特例適用農地等について第二章第九節の**4**の（3）の規定により準用する同**4**《農業相続人が死亡した場合の特例の適用》の規定の適用を受ける場合には、同第八節の**2**《毎1年ごとの継続貸付届出書の提出》に規定する届出書、同第九節の**5**《地上権等が消滅した場合の届出書の提出》に規定する届出書又は同第九節の**6**の（2）《一時的道路用地等に係る事業の施行の遅延により貸付期限が延長される場合の届出書の提出》に規定する届出書の提出を要することに留意する。

3　継続貸付届出書が提出されなかった場合の納税猶予の打切り

　2に規定する継続貸付届出書がその提出期限までに納税地の所轄税務署長に提出されなかった場合には、当該提出期限の翌日から2月を経過する日に当該継続貸付届出書に係る一時的道路用地等の用に供されている農地等に係る地上権等の設定があったものとして、第四節の**1**《納税猶予の全部打切り》及び第四節の**2**《納税猶予の一部打切り》の規定を適用

－768－

第一章　農地等についての贈与税の納税猶予及び免除
（第九節　一時的道路用地等の用に供するための地上権等の設定）

する。ただし、当該継続貸付届出書が当該提出期限までに提出されなかった場合においても、当該所轄税務署長が当該提出期限内にその提出がなかったことについてやむを得ない事情があると認める場合において、下記注の政令で定めるところにより当該継続貸付届出書が当該所轄税務署長に提出されたときは、この限りでない。（措法70の4⑳）

　　　（提出期限後における継続貸付届出書の提出の手続）
注　　3の規定により受贈者が提出する2に規定する継続貸付届出書には、2に規定する事項のほか当該継続貸付届出書を2に規定する期限までに提出することができなかった事情の詳細を記載し、かつ、2の（1）に規定する事業の施行者の書類を添付しなければならない。（措令40の6㊸）

4　地上権等が消滅した場合の届出書の提出
　　1の規定の適用を受けている受贈者は、一時的道路用地等の用に供されている農地等につき、当該農地等に係る貸付期限の到来により1の規定の適用に係る1の地上権、賃借権若しくは使用貸借による権利（以下4及び（4）において「地上権等」という。）が消滅した場合又は当該貸付期限の到来前に地上権等の解約が行われたことにより当該地上権等が消滅した場合には、その消滅した旨、当該農地等を受贈者の農業の用に供している旨その他（1）の財務省令で定める事項を記載した届出書に、農業委員会の証明書で（2）の財務省令で定めるところにより当該受贈者の農業の用に供されている旨を証するものその他（3）の財務省令で定める書類を添付し、これを当該地上権等の消滅した日から2月以内に、納税地の所轄税務署長に提出しなければならない。（措令40の6㊹）

　　　（届出書の記載事項）
（1）　4に規定する事項は、次に掲げる事項とする。（措規23の7㉙）
　（一）　届出者の氏名及び住所又は居所
　（二）　一時的道路用地等の用に供されていた農地等の明細
　（三）　貸付期限
　（四）　一時的道路用地等の用に供されていた農地等の貸付けの直前の利用状況及び4の届出書の提出時における当該農地等の利用状況又は予定している利用方法
　（五）　当該農地等を受贈者の農業の用に供した日又は供する見込みの日
　（六）　その他参考となるべき事項

　　　（農業委員会の証明の手続）
（2）　4に規定する証明は、一時的道路用地等の用に供されていた農地等の所在地を管轄する農業委員会が、当該一時的道路用地等の用に供されていた土地が農地等に復したこと及び第一節の1の規定の適用を受けている受贈者が当該農地等の第四節の1の（一）に規定する耕作をしていること又は遅滞なく当該耕作をする見込みであること（当該一時的道路用地等の用に供されていた土地が第一節の1の（8）の（二）又は同（8）の（三）に規定する敷地又は用地となる場合には、当該土地が同1の規定の適用を受けていたものであること）を証する書類を発行することにより行うものとする。（措規23の7㉚）

　　　（届出書の添付書類）
（3）　4に規定する書類は、次に掲げる書類とする。（措規23の7㉛）
　（一）　一時的道路用地等の用に供していた農地等を借り受ける契約が終了した旨及び終了した日を証する事業施行者の書類
　（二）　4に規定する地上権等が登記されていた場合には、一時的道路用地等の用に供していた土地の登記事項証明書（当該地上権等の消滅後に取得したものに限る。）
　（三）　受贈者が第五節の1の規定の適用を受ける農地等を一時的道路用地等の用に供していた場合には、次に掲げる場合の区分に応じそれぞれ次に定める書類
　　イ　当該農地等の全部について一時的道路用地等の用に供していた場合　　次に掲げる書類
　　（イ）　第五節の2の（1）《添付書類》の（一）に掲げる書類（同（一）に掲げる農業委員会の書類にあっては、受贈者の推定相続人が同節の1の（1）《推定相続人のうち政令で定めるもの》の（三）に掲げる要件に該当することを明らかにする事実を記載したものとする。）
　　（ロ）　第五節の2の（1）の（二）に掲げる書類
　　（ハ）　第五節の2の（1）の（三）に掲げる農業委員会の書類

－769－

ロ　イに掲げる場合以外の場合　　第五節の**2**の（1）の（二）に掲げる書類

（貸付期限の到来前に地上権等の解約が行われた場合）
（4）　**4**の場合において、貸付期限の到来前に地上権等の解約が行われたことにより当該地上権等が消滅したときは、当該地上権等が消滅した日を貸付期限とみなして、本章の規定を適用する。（措令40の6㊺）

5　一時的道路用地等に係る事業の施行の遅延により貸付期限が延長される場合の届出書の提出

　1の規定の適用を受けている農地等を一時的道路用地等の用に供している場合において、当該一時的道路用地等に係る事業の施行の遅延により貸付期限が延長されることとなったときは、受贈者は、引き続き**1**の適用を受けようとする旨及び次に掲げる事項を記載した届出書に、貸付期限を延長する事情の詳細を記載した当該事業の施行者の書類その他（1）の財務省令で定める書類を添付し、これを当該貸付期限の到来する日から1月以内に、納税地の所轄税務署長に提出しなければならない。（措令40の6㊻）
（一）　届出者の氏名及び住所
（二）　当該貸付期限の延長に係る農地等の明細
（三）　延長されることとなった期限
（四）　当該貸付期限の延長に係る農地等を当該受贈者の農業の用に供する予定年月日
（五）　その他参考となるべき事項

（届出書の添付書類）
（1）　**5**に規定する書類は、**1**の（3）に規定する契約書又は裁決書若しくは和解調書の写しその他の書類で貸付期限が延長されることが明らかとなるものとする。（措規23の7㉜）

（貸付期限が延長される場合）
（2）　**5**の場合において、貸付期限が延長されることとなったときは、当該延長されることとなった期限を貸付期限とみなして、本章の規定を適用する。（措令40の6㊼）

6　経過措置の適用を受けている受贈者に対する適用

　次に掲げる者は、第一節の**1**《農地等を贈与した場合の贈与税の納税猶予》に規定する受贈者とみなして、本節の規定、第十七節《農地等の贈与者が死亡した場合の相続税の課税の特例》の**1**《特例適用農地等の相続税の課税価格への算入》及び第二章第八節の**4**の（3）《贈与税の特例の適用を受けている受贈者が死亡した場合等の準用》の規定を適用する。この場合において、当該受贈者に係るこれらの規定の適用に関し必要な事項は政令《当該政令＝平13改措令附24④は省略した。》で定める。（平13改措法附32⑥）
（一）　租税特別措置法の一部を改正する法律（昭和50年法律第16号）附則第20条第2項の規定によりなおその効力を有するものとされる同法による改正前の租税特別措置法第70条の4第1項本文の規定の適用を受けている同項に規定する受贈者
（二）　租税特別措置法の一部を改正する法律（平成3年法律第16号）附則第19条第1項の規定によりなお従前の例によることとされる場合における同法による改正前の租税特別措置法第70条の4第1項本文の規定の適用を受けている同項に規定する受贈者
（三）　租税特別措置法の一部を改正する法律（平成7年法律第55号）附則第36条第2項の規定によりなおその効力を有するものとされる同法による改正前の租税特別措置法第70条の4第1項本文の規定の適用を受けている同項に規定する受贈者
（四）　租税特別措置法等の一部を改正する法律（平成12年法律第13号）第1条の規定による改正前の租税特別措置法第70条の4第1項本文の規定の適用を受けている同項に規定する受贈者
（五）　旧租税特別措置法第70条の4第1項本文の規定の適用を受けている同項に規定する受贈者

第十節　営農困難時貸付けの特例

1　特例の概要

第一節の**1**の規定の適用を受ける受贈者が、障害、疾病その他の事由により同**1**の規定の適用を受ける農地等について当該受贈者の農業の用に供することが困難な状態として(1)の政令で定める状態となった場合（第十七節の**1**に規定する特定貸付けができない場合として(3)の政令で定める場合に限る。）において、当該農地等について地上権、永小作権、使用貸借による権利又は賃借権の設定（民法第269条の２第１項の地上権の設定を除く。以下この節において「**権利設定**」という。）に基づく貸付け（以下本節において「**営農困難時貸付け**」という。）を行ったときは、当該営農困難時貸付けを行った日から２月以内に、(4)の政令で定めるところにより当該営農困難時貸付けを行っている旨の届出書を納税地の所轄税務署長に提出したときに限り、第四節の**1**《納税猶予の全部打切り》及び第四節の**2**《納税猶予の一部打切り》の規定の適用については、当該営農困難時貸付けを行った農地等（以下本節において「**営農困難時貸付農地等**」という。）に係る権利設定はなかったものと、農業経営は廃止していないものとみなす。（措法70の４㉒）

（営農困難な状態）

(1)　**1**に規定する政令で定める状態は、第一節の**1**の規定の適用を受ける受贈者（同**1**に規定する贈与税の申告書の提出期限において既に次に掲げる事由が生じていた者（当該提出期限後に新たに当該事由が生じた者並びに(二)の身体障害者手帳の交付を受けている者のうち、当該提出期限後に当該身体障害者手帳に記載された身体上の障害の程度が２級から１級に変更された者及び身体上の障害の程度が１級又は２級である障害が当該身体障害者手帳に新たに記載された者を除く。）を除く。）に次に掲げる事由が生じている状態とする。（措令40の６㊿1）

(一)　当該受贈者が精神保健及び精神障害者福祉に関する法律（昭和25年法律第123号）第45条第２項の規定により精神障害者保健福祉手帳（精神保健及び精神障害者福祉に関する法律施行令（昭和25年政令第155号）第６条第３項に規定する障害等級が１級である者として記載されているものに限る。）の交付を受けていること。

(二)　当該受贈者が身体障害者福祉法（昭和24年法律第283号）第15条第４項の規定により身体障害者手帳（身体上の障害の程度が１級又は２級である者として記載されているものに限る。）の交付を受けていること。

(三)　当該受贈者が介護保険法第19条第１項の規定により同項に規定する要介護認定（同項の要介護状態区分が(2)の財務省令で定める区分に該当するものに限る。）を受けていること。

(四)　(一)から(三)に掲げる事由のほか、当該受贈者が当該提出期限後に農業に従事することを不可能にさせる故障として農林水産大臣が財務大臣と協議して定めるものを有するに至ったことにつき、市町村長又は特別区の区長の認定を受けていること。

(注)　農林水産大臣は、第１節の**4**の(四)の規定により基準を定め、又は(四)の規定により故障を定めたときは、これを告示する。（措令40の６㊆0）

（要介護状態の区分）

(2)　(1)の(三)に規定する財務省令で定める区分は、要介護認定等に係る介護認定審査会による審査及び判定の基準等に関する省令（平成11年厚生省令第58号）第１条第１項第５号に掲げる区分とする。（措規23の７㉝）

（営農困難時貸付けの意義）

(3)　**1**に規定する特定貸付けができない場合として政令で定める場合は、次に掲げる場合のいずれかに該当する場合とする。（措令40の６㊾2）

(一)　**1**の規定の適用を受けようとする農地等が農地中間管理事業の推進に関する法律（平成25年法律第101号）第８条第１項の都道府県知事の認可を受けた同法第２条第３項に規定する農地中間管理事業を行う同条第４項に規定する農地中間管理機構が存する場合における当該農地中間管理機構の同条第三項に規定する事業実施地域に存しない場合

(二)　第一節の**1**の規定の適用を受ける受贈者が第十七節の**1**に規定する特定貸付けの申込みを行った日後１年を経過する日までに当該特定貸付けを行うことができなかった場合（当該１年を経過する日まで引き続き当該特定貸付けの申込みを行っている場合に限る。）

第四編　農地等に係る相続税・贈与税の納税猶予及び免除

　　　　（届出書の提出）
（４）　１の規定の適用を受けようとする受贈者は、１に規定する営農困難時貸付農地等について１の規定の適用を受けようとする旨及び営農困難時貸付農地等に係る１に規定する営農困難時貸付けに関する事項その他（５）の財務省令で定める事項を記載した届出書に、（６）の財務省令で定める書類を添付し、これをその行った営農困難時貸付けごとに提出しなければならない。（措令40の6㊼）

　　　　（届出書の記載事項）
（５）　（４）に規定する財務省令で定める事項は、次に掲げる事項とする。（措規23の7㉞）
　（一）　届出者の氏名及び住所又は居所
　（二）　１に規定する営農困難時貸付農地等の所在、地番、地目及び面積
　（三）　１に規定する営農困難時貸付けを行った年月日
　（四）　当該営農困難時貸付農地等を借り受けた者の氏名及び住所若しくは居所又は名称及び本店若しくは主たる事務所の所在地
　（五）　当該営農困難時貸付けに係る地上権、永小作権、使用貸借による権利又は賃借権の存続期間
　（六）　当該営農困難時貸付農地等に係る贈与者の氏名及び住所又は居所並びに当該贈与者から贈与により当該営農困難時貸付農地等を取得した年月日
　（七）　その他参考となるべき事項

　　　　（届出書の添付書類）
（６）　（４）に規定する財務省令で定める書類は、次に掲げる書類とする。（措規23の7㉟）
　（一）　１の規定の適用を受けようとする受贈者の精神障害者保健福祉手帳の写し、身体障害者手帳の写し又は介護保険の被保険者証の写し、当該受贈者が（１）の（四）に規定する市町村長又は特別区の区長の認定を受けていることを証する当該市町村長又は特別区の区長の書類その他の書類で、第一節の１に規定する贈与税の申告書の提出期限後に当該受贈者が（１）の各号に掲げる事由のいずれかに該当することとなったこと（当該受贈者が当該提出期限後に新たに当該事由が生じた者並びに（１）の（二）の身体障害者手帳の交付を受けている者のうち、当該提出期限後に当該身体障害者手帳に記載された身体上の障害の程度が2級から1級に変更された者及び身体上の障害の程度が1級又は2級である障害が当該身体障害者手帳に新たに記載された者である場合には、これらの者に該当することとなったこと）及びその該当することとなった年月日を明らかにする書類
　（二）　当該受贈者が行った営農困難時貸付けに係る契約書の写しその他の書類で貸付けの事実及び当該貸付けを行った年月日を証するもの
　（三）　当該営農困難時貸付けを行った受贈者が農地法第3条第1項の許可を受けたこと及び当該許可をした年月日を証する当該許可をした農業委員会の書類（当該営農困難時貸付けにつき同項の許可を受けることを要しない場合には、その旨を証する当該営農困難時貸付けに係る営農困難時貸付農地等の所在地を管轄する農業委員会の書類）
　（四）　次に掲げる場合の区分に応じそれぞれ次に定める書類
　　イ　当該営農困難時貸付けを行った農地等が（3）の（一）に規定する地域に存する場合　当該農地等について第十七節の1に規定する特定貸付けの申込みを受けた当該地域に係る農地中間管理機構の書類で当該申込みを受けた日後1年を経過する日まで当該受贈者から引き続き申込みを受けていたことを証するもの
　　ロ　イに掲げる場合以外の場合　当該営農困難時貸付けを行った農地等がイに規定する地域に存しない旨を証する当該農地等の所在地に係る市町村長の書類

　　　　（1に規定する営農困難時貸付け）
（７）　1に規定する営農困難時貸付けとは、1の規定の適用を受ける受贈者が特例適用農地等について当該受贈者の農業の用に供することが困難な状態として（1）で定める状態となった場合において、当該受贈者が当該特例適用農地等について行った次の（一）又は（二）に掲げるいずれかの貸付けをいうことに留意する。（措通70の4－80）
　（一）　特例適用農地等が（3）の（一）に規定する地域に存しない場合における貸付け
　（二）　第十七節の1に規定する特定貸付けの申込みを行った日後1年を経過する日までに当該特定貸付けを行うことができなかった場合（当該特定貸付けの申込みを当該1年を経過する日まで引き続き行っている場合に限る。）における当該特定貸付け以外の地上権、永小作権、使用貸借による権利又は賃借権の設定（以下（12）までにおいて「権利設定」という。）に基づく貸付け
　（注）　農業経営基盤強化促進法等の一部を改正する法律（令和4年法律第56号）附則第5条第1項の規定によりなお従前の例により同項に規定す

－772－

第一章　農地等についての贈与税の納税猶予及び免除
（第十節　営農困難時貸付けの特例）

る同意市町村が同項の農用地利用集積計画を定めることができる場合には、租税特別措置法施行令等の一部を改正する政令（令和４年政令第148号）による改正前の措置法令第40条の６第52項の規定は、なおその効力を有することに留意する。

（受贈者の農業の用に供することが困難な状態となった場合）
（８）　**1**に規定する受贈者の農業の用に供することが困難な状態となった場合として、（１）に定める状態とは、次に掲げる状態をいうことに留意する。（措通70の４−81）
（一）　第一節の**1**に規定する贈与税の申告書の提出期限後において、受贈者に（１）の（一）から（四）に規定する事由が生じたこと
（二）　受贈者が贈与税の申告書の提出期限において既に身体上の障害の程度が２級である者として記載のある身体障害者手帳の交付を受けていた場合で、当該贈与税の申告書の提出期限後に、当該身体障害者手帳に記載された身体上の障害の程度が１級に変更されたこと
（三）　受贈者が贈与税の申告書の提出期限において既に身体上の障害の程度が１級又は２級である者として記載のある身体障害者手帳の交付を受けていた場合で、当該贈与税の申告書の提出期限後に、その障害とは別に身体上の障害の程度が１級又は２級である障害が当該身体障害者手帳に新たに記載されたこと
（四）　受贈者が贈与税の申告書の提出期限において既に（１）の（一）から（四）に掲げる事由が生じていた場合で、当該贈与税の申告書の提出期限後に、新たに当該受贈者に（１）の（一）から（四）に掲げる事由が生じたこと

（営農困難時貸付けを行う特例適用農地等の単位）
（９）　**1**の規定は、特例適用農地等の一部について貸付けを行う場合でも適用があることに留意する。（措通70の４−82）

（営農困難時貸付けの対象から除かれる特例適用農地等）
（10）　営農困難時貸付けの対象となる特例適用農地等には、第五節の**1**の規定の適用を受ける特例適用農地等、第六節の**1**に規定する貸付特例適用農地等又は借受代替農地等、一時的道路用地等の用に供するために第九節の**1**に規定する地上権等の設定（以下(10)において「地上権等の設定」という。）に基づく貸付けの対象となっている特例適用農地等（受贈者が営農困難時貸付けを行っていた特例適用農地等の全部又は一部を一時的道路用地等の用に供するために営農困難時貸付けに係る地上権、永小作権、使用貸借による権利又は賃借権を消滅させ、一時的道路用地等の用に供するために地上権等の設定に基づく貸付けを行っている特例適用農地等で、第九節の**1**に規定する貸付期限が到来したものを除く。）及び第十七節の**1**の規定の適用を受ける特例適用農地等は含まれないことに留意する。（措通70の４−83）

（特定貸付けの申込みを行った日後１年を経過する日までに当該特定貸付けを行うことができなかった場合）
（11）　（３）の（二）に規定する「特定貸付けの申込みを行った日後１年を経過する日までに当該特定貸付けを行うことができなかった場合」とは、（３）の（一）に規定する地域にある特例適用農地等について、（３）の（一）に規定する農地中間管理機構に対し、当該特例適用農地等に係る第十七節の**1**に規定する特定貸付けの申込みが当該貸付けの申込みを行った日後１年を経過する日まで継続して行われていたが、同日において当該特定貸付けの申込みによる特定貸付けができない場合をいうことに留意する。（措通70の４−84）
（注）　上記については、農業経営基盤強化促進法等の一部を改正する法律（令和４年法律第56号）附則第５条第１項の規定によりなお従前の例により同項に規定する同意市町村が同項の農用地利用集積計画を定めることができる場合において、租税特別措置法施行令等の一部を改正する政令（令和４年政令第148号）による改正前の措置法令第40条の６第52項第１号ロに規定する利用権設定等促進事業を行っている市町村に対する所得税法等の一部を改正する法律（令和４年法律第４号）による改正前の措置法第70条の４の２第１項第２号に掲げる貸付けの申込みについても同様であることに留意する。
　　　この場合において、当該特例適用農地等の所在が当該改正前の措置法令第40条の６第52項第１号イ又はロに掲げる地域又は区域の２以上に該当する場合には、該当する同号に掲げる農地中間管理機構又は利用権設定等促進事業を行っている市町村の全てに対して貸付けの申込みが行われていなければならないことに留意する。

（営農困難時貸付けに係る権利設定に関する届出書）
（12）　**1**並びに**2**の（二）及び（四）に規定する届出書は、営農困難時貸付けを行ったごとに提出しなければならないのであるから、例えば、営農困難時貸付けを行った日において二以上の契約又は農用地利用集積等促進計画の定めるところにより営農困難時貸付けを行っている場合には、それぞれの契約又は農用地利用集積等促進計画ごとに当該届出書を提出しなければならないことに留意する。（措通70の４−85）
（注）　上記の場合は、農用地利用集積計画の定めるところにより行う営農困難時貸付けについても同様であることに留意する。

−773−

第四編　農地等に係る相続税・贈与税の納税猶予及び免除

（1の権利設定があった場合の第一節の1の担保）

(13)　特例適用農地等が第一節の1に規定する担保に提供されている場合において、その特例適用農地等につき1に規定する権利設定があったときにおいても、その担保を提供した受贈者に対して国税通則法第51条第1項に規定する増担保の提供等を命ずる必要はないことに留意する。（措通70の4－87）

2　権利消滅の場合の納税猶予の継続等

　1の規定の適用を受ける営農困難時貸付農地等につき耕作の放棄又は地上権、永小作権、使用貸借による権利若しくは賃借権の消滅（以下本節において「**権利消滅**」という。）があった場合には、当該営農困難時貸付農地等（当該営農困難時貸付農地等のうち耕作の放棄又は権利消滅があった部分に限る。以下2において同じ。）に係る第四節の1及び第四節の2の規定の適用については、次の(一)から(五)（当該営農困難時貸付農地等に係る耕作の放棄があった場合には、(一)を除く。）に定めるところによる。（措法70の4㉓）

(一)　当該権利消滅があった時において、当該営農困難時貸付農地等についての権利設定があったものとみなす。

(二)　当該営農困難時貸付農地等について、新たな営農困難時貸付けを行った場合又は1の規定の適用を受ける受贈者の農業の用に供した場合において、当該耕作の放棄又は権利消滅があった日から2月以内に、(1)の政令で定めるところにより新たな営農困難時貸付けを行っている旨又は当該受贈者の農業の用に供している旨その他の(2)の財務省令で定める事項を記載した届出書を納税地の所轄税務署長に提出したときに限り、当該営農困難時貸付農地等のうち、新たな営農困難時貸付けを行った部分又は当該受贈者の農業の用に供した部分については、当該耕作の放棄又は(一)の権利設定及び新たな営農困難時貸付けに係る権利設定はなかったものと、農業経営は廃止していないものとみなす。

(三)　1の規定の適用を受ける受贈者が当該耕作の放棄又は権利消滅があった日の翌日から1年を経過する日（(五)において「**延長期日**」という。）までに新たな営農困難時貸付けを行う見込みであることにつき、(4)の政令で定めるところにより当該耕作の放棄又は権利消滅があった日から2月以内に納税地の所轄税務署長に承認の申請をした場合において、当該税務署長の承認を受けたときに限り、当該承認に係る営農困難時貸付農地等については、当該耕作の放棄及び(一)の権利設定はなかったものと、農業経営は廃止していないものとみなす。

(四)　(三)の承認を受けた受贈者が、当該承認に係る営農困難時貸付農地等について、新たな営農困難時貸付けを行った場合又は当該受贈者の農業の用に供した場合において、これらの場合に該当することとなった日から2月以内に、(8)の政令で定めるところにより新たな営農困難時貸付けを行っている旨又は当該受贈者の農業の用に供している旨その他の(9)の財務省令で定める事項を記載した届出書を納税地の所轄税務署長に提出しなければならない。この場合において、当該営農困難時貸付農地等のうち、新たな営農困難時貸付けを行った部分については、新たな営農困難時貸付けに係る権利設定はなかったものと、農業経営は廃止していないものとみなす。

(五)　(三)の承認に係る営農困難時貸付農地等のうち、(四)の規定による届出書に係る部分以外の部分にあっては(三)の承認に係る延長期日において、延長期日前に受贈者の農業の用に供した場合（(四)の届出書の提出がなかった場合に限る。）における当該受贈者の農業の用に供した部分にあっては当該受贈者の農業の用に供した日において、それぞれ権利設定があったものとみなす。

（届出書の提出）

(1)　2（2の(二)に係る部分に限る。）の規定の適用を受けようとする受贈者は、同(二)に規定する事項を記載した届出書に、(3)の財務省令で定める書類を添付し、これを新たに行った営農困難時貸付けごと又は当該受贈者の農業の用に供した部分ごとに提出しなければならない。（措令40の6�554）

（届出書の記載事項）

(2)　2の(二)に規定する財務省令で定める事項は、次の(一)(二)に掲げる場合の区分に応じ当該(一)(二)に定める事項とする。（措規23の7㊱）

(一)　2（2の(二)に係る部分に限る。）の規定の適用を受けようとする受贈者が同(二)の新たな営農困難時貸付けを行った場合　その旨及び2の規定の適用を受けようとする旨並びに次に掲げる事項

イ　届出者の氏名及び住所又は居所

ロ　第四節の1の(一)に規定する耕作の放棄（以下「**耕作の放棄**」という。）又は2に規定する権利消滅があった年月日

ハ　当該耕作の放棄又は権利消滅があった営農困難時貸付農地等の所在、地番、地目及び面積

ニ　ハの営農困難時貸付農地等のうち当該新たな営農困難時貸付けを行ったものの所在、地番、地目及び面積

ホ　当該新たな営農困難時貸付けに関する1の(5)の(三)から(五)までに掲げる事項

－774－

第一章　農地等についての贈与税の納税猶予及び免除
（第十節　営農困難時貸付けの特例）

　　ヘ　**1**の(5)の(五)に規定する存続期間の満了前に権利消滅があった場合には、その旨及び当該権利消滅があった事
　　　情の詳細
　　ト　**1**の(5)の(六)に掲げる事項
　　チ　その他参考となるべき事項
　(二)　**2**（**2**の(二)に係る部分に限る。）の規定の適用を受けようとする受贈者がその農業の用に供した場合　　その旨
　　　及び次に掲げる事項
　　イ　(一)のイからハまで、ヘ及びトに掲げる事項
　　ロ　当該受贈者の農業の用に供した営農困難時貸付農地等の用に供されていた農地等の所在、地番、地目及び面積
　　ハ　**2**の(二)に規定する届出書の提出の時における当該営農困難時貸付農地等の用に供されていた農地等の利用状況
　　ニ　当該受贈者の農業の用に供した年月日
　　ホ　当該受贈者が当該営農困難時貸付農地等の用に供されていた農地等について当該受贈者の農業の用に供すること
　　　が困難な状態でなくなった事情の詳細
　　ヘ　その他参考となるべき事項

　　（届出書の添付書類）
（3）　(1)に規定する財務省令で定める書類は、次の(一)(二)に掲げる場合の区分に応じ当該(一)(二)に定める書類とす
　　る。(措規23の7㊲)
　(一)　(2)の(一)に掲げる場合（(二)に掲げる場合を除く。）　　次に掲げる書類
　　イ　**1**の(6)の(一)から(三)までに掲げる書類
　　ロ　次に掲げる場合の区分に応じそれぞれ次に定める書類
　　　①　**2**（(二)に係る部分に限る。）の規定の適用を受けようとする受贈者が新たな営農困難時貸付けを行った農地等
　　　　が**1**の(3)の(一)に規定する地域に存する場合　　当該農地等について第十七節の**1**に規定する特定貸付けの申込
　　　　みを受けた当該地域に係る農地中間管理機構の書類で当該申込みを受けた日後1月を経過する日まで受贈者から
　　　　引き続き申込みを受けていたことを証するもの
　　　②　①に掲げる場合以外の場合　　新たな営農困難時貸付けを行った農地等が①に規定する地域に存しない旨を証す
　　　　る当該農地等の所在地に係る市町村長の書類
　(二)　(2)の(一)の新たな営農困難時貸付けが第十七節の**1**に規定する特定貸付けにより行われた場合　　次に掲げる
　　　書類
　　イ　**1**の(6)の(一)に掲げる書類
　　ロ　次に掲げる場合の区分に応じそれぞれ次に定める書類
　　　①　当該新たな営農困難時貸付けが農地中間管理事業の推進に関する法律第18条第8項に規定する農用地利用集積
　　　　等促進計画の定めるところにより行われる場合　　当該新たな営農困難時貸付けを行った農地等に係る当該農用地
　　　　利用集積等促進計画につき同条第7項の規定による公告をした旨及び当該公告の年月日を証する当該公告をした
　　　　者の書類
　　　②　当該新たな営農困難時貸付けが福島復興再生特別措置法第17条の21に規定する農用地利用集積等促進計画の定
　　　　めるところにより行われる場合　　当該新たな営農困難時貸付けを行った農地等に係る当該農用地利用集積等促進
　　　　計画につき同法第17条の20の規定による公告をした旨及び当該公告の年月日を証する福島県知事の書類
　　　③　①及び②に掲げる場合以外の場合　　当該新たな営農困難時貸付けを行った年月日を証する農地中間管理機構の
　　　　書類並びに当該新たな営農困難時貸付けにつき農地法第3条第1項第14号の2の届出を受理した旨及び当該届出
　　　　を受理した年月日を証する当該新たな営農困難時貸付けを行った農地等の所在地を管轄する農業委員会の書類
　(三)　(2)の(二)に掲げる場合　　その旨を証する営農困難時貸付農地等の用に供されていた農地等の所在地を管轄す
　　　る農業委員会の書類

　　（申請書の提出）
（4）　**2**の(三)の税務署長の承認を受けようとする受贈者は、営農困難時貸付農地等について**2**（同(三)に係る部分に限
　　る。）の規定の適用を受けようとする旨並びに同(三)の耕作の放棄又は権利消滅があった日から2月以内に新たな営農困
　　難時貸付けを行うことができない事情及び当該営農困難時貸付農地等について新たな営農困難時貸付けを行う予定年月
　　日その他(5)の財務省令で定める事項を記載した申請書に、(6)の財務省令で定める書類を添付し、これを当該耕作の
　　放棄又は権利消滅があった日から2月以内に納税地の所轄税務署長に提出しなければならない。(措令40の6�55)

— 775 —

第四編　農地等に係る相続税・贈与税の納税猶予及び免除

　　　　　（申請書の記載事項）
（５）　（４）に規定する財務省令で定める事項は、次に掲げる事項とする。（措規23の7㊳）
　　（一）　申請者の氏名及び住所又は居所
　　（二）　（２）の（一）のロ、ハ、ヘ及びトに掲げる事項
　　（三）　２の（三）の承認に係る営農困難時貸付農地等の所在、地番、地目及び面積
　　（四）　その他参考となるべき事項

　　　　　（申請書の添付書類）
（６）　（４）に規定する財務省令で定める書類は、次の各号に掲げる場合の区分に応じ当該各号に定める書類とする。（措規23の7㊴）
　　（一）　耕作の放棄又は権利消滅があった営農困難時貸付農地等が１の（３）の（一）に規定する地域に存する場合　当該営農困難時貸付農地等について受贈者から第十七節の１に規定する特定貸付けの申込みを受けた当該地域に係る農地中間管理機構の書類で当該申込みを受けたことを証するもの
　　（二）　（一）に掲げる場合以外の場合　耕作の放棄又は権利消滅があった営農困難時貸付農地等が（一）に規定する地域に存しない旨を証する当該営農困難時貸付農地等の所在地に係る市町村長の書類

　　　　　（申請に対する承認又は却下）
（７）　第七節《特例適用農地等の買換え》の２の①の注の規定は、（４）の規定による申請書の提出があった場合について準用する。（措令40の6㊶）

　　　　　（届出書の提出）
（８）　（１）の規定は、２（２の（四）に係る部分に限る。）の規定の適用を受けようとする受贈者が同（四）の届出書の提出をする場合について準用する。（措令40の6㊷）

　　　　　（届出書の添付書類）
（９）　（２）及び（３）の規定は、２の（四）の届出書の記載事項及び（８）において準用する（３）の届出書に添付する書類について準用する。（措規23の7㊵）

　　　　　（新たな営農困難時貸付けを行うときの貸付けの申込みを継続して行う期間）
（10）　１に規定する営農困難時貸付農地等に２に規定する耕作の放棄又は２に規定する権利消滅があった場合において、当該営農困難時貸付農地等につき新たな営農困難時貸付けを行うときの１の（３）の（二）に規定する「第十七節の１に規定する特定貸付けの申込み」を継続して行う期間については、当該特定貸付けの申込みを行った日後1月を経過する日までであることに留意する。（措通70の4−88）
　　（注）　一時的道路用地等の用に供されていた特例適用農地等について４の（６）において準用する第九節の１に規定する貸付期限の到来により当該特例適用農地等につき新たな営農困難時貸付けを行うときの当該特定貸付けの申込みを継続して行う期間も同様であることに留意する。

　　　　　（営農困難時貸付けを適用した後に営農困難な状態が解消した場合）
（11）　１の規定の適用を受ける受贈者について、営農困難時貸付農地等につき耕作の放棄又は権利消滅の前に、当該営農困難時貸付農地等を当該受贈者の農業の用に供することが困難な状態が解消した場合であっても、その贈与税の納税猶予の期限は確定しないことに留意する。
　　なお、当該営農困難時貸付農地等を当該受贈者の農業の用に供することが困難な状態が解消された後に、当該営農困難時貸付農地等につき耕作の放棄又は権利消滅があった場合には、１の規定の適用がなく、当該営農困難時貸付農地等を当該受贈者の農業の用に供しないときは、その贈与税の納税猶予税額の全部又は一部について納税猶予の期限が確定することに留意する。（措通70の4−90）

　　　　　（営農困難時貸付農地等につき耕作の放棄又は権利消滅があった後に受贈者が死亡した場合）
（12）　１の規定の適用を受ける営農困難時貸付農地等につき耕作の放棄又は権利消滅があったときにおいて、次の（一）又は（二）に掲げる場合には、当該耕作の放棄又は権利消滅があった営農困難時貸付農地等に係る納税猶予期限は確定せず、第十三節の１の規定により贈与税は免除されることに留意する。
　　なお、（二）の場合において、当該受贈者の死亡の日前に新たな営農困難時貸付けを行った部分又は当該受贈者の農業

－776－

第一章　農地等についての贈与税の納税猶予及び免除
(第十節　営農困難時貸付けの特例)

の用に供した部分に係る**2**の(四)に規定する届出書がその提出期限（当該受贈者の死亡の日前に提出期限が到来しているものに限る。）までに提出されていない部分については猶予期限は確定していることに留意する。(措通70の4－91)

(一)　耕作の放棄又は権利消滅があった日から2月以内に当該営農困難時貸付農地等に係る受贈者が死亡した場合

(二)　**2**の(三)に規定する税務署長の承認を受け、耕作の放棄又は権利消滅があった日から1年を経過する日までに、当該営農困難時貸付農地等に係る受贈者が死亡した場合

(注)　上記(一)又は(二)の場合において、耕作の放棄又は権利消滅があったときから受贈者の死亡の日までの間に、当該耕作の放棄又は権利消滅があった営農困難時貸付農地等について新たな営農困難時貸付けを行ったとき又は当該受贈者の農業の用に供したときであっても、**2**の(二)又は(四)に規定する届出書の提出は要しないことに留意する。

　　（営農困難時貸付農地等につき耕作の放棄又は権利消滅があった後に贈与者が死亡した場合）

(13)　**1**の規定の適用を受ける営農困難時貸付農地等につき耕作の放棄又は権利消滅があったときにおいて、次の(一)又は(二)に掲げる場合には、当該耕作の放棄又は権利消滅があった営農困難時貸付農地等に係る納税猶予期限は確定せず、第十三節の**1**の規定により贈与税は免除されることに留意する。

　　なお、(二)の場合において、当該贈与者の死亡の日前に新たな営農困難時貸付けを行った部分又は当該営農困難時貸付農地等に係る受贈者の農業の用に供した部分に係る**2**の(四)に規定する届出書がその提出期限（当該贈与者の死亡の日前に提出期限が到来しているものに限る。）までに提出されていない部分については猶予期限は確定していることに留意する。(措通70の4－92)

(一)　耕作の放棄又は権利消滅があった日から2月以内に当該営農困難時貸付農地等に係る贈与者が死亡した場合

(二)　**2**の(三)に規定する税務署長の承認を受け、耕作の放棄又は権利消滅があった日から1年を経過する日までに、当該営農困難時貸付農地等に係る贈与者が死亡した場合

(注)1　上記(一)又は(二)の場合において、耕作の放棄又は権利消滅があったときから贈与者の死亡の日までの間に、当該耕作の放棄又は権利消滅があった営農困難時貸付農地等について新たな営農困難時貸付けを行ったとき又は当該営農困難時貸付農地等に係る受贈者の農業の用に供したときであっても、**2**の(二)又は(四)に規定する届出書の提出は要しないことに留意する。

2　耕作の放棄又は権利消滅があった営農困難時貸付農地等に係る贈与者が死亡したときにおいて、当該耕作の放棄又は権利消滅があった営農困難時貸付農地等に係る受贈者が当該営農困難時貸付農地等を第十八節の**1**の規定により相続又は遺贈により取得したものとみなされ、当該営農困難時貸付農地等について第二章第一節の**1**の規定の適用を受けようとする場合には、第二章第十節の**4**の(9)に定めるところによることに留意する。

　　（営農困難時貸付けを行った準農地）

(14)　第一節の**1**の規定の適用を受ける同**1**に規定する準農地について営農困難時貸付けが行われた場合に、当該準農地の贈与に係る贈与税の申告書の提出期限後10年を経過する日において、当該準農地のうち農地又は採草放牧地として当該営農困難時貸付けにより当該準農地を借り受けた者（農地中間管理事業の推進に関する法律第2条第3項に規定する農地中間管理事業を行う同条第4項に規定する農地中間管理機構から当該準農地を借り受けた者を含む。）の農業の用に供されていないものがあるときは、当該農業の用に供されていない準農地の価額に対応する部分に相当する贈与税については、当該10年を経過する日の翌日から2月を経過する日が納税猶予の期限となることに留意する。(措通70の4－93)

　　（旧法猶予適用者が営農困難時貸付けを行う場合の措置法第70条の4の適用関係）

(15)　旧法猶予適用者（次の(一)から(九)までに掲げる受贈者をいう。）が、平成26年4月1日以後に特例適用農地等について営農困難時貸付けを行うときは、所得税法等の一部を改正する法律（平成26年法律第10号）による改正前の租税特別措置法（以下において「平成26年度改正前の措置法」という。）第70条の4第21項の規定が適用されることに留意する。(措通70の4－93の2)

(一)　昭和50年改正前の措置法第70条の4第1項本文の規定の適用を受けている同項に規定する受贈者

(二)　平成3年改正前の措置法第70条の4第1項本文の規定の適用を受けている同項に規定する受贈者

(三)　平成7年改正前の措置法第70条の4第1項本文の規定の適用を受けている同項に規定する受贈者

(四)　平成12年改正前の措置法第70条の4第1項本文の規定の適用を受けている同項に規定する受贈者

(五)　平成13年改正前の措置法第70条の4第1項本文の規定の適用を受けている同項に規定する受贈者

(六)　平成14年改正前の措置法第70条の4第1項本文の規定の適用を受けている同項に規定する受贈者

(七)　平成15年改正前の措置法第70条の4第1項本文の規定の適用を受けている同項に規定する受贈者

(八)　平成17年改正前の措置法第70条の4第1項本文の規定の適用を受けている同項に規定する受贈者

(九)　平成21年改正前の措置法第70条の4第1項本文の規定の適用を受けている同項に規定する受贈者

(注)　旧法猶予適用者が平成26年度改正前の措置法第70条の4第21項の規定の適用を受ける場合には、旧法猶予適用者は、同条第1項に規定する

受贈者とみなして、同条第21項から第24項まで、第28項、第34項、第35項及び第37項、同法第70条の5第1項並びに第70条の6第29項の規定が適用されることに留意する。

(参考)　第九節の2及び3に定めるもののほか、同節の1の規定の適用を受ける一時的道路用地等の用に供されている農地等が都市営農農地等である場合における第四節の3適用に関する事項その他第九節の1の適用に関し必要な事項は、政令(第九節の4、4の(4)、5、5の(2)、ほか)で定める。

3　ゆうじょ規定

　1の届出書が1の営農困難時貸付けを行った日から2月以内に提出されなかった場合、2の(二)の届出書若しくは2の(三)の承認の申請に係る書類が2の耕作の放棄若しくは権利消滅があった日から2月以内に提出されなかった場合又は2の(四)の届出書が同(四)のこれらの場合に該当することとなった日から2月以内に提出されなかった場合においても、これらの規定に規定する税務署長がこれらの期限内にその提出がなかったことについてやむを得ない事情があると認める場合において、(1)の政令で定めるところによりこれらの書類が当該税務署長に提出されたときは、これらの書類がこれらの期限内に提出されたものとみなす。(措法70の4㉔)

(届出書の提出等)

(1)　3の規定により提出する1の届出書、2の(二)の届出書若しくは2の(三)の承認の申請に係る書類又は2の(四)の届出書には、それぞれ1の(4)に規定する事項、2の(1)に規定する事項若しくは2の(4)に規定する事項又は2の(8)において準用する2の(1)に規定する事項のほか、これらの書類を1に規定する期限、2の(二)に規定する期限若しくは2の(三)に規定する期限又は2の(四)に規定する期限までに提出することができなかった事情の詳細を記載し、かつ、1の(6)の財務省令で定める書類、2の(3)の財務省令で定める書類若しくは2の(6)の財務省令で定める書類又は2の(3)の財務省令で定める書類を添付しなければならない。(措令40の6㊸)

4　その他

(継続届出書の提出)

(1)　1の規定の適用を受ける受贈者に係る第十二節《毎3年ごとの納税猶予の継続届出書の提出》の1の届出書の提出その他1、2及び3の規定の適用に関し必要な事項は、(2)の政令で定める。(措法70の4㉕)

(継続届出書の記載)

(2)　1の規定の適用を受ける受贈者が第十二節の1の規定により提出する同1の届出書には、第十二節の2に規定する事項のほか営農困難時貸付農地等に係る営農困難時貸付けに関する事項その他の(3)の財務省令で定める事項を記載しなければならない。(措令40の6㊾)

(継続届出書の記載事項)

(3)　(2)に規定する財務省令で定める事項は、引き続いて1の規定の適用を受けたい旨及び営農困難時貸付農地等に係る営農困難時貸付けに関する事項で次に掲げるものとする。(措規23の7㊶)

(一)　1の(5)の(二)から(五)までに掲げる事項

(二)　当該営農困難時貸付農地等について引き続き営農困難時貸付けを行っている旨

(営農困難時貸付けに基づき借り受けた者に引き続き貸し付けている場合)

(4)　1の規定の適用を受ける営農困難時貸付農地等に係る営農困難時貸付けを行った受贈者が当該営農困難時貸付けを行った後当該営農困難時貸付農地等を当該営農困難時貸付けに基づき借り受けた者に引き続き貸し付けている場合における当該受贈者に係る第一節の1及び第四節の2の規定の適用については、第四節の1の(一)中「が当該農地等」とあるのは「又は第十節の1の規定の適用を受ける同項に規定する営農困難時貸付農地等を同項に規定する営農困難時貸付けに基づき借り受けた者(農地中間管理事業の推進に関する法律第2条第4項に規定する農地中間管理機構が当該借り受けた者である場合には、当該農地中間管理機構から借り受けた者。第4項において同じ。)が当該農地等」と、「(以下この章」とあるのは「(第十節の1の規定の適用を受ける同1に規定する営農困難時貸付けが行われている同1に規定する営農困難時貸付農地等の当該受贈者による当該譲渡、贈与、転用若しくは設定又は消滅に伴う当該営農困難時貸付けに係る地上権、永小作権、使用貸借による権利又は賃借権の消滅を除く。以下この章」と、「に係る土地を含む」とある

—778—

第一章　農地等についての贈与税の納税猶予及び免除
（第十節　営農困難時貸付けの特例）

のは「及び第十節の１の規定の適用を受ける同１に規定する営農困難時貸付農地等に係る土地を含む」と、同２中「受贈者の農業の用」とあるのは「受贈者の農業の用（第十節の１の規定の適用を受ける受贈者にあっては、同１に規定する営農困難時貸付けに基づき当該準農地を借り受けた者の農業の用を含む。）」と、「、同１」とあるのは「、第一節の１」とする。（措令40の６⑥）

（一時的道路用地等の用に供するために貸付けを行った場合）

（５）　第九節《一時的道路用地等の用に供するための地上権等の設定》の規定は、１の規定により営農困難時貸付けを行った受贈者が、当該営農困難時貸付けに係る農地等の全部又は一部について、一時的道路用地等の用に供するために当該営農困難時貸付けに係る地上権、永小作権、使用貸借による権利又は賃借権を消滅させ、かつ、当該一時的道路用地等の用に供するために地上権等の設定に基づき貸付けを行った場合について準用する。この場合において、第九節の１中「農業の用に供する」とあるのは「農業の用に供し、又は当該農地等について第十節の１の規定により同１に規定する営農困難時貸付けを行う」と、第九節の１の（一）中「地上権等の設定」とあるのは「第十節の１に規定する営農困難時貸付けに係る地上権、永小作権、使用貸借による権利又は賃借権の消滅及び地上権等の設定」と、第九節の１の（二）中「場合」とあるのは「場合又は第十節の１の規定により同１に規定する営農困難時貸付けを行っていない場合」と、「供していない部分」とあるのは「供している部分及び当該営農困難時貸付けを行っている部分以外の部分」と読み替えるものとする。（措令40の６⑥）

（新たな営農困難時貸付けを行う場合）

（６）　２の耕作の放棄若しくは権利消滅があった営農困難時貸付農地等について新たな営農困難時貸付けを行う場合又は（５）において準用する第九節の１に規定する貸付期限の到来により一時的道路用地等の用に供されていた農地等について営農困難時貸付けを行う場合における１の（３）の（三）及び（４）の規定の適用については、１の（３）の（二）中「１年」とあるのは、「１月」とする。（措令40の６⑥）

（昭和50年改正前の措置法第70条の４第１項の規定の適用を受ける受贈者又は平成３年改正前の措置法第70条の４第１項の規定の適用を受ける受贈者が平成26年改正前の１の規定の適用を受けた場合の贈与税の納税猶予についての取扱い）

（７）　昭和50年改正前の措置法第70条の４第１項本文の規定の適用を受ける同項に規定する受贈者又は平成３年改正前の措置法第70条の４第１項本文の規定の適用を受ける受贈者が平成26年改正前の１の規定の適用を受けた場合には、第一節の１の規定を適用することとなるが、この場合において昭和50年改正前の措置法第70条の４第１項本文の規定の適用を受けている同項に規定する受贈者又は平成３年改正前の措置法第70条の４第１項本文の規定の適用を受ける受贈者が有する特例適用農地等のうちに平成26年改正前の第一節の１の（２）の（三）に規定する特定市街化区域農地等があるときには、当該特定市街化区域農地等については同（三）のイからハまでに掲げる区域外に所在する特例適用農地等とみなして１の規定を適用することに留意する。（措通70の４－94）

（平成３年改正前の措置法第70条の４第１項及び第10項の規定の適用を受ける受贈者又は平成７年改正前の措置法第70条の４第１項及び第13項の規定の適用を受ける受贈者が平成26年改正前の措置法第70条の４第21項の規定の適用を受けた場合の継続届出書の提出）

（８）　平成３年改正前の措置法第70条の４第１項本文の規定の適用を受ける同項に規定する受贈者又は平成７年改正前の措置法第70条の４第１項本文の規定の適用を受ける同項に規定する受贈者が平成26年改正前の措置法第70条の４第21項の規定の適用を受けた場合には、第一節の１の規定を適用することとなるが、この場合において平成３年改正前の措置法第70条の４第１項本文の適用を受ける同項に規定する受贈者が同条第10項の規定の適用を受けている場合又は平成７年改正前の措置法第70条の４第１項本文の規定の適用を受ける同項に規定する受贈者が同条第13項の規定の適用を受けている場合の平成26年改正前の措置法第70条の４第26項に規定する届出書の提出については、同条第21項に規定する届出書を提出した日の翌日から起算して３年を経過するごとの日までに当該継続届出書を提出しなければならないことに留意する。（措通70の４－95）

（注）　継続届出書の提出期限については、当該３年を経過するごとの日の属する月の前々月の初日から当該３年を経過するごとの日までの期間として取り扱う。

第四編　農地等に係る相続税・贈与税の納税猶予及び免除

営農困難時貸付けに関する届出書

令和＿＿年＿＿月＿＿日

税務署
受付印

＿＿＿＿＿＿＿＿税務署長

〒

届出者　住所　＿＿＿＿＿＿＿＿＿＿＿＿＿＿＿＿＿

氏　名　＿＿＿＿＿＿＿＿＿＿＿＿＿＿＿＿＿

生年月日　昭和・平成　＿＿＿年＿＿月＿＿日

（電話番号　　　　－　　　　－　　　　　）

※欄は記入しないでください。

　租税特別措置法　第70条の4第22項／第70条の6第28項　に規定する営農困難時貸付けを行った下記の特例農地等については、同項の規定の適用を受けたいので、同項の規定により届け出ます。

1　贈与者又は被相続人等に関する事項

贈　与　者 被相続人	住所		氏名	

	贈与者 被相続人 から農地等を 贈与 相続（遺贈） により取得した年月日	昭和 平成 令和　　　　年　　月　　日
届出者が		

2　特例農地等について自己の農業の用に供することが困難となった事由に関する事項

特例農地等について自己の農業の用に供することが困難となった年月日	令和　　　年　　　月　　　日

　特例農地等について自己の農業の用に供することが困難となった事由は、次のとおりです。（該当する番号を〇で囲んでください。）

(1)　贈与税・相続税の申告書の提出期限後に障害等級が1級である精神障害者保健福祉手帳の交付を受けました。

(2)　贈与税・相続税の申告書の提出期限後に身体上の障害の程度が1級又は2級である身体障害者手帳の交付を受けました。

(3)　贈与税・相続税の申告書の提出期限後に要介護区分五の要介護認定を受けました。

(4)　贈与税・相続税の申告書の提出期限後に身体障害者手帳に記載された身体上の障害の程度が2級から1級に変更されました。

(5)　贈与税・相続税の申告書の提出期限後に当該提出期限において身体障害者手帳に記載されていた身体上の障害の程度とは別の身体上の障害の程度が1級又は2級である障害が新たに身体障害者手帳に記載されました。（(4)に該当する場合を除きます。）

(6)　贈与税・相続税の申告書の提出期限後に農業に従事することを不可能にさせる故障として市町村長又は特別区の区長の認定を受けました。

3　営農困難時貸付けに関する事項

借り受けた者	住所（居所） 又は本店（主たる 事務所）の所在地		氏　名 又は 名　称	

営農困難時貸付け を行った年月日	令和　　　年　　月　　日	地上権、永小作権、 使用貸借による権利 又は賃借権の存続期間	自：令和　　　年　　月　　日 至：令和　　　年　　月　　日

　上記の者へ営農困難時貸付けを行った特例農地等の明細は、付表のとおりです。

　上記の営農困難時貸付けは、次の貸付けにより行いました。（該当する番号を〇で囲んでください。なお、相続税の納税猶予の適用を受けている人又は租税特別措置法第70条の4の2第1項に規定する猶予適用者で贈与税の納税猶予の適用を受けている人が(1)又は(2)に掲げる貸付けの申込みを行った日後1年を経過する日までに当該貸付けを行った場合には、その貸付けは特定貸付けとなりますので、この届出書ではなく「特定貸付けに関する届出書」により届出を行ってください。）

(1)　農地中間管理事業による使用貸借による権利又は賃借権の設定に基づく貸付け

(2)　農用地利用集積計画の定めるところによる使用貸借による権利又は賃借権の設定に基づく貸付け

(3)　(1)及び(2)までに掲げる貸付け以外の地上権、永小作権、使用貸借による権利又は賃借権の設定に基づく貸付け

関与税理士		電話番号	

※	通信日付印の年月日	（確　認）	整理簿番号
	年　月　日		

（資12－110－1－A4統一）（令3.3）

－780－

第一章　農地等についての贈与税の納税猶予及び免除
（第十節　営農困難時貸付けの特例）

営農困難時貸付けに関する届出書　付表

届出者氏名	

営農困難時貸付けを行った特例農地等の明細は、次のとおりです。

番号	所　在　場　所	地　目	面　積
			㎡

（資12−110−2−A4統一）

第四編　農地等に係る相続税・贈与税の納税猶予及び免除

第十一節　買取りの申出等があった農地等の買換え等

1　買換え等の承認があった都市営農農地等の納税猶予の継続

　第四節の3《買取りの申出等による納税猶予の一部打切り》の場合において、第一節の1の規定の適用を受ける受贈者が、第四節の3の買取りの申出等があった日から1年以内に当該買取りの申出等に係る都市営農農地等若しくは特定市街化区域農地等に係る農地若しくは採草放牧地（以下**「特定農地等」**という。）の全部若しくは一部の譲渡等をする見込みであり、かつ、当該譲渡等があった日から1年以内に当該譲渡等の対価の額の全部若しくは一部をもって農地若しくは採草放牧地を取得する見込みであること又は同3に規定する告示があった日若しくは事由が生じた日から1年以内に当該告示若しくは事由に係る特定市街化区域農地等に係る農地若しくは採草放牧地の全部若しくは一部が都市営農農地等に該当することとなる見込みであることにつき、2の①の政令で定めるところにより納税地の所轄税務署長の承認を受けたときにおける第四節の1、第四節の2及び第四節の3の規定の適用については、次に定めるところによる。（措法70の4⑰）

（一）　第四節の1及び第四節の2の規定の適用については、当該買取りの申出等があった日から1年を経過する日までに当該承認に係る特定農地等の全部又は一部の譲渡等をした場合には、当該譲渡等は、なかったものとみなす。

（二）　第四節の3の規定の適用については、次に定めるところによる。

　イ　当該承認に係る買取りの申出等は、なかったものとみなす。

　ロ　当該買取りの申出等があった日から1年を経過する日までに、当該承認に係る特定農地等の全部若しくは一部の譲渡等をしなかった場合又は当該承認に係る特定市街化区域農地等に係る農地若しくは採草放牧地の全部若しくは一部が都市営農農地等に該当することとならなかった場合には、当該譲渡等をしなかった特定農地等又は都市営農農地等に該当することとならなかった特定市街化区域農地等に係る農地若しくは採草放牧地については、同日において買取りの申出等があったものとみなす。

　ハ　当該買取りの申出等があった日から1年を経過する日までに当該承認に係る特定農地等の全部又は一部の譲渡等をした場合において、当該譲渡等があった日から1年を経過する日において当該譲渡等の対価の額の全部又は一部が農地又は採草放牧地の取得に充てられていないときは、当該特定農地等のうちその充てられていないものに対応するものとして下記注の政令で定める部分については、同日において買取りの申出等があったものとみなす。

（三）　当該買取りの申出等があった日から1年を経過する日までに当該承認に係る特定農地等の全部又は一部の譲渡等をした場合において、当該譲渡等があった日から1年を経過する日までに当該特定農地等の譲渡等の対価の額の全部又は一部が農地又は採草放牧地の取得に充てられたときは、当該取得に係る農地又は採草放牧地は、第一節の1の規定の適用を受ける農地又は採草放牧地とみなす。

　（買取りの申出等があったものとみなす部分）

注　1の（二）のハに規定する政令で定める部分は、同ハの譲渡等に係る特定農地等のうち、当該譲渡等の対価で当該譲渡等があった日から1年を経過する日までに1の農地又は採草放牧地の取得に充てられなかったものの額が当該譲渡等の対価の額のうちに占める割合を、当該譲渡等に係る特定農地等の贈与者からの贈与の時における価額に乗じて計算した金額に相当する部分とする。（措令40の6㊳）

2　買換え等の特例の適用手続

①　代替取得等に関する承認申請書の提出

　1の税務署長の承認を受けようとする受贈者は、1に規定する特定農地等について1の規定の適用を受けようとする旨及び次に掲げる事項を記載した申請書を、1の買取りの申出等（以下**「買取りの申出等」**という。）があった日から1月以内に、納税地の所轄税務署長に提出しなければならない。（措令40の6㊱）

（一）　申請者の氏名及び住所

（二）　当該特定農地等の明細及び当該特定農地等の贈与者からの贈与の時における価額

（三）　当該買取りの申出等の内容及びその年月日

（四）　1の譲渡等及び取得をする見込みである場合には、当該譲渡等の予定年月日及び当該譲渡等の対価の見積額並びに取得をしようとする1の農地又は採草放牧地の明細、取得予定年月日及び取得価額の見積額

（五）　当該買取りの申出等に係る1の特定市街化区域農地等に係る1の農地又は採草放牧地が1の都市営農農地等に該当

－782－

第一章　農地等についての贈与税の納税猶予及び免除
（第十一節　買取りの申出等があった農地等の買換え等）

することとなる見込みである場合には、その予定年月日
（六）　その他参考となるべき事項

（申請に対する承認があったものとみなす場合）
注　①の規定による申請書の提出があった場合において、その提出があった日から１月以内に、当該申請の承認又は却下の処分がなかったときは、当該申請の承認があったものとみなす。（措令40の6㊲において準用する措令40の6㉚）

②　代替農地の取得価額等の明細書の提出
　第一節の1の規定の適用を受ける農地等の1の買取りの申出等に係る1の譲渡等及び取得をする見込みにつき1の税務署長の承認を受けた受贈者は、当該買取りの申出等があった日から1年を経過する日までに当該承認に係る1に規定する特定農地等の全部又は一部の譲渡等をし、かつ、当該譲渡等があった日から1年を経過する日までに当該承認に係る当該譲渡等の対価の額の全部又は一部を1の（三）に規定する農地又は採草放牧地の取得に充てた場合には、当該取得の日後遅滞なく、次に掲げる書類を当該承認をした税務署長に提出しなければならない。（措規23の7㉕）
（一）　次に掲げる事項を記載した書類
　イ　当該書類を提出する者の氏名及び住所又は居所
　ロ　当該承認に係る買取りの申出等の内容及びその年月日
　ハ　当該承認に係る1の譲渡等があった日及び当該譲渡等の対価の額
　ニ　当該取得をした1の（三）に規定する農地又は採草放牧地の地目、面積及びその所在場所その他の明細並びにその取得年月日及び取得価額
　ホ　その他参考となるべき事項
（二）　当該農地のうちに農地法第43条第1項の規定により農作物の栽培を耕作に該当するものとみなして適用する同法第2条第1項に規定する農地がある場合には、当該農地が農作物栽培高度化施設の用に供されているものである旨を証する当該農地の所在地を管轄する農業委員会の書類
（三）　当該農地又は採草放牧地のうちに都市営農農地等がある場合には、当該都市営農農地等が第一節の1に規定する農地又は採草放牧地に該当する旨を証する当該都市営農農地等の所在地を管轄する市長又は特別区の区長の書類の写し

③　都市営農農地等に該当することとなった旨の届出書の提出
　第一節の1の規定の適用を受ける農地等の1に規定する告示又は事由に係る第一節の1の（2）の（三）に規定する特定市街化区域農地等（以下「**特定市街化区域農地等**」という。）に係る第一節の1に規定する農地又は採草放牧地（以下「**農地又は採草放牧地**」という。）につき1の税務署長の承認を受けた受贈者は、当該告示があった日又は当該事由が生じた日から1年を経過する日までに当該承認に係る1の特定市街化区域農地等に係る農地又は採草放牧地の全部又は一部が都市営農農地等に該当することとなった場合には、当該該当することとなった日後遅滞なく、次に掲げる事項を記載した書類及び当該都市営農農地等に該当することとなったことを証する当該都市営農農地等の所在地を管轄する市長又は特別区の区長の書類の写しを、当該承認をした税務署長に提出しなければならない。（措規23の7㉖）
（一）　当該書類を提出する者の氏名及び住所又は居所
（二）　当該告示又は事由の内容及びその年月日
（三）　当該特定市街化区域農地等に係る農地又は採草放牧地の地目、面積及びその所在場所その他の明細
（四）　当該特定市街化区域農地等に係る農地又は採草放牧地が当該都市営農農地等に該当することとなった年月日
（五）　その他参考となるべき事項

－783－

第四編　農地等に係る相続税・贈与税の納税猶予及び免除

代替農地等の取得又は都市営農農地等該当に関する承認申請書
（納税猶予事案用）

※欄は記入しないでください。

税務署
受付印

令和＿＿＿＿年＿＿＿＿月＿＿＿＿日提出

〒

＿＿＿＿＿＿＿＿税務署長

住　所	＿＿＿＿＿＿＿＿＿＿＿＿＿＿＿＿＿
申請者	
氏　名	＿＿＿＿＿＿＿＿＿＿＿＿＿＿＿＿＿
	（電話番号　　　　　－　　　　　－　　　　　）

租税特別措置法施行令　第40条の6 第36項　の規定により　贈与税　の納税猶予の適用に係る
　　　　　　　　　　　　第40条の7 第38項　　　　　　　　　　相続税

代替農地等の取得価額の見積額等　　に関する承認申請をいたします。
都市営農農地等該当見込み等

					計
買取りの申出等に係る農地又は採草放牧地の明細	農地等の所在地				
	農地等の地目等、面積	㎡	㎡	㎡	
	贈与を受けた　年月日 相続(遺贈)のあった	年　月　日	年　月　日	年　月　日	
	贈与　　の時の価額 相続（遺贈）	円	円	円	円
	農業投資価格	円	円	円	円
	農業投資価格超過額	円	円	円	円
	買取りの申出等の内容				
	買取りの申出等の年月日	令和　年　月　日	令和　年　月　日	令和　年　月　日	
譲渡等及び取得見込みの明細の農地又は採草放牧地	譲渡等の予定年月日	令和　年　月　日	令和　年　月　日	令和　年　月　日	
	譲渡等の対価の見積額	円	円	円	円
	取得する農地又は採草放牧地の所在地				
	農地等の地目、面積	㎡	㎡	㎡	
	取得予定年月日	令和　年　月　日	令和　年　月　日	令和　年　月　日	
	取得対価の見積額	円	円	円	円
都市営農農地等該当の明細	都市営農農地等該当予定日	令和　年　月　日	令和　年　月　日	令和　年　月　日	
	都市営農農地等該当見込の農地又は採草放牧地の所在地				
	農地等の地目、面積	㎡	㎡	㎡	

（注）農地等とは、農地若しくは採草放牧地又は準農地をいいます。

関与税理士		電話番号	

※	通信日付印の年月日	（確　認）	整理簿番号
	年　月　日		

（資 12－35－1－A 4 統一）　（令3.3）

－784－

第一章　農地等についての贈与税の納税猶予及び免除
（第十一節　買取りの申出等があった農地等の買換え等）

買取りの申出等に伴う代替農地等の取得価額等に関する明細書

税務署
受付印

_____税務署長

令和___年___月___日

〒
住　所　_____

氏　名　_____
（電話番号　　　　　　－　　　　　－　　　　　）

※欄は記入しないでください。

租税特別措置法施行規則 第２３条の７第25項／第２３条の８第20項 に規定する代替農地等の取得価額等は、次のとおりです。

譲渡等をした特例農地等の明細	農 地 等 の 所 在 地										
	農 地 等 の 地 目										
	農 地 等 の 面 積	①		㎡			㎡			㎡	
	買取りの申出等の内容										
	買取りの申出等の年月日		令和　　年　　月　　日		令和　　年　　月　　日		令和　　年　　月　　日				
	譲 渡 等 の 年 月 日		令和　　年　　月　　日		令和　　年　　月　　日		令和　　年　　月　　日				
	譲 渡 等 の 態 様										
	譲 渡 の 対 価 の 額	②		円			円			円	
	贈 与 価 額 農業投資価格超過額	③		円			円			円	
取得した農地又は採草放牧地の明細	農 地 等 の 所 在 地										
	地 目 等										
	面 積	④		㎡			㎡			㎡	
	農地法の規定による許可又は届出の受理年月日		令和　年　月　日 許可届出		令和　年　月　日 許可届出		令和　年　月　日 許可届出				
	取 得 の 態 様										
	取 得 年 月 日		令和　　年　　月　　日		令和　　年　　月　　日		令和　　年　　月　　日				
	取 得 価 額	⑤		円			円			円	
	買入先　住所又は所在地										
	買入先　氏名又は名称										

買取りの申出等があった部分のうち譲渡等がされた部分	① × (②－⑤)／②	⑥		㎡			㎡			㎡	
	③ × (②－⑤)／②	⑦		円			円			円	
買取りの申出等があった部分のうち取得がされた部分	①×⑤／②（1を超えるときは1とする。）	⑧		㎡			㎡			㎡	
	③×⑤／②（1を超えるときは1とする。）	⑨		円			円			円	

関 与 税 理 士		電 話 番 号	

※	検 算	整理簿番号

（資１２－３６－Ａ４統一）　　　（令3.3）

第四編　農地等に係る相続税・贈与税の納税猶予及び免除

都 市 営 農 農 地 等 該 当 に 関 す る 明 細 書

税 務 署
受 付 印

令和＿＿年＿＿月＿＿日

＿＿＿＿＿＿税務署長

〒
住　所 ＿＿＿＿＿＿＿＿＿＿＿＿＿＿＿＿＿

氏　名 ＿＿＿＿＿＿＿＿＿＿＿＿＿＿＿＿＿
（電話番号　　　　　－　　　　－　　　　）

※欄は記入しないでください。

　　　　　　　　　　　　　　　第23条の7第26項
　　租税特別措置法施行規則　　　　　　　　　　　　に規定する特定市街化区域農地等に係る農地又は採草放牧地の都市営農
　　　　　　　　　　　　　　　第23条の8第21項

　農地等該当に関する明細は、次のとおりです。

告示若しくは事由に係る農地又は採草放牧地の明細	農 地 等 の 所 在 地				
	農 地 等 の 地 目				
	農 地 等 の 面 積	①	㎡	㎡	㎡
	告示又は事由の内容				
	告示又は事由が生じた年月日		令和　　年　　月　　日	令和　　年　　月　　日	令和　　年　　月　　日
	贈 与 価 額 農業投資価格超過額	②	円	円	円
該当する明細	都市営農農地等に該当した日		令和　　年　　月　　日	令和　　年　　月　　日	令和　　年　　月　　日
	該当した農地等の面積	③	㎡	㎡	㎡
買い取られのあった部分の申出と	（①－③）の面積	④	㎡	㎡	㎡
	$② × \dfrac{①－③}{①}$	⑤	円	円	円
買取りのなかった申出部分と	③ の 面 積	⑥	㎡	㎡	㎡
	$② × \dfrac{③}{①}$	⑦	円	円	円

（注）　特定市街化区域農地等に係る農地又は採草放牧地が都市営農農地等に該当したことを証する市長、区長の
　　　証明書が必要となります。

関 与 税 理 士		電 話 番 号	

※	検　算	整理簿番号

（資12－37－A4統一）　　（令3.3）

第十二節　３年ごとの納税猶予の継続届出書の提出

1　３年ごとの届出書の提出

　第一節の**1**の規定の適用を受ける受贈者は、同**1**に規定する贈与税《納税猶予税額》の全部につき同**1**、第四節の**3**、第四節の**4**又は第四節の**5**の規定による納税の猶予に係る期限が確定するまでの間、第一節の**1**の贈与税の申告書の提出期限の翌日から起算して３年を経過するごとの日までに、**2**で定めるところにより、引き続いて同**1**の規定の適用を受けたい旨及び同**1**の規定の適用を受ける農地等に係る農業経営に関する事項を記載した届出書を納税地の所轄税務署長に提出しなければならない。(措法70の4㉗)

　　(注)　上記届出書が提出期限までに提出されなかった場合は納税猶予は打ち切られる。(措法70の4㉚)　第四節の**4**参照。(編者注)

　　(特例適用農地等の全部が担保に供されている場合の適用除外)

(1)　**1**及び上記(注)の規定は、第一節の**1**の規定の適用を受ける受贈者(同**1**の規定の適用を受ける農地等のうちに都市営農農地等を有する者を除く。)が同**1**の規定の適用を受けるため、現にその適用を受ける農地等の全部を担保に提供した場合には、その提供している期間に限り、適用しない。(旧措法70の4⑬)

　　(注)　上記(1)は平成7年度改正で削除された。

　　　　ただし、平成7年1月1日前に行われた農地等の贈与に係る贈与税については、なおその効力を有する。(平7改措法附36②)

　　(ゆうじょ規定)

(2)　**1**の届出書が**1**に規定する期限までに提出されなかった場合においても、**1**の税務署長が当該期限内にその提出がなかったことについてやむを得ない事情があると認める場合において、**2**で定めるところにより、当該届出書が当該税務署長に提出されたときは、**1**の(注)の規定の適用については、当該届出書が当該期限内に提出されたものとみなす。(措法70の4㉘)

　　(継続届出書の提出期間)

(3)　**1**に規定する届出書は、特例適用農地等の贈与に係る贈与税の申告書の提出期限の翌日から起算して３年を経過するごとの日までに提出しなければならないのであるが、その提出期間は、当該３年を経過するごとの日の属する月の前々月の初日から当該３年を経過するごとの日までの期間として取り扱う。(措通70の4－96)

2　届出書の提出手続

　1の規定により提出する届出書には、引き続いて第一節の**1**の規定の適用を受けたい旨及び次に掲げる事項を記載し、かつ、財務省令で定める書類を添付しなければならない。(措令40の6㊶)

(一)	届出者の氏名及び住所
(二)	贈与者から贈与により農地等を取得した年月日
(三)	第一節の**1**の規定による納税の猶予を受ける贈与税の額
(四)	第四節の**2**《納税猶予の一部打切り》又は第四節の**3**《買取りの申出等による納税猶予の一部打切り》の規定の適用があった農地等がある場合には、当該農地等につき同**2**の(2)《納税猶予が打ち切られる贈与税額》の規定により計算した金額に相当する贈与税の額
(五)	当該届出者が第五節《受贈農地等に係る使用貸借による権利の設定》の規定の適用を受けた者で第五節の**1**の農地等につき使用貸借による権利の設定をした後当該農地等を引き続きその推定相続人に使用させている場合には、その旨
(六)	所在地の異なる農地等ごとの当該届出書の提出期限の属する年前３年間の各年における農業に係る生産及び出荷の状況並びに収入金額
(七)	その他参考となるべき事項

　　(財務省令で定める添付書類)

(1)　**2**に規定する財務省令で定める書類は、次号に掲げる書類(受贈者が、第一節の**1**の規定の適用を受ける農地等の全てを一時的道路用地等《第九節の**1**参照》の用に供していた場合には(二)及び(三)に掲げる書類とし、当該農地等の

全てについて営農困難時貸付けを行っていた場合には(二)から(四)までに掲げる書類とする。)とする。(措規23の7㊷)

(一)　受贈者が贈与により取得した農地等に係る農業経営を引き続き行っている旨の当該農地等の所在地を管轄する農業委員会（農業委員会を置かない市町村にあっては市町村長。以下同じ。）の証明書（当該受贈者が第五節《受贈農地等に係る使用貸借による権利の設定》の規定の適用を受けた者で第五節の1の農地等についての使用貸借による権利の設定後当該農地等を引き続きその推定相続人（第五節の4の②の(二)に規定する他の推定相続人等を含む。以下(一)及び第十四節の2の(1)の(三)において同じ。）に使用させている場合には、当該推定相続人が当該権利が設定されている農地等に係る農業経営を引き続き行っている旨及び当該受贈者が当該推定相続人が営む当該農地等に係る農業に従事している旨の当該農地等の所在地を管轄する農業委員会の証明書）

(二)　1に規定する届出書の提出期限の属する年前3年間に贈与者から贈与により取得した農地等につき異動があった場合には、その明細を記載した書類（当該異動により農地法第43条第1項の規定により農作物の栽培を耕作に該当するものとみなして適用する同法第2条第1項に規定する農地に該当することとなった農地がある場合には、当該書類及び当該農地が農作物栽培高度化施設の用に供されているものである旨を証する当該農地の所在地を管轄する農業委員会の書類）

(三)　2の(六)に掲げる事項に関する明細を記載した書類

(四)　営農困難時貸付けを行っている場合には、営農困難時貸付農地等に係る貸付けを引き続き行っている旨の当該営農困難時貸付農地等の所在地を管轄する農業委員会の書類

　　（期限後提出の届出書の記載事項）

（2）　1の(2)の規定により提出する1の届出書には、2に規定する事項のほか当該届出書を1に規定する期限までに提出することができなかった事情の詳細を記載し、かつ、2の財務省令で定める書類を添付しなければならない。(措令40の6㊴)

第一章　農地等についての贈与税の納税猶予及び免除
（第十二節　３年ごとの納税猶予の継続届出書の提出）

贈 与 税 の 納 税 猶 予 の 継 続 届 出 書

（税務署受付印）

令和＿＿＿年＿＿＿月＿＿＿日

＿＿＿＿＿＿＿＿税務署長

〒
届 出 者 住 所 ＿＿＿＿＿＿＿＿＿＿＿＿＿＿＿＿＿

氏 名 ＿＿＿＿＿＿＿＿＿＿＿＿＿＿＿＿＿

（電話番号　　　　　－　　　　　－　　　　　）

※欄は記入しないでください。

　租税特別措置法第70条の４第１項の規定による贈与税の納税の猶予を引き続いて受けたいので、次に掲げる税額等について確認し、同条第27項の規定により関係書類を添付して届け出ます。

農 地 等 の 贈 与 を 受 け た 年 月 日			昭・平・令　　　年　　　月　　　日	
贈 与 者	住所		氏名	（　　年　　月　　日生）

1　納付すべき贈与税額のうち納税の猶予の適用を受けた贈与税額・・・・・・・・・・・・　　　　　　　　　　　　　　　円

2　1のうちこの届出書の提出までに特例農地等の譲渡等をしたため、・・・・・・・・・・　　　　　　　　　　　　　　　円
　　既に納税の猶予が確定し納付した贈与税額

3　1のうち届出日現在において納税の猶予を受けている贈与税額（1－2の金額）・・・・　　　　　　　　　　　　　　　円

4　納税猶予の適用を受けた農地等については、＿＿＿＿＿年＿＿＿月＿＿＿日に　推定相続人／他の推定相続人等　＿＿＿＿＿＿＿＿＿＿に対して

　　使用貸借による権利の設定をしたが現在もその農地等をその　推定相続人／他の推定相続人等　に引き続き使用させています。

5　この届出書の提出期限の属する年の前３年間の各年における特例農地等に係る農業経営に関する事項の概要は、「別紙１　特例農地等に係る農業経営に関する明細書」のとおりです。（特例農地等のうちに都市営農農地等がある場合、平成７年分以降の贈与に係る納税猶予の場合又は平成６年分以前の贈与に係る納税猶予で営農困難時貸付け若しくは特定貸付けを行っている場合）

6　特例農地等に係る営農困難時貸付けに関する事項は、「別紙２　特例農地等に係る営農困難時貸付けに関する明細書」のとおりです。（営農困難時貸付けを行っている場合）

7　特例農地等に係る特定貸付けに関する事項は、「別紙３　特例農地等に係る特定貸付けに関する明細書」のとおりです。（特定貸付けを行っている場合）

【添付書類】

①	農業経営を引き続き行っている旨の農業委員会の証明書（上記４に該当する場合には、その推定相続人が農業経営を引き続き行っている旨及び届出者が推定相続人の営む農業に従事している旨の証明書）
②	〔特例農地等のうちに都市営農農地等を有する場合、平成７年分以降の贈与に係る納税猶予の場合又は平成６年分以前の贈与に係る納税猶予で営農困難時貸付け若しくは特定貸付けを行っている場合〕 別紙１　特例農地等に係る農業経営に関する明細書
③	〔この届出書を提出する前３年間に特例農地等の異動があった場合〕 特例農地等の異動の明細書
④	〔営農困難時貸付けを行っている場合〕 (1)　別紙２　特例農地等に係る営農困難時貸付けに関する明細書 (2)　営農困難時貸付けを行っている特例農地等に係る貸付けを引き続き行っている旨の農業委員会の証明書
⑤	〔特定貸付けを行っている場合〕 (1)　別紙３　特例農地等に係る特定貸付けに関する明細書 (2)　特定貸付けを行っている特例農地等に係る貸付けを引き続き行っている旨の農業委員会の証明書

関与税理士		電話番号	

※	通信日付印の年月日	（確　認）	猶予整理簿	検　算	整理簿番号
	年　月　日				

（資１２－１２－１－Ａ４統一）（令3.12）

別 紙 1

特例農地等に係る農業経営に関する明細書

受贈者、相続人 (受遺者)の氏名	

租税特別措置法 第70条の4第27項 第70条の6第32項 の規定による継続届出書の提出期限の属する年の前3年間の各年における特例農地等に係る農業経営に関する明細は、次のとおりです。

1　継続届出書の提出期限の属する年の前1年目における特例農地等に係る農業経営に関する明細

番号	農地等の所在地	地目	面　積 (内作付面積)	作付期間 (種類品名等)	生産量・ 飼育頭羽数 kg（頭羽）	出　荷　量 kg（頭羽）	主な出荷先（氏名・名称）	収入金額
			(　　　)	～ (　　　)				
			(　　　)	～ (　　　)				
			(　　　)	～ (　　　)				
			(　　　)	～ (　　　)				
			(　　　)	～ (　　　)				
			(　　　)	～ (　　　)				
			(　　　)	～ (　　　)				
			(　　　)	～ (　　　)				
			(　　　)	～ (　　　)				
			(　　　)	～ (　　　)				
			(　　　)	～ (　　　)				
			(　　　)	～ (　　　)				
			(　　　)	～ (　　　)				
			(　　　)	～ (　　　)				
合計			(　　　)					

（資12－34－1－A4統一）

第一章　農地等についての贈与税の納税猶予及び免除
（第十二節　３年ごとの納税猶予の継続届出書の提出）

付表１

2　継続届出書の提出期限の属する年の前２年目における特例農地等に係る農業経営に関する明細

番号	農 地 等 の 所 在 地	地目	面　　積 (内作付面積)	作付期間 (種類品名等)	生産量・飼育頭羽数 kg（頭羽）	出 荷 量 kg（頭羽）	主な出荷先（氏名・名称）	収入金額
			（　　　）	（　〜　）				
			（　　　）	（　〜　）				
			（　　　）	（　〜　）				
			（　　　）	（　〜　）				
			（　　　）	（　〜　）				
			（　　　）	（　〜　）				
			（　　　）	（　〜　）				
			（　　　）	（　〜　）				
			（　　　）	（　〜　）				
			（　　　）	（　〜　）				
			（　　　）	（　〜　）				
			（　　　）	（　〜　）				
			（　　　）	（　〜　）				
			（　　　）	（　〜　）				
			（　　　）	（　〜　）				
			（　　　）	（　〜　）				
			（　　　）	（　〜　）				
			（　　　）	（　〜　）				
合計			（　　　）					

（資１２－３４－２－Ａ４統一）

－791－

付表2

3 継続届出書の提出期限の属する年の前3年目における特例農地等に係る農業経営に関する明細

番号	農 地 等 の 所 在 地	地目	面　　積 (内作付面積)	作 付 期 間 (種類品名等)	生産量・ 飼育頭羽数 kg(頭羽)	出 荷 量 kg(頭羽)	主な出荷先(氏名・名称)	収入金額
			(　　)	～ (　　)				
			(　　)	～ (　　)				
			(　　)	～ (　　)				
			(　　)	～ (　　)				
			(　　)	～ (　　)				
			(　　)	～ (　　)				
			(　　)	～ (　　)				
			(　　)	～ (　　)				
			(　　)	～ (　　)				
			(　　)	～ (　　)				
			(　　)	～ (　　)				
			(　　)	～ (　　)				
			(　　)	～ (　　)				
			(　　)	～ (　　)				
			(　　)	～ (　　)				
			(　　)	～ (　　)				
			(　　)	～ (　　)				
合計			(　　)					

(資12－34－3－A4統一)

第一章 農地等についての贈与税の納税猶予及び免除
(第十二節 3年ごとの納税猶予の継続届出書の提出)

別 紙 2

特例農地等に係る営農困難時貸付けに関する明細書

受贈者、相続人 (受遺者)の氏名	

租税特別措置法　第 70 条の 4 第 22 項　の規定による営農困難時貸付けの規定の適用を引き続き受けたいので、次に
　　　　　　　　第 70 条の 6 第 28 項

掲げる特例農地等について引き続き営農困難時貸付けを行っていることを届け出ます。

○　特例農地等に係る営農困難時貸付けに関する明細

番号	営農困難時貸付けを行っている特例農地等の所在地	地目	面積	貸付けを行った年月日	賃借権等の存続期間	借り受けている者の住所(居所)又は本店(主たる事務所)の所在地 借り受けている者の氏名又は名称
			㎡	・・	自：・・ 至：・・	
				・・	自：・・ 至：・・	
				・・	自：・・ 至：・・	
				・・	自：・・ 至：・・	
				・・	自：・・ 至：・・	
				・・	自：・・ 至：・・	
				・・	自：・・ 至：・・	
				・・	自：・・ 至：・・	
				・・	自：・・ 至：・・	
				・・	自：・・ 至：・・	
				・・	自：・・ 至：・・	
				・・	自：・・ 至：・・	
				・・	自：・・ 至：・・	
				・・	自：・・ 至：・・	

(資 1 2 － 1 2 － 3 － Ａ 4 統一)

第四編　農地等に係る相続税・贈与税の納税猶予及び免除

別　紙　3

特例農地等に係る特定貸付けに関する明細書

受　　贈　　者	
相続人（受遺者）の　氏　名	

　　　　　租税特別措置法　第70条の4の2第1項　の規定による特定貸付けの特例の適用を引き続き受けたいので、次に掲げる
　　　　　　　　　　　　　第70条の6の2第1項

　　特例農地等について引き続き特定貸付けを行っていることを届け出ます。

○　特例農地等に係る特定貸付けに関する明細

番号	特定貸付けを行っている特例農地等の所在地	地目	面　　積	貸付けを行った年月日	賃借権等の存続期間	借り受けている者の住所（居所）又は本店（主たる事務所）の所在地
			㎡	・・	自： ・・ 至： ・・	借り受けている者の氏名又は名称
				・・	自： ・・ 至： ・・	
				・・	自： ・・ 至： ・・	
				・・	自： ・・ 至： ・・	
				・・	自： ・・ 至： ・・	
				・・	自： ・・ 至： ・・	
				・・	自： ・・ 至： ・・	
				・・	自： ・・ 至： ・・	
				・・	自： ・・ 至： ・・	
				・・	自： ・・ 至： ・・	
				・・	自： ・・ 至： ・・	
				・・	自： ・・ 至： ・・	
				・・	自： ・・ 至： ・・	
				・・	自： ・・ 至： ・・	

（資12-12-4-A4統一）

第一章　農地等についての贈与税の納税猶予及び免除
（第十二節　３年ごとの納税猶予の継続届出書の提出）

特例農地等の異動の明細書	受贈者、相続人(受遺者)の氏名		猶予整理簿 ※	検　算 ※

　　　租税特別措置法　第70条の４第27項　の規定による継続届出書の提出期限前３年間に
　　　　　　　　　　　　第70条の６第32項

　　おける特例農地等の異動の明細は、次のとおりです。

※欄には記入しないでください。

番号	農 地 等 の 所 在 地 番	地 目 等	面　積	贈 与 価 額・農 業 投 資 価格 超 過 額	譲 渡 等 の年　月　日態　　　様
			㎡	円	・　・
					・　・
					・　・
					・　・
					・　・
					・　・
					・　・
					・　・
					・　・
					・　・
					・　・
					・　・

（資１２－１３－Ａ４統一）

第十三節　納税猶予税額の免除

1　贈与者又は受贈者が死亡した場合の贈与税額の免除

　第一節の1の場合において、贈与者が死亡したとき、又は当該贈与者の死亡の時以前に受贈者が死亡したとき（当該贈与者が死亡した日又は当該受贈者が死亡した日前に第四節《納税猶予の打切り》の1《納税猶予の全部打切り》又は第四節の4《3年ごとの納税猶予の継続届出書を提出しなかった場合の打切り》の規定の適用があった場合及びこれらの日前に第四節の5《担保変更等の命令に応じなかった場合の打切り》の規定による納税の猶予に係る期限の繰上げがあった場合を除く。）は、第一節の1に規定する贈与税（既に第四節の2《納税猶予の一部打切り》又は第四節の3《買取りの申出等による納税猶予の一部打切り》の規定の適用があった場合には、これらの規定の適用があった農地等の価額に対応する部分の金額として第四節の2の（2）《納税猶予が打ち切られる贈与税額》により計算した金額に相当するものを除く。）は、2で定めるところにより、免除する。（措法70の4㉞、編者補正）

2　贈与税額の免除の届出

　第一節の1の場合において、贈与者又は受贈者につき1の規定に該当する事実が生じたときは、第一節の1に規定する贈与税は、免除する。この場合において、当該死亡した贈与者に係る受贈者又は当該死亡した受贈者に係る贈与者若しくは当該死亡した受贈者の相続人（包括受遺者を含む。）は、次に掲げる事項を記載した届出書を、当該死亡の日後遅滞なく、当該贈与税の納税地の所轄税務署長に提出しなければならない。（措令40の6㉖）

（一）	届出書を提出する者の氏名及び住所並びに当該死亡した贈与者又は当該死亡した受贈者との続柄
（二）	当該死亡した贈与者又は当該死亡した受贈者の氏名及び住所並びにその死亡した年月日
（三）	1の規定による贈与税の免除を受けようとする旨
（四）	免除を受ける贈与税の額
（五）	その他参考となるべき事項

第一章　農地等についての贈与税の納税猶予及び免除
（第十三節　納税猶予税額の免除）

贈 与 税 の 免 除 届 出 書

税務署
受付印

令和＿＿年＿＿月＿＿日

※欄は記入しないでください。

＿＿＿＿＿＿税務署長

令和　　年　　月　　日に＿＿＿＿＿＿＿＿＿＿＿＿＿＿＿＿＿＿＿＿＿＿＿＿＿＿＿＿＿

＿＿＿＿＿＿＿＿＿＿＿＿＿＿＿＿＿＿＿＿＿＿＿＿したので、租税特別措置法第70条の４第34項

の規定により下記の贈与税を免除されたいので租税特別措置法施行令第40条の６第66項の規定により

届け出ます。

届 出 者

〒

住　所 ＿＿＿＿＿＿＿＿＿＿＿＿　氏　名 ＿＿＿＿＿＿＿＿＿＿＿＿　贈 与 者　との続柄 ＿＿＿＿
　　　　　　　　　　　　　　　　　　　　　　　　　　　　　　　　受 贈 者

〒

住　所 ＿＿＿＿＿＿＿＿＿＿＿＿　氏　名 ＿＿＿＿＿＿＿＿＿＿＿＿　贈 与 者　との続柄 ＿＿＿＿
　　　　　　　　　　　　　　　　　　　　　　　　　　　　　　　　受 贈 者

〒

住　所 ＿＿＿＿＿＿＿＿＿＿＿＿　氏　名 ＿＿＿＿＿＿＿＿＿＿＿＿　贈 与 者　との続柄 ＿＿＿＿
　　　　　　　　　　　　　　　　　　　　　　　　　　　　　　　　受 贈 者

〒

住　所 ＿＿＿＿＿＿＿＿＿＿＿＿　氏　名 ＿＿＿＿＿＿＿＿＿＿＿＿　贈 与 者　との続柄 ＿＿＿＿
　　　　　　　　　　　　　　　　　　　　　　　　　　　　　　　　受 贈 者

〒

住　所 ＿＿＿＿＿＿＿＿＿＿＿＿　氏　名 ＿＿＿＿＿＿＿＿＿＿＿＿　贈 与 者　との続柄 ＿＿＿＿
　　　　　　　　　　　　　　　　　　　　　　　　　　　　　　　　受 贈 者

〒

住　所 ＿＿＿＿＿＿＿＿＿＿＿＿　氏　名 ＿＿＿＿＿＿＿＿＿＿＿＿　贈 与 者　との続柄 ＿＿＿＿
　　　　　　　　　　　　　　　　　　　　　　　　　　　　　　　　受 贈 者

〒

住　所 ＿＿＿＿＿＿＿＿＿＿＿＿　氏　名 ＿＿＿＿＿＿＿＿＿＿＿＿　贈 与 者　との続柄 ＿＿＿＿
　　　　　　　　　　　　　　　　　　　　　　　　　　　　　　　　受 贈 者

記

○ 平成
　令和 ＿＿＿＿＿年分 贈 与 税

○ 免除を受ける贈与税の額＿＿＿＿＿＿＿＿＿＿＿円

関与税理士		電話番号	

※	猶予整理簿	検　算	整理簿番号

（資１２－２６－１－Ａ４統一）　（令3.3）

第四編　農地等に係る相続税・贈与税の納税猶予及び免除

第十四節　雑　　　則

1　譲渡、転用等についての農業委員会等の通知義務

　農林水産大臣又は都道府県知事、市町村長若しくは農業委員会は、第一節の1の規定の適用を受ける農地等について、その所有権の移転、その使用及び収益を目的とする権利の設定、移転若しくは消滅、その転用（採草放牧地の農地への転用及び準農地の採草放牧地又は農地への転用を除く。）、その耕作の放棄又は買取りの申出等に関し、法令の規定に基づき許可、あっせん、通知、届出の受理その他の行為をしたことにより当該所有権の移転、当該使用及び収益を目的とする権利の設定、移転若しくは消滅、当該転用、当該耕作の放棄又は当該買取りの申出等があったことを知った場合には、遅滞なく、下記注の財務省令で定めるところにより、当該農地等についてこれらの事実が生じた旨を、国税庁長官又は当該農地等の所在地の所轄税務署長に通知しなければならない。（措法70の4㊱）

　　（財務省令で定める通知の手続）

注　農林水産大臣又は都道府県知事、市町村長若しくは農業委員会は、1に規定する農地等について、その所有権の移転、その使用及び収益を目的とする権利の設定、移転若しくは消滅、その1に規定する転用、その1に規定する耕作の放棄又はその1の買取りの申出等に関し、法令の規定に基づき許可、あっせん、通知、届出の受理その他の行為をしたことにより当該所有権の移転、当該使用及び収益を目的とする権利の設定、移転若しくは消滅、当該転用、当該耕作の放棄又は当該買取りの申出等があったことを知った場合には、当該農地等についてこれらの事実が生じた旨及び次に掲げる事項を、書面により、国税庁長官又は当該農地等の所在地の所轄税務署長に通知しなければならない。（措規23の7㊸）

（一）　これらの事実が生じた当該農地等の地目、面積及びその所在場所並びに当該農地等につき第一節の1の規定の適用を受けている受贈者の氏名及び住所又は居所

（二）　（一）の農地等につき生じた（一）の事実の詳細及び当該事実の生じた年月日並びに当該事実に関し行った当該許可、あっせん、通知、届出の受理その他の行為の内容

（三）　その他参考となるべき事項

2　準農地の利用形態等に関する農業委員会等の通知義務

　農業委員会（農業委員会等に関する法律第3条第1項ただし書又は第5項の規定により農業委員会を置かない市町村にあっては、市町村長）は、第一節の1の規定の適用を受ける受贈者が第四節の2《納税猶予の一部打切り》に規定する10年を経過する日において有する第一節の1の規定の適用を受けた準農地について、（1）の財務省令で定めるところにより、同日におけるその利用の形態その他の現況を、同日から1月を経過する日までに、当該準農地の所在地の所轄税務署長に通知しなければならない。（措法70の4㊲）

　　（財務省令で定める通知の手続）

（1）　農業委員会は、第一節の1の規定の適用を受けている受贈者が2に規定する10年を経過する日において有する2に規定する準農地について、次に掲げる事項を書面により、当該準農地の所在地の所轄税務署長に通知しなければならない。（措規23の7㊹）

（一）　当該通知に係る第一節の1の規定の適用を受けている受贈者の氏名及び住所又は居所

（二）　（一）の受贈者が第四節の2に規定する10年を経過する日において有する第一節の1の規定の適用を受けた準農地の地目、面積及びその所在場所

（三）　（二）の準農地につき、（二）の10年を経過する日における第四節の2の農地又は採草放牧地としての（二）の受贈者の農業の用（当該受贈者が第五節《受贈農地等に係る使用貸借による権利の設定》の1の規定の適用を受けた者である場合には、その推定相続人の農業の用を含み、当該受贈者が第十節の1の規定の適用を受けている場合には、営農困難時貸付農地等を借り受けた者（農地中間管理機構が当該借り受けた者である場合には、当該農地中間管理機構から借り受けた者）の農業の用を含む。）、第四節の2に規定する農地又は採草放牧地の保全又は利用上必要な施設の用その他の用に供されているもののその利用の形態の別及びこれらの用に供されていないものの別に、地目、面積及びその所在場所並びに当該受贈者の利用の状況その他の現況の詳細

（四）　その他参考となるべき事項

-798-

（税務署長からの通知）

（２）　税務署長は、**1**、**2**の規定による通知の事務に関し必要があると認める場合には、これらの規定に規定する農林水産大臣又は都道府県知事、市町村長若しくは農業委員会に対し、第一節の**1**の規定の適用を受ける受贈者及び同**1**の規定の適用を受ける農地等に関する事項その他（３）の財務省令で定める事項を通知することができる。（措法70の４㊳）

（財務省令で定める通知事項）

（３）　（２）に規定する財務省令で定める事項は、次に掲げる事項とする。（措規23の７㊻）

（一）　第一節の**1**の規定の適用を受けることとなった受贈者の氏名及び住所又は居所並びに農地等の所在、地番、地目及び面積

（二）　第一節の**1**の規定の適用を受けないこととなった受贈者の氏名及び住所又は居所並びに農地等の所在、地番、地目及び面積

（三）　第十節の**1**の規定の適用を受けることとなった受贈者の氏名及び住所又は居所並びに農地等の所在、地番、地目及び面積

（四）　第十節の**1**の規定の適用を受けないこととなった受贈者の氏名及び住所又は居所並びに農地等の所在、地番、地目及び面積

（五）　その他税務署長が（２）の通知の事務に関し必要と認める事項

3　国税通則法及び国税徴収法の規定の調整

第一節の規定による納税の猶予がされた場合における国税通則法及び国税徴収法の規定の適用については、次に定めるところによる。（措法70の４㉜）

（一）	第一節の**1**の規定による納税の猶予に係る期限（第四節の**2**から**5**までの規定による当該期限を含む。）は、国税通則法及び国税徴収法中法定納期限又は納期限に関する規定を適用する場合には、相続税法の規定による延納に係る期限に含まれるものとする。
（二）	第一節の**1**の規定の適用があった場合における贈与税に係る延滞税については、その贈与税の額のうち納税猶予分の贈与税額とその他のものとに区分し、更に当該納税猶予分の贈与税額を（一）に規定する納税の猶予に係る期限が異なるものごとに区分して、それぞれの税額ごとに国税通則法の延滞税に関する規定を適用する。
（三）	第一節の**1**の規定による納税の猶予を受けた贈与税については、国税通則法第64条第１項《利子税》及び第73条第４項《時効の停止》中「延納」とあるのは、「延納（租税特別措置法第70条の４第１項の規定による納税の猶予を含む。）」とする。

（継続届出書の提出による時効の中断）

（１）　第一節の**1**に規定する贈与税（既に第四節の**2**又は第四節の**3**の規定の適用があった場合には、これらの規定の適用があった農地等の価額に対応する部分の金額として政令で定めるところにより計算した金額に相当するものを除く。第四節の**4**、**6**の（一）、第十三節の**1**において同じ。）並びに当該贈与税に係る利子税及び延滞税の徴収を目的とする国の権利の時効については、**3**の（三）において読み替えて適用される国税通則法第73条第４項の規定の適用がある場合を除き、第十二節の**1**の届出書の提出があった時から当該届出書の提出期限までの間は完成せず、当該提出期限の翌日から新たにその進行を始めるものとする。（措法70の４㉙）

第四編　農地等に係る相続税・贈与税の納税猶予及び免除

第十五節　農業生産法人に対する使用貸借による権利の設定

1　農地等を農業生産法人に使用貸借させた場合の特例

　（1）の規定によりなおその効力を有するものとされる平成7年改正前（以下本節において「旧法」という。）の第一節の1の規定の適用を受ける同1に規定する受贈者（以下本節において「受贈者」という。）が施行日から平成14年3月31日までの間で、かつ、同1に規定する贈与者の死亡の日前に農業協同組合法等の一部を改正する等の法律第3条の規定による改正前の農地法第2条第3項に規定する農業生産法人で（2）の政令で定めるものに対し旧法の第一節の1の規定の適用を受ける農地等につき（3）の政令で定めるところにより使用貸借による権利の設定をした場合において、当該設定をしたことについての届出書が、（4）の財務省令で定めるところにより、当該設定の日から2月を経過する日までに当該受贈者の納税地の所轄税務署長に提出されたときは、当該受贈者に係る旧法の第四節の1及び旧法の第四節の2の規定の適用については、当該設定は、なかったものとみなす。（平7改措法附36③）

　（平成7年1月1日前の贈与等についての旧法の適用）
（1）　平成7年1月1日前に行われた旧法の第一節の1に規定する農地等の贈与に係る贈与税については、同条の規定は、なおその効力を有する。（平7改措法附36②）

　（農業生産法人の要件）
（2）　1（7において準用する場合を含む。以下（2）、（3）及び5の（1）において同じ。）に規定する政令で定める農業生産法人は、次に掲げる要件の全てに該当する1に規定する農業生産法人であることにつき（4）の財務省令で定めるところにより農業委員会（農業委員会等に関する法律《昭和26年法律第88号》第3条第1項ただし書又は第5項の規定により農業委員会を置かない市町村にあっては、市町村長。以下（2）及び4の④において同じ。）が証明したものとし、2（7において準用する場合を含む。以下（2）において同じ。）に規定する政令で定める農地所有適格法人は、（一）中「農業生産法人」とあるのを「農地所有適格法人」と、（二）中「農業生産法人」とあるのを「農地所有適格法人」と、「農業協同組合法等の一部を改正する等の法律（平成27年法律第63号）第3条の規定による改正前の農地法」とあるのを「農地法」と、「第2条第3項第2号ニ」とあるのを「第2条第3項第2号ホ」と読み替えた場合における当該要件の全てに該当する2に規定する農地所有適格法人であることにつき農業委員会が証明したものとする。（平7改措令附28③）

（一）	1の規定の適用を受けようとする1に規定する受贈者が当該農業生産法人の理事、業務執行権を有する社員又は取締役（代表権を有しない者を除く。）（3の（1）において「代表者」という。）となっていること。
（二）	当該受贈者が当該農業生産法人の農業協同組合法等の一部を改正する等の法律（平成27年法律第63号）第3条の規定による改正前の農地法第2条第3項第2号ニに規定する常時従事者である組合員、社員又は株主（1年間のうち当該農業生産法人の行う同項第1号に規定する農業に従事する日数が150日以上であり、かつ、当該農業に必要な農作業に主として従事すると認められるものに限る。3の（1）において「常時従事者である構成員」という。）となっていること。

　（使用貸借による権利の設定方法）
（3）　1の使用貸借による権利の設定は、1に規定する農業生産法人で政令で定めるものに対し1の規定の適用を受けようとする当該権利の設定の時の直前において受贈者が有する1に規定する農地等で旧法の第一節の1の規定（租税特別措置法の一部を改正する法律《昭和50年法律第16号》附則第20条第2項の規定によりなおその効力を有するものとされる同法による改正前の租税特別措置法（以下この節において「昭和50年旧法」という。）第70条の4第1項本文の規定の適用を受けている者（以下この節において「昭和50年旧法適用者」という。）にあっては同項本文の規定とし、租税特別措置法の一部を改正する法律（平成3年法律第16号）附則第19条第1項の規定の適用を受けている者（以下この節において「平成3年旧法適用者」という。）にあっては同項の規定によりなお従前の例によることとされる租税特別措置法の一部を改正する法律による改正前の租税特別措置法（以下この節において「平成3年旧法」という。）第70条の4第1項本文の規定とする。）の適用を受けているものの全てについて行われるものでなければならない。（平7改措令附28④）

　（農業生産法人の証明）
（4）　（2）に規定する証明は、1（7において準用する場合を含む。以下この節において同じ。）の規定の適用を受けよう

−800−

第一章　農地等についての贈与税の納税猶予及び免除
(第十五節　農業生産法人に対する使用貸借による権利の設定)

とする使用貸借による権利の設定をした**1**に規定する受贈者の申請に基づき、**1**に規定する農業生産法人の所在地を管轄する(**2**)に規定する農業委員会（以下この節において「農業委員会」という。）が、当該農業生産法人が(**2**)各号に掲げる要件のすべてに該当することを明らかにする事実を記載した書類により行うものとする。（平7改措規附14②）

　　（届出書の記載事項）
(**5**)　**1**の規定の適用を受けようとする受贈者は、**1**の届出書に次に掲げる事項を記載し、かつ、(**6**)に定める書類を添付して、これを当該受贈者の納税地の所轄税務署長に提出しなければならない。（平7改措規附14③）
　(一)　届出者の氏名及び住所又は居所
　(二)　**1**の規定を受けようとする**1**に規定する農地等につき使用貸借による権利の設定を受けて農業経営を行う**1**に規定する農業生産法人で政令で定めるもの（以下(**5**)及び(**6**)において「旧特定農業生産法人」という。）の名称及び所在地
　(三)　(一)の届出者が(二)の農地等を贈与により取得した年月日
　(四)　(二)の使用貸借による権利の設定が(**3**)の規定に該当するものである旨及び当該設定を行った年月日
　(五)　受贈者から(二)の旧特定農業生産法人が使用貸借による権利の設定を受けた(二)の農地等の地目、面積及びその所在場所その他の明細
　(六)　(二)の旧特定農業生産法人が(**2**)各号に掲げる要件の全てに該当する旨及びその事実の明細
　(七)　その他参考となるべき事項

　　（届出書の添付書類）
(**6**)　(**5**)の届出書に添付すべき書類は、次に掲げる書類とする。（平7改措規附14④）
　(一)　(**5**)の(二)の使用貸借による権利の設定を受けた旧特定農業生産法人に係る(**4**)に規定する農業委員会の書類
　(二)　(**5**)の(二)の農地等につき(二)の旧特定農業生産法人に対して行われた使用貸借による権利の設定に係る契約書の写しその他その事実を証する書類

　　（受贈者が旧法第70条の4第5項の規定の適用を受けている場合）
(**7**)　旧法の第一節の**1**の規定の適用を受ける受贈者が第五節の**1**に定めるところにより推定相続人のうちの1人に対し第一節の**1**の規定の適用を受ける農地等（以下「特例適用農地等」という。）につき使用貸借による権利の設定をし、第五節の**1**の規定の適用を受けているときは、当該推定相続人の死亡に伴い当該受贈者が旧令の第五節の**4**の②の(三)の規定の適用を受けて再び農業経営の開始をした場合を除き、当該受贈者が**1**の規定の適用を受ける余地はないのであるから留意する。（平7附則農地措通1）

> 旧特定農業生産法人に対し農地等につき使用貸借による権利の設定をした場合における贈与税の納税猶予等に関する取扱いについて（平成7年課資2－109、徴管5－3、平成30年課資2－19改正）→以下「平7附則農地措通」という。

　　（「当該農業に必要な農作業に主として従事する」ことの意義）
(**8**)　(**2**)の(二)かっこ書に規定する「当該農業に必要な農作業に主として従事する」とは、受贈者が、**2**に規定する特定農地所有適格法人の行う農地法第2条第3項第1号に規定する農業（以下「農業」という。）に従事する日数の過半を当該農業に必要な農作業に従事することをいうものとする。（平7附則農地措通2）
　(注)　農作業とは、耕うん、整地、播種、施肥、病虫害防除、水の管理、給餌その他の耕作（**3**の(一)に規定する耕作をいう。以下同じ。）又は養畜に直接必要な作業をいい、耕作又は養畜の事業に必要な帳簿の記帳、集金等はこれに含まれないのであるから留意する。

　　（使用貸借による権利の設定の日）
(**9**)　**1**に規定する「当該設定の日」とは、**1**に規定する農業協同組合法等の一部を改正する等の法律第3条の規定による改正前の農地法第2条第3項に規定する農業生産法人で租税特別措置法施行令の一部を改正する政令（平成7年政令第158号）附則第28条第3項各号に掲げる要件に該当するもの（以下「旧特定農業生産法人」という。）に対する特例適用農地等に係る使用貸借による権利の設定につき農地法第3条第1項の規定による許可があった日をいうものとして取り扱う。この場合において、農地又は採草放牧地が旧特定農業生産法人の所在地のある市町村の区域内にあるものとその他の区域内にあるものとに分かれていること等により、当該使用貸借による権利の設定について複数の農地法第3条第1項の規定による許可を要するものであり、かつ、その許可があった日が異なるときは、これらの許可があった日のうち最も遅い日をもって当該設定の日として取り扱うものとする。（平7附則農地措通3）

－801－

第四編　農地等に係る相続税・贈与税の納税猶予及び免除

　　　　（使用貸借による権利の設定に関する届出書）
(10)　　1の規定の適用を受けようとする受贈者が1に規定する届出書（以下「使用貸借による権利の設定に関する届出書」
　　という。）を使用貸借による権利の設定の日から2か月を経過する日まで（以下この(10)において「期限内」という。）
　　に提出した場合には、その使用貸借による権利の設定に関する届出書に係る記載又は添付すべき書類に不備があるとき
　　であっても、当該不備が軽微なもので速やかに補完されると認められるときには、1の規定の適用があるものとして取
　　り扱って差し支えない。（平7附則農地措通4）
　　（注）　当該受贈者が使用貸借による権利の設定に関する届出書を期限内に提出しなかった場合には、1の規定の適用は受けられず、旧法の第四節
　　　　の1の規定によりその贈与税の納税猶予税額の全部について納税猶予の期限が確定するのであるから留意する。

　　　　（使用貸借による権利の設定をしなければならないこととされている特例適用農地等の範囲）
(11)　　（3）に規定する当該権利の設定の時の直前において受贈者が有する1に規定する農地等で旧法の第一節の1の規定
　　の適用を受けているもののすべてとは、当該権利の設定の時の直前において当該受贈者が有する農地等のうち、旧法の
　　第一節の1の規定の適用を受けるもの（旧法の第七節の1の(三)又は第十一節の1の(三)の規定に該当する農地又は採
　　草放牧地（以下「代替取得農地等」という。）を含む。）のみをいう。したがって、当該受贈者が有する農地等であって
　　も特例適用農地等以外のもの及び特例適用農地等であっても租税特別措置法等の一部を改正する法律（平成13年法律第
　　7号）による改正前の第六節の1に規定する貸付特例適用農地等又は租税特別措置法施行令の一部を改正する政令（平
　　成13年政令第141号）による改正後の第一節の1の(7)各号に掲げる農地等又は敷地若しくは用地は、これに含まれない
　　ことに留意する。（平7附則農地措通5）

　　　　（1の使用貸借による権利の設定があった場合の旧法第70条の4第1項の担保）
(12)　　特例適用農地等が旧法の第一節の1に規定する担保に供されている場合には、その特例適用農地等につき1に規定
　　する使用貸借による権利の設定があったときにおいても、その担保を提供した受贈者に対して国税通則法第51条第1項
　　に規定する増担保の提供等を命ずる必要はないのであるから留意する。（平7附則農地措通6）

2　特定農地所有適格法人が合併により消滅し、又は分割をした場合

　　1の規定の適用を受ける使用貸借による権利の設定を受けている農地法第2条第3項に規定する農地所有適格法人で政
令で定めるもの（以下この条において「特定農地所有適格法人」という。）が合併により消滅し、又は分割をした場合にお
いて、当該受贈者が、（1）の財務省令で定めるところにより、その合併に係る法人税法第2条第12号に規定する合併法人
又はその分割に係る同条第12号の3に規定する分割承継法人が当該使用貸借による権利の全部を引き継ぎ、かつ、特定農
地所有適格法人に該当することについての届出書を当該合併又は当該分割の日から2月を経過する日までに当該受贈者の
納税地の所轄税務署長に提出したときは、当該合併法人又は当該分割承継法人を同項の規定の適用を受ける使用貸借によ
る権利の設定を受けている特定農地所有適格法人とみなす。（平7改措法附36④）

　　　　（届出書の記載事項）
（1）　　1の規定の適用を受ける使用貸借による権利の設定を受けている2（7において準用する場合を含む。以下（1）に
　　おいて同じ。）に規定する特定農地所有適格法人（以下この節において「特定農地所有適格法人」という。）が合併によ
　　り消滅し、又は分割をした場合において、2（7において準用する場合を含む。以下この節において同じ。）の規定の適
　　用を受けようとする受贈者は、2の届出書に次に掲げる事項を記載し、かつ、（2）に定める書類を添付して、これを当
　　該受贈者の納税地の所轄税務署長に提出しなければならない。（平7改措規附14⑤）
　（一）　届出者の氏名及び住所又は居所
　（二）　当該合併により消滅し、又は当該分割をした特定農地所有適格法人及び当該合併に係る2に規定する合併法人（以
　　　下（1）及び（2）において「合併法人」という。）又は当該分割に係る2に規定する分割承継法人（以下（1）及び（2）
　　　において「分割承継法人」という。）の名称及び所在地
　（三）　当該合併又は当該分割が行われた年月日
　（四）　当該合併により消滅し、又は当該分割をした特定農地所有適格法人から当該合併に係る合併法人又は当該分割に
　　　係る分割承継法人が使用貸借による権利を引き継いだ農地等の地目、面積及びその所在場所その他の明細
　（五）　当該合併に係る合併法人又は当該分割に係る分割承継法人が1の(2)各号に掲げる要件の全てに該当する旨及び
　　　その事実の明細
　（六）　その他参考となるべき事項

第一章　農地等についての贈与税の納税猶予及び免除
（第十五節　農業生産法人に対する使用貸借による権利の設定）

（届出書の添付書類）
（２）　（１）の届出書に添付すべき書類は、次に掲げる書類とする。（平７改措規附14⑥）

　（一）　当該合併により消滅し、又は当該分割をした特定農地所有適格法人から当該合併に係る合併法人又は当該分割に
　　　係る分割承継法人が使用貸借による権利の全部を引き継いだことを証する書類

　（二）　当該合併に係る合併法人又は当該分割に係る分割承継法人が**１**の（２）各号に掲げる要件の全てに該当することを
　　　明らかにする事実を記載した当該合併法人又は当該分割承継法人の所在地を管轄する農業委員会の書類

　（三）　当該合併に係る合併法人又は当該分割に係る分割承継法人の登記事項証明書その他の当該合併法人又は当該分割
　　　承継法人に該当することを証する書類

　　　（特定農地所有適格法人の合併又は分割の日）
（３）　**２**に規定する特定農地所有適格法人に係る同項に規定する「当該合併又は当該分割の日」とは、**２**に規定する合併
　　法人又は分割承継法人の本店所在地において合併の登記又は設立の登記若しくは変更の登記を完了した日をいうものと
　　する。（平７附則農地措通７）

　　　（合併又は分割の場合の届出書）
（４）　**２**の規定の適用を受けようとする受贈者が**２**に規定する届出書を合併又は分割の日から２か月を経過する日まで
　　（以下この（４）において「期限内」という。）に提出した場合には、その届出書に係る記載又は添付すべき書類に不備が
　　あるときであっても、当該不備が軽微なもので速やかに補完されると認められるときには、**２**の規定の適用があるもの
　　として取り扱って差し支えない。（平７附則農地措通８）

　　（注）　当該受贈者が届出書を期限内に提出しなかった場合には、**２**の規定の適用は受けられず、**３**の規定に基づく旧法の第四節の**１**の規定により
　　　　その贈与税の納税猶予税額の全部について納税猶予の期限が確定するのであるから留意する。

３　納税猶予の打切規定の調整

　　１の規定の適用を受ける使用貸借による権利の設定をした受贈者が当該設定をした後当該設定に係る農地等（農地法第
43条第１項の規定により農作物の栽培を耕作に該当するものとみなして適用する同法第２条第１項に規定する農地を含
む。以下本節において同じ。）を引き続き特定農地所有適格法人に使用させている場合における当該受贈者に係る旧法の第
四節の**１**及び旧法の第四節の**２**の規定の適用については、次に定めるところによる。（平７改措法附36⑤）

（一）	被設定者が使用借権を譲渡し若しくは農地等を転用又は農業経営を廃止した場合	当該農地等につき使用貸借による権利の設定を受けている特定農地所有適格法人（以下（一）及び（二）において「被設定者」という。）がその有する当該権利の旧法の第四節の**１**の（一）に規定する譲渡等（当該農地等につき民法第269条の２第１項の地上権の設定があった場合において当該被設定者が当該農地等を耕作（農地法第43条第１項の規定により耕作に該当するものとみなされる農作物の栽培を含む。）又は養畜の用に供しているときにおける当該設定を除く。）若しくは当該農地等の転用をした場合又は当該農地等に係る農業経営の廃止をした場合には、当該譲渡等若しくは転用又は廃止をした日において当該受贈者が当該譲渡等若しくは転用又は廃止をしたものとみなす。
（二）	被設定者が特定農業生産法人に該当しなくなった場合	被設定者が特定農地所有適格法人に該当しないこととなった場合（（１）の政令で定める場合を除く。）には、**１**の規定にかかわらず、当該該当しないこととなった日において使用貸借による権利の設定をしたものとみなす。

　　　（特定農業生産法人に該当しないことについての除外措置）
（１）　**３**の（二）（**７**において準用する場合を含む。）に規定する政令で定める場合は、受贈者が老齢、疾病その他やむを得
　　ない事由として税務署長が認める事由により常時従事者である構成員に該当しないこととなった場合（当該受贈者が引
　　き続いて当該被設定者の代表者である場合に限る。）において、（２）の財務省令で定めるところにより、やむを得ない事
　　由により常時従事者である構成員に該当しないこととなった旨の届出書を当該該当しないこととなった日から１月を経
　　過する日までに当該受贈者の納税地の所轄税務署長に提出した場合とする。（平７改措令附28⑤）

　　　（届出書の記載事項）
（２）　（１）の規定により提出する届出書には、次に掲げる事項を記載しなければならない。（平７改措規附14⑦）

　（一）　届出者の氏名及び住所又は居所

第四編　農地等に係る相続税・贈与税の納税猶予及び免除

（二）　前号の届出者が**1**の（2）の（二）に規定する常時従事者である構成員に該当しないこととなったやむを得ない事由

　　　　（届出書が期限までに提出されなかった場合のゆうじょ規定）
（3）　（1）の届出書が（1）に規定する期限までに提出されなかった場合においても、（1）の税務署長が当該期限内にその提出がなかったことについてやむを得ない事情があると認める場合において、（4）の財務省令で定めるところにより、当該届出書が当該税務署長に提出されたときは、（1）の規定の適用については、当該届出書が当該期限内に提出されたものとみなす。（平7改措令附28⑥）

　　　　（届出書を期限までに提出できなかった事情の記載）
（4）　（3）の規定により提出する（1）の届出書には、（2）の各号に掲げる事項のほか、当該届出書を（1）に規定する期限までに提出することができなかった事情の詳細を記載しなければならない。（平7改措規附14⑧）

4　一時的道路用地等の用に供するために地上権等を設定した場合の適用

①　地上権等を設定した場合の適用関係

　　1の規定の適用を受ける使用貸借による権利の設定をした受贈者が、当該設定に係る農地等の全部又は一部について、第九節《一時的道路用地等の用に供するための地上権等の設定》の**1**《特例の適用要件》に規定する一時的道路用地等（以下本節において「一時的道路用地等」という。）の用に供するために当該使用貸借による権利を消滅させ、かつ、当該用に供するために地上権、賃借権又は使用貸借による権利の設定（民法第269条の2第1項の地上権の設定を除く。③までにおいて「地上権等の設定」という。）に基づき貸付けを行った場合において、当該貸付けに係る期限（以下**4**において「貸付期限」という。）の到来後遅滞なく当該一時的道路用地等の用に供していた農地等について特定農地所有適格法人に対し使用貸借による権利の設定を行う見込みであることにつき、（1）の政令で定めるところにより、納税地の所轄税務署長の承認を受けたときにおける**1**の規定の適用については、**3**の規定にかかわらず、次に定めるところによる。（平7改措法附36⑥）

（一）	当該承認に係る使用貸借による権利の消滅及び地上権等の設定は、なかったものとみなす。
（二）	当該受贈者が、当該貸付期限から2月を経過する日までに当該一時的道路用地等の用に供されていた農地等の全部又は一部について、当該特定農地所有適格法人に対し使用貸借による権利の設定を行っていない場合には、同日において地上権等の設定があったものとみなす。

　　　　（税務署長の承認を受ける場合の手続）
（1）　①（**7**において準用する場合を含む。以下この節において同じ。）の税務署長の承認を受けようとする受贈者は、①に規定する一時的道路用地等（以下この節において「一時的道路用地等」という。）の用に供するため①に規定する地上権等の設定（以下（1）及び（2）の（三）において「地上権等の設定」という。）に基づき貸付けを行った農地等について①の規定の適用を受けようとする旨の申請書で次に掲げる事項を記載したものを、当該地上権等の設定に基づき貸付けを行った日から1月以内に、納税地の所轄税務署長に提出しなければならない。（平7改措令附28⑦）
（一）　申請者の氏名及び住所
（二）　当該地上権等の設定に基づき貸し付けた農地等の明細
（三）　当該地上権等の設定に基づき貸し付けた農地等を**2**に規定する特定農地所有適格法人（以下この節において「特定農地所有適格法人」という。）の農業の用に供する予定年月日
（四）　その他参考となるべき事項

　　　　（申請書の添付書類）
（2）　（1）の規定により提出する申請書には、①の規定の適用を受けようとする農地等について第九節の**1**に規定する主務大臣が一時的道路用地等に係る同**1**に規定する代替性のない施設の用地として認定（当該一時的道路用地等に係る事業が同**1**に規定する道路に関する事業、河川に関する事業及び鉄道事業以外のものである場合には、同**1**に規定する準ずる事業としての認定を含む。）を行ったことを証する書類で次に掲げる事項を記載したもの及び（3）の財務省令で定める書類を添付しなければならない。（平7改措令附28⑧）
（一）　当該一時的道路用地等の用に供される農地等の所有者の氏名及び住所
（二）　当該一時的道路用地等の用に供される農地等の明細

－804－

第一章　農地等についての贈与税の納税猶予及び免除
（第十五節　農業生産法人に対する使用貸借による権利の設定）

　　（三）　当該一時的道路用地等の用に供するために事業の施行者が地上権等の設定に基づき借り受ける日及び当該借受け
　　　に係る期限
　　（四）　第九節の**1**に規定する主務大臣が同**1**の規定により認定した一時的道路用地等に係る事業及び施設の用地に関す
　　　ること
　　（五）　その他参考となるべき事項

　　　（財務省令で定める書類）
（3）　（2）に規定する財務省令で定める書類は、申請者と**①**（**7**において準用する場合を含む。以下この節において同じ。）
　　に規定する一時的道路用地等（以下この節において「一時的道路用地等」という。）に係る事業の施行者（以下この節に
　　おいて「事業施行者」という。）との間の**①**に規定する地上権等の設定に基づき旧第一節の**1**に規定する農地等を当該一
　　時的道路用地等の用に供するために貸し付ける旨の契約書で当該農地等を貸し付ける日及び**①**に規定する貸付期限（以
　　下この節において「貸付期限」という。）の記載のあるものの写し又は土地収用法の規定に基づく裁決書で当該農地等を
　　使用するためのものの写し若しくは同法に規定された収用委員会の勧告に基づく和解により作成された和解調書で当該
　　農地等を使用するためのものの写しとする。（平7改措規附14⑨）

　　　（申請のみなす承認）
（4）　（1）の規定による申請書の提出があった場合において、その提出があった日から1月以内に、当該申請の承認又は
　　却下の処分がなかったときは、当該申請の承認があったものとみなす。（平7改措令附28⑨）

　　　（主務大臣の認定を要しない事業）
（5）　**①**に規定する一時的道路用地等に係る事業が第九節の**1**に規定する道路に関する事業、河川に関する事業及び鉄道
　　事業である場合には、同**1**に規定する事業に係る主務大臣の認定は要しないものであるから留意する。ただし、その場
　　合であっても、一時的道路用地等の用に供するために地上権等の設定（民法第269条の2第1項の地上権の設定を除く。
　　以下「地上権等の設定」という。）に基づき貸し付けられる特例適用農地等が同**1**に規定する代替性のない施設の用地で
　　あることの主務大臣の認定は必要である。（平7附則農地措通17）

　　　（一時的道路用地等としての貸付先）
（6）　**①**に規定する一時的道路用地等の用に供するための地上権等の設定に基づく貸付けは、当該一時的道路用地等に係
　　る事業の施行者に対して行わなければならないのであるから留意する。
　　　したがって、その事業の施行者から業務を請け負った者に対してその貸付けを行った場合には、**①**の規定の適用はな
　　い。（平7附則農地措通17の2）

　　　（**①**の地上権等の設定があった場合の旧法の第一節の**1**の担保）
（7）　特例適用農地等が旧法の第一節の**1**に規定する担保に供されている場合において、その特例適用農地等につき平成
　　13年法による改正後の**①**に規定する地上権等の設定があった場合において、その担保に提供した受贈者に対して国税通
　　則法第51条第1項に規定する増担保の提供等を命ずる必要はないのであるから留意する。（平7附則農地措通17の3）

②　1年ごとの継続貸付届出書の提出
　　①の規定の適用を受ける受贈者は、**①**の承認を受けた日の翌日から起算して1年を経過するごとの日までに、（1）の政
　令で定めるところにより、当該一時的道路用地等の用に供されている当該農地等に係る地上権等の設定に関する事項その
　他（2）の財務省令で定める事項を記載した届出書（**③**において「継続貸付届出書」という。）を納税地の所轄税務署長に提
　出しなければならない。（平7改措法附36⑦）

　　　（継続貸付届出書の添付書類）
（1）　**②**（**7**において準用する場合を含む。以下この節において同じ。）の規定により受贈者が提出する**②**に規定する継続
　　貸付届出書には、当該一時的道路用地等に係る事業の施行者の当該継続貸付届出書に係る**②**に規定する期限の2月前に
　　おいて当該一時的道路用地等の用に供されている農地等について引き続き借り受けている旨及び当該事業を引き続き施
　　行している旨を証する書類で次に掲げる事項を記載したものを添付しなければならない。（平7改措令附28⑩）
　　（一）　当該一時的道路用地等の用に供されている農地等を事業の施行者に貸し付けている者の氏名及び住所
　　（二）　当該事業の施行者が借り受けている農地等の明細

　　　　　　　　　　　　　　　　　　　　　　　　　　　　　－805－

第四編　農地等に係る相続税・贈与税の納税猶予及び免除

　（三）　その他参考となるべき事項

　　　（継続貸付届出書に記載する事項）
（２）　②（７において準用する場合を含む。）に規定する継続貸付届出書に記載する事項は、次に掲げる事項とする。（平７改措規附14⑩）
　（一）　届出者の氏名及び住所又は居所
　（二）　一時的道路用地等の用に供されている農地等の明細
　（三）　貸付期限
　（四）　当該農地等を引き続き一時的道路用地等の用に供している旨
　（五）　その他参考となるべき事項

　　　（一時的道路用地等に係る継続貸付届出書の提出期間）
（３）　②に規定する届出書は、①の承認を受けた日の翌日から起算して毎１年を経過するごとの日までに提出しなければならないのであるが、その提出期間は、当該１年を経過するごとの日の属する月の前々月の初日から当該１年を経過するごとの日までの期間として取り扱う。（平７附則農地措通17の４）

③　継続貸付届出書が提出されなかった場合の納税猶予の打切り

　②に規定する継続貸付届出書がその提出期限までに納税地の所轄税務署長に提出されなかった場合には、当該提出期限の翌日から２月を経過する日に当該継続貸付届出書に係る一時的道路用地等の用に供されている農地等に係る地上権等の設定があったものとして、旧法の第四節の１《納税猶予の全部打切り》及び旧法の第四節の２《納税猶予の一部打切り》の規定を適用する。ただし、当該継続貸付届出書が当該提出期限までに提出されなかった場合においても、納税地の所轄税務署長が当該提出期限内にその提出がなかったことについてやむを得ない事情があると認める場合において、注で定めるところにより、当該継続貸付届出書が納税地の所轄税務署長に提出されたときは、この限りでない。（平７改措法附36⑧）

　　　（提出期限後における継続貸付届出書の提出の手続）
注　③（７において準用する場合を含む。④の（４）及び⑤の（２）において同じ。）の規定により受贈者が提出する②に規定する継続貸付届出書には、②に規定する事項のほか当該継続貸付届出書を②に規定する期限までに提出することができなかった事情の詳細を記載し、かつ、②の（１）に規定する事業の施行者の書類を添付しなければならない。（平７改措令附28⑪）

④　地上権等が消滅した場合の届出書の提出

　①の規定の適用を受けている受贈者は、一時的道路用地等の用に供されている農地等につき、当該農地等に係る貸付期限の到来により①の規定の適用に係る①の地上権、賃借権若しくは使用貸借による権利（以下④及び（４）において「地上権等」という。）が消滅した場合又は当該貸付期限の到来前に地上権等の解約が行われたことにより当該地上権等が消滅した場合には、その消滅した旨、当該農地等を特定農地所有適格法人の農業の用に供している旨その他（１）の財務省令で定める事項を記載した届出書に、農業委員会の証明書で（２）の財務省令で定めるところにより当該特定農地所有適格法人の農業の用に供されている旨を証するものその他（３）の財務省令で定める書類を添付し、これを当該地上権等の消滅した日から２月以内に、納税地の所轄税務署長に提出しなければならない。（平７改措令附28⑫）

　　　（届出書の記載事項）
（１）　④に規定する事項は、次に掲げる事項とする。（平７改措規附14⑪）
　（一）　届出者の氏名及び住所又は居所
　（二）　一時的道路用地等の用に供されていた農地等の明細
　（三）　貸付期限
　（四）　一時的道路用地等の用に供されていた農地等の貸付けの直前の利用状況及び④の届出書の提出時における当該農地等の利用状況又は予定している利用方法
　（五）　当該農地等を特定農地所有適格法人に対して使用貸借による権利の設定を行った日又は行う見込みの日
　（六）　その他参考となるべき事項

第一章　農地等についての贈与税の納税猶予及び免除
（第十五節　農業生産法人に対する使用貸借による権利の設定）

（農業委員会の証明の手続）
（２）　❹に規定する証明は、一時的道路用地等の用に供されていた農地等の所在地を管轄する農業委員会が、当該一時的道路用地等の用に供されていた土地が農地等に復したこと及び❶の規定の適用を受けている受贈者が特定農業生産法人に対し使用貸借による権利の設定をしていること又は遅滞なく設定をする見込みであることを証する書類を発行することにより行うものとする。（平７改措規附14⑫）

（届出書の添付書類）
（３）　❹に規定する書類は、次に掲げる書類とする。（平７改措規附14⑬）
　（一）　一時的道路用地等の用に供していた農地等を借り受ける契約が終了した旨及び終了した日を証する事業施行者の書類
　（二）　❹に規定する地上権等が登記されている場合には、一時的道路用地等の用に供していた土地の登記事項証明書（当該地上権等の消滅後に取得したものに限る。）
　（三）　次に掲げる場合の区分に応じ次に定める書類
　　イ　受贈者が、❶の規定の適用を受ける農地等の全部について一時的道路用地等の用に供していた場合　　次に掲げる書類
　　　（イ）　貸付期限の到来後当該農地等につき使用貸借による権利の設定を受けた特定農地所有適格法人が**１**の（２）の（一）及び（二）に掲げる要件の全てに該当することを明らかにする事実を記載した当該特定農地所有適格法人の所在地を管轄する農業委員会の書類
　　　（ロ）　当該農地等につき（イ）の特定農地所有適格法人に対して行われた使用貸借による権利の設定に係る契約書の写しその他その事実を証する書類
　　ロ　イに掲げる場合以外の場合　　イ（ロ）に掲げる書類

（貸付期限の到来前に地上権等の解約が行われた場合）
（４）　❹の場合において、貸付期限の到来前に地上権等の解約が行われたことにより当該地上権等が消滅したときには、当該地上権等が消滅した日を貸付期限とみなして❶から❸まで（（４）の規定を**７**において準用する場合を含む。❺の（２）において同じ。）の規定を適用する。（平７改措令附28⑬）

❺　一時的道路用地等に係る事業の施行の遅延により貸付期限が延長される場合の届出書の提出
　❶の規定の適用を受けて農地等を一時的道路用地等の用に供している場合において、当該一時的道路用地等に係る事業の施行の遅延により貸付期限が延長されることとなったときは、受贈者は、引き続き❶の適用を受けようとする旨及び次に掲げる事項を記載した届出書に、貸付期限を延長する事情の詳細を記載した当該事業の施行者の書類その他（１）で定める書類を添付し、これを当該貸付期限の到来する日から１月以内に、納税地の所轄税務署長に提出しなければならない。（平７改措令附28⑭）
　（一）　届出者の氏名及び住所
　（二）　当該貸付期限の延長に係る農地等の明細
　（三）　延長されることとなった期限
　（四）　当該貸付期限の延長に係る農地等を当該受贈者の農業の用に供する予定年月日
　（五）　その他参考となるべき事項

（届出書の添付書類）
（１）　❺に規定する書類は、❶の（３）に規定する契約書又は裁決書若しくは和解調書の写しその他の書類で貸付期限が延長されることが明らかとなるものとする。（平７改措規附14④）

（貸付期限が延長される場合）
（２）　❺の場合において、貸付期限が延長されることとなったときは、当該延長されることとなった期限を貸付期限とみなして、**４**の規定を適用する。（平７改措令附28⑮）

❻　その他の調整規定
（都市営農農地等を一時的道路用地等の用に供した場合）
（１）　受贈者が、旧法の第一節の**１**の（１）の（四）に規定する都市営農農地等に該当する農地等を一時的道路用地等の用に

第四編　農地等に係る相続税・贈与税の納税猶予及び免除

供した場合においては、当該農地等は同（四）に規定する都市営農農地等に該当するものとして旧法第70条の4（第5項から第7項までを除く。）の規定を適用する。（平7改措令附28⑯）

　　（特例適用農地等の買換え規定の適用除外）
（2）　旧法の第七節の1の規定は、①の規定の適用を受ける一時的道路用地等の用に供されている農地等には、適用しない。（平7改措令附28⑰）

　　（贈与者が死亡した場合の相続税の納税猶予の適用）
（3）　①の規定の適用を受けている贈与者が死亡した場合における第二章第一節の1《農地等についての相続税の納税猶予等》の規定の適用については、①の規定の適用を受ける一時的道路用地等の用に供されている農地等は、第二章第一節の1の（3）《相続税の納税猶予の対象から除かれるもの》に規定する農地等に該当するものとする。（平7改措令附28⑱）

5　納税猶予の継続規定の調整
　　1に規定する届出書を提出した受贈者については、旧法の第十二節の1を次のとおり読み替えて1の規定を適用し、第十二節の1の（1）の規定は、適用しない。（平7改措法附36⑩）

> 　旧法の第一節の1の規定の適用を受ける受贈者は、1に規定する贈与税《納税猶予税額》の全部につき1及び第四節の1の規定による納税の猶予に係る期限が確定するまでの間、旧法の第一節の1の贈与税の申告書の提出期限（第十五節の5の規定により1の規定の適用を受けることとなった受贈者については、第十五節の1の届出書を提出した日）の翌日から起算して毎3年を経過するごとの日までに、2で定めるところにより、引き続いて旧法の第一節の1の規定の適用を受けたい旨の届出書（第十五節の1の規定の適用を受ける農地等に係る同3の（一）に規定する被設定者の農業経営に関する事項及び当該被設定者が同1に規定する特定農業生産法人に該当する事実の明細の記載があるものに限る。）を納税地の所轄税務署長に提出しなければならない。

　　（旧法により提出する継続届出書の記載事項）
（1）　1に規定する届出書を提出した受贈者が5（7において準用する場合を含む。）の規定による読替え後の旧法の第十二節の1の規定（昭和50年旧法適用者にあっては昭和50年旧法第70条の4第5項の規定とし、平成3年旧法適用者にあっては平成3年旧法第70条の4第7項の規定とする。）により提出する届出書には、1の規定の適用を受ける1に規定する農地等に係る3の（一）に規定する被設定者に使用させている所在地の異なる当該農地等ごとの当該届出書の提出期限を含む事業年度開始の日前3年以内に開始した各事業年度における農業に係る生産及び出荷の状況並びに収入金額並びに当該被設定者が特定農地所有適格法人に該当する事実の明細を記載しなければならない。（平7改措令附28⑲）

　　（1の規定の適用を受けた受贈者の継続届出書の提出期限及び提出期間）
（2）　特例適用農地等の全部を旧法の第一節の1に規定する担保に供していた受贈者（当該特例適用農地等のうちに同1の（1）の（四）に規定する都市営農農地等を有する者を除く。）は、第十二節の1の（1）の規定により同1に規定する届出書（以下この（2）において「継続届出書」という。）の提出義務が免除されるのであるが、当該受贈者が1の規定の適用を受けたときには、5の規定により、使用貸借による権利の設定に関する届出書を提出した日の翌日から起算して毎3年を経過するごとの日までに当該継続届出書を提出しなければならないこととなるのであるから留意する。この場合において、当該継続届出書の提出期間は、当該使用貸借による権利の設定に関する届出書を提出した日の翌日から起算して毎3年を経過するごとの日の属する月の前々月の初日から当該3年を経過するごとの日までの期間として取り扱う。（平7附則農地措通10）
　　（注）　特例適用農地等の一部を旧法の第一節の1に規定する担保に供していた受贈者又は当該特例適用農地等のうちに同1の（1）の（四）に規定する都市営農農地等を有する受贈者については、1の規定の適用を受けた場合であっても、贈与税の申告書の提出期限の翌日から起算して毎3年を経過するごとの日までに旧法の第十一節の1の規定による継続届出書を提出しなければならないのであるから留意する。

6　使用貸借による権利の設定後の取扱い
　　旧法の第一節の1の規定の適用を受ける受贈者で1の規定の適用を受けたものが当該農地等につき使用貸借による権利の設定をした後当該農地等を引き続き特定農地所有適格法人に使用させている場合における当該受贈者に係る旧法の第四節の1及び同2の規定の適用に関し必要な事項は、（1）の政令で定める。（平7改措法附36⑪）

－808－

第一章　農地等についての贈与税の納税猶予及び免除
（第十五節　農業生産法人に対する使用貸借による権利の設定）

（農地等の譲渡等があった場合の納税猶予の打切規定の調整）

（1）　1の規定の適用を受ける使用貸借による権利の設定をした受贈者が当該設定をした後当該設定に係る1に規定する農地等を引き続き特定農地所有適格法人に使用させている場合における当該受贈者に係る旧法の第四節の1及び同2の規定並びに旧法の第四節の1の規定に基づく旧令の第四節の1の（1）の規定の適用については、次に定めるところによる。（平7改措令附28⑳）

　（一）　旧法の第四節の1の（一）中「（以下本章」とあるのは「第十五節の1の規定の適用を受けた同1の使用貸借による権利が設定されている農地等の当該受贈者による当該譲渡、贈与、転用若しくは設定又は消滅に伴う当該権利の消滅を除く。以下本章」と、「養畜の用」とあるのは「養畜の用（第十五節の1の規定の適用を受けた受贈者にあっては、2に規定する特定農地所有適格法人（1の（2）において「特定農地所有適格法人」という。）の耕作又は養畜の用を含む。）」と、第四節の2中「当該受贈者の農業の用」とあるのは「当該受贈者の農業の用（第十五節の1の規定の適用を受けた受贈者にあっては、特定農地所有適格法人の農業の用を含む。）」と、「同項に」とあるのは「旧法の第四節の1に」とする。

　（二）　旧令の第四節の1の（1）中「第五節の1」とあるのは「第十五節の1」と、「その推定相続人」とあるのは「2に規定する特定農地所有適格法人」とする。

（使用貸借による権利が設定されている特例適用農地等の譲渡等に伴う当該権利の消滅）

（2）　（1）に規定する旧法の第四節の1の（一）の読替規定中「権利が設定されている農地等の当該受贈者による当該譲渡、贈与、転用若しくは設定又は消滅に伴う当該権利の消滅」とあるのは、1の規定の適用を受けている受贈者が特例適用農地等の譲渡等をしたことに伴い、その特例適用農地等（旧法の第四節の1の規定を受ける農地等（3に規定する農地等をいう。以下同じ。）をいう。以下同じ。）の上に存する使用貸借による権利が同時に消滅する場合には、同一の特例適用農地等につき、旧法の第四節の1の（一）に規定する「当該譲渡等に係る土地等の面積」が二重に計算されることになるので、この二重計算を排除するために設けられているのであるから留意する。

　なお、受贈者が特例適用農地等の譲渡又は贈与をしたことに伴い、3の（一）に規定する被設定者（以下（6）までにおいて「被設定者」という。）がその特例適用農地等の上に存する使用貸借による権利について譲渡又は贈与をした場合には、上記の当該権利の消滅の場合の取扱いに準じて取り扱うものとする。（平7附則農地措通11）

（1の規定の適用を受けた特例適用農地等の買換えがあった場合）

（3）　1の規定の適用を受けている受贈者及び被設定者が、特例適用農地等及び当該特例適用農地等に設定されている使用貸借による権利の譲渡等をした場合において、被設定者に帰属すべき使用貸借による権利の譲渡等の対価の額がないときには、当該受贈者が、旧法の第七節の1の規定に基づく旧令の第七節の2の①に規定する申請書に、その譲渡等の対価の全部又は一部をもって代替取得農地等に該当する農地又は採草放牧地を取得する見込みであり、かつ、当該代替取得農地等のすべてについて、当該被設定者に対して当該取得の日から2か月以内に再び使用貸借による権利を設定する旨並びに当該被設定者の名称及び所在地を付記して税務署長の承認を受けたときに限り、当該代替取得農地等に相当する当該譲渡等をした特例適用農地等に設定されている使用貸借による権利の譲渡等はなかったものとして取り扱う。（平7附則農地措通12）

（1の規定の適用を受けた特定農地等の買換えがあった場合）

（4）　1の規定の適用を受けている受贈者及び被設定者が、旧法の第一節の1の規定の適用を受ける農地又は採草放牧地につき第四節の3の買取りの申出等があった場合において、当該買取りの申出等に係る第十一節の1に規定する特定農地等（以下「特定農地等」という。）及び当該特定農地等に設定されている使用貸借による権利の全部又は一部を譲渡する見込みであり、かつ、被設定者に帰属すべき使用貸借による権利の譲渡等の対価の額がないときは、当該受贈者が、旧法の第十一節の1の規定に基づく旧令の第十一節の2の①に規定する申請書に、その譲渡等の対価の額の全部又は一部をもって代替取得農地等に該当する農地又は採草放牧地を取得する見込みであり、かつ、当該代替取得農地等のすべてについて、当該被設定者に対して当該取得の日から2か月以内に再び使用貸借による権利を設定する旨並びに当該被設定者の名称及び所在地を付記して税務署長の承認を受けたときに限り、当該代替取得農地等に相当する当該譲渡等をした特定農地等に設定されている使用貸借による権利の譲渡等はなかったものとして取り扱う。（平7附則農地措通13）

（1の規定の適用を受けた特例適用農地等又は特定農地等の買換えがあった場合に提出する書類）

（5）　（3）《1の規定の適用を受けた特例適用農地等の買換えがあった場合》又は（4）《1の規定の適用を受けた特定農地等の買換えがあった場合》の適用を受けた受贈者については、特例適用農地等又は特定農地等の譲渡の対価の額の全

－809－

部又は一部をもって代替取得農地等を取得し、かつ、その取得の日から2か月以内にその被設定者に対して再び使用貸借による権利の設定をしたときに提出すべき旧規則の第七節の**2**の**②**又は第十一節の**2**の**②**の書類には、次の（一）に掲げる事項を付記させ、次の（二）に掲げる書類を添付させるものとする。（平7附則農地措通14）

（一）　使用貸借による権利の設定を行った年月日、当該権利を設定した代替取得農地等の地目、面積及びその所在場所その他の明細並びに当該権利の設定を受ける被設定者の名称及び所在地

（二）　（一）に掲げる権利の設定に係る契約書及び農地法第3条第1項の許可に関する書類の写し

　　　（被設定者による農地等の転用）

（6）　被設定者が使用貸借による権利の設定を受けた特例適用農地等を転用したことにより、**3**の（一）の規定により受贈者が当該転用をしたものとみなされる場合において、当該転用が（1）の（二）による読替後の旧令の第四節の**1**の（1）に規定する被設定者の耕作若しくは養畜の事業に係る施設又はこれらの事業に従事する使用人の宿舎の敷地にするための転用であるときは、当該転用は、納税猶予期限の確定事由とならない転用に該当するのであるから留意する。（平7附則農地措通15）

　　（注）　被設定者の耕作若しくは養畜の事業に係る施設の敷地にするための転用には、農畜産物の原料又は材料として使用する製造又は加工、農畜産物の販売等に係る施設、農業と併せ行う林業に係る施設及びこれらの事業に従事する使用人の宿舎の敷地にするための転用は含まれない。

　　　（**1**の規定の適用を受けた受贈者に係る特例適用農地等の贈与者が死亡した場合）

（7）　**1**の規定の適用を受けた受贈者に係る旧法の第一節の**1**に規定する贈与者が死亡したときは、第十七節の規定により、使用貸借による権利が設定された特例適用農地等又は**4**の**①**の規定の適用を受ける一時的道路用地等の用に供されている農地等につき当該受贈者が相続又は遺贈により取得したものとみなされるのであるが、前者については、当該受贈者が第二章第一節の**4**各号に定める者に該当しないこと、後者については、当該農地等が**4**の**⑥**の（3）の規定により、第二章第一節の**1**の（3）に規定する農地等に該当することから、第二章第一節の**1**及び第四節の**1**の規定による相続税の納税猶予の特例の適用はないのであるから留意する。（平7附則農地措通16）

7　旧法の適用に当たっての読替規定

　1から**6**までの規定は、租税特別措置法の一部を改正する法律（昭和50年法律第16号）附則第20条第2項の規定によりなおその効力を有するものとされる同法による改正前の租税特別措置法第70条の4第1項本文又は租税特別措置法の一部を改正する法律（平成3年法律第16号）附則第19条第1項の規定の適用を受けている者について準用する。この場合において必要な技術的読替えは、政令で定める。（平7改措法附36⑫）

（注）　上記の政令（平7改措令附28㉑～㉓）は省略。（編者注）

第一章　農地等についての贈与税の納税猶予及び免除
（第十六節　特定農業生産法人に対し特例適用農地等につき使用貸借による権利の設定をした場合の贈与税の納税猶予の継続措置）

第十六節　特定農業生産法人に対し特例適用農地等につき使用貸借による権利の設定をした場合の贈与税の納税猶予の継続措置

1　特定農業生産法人に対し特例適用農地等につき使用貸借による権利の設定をした場合の特例措置

①　特例適用農地につき使用貸借による権利の設定をした場合

　（1）の規定によりなおその効力を有するものとされる旧租税特別措置法（以下、この節において「**旧法**」という。）の第一節の**1**の規定の適用を受けている同**1**に規定する受贈者（以下「受贈者」という。）が施行日（平成17年４月１日）から平成23年６月30日までの間で、かつ、同**1**に規定する贈与者の死亡の日前に、農業協同組合法等の一部を改正する等の法律第３条の規定による改正前の農地法（昭和27年法律第229号）第２条第３項に規定する農業生産法人で（2）の政令で定めるもの（**②**において「旧特定農業生産法人」という。）に対し旧法の第一節の**1**の規定の適用を受ける同**1**に規定する農地等（以下「農地等」という。）のすべて（**②**の規定の適用を受ける**②**の借受代替農地等に係る**②**の貸付特例適用農地等を除く。）につき（3）の政令で定めるところにより使用貸借による権利の設定をした場合において、当該設定をしたことについての届出書が、（4）の財務省令で定めるところにより、当該設定をした日から２月を経過する日までに当該受贈者の納税地の所轄税務署長に提出されたときは、当該受贈者に係る旧法の第四節の**1**及び旧法の第四節の**2**の規定の適用については、当該設定は、なかったものとみなす。（平17改所法等附55③）

　　　（平成17年４月１日前の贈与等についての旧法の適用）
（1）　施行日前に行われた旧租税特別措置法第70条の４第１項に規定する農地等の贈与に係る贈与税については、同条の規定は、なおその効力を有する。（平17改所法等附55②）

　　　（政令で定める農業生産法人）
（2）　**①**に規定する政令で定める農業生産法人は、次に掲げる要件の全てに該当する農業生産法人（農業協同組合法等の一部を改正する等の法律（平成27年法律第63号）第３条の規定による改正前の農地法（昭和27年法律第229号）以下この項において「旧農地法」という。）第２条第３項に規定する農業生産法人をいう。以下（2）において同じ。）であることにつき財務省令で定めるところにより農業委員会（農業委員会等に関する法律《昭和26年法律第88号》第３条第１項ただし書又は第５項の規定により農業委員会を置かない市町村にあっては、市町村長。以下（2）において同じ。）が証明したものとし、**2**の**①**に規定する政令で定める農地所有適格法人は、（一）及び（二）中「農業生産法人」とあるのを「農地所有適格法人」と、（三）中「農業生産法人の旧農地法第２条第３項第２号ニ」とあるのを「農地所有適格法人の農地法第２条第３項第２号ホ」と、（三）イ（1）中「旧農地法」とあるのを「農地法」と、（三）ロ（1）中「旧農地法」とあるのを「農地法」と、（三）ロ（1）（i）中「同条第３項第２号」とあるのを「同条第３項第３号」と読み替えた場合における当該要件の全てに該当する農地所有適格法人（農地法第２条第３項に規定する農地所有適格法人をいう。）であることにつき農業委員会が証明したものとする。（平17改措令附33③）
（一）　農業生産法人が、次に掲げるいずれかの要件に該当するものとなっていること。
　（イ）　農業経営基盤強化促進法（昭和55年法律第65号）第13条第１項に規定する認定農業者である農業生産法人（以下（2）において「認定法人」という。）であること。
　（ロ）　農業経営基盤強化促進法第23条第７項の規定により認定農業者とみなされる同条第４項に規定する特定農業法人である農業生産法人（以下（2）において「認定特定農業法人」という。）であること。
（二）　**①**又は**②**の規定の適用を受けようとする**①**に規定する受贈者（以下この条において「受贈者」という。）が当該農業生産法人の理事、業務を執行する社員又は取締役（当該農業生産法人が認定法人である場合にあっては、代表権を有するものに限る。**2**の**①**の（1）において「理事等」という。）となっていること。
（三）　当該受贈者が当該農業生産法人の旧農地法第２条第３項第２号ニに規定する常時従事者である組合員、社員又は株主（次に掲げる組合員、社員又は株主の区分に応じそれぞれ次に定める要件を満たすものに限る。**2**の**①**の（1）において「常時従事者である構成員」という。）となっていること。
　（イ）　認定法人の組合員、社員又は株主　次に掲げる全ての要件
　（1）　当該受贈者が当該認定法人の行う旧農地法第２条第３項第１号に規定する農業に従事する日数が、１年間の

－811－

うち150日以上であること。

（2） 当該受贈者が当該認定法人の行う農業に必要な農作業に従事する日数が、1年間のうち60日以上であること。

（ロ） 認定特定農業法人の組合員、社員又は株主　　次に掲げる全ての要件

（1） 当該受贈者が当該認定特定農業法人の行う旧農地法第2条第3項第1号に規定する農業に従事する日数が、1年間のうち次に掲げる日数のいずれか多い日数以上であること。

（i） 当該認定特定農業法人の耕作又は養畜の事業の用に供している旧農地法第2条第1項に規定する農地又は採草放牧地（以下（i）において「農地又は採草放牧地」という。）の面積に必要農業従事日数（農地又は採草放牧地の面積1ヘクタール当たりにおいて1年間に農業に従事することが必要な日数として農林水産大臣が定める日数をいう。（ii）において同じ。）を乗じて得た日数を同条第3項第2号に規定する構成員の数で除して得た日数（その日数が、150日を超えているときは150日とし、60日未満のときは60日とする。）

（ii） 受贈者が①及び②の規定により使用貸借による権利の設定をする農地等の面積に必要農業従事日数を乗じて得た日数（その日数が150日を超えているときは、150日とする。）

（2） 当該受贈者が当該認定特定農業法人の行う農業に必要な農作業に従事する日数が、1年間のうち60日以上であること。

（使用貸借による権利の設定をしなければならない特例適用農地等）

（3） ①の規定の適用を受けようとする受贈者は、①に規定する旧特定農業生産法人（②の（1）において「旧特定農業生産法人」という。）に対し①の使用貸借による権利の設定の時の直前において当該受贈者が有する農地等で旧法の第一節の1の規定の適用を受けているものの全て（当該直前において②に規定する貸付特例適用農地等（以下（3）において「貸付特例適用農地等」という。）に該当するものを除く。）について、当該設定をしなければならない。（平17改措令附33④）

（届出書の記載事項）

（4） ①又は②の規定の適用を受けようとする受贈者は、①又は②の届出書に次に掲げる事項を記載し、かつ、（5）に定める書類を添付して、これを当該受贈者の納税地の所轄税務署長に提出しなければならない。（平17改措規附14③）

（一） 届出者の氏名及び住所又は居所

（二） ①又は②の規定の適用を受けようとする①に規定する農地等の全て又は②に規定する借受代替農地等（以下（4）において「借受代替農地等」という。）の全てにつき使用貸借による権利の設定を受けて農業経営を行う旧特定農業生産法人の名称及び所在地

（三） （一）の届出者が（二）の農地等又は（二）の借受代替農地等に係る②に規定する貸付特例適用農地等（以下（4）において「貸付特例適用農地等」という。）を贈与により取得した年月日

（四） （二）の使用貸借による権利の設定が（3）又は②の（1）若しくは②の（2）の規定に該当するものである旨及びその事実の明細並びに当該設定を行った年月日

（五） 受贈者から（二）の旧特定農業生産法人が使用貸借による権利の設定を受けた（二）の農地等又は借受代替農地等の地目、面積、これらの所在場所その他の明細

（六） （二）の旧特定農業生産法人が（2）各号に掲げる要件の全てに該当するものである旨及びその事実の明細

（七） その他参考となるべき事項

（届出書の添付書類）

（5） （4）の届出書に添付すべき書類は、次に掲げる書類とする。（平17改措規附14④）

（一） （4）の（二）の使用貸借による権利の設定を受けた旧特定農業生産法人に係る農業委員会の書類

（二） （4）の（二）の農地等又は借受代替農地等につき旧特定農業生産法人に対して行われた使用貸借による権利の設定に係る契約書の写しその他の書類で当該設定が行われたことを明らかにするもの

（三） 次に掲げる旧特定農業生産法人の区分に応じそれぞれ次に定める事項を証する市町村長の書類

（イ） 当該旧特定農業生産法人が（2）の（一）の（イ）に規定する認定法人（以下（三）及び2の①の（7）の（四）において「認定法人」という。）である場合　　当該認定法人に係る2の①の（1）の（二）に規定する農業経営改善計画（以下（5）において「農業経営改善計画」という。）の認定の日及び当該農業経営改善計画の有効期間の満了の日

（ロ） 当該旧特定農業生産法人が（2）の（一）の（ロ）に規定する認定特定農業法人（以下（5）において「認定特定農業法人」という。）である場合　　当該認定特定農業法人に係る2の①の（1）の（三）に規定する特定農用地利用規程（以下（5）において「特定農用地利用規程」という。）の認定の日及び当該特定農用地利用規程の有効期間の満了の日

第一章　農地等についての贈与税の納税猶予及び免除
（第十六節　特定農業生産法人に対し特例適用農地等につき使用貸借による権利の設定をした場合の贈与税の納税猶予の継続措置）

　　（四）　受贈者が②の規定の適用を受けようとする場合には、②の（1）の（三）に規定する旧特定農業生産法人の同意を得
　　　ていることを明らかにする書類

　　（農業委員会の証明）
（6）　（2）に規定する証明は、①又は②の規定の適用を受けようとする使用貸借による権利の設定をした①に規定する受
　　贈者（以下この節において「受贈者」という。）の申請に基づき、①に規定する旧特定農業生産法人（（4）（5）（6）にお
　　いて「旧特定農業生産法人」という。）の所在地を管轄する（2）に規定する農業委員会（以下この節において「農業委員
　　会」という。）が、当該旧特定農業生産法人が（2）各号に掲げる要件の全てに該当することを証する書類により行うもの
　　とする。（平17改措規附14②）

　　（「農業に必要な農作業に従事する」ことの意義）
（7）　（2）の（三）の（イ）及び（ロ）に規定する「農業に必要な農作業に従事する」とは、耕うん、整地、播種、施肥、病虫
　　害防除、水の管理、給餌その他の耕作（2の①の（一）に規定する耕作をいう。以下同じ。）又は養畜に直接必要な作業に
　　従事することをいい、耕作又は養畜の事業に必要な帳簿の記帳、集金等はこれに含まれないのであるから留意する。（平
　　17附則農地措通②（贈与税の納税猶予の特例の適用を受けている受贈者が旧特定農業生産法人に対し農地等につ
　　き使用貸借による権利の設定をした場合の取扱いについて（平成17年課資2－9、課審6－9、徴管5－11）→
　　以下「平17附則農地措通」という。）②）

　　（使用貸借による権利の設定の日）
（8）　①に規定する「当該設定をした日」又は②に規定する「当該借受代替農地等に係る設定をした日」とは、①又は②
　　に規定する旧特定農業生産法人（（2）に規定する要件を満たす農業協同組合法等の一部を改正する等の法律（平成27年
　　法律第63号）第3条の規定による改正前の農地法（昭和27年法律第229号）第2条第3項に規定する農業生産法人をいう。
　　以下「旧特定農業生産法人」という。）に対する特例適用農地等（②の規定の適用を受ける②の借受代替農地等（以下「借
　　受代替農地等」という。）に係る②の貸付特例適用農地等（以下「貸付特例適用農地等」という。）を除く。）又は貸付特
　　例適用農地等に係る借受代替農地等に係る使用貸借による権利の設定につき農地法第3条第1項《農地又は採草放牧地
　　の権利移動の制限》の規定による許可があった日（当該許可があった日後に当該権利の設定の効力が生じる場合には当
　　該効力が生じた日をいう。）又は農業経営基盤強化促進法等の一部を改正する法律（令和4年法律第56号）第1条の規定
　　による改正前の農業経営基盤強化促進法第20条に規定する農用地利用集積計画（以下「農用地利用集積計画」という。）
　　に定める日をいうのであるから留意する。
　　　ただし、この場合において、農地又は採草放牧地が旧特定農業生産法人の所在地のある市町村の区域内にあるものと
　　その他の区域内にあるものとに分かれていること等により、当該使用貸借による権利の設定の日が異なることとなると
　　きは、これらの日のうち最も遅い日をもって当該設定の日として取り扱うものとする。（平17附則農地措通③）

　　（使用貸借による権利の設定に関する届出書）
（9）　①又は②の規定の適用を受けようとする受贈者が①又は②に規定する届出書（以下「使用貸借による権利の設定に
　　関する届出書」という。）を使用貸借による権利の設定の日から2か月を経過する日（以下（9）において「期限内」とい
　　う。）までに提出した場合には、当該使用貸借による権利の設定に関する届出書に係る記載又は添付すべき書類に不備が
　　あるときであっても、当該不備が軽微なもので速やかに補完されると認められるときには、①又は②の規定の適用があ
　　るものとして取り扱って差し支えない。（平17附則農地措通④）
　　（注）　当該受贈者が使用貸借による権利の設定に関する届出書を期限内に提出しなかった場合には、①又は②の規定の適用は受けられず、旧法第
　　　　70条の4第1項ただし書又は第10項の規定によりその贈与税の納税猶予税額の全部について納税猶予の期限が確定するのであるから留意する。

　　（使用貸借による権利の設定をしなければならないこととされている特例適用農地等の範囲）
（10）　①の規定の適用を受けようとする受贈者は、次の（一）に掲げるものについて、また、②の規定の適用を受けようと
　　する受贈者は、次の（一）及び（二）に掲げるものについて、一の旧特定農業生産法人に対し使用貸借による権利の設定を
　　しなければならないのであるから留意する。
　　　ただし、次の（一）に掲げるもののうち旧令第40条の6第45項各号に掲げる農地等又は敷地若しくは用地については、
　　当該設定を行わなくても差し支えないものとして取り扱う。（平17附則農地措通⑤）
　　（一）　当該設定の時の直前において受贈者が有する農地等のうち旧法の第一節の1の規定の適用を受けているすべての
　　　もの（同条第15項第3号又は第20項第3号の規定に該当する農地又は採草放牧地（以下「代替取得農地等」という。）
　　　を含み、貸付特例適用農地等を除く。）

－813－

第四編　農地等に係る相続税・贈与税の納税猶予及び免除

　　（二）　当該設定の時の直前において受贈者が有する貸付特例適用農地等に係る借受代替農地等のすべて

　　　　　（①又は②の規定の適用を受けた受贈者の継続届出書の提出期限及び提出期間）

(11)　特例適用農地等の全部を租税特別措置法の一部を改正する法律（平成３年法律第16号）による改正前の租税特別措置法（以下(11)において「平成３年改正前法」という。）第70条の４第１項に規定する担保に供していた受贈者又は租税特別措置法の一部を改正する法律（平成７年法律第55号）による改正前の租税特別措置法（以下(11)において「平成７年改正前法」という。）第70条の４第１項に規定する担保に供していた受贈者（当該特例適用農地等のうちに同条第２項第４号に規定する都市営農農地等を有する者を除く。）は、平成３年改正前法第70条の４第10項の規定により同条第７項に規定する届出書又は平成７年改正前法第70条の４第13項の規定により同条第10項に規定する届出書（以下(11)において「継続届出書」という。）の提出義務が免除されるのであるが、当該受贈者が①又は②の規定の適用を受けたときには、令附則第33条第33項第１号及び第２号又は第34項第１号及び第２号の規定により、使用貸借による権利の設定に関する届出書の提出期限の翌日から起算して３年を経過するごとの日までに当該継続届出書を提出しなければならないこととなるのであるから留意する。この場合において、当該継続届出書の提出期間は、当該使用貸借による権利の設定に関する届出書の提出期限の翌日から起算して３年を経過するごとの日の属する月の前々月の初日から当該３年を経過するごとの日までの期間として取り扱う。（平17附則農地措通⑨）

　　(注)　特例適用農地等の一部を旧法第70条の４第１項に規定する担保に供していた受贈者又は当該特例適用農地等のうちに同条第２項第４号に規定する都市営農農地等を有する受贈者については、①又は②の規定の適用を受けた場合であっても、贈与税の申告書の提出期限の翌日から起算して３年を経過するごとの日までに旧法第70条の４第22項の規定による継続届出書を提出しなければならないのであるから留意する。

②　貸付特例適用農地につき使用貸借による権利の設定をした場合

　　①の(1)の規定によりなおその効力を有するものとされる旧法第70条の４第８項の規定の適用を受けている受贈者が、施行日から平成23年６月30日までの間で、かつ、同条第１項に規定する贈与者の死亡の日前に、旧特定農業生産法人に対し同条第８項の規定の適用を受ける同項に規定する貸付特例適用農地等（以下「貸付特例適用農地等」という。）に係る同項に規定する借受代替農地等（以下「借受代替農地等」という。）のすべてにつき(1)の政令で定めるところにより使用貸借による権利の設定（以下「借受代替農地等に係る設定」という。）をした場合（当該受贈者が旧租税特別措置法第70条の４第１項の規定の適用を受ける農地等（当該貸付特例適用農地等を除く。）を有している場合には、当該旧特定農業生産法人に対し当該農地等のすべてにつき(2)の政令で定めるところにより使用貸借による権利の設定をしたときに限る。）において、当該借受代替農地等に係る設定をしたことについての届出書が、①の(4)で定めるところにより、当該借受代替農地等に係る設定をした日から２月を経過する日までに当該受贈者の納税地の所轄税務署長に提出されたときは、当該受贈者に係る同条第10項の規定の適用については、当該借受代替農地等が当該旧特定農業生産法人の農業の用に供されているときに限り、当該借受代替農地等が当該受贈者の農業の用に供されているものとみなす。（平17改所法等附55⑤）

　　　　　（使用貸借による権利の設定をしなければならない借受代替農地等）

（１）　②の規定の適用を受けようとする受贈者は、次に掲げるところにより、借受代替農地等の全てにつき使用貸借による権利の設定をしなければならない。（平17改措令附33⑦）

　　（一）　当該借受代替農地等の全てにつき農業経営基盤強化促進法第20条に規定する農用地利用集積計画の定めるところにより一の旧特定農業生産法人に対し使用貸借による権利の設定をすること。

　　（二）　当該受贈者が旧法の第一節の１の規定の適用を受ける農地等（貸付特例適用農地等を除く。）を有している場合にあっては、①に規定するところにより使用貸借による権利の設定を受ける旧特定農業生産法人に対し使用貸借による権利の設定をすること。

　　（三）　当該借受代替農地等に係る貸付特例適用農地等につき２の③の(三)に規定する賃借権等の存続期間が満了することとなる場合において、当該満了の日から１月を経過する日までに(一)の旧特定農業生産法人に対し当該貸付特例適用農地等につき使用貸借による権利の設定を行うことについて、あらかじめ当該旧特定農業生産法人の同意を得ていること。

　　（四）　当該借受代替農地等の全てに係る使用貸借による権利の存続期間の満了の日が、当該借受代替農地等に係る貸付特例適用農地等に係る２の③の(一)に規定する賃借権等の存続期間の満了の日以後の日であること。

　　　　　（旧法の適用を受ける農地等の使用貸借による権利の設定）

（２）　旧法の第一節の１の規定の適用を受ける農地等（貸付特例適用農地等を除く。）を有している受贈者で②の規定の適用を受けようとするものは、次に掲げるところにより、当該農地等につき使用貸借による権利の設定をしなければなら

－814－

第一章　農地等についての贈与税の納税猶予及び免除

（第十六節　特定農業生産法人に対し特例適用農地等につき使用貸借による権利の設定をした場合の贈与税の納税猶予の継続措置）

ない。（平17改措令附33⑧）

　（一）　当該受贈者が旧法の第一節の1の規定の適用を受ける農地等（貸付特例適用農地等を除く。）のすべてについて、①の規定の適用を受けて、使用貸借による権利の設定をすること。

　（二）　（一）の使用貸借による権利の設定及び②に規定する借受代替農地等に係る設定が、同一の日に行われること。

2　納税猶予期限の確定事由

①　使用貸借による権利の譲渡等をした場合

　1の①の規定の適用を受ける使用貸借による権利の設定をした受贈者が当該設定をした後当該設定に係る農地等（農地法第43条第1項の規定により農作物の栽培を耕作に該当するものとみなして適用する同法第2条第1項に規定する農地を含む。以下本節において同じ。）を引き続き同法第2条第3項に規定する農地所有適格法人で政令で定めるもの（以下「特定農地所有適格法人」という。）に使用させている場合における当該受贈者に係る旧法の第四節の1及び2の規定の適用については、次に定めるところによる。（平17改所法等附55④）

　（一）　当該農地等につき1の①の使用貸借による権利の設定を受けている特定農地所有適格法人（以下（一）及び（二）において「被設定者」という。）がその有する当該権利の旧法の第四節の1の（一）に規定する譲渡等（当該農地等につき民法第269条の2第1項の地上権の設定があった場合において当該被設定者が当該農地等を耕作（農地法第43条第1項の規定により耕作に該当するものとみなされる農作物の栽培を含む。）又は養畜の用に供しているときにおける当該設定を除く。③の（一）において同じ。）若しくは当該農地等の転用をした場合又は当該農地等に係る農業経営の廃止をした場合には、1の①の規定にかかわらず、当該譲渡等若しくは当該転用又は当該廃止をした日において当該受贈者が当該譲渡等若しくは当該転用又は当該廃止をしたものとみなす。

　（二）　被設定者が特定農地所有適格法人に該当しないこととなった場合（（1）の政令で定める場合を除く。）には、1の①の規定にかかわらず、当該該当しないこととなった日において当該農地等につき使用貸借による権利の設定をしたものとみなす。

　　　（適用除外）

（1）　①の（二）に規定する政令で定める場合は、次に掲げる場合とする。（平17改措令附33⑤）

　（一）　受贈者が老齢、疾病その他やむを得ない事由として税務署長が認める事由により常時従事者である構成員に該当しないこととなった場合（当該受贈者が引き続いて①の（一）に規定する被設定者の理事等である場合に限る。）において、（2）の財務省令で定めるところにより、やむを得ない事由により常時従事者である構成員に該当しないこととなった旨の届出書を当該該当しないこととなった日から1月を経過する日までに当該受贈者の納税地の所轄税務署長に提出したとき。

　（二）　認定法人に係る農業経営基盤強化促進法第12条第1項の認定を受けた同項の農業経営改善計画（同法第13条第1項の規定による変更の認定があったときは、その変更後のもの）の有効期間が満了した場合において、（3）の財務省令で定めるところにより、当該満了の日から2月を経過する日までに、当該認定法人が新たに同法第12条第1項の認定を受け、同法第13条第1項に規定する認定農業者となった旨の届出書を納税地の所轄税務署長に提出したとき。

　（三）　認定特定農業法人に係る農業経営基盤強化促進法第23条第1項の認定を受けた同条第7項に規定する特定農用地利用規程（同法第24条第1項の規定による変更の認定があったときは、その変更後のもので同法第23条第7項に規定する特定農用地利用規程に該当するもの。以下（三）及び（四）において「特定農用地利用規程」という。）の有効期間が満了した場合において、（5）の財務省令で定めるところにより、当該満了の日から2月を経過する日までに、当該認定特定農業法人が新たに同条第1項の認定を受け、当該認定に係る特定農用地利用規程において同条第4項に規定する特定農業法人として定められた旨の届出書を納税地の所轄税務署長に提出したとき。

　（四）　認定特定農業法人に係る特定農用地利用規程の有効期間が満了した場合において、（7）の財務省令で定めるところにより、当該満了の日から2月を経過する日までに、当該認定特定農業法人が新たに農業経営基盤強化促進法第12条第1項の認定を受け、同法第13条第1項に規定する認定農業者となった旨の届出書を納税地の所轄税務署長に提出したとき。

　　　　（（1）の（一）の届出書の記載事項）

（2）　（1）の（一）の規定により同（一）の届出書の提出をする受贈者は、次に掲げる事項を記載した届出書を同（一）の該当しないこととなった日から1月を経過する日までに当該受贈者の納税地の所轄税務署長に提出しなければならない。（平17改措規附14⑤）

－815－

第四編　農地等に係る相続税・贈与税の納税猶予及び免除

(一)　届出者の氏名及び住所又は居所
(二)　(一)の届出者が1の①の(2)の(三)に規定する常時従事者である構成員に該当しないこととなったやむを得ない事由

　　　((1)の(二)の届出書の記載事項)
(3)　(1)の(二)の規定により同(二)の届出書の提出をする受贈者は、次に掲げる事項を記載した届出書に、(4)に定める書類を添付して、これを同(二)の農業経営改善計画の有効期間の満了の日から2月を経過する日までに当該受贈者の納税地の所轄税務署長に提出しなければならない。(平17改措規附14⑥)
(一)　届出者の氏名及び住所又は居所
(二)　当該農業経営改善計画に係る①に規定する特定農地所有適格法人(以下この節において「特定農地所有適格法人」という。)の名称及び所在地
(三)　有効期間が満了した農業経営改善計画に係る当該満了の日並びに新たに認定を受けた農業経営改善計画の当該認定の日及び当該農業経営改善計画の有効期間の満了の日

　　　(届出書の添付書類)
(4)　(3)の届出書に添付すべき書類は、次に掲げる事項を証する市町村長の書類とする。(平17改措規附14⑦)
(一)　新たに認定を受けた農業経営改善計画に係る特定農地所有適格法人の名称及び所在地
(二)　有効期間が満了した農業経営改善計画に係る当該満了の日
(三)　新たに認定を受けた農業経営改善計画の当該認定の日及び当該農業経営改善計画の有効期間の満了の日

　　　((1)の(三)の届出書の記載事項)
(5)　(1)の(三)の規定により同号の届出書の提出をする受贈者は、次に掲げる事項を記載した届出書に、(6)に定める書類を添付して、これを同号の特定農用地利用規程の有効期間の満了の日から2月を経過する日までに当該受贈者の納税地の所轄税務署長に提出しなければならない。(平17改措規附14⑧)
(一)　届出者の氏名及び住所又は居所
(二)　当該特定農用地利用規程に係る特定農地所有適格法人の名称及び所在地
(三)　有効期間が満了した特定農用地利用規程に係る当該満了の日並びに新たに認定を受けた特定農用地利用規程の当該認定の日及び当該特定農用地利用規程の有効期間の満了の日

　　　(届出書の添付書類)
(6)　(5)の届出書に添付すべき書類は、次に掲げる事項を証する市町村長の書類とする。(平17改措規附14⑨)
(一)　新たに認定を受けた特定農用地利用規程に係る特定農地所有適格法人の名称及び所在地
(二)　(一)の特定農地所有適格法人が特定農用地利用規程に定められた農業経営基盤強化促進法第23条第4項に規定する特定農業法人である旨
(三)　有効期間が満了した特定農用地利用規程に係る当該満了の日
(四)　新たに認定を受けた特定農用地利用規程の当該認定の日及び当該特定農用地利用規程の有効期間の満了の日

　　　((1)の(四)の届出書の記載事項)
(7)　(1)の(四)の規定により同(四)の届出書を提出する受贈者は、次に掲げる事項を記載した届出書に、(8)に定める書類を添付して、これを同(四)の特定農用地利用規程の有効期間の満了の日から2月を経過する日までに当該受贈者の納税地の所轄税務署長に提出しなければならない。(平17改措規附14⑩)
(一)　届出者の氏名及び住所又は居所
(二)　当該特定農用地利用規程に係る特定農地所有適格法人の名称及び所在地
(三)　有効期間が満了した特定農用地利用規程に係る当該満了の日並びに新たに認定を受けた農業経営改善計画の当該認定の日及び当該農業経営改善計画の有効期間の満了の日
(四)　当該特定農地所有適格法人が1の①の(2)各号に掲げる認定法人としての要件の全てに該当する旨及びその事実の明細

　　　(届出書の添付書類)
(8)　(7)の届出書に添付すべき書類は、次に掲げる書類とする。(平17改措規附14⑪)

－816－

第一章　農地等についての贈与税の納税猶予及び免除
（第十六節　特定農業生産法人に対し特例適用農地等につき使用貸借による権利の設定をした場合の贈与税の納税猶予の継続措置）

　（一）　次に掲げる事項を証する市町村長の書類
　　（イ）　新たに認定を受けた農業経営改善計画に係る特定農地所有適格法人の名称及び所在地
　　（ロ）　有効期間が満了した特定農用地利用規程に係る当該満了の日
　　（ハ）　新たに認定を受けた農業経営改善計画の当該認定の日及び当該農業経営改善計画の有効期間の満了の日
　（二）　当該特定農地所有適格法人が**1**の**①**の（2）の（一）から（三）に掲げる要件の全てに該当することを証する当該特定
　　　農地所有適格法人の所在地を管轄する農業委員会の書類

②　一時的道路用地等の用に供する場合

　　1の**①**の規定の適用を受ける使用貸借による権利の設定をした受贈者が、当該設定に係る農地等の全部又は一部について、旧法の第八節の**1**に規定する一時的道路用地等（以下**②**において「一時的道路用地等」という。）の用に供するために当該使用貸借による権利を消滅させ、かつ、当該用に供するために地上権、賃借権又は使用貸借による権利の設定（民法第269条の2第1項の地上権を除く。以下**②**において「地上権等の設定」という。）に基づき貸付けを行った場合において、当該貸付けに係る期限（以下**②**において「貸付限」という。）の到来後遅滞なく当該一時的道路用地等の用に供していた農地等について特定農地所有適格法人で（1）の政令で定めるものに対し使用貸借による権利の設定を行う見込みであることにつき、（2）の政令で定めるところにより納税地の所轄税務署長の承認を受けたときにおける**1**の**①**の規定の適用については、**①**の規定にかかわらず、次に定めるところによる。（平17改法等附55⑩）
　（一）　当該承認に係る使用貸借による権利の消滅及び地上権等の設定は、なかったものとみなす。
　（二）　当該受贈者が、当該貸付期限から2月を経過する日までに当該一時的道路用地等の用に供されていた農地等の全部又は一部について、特定農業生産法人で（1）の政令で定めるものに対し使用貸借による権利の設定を行っていない場合には、同日において地上権等の設定があったものとみなす。

　　（政令で定める特定農地所有適格法人）
（1）　**②**及び**②**の（二）に規定する政令で定める特定農地所有適格法人は、**②**及び**②**の（二）の使用貸借による権利の消滅の直前に、**②**及び**②**の（二）に規定する一時的道路用地等の用に供していた農地等につき当該権利の設定を受けていた特定農地所有適格法人とする。（平17改措令附33⑲）

　　（申請書の提出）
（2）　**②**の税務署長の承認を受けようとする受贈者は、（3）の財務省令で定めるところにより、一時的道路用地等の用に供するために**②**に規定する地上権等の設定に基づき貸付けを行った農地等について**②**の規定の適用を受けようとする旨の申請書を、当該地上権等の設定に基づき貸付けを行った日から1月以内に、納税地の所轄税務署長に提出しなければならない。（平17改措令附33⑳）

　　（申請書の記載事項）
（3）　（2）の規定により（2）の申請書の提出をする受贈者は、次に掲げる事項を記載した申請書に、（4）の財務省令に定める書類を添付して、これを当該受贈者の納税地の所轄税務署長に提出しなければならない。（平17改措規附14㉒）
　（一）　申請者の氏名及び住所又は居所
　（二）　**②**に規定する地上権等の設定（（三）及び（4）において「地上権等の設定」という。）に基づき貸し付けた農地等の明細
　（三）　当該地上権等の設定に基づき貸し付けた農地等を当該特定農地所有適格法人の農業の用に供する予定年月日
　（四）　その他参考となるべき事項

　　（申請書の添付書類）
（4）　（3）の申請書に添付すべき書類は、次に掲げる書類とする。（平17改措規附14㉓）
　（一）　**②**の規定の適用を受けようとする農地等について主務大臣（旧法第70条の4第16項に規定する主務大臣をいう。ニにおいて同じ。）が**②**に規定する一時的道路用地等（以下（4）において「一時的道路用地等」という。）に係る旧法の第九節の**1**に規定する代替性のない施設の用地として認定（当該一時的道路用地等に係る事業が同**1**に規定する道路に関する事業、河川に関する事業及び鉄道事業以外のものである場合には、同**1**に規定する準ずる事業としての認定を含む。）を行ったことを証する書類で次に掲げる事項を記載したもの
　　（イ）　一時的道路用地等の用に供される農地等の所有者の氏名及び住所又は居所
　　（ロ）　一時的道路用地等の用に供される農地等の明細

－817－

第四編　農地等に係る相続税・贈与税の納税猶予及び免除

　（ハ）　一時的道路用地等に係る事業の施行者（以下（４）において「事業施行者」という。）が当該一時的道路用地等の用に供するために当該農地等を地上権等の設定に基づき借り受ける日及び当該借受けに係る期限

　（ニ）　主務大臣が旧法の第九節の１の規定により認定をした一時的道路用地等に係る事業及び施設の用地に関すること

　（ホ）　その他参考となるべき事項

　（二）　申請者と事業施行者との間の地上権等の設定に基づき旧法の第一節の１の規定の適用を受ける農地等を当該一時的道路用地等の用に供するために貸し付ける旨の契約書で当該農地等を貸し付ける日及び②に規定する貸付期限（以下（４）において「貸付期限」という。）の記載のあるものの写し又は土地収用法（昭和26年法律第219号）の規定に基づく裁決書で当該農地等を使用するためのものの写し若しくは同法に規定された収用委員会の勧告に基づく和解により作成された和解調書で当該農地等を使用するためのものの写し

　　　（継続貸付届出書の提出）
（５）　②の規定の適用を受ける受贈者は、②の承認を受けた日の翌日から起算して１年を経過するごとの日までに、（６）の政令で定めるところにより、当該一時的道路用地等の用に供されている当該農地等に係る地上権等の設定に関する事項その他（７）の財務省令で定める事項を記載した届出書（以下（６）において「継続貸付届出書」という。）を納税地の所轄税務署長に提出しなければならない。（平17改所法等附55⑪）

　　　（継続貸付届出書の添付書類）
（６）　（５）の規定により受贈者が提出する（５）に規定する継続貸付届出書には、当該一時的道路用地等に係る事業の施行者の当該継続貸付届出書に係る（５）に規定する期限の２月前において当該一時的道路用地等の用に供されている農地等について引き続き借り受けている旨及び当該事業を引き続き施行している旨を証する書類で（８）の財務省令で定める事項を記載したものを添付しなければならない。（平17改措令附33㉒）

　　　（継続貸付届出書の記載事項）
（７）　（５）に規定する継続貸付届出書に記載する事項は、次に掲げる事項とする。（平17改措規附14㉔）
　（一）　届出者の氏名及び住所又は居所
　（二）　一時的道路用地等の用に供されている農地等の明細
　（三）　貸付期限
　（四）　当該農地等を引き続き一時的道路用地等の用に供している旨
　（五）　その他参考となるべき事項

　　　（継続貸付届出書の添付書類の記載事項）
（８）　（６）に規定する財務省令で定める事項は、次に掲げる事項とする。（平17改措規附14㉕）
　（一）　一時的道路用地等の用に供されている農地等を事業施行者に貸し付けている者の氏名及び住所又は居所
　（二）　当該事業施行者が借り受けている農地等の明細
　（三）　その他参考となるべき事項

　　　（一時的道路用地等に係る継続貸付届出書の提出期間）
（９）　（５）に規定する届出書は、②の承認を受けた日の翌日から起算して１年を経過するごとの日までに提出しなければならないのであるが、その提出期間は、当該１年を経過するごとの日の属する月の前々月の初日から当該１年を経過するごとの日までの期間として取り扱う。（平17附則農地措通⑱）

③　借受代替農地等の使用貸借による権利の譲渡等をした場合

　　１の②の規定の適用を受ける使用貸借による権利の設定をした受贈者が当該設定をした後当該設定に係る借受代替農地等を引き続き特定農地所有適格法人に使用させている場合における当該受贈者に係る旧法の第四節の１及び２の規定の適用については、次に定めるところによる。（平17改所法等附55⑥）

　（一）　当該借受代替農地等につき１の②の使用貸借による権利の設定を受けている特定農地所有適格法人（以下③において「被設定者」という。）がその有する当該権利の旧法の第四節の１の（二）に規定する譲渡等若しくは当該借受代替農地等の転用をした場合又は当該借受代替農地等に係る農業経営の廃止をした場合には、当該譲渡等若しくは当該転用又は当該廃止をした日において当該借受代替農地等に係る貸付特例適用農地等につき旧租税特別措置法第70条の４

－818－

第一章　農地等についての贈与税の納税猶予及び免除
（第十六節　特定農業生産法人に対し特例適用農地等につき使用貸借による権利の設定をした場合の贈与税の納税猶予の継続措置）

第8項に規定する賃借権等（以下❸において「賃借権等」という。）の設定をしたものとみなす。
（二）　被設定者が特定農地所有適格法人に該当しないこととなった場合（（1）の政令で定める場合を除く。）には、当該該当しないこととなった日において当該借受代替農地等に係る貸付特例適用農地等につき賃借権等の設定をしたものとみなす。
（三）　当該借受代替農地等に係る貸付特例適用農地等についての賃借権等の存続期間が満了した場合において、当該受贈者が、当該貸付特例適用農地等であった農地等で（2）の政令で定めるものにつき当該存続期間の満了の日から2月を経過する日までに被設定者に対し（3）の政令で定めるところにより使用貸借による権利の設定をしないときは、同日において当該農地等につき賃借権等の設定をしたものとみなす。

（規定の準用）
（1）　❶の（1）の規定は、❸の（二）に規定する政令で定める場合について準用する。（平17改措令附33⑨）

（政令で定める農地等）
（2）　❸の（三）に規定する農地等で政令で定めるものは、貸付特例適用農地等であった農地等の全て（旧法の第四節の**2**又は**3**の規定の適用により同第一節の**1**の規定による納税の猶予に係る期限が到来した農地等を除く。）とする。（平17改措令附33⑪）

（政令で定める使用貸借による権利の設定）
（3）　❸の（三）の使用貸借による権利の設定をすべき受贈者は、（4）で定めるところにより、（2）に規定する農地等につき当該設定をした日から2月を経過する日までに、当該設定をしたことについての届出書を納税地の所轄税務署長に提出するものとする。（平17改措令附33⑫）

（届出書の記載事項）
（4）　（3）の規定により（3）の届出書の提出をする受贈者は、次に掲げる事項を記載した届出書に（5）の財務省令に定める書類を添付して、これを当該受贈者の納税地の所轄税務署長に提出しなければならない。（平17改措規附14⑮）
（一）　届出者の氏名及び住所又は居所
（二）　（2）に規定する農地等につき使用貸借による権利の設定を受けて農業経営を行う特定農地所有適格法人の名称及び所在地
（三）　（一）の届出者が（二）の農地等を贈与により取得した年月日
（四）　（二）の使用貸借による権利の設定が（2）に規定する農地等の全てについて行われたものである旨及びその事実の明細並びに当該設定を行った年月日
（五）　❸の（三）に規定する貸付特例適用農地等であった農地等についての❸の（一）に規定する賃借権等の存続期間が満了した年月日及び当該農地等の地目、面積、その所在場所その他の明細
（六）　（五）の貸付特例適用農地等であった農地等に係る借受代替農地等の地目、面積、その所在場所その他の明細
（七）　（一）の届出者が**1**の❷の規定により借受代替農地等について使用貸借による権利の設定を行っている特定農地所有適格法人の名称及び所在地
（八）　その他参考となるべき事項

（届出書の添付書類）
（5）　（4）の届出書に添付すべき書類は、（4）の（二）の農地等につき同（二）の特定農地所有適格法人に対して行われた使用貸借による権利の設定に係る契約書の写しその他の書類で当該設定が行われたことを明らかにするものとする。（平17改措規附14⑯）

❹　継続届出書の提出
　1の❶又は❷に規定する届出書を提出した受贈者に係る旧租税特別措置法第70条の4第22項の規定の適用については、同項中「及び同項の規定の適用を受ける農地等に係る農業経営に関する事項」とあるのは、「並びに所得税法等の一部を改正する法律（平成17年法律第21号）附則第55条第3項又は第5項の規定の適用を受ける農地等又は借受代替農地等に係る同条第4項第1号又は第6項第1号に規定する被設定者の農業経営に関する事項及び当該被設定者が同条第4項に規定する特定農地所有適格法人に該当する事実の明細」とする。（平17改所法等附55⑭）

第四編　農地等に係る相続税・贈与税の納税猶予及び免除

贈 与 税 の 納 税 猶 予 の 継 続 届 出 書
（所得税法等の一部を改正する法律（平成 17 年法律第 21 号）附則第 55 条第 3 項又は第 5 項適用分）

猶予整理簿	検 算
※	※

税務署
受付印

＿＿＿＿＿＿＿税務署長

令和＿＿年＿＿月＿＿日

〒

届出者　住所　＿＿＿＿＿＿＿＿＿＿＿

氏名　＿＿＿＿＿＿＿＿＿＿＿

（電話番号　　　　—　　　　　）

　租税特別措置法第 70 条の 4 第 1 項の規定により贈与税の納税の猶予を引き続いて受けたいので、次に掲げる税額等について確認し、所得税法等の一部を改正する法律（平成 17 年法律第 21 号）附則第 55 条第 14 項の規定により適用される同法による改正前の租税特別措置法第 70 条の 4 第 22 項の規定により関係書類を添付して届け出ます。

贈 与 者	氏名		住所又は居所	
届出者が贈与者から農地等を取得した年月日			昭　和 平　成 ＿＿＿＿年＿＿＿＿月＿＿＿＿日	

1　納税猶予の適用を受けた贈与税額 ……………………＿＿＿＿＿＿＿＿＿円

2　1のうちこの届出書の提出までに農地等を譲渡等したため、
　既に納税の猶予が確定し納付した贈与税額…………………＿＿＿＿＿＿＿＿＿円

3　1のうち届出日現在において納税の猶予を受けている贈与税額
　（1－2）………………………………………………………＿＿＿＿＿＿＿＿＿円

4　納税猶予の適用を受けた農地等については、平成＿＿＿年＿＿＿月＿＿＿日に下記の特定農地所有適格法人に対して使用貸借による権利の設定をし、現在もその農地等を引き続き使用させています。

　　所在地　＿＿＿＿＿＿＿＿＿＿＿＿＿＿＿＿＿＿＿　名称　＿＿＿＿＿＿＿＿＿

5　この届出書の提出期限を含む事業年度開始の日前 3 年以内に開始した各事業年度における上記の特定農地所有適格法人の農業経営に関する事項の概要は、別紙「特例適用農地等に係る特定農地所有適格法人の農業経営に関する明細書」のとおりです。

6　使用貸借による権利の設定を受けた法人は、以下のとおり租税特別措置法施行令（平成 17 年政令第 103 号）附則第 33 条第 3 項に規定する特定農地所有適格法人です。

特 定 農 地 所 有 適 格 法 人 の 区 分	□　認定農地所有適格法人　　□　認定特定農業法人
届出者の特定農地所有適格法人における地位等	（代表権の有無）　□　有　□　無 （地　　　位）　□理事　□業務執行権を有する社員　□取締役
届出者の特定農地所有適格法人の行う農業に従事する日数等の状況	農業に従事する日数＿＿＿＿＿＿＿日 農作業に従事する日数＿＿＿＿＿＿＿日

（添付書類）
○　この届出書を提出する前 3 年間に特例適用農地等の異動があった場合には、その明細書
○　特例適用農地等に係る特定農地所有適格法人の農業経営に関する明細書

関与税理士		電話番号	

（資 12－107－1－A4 統一）（令 3.3）

※欄は記入しないでください。

－820－

第十七節　贈与税の納税猶予を適用している場合の特定貸付けの特例

1　特例制度の概要

　猶予適用者が、贈与者の死亡の日前に第一節の**1**《農地等を贈与した場合の贈与税の納税猶予》の規定の適用を受ける農地等のうち農地又は採草放牧地の全部又は一部について農地中間管理事業の推進に関する法律第2条第3項に規定する農地中間管理事業（同項第7号に掲げる業務を行う事業を除く。）のために行われる使用貸借による権利又は賃借権（以下本節において「賃借権等」という。）の設定による貸付け（以下本節において「**特定貸付け**」という。）を行い、当該特定貸付けを行った日から2月以内に、（2）の政令で定めるところにより特定貸付けを行っている旨その他の（3）の財務省令で定める事項を記載した届出書を納税地の所轄税務署長に提出した場合には、当該猶予適用者に係る第四節の**1**《納税猶予の全部打切り》及び同節の**2**《納税猶予の一部打切り》の規定の適用については、当該特定貸付けを行った当該農地又は採草放牧地の全部又は一部（以下本節において「**特定貸付農地等**」という。）に係る賃借権等の設定はなかったものと、農業経営は廃止していないものとみなす。（措法70の4の2①）

　　　（猶予適用者の要件）
（1）　**1**に規定する猶予適用者とは、第一節の**1**の規定を受ける受贈者をいう。（措法70の4の2②）

　　　（届出書の提出）
（2）　**1**の規定の適用を受けようとする**1**に規定する猶予適用者（**8**に規定する旧法猶予適用者を含む。）は、**1**に規定する事項を記載した届出書に、（4）の財務省令で定める書類を添付し、これをその行った**1**に規定する特定貸付けごとに提出しなければならない。（措令40の6の2①）

　　　（届出書の記載事項）
（3）　**1**に規定する財務省令で定める事項は、**1**に規定する猶予適用者（**8**に規定する旧法猶予適用者を含む。）が農地等のうち第一節の**1**に規定する農地（以下本節において「**農地**」という。）又は同**1**に規定する採草放牧地（以下本節において「**採草放牧地**」という。）の全部又は一部について、**1**に規定する特定貸付けを行っている旨及び**1**の規定の適用を受けようとする旨並びに次に掲げる事項とする。（措規23の7の2①）
（一）　届出者の氏名及び住所又は居所
（二）　**1**に規定する特定貸付農地等の所在、地番、地目及び面積
（三）　当該特定貸付けを行った年月日
（四）　当該特定貸付農地等を借り受けた者の氏名及び住所若しくは居所又は名称及び本店若しくは主たる事務所の所在地
（五）　当該特定貸付けに係る**1**に規定する賃借権等の存続期間
（六）　当該特定貸付農地等に係る贈与者の氏名及び住所又は居所並びに当該贈与者から贈与により当該特定貸付農地等を取得した年月日
（七）　その他参考となるべき事項

　　　（届出書の添付書類）
（4）　（2）に規定する財務省令で定める書類は、次の各号に掲げる場合の区分に応じて当該各号に定める書類とする。（措規23の7の2②）
（一）　（二）及び（三）に掲げる場合以外の場合　特定貸付農地等について猶予適用者が特定貸付けを行った年月日を証する農地中間管理事業の推進に関する法律第2条第4項に規定する農地中間管理機構（**3**の（3）において「農地中間管理機構」という。）の書類並びに当該特定貸付けにつき農地法第3条第1項第14号の2の届出を受理した旨及び当該届出を受理した年月日を証する当該特定貸付農地等の所在地を管轄する農業委員会の書類
（二）　特定貸付農地等について猶予適用者が行った特定貸付けが農地中間管理事業の推進に関する法律第18条第8項に規定する農用地利用集積等促進計画の定めるところにより行われる場合　当該特定貸付農地等に係る当該農用地利用集積等促進計画につき同条第7項の規定による公告をした者の当該公告をした旨及び当該公告の年月日を証する書類

－821－

（三）　特定貸付農地等について猶予適用者が行った特定貸付けが福島復興再生特別措置法第17条の27に規定する農用地利用集積等促進計画の定めるところにより行われる場合　当該特定貸付農地等に係る当該農用地利用集積等促進計画につき同法第17条の32の規定による公告をした旨及び当該公告の年月日を証する福島県知事の書類

　　　　（措置法第70条の4の2適用の対象となる特例適用農地等の範囲）
（5）　1に規定する特定貸付けの対象となる農地又は採草放牧地とは、第十節の1の（3）の（一）に規定する地域に所在する農地又は採草放牧地であり、1の規定の適用がある農地又は採草放牧地は特例適用農地等に限られるのであるが、この場合において、次に掲げる特例適用農地等は特定貸付けの対象とならないことに留意する。（措通70の4の2―1）
（一）　第一節の1に規定する準農地である特例適用農地等
（二）　同1の（8）の（二）又は（三）に掲げる敷地又は用地である特例適用農地等
（三）　第五節の1の規定の適用を受ける特例適用農地等
（四）　第六節の1に規定する貸付特例適用農地等
（五）　第九節の1に規定する一時的道路用地等の用に供するため同1に規定する地上権等の設定（以下（5）において「地上権等の設定」という。）に基づく貸付けの対象となっている特例適用農地等（受贈者が特定貸付けを行っていた特例適用農地等の全部又は一部について一時的道路用地等の用に供するために特定貸付けに係る地上権、永小作権、使用貸借による権利又は賃借権を消滅させ、一時的道路用地等の用に供するため地上権等の設定に基づく貸付けを行っている特例適用農地等で同1に規定する貸付期限が到来したものを除く。）
（六）　第十節の1に規定する営農困難時貸付けの対象となっている特例適用農地等

　　　　（特定貸付けに該当しない貸付け）
（6）　第十節の1に規定する営農困難時貸付けを行っている特例適用農地等に第十節の2に規定する耕作の放棄又は同2に規定する権利消滅があった場合において、当該特例適用農地等に係る新たな貸付けを特定貸付けにより行ったときであっても、当該特定貸付けは第十節の1の規定が適用される営農困難時貸付けであり、本節の規定の適用はないことに留意する。（措通70の4の2―2）

　　　　（特定貸付けに係る権利設定に関する届出書）
（7）　1並びに2及び4に規定する届出書は、特定貸付けを行ったごと等に提出しなければならないのであるから、例えば、特定貸付けを行った日において2以上の契約又は農用地利用集積等促進計画の定めるところにより特定貸付けを行っている場合には、それぞれの契約又は農用地利用集積等促進計画ごとに当該届出書を提出しなければならないことに留意する。（措通70の4の2―3）
　　（注）　上記の農用地利用集積等促進計画には、農用地利用集積計画が含まれることに留意する。

　　　　（1の賃借権等の設定があった場合の第一節の1の担保）
（8）　特例適用農地等が第一節の1に規定する担保に提供されている場合において、その特例適用農地等につき1に規定する賃借権等の設定があったときにおいても、その担保を提供した1に規定する猶予適用者に対して国税通則法第51条第1項に規定する増担保の提供を命ずる必要はないことに留意する。（措通70の4の2―4）

2　特定貸付けの期限が到来した場合の手続

　　1の規定の適用を受ける特定貸付農地等の貸付けに係る期限（当該期限の到来前に特定貸付けに係る賃借権等の消滅があった場合には、当該消滅の日。以下本節において「**貸付期限**」という。）が到来した場合において、同1の規定の適用を受ける猶予適用者は、当該貸付期限から2月以内に、（1）の政令で定めるところにより、当該貸付期限が到来した特定貸付農地等について、新たな特定貸付けを行っている旨又は当該猶予適用者の農業の用に供している旨その他の（2）の財務省令で定める事項を記載した届出書を納税地の所轄税務署長に提出しなければならない。この場合において、当該貸付期限が到来した特定貸付農地等のうち新たな特定貸付けを行った部分については、新たな特定貸付けに係る賃借権等の設定はなかったものと、農業経営は廃止していないものとみなす。（措法70の4の2③）

　　　　（届出書の提出）
（1）　2に規定する貸付期限が到来した場合において、1の規定の適用を受ける猶予適用者は、2に規定する事項を記載した届出書に、（3）の財務省令で定める書類を添付し、これを新たに行った特定貸付けごと又は当該猶予適用者の農業の用に供した部分ごとに提出しなければならない。（措令40の6の2②）

第一章　農地等についての贈与税の納税猶予及び免除
（第十七節　贈与税の納税猶予を適用している場合の特定貸付けの特例）

（届出書の記載事項）

（２）　２に規定する財務省令で定める事項は、次の（一）（二）に掲げる場合の区分に応じ当該（一）（二）に定める事項とする。（措規23の７の２③）

（一）　２に規定する貸付期限が到来した場合において、１の規定の適用を受ける猶予適用者が特定貸付農地等について新たな特定貸付けを行ったとき　その旨及び２の規定の適用を受けようとする旨並びに次に掲げる事項

イ　届出者の氏名及び住所又は居所

ロ　特定貸付農地等につき賃借権等の消滅があった場合に該当することとなった旨及びその該当することとなった年月日

ハ　貸付期限が到来した特定貸付農地等の所在、地番、地目及び面積

ニ　ハの特定貸付農地等のうち当該新たな特定貸付けを行ったものの所在、地番、地目及び面積

ホ　当該新たな特定貸付けに関する１の（３）の（三）から（五）までに掲げる事項

ヘ　１の（３）の（五）に規定する存続期間の満了前に貸付期限が到来した場合には、その旨及びその到来した事情の詳細

ト　１の（３）の（六）に掲げる事項

チ　その他参考となるべき事項

（二）　猶予適用者が貸付期限が到来した特定貸付農地等について当該猶予適用者の農業の用に供した場合　その旨及び２の規定の適用を受けようとする旨並びに次に掲げる事項

イ　（一）のイからハまで、ヘ及びトに掲げる事項

ロ　当該猶予適用者の農業の用に供した特定貸付農地等の用に供されていた農地又は採草放牧地の所在、地番、地目及び面積

ハ　２に規定する届出書の提出の時における当該特定貸付農地等の用に供されていた農地又は採草放牧地の利用状況

ニ　当該猶予適用者の農業の用に供した年月日

ホ　その他参考となるべき事項

（届出書の添付書類）

（３）　（１）に規定する財務省令で定める書類は、次の（一）から（二）に掲げる場合の区分に応じ当該（一）から（二）に定める書類とする。（措規23の７の２④）

（一）　（２）の（一）に掲げる場合　１の（４）の（一）から（三）に定める書類

（二）　（２）の（二）に掲げる場合　その旨を証する特定貸付農地等の用に供されていた農地又は採草放牧地の所在地を管轄する農業委員会の書類

（貸付期限の更新があった場合）

（４）　１に規定する特定貸付農地等の貸付けに係る期限の到来前に、当該貸付けに係る期限を延長したときには、当該延長前の貸付けに係る期限において２に規定する貸付期限は到来しないことに留意する。（措通70の４の２―５）

（注）　所得税法等の一部を改正する法律（平成31年法律第６号）附則第79条第９項に規定する貸付けを行っている特例適用農地等に係る農地売買等事業（農地中間管理事業の推進に関する法律等の一部を改正する法律（令和元年法律第12号。以下（注）において「改正法」という。）附則第４条第３項《旧農地利用集積円滑化団体に関する経過措置》の農地売買等事業をいう。）に係る権利及び義務が、改正法附則第４条第３項の規定により、同項の旧円滑化団体から同項の農地中間管理機構に承継されたときは、当該承継されたときにおいて当該貸付期限は到来しないことに留意する。

３　２月以内に新たな特定貸付けを行うことができない場合の手続

　１の規定の適用を受ける猶予適用者が２の貸付期限の翌日から１年を経過する日（**6**において「**貸付猶予期日**」という。）までに新たな特定貸付けを行う見込みであることにつき、（１）の政令で定めるところにより当該貸付期限から２月以内に納税地の所轄税務署長に承認の申請をし、当該税務署長の承認を受けたときに限り、当該承認を受けた特定貸付農地等については、**6**（**6**の（一）及び（二）に限る。）の規定は、適用しない。（措法70の４の２④）

（申請書の提出）

（１）　**3**の税務署長の承認を受けようとする猶予適用者は、１に規定する特定貸付農地等について**3**の適用を受けようとする旨並びに２に規定する貸付期限から２月以内に新たな特定貸付けを行うことができない事情及び当該特定貸付農地等について新たな特定貸付けを行う予定年月日その他（２）の財務省令で定める事項を記載した申請書に、（３）の財務省令で定める書類を添付し、これを当該貸付期限から２月以内に納税地の所轄税務署長に提出しなければならない。（措令

－823－

第四編　農地等に係る相続税・贈与税の納税猶予及び免除

40の6の2③）

　　　（申請書の記載事項）
（2）　（1）に規定する財務省令で定める事項は、次に掲げる事項とする。（措規23の7の2⑤）
　（一）　申請者の氏名及び住所又は居所
　（二）　**2**の（2）の（一）のロ、ハ、ヘ及びトに掲げる事項
　（三）　**3**の承認に係る特定貸付農地等の所在、地番、地目及び面積
　（四）　その他参考となるべき事項

　　　（申請書の添付書類）
（3）　（1）に規定する財務省令で定める書類は、貸付期限が到来した特定貸付農地等について猶予適用者から特定貸付けの申込みを受けた第十節の**1**の（3）の（一）に規定する地域に係る農地中間管理機構の書類で当該申込みを受けたことを証するものとする。（措規23の7の2⑥）

　　　（申請に対する承認又は却下）
（4）　（1）の規定による申請書の提出があった場合において、その提出があった日から1月以内に、当該申請の承認又は却下の処分がなかったときは、当該申請の承認があったものとみなす。（措令40の6の2④）

　　　（特定貸付けを行っている特例適用農地等につき貸付期限の到来又は耕作の放棄があった後に猶予適用者等が死亡した場合）
（5）　**1**の規定の適用を受ける特例適用農地等につき貸付期限の到来又は耕作の放棄があったときにおいて、次の（一）又は（二）に掲げる場合には、当該貸付期限の到来又は耕作の放棄があった当該特例適用農地等に係る納税猶予期限は確定せず、第十三節の**1**の規定により贈与税は免除されることに留意する。
　　　なお、（二）の場合において、当該死亡の日前に新たな特定貸付けを行った部分又は当該猶予適用者の農業の用に供した部分に係る**4**に規定する届出書がその提出期限（当該死亡の日前に提出期限が到来しているものに限る。）までに提出されていない部分については猶予期限は確定していることに留意する。（措通70の4の2─7）
　（一）　貸付期限の到来又は耕作の放棄があった日から2月以内に当該特例適用農地等に係る猶予適用者又は贈与者が死亡した場合
　（二）　**2**に規定する税務署長の承認を受け、貸付期限の到来又は耕作の放棄があった日から1年を経過する日までに、当該特例適用農地等に係る猶予適用者又は贈与者が死亡した場合
　（注）　上記（一）又は（二）の場合において、貸付期限の到来又は耕作の放棄があったときから猶予適用者又は贈与者の死亡の日までの間に、当該貸付期限の到来又は耕作の放棄があった特例適用農地等について新たな特定貸付けを行ったとき又は当該猶予適用者の農業の用に供したときであっても、**2**又は**4**に規定する届出書の提出は要しないことに留意する。

4　特定貸付けの期限を延長した場合の手続

　　　3の承認を受けた猶予適用者は、同**3**の承認を受けた特定貸付農地等について新たな特定貸付けを行った日又は当該猶予適用者の農業の用に供した日から2月以内に、（1）の政令で定めるところにより新たな特定貸付けを行っている旨又は当該猶予適用者の農業の用に供している旨その他の（2）の財務省令で定める事項を記載した届出書を納税地の所轄税務署長に提出しなければならない。この場合において、当該承認を受けた特定貸付農地等のうち新たな特定貸付けを行った部分については、新たな特定貸付けに係る賃借権等の設定はなかったものと、農業経営は廃止していないものとみなす。（措法70の4の2⑤）

　　　（届出書の提出）
（1）　**2**の（1）の規定は、**3**の承認を受けた猶予適用者が**4**の届出書を提出しようとする場合について準用する。（措令40の6の2⑤）

　　　（届出書の記載事項及び添付書類）
（2）　**2**の（2）及び（3）の規定は、**4**に規定する届出書の記載事項及び（1）において準用する**2**の（1）に規定する届出書に添付する書類について準用する。（措規23の7の2⑦）

－824－

第一章　農地等についての贈与税の納税猶予及び免除
（第十七節　贈与税の納税猶予を適用している場合の特定貸付けの特例）

5　ゆうじょ規定

　1の届出書が特定貸付けを行った日から2月以内に提出されなかった場合、2の届出書若しくは3の承認の申請に係る書類が貸付期限から2月以内に提出されなかった場合又は4の届出書が4の新たな特定貸付けを行った日若しくは猶予適用者の農業の用に供した日から2月以内に提出されなかった場合においても、これらの規定に規定する税務署長がこれらの期限内にその提出がなかったことについてやむを得ない事情があると認める場合において、（1）の政令で定めるところによりこれらの書類が当該税務署長に提出されたときは、1から4及び6の規定の適用については、これらの書類がこれらの期限内に提出されたものとみなす。（措法70の4の2⑥）

　　　（届出書等の添付書類）
（1）　5の規定により提出する1の届出書、2の届出書若しくは3の承認の申請に係る書類又は4の届出書には、それぞれ1の（2）に規定する事項、2の（3）に規定する事項若しくは3の（2）に規定する事項又は4の（1）において準用する2の（2）に規定する事項のほか、これらの書類を1に規定する期限、2に規定する期限若しくは3に規定する期限又は4に規定する期限までに提出することができなかった事情の詳細を記載し、かつ、1の（4）で定める書類、2の（3）で定める書類若しくは3の（3）で定める書類又は4の（1）において準用する2の（3）で定める書類を添付しなければならない。（措令40の6の2⑥）

6　特定貸付を行った後に納税猶予の納期限が確定する場合

　1の規定の適用を受ける猶予適用者が次の（一）から（四）に掲げる場合のいずれかに該当することとなった場合には、第一節の1《農地等を贈与した場合の贈与税の納税猶予及び免除》に規定する納税猶予分の贈与税額に係る第四節の1《納税猶予の全部打切り》及び同節の2《納税猶予の一部打切り》の規定の適用については、本節の1の特定貸付農地等に係る貸付期限（（三）又は（四）に掲げる場合に該当することとなった場合には、当該特定貸付農地等に係る貸付猶予期日〔4の新たな特定貸付けを行った日又は当該猶予適用者の農業の用に供した日が当該貸付猶予期日前である場合には、これらの日。（四）において同じ。〕）において当該特定貸付農地等（当該特定貸付農地等のうち、（一）又は（三）に掲げる場合にあっては新たな特定貸付けを行っている部分又は当該猶予適用者の農業の用に供している部分以外の部分に限るものとし、（四）に掲げる場合にあっては同（四）の届出書に係る部分に限るものとする。）について、賃借権等の設定があったものとみなす。（措法70の4の2⑦）
（一）　当該貸付期限から2月を経過する日において、当該貸付期限が到来した特定貸付農地等の全部又は一部について、新たな特定貸付けを行っていない場合又は当該猶予適用者の農業の用に供していない場合（（二）に掲げる場合を除く。）
（二）　当該貸付期限から2月を経過する日までに2の届出書を提出しない場合
（三）　当該貸付猶予期日において、当該貸付猶予期日が到来した特定貸付農地等の全部又は一部について、新たな特定貸付けを行っていない場合又は当該猶予適用者の農業の用に供していない場合（（四）に掲げる場合を除く。）
（四）　当該貸付猶予期日から2月を経過する日までに4の届出書を提出しない場合

7　特定貸付農地等について耕作の放棄があった場合

　2から6までの規定は、1の規定の適用を受ける特定貸付農地等に係る耕作の放棄（第四節の1《納税猶予の全部打切り》の表の（一）に規定する耕作の放棄をいう。）があった場合について準用する。この場合において、2中「の貸付けに係る期限（当該期限の到来前に特定貸付けに係る賃借権等の消滅があった場合には、当該消滅の日。以下本節において「**貸付期限**」という。）が到来した」とあるのは「に係る耕作の放棄（第四節の1《納税猶予の全部打切り》の表の（一）に規定する耕作の放棄をいう。以下本節において同じ。）があった」と、「同1」とあるのは「1」と、「貸付期限から」とあるのは「耕作の放棄があった日から」と、「貸付期限が到来した」とあるのは「耕作の放棄があった」と、「部分については、」とあるのは「部分又は当該猶予適用者の農業の用に供した部分については、耕作の放棄及び」と、3中「貸付期限」とあるのは「耕作の放棄があった日」と、「については」とあるのは「については、当該耕作の放棄はなかったものとみなし」と、5中「貸付期限」とあるのは「耕作の放棄があった日」と、6中「貸付期限（」とあるのは「耕作の放棄があった日（」と、「賃借権等の設定」とあるのは「耕作の放棄」と、同6の（一）中「貸付期限から」とあるのは「耕作の放棄があった日から」と、「貸付期限が到来した」とあるのは「耕作の放棄があった」と、同6の（二）中「貸付期限」とあるのは「耕作の放棄があった日」と読み替えるものとする。（措法70の4の2⑧）

　　　（7の場合の届出書等の提出）
（1）　2の（1）、3の（1）、同3の（4）、4の（1）、5の（1）の規定は、1の規定の適用を受ける特定貸付農地等に係る7に規定する耕作の放棄があった場合において、同7において準用する2から5までの規定の適用があるときについて

準用する。この場合において、**2**の（1）中「**2**に規定する貸付期限が到来した場合」とあるのは「**7**に規定する耕作の放棄があった場合」と、**3**の（1）中「**2**に規定する貸付期限」とあるのは「**7**に規定する耕作の放棄があった日」と、「当該貸付期限」とあるのは「当該耕作の放棄があった日」と読み替えるものとする。（措令40の6の2⑦）

（**7**の場合の添付書類等）
（2）　**2**の（2）、同**2**の（3）、**3**の（2）、同**3**の（3）、**4**の（2）の規定は、**7**において**2**から**6**までの規定を準用する場合及び（1）において**2**の（1）、**3**の（1）、同**3**の（4）、**4**の（1）、**5**の（1）の規定を準用する場合について準用する。この場合において、**2**の（2）中「貸付期限（」とあるのは「耕作の放棄（」と、「「貸付期限」とあるのは「「耕作の放棄」と、「）が到来した」とあるのは「）があった」と、「賃借権等の消滅があった」とあるのは「耕作の放棄があった」と、「貸付期限が到来した特定貸付農地等」とあるのは「耕作の放棄があった特定貸付農地等」と、**3**の（3）中「貸付期限が到来した」とあるのは「耕作の放棄があった」と読み替えるものとする。（措規23の7の2⑧）

8　旧法猶予適用者の扱い

次に掲げる受贈者（（1）において「旧法猶予適用者」という。）は、**1**の規定の適用を受けることができる。（措法70の4の2⑨）

（一）　租税特別措置法の一部を改正する法律（昭和50年法律第16号）附則第20条第2項の規定によりなおその効力を有するものとされる同法による改正前の租税特別措置法第70条の4第1項本文の規定の適用を受けている同項に規定する受贈者

（二）　租税特別措置法の一部を改正する法律（平成3年法律第16号）附則第19条第1項の規定によりなお従前の例によることとされる場合における同法による改正前の租税特別措置法第70条の4第1項本文の規定の適用を受けている同項に規定する受贈者

（三）　租税特別措置法の一部を改正する法律（平成7年法律第55号）附則第36条第2項の規定によりなおその効力を有するものとされる同法による改正前の租税特別措置法第70条の4第1項本文の規定の適用を受けている同項に規定する受贈者

（四）　租税特別措置法等の一部を改正する法律（平成12年法律第13号）附則第19条第3項第4号に掲げる同法第1条の規定による改正前の租税特別措置法第70条の4第1項本文の規定の適用を受けている同項に規定する受贈者

（五）　租税特別措置法等の一部を改正する法律（平成13年法律第7号）附則第32条第6項第5号に掲げる同法第1条の規定による改正前の租税特別措置法第70条の4第1項本文の規定の適用を受けている同項に規定する受贈者

（六）　租税特別措置法等の一部を改正する法律（平成14年法律第15号）附則第32条第4項の規定によりなお従前の例によることとされる場合における同法第1条の規定による改正前の租税特別措置法第70条の4第1項本文の規定の適用を受けている同項に規定する受贈者

（七）　所得税法等の一部を改正する法律（平成15年法律第8号）附則第123条第10項の規定によりなお従前の例によることとされる場合における同法第12条の規定による改正前の租税特別措置法第70条の4第1項本文の規定の適用を受けている同項に規定する受贈者

（八）　所得税法等の一部を改正する法律（平成17年法律第21号）附則第55条第2項の規定によりなおその効力を有するものとされる同法第5条の規定による改正前の租税特別措置法第70条の4第1項本文の規定の適用を受けている同項に規定する受贈者

（九）　所得税法等の一部を改正する法律（平成21年法律第13号）附則第66条第2項の規定によりなおその効力を有するものとされる同法第5条の規定による改正前の租税特別措置法第70条の4第1項本文の規定の適用を受けている同項に規定する受贈者

（十）　所得税法等の一部を改正する法律（平成26年法律第10号）附則第128条第3項の規定によりなお従前の例によることとされる場合における同法第10条の規定による改正前の租税特別措置法第70条の4第1項本文の規定の適用を受けている同項に規定する受贈者

（十一）　所得税法等の一部を改正する法律（平成28年法律第15号）附則第127条第5項の規定によりなお従前の例によることとされる場合における同法第10条の規定による改正前の租税特別措置法第70条の4第1項本文の規定の適用を受けている同項に規定する受贈者

（十二）　所得税法等の一部を改正する法律（平成30年法律第7号）附則第118条第6項又は第7項の規定によりなお従前の例によることとされる場合における同法第15条の規定による改正前の租税特別措置法第70条の4第1項本文の規定の適用を受けている同項に規定する受贈者

（十三）　所得税法等の一部を改正する法律（令和2年法律第8号）附則第108条第1項第13号に掲げる同法第15条の規定に

第一章　農地等についての贈与税の納税猶予及び免除
（第十七節　贈与税の納税猶予を適用している場合の特定貸付けの特例）

　　よる改正前の租税特別措置法第70条の４第１項本文の規定の適用を受けている同項に規定する受贈者
（十四）　所得税法等の一部を改正する法律（令和４年法律第４号）附則第51条第６項の規定によりなお従前の例によるこ
　　ととされる場合における同法第11条の規定による改正前の租税特別措置法第70条の４第１項本文の規定の適用を受けて
　　いる同項に規定する受贈者

　　　　（重複適用の不可）
（１）　旧法猶予適用者が**8**の規定により**1**の規定の適用を受けた場合には、当該旧法猶予適用者は第一節の**1**《農地等を
　　贈与した場合の贈与税の納税猶予》に規定する受贈者とみなして同**1**の規定を適用し、**8**の各号に規定する改正前の租
　　税特別措置法第70条の４の規定は、適用しない。（措法70の４の２⑩）

　　　　（特定市街化区域農地等がある場合）
（２）　**8**の（一）又は（二）に掲げる受贈者が（１）の規定により第一節の**1**に規定する受贈者とみなされた場合において、当
　　該受贈者が有する租税特別措置法の一部を改正する法律（昭和50年法律第16号）による改正前の租税特別措置法第70条
　　の４第１項本文又は租税特別措置法の一部を改正する法律（平成３年法律第16号）による改正前の租税特別措置法第70
　　条の４第１項本文に規定する農地等のうちに同節の**1**の（２）《用語の意義》の（三）に規定する特定市街化区域農地等が
　　あるときは、当該特定市街化区域農地等については同節の**1**に規定する農地等とみなして、同節の**1**の規定を適用する。
　　（措令40の６の２⑨）

　　　　（３年ごとの継続適用）
（３）　次の各号に掲げる受贈者（当該各号に掲げる受贈者の区分に応じ当該各号に定める規定の適用を受けているものに
　　限る。）が（１）の規定により第一節の**1**に規定する受贈者とみなされた場合における第十二節の**1**《毎３年ごとの届出書
　　の提出》の規定の適用については、同節の**1**中「第一節の**1**の贈与税の申告書の提出期限」とあるのは「第十七節の**1**
　　の届出書を提出した日」と、「引き続いて第一節の**1**」とあるのは「引き続いて第十七節の**1**」とする。（措令40の６の
　　２⑩）
（一）　**8**の（二）に掲げる受贈者　租税特別措置法の一部を改正する法律（平成３年法律第16号）附則第19条第１項の規
　　　定によりなお従前の例によることとされる場合における同法による改正前の租税特別措置法第70条の４第10項の規定
（二）　**8**の（三）に掲げる受贈者　租税特別措置法の一部を改正する法律（平成７年法律第55号）附則第36条第２項の規
　　　定によりなおその効力を有するものとされる同法による改正前の租税特別措置法第70条の４第13項の規定

　　　　（旧法猶予適用者が**1**の規定の適用を受けた場合の贈与税の納税猶予についての取扱い）
（４）　旧法猶予適用者が**1**の規定の適用を受けた場合には、（１）の規定により当該旧法猶予適用者は第一節の**1**に規定す
　　る受贈者とみなして本章第一節から第十四節の規定が適用され、本節の**8**の各号に規定する改正前の措置法第70条の４
　　の規定は適用がないことに留意する。（措通70の４の２―８）

　　　　（昭和50年又は平成３年改正前の措置法第70条の４第１項の規定の適用を受ける受贈者が措置法第70条の４の２第
　　　　　１項の規定の適用を受けた場合の贈与税の納税猶予についての取扱い）
（５）　昭和50年又は平成３年改正前の措置法第70条の４第１項本文の規定の適用を受ける受贈者が**1**の規定の適用を受け
　　た場合には、（１）の規定により第一節の**1**に規定する受贈者とみなして本章第一節から第十四節の規定を適用すること
　　となるが、この場合において当該受贈者が有する特例適用農地等のうちに第一節の**1**の（２）の（三）に規定する特定市街
　　化区域農地等がある場合には、当該特定市街化区域農地等については第一節の**1**に規定する農地等とみなして、本章第
　　一節から第十四節の規定の適用をすることに留意する。　　（措通70の４の２―９）

　　　　（旧法猶予適用者が**1**の規定の適用を受けた場合の継続届出書の提出）
（６）　次の（一）又は（二）に掲げる旧法猶予適用者が**1**の規定の適用を受けた場合には、（１）の規定により第一節の**1**に規
　　定する受贈者とみなして本章第一節から第十四節の規定を適用することとなるが、この場合において（一）又は（二）に掲
　　げる受贈者の区分に応じ（一）又は（二）に掲げる規定の適用を受けている場合の第十二節の**1**に規定する継続届出書につ
　　いては、本節の**1**に規定する届出書を提出した日の翌日から起算して３年を経過するごとの日までに継続届出書を提出
　　しなければならないことに留意する。（措通70の４の２―10）
（一）　平成３年改正前の措置法第70条の４第１項本文の規定の適用を受ける受贈者　同条第10項の規定
（二）　平成７年改正前の措置法第70条の４第１項本文の規定の適用を受ける受贈者　同条第13項の規定

第四編　農地等に係る相続税・贈与税の納税猶予及び免除

（注）　上記の継続届出書の提出期間については、当該3年を経過するごとの日の属する月の前々月の初日から当該3年を経過するごとの日までの期間として取り扱う。

9　その他

（特定貸付農地等を特定貸付けに基づき借り受けた者に引き続き貸し付けている場合）

（1）　1の規定の適用を受ける特定貸付農地等に係る特定貸付けを行った猶予適用者が当該特定貸付けを行った後当該特定貸付農地等を当該特定貸付けに基づき借り受けた者に引き続き貸し付けている場合における当該猶予適用者に係る第四節の1《納税猶予の全部打切り》の規定の適用については、同節の1の表の（一）中「が当該農地等」とあるのは「又は次条第1項の規定の適用を受ける同項に規定する特定貸付農地等を同項に規定する特定貸付けに基づき借り受けた者（農地中間管理事業の推進に関する法律第2条第4項に規定する農地中間管理機構が当該借り受けた者である場合には、当該農地中間管理機構から借り受けた者）が当該農地等」と、「（以下この章」とあるのは「（第十七節の1の規定の適用を受ける同節の1に規定する賃借権等が設定されている同1に規定する特定貸付農地等の当該受贈者による当該譲渡、贈与、転用若しくは設定又は消滅に伴う当該賃借権等の消滅を除く。以下この章」と、「に係る土地を含む」とあるのは「及び第十七節の1の規定の適用を受ける同節の1に規定する特定貸付農地等に係る土地を含む」とする。（措令40の6の2⑪）

（一時的道路用地等の用に供するために貸付けを行った場合）

（2）　第九節《一時的道路用地等の用に供するための地上権等の設定》の1から3までの規定は、特定貸付けを行った猶予適用者が、当該特定貸付けに係る特定貸付農地等の全部又は一部について、同節の1に規定する一時的道路用地等の用に供するために当該特定貸付けに係る本節の1に規定する賃借権等を消滅させ、かつ、当該用に供するために第九節の1に規定する地上権等の設定に基づき貸付けを行った場合について準用する。この場合において、同節の1中「農業の用に供する」とあるのは「農業の用に供し、又は当該農地等について第十七節の1の規定により同節の1に規定する特定貸付けを行う」と、第九節の1の表の（一）中「地上権等の設定」とあるのは「第十七節の1に規定する特定貸付けに係る同節の1に規定する賃借権等の消滅及び地上権等の設定」と、第九節の1の表の（二）中「場合」とあるのは「場合又は第十七節の1の規定により同節の1に規定する特定貸付けを行っていない場合」と、「供していない部分」とあるのは「供している部分及び当該特定貸付けを行っている部分以外の部分」と読み替えるものとする。（措令40の6の2⑫）

（営農困難時貸付けの特例）

（3）　猶予適用者が特定貸付けを行っている場合における第十二節の2《届出書の提出手続》の（1）及び第十四節の2《準農地の利用形態等に関する農業委員会等の通知義務》の（3）の規定の適用については、第十二節の2の（1）中「営農困難時貸付け」とあるのは「第十七節の1に規定する特定貸付け」と、「営農困難時貸付農地等に」とあるのは「第十七節の1に規定する特定貸付農地等に」と、「営農困難時貸付農地等の」とあるのは「特定貸付農地等の」と、第十四節の2の（3）の（三）及び（四）中「第十節の1」とあるのは「第十七節の1」とする。（措規23の7の2⑩）

（継続届出書の記載）

（4）　1の規定の適用を受ける猶予適用者が、第十二節の1《毎3年ごとの届出書の提出》の規定により提出する同節の1の届出書には、同節の2に規定する事項のほか特定貸付農地等に係る特定貸付けに関する事項その他の（5）の財務省令で定める事項を記載しなければならない。（措令40の6の2⑧）

（継続届出書の記載事項）

（5）　（4）に規定する財務省令で定める事項は、引き続いて1の規定の適用を受けたい旨及び特定貸付農地等に係る特定貸付けに関する事項で次に掲げるものとする。（措規23の7の2⑨）
　　（一）　1の（3）の（二）から（五）までに掲げる事項
　　（二）　当該特定貸付農地等について引き続き特定貸付けを行っている旨

－828－

第一章　農地等についての贈与税の納税猶予及び免除
（第十七節　贈与税の納税猶予を適用している場合の特定貸付けの特例）

贈与税の納税猶予の特定貸付けに関する届出書

税務署
受付印

令和＿＿＿年＿＿＿月＿＿＿日

※欄は記入しないでください。

＿＿＿＿＿＿＿＿税務署長

〒

届出者住所＿＿＿＿＿＿＿＿＿＿＿＿＿＿＿＿＿＿＿＿＿＿＿＿＿

氏名＿＿＿＿＿＿＿＿＿＿＿＿＿＿＿＿＿＿＿＿

生年月日　昭和・平成　＿＿＿＿年＿＿＿＿月＿＿＿＿日

（電話番号　　　　　－　　　　－　　　　）

　租税特別措置法第70条の4の2第1項に規定する特定貸付けを行った下記の農地等について
は同項の規定の適用を受けたいので、同項の規定により届け出ます。

1　贈与者等に関する事項

贈与者	住　所		氏　名	
届出者が贈与者から農地等を贈与により取得した年月日			昭和 平成 令和	年　　　月　　　日

2　特定貸付けに関する事項

借り受けた者	住所（居所） 又は本店 （主たる事務 所）の所在地		氏名 又は 名称	
特定貸付け を行った年月日	令和　　　年　　　月　　　日	地上権、永小作権、 使用貸借による権利 又は賃借権の存続期間	自：令和　　　年　　　月　　　日	
			至：令和　　　年　　　月　　　日	

　上記の者へ特定貸付けを行った農地等の明細は、付表1のとおりです。

　上記の特定貸付けは、次の貸付けにより行いました。（該当する番号を○で囲んでください。）

⑴　農地中間管理事業による使用貸借による権利又は賃借権の設定に基づく貸付け

⑵　農用地利用集積計画の定めるところによる使用貸借による権利又は賃借権の設定に基づく貸付け

関与税理士		電話番号	

※	通信日付印の年月日	（確　認）	整理簿番号
	年　　月　　日		

（資12－120－5－A4統一）　（令3.3）

－829－

第四編　農地等に係る相続税・贈与税の納税猶予及び免除

第十八節　農地等の贈与者が死亡した場合の相続税の課税の特例

1　特例適用農地等の相続税の課税価格への算入

第一節の **1** の規定により同 **1** に規定する贈与税について納税の猶予があった場合において、当該贈与税に係る農地等の贈与者が死亡したとき（その死亡の日前に第四節《納税猶予の打切り》の **1** 又は第四節の **4** の規定の適用があった場合、同日前に第四節の **5** の規定による納税の猶予に係る期限の繰上げがあった場合及びその死亡の時以前に当該贈与税に係る受贈者が死亡した場合を除く。）は、当該贈与者の死亡による相続又は遺贈に係る相続税については、当該農地等の受贈者が当該農地等（第九節の **1** に規定する一時的道路用地等の用に供されている農地等を含むものとし、既に第四節の **2**《納税猶予の一部打切り》又は第四節の **3**《買取りの申出等による納税猶予の一部打切り》の規定の適用があった場合には、これらの規定の適用があった農地等を除くものとする。以下 **1** において同じ。）をその贈与者から相続（当該受贈者が当該死亡による相続の放棄をした場合には、遺贈。以下 **2** において同じ。）により取得したものとみなす。この場合において、当該死亡による相続又は遺贈に係る相続税の課税価格の計算の基礎に算入すべき当該農地等の価額は、その死亡の日における価額（当該農地等が当該一時的道路用地等の用に供されている農地等で第二章第一節の **1**《農地等についての相続税の納税猶予及び免除等》の規定の適用を受けるものである場合には、当該一時的道路用地等の用に供されていないものとしたときにおける当該農地等としての価額）による。（措法70の5①）

（一時的道路用地等の用に供されている特例適用農地等について相続税の課税価格の計算の基礎に算入すべき価額）

注　第九節《一時的道路用地等の用に供するための地上権等の設定》の **1** の（一）の規定の適用を受ける同 **1** に規定する受贈者に係る第一節の **1** に規定する贈与者が死亡した場合において、本節の **1** の規定の適用を受ける第九節の **1** に規定する一時的道路用地等（以下この注において「一時的道路用地等」という。）の用に供されている農地等の相続税の課税価格の計算の基礎に算入すべき価額は、次に掲げる場合の区分に応じ、それぞれ掲げるところによることに留意する。（措通70の5－3）

（一）　一時的道路用地等の用に供されている農地等に係る受贈者が当該農地等について第二章第一節の **1**《農地等についての相続税の納税猶予及び免除等》の規定の適用を受ける場合

　　本節の **1** 後段かっこ書きに定める価格

　　（注）　本節の **1** 後段かっこ書きに定める「当該一時的道路用地等の用に供されていないものとしたときにおける当該農地等としての価額」とは、当該農地等の状況が一時的道路用地等の用に供される直前の現況にあるものとした場合の当該贈与者の死亡の日における当該農地等としての価額をいう。

（二）　一時的道路用地等の用に供されている農地等に係る受贈者が当該農地等について第二章第一節の **1** の規定の適用を受けない場合

　　贈与者の死亡の日における当該農地等の時価

2　代替取得農地等への準用

受贈者が農地等の譲渡等につき第七節《特例適用農地等の買換え》の **1** 若しくは第八節の **1** 又は第十一節《買取りの申出等があった場合の農地等の買換え等》の **1** の承認を受けた場合において、第七節の **1** 又は第十一節の **1** に該当する譲渡等の対価の額の全部若しくは一部をもって当該譲渡等があった日以後 **1** 年以内（当該 **1** 年以内に当該農地等の贈与者が死亡した場合には、その死亡の日まで）に農地若しくは採草放牧地を取得しているとき又は第八節の **1** の規定に該当する譲渡等の対価の額の全部若しくは一部に相当する価額の代替農地等について当該譲渡等があった日以後 **1** 年以内に当該譲渡等に係る農地等に代わるものとして当該受贈者の農業の用に供する農地若しくは採草放牧地としているときにおける **1** の規定の適用については、その取得した農地若しくは採草放牧地又は当該譲渡等に係る農地等に代わるものとして当該受贈者の農業の用に供した代替農地等は、当該贈与者から相続により取得した農地等とみなす。（措法70の5②）

（加算対象期間内に贈与を受けた農地等）

（1）　第一節の **1** の規定による贈与税の納税猶予に係る贈与者が死亡した場合において、その贈与が当該贈与者の死亡に係る相続税の加算対象期間（第一編第四章第二節の**四**の **2** の（5）《1の規定の適用を受ける贈与》に定める「加算対象期間」をいう。以下第七編第三章第一節の **1** の（8）《免除対象贈与を行った贈与者の死亡の日前に納税猶予の期限が確定した対象受贈非上場株式等》までにおいて同じ。）内であるときにおける特例適用農地等についての当該贈与者の死亡に係る相続税の課税関係は、次に掲げるところによることに留意する。（措通70の5－1）

－830－

第一章　農地等についての贈与税の納税猶予及び免除
（第十八節　農地等の贈与者が死亡した場合の相続税の課税の特例）

（一）　当該贈与者の死亡の時において、現に当該納税猶予の適用を受けている特例適用農地等は、**1**の規定により受贈者が当該贈与者から相続又は遺贈により取得したものとみなされ、当該贈与者の死亡の日における価額で相続税が課税される。

　　　なお、この適用を受ける農地等は、第二章第一節の**1**の規定による相続税の納税猶予の適用を受けることができる農地等に含まれる。

（二）　当該贈与者の死亡の日前に、当該納税猶予に係る贈与税の全部又は一部についての納税猶予の期限が確定しており、かつ、受贈者が当該贈与者から相続又は遺贈により財産を取得している場合における当該期限の確定に係る特例適用農地等は、第一編第四章第二節**四**の**1**《相続開始前７年以内の贈与財産》の規定により、贈与の日における価額で相続税が課税される。

　　　なお、この適用を受ける農地等は、第二章第一節の**1**の規定による相続税の納税猶予の適用が受けられる農地等には含まれない。

　　（当該農地等）
（２）　**1**に規定する「当該農地等」には、特例適用農地等のうち、第一節の**1**の（8）《一時的道路用地等の用に供されている農地等に対する適用》の（二）又は（三）に掲げる敷地又は用地も含まれることに留意する。（措通70の５－２）

　　（注）　第六節《貸付特例適用農地等に係る賃借権等の設定》の**1**の規定の適用を受ける貸付特例適用農地等に係る借受代替農地等に係る使用貸借による権利又は賃借権については、上記の「当該農地等」に含まれないことに留意する。

　　（営農困難時貸付けが行われている特例適用農地等について相続税の課税価格の計算の基礎に算入すべき価額）
（３）　第十節の**1**の規定の適用を受ける同**1**に規定する受贈者に係る第一節の**1**に規定する贈与者が死亡した場合において、**1**の規定の適用を受ける第十節の**1**に規定する営農困難時貸付けが行われている農地等の相続税の課税価格の計算の基礎に算入すべき価額は、当該贈与者の死亡の日における貸付けの態様に応じた当該農地等の時価によることに留意する。（措通70の５－４）

　　（注）　営農困難時貸付けが行われていた農地等について、第二章第十節の**4**の（9）の規定により第二章第一節の**1**の規定の適用を受けようとする場合に、当該農地等に係る贈与者の死亡日において、当該農地等につき新たな営農困難時貸付けが行われていないときの当該農地等の相続税の課税価格の計算の基礎に算入すべき価額は、当該贈与者の死亡の日における当該農地等の時価によることに留意する。

　　（買換えの承認に係る特例適用農地等）
（４）　特例適用農地等の譲渡等につき第七節の**1**の規定による買換えの承認を受けている場合において、代替取得農地等を取得する前に贈与者が死亡したときにおける当該承認に係る譲渡等をした特例適用農地等に係る相続税の課税に当たっては、当該特例適用農地等は、**1**の規定により受贈者が贈与者から相続又は遺贈により取得したものとみなされ、かつ、当該譲渡等に係る特例適用農地等は、第七節の**1**の規定により譲渡等がなかったものとみなされることから、当該譲渡等に係る特例適用農地等の当該贈与者の死亡の日における価額が相続税の課税価格の計算の基礎に算入されることになるのであるから留意する。（措通70の５－５）

　　（注）　上記の譲渡等に係る特例適用農地等について、第二章第一節の**1**の規定による相続税の納税猶予の適用を受ける場合には、同**1**の規定により当特例適用農地等は、相続又は遺贈により取得した農地等に含まれることから相続税の納税猶予の適用を受けることができることとなる。

　　　　なお、この場合において、当該譲渡等があった日から１年以内に代替取得農地等を取得しなかったときは、その譲渡等があった日から１年を経過する日において譲渡等があったものとみなされ、当該譲渡等に係る農地等の価額に対応する部分の相続税の納税猶予税額は、納付を要することになる。

　　（付替えの承認に係る特例適用農地等）
（５）　特例適用農地等の譲渡等につき第八節の**1**《特定市街化区域農地等の収用交換等による譲渡をした場合の特例》の規定による付替えの承認を受けている場合において、代替農地等を受贈者が農業の用に供する前に贈与者が死亡したときにおける当該承認に係る譲渡等をした特例適用農地等に係る相続税の課税に当たっては、当該特例適用農地等は、**1**の規定により受贈者が贈与者から相続又は遺贈により取得したものとみなされ、かつ、当該譲渡等に係る特例適用農地等は、第八節《特定市街化区域農地等の収用交換等による譲渡》の規定により譲渡等がなかったものとみなされることから、当該譲渡等に係る特例適用農地等の当該贈与者の死亡の日における価額が相続税の課税価格の計算の基礎に算入されることになるのであるから留意する。（措通70の５－５の２）

　　（注）　上記の譲渡等に係る特例適用農地等について、第二章《農地等についての相続税の納税猶予及び免除等》の第一節の**1**の規定による相続税の納税猶予の適用を受ける場合には、第二章《農地等についての相続税の納税猶予及び免除等》の第一節の**1**の規定により当該特例適用農地等は、相続又は遺贈により取得した農地等に含まれることから相続税の納税猶予の適用を受けることができることとなる。

　　　　なお、この場合において、当該譲渡等があった日から１年以内に代替農地等を当該譲渡等に係る特例適用農地等に代わるものとして農業の

－831－

第四編　農地等に係る相続税・贈与税の納税猶予及び免除

用に供しなかったときには、その譲渡等があった日から1年を経過する日において譲渡等があったものとみなされ、当該譲渡等に係る農地等の価額に対応する部分の相続税の納税猶予税額は、納付を要することになる。

　（買取りの申出等があった農地等の買換え等の承認に係る特定農地等）

（6）　第一節の1の規定の適用を受ける農地又は採草放牧地についての買取りの申出等につき第十一節の1の規定による承認を受けている場合において、当該承認に係る特定農地等に係る代替取得農地等を取得する前に又は当該承認に係る特定市街化区域農地等に係る農地若しくは採草放牧地が同項の規定による都市営農地等に該当する前に贈与者が死亡したときにおける当該承認に係る特定農地等に係る相続税の課税に当たっては、当該特定農地等は、1の規定により受贈者が贈与者から相続又は遺贈により取得したものとみなされ、かつ、当該承認に係る特定農地等は、第十一節の1の規定により買取りの申出等及び譲渡等はなかったものとみなされることから、当該買取りの申出等に係る特定農地等の当該贈与者の死亡の日における価額が相続税の課税価格の計算の基礎に算入されることになるのであるから留意する。

　なお、この場合において、当該買取りの申出等に係る特定農地等の当該贈与者の死亡の日における価額は、当該贈与者の死亡の日における現況によるのであるから留意する。（措通70の5－6）

（注）　上記の買取りの申出等に係る特定農地等について、第二章第一節の1の規定による相続税の納税猶予の適用を受ける場合には、同1の規定により当該特定農地等は、相続又は遺贈により取得した農地等に含まれることから相続税の納税猶予の適用を受けることができることとなる。

　　なお、この場合において、当該買取りの申出等があった日から1年以内に譲渡等をしなかったとき若しくは都市営農地等に該当することとならなかったとき又は当該日から1年以内に譲渡等をした場合において当該譲渡等があった日から1年以内に代替取得農地等を取得しなかったときには、当該買取りの申出等があった日から1年を経過する日又は当該譲渡等があった日から1年を経過する日において買取りの申出等があったものとみなされ、当該買取りの申出等に係る特定農地等の価額に対応する部分の相続税の納税猶予税額は、納付を要することとなる。

第二章　農地等についての相続税の納税猶予及び免除等

第一節　特例適用の要件

1　農地等についての相続税の納税猶予及び免除等

　農業を営んでいた個人として**2**《被相続人》で定める者（以下本章において「**被相続人**」という。）の相続人で**4**《農業相続人》で定めるもの（以下本章において「**農業相続人**」という。）が、当該被相続人からの相続又は遺贈によりその農業の用に供されていた農地（特定市街化区域農地等に該当するもの及び利用意向調査（農地法第32条第1項又は第33条第1項の規定による同法第32条第1項に規定する利用意向調査をいう。第四節の**1**の（一）において同じ。）に係るもののうち（3）で定めるものを除く。第二節の**1**の（一）を除き以下本章において同じ。）及び採草放牧地（特定市街化区域農地等に該当するものを除く。同**1**の（一）を除き、以下本章において同じ。）の**取得**（第一章第十八節《農地等の贈与者が死亡した場合の相続税の課税の特例》の規定により相続又は遺贈により取得したとみなされる場合の取得を含む。第七節《特例農地等の買換え》の**1**若しくは第八節の**1**及び第十一節の**1**を除き、以下本章において同じ。）をした場合（当該被相続人からの相続又は遺贈により当該農地及び採草放牧地とともに農業振興地域の整備に関する法律第8条第2項第1号に規定する農用地区域として定められている区域内にある土地で農地又は採草放牧地に準ずるものとして**3**の**③**《準農地》で定めるもの（以下本章において「**準農地**」という。）の取得をした場合を含む。）には、当該相続に係る第一編第七章第一節の**一**《相続税の申告》の**1**の規定による期限内申告書（以下本章において「**相続税の申告書**」という。）の提出により納付すべき相続税の額のうち、当該農地及び採草放牧地並びに準農地（（3）の政令で定めるものを除く。）で当該相続税の申告書に**1**の規定の適用を受けようとする旨の記載があるもの（当該農地及び採草放牧地については当該農業相続人がその農業の用に供するもの〔第五節《特例農地等に係る使用貸借に関する権利の譲渡等》の規定に該当する農業相続人にあっては、その推定相続人の農業の用に供するものを含む。〕に限るものとし、準農地については当該農地又は採草放牧地とともに**1**の規定の適用を受けようとするものに限る。以下本章において「**特例農地等**」という。）に係る納税猶予分の相続税額に相当する相続税については、当該相続税の申告書の提出期限までに当該納税猶予分の相続税額に相当する担保を提供した場合に限り、第一編第八章第一節《納付》**二**の**1**の規定にかかわらず、納税猶予期限（第二節の**4**参照）（当該納税猶予期限前に、その有する当該特例農地等の全部につき第一章第一節の**1**《農地等を贈与した場合の贈与税の納税猶予》の規定の適用に係る贈与があった場合には、当該贈与があった日とし、当該特例農地等の一部につき当該贈与があった場合には、当該特例農地等のうち当該贈与があったものに係る第十三節《納税猶予税額の免除》の**1**の（三）に掲げる相続税については当該贈与があった日とし、当該特例農地等のうち当該贈与がなかったものに係る第四節の**6**《納税猶予の打切り等があった場合の利子税の納付》の（五）に規定する政令で定めるところにより計算した金額に相当する相続税については当該贈与があった日から2月を経過する日（同日以前に当該農業相続人が死亡した場合には、当該農業相続人の相続人（包括受遺者を含む。以下本章において同じ。）が当該農業相続人の死亡による相続の開始があったことを知った日の翌日から6月を経過する日。）とする。）まで、その納税を猶予する。（以下略）（措法70の6①本文）……ただし書は第四節の**1**に掲載

（用語の意義）
（1）　この章において、次の（一）から（四）に掲げる用語の意義は、当該（一）から（四）に定めるところによる。（措法70の4②）

　（一）　**農地**　農地法第2条第1項に規定する農地（同法第43条第1項の規定により農作物の栽培を耕作に該当するものとみなして適用する同法第2条第1項に規定する農地並びにこれらの当該農地の上に存する地上権、永小作権、使用貸借による権利及び賃借権を含む。）をいう。

　（二）　**採草放牧地**　農地法第2条第1項に規定する採草放牧地（当該採草放牧地の上に存する地上権、永小作権、使用貸借による権利及び賃借権を含む。）をいう。

　（三）　**特定市街化区域農地等**　都市計画法第7条第1項に規定する市街化区域内に所在する農地又は採草放牧地で、平成3年1月1日において次に掲げる区域内に所在するもの（都市営農農地等を除く。）をいう。

　イ　都の区域（特別区の存する区域に限る。）

—833—

ロ　首都圏整備法第２条第１項に規定する首都圏、近畿圏整備法第２条第１項に規定する近畿圏又は中部圏開発整備法第２条第１項に規定する中部圏内にある地方自治法第252条の19第１項の市の区域

　　ハ　ロに規定する市以外の市でその区域の全部又は一部が首都圏整備法第２条第３項に規定する既成市街地若しくは同条第４項に規定する近郊整備地帯、近畿圏整備法第２条第３項に規定する既成都市区域若しくは同条第４項に規定する近郊整備区域又は中部圏開発整備法第２条第３項に規定する都市整備区域内にあるものの区域

　(四)　都市営農農地等　都市計画法第７条第１項に規定する市街化区域内に所在する次に掲げる農地又は採草放牧地で平成３年１月１日において(三)のイからハまでに掲げる区域内に所在するものをいう。

　　イ　都市計画法第８条第１項第14号に掲げる生産緑地地区内にある農地又は採草放牧地（生産緑地法第10条（同法第10条の５の規定により読み替えて適用する場合を含む。）又は第15条第１項の規定による買取りの申出がされたもの並びに同法第10条第１項に規定する申出基準日までに同法第10条の２第１項の特定生産緑地（イにおいて「特定生産緑地」という。）の指定がされなかったもの、同法第10条の３第２項に規定する指定期限日までに特定生産緑地の指定の期限の延長がされなかったもの及び同法第10条の６第１項の規定による指定の解除がされたものを除く。）

　　ロ　都市計画法第８条第１項第１号に掲げる田園住居地域内にある農地（イに掲げる農地を除く。）

　　ハ　都市計画法第58条の３第２項に規定する地区計画農地保全条例による制限を受ける同条第１項に規定する区域内にある農地（イ及びロに掲げる農地を除く。）

　（利用意向調査に係るもの）
（２）　１に規定する利用意向調査に係るもののうち政令で定めるものは、当該利用意向調査に係る農地で農地法第36条第１項各号に該当するとき（同項ただし書に規定する正当の事由があるときを除く。）における当該農地とする。（措令40の７③）

　（相続税の納税猶予の対象から除かれるもの）
（３）　１に規定する政令で定めるものは、次に掲げるものとする。（措令40の７⑥）

　　(一)　第一章第一節の１の(8)の(二)及び同(8)の(三)に掲げるもの

　　(二)　(5)の(二)及び(三)に掲げるもの

　（都市営農農地等を一時的道路用地等の用に供した場合）
（４）　農業相続人が、(1)の(四)に規定する都市営農農地等に該当する特例農地等を第九節《一時的道路用地等の用に供するための地上権等の設定》の１に規定する一時的道路用地等の用に供した場合においては、当該特例農地等は(1)の(四)に規定する都市営農農地等に該当するものとして租税特別措置法第70条の６の規定（第六節から第八節までを除く。）の規定を適用する。（措令40の７�53）

　（一時的道路用地等の用に供されている特例農地等に対する適用）
（５）　次に掲げるものについては、１の規定の適用を受ける特例農地等に該当するものとして、(一)に掲げるものにあっては租税特別措置法第70条の６（第六節から第八節までを除く。）の規定を、(二)及び(三)に掲げるものにあっては同条（第六節並びに第十三節の(二)及び(三)を除く。）の規定を適用する。（措令40の７㋛）

　　(一)　一時的道路用地等の用に供されている特例農地等

　　(二)　第四節の１の(1)《政令で定める転用》に規定する事務所、作業場、倉庫その他の施設又は使用人の宿舎の敷地

　　(三)　第四節の２の(1)《農地、採草放牧地の保全又は利用上必要な施設》に規定する施設の用地

　（都市営農農地等を事務所等の施設又は使用人の宿舎の敷地に転用した場合）
（６）　農業相続人が、(1)の(四)に規定する都市営農農地等に該当する特例農地等を(5)の(二)に掲げるものに転用した場合においては、当該特例農地等は(1)の(四)に規定する都市営農農地等に該当するものとして租税特別措置法第70条の６（第六節並びに第十三節の(二)及び(三)を除く。）の規定を適用する。（措令40の７㋕）

　（特定市街化区域農地等の範囲）
（７）　(1)の(三)に規定する「特定市街化区域農地等」とは、都市計画法第７条第１項《区域区分》に規定する市街化区域内に所在する農地又は採草放牧地で、平成３年１月１日において次表に掲げる市（東京都の特別区を含む。）の区域内にあるもののうち(1)の(四)に規定する都市営農農地等に該当するもの以外のものをいうのであるから留意する。（措通70の４－２）

－834－

第二章　農地等についての相続税の納税猶予及び免除等
（第一節　特例適用の要件）

区　分	都府県名	都　　市　　名
首都圏 （106市）	茨城県 （5市）	竜ケ崎市、水海道市、取手市、岩井市、牛久市
	埼玉県 （36市）	川口市、川越市、浦和市、大宮市、行田市、所沢市、飯能市、加須市、東松山市、岩槻市、春日部市、狭山市、羽生市、鴻巣市、上尾市、与野市、草加市、越谷市、蕨市、戸田市、志木市、和光市、桶川市、新座市、朝霞市、鳩ケ谷市、入間市、久喜市、北本市、上福岡市、富士見市、八潮市、蓮田市、三郷市、坂戸市、幸手市
	東京都 （27市）	特別区、武蔵野市、三鷹市、八王子市、立川市、青梅市、府中市、昭島市、調布市、町田市、小金井市、小平市、日野市、東村山市、国分寺市、国立市、福生市、多摩市、稲城市、狛江市、武蔵村山市、東大和市、清瀬市、東久留米市、保谷市、田無市、秋川市
	千葉県 （19市）	千葉市、市川市、船橋市、木更津市、松戸市、野田市、成田市、佐倉市、習志野市、柏市、市原市、君津市、富津市、八千代市、浦安市、鎌ヶ谷市、流山市、我孫子市、四街道市
	神奈川県 （19市）	（横浜市）、（川崎市）、横須賀市、平塚市、鎌倉市、藤沢市、小田原市、茅ヶ崎市、逗子市、相模原市、三浦市、秦野市、厚木市、大和市、海老名市、座間市、伊勢原市、南足柄市、綾瀬市
中部圏 （28市）	愛知県 （26市）	（名古屋市）、岡崎市、一宮市、瀬戸市、半田市、春日井市、津島市、碧南市、刈谷市、豊田市、安城市、西尾市、犬山市、常滑市、江南市、尾西市、小牧市、稲沢市、東海市、尾張旭市、知立市、高浜市、大府市、知多市、岩倉市、豊明市
	三重県 （2市）	四日市市、桑名市
近畿圏 （56市）	京都府 （7市）	（京都市）、宇治市、亀岡市、向日市、長岡京市、城陽市、八幡市
	大阪府 （32市）	（大阪市）、守口市、東大阪市、堺市、岸和田市、豊中市、池田市、吹田市、泉大津市、高槻市、貝塚市、枚方市、茨木市、八尾市、泉佐野市、富田林市、寝屋川市、河内長野市、松原市、大東市、和泉市、箕面市、柏原市、羽曳野市、門真市、摂津市、泉南市、藤井寺市、交野市、四条畷市、高石市、大阪狭山市
	兵庫県 （8市）	（神戸市）、尼崎市、西宮市、芦屋市、伊丹市、宝塚市、川西市、三田市
	奈良県 （9市）	奈良市、大和高田市、大和郡山市、天理市、橿原市、桜井市、五条市、御所市、生駒市

（注）　　　　　は（1）の（三）のイに掲げる区域、（　　）書は同（三）のロに掲げる区域、その他は同（三）のハに掲げる区域に所在する市を示す。なお、　　　　　　書は、同（三）のハに掲げる区域のうち首都圏整備法の既成市街地又は近畿圏整備法の既成都市区域に所在する市を示す。

（生産緑地地区内にある農地又は採草放牧地）

（8）　（1）の（四）のイに規定する「都市計画法第8条第1項第14号に掲げる生産緑地地区内にある農地又は採草放牧地」には、旧生産緑地地区（生産緑地法の一部を改正する法律（平成3年法律第39号）による改正前の生産緑地法（以下「**旧生産緑地法**」という。）第3条第1項《第1種生産緑地地区に関する都市計画》の規定により定められている第1種生産緑地地区をいう。以下（8）において同じ。）の区域内にある農地又は採草放牧地が含まれることに留意する。

　　なお、旧生産緑地地区の区域内にある土地等は生産緑地法第10条の2第1項の特定生産緑地の指定の対象とならないため、当該区域内にある農地又は採草放牧地については、（1）の（四）のイに規定する「申出基準日までに特定生産緑地の指定がされなかつたもの」に該当しないことに留意する。（措通70の4－3）

（生産緑地法第10条又は第15条第1項の規定による買取りの申出がされたもの）

（9）　（1）の（四）のイに規定する「生産緑地法第10条（同法10条の5の規定により読み替えて適用する場合を含む。）又は第15条第1項の規定による買取りの申出がされたもの」とは、生産緑地法施行規則第6条《買取申出書の様式》又は第9条《買取り希望の申出手続》に定める「別記様式第2「生産緑地買取申出書」」又は「別記様式第3「生産緑地買取希望申出書」」により市長（東京都の特別区の区長を含む。）に対し買取りの申出がされた農地又は採草放牧地をいう。第四節の1の（5）《政令で定める譲渡又は設定》の（一）の場合においても同様とする。

　　なお、**1**の規定の適用を受ける農地又は採草放牧地が農地又は採草放牧地の上に存する権利である場合においても同

－835－

第四編　農地等に係る相続税・贈与税の納税猶予及び免除

様であるから留意する。（措通70の4－4）

（特定生産緑地の指定がされなかった場合等）
(10)　都市営農農地等である特例農地等について、（1）の(四)のイに規定する特定生産緑地の指定がされなかった場合及び同(四)のイに規定する指定期限日までに特定生産緑地の指定の期限の延長がされなかった場合については、第一章第一節の1の(18)を準用する。（措通70の6－41の2）

（平成30年改正前の措置法第70条の6の規定による相続税の納税猶予についての取扱い）
(11)　平成30年改正前の措置法第70条の6の規定による相続税の納税猶予の適用を受けているものに係る所得税法等の一部を改正する法律（平成30年法律第7号）附則第118条第7項及び第13項の規定の適用については、平成30年7月3日付課資2－9ほか2課共同「相続税法基本通達等の一部改正について」通達による改正前の「租税特別措置法（相続税法の特例関係）の取扱いについて」通達の70の4－1《農地又は採草放牧地の意義》から70の6－107《既往通達の廃止》の取扱いの例により、同条第6項並びに第11項及び第12項の規定の適用については、平成30年12月19日付課資2－19ほか2課共同「「租税特別措置法（相続税法の特例関係）の取扱いについて」等の一部改正について」通達による改正前の「租税特別措置法（相続税法の特例関係）の取扱いについて」通達の70の4－1《農地又は採草放牧地の意義》から70の6－108《既往通達の廃止》の取扱いの例による。（措通70の6－107）

2　被相続人

　1に規定する農業を営んでいた個人《農地等の被相続人》は、次に掲げるいずれかに該当する者（その者からの相続又は遺贈（贈与をした者の死亡により効力を生ずる贈与を含む。以下において同じ。）によりその有する1に規定する農地及び採草放牧地又は第一章第一節の1に規定する農地等の取得をした相続人で、当該相続又は遺贈に係る1に規定する相続税の申告書の提出期限前に当該相続税の申告書を提出しないで死亡したもの（以下において「**第一次農業相続人**」という。）を含む。）とする。（措令40の7①）

(一)	その生前において有していた1に規定する農地及び採草放牧地につきその死亡の日まで農業を営んでいた個人（第五節の1の規定の適用を受ける1に規定する農業相続人を含む。）
(二)	その生前において第一章第一節の1に規定する農地等の同1の規定の適用に係る贈与をした個人（当該贈与に係る贈与税につき当該個人が死亡したことにより第一章第十三節《納税猶予税額の免除》の規定の適用があった場合に限る。）

（農業を営んでいた個人）
(1)　1に規定する「農業を営んでいた個人」の意義については、次の(2)の規定を準用する。（措通70の6－4）

（農業を営む個人等）
(2)　第一章第一節の1に規定する「農業を営む個人」とは、耕作又は養畜の行為を反復、かつ、継続的に行う個人をいう。したがって、個人が耕作若しくは養畜による生産物を自家消費に充てている場合又は会社、官庁等に勤務するなど他に職を有し若しくは他に主たる事業を有している場合であっても、その耕作又は養畜の行為を反復、かつ、継続的に行っている限り、その者は農業を営む個人に該当する。
　なお、同1に規定する受贈者が農業経営を行う者に該当するかどうかについても、これと同様とする。（措通70の4－6）

　（注）　上記により、住居及び生計を一にする親族の2人以上の者が、農業を営む個人に該当する場合には、それらの者が所得税の課税上農業の事業主となっているかどうかは問わないのであるから留意する。

（農業を営んでいた個人の範囲）
(3)　1に規定する「農業を営んでいた個人」には、2の規定に該当する者のほか、次の(一)から(六)までに掲げる者を含むものとして取り扱う。（措通70の6－5）
　(一)　次に掲げる規定に規定する農地等の贈与に係る受贈者が贈与者の死亡の時まで当該規定による贈与税の納期限延長又は納税猶予の適用を受けていた場合における当該贈与者
　　イ　昭和50年改正前の措置法第70条の4第1項
　　ロ　平成3年改正前の措置法第70条の4第1項

－836－

第二章　農地等についての相続税の納税猶予及び免除等
（第一節　特例適用の要件）

- ハ　平成7年改正前の措置法第70条の4第1項
- ニ　平成12年改正前の措置法第70条の4第1項
- ホ　平成13年改正前の措置法第70条の4第1項
- ヘ　平成14年改正前の措置法第70条の4第1項
- ト　平成15年改正前の措置法第70条の4第1項
- チ　平成17年改正前の措置法第70条の4第1項
- リ　平成21年改正前の措置法第70条の4第1項
- ヌ　平成26年改正前の措置法第70条の4第1項
- ル　平成28年改正前の措置法第70条の4第1項
- ヲ　平成30年改正前の措置法第70条の4第1項
- ワ　令和2年改正前の措置法第70条の4第1項
- カ　令和4年改正前の措置法第70条の4第1項
- （二）　3の**②**の規定の適用を受ける農地等の贈与に係る贈与者
- （三）　第十節の**1**の規定の適用を受ける農業相続人が死亡の時まで同**1**の規定の適用を受けていた場合における当該農業相続人
- （四）　第一章第十節の**1**の規定の適用を受ける同**1**に規定する受贈者が死亡の時まで同**1**の規定の適用を受けていた場合における当該受贈者
- （五）　第十六節の**2**の(1)に規定する特定貸付者（以下第一節において**「特定貸付者」**という。）
  - （注）　当該特定貸付者には第一章第十七節の**1**に規定する特定貸付けを行っている者が含まれることに留意する。
- （六）　第十八節の**1**に規定する認定都市農地貸付け又は農園用地貸付けを行っている者（以下第一節において**「認定都市農地等貸付者」**という。）

　　　　（被相続人が死亡の日まで農業を営んでいない場合の取扱い）

（4）　**1**に規定する「農業を営んでいた個人として**2**で定める者」とは、**2**に規定する者をいうのであるが、**2**の(一)に規定する「その生前において有していた**1**に規定する農地及び採草放牧地につきその死亡の日まで農業を営んでいた個人（第五節の**1**の規定の適用を受ける**1**に規定する農業相続人を含む。）」には、被相続人が、死亡の日まで農業を営んでいなかった場合においても既往において相当の期間農業を営んでおり、かつ、次の(一)又は(二)に掲げる事実があるときは、当該死亡の日前に、当該被相続人の親族に農業経営が移譲されている場合において、当該被相続人が所有する農地のうちに、利用意向調査に係る農地で農地法第36条第1項各号に該当するときにおける当該農地について、**1**の規定の適用を受けようとする場合を除き、当該被相続人もこれに含まれるものとして取り扱う。（措通70の6－6）

- （一）　被相続人が老齢又は病弱のため、生前において、その者と住居及び生計を一にする親族並びにその者が行っていた耕作又は養畜の事業に従事していたその他の二親等内の親族に農業経営を移譲していたこと。
  - （注）　被相続人とその親族が住居又は生計を一にしない場合であっても、その住居又は生計を一にしない理由が農地法第2条第2項に掲げる事由に該当するときには、当該事由に基づき住居又は生計を一にしない期間は、なお、住居又は生計を一にしているものとして取り扱うものとする。
- （二）　被相続人が独立行政法人農業者年金基金法第18条第2号に規定する特例付加年金又は同法附則第6条第3項の規定によりなおその効力を有するものとされる農業者年金基金法の一部を改正する法律附則第8条第1項に規定する経営移譲年金の支給を受けるため、相続開始の日前に、その者の親族に農業経営を移譲していたこと。

　　　　（被相続人が特例付加年金又は経営移譲年金の支給を受けるため相続開始の日まで農業を営んでいない場合の農業の用に供している農地の取扱い）

（5）　（4）により被相続人を**1**に規定する「農業を営んでいた個人」に該当するものとして取り扱う場合において、当該被相続人が所有する農地のうちに、利用意向調査に係る農地で農地法第36条第1項各号に該当するときにおける当該農地については、**1**に規定する「農地」には含まれないものとして取り扱う。（措通70の6－13の2）

3　対象農地等

①　未分割農地等の不適用

　1の相続又は遺贈に係る相続税の申告書の提出期限までに、当該相続又は遺贈により取得をした農地若しくは採草放牧地又は準農地の全部又は一部が共同相続人又は包括受遺者によってまだ分割されていない場合における**1**の規定の適用に

－837－

第四編　農地等に係る相続税・贈与税の納税猶予及び免除

ついては、その分割されていない農地及び採草放牧地並びに準農地は、当該相続税の申告書に**1**の規定の適用を受ける旨の記載をすることができないものとする。（措法70の6⑤）

② 相続開始の年に生前贈与を受けた農地等

1に規定する被相続人の相続人が、当該被相続人からの贈与により第一章第一節の**1**に規定する農地等を取得している場合において、当該贈与の日の属する年において当該被相続人の相続が開始し、かつ、当該被相続人からの相続又は遺贈により財産を取得したことにより第一編第四章第二節**四**の**1**《相続開始前3年以内の贈与財産》又は第三編第一章第三節**一**の(1)の規定により当該贈与により取得した農地及び採草放牧地並びに準農地の価額が相続税の課税価格に加算されることとなるとき（当該農地及び採草放牧地並びに準農地について同第三節**二**の(1)の規定の適用がある場合を含む。）は、本章の規定の適用については、当該贈与により取得した当該農地及び採草放牧地並びに準農地は、当該相続人が当該被相続人からの相続又は遺贈により取得したものとみなす。（措令40の7④）

③ 準農地

1に規定する農地又は採草放牧地に準ずる土地《準農地》は、農地及び採草放牧地以外の土地で農業振興地域の整備に関する法律第8条第1項に規定する農業振興地域整備計画において同条第2項第1号に規定する農業上の用途区分が当該農地又は採草放牧地とされているものであって、**1**に規定する農業相続人（当該農業相続人が第一次農業相続人に該当する場合には、その者の**4**に規定する第二次農業相続人）が相続又は遺贈により取得をしたもののうち、開発して農地又は採草放牧地として当該農業相続人の農業の用（当該農業相続人が**4**の(二)に該当する者である場合には、その推定相続人の農業の用を含む。）に供することが適当であるものとして(1)で定めるところにより市町村長が証明したものとする。（措令40の7⑤）

　　　（準農地の証明手続）
（1）　**③**に規定する証明は、**③**に規定する農業振興地域整備計画において農業上の用途区分が農地又は採草放牧地とされている土地を相続又は遺贈により取得をした**③**に規定する農業相続人（当該農業相続人が第一次農業相続人に該当する場合には、その者の**4**に規定する第二次農業相続人）の申請に基づき、当該土地の所在地を管轄する市町村長が、当該土地につき、当該土地の当該農業上の用途区分及び当該土地を開発して当該農地又は採草放牧地として当該農業相続人の農業の用（当該農業相続人が**4**の(二)に該当する者である場合には、その推定相続人の農業の用を含む。）に供することが適当であるものと認められる旨を記載した書類により行うものとする。（措規23の8②）

　　　（農地又は採草放牧地の意義）
（2）　**1**の規定による相続税の納税猶予の適用を受けることができる「農地」又は「採草放牧地」の意義については、(3)を準用する。（措通70の6−1）

　　　（農地又は採草放牧地の意義）
（3）　第一章第一節の**1**《農地等を贈与した場合の贈与税の納税猶予》に規定する「農地」又は「採草放牧地」とは、次に掲げるもののうち**1**の(1)《用語の意義》の(三)に規定する「特定市街化区域農地等」に該当するもの及び農地法（昭和27年法律第229号）第32条第1項《利用意向調査》又は第33条第1項の規定による同法第32条第1項に規定する利用意向調査（以下「利用意向調査」という。）に係るもののうち同法第36条第1項各号《農地中間管理権の取得に関する協議の勧告》に該当するとき（同項ただし書に規定する正当の事由があるときを除く。）における当該農地以外のものをいう。（措通70の4−1）
（一）　「農地」とは、耕作の目的に供される土地をいう。この場合、耕作の目的に供される土地には、現に耕作されている土地のほか、現に耕作されていない土地のうち正常な状態の下においては耕作されていると認められるものが含まれるものとする。ただし、現に耕作されている土地であっても、いわゆる家庭菜園や通常であれば耕作されないと認められる土地、例えば、運動場、工場敷地等を一時、耕作しているものは、農地に該当しないことに留意する。
　　（注）1　上記において、「耕作」とは、土地に労資を加え、肥培管理を行って作物を栽培することをいい、肥培管理とは、作物の生育を助けるため、その土地及びそこに植栽される作物について行う耕うん、整地、播種、かんがい、排水、施肥、農薬散布、除草等の一連の人為的作業をいう。
　　　　2　上記において、「現に耕作されていない土地のうち正常な状態の下においては耕作されていると認められるもの」とは、第一章第一節の**3**の①の(1)の(一)ないし(三)に掲げる土地その他通常であれば耕作されていると認められる土地をいう。
（二）　「採草放牧地」とは、農地以外の土地で主として耕作又は養畜の事業のための採草又は家畜の放牧の目的に供されるものをいう。この場合、農地以外の土地で主として採草又は養蓄の事業のための採草又は家畜の放牧の目的に供さ

−838−

第二章　農地等についての相続税の納税猶予及び免除等
（第一節　特例適用の要件）

れている土地のほか、現にこれらの目的に供されていない土地のうち正常な状態の下においてはこれらの目的に供さ
れていると認められるものが含まれるものとする。

　なお、主として耕作又は養蓄の事業のための採草又は家畜の放牧の目的に供される土地であっても、肥培管理が行
われているものは、農地に該当し、採草放牧地には該当しないのであるから留意する。

　　(注)1　上記において、「養蓄」とは、家畜、家きん、毛皮獣などの生産、育成、肥育、採卵又は採乳を行うことをいう。

　　　　2　上記において、「現にこれらの目的に供されていない土地のうち正常な状態の下においてはこれらの目的に供されていると認められる
　　　　　もの」とは、第一章第一節の3の①の(1)の(一)ないし(三)に掲げる土地その他通常であれば主として耕作又は養蓄の事業のための採草
　　　　　又は家畜の放牧の目的に供されていると認められる土地をいう。

（措法第70条の5の適用を受ける特例適用農地等のうち昔法第70条の6第1項の農地等に含まれないもの）

（4）　1に規定する農業相続人が第一章第十八節の1の規定により相続又は遺贈により取得したものとみなされる特例適
　用農地等のうち、次に掲げるものは、1に規定する農地、採草放牧地及び準農地には含まれないのであるから留意する。
　（措通70の6－2）

　（一）　第一章第一節の1の(8)《一時的道路用地等の用に供されている農地等に対する適用》の(二)又は(三)に掲げる
　　　敷地又は用地

　（二）　第一章第一節の1の(8)の規定により特例適用農地等に該当するものとされる同(8)の(二)又は(三)に掲げる敷
　　　地又は用地を第一章第九節《一時的道路用地等の用に供するための地上権等の設定》の1に規定する一時的道路用地
　　　等の用に供している場合における当該敷地又は用地

　（三）　当該農地等が昭和50年改正前又は平成3年改正前の第一章第一節の1の規定による贈与税の納税猶予の適用を受
　　　けているものであり、かつ、当該農地等のうちに、当該取得したものとみなされた時において特定市街化区域農地等
　　　に該当するものがある場合には、当該特定市街化区域農地等に該当するもの

（立毛、果樹等）

（5）　1に規定する特例農地等に栽培されている立毛、果樹等については、(6)の取扱いと同様とする。（措通70の6－3）

（立毛、果樹等）

（6）　第一章第一節の1《農地等を贈与した場合の贈与税の納税猶予及び免除》に規定する「農地等」には、これらの土
　地に栽培されている立毛、果樹等を含まないのであるから留意する。（措通70の4－5）

（相続税の納税猶予が受けられる農地等）

（7）　被相続人の遺産のうちにその農業の用に供されていた1に規定する農地及び採草放牧地がある場合において農業相
　続人が1の規定による相続税の納税猶予の適用を受けることができるのは、当該被相続人から相続又は遺贈によりその
　農業の用に供されていた1に規定する農地及び採草放牧地をともに取得した場合に限られるのであって、1に規定する
　農地又は採草放牧地のいずれか一方のみを取得した場合には、1の規定の適用はないのであるから留意する。

　　また、1の規定による相続税の納税猶予の適用を受けることができる準農地は、相続又は遺贈により1に規定する農
　地及び採草放牧地とともに取得したものに限られるのであるから、準農地だけを相続若しくは遺贈により取得した場合
　又は被相続人の農業の用に供されていた1に規定する農地及び採草放牧地のいずれか一方のみとともに準農地を取得し
　た場合は、いずれも、1の適用がないのであるから留意する。（措通70の6－12）

（被相続人の農業の用に供されていた農地又は採草放牧地）

（8）　1に規定する被相続人の農業の用に供されていた農地として取り扱うものについては、次の(10)　（後段を除く。）
　及び(11)の規定を準用する。

　　なお、次に掲げる場合の区分に応じ、それぞれに掲げる農地又は採草放牧地については、1に規定する被相続人の農
　業の用に供されていた農地又は採草放牧地としてみなされることに留意する。（措通70の6－13）

　（一）　第六節《貸付特例適用農地等に係る賃借権等の設定》の1《特例の適用要件》の規定の適用を受けている同1に
　　　規定する農業相続人が死亡した場合

　　　当該農業相続人を被相続人とする相続に係る相続税の申告書の提出期限までに同1の規定の適用を受けている貸付
　　　特例適用農地等に係る使用貸借による権利又は賃貸借（以下(8)において「賃借権等」という。）が消滅した農地又は
　　　採草放牧地

　（二）　第一章第六節《貸付特例適用農地等に係る賃借権等の設定》の1《特例の適用要件》の規定の適用を受けている

－839－

同1に規定する受贈者が死亡した場合

当該受贈者を被相続人とする相続に係る相続税の申告書の提出期限までに同1の規定の適用を受けている貸付特例適用農地等に係る賃借権等が消滅した農地又は採草放牧地

（三）　第一章第六節の1の規定の適用を受けている同1に規定する受贈者に係る第一章第一節の1《農地等を贈与した場合の贈与税の納税猶予》に規定する贈与者が死亡し、同第六節の1に規定する貸付特例適用農地等が第一章第十八節の1《特例適用農地等の相続税の課税価格への算入》の規定により相続又は遺贈により取得したものとみなされた場合

当該贈与者を被相続人とする相続に係る相続税の申告書の提出期限までに同第六節の1の規定の適用を受けている貸付特例適用農地等に係る賃借権等が消滅した農地又は採草放牧地

（四）　第九節《一時的道路用地等の用に供するための地上権等の設定》の1の規定の適用を受けている同1に規定する農業相続人が死亡した場合

第一節の1の（5）《一時的道路用地等の用に供されている特例農地等に対する適用》の（一）に規定する一時的道路用地等の用に供されている農地又は採草放牧地（第九節の4の（1）《一時的道路用地等の用に供されている特例農地等から除かれるもの》に規定する一時的道路用地等の用に供している敷地又は用地を除く。）

（五）　第一章第九節《一時的道路用地等の用に供するための地上権等の設定》の1の規定の適用を受けている同1に規定する受贈者が死亡した場合

第一章第一節の1の（8）《一時的道路用地等の用に供されている農地等に対する適用》の（一）に規定する一時的道路用地等の用に供されている農地又は採草放牧地（同（8）の規定により特例適用農地等に該当するものとされる同（8）の（二）又は（三）に掲げる敷地又は用地を同第九節の1に規定する一時的道路用地等の用に供している場合における当該敷地又は用地を除く。次の（六）において同じ。）

（六）　第一章第九節の1の規定の適用を受けている同1に規定する受贈者に係る第一章第一節の1に規定する贈与者が死亡し、同第九節の1に規定する一時的道路用地等の用に供されている農地等が第一章第十八節《農地等の贈与者が死亡した場合の相続税の課税の特例》の1の規定により相続又は遺贈により取得されたものとみなされた場合

同第一節の1の（8）の（一）に規定する一時的道路用地等の用に供されている農地又は採草放牧地

（七）　第一章第十節《営農困難時貸付けの特例》の1の規定の適用を受けている同1に規定する農業相続人が死亡した場合

同1に規定する営農困難時貸付けを行っている農地又は採草放牧地

（八）　第一章第十節の1の規定の適用を受けている同1に規定する受贈者が死亡した場合

同1に規定する営農困難時貸付けを行っている農地又は採草放牧地

（九）　第一章第十節の1の規定の適用を受ける同1に規定する受贈者に係る第一章第一節の1に規定する贈与者が死亡し、同第十節の1に規定する営農困難時貸付農地等が第一章第十八節の1の規定により相続又は遺贈により取得したものとみなされた場合

同第十節の1に規定する営農困難時貸付けを行っている農地又は採草放牧地

（十）　特定貸付者が死亡し、当該特定貸付者の相続人が当該特定貸付者から第一章第十七節の1又は第十六節の1に規定する特定貸付けを行っている農地又は採草放牧地を相続又は遺贈により取得をした場合（第一章第十八節の1の規定により相続又は遺贈により取得したものとみなされた場合を含む。）

第一章第十七節の1に規定する特定貸付け又は第十六節の1に規定する特定貸付けを行っている農地又は採草放牧地

（十一）　認定都市農地等貸付者が死亡し、当該認定都市農地等貸付者の相続人が当該認定都市農地等貸付者から第十七節の1の（1）の（二）に規定する認定都市農地貸付け又は同（1）の（三）に規定する農園用地貸付けを行っている農地を相続又は遺贈により取得をした場合

当該認定都市農地貸付け又は当該農園用地貸付けを行っている農地

（国又は地方公共団体等の行う事業のため特定農地等が一時的に農業の用に供することができないこととなった場合）

（9）　特例農地等が（12）の（三）に掲げる土地に該当することとなった場合は、第四節の1の（一）又は同節の2に規定する譲渡等には当たらないものとして取り扱う。（措通70の6－26）

（贈与者等の農業の用に供している農地又は採草放牧地）

（10）　第一章第一節の1《農地等を贈与した場合の贈与税の納税猶予》に規定する農業を営む個人がその農業の用に供し

－840－

第二章　農地等についての相続税の納税猶予及び免除等
（第一節　特例適用の要件）

ている農地又は採草放牧地には、その者が贈与の時において現に農業の用に供していない農地又は採草放牧地（第一章第一節の1の(10)の規定により同1の規定の適用を受ける農地又は採草放牧地を除く。）は含まれないのであるが、次に掲げる土地は、それぞれ次に掲げる事由の生ずる直前において、農地又は採草放牧地で、その者が農業の用に供していた場合に限り、その農業の用に供している農地又は採草放牧地に該当するものとして取り扱う。

また、同1に規定する贈与を受けた者が贈与により取得した同1の規定の適用を受ける農地又は採草放牧地が次に掲げる土地に該当することとなった場合であっても、その土地は、その者の農業の用に供している農地又は採草放牧地に該当するものとして取り扱う。（措通70の4－12）

（一）　災害、疾病等のためやむを得ず一時的に農業の用に供されていない土地

（二）　土地改良法による土地改良事業若しくは土地区画整理法による土地区画整理事業又は石炭鉱業の構造調整の完了等に伴う関係法律の整備等に関する法律附則第2条の規定によりなお効力を有することとされる場合及び同条の規定によりなお従前の例によることとされる場合における廃止前の臨時石炭鉱害復旧法による復旧工事施行中のため農業の用に供することができない土地

（三）　国又は地方公共団体等の行う事業のため一時的に農業の用に供することができない土地で、かつ、その時期が、例えば、気温、積雪その他の自然条件により概ね農作物の作付ができない期間、連作の害を防ぐため休耕している期間に当たる場合などその土地の農業上の利用を害さないと認められるもの

　（注）　次のいずれかに該当する場合には、上記(三)の土地には当たらないものとする。

　　①　その土地が国又は地方公共団体の行う事業のため一時的に農業の用に供することができなくなることについて、公共性、緊急性及び非代替性が認められない場合

　　②　その土地を国又は地方公共団体等の行う事業のために農業の用に供することができなくなる期間が、その事業のため必要最小限の期間でない場合又はその土地を農業の用に供することができなくなる期間がその事業のため必要最小限の期間であっても、その期間が1年を超える場合

　　③　その土地が農業の用に供することができることとなった時において、その土地が従前の農地又は採草放牧地と同等以上の利用価値を有する農地又は採草放牧地に復元されることが確実であると認められない場合

（請負耕作に係る農地）

(11)　農地の所有者が、いわゆる請負耕作契約により他人に耕作を請け負わせている農地は、その請負耕作の内容が当該農地に係る耕作の作業の一部である場合を除き、第一章第一節の1《農地等を贈与した場合の贈与税の納税猶予及び免除》の規定によるその者の農業の用に供している農地に該当しないのであるから留意する。（措通70の4－13）

（農業相続人の農業の用に供している農地又は採草放牧地）

(12)　1に規定する農業相続人の農業の用に供している農地又は採草放牧地として取り扱うものについては、(10)の後段を準用する。（措通70の6－13の3）

（受贈者の死亡後に取得した農地又は採草放牧地についての納税猶予の適用）

(13)　特例適用農地等の譲渡等につき第一章第七節《特例適用農地等の買換え》の1の規定による買換えの承認を受けている場合において、同1の規定による農地又は採草放牧地（当該譲渡等が第一章第一節1《農地等を贈与した場合の贈与税の納税猶予及び免除》の(2)の(三)イからハまでに掲げる区域内に所在する農地等の措置法第33条の4《収用交換等の場合の譲渡所得等の特別控除》第1項に規定する収用交換等による譲渡である場合には、農地若しくは採草放牧地又は1年以内に農地若しくは採草放牧地に該当する見込みのある当該区域内に所在する土地）を取得する前に受贈者が死亡したときにおける相続税の課税に当たっては、当該譲渡等に係る特例適用農地等は相続財産を構成せず、当該受贈者が相続開始時において有していた財産が相続税の課税価格計算の基礎となるのであるから留意する。ただし、当該受贈者がその生前において当該買換えの承認に係る農地又は採草放牧地の取得に関する売買契約を締結しており、かつ、当該受贈者の相続人が当該受贈者の死亡に係る相続税の申告書の提出期限までに当該農地又は採草放牧地を取得している場合において、当該相続人から当該取得した農地又は採草放牧地（当該買換えの承認に係る譲渡対価の額に対応する部分に限る。）を相続税の課税価格の計算の基礎に算入して本節の1の規定による相続税の納税猶予の特例の適用を受ける旨の相続税の申告書の提出があったときは、これを認めて差し支えない。（措通70の6－14）

（受贈者の死亡後に農業の用に供することとなった農地又は採草放牧地についての納税猶予の適用）

(14)　特例適用農地等の譲渡等につき第一章第八節《特定市街化区域農地等の収用交換等による譲渡》の規定による付替えの承認を受けている場合において、代替農地等を譲渡等に係る特例適用農地等に代わるものとして受贈者の農業の用に供する農地又は採草放牧地とする前に受贈者が死亡したときにおける相続税の課税に当たっては、当該代替農地等の

－841－

第四編　農地等に係る相続税・贈与税の納税猶予及び免除

うち相続開始時において農地又は採草放牧地に該当しない土地については、**1**に規定する農地等に該当しないことから、**1**の規定による相続税の納税猶予の特例の適用はないことに留意する。ただし、当該受贈者の死亡に係る相続税の申告書の提出期限までに、当該土地が農地又は採草放牧地となり、かつ、当該受贈者の相続人から当該農地又は採草放牧地（当該付替えの承認に係る譲渡対価の額に対応する部分に限る。）を相続税の課税価格の基礎に算入して**1**の規定による相続税の納税猶予の特例の適用を受ける旨の相続税の申告書の提出があったときは、これを認めて差し支えない。（措通70の6－14の2）

　　（受贈者の死亡後に取得した又は都市営農農地等に該当することとなった農地又は採草放牧地についての納税猶予の適用）

(15)　第一章第一節の**1**《農地等を贈与した場合の贈与税の納税猶予》の規定の適用を受ける農地又は採草放牧地についての買取りの申出等につき同章第十一節の**1**の規定による承認を受けている場合において、同**1**の規定による農地又は採草放牧地を取得する前に受贈者が死亡したときにおける相続税の課税に当たっては、(13)の取扱いを準用する。

　　また、上記の買取りの申出等につき同**1**の規定による承認を受けている場合において、当該承認に係る特定農地等を譲渡等をする前に又は当該承認に係る特定農地等が同**1**の規定による都市営農農地等に該当することとなる前に受贈者が死亡したときにおける相続税の課税に当たっては、当該承認に係る特定農地等は相続財産を構成するが、本節の**1**の規定による相続税の納税猶予の適用を受けることができる農地又は採草放牧地には該当しないのであるから留意する。ただし、当該承認に係る特定市街化区域農地等に係る農地又は採草放牧地が当該受贈者の死亡に係る相続税の申告書の提出期限までに第一章第十一節の**1**の規定による都市営農農地等に該当することとなった場合において、当該受贈者の相続人から当該都市営農農地等に該当することとなった農地又は採草放牧地について本節の**1**の規定による相続税の納税猶予の特例の適用を受ける旨の相続税の申告書の提出があったときは、これを認めて差し支えない。この場合において、当該都市営農農地等に該当することとなった農地又は採草放牧地の価額は、当該受贈者の死亡の日における現況によるのであるから留意する。（措通70の6－15）

　　（農業相続人の死亡後に取得した農地又は採草放牧地についての納税猶予の適用）

(16)　特例農地等の譲渡等につき第七節の**1**《買換えの承認があった場合の納税猶予の継続》の規定による買換えの承認を受けている場合において、同**1**の規定による農地又は採草放牧地を取得する前に農業相続人が死亡したときにおける相続税の課税については、(13)を準用する。（措通70の6－64）

　　（農業相続人の死亡後に取得した又は都市営農農地等に該当することとなった農地又は採草放牧地についての納税猶予の適用）

(17)　**1**の規定の適用を受ける農地又は採草放牧地についての買取りの申出等につき第十一節の**1**の規定による承認を受けている場合において、同**1**の規定による農地若しくは採草放牧地を取得する前に又は同**1**の規定による都市営農農地等に該当することとなる前に農業相続人が死亡したときにおける相続税の課税については、(15)を準用する。（措通70の6－65）

　　（代償分割により取得した農地等についての納税猶予の不適用）

(18)　遺産の分割に当たり、遺産の代償として取得した他の共同相続人の所有に属する農地、採草放牧地又は準農地は、被相続人が有していたものではなく、かつ、被相続人の農業の用に供されていたものではないので、**1**の規定による納税猶予の対象となる特例農地等に該当しないことに留意する。（措通70の6－11）

　　（農地等の贈与者が贈与税の申告期限前に死亡した場合における相続税の納税猶予の適用）

(19)　贈与税の納税猶予の対象となる農地等の受贈者が、第一章第三節の**1**の(2)《農地等の贈与者が贈与税の申告期限前に死亡した場合》の(一)のロ（なお書を除く。）又は同(2)の(二)により贈与税の納税猶予の適用を受けたときにおける当該贈与者の死亡に係る贈与税については当該農地等について第一章第十八節の規定の適用があり、これに伴い、当該農地等については、本節の**1**の規定の適用を受けることができるのであるから留意する。

　　この場合において、当該贈与税の納税猶予の適用を受ける旨の贈与税の申告書の提出期限が、当該贈与者の死亡に係る相続税の申告書の提出期限より後であるため、当該贈与税の申告書の提出があったことにより当該相続税について期限後申告書又は修正申告書（以下(19)において「**期限後申告書等**」という。）の提出を要する場合において、当該期限後申告書等の提出があったときにおける相続税の取扱いについては、次に掲げるところによる。（措通70の6－19）

(一)　当該農地等の贈与者の死亡に係る相続についての相続人又は受遺者の提出した当該期限後申告書等は、第一編第

－842－

第二章　農地等についての相続税の納税猶予及び免除等
（第一節　特例適用の要件）

七章第三節**二**又は同第七章第四節**二**の1に規定する期限後申告書又は修正申告書に該当するものとし、当該期限後申告書等の提出により納付すべき相続税については、同第七章第六節**三**の7の**②**の（一）のハの規定に該当するものとして1の規定を適用する。

（二）　当該農地等の受贈者から本節の1の規定による相続税の納税猶予の適用を受ける旨の当該期限後申告書等の提出があった場合における1の規定の適用については、当該期限後申告書等が当該農地等の贈与に係る贈与税の申告書の提出期限までに提出された場合に限り、当該期限後申告書等は、相続税の申告書の提出期限内に提出されたものとする。

（注）　上記の場合、受贈者による贈与税の納税猶予の適用を受ける旨の贈与税の申告書の提出前において、当該農地等について第一章第十八節の1又は第一章第十八節の1及び本節の1の規定の適用があるものとする相続税の申告書の提出及び担保の提供があった場合には、当該相続税の申告書は、これらの規定の適用のある相続税の申告書として取り扱い、当該贈与税の申告書の提出期限までに当該贈与税の申告書の提出がなされないときは、これらの規定の適用を受けない相続税の申告書として取り扱うのであるから留意する。

（特例農地等の一部につき生前一括贈与があった場合）

(20)　1に規定する「当該特例農地等の一部につき当該贈与があった場合」とは、次に掲げる場合をいうことに留意する。（措通70の6－21）

（一）　農業相続人の有する採草放牧地の面積のうち当該採草放牧地及び第一章第一節の1の（5）に規定する従前採草放牧地の面積の合計の3分の1未満の面積のもの並びに農業相続人の有する準農地の面積のうち当該準農地及び同1の（6）に規定する従前準農地の面積の合計の3分の1未満の面積のものを残す農地等の贈与があった場合で、贈与されなかった採草放牧地及び準農地のうちに特例農地等があるとき

（二）　当該特例農地等のうちに1の（5）の（二）若しくは（三）に掲げる敷地若しくは用地又は当該敷地若しくは用地を同（一）に規定する一時的道路用地等の用に供している場合における当該敷地若しくは用地がある場合において農地等の贈与があったとき

（三）　当該特例農地等が平成3年改正前の1の規定による相続税の納税猶予の適用を受けているものであり、かつ、当該特例農地等のうちに当該贈与があった時において特定市街化区域農地等に該当するものがある場合において農地等の贈与があったとき

（注）　上記の場合には、贈与された特例農地等の価額に対応する部分の相続税の額は免除され、贈与されなかった特例農地等、1の（5）の（二）又は（三）に掲げる敷地又は用地、当該敷地又は用地を同（一）に規定する一時的道路用地等の用に供している場合における当該敷地又は用地及び特定市街化区域農地等に該当する特例農地等の価額に対応する部分の相続税の額（当該相続税の額に係る利子税の額を含む。）は、その贈与があった日から2月を経過する日までに納付することになることに留意する。

（相続時精算課税適用者が特定贈与者より贈与により取得した農地等に係る措置法第70条の6第1項の適用）

(21)　相続時精算課税適用者が特定贈与者から贈与により取得した農地等については、当該農地等が第一章第十八節の1の規定により相続又は遺贈により取得したものとみなされる特例適用農地等に該当しない場合（**②**に該当する場合を除く。）には、1の規定の適用はないことに留意する。（措通70の6－2の2）

4　農業相続人

1に規定する農業相続人は、次に掲げる者のいずれかに該当する者であることにつき（1）に定めるところにより農業委員会が証明した者（当該被相続人からの相続又は遺贈により1に規定する農地及び採草放牧地の取得をした相続人が第一次農業相続人に該当する場合には、当該第一次農業相続人からの相続又は遺贈により当該農地及び採草放牧地の取得をした相続人で、当該相続又は遺贈に係る1に規定する相続税の申告書の提出期限までに当該取得をした当該農地及び採草放牧地に係る農業経営を開始し、その後引き続き当該農業経営を行うと認められる者であることにつき財務省令で定めるところにより農業委員会が証明したもの（以下において「**第二次農業相続人**」という。）がある者）とする。（措令40の7**②**）

（一）	当該被相続人からの相続又は遺贈に係る1に規定する相続税の申告書の提出期限までに当該相続又は遺贈により取得をした1に規定する農地及び採草放牧地に係る農業経営を開始し、その後引き続き当該農業経営を行うと認められる者
（二）	第一章第五節《受贈農地等に係る使用貸借による権利の設定》の1の規定の適用を受けた同1に規定する受贈者が使用貸借による権利が設定されている同1の農地等につきその贈与者の死亡により第一章第十八節の規定によりその者から相続又は遺贈による取得をしたとみなされる場合において、当該受贈者で当該設定後引き続きその推定相続人（当該受贈者が第一章第五節の4の**②**の（二）《被設定者の死亡による他の推定相続人への農業経営の承継》の規定の適用を受けた者である場合には、同（二）に規定する他の推定相続人等を含む。以下において同じ。）に当該農

－843－

地等を使用させ、当該推定相続人が営む当該農地等に係る農業に現に従事している者であり、かつ、当該相続後も引き続いて、当該推定相続人に使用させ、当該農業に従事する者であると認められるもの

（農業相続人の証明手続）
（１）　４に規定する証明は、１に規定する被相続人の相続人で当該被相続人からの相続又は遺贈（贈与をした者の死亡により効力を生ずる贈与を含む。以下において同じ。）により１に規定する農地及び採草放牧地の取得（第一章第十八節又は本節の３の②の規定により相続又は遺贈により取得したとみなされる場合の取得を含む。以下において同じ。）をしたものの申請に基づき、当該農地及び採草放牧地の所在地を管轄する農業委員会（農業委員会を置かない市町村にあっては、市町村長）が、当該相続人が４の規定に該当することを明らかにする事実を記載した書類により行うものとする。（措規23の8①）

（第二次農業相続人がある場合の規定の読替え）
（２）　第二次農業相続人がある場合には、第二次農業相続人がある第一次農業相続人に係る１の規定の適用については、１中次の表の左欄に掲げる字句は、同表の右欄に掲げる字句とし、当該第二次農業相続人に係る１の規定の適用については、当該第二次農業相続人に係る第一次農業相続人はその死亡の日まで農業を営んでいたものとみなす。（措令40の7⑦）

当該相続に係る第一編第七章第一節一の１	当該農業相続人の相続人が当該相続に係る第一編第七章第一節四の１
（（２）の政令で定めるものを除く。）	（当該農業相続人からの相続又は遺贈により当該農地及び採草放牧地並びに準農地の取得をした農業相続人（以下１において「第二次農業相続人」という。）が、第一編第七章第一節一の１の規定による期限内申告書に１の規定の適用を受けようとする旨の記載をしたものに限るものとし、（２）の政令で定めるものを除くものとする。）
当該農地及び採草放牧地については当該農業相続人がその農業の用に供するもの〔第五節の規定に該当する農業相続人にあっては、その推定相続人の農業の用に供するものを含む。〕に限るものとし、準農地	準農地
当該相続税の申告書の提出期限までに当該	当該第二次農業相続人が当該農業相続人からの相続又は遺贈により取得をした特例農地等につき１の規定の適用を受けるため当該特例農地等に係る
その納税を猶予する	第二章第十三節の１の規定の適用については、その納税を猶予したものとみなす

（相続人として取り扱う相続放棄者）
（３）　相続の放棄をしたため相続人に該当しない者であっても、次の（一）から（三）のいずれかに該当する者は、１に規定する「相続人」に該当するものとして取り扱う。（措通70の6－7）
（一）　特例適用農地等の贈与者の死亡の時まで第一章第一節の１の規定による贈与税の納税猶予の適用を受けていた当該特例適用農地等の受贈者
（二）　相続開始の年に当該相続に係る被相続人から第一章第一節の１に規定する農地等の贈与を受けた者で、当該被相続人から遺贈により財産を取得したもの
（三）　相続開始の年に当該相続に係る被相続人から第一章第一節の１に規定する農地等の贈与を受けた者で、第三編第一章第三節一の（１）の規定により当該農地等の価額が相続税の課税価格に加算されること（当該農地等について同第三節二の（１）の規定の適用がある場合を含む。）となるもの

（農業相続人の範囲）
（４）　１に規定する「農業相続人」には、次の（一）から（六）までに掲げる者が含まれることに留意する。（措通70の6－7の2）
（一）　第一章第一節の１の規定の適用を受ける同１に規定する受贈者に係る同１に規定する贈与者が死亡し、特例適用

第二章　農地等についての相続税の納税猶予及び免除等
（第一節　特例適用の要件）

　　農地等の受贈者が第一章第十八節の**1**の規定の適用により当該特例適用農地等を相続又は遺贈により取得したものと
　みなされる場合において、**1**に規定する相続税の申告書の提出期限まで当該特例適用農地等に係る農業経営を開始し、
　その後引き続き当該農業経営を行うと認められる受贈者

（二）　第一章第十節の**1**の規定の適用を受ける同**1**に規定する受贈者に係る第一章第一節の**1**に規定する贈与者が死亡
　　し、当該受贈者が同第十節の**1**に規定する営農困難時貸付けを行っている特例適用農地等が第一章第十八節の**1**の規
　　定により当該贈与者から相続又は遺贈により取得したものとみなされる場合の当該受贈者

（三）　第十六節の**2**の（2）に規定する農業経営者又は農業相続人が死亡した場合において、当該農業経営者又は農業相
　　続人の相続人が当該農業経営者又は農業相続人から相続又は遺贈により取得した農地又は採草放牧地について相続税
　　の申告期限までに同**2**の（1）に規定する**特定貸付け**を行ったときの当該農業経営者又は農業相続人の相続人

（四）　第一章第一節の**1**の規定の適用を受ける同**1**に規定する受贈者に係る贈与者が死亡した場合において、当該受贈
　　者が特例適用農地等のうち農地又は採草放牧地について当該贈与者の死亡に係る相続税の申告期限において第一章第
　　十七節の**1**に規定する特定貸付又は本章第十六節の**1**の①に規定する特定貸付けを行っているときの当該受贈者

（五）　第十八節の**2**に規定する農業経営者又は農業相続人が死亡した場合において、当該農業経営者又は農業相続人の
　　相続人が当該農業経営者又は農業相続人から相続又は遺贈により取得した農地について相続税の申告期限までに第十
　　七節の**1**の（1）の（二）又は（三）に規定する認定都市農地貸付け又は農園用地貸付け（以下第九節までにおいて「**認定**
　　都市農地貸付け等」という。）を行ったときの当該農業経営者又は農業相続人の相続人

（六）　第一章第一節の**1**の規定の適用を受ける同**1**に規定する受贈者に係る贈与者が死亡した場合において、当該受贈
　　者が特例適用農地等のうち農地について当該贈与者の死亡に係る相続税の申告期限において認定都市農地貸付け等を
　　行っているときの当該受贈者

　　（農業経営を行う者）
（5）　　**4**の（一）に規定する「農業経営を開始し、その後引き続き当該農業経営を行うと認められる者」（以下「**農業経営を**
　　行う者」という。）に該当するかどうかを判定する場合における農業経営を行う者の意義については、**2**の（2）《農業を
　　営む個人等》を準用する。

　　　この場合において、相続又は遺贈により農地又は採草放牧地を取得した相続人が、未成年者（成年に達した後、引き
　　続き就学している者を含む。）に該当し、かつ、当該未成年者と住居及び生計を一にする親族が当該未成年者の取得した
　　農地又は採草放牧地につき農業経営を行うときは、当該未成年者は農業経営を行う者に該当するものとして取り扱う。
　　（措通70の6－8）

　　（注）　上記の農業経営を行う者には、（4）の（二）から（六）までに掲げる者で相続又は遺贈により取得（第一章第十八節の**1**の規定により相続又は
　　　　遺贈により取得したものとみなされる場合の取得を含む。）をした農地又は採草放牧地を第一章第十節の**1**に規定する営農困難時貸付けにより
　　　　貸し付けている者、特定貸付者又は認定都市農地等貸付者が含まれることに留意する。

　　（未成年者に係る農業の廃止）
（6）　（5）により農業経営を行う者に該当するものとして取り扱われた未成年者について、その後（一）から（四）までに掲
　　げるいずれかの事実が生じた場合には、当該未成年者は、その者が自ら農業経営を行うときを除き、その事実が生じた
　　日において農業経営を廃止したものとして取り扱う。（措通70の6－9）

（一）　当該未成年者が成年に達したこと（引き続き就学している場合を除く。）。

（二）　当該未成年者が成年に達した後、就学を了したこと。

（三）　当該未成年者と当該未成年者の取得した農地又は採草放牧地につき農業経営を行っている当該未成年者の親族と
　　が住居又は生計を一にしないこととなったこと。

（四）　当該未成年者の取得した農地又は採草放牧地につき農業経営を行っていた親族が農業経営を行わないこととなっ
　　たこと。

　　（住居又は生計を異にする未成年者）
（7）　（5）の後段及び（6）の（三）の適用に当たっては、未成年者とその親族が住居又は生計を一にしない場合であっても、
　　その住居又は生計を一にしない理由が農地法第2条第2項に掲げる事由に該当するときは、当該事由に基づき住居又は
　　生計を一にしない期間は、なお、住居又は生計を一にしているものとして取り扱う。（措通70の6－10）

－845－

第四編　農地等に係る相続税・贈与税の納税猶予及び免除

~~~~~~~~~~~~~~~~~~~~~【参　　考】~~~~~~~~~~~~~~~~~~~~

農地法第２条《定義》第２項　この法律で「世帯員等」とは、住居及び生計を一にする親族（次に掲げる事由により
一時的に住居又は生計を異にしている親族を含む。）並びに当該親族の行う耕作又は養畜の事業に従事するその他の二
親等内の親族をいう。

　　一　疾病又は負傷による療養

　　二　就学

　　三　公選による公職への就任

　　四　その他農林水産省令で定める事由

~~~~~~

　　（第二次農業相続人がある場合の第一次農業相続人に係る相続税の納税猶予の適用要件）

（８）　（２）の規定による第二次農業相続人がある場合の第一次農業相続人に係る**１**の規定による相続税の納税猶予の適用
　　要件については、次に掲げるところによることに留意する。（措通70の６－20）

　（一）　被相続人（第一次農業相続人に該当する者を除く。）は、**２**の(一)又は(二)に該当する者であること。

　（二）　相続人が農業経営を開始することの要件は、第一次農業相続人が自ら農業経営を開始することは必要でなく、第
　　　一次農業相続人の相続人のうちに**４**に規定する第二次農業相続人があればよいこと。

　（三）　特例農地等は、第二次農業相続人が第一次農業相続人からの相続又は遺贈に係る相続税の期限内申告書に**１**の規
　　　定の適用を受ける旨の記載をしたものに限られること。

　（四）　担保は、第二次農業相続人が第一次農業相続人からの相続又は遺贈に係る相続税の申告書の提出期限までに、第
　　　二次農業相続人に係る納税猶予分の相続税の額に相当するものの提供をすればよいこと。

－846－

第二章　農地等についての相続税の納税猶予及び免除等
（第一節　特例適用の要件）

相続税の納税猶予に関する適格者証明書　　　（見本）

<table>
<tr><td colspan="5" align="center">証　明　願</td></tr>
<tr><td colspan="5" align="right">（年号）　　年　　月　　日</td></tr>
<tr><td colspan="5">農業委員会長　殿</td></tr>
<tr><td colspan="5" align="center">農地等の相続人氏名</td></tr>
</table>

　下記の事実に基づき、被相続人及び私が租税特別措置法第７０条の６第１項の規定の適用を受けるための適格者であることを証明願います。

１．被相続人に関する事項

住所			氏名		職業	
相続開始年月日	（年号）　年　月　日		農地等の生前一括贈与を受けていた場合には、その年月日		（年号）　年　月　日	
被相続人の所有面積	耕作農地	㎡	被相続人が農業経営主でない場合	農業経営者の氏名		
	採草放牧地			農業経営者と被相続人との同居・別居の別	同居・別居	
	合計					

２．農地等の相続人に関する事項

（１）農地等の相続人

住所			氏名		職業	
生年月日	（年号）　年　月　日	被相続人との続柄	相続開始の時における被相続人との同居・別居の別	同居別居	相続開始前において農業に従事した実績の有無	有・無
特例の適用を受けようとする農地等の明細	別表のとおり		左記の農地等による農業経営の開始年月日		（年号）　年　月　日	
今後引き続き農業経営を行うことに関する事項						
その他参考事項						

（２）農地等の相続人の推定相続人（生前一括贈与を受けていた農地等について使用貸借による権利が設定されている場合）

住所			氏名		職業	
生年月日	（年号）　年　月　日	相続人との続柄		使用貸借による権利の設定年月日	（年号）　年　月　日	
使用貸借に係る農地等の明細	別表のとおり		左記の農地等による農業経営開始年月日		（年号）　年　月　日	
今後引き続き推定相続人が農業経営を行うことに関する事項						
相続人が推定相続人の経営する農業に従事していることに関する事項						

　上記証明願のとおり、被相続人及び農地等の相続人は、租税特別措置法第７０条の６第１項に規定する適格者であることを証明する。

（年号）　　年　　月　　日

農業委員会長　　　　　　　印

－847－

第四編　農地等に係る相続税・贈与税の納税猶予及び免除

（見本）

別表　　特例適用農地等の明細書

相続税の納税猶予の特例の適用を受ける者	住所		※　3年毎の継続届出書の整理欄			
			1回目 ・　・	2回目 ・　・	3回目 ・　・	4回目 ・　・
	氏名		5回目 ・　・	6回目 ・　・	7回目 ・　・	8回目 ・　・

相続開始年月日		年　　月　　日
農地等の生前一括贈与を受けていた場合には、その年月日		年　　月　　日

特　例　適　用　農　地　等　の　明　細

番号	田、畑、採草放牧地又は準農地の別	登記上の地目	所　在　場　所	市街化区域内外の別	面積 （㎡）	※ 譲渡等又は買取りの申出等についての整理欄
1				内・外		
2				内・外		
3				内・外		
4				内・外		
5				内・外		
6				内・外		
7				内・外		
8				内・外		
9				内・外		
10				内・外		
11				内・外		
12				内・外		
13				内・外		
14				内・外		
15				内・外		
16				内・外		
17				内・外		
18				内・外		
19				内・外		
合　　計						

第二章　農地等についての相続税の納税猶予及び免除等
（第二節　農業相続人がいる場合の相続税額の計算）

第二節　農業相続人がいる場合の相続税額の計算

1　農業相続人がいる場合の相続税額

　同一の被相続人からの相続又は遺贈により財産の取得をした者のうちに第一節の1の規定の適用を受ける農業相続人がある場合における当該財産の取得により納付すべき相続税の額は、次の(一)(二)に掲げる者の区分に応じ、当該(一)(二)に定める金額（その者が第一編第六章第二節《相続税額の加算》から第八節《在外財産に対する相続税額の控除》までの規定の適用を受ける者である場合には、当該金額を同第六章第一節《各相続人等の算出税額》の規定により算出された金額であるものとしてこれらの規定を適用して算出した金額）とする。この場合において、(一)に掲げる者に係る同第六章第四節の1《配偶者に対する相続税額の軽減》の規定《(1)の【参考】》の適用については、同1の(二)中「相続税の課税価格」とあるのは、「第四編第二章第二節の1の(一)の規定により計算される相続税の課税価格」とする。（措法70の6②）

(一)	第一節の1の規定の適用を受けない者	当該相続又は遺贈により財産の取得をした全ての者に係る相続税の課税価格（第一編第六章第三節《贈与税額控除》又は第三編第一章第三節三から第四節までの規定の適用がある場合には、これらの規定により当該課税価格とみなされた金額）の計算の基礎に算入すべき第一節の1の規定の適用を受ける者の特例農地等の価額は、当該特例農地等につき農業投資価格（特例農地等に該当する農地、採草放牧地又は準農地につき、それぞれ、その所在する地域において恒久的に耕作又は養畜の用に供されるべき農地若しくは採草放牧地又は農地若しくは採草放牧地に開発されるべき土地として自由な取引が行われるものとした場合におけるその取引において通常成立すると認められる価格として当該地域の所轄国税局長が決定した価格をいう。以下第十五節までにおいて同じ。）を基準として計算した価額であるものとして、第一編第二章から第六章第一節までの規定を適用した場合において同第一節の規定により算出される金額《農業相続人以外の者の算出税額》
(二)	第一節の1の規定の適用を受ける農業相続人	次に掲げる金額の合計額《農業相続人の算出税額》 イ　当該相続又は遺贈により財産の取得をした全ての者に係る第一編第五章に規定する相続税の総額から当該全ての者が(一)に掲げる者に該当するものとして計算した場合の当該全ての者に係る(一)に定める金額の合計額を控除した金額《相続税の総額の差額》（第一節の1の規定の適用を受ける者が2人以上ある場合には、当該金額のうち当該農業相続人に係る特例農地等に係る農業投資価格控除後の価額《農業投資価格超過額》に対応する部分の金額として(6)の政令で定めるところにより計算した金額）《納税猶予の基となる税額》 ロ　当該農業相続人が(一)に掲げる者に該当するものとして計算した場合の当該農業相続人に係る(一)に定める金額《納税猶予の基となる税額以外の算出税額》

　　　（土地評価審議会の意見聴取）
（1）　国税局長は、農業投資価格を決定する場合には、土地評価審議会の意見を聴かなければならない。（措法70の6③）

　　　（配偶者の税額軽減及び相次相続控除の規定の調整）
（2）　同一の被相続人からの相続又は遺贈により財産の取得をした者のうちに第一節の1の規定の適用を受ける者がある場合における当該財産の取得により納付すべき相続税の額の計算については、1に定めるもののほか、次に定めるところによる。（措令40の7⑫）
　（一）　当該相続又は遺贈により財産の取得をした者のうち第一節の1の規定の適用を受けない者に係る第一編第六章第四節の1《配偶者に対する相続税額の軽減》の規定の適用については、同1の(二)中「相続税の総額」とあるのは、「第四編第二章第二節の1の(一)の規定により計算される相続税の総額」とする。
　（二）　当該相続又は遺贈により財産の取得をした者に係る第一編第六章第七節の1《相次相続控除》の規定の適用については、同1の(二)中「相続税の課税価格」とあるのは、「第四編第二章第二節の1の(一)の規定により計算される相続税の課税価格」とする。
　（三）　当該相続又は遺贈により財産の取得をした者のうち第三編第一章第三節《相続時精算課税に係る相続税の課税価

－849－

格及び税額》の規定の適用を受ける者に係る**1**の規定の適用については、**1**の本文中「第八節《在外財産に対する相続税額の控除》までの規定」とあるのは、「第八節までの規定、第三編第一章第三節の規定」とする。

~~~~~~

【参考】

　被相続人の配偶者が農業相続人に該当せず、他の相続人の中に農業相続人がいる場合の当該配偶者について適用される第一編第六章第四節の**1**《配偶者に対する相続税額の軽減》の規定を上記**1**の後段及び（**1**）の（一）の規定により読み替えた形で示せば次のとおり。（編者注）

〈配偶者に対する相続税額の軽減〉

　被相続人の配偶者が当該被相続人からの相続又は遺贈により財産を取得した場合には、当該配偶者については、（一）に掲げる金額から（二）に掲げる金額を控除した残額があるときは、当該残額をもってその納付すべき相続税額とし、（一）に掲げる金額が（二）に掲げる金額以下であるときは、その納付すべき相続税額は、ないものとする。（法19の2①）

（アンダーラインは読替部分）

（一）	当該配偶者につき第一編第五章《相続税の総額》並びに同第六章第一節《各相続人等の算出税額》及び第三節《贈与税額控除》の規定により算出した金額
（二）	当該相続又は遺贈により財産を取得した全ての者に係る<u>上記**1**の（一）の規定により計算される相続税の総額（A）</u>に、次に掲げる金額のうちいずれか少ない金額が当該相続又は遺贈により財産を取得した全ての者に係る<u>上記**1**の（一）の規定により計算される相続税の課税価格の合計額（B）</u>のうちに占める割合を乗じて算出した金額

（二）	イ	当該相続又は遺贈により財産を取得したすべての者に係る<u>上記**1**の（一）の規定により計算される相続税の課税価格の合計額</u>に民法第900条の規定による当該配偶者の相続分（相続の放棄があった場合には、その放棄がなかったものとした場合における相続分）を乗じて算出した金額（当該被相続人の相続人〔相続の放棄があった場合には、その放棄がなかったものとした場合における相続人〕が当該配偶者のみである場合には、当該合計額）（当該金額が1億6,000万円に満たない場合には、1億6,000万円）
	ロ	当該相続又は遺贈により財産を取得した配偶者に係る相続税の課税価格に相当する金額

（**1**）配偶者の算出税額－配偶者の贈与税控除額

（**2**）相続税の総額（A）× 　①課税価格の合計額（※）×配偶者の相続分と1億6,000万円との多い方の金額　　②配偶者の課税価格（※）／相続税の課税価格の合計額（B）　いずれか少ない方の金額

（**1**）と（**2**）の少ない方の金額＝配偶者の税額軽減額

~~~~~~

（被相続人の配偶者が農業相続人でない場合の配偶者の税額軽減額の計算）

（**3**）　共同相続人のうち被相続人の配偶者以外の者が第一節の**1**の規定の適用を受け、当該配偶者がその適用を受けない場合における当該配偶者に係る第一編第六章第四節の**1**《配偶者に対する相続税額の軽減》の規定による配偶者の税額軽減額の計算に当たっては、同**1**の（二）に規定する「相続税の課税価格の合計額」は、農業投資価格を基準として計算した相続税の課税価格の合計額により、「相続税の総額」は当該相続税の課税価格の合計額を基として計算した相続税の総額によるのであるから留意する。

　したがって、この場合には、同（二）のロの規定による「配偶者に係る相続税の課税価格に相当する金額」が、農業投資価格を基準として計算した相続税の課税価格の合計額に民法第900条の規定によるその配偶者の相続分（相続の放棄があった場合には、その放棄がなかったものとした場合における相続分）を乗じて得た金額に相当する金額を超えるとき（その金額が1億6,000万円以下のときを除く。）は、その配偶者については、他の贈与税額控除、相次相続控除などの税額控除によって納付すべき相続税額が算出されないこととなる場合を除き、納付すべき相続税額が算出されることとなる。（措通70の6－36）

（納付すべき相続税額が算出されない配偶者についての納税猶予の適用）

（**4**）　第一節の**1**の規定は、相続税の申告書の提出により納付すべき相続税の額がある者に限り適用があるのであるが、

－850－

第二章　農地等についての相続税の納税猶予及び免除等
（第二節　農業相続人がいる場合の相続税額の計算）

被相続人の配偶者については、その者が**1**の（二）の規定に該当する者（農業相続人）であるものとして計算すれば納付すべき相続税の額が算出されないこととなる場合であっても、**1**の（一）の規定に該当する者（農業相続人以外の者）であるものとして計算すれば納付すべき相続税の額が算出されることとなる場合において、第一節の**1**の規定の適用を受ける旨の相続税の申告書の提出があったときは、同**1**の規定による相続税の納税猶予の適用要件（担保の提供に係るものを除く。）を満たす場合に限り、その適用があるものとして取り扱って差し支えない。（措通70の6－37）

（注）　配偶者が農業相続人であるものとして計算すれば納付すべき相続税額が算出されない場合で、かつ、農業相続人以外の者であるものとして計算すれば納付すべき相続税額が算出される場合に限られる。（編者注）

（相次相続控除の算式）
（5）　第二次相続に係る被相続人が第一節の**1**の規定による相続税の納税猶予の適用を受けていた場合又は第二次相続により財産を取得した者のうちに当該納税猶予の適用を受ける者がある場合における相次相続控除額の算出方法を算式で示すと、次に掲げるとおりである。（措通70の6－38）

$$ \text{A} \times \frac{\text{C}}{\text{B} - \text{A}} \left(\text{求めた割合が} \frac{100}{100} \text{を超えるときは、} \frac{100}{100} \text{とする。} \right) \times \frac{\text{D}}{\text{C}'} + \frac{10 - \text{E}}{10} = \text{控除額} $$

（注）　算式中の符号は、次のとおりである。
　　　Aは、第二次相続に係る被相続人が第一次相続により取得した財産（当該第一次相続に係る被相続人からの贈与により取得した財産で相続時精算課税の適用を受けるものを含む。）につき課せられた相続税額（相続時精算課税の適用を受ける財産につき課せられた贈与税があるときは、当該課せられた贈与税の税額（第二編第五章第四節《在外財産に対する贈与税額の控除》の規定による控除前の税額とし、延滞税、利子税、過少申告加算税、無申告加算税及び重加算税に相当する税額を除く。）を控除した後の金額をいい、当該被相続人が当該納税猶予の適用を受けていた場合には、第十三節《納税猶予税額の免除》の**1**の規定により免除された相続税額以外の税額に限る。）
　　　Bは、第二次相続に係る被相続人が第一次相続により取得した財産の価額及び当該第一次相続に係る被相続人からの贈与により取得した財産で相続時精算課税の適用を受けるものの価額（令和6年1月1日以後に贈与により取得した財産については、当該贈与により取得した年分ごとに第三編第一章第三節一の（1）《相続税の課税価格》又は同節二の（2）《相続時精算課税の適用を受ける財産の価額》の規定により相続時精算課税に係る基礎控除の額を控除した残額の合計額。以下（5）において同じ。）の合計額から債務控除をした後の金額
　　　Cは、第二次相続により相続人及び受遺者の全員が取得した財産の価額及び当該被相続人からの贈与により取得した財産で相続時精算課税の適用を受けるものの価額の合計額から債務控除をした後の金額
　　　C′は、農業相続人が取得した特例農地等の価額を農業投資価格で計算した場合の第二次相続により相続人及び受遺者の全員が取得した財産の価額及び当該被相続人からの贈与により取得した財産で相続時精算課税の適用を受けるものの価額の合計額から債務控除をした後の金額
　　　Dは、第二次相続により当該控除対象者が取得した財産の価額及び当該被相続人からの贈与により取得した財産で相続時精算課税の適用を受けるものの価額の合計額から債務控除をした後の金額をいい、当該控除対象者が農業相続人である場合には、その者の取得した特例農地等の価額は農業投資価格で計算する。
　　　Eは、第一次相続開始の時から第二次相続開始の時までの期間に相当する年数（1年未満の端数は切り捨てる。）

（農業投資価格超過額による納税猶予の基となる税額のあん分）
（6）　**1**の（二）のイに規定する納税猶予の基となる税額は、（一）に掲げる金額に（二）に掲げる割合を乗じて計算した金額とする。（措令40の7⑬）
（一）　**1**に規定する相続又は遺贈により財産の取得をした全ての者に係る第一編第五章に規定する相続税の総額から当該全ての者が**1**の（一）《農業相続人以外の者》に掲げる者に該当するものとして計算した場合の当該全ての者に係る同（一）に定める金額の合計額を控除した金額**《相続税の総額の差額》**
（二）　**1**の（二）のイに規定する当該農業相続人に係る特例農地等に係る農業投資価格控除後の価額が、同イに規定する当該相続又は遺贈により財産の取得をした者のうち第一節の**1**の規定の適用を受ける全ての者に係る同**1**に規定する特例農地等に係る農業投資価格控除後の価額の合計額のうちに占める割合

$$ \text{相続税の総額の差額} \times \frac{\text{各農業相続人の取得した特例農地等の農業投資価格超過額}}{\text{特例農地等の農業投資価格超過額の合計額}} = \begin{array}{l}\text{各農業相続人の納税猶予}\\\text{の基となる税額}\end{array} $$

（税額計算上の端数処理等）
（7）　同一の被相続人からの相続又は遺贈により財産を取得した者のうちに農業相続人がある場合における**1**の規定による各人の納付すべき相続税の額の計算に当たっては、第一編第五章第二節の（2）、同第二節の（3）及び第一編第六章第一節の注の適用があるのであるから留意する。（措通70の6－35）

（注）　課税価格及び各相続人等の取得財産の価額の1,000円未満の端数及び相続税の総額の100円未満の端数は切り捨て、相続税の総額の各相続人等へのあん分割合は、小数点以下2位未満の端数を切り上げ又は切り捨てて割合の合計が1になるよう調整することが認められる。（上記相続

－851－

第四編　農地等に係る相続税・贈与税の納税猶予及び免除

税法基本通達16-2〜17-1の要約＝編者注）

（相続又は遺贈により財産を取得した者）

（8）　第一節の1の規定の適用を受けようとする者の被相続人に係る相続時精算課税適用者がある場合における1並びに1の（2）、（6）及び第一編第七章第一節の一の4の規定の適用については、相続又は遺贈により財産を取得した者に当該被相続人に係る相続時精算課税適用者が含まれるものとする。（措規23の8㊲）

2　納税猶予分の相続税額の計算

第一節の1に規定する納税猶予分の相続税額は、同1の規定の適用を受ける農業相続人に係る1の（二）のイに掲げる金額《納税猶予の基となる税額》（当該農業相続人が第一編第六章第二節《相続税額の加算》の規定の適用を受ける者である場合には、当該農業相続人に係る第一節の1に規定する納付すべき相続税の額の計算上1の規定により適用される同第六章第二節の規定により加算された金額のうち1の（二）のイに掲げる金額に対応する部分の金額として（1）の政令で定めるところにより計算した金額を加算し、当該農業相続人が同第六章第三節《贈与税額控除》から第八節《在外財産に対する相続税額の控除》までの規定の適用を受ける者である場合において、当該農業相続人に係る当該相続税の額の計算上1の規定により適用されるこれらの規定により控除された金額の合計額が当該農業相続人に係る1の（二）のロに掲げる金額を超えるときは、当該超える部分の金額を控除した残額）とする。（措法70の6④）

（農業相続人について相続税額の加算がある場合の納税猶予税額の計算）

（1）　2に規定する農業相続人の納税猶予の基となる税額に加算する相続税額の加算額は、第一節の1の規定の適用を受ける農業相続人に係る同1に規定する納付すべき相続税の額の計算上1の規定により適用される第一編第六章第二節《相続税額の加算》の規定により加算された金額に、当該農業相続人に係る1の（二）のイに掲げる金額《納税猶予の基となる税額》が同（二）のイ及びロに掲げる金額の合計額《農業相続人の算出税額》のうちに占める割合を乗じて計算した金額とする。（措令40の7⑭）

$$\text{第一編第六章第二節の規定により計算された相続税額の加算額} \times \frac{\text{当該農業相続人の納税猶予の基となる税額}}{\text{農業相続人の算出税額}} = \text{当該農業相続人の納税猶予の基となる税額に加算する相続税額の加算額}$$

（税額控除額の期限内納付税額からの控除）

（2）　第一節の1に規定する納税猶予分の相続税額（（3）を除き、以下2において「納税猶予分の相続税額」という。）の計算については、2に定めるもののほか、次に定めるところによる。（措令40の7⑮）

（一）　第一節の1の規定の適用を受ける農業相続人が第一編第六章第二節《相続税額の加算》の規定又は同第六章第三節《贈与税額控除》、同第六章第五節《未成年者控除》から第八節《在外財産に対する相続税額の控除》まで、第三編第一章第三節の規定の適用を受ける者である場合における2の規定の適用については、2中「第八節《在外財産に対する相続税額の控除》までの規定」とあるのは「第八節《在外財産に対する相続税額の控除》まで、第三編第一章第三節の規定」と、「1の（二）のロに掲げる金額」とあるのは「1の（二）のロに掲げる金額と第一編第六章第二節《相続税額の加算》の規定により加算された金額のうち（1）で定めるところにより計算した金額以外の金額との合計額」とする。

（二）　納税猶予分の相続税額に100円未満の端数があるときは、その端数金額を切り捨てる。

（農地等以外の相続税・贈与税の納税猶予がある場合の納税猶予税額の計算）

（3）　第一節の1の規定の適用を受ける農業相続人が次の（一）から（三）に掲げる規定の適用を受ける者である場合において、当該（一）から（三）に定める税額と調整前農地等猶予税額（同1に規定する納税猶予分の相続税額で（2）の規定により計算されたものをいう。）との合計額が猶予可能税額（1の（二）に定める金額（当該農業相続人が第一編第六章第二節《相続税の加算》から第一編第六章第八節《在外財産に対する相続税額の控除》まで、第三編第一章第三節の一又は第三編第一章第三節の二の規定の適用を受ける者である場合には、当該金額を同法第17条の規定により計算した金額であるものとしてこれらの規定を適用して計算した金額）をいう。）を超えるときにおける特例農地等に係る第一節の1に規定する納税猶予分の相続税額は、当該猶予可能税額に当該調整前農地等猶予税額が当該合計額に占める割合を乗じて計算した金額とする。この場合において、当該計算した金額に100円未満の端数があるときは、その端数金額を切り捨てる。（措令40の7⑯）

（一）　第三章第一節の1　調整前山林猶予税額（同節の2の（五）に規定する納税猶予分の相続税額で同節の3の①及び

－852－

第二章　農地等についての相続税の納税猶予及び免除等
（第二節　農業相続人がいる場合の相続税額の計算）

同**3**の①の（4）までの規定により計算されたものをいう。）

（二）　第五編第一節の**1**　調整前美術品猶予税額（同節の**2**の（六）に規定する納税猶予分の相続税額で同節の**3**の①から同**3**の①の（7）までの規定により計算されたものをいう。）

（三）　第六編第三章第一節の**1**　調整前事業用資産猶予税額（同節の**2**の（三）に規定する納税猶予分の相続税額で同節の**3**の①及び②の規定により計算されたものをいう。）

（四）　第七編第二章第一節の**1**、同編第三章第二節の**1**、同編第五章第一節の**1**又は同編第六章第二節の**1**　調整前株式等猶予税額（第七編第二章第一節の**2**の（五）、同編第三章第二節の**2**の（四）、同編第五章第一節の**2**の（八）又は同編第六章第二節の**2**の（四）に規定する納税猶予分の相続税額で第七編第二章第一節の**3**の①及び②まで（第七編第三章第二節の**2**の（9）において準用する場合を含む。）又は同編第五章第一節の**3**の①、同①の（1）、同①の（2）、同**3**の②、同②の（1）、同③（同編第六章第二節の**2**の（8）において準用する場合を含む。）の規定により計算されたものをいう。）

（五）　第八編第三章第一節の**1**　調整前持分猶予税額（同**1**の（1）に規定する納税猶予分の相続税額で同**1**の（2）から（6）及び第八編第三章第一節の**3**の（5）から（8）までの規定により計算されたものをいう。））

3　納税猶予期限

　第一節の**1**に規定する納税猶予期限とは、次の（一）から（四）に掲げる農業相続人の区分に応じ、当該（一）から（四）に定める日をいう。（措法70の6⑥）

（一）	相続又は遺贈により特例農地等の取得をした日において特例農地等のうちに都市営農農地等を有する農業相続人	その死亡の日
（二）	相続又は遺贈により特例農地等の取得をした日において特例農地等のうちに第一章第一節の**1**の（2）の（四）のイに掲げる農地又は採草放牧地（イにおいて「生産緑地等」という。）を有する農業相続人（（一）に掲げる農業相続人を除く。）	その死亡の日（相続税の申告書の提出期限の翌日から同日以後20年を経過する日までの間に、当該農業相続人が相続又は遺贈により取得をした特例農地等のうち当該取得をした日において次に掲げる特例農地等であるものに係る相続税の全てについて、第四節の**2**又は**3**の規定による納税の猶予に係る期限が到来している場合にあっては、その死亡の日又は当該20年を経過する日のいずれか早い日） イ　生産緑地等（都市営農農地等に該当するものを除く。） ロ　都市計画法第7条第1項に規定する市街化区域内に所在する農地又は採草放牧地（以下第十四節までにおいて「市街化区域内農地等」という。）以外のもの
（三）	相続又は遺贈により特例農地等の取得をした日において特例農地等のうちに市街化区域内農地等以外のものを有する農業相続人（（一）及び（二）に掲げる農業相続人を除く。）	その死亡の日（相続税の申告書の提出期限の翌日から同日以後20年を経過する日までの間に、当該農業相続人が相続又は遺贈により取得をした特例農地等のうち当該取得をした日において市街化区域内農地等以外のものである特例農地等に係る相続税の全てについて、第四節の**2**又は**3**の規定による納税の猶予に係る期限が到来している場合にあっては、その死亡の日又は当該20年を経過する日のいずれか早い日）
（四）	相続又は遺贈により特例農地等の取得をした日において特例農地等の全てが市街化区域内農地等である農業相続人（（一）及び（二）に掲げる農業相続人を除く。）	その死亡の日又は相続税の申告書の提出期限の翌日から20年を経過する日のいずれか早い日

　（相続税の納税猶予期限）

（1）　第一節の**1**に規定する相続税の納税猶予期限は、第十一節《買取りの申出等があった農地等の買換え等》の**1**の規定の適用の有無にかかわらず、原則として、次に掲げる相続人の区分に応じ、それぞれに掲げる日となることに留意する。（措通70の6－40）

（一）　第一節の**1**の規定の適用を受ける特例農地等のうちに相続又は遺贈により取得をした日において都市営農農地等（下図のA農地）がある農業相続人　当該農業相続人の死亡の日

　（注）　上記の農業相続人については、たとえ、当該都市営農農地等である特例農地等がその後第四節の**2**又第四節の**3**の規定に該当したことに

－853－

第四編　農地等に係る相続税・贈与税の納税猶予及び免除

より第一節の**1**の規定の適用を受ける特例農地等のうちに都市営農農地等を有しないこととなった場合においても、全ての特例農地等についてその死亡の日となることに留意する。

(二)　第一節の**1**の適用を受ける特例農地等の全てが相続又は遺贈により取得をした日において地方圏市街化区域内農地等（下図のＣ農地）に該当する農業相続人（(一)に掲げる者を除く。）　当該農業相続人の死亡の日又は相続税の申告書の提出期限の翌日から20年を経過する日のいずれか早い日

(三)　第一節の**1**の規定の適用を受ける特例農地等の全てが相続又は遺贈により取得をした日において地方圏生産緑地等（下図のＢ農地）又は市街化区域外農地等（下図のＤ農地）に該当する農業相続人（(一)に掲げる者を除く。）　当該農業相続人の死亡の日

(四)　第一節の**1**の規定の適用を受ける特例農地等のうちに相続又は遺贈により取得をした日において地方圏市街化区域内農地等（下図のＣ農地）に該当するもの及び地方圏生産緑地等（下図のＢ農地）又は市街化区域外農地等（下図のＤ農地）に該当するものがあり、かつ、同**1**に規定する相続税の申告書の提出期限の翌日から20年を経過する日までの間に、農業相続人が相続又は遺贈により取得をした特例農地等のうち当該取得をした日において地方圏生産緑地等（下図のＢ農地）に該当するもの及び市街化区域外農地等（下図のＤ農地）に該当するものに係る相続税の全てについて、第四節の**2**又第四節の**3**の規定による納税の猶予に係る期限が到来している当該農業相続人（(一)に掲げる者を除く。）　当該農業相続人の死亡の日又は相続税の申告書の提出期限の翌日から20年を経過する日のいずれか早い日

(五)　第一節の**1**の規定の適用を受ける特例農地等のうちに相続又は遺贈により取得をした日において地方圏市街化区域内農地等（下図のＣ農地）に該当するもの及び地方圏生産緑地等（下図のＢ農地）又は市街化区域外農地等（下図のＤ農地）に該当するものがあり、かつ、同**1**に規定する相続税の申告書の提出期限の翌日から20年を経過する日において、農業相続人が相続又は遺贈により取得をした特例農地等のうち当該取得をした日において地方圏生産緑地等（下図のＢ農地）又は市街化区域外農地等（下図のＤ農地）に該当するものに係る相続税について、第四節の**2**又第四節の**3**の規定による納税の猶予に係る期限が到来していないものがある当該農業相続人（(一)に掲げる者を除く。）　当該農業相続人の死亡の日

(注)1　上記の農業相続人の区分のいずれに該当するかは、特例農地等を相続又は遺贈により取得をした日において、いずれの農地等に該当するかによることに留意する。

　　2　上記の「地方圏市街化区域内農地等」とは、特例農地等のうち**3**の(二)のロに規定する市街化区域内農地等（第一節の**1**の(1)の(四)のロ又はハに掲げる農地であって同(1)の(三)のイからハまでに掲げる区域内に所在するもの及び**4**の(二)に規定する生産緑地等を除く。）をいう（下図のＣ農地）。

　　3　上記の「地方圏生産緑地等」とは、特例農地等のうち**3**の(二)に規定する生産緑地等（都市営農農地等に該当するものを除く。）をいう（下図のＢ農地）。

　　4　上記の「市街化区域外農地等」とは、特例農地等のうち**3**の(二)のロに規定する市街化区域内農地等以外の農地等をいう（下図のＤ農地）。

〔図〕特例農地等の区分及び納税猶予期限

地理的区分　　　　　都市計画区分	三大都市圏		地方圏
	特定市	特定市以外	
市街化区域 生産緑地等	A農地 納税猶予期限：農業相続人の死亡の日	B農地 納税猶予期限：農業相続人の死亡の日	
田園住居地域内の農地		C農地 納税猶予期限：申告期限の翌日から20年を経過する日	
地区計画農地保全条例による制限を受ける区域内にある農地			
上記以外	〔特定市街化区域農地等〕		
市街化区域以外	D農地 納税猶予期限：農業相続人の死亡の日		

※相続又は遺贈により特例農地等の取得をした日において、特例農地等のうちに都市営農農地等を有する農業相続人については、その全ての特例農地等について、農業相続人の死亡の日が納税猶予期限とされている。

—854—

第二章　農地等についての相続税の納税猶予及び免除等
（第二節　農業相続人がいる場合の相続税額の計算）

令和６年分の田及び畑の農業投資価格（10アール当たり）

国税局	適用地域		農業投資価格		国税局	適用地域		農業投資価格	
			田	畑				田	畑
			千円	千円	名古屋	愛　知　県		850	640
札幌	北海道	中央ブロック	300	128		三　重　県		720	520
		南ブロック	236	117	大阪	滋　賀　県		730	470
		北ブロック	169	55		京　都　府		700	450
		東ブロック	169	73		大　阪　府		820	570
仙台	青　森　県		380	170		兵　庫　県		770	500
	岩　手　県		420	200		奈　良　県		720	460
	宮　城　県		520	255		和　歌　山　県		680	500
	秋　田　県		445	160	広島	鳥　取　県		610	370
	山　形　県		510	220		島　根　県		520	295
	福　島　県		510	240		岡　山　県		670	400
関東信越	茨　城　県		660	625		広　島　県		630	360
	栃　木　県		620	535		山　口　県		610	290
	群　馬　県		790	660	高松	徳　島　県		680	330
	埼　玉　県		840	790		香　川　県		695	360
	新　潟　県		620	265		愛　媛　県		665	340
	長　野　県		730	490		高　知　県		530	271
東京	千　葉　県		740	730	福岡	福　岡　県		720	420
	東　京　都		900	840		佐　賀　県		670	380
	神　奈　川　県		830	800		長　崎　県		550	320
	山　梨　県		700	530	熊本	熊　本　県		690	400
金沢	富　山　県		580	240		大　分　県		500	310
	石　川　県		570	260		宮　崎　県		520	370
	福　井　県		550	240		鹿　児　島　県		450	360
名古屋	岐　阜　県		720	520	沖縄	沖　縄　県		220	230
	静　岡　県		810	610					

－855－

第四編　農地等に係る相続税・贈与税の納税猶予及び免除

第三節　特例の適用を受けるための手続

1　申告書への記載

　第一節の**1**の規定は、同**1**の規定の適用を受けようとする農業相続人のその被相続人からの相続又は遺贈により取得をした農地及び採草放牧地並びに準農地に係る相続税の申告書に、当該農地及び採草放牧地並びに準農地につき同**1**の規定の適用を受けようとする旨の記載がない場合又は当該農地及び採草放牧地並びに準農地の明細並びに当該農地及び採草放牧地並びに準農地に係る納税猶予分の相続税額の計算に関する明細その他**2**の財務省令で定める事項を記載した書類の添付がない場合には、適用しない。（措法70の6㉛）

2　申告書添付書類

　1の規定により**1**に規定する相続税の申告書に添付する書類は、次に掲げる書類とする。（措規23の8③）

(一)	**1**に規定する事項のほか提供しようとする担保の種類、数量、価額及びその所在場所の明細（その担保が保証人の保証である場合には、その保証人の氏名及び住所若しくは居所又は名称及び本店若しくは主たる事務所の所在地並びにその資産状態の明細）を記載した書類
(二)	担保の提供に関する書類
(三)	特例農地等とされた農地及び採草放牧地並びに準農地を有していた被相続人が第一節の**2**の(一)に掲げる個人に該当する者である場合には、その旨の当該農地及び採草放牧地並びに準農地の所在地を管轄する農業委員会の証明書
(四)	被相続人からの相続又は遺贈により(三)の農地若しくは採草放牧地又は準農地の取得をした者が当該被相続人の相続人に該当することを証する書類及び当該相続人に係る第一節の**4**の(1)に規定する農業委員会の書類
(五)	被相続人からの相続又は遺贈により(三)の農地若しくは採草放牧地又は準農地（以下(五)において「農地等」という。）の取得をした者が第一節の**4**の(二)に該当する者である場合には、その旨並びに同(二)に規定する推定相続人の氏名及び住所又は居所、当該推定相続人に使用させている農地等の地目、面積及びその所在場所その他の明細その他同(二)に該当する事実の明細を記載した書類
(六)	第一節の**1**の規定の適用を受けようとする農業相続人のその被相続人からの相続又は遺贈により取得をした特例農地等に係る遺言書の写し、財産の分割の協議に関する書類（当該書類に当該相続又は遺贈に係る全ての共同相続人及び包括受遺者が自署し、自己の印を押しているものに限る。）の写し（当該自己の印に係る印鑑証明書が添付されているものに限る。）その他の財産の取得の状況を証する書類
(七)	(六)の特例農地等の地目、面積、その所在場所及び次に掲げる当該特例農地等の別その他の明細並びに当該特例農地等の第二節の**1**の(一)に規定する農業投資価格及びこれを基準として計算した当該特例農地等の価額を記載した書類 　イ　第一節の**1**の(1)の(四)に規定する都市営農地等である特例農地等 　ロ　都市計画法第8条第1項第14号に掲げる生産緑地地区内にある特例農地等（イに掲げるものを除く。） 　ハ　第二節の**3**の(二)の右欄のロに規定する市街化区域内農地等である特例農地等（イ及びロに掲げるものを除く。） 　ニ　市街化区域内農地等以外の特例農地等
(八)	(六)の特例農地等のうちに次に掲げる特例農地等がある場合には、それぞれ次に定める書類 　イ　農地法第43条第1項の規定により農作物の栽培を耕作に該当するものとみなして適用する同法第2条第1項に規定する農地　当該農地が同法第43条第2項に規定する農作物栽培高度化施設（第十二節の**2**の(1)の(二)において「農作物栽培高度化施設」という。）の用に供されているものである旨を証する当該農地の所在地を管轄する農業委員会の書類 　ロ　都市営農地等　当該都市営農地等が第一節の**1**に規定する農地又は採草放牧地に該当する旨を証する当該都市営農地等の所在地の市長又は特別区の区長の書類の写し 　ハ　市街化区域内農地等（相続又は遺贈により当該特例農地等の取得をした日において都市営農地等である特例農地等を有しない農業相続人が有するものに限り、生産緑地地区内にあるものを除く。）　当該市街化区域内農地等が(七)のハに掲げる特例農地等であることを証する当該市街化区域内農地等の所在地の市町村長の書類

－856－

第二章　農地等についての相続税の納税猶予及び免除等
（第三節　特例の適用を受けるための手続）

	ニ　第一節の**1**に規定する準農地　第一節の**3**の**③**の（**1**）に規定する市町村長の書類
（九）	第一節の**1**の規定の適用を受ける同**1**に規定する農地若しくは採草放牧地又は準農地のうちに、農地の生前贈与を受けた受贈者が贈与者の死亡の日前**1**年以内の譲渡について受贈農地の買換えの承認を受けていた場合において当該贈与者の死亡により当該承認が農業相続人の特例農地等の買換えの承認とみなされる《第七節の**2**の**③**》ものがある場合には、その旨、当該譲渡等があった年月日、当該譲渡等の対価の額及び当該譲渡等に係る当該農地若しくは採草放牧地又は準農地の明細を記載した書類
（十）	第一節の**1**の規定の適用を受ける同**1**に規定する農地若しくは採草放牧地又は準農地のうちに、当該農地若しくは採草放牧地又は準農地の第一章第八節の**1**に規定する譲渡等につき受けた同**1**の税務署長の承認で第八節の**2**の**④**の規定により第八節の**1**の規定による税務署長の承認とみなされるものがある場合には、その旨、当該譲渡等があった年月日、当該譲渡等の対価の額及び当該譲渡等に係る当該農地若しくは採草放牧地又は準農地の明細を記載した書類
（十一）	第一節の**1**の規定の適用を受ける同**1**に規定する農地又は採草放牧地のうちに、当該農地又は採草放牧地の第一章第四節の**3**《買取りの申出等による納税猶予の一部打切り》に規定する買取りの申出等につき受けた第十一節の**1**の税務署長の承認で第十一節の**2**の**①**の（**3**）の規定により第十一節の**1**の規定による税務署長の承認とみなされるものがある場合には、その旨、当該買取りの申出等の年月日及び当該買取りの申出等に係る農地又は採草放牧地の明細を記載した書類

（修正申告等に係る相続税額の納税猶予）

注　第一節の**1**の規定の適用を受ける旨の相続税の申告について特例農地等の評価又は税額計算の誤りがあり、その誤りのみに基づいて修正申告又は更正があった場合における当該修正申告又は更正により納付すべき相続税額（附帯税を除く。）については、当初から同**1**の規定の適用があることとして取り扱う。

　　この場合において、当該修正申告又は更正により納税猶予を受ける相続税の本税の額と当該本税に係る利子税の額に相当する担保については、当該修正申告書の提出の日又は当該更正に係る通知書が発せられた日の翌日から起算して**1**月を経過する日までに提供しなければならないこととして取り扱う。（措通70の**6**－**18**により準用する措通70の**4**－**18**）

3　担保の提供

（担保の提供等）

（**1**）　第一節の**1**の規定による担保の提供については、国税通則法第50条《担保の種類》から第54条《担保の提供等に関する細目》までの規定の適用があることに留意する。したがって、「担保の提供に関する書類」とは、国税通則法施行令第16条《担保の提供手続》の規定により担保を提供しようとする者が提出すべき書類のほか国税通則法基本通達（徴収部関係）の第54条関係の**1**《担保提供書等の提出》及び**3**《抵当権を設定するために必要な書類》に定める書類をいうのであるから留意する。（措通70の**6**－**16**により準用される措通70の**4**－**16**）

　（注）　国税通則法第50条、同施行令第16条については第二編第七章第二節《贈与税の延納》に収録した。また国税通則法基本通達第54条関係の**1**と**3**については第一章第三節の**2**に収録した。（編者注）

（納税猶予分の相続税額に相当する担保）

（**2**）　第一節の**1**に規定する「当該納税猶予分の相続税額に相当する担保」とは、納税猶予に係る相続税の本税の額と当該本税に係る納税猶予期間中の利子税の額との合計額に相当する担保をいうものとする。（措通70の**6**－**17**）

　（一）　この場合において、同**1**の規定の適用を受ける農地等の全部を担保として提供する場合（当該農地等につき当該相続税額に優先する担保権が設定されている場合を除く。）には、同**1**に規定する「当該納税猶予分の相続税額に相当する担保を提供した場合」に該当するものとする。

　（二）　なお、上記以外の方法により担保を提供する場合には、納税猶予に係る相続税の本税の額とこれに係る農業相続人の平均余命年数に相当する納税猶予期間中の利子税の額との合計額に相当する担保が提供された場合が同**1**に規定する「当該納税猶予分の相続税額に相当する担保を提供した場合」に該当するものとして取り扱う。

　（注）　次に掲げる農業相続人（相続又は遺贈により特例農地等を取得をした日において当該特例農地等のうちに都市営農地等がある農業相続人を除く。）の納税猶予に係る相続税の本税の額のうち、当該特例農地等のうち第二節の**3**の表の（二）の右欄のロに規定する市街化区域内農地等（第一節の**1**の（**1**）の（四）のロ又はハに掲げる農地であって同（**1**）の（三）のイからハまでに掲げる区域内に所在するもの及び第二節の**3**の表の（二）に規定する生産緑地等を除く。以下同じ。）に係る農業投資価格控除後の価格に対応する部分の金額については、上記（二）の「平均余命年数」を「平均余命年数（20年を限度とする。）」と読み替えて、当該金額に係る納税猶予期間中の利子税の額を計算する。

－857－

第四編　農地等に係る相続税・贈与税の納税猶予及び免除

① 当該取得をした日において特例農地等の全てが市街化区域内農地等である農業相続人
② 当該取得をした日において特例農地等のうちに市街化区域内農地等及び市街化区域内農地等以外の特例農地等がある農業相続人

第二章　農地等についての相続税の納税猶予及び免除等
（第四節　納税猶予の打切り）

第四節　納税猶予の打切り

1　納税猶予の全部打切り

　（本文略＝第一節の1に掲載）　ただし、当該農業相続人が、その納税猶予期限又は当該贈与があった日のいずれか早い日（以下この章において「**死亡等の日**」という。）前において次の（一）又は（二）に掲げる場合に該当することとなった場合には、（一）又は（二）に定める日から2月を経過する日（同日以前に当該農業相続人が死亡した場合には、当該農業相続人の相続人（包括受遺者を含む。以下において同じ。）が当該農業相続人の死亡による相続の開始があったことを知った日の翌日から6月を経過する日）まで、当該納税を猶予する。（措法70の6①ただし書）

（一）	当該相続又は遺贈により取得をした第一節の1の規定の適用を受ける特例農地等の譲渡、贈与（第一章の規定の適用に係る贈与を除く。）若しくは転用（採草放牧地の農地への転用及び準農地の採草放牧地又は農地への転用その他（1）の政令で定める転用を除く。）をし、当該特例農地等につき地上権、永小作権、使用貸借による権利若しくは賃借権の設定（当該特例農地等につき民法第269条の2第1項の地上権の設定があった場合において当該農業相続人が当該特例農地等を耕作（農地法第43条第1項の規定により耕作に該当するものとみなされる農作物の栽培を含む。以下本節において同じ。）又は養畜の用に供しているときにおける当該設定を除く。）をし、若しくは当該特例農地等につき耕作の放棄（農地について農地法第36条第1項の規定による勧告（当該農地が農業振興地域の整備に関する法律第6条第1項の規定により指定された農業振興地域外に所在する場合には、農業委員会その他（3）の政令で定める者が、（3）の政令で定めるところにより、当該農地の所在地の所轄税務署長に対し、当該農地が利用意向調査に係るものであって農地法第36条第1項各号に該当する旨の通知をするときにおける当該通知。第六節《貸付特例適用農地等に係る賃借権等の設定》の3の（二）において同じ。）があったことをいう。同第六節の3の（二）及び3の（三）において同じ。）をし、又は当該取得に係る第一節の1の規定の適用を受けるこれらの権利の消滅（これらの権利に係る農地又は採草放牧地の所有権の取得に伴う消滅を除く。）があった場合（租税特別措置法第33条の4第1項に規定する収用交換等による譲渡その他（5）の政令で定める譲渡又は設定があった場合を除く。）において、当該譲渡、贈与、転用、設定若しくは耕作の放棄又は消滅（以下本章において「**譲渡等**」という。）があった当該特例農地等に係る土地の面積（当該譲渡等の時前に第一節の1の規定の適用を受ける特例農地等につき譲渡等（租税特別措置法第33条の4第1項に規定する収用交換等による譲渡その他（5）の政令で定める譲渡又は設定を除く。）があった場合には、当該譲渡等に係る土地の面積を加算した面積）が、当該農業相続人のその時の直前における第一節の1の規定の適用を受ける特例農地等に係る耕作又は養畜の用に供する土地（当該農業相続人が当該相続又は遺贈により取得した特例農地等のうち準農地で農地又は採草放牧地への転用がされたもの以外のものに係る土地を含む。）の面積（その時前に第一節の1の規定の適用を受ける特例農地等のうち農地又は採草放牧地につき譲渡等があった場合には、当該譲渡等に係る土地の面積を加算した面積）の100分の20を超えるとき	その事実が生じた日
（二）	当該相続又は遺贈により取得をした特例農地等に係る農業経営を廃止した場合	その廃止の日

　（政令で定める転用）
（1）　1の（一）に規定する政令で定める転用は、農業相続人が1に規定する特例農地等を当該農業相続人の1の（一）に規定する耕作若しくは養畜の事業（当該農業相続人が第一節の4《農業相続人》の（二）に該当する者である場合には、その推定相続人の1の（一）に規定する耕作又は養畜の事業を含む。）に係る事務所、作業場、倉庫その他の施設又はこれらの事業に従事する使用人の宿舎の敷地にするための転用とする。（措令40の7⑧）

　（使用人の範囲）
（2）　（1）に規定する「使用人」には、農業相続人の親族が農業相続人の営む農業に従事する場合であっても、その親族は含まないことに取り扱う。（措通70の6－25により準用する措通70の4－24）

－859－

第四編　農地等に係る相続税・贈与税の納税猶予及び免除

（政令で定める者）
（３）　１の（一）に規定する政令で定める者は農業委員会とし、当該農業委員会は、１の規定の適用を受ける農地が農地法第36条第１項各号に該当する場合には、遅滞なく、その旨その他（４）の財務省令で定める事項を当該農地の所在地の所轄税務署長に通知しなければならない。ただし、１に規定する正当の事由があるときは、この限りでない。（措令40の7⑨）

（財務省令で定める事項）
（４）　（３）に規定する財務省令で定める事項は、次に掲げる事項とする。（措規23の8④により準用する措規23の7④）
（一）　１の規定の適用を受ける農地が農地法第36条第１項各号に該当する旨
（二）　（一）の農地の地目、面積及びその所在場所並びに当該農地につき１の規定の適用を受けている農業相続人の氏名及び住所又は居所
（三）　その他参考となるべき事項

（政令で定める譲渡又は設定）
（５）　１の（一）に規定する政令で定める譲渡又は設定は、特例農地等の譲渡が第一章第四節の１の（５）の（一）から（三）まで掲げる場合若しくは農業振興地域の整備に関する法律第8条第2項第1号に規定する農用地区域として定められている区域内にある特例農地等について、農業経営基盤強化促進法第7条第1号に規定する農地売買等事業のために譲渡をした場合に該当する場合におけるこれらの譲渡又は当該特例農地等についての地上権、永小作権、使用貸借による権利若しくは賃借権の設定が第四編第一章第四節の１の（５）の（二）若しくは（三）に掲げる場合に該当する場合におけるその設定とする。ただし、１の（一）に規定する譲渡等があった当該特例農地等に係る土地の面積に加算される当該譲渡等の時前の同（一）に規定する譲渡等に係る土地の面積を計算する場合における（５）の規定の適用については、第一章第四節の１の（５）の（二）中「者が」とあるのは「者が現に」と、「常時従事者になる場合」とあるのは「常時従事者である場合」と、（三）中「共同利用する場合」とあるのは「現に共同利用している場合」とする。（措令40の7⑩、40の6⑪）

（一）	都市計画法第8条第1項第14号に掲げる生産緑地地区内にある第一節の１に規定する農地及び採草放牧地（相続等により取得した日前に生産緑地法第10条（同法第10条の5の規定により読み替えて適用する場合を含む。）又は第15条第1項の規定による買取りの申出がされたものを除く。）が、生産緑地法第11条第1項又は第12条第2項の規定に基づき、同法第11条第2項に規定する地方公共団体等に買い取られた場合
（二）	農地法第2条第3項に規定する農業生産法人に出資をした場合（当該出資をした者が当該農業生産法人の同項第2号ホに規定する常時従事者になる場合に限る。）
（三）	農地法等の一部を改正する法律（平成21年法律第57号）附則第7条第2項の規定によりなお従前の例によることとされる同法第1条の規定による改正前の農地法第75条の7第1項の協議若しくは同条第2項において準用する同法第75条の5第1項の裁定に基づき同法第75条の2第1項に規定する草地利用権が設定され、又は同法第75条の8第1項の裁定に基づき買い取られた場合（当該設定又は買取りに係る同法第75条の2第1項に規定する土地所有者等が、当該設定又は買取りに係る当該草地利用権に係る土地を他の者とともに共同利用する場合に限る。）

（四）	農業振興地域の整備に関する法律第8条第2項第1号に規定する農用地区域として定められている区域内にある農地等について、農業経営基盤強化促進法第7条第1号に規定する農地売買等事業のために譲渡をした場合、同法第4条第3項に規定する農地利用集積円滑化事業（同項第1号に定める事業（同号ハに掲げるものを除く。）及び同項第2号に定める事業に限る。）のために譲渡をした場合又は同法第20条に規定する農用地利用集積計画の定めるところにより譲渡をした場合（これらの譲渡をした受贈者の次に掲げる区分に応じ、それぞれ次に定める要件を満たす場合に限る。）	
	イ	これらの譲渡をした日において65歳以上である受贈者　第一章第一節の１本文の贈与に係る同項に規定する贈与税の申告書の提出期限から当該譲渡をした日までの期間（ロにおいて「適用期間」という。）が10年以上であること。
	ロ	イに掲げる受贈者以外の受贈者　適用期間が20年以上であること。

（財務省令で定める譲渡又は設定の届出）
（６）　第一節の１の規定の適用を受けている農業相続人は、次の（一）（二）に掲げる場合に該当することとなった場合には、その該当することとなった日から１月以内に、次の（一）（二）に掲げる場合の区分に応じ当該（一）（二）に定める書類を、

－860－

納税地の所轄税務署長に提出しなければならない。（措規23の８⑤）

(一)	第一章第四節の**1**の(６)の(一)から(三)までに掲げる場合	同(６)の(一)から(三)までに定める書類
(二)	(５)に規定する区域内にある特例農地等について(５)に規定する農地売買等事業（イにおいて「農地売買等事業」という。）のために譲渡をした場合	当該特例農地等が当該区域内にある旨を証する当該特例農地等の所在地の市町村長の書類及び次に掲げる場合の区分に応じそれぞれ次に定める書類 イ　ロ及びハに掲げる場合以外の場合 　当該特例農地等について当該農地売買等事業のために買入れを行った旨及び当該買入れを行った年月日を証する当該買入れを行った農地中間管理事業の推進に関する法律第２条第４項に規定する農地中間管理機構の書類並びに当該譲渡につき農地法第３条第１項第13号の届出を受理した旨を証する当該特例農地等の所在地を管轄する農業委員会の書類 ロ　当該特例農地等を農地中間管理事業の推進に関する法律第18条第１項の農用地利用集積等促進計画の定めるところにより譲渡をした場合 　当該特例農地等に係る当該農用地利用集積等促進計画につき同条第７項の規定による公告をした者の当該公告をした旨及び当該公告の年月日を証する書類 ハ　当該特例農地等を福島復興再生特別措置法第17条の31第１項の農用地利用集積等促進計画の定めるところにより譲渡をした場合 　当該特例農地等に係る当該農用地利用集積等促進計画につき同法第17条の32の規定による公告をした旨及び当該公告の年月日を証する福島県知事の書類

（買取りの申出等に係る農地等の転用等）

（７）　**3**《買取りの申出等による納税猶予の一部打切り》に規定する買取りの申出等に係る**3**の農地又は採草放牧地について**1**の(一)の転用又は譲渡若しくは設定があったときは、当該転用又は譲渡若しくは設定は、同(一)に規定する政令で定める転用又は政令で定める譲渡若しくは設定に含まれるものとする。（措令40の７⑪）

（貸付特例適用農地等を貸し付けている場合）

（８）　第六節の**1**の規定の適用を受ける貸付特例適用農地等に係る賃借権等の設定をした農業相続人が当該設定をした後当該貸付特例適用農地等を当該設定に基づき借り受けた者に引き続き貸し付けている場合における当該農業相続人に係る**1**及び**2**の規定の適用については、**1**の(一)中「が当該特例農地等」とあるのは「又は第12項第３号に規定する借り受けた者が当該特例農地等」と、「(以下本章」とあるのは「(第六節の**1**の規定の適用を受ける同**1**に規定する賃借権等が設定されている同**1**に規定する貸付特例適用農地等の当該農業相続人による当該譲渡、贈与、転用若しくは設定又は消滅に伴う当該賃借権等の消滅を除く。以下本章」と、「に係る土地を含む」とあるのは「及び第六節の**1**の規定の適用を受ける同**1**に規定する貸付特例適用農地等に係る土地を含む」と、**2**中「供されているもの」とあるのは「供されているもの及び第六節の**1**の規定の適用を受ける同**1**に規定する貸付特例適用農地等」とする。（措令40の７㉘）

（一時的道路用地等の用に供されている農地等を貸し付けている場合）

（９）　第九節の**1**の規定の適用を受ける一時的道路用地等の用に供されている特例農地等に係る地上権等の設定をした農業相続人が当該地上権等の設定をした後当該一時的道路用地等の用に供されている特例農地等を引き続き当該一時的道路用地等に係る事業の施行者に貸し付けている場合における当該農業相続人に係る**1**及び**2**の規定の適用については、**1**の(一)中「農業相続人が当該特例農地等を耕作（農地法第43条第１項の規定により耕作に該当するものとみなされる農作物の栽培を含む。以下本節において同じ。）又は養畜の用に供している」とあるのは「特例農地等が第九節の**1**に規定する一時的道路用地等の用に供されている」と、「(以下本章」とあるのは「(第九節の**1**の規定の適用を受ける同**1**に規定する地上権等の設定がされている同**1**に規定する一時的道路用地等の用に供されている特例農地等の当該農業相続人による当該譲渡、贈与、転用若しくは設定又は消滅に伴う同**1**の規定の適用に係る同**1**の地上権、貸借権又は使用貸借による権利の消滅を除く。以下本章」と、「に係る土地を含む」とあるのは「及び第九節の**1**の規定の適用を受ける同**1**に規定する一時的道路用地等の用に供されている特例農地等に係る土地を含む」と、**2**中「供されているもの」とあるのは「供されているもの及び第九節の**1**の規定の適用を受ける同**1**に規定する一時的道路用地等の用に供されている特例農地等」とする。（措令40の７54）

（準農地に区分地上権が設定された場合）

(10)　第一節の1の規定の適用を受ける同1に規定する準農地につき民法第269条の2第1項の地上権の設定（以下(10)において「区分地上権の設定」という。）があった場合において、当該準農地が同1の相続税の申告書の提出期限後10年を経過する日までに、同1に規定する農地又は採草放牧地として同1の規定の適用を受ける農業相続人の農業の用に供される見込みであるときには、当該区分地上権の設定は、1の（一）又は2に規定する譲渡等には該当しないことに留意する。（措通70の6－25の2）

（譲渡の時期）

(11)　特例農地等の譲渡があった場合における1の（一）に規定する「その事実が生じた日」（以下(11)において「その事実が生じた日」という。）及び2《納税猶予の一部打切り》又は第七節《特例農地等の買換え》の1、第八節及び第十一節《買取りの申出等があった農地等の買換え等》の1に規定する「譲渡等があった日」（以下(11)において「譲渡等があった日」という。）とは、次の（一）、（二）又は（三）に掲げる日とする。（措通70の6－24により準用する措通70の4－23）

（一）　農地法第3条第1項本文《農地又は採草放牧地の権利移動の制限》若しくは第5条第1項本文《農地又は採草放牧地の転用のための権利移動の制限》の規定による許可又は同項第6号の規定による届出を要する農地又は採草放牧地の譲渡については、当該許可又は届出の効力が生じた日と当該農地又は採草放牧地の引渡しがあった日とのうち、いずれか遅い日

（二）　農業経営基盤強化促進法（昭和55年法律第65号）第20条《公告の効果》に規定する農用地利用集積計画の定めるところによる農地又は採草放牧地の所有権の移転については、当該農用地利用集積計画に定める日と当該農地又は採草放牧地の引渡しがあった日とのうち、いずれか遅い日

（三）　（一）又は（二）に該当しない農地若しくは採草放牧地又は準農地の譲渡については、これらの土地の引渡しがあった日

（注）　次のいずれかに該当する場合には、上記（一）、（二）又は（三）にかかわらず、それぞれに掲げる日をもって、「その事実が生じた日」又は「譲渡等があった日」として取り扱って差し支えない。

　　1　特例適用農地等の譲渡の対価の全部又は一部をもって農地又は採草放牧地を取得する見込みであることにつき、第七節の1又は第十一節の1の規定による税務署長の買換えの承認を受ける場合において、当該特例適用農地等の譲渡に関する契約の締結された日をもって当該譲渡があった日とする第七節の2の①又は第十一節の2の①に規定する申請書が提出されたとき　　当該契約の締結された日

　　2　8《農地等についての贈与税の納税猶予等に係る利子税の特例》の規定の適用を受ける場合において、特例適用農地等の譲渡に関する契約の効力の発生した日をもって当該譲渡があった日とする8の(1)に規定する届出書が提出されたとき（当該譲渡により納付すべき納税猶予税額及び当該猶予税額に係る利子税の額が、上記（一）又は（三）に掲げる日までに納付された場合に限る。）　　当該契約の効力の発生した日

（譲渡等をした特例農地等の面積が100分の20を超えるかどうかの計算）

(12)　1の（一）に規定する100分の20を超えるかどうかの計算は、次に掲げる場合に応じ、次に掲げる算式により行うのであるから留意する。

なお、第十三節の1の（四）に定める相続税について同1の規定により免除があった場合には、(16)に留意する。（措通70の6－27）

（一）　既往において第七節《特例農地等の買換え》の1の（三）若しくは第十一節の1の（三）の規定に該当する農地又は採草放牧地（以下において「**代替取得農地等**」という。）を取得していない場合又は第八節《特定市街化区域農地等の収用交換等による譲渡》の1に規定する代替特例農地等（以下において「**代替特例農地等**」という。）で、同1の（三）の規定に該当する農地若しくは採草放牧地（以下において「**付替特例農地等**」という。）を農業の用に供していない場合

$$\frac{B+C}{A}$$

（二）　既往において、第七節の1の（三）の規定に該当する代替取得農地等を取得している場合

$$\frac{B+C}{A+(F-D+E)}$$

（三）　既往において、付替特例農地等を農業の用に供している場合

$$\frac{B+C}{A+(F-D'+E')}$$

（四）　既往において、第十一節の1の（三）の規定に該当する代替取得農地等を取得している場合

－862－

第二章　農地等についての相続税の納税猶予及び免除等
（第四節　納税猶予の打切り）

$$\frac{B+C}{A+(F-D''+E'')}$$

(注)　算式中の符号は、次のとおりである。

　　Aは、相続又は遺贈により取得した特例農地等の当該取得の面積をいう。

　　Bは、今回譲渡等をした特例農地等の面積をいう。

　　　　この場合の譲渡等には、1の(一)に規定する収用交換等による譲渡その他(5)に規定する譲渡又は設定（以下「**収用交換等による譲渡等**」という。）を含まない。

　　Cは、既往において譲渡等（収用交換等による譲渡等を除く。）をした特例農地等の面積をいい、この面積は、第七節の1の(一)の規定により譲渡等がなかったものとみなされるものの面積を除き、第七節の1の(二)の規定により譲渡等がされたものとみなされるものの面積を含む。

　　Dは、既往において第七節の1の(一)の規定により譲渡等がなかったものとみなされた特例農地等の面積をいい、次の算式により計算する。

$$\text{譲渡等をした特例農地等の面積} \times \frac{\text{譲渡等の対価の額のうち代替取得農地等の取得に充てる見込金額}}{\text{譲渡等をした特例農地等の対価の額}}$$

　　Eは、Dの面積のうち、第七節の1の(二)の規定によりその後譲渡等がされたものとみなされた特例農地等の面積をいい、次の算式により計算する。

$$\text{Dの面積} \times \frac{\text{Dの面積に係る譲渡等の対価の額のうち代替取得農地等の取得に充てられなかった金額}}{\text{Dの面積に係る譲渡等の対価の額}}$$

　　Fは、代替取得農地等又は付替特例農地等の面積をいう。

　　D′は、既往において第八節の1の(一)の規定により譲渡等がなかったものとみなされた特例農地等の面積をいい、次の算式により計算する。

$$\text{譲渡等をした特例農地等の面積} \times \frac{\text{譲渡等の対価の額に相当する代替特例農地等の価額}}{\text{譲渡等をした特例農地等の対価の額}}$$

　　E′は、D′の面積のうち、第八節の1の(二)の規定により譲渡等されたものとみなされた特例農地等の面積をいい、次の算式により計算する。

$$\text{D′の面積} \times \frac{\text{代替特例農地等のうち農業の用に供していない部分に相当する価額}}{\text{D′の面積に係る譲渡等の対価の額}}$$

　　D″は、既往において第十一節の1の(一)の規定により譲渡等がなかったものとみなされた特定農地等の面積をいい、次の算式により計算する。

$$\text{譲渡等をする見込みである特定農地等の面積} \times \frac{\text{譲渡等の対価の見積額のうち代替取得農地等の取得に充てる見込金額}}{\text{譲渡等をする見込みである特定農地等の対価の見積額}}$$

　　E″はD″の面積のうち、第十一節の1の(二)のハの規定によりその後買取りの申出等があったものとみなされた特定農地等の面積をいい、次の算式により計算する。

$$\text{D″の面積} \times \frac{\text{D″の面積に係る譲渡等の対価の額のうち代替取得農地等の取得に充てられなかった金額}}{\text{D″の面積に係る譲渡等の対価の額}}$$

（具体的計算例）

例1　既往において代替取得農地等を取得していない場合

① 相続等により取得した特例農地等の相続開始時の面積　　　　　　　　　　　　　　10ヘクタール

② 今回譲渡等（収用交換等による譲渡等を除く。）をした
　特例農地等の面積　　　　　　　　　　　　　　　　　　　　　　　　　　　　　2ヘクタール

③ 既往において譲渡等（収用交換等による譲渡等を除く。）
　をした特例農地等の面積　　　　　　　　　　　　　　　　　　　　　　　　　　0.5ヘクタール

（計算）

〈イ〉　「A」の数値（①）　　　　　　　　10ヘクタール

〈ロ〉　「B」の数値（②）　　　　　　　　2ヘクタール

〈ハ〉　「C」の数値（③）　　　　　　　　0.5ヘクタール

〈ニ〉　100分の20を超えるかどうかの計算

—863—

$$\frac{B+C}{A} = \frac{2+0.5}{10} = \frac{2.5}{10} > \frac{20}{100}$$

この場合には、**1**の(一)の規定に該当する。

例2　既往において第七節の**1**の(三)の規定に該当する代替取得農地等を取得している場合

① 相続等により取得した特例農地等の相続開始時の面積　　　　　　　　　　20ヘクタール
② 既往において譲渡等をした特例農地等の面積　　　　　　　　　　　　　　4ヘクタール
　　うち収用交換等による譲渡等に係る特例農地等の面積　　　　　　　　　0.5ヘクタール
　　差引　　　　　　　　　　　　　　　　　　　　　　　　　　　　　　3.5ヘクタール
③ ②のうち第七節の**1**の(一)の規定により譲渡等が
　　なかったものとみなされた特例農地等の面積　　　　　　　　　　　　　3ヘクタール
④ ③のうち第七節の**1**の(二)の規定により譲渡等が
　　されたものとみなされた特例農地等の面積　　　　　　　　　　　　　　2ヘクタール
⑤ 代替取得農地等の面積　　　　　　　　　　　　　　　　　　　　　　2.5ヘクタール
⑥ 今回譲渡等をした特例農地等の面積　　　　　　　　　　　　　　　　　1ヘクタール
　　うち収用交換等による譲渡等に係る特例農地等の面積　　　　　　　　　0
　　差引　　　　　　　　　　　　　　　　　　　　　　　　　　　　　　1ヘクタール

(計算)

〈イ〉　「A」の数値（①）　　　　　　　20ヘクタール
〈ロ〉　「B」の数値（⑥）　　　　　　　1ヘクタール
〈ハ〉　「C」の数値（②－③＋④＝3.5－3＋2）　　　2.5ヘクタール
〈ニ〉　「D」の数値（③）　　　　　　　3ヘクタール
〈ホ〉　「E」の数値（④）　　　　　　　2ヘクタール
〈ヘ〉　「F」の数値（⑤）　　　　　　　2.5ヘクタール
〈ト〉　100分の20を超えるかどうかの計算

$$\frac{B+C}{A+(F-D+E)} = \frac{1+2.5}{20+(2.5-3+2)} = \frac{3.5}{21.5} < \frac{20}{100}$$

この場合には、**1**の(一)の規定に該当しない。

例3　既往において第十一節の**1**の(三)の規定に該当する代替取得農地等を取得している場合

① 相続等により取得した特例適用農地等の相続開始時の面積　　　　　　　20ヘクタール
② 既往において買取りの申出等があった特定農地等の面積　　　　　　　　4ヘクタール
　　うち譲渡等に係る特定農地等の面積　　　　　　　　　　　　　　　　3.5ヘクタール
③ ②のうち第十一節の**1**の(一)の規定により譲渡等が
　　なかったものとみなされた特定農地等の面積　　　　　　　　　　　　3ヘクタール
④ ③のうち第十一節の**1**の(二)のハの規定により買取りの
　　申出等があったものとみなされた特定農地等の面積　　　　　　　　　1ヘクタール
⑤ 代替取得農地等の面積　　　　　　　　　　　　　　　　　　　　　4ヘクタール
⑥ 今回譲渡等をした特例適用農地等の面積　　　　　　　　　　　　　4.5ヘクタール
　　うち収用交換等による譲渡等に係る特例適用農地等の面積　　　　　　0
　　差引　　　　　　　　　　　　　　　　　　　　　　　　　　　　4.5ヘクタール

(計算)

〈イ〉　「A」の数値（①）　　　　　　　20ヘクタール
〈ロ〉　「B」の数値（⑥）　　　　　　　4.5ヘクタール
〈ハ〉　「C」の数値　　　　　　　　　　0ヘクタール
〈ニ〉　「D″」の数値（③）　　　　　　3ヘクタール
〈ホ〉　「E″」の数値（④）　　　　　　1ヘクタール
〈ヘ〉　「F」の数値（⑤）　　　　　　　4ヘクタール
〈ト〉　100分の20を超えるかどうかの計算

$$\frac{B+C}{A+(F-D''+E'')} = \frac{4.5+0}{20+(4-3+1)} = \frac{4.5}{22} > \frac{20}{100}$$

第二章　農地等についての相続税の納税猶予及び免除等
（第四節　納税猶予の打切り）

　　この場合には、１の（一）の規定に該当する。

　　（100分の20の計算から除外される耕作又は養畜の事業に係る施設）
(13)　１の（一）の規定による100分の20を超えるかどうかの計算をする場合の同（一）に規定する特例適用農地等の転用から除外される（１）に規定する「その他の施設の敷地にするための転用」には、第一節の１の規定の適用を受けた準農地を２の（１）《農地、採草放牧地の保全又は利用上必要な施設》に規定する農地又は採草放牧地の保全又は利用上必要な道路等の施設の敷地にするための転用が含まれることに留意する。（措通70の６－28により準用する措通70の４－27）

　　（100分の20の計算から除外される作業場の敷地等に転用された特例農地等）
(14)　１の（一）の規定による特例適用農地等の転用から除外される（１）に規定する「転用」が行われた土地（（13）により（１）に規定する施設に含むものとして取り扱う施設の敷地を含む。）は、その転用後も転用前の状態のままあるものとして特例農地等に含まれることに留意する。（措通70の６－29により準用する措通70の４－28）

　　（農地所有適格法人の常時従事者に該当しなくなった場合などの100分の20の計算）
(15)　（５）の規定に該当する農地所有適格法人の常時従事者となった者が、その後当該法人の常時従事者に該当しなくなった場合、又は（５）の規定に該当する草地利用権に係る土地の共同利用者となった者がその後当該土地の共同利用者に該当しなくなった場合には、その常時従事者又は共同利用者に該当しなくなった時においては、１の（一）に規定する100分の20を超えるかどうかの計算は行わないのであるが、その後、当該100分の20を超えるかどうかの計算を要する特例農地等の譲渡等があった時においては、当該譲渡等に係る特例農地等の面積に当該農地所有適格法人に対する出資又は草地利用権の設定若しくは買取りに係る土地の面積を加算して、当該100分の20の計算を行うことに留意する。（措通70の６－30により準用する措通70の４－29）

　　（市街化区域内農地等に係る納税猶予税額について申告書の提出期限の翌日から20年を経過して免除があった場合の100分の20の計算）
(16)　第十三節の１の（四）の規定により、相続税の申告書の提出期限の翌日から20年を経過する日において、農業相続人（相続又は遺贈により財産を取得した日において都市営農農地等である特例農地等を有しないものに限る。）が有する特例農地等のうちに当該取得をした日において同（四）の市街化区域内農地等（第一節の１の（１）の（四）のロ又はハに掲げる農地であって同（１）の（三）のイからハまでに掲げる区域内に所在するもの及び第二節の３の（二）に規定する生産緑地等を除く。以下同じ。）がある場合には、当該市街化区域内農地等に係る納税猶予税額については、第十三節の１の（四）の規定により当該20年を経過する日において免除されるが、免除の時において第四節の１の（一）に規定する100分の20を超えるかどうかの計算を行う必要はなく、同１の適用はないことに留意する。
　　なお、免除後に特例農地等の譲渡等があった時は、当該免除に係る市街化区域内農地等の面積は同（一）後段に規定する「当該相続人のその時の直前におけるこの項本文の規定の適用を受ける特例農地等に係る耕作又は養畜の用に供する土地の面積」（（12）の算式におけるＡ）には含めず、当該100分の20の計算を行うことに留意する。（措通70の６－30の２）
　　(注)　相続税の申告書の提出期限後10年を経過する日において農業相続人が有する第一節の１の規定の適用を受ける準農地のうち農地又は採草放牧地として当該農業相続人の農業の用に供されていないことから２の規定により納税猶予期限が確定した準農地は、１の（一）の後段に規定する「当該農業相続人が相続又は遺贈により取得した特例農地等のうち準農地で農地又は採草放牧地への転用がなされたもの以外のものに係る土地」であることから、当該準農地に係る面積は、１に規定する100分の20を超えるかどうかの計算の分母の面積に含まれることに留意する。

　　（100分の20の計算から除外される収用交換等による譲渡等があった場合）
(17)　特例農地等について収用交換等による譲渡等があった場合における当該収用交換等による譲渡等に係る特例農地等の面積は、１の（一）の規定による100分の20を超えるかどうかの計算上の分子に該当する譲渡等の面積からは除外されるのであるが、当該収用交換等による譲渡等は、２の規定により納税猶予の期限が確定する相続税の額の計算をする場合の譲渡等には含まれ、当該譲渡等に係る特例農地等の価額に対応する相続税の額（当該相続税の額に係る利子税の額を含む。）は納付を要することに留意する。（措通70の６－31により準用する措通70の４－30）

　　（買取りの申出等があった場合）
(18)　第一節の１の規定の適用を受ける農地又は採草放牧地について買取りの申出等があった場合における当該買取りの申出等に係る特定農地等の面積は、１の（一）の規定による100分の20を超えるかどうかの計算上の分子に該当する譲渡等の面積に含まれないのであるが、当該買取りの申出等は、３の規定により納税猶予の期限の確定事由に該当し、当該買

－865－

取りの申出等に係る特定農地等の価額に対応する相続税の額（当該相続税の額に係る利子税の額を含む。）は納付を要するのであるから留意する。

なお、買取りの申出等があった特定農地等についてその後譲渡等があった場合には、当該譲渡等は納税猶予の期限が確定する相続税の額を計算するときの譲渡等には含まれないのであるから留意する。（措通70の6－32）

2　納税猶予の一部打切り

第一節の1の規定の適用を受ける特例農地等の全部又は一部につき当該特例農地等に係る農業相続人に係る死亡等の日（当該死亡等の日前に1の（一）又は1の（二）に掲げる場合に該当することとなった場合には、当該同（一）又は同（二）に定める日）前に当該農業相続人による1の（一）に規定する譲渡等があった場合（当該譲渡等により1の（一）に掲げる場合に該当することとなる場合を除く。）又は当該死亡等の日前における第一節の1の相続税の申告書の提出期限後10年を経過する日において当該農業相続人が有する同1の規定の適用を受ける準農地（同日前に1の（一）に規定する権利の設定又は転用がされたものを除く。）のうちに農地若しくは採草放牧地として当該農業相続人の農業の用に供されていないもの（農地又は採草放牧地の保全又は利用上必要な施設として（1）の政令で定めるものの用に供されているものを除く。）がある場合には、納税猶予分の相続税額のうち、当該譲渡等があった特例農地等又は当該農業の用に供されていない準農地（以下2において「**譲渡特例農地等**」という。）の価額から当該譲渡特例農地等につき当該譲渡特例農地等に係る農業投資価格を基準として計算した価額を控除した残額（以下において「**農業投資価格控除後の価額**」という。）に対応する部分の金額として（2）の政令で定めるところにより計算した金額に相当する相続税（以下において「**譲渡特例農地等に係る相続税**」という。）については、第一節の1又は本節の1の規定にかかわらず、当該譲渡等があった日又は当該10年を経過する日の翌日から2月を経過する日（当該譲渡等があった後又は当該10年を経過する日後当該2月を経過する日以前に当該農業相続人が死亡した場合には、当該農業相続人の相続人が当該農業相続人の死亡による相続の開始があったことを知った日の翌日から6月を経過する日）をもって第一節の1又は本節の1の規定による納税の猶予に係る期限とする。（措法70の6⑦）

（農地、採草放牧地の保全又は利用上必要な施設）
（1）　2に規定する農地又は採草放牧地の保全又は利用上必要な施設として政令で定めるものは、これらの土地の保全又は利用上必要な道路、用水路、排水路、かんがい用施設その他これらに類する施設とする。（措令40の7⑰前段、40の6⑬）

（譲渡特例農地等又は特定農地等に係る相続税額）
（2）　2又は3に規定する政令で定めるところにより計算した金額は、納税猶予分の相続税額に、これらの規定に規定する譲渡特例農地等又は買取りの申出等に係る農地若しくは採草放牧地（以下（2）において「譲渡等に係る農地等」という。）の農業相続人の相続又は遺贈による取得の時における農業投資価格控除後の価額（当該譲渡等に係る農地等が第七節《特例農地等の買換え》の1の（三）の規定により第一節の1の規定の適用を受ける特例農地等とみなされたもの、第八節の1の（三）の規定により第一節の1の規定の適用を受ける特例農地等とみなされたもの又は第十一節の1の（三）の規定により第一節の1の規定の適用を受ける同1に規定する農地若しくは採草放牧地とみなされたもの（以下（2）において「**代替取得農地等**」という。）である場合には、当該相続又は遺贈による取得をした特例農地等で第七節の1、第八節の1及び第十一節の1の規定による承認に係る譲渡等があったものの当該取得の時における農業投資価格控除後の価額のうち当該代替取得農地等の当該農業投資価格控除後の価額に対応する部分の金額として（3）の財務省令で定めるところにより計算した金額。第二章において同じ。）が当該農業相続人が当該相続又は遺贈により取得をした全ての特例農地等の当該取得の時における農業投資価格控除後の価額の合計額のうちに占める割合を乗じて計算した金額とする。この場合において、当該計算した金額に100円未満の端数があるとき、又はその全額が100円未満であるときは、その端数金額又はその全額を切り捨てる。（措令40の7⑱）

（特例農地等の農業投資価格控除後の価額のうち代替取得農地等対応分の計算）
（3）　（2）に規定する財務省令で定めるところにより計算した金額は、相続又は遺贈による取得をした特例農地等で第七節の1、第八節の1及び第十一節の1の規定による承認に係るこれらの規定に規定する譲渡等があったものの当該取得の時における農業投資価格控除後の価額（既に当該特例農地等が第七節の1の（三）の規定により第一節の1の規定の適用を受ける特例農地等とみなされたもの、第八節の1の（三）の規定により第一節の1の規定の適用を受ける特例農地等とみなされたもの又は第十一節の1の（三）の規定により同1の規定の適用を受ける同1に規定する農地若しくは採草放牧地とみなされるものである場合には、（3）の規定により計算した金額）に、当該譲渡等の対価で当該譲渡等があった日から1年を経過する日までに特例農地等の取得に充てられたものの額又は第八節の1の（1）に規定する代替特例農地

第二章　農地等についての相続税の納税猶予及び免除等
（第四節　納税猶予の打切り）

等価額が当該譲渡等の対価の額のうちに占める割合を乗じて計算した金額とする。（措規23の8⑥）

　　　（納税猶予税額の一部について納税猶予の期限が確定する場合の相続税の額の計算）
（4）　**2**又は**3**の規定により納税猶予税額の一部について、納税猶予の期限が確定する場合における相続税の額の計算は、次の算式により行うのであるから留意する。

　　　なお、これにより算出された金額に、100円未満の端数があるとき又はその全額が100円未満であるときは、その端数金額又はその全額を切り捨て、その切り捨てた金額は、納税猶予税額として残るのであるから留意する。（措通70の6－41）

$$
\begin{array}{l}
\text{納税猶予} \\
\text{分の相続} \\
\text{税の額} \\
\text{（A）}
\end{array}
\times
\frac{\text{農業相続人が譲渡等をした又は買取りの申出等があった}}{\text{農業相続人が取得したすべての特例農地等の取得}}
$$
　　　　　　　　　　特例農地等の取得時における農業投資価格控除後の価額（B）
　　　　　　　　　　時における農業投資価格控除後の価額の合計額

（注1）　上記算式中の（A）の金額は、第一節の**1**の規定による納税猶予の適用を受けた当初の納税猶予税額をいう。したがって、その後当該納税猶予税額の一部について納税猶予の期限が確定している場合であっても、当初の納税猶予税額によることとなる。

（注2）　上記算式中の（B）の金額は、譲渡等又は買取りの申出があった特例農地等が代替取得農地等又は付替特例農地等である場合には、次の算式により計算した金額による。

$$
\begin{array}{l}
\text{相続又は遺贈により取得した特例農地等で買換} \\
\text{え又は付替えの承認に係る譲渡等があったもの} \\
\text{の取得時における農業投資価格控除後の価額}
\end{array}
\times
\frac{\text{（C）のうち代替取得農地等の取得に充てられた}}{\text{相続又は遺贈により取得した特例農地等で買換え}}
$$
　　　　　　　　　　　　　金額又は付替特例農地等の価額
　　　　　　　　　　　　　又は付替えの承認に係る譲渡等の対価の額（C）

　　　（申告期限後10年経過日において納税猶予の期限が確定する準農地から除かれる転用）
（5）　**2**に規定する「準農地（同日前に……転用がされたものを除く。）」の「転用」には、**2**の規定による譲渡等に該当する準農地の転用のほか、当該譲渡等に該当しない**1**の（一）の規定による準農地の採草放牧地又は農地への転用その他**1**の（1）《政令で定める転用》の規定による農業相続人又はその推定相続人の耕作又は養畜の事業に係る事務所等の施設の敷地にするための転用が含まれるのであるから留意する。（措通70の6－33により準用する措通70の4－32）

　　　（交換又は換地処分により農地又は採草放牧地を取得した場合）
（6）　特例農地等について交換又は換地処分が行われた場合で、当該交換又は換地処分が所得税法第58条《固定資産の交換の場合の譲渡所得の特例》又は租税特別措置法第33条の3《換地処分等に伴い資産を取得した場合の課税の特例》の規定により所得税の課税上譲渡がなかったものとみなされたときであっても、当該交換又は換地処分は、**1**の（一）又は**2**の規定による譲渡等に該当することに留意する。

　　　したがって、当該交換又は換地処分により取得した農地又は採草放牧地につき、第七節《特例農地等の買換え》の規定の適用を受ける場合には、当該交換又は換地処分があった日から1月以内に代替取得農地等の取得に関する承認申請書の提出を要することとなる。（措通70の6－34により準用する措通70の4－33）

3　買取りの申出等による納税猶予の一部打切り

　　第一節の**1**の規定の適用を受ける農地又は採草放牧地の全部又は一部につき当該農地又は採草放牧地に係る農業相続人の死亡等の日（当該死亡等の日前に本節の**1**《納税猶予の全部打切り》の各号のいずれかに掲げる場合に該当することとなった場合には、当該（一）（二）に定める日）前に次に掲げる場合に該当することとなった場合には、納税猶予分の相続税額のうち当該（一）（二）に規定する買取りの申出若しくは指定の解除又は告示若しくは事由（以下本章において「**買取りの申出等**」という。）に係る農地又は採草放牧地に係る農業投資価格控除後の価額に対応する部分の金額として**2**の（2）の政令で定めるところにより計算した金額に相当する相続税（以下この章において「**特定農地等に係る相続税**」という。）については、第一節の**1**及び本節の**1**の規定にかかわらず、当該（一）（二）に定める日の翌日から2月を経過する日（当該買取りの申出等があった後同日以前に当該農業相続人が死亡した場合には、当該農業相続人の相続人が当該農業相続人の死亡による相続の開始があったことを知った日の翌日から6月を経過する日）をもって第一節の**1**及び本節の**1**の規定による納税の猶予に係る期限とする。（措法70の6⑧、措令40の7⑱）

（一）	当該農地又は採草放牧地が都市営農農地等である場合において、当該都市営農農地等について次に掲げる場合に該当したとき	当該買取りの申出があった日又は当該指定の解除があった日

－867－

	イ　生産緑地法第10条（同法第10条の５の規定により読み替えて適用する場合を含む。）又は第15条第１項の規定による買取りの申出があった場合 ロ　生産緑地法第10条の６第１項の規定による指定の解除があった場合	
（二）	当該農地又は採草放牧地が都市計画法の規定に基づく都市計画の決定若しくは変更又は下記注の政令で定める事由により、特定市街化区域農地等に該当することとなった場合（当該変更により第一章第一節の１の（２）の（四）のロ又はハに掲げる農地でなくなった場合を除く。）	都市計画法第20条第１項（同法第21条第２項において準用する場合を含む。）の規定による告示があった日又は当該事由が生じた日

◎買取りの申出等があった農地等の買換え等……第十一節参照

　　　（政令で定める事由）
（１）　上記（二）に規定する政令で定める事由は、生産緑地法の一部を改正する法律（平成３年法律第39号）附則第４条第２項に規定する第二種生産緑地地区に関する都市計画の失効とする。（措令40の７⑰後段）

　　　（贈与税の特例に関する経過措置）
（２）　次に掲げる者は、第一節の**１**に規定する農業相続人とみなして、**３**（（二）に係る部分に限る。）、第七節、第八節及び第十一節の規定を適用する。（令２改所法等附108②）
　（一）　租税特別措置法の一部を改正する法律（平成３年法律第16号）附則第19条第５項の規定によりなおその効力を有するものとされる同法による改正前の租税特別措置法第70条の６第１項本文の規定の適用を受けている同項に規定する農業相続人
　（二）　租税特別措置法等の一部を改正する法律（平成12年法律第13号）第１条の規定による改正前の租税特別措置法第70条の６第１項本文の規定の適用を受けている同項に規定する農業相続人
　（三）　租税特別措置法等の一部を改正する法律（平成13年法律第７号）第１条の規定による改正前の租税特別措置法第70条の６第１項本文の規定の適用を受けている同項に規定する農業相続人
　（四）　所得税法等の一部を改正する法律（平成15年法律第８号）附則123条第11項の規定によりなお従前の例によることとされる場合における同法第12条の規定による改正前の租税特別措置法第70条の６第１項本文の規定の適用を受けている同項に規定する農業相続人
　（五）　所得税法等の一部を改正する法律（平成17年法律第21号）附則第55条第17項の規定によりなお従前の例によることとされる場合における同法第５条の規定による改正前の租税特別措置法第70条の６第１項本文の規定の適用を受けている同項に規定する農業相続人
　（六）　所得税法等の一部を改正する法律（平成21年法律第13号）附則第66条６六項の規定によりなおその効力を有するものとされる同法第５条の規定による改正前の租税特別措置法第70条の６第１項本文の規定の適用を受けている同項に規定する農業相続人
　（七）　所得税法等の一部を改正する法律（平成26年法律第10号）附則第128条第７項の規定によりなお従前の例によることとされる場合における同法第10条の規定による改正前の租税特別措置法第70条の６第１項本文の規定の適用を受けている同項に規定する農業相続人
　（八）　所得税法等の一部を改正する法律（平成28年法律第15号）附則第127条第９項の規定によりなお従前の例によることとされる場合における同法第10条の規定による改正前の租税特別措置法第70条の６第１項本文の規定の適用を受けている同項に規定する農業相続人
　（九）　所得税法等の一部を改正する法律（平成30年法律第７号）附則第118条第11項から第13項までの規定によりなお従前の例によることとされる場合における同法第15条の規定による改正前の租税特別措置法第七十条の六第一項本文の規定の適用を受けている同項に規定する農業相続人
　（十）　旧租税特別措置法第70条の６第１項本文の規定の適用を受けている同項に規定する農業相続人

　　　（平成30年前旧法適用相続人が有する特例農地等が特定生産緑地である場合の納税猶予期限の確定事由）
（３）　平成30年前旧法適用相続人（次に掲げる農業相続人をいう。以下（３）において同じ。）が有する特例農地等（第一章第一節**１**（２）の（四）のイに規定する特定生産緑地に該当するものに限る。）について、**３**の（一）のロに規定する指定の解

－868－

第二章　農地等についての相続税の納税猶予及び免除等
（第四節　納税猶予の打切り）

除があった場合、納税猶予の期限は確定しないことに留意する。ただし、当該特例適用農地等について、生産緑地法の規定による買取りの申出があった場合又は都市計画法の規定に基づく都市計画の決定若しくは変更により特定市街化区域農地等に該当することとなった場合には、納税猶予の期限は確定することに留意する。（措通70の6－41の3により準用する措通70の4－37の3）

（一）　平成3年改正前の措置法第70条の6第1項本文の規定の適用を受ける農業相続人
（二）　平成12年改正前の措置法第70条の6第1項本文の規定の適用を受ける農業相続人
（三）　平成13年改正前の措置法第70条の6第1項本文の規定の適用を受ける農業相続人
（四）　平成15年改正前の措置法第70条の6第1項本文の規定の適用を受ける農業相続人
（五）　平成17年改正前の措置法第70条の6第1項本文の規定の適用を受ける農業相続人
（六）　平成21年改正前の措置法第70条の6第1項本文の規定の適用を受ける農業相続人
（七）　平成26年改正前の措置法第70条の6第1項本文の規定の適用を受ける農業相続人
（八）　平成28年改正前の措置法第70条の6第1項本文の規定の適用を受ける農業相続人
（九）　平成30年改正前の措置法第70条の6第1項本文の規定の適用を受ける農業相続人

4　3年ごとの納税猶予の継続届出書を提出しなかった場合の打切り

「相続税の納税猶予の継続届出書」がその提出期限（納税猶予に係る相続税申告書の提出期限の翌日から起算して3年を経過するごとの日をいう。）までに提出されない場合には、第一節の1に規定する相続税については、第一節の1及び本節の1の規定にかかわらず、当該期限の翌日から2月を経過する日（当該期限後同日以前に第一節の1の規定の適用を受ける農業相続人が死亡した場合には、当該農業相続人の相続人が当該農業相続人の死亡による相続の開始があったことを知った日の翌日から6月を経過する日）をもってこれらの項の規定による納税の猶予に係る期限とする。（措法70の6㉟）

5　担保変更等の命令に応じなかった場合の打切り

第一節の1の場合において、同1の規定の適用を受ける農業相続人が同1に規定する担保について国税通則法第51条第1項《担保変更等》の規定による命令に応じないときは、税務署長は、第一節の1に規定する相続税（既に2、3又は第十三節の1（（四）に係る部分に限る。）の規定の適用があった場合において、これらの規定による納税の猶予に係る期限が到来しているものを除く。）に係る第一節の1又は本節の1の規定による納税の猶予に係る期限を繰り上げることができる。この場合においては、同法第49条第2項及び第3項《納税猶予の取消しをする場合の弁明の聴取等》の規定を準用する。（措法70の6㊱）

（増担保命令等に応じない場合の納税猶予の期限の繰上げ）

注　5の規定により、増担保命令等に応じないため納税の猶予に係る期限を繰り上げる場合には、当該担保不足に対応する納税猶予税額だけでなく、納税猶予税額の全額（既に2又は3の規定により、納税猶予の期限が到来しているものを除く。）について納税猶予の期限を繰り上げるのであるから留意する。（措通70の6－39により準用する措通70の4－36）

6　納税猶予の打切り等があった場合の利子税の納付

第一節の1の規定の適用を受けた農業相続人は、次のいずれかに掲げる場合に該当する場合には、それぞれ次に規定する相続税に相当する金額を基礎とし、当該相続税に係る相続税の申告書の提出期限の翌日から当該各号に定める納税の猶予に係る期限までの期間に応じ、年3.6パーセント（特例農地等のうちに相続又は遺贈により取得をした日において都市営農農地等であるものを有しない農業相続人にあっては、当該各号に規定する相続税に相当する金額のうち市街化区域内農地等で（1）の政令で定めるものに係る農業投資価格控除後の価額に対応する部分の金額として（2）の政令で定めるところにより計算した金額を基礎とする部分については、年6.6パーセント）の割合を乗じて計算した金額に相当する利子税を、それぞれ次に規定する相続税にあわせて納付しなければならない。（措法70の6㊵）

（一）	1《納税猶予の全部打切り》の規定の適用があった場合（（六）に掲げる場合に該当する場合を除く。）	第一節の1に規定する相続税（既に2《納税猶予の一部打切り》又は3《買取りの申出等による納税猶予の一部打切り》の規定の適用があった場合には、2の（2）により計算した譲渡等に係る農地等に係る相続税額を除く。）に係る1の規定による納税の猶予に係る期限
（二）	2《納税猶予の一部打切り》の規定の適用があった場合（（六）に掲げる場合に該当する場合を除く。）	譲渡特例農地等に係る相続税に係る2の規定による納税の猶予に係る期限

－869－

（三）	**3**《買取りの申出等による納税猶予の一部打切り》の規定の適用があった場合（（六）に掲げる場合に該当する場合を除く。）	特定農地等に係る相続税に係る**3**の規定による納税の猶予に係る期限
（四）	**4**《3年ごとの納税猶予の継続届出書を提出しなかった場合の打切り》の規定の適用があった場合（（六）に掲げる場合に該当する場合を除く。）	**4**に規定する相続税に係る**4**の規定による納税の猶予に係る期限
（五）	第一節の**1**の規定の適用を受ける特例農地等の一部につき第一章第一節の**1**《農地等を贈与した場合の贈与税の納税猶予》の規定の適用に係る贈与をした場合（（六）に掲げる場合に該当する場合を除く。）	第一節の**1**に規定する相続税（既に**2**《納税猶予の一部打切り》又は**3**《買取りの申出等による納税猶予の一部打切り》の規定の適用があった場合には、**2**の（2）により計算した譲渡等に係る農地等に係る相続税額を除く。）のうち、当該特例農地等のうち当該贈与をしなかったものに係る農業投資価格控除後の価額に対応する部分の金額として（1）の政令で定めるところにより計算した金額に相当する相続税に係る第一節の**1**の規定による納税の猶予に係る期限
（六）	**5**《担保変更等の命令に応じなかった場合の打切り》の規定の適用があった場合	**5**に規定する相続税に係る**5**の規定による納税の猶予に係る期限

（注）　**6**の規定中「年3.6パーセントの割合」については、**7**の特例が適用される場合があることに留意すること。（編者注）

（市街化区域内農地等のうち政令で定めるもの）
（1）　**6**に規定する市街化区域内農地等で政令で定めるものは、農業相続人（相続又は遺贈により取得をした日において第一章第一節の**1**の（1）の（四）に規定する都市営農農地等である特例農地等を有しないものに限る。）が相続又は遺贈により取得をした特例農地等のうち、当該取得をした日において第十三節の**1**の（2）の（一）に規定する市街化区域内農地等であるもの（当該特例農地等について第七節の**1**、第八節の**1**及び第十一節の**1**の規定の適用があった場合には、**2**の（2）に規定する代替取得農地等）とする。（措令40の7⑱）

（政令で定める金額）
（2）　**6**に規定する政令で定めるところにより計算した金額は、納税猶予分の相続税額に、**6**に規定する市街化区域内農地等で政令で定めるものの農業相続人の相続又は遺贈による取得の時における農業投資価格控除後の価額が当該農業相続人が当該取得をした全ての特例農地等の当該取得の時における農業投資価格控除後の価額の合計額のうちに占める割合を乗じて計算した金額とする。この場合において、当該計算した金額に百円未満の端数があるときは、その端数金額を切り捨てる。（措令40の7⑲）

（生前贈与をしなかった農地等に対応する相続税額）
（3）　**6**の（五）に規定する政令で定めるところにより計算した金額は、納税猶予分の相続税額から同（五）に規定する贈与をした特例農地等につき第十三節の**1**の（1）の規定により計算した金額（既に**2**《納税猶予の一部打切り》又は**3**《買取りの申出等による納税猶予の一部打切り》の規定の適用があった場合には、**2**の（2）に規定する譲渡等に係る農地等に係る相続税に相当する金額を加算した金額）を控除した金額とする。（措令40の7⑳）

（旧法猶予適用者の利子税の割合）
（4）　平成26年改正前の措置法第70条の6第39項の規定は、旧法猶予適用者（第十節の**4**の（12）の（二）から（六）までに掲げる農業相続人に限り、第十節の**1**の規定の適用を受けた農業相続人を除く。以下同じ。）にも適用されるが、旧法猶予適用者に適用される**6**に規定する利子税の割合は、租税特別措置法施行令等の一部を改正する政令（平成21年政令第108号）の附則第44条第12項第2号から第6号までの規定により次に掲げる農業相続人の区分に応じそれぞれ次の割合となることに留意する。（措通70の6－98）
（一）　特例農地等のうちに相続又は遺贈により取得をした日において都市営農農地等であるものを有する農業相続人　年3.6%
（二）　上記（一）に掲げる農業相続人以外の農業相続人　年6.6%
（注）1　上記の利子税の割合は、農地法等の一部を改正する法律（平成21年法律第57号）の施行の日（平成21年12月15日）以後の期間に対応する利子税について適用があることに留意する。

－870－

第二章　農地等についての相続税の納税猶予及び免除等
（第四節　納税猶予の打切り）

 2　7の規定の適用があることに留意する。
 3　平成3年改正前の措置法第70条の6第1項本文の規定の適用を受ける農業相続人に適用される利子税の割合は、平成3年改正前の措置法
第70条の6第19項の規定により年6.6%であることに留意する。

7　納税猶予の打切り等があった場合の利子税の割合の特例

　6に規定する利子税の年6.6パーセントの割合は、6の規定にかかわらず、各年の利子税特例基準割合が年7.3パーセントの割合に満たない場合には、その年中においては、当該利子税の割合に当該利子税特例基準割合が年7.3パーセントの割合のうちに占める割合を乗じて計算した割合とする。（措法93⑤）

$$\text{利子税の割合} \times \frac{\text{利子税特例基準割合}}{7.3\%} = \text{利子税の特例割合}$$

　　（利子税特例基準割合）
（1）　7に規定する利子税特例基準割合とは、平均貸付割合（各年の前々年の9月から前年の8月までの各月における短期貸付けの平均利率（当該各月において銀行が新たに行った貸付け（貸付期間が1年未満のものに限る。）に係る利率の平均をいう。）の合計を12で除して計算した割合として各年の前年の11月30日までに財務大臣が告示する割合をいう。以下同じ。）に年0.5パーセントの割合を加算した割合をいう。（措法93②）

　　（利子税の額の計算）
（2）　6の規定の適用がある場合における利子税の額の計算において、7に規定する計算した割合に0.1パーセント未満の端数があるときはこれを切り捨てるものとし、7に規定する計算した割合及び加算した割合（平均貸付割合を除く。）が年0.1パーセント未満の割合であるときは年0.1パーセントの割合とする。（措法96①）

　　（利子税の額の計算過程における端数処理）
（3）　7の規定の適用がある場合における利子税の額の計算において、その計算の過程における金額に1円未満の端数が生じたときは、これを切り捨てる。（措法96②）

8　農地等についての相続税の納税猶予に係る利子税の特例

　第一節1の規定の適用を受ける同1に規定する農業相続人が同1に規定する特例農地等の全部又は一部につき租税特別措置法第33条の4第1項に規定する収用交換等（以下8において「**収用交換等**」という。）による譲渡をしたことにより、6の（二）に掲げる場合に該当することとなった場合には、6の規定により当該農業相続人の納付すべき利子税の額は、同6の規定にかかわらず、6の規定により計算した金額の2分の1に相当する金額（平成26年4月1日から令和8年3月31日までの間に当該農業相続人が当該特例農地等の全部又は一部につき当該収用交換等による譲渡をしたことにより同号に掲げる場合に該当することとなった場合には、零）とする。（措法70の8③）
（注）　7の規定の適用がある場合は、8の規定中の「6の規定により計算した金額」は7の利子税の割合の特例により計算した金額となることに留意する。（編者注）

　　（届出書の提出）
（1）　8の規定は、8の農業相続人が（2）で定めるところにより8の規定の適用を受けたい旨の届出書を1又は2の規定による納税の猶予に係る期限までに納税地の所轄税務署長に提出した場合（当該税務署長においてやむを得ない事情があると認める場合には、当該届出書を当該期限後に提出した場合を含む。）に限り、適用する。（措法70の8⑤により読み替えて準用される同70の8②）

　　（届出書の記載事項等）
（2）　8の規定の適用を受けようとする8の農業相続人は、（1）の届出書に8の規定の適用を受けたい旨及び次に掲げる事項を記載し、かつ、公共事業施行者（租税特別措置法第33条の4第3項第1号に規定する公共事業施行者をいう。）の（二）の農地等につき収用交換等による譲渡を受けたことを証する書類（（二）に掲げる事項の記載があるものに限る。）を添付して、これを当該農業相続人の納税地の所轄税務署長に提出しなければならない。（措規23の13④により読み替えて準用される同23の13①②）

（一）	届出者の氏名及び住所又は居所
（二）	収用交換等による譲渡をした8に規定する農地等の地目、面積及びその所在場所その他の明細並びに当該収用交

	換等による譲渡をした年月日
(三)	(二)の農地等の譲渡先の名称及び所在地
(四)	その他参考となるべき事項

（納税猶予期限後に提出する届出書）

（3）（1）に規定する納税の猶予に係る期限後に（1）の届出書を提出する場合には、当該届出書に、（2）各号に掲げる事項のほか当該届出書を当該期限までに提出することができなかった事情の詳細を記載しなければならない。（措規23の13④により読み替えて準用される同23の13③）

（旧法の適用に当たっての読替規定）

（4）　8の規定は、租税特別措置法の一部を改正する法律（平成3年法律第16号。（4）において「平成3年改正法」という。）附則第19条第5項の規定によりなおその効力を有するものとされる平成3年改正法による改正前の租税特別措置法第70条の6第1項本文の規定の適用を受けている者について準用する。この場合において必要な技術的読替えは、政令で定める。（平8改措法附20④）

　　（注）　上記の政令（平8改措令附17②）及び省令（平8改措規附8④）は省略。（編者注）

9　納税猶予打切税額に係る延納及び物納の不適用

　　1から5までの規定に該当する相続税（3の場合にあっては、3の(一)のイにより納税猶予が打ち切られる相続税に限る。）及び6の(五)に規定する政令で定めるところにより計算した金額《生前贈与をしなかった農地等に対応する納税猶予打切税額》に相当する相続税については、第一編第八章第二節《延納》及び第三節《物納》の規定は、適用しない。（措法70の6㊳一）

10　都市計画の決定等により特定市街化区域農地等に該当することとなった場合の納税猶予打切税額への延納の適用

　　3の(一)のロ及び(二)の規定に該当する特定農地等に係る相続税については、第一編第八章第二節《延納》の延納期間は5年以内とし、利子税の割合は年6.6パーセントとして延納の規定を適用し、物納の規定は、適用しない。（措法70の6㊳三）

　　（注）1　10に規定する「年6.6パーセント」の利子税の割合については、第一編第八章第二節の**五の2**《相続税の延納に伴う利子税の特例》の適用があることに留意する。（編者注）

　　　　2　10の利子税の割合については、さらに、第一編第八章第二節**五の8**《延納の利子税の割合の特例》の規定が適用される場合があることに留意する。（編者注）

—872—

第五節　特例農地等に係る使用貸借に関する権利の譲渡等

1　推定相続人の農業経営の廃止等

　第一章第五節《受贈農地等に係る使用貸借による権利の設定》の**1**の規定の適用を受ける同**1**に規定する受贈者で同**1**の農地等につき使用貸借による権利の設定をした後当該農地等を引き続きその推定相続人に使用させているものに係る第一章第一節の**1**の贈与者が死亡し、当該農地等が第一章第十八節の**1**の規定により相続又は遺贈により取得されたものとみなされる場合において、当該死亡による相続又は遺贈に係る相続税に関し当該受贈者が農業相続人として当該農地等につき第一節の**1**の規定の適用を受けているときは、当該農業相続人に係る第四節の**1**《納税猶予の全部打切り》及び第四節の**2**《納税猶予の一部打切り》の規定の適用については、次に定めるところによる。（措法70の6⑨）

（一）	被設定者が農地等を譲渡し、又は農業経営を廃止した場合	当該農地等につき使用貸借による権利の設定を受けている推定相続人（以下において「**被設定者**」という。）がその有する当該権利の譲渡等をした場合又は当該権利が設定されている農地等に係る農業経営の廃止をした場合には、当該農業相続人が当該譲渡等又は廃止をしたものとみなす。
（二）	被設定者が推定相続人に該当しなくなった場合	被設定者が当該農業相続人の推定相続人に該当しないこととなった場合には、その該当しないこととなった日に当該農業相続人が（一）の農地等に係る農業経営の廃止をしたものとみなす。

　（特例農地等に設定されている使用貸借による権利の譲渡又は消滅の対価）
（1）　特例適用農地等に設定されている使用貸借による権利の譲渡又は消滅があった場合における当該権利の譲渡又は消滅の対価の額は、第七節《特例農地等の買換え》の**1**、第八節の**1**又は第十一節《買取りの申出等があった農地等の買換え等》の**1**の規定の適用上零であるものとして取り扱う。（措通70の6－43によって準用する措通70の4－46）

　（被設定者に対し使用貸借による権利が設定されている特例農地等の買換え又は付替えがあった場合）
（2）　**1**の規定に該当する農業相続人及び被設定者が、特例農地等及び当該特例農地等に設定されている使用貸借による権利の譲渡等をした場合における取扱いについては、第一章第五節《受贈農地等に係る使用貸借による権利の設定》の**4**の①の（2）又は（3）を準用する。（措通70の6－44により準用する措通70の4－47又は措通70の4－47の2）

　（被設定者に対し使用貸借による権利が設定されている特定農地等の買換えがあった場合）
（3）　**1**の規定に該当する農業相続人及び被設定者が、第一節の**1**の規定の適用を受ける農地又は採草放牧地につき第四節の**3**の買取りの申出等があった場合において、当該買取りの申出等に係る特定農地等及び当該特定農地等に設定されている使用貸借による権利の全部又は一部を譲渡等をする見込みであるときには、当該農業相続人が、その譲渡等の対価の額の全部又は一部をもって第一節の**1**に規定する農地又は採草放牧地を取得する見込みであり、かつ、当該取得に係る農地又は採草放牧地のすべてについて、当該被設定者に対し当該取得の日から2か月以内に再び使用貸借による権利を設定する旨並びに当該被設定者の氏名及び住所を付記した第十一節の**2**の①の申請書を提出し承認を受けたときに限り、当該取得に係る農地又は採草放牧地に相当する当該譲渡等をした特定農地等に設定されている使用貸借による権利の譲渡等はなかったものとして取り扱う。（措通70の6－45により準用する措通70の4－48）

　（被設定者に対し使用貸借による権利が設定されている特例農地等の買換え若しくは付替え又は特定農地等の買換えがあった場合に提出する書類）
（4）　農業相続人が（2）又は（3）により第七節の**2**の①《代替農地等の取得に関する承認申請書の提出》、第八節**2**の②又は第十一節の**2**の①の申請書を提出し、第七節の**1**、第八節の**1**又は第十一節の**1**に規定する税務署長の承認を受けた場合において、特例農地等又は特定農地等の譲渡等の対価の額の全部又は一部をもって農地又は採草放牧地を取得し、又は譲渡等の対価の額の全部又は一部に相当する価額の代替農地等を農業の用に供し、かつ、その取得の日又は当該代替農地等を農業の用に供した日から2か月以内にその被設定者に対し再び使用貸借による権利の設定をしたときに、当該農業相続人が提出する第七節の**2**の②、第八節の**2**の②又は第十一節の**2**の②に規定する「代替農地等の取得価額等の明細書」には、次の（一）に掲げる事項の付記及び、次の（二）に掲げる書類の添付を依頼するものとする。（措通70の6

－873－

第四編　農地等に係る相続税・贈与税の納税猶予及び免除

－46により準用する措通70の4－49)

（一）　使用貸借による権利の設定を行った年月日、当該権利を設定した農地又は採草放牧地の地目、面積及びその所在場所その他の明細並びに当該権利の設定を受ける被設定者の氏名及び住所又は居所

（二）　（一）に掲げる権利の設定に係る契約書及び農地法第3条第1項の許可に関する書類の写し

（被設定者が農業経営の廃止をし農業相続人が農業経営の開始をした場合）

（5）　被設定者がその使用貸借による権利の設定されている農地等に係る農業経営の廃止をした場合（被設定者の死亡により当該農業経営の廃止をした場合を除く。）には、1の規定に該当する農業相続人が再び農業経営を開始したときにおいても、第四節の1の規定によりその相続税の納税猶予税額の全部について、納税猶予の期限が確定することに留意する。（措通70の6－48により準用する措通70の4－51)

（注）　被設定者が、死亡によりその農業経営の廃止をした場合には、2の(二)又は(三)の規定に該当するときを除き、農業相続人に係る相続税の納税猶予税額の全部について、納税猶予の期限が確定することとなる。

（農業相続人の推定相続人に該当しないこととなった場合）

（6）　1の(二)に規定する「被設定者が当該農業相続人の推定相続人に該当しないこととなった場合」とは、次に掲げる場合などをいうのであるから留意する。（措通70の6－51により準用する措通70の4－55)

（一）　被設定者が農業相続人の養子である場合において、養子縁組の取消し又は離縁が行われたとき

（二）　被設定者が民法第892条の規定に基づき廃除された場合

2　その他の納税猶予の打切規定の調整

1の規定に該当する農業相続人に係る第一節、第四節の1、同節の2、本節の1及び第九節の1の規定の適用については、次に定めるところによる。（措令40の7⑲)

（一）	第四節の1《納税猶予の全部打切り》及び第四節の2《納税猶予の一部打切り》の規定の読替え	第四節の1の(一)中「）又は養畜の用」とあるのは「）又は養畜の用（第9項の規定に該当する農業相続人にあっては、その推定相続人の耕作又は養畜の用を含む。以下本章において同じ。)」と、「(以下本章」とあるのは「(第一章第五節の1の規定の適用を受けた同1の使用貸借による権利が設定されている農地等の同1の規定に該当する農業相続人による当該譲渡、贈与、転用若しくは設定又は消滅に伴う当該権利の消滅を除く。以下本章」と、第四節の2中「農業相続人の農業の用」とあるのは「農業相続人の農業の用（第五節の1の規定に該当する農業相続人にあっては、その被設定者の農業の用を含む。)」とする。
（二）	被設定者の死亡による他の推定相続人への農業経営の移譲	当該農業相続人の死亡等の日（第四節の1に規定する死亡等の日をいう。以下において同じ。）前に当該被設定者が死亡した場合において、その者に使用させていた特例農地等につきその者の相続人又は当該農業相続人の他の推定相続人（以下において「他の推定相続人等」という。）で第一章第五節の1の(1)の(一)(二)(三)に掲げる要件の全てに該当する個人であることにつき(5)の財務省令で定めるところにより農業委員会が証明した個人のうちの1人の者に対し(3)の規定により使用貸借による権利が設定され、かつ、当該設定についての届出書が、財務省令で定めるところにより当該死亡の日から2月を経過する日までに当該農業相続人の納税地の所轄税務署長に提出されたときは、当該他の推定相続人等が第一章第五節の1の規定の適用に係る推定相続人として当該使用貸借による権利を引き続き有しているものとみなす。
（三）	被設定者の死亡による農業相続人による農業経営の承継	当該農業相続人の死亡等の日前に当該被設定者が死亡した場合において、その者に使用させていた特例農地等につき当該農業相続人により速やかに農業経営が開始され、かつ、その開始についての届出書が、(9)の財務省令で定めるところにより当該死亡の日から2月を経過する日までに当該農業相続人の納税地の所轄税務署長に提出されたときは、当該死亡の日以後における当該農業相続人に係る第四節の1及び第四節の2の規定の適用については、当該死亡による1の(一)又は(二)に該当する事実は、生じなかったものとみなす。
（四）	被設定者による農地等の転用	当該推定相続人が第一章第五節の1の規定の適用を受けた使用貸借による権利の設定に係る特例農地等につきその転用をした場合には、当該農業相続人が当該転用をしたものとみなす。
（五）	第九節《一時的道路用地等の用に供するための地上権	当該農業相続人が、第一章第五節《受贈農地等に係る使用貸借による権利の設定》の1に規定する使用貸借による権利の設定に係る特例農地等の全部又は一部について、第九節の1の(1)に規定する一時的道路用地等の用に供するために当該使用貸借による権利を消滅させ、かつ、

－874－

	等の設定》の1の規定の読替え	当該用に供するために第九節の1の（1）に規定する地上権等の設定に基づき貸付けを行った場合には、第九節の1中「特例農地等を当該農業相続人の農業の用に供する」とあるのは「特例農地等の全部について第一章第五節の1の規定により使用貸借による権利の設定を受けている推定相続人（同1の規定により使用貸借による権利の設定を受けていた特例農地等の全部について一時的道路用地等の用に供する場合には、当該一時的道路用地等の用に供する直前に当該権利の設定を受けていた推定相続人。以下2において「特定推定相続人」という。）に対し使用貸借による権利の設定を行い、かつ、当該特定推定相続人の農業の用に供する」と、第九節の1の(一)中「地上権等の設定」とあるのは「使用貸借による権利の消滅及び地上権等の設定」と、第九節の1の(二)中「一部を当該農業相続人の農業の用に供していない場合には、当該特例農地等のうち当該農業相続人の農業の用に供して」とあるのは「一部について、特定推定相続人に対し使用貸借による権利の設定を行い、かつ、当該特定推定相続人の農業の用に供していない場合には、当該特例農地等のうち当該使用貸借による権利の設定を行っていない、又は農業の用に供して」とする。

（使用貸借による権利が設定されている特例農地等の譲渡等に伴う当該権利の消滅）

（1）　2の(一)に規定する第四節の1の(一)の読替え規定中「……権利が設定されている農地等の第五節の1の規定に該当する農業相続人による当該譲渡、贈与、転用若しくは設定又は消滅に伴う当該権利の消滅」は、第一節の1の規定の適用を受けている農業相続人が特例適用農地等の譲渡等をしたことに伴い、その特例適用農地等の上に存する使用貸借による権利が同時に消滅する場合には、同一の特例適用農地等につき、第四節の1の(一)に規定する「当該譲渡等に係る土地の面積」が二重に計算されることになるので、この二重計算を排除するために設けられていることに留意する。

　　なお、農業相続人が特例適用農地等の譲渡又は贈与をしたことに伴い、被設定者が、その特例適用農地等の上に存する使用貸借による権利について譲渡又は贈与をした場合には、上記の当該権利の消滅の場合の取扱いに準じて取り扱うものとする。（措通70の6－42により準用する措通70の4－45）

（推定相続人の要件）

（2）　2の(二)に規定する他の推定相続人は、次に掲げる要件のすべてに該当する個人であることにつき（4）の財務省令で定めるところにより農業委員会等が証明した個人とする。（措令40の6⑮、措通70の6－50により準用する措通70の4－54）

（一）　農業相続人から2の(二)の規定の適用を受けようとする使用貸借による権利の設定を受けた日における年齢が18歳以上であること。

（二）　農業相続人から(一)の権利の設定を受けた日まで引き続き3年以上農業に従事していたこと。

（三）　農業相続人から(一)の権利の設定を受けた日後速やかに当該権利が設定されている農地及び採草放牧地に係る農業経営を行うと認められること。

（使用貸借による権利の設定方法）

（3）　2の(二)の使用貸借による権利の設定は、同(二)の推定相続人に対し同(二)の規定の適用を受けようとする当該権利の設定の時の直前において同(二)の農業相続人が有する農地等で第一章第一節の1の規定の適用を受けているものの全てについて行われるものでなければならない。（措令40の6⑯）

（他の推定相続人に係る証明手続）

（4）　2の(二)に規定する証明は、同(二)に規定する他の推定相続人等（以下（6）までにおいて**「他の推定相続人等」**という。）に対して同(二)の規定の適用を受けようとする使用貸借による権利の設定をした農業相続人の申請に基づき、当該権利が設定されている農地等の所在地を管轄する農業委員会（農業委員会を置かない市町村にあっては、市町村長）が、当該他の推定相続人等が（2）の各号に掲げる要件に準ずる要件のすべてに該当することを明らかにする事実を記載した書類により行うものとする。（措規23の8⑦により準用する措規23の7⑪）

（(二)の届出書の提出手続）

（5）　2の(二)の規定の適用を受けようとする同(二)の農業相続人は、同(二)の届出書に次に掲げる事項を記載し、かつ、（6）に定める書類を添付して、これを当該農業相続人の納税地の所轄税務署長に提出しなければならない。（措規23の8

第四編　農地等に係る相続税・贈与税の納税猶予及び免除

⑧により準用する措規23の7⑫）

（一）　届出者の氏名及び住所又は居所

（二）　**2**の（二）の規定の適用を受けようとする農地等につき使用貸借による権利の設定を受けて農業経営を行う他の推定相続人等の氏名及び住所又は居所並びに当該農業相続人及び（三）の推定相続人との続柄

（三）　死亡した推定相続人の氏名及び住所又は居所並びにその死亡した年月日

（四）　（二）の使用貸借による権利の設定が**2**の（二）の規定に該当するものである旨及び当該設定を行った年月日

（五）　農業相続人から当該他の推定相続人等が使用貸借による権利の設定を受けた（二）の農地等の地目、面積及びその所在場所その他の明細

（六）　その他参考となるべき事項

（添付書類）

（6）　（5）の届出書に添付すべき書類は、次に掲げる書類とする。（措規23の8⑧により準用する措規23の7⑬）

（一）　（5）の（二）の使用貸借による権利の設定を受けた者が同（二）の農業相続人の他の推定相続人等に該当することを証する書類及び当該他の推定相続人等に係る（4）に規定する農業委員会等の書類

（二）　（5）の（二）の農地等につき他の推定相続人等に対して行われた使用貸借による権利の設定に係る契約書の写しその他その事実を証する書類

（他の推定相続人の範囲）

（7）　**2**の（二）に規定する「他の推定相続人」とは、使用貸借による権利の設定をする日現在において最先順位の相続権（代襲相続権を含む。）を有する者をいうのであるから留意する。

したがって、農業相続人の子（代襲相続人である孫等を含む。以下同じ。）又は配偶者は、これに該当するが、直系尊属は子が、兄弟姉妹は子及び直系尊属が、それぞれ当該権利の設定をする日現在において存在していない場合にのみこれに該当することになる。（措通70の6－49により準用する措通70の4－9）

（他の推定相続人等に該当することを証する書類）

（8）　（6）の（一）に規定する「他の推定相続人等に該当することを証する書類」とは、次に掲げる書類をいうものとして取り扱う。（措通70の4－53）

（一）　農業相続人から**2**の（二）の使用貸借による権利の設定を受けた者が同（二）の死亡した被設定者の相続人である場合　　相続人の戸籍抄本

（二）　農業相続人から**2**の（二）の使用貸借による権利の設定を受けた者が当該農業相続人の他の推定相続人である場合

イ　他の推定相続人が農業相続人の子又は配偶者であるとき　　他の推定相続人の戸籍抄本

ロ　他の推定相続人が農業相続人の孫等、尊属又は兄弟姉妹であるとき　　農業相続人及び農業相続人の子の戸籍謄本並びに他の推定相続人の戸籍抄本

（被設定者の死亡による農業相続人の農業経営開始の届出）

（9）　**2**の（三）の規定の適用を受けようとする、農業相続人は、同（三）に規定する届出書に次に掲げる事項を記載し、かつ、当該農業相続人が死亡した被設定者が使用していた農地等につき農業経営を開始したと認められる旨の当該農地等の所在地を管轄する農業委員会（農業委員会を置かない市町村にあっては市町村長）の証明書を添付して、これを当該農業相続人の納税地の所轄税務署長に提出しなければならない。（措規23の8⑨により準用する措規23の7⑭）

（一）　届出者の氏名及び住所又は居所

（二）　死亡した被設定者の氏名及び住所又は居所並びにその死亡した年月日

（三）　当該農業相続人が当該農地等に係る農業経営を開始した年月日

（四）　その他参考となるべき事項

（被設定者による転用）

（10）　被設定者がその使用貸借による権利の設定を受けた特例農地等の転用をした場合には、**2**の（四）の規定により農業相続人が当該転用をしたものとみなされるのであるが、当該転用が当該被設定者の耕作若しくは養畜の事業に係る施設又はこれらの事業に従事する使用人の宿舎の敷地にするための転用である場合には、第四節の**1**の（1）《政令で定める転用……納税猶予の打切りの基因とならないもの》に規定する転用に該当することに留意する。（措通70の6－47により準用する措通70の4－50）

－876－

第二章　農地等についての相続税の納税猶予及び免除等
（第五節　特例農地等に係る使用貸借に関する権利の譲渡等）

（注）　上記の転用につき農地法第４条《農地の転用の制限》の規定による許可を受け又は届出をする場合には、当該農地等の所有者である農業相続人の同意が必要とされている（昭46．4．26付46農地Ｂ500号「農地等転用関係事務処理要領の制定について」農林省農地局長通達の第１の（１）のイの（カ）参照）。

第四編　農地等に係る相続税・贈与税の納税猶予及び免除

第六節　貸付特例適用農地等に係る賃借権等の設定

1　特例の適用要件

　第一節の **1**《農地等についての相続税の納税猶予等》の規定の適用を受ける農業相続人が、同 **1** に規定する納税猶予期限前に同 **1** の規定の適用を受ける農地又は採草放牧地の全部又は一部を農地中間管理事業の推進に関する法律第18条第 8 項に規定する農用地利用集積等促進計画の定めるところによる使用貸借による権利又は賃借権（以下本節において「**賃借権等**」という。）の設定に基づき貸し付けた場合において、当該農業相続人が当該貸し付けた農地又は採草放牧地で（1）の政令で定めるもの（以下本節において「**貸付特例適用農地等**」という。）に代わるものとして当該農業相続人の農業の用に供する農地又は採草放牧地を同項に規定する農用地利用集積等促進計画の定めるところによる賃借権等の設定に基づき借り受けており、かつ、当該借り受けている農地又は採草放牧地（以下本節において「借受代替農地等」という。）の全てに係る土地の面積の合計の当該貸付特例適用農地等に係る土地の面積に対する割合が100分の80以上であることその他（2）の政令で定める要件を満たすときは、当該農業相続人に係る第四節の **1**《納税猶予の全部打切り》及び第四節の **2**《納税猶予の一部打切り》の規定の適用については、当該貸付特例適用農地等に係る賃借権等の設定はなかったものとみなす。（措法70の 6 ⑩）

　　　（貸付特例適用農地等とされる農地又は採草放牧地）
（1）　**1** に規定する農地又は採草放牧地で政令で定めるものは、農業相続人が **1** に規定する農用地利用集積等促進計画の定めるところによる賃借権等の設定に基づき貸し付けた第一節の **1** の規定の適用を受ける同 **1** の農地又は採草放牧地（当該農用地利用集積等促進計画の定めるところによる賃借権等の設定に基づき貸し付けた当該農地又は採草放牧地が二以上ある場合には、当該農用地利用集積等促進計画において定められている賃借権等の存続期間が同一であるものに限る。）で当該農業相続人が **1** の規定の適用を受けようとして **2** の規定により届け出たものとする。（措令40の 7 ⑳）

　　　（政令で定める要件）
（2）　**1** に規定する政令で定める要件は、次に掲げる要件とする。（措令40の 7 ㉑、措規23の 8 ⑩により読み替えて準用する措規23の 7 ⑮）
　　（一）　借受代替農地等に係る賃借権等の設定をした日が当該借受代替農地等に係る貸付特例適用農地等に係る賃借権等の設定をした日以前 2 月以内の日であること。
　　（二）　貸付特例適用農地等に係る賃借権等の存続期間の満了の日が当該貸付特例適用農地等に係る全ての借受代替農地等に係る賃借権等の存続期間の満了の日以前の日であること。
　　（三）　借受代替農地等につき **2** の規定により届け出たものであること。
　　(注)　（2）に規定する「賃借権等の設定をした日」及び「賃借権等の存続期間の満了の日」とは、農用地利用集積計画に定める日をいうのであるから留意する。（措通70の 6 −54により準用する措通70の 4 −58）

　　　（貸付特例適用農地等の対象から除かれる農地又は採草放牧地）
（3）　**1** の規定により貸し付けることのできる第一節の **1** の規定の適用を受ける農地又は採草放牧地は、次に掲げるもの以外のものをいうことに留意する。（措通70の 6 −52）
　　（一）　第一節の **1** の（5）の（一）から（三）に掲げる農地等又は敷地若しくは用地
　　（二）　第五節の **1** の規定により農業相続人の推定相続人の 1 人に対して使用貸借による権利の設定が行われている農地又は採草放牧地
　　（三）　第十節の **1** の規定により同 **1** に規定する営農困難時貸付けを行っている農地又は採草放牧地
　　（四）　第十六節の **1** の①の規定により同①に規定する特定貸付けを行っている農地又は採草放牧地
　　（五）　第十七節の **1** の規定により認定都市農地貸付け等を行っている農地

　　　（賃借権等の設定があった場合の担保）
（4）　特例適用農地等が第一節の **1**《農地等についての相続税の納税猶予等》に規定する担保に提供されている場合において、その特例適用農地等につき本節の **1** に規定する賃借権等の設定があったときにおいても、その担保を提供した農業相続人に対して国税通則法第51条第 1 項に規定する増担保の提供等を命ずる必要はないのであるから留意する。（措通70の 6 −56により準用する措通70の 4 −60）

−878−

第二章　農地等についての相続税の納税猶予及び免除等
（第六節　貸付特例適用農地等に係る賃借権等の設定）

（相続税の特例に関する経過措置）
（5）　次に掲げる者は、第一節の1に規定する農業相続人とみなして、本節の規定を適用する。（令4改所法等附51⑫）

（一）　租税特別措置法の一部を改正する法律（平成3年法律第16号）附則第19条第5項の規定によりなおその効力を有するものとされる同法による改正前の租税特別措置法第70条の6第1項本文の規定の適用を受けている同項に規定する農業相続人

（二）　租税特別措置法等の一部を改正する法律（平成12年法律第13号）第1条の規定による改正前の租税特別措置法第70条の6第1項本文の規定の適用を受けている同項に規定する農業相続人

（三）　租税特別措置法等の一部を改正する法律（平成13年法律第7号）第1条の規定による改正前の租税特別措置法第70条の6第1項本文の規定の適用を受けている同項に規定する農業相続人

（四）　所得税法等の一部を改正する法律（平成15年法律第8号）附則第123条第11項の規定によりなお従前の例によることとされる場合における同法第十二条の規定による改正前の租税特別措置法第70条の6第1項本文の規定の適用を受けている同項に規定する農業相続人

（五）　所得税法等の一部を改正する法律（平成17年法律第21号）附則第55条第17項の規定によりなお従前の例によることとされる場合における同法第5条の規定による改正前の租税特別措置法第70条の6第1項本文の規定の適用を受けている同項に規定する農業相続人

（六）　所得税法等の一部を改正する法律（平成21年法律13号）附則第66条第6項の規定によりなおその効力を有するものとされる同法第5条の規定による改正前の租税特別措置法第70条の6第1項本文の規定の適用を受けている同項に規定する農業相続人

（七）　所得税法等の一部を改正する法律（平成26年法律第10号）附則第128条第7項の規定によりなお従前の例によることとされる場合における同法第10条の規定による改正前の租税特別措置法第70条の6第1項本文の規定の適用を受けている同項に規定する農業相続人

（八）　所得税法等の一部を改正する法律（平成28年法律第15号）附則第127条第9項の規定によりなお従前の例によることとされる場合における同法第10条の規定による改正前の租税特別措置法第70条の6第1項本文の規定の適用を受けている同項に規定する農業相続人

（九）　所得税法等の一部を改正する法律（平成30年法律第7号）附則第118条第11項から第13項までの規定によりなお従前の例によることとされる場合における同法第15条の規定による改正前の租税特別措置法第70条の6第1項本文の規定の適用を受けている同項に規定する農業相続人

（十）　令和2年改正法第15条の規定による改正前の租税特別措置法第70条の6第1項本文の規定の適用を受けている同項に規定する農業相続人

（十一）　旧租税特別措置法第70条の6第1項本文の規定の適用を受けている同項に規定する農業相続人

2　適用手続

　1の規定は、1の規定の適用を受けようとする1に規定する農業相続人が、（1）の政令で定めるところにより、1の規定の適用を受ける旨及び1に規定する要件を満たすものである旨並びに貸付特例適用農地等に係る賃借権等の設定に関する事項その他（2）の財務省令で定める事項を記載した届出書を納税地の所轄税務署長に提出した場合に限り、適用する。（措法70の6⑪）

（届出書の提出）
（1）　1の規定の適用を受けようとする農業相続人は、貸付特例適用農地等について1の規定の適用を受ける旨及び1に規定する要件を満たすものである旨並びに貸付特例適用農地等に係る賃借権等の設定に関する事項その他（2）の財務省令で定める事項を記載した届出書に、（3）の財務省令で定める書類を添付し、これを当該貸付特例適用農地等に係る賃借権等の設定をした日から2月以内に納税地の所轄税務署長に提出しなければならない。（措令40の7㉒）

（財務省令で定める事項）
（2）　2及び（1）に規定する財務省令で定める事項は、次に掲げる事項とする。（措規23の8⑪により読み替えて準用する措規23の7⑯）

（一）　届出者の氏名及び住所又は居所

（二）　貸付特例適用農地等に係る事項で次に掲げるもの

イ　貸付特例適用農地等の所在、地番、地目及び面積

ロ　当該貸付特例適用農地等に係る被相続人の氏名、その死亡の時における住所及び当該被相続人から相続又は遺贈

－879－

により当該貸付特例適用農地等を取得した年月日

ハ　当該貸付特例適用農地等が第一節の**1**《農地等についての相続税の納税猶予等》の規定の適用を受けている同**1**に規定する農地又は採草放牧地の一部である場合には、同**1**の規定の適用を受けている当該農地又は採草放牧地の全部の面積

（三）　当該貸付特例適用農地等に係る借受代替農地等の使用貸借による権利又は賃借権（以下「賃借権等」という。）の設定に関する事項で次に掲げるもの（当該貸付特例適用農地等に係る借受代替農地等が二以上ある場合には、それぞれの借受代替農地等の賃借権等の設定に関する事項をいう。以下（2）及び（3）において同じ。）

イ　当該借受代替農地等の所在、地番、地目及び面積

ロ　当該借受代替農地等に係る**1**に規定する農用地利用集積計画（以下「借受代替農地等に係る農用地利用集積計画」という。）の農業経営基盤強化促進法第19条に規定する公告があった年月日

ハ　当該借受代替農地等に係る農用地利用集積計画において定められている借受代替農地等に係る賃借権等の設定を行った者の氏名及び住所

ニ　当該借受代替農地等に係る賃借権等の種類、設定をした日及び存続期間

（四）　当該貸付特例適用農地等に係る借受代替農地等の全てに係る土地の面積の合計の当該貸付特例適用農地等に係る土地の面積に対する割合

（五）　その他参考となるべき事項

（届出書の添付書類）

（3）　（1）の規定により（1）に規定する届出書に添付する書類は、次に掲げる書類とする。（措規23の8⑫により読み替えて準用する措規23の7⑰）

（一）　貸付特例適用農地等に係る**1**に規定する農用地利用集積計画（以下「貸付特例適用農地等に係る農用地利用集積計画」という。）につき農業経営基盤強化促進法第19条の規定による公告をした者の当該公告をした旨及び当該公告の年月日を証する書類

（二）　借受代替農地等に係る農用地利用集積計画につき農業経営基盤強化促進法第19条の規定による公告をした者の当該公告をした旨及び当該公告の年月日を証する書類

（三）　当該届出書に記載した貸付特例適用農地等に係る賃借権等の設定に関する事項、貸付特例適用農地等に係る農用地利用集積計画の定めるところによる賃借権等の設定に基づき貸し付けた**1**に規定する農地又は採草放牧地が2以上ある場合には、それぞれの農地又は採草放牧地に係る賃借権等の設定に関する事項及び借受代替農地等に係る賃借権等の設定に関する事項を明らかにする書類並びに（2）の（四）に規定する割合の計算の明細を記載した書類

（貸付特例適用農地等に係る賃借権等の設定に関する届出の要件）

（4）　**2**に規定する届出書（以下「借換届出書」という。）は、農用地利用集積計画の定めるところによる賃借権等の設定に基づき貸し付けた第一節の**1**の規定の適用を受ける農地又は採草放牧地が二以上ある場合には、当該農用地利用集積計画において定められている賃借権等の存続期間（始期及び終期）が同一であるものごとに提出しなければならないのであるから留意する。したがって、その賃借権等の存続期間を異にする場合には、それぞれの貸付けごとに借換届出書を提出しなければならない。

なお、二以上の農用地利用集積計画によりその貸付けが行われた場合には、それぞれの農用地利用集積計画ごとに、かつ、その貸付けに係る賃借権等の存続期間が同一であるものごとに借換届出書を提出しなければならない。（措通70の6−53により準用する措通70の4−57）

（注）　**1**に規定する面積要件及び**1**の（2）《政令で定める要件》に規定する期間要件の判定も借換届出書ごとに行うことに留意する。

（貸付特例適用農地等に係る賃借権等の設定に係る届出書）

（5）　**1**の規定の適用を受けようとする農業相続人は、借換届出書を**1**に規定する貸付特例適用農地等に係る賃借権等の設定をした日から2月以内（以下（5）において「期限内」という。）に提出しなければならないのであるが、期限内に提出された借換届出書についてその記載又は添付すべき書類の不備が軽微なもので、速やかに補完される場合には、**1**の規定の適用があるものとして取り扱って差し支えない。（措通70の6−55により準用する措通70の4−59）

（注）　当該農業相続人が借換届出書を期限内に提出しなかった場合には、**1**の規定の適用は受けられず、第四節の**1**《納税猶予の全部打切り》又は第四節の**2**《納税猶予の一部打切り》の規定の適用によりその相続税の納税猶予税額の全部又は一部について、納税猶予の期限が確定するのであるから留意する。

3 賃借権等の設定があったものとして納税猶予が打ち切られる場合

　1の規定の適用を受ける貸付特例適用農地等につき、次の(一)から(三)に掲げる場合のいずれかに該当することとなった場合には、当該(一)から(三)に定める日から２月を経過する日に当該貸付特例適用農地等に係る賃借権等の設定があったものとして第四節の**1**《納税猶予の全部打切り》及び第四節の**2**《納税猶予の一部打切り》の規定を準用する。(措法70の６⑫)

(一)	当該貸付特例適用農地等に係る借受代替農地等の全てに係る土地の面積の合計（当該借受代替農地等につき、当該農業相続人の農業の用に供されていないものがある場合には、当該借受代替農地等のうちその者の農業の用に供されていない借受代替農地等に係る土地の面積を除いた面積）の当該貸付特例適用農地等に係る土地の面積に対する割合が100分の80未満となった場合（(二)に掲げる場合を除く。）	その事実が生じた日
(二)	当該貸付特例適用農地等に係る借受代替農地等の全部又は一部につき耕作の放棄があった場合	当該借受代替農地等について農地法第36条第１項の規定による勧告があった日
(三)	当該貸付特例適用農地等を借り受けた者（農業中間管理事業の推進に関する法律第２条第４項に規定する農地中間管理機構が借り受けた者である場合には、当該農地中間管理機構から借り受けた者）が当該貸付特例適用農地等の全部又は一部につき、農地又は採草放牧地としてその者の農業の用に供していない場合（当該貸付特例適用農地等につき耕作の放棄があった場合を含む。）	当該農業相続人がその事実が生じたことを知った日

（貸付特例適用農地等に係る納税猶予期限が確定する場合）
（１）　**1**の規定の適用を受ける貸付特例適用農地等について、**3**の各号のいずれかに該当することとなったときには、**4**の規定の適用がある場合を除き、当該貸付特例適用農地等の全部について賃借権等の設定があったものとして第四節の**1**又は第四節の**2**の規定により相続税の納税猶予税額の全部又は一部について、納税猶予の期限が確定することに留意する。(措通70の６−57により準用する措通70の４−61)

（借受代替農地等が農業の用に供されていない場合等の100分の80の計算の基礎）
（２）　**3**の(一)に規定する「当該貸付特例適用農地等に係る借受代替農地等の全てに係る土地の面積の合計」には、当該借受代替農地等のうち農地又は採草放牧地として農業相続人の農業の用に供されていない部分又は賃借権等が消滅した部分に係る土地の面積は含まれず、また、「当該貸付特例適用農地等に係る土地の面積」とは、**1**の規定の適用を受けた当該貸付特例適用農地等の面積をいうことに留意する。(措通70の６−58により準用する措通70の４−62)
　(注)　**3**の(一)に規定する100分の80の計算は、借換届出書ごとに行うことに留意する。

（借受代替農地等の面積が貸付特例適用農地等の面積の100分の80未満とならない場合）
（３）　**1**の規定の適用を受ける貸付特例適用農地等に係る借受代替農地等の一部について、農地又は採草放牧地として農業相続人の農業の用に供されていないもの又は賃借権等が消滅したものがある場合であっても、当該部分を除いた土地の面積の当該貸付特例適用農地等に係る土地の面積に対する割合が100分の80以上となるときには、**3**の(二)の規定に該当する場合を除き、第四節の**1**又は第四節の**2**の規定の適用はないことに留意する。(措通70の６−59により準用する措通70の４−63)

（借受代替農地等の全部又は一部につき耕作の放棄があった場合）
（４）　**1**の規定の適用を受ける貸付特例適用農地等に係る同１に規定する借受代替農地等の全部又は一部につき**3**の(二)に規定する耕作の放棄があった場合には、当該貸付特例適用農地等の全部について賃借権等の設定があったものとして第四節の**1**又は第四節の**2**の規定によりその相続税の納税猶予税額の全部又は一部について、納税猶予の期限が確定することに留意する。(措通70の６−59の２により準用する70の４−63の２)

（貸付特例適用農地等の全部又は一部に係る賃借権等の解約が行われた場合）
（５）　**1**の規定の適用を受ける貸付特例適用農地等の全部又は一部に係る賃借権等の解約が行われたことにより当該賃借

権等が消滅した場合には、**3**の（三）に該当することとなることに留意する。（措通70の6－60により準用する措通70の4－64）

4　再借受代替農地等を借り受けた場合又は賃借権等を消滅させた場合の納税猶予の継続

　1の規定の適用を受ける貸付特例適用農地等につき、**3**の表の（一）又は（三）に掲げる場合のいずれかに該当することとなった場合において、当該貸付特例適用農地等に係る農業相続人が同表の（一）若しくは（三）に定める日から2月を経過する日までに当該貸付特例適用農地等に代わるものとして当該農業相続人の農業の用に供する農地若しくは採草放牧地（**1**に規定する農用地利用集積等促進計画の定めるところによる賃借権等の設定に基づき借り受けたことその他（1）の政令で定める要件を満たすものに限る。以下（3）を除き本節において「再借受代替農地等」という。）を借り受けたとき（当該再借受代替農地等及び当該貸付特例適用農地等に係る借受代替農地等の全てに係る土地の面積の当該貸付特例適用農地等に係る土地の面積に対する割合が100分の80以上となる場合に限る。）又は当該農業相続人が同日までに当該貸付特例適用農地等の全部に係る賃借権等を消滅させたときは、当該農業相続人が、（2）の政令で定めるところにより、**2**に規定する届出書の変更の届出書を納税地の所轄税務署長に提出したときに限り、**3**の規定は適用しない。この場合における**3**の規定の適用については、当該再借受代替農地等及び当該借受代替農地等は、**1**の規定の適用を受ける貸付特例適用農地等に係る借受代替農地等とみなす。（措法70の6⑬）

　（政令で定める要件）
（1）　**4**に規定する政令で定める要件は、**4**の規定により借り受けた**4**の農地又は採草放牧地に係る賃借権等の存続期間の満了の日が当該農地又は採草放牧地に係る貸付特例適用農地等に係る賃借権等の存続期間の満了の日以後であることとする。（措令40の7㉓）
　　（注）　（1）に規定する「賃借権等の存続期間の満了の日」とは、農用地利用集積計画に定める日をいうのであるから留意する。（措通70の6－54により準用する措通70の4－58）

　（届出書の提出）
（2）　**4**の規定の適用を受けようとする農業相続人は、次の（一）（二）に掲げる場合の区分に応じ、当該（一）（二）に定める事項を記載した届出書に、（3）の財務省令で定める書類を添付し、これを**3**の表の右欄に定める日から2月を経過する日までに、納税地の所轄税務署長に提出しなければならない。（措令40の7㉔）
　（一）　**3**の表の（一）に掲げる場合に該当することとなった場合　　次に掲げる事項
　　イ　届出者の氏名及び住所
　　ロ　**4**に規定する再借受代替農地等に係る賃借権等の設定に関する事項
　　ハ　その他参考となるべき事項
　（二）　**3**の表の（三）に掲げる場合に該当することとなった場合　　次に掲げる事項
　　イ　届出者の氏名及び住所
　　ロ　賃借権等が消滅した貸付特例適用農地等に関する事項
　　ハ　その他参考となるべき事項

　（届出書の添付書類）
（3）　（2）に規定する書類は、次の（一）（二）に掲げる場合の区分に応じ、当該（一）（二）に定める書類とする。（措規23の8⑬により読み替えて準用する措規23の7⑱）
　（一）　**3**の表の（一）に掲げる場合に該当することとなった場合　　次に掲げる書類
　　イ　**3**の表の（一）に掲げる場合に該当することとなった事由及び当該該当することとなった年月日を記載した書類
　　ロ　**4**に規定する再借受代替農地等（再借受代替農地等で既に**4**の規定により**1**の規定の適用を受ける貸付特例適用農地等に係る借受代替農地等とみなされたものを除く。以下（3）において「再借受代替農地等」という。）の賃借権等に関する事項で次に掲げるもの（貸付特例適用農地等に係る再借受代替農地等が二以上ある場合には、それぞれの再借受代替農地等の賃借権等に関する事項をいう。以下（一）において同じ。）を記載した書類
　　（イ）　当該再借受代替農地等の所在、地番、地目及び面積
　　（ロ）　当該再借受代替農地等に係る**4**に規定する農用地利用集積計画（以下（3）において「再借受代替農地等に係る農用地利用集積計画」という。）の公告があった年月日
　　（ハ）　当該再借受代替農地等に係る農用地利用集積計画において定められている当該再借受代替農地等に係る賃借権等の設定を行った者の氏名及び住所

－882－

第二章　農地等についての相続税の納税猶予及び免除等
（第六節　貸付特例適用農地等に係る賃借権等の設定）

　　　（ニ）　当該再借受代替農地等に係る賃借権等の種類、設定をした日及び存続期間
　　　（ホ）　その他参考となるべき事項
　　ハ　当該再借受代替農地等に係る農用地利用集積計画につき農業経営基盤強化促進法第19条の規定による公告をした者の当該公告をした旨及び当該公告の年月日を証する書類
　　ニ　当該再借受代替農地等及び当該再借受代替農地等に係る貸付特例適用農地等に係る借受代替農地等の全てに係る土地の面積の合計の当該貸付特例適用農地等に係る土地の面積に対する割合及び当該割合に関する計算の明細を記載した書類
　（ニ）　3の表の（三）に掲げる場合に該当することとなった場合　次に掲げる書類
　　イ　貸付特例適用農地等の利用の状況及び3の表の（三）に掲げる場合に該当することとなった状況並びに当該事実が生じたことを知った年月日を記載した書類
　　ロ　当該賃借権等の解約をした者が当該解約をした旨及び当該解約の年月日を証する書類

5　1年ごとの継続届出書の提出

　1の規定の適用を受ける貸付特例適用農地等に係る賃借権等の設定をした農業相続人は、2に規定する届出書を提出した日の翌日から起算して1年を経過するごとの日までに、（1）の政令で定めるところにより、当該貸付特例適用農地等に係る賃借権等の設定に関する事項その他（2）の財務省令で定める事項を記載した届出書（以下本節において「継続届出書」という。）を納税地の所轄税務署長に提出しなければならない。（措法70の6⑭）

　　（継続届出書の提出手続）
（1）　5の規定により提出する継続届出書には、貸付特例適用農地等に係る賃借権等の設定に関する事項その他（2）の財務省令で定める事項を記載し、かつ、（3）の財務省令で定める書類を添付しなければならない。（措令40の7㉕）

　　（財務省令で定める事項）
（2）　5及び（1）に規定する財務省令で定める事項は、次に掲げる事項とする。（措規23の8⑭により読み替えて準用する措規23の7⑲）
　（一）　継続届出書を提出する者の氏名及び住所又は居所
　（二）　5の規定による継続届出書を提出する日における貸付特例適用農地等の利用の状況及び当該貸付特例適用農地等に係る借受代替農地等の利用の状況
　（三）　当該継続届出書を提出する日において、2に規定する届出書（4に規定する変更の届出書を提出している場合又は当該継続届出書の提出前に既に継続届出書を提出している場合には、当該継続届出書の提出の日の直前において提出した変更の届出書又は既に提出した継続届出書をいう。）に記載した1に規定する借受代替農地等に異動がある場合には、当該異動があった借受代替農地等についての明細及び当該異動後の借受代替農地等の全てに係る土地の面積の合計の貸付特例適用農地等に係る土地の面積に対する割合
　（四）　その他参考となるべき事項

　　（継続届出書の添付書類）
（3）　（1）に規定する書類は、次に掲げる書類とする。（措規23の8⑮により読み替えて準用する措規23の7⑳）
　（一）　（2）の（二）に規定する貸付特例適用農地等の利用の状況及び当該貸付特例適用農地等に係る借受代替農地等の利用の状況を記載した書類
　（二）　（2）の（三）に規定する借受代替農地等についての明細を記載した書類及び割合の計算の明細を記載した書類

　　（貸付特例適用農地等が農業の用に供されていない場合）
（4）　1の規定の適用を受ける貸付特例適用農地等について、3の（三）に該当した場合には、農業相続人が、その事実を知った日から2月を経過する日までに、当該貸付特例適用農地等の全部に係る賃借権等を消滅させ（貸付特例適用農地等の全部に係る賃借権等の解約が行われたことにより当該賃借権等が消滅した場合を除く。）、かつ、4に規定する変更の届出書を提出しない限り、当該貸付特例適用農地等の全部について賃借権等の設定があったものとして第四節の1又は第四節の2の規定によりその相続税の納税猶予税額の全部又は一部について、納税猶予の期限が確定することに留意する。（措通70の6－61により準用する措通70の4－65）
　（注）　4に規定する変更の届出書を提出する場合には、7に規定する届出書の提出は要しないことに留意する。

－883－

第四編　農地等に係る相続税・贈与税の納税猶予及び免除

（貸付特例適用農地等に係る継続届出書の提出期間）
（5）　**5**に規定する継続届出書は、借換届出書を提出した日の翌日から起算して1年を経過するごとの日までに提出しなければならないのであるが、その提出期間は、当該1年を経過するごとの日の属する月の前々月の初日から当該1年を経過するごとの日までの期間として取り扱う。（措通70の6－62により準用する措通70の4－66）

（注）　**4**に規定する変更の届出書を提出した場合であっても、継続届出書の提出期限は、借換届出書を提出した日の翌日から起算して1年を経過するごとの日までに提出しなければならないことに留意する。

6　継続届出書が提出されなかった場合の納税猶予の打切り

5に規定する継続届出書がその提出期限までに納税地の所轄税務署長に提出されなかった場合には、当該提出期限の翌日から2月を経過する日に当該継続届出書に係る貸付特例適用農地等に係る賃借権等の設定があったものとして、第四節の**1**《納税猶予の全部打切り》及び第四節の**2**《納税猶予の一部打切り》の規定を適用する。ただし、当該継続届出書が当該提出期限までに提出されなかった場合においても、当該所轄税務署長が当該提出期限内にその提出がなかったことについてやむを得ない事情があると認める場合において、注で定めるところにより当該継続届出書が当該所轄税務署長に提出されたときは、この限りでない。（措法70の6⑮）

（提出期限後における継続届出書の提出手続）
注　**6**の規定により提出する**5**に規定する継続届出書には、**5**の（1）に規定する事項のほか当該継続届出書を**5**に規定する期限までに提出することができなかった事情の詳細を記載し、かつ、**5**の（3）で定める書類を添付しなければならない。（措令40の7㉖）

7　賃借権等が消滅した場合の届出書の提出

1の規定の適用を受ける貸付特例適用農地等につき、当該貸付特例適用農地等に係る**1**に規定する農用地利用集積等促進計画に基づく賃借権等の存続期間が満了をしたことにより当該賃借権等が消滅した場合又は当該存続期間の満了する前に当該賃借権等の解約が行われたことにより当該賃借権等が消滅した場合には、その消滅した旨その他注で定める事項を記載した届出書を、当該賃借権等の消滅した日から2月以内に納税地の所轄税務署長に提出しなければならない。（措令40の7㉗）

（注）　**4**に規定する変更の届出書を提出する場合には、**7**に規定する届出書の提出は要しないのであるから留意する。（措通70の6－61により準用する措通70の4－65(注)）

（届出書の記載事項）
注　**7**に規定する事項は、次の（一）（二）に掲げる場合の区分に応じ、当該（一）（二）に定める事項とする。（措規23の8⑯により読み替えて準用する措規23の7㉑）
（一）　貸付特例適用農地等に係る農用地利用集積計画に基づく賃借権等の存続期間が満了をしたことにより当該賃借権等が消滅した場合　次に掲げる事項
　イ　届出者の氏名及び住所又は居所
　ロ　貸付特例適用農地等に係る賃借権等の存続期間が満了をした年月日並びに当該貸付特例適用農地等の所在、地番、地目及び面積
　ハ　当該貸付特例適用農地等に係る被相続人の氏名、その死亡の時における住所及び当該被相続人から相続又は遺贈により当該貸付特例適用農地等を取得した年月日
　ニ　その他参考となるべき事項
（二）　貸付特例適用農地等に係る農用地利用集積計画に基づく賃借権等の存続期間の満了する前に当該賃借権等の解約が行われたことにより当該賃借権等が消滅した場合　次に掲げる事項
　イ　届出者の氏名及び住所又は居所
　ロ　貸付特例適用農地等に係る賃借権等の解約をした年月日並びに当該貸付特例適用農地等の所在、地番、地目及び面積
　ハ　当該貸付特例適用農地等に係る被相続人の氏名、その死亡の時における住所及び当該被相続人から相続又は遺贈により当該貸付特例適用農地等を取得した年月日

8　農業相続人が死亡した場合においてその相続税の申告期限までに賃借権等が消滅した場合の適用

1の規定の適用を受けている**1**に規定する農業相続人が死亡した場合において、当該農業相続人を被相続人とする相続

－884－

第二章　農地等についての相続税の納税猶予及び免除等
（第六節　貸付特例適用農地等に係る賃借権等の設定）

に係る第一編第七章第一節一の **1** 《申告書の提出期限》の規定による相続税の申告書の提出期限までに貸付特例適用農地等に係る賃借権等が消滅したときにおける当該農業相続人の相続人に係る第一節の **1** 《農地等についての相続税の納税猶予等》の規定の適用については、当該賃借権等が消滅した貸付特例適用農地等は、当該農業相続人がその死亡の日まで農業の用に供していたものとみなして、同 **1** の規定を適用する。（措法70の6⑯）

　　（贈与税の特例の適用を受けている受贈者が死亡した場合等の準用）
注　**8** の規定は、第一章第六節《貸付特例適用農地等に係る賃借権等の設定》の **1** 《特例の適用要件》の規定の適用を受けている同 **1** に規定する受贈者が死亡した場合及び同 **1** の規定の適用を受けている同 **1** に規定する受贈者に係る第一章第一節の **1** 《農地等を贈与した場合の贈与税の納税猶予》に規定する贈与者が死亡し、同章第六節の **1** に規定する貸付特例適用農地等が第一章第十八節《農地等の贈与者が死亡した場合の相続税の課税の特例》の **1** 《特例適用農地等の相続税の課税価格への算入》の規定により相続又は遺贈により取得されたものとみなされる場合について準用する。（措法70の6⑱）

—885—

第四編　農地等に係る相続税・贈与税の納税猶予及び免除

相続税の特例農地等について農用地利用集積計画の定める

ところによる賃借権等の設定に基づき貸し付けた旨の届出書

税務署
受付印

※欄は記入しないでください。

令和＿＿＿年＿＿＿月＿＿＿日

＿＿＿＿＿＿＿＿税務署長

〒

届出者住所 ＿＿＿＿＿＿＿＿＿＿＿＿＿＿＿＿＿＿＿＿＿

氏　名 ＿＿＿＿＿＿＿＿＿＿＿＿＿＿＿＿＿＿＿＿＿

（電話番号　　　　　　　－　　　　　－　　　　　　　）

　　租税特別措置法第70条の6第10項の規定の適用を受けるため、同条第1項の規定の適用を受けている農地等（特例農地等）について、農業経営基盤強化促進法第20条に規定する農用地利用集積計画の定めるところによる賃借権等の設定に基づき特例農地等を貸し付けたので、租税特別措置法第70条の6第11項の規定により届け出ます。
　　なお、農業経営基盤強化促進法第20条に規定する農用地利用集積計画の定めるところによる賃借権等の設定に基づき貸し付けた特例農地等（貸付特例適用農地等）の明細及び貸付特例適用農地等に代わるものとして同条に規定する農用地利用集積計画の定めるところによる賃借権等の設定に基づき借り受けた農地等（借受代替農地等）の明細は、別紙のとおりです。

被相続人	住　所		氏　名	

届出者が被相続人から農地等を　相続／遺贈　により取得した年月日		昭和／平成／令和　　　　　　年　　　　　月　　　　　日	

貸付特例適用農地等に係る農用地利用集積計画の内容	公　告　年　月　日	令和　　　年　　　月　　　日
	公　告　番　号	
	賃借権等の存続期間（始期〜終期）	令和　　年　　月　　日　〜　令和　　年　　月　　日

貸付特例適用農地等に対する借受代替農地等の面積の割合（計算の明細）（注）この特例の適用を受けるには、ここでの計算の割合が80％以上であることが必要です。	（借受代替農地等の合計面積）（別紙の②）＿＿＿＿＿＿＿＿＿＿㎡（貸付特例適用農地等の合計面積）（別紙の①）＿＿＿＿＿＿＿㎡ ＝ ＿＿＿＿％ ≧80%（小数点以下切捨）

（提出書類）

1　農業経営基盤強化促進法第19条の規定により公告された貸付特例適用農地等に係る農用地利用集積計画の写し及び当該公告年月日を証する書類

2　農業経営基盤強化促進法第19条の規定により公告された借受代替農地等に係る農用地利用集積計画の写し及び当該公告年月日を証する書類

3　貸付特例適用農地等を借り受けた者が農業経営基盤強化促進法第5条第3項に規定する農地中間管理機構である場合には、当該農地中間管理機構から当該貸付特例適用農地等を借り受けた方が確認できる農用地利用配分計画（農地中間管理事業の推進に関する法律第18条第1項に規定する農用地利用配分計画をいいます。）の写し

関与税理士		電話番号	

※	通信日付印の年月日年　月　日	（確　認）	整理簿番号

（資12－80－1－A4統一）　（令3.3）

－886－

第二章　農地等についての相続税の納税猶予及び免除等
（第六節　貸付特例適用農地等に係る賃借権等の設定）

別　紙

貸付特例適用農地等及び 借受代替農地等の明細書等	農業相続人 の　氏　名		猶予整理簿 ※

※印欄は記入しないでください。

貸 付 特 例 適 用 農 地 等 の 明 細

番号	農 地 等 の 所 在 地 番			借受者の氏名	借 受 者 の 住 所
	地　　目	面　　積	賃借権等の種類		
1				[　　　　　]	[　　　　　　　　　　　]
		㎡	使用貸借・賃貸借		
2				[　　　　　]	[　　　　　　　　　　　]
		㎡	使用貸借・賃貸借		
3				[　　　　　]	[　　　　　　　　　　　]
		㎡	使用貸借・賃貸借		
4				[　　　　　]	[　　　　　　　　　　　]
		㎡	使用貸借・賃貸借		
5				[　　　　　]	[　　　　　　　　　　　]
		㎡	使用貸借・賃貸借		
貸 付 特 例 適 用 農 地 等 の 合 計 面 積				① （　　　　　）㎡	㎡

(注)1　貸付特例適用農地等が租税特別措置法第70条の6第1項の規定の適用を受けている農地等の一部である場合には、上記①
　　　欄の（　）内に同項の規定の適用を受けている農地等の全体の面積を記載してください。
　　2　貸付特例適用農地等を借り受けた者が農地中間管理機構である場合には、「借受者の氏名」及び「借受者の住所」欄の
　　　[　]内に当該農地中間管理機構から当該貸付特例適用農地等を借り受けた方の氏名及び住所を記載してください。

借 受 代 替 農 地 等 の 明 細

番号	農 地 等 の 所 在 地 番			貸付者の氏名	貸 付 者 の 住 所
	地　　目	面　　積	賃借権等の種類	公告年月日	賃借権等の存続期間
1					
		㎡	使用貸借・賃貸借	・　・	・　・　～　・　・
2					
		㎡	使用貸借・賃貸借	・　・	・　・　～　・　・
3					
		㎡	使用貸借・賃貸借	・　・	・　・　～　・　・
4					
		㎡	使用貸借・賃貸借	・　・	・　・　～　・　・
5					
		㎡	使用貸借・賃貸借	・　・	・　・　～　・　・
借 受 代 替 農 地 等 の 合 計 面 積				②	㎡

(注)　借受代替農地等の対象は、その借権等の存続期間の始期の日が貸付特例適用農地等の賃借権等の存続期間の始期の日前2か月以内
であり、かつ、その賃借権等の存続期間の終期の日が貸付特例適用農地等の賃借権等の存続期間の終期の日又はその日より遅いものに
限られます。
　　　　　　　　　　　　　　　　　　　　　　　　　　　　　　　（資12－80－2－A4統一）

－887－

第四編　農地等に係る相続税・贈与税の納税猶予及び免除

第七節　特例農地等の買換え

1　買換えの承認があった場合の納税猶予の継続

　　第四節《納税猶予の打切り》の1の(一)又は2の場合において、これらの規定に規定する譲渡等があった日から1年以内に当該譲渡等の対価の額の全部又は一部をもって農地又は採草放牧地（当該譲渡等が第一節の1の(1)の(三)のイからハまでに掲げる区域内に所在する農地等の租税特別措置法第33条の4第1項に規定する収用交換等による譲渡である場合には、農地若しくは採草放牧地又は当該1年以内に農地若しくは採草放牧地に該当することとなる見込みのある当該区域内に所在する土地）を取得する見込みであることにつき、2で定めるところにより、納税地の所轄税務署長の承認を受けたときにおける第一節の1又は第四節の1《納税猶予の全部打切り》及び第四節の2《納税猶予の一部打切り》の規定の適用については、次に定めるところによる。（措法70の6⑲により読み替えて準用する措法70の4⑮）

(一)	当該承認に係る譲渡等は、なかったものとみなす。
(二)	当該譲渡等があった日から1年を経過する日において、当該承認に係る譲渡等の対価の額の全部又は一部が農地又は採草放牧地の取得に充てられていない場合には、当該譲渡等に係る第一節の1に規定する特例農地等《**譲渡特例農地等**》のうちその充てられていないものに対応するものとして(1)の政令で定める部分は、同日において譲渡等をされたものとみなす。
(三)	当該譲渡等があった日から1年を経過する日までに当該承認に係る譲渡等の対価の額の全部又は一部が農地又は採草放牧地の取得に充てられた場合には、当該取得に係る農地又は採草放牧地《**代替取得農地等**》は、第一節の1の規定の適用を受ける同1に規定する特例農地等とみなす。

　　（譲渡等をされたものとみなす部分）
（1）　1の(二)により譲渡等をされたものとみなす部分は、同(二)に規定する譲渡等に係る特例農地等のうち、当該譲渡等の対価で当該譲渡等があった日から1年を経過する日までに同(二)の農地又は採草放牧地の取得に充てられなかったものの額が当該譲渡等の対価の額のうちに占める割合を、当該譲渡等に係る特例農地等の被相続人からの相続又は遺贈による取得の時における価額（以下「**相続時の価額**」という。）に乗じて計算した金額に相当する部分とする。（措令40の7㉜により読み替えて準用する措令40の6㉛）

　　（交換又は換地処分により農地又は採草放牧地を取得した場合）
（2）　特例適用農地等について交換又は換地処分が行われた場合で、当該交換又は換地処分が所得税法（昭和40年法律第33号）第58条《固定資産の交換の場合の譲渡所得の特例》又は措置法第33条の3《換地処分等に伴い資産を取得した場合の課税の特例》の規定により所得税の課税上譲渡がなかったものとみなされたときであっても、当該交換又は換地処分は、第四節の1《納税猶予の全部打切り》又は第四節の2《納税猶予の一部打切り》の規定による譲渡等に該当することに留意する。
　　したがって、当該交換又は換地処分により取得した農地又は採草放牧地につき、1の規定の適用を受ける場合には、当該交換又は換地処分があった日から1月以内に2の①の規定による代替農地等の取得に関する承認申請書の提出を要することとなる。（措通70の6－34により準用する措通70の4－33）

　　（譲渡等があった日前に農地又は採草放牧地の取得が行われた場合）
（3）　1の規定による特例適用農地等の買換えに係る承認に当たり、特例適用農地等の譲渡等があった日前に農地又は採草放牧地の取得が行われた場合においては、その取得に関する契約が譲渡等に関する契約又は収用等についての事業認定があった日以後に行われていると認められるときに限り、同項の規定の適用があるものとして取り扱う。第十一節の1の規定による特定農地等の買換えについてもこの取扱いに準ずるものとする。
　　これらの場合又は(4)《対価の全部又は一部が農地又は採草放牧地の取得に充てられていない場合》において、農地又は採草放牧地の取得について、都道府県知事若しくは農業委員会の許可又は農用地利用集積計画の定めを要するときにおける当該農地又は採草放牧地の取得の日は、次の(一)又は(二)に掲げる日に行われたこととするのであるから留意する。（措通70の6－63により準用する措通70の4－67）
（一）　農地又は採草放牧地の取得について都道府県知事又は農業委員会の許可を要するもの　　当該許可のあった日と当該農地又は採草放牧地の引渡しがあった日とのうち、いずれか遅い日

－888－

第二章　農地等についての相続税の納税猶予及び免除等
（第七節　特例農地等の買換え）

　　（二）　農地又は採草放牧地の取得について農用地利用集積計画の定めを要するもの　　　当該農用地利用集積計画に定め
　　　られた日と当該農地又は採草放牧地の引渡しがあった日とのうち、いずれか遅い日

　　　（対価の全部又は一部が農地又は採草放牧地の取得に充てられていない場合）
（４）　農地又は採草放牧地の取得につき農地法第３条の都道府県知事若しくは農業委員会の許可を要するもの又は農用地
　　利用集積計画の定めを要するものについては、その許可又は定めがない限り、当該農地又は採草放牧地の取得のための
　　対価の授受が行われている場合であっても、表の（二）に規定する「譲渡等の対価の額の全部又は一部が農地又は採草放
　　牧地の取得に充てられていない場合」又は第十一節の１の（二）のハに規定する「譲渡等の対価の額の全部又は一部が農
　　地又は採草放牧地の取得に充てられていないとき」に該当することに留意する。ただし、譲渡等があった日から１年を
　　経過する日までに農地又は採草放牧地の取得について都道府県知事又は農業委員会の許可がない場合であっても、同日
　　までに農地又は採草放牧地の取得についての都道府県知事又は農業委員会に対する許可申請書が提出されており、かつ、
　　農地又は採草放牧地の取得代金の過半が支払われているときは、同日までに農地又は採草放牧地の取得が行われたもの
　　として取り扱うことができるものとする。（措通70の６－63により準用する措通70の４－68）

　　　（仲介料、登記費用等の費用）
（５）　１又は第十一節の１の規定による買換えの承認を受けている場合においてこれらの規定に規定する特例適用農地等
　　若しくは特定農地等の譲渡等又は農地若しくは採草放牧地の取得に要した仲介料、登記費用等の費用があるときは、次
　　により取り扱う。（措通70の６－63により準用する措通70の４－69）
　　（一）　１又は第十一節の１に規定する特例適用農地等又は特定農地等の譲渡等について仲介料、登記費用等の費用を要
　　　した場合には、当該譲渡等の対価の額から当該譲渡等に要した費用の額を控除した金額をもって１の（二）及び１の
　　　（三）又は第十一節の１の（二）のハ及び同１の（三）に規定する「譲渡等の対価の額」とする。
　　（二）　１の（三）又は第十節の１の（三）に規定する農地又は採草放牧地の取得について仲介料、登記費用等の費用を要し
　　　た場合には、当該費用の額は、当該農地又は採草放牧地の取得に充てられたものとする。

　　　（収用交換等による譲渡の日から１年以内に農地又は採草放牧地となる見込みの土地を取得した場合の費用）
（６）　１の規定による買換えの承認を受けている場合において、１に規定する譲渡等があった日から１年以内に農地又は
　　採草放牧地に該当することとなる見込みのある第一節《特例適用の要件》の１の（１）の（三）のイからハまでに掲げる区
　　域内に所在する土地を、農地又は採草放牧地とするために要した費用があるときは、当該費用を１の（三）に規定する農
　　地又は採草放牧地の取得に充てられた費用として差し支えないものとする。（措通70の６－63により準用する措通70の
　　４－69の２）

　　　（農地又は採草放牧地と同時に農地又は採草放牧地以外の財産を取得した場合）
（７）　１又は第十一節の１の規定による買換えの承認を受けている場合において、農地又は採草放牧地の取得と同時に農
　　地又は採草放牧地以外の財産を取得したときは、譲渡等をした特例適用農地等又は特定農地等の対価の額は、まず農地
　　又は採草放牧地の取得に充てられたものとして取り扱う。（措通70の６－63により準用する措通70の４－70）

　　　（譲渡等の対価の額を超過する農地又は採草放牧地の取得があった場合）
（８）　１の（三）又は第十一節の１の（三）の規定の適用に当たり、譲渡等をした特例適用農地等又は特定農地等の対価の額
　　を超える対価で、第一節の１に規定する農地又は採草放牧地の取得があった場合には、その取得した農地又は採草放牧
　　地のうち、次の算式により計算した部分を１の（三）に規定する「第一節の１の規定の適用を受ける農地等とみなす」又
　　は第十一節の１の（三）に規定する「第一節の１の規定の適用を受ける農地又は採草放牧地とみなす」ものとして取り扱
　　う。
　　　この場合において、当該部分の面積については、分筆等により特定させる必要があることに留意する。（措通70の６－
　　63により準用する措通70の４－71）

$$A \times \frac{C}{B}$$

　（注）　Ａは、取得した農地又は採草放牧地の面積
　　　　　Ｂは、取得した農地又は採草放牧地の対価の額（（５）により取得に要した費用の額を含む。）
　　　　　Ｃは、譲渡等をした特例適用農地等又は特定農地等の対価の額（（５）により譲渡等に要した費用の額を除く。）

－889－

第四編　農地等に係る相続税・贈与税の納税猶予及び免除

（令和２年前旧法適用相続人が第七節、第八節及び第十一節の規定の適用を受ける場合に取得等ができる農地等）
（9）　令和２年前旧法適用相続人（第四節の３の（3）に規定する平成30年前旧法適用相続人及び令和２年改正前の第一節の１の規定の適用を受ける農業相続人をいう。）　が、令和２年改正法附則第108条第２項の規定により、１の規定、第八節の１の規定又は第十一節の１の規定の適用を受ける場合については、第一章第七節の１の（7）《令和２年前旧法適用受贈者が第七節、第八節及び第十一節の規定の適用を受ける場合に取得等ができる農地等》を準用する。（措通70の６－65の２により準用する措通70の４－71の３）

２　買換えの特例の適用手続

①　代替農地等の取得に関する承認申請書の提出
　１の税務署長の承認を受けようとする農業相続人は、１に規定する譲渡等に係る特例農地等について１の規定の適用を受けようとする旨及び次に掲げる事項を記載した申請書を、当該譲渡等があった日から１月以内に、納税地の所轄税務署長に提出しなければならない。（措令40の７㉙）

（一）	申請者の氏名及び住所
（二）	１に規定する譲渡等に係る特例農地等の明細、当該特例農地等の被相続人からの相続又は遺贈による取得の時における農業投資価格控除後の価額（当該特例農地等が第四節の２の（2）に規定する代替取得農地である場合には、同２の（3）により計算した価額（編者注））及びその計算の明細並びに当該譲渡等の対価の額
（三）	取得しようとする１に規定する農地若しくは採草放牧地又は１に規定する収用交換等による譲渡があった日から１年以内に農地若しくは採草放牧地に該当することとなる見込みのある第一章第一節の１の（2）の（三）のイからハまでに掲げる区域内に所在する土地の明細、取得予定年月日及び取得価額の見積額
（四）	その他参考となるべき事項

（申告書の提出前に農地等の譲渡等をした場合）
（1）　相続又は遺贈により農地等を取得した第一節《特例適用の要件》の１に規定する農業相続人が、同１の規定による相続税の納税猶予の適用を受ける旨の相続税の申告書の提出前に当該農地等につき第四節の１の（一）に規定する譲渡等（以下「譲渡等」という。）をしている場合における同項の規定による当該相続税の納税猶予の適用については次による。
　（一）　当該譲渡等に係る対価の全部又は一部をもって、当該相続税の申告書の提出期限までに農地若しくは採草放牧地（当該譲渡等が第一章第一節《特例適用の要件》の１の（1）の（三）のイからハまでに掲げる区域内に所在する農地等の租税特別措置法第33条の４《収用交換等の場合の譲渡所得等の特別控除》第１項に規定する収用交換等による譲渡である場合には、農地若しくは採草放牧地又は１年以内に農地若しくは採草放牧地に該当する見込みのある当該区域内に所在する土地）を取得しているとき又は当該譲渡等があった日から１年以内に取得する見込みであるときは、当該農地等の取得に係る相続税の申告書の提出期限までに２の①の規定による申請書の提出があった場合に限り、当該農地等の譲渡等について１の規定の適用があるものとする。
　（二）　当該譲渡等が第一章第一節《特例適用の要件》の１の（1）の（三）のイからハまでに掲げる区域内に所在する農地等の租税特別措置法第33条の４《収用交換等の場合の譲渡所得等の特別控除》第１項に規定する収用交換等による譲渡であり、第一節《特例適用の要件》の規定の適用を受ける農地等以外の当該区域内に所在する農地若しくは採草放牧地（第一節の１の規定の適用を受ける農業相続人が当該譲渡があった日において有していたものに限り、当該譲渡等に係る農地等の相続の開始があった日前に取得したものを除く。）で、当該譲渡等の時におけるその価額が当該譲渡等の対価の額の全部若しくは一部に相当するものを当該譲渡等に係る農地等に代わるものとして当該農業相続人の農業の用に供しているとき又は当該譲渡等があった日から１年以内に、第一節の１の規定の適用を受ける農地等以外の当該区域内に所在する農地若しくは採草放牧地又は当該１年以内に農地又は採草放牧地に該当する見込みのある当該区域内に所在する土地（第一節の１本文の規定の適用を受ける農業相続人が当該譲渡があった日において有していたものに限り、当該譲渡等に係る農地等の相続の開始があった日前に取得したものを除く。）で、当該譲渡等の時におけるその価額が当該譲渡等の対価の額の全部若しくは一部に相当するものを当該譲渡等に係る農地等に代わるものとして当該受贈者の農業の用に供する見込みであるときは、当該農地等の相続に係る相続税の申告書の提出期限までに第八節の２の②の規定による申請書の提出があった場合に限り、当該農地等の譲渡等について第八節の１の規定の適用があるものとする。（措通70の６－22）

－890－

（申請のみなす承認）
（２）　①の規定による申請書の提出があった場合において、その提出があった日から1月以内に、当該申請の承認又は却下の処分がなかったときは、当該申請の承認があったものとみなす。（措令40の7㉚）

②　代替農地等の取得価額等の明細書の提出
　第一節の1の規定の適用を受ける農地等の1に規定する譲渡等につき1の税務署長の承認を受けた農業相続人は、当該譲渡等があった日から1年を経過する日までに当該承認に係る1の譲渡等の対価の額の全部又は一部を1の(三)に規定する農地又は採草放牧地の取得に充てた場合には、当該取得のE後遅滞なく、次に掲げる書類を当該承認をした税務署長に提出しなければならない。（措規23の8⑱により準用する措規23の7㉓）

(一)	次に掲げる事項を記載した書類 　イ　当該書類を提出する者の氏名及び住所又は居所 　ロ　当該承認に係る譲渡等があった日及び当該譲渡等の対価の額 　ハ　当該取得をした1の(三)に規定する農地又は採草放牧地の地目、面積及びその所在場所その他の明細並びにその取得年月日及び取得価額 　ニ　その他参考となるべき事項
(二)	当該農地のうちに農地法第43条第1項の規定により農作物の栽培を耕作に該当するものとみなして適用する同法第2条第1項に規定する農地がある場合には、当該農地が農作物栽培高度化施設の用に供されているものである旨を証する当該農地の所在地を管轄する農業委員会の書類
(三)	当該農地又は採草放牧地のうちに都市営農農地等がある場合には、当該都市営農農地等が第一節の1に規定する農地又は採草放牧地に該当する旨を証する当該都市営農農地等の所在地を管轄する市長又は特別区の区長の書類の写し

③　贈与税における買換えの承認の相続税への援用
　第一節の1の規定の適用を受ける特例農地等が第一章第十八節の1の規定により相続又は遺贈により取得したものとみなされたものである場合において、当該取得したものとみなされる基因となった第一章第一節の1に規定する贈与者の死亡の日前1年以内に行われた当該特例農地等に係る第一章第七節の1に規定する譲渡等につき同1に規定する税務署長の承認を受けているときは、当該特例農地等の当該譲渡等に係るこの章の規定の適用については、当該譲渡等は第四節の1の(一)又は第四節の2に規定する譲渡等とみなし、当該承認は1の規定による税務署長の承認とみなす。（措令40の7㉛）

－891－

第八節　特定市街化区域農地等の収用交換等による譲渡

1　特定市街化区域農地等を収用交換等による譲渡をした場合の特例

　第四節の**2**の場合において、同**2**に規定する譲渡等（第一節の**1**の規定の適用を受ける特例農地等のうち第一章第一節の**1**の（2）の（三）のイからハまでに掲げる区域内に所在する特例農地等の租税特別措置法第33条の4第1項に規定する収用交換等による譲渡に限る。）があった日から1年以内に、第一節の**1**の規定の適用を受ける特例農地等以外の同（三）のイからハまでに掲げる区域内に所在する農地若しくは採草放牧地又は当該1年以内に農地若しくは採草放牧地に該当することとなる見込みのある当該区域内に所在する土地（第四節の**2**本文の規定の適用を受ける農業相続人が当該譲渡等があった日において有していたものに限り、当該譲渡等に係る特例農地等の相続の開始があった日前に取得したものを除く。（二）及び（三）において「代替特例農地等」という。）で、当該譲渡等の時におけるその価額が当該譲渡等の対価の額の全部又は一部に相当するものを当該譲渡等に係る特例農地等に代わるものとして当該農業相続人の農業の用に供する見込みであることにつき、**2**の**②**の政令で定めるところにより、納税地の所轄税務署長の承認を受けたときにおける第四節の**2**の規定の適用については、次に定めるところによる。（措法70の6⑳）

（一）	当該承認に係る譲渡等は、なかったものとみなす。
（二）	当該譲渡等があつた日から1年を経過する日において、当該承認に係る譲渡等の対価の額の全部又は一部に相当する価額の代替特例農地等を当該譲渡等に係る特例農地等に代わるものとして当該農業相続人の農業の用に供する農地又は採草放牧地としていない場合には、当該譲渡等に係る特例農地等のうちその農業の用に供していないものに対応するものとして（1）の政令で定める部分は、同日において譲渡等をされたものとみなす。
（三）	当該譲渡等があった日から1年を経過する日までに当該承認に係る譲渡等の対価の額の全部又は一部に相当する価額の代替特例農地等を当該譲渡等に係る特例農地等に代わるものとして当該農業相続人の農業の用に供する農地又は採草放牧地とした場合には、当該譲渡等に係る特例農地等に代わるものとして当該農業相続人の農業の用に供した代替特例農地等は、第一節の**1**の規定の適用を受ける特例農地等とみなす。

　　（農業の用に供していないものに対応するものとして定める部分）
（1）　**1**の（二）に規定する政令で定める部分は、同（二）に規定する譲渡等に係る第一節の**1**に規定する特例農地等のうち、当該譲渡等の対価の額から当該譲渡等の時における代替特例農地等価額（**1**に規定する代替特例農地等で当該譲渡等があった日から1年を経過する日までに**1**の（三）の農業の用に供する農地又は採草放牧地とした部分に相当する価額をいう。**2**の（二）において同じ。）を控除した額が当該譲渡等の対価の額のうちに占める割合を、当該譲渡等に係る当該特例農地等の被相続人からの相続又は遺贈による取得の時における価額に乗じて計算した金額に相当する部分とする。（措令40の7㊱により準用する措令40の6㉞）

　　（併用があった場合の金額の計算）
（2）　第七節の**1**に規定する譲渡等に係る農地等につき、第七節の**1**及び**1**の承認を併せて受けている場合における第七節の**1**の（二）及び**1**の（二）の規定により譲渡等をされたものとみなされる部分は、第七節の**1**の（1）及び（1）の規定にかかわらず、当該譲渡等の対価の額から次に掲げる額の合計額を控除した額が当該譲渡等の対価の額のうちに占める割合を、当該譲渡等に係る第一節の**1**に規定する特例農地等の被相続人からの相続又は遺贈による取得の時における価額に乗じて計算した金額に相当する部分とする。（措令40の7㊲により準用する措令40の6㉟）

（一）	当該譲渡等の対価で当該譲渡等があった日から1年を経過する日までに第七節の**1**の（三）の農地又は採草放牧地の取得に充てられた額
（二）	当該譲渡等の時における（1）に規定する代替特例農地等価額

　　（収用交換等による譲渡の時における代替農地等の価額）
（3）　第一章第十一節《買取りの申出等があった農地等の買換え等》の**1**の規定による付替えの承認を受けている場合において、同**1**に規定する譲渡等があった日から1年以内に農地又は採草放牧地に該当することとなる見込みのある第一節《特例適用の要件》の**1**の（1）の（三）イからハまでに掲げる区域内に所在する土地を、農地又は採草放牧地とするために要した費用があるときは、**2**の**③**に規定する「公共事業施行者の当該受贈者の農業の用に供する農地又は採草放牧

地として同項に規定する代替農地等の当該譲渡等の時における価額を明らかにする書類」に記載された当該土地の当該譲渡等の時における価額に当該費用を加算した金額を、当該承認に係る譲渡等の対価の額の全部又は一部に相当する価額として差し支えないものとする。（措通70の6－63の2に準用する措通70の4－69の3）

（代替農地等の譲渡等の時における価額が譲渡等の対価の額を超過する場合）
（4）　第一章第十一節《買取りの申出等があった農地等の買換え等》の1の（三）の規定の適用に当たり、同1の承認に係る譲渡等の時における代替農地等の価額が、譲渡等をした特例適用農地等の対価の額を超える場合には、次の算式により計算した部分を同1の（三）に規定する「第一章第一節の1の規定の適用を受ける農地等とみなす」ものとして取り扱う。　この場合において、当該部分の面積については、分筆等により特定させる必要があることに留意する。（措通70の6－63の2に準用する措通70の4－71の2）

$$A \times \frac{C}{B}$$

（注）　Aは、代替農地等の面積
　　　　Bは、第一章第十一節の1の承認に係る譲渡等の時における代替農地等の価額（3）により取得に要した費用の額を含む。）
　　　　Cは、譲渡等をした特例適用農地等の対価の額

（農業相続人の死亡後に農業の用に供した農地又は採草放牧地についての納税猶予の適用）
（5）　特例農地等の譲渡等につき1の規定による付替えの承認を受けている場合において、代替特例農地等を譲渡等に係る特例適用農地等に代わるものとして農業相続人の農業の用に供する農地又は採草放牧地とする前に農業相続人が死亡したときにおける相続税の課税については、当該代替農地等のうち相続開始時において農地又は採草放牧地に該当しない土地については、第一節《特例適用の要件》の1に規定する農地等に該当しないことから、同1の規定による相続税の納税猶予の特例の適用はないことに留意する。ただし、当該農業相続人の死亡に係る相続税の申告書の提出期限までに、当該土地が農地又は採草放牧地となり、かつ、当該農業相続人の相続人から当該農地又は採草放牧地（当該付替えの承認に係る譲渡対価の額に対応する部分に限る。）を相続税の課税価格の基礎に算入して同1の規定による相続税の納税猶予の特例の適用を受ける旨の相続税の申告書の提出があったときは、これを認めて差し支えない。（措通70の6－64の2に準用する措通70の6－14の2）

2　収用交換等の特例の適用手続

①　代替農地等の取得に関する証明書の提出

第七節の2の①の申請書（第一章第一節の1の（2）の（三）のイからハまでに掲げる区域内に所在する特例農地等の租税特別措置法第33条の4第1項に規定する収用交換等による譲渡の場合であって、当該譲渡があった日から1年以内に農地（農地法第43条第1項の規定により農作物の栽培を耕作に該当するものとみなして適用する同法第2条第1項に規定する農地を含む。③において同じ。）又は採草放牧地に該当することとなる見込みのある当該区域内に所在する土地について第七節の1の承認を受けようとするときにおける当該承認に係る申請書に限る。）又は②の申請書を提出する農業相続人は、これらの申請書に、第七節の1又は1に規定する譲渡等があった農地等に係る公共事業施行者（法第33条の4第3項第1号に規定する公共事業施行者をいう。③において同じ。）の買取り等（同号に規定する買取り等をいう。）の年月日及び当該買取り等に係る農地等の明細を記載した当該買取り等があったことを証する書類を添付しなければならない。（措規23の8⑰により準用する措規23の7㉒）

②　特定市街化区域農地等を収用交換等による譲渡に関する承認申請書の提出

1の税務署長の承認を受けようとする農業相続人は、1に規定する譲渡等に係る特例農地等について1の規定の適用を受けようとする旨及び次に掲げる事項を記載した申請書を、当該譲渡等があった日から1月以内に、納税地の所轄税務署長に提出しなければならない。（措令40の7㉝）

（一）	申請者の氏名及び住所
（二）	1に規定する譲渡等に係る特例農地等の明細、当該特例農地等の被相続人からの相続又は遺贈による取得の時における農業投資価格控除後の価額及びその計算の明細並びに当該譲渡等の対価の額
（三）	1に規定する譲渡等に係る特例農地等に代わるものとして1の農業相続人の農業の用に供する見込みである1に規定する代替特例農地等の明細及び当該譲渡等の時における価額並びに当該代替特例農地等を当該農業相続人の農業

	の用に供する予定年月日
(四)	その他参考となるべき事項

　（申請のみなす承認）

注　②の規定による申請書の提出があった場合その提出があった日から1月以内に、当該申請の承認又は却下の処分がなかったときは、当該申請の承認があったものとみなす。（措令40の7㉞により準用する措令40の7㉚）

③　特定市街化区域農地等を収用交換等による譲渡等をした場合の代替特例農地等の取得価額等の明細書の提出

　第一節の1の規定の適用を受ける特例農地等の1に規定する譲渡等につき同項の税務署長の承認を受けた農業相続人が、当該譲渡等があった日から1年を経過する日までに当該承認に係る1に規定する代替特例農地等を当該譲渡等に係る特例農地等に代わるものとして当該農業相続人の1の（三）の農業の用に供する農地又は採草放牧地とした場合には、当該農業の用に供した後遅滞なく、公共事業施行者の当該農業相続人の農業の用に供する農地又は採草放牧地とした1に規定する代替特例農地等の当該譲渡等の時における価額を明らかにする書類及び次に掲げる書類を、当該承認をした税務署長に提出しなければならない。（措規23の8⑲により準用する措規23の7㉔）

(一)	次に掲げる事項を記載した書類 　イ　当該書類を提出する者の氏名及び住所又は居所 　ロ　当該承認に係る譲渡等があった日及び当該譲渡等の対価の額 　ハ　1の（三）の農業の用に供する農地又は採草放牧地とした1に規定する代替農地等の地目、面積、その所在場所及び取得年月日その他の明細 　ニ　その他参考となるべき事項
(二)	当該農地のうちに農地法第43条第1項の規定により農作物の栽培を耕作に該当するものとみなして適用する同法第2条第1項に規定する農地がある場合には、当該農地が農作物栽培高度化施設の用に供されているものである旨を証する当該農地の所在地を管轄する農業委員会の書類
(三)	当該農地又は採草放牧地のうちに都市営農農地等がある場合には、当該都市営農農地等が第一節の1に規定する農地又は採草放牧地に該当する旨を証する当該都市営農農地等の所在地を管轄する市長又は特別区の区長の書類の写し

④　贈与税における収用交換等による譲渡等の承認の相続税への援用

　第一節の1の規定の適用を受ける特例農地等が第一章第十八節の1の規定により相続又は遺贈により取得したものとみなされたものである場合において、当該取得したものとみなされる基因となった第一章第一節の1に規定する贈与者の死亡の日前1年以内に行われた当該特例農地等に係る第一章第七節の2に規定する譲渡等につき同2に規定する税務署長の承認を受けているときは、当該特例農地等の当該譲渡等に係るこの章の規定の適用については、当該譲渡等は第四節の2に規定する譲渡等とみなし、当該承認は2の規定による税務署長の承認とみなす。（措令40の7㉟）

第九節　一時的道路用地等の用に供するための地上権等の設定

1　特例の適用要件

　第一節の1《農地等についての相続税の納税猶予等》の規定の適用を受ける農業相続人が、同1に規定する納税猶予期限前に同1の規定の適用を受ける特例農地等の全部又は一部を第一章第九節の1に規定する一時的道路用地等（以下本節において「**一時的道路用地等**」という。）の用に供するために地上権、賃借権又は使用貸借による権利の設定（民法第269条の2第1項の地上権の設定を除く。以下本節において「**地上権等の設定**」という。）に基づき貸付けを行った場合において、当該貸付けに係る期限（以下1において「**貸付期限**」という。）の到来後遅滞なく当該一時的道路用地等の用に供していた特例農地等を当該農業相続人の農業の用に供する見込みであることにつき、（1）で定めるところにより、納税地の所轄税務署長の承認を受けたときにおける第一節の1、第四節の1《納税猶予の全部打切り》及び第四節の2《納税猶予の一部打切り》の規定の適用については、次に定めるところによる。（措法70の6㉒）

(一)	当該承認に係る地上権等の設定は、なかったものとみなす。
(二)	当該農業相続人が、当該貸付期限から2月を経過する日までに当該一時的道路用地等の用に供されていた特例農地等の全部又は一部を当該農業相続人の農業の用に供していない場合には、当該特例農地等のうち当該農業相続人の農業の用に供していない部分は、同日において地上権等の設定があったものとみなす。
(三)	当該一時的道路用地等の用に供されている特例農地等の全部又は一部のうちに準農地がある場合の第四節の2の規定の適用については、同2中「10年を経過する日において当該農業相続人が有する同1」とあるのは「10年を経過する日（当該農業相続人が有する準農地が第九節の1の規定の適用を受ける場合における当該準農地については、同日又は同1に規定する貸付期限から2月を経過する日のいずれか遅い日とする。以下2において同じ。）において当該農業相続人が有する第一節の1」と、「同日」とあるのは「当該10年を経過する日」とする。

　　（税務署長の承認を受ける場合の手続）
（1）　1の税務署長の承認を受けようとする農業相続人は、1に規定する一時的道路用地等の用に供するため1に規定する地上権等の設定（以下（1）において「**地上権等の設定**」という。）に基づき貸付を行った特例農地等について1の規定の適用を受けようとする旨の申請書で次に掲げる事項を記載したものを、当該地上権等の設定に基づき貸付けを行った日から1月以内に、納税地の所轄税務署長に提出しなければならない。（措令40の7㊷）
　（一）　申請者の氏名及び住所
　（二）　当該地上権等の設定に基づき貸し付けた特例農地等の明細
　（三）　当該地上権等の設定に基づき貸し付けた特例農地等を当該農業相続人の農業の用に供する予定年月日
　（四）　その他参考となるべき事項

　　（申請書の添付書類）
（2）　（1）の規定により提出する申請書には、1の規定の適用を受けようとする特例農地等について第一章第九節の1に規定する主務大臣が一時的道路用地等に係る同1に規定する代替性のない施設の用地として認定（当該一時的道路用地等に係る事業が同1に規定する道路に関する事業、河川に関する事業及び鉄道事業以外のものである場合には、同1に規定する準ずる事業としての認定を含む。）を行ったことを証する書類で次に掲げる事項を記載したもの及び（3）の財務省令で定める書類を添付しなければならない。（措令40の7㊸）
　（一）　当該一時的道路用地等の用に供される特例農地等の所有者の氏名及び住所
　（二）　当該一時的道路用地等の用に供される特例農地等の明細
　（三）　当該一時的道路用地等の用に供するために事業の施行者が地上権等の設定に基づき借り受ける日及び当該借受けに係る期限
　（四）　第一章第九節の1に規定する主務大臣が同1の規定により認定した一時的道路用地等に係る事業及び施設の用地に関すること。
　（五）　その他参考となるべき事項

　　（財務省令で定める書類）
（3）　（2）に規定する書類は、申請者と一時的道路用地等に係る事業の施行者（以下本節において「**事業施行者**」という。）

第四編　農地等に係る相続税・贈与税の納税猶予及び免除

との間の地上権等の設定に基づき第一節の**1**に規定する特例農地等（第一節の**1**の（5）（（一）を除く。）の規定により特例農地等に該当するものとして第一節の**1**の規定の適用を受けるものを含む。以下本節において同じ。）を当該一時的道路用地等の用に供するために貸し付ける旨の契約書で当該特例農地等を貸し付ける日及び貸付期限の記載のあるものの写し又は土地収用法の規定に基づく裁決書で当該特例農地等を使用するためのものの写し若しくは同法に規定された収用委員会の勧告に基づく和解により作成された和解調書で当該特例農地等を使用するためのものの写しとする。（措規23の8㉒により読み替えて準用する措規23の7㉗）

　　　（申請のみなす承認）
（4）　（1）の規定により申請書の提出があった場合において、その提出があった日から1月以内に当該申請の承認又は却下の処分がなかったときは、当該申請の承認があったものとみなす。（措令40の7㊹により準用する措令40の7㉚）

　　　（一時的道路用地等として貸付けの対象となる特例農地等の範囲）
（5）　**1**に規定する一時的道路用地等の用に供するための地上権、賃借権又は使用貸借による権利の設定（民法第269条の2第1項の地上権の設定を除く。以下（8）までにおいて「地上権等の設定」という。）に基づく貸付けの対象となる特例農地等には、第六節の**1**に規定する貸付特例適用農地等は含まれないが、次の（一）に掲げる敷地又は用地、（二）から（五）までに掲げる特例農地等は含まれることに留意する。（措通70の6－66）
　（一）　第一節の**1**の（5）の（二）又は（三）に掲げる敷地又は用地
　（二）　第五節の**1**の規定の適用を受ける特例農地等（農業相続人が一時的道路用地等の用に供するために当該特例農地等に係る使用貸借による権利を消滅させたものに限る。）
　（三）　第十節の**1**の規定の適用を受ける同**1**に規定する営農困難時貸付けが行われている特例農地等（農業相続人が一時的道路用地等の用に供するために当該特例農地等に係る地上権、永小作権、使用貸借による権利又は賃借権を消滅させたものに限る。）
　（四）　第十六節の**1**の①の規定の適用を受ける同①に規定する特定貸付けが行われている特例農地等（農業相続人が一時的道路用地等の用に供するために当該特例農地等に係る同①に規定する賃借権等を消滅させたものに限る。）
　（五）　第十七節の**1**の規定の適用を受ける認定都市農地貸付け等が行われている特例農地等（農業相続人が一時的道路用地等の用に供するために当該特例農地等に係る同**1**に規定する賃借権等を消滅させたものに限る。）

　　　（主務大臣の認定を要しない事業）
（6）　一時的道路用地等に係る事業が、第一章第九節の**1**に規定する道路に関する事業、河川に関する事業及び鉄道事業である場合には、同**1**に規定する事業に係る主務大臣の認定は要しないのであるから留意する。ただし、その場合であっても、一時的道路用地等として地上権等の設定に基づき貸し付けられる特例適用農地等が同**1**に規定する代替性のない施設の用地であることの主務大臣の認定は必要である。（措通70の6－68により準用する措通70の4－73）

　　　（一時的道路用地等としての貸付先）
（7）　**1**に規定する一時的道路用地等の用に供するための地上権等の設定に基づく貸付けは、当該一時的道路用地等に係る事業の施行者に対して行わなければならないことに留意する。
　　　したがって、その事業の施行者から業務を請け負った業者等に対してその貸付けを行った場合には、**1**の規定の適用はない。（措通70の6－69により準用する措通70の4－74）

　　　（地上権等の設定があった場合の担保）
（8）　特例適用農地等が第一節の**1**に規定する担保に提供されている場合において、その特例適用農地等につき**1**に規定する地上権等の設定があったときにおいても、その担保を提供した農業相続人に対して国税通則法第51条第1項に規定する増担保の提供等を命ずる必要はないのであるから留意する。（措通70の6－70により準用する措通70の4－75）

　　　（貸付期限が到来した一時的道路用地等の用途）
（9）　**1**の規定の適用を受ける農業相続人は、**1**に規定する貸付期限（当該貸付期限の到来前に地上権、賃借権若しくは使用貸借による権利（以下（9）において「地上権等」という。）の解約が行われたことにより当該地上権等が消滅した場合には、当該地上権等の消滅した日。**2**の（4）において同じ。）から2月を経過する日までに、一時的道路用地等の用に供されていた特例農地等を自己の農業の用（当該農業相続人が次に掲げる特例農地等を一時的道路用地等の用に供して

－896－

第二章　農地等についての相続税の納税猶予及び免除等
（第九節　一時的道路用地等の用に供するための地上権等の設定）

いた場合には、それぞれ次に定める用）に供しなければならないのであるが、この場合、その特例農地等の利用状況が、一時的道路用地等の用に供されていた特例農地等の貸付けの直前の利用状況と異なる場合であっても、その特例農地等を自己の農業の用（第一節の1の(5)の(二)又は同(5)の(三)に掲げる施設又は用地としての利用を含む。）に供する限り、本節の1の(二)の規定の適用はないことに留意する。（措通70の6－72により準用する措通70の4－77）

（一）　第五節の1の規定の適用を受ける特例農地等　当該特例農地等に係る第五節の2の(五)に規定する特定推定相続人の農業の用

（二）　第十節の1に規定する営農困難時貸付けを行っていた特例農地等　同1に規定する営農困難時貸付け又は自己の農業の用

（三）　第十六節の1の①に規定する特定貸付けを行っていた特例農地等　同①に規定する特定貸付け又は自己の農業の用

（四）　認定都市農地貸付け等を行っていた特例農地等　認定都市農地貸付け等又は自己の農業の用

（注）　当該特例適用農地等について第十節の1に規定する営農困難時貸付けを行う場合には、同1の(3)及び第十節の4の(6)の規定の適用があることに留意する。

2　1年ごとの継続貸付届出書の提出

　1の規定の適用を受ける農業相続人は、1の承認を受けた日の翌日から起算して1年を経過するごとの日までに、(1)の政令で定めるところにより、当該一時的道路用地等の用に供されている特例農地等に係る地上権等の設定に関する事項その他(2)の財務省令で定める事項を記載した届出書（3において「**継続貸付届出書**」という。）を納税地の所轄税務署長に提出しなければならない。（措法70の6㉓）

　　（継続貸付届出書の添付書類）
（1）　2の規定により農業相続人が提出する2に規定する継続貸付届出書には、当該一時的道路用地等に係る事業の施行者の当該継続貸付届出書に係る2に規定する期限の2月前において当該一時的道路用地等の用に供されている特例農地等について引き続き借り受けている旨及び当該事業を引き続き施行している旨を証する書類で次に掲げる事項を記載したものを添付しなければならない。（措令40の7㊺）
（一）　当該一時的道路用地等の用に供されている特例農地等を事業の施行者に貸し付けている者の氏名及び住所
（二）　当該事業の施行者が借り受けている特定農地等の明細
（三）　その他参考となるべき事項

　　（継続貸付届出書の記載事項）
（2）　2に規定する継続貸付届出書に記載する事項は、次に掲げる事項とする。（措規23の8㉓により読み替えて準用する措規23の7㉘）
（一）　届出者の氏名及び住所又は居所
（二）　一時的道路用地等の用に供されている特例農地等の明細
（三）　貸付期限
（四）　当該特例農地等を引き続き一時的道路用地等の用に供している旨
（五）　その他参考となるべき事項

　　（一時的道路用地等に係る継続貸付届出書の提出期間）
（3）　2に規定する届出書は、1の承認を受けた日の翌日から起算して1年を経過するごとの日までに提出しなければならないのであるが、その提出期間は、当該1年を経過するごとの日の属する月の前々月の初日から当該1年を経過するごとの日までの期間として取り扱う。この場合において、4の規定の適用があるときの届出書の提出期限の起算日となる1の承認を受けた日の翌日とは、4に規定する農業相続人の相続人が第三節の1に規定する相続税の申告書を納税地の所轄税務署長に提出した日の翌日として取り扱うものとする。（措通70の6－71により準用する措通70の4－76）
（注）　上記の取扱いは、4の(3)の規定により準用する4の規定の適用がある場合も同様とする。

　　（貸付期限到来前に農業相続人が死亡した場合）
（4）　2に規定する届出書、5に規定する届出書又は6に規定する届出書は、一時的道路用地等の用に供されている特例農地等に係る貸付期限の到来前に第十三節の1の(一)《農業相続人が死亡した場合の納税猶予税額の免除》の規定により第一節の1に規定する相続税が免除された場合において、同1に規定する当該農業相続人の相続人が当該特例農地等

－897－

について**4**の規定の適用を受けるときを除き、その提出を要しないことに留意する。（措通70の6－73）

3　継続貸付届出書が提出されなかった場合の納税猶予の打切り

　2に規定する継続貸付届出書がその提出期限までに納税地の所轄税務署長に提出されなかった場合には、当該提出期限の翌日から**2**月を経過する日に当該継続貸付届出書に係る一時的道路用地等の用に供されている特例農地等に係る地上権等の設定があったものとして、第四節の**1**《納税猶予の全部打切り》及び第四節の**2**《納税猶予の一部打切り》の規定を適用する。ただし、当該継続貸付届出書が当該提出期限までに提出されなかった場合においても、当該所轄税務署長が当該提出期限内にその提出がなかったことについてやむを得ない事情があると認める場合において、下記注の政令で定めるところにより当該継続貸付届出書が当該所轄税務署長に提出されたときは、この限りでない。（措法70の6㉔）

　　（提出期限後における継続貸付届出書の提出の手続）
注　**3**の規定により農業相続人が提出する**2**に規定する継続貸付届出書には、**2**に規定する事項のほか当該継続貸付届出書を**2**に規定する期限までに提出することができなかった事情の詳細を記載し、かつ、**2**の（1）に規定する事業の施行者の書類を添付しなければならない。（措令40の7㊻）

4　農業相続人が死亡した場合の特例の適用

　1の規定の適用を受けている農業相続人が死亡した場合において、当該農業相続人の相続人に係る**1**の規定の適用については、当該一時的道路用地等の用に供されている特例農地等（（1）の政令で定めるものを除く。）は当該農業相続人がその死亡の日まで農業の用に供していたものと、当該特例農地等は**1**の承認を受けた特例農地等とみなして、本章の規定を適用する。この場合において、当該死亡による相続又は遺贈に係る相続税の課税価格の計算の基礎に算入すべき当該特例農地等の価額は、当該一時的道路用地等の用に供されていないものとした場合における当該特例農地等としての価額による。（措法70の6㉕）

　　（一時的道路用地等の用に供されている特例農地等から除かれるもの）
（1）　**4**に規定するものは、第一節の**1**の（5）《一時的道路用地等の用に供されている特例農地等に対する適用》の規定により特例農地等に該当するものとされる同（5）の（二）又は同（5）の（三）に掲げる敷地又は用地を一時的道路用地等の用に供している場合における当該敷地又は用地とする。（措令40の7㊼）

　　（一時的道路用地等を相続等により取得した者の農業経営の開始期限）
（2）　**1**の規定の適用を受ける農業相続人が死亡した場合（第一節の**1**の規定の適用を受ける特例農地等の全部を一時的道路用地等の用に供しているものが死亡した場合に限る。）において、**4**の規定により本章の規定の適用を受けることとなるときの第一節の**4**《農業相続人》の規定の適用については、同**4**の（一）中「に係る**1**に規定する相続税の申告書の提出期限までに当該相続又は遺贈により取得をした同**1**に規定する農地及び採草放牧地」とあるのは、「により第九節の**1**に規定する一時的道路用地等の用に供されている同**1**に規定する特例農地等の取得をした場合には、同**1**に規定する貸付期限（**5**の（4）又は**6**の（2）の規定の適用がある場合には、これらの規定によりみなされた貸付期限）から**2**月を経過する日までに当該特例農地等」とする。（措令40の7㊽）

　　（贈与税の特例の適用を受けている受贈者が死亡した場合等の準用）
（3）　**4**の規定は、第一章第九節《一時的道路用地等の用に供するための地上権等の設定》の**1**《特例の適用要件》の規定の適用を受けている同**1**に規定する受贈者が死亡した場合及び同**1**の規定の適用を受けている同**1**に規定する受贈者に係る第一章第一節の**1**に規定する贈与者が死亡し、同第九節の**1**に規定する一時的道路用地等の用に供されている同第一節の**1**に規定する農地等が第一章第十八節《農地等の贈与者が死亡した場合の相続税の課税の特例》の**1**《特例適用農地等の相続税の課税価格への算入》の規定により相続又は遺贈により取得されたものとみなされる場合について準用する。（措法70の6㉗）

　　（一時的道路用地等の用に供されている特例農地等について相続税の課税価格の計算の基礎に算入すべき価額）
（4）　**1**の規定の適用を受けている**1**に規定する農業相続人が死亡した場合において、一時的道路用地等の用に供されている農地等の相続税の課税価格の計算の基礎に算入すべき価額は、次に掲げる場合の区分に応じ、それぞれに掲げるところによるのであるから留意する。（措通70の6－67）
　（一）　一時的道路用地等の用に供されている農地等に係る農業相続人の相続人が当該農地等について第一節の**1**の規定

－898－

第二章　農地等についての相続税の納税猶予及び免除等
（第九節　一時的道路用地等の用に供するための地上権等の設定）

の適用を受ける場合

4 の後段に定める価額

（注）　**4** の後段に定める「当該一時的道路用地等の用に供されていないものとした場合における当該特例農地等としての価額」とは、当該農地等の状況が一時的道路用地等の用に供される直前の現況にあるものとした場合の当該農業相続人の死亡の日における当該農地等としての価額をいう。

（二）　一時的道路用地等の用に供されている農地等に係る農業相続人の相続人等が当該農地等について第一節の **1** の規定の適用を受けない場合

農業相続人の死亡の日における当該農地等の時価

（注）　第一章第九節の **1** の規定の適用を受けている同 **1** に規定する受贈者が死亡した場合において、**4** の（3）の規定により準用する **4** の規定の適用があるときも上記と同様である。

5　地上権等が消滅した場合の届出書の提出

1 の規定の適用を受けている農業相続人は、一時的道路用地等の用に供されている特例農地等につき、当該特例農地等に係る貸付期限の到来により **1** の規定の適用に係る同項の地上権、賃借権若しくは使用貸借による権利（以下 **5** 及び **5** の（4）において「地上権等」という。）が消滅した場合又は当該貸付期限の到来前に地上権等の解約が行われたことにより当該地上権等が消滅した場合には、その消滅した旨、当該特例農地等を農業相続人の農業の用に供している旨その他（1）の財務省令で定める事項を記載した届出書に、農業委員会の証明書で（2）の財務省令で定めるところにより当該農業相続人の農業の用に供されている旨を証するものその他（3）の財務省令で定める書類を添付し、これを当該地上権等が消滅した日から **2** 月以内に、納税地の所轄税務署長に提出しなければならない。（措令40の7㊾）

（届出書の記載事項）

（1）　**5** に規定する事項は、次に掲げる事項とする。（措規23の8㉔により読み替えて準用する措規23の7㉙）

（一）　届出者の氏名及び住所又は居所

（二）　一時的道路用地等の用に供されていた特例農地等の明細

（三）　貸付期限

（四）　一時的道路用地等の用に供されていた特例農地等の貸付けの直前の利用状況及び **5** の届出書の提出時における当該特例農地等の利用状況又は予定している利用方法

（五）　当該特例農地等を農業相続人の農業の用に供した日又は供する見込みの日

（六）　その他参考となるべき事項

（農業委員会の証明の手続）

（2）　**5** に規定する証明は、一時的道路用地等の用に供されていた特例農地等の所在地を管轄する農業委員会が、当該一時的道路用地等の用に供されていた土地が特例農地等に復したこと及び第一節の **1** の規定の適用を受けている農業相続人が当該特例農地等の第四節の **1** の（一）に規定する耕作をしていること又は遅滞なく当該耕作をする見込みであること（当該一時的道路用地等の用に供されていた土地が第一節の **1** の（5）の（二）又は（三）に規定する敷地又は用地となる場合には、当該土地が同 **1** の規定の適用を受けていたものであること）を証する書類を発行することにより行うものとする。（措規23の8㉕により読み替えて準用する措規23の7㉚）

（届出書の添付書類）

（3）　**5** に規定する書類は、次に掲げる書類とする。（措規23の8㉖により読み替えて準用する措規23の7㉛）

（一）　一時的道路用地等の用に供していた特例農地等を借り受ける契約が終了した旨及び終了した日を証する事業施行者の書類

（二）　**5** に規定する地上権等が登記されていた場合には、一時的道路用地等の用に供していた土地の登記簿の謄本（当該地上権等の消滅後に取得したものに限る。）

（三）　農業相続人が第五節の **1** の規定の適用を受ける特例農地等を一時的道路用地等の用に供していた場合には、次に掲げる場合の区分に応じそれぞれ次に定める書類

イ　当該特例農地等の全部について一時的道路用地等の用に供していた場合　　　次に掲げる書類

（イ）　第一章第五節の **2** の（1）《添付書類》の（一）に掲げる書類（同（一）に掲げる農業委員会の書類にあっては、農業相続人の推定相続人が同第五節の **1** の（1）《推定相続人のうち政令で定めるもの》の（三）に掲げる要件に該当することを明らかにする事実を記載したものとする。）

（ロ）　第一章第五節の **2** の（1）の（二）に掲げる書類

－899－

(ハ)　第一章第五節の**2**の(1)の(三)に掲げる農業委員会の書類

ロ　イに掲げる場合以外の場合　　第一章第五節の**2**の(1)の(二)に掲げる書類

(貸付期限の到来前に地上権等の解約が行われた場合)

(4)　**5**の場合において、貸付期限の到来前に地上権等の解約が行われたことにより当該地上権等が消滅したときは、当該地上権等が消滅した日を貸付期限とみなして、本章の規定を適用する。(措令40の7(50))

6　一時的道路用地等に係る事業の施行の遅延により貸付期限が延長される場合の届出書の提出

1の規定の適用を受けている特例農地等を一時的道路用地等の用に供している場合において、当該一時的道路用地等に係る事業の施行の遅延により貸付期限が延長されることとなったときは、農業相続人は、引き続き**1**の適用を受けようとする旨及び次に掲げる事項を記載した届出書に、貸付期限を延長する事情の詳細を記載した当該事業の施行者の書類その他(1)の財務省令で定める書類を添付し、これを当該貸付期限の到来する日から1月以内に、納税地の所轄税務署長に提出しなければならない。(措令40の7(51))

(一)　届出者の氏名及び住所

(二)　当該貸付期限の延長に係る特例農地等の明細

(三)　延長されることとなった期限

(四)　当該貸付期限の延長に係る特例農地等を当該農業相続人の農業の用に供する予定年月日

(五)　その他参考となるべき事項

(届出書の添付書類)

(1)　**6**に規定する書類は、**1**の(3)に規定する契約書又は裁決書若しくは和解調書の写しその他の書類で貸付期限が延長されることが明らかとなるものとする。(措規23の8㉗により読み替えて準用する措規23の7㉜)

(貸付期限が延長される場合)

(2)　**6**の場合において、貸付期限が延長されることとなったときは、当該延長されることとなった期限を貸付期限とみなして、本章の規定を適用する。(措令40の7(52))

7　経過措置の適用を受けている農業相続人に対する適用

次に掲げる者は、第一節の**1**《農地等についての相続税の納税猶予等》に規定する農業相続人とみなして、本節の規定を適用する。この場合において、当該農業相続人に係るこれらの規定の適用に関し必要な事項は政令《当該政令＝平14改措令附30②は省略した。》で定める。(平14改措法附32⑤)

(一)　租税特別措置法の一部を改正する法律（平成3年法律第16号）附則第19条第5項の規定によりなおその効力を有するものとされる同法による改正前の租税特別措置法第70条の6第1項本文の規定の適用を受けている同項に規定する農業相続人

(二)　租税特別措置法等の一部を改正する法律（平成12年法律第13号）第1条の規定による改正前の租税特別措置法第70条の6第1項本文の規定の適用を受けている同項に規定する農業相続人

(三)　租税特別措置法等の一部を改正する法律（平成13年法律第7号）第1条による改正前の租税特別措置法第70条の6第1項本文の規定の適用を受けている同項に規定する農業相続人

第十節　営農困難時貸付けの特例

1　特例の概要

第一節の**1**の規定の適用を受ける農業相続人が、障害、疾病その他の事由により同**1**の規定の適用を受ける特例農地等について当該農業相続人の農業の用に供することが困難な状態として（1）の政令で定める状態となった場合（第十六節の**1**の①に規定する特定貸付けができない場合として（3）の政令で定める場合に限る。）において、当該特例農地等について地上権、永小作権、使用貸借による権利又は賃借権の設定（民法第269条の２第１項の地上権の設定を除く。以下この節において「**権利設定**」という。）に基づく貸付け（以下本節において「**営農困難時貸付け**」という。）を行ったときは、当該営農困難時貸付けを行った日から２月以内に、（4）の政令で定めるところにより当該営農困難時貸付けを行っている旨の届出書を納税地の所轄税務署長に提出したときに限り、第四節の**1**《納税猶予の全部打切り》及び第四節の**2**《納税猶予の一部打切り》の規定の適用については、当該営農困難時貸付けを行った特例農地等（以下本節において「**営農困難時貸付特例農地等**」という。）に係る権利設定はなかったものと、農業経営は廃止していないものとみなす。（措法70の６㉘により準用する措法70の４㉒）

（営農困難な状態）

（1）　**1**に規定する政令で定める状態は、第一節の**1**の規定の適用を受ける農業相続人（同**1**に規定する相続税の申告書の提出期限において既に次に掲げる事由が生じていた者（当該提出期限後に新たに当該事由が生じた者並びに(二)の身体障害者手帳の交付を受けている者のうち、当該提出期限後に当該身体障害者手帳に記載された身体上の障害の程度が２級から１級に変更された者及び身体上の障害の程度が１級又は２級である障害が当該身体障害者手帳に新たに記載された者を除く。）を除く。）に次に掲げる事由が生じている状態とする。（措令40の７㊺により準用する措令40の６㊶）

(一)　当該農業相続人が精神保健及び精神障害者福祉に関する法律（昭和25年法律第123号）第45条第２項の規定により精神障害者保健福祉手帳（精神保健及び精神障害者福祉に関する法律施行令（昭和25年政令第155号）第６条第３項に規定する障害等級が１級である者として記載されているものに限る。）の交付を受けていること。

(二)　当該農業相続人が身体障害者福祉法第15条第４項の規定により身体障害者手帳（身体上の障害の程度が１級又は２級である者として記載されているものに限る。）の交付を受けていること。

(三)　当該農業相続人が介護保険法第19条第１項の規定により同項に規定する要介護認定（同項の要介護状態区分が（2）の財務省令で定める区分に該当するものに限る。）を受けていること。

(四)　(一)から(三)に掲げる事由のほか、当該農業相続人が当該提出期限後に農業に従事することを不可能にさせる故障として農林水産大臣が財務大臣と協議して定めるものを有するに至ったことにつき、市町村長又は特別区の区長の認定を受けていること。

（注）　農林水産大臣は第一章第一節の**4**の(四)の規定により基準を定め、又は(四)により故障を定めたときは、これを告示する。（措令40の６㊵）

（要介護状態の区分）

（2）　（1）の(三)に規定する財務省令で定める区分は、要介護認定等に係る介護認定審査会による審査及び判定の基準等に関する省令（平成11年厚生省令第58号）第１条第１項第５号に掲げる区分とする。（措規23の８㉘により準用する措規23の７㉝）

（営農困難時貸付けの意義）

（3）　**1**に規定する特定貸付けができない場合として政令で定める場合は、次に掲げる場合のいずれかに該当する場合とする。（措令40の７㊻により準用する措令40の６㊷）

(一)　**1**の規定の適用を受けようとする特例農地等が農地中間管理事業の推進に関する法律（平成25年法律第101号）第８条第１項の都道府県知事の認可を受けた同法第２条第３項に規定する農地中間管理事業を行う同条第４項に規定する農地中間管理機構が存する場合における当該農地中間管理機構の同条第３項に規定する事業実施地域に存しない場合

(二)　第一節の**1**の規定の適用を受ける農業相続人が第十六節の**1**の①に規定する特定貸付けの申込みを行った日後１年を経過する日までに当該特定貸付けを行うことができなかった場合（当該１年を経過する日まで引き続き当該特定貸付けの申込みを行っている場合に限る。）

第四編　農地等に係る相続税・贈与税の納税猶予及び免除

　　　（届出書の提出）
（4）　1の規定の適用を受けようとする農業相続人は、1に規定する営農困難時貸付特例農地等について1の規定の適用
　　を受けようとする旨及び営農困難時貸付特例農地等に係る営農困難時貸付けに関する事項その他（5）の財務省令で定め
　　る事項を記載した届出書に、（6）の財務省令で定める書類を添付し、これをその行った営農困難時貸付けごとに提出し
　　なければならない。（措令40の7�57により準用する措令40の6㊼）

　　　（届出書の記載事項）
（5）　（4）に規定する財務省令で定める事項は、次に掲げる事項とする。（措規23の8㉘により準用する措規23の7㉞）
　　（一）　届出者の氏名及び住所又は居所
　　（二）　1に規定する営農困難時貸付特例農地等の所在、地番、地目及び面積
　　（三）　1に規定する営農困難時貸付けを行った年月日
　　（四）　当該営農困難時貸付特例農地等を借り受けた者の氏名及び住所若しくは居所又は名称及び本店若しくは主たる事
　　　務所の所在地
　　（五）　当該営農困難時貸付けに係る地上権、永小作権、使用貸借による権利又は賃借権の存続期間
　　（六）　当該営農困難時貸付特例農地等に係る被相続人の氏名及びその死亡の時における住所又は居所並びに当該被相続
　　　人から相続又は遺贈により当該営農困難時貸付特例農地等を取得した年月日
　　（七）　当該営農困難時貸付けが第十六節の1の（二）又は（三）に掲げる貸付けにより行われた場合にあっては、届出者の
　　　生年月日
　　（八）　その他参考となるべき事項

　　　（届出書の添付書類）
（6）　（4）に規定する財務省令で定める書類は、次に掲げる書類とする。（措規23の7㉟）
　　（一）　1の規定の適用を受けようとする農業相続人の精神障害者保健福祉手帳の写し、身体障害者手帳の写し又は介護
　　　保険の被保険者証の写し、当該受贈者が（1）の（四）に規定する市町村長又は特別区の区長の認定を受けていることを
　　　証する当該市町村長又は特別区の区長の書類その他の書類で、第一節の1に規定する相続税の申告書の提出期限後に
　　　当該農業相続人が（1）の各号に掲げる事由のいずれかに該当することとなったこと（当該農業相続人が当該提出期限
　　　後に新たに当該事由が生じた者並びに（1）の（二）の身体障害者手帳の交付を受けている者のうち、当該提出期限後に
　　　当該身体障害者手帳に記載された身体上の障害の程度が2級から1級に変更された者及び身体上の障害の程度が1級
　　　又は2級である障害が当該身体障害者手帳に新たに記載された者である場合には、これらの者に該当することとなっ
　　　たこと）及びその該当することとなった年月日を明らかにする書類
　　（二）　当該農業相続人が行った営農困難時貸付けに係る契約書の写しその他の書類で貸付けの事実及び当該貸付けを行
　　　った年月日を証するもの
　　（三）　当該営農困難時貸付けを行った農業相続人が農地法第3条第1項の許可を受けたこと及び当該許可をした年月日
　　　を証する当該許可をした農業委員会の書類（当該営農困難時貸付けにつき同項の許可を受けることを要しない場合に
　　　は、その旨を証する当該営農困難時貸付けに係る営農困難時貸付農地等の所在地を管轄する農業委員会の書類）
　　（四）　次に掲げる場合の区分に応じそれぞれ次に定める書類
　　イ　当該営農困難時貸付けを行った農地等が（3）の（一）に規定する地域に存する場合　当該農地等について第十六節
　　　の1の①に規定する特定貸付けの申込みを受けた当該地域に係る農地中間管理機構の書類で当該申込みを受けた日
　　　後1年を経過する日まで当該農業相続人から引き続き申込みを受けていたことを証するもの
　　ロ　イに掲げる場合以外の場合　当該営農困難時貸付けを行った農地等がイに規定する地域に存しない旨を証する当
　　　該農地等の所在地に係る市町村長の書類

　　　（1に規定する営農困難時貸付け）
（7）　1に規定する営農困難時貸付けとなった場合において、当該農業相続人が当該特例適用農地等について行った次の
　　（一）又は（二）に掲げるいずれかの貸付けをいうことに留意する。（70の6−74により準用する措通70の4−80）
　　（一）　特例適用農地等が（3）の（一）に規定する地域に存しない場合における貸付け
　　（二）　第十六節の1の①に規定する特定貸付けの申込みを行った日後1年を経過する日までに当該特定貸付けを行うこと
　　　ができなかった場合（当該特定貸付けの申込みを当該1年を経過する日まで引き続き行っている場合に限る。）における
　　　当該特定貸付け以外の地上権、永小作権、使用貸借による権利又は賃借権の設定（以下（16）までにおいて「権利設定」
　　　という。）に基づく貸付け

－902－

第二章　農地等についての相続税の納税猶予及び免除等
（第十節　営農困難時貸付けの特例）

(注)　農業経営基盤強化促進法等の一部を改正する法律（令和４年法律第56号）附則第５条第１項の規定によりなお従前の例により同項に規定する同意市町村が同項の農用地利用集積計画を定めることができる場合には、租税特別措置法施行令等の一部を改正する政令（令和４年政令第148号）による改正前の措置法令第40条の７第56項の規定は、なおその効力を有することに留意する。

（農業相続人の農業の用に供することが困難な状態となった場合）

（８）　１に規定する農業相続人の農業の用に供することが困難な状態となった場合として、（１）に定める状態とは、次に掲げる状態をいうことに留意する。（措通70の６－75により準用する措通70の４－81）

（一）　第一節の１に規定する相続税の申告書の提出期限（以下「相続税の申告書の提出期限」という。）後において、農業相続人に（１）の（一）から（四）に規定する事由が生じたこと

（二）　農業相続人が相続税の申告書の提出期限において既に身体上の障害の程度が２級である者として記載のある身体障害者手帳の交付を受けていた場合で、当該相続税の申告書の提出期限後に、当該身体障害者手帳に記載された身体上の障害の程度が１級に変更されたこと

（三）　農業相続人が相続税の申告書の提出期限において既に身体上の障害の程度が１級又は２級である者として記載のある身体障害者手帳の交付を受けていた場合で、当該相続税の申告書の提出期限後に、その障害とは別に身体上の障害の程度が１級又は２級である障害が当該身体障害者手帳に新たに記載されたこと

（四）　農業相続人が相続税の申告書の提出期限において既に（１）の各号に掲げる事由が生じていた場合で、当該相続税の申告書の提出期限後に、新たに当該農業相続人に（１）の各号に掲げる事由が生じたこと

（営農困難時貸付けを行う特例農地等の単位）

（９）　１の規定は、特例農地等の一部について貸付けを行う場合でも適用があることに留意する。（措通70の６－76）

（営農困難時貸付けの対象から除かれる特例農地等）

（10）　営農困難時貸付けの対象となる特例農地等には、次に掲げるものは含まれないことに留意する。（措通70の６－77）

（一）　第五節の１の規定の適用を受ける特例農地等

（二）　第六節の１に規定する貸付特例適用農地等又は借受代替農地等

（三）　一時的道路用地等の用に供するために第九節の１に規定する地上権等の設定（以下(10)において「地上権等の設定」という。）に基づく貸付けの対象となっている特例農地等（農業相続人が営農困難時貸付けを行っていた特例農地等の全部又は一部を一時的道路用地等の用に供するために営農困難時貸付けに係る地上権、永小作権、使用貸借による権利又は賃借権を消滅させ、一時的道路用地等の用に供するために地上権等の設定に基づく貸付けを行っている特例農地等で、同項に規定する貸付期限が到来したものを除く。）

（四）　第十六節の１の①の規定の適用を受ける特例農地等

（五）　第十七節の１の規定の適用を受ける特例農地等

（営農困難時貸付けが行われている特例農地等について相続税の課税価格の計算の基礎に算入すべき価額）

（11）　１の規定の適用を受ける１に規定する農業相続人が死亡した場合において、営農困難時貸付けが行われている特例農地等の相続税の課税価格の計算の基礎に算入すべき価額は、当該農業相続人の死亡の日における貸付けの態様に応じた当該特例農地等の時価によることに留意する。（措通70の６－78）

(注)　営農困難時貸付けが行われていた特例農地等について、農業相続人の死亡の日前までに２に規定する耕作の放棄又は２に規定する権利消滅があった場合において、当該農業相続人の死亡の日において新たな営農困難時貸付けが行われていないときにおける特例農地等の相続税の課税価格の計算の基礎に算入すべき価額は、当該農業相続人の死亡の日における当該特例農地等の時価によることに留意する。

（特定貸付けの申込みを行った日後１年を経過する日までに当該特定貸付けを行うことができなかった場合）

（12）　（３）の（二）に規定する「特定貸付けの申込みを行った日後１年を経過する日までに当該特定貸付けを行うことができなかった場合」とは、（３）の（一）に規定する地域にある特例農地等について、（３）の（一）に規定する農地中間管理機構に対し、当該特例農地等に係る第十六節の１の①に規定する特定貸付けの申込みが当該貸付けの申込みを行った日後１年を経過する日まで継続して行われていたが、同日において当該特定貸付けの申込みによる特定貸付けができない場合をいうことに留意する。（措通70の６－79により準用する措通70の４－84）

(注)　上記については、農業経営基盤強化促進法等の一部を改正する法律（令和４年法律第56号）附則第５条第１項の規定によりなお従前の例により同項に規定する同意市町村が同項の農用地利用集積計画を定めることができる場合において、租税特別措置法施行令等の一部を改正する政令（令和４年政令第148号）による改正前の措置法令第40条の６第52項第１号ロに規定する利用権設定等促進事業を行っている市町村に対する所得税法等の一部を改正する法律（令和４年法律第４号）による改正前の措置法第70条の４の２第１項第２号に掲げる貸付けの申込みにつ

－903－

第四編　農地等に係る相続税・贈与税の納税猶予及び免除

いても同様であることに留意する。

　　この場合において、当該特例適用農地等の所在が当該改正前の措置法令第40条の6第52項第1号イ又はロに掲げる地域又は区域の2以上に該当する場合には、該当する同号に掲げる農地中間管理機構又は利用権設定等促進事業を行っている市町村の全てに対して貸付けの申込みが行われていなければならないことに留意する。

　（営農困難時貸付農地等が第一章第十八節の1の規定により相続又は遺贈により取得したものとみなされる場合）

(13)　第一章第十節の1の規定の適用を受ける同1に規定する受贈者に係る贈与者が死亡し、同1に規定する営農困難時貸付農地等が第一章第十八節の1の規定により相続又は遺贈により取得したものとみなされる場合において、当該営農困難時貸付農地等につき第一節の1の規定の適用を受けるときには、次に掲げるものを除き、当該営農困難時貸付農地等は、営農困難時貸付けが行われている特例農地等として取り扱う。（措通70の6−80）

　(一)　当該受贈者に係る贈与者の死亡の日後、第一節の1に規定する相続税の申告書の提出期限までに当該受贈者の農業の用に供された当該営農困難時貸付農地等

　(二)　当該贈与者の死亡に係る相続税の申告において第十六節の2の(5)の規定により読み替えて適用する第十六節の1の①の規定の適用を受ける当該営農困難時貸付農地等

　(三)　当該贈与者の死亡に係る相続税の申告において第十八節の4の(1)の規定により読み替えて適用する第十七節の1の規定の適用を受ける当該営農困難時貸付農地等

　（第一章第十節の1に規定する営農困難時貸付農地等に耕作の放棄又は権利消滅があった後に贈与者が死亡した場合）

(14)　第一節の1の規定の適用を受けようとする特例農地等が第一章第十八節の1の規定により相続又は遺贈により取得したものとみなされたものである場合において、当該取得をしたものとみなされる基因となった贈与者の死亡の日前1年以内に、当該特例農地等のうち第一章第十節の1に規定する営農困難時貸付けを行っていた同1に規定する営農困難時貸付農地等につき同第十節の2の耕作の放棄又は権利消滅があったとき（当該営農困難時貸付農地等に係る農業相続人が当該営農困難時貸付農地等について同2の(三)の税務署長の承認を受けているとき、又は当該税務署長の承認を受けていない場合で当該贈与者の死亡の日前2月以内に同2の耕作の放棄又は権利消滅があったときに限る。）における当該営農困難時貸付農地等（既に同2の規定により同2の(二)又は同2の(四)の届出書が提出されたものを除く。）に係る本章の規定の適用については、4の(9)に定めるところによることに留意する。

　　この場合において、同(9)の(一)のロに規定する書類を同(9)に規定する相続税の申告書に添付して提出した農業相続人が当該耕作の放棄又は権利消滅があった日の翌日から1年を経過する日までに新たな1に規定する営農困難時貸付けを行っていないとき又は当該農業相続人の農業の用に供していないときは、同日において2の(四)の規定により権利設定があったものとみなされ、当該耕作の放棄又は権利消滅があった営農困難時貸付農地等のうち同日までに新たな1に規定する営農困難時貸付けを行っていない部分又は当該農業相続人の農業の用に供していない部分について相続税の納税猶予の期限が確定することに留意する。（措通70の6−81）

　（贈与者の死亡後に耕作の放棄又は権利消滅があった場合）

(15)　第一節の1の規定の適用を受けようとする特例農地等が第一章第十八節の1の規定により相続又は遺贈により取得をしたものとみなされたものである場合において、当該取得をしたものとみなされる基因となった贈与者の死亡の日から当該贈与者の死亡に係る相続税の申告期限までの間に、当該特例農地等のうち第一章第十節の1に規定する営農困難時貸付けを行っていた同1に規定する営農困難時貸付農地等につき同第十節の2の耕作の放棄又は同2の権利消滅があったときにおける当該営農困難時貸付農地等に係る本章の規定の適用については、当該贈与者の死亡に係る第一節の1に規定する相続税の申告書に次の(一)又は(二)に掲げる場合の区分に応じそれぞれ(一)又は(二)に定める書類を添付したときに限り、当該営農困難時貸付農地等は1に規定する営農困難時貸付農地等と、当該耕作の放棄又は権利消滅は2の耕作の放棄又は権利消滅と、当該農業相続人は2の(三)の税務署長の承認を受けたものとして取り扱う。（措通70の6−82）

　(一)　当該営農困難時貸付農地等について、当該相続税の申告書の提出期限までに新たな1に規定する営農困難時貸付けを行った場合　　2の(四)の届出書（当該提出期限前2月以内に1に規定する営農困難時貸付けを行った場合で、当該提出期限までに当該届出書を提出できないときは、当該営農困難時貸付けを行った日その他4の(10)の(一)に掲げる事項を記載した書類）

　(二)　当該営農困難時貸付農地等について、耕作の放棄又は権利消滅があった日から1年を経過する日までに新たな1に規定する営農困難時貸付けを行う見込みである場合　　当該新たな営農困難時貸付けを行う予定年月日その他4の

−904−

第二章　農地等についての相続税の納税猶予及び免除等
（第十節　営農困難時貸付けの特例）

(11)に掲げる事項を記載した書類

（営農困難時貸付けに係る権利設定に関する届出書）

(16)　**1**に規定する届出書は、営農困難時貸付けを行ったごとに提出しなければならないのであるから、例えば、営農困難時貸付けを行った日において二以上の契約又は農用地利用集積計画の定めるところにより営農困難時貸付けを行っている場合には、それぞれの契約又は農用地利用集積計画ごとに当該届出書を提出しなければならないことに留意する。（措通70の6－83により準用する措通70の4－85）

(注)　**2**の(二)に規定する届出書及び**2**の(四)に規定する届出書の提出も同様であることに留意する。

（**1**の権利設定があった場合の第一節の**1**の担保）

(17)　特例適用農地等が第一節の**1**に規定する担保に提供されている場合において、その特例適用農地等につき**1**に規定する権利設定があったときにおいても、その担保を提供した受贈者に対して国税通則法第51条第1項に規定する増担保の提供等を命ずる必要はないことに留意する。（措通70の6－85により準用する措通70の4－87）

（新たな営農困難時貸付けを行うときの特定貸付けの申込みを継続して行う期間）

(18)　営農困難時貸付けを行っている特例農地等について耕作の放棄又は権利消滅があった場合において、当該特例農地等につき新たな営農困難時貸付けを行うときの(3)の(二)に規定する第十六節の**1**の①に規定する特定貸付けの申込みを継続して行う期間については、当該特定貸付けの申込みを行った日後1月を経過する日までであることに留意する。（措通70の6－86により準用する措通70の4－88）

(注)　一時的道路用地等の用に供されていた特例農地等について**4**の(5)において準用する第九節の**1**に規定する貸付限度の到来により当該特例農地等につき新たな営農困難時貸付けを行うときの当該特定貸付けの申込みを継続して行う期間も同様であることに留意する。

2　権利消滅の場合の納税猶予の継続等

　1の規定の適用を受ける営農困難時貸付特例農地等につき耕作の放棄又は地上権、永小作権、使用貸借による権利若しくは賃借権の消滅（以下本節において「**権利消滅**」という。）があった場合には、当該営農困難時貸付特例農地等（当該営農困難時貸付特例農地等のうち耕作の放棄又は権利消滅があった部分に限る。以下**2**において同じ。）に係る第四節の**1**《納税猶予の全部打切り》及び第四節の**2**《納税猶予の一部打切り》の規定の適用については、次の(一)から(五)（当該営農困難時貸付特例農地等に係る耕作の放棄があった場合には、(一)を除く。）に定めるところによる。（措法70の6㉘により準用する措法70の4㉓）

(一)　当該権利消滅があった時において、当該営農困難時貸付特例農地等についての権利設定があったものとみなす。

(二)　当該営農困難時貸付特例農地等について、新たな営農困難時貸付けを行った場合又は**1**の規定の適用を受ける農業相続人の農業の用に供した場合において、当該耕作の放棄又は権利消滅があった日から2月以内に、(1)の政令で定めるところにより新たな営農困難時貸付けを行っている旨又は当該農業相続人の農業の用に供している旨その他の(2)の財務省令で定める事項を記載した届出書を納税地の所轄税務署長に提出したときに限り、当該営農困難時貸付特例農地等のうち、新たな営農困難時貸付けを行った部分又は農業相続人の農業の用に供した部分については、当該耕作の放棄又は(一)の権利設定及び新たな営農困難時貸付けに係る権利設定はなかったものと、農業経営は廃止していないものとみなす。

(三)　**1**の規定の適用を受ける農業相続人が当該耕作の放棄又は権利消滅があった日の翌日から1年を経過する日（(五)において「**延長期日**」という。）までに新たな営農困難時貸付けを行う見込みであることにつき、(4)の政令で定めるところにより当該耕作の放棄又は権利消滅があった日から2月以内に納税地の所轄税務署長に承認の申請をした場合において、当該税務署長の承認を受けたときに限り、当該承認に係る営農困難時貸付特例農地等については、当該耕作の放棄及び(一)の権利設定はなかったものと、農業経営は廃止していないものとみなす。

(四)　(三)の承認を受けた農業相続人が、当該承認に係る営農困難時貸付特例農地等について、新たな営農困難時貸付けを行った場合又は当該農業相続人の農業の用に供した場合において、これらの場合に該当することとなった日から2月以内に、(8)の政令で定めるところにより新たな営農困難時貸付けを行っている旨又は当該農業相続人の農業の用に供している旨その他の(9)の財務省令で定める事項を記載した届出書を納税地の所轄税務署長に提出しなければならない。この場合において、当該営農困難時貸付特例農地等のうち、新たな営農困難時貸付けを行った部分については、新たな営農困難時貸付けに係る権利設定はなかったものと、農業経営は廃止していないものとみなす。

(五)　(三)の承認に係る営農困難時貸付特例農地等のうち、(四)の規定による届出書に係る部分以外の部分にあっては(三)の承認に係る延長期日において、延長期日前に農業相続人の農業の用に供した場合（(四)の届出書の提出がなかっ

－905－

第四編 農地等に係る相続税・贈与税の納税猶予及び免除

た場合に限る。）における当該農業相続人の農業の用に供した部分にあっては当該農業相続人の農業の用に供した日において、それぞれ権利設定があったものとみなす。

（届出書の提出）
（1） 2（（二）に係る部分に限る。）の規定の適用を受けようとする農業相続人は、同（二）に規定する事項を記載した届出書に、（2）の財務省令で定める書類を添付し、これを新たに行った営農困難時貸付けごと又は当該農業相続人の農業の用に供した部分ごとに提出しなければならない。（措令40の7�57により準用する措令40の6�54）

（届出書の記載事項）
（2） 2の（二）に規定する財務省令で定める事項は、次の（一）（二）に掲げる場合の区分に応じ当該（一）（二）に定める事項とする。（措規23の8㉘により準用する措規23の7㊱）
（一） 2（2の（二）に係る部分に限る。）の規定の適用を受けようとする農業相続人が同（二）の新たな営農困難時貸付けを行った場合　その旨及び2の規定の適用を受けようとする旨並びに次に掲げる事項
　イ　届出者の氏名及び住所又は居所
　ロ　第四節の1の（一）に規定する耕作の放棄（以下「**耕作の放棄**」という。）又は2に規定する権利消滅があった年月日
　ハ　当該耕作の放棄又は権利消滅があった営農困難時貸付特例農地等の所在、地番、地目及び面積
　ニ　ハの営農困難時貸付特例農地等のうち当該新たな営農困難時貸付けを行ったものの所在、地番、地目及び面積
　ホ　当該新たな営農困難時貸付けに関する1の（5）の（三）から（五）までに掲げる事項
　ヘ　1の（5）の（五）に規定する存続期間の満了前に権利消滅があった場合には、その旨及び当該権利消滅があった事情の詳細
　ト　1の（5）の（六）に掲げる事項
　チ　その他参考となるべき事項
（二） 2（2の（二）に係る部分に限る。）の規定の適用を受けようとする農業相続人がその農業の用に供した場合　その旨及び次に掲げる事項
　イ　（一）のイからハまで、ヘ及びトに掲げる事項
　ロ　当該農業相続人の農業の用に供した営農困難時貸付特例農地等の用に供されていた特例農地等の所在、地番、地目及び面積
　ハ　2の（二）に規定する届出書の提出の時における当該営農困難時貸付特例農地等の用に供されていた特例農地等の利用状況
　ニ　当該農業相続人の農業の用に供した年月日
　ホ　当該農業相続人が当該営農困難時貸付特例農地等の用に供されていた特例農地等について当該農業相続人の農業の用に供することが困難な状態でなくなった事情の詳細
　ヘ　その他参考となるべき事項

（届出書の添付書類）
（3） （1）に規定する財務省令で定める書類は、次の（一）（二）に掲げる場合の区分に応じ当該（一）（二）に定める書類とする。（措規23の8㉘により準用する措規23の7㊲）
（一） （2）の（一）に掲げる場合　次に掲げる場合の区分に応じそれぞれ次に定める書類
　イ　2（2の（二）に係る部分に限る。）の規定の適用を受けようとする農業相続人が行った新たな営農困難時貸付けが第十六節の1の①の各号に掲げる貸付けにより行われた場合　1の（6）の（一）に定める書類
　ロ　イに掲げる場合以外の場合　次に掲げる書類
　　①　1の（6）の（二）のイからハまでに掲げる書類
　　②　当該新たな営農困難時貸付けを行った特例農地等が存する次に掲げる地域又は区域の区分に応じそれぞれ次に定める書類
　　　（ⅰ）　1の（6）の（二）のニの①に掲げる地域　当該新たな営農困難時貸付けを行った特例農地等について第十六節の1の①の（一）に掲げる貸付けの申込みを受けた当該地域に係る農地中間管理機構の書類で当該申込みを受けた日以後1月を経過する日まで農業相続人から引き続き申込みを受けていたことを証するもの
　　　（ⅱ）　1の（6）の（二）のニの②に掲げる区域　当該新たな営農困難時貸付けを行った特例農地等について第十六節の1の①の（二）に掲げる貸付けの申込みを受けた当該区域に係る市町村長の書類で当該申込みを受けた日

－906－

第二章　農地等についての相続税の納税猶予及び免除等
（第十節　営農困難時貸付けの特例）

　　　以後1月を経過する日まで農業相続人から引き続き申込みを受けていたことを証するもの
　　③　当該営農困難時貸付けを行った特例農地等が②の（ⅰ）及び（ⅱ）に掲げる地域又は区域のいずれにも存しない場
　　　合には、その旨を証する当該特例農地等の所在地に係る市町村長の書類
　（二）　（2）の（二）に掲げる場合　　その旨を証する営農困難時貸付特例農地等の用に供されていた特例農地等の所在地
　　　を管轄する農業委員会の書類

　　　（申請書の提出）
（4）　2の（三）の税務署長の承認を受けようとする農業相続人は、営農困難時貸付特例農地等について2（同（三）に係る
　　部分に限る。）の規定の適用を受けようとする旨並びに同（三）の耕作の放棄又は権利消滅があった日から2月以内に新た
　　な営農困難時貸付けを行うことができない事情及び当該営農困難時貸付特例農地等について新たな営農困難時貸付けを
　　行う予定年月日その他（5）の財務省令で定める事項を記載した申請書に、（6）の財務省令で定める書類を添付し、これ
　　を当該耕作の放棄又は権利消滅があった日から2月以内に納税地の所轄税務署長に提出しなければならない。（措令40
　　の7�57により準用する措令40の6�55）

　　　（申請書の記載事項）
（5）　（4）に規定する財務省令で定める事項は、次に掲げる事項とする。（措規23の8㉘により準用する措規23の7㊳）
　（一）　申請者の氏名及び住所又は居所
　（二）　（2）の（一）のロ、ハ、ヘ及びトに掲げる事項
　（三）　2の（三）の承認に係る営農困難時貸付特例農地等の所在、地番、地目及び面積
　（四）　その他参考となるべき事項

　　　（申請書の添付書類）
（6）　（4）に規定する財務省令で定める書類は、次に掲げる書類とする。（措規23の8㉘により準用する措規23の7㊴）
　（一）　耕作の放棄又は権利消滅があった営農困難時貸付特例農地等が存する次に掲げる地域又は区域の区分に応じそれ
　　　ぞれ次に定める書類
　　イ　1の（6）の（二）のニの①に掲げる地域　　当該営農困難時貸付特例農地等について農業相続人から第十六節の1
　　　の①の（一）に掲げる貸付けの申込みを受けた当該地域に係る農地中間管理機構の書類で当該申込みを受けたことを
　　　証するもの
　　ロ　1の（6）の（二）のニの②に掲げる区域　　当該営農困難時貸付特例農地等について農業相続人から第十六節の1
　　　の①の（二）に掲げる貸付けの申込みを受けた当該区域に係る市町村長の書類で当該申込みを受けたことを証するも
　　　の
　（二）　耕作の放棄又は権利消滅があった営農困難時貸付特例農地等が（一）のイ及びロに掲げる地域又は区域のいずれに
　　　も存しない場合には、その旨を証する当該営農困難時貸付特例農地等の所在地に係る市町村長の書類

　　　（申請に対する承認又は却下）
（7）　第七節の2の規定は、（4）の規定による申請書の提出があった場合について準用する。（措令40の7�57により準用す
　　る措令40の6�56）

　　　（届出書の提出）
（8）　（1）の規定は、2（（四）に係る部分に限る。）の規定の適用を受けようとする農業相続人が同（四）の届出書の提出を
　　する場合について準用する。（措令40の7�57により準用する措令40の6�57）

　　　（届出書の添付書類）
（9）　（2）及び（3）の規定は、2の（四）の届出書の記載事項及び（8）において準用する（6）の届出書に添付する書類につ
　　いて準用する。（措規23の8㉘により準用する措規23の7㊵）

　　　（新たな営農困難時貸付けを第十六節の1の①に規定する特定貸付けで行った場合）
（10）　営農困難時貸付けを行っている特例農地等に耕作の放棄又は権利消滅があった場合において、当該特例農地等に係
　　る新たな営農困難時貸付けを第十六節の1の①に規定する特定貸付けにより行ったときでも、当該貸付けは1の規定が
　　適用される営農困難時貸付けであることに留意する。（措通70の6-87）

－907－

第四編　農地等に係る相続税・贈与税の納税猶予及び免除

（営農困難時貸付けを適用した後に営農困難な状態が解消した場合）
(11)　　1の規定の適用を受ける農業相続人について、営農困難時貸付特例農地等につき耕作の放棄又は権利消滅の前に、当該営農困難時貸付特例農地等を当該農業相続人の農業の用に供することが困難な状態が解消した場合であっても、その相続税の納税猶予の期限は確定しないことに留意する。
　　　なお、当該営農困難時貸付特例農地等を当該農業相続人の農業の用に供することが困難な状態が解消された後に、当該営農困難時貸付特例農地等につき耕作の放棄又は権利消滅があった場合には、同1の規定の適用がなく、当該営農困難時貸付特例農地等を当該農業相続人の農業の用に供しないときは、その相続税の納税猶予税額の全部又は一部について納税猶予の期限が確定することに留意する。（措通70の6－89により準用する措通70の4－90）

（営農困難時貸付特例農地等につき耕作の放棄又は権利消滅があった後に農業相続人が死亡した場合）
(12)　　1の規定の適用を受ける営農困難時貸付特例農地等につき耕作の放棄又は権利消滅があったときにおいて、次の(一)又は(二)に掲げる場合には、当該耕作の放棄又は権利消滅があった営農困難時貸付特例農地等に係る納税猶予期限は確定せず、第十三節の1の規定により相続税は免除されることに留意する。
　　　なお、(二)の場合において、当該農業相続人の死亡の日前に新たな営農困難時貸付けを行った部分又は当該農業相続人の農業の用に供した部分に係る2の(四)に規定する届出書がその提出期限（当該農業相続人の死亡の日前に提出期限が到来しているものに限る。）までに提出されていない部分については猶予期限は確定していることに留意する。（措通70の6－90により準用する措通70の4－91）
(一)　　耕作の放棄又は権利消滅があった日から2月以内に当該営農困難時貸付特例農地等に係る農業相続人が死亡した場合
(二)　　2の(三)に規定する税務署長の承認を受け、耕作の放棄又は権利消滅があった日から1年を経過する日までに、当該営農困難時貸付特例農地等に係る農業相続人が死亡した場合
　(注)　上記(一)又は(二)の場合において、耕作の放棄又は権利消滅があったときから農業相続人の死亡の日までの間に、当該耕作の放棄又は権利消滅があった営農困難時貸付特例農地等について新たな営農困難時貸付けを行ったとき又は当該農業相続人の農業の用に供したときであっても、2の(二)又は2の(四)に規定する届出書の提出は要しないことに留意する。

（営農困難時貸付けを行った準農地）
(13)　　第一節の1の規定の適用を受ける同1に規定する準農地について営農困難時貸付けが行われた場合に、当該準農地の相続又は遺贈に係る相続税の申告書の提出期限後10年を経過する日において、当該準農地のうち農地又は採草放牧地として当該営農困難時貸付けにより当該準農地を借り受けた者（農地中間管理事業の推進に関する法律（平成25年法律第101号）第2条第3項に規定する農地中間管理事業を行う同条第4項に規定する農地中間管理機構又は農業経営基盤強化促進法第4条第3項に規定する農地利用集積円滑化事業を行う者から当該準農地を借り受けた者を含む。）の農業の用に供されていないものがあるときは、当該農業の用に供されていない準用地の価額に対応する部分に相当する相続税については、当該10年を経過する日の翌日から2月を経過する日が納税猶予の期限となることに留意する。（措通70の6－91により準用する措通70の4－93）

3　ゆうじょ規定
　　1の届出書が1の営農困難時貸付けを行った日から2月以内に提出されなかった場合、2の(二)の届出書若しくは2の(三)の承認の申請に係る書類が2の耕作の放棄若しくは権利消滅があった日から2月以内に提出されなかった場合又は2の(四)の届出書が同(四)のこれらの場合に該当することとなった日から2月以内に提出されなかった場合においても、これらの規定に規定する税務署長がこれらの期限内にその提出がなかったことについてやむを得ない事情があると認める場合において、(1)の政令で定めるところによりこれらの書類が当該税務署長に提出されたときは、これらの書類がこれらの期限内に提出されたものとみなす。（措法70の6㉘により準用する措法70の4㉔）

（届出書の提出等）
(1)　　3の規定により提出する1の届出書、2の(二)の届出書若しくは2の(三)の承認の申請に係る書類又は2の(四)の届出書には、それぞれ1の(4)に規定する事項、2の(1)に規定する事項若しくは2の(4)に規定する事項又は2の(8)において準用する2の(1)に規定する事項のほか、これらの書類を1に規定する期限、2の(二)に規定する期限若しくは2の(三)に規定する期限又は2の(四)に規定する期限までに提出することができなかった事情の詳細を記載し、かつ、1の(6)の財務省令で定める書類、2の(3)の財務省令で定める書類若しくは2の(6)の財務省令で定める書類又は2の(9)の財務省令で定める書類を添付しなければならない。（措令40の7�57により準用する措令40の6㊽）

－908－

第二章　農地等についての相続税の納税猶予及び免除等
（第十節　営農困難時貸付けの特例）

4　その他

　　　（継続届出書の提出）
（1）　1の規定の適用を受ける農業相続人に係る第十二節の1の届出書の提出その他1、2及び3の規定の適用に関し必
　　要な事項は、（2）の政令で定める。（措法70の6㉘により準用する措法70の4㉕）

　　　（継続届出書の記載）
（2）　1の規定の適用を受ける農業相続人が、第十二節の1の規定により提出する同1の届出書には、第十二節の2に規
　　定する事項のほか、1に規定する営農困難時貸付特例農地等に係る1に規定する営農困難時貸付けに関する事項その他
　　（3）の財務省令で定める事項を記載しなければならない。（措令40の7�59）

　　　（継続届出書の記載事項）
（3）　（2）に規定する財務省令で定める事項は、引き続いて1の規定の適用を受けたい旨及び営農困難時貸付特例農地等
　　に係る営農困難時貸付けに関する事項で次に掲げるものとする。（措規23の8㉛により準用する措規23の7㊵）
　　（一）　1の（5）の（二）から（五）までに掲げる事項
　　（二）　当該営農困難時貸付特例農地等について引き続き営農困難時貸付けを行っている旨

　　　（営農困難時貸付けに基づき借り受けた者に引き続き貸し付けている場合）
（4）　1の規定の適用を受ける営農困難時貸付特例農地等に係る1に規定する営農困難時貸付けを行った農業相続人が当
　　該営農困難時貸付けを行った後当該営農困難時貸付特例農地等を当該営農困難時貸付けに基づき借り受けた者に引き続
　　き貸し付けている場合における当該農業相続人に係る第一節の1及び第四節の2の規定の適用については、第一節の1
　　の（一）中「が当該特例農地等」とあるのは「又は第28項において準用する第一章第十節の1の規定の適用を受ける同項
　　に規定する営農困難時貸付特例農地等を第28項に規定する営農困難時貸付けに基づき借り受けた者（農地中間管理事業
　　の推進に関する法律第2条第4項に規定する農地中間管理機構が当該借り受けた者である場合には、当該農地中間管理
　　機構から借り受けた者。第七項において同じ。）が当該特例農地等」と、「（以下本章）」とあるのは「（第十節の1におい
　　て準用する第一章第十節の1の規定の適用を受ける第十節の1に規定する営農困難時貸付けが行われている同1におい
　　て準用する第一章第十節の1に規定する営農困難時貸付特例農地等の当該農業相続人による当該譲渡、贈与、転用若し
　　くは設定又は消滅に伴う当該営農困難時貸付けに係る地上権、永小作権、使用貸借による権利又は賃借権の消滅を除く。
　　以下本章」と、「に係る土地を含む」とあるのは「及び第十節の1において準用する第一章第十節の1の規定の適用を受
　　ける第十節の1に規定する営農困難時貸付特例農地等に係る土地を含む」と、同2中「農業相続人の農業の用」とある
　　のは「農業相続人の農業の用（第十節の1において準用する第一章第十節の1の規定の適用を受ける農業相続人にあっ
　　ては、第十節の1に規定する営農困難時貸付けに基づき当該準農地を借り受けた者の農業の用を含む。）」とする。（措令
　　40の7�60）

　　　（一時的道路用地等の用に供するために貸付けを行った場合）
（5）　第九節《一時的道路用地等の用に供するための地上権等の設定》の規定は、1に規定する営農困難時貸付けを行っ
　　た農業相続人が、当該営農困難時貸付けに係る特例農地等の全部又は一部について、一時的道路用地等の用に供するた
　　めに当該営農困難時貸付けに係る地上権、永小作権、使用貸借による権利又は賃借権を消滅させ、かつ、当該一時的道
　　路用地等の用に供するために地上権等の設定に基づき貸付けを行った場合について準用する。この場合において、第九
　　節の1中「農業の用に供する」とあるのは「農業の用に供し、又は当該特例農地等について第十節の1において準用す
　　る第一章第十節の1の規定により第十節の1に規定する営農困難時貸付けを行う」と、第九節の1の（一）中「地上権等
　　の設定」とあるのは「第十節の1に規定する営農困難時貸付けに係る地上権、永小作権、使用貸借による権利又は賃借
　　権の消滅及び地上権等の設定」と、第九節の1の（二）中「場合」とあるのは「場合又は第十節の1において準用する第
　　一章第十節の1の規定により同1に規定する営農困難時貸付けを行っていない場合」と、「供していない部分」とあるの
　　は「供している部分及び当該営農困難時貸付けを行っている部分以外の部分」と読み替えるものとする。（措令40の7�61）

　　　（新たな営農困難時貸付けを行う場合）
（6）　2の耕作の放棄若しくは権利消滅があった営農困難時貸付特例農地等について新たな1に規定する営農困難時貸付
　　けを行う場合又は（5）において準用する第九節の1に規定する貸付期限の到来により一時的道路用地等の用に供されて
　　いた特例農地等について当該営農困難時貸付けを行う場合における1の（3）において準用する第一章第十節の1の（3）

－909－

第四編　農地等に係る相続税・贈与税の納税猶予及び免除

の規定の適用については、同（3）の（二）中「1年」とあるのは、「1月」とする。（措令40の7⑥）

　　　（農業相続人が死亡した場合）
（7）　1の規定の適用を受ける農業相続人が死亡した場合における当該農業相続人の相続人に係る第一節の1の規定の適用については、営農困難時貸付けを行った特例農地等は、当該農業相続人がその死亡の日まで農業の用に供していたものとみなす。（措法70の6㉙）

　　　（受贈者が死亡した場合の準用）
（8）　（7）の規定は、第一章第十節の1の規定の適用を受ける同1に規定する受贈者が死亡した場合及び同1の規定の適用を受ける同1に規定する受贈者に係る第一章第一節の1に規定する贈与者が死亡し、第一章第十節の1に規定する営農困難時貸付特例農地等が第一章第十八節の1の規定により相続又は遺贈により取得されたものとみなされる場合について準用する。（措法70の6㉚）

　　　（贈与者が死亡した場合の営農困難時貸付け特例の適用）
（9）　第一節の1の規定の適用を受けようとする特例農地等が第一章第十八節の1の規定により相続又は遺贈により取得をしたものとみなされたものである場合において、当該取得をしたものとみなされる基因となった第一章第一節の1に規定する贈与者（（一）において「贈与者」という。）の死亡の日前1年以内に、当該特例農地等のうち第一章第十節の1に規定する営農困難時貸付けを行っていた同1に規定する営農困難時貸付農地等（以下「**営農困難時貸付農地等**」という）につき第一章第十節の2の耕作の放棄又は権利消滅があったとき（当該営農困難時貸付農地等に係る農業相続人が当該営農困難時貸付農地等について同2の（三）の税務署長の承認を受けているとき、又は当該税務署長の承認を受けていない場合で当該贈与者の死亡の日前2月以内に同2の耕作の放棄若しくは権利消滅があったときに限る。）における当該営農困難時貸付農地等（既に同2の規定により同2の（二）又は（四）の届出書が提出されたものを除く。）に係る本章の適用については、次に定めるところによる。（措令40の7㊽）
（一）　当該贈与者の死亡に係る第一節の1に規定する相続税の申告書（以下「**相続税の申告書**」という。）に次のイ又はロに掲げる場合の区分に応じそれぞれイ又はロに定める書類を添付したときに限り、当該営農困難時貸付農地等は1に規定する営農困難時貸付特例農地等と、第一章第十節の2の耕作の放棄又は権利消滅は2の耕作の放棄又は権利消滅と、当該農業相続人は2の（三）の税務署長の承認を受けたものとみなす。
　　イ　当該営農困難時貸付農地等について、当該相続税の申告書の提出期限までに新たな1に規定する営農困難時貸付けを行った場合又は当該営農困難時貸付農地等に係る農業相続人の農業の用に供した場合　　2の（四）の届出書（当該提出期限前2月以内にこれらの場合に該当することとなった場合で、当該提出期限までに当該届出書を提出できないときは、これらの場合に該当することとなった日その他(10)の財務省令で定める事項を記載した書類）
　　ロ　当該営農困難時貸付農地等について、第一章第十節の2の耕作の放棄又は権利消滅があった日から1年を経過する日までに新たな1に規定する営農困難時貸付けを行う見込みである場合　　当該新たな営農困難時貸付けを行う予定年月日その他(11)の財務省令で定める事項を記載した書類
（二）　（一）の規定により相続税の申告書に添付して提出した（一）のイに定める届出書は、2の（四）に規定する期限内に提出されたものとみなす。

　　　（明細書の記載事項）
(10)　（9）の（一）のイに規定する財務省令で定める事項は、次に掲げる場合の区分に応じそれぞれに定める事項とする。（措規23の8㉙）
（一）　（9）の農業相続人が新たな1に規定する営農困難時貸付けを行った場合　　1の規定の適用を受けようとする旨及び次に掲げる事項
　　イ　（9）の（一）に規定する相続税の申告書を提出する者の氏名及び住所又は居所
　　ロ　第一章第四節の1の（一）に規定する耕作の放棄（ハにおいて「耕作の放棄」という。）があった年月日又は第一章第十節の2に規定する権利消滅（ハにおいて「権利消滅」という。）があった年月日
　　ハ　当該耕作の放棄又は権利消滅があった（9）に規定する営農困難時貸付農地等の所在、地番、地目及び面積
　　ニ　営農困難時貸付農地等に係る新たな営農困難時貸付けを行った年月日
　　ホ　2の（四）の届出書の提出予定年月日
　　ヘ　その他参考となるべき事項
（二）　（9）の農業相続人が営農困難時貸付農地等について当該農業相続人の農業の用に供した場合　　（9）の規定の適

－910－

第二章　農地等についての相続税の納税猶予及び免除等
（第十節　営農困難時貸付けの特例）

用を受けようとする旨及び次に掲げる事項
イ　（一）のイからハまで及びホに掲げる事項
ロ　当該農業相続人の農業の用に供した年月日
ハ　その他参考となるべき事項

（明細書の記載事項）
(11)　（9）の（一）のロに規定する財務省令で定める事項は、（9）の規定の適用を受けようとする旨及び次に掲げる事項とする。（措規23の8㉚）
（一）　(10)の（一）のイからハまでに掲げる事項
（二）　その他参考となるべき事項

（旧法猶予適用者が営農困難時貸付けを行う場合の第一節の**1**の適用関係）
(12)　旧法猶予適用者（次の（一）から（六）までに掲げる農業相続人をいう。）が平成26年改正前の措置法第70条の6第27項の規定の適用を受けた場合には第二節の**3**（納税猶予期限及び農業投資価格に関する規定）および第十四節の**1**（猶予税額の免除に関する規定）を除き本章の規定が適用されることに留意する。（措通70の6－92）
（一）　平成3年改正前の措置法第70条の6第1項本文の規定の適用を受ける農業相続人
（二）　平成12年改正前の措置法第70条の6第1項本文の規定の適用を受ける農業相続人
（三）　平成13年改正前の措置法第70条の6第1項本文の規定の適用を受ける農業相続人
（四）　平成15年改正前の措置法第70条の6第1項本文の規定の適用を受ける農業相続人
（五）　平成17年改正前の措置法第70条の6第1項本文の規定の適用を受ける農業相続人
（六）　平成21年改正前の措置法第70条の6第1項本文の規定の適用を受ける農業相続人
（注）　旧法適用者が、平成26年4月1日以後に特例農地等について営農困難時貸付けを行うときは、平成26年改正前の措置法第70条の6第27項の規定が適用されることに留意する。

（平成3年改正前の措置法第70条の6第1項の規定の適用を受ける農業相続人が平成26年改正前の措置法第70条の6第27項の規定の適用を受けた場合の相続税の納税猶予についての取扱い）
(13)　平成3年改正前の措置法第70条の6第1項本文の規定の適用を受ける農業相続人が平成26年改正前の措置法第70条の6第27項の規定の適用を受けた場合には、本章（第二節の**3**及び第十四節の**1**を除く。）の規定を適用することとなるが、この場合において平成3年改正前の措置法第70条の6第1項本文の規定の適用を受ける農業相続人が有する特例農地等のうちに平成26年改正前の措置法第70条の4第2項第3号に規定する特定市街化区域農地等がある場合には、当該特定市街化区域農地等については同項第4号に規定する都市営農農地等以外の平成26年改正前の措置法第70条の6第5項に規定する市街化区域内農地等とみなして本章の規定を適用することに留意する。（措通70の6－93）

（旧法猶予適用者が平成26年改正前の措置法第70条の6の27項の規定の適用を受けた場合の継続届出書の提出）
(14)　旧法猶予適用者（次の（一）から（五）までに掲げる農業相続人をいう。）が平成26年改正前の措置法第70条の6の27項の規定の適用を受けた場合には、本章（第二節の**3**及び第十四節の**1**を除く。）の規定を適用することとなるが、この場合において（一）から（五）までに掲げる農業相続人の区分に応じそれぞれに掲げる規定の適用を受けている場合の第三節の**1**に規定する届出書（以下「継続届出書」という。）の提出については、第九節の**4**の（3）において準用する平成26年改正前の措置法第70条の4第21項に規定する届出書を提出した日の翌日から起算して3年を経過するごとの日までに継続届出書を提出しなければならないことに留意する。（指通70の6－94）
（一）　平成3年改正前の措置法第70条の6第1項本文の規定の適用を受ける農業相続人　　　同条第14項の規定
（二）　平成12年改正前の措置法第70条の6第1項本文の規定の適用を受ける農業相続人　　　同条第16項の規定
（三）　平成13年改正前の措置法第70条の6第1項本文の規定の適用を受ける農業相続人　　　同条第25項の規定
（四）　平成15年改正前の措置法第70条の6第1項本文の規定の適用を受ける農業相続人　　　同条第31項の規定
（五）　平成17年改正前の措置法第70条の6第1項本文の規定の適用を受ける農業相続人　　　同条第31項の規定
（注）　上記の継続届出書の提出期間については、当該3年を経過するごとの日の属する月の前々月の初日から当該3年を経過するごとの日までの期間として取り扱う。

第四編　農地等に係る相続税・贈与税の納税猶予及び免除

（旧法猶予適用者が平成26年改正前の措置法第70条の6第27項の規定の適用を受けた場合の第四節の**6**に規定する利子税の割合）

(15)　旧法猶予適用者（次表の①から⑥までに掲げる農業相続人をいう。）が平成26年改正前の措置法第70条の6第27項の規定の適用を受けた場合には、同条（第二節の**3**及び第十四節の**1**を除く。）の規定を適用することとなるが、この場合において同条第39項に規定する利子税の割合については、租税特別措置法施行令等の一部を改正する政令（平成21年政令第108号）附則第44条第14項第3号の規定により、次の表に掲げる農業相続人の区分に応じ、それぞれ次に掲げる割合となることに留意する。（措通70の6－95）

農 業 相 続 人 の 区 分		利子税の割合
①　平成3年改正前の措置法第70条の6第1項本文の規定の適用を受ける農業相続人		年6.6%
②　平成12年改正前の措置法第70条の6第1項本文の規定の適用を受ける農業相続人	左に掲げる農業相続人のうち特例農地等のうちに相続又は遺贈により取得をした日において都市営農農地等であるものを有する農業相続人	年3.6%
③　平成13年改正前の措置法第70条の6第1項本文の規定の適用を受ける農業相続人		
④　平成15年改正前の措置法第70条の6第1項本文の規定の適用を受ける農業相続人	左に掲げる農業相続人のうち特例農地等のうちに相続又は遺贈により取得をした日において都市営農農地等であるものを有しない農業相続人	年6.6%
⑤　平成17年改正前の措置法第70条の6第1項本文の規定の適用を受ける農業相続人		
⑥　平成21年改正前の措置法第70条の6第1項本文の規定の適用を受ける農業相続人		

（注1）　上記の利子税の割合は、農地法等の一部を改正する法律（平成21年法律第57号）の施行の日（平成21年12月15日）以後の期間に対応する利子税について適用があることに留意する。

（注2）　第四節の**7**の規定の適用があることに留意する。

第十一節　買取りの申出等があった農地等の買換え等

1　買換え等の承認があった都市営農農地等の納税猶予の継続

第四節の3《買取りの申出等による納税猶予の一部打切り》の場合において、第一節の1の規定の適用を受ける農業相続人が、第四節の3の買取りの申出等があった日から1年以内に当該買取りの申出等に係る都市営農農地等若しくは特定市街化区域農地等に係る農地若しくは採草放牧地の全部若しくは一部の譲渡等をする見込みであり、かつ、当該譲渡等があった日から1年以内に当該譲渡等の対価の額の全部若しくは一部をもって農地若しくは採草放牧地を取得する見込みであること又は同3に規定する告示があった日若しくは事由が生じた日から1年以内に当該告示若しくは事由に係る特定市街化区域農地等に係る農地若しくは採草放牧地の全部若しくは一部が都市営農農地等に該当することとなる見込みであることにつき、2の①の政令で定めるところにより納税地の所轄税務署長の承認を受けたときにおける第四節の1《納税猶予の全部打切り》、第四節の2《納税猶予の一部打切り》及び第四節の3《買取りの申出等による納税猶予の一部打切り》の規定の適用については、次に定めるところによる。（措法70の6㉑により準用する措法70の4⑰）

（一）　第四節の1及び第四節の2の規定の適用については、当該買取りの申出等があった日から1年を経過する日までに当該承認に係る都市営農農地等又は特定市街化区域農地等に係る農地若しくは採草放牧地（以下「**特定農地等**」）の全部又は一部の譲渡等をした場合には、当該譲渡等は、なかったものとみなす。

（二）　第四節の3の規定の適用については、次に定めるところによる。

イ　当該承認に係る買取りの申出等は、なかったものとみなす。

ロ　当該買取りの申出等があった日から1年を経過する日までに、当該承認に係る特定農地等の全部若しくは一部の譲渡等をしなかった場合又は当該承認に係る特定市街化区域農地等に係る農地若しくは採草放牧地の全部若しくは一部が都市営農農地等に該当することとならなかった場合には、当該譲渡等をしなかった特定農地等又は都市営農農地等に該当することとならなかった特定市街化区域農地等に係る農地若しくは採草放牧地については、同日において買取りの申出等があったものとみなす。

ハ　当該買取りの申出等があった日から1年を経過する日までに当該承認に係る特定農地等の全部又は一部の譲渡等をした場合において、当該譲渡等があった日から1年を経過する日において当該譲渡等の対価の額の全部又は一部が農地又は採草放牧地の取得に充てられていないときは、当該特定農地等のうちその充てられていないものに対応するものとして下記注の政令で定める部分については、同日において買取りの申出等があったものとみなす。

（三）　当該買取りの申出等があった日から1年を経過する日までに当該承認に係る特定農地等の全部又は一部の譲渡等をした場合において、当該譲渡等があった日から1年を経過する日までに当該特定農地等の譲渡等の対価の額の全部又は一部が農地又は採草放牧地の取得に充てられたときは、当該取得に係る農地又は採草放牧地は、第一節の1の規定の適用を受ける農地又は採草放牧地とみなす。

（注）　（買取りの申出等があったものとみなす部分）

1の（二）のハに規定する政令で定める部分は、同ハの譲渡等に係る特定農地等（2の①に規定する特定農地等）のうち、当該譲渡等の対価で当該譲渡等があった日から1年を経過する日までに1の農地又は採草放牧地の取得に充てられなかったものの額が当該譲渡等の対価の額のうちに占める割合を、当該譲渡等に係る特定農地等の被相続人からの相続又は遺贈による取得の時における価額に乗じて計算した金額に相当する部分とする。（措令40の7㊷により準用する措令40の6㊳）

2　買換え等の特例の適用手続

①　代替取得等に関する承認申請書の提出

1の税務署長の承認を受けようとする農業相続人は、1の買取りの申出等（以下「**買取りの申出等**」という。）に係る1の都市営農農地等又は1の特定市街化区域農地等に係る1の農地若しくは採草放牧地（（二）において「特定農地等」という。）について1の規定の適用を受けようとする旨及び次に掲げる事項を記載した申請書を、当該買取りの申出等があった日から1月以内に、納税地の所轄税務署長に提出しなければならない。（措令40の7㊳）

（一）　申請者の氏名及び住所

（二）　当該特定農地等の明細、当該特定農地等の被相続人からの相続又は遺贈による取得の時における農業投資価格控除後の価額（当該特例農地等が第四節の2の（2）に規定する代替取得農地等である場合には、同2の（3）により計算した金額（編者注））及びその計算の明細

（三）　当該買取りの申出等の内容及びその年月日

-913-

第四編 農地等に係る相続税・贈与税の納税猶予及び免除

（四） 1の譲渡等及び取得をする見込みである場合には、当該譲渡等の予定年月日及び当該譲渡等の対価の見積額並びに取得をしようとする1の農地又は採草放牧地の明細、取得予定年月日及び取得価額の見積額

（五） 当該買取りの申出等に係る1の特定市街化区域農地等に係る1の農地又は採草放牧地が1の都市営農農地等に該当することとなる見込みである場合には、その予定年月日

（六） その他参考となるべき事項

　　（申告書の提出前に農地等の買取りの申出等があった場合）

（1） 相続又は遺贈により取得した農地又は採草放牧地につき第一節の1に規定する農業相続人が、同1の規定による相続税の納税猶予の適用を受ける旨の相続税の申告書を提出する前に第四節の3《買取りの申出等による納税猶予の一部打切り》に規定する買取りの申出等（以下「買取りの申出等」という。）があった場合において、次のいずれかの場合に該当するときは、当該農地又は採草放牧地の取得に係る相続税の申告書の提出期限までに①の規定による申請書の提出があった場合に限り、当該農地又は採草放牧地の買取りの申出等について1の規定の適用が受けられるものとして取り扱う。（措通70の6－23）

（一） 当該買取りの申出等に係る都市営農農地等若しくは特定市街化区域農地等に係る農地若しくは採草放牧地（以下「特定農地等」という。）の譲渡等をし、かつ、当該譲渡等に係る対価の全部若しくは一部をもって、当該相続税の申告書の提出期限までに農地若しくは採草放牧地を取得している場合又は当該買取りの申出等があった日から1年以内に譲渡等をする見込み（当該相続税の申告書の提出期限までに譲渡等をしている場合を含む。）であり、かつ、当該譲渡等があった日から1年以内に農地若しくは採草放牧地を取得する見込みである場合。

（二） 第四節の3に規定する告示若しくは事由に係る特定市街化区域農地等に係る農地若しくは採草放牧地の全部若しくは一部が当該相続税の申告書の提出期限までに都市営農農地等に該当することとなった場合又は当該告示があった日若しくは当該事由が生じた日から1年以内に都市営農農地等に該当することとなる見込みである場合。

　　（申請に対する承認があったものとみなす場合）

（2） ①の規定による申請書の提出があった場合において、その提出があった日から1月以内に、当該申請の承認又は却下の処分がなかったときは、当該申請の承認があったものとみなす。（措令40の7㊴により準用する措令40の7㉛）

　　（贈与税の特定農地等について受けた買換承認の相続税における効力）

（3） 第一節の1の規定の適用を受ける同1に規定する農地及び採草放牧地が第一章第十八節の1の規定により相続又は遺贈により取得したものとみなされたものである場合において、当該取得したものとみなされる基因となった第一章第一節の1に規定する贈与者の死亡の日前1年以内に行われた当該農地及び採草放牧地に係る第一章第四節の3に規定する買取りの申出等につき第一章第十一節の1に規定する税務署長の承認を受けているときは、当該買取りの申出等に係る本章の規定の適用については、当該買取りの申出等は第四節の3に規定する買取りの申出等とみなし、当該承認は1の規定による税務署長の承認とみなす。（措令40の7㊵）

② 代替農地の取得価額等の明細書の提出

　第一節の1の規定の適用を受ける特例農地等の1の買取りの申出等に係る1の譲渡等及び取得をする見込みにつき1の税務署長の承認を受けた農業相続人は、当該買取りの申出等があった日から1年を経過する日までに当該承認に係る1に規定する特定農地等の全部又は一部の譲渡等をし、かつ、当該譲渡等があった日から1年を経過する日までに当該承認に係る当該譲渡等の対価の額の全部又は一部を1の（三）に規定する農地又は採草放牧地の取得に充てた場合には、当該取得の日後遅滞なく、次に掲げる書類を当該承認をした税務署長に提出しなければならない。（措規23の8⑳により準用する措規23の7㉕）

（一） 次に掲げる事項を記載した書類

イ 当該書類を提出する者の氏名及び住所又は居所

ロ 当該承認に係る買取りの申出等の内容及びその年月日

ハ 当該承認に係る1の譲渡等があった日及び当該譲渡等の対価の額

ニ 当該取得をした1の（三）に規定する農地又は採草放牧地の地目、面積及びその所在場所その他の明細並びにその取得年月日及び取得価額

ホ その他参考となるべき事項

（二） 当該農地のうちに農地法第43条第1項の規定により農作物の栽培を耕作に該当するものとみなして適用する同法第2条第1項に規定する農地がある場合には、当該農地が農作物栽培高度化施設の用に供されているものである旨を証す

－914－

第二章　農地等についての相続税の納税猶予及び免除等
（第十一節　買取りの申出等があった農地等の買換え等）

る当該農地の所在地を管轄する農業委員会の書類
（三）　当該農地又は採草放牧地のうちに都市営農農地等がある場合には、当該都市営農農地等が第一節の1に規定する農
　　　地又は採草放牧地に該当する旨を証する当該都市営農農地等の所在地を管轄する市長又は特別区の区長の書類の写し

③　都市営農農地等に該当することとなった旨の届出書の提出

　　第一節の1の規定の適用を受ける特例農地等の1に規定する告示又は事由に係る第一節の1の（1）の（三）に規定する特
定市街化区域農地等（以下「**特定市街化区域農地等**」という。）に係る第一節の1に規定する農地又は採草放牧地（以下「**農
地又は採草放牧地**」という。）につき1の税務署長の承認を受けた農業相続人は、当該告示があった日又は当該事由が生じ
た日から1年を経過する日までに当該承認に係る1の特定市街化区域農地等に係る農地又は採草放牧地の全部又は一部が
都市営農農地等に該当することとなった場合には、当該該当することとなった日後遅滞なく、次に掲げる事項を記載した
書類及び当該都市営農農地等に該当することとなったことを証する当該都市営農農地等の所在地を管轄する市長又は特別
区の区長の書類の写しを、当該承認をした税務署長に提出しなければならない。（措規23の8 ㉑により準用する措規23の7
㉖）
（一）　当該書類を提出する者の氏名及び住所又は居所
（二）　当該告示又は事由の内容及びその年月日
（三）　当該特定市街化区域農地等に係る農地又は採草放牧地の地目、面積及びその所在場所その他の明細
（四）　当該特定市街化区域農地等に係る農地又は採草放牧地が当該都市営農農地等に該当することとなった年月日
（五）　その他参考となるべき事項

—915—

第四編　農地等に係る相続税・贈与税の納税猶予及び免除

第十二節　3年ごとの納税猶予の継続届出書の提出

1　3年ごとの届出書の提出

　　第一節の1の規定の適用を受ける農業相続人は、同1に規定する相続税の全部につき同1、第四節の3、第四節の4又は第四節の5の規定による納税の猶予に係る期限が確定するまでの間、同1の相続税の申告書の提出期限の翌日から起算して3年を経過するごとの日までに、2で定めるところにより、引き続いて同1の規定の適用を受けたい旨及び同1の規定の適用を受ける特例農地等に係る農業経営に関する事項を記載した届出書を納税地の所轄税務署長に提出しなければならない。（措法70の6㉜）

　　（ゆうじょ規定）
（1）　1の届出書が1に規定する期限までに提出されなかった場合においても、1の税務署長が当該期限内にその提出がなかったことについてやむを得ない事情があると認める場合において、2の（2）で定めるところにより、当該届出書が当該税務署長に提出されたときは、（2）の規定の適用については、当該届出書が当該期限内に提出されたものとみなす。（措法70の6㉝）

　　（不提出の場合の納税猶予の打切り）
（2）　1の届出書が1に規定する期限までに提出されない場合には、第一節の1に規定する相続税については、第一節の1又は第四節の1の規定にかかわらず、当該期限の翌日から2月を経過する日（当該期限後同日以前に第一節の1の規定を受ける農業相続人が死亡した場合には、当該農業相続人の相続人が当該農業相続人の死亡による相続の開始があったことを知った日の翌日から6月を経過する日）をもってこれらの規定による納税の猶予に係る期限とする。（措法70の6㉟）

　　（継続届出書の提出期間）
（3）　1に規定する届出書は、特例農地等の相続等による相続税の申告書の提出期限の翌日から起算して3年を経過するごとの日までに提出しなければならないのであるが、その提出期間は、当該3年を経過するごとの日の属する月の前々月の初日から当該3年を経過するごとの日までの期間として取り扱う。（措通70の6－96により準用する措通70の4－96）

2　届出書の提出手続

　　1の規定により提出する届出書には、引き続いて第一節の1の規定の適用を受けたい旨及び次に掲げる事項を記載し、かつ、（1）の財務省令で定める書類を添付しなければならない。（措令40の7㊿）

(一)	届出者の氏名及び住所
(二)	被相続人からの相続又は遺贈により特例農地等の取得をした年月日
(三)	納税猶予分の相続税額
(四)	第四節の2の（2）《譲渡特例農地等又は特定農地等に係る相続税額》に規定する譲渡等に係る農地等がある場合には、当該譲渡等に係る農地等につき同（2）の規定により計算した金額に相当する納税猶予分の相続税額
(五)	当該届出者が第一節の4《農業相続人》の（二）に該当する農業相続人で第一章第五節の1の農地等につき同1の規定の適用を受ける使用貸借による権利の設定をした後当該農地等を引き続きその推定相続人に使用させている場合には、その旨
(六)	所在地の異なる特例農地等ごとの当該届出書の提出期限の属する年前3年間の各年における農業に係る生産及び出荷の状況並びに収入金額
(七)	その他参考となるべき事項

　　（財務省令で定める添付書類）
（1）　2に規定する財務省令で定める書類は、次に掲げる書類（農業相続人が、第一節の1の規定の適用を受ける特例農地等のすべてを第九節の1に規定する一時的道路用地等の用に供していた場合には（二）及び（三）に掲げる書類とし、当

－916－

第二章　農地等についての相続税の納税猶予及び免除等
（第十二節　３年ごとの納税猶予の継続届出書の提出）

該特例農地等のすべてについて営農困難時貸付けを行っていた場合には（二）から（四）までに掲げる書類とする。）とする。（措規23の8㉜）

（一）　農業相続人が相続又は遺贈により取得をした特例農地等に係る農業経営を引き続き行っている旨の当該特例農地等の所在地を管轄する農業委員会（農業委員会を置かない市町村にあっては市町村長）の証明書（当該農業相続人が第一節の4の（二）に該当する者でその農地等についての使用貸借による権利の設定後当該農地等を引き続き推定相続人に使用させている場合には、当該推定相続人が当該権利が設定されている農地等に係る農業経営を引き続き行っている旨及び当該農業相続人が当該推定相続人が営む当該農地等に係る農業に従事している旨の当該農地等の所在地を管轄する農業委員会（農業委員会を置かない市町村にあっては市町村長）の証明書）

（二）　1に規定する届出書の提出期限前3年間に第一節の1の規定の適用を受ける特例農地等につき異動があった場合には、その明細を記載した書類（当該異動により農地法第43条第1項の規定により農作物の栽培を耕作に該当するものとみなして適用する同法第2条第1項に規定する農地に該当することとなった特例農地等がある場合には、当該書類及び当該特例農地等が農作物栽培高度化施設の用に供されているものである旨を証する当該特例農地等の所在地を管轄する農業委員会の書類）

（三）　2の（六）に掲げる事項に関する明細を記載した書類

（四）　営農困難時貸付けを行っている場合には、第十節の1に規定する営農困難時貸付特例農地等に係る貸付けを引き続き行っている旨の当該営農困難時貸付特例農地等の所在地を管轄する農業委員会の書類

　　（期限後提出の届出書の記載事項）

（2）　1の（1）の規定により提出する1の届出書には、2に規定する事項のほか当該届出書を1に規定する期限までに提出することができなかった事情の詳細を記載し、かつ、（1）の財務省令で定める書類を添付しなければならない。（措令40の7㉞）

第四編　農地等に係る相続税・贈与税の納税猶予及び免除

相続税の納税猶予の継続届出書

（税務署受付印）

令和＿＿＿年＿＿＿月＿＿＿日

＿＿＿＿＿＿＿税務署長

〒
届出者住所＿＿＿＿＿＿＿＿＿＿＿＿＿＿＿＿

氏名＿＿＿＿＿＿＿＿＿＿＿＿＿＿＿＿

（電話番号　　　－　　　－　　　）

※欄は記入しないでください。

租税特別措置法第70条の6第1項の規定による相続税の納税の猶予を引き続いて受けたいので、次に掲げる税額等について確認し、同条第32項の規定により関係書類を添付して届け出ます。

農地等の相続（遺贈）があった年月日		平成・令和　　　年　　　月　　　日
被相続人	住所	氏名　　　（　　　年　月　日生）

1　納付すべき相続税額のうち納税の猶予の適用を受けた相続税額　・・・・・・・・　　　　　　　　　　円

2　1のうちこの届出書の提出までに特例農地等の譲渡等をしたため、

既に納税の猶予が確定し納付した相続税額　・・・・・・・・　　　　　　　　　　円

3　1のうち相続税の申告書の提出期限の翌日から20年が経過をし
たため免除された相続税額　・・・・・・・・・・・・・・・・・・・・　　　　　　　　　　円

4　1のうち届出日現在において納税の猶予を受けている相続税額
（1－2－3の金額）　・・・・・・・・・・・・・・・・・・・・・・・・・　　　　　　　　　　円

5　納税猶予の適用を受けた農地等については、＿＿＿年＿＿月＿＿日に推定相続人／他の推定相続人等＿＿＿＿＿＿＿＿に対して

使用貸借による権利の設定をしたが現在もその農地等をその推定相続人／他の推定相続人等に引き続き使用させています。

6　この届出書の提出期限の属する年の前3年間の各年における特例農地等に係る農業経営に関する事項の概要は、「別紙1　特例農地等に係る農業経営に関する明細書」のとおりです。（特例農地等のうちに都市営農地等がある場合、平成17年4月1日以降の相続に係る相続税の納税猶予の場合又は平成17年3月31日以前の相続に係る相続税の納税猶予で営農困難時貸付け、特定貸付け若しくは認定都市農地貸付け等を行っている場合）

7　特例農地等に係る営農困難時貸付けに関する事項は、「別紙2　特例農地等に係る営農困難時貸付けに関する明細書」のとおりです。（営農困難時貸付けを行っている場合）

8　特例農地等に係る特定貸付けに関する事項は、「別紙3　特例農地等に係る特定貸付けに関する明細書」のとおりです。（特定貸付けを行っている場合）

9　特例農地等に係る認定都市農地貸付け等に関する事項は、「別紙4　特例農地等に係る認定都市農地貸付け等に関する明細書」のとおりです。（認定都市農地貸付け等を行っている場合）

【添付書類】

①	農業経営を引き続き行っている旨の農業委員会の証明書（上記5に該当する場合には、その推定相続人が農業経営を引き続き行っている旨及び届出者が推定相続人の営む農業に従事している旨の証明書）
②	〔特例農地等のうちに都市営農地等を有する場合、平成17年4月1日以降の相続に係る相続税の納税猶予の場合又は平成17年3月31日以前の相続に係る相続税の納税猶予で営農困難時貸付け、特定貸付け若しくは認定都市農地貸付け等を行っている場合〕 別紙1　特例農地等に係る農業経営に関する明細書
③	〔この届出書を提出する前3年間に特例農地等の異動があった場合〕 特例農地等の異動の明細書
④	〔営農困難時貸付けを行っている場合〕 (1)　別紙2　特例農地等に係る営農困難時貸付けに関する明細書 (2)　営農困難時貸付けを行っている特例農地等に係る貸付けを引き続き行っている旨の農業委員会の証明書
⑤	〔特定貸付けを行っている場合〕 (1)　別紙3　特例農地等に係る特定貸付けに関する明細書 (2)　特定貸付けを行っている特例農地等に係る貸付けを引き続き行っている旨の農業委員会の証明書
⑥	〔認定都市農地貸付け等を行っている場合〕 (1)　別紙4　特例農地等に係る認定都市農地貸付け等に関する明細書 (2)　認定都市農地貸付け等を行っている特例農地等に係る貸付けを引き続き行っている旨の農業委員会の証明書

関与税理士		電話番号	

※	通信日付印の年月日	（確認）	猶予整理簿	検算	整理簿番号
	年　月　日				

（資12－12－2－A4統一）（令3.12）

第十三節　納税猶予税額の免除

1　農業相続人の死亡、農地の生前一括贈与又は20年経過による免除

　第一節の **1** の場合において、同 **1** の規定の適用を受ける農業相続人が次の（一）から（四）（当該特例農地等のうちに都市営農農地等〔相続又は遺贈により取得した日において都市営農農地等であるものに限る。〕を有する農業相続人にあっては、（一）から（三）まで。以下 **1** において同じ。）のいずれかに掲げる場合に該当することとなったとき（その該当することとなった日前に第四節の **1** 《納税猶予の全部打切り》又は第四節の **4** 《3年ごとの納税猶予の継続届出書を提出しなかった場合の打切り》の規定の適用があった場合及び同日前に第四節の **5** 《担保変更等の命令に応じなかった場合の打切り》の規定による納税の猶予に係る期限の繰上げがあった場合を除く。）は、当該各号に定める相続税は、**2** の政令で定めるところにより、免除する。（措法70の6㊴）

（一）	当該農業相続人が死亡した場合	第一節の **1** に規定する相続税（既に第四節の **2** 《納税猶予の一部打切り》又は第四節の **3** 《買取りの申出等による納税猶予の一部打切り》の規定の適用があった場合には、同 **2** の（2）により計算した譲渡等に係る農地等に係る相続税額を除く。以下（四）までにおいて同じ。）
（二）	当該農業相続人が第一節の **1** の規定の適用を受ける特例農地等の全部につき第一章の規定の適用に係る贈与《生前一括贈与》をした場合	第一節の **1** に規定する相続税
（三）	当該農業相続人が第一節の **1** の規定の適用を受ける特例農地等の一部につき第一章の規定の適用に係る贈与をした場合	第一節の **1** に規定する相続税のうち、当該特例農地等のうち当該贈与をしたものに係る農業投資価格控除後の価額に対応する部分の金額として（1）の政令に定めるところにより計算した金額に相当するもの
（四）	当該農業相続人がその被相続人からの相続又は遺贈により取得をした第一節の **1** の規定の適用を受ける特例農地等の当該取得に係る相続税の申告書の提出期限の翌日から20年を経過した場合	第一節の **1** に規定する相続税のうち、当該特例農地等のうち市街化区域内農地等（第一章第一節の **1** の（2）の（四）のロ又はハに掲げる農地であって同 **1** の（2）の（三）のイからハまでに掲げる区域内に所在するもの及び生産緑地等を除く。）に係る農業投資価格控除後の価額に対応する部分の金額として（2）の政令で定めるところにより計算した金額に相当するもの

　　　　（生前贈与した農地に係る免除相続税額）
（1）　**1** の（三）に規定する政令で定めるところにより計算した金額は、納税猶予分の相続税額に、同（三）に規定する贈与をした特例農地等の農業相続人の相続又は遺贈による取得の時における農業投資価格控除後の価額（当該贈与をした特例農地等が第七節《特例適用農地等の買換え》の **1** の（三）又は第十一節《買取りの申出等があった農地等の買換え等》の **1** の（三）の規定により第一節の **1** の規定の適用を受ける特例農地等とみなされたもの（以下「**代替取得農地等**」という。）である場合には、当該農業投資価格控除後の価額のうち、当該代替取得農地等に対応する部分の金額として、下記（注2）の算式により計算した金額をいう。）が当該農業相続人が当該取得をした全ての特例農地等の当該取得の時における農業投資価格控除後の価額の合計額のうちに占める割合を乗じて計算した金額とする。この場合において、当該計算した金額に100円未満の端数があるときは、その端数金額を切り捨てる。（措令40の7㊻、⑱、措規23の8⑥、措通70の6-41。要約）

$$
\substack{\text{納税猶予分} \\ \text{の相続税の} \\ \text{額（A）}} \times \frac{\substack{\text{農業相続人が生前贈与をした特例農} \\ \text{地等の相続等による取得時における} \\ \text{農業投資価格控除後の価額　（B）}}}{\substack{\text{農業相続人が取得したすべての特例} \\ \text{農地等の取得時における農業投資価} \\ \text{格控除後の価額の合計額}}} = \text{免除相続税額}
$$

（注）1　上記算式中の（A）の金額は、第一節の **1** の規定による納税猶予の適用を受けた当初の納税猶予税額をいう。したがって、その後当該納税猶予税額の一部について納税猶予の期限が確定している場合であっても、当初の納税猶予税額によることとなる。

−919−

第四編　農地等に係る相続税・贈与税の納税猶予及び免除

2　上記算式中の（B）の金額は、生前贈与した特例農地等が代替取得農地等である場合には、次の算式により計算した金額による。

$$相続又は遺贈により取得した特例農地等で買換えの承認に係る譲渡等があったものの取得時における農業投資価格控除後の価額 \times \frac{（C）のうち代替取得農地等の取得に充てられた金額又は付替特例農地等の価額}{相続又は遺贈により取得した特例農地等の買換え又は付替えの承認に係る譲渡等の対価の額（C）}$$

（政令で定める免除税額）

（2）　1の（四）に規定する政令で定めるところにより計算した金額は、次の（一）（二）に掲げる場合の区分に応じ、当該（一）（二）に定める金額とする。（措令40の7㉘）

（一）　同（四）の相続税の申告書の提出期限の翌日から20年を経過する日において農業相続人（相続又は遺贈により取得をした日において第一章第一節の1の（2）の（四）に規定する都市営農農地等である特例農地等を有しないものに限る。（二）において同じ。）が有する特例農地等の全てが当該取得をした日において第二節の4の表の（二）右欄のロに規定する市街化区域内農地等（第一章第一節の1の（2）の（四）のロ又はハに掲げる農地であって同（2）の（三）のイからハまでに掲げる区域内に所在するもの及び第二節の4の表の（二）の左欄に規定する生産緑地等を除く。（二）において同じ。）に係るものである場合　　第一節の1に規定する相続税（既に第四節の2又は第四節の3の規定の適用があった場合には、同2に規定する譲渡特例農地等に係る相続税及び同3に規定する特定農地等に係る相続税を除く。）に相当する金額

（二）　（一）に掲げる場合以外の場合　　納税猶予分の相続税額に、相続又は遺贈により取得をした日において市街化区域内農地等である特例農地等の当該取得の時における農業投資価格控除後の価額（当該市街化区域内農地等である特例農地等が代替取得農地等である場合には、（1）の（注2）による（編者注））が農業相続人が当該取得をした全ての特例農地等の当該取得の時における農業投資価格控除後の価額の合計額のうちに占める割合を乗じて計算した金額（既に当該取得の日において市街化区域内農地等である特例農地等について第四節の2又は第四節の3の規定の適用があった場合には同2に規定する譲渡特例農地等に係る相続税及び同3に規定する特定農地等に係る相続税に相当する金額を控除した残額とし、当該計算した金額に100円未満の端数がある場合にはその端数金額を切り捨てた金額とする。）

（市街化区域内農地等に対応する納税猶予税額の免除）

（3）　1の規定により納税猶予税額のうち1の（四）に規定する市街化区域内農地等（第一節の1の（1）の（四）のロ又はハに掲げる農地であって同（1）の（三）のイからハまでに掲げる区域内に所在するもの及び第二節の4の（二）に規定する生産緑地等を除く。以下「市街化区域内農地等」という。）に係る納税猶予税額が免除される場合の当該納税猶予税額は、次の（一）又は（二）によることに留意する。（措通70の6-97）

（一）　1の（四）の相続税の申告書の提出期限の翌日から20年を経過する日において農業相続人（相続又は遺贈により取得をした日において都市営農農地等である特例農地等を有していないものに限る。）が有する特例農地等の全てが当該取得をした日において市街化区域内農地等に係るものである場合　　第一節の1に規定する相続税に相当する金額（既に第四節の2又は第四節の3の規定の適用があった場合には、同2に規定する譲渡特例農地等に係る相続税及び同3に規定する特定農地等に係る相続税を除く。）

（二）　（一）に掲げる場合以外の場合　　次の算式により計算した金額

$$納税猶予分の相続税額（A） \times \frac{農業相続人が相続又は遺贈により取得をした日において市街化区域内農地等である特例農地等の取得の時における農業投資価格控除後の価額}{農業相続人が取得をした全ての特例農地等の取得の時における農業投資価格控除後の価額の合計額}$$

（注）　上記算式中の（A）の金額は、第一節の1の規定による納税猶予の適用を受けた当初の納税猶予税額をいう。したがって、その後当該納税猶予税額の一部について納税猶予の期限が確定している場合であっても、当初の納税猶予税額によることとなる。

なお、当該取得の日において市街化区域内農地等である特例農地等について第四節の2又は第四節の3の規定の適用があった場合には、当該市街化区域内農地等である特例農地等の同2に規定する譲渡特例農地等に係る相続税及び同3に規定する特定農地等に係る相続税に相当する金額を上記により計算した金額から控除した残額が免除される猶予税額となり、その計算した金額に100円未満の端数があるとき又はその金額が100円未満であるときは、その端数金額又はその全額を切り捨て、その切り捨てた金額は、納税猶予税額として残ることに留意する。

（注）　1の規定は、旧法猶予適用者（措通70の6-92《旧法猶予適用者が営農困難時貸付を行う場合の措置法第70条の6の適用関係》（一）から（六）までに掲げる農業相続人をいう。以下同じ。）には適用がないことに留意する。

なお、旧法猶予適用者が平成26年改正前の措置法第70条の6第27項の規定の適用を受ける場合も同様に同条第38項の規定の適用がないことに留意する。

-920-

第二章　農地等についての相続税の納税猶予及び免除等
（第十三節　納税猶予税額の免除）

また、旧法猶予適用者が第十六節の1の①又は第十七節の1の規定の適用を受ける場合には、1の規定の適用があることに留意する。

2　相続税額の免除の届出

　第一節の1の場合において、同1の規定の適用を受ける農業相続人が1の各号（当該特例農地等のうちに1の都市営農農地等を有する農業相続人にあっては、1の(一)から(三)まで。以下2において同じ。）のいずれかに掲げる場合に該当することとなったとき（その該当することとなった日前に第四節の1《納税猶予の全部打切り》又は第四節の4《3年ごとの納税猶予の継続届出書を提出しなかった場合の打切り》の規定の適用があった場合及び同日前に第四節の5《担保変更等の命令に応じなかった場合の打切り》の規定による納税猶予に係る期限の繰上げがあった場合を除く。）は、当該各号に定める相続税は、免除する。この場合において、当該農業相続人又はその相続人（包括受遺者を含む。）は、次に掲げる事項を記載した届出書を当該各号のいずれかに掲げる場合に該当することとなった日後遅滞なく、当該相続税の納税地の所轄税務署長に提出しなければならない。（措令40の7⑥⑤）

(一)	届出書を提出する者の氏名及び住所
(二)	(一)の者が農業相続人の相続人又は包括受遺者である場合には、当該農業相続人の氏名及び住所並びに当該届出書を提出する者と当該農業相続人との続柄
(三)	1の規定に該当することとなった事情の詳細及びその事情の生じた年月日
(四)	1の規定による相続税の免除を受けようとする旨
(五)	免除を受ける相続税の額（1の(三)又は(四)に掲げる場合に該当する場合にあっては、当該免除を受ける相続税の額及びその計算の明細）
(六)	その他参考となるべき事項

-921-

第四編　農地等に係る相続税・贈与税の納税猶予及び免除

相 続 税 の 免 除 届 出 書

税務署
受付印

令和＿＿＿年＿＿＿月＿＿＿日

＿＿＿＿＿＿税務署長

令和　　年　月　日に＿＿＿＿＿＿＿＿＿＿＿＿＿＿＿＿＿＿＿＿＿＿＿＿＿＿＿＿

＿＿＿＿＿＿＿＿＿＿＿＿＿＿＿＿＿＿＿＿＿＿＿＿したので、租税特別措置法第70条の6第39項の規定

により下記の相続税を免除されたいので租税特別措置法施行令第40条の7第65項の規定により届け出ます。

※欄は記入しないでください。

届 出 者

〒
住 所 ＿＿＿＿＿＿＿＿＿＿＿＿＿＿＿　氏 名 ＿＿＿＿＿＿＿＿＿＿＿　農業相続人 との続柄 ＿＿＿＿

〒
住 所 ＿＿＿＿＿＿＿＿＿＿＿＿＿＿＿　氏 名 ＿＿＿＿＿＿＿＿＿＿＿　農業相続人 との続柄 ＿＿＿＿

〒
住 所 ＿＿＿＿＿＿＿＿＿＿＿＿＿＿＿　氏 名 ＿＿＿＿＿＿＿＿＿＿＿　農業相続人 との続柄 ＿＿＿＿

〒
住 所 ＿＿＿＿＿＿＿＿＿＿＿＿＿＿＿　氏 名 ＿＿＿＿＿＿＿＿＿＿＿　農業相続人 との続柄 ＿＿＿＿

〒
住 所 ＿＿＿＿＿＿＿＿＿＿＿＿＿＿＿　氏 名 ＿＿＿＿＿＿＿＿＿＿＿　農業相続人 との続柄 ＿＿＿＿

〒
住 所 ＿＿＿＿＿＿＿＿＿＿＿＿＿＿＿　氏 名 ＿＿＿＿＿＿＿＿＿＿＿　農業相続人 との続柄 ＿＿＿＿

記

○ 平成
　令和 ＿＿＿＿＿＿年 分 相 続 税

○ 免除を受ける相続税の額＿＿＿＿＿＿＿＿＿＿＿円

○ 相続税の一部免除の場合
　1　特例農地等の一部につき農地等を贈与（贈与税の納税猶予の適用を受ける贈与に限ります。）を
　　した場合（措置法第70条の6第39項第3号）

（納税猶予分の相続税額）　　（贈与分の農業投資価格超過額）　　（免 除 額）

$$\underline{\hspace{3cm}}円 \times \frac{\underline{\hspace{2cm}}円}{\underline{\hspace{2cm}}円} = \underline{\hspace{3cm}}円$$

［相続(遺贈)による取得分
の農業投資価格超過額］　　［100円未満は切り
捨てて下さい。］

　2　相続税の申告書の提出期限の翌日から20年を経過した場合（措置法第70条の6第39項第4号）

（納税猶予分の相続税額）

［市街化区域内農地等(一定のもの※
を除く)である特例農地等の取得の
時における農業投資価格超過額］

［市街化区域内農地等(一定のもの※を除く)であ
る特例農地等について既に措置法第70条の6第7
項又は第8項の規定により確定した相続税額］

$$\left[\underline{\hspace{3cm}}円 \times \frac{\underline{\hspace{2cm}}円}{\underline{\hspace{2cm}}円}\right] - \underline{\hspace{3cm}}円$$

［相続(遺贈)による取得分
の農業投資価格超過額］

（免 除 額）

= ＿＿＿＿＿＿＿＿＿＿＿＿＿＿＿ 円（100円未満は切り捨てて下さい。）

　（※）上記の一定のものについては、裏面2（4）（※）を参照してくだい。

関与税理士		電 話 番 号	

	猶予整理簿	検 算	整理簿番号
※			

（資12－26－2－A4統一）（令3.3）

第二章　農地等についての相続税の納税猶予及び免除等
（第十四節　雑　　則）

第十四節　雑　　則

1　納税猶予税額以外の税額に係る延納及び利子税の規定の調整

　相続又は遺贈により取得をした財産のうちに特例農地等に該当するものがある者の当該財産に係る相続税で第一節の **1** に規定する相続税以外のものについては、当該特例農地等の価額は、当該特例農地等につき農業投資価格を基準として計算した価額であるものとして、第一編第八章第二節の**一**《相続税の延納》の **1**（同第八章第三節**二**の**11**において準用する場合を含む。）、同第三節**六**の **2** の（6）、同第二節**五**の **1** 又は同第三節**七**の **2** の①の（2）の（二）の（ロ）の規定を適用する。（措法70の6㊳二）

　　（不動産等の価額に対応する延納相続税額の計算）
（1）　第一節の **1** の規定による納税の猶予がされた者に係る「不動産等の価額に対応する相続税額」及び「立木の価額に対応する相続税額」の計算に当たっては、当該猶予がされた相続税額は、第一編第八章第一節《納付》に規定する期限内申告により納付すべき相続税額又は期限後申告、修正申告等により納付すべき相続税額に含まれないものとする。（措令40の7㊼要約）

2　譲渡、転用等についての農業委員会等の通知義務

　農林水産大臣又は都道府県知事、市町村長若しくは農業委員会は、第一節の **1** の規定の適用を受ける特例農地等について、その所有権の移転、その使用及び収益を目的とする権利の設定、移転若しくは消滅、その転用（採草放牧地の農地への転用及び準農地の採草放牧地又は農地への転用を除く。）、その耕作の放棄又は買取りの申出等に関し、法令の規定に基づき許可、あっせん、通知、届出の受理その他の行為をしたことにより当該所有権の移転、当該使用及び収益を目的とする権利の設定、移転若しくは消滅、当該転用、当該耕作の放棄又は当該買取りの申出等があったことを知った場合には、遅滞なく、下記注の財務省令で定めるところにより、第一節の **1** に規定する特例農地等についてこれらの事実が生じた旨を、国税庁長官又は特例農地等の所在地の所轄税務署長に通知しなければならない。（措法70の6㊶により準用する措法70の4㊱）

　　（財務省令で定める通知の手続）
注　農林水産大臣又は都道府県知事、市町村長若しくは農業委員会は、**2** に規定する特例農地等について、その所有権の移転、その使用及び収益を目的とする権利の設定、移転若しくは消滅、その **2** に規定する転用、その **2** に規定する耕作の放棄又はその **2** の買取りの申出等に関し、法令の規定に基づき許可、あっせん、通知、届出の受理その他の行為をしたことにより当該所有権の移転、当該使用及び収益を目的とする権利の設定、移転若しくは消滅、当該転用、当該耕作の放棄又は当該買取りの申出等があったことを知った場合には、当該特例農地等についてこれらの事実が生じた旨及び次に掲げる事項を、書面により、国税庁長官又は当該特例農地等の所在地の所轄税務署長に通知しなければならない。（措規23の8㉝により準用する措規23の7㊸）
（一）　これらの事実が生じた当該特例農地等の地目、面積及びその所在場所並びに当該特例農地等につき第一節の **1** の規定の適用を受けている農業相続人の氏名及び住所又は居所
（二）　（一）の特例農地等につき生じた（一）の事実の詳細及び当該事実の生じた年月日並びに当該事実に関し行った当該許可、あっせん、通知、届出の受理その他の行為の内容
（三）　その他参考となるべき事項

3　準農地の利用形態等に関する農業委員会等の通知義務

　農業委員会（農業委員会等に関する法律第3条第1項ただし書又は第5項の規定により農業委員会を置かない市町村にあっては、市町村長。以下同じ。）は、第一節の **1** の規定の適用を受ける農業相続人が第四節の **2**《納税猶予の一部打切り》に規定する10年を経過する日において有する第一節の **1** の規定の適用を受けた準農地について、財務省令で定めるところにより、当該10年を経過する日におけるその利用の形態その他の現況を、同日から1月を経過する日までに、当該準農地の所在地の所轄税務署長に通知しなければならない。（措法70の6㊷により準用する措法70の4㊲）

　　（財務省令で定める通知の手続）
（1）　農業委員会は、第一節の **1** の適用を受けている農業相続人が **3** に規定する10年を経過する日において有する **3** に規

－923－

定する準農地について、次に掲げる事項を書面により、当該準農地の所在地の所轄税務署長に通知しなければならない。（措規23の8㉞により準用する措規23の7㊹）

（一）　当該通知に係る第一節の**1**の規定の適用を受けている農業相続人の氏名及び住所又は居所

（二）　（一）の農業相続人が第四節の**2**に規定する10年を経過する日において有する第一節の**1**の規定の適用を受けた準農地の地目、面積及びその所在場所

（三）　（二）の準農地につき、（二）の10年を経過する日における第四節の**2**農地又は採草放牧地としての（二）の農業相続人の農業の用（当該農業相続人が第一節の**4**《農業相続人》の（二）の規定の適用を受けた者である場合には、その推定相続人の農業の用を含み、当該受贈者が第十節の**1**の規定の適用を受けている場合には、営農困難時貸付農地等を借り受けた者（農地中間管理機構又は農地利用集積円滑化団体が当該借り受けた者である場合には、当該農地中間管理機構又は当該農地利用集積円滑化団体から借り受けた者）の農業の用を含む。）、第四節の**2**に規定する農地又は採草放牧地の保全又は利用上必要な施設の用その他の用に供されているもののその利用の形態の別及びこれらの用に供されていないものの別に、地目、面積及びその所在場所並びに当該農業相続人の利用の状況その他の現況の詳細

（四）　その他参考となるべき事項

（税務署長からの通知）

（2）　税務署長は、**2**、**3**の規定による通知の事務に関し必要があると認める場合には、これらの規定に規定する農林水産大臣又は都道府県知事、市町村長若しくは農業委員会に対し、第一節の**1**の規定の適用を受ける農業相続人及び同**1**の規定の適用を受ける特例農地等に関する事項その他（3）の財務省令で定める事項を通知することができる。（措法70の6㊸により準用する措法70の4㊳）

（財務省令で定める通知事項）

（3）　（2）に規定する財務省令で定める事項は、次に掲げる事項とする。（措規23の8㊳により準用する措規23の7㊻）

（一）　第一節の**1**の規定の適用を受けることとなった農業相続人の氏名及び住所又は居所並びに特例農地等の所在、地番、地目及び面積

（二）　第一節の**1**の規定の適用を受けないこととなった農業相続人の氏名及び住所又は居所並びに特例農地等の所在、地番、地目及び面積

（三）　第十節の**1**の規定の適用を受けることとなった農業相続人の氏名及び住所又は居所並びに特例農地等の所在、地番、地目及び面積

（四）　第十節の**1**の規定の適用を受けないこととなった農業相続人の氏名及び住所又は居所並びに特例農地等の所在、地番、地目及び面積

（五）　その他税務署長が（1）の通知の事務に関し必要と認める事項

4　国税通則法及び国税徴収法の規定の調整

第一節の**1**の規定による納税の猶予がされた場合における国税通則法及び国税徴収法の規定の適用については、次に定めるところによる。（措法70の6㊲により準用する措法70の4㉜）

（一）	第一節の**1**の規定による納税の猶予に係る期限（第四節の**2**から**5**までの規定による当該期限を含む。）は、国税通則法及び国税徴収法中法定納期限又は納期限に関する規定を適用する場合には、相続税法の規定による延納に係る期限に含まれるものとする。
（二）	第一節の**1**の規定の適用があった場合における相続税に係る延滞税については、その相続税の額のうち納税猶予分の相続税額とその他のものとに区分し、更に当該納税猶予分の相続税額を（一）に規定する納税の猶予に係る期限が異なるものごとに区分して、それぞれの税額ごとに国税通則法の延滞税に関する規定を適用する。
（三）	第一節の**1**の規定による納税の猶予を受けた相続税については、国税通則法第64条第1項《利子税》及び第73条第4項《時効の中断》中「延納」とあるのは、「延納（租税特別措置法第70条の6第1項の規定による納税の猶予を含む。）」とする。

（継続届出書の提出による時効の中断）

（1）　第一節の**1**に規定する相続税（既に第四節の**2**、第四節の**3**又は第十三節の**1**（（四）にかかる部分に限る。）の規定の適用があった場合には、譲渡特例農地等に係る相続税、特定農地等に係る相続税及び同（四）に定める相続税を除く。第十二節の**1**の（2）、第十三節の**1**の（一）から（三）まで並びに第四節の**6**の（一）及び（五）において同じ。）並びに当該相

－924－

第二章　農地等についての相続税の納税猶予及び免除等
（第十四節　雑　　　則）

続税に係る利子税及び延滞税の徴収を目的とする国の権利の時効については、**4**の(三)の規定により読み替えて適用される国税通則法第73条第4項の規定の適用がある場合を除き、第十二節の**1**の届出書の提出があった時から当該届出書の提出期限までの間は完成せず、当該提出期限の翌日から新たにその進行を始めるものとする。（措法70の6㉞）

第十五節　平成3年改正法の施行に伴う相続税の経過措置

1　平成4年中に相続等により取得した特定市街化区域農地等が同年中に都市営農農地等又は市街化調整区域内農地等となる場合の特例

　平成4年1月1日から同年12月31日までの間に第一節の1に規定する農業相続人が相続又は遺贈により同1に規定する取得をした財産のうち当該取得の時において特定市街化区域農地等に該当する農地等が、同日までに都市計画法の規定に基づく都市計画の決定又は変更により次の各号に掲げる農地等に該当することとなった場合（都市計画法第20条第1項〔同法第21条第2項において準用する場合を含む。〕の規定による告示があった場合をいう。）には、当該農業相続人に係る相続税については、当該農業相続人の申出により、当該農地等は、当該取得の時において次の（一）又は（二）に掲げる農地等に該当するものとみなして、本章第一節から第十四節までの規定を適用することができる。（平3改措法附19④、平3改措令附10②）

（一）　都市営農農地等

（二）　都市計画法第7条第1項に規定する市街化調整区域内に所在する農地等

2　平成4年1月1日前に相続等により取得した農地等に係る相続税に対する旧法の適用

　平成4年1月1日前に平成3年改正前の（以下「旧法の」という。）第一節の1に規定する取得をした財産のうちに同1に規定する農地、採草放牧地又は準農地がある場合における当該相続又は遺贈に係る相続税については、旧法の第一節から第五節まで及び第七節から第十四節までの規定は、なおその効力を有する。（平3改措法附19⑤）

3　旧法の特例適用農地等のうち特定市街化区域農地等に該当するものの転用〔特定転用〕の特例

　2の規定によりなおその効力を有するものとされる旧法の第一節の1の規定の適用を受ける同1に規定する特例農地等のうち平成9年4月1日において特定市街化区域農地等に該当するもの（平成3年1月1日から同年12月31日までの間に開始した相続に係るものに限る。）については、同1に規定する農業相続人が、平成16年4月1日から平成19年3月31日までの間に、当該特定市街化区域農地等の全部又は一部につき次に掲げる要件に該当する転用をする見込みであることにつき、4の政令で定めるところにより、納税地の所轄税務署長の承認を受けたときは、当該農業相続人に係る旧法の第四節《納税猶予の打切り》の1又は旧法の第四節の2の規定の適用については、当該承認に係る当該転用は、これらの規定に規定する譲渡等に該当しないものとみなす。この場合において、当該特例農地等の全部につき当該承認に係る当該転用があったときは、当該農業相続人は、旧法の第四節の1の（二）《農業経営の廃止》に掲げる場合に該当しないものとみなす。（平3改措法附19⑥）

（注）　平成3年改正前の旧生産緑地法第3条及び第4条の規定により定められた第一種生産緑地地区及び第二種生産緑地地区（都市計画の失効したものを除く。）内の土地は、新生産緑地法第3条第1項の生産緑地地区内の土地とみなされる（平成3年法律第39号附則2要約）ので、平成3年1月1日において旧生産緑地地区内にあった農地等は上記の「特定市街化区域農地等」には該当しないことに留意する。（編者注）……第一節1の（8）《措通70の4－3》参照

　当該農業相続人が、当該特定市街化区域農地等の上に賃貸の用に供する**中高層耐火建築物**（主要構造部を耐火構造とした建築物又は建築基準法第2条第9号の3イ若しくはロのいずれかに該当する建築物《準耐火建築物》で、地上階数3以上を有するものをいう。（二）において同じ。）である**共同住宅**（次に掲げるすべての要件を満たすものに限る。）の新築をし、又は独立行政法人都市再生機構から当該共同住宅の取得をし、かつ、地方公共団体、独立行政法人都市再生機構、地方住宅供給公社（（一）において「**特定法人**」という。）に対し当該新築又は取得をした共同住宅の**貸付け**（当該貸付けに係る権利の設定に際し、その対価を取得するものを除くものとし、当該貸付けの期間が20年以上とされているものに限る。）を行うこと。（平3改措令附10⑥）

（一）　イ　住居の用途に供する独立部分（建物の区分所有等に関する法律第2条第1項に規定する建物の部分に相当するものをいう。（二）のイにおいて同じ。）が15以上のものであること又は当該共同住宅の床面積が1,000平方メートル以上のものであることその他注の政令で定める要件を満たすものであること。

　　　　ロ　建設の開始の時において、新築又は取得をした当該共同住宅を特定法人が借り受ける旨の契約がされていること。

　　　　ハ　平成19年3月31日までに建設の工事に着手することとされていること。

第二章　農地等についての相続税の納税猶予及び免除等
（第十五節　平成３年改正法の施行に伴う相続税の経過措置）

（政令で定める共同住宅の要件）
注　上記のイ及び（二）のイに規定する政令で定める要件は、次に掲げるすべての要件とする。（平３改措令附10⑦）
①　当該共同住宅のすべてが居住の用に供されるものであること。
②　当該共同住宅に係る賃貸が公募の方法により行われるものであること。
③　上記イ及び（二）のイに規定する独立部分（当該独立部分に係る廊下、階段その他その共用に供されるべき部分を含む。以下この③において同じ。）が次に掲げる要件のすべてを満たすこと。
〈イ〉　当該独立部分の床面積（当該独立部分に係る廊下、階段その他その共用に供されるべき部分の床面積を除く。）が125平方メートル以下で、かつ、55平方メートル以上のものであること。
〈ロ〉　専用の台所、浴室、便所及び洗面設備を備えたものであること。
〈ハ〉　当該独立部分の取得価額（当該独立部分の附属設備のうち電気設備（内燃力発電設備及び蓄電池電源設備を除く。）、給排水設備、衛生設備及びガス設備以外の附属設備に係るものを除く。）が3.3平方メートル当たり95万円（耐火構造（建築基準法第２条第７号に規定する耐火構造をいう。）を有するものについては、100万円）以下のものであること。（平３改措規附９⑦）

（二）　当該農業相続人が、当該特定市街化区域農地等をその賃貸の用に供する中高層耐火建築物である共同住宅（次に掲げるすべての要件を満たすものに限る。）の敷地の用に供すること。
イ　住居の用途に供する独立部分が15以上のものであること又は当該共同住宅の床面積が1,000平方メートル以上のものであることその他上記の（一）の注の政令で定める要件を満たすものであること。
ロ　賃貸に係る家賃の額が当該共同住宅に係る償却費、修繕費、管理事務費、損害保険料、地代に相当する額、貸倒れ及び空家による損失を補填するための引当金並びに公租公課の合計額を基礎とする適正な家賃の計算方法として国土交通大臣が定める計算方法（別表参照）によって算定された額を超えないものであること。
ハ　平成19年３月31日までに建設の工事に着手することとされていること。
ニ　次に掲げる要件のいずれかを満たすものであること。
①　住宅金融公庫又は農地所有者等賃貸住宅建設融資利子補給臨時措置法第２条第１項に規定する農業協同組合及び農地所有者等賃貸住宅建設融資利子補給臨時措置法施行令第１条第１号又は第２号に掲げる農業協同組合連合会（同法第２条第１項に規定する利子補給契約を締結するものに限る。以下（二）において「**農業協同組合等**」という。）の融資を受けて新築することとされており、かつ、当該融資を行う者（当該農業協同組合等の融資にあっては、国土交通大臣）が当該農業相続人に係る**２**の規定によりなおその効力を有するものとされる旧法の第一節の**１**の納税の猶予に係る期限（以下この節において「**納税猶予期限**」という。）までの間の各年12月31日（以下この節において「**提出期限**」という。）までに当該年分の当該賃貸に係る家賃の額がロの限度内である旨の証明書を発行することについての同意を与えていること。（平３改措令附10⑧）
②　独立行政法人都市再生機構から取得をすることとされており、かつ、独立行政法人都市再生機構が当該農業相続人に係る納税猶予期限までの間の提出期限までに当該年分の当該賃貸に係る家賃の額がロの限度内である旨の証明書を発行することについての同意を与えていること。
ホ　当該農業相続人が当該共同住宅に係るニの証明書の写しを提出期限までに納税地の所轄税務署長に提出すること。

（適正家賃に係る証明書の写しの提出期間）
注　上記ホに規定する証明書の写しは、当該共同住宅の賃貸を開始した日の属する年から（二）に規定する農業相続人に係る納税猶予の期限までの間の各年12月31日までに提出しなければならないのであるが、その提出期間は、各年10月１日から12月31日までの期間として取り扱う。（特定転用通達17）

別表

公営住宅法に定める家賃の計算方法に準ずるものとして国土交通大臣が定める計算方法

（平成３年３月30日建設省告示第974号）

　　３の表の（二）のロに規定する当該共同住宅に係る償却費、修繕費、管理事務費、損害保険料、地代に相当する額、貸倒れ及び空家による損失を補てんするための引当金並びに公租公課の合計額を基礎とする適正な家賃の計算方法として国土交通大臣が定める計算方法は、住宅の建設に要する費用（当該費用のうち国又は地方公共団体の補助に係る部分を除く。以下「**工事費**」という。）を期間20年以上、利率年６分で毎年元利均等に償却するものとして算出した額（以下「**償却費**」という。）、修繕費、管理事務費、損害保険料、地代に相当する額、貸倒れ及び空家による損失を補填

第四編　農地等に係る相続税・贈与税の納税猶予及び免除

するための引当金（以下「**引当金**」という。）並びに公租公課を合計した額に12分の1を乗ずるものとする。この場合において、償却費、修繕費、管理事務費、損害保険料、地代に相当する額、引当金及び公租公課は、次に掲げる費用の区分に応じてそれぞれ当該各号に定めるところにより算出した金額とする。

(一)	償 却 費	工事費に耐火構造の住宅（主要構造部を耐火構造とした住宅をいう。以下同じ。）にあっては100分の6.103を、**準耐火構造の住宅**（耐火構造の住宅以外の住宅で建築基準法第2条第9号の3イ又はロのいずれかに該当する住宅をいう。以下同じ。）にあっては100分の6.47を乗じた額
(二)	修 繕 費	工事費に耐火構造の住宅にあっては100分の1.2を、準耐火構造の住宅にあっては100分の1.5を乗じた額
(三)	管理事務費	工事費に耐火構造の住宅にあっては100分の0.15を、準耐火構造の住宅にあっては100分の0.2を乗じた額
(四)	損害保険料	工事費に耐火構造の住宅にあっては100分の0.019を、準耐火構造の住宅にあっては100分の0.029を乗じた額
(五)	地代に相当する額	住宅の敷地の用に供する土地の時価に100分の2を乗じた額
(六)	公 租 公 課	家屋又はその敷地に租税その他の公課が賦課される場合においては賦課される額
(七)	引 当 金	(一)から(六)までに規定するところにより計算した額の合計額に100分の2を乗じた額

【公営住宅家賃に準ずる家賃の額】……上記別表の要約

中高層耐火共同住宅の建設に要する工事費の額（国又は地方公共団体の補助を受ける部分を除く。）を基礎として次により計算した年間家賃の12分の1以下を月額家賃とする。

家 賃 の 算 定 基 礎	耐 火 構 造 建 物	準 耐 火 構 造 建 物
償却費、修繕費、管理事務費及び損害保険料相当額	工事費の額×7.472%　①	工事費の額×8.199%　①
地代の額（敷地となる土地の時価×2%）	②	
公租公課（住宅及び敷地の年間租税公課）	③	
小　　　計（①+②+③）	④	
引 当 金 の 額（小計④×2%）	⑤	
家賃の年額（④+⑤）	⑥	

（特定転用の対象となる農地等）

（1）　**3**の表に規定する要件に該当する転用（以下「**特定転用**」という。）の対象となる農地又は採草放牧地（以下「農地等」という。）は、旧法の第一節の**1**に規定する農業相続人が平成3年1月1日から同年12月31日までの間に開始した相続に係る相続税について同**1**の規定による相続税の納税猶予の適用を受けた同**1**に規定する特例農地等のうち、平成9年4月1日において、特定市街化区域農地等に該当するものに限られるのであるから留意する。したがって、例えば、当該農業相続人が**3**の承認を受けようとする時において都市計画法第7条第1項に規定する市街化区域内に所在する農地等で特定市街化区域農地等に該当するものであっても、平成9年4月1日において**3**に規定する市街化調整区域内に所在する農地等である場合又は同日において第一節**1**の(1)の(四)に定める都市営農農地等に該当する農地等である場合は、当該農地等は特定転用の対象となる農地等には該当しない。（特定転用通達1）

（注）　なお、**3**の（注）に留意する。（編者注）

（地上階数の判定）

（2）　その建築される建築物に地上階数3以上の部分と地上階数3に満たない部分とがある場合であっても、当該建築物は、**3**の表の(一)に規定する「地上階数3以上を有するもの」に該当するものとして取り扱う。（特定転用通達2）

（注）　地上階数は、建築基準法施行令（昭和25年政令第338号）第2条第1項第8号に規定するところにより判定することに留意する。

－928－

第二章　農地等についての相続税の納税猶予及び免除等
（第十五節　平成３年改正法の施行に伴う相続税の経過措置）

　　　　（権利の設定の対価の意義）
（３）　３の表の（一）に規定する「共同住宅の貸付け（当該貸付けに係る権利の設定に際し、その対価を取得するものを除
　　くものとし、……………。）」の「その対価」には、当該貸付けに係る権利の設定に際し、その設定の対価として取得す
　　る権利金その他の一時金のほか、通常の場合の金銭の貸付けの条件に比し特に有利な条件による金銭の貸付け（いずれ
　　の名義をもってするかを問わず、これと同様の経済的性質を有する金銭の交付を含む。以下この（３）において同じ。）そ
　　の他特別の経済的な利益を受ける場合には、当該金銭の貸付けにより通常の条件で金銭の貸付けを受けた場合に比して
　　受ける利益その他当該特別の経済的な利益の額が含まれるものとする。ただし、当該貸付けに係る権利の設定に際し、
　　保証金、敷金等の名義による金銭を受け入れる場合においても、その受け入れる金額が３に規定する承認に係る特定市
　　街化区域農地等の存する地域において通常収受される程度の保証金、敷金等の額（その額が明らかでないときは、当該
　　貸付けに係る権利の設定に係る契約による賃料の３月分相当額とする。）以下であるときは、当該受け入れる金額は、「特
　　に有利な条件による金銭の貸付け」には該当しないものとする。（特定転用通達３）

　　　　（倉庫、車庫等）
（４）　共同住宅に倉庫、車庫等が設置されている場合における当該倉庫、車庫等の取扱いは、次の区分に応じ次によるも
　　のとする。（特定転用通達４）
　　（一）　倉庫、車庫等が共同住宅の構造の一部をなしている場合には、当該倉庫、車庫等は、当該共同住宅に含めて一の
　　　　共同住宅として３の表の各号に規定する共同住宅の要件を満たすものであるかどうかを判定する。この場合において、
　　　　当該倉庫、車庫等が当該共同住宅に居住する者の居住の用以外の用に供されるときは、当該共同住宅は３の表の（一）
　　　　の注の①に規定する「当該共同住宅のすべてが居住の用に供されるものであること。」の要件に該当しないのである
　　　　から留意する。
　　（二）　倉庫、車庫等が共同住宅と別棟となっている場合には、当該倉庫、車庫等については、当該共同住宅には含めな
　　　　いものとする。ただし、当該倉庫、車庫等で当該共同住宅に居住する者の居住の用に供され、かつ、当該倉庫、車庫
　　　　等の床面積が当該共同住宅の床面積の10分の１以下であるものについては、当該共同住宅に併せて新築又は取得され
　　　　るものに限り、当該共同住宅に含めて一の共同住宅として３の表の各号に規定する共同住宅の要件を満たすものであ
　　　　るかどうかを判定して差し支えない。
　　（注）１　（二）のただし書により判定する場合には、倉庫、車庫等が当該共同住宅と一体として居住の用に供される場合に限られるのであるから留
　　　　　　意する。
　　　　２　（二）のただし書の適用を受ける場合には、当該倉庫、車庫等の取得価額及び床面積は、共同住宅の取得価額及び床面積に含めて、３の表
　　　　　　の（一）の注の③の〈ハ〉の取得価額基準及び同表の（一）のイ又は（二）のイの共同住宅の床面積基準に該当するかどうかを判定することに留
　　　　　　意する。

　　　　（独立部分の範囲）
（５）　３の表の（一）のイに規定する独立部分（以下「独立部分」という。）とは、建物の構成部分である隔壁、扉、階層（天
　　井及び床）等によって他の部分と完全に遮断されている部分で、独立した出入口を有するなど独立して住居の用途に供
　　することができるものをいう。
　　　したがって、例えば、ふすま、障子等又はベニヤ板等の堅固でないものによって仕切られている部分及び階層で区分
　　されていても独立した出入口を有しない部分は、独立部分には該当しない。（特定転用通達５）
　　（注）　外部に接する出入口を有しない部分であっても、共同で使用すべき廊下、階段、エレベーター等の共用部分のみを通って外部と出入りする
　　　　ことができる構造となっているものは、独立した出入口を有するものに該当する。

　　　　（床面積の意義）
（６）　３の表の（一）のイ又は（二）のイに規定する共同住宅の床面積及び同表の（一）の注の③の〈イ〉に規定する独立部分
　　の床面積は、建築基準法施行令第２条第１項第３号に規定する床面積によるものとする。（特定転用通達６）

　　　　（建設の開始の時）
（７）　３の表の（一）のロに規定する「建設の開始の時」とは、同（一）に規定する共同住宅を建設するための基礎工事に着
　　手した時をいうものとして取り扱う。（特定転用通達７）
　　（注）　「基礎工事に着手した時」とは、根切り（建築物の基礎等のための地盤の掘削）又は基礎杭打ちに着手した時をいう。

　　　　（居住の用以外の目的で貸し付ける場合）
（８）　共同住宅の各独立部分が専用の台所、浴室、便所及び洗面設備を備えたものであっても、居住の用以外の目的で当

－929－

該独立部分を貸し付ける場合には、当該共同住宅は、**3**の表の(一)の注の①に規定する「当該共同住宅のすべてが居住の用に供されるものであること。」の要件には該当しないのであるから留意する。(特定転用通達8)

　　（公募要件）
(9)　**3**の表の(一)の注の②に規定する「当該共同住宅に係る賃貸が公募の方法により行われるもの」とは、当該共同住宅の独立部分の全部に係る賃貸が公募の方法により行われるものをいうのであるから留意する。ただし、当該共同住宅の独立部分のうち管理人用の住居として必要と認められる独立部分に係る賃貸が公募の方法により行われない場合であっても、それ以外の独立部分の全部に係る賃貸が公募の方法により行われるときには、当該共同住宅の独立部分の全部に係る賃貸が公募の方法により行われるものとして取り扱って差し支えない。
　　なお、この場合には、管理人用の住居として認める当該独立部分は、当該共同住宅に係る同(一)の注の③に規定する廊下、階段その他その共用に供されるべき部分（以下「共用部分」という。）に含まれるものとする。(特定転用通達9)

　　（共同住宅の一括貸付け）
(10)　**3**の表の(二)に規定する農業相続人が共同住宅を他の者に一括して貸し付ける場合には、同(二)の共同住宅の要件のうち、同表の(一)の注の②の公募要件については、その一括貸付けを受ける者の当該共同住宅に係る賃貸の方法によって判定するものとし、同表の(二)のロの家賃の額の要件及び同表の(一)の注の①の「当該共同住宅のすべてが居住の用に供されるものであること。」の要件については、当該農業相続人及び当該一括貸付けを受ける者の双方の当該共同住宅の賃貸に係る家賃の額及び当該共同住宅の賃貸の目的によって判定するものとする。(特定転用通達10)

　　（取得価額基準の判定）
(11)　**3**の表の(一)の注の③の〈ハ〉の取得価額基準を満たすかどうかは、次の算式により計算した金額が、95万円（共同住宅が建築基準法第2条第7号に規定する耐火構造を有するものである場合には、100万円）以下であるかどうかにより判定するのであるから留意する。(特定転用通達11)
（算式）

$$\frac{A}{B} \times 3.3 \text{m}^2$$

　（注）　Aは、共同住宅の取得価額（同〈ハ〉に規定する家屋の附属設備以外の附属設備に係る取得価額を除く。）
　　　　　Bは、共同住宅の床面積

　　（共用部分の床面積）
(12)　共同住宅に共用部分の床面積がある場合の当該共用部分の床面積は、**3**の表の(一)の注の③の〈イ〉の独立部分の床面積には含まれないのであるが、同③の〈ハ〉の独立部分の取得価額を計算する場合の(11)《取得価額基準の判定》の「共同住宅の床面積」には含まれるのであるから留意する。(特定転用通達12)

　　（2以上の共同住宅を新築又は取得する場合の共同住宅の要件の判定）
(13)　**3**の表の各号に規定する農業相続人が、これらの規定に規定する特定市街化区域農地等の上に2以上の共同住宅を新築又は取得をする場合には、それぞれの共同住宅ごとにこれらの規定に規定する要件を満たすものであるかどうかについて判定するのであるから留意する。(特定転用通達13)

　　（共同住宅の敷地の判定）
(14)　**3**の表の各号及び**5**の表の(三)の共同住宅の敷地に該当するかどうかは、社会通念に従い、共同住宅と一体として利用されている土地であるかどうかにより判定するのであるが、当該共同住宅の入居者のための次のような施設の敷地は、当該共同住宅の敷地に該当するものとする。(特定転用通達14)
　（一）　下水の浄化施設、子供の遊び場、共同物置、自転車置場
　（二）　駐車場（いわゆる青空駐車場を含む。）
　（三）　集会場
　（注）1　上記の駐車場には、有料のものも含まれるが、当該共同住宅の入居者以外の者も利用できるものは除かれるのであるから留意する。
　　　　2　上記の施設のうち倉庫、車庫等に該当するものは、(4)《倉庫、車庫等》の取扱いにより判定するのであるから留意する。

第二章　農地等についての相続税の納税猶予及び免除等
（第十五節　平成３年改正法の施行に伴う相続税の経過措置）

4　特定転用に係る承認申請手続

　3の税務署長の承認を受けようとする**3**に規定する農業相続人は、平成19年１月31日までに、**3**に規定する特定市街化区域農地等（以下**4**において「特定市街化区域農地等」という。）について**3**の規定の適用を受けようとする旨及び次に掲げる事項を記載した申請書に**3**の表の各号に掲げる要件に該当することを証する書類で（2）の財務省令で定めるものを添付し、これを納税地の所轄税務署長に提出しなければならない。（平３改措令附10④）

　（一）　申請者の氏名及び住所

　（二）　被相続人からの相続又は遺贈により**3**に規定する特例農地等（以下**4**において「特例農地等」という。）の取得をした年月日及び当該特例農地等の明細

　（三）　当該特例農地等のうち**3**の承認を受けようとする特定市街化区域農地等の明細

　（四）　当該特例農地等及び当該特定市街化区域農地等の被相続人からの相続又は遺贈による取得の時における農業投資価格控除後の価額（当該農地等が旧法の第四節**2**の（2）に規定する代替取得農地等である場合には、同**2**の（3）により計算した価額）並びに当該特例農地等及び当該特定市街化区域農地等に係る納税猶予分の相続税の額

　（五）　**3**の表の各号に掲げる要件に係る事項として（1）の財務省令で定めるもの

　（六）　その他参考となるべき事項

　　　（**4**の（五）の財務省令で定める記載事項）

（１）　**4**の（五）に規定する財務省令で定める事項は、次に掲げる転用の区分に応じ、それぞれに定める事項とする。（平３改措規附９③）

　（一）　**3**の表の（一）に係る転用　　次に掲げる事項

　　イ　当該共同住宅の敷地の用に供する特定市街化区域農地等の地目、面積及びその所在場所その他の明細

　　ロ　当該共同住宅の構造及び地上階数並びに当該共同住宅の**3**の表の（一）のイに規定する独立部分の数並びに当該共同住宅の床面積

　　ハ　当該共同住宅の新築又は取得の別並びに**3**の表の（一）の注の③の〈イ〉に規定する独立部分の床面積及び同③の〈ハ〉に規定する独立部分の取得価額に係る予定費用の額の3.3平方メートル当たりの金額

　　ニ　当該共同住宅を貸し付ける特定法人の名称及び住所並びに当該共同住宅の貸付け期間

　　ホ　当該共同住宅の建設の工事の着手の年月日及び当該共同住宅が完成する年月日

　（二）　**3**の表の（二）に係る転用　　次に掲げる事項

　　イ　（一）のイからハまで及びホに掲げる事項

　　ロ　当該共同住宅の賃貸に係る家賃の予定額及び当該共同住宅に係る入居者の公募の方法

　　ハ　**3**の表の（二）のニの①の融資を受けて当該共同住宅を新築する場合には、当該融資を行う者の名称及び住所並びに当該融資の額及びその貸付けの条件

　　ニ　当該共同住宅を独立行政法人都市再生機構から取得する場合には、当該共同住宅を譲り受ける年月日

　　ホ　次の（2）の（二）のハの証明書の写しを各年12月31日までに納税地の所轄税務署長に提出する旨

　　　（財務省令で定める申請書添付書類）

（２）　**4**に規定する申請書に添付する書類は、次に掲げる転用の区分に応じ、それぞれに定める書類とする。（平３改措規附９②）

　（一）　**3**の表の（一）に係る転用　　次に掲げる書類

　　イ　新築又は取得をする**3**の表の（一）に規定する共同住宅（以下において「**共同住宅**」という。）が同（一）に規定する中高層耐火建築物に該当し、かつ、地上階数３以上を有するもので同（一）のイに規定する要件のすべてを満たすものであることを証する独立行政法人都市再生機構又は当該共同住宅の建設の工事を請け負った建設業法第２条第３項に規定する建設業者の書類で、当該共同住宅の建設の工事の着手の年月日及び当該共同住宅が完成する年月日の記載があるもの

　　ロ　**3**の表の（一）に規定する特定法人（以下において「**特定法人**」という。）の長の当該新築又は取得をした当該共同住宅を**3**に規定する農業相続人（以下において「**農業相続人**」という。）から借り受ける旨を約する書類で当該共同住宅の借受け期間の記載があるもの

　　ハ　当該共同住宅の敷地の用に供する**3**に規定する特例農地等が**3**に規定する特定市街化区域農地等（以下において「**特定市街化区域農地**」という。）に該当する旨を証する当該特定市街化区域農地等に所在地を管轄する市長又は特別区の区長の書類の写し

　（二）　**3**の表の（二）に係る転用　　次に掲げる書類

－931－

イ　(一)のイ及びハに掲げる書類
ロ　住宅金融公庫若しくは**3**の表の(二)に規定する農業協同組合等(以下において「**農業協同組合等**」という。)の当該共同住宅の新築に際し融資を行う旨を約する書類又は独立行政法人都市再生機構の当該共同住宅を当該農業相続人に譲渡する旨を約する書類
ハ　住宅金融公庫、国土交通大臣又は独立行政法人都市再生機構の書類で、当該共同住宅の賃貸に係る家賃の額が**3**の表の(二)のロの限度内である旨の証明書を当該農業相続人に係る同(二)のニに規定する納税猶予期限までの間、同(二)のニに規定する提出期限までに発行することについての同意の記載があるもの

　　　(申請に対する処分)
(3)　**3**の税務署長は、**3**の承認の申請があった場合において、平成19年3月31日までに**3**の各号に掲げる要件に係る建設の工事に着手しないと認められる事由があるときは、**3**の承認を与えないことができる。(平3改措法附19⑦)

　　　(申請のみなす承認)
(4)　**4**の規定による申請書の提出があった場合において、その提出があった日から1月以内に、当該申請の承認又は却下の処分がなかったときは、当該申請の承認があったものとみなす。(平3改措令附10⑤)

5　転用承認農地等についての納税猶予打切規定及び買換規定の適用関係

　　3の場合において、**3**の税務署長の承認を受けたときにおける**2**の規定によりなおその効力を有するものとされる旧法の第四節の2《納税猶予の一部打切り》及び旧法の第七節《特例農地等の買換え》の規定の適用については、次に定めるところによる。(平3改措法附19⑧)

(一)	平成19年3月31日において、**3**の表の各号に掲げる要件に係る建設の工事に着手していない場合で基礎工事に着手していない場合には、**3**の規定にかかわらず、同日において転用をされたものとみなす。(平3改措規附9⑥)
(二)	**3**の表の(二)の要件に係る農業相続人が同(二)の共同住宅に係る同(二)のニの証明書の写しを提出期限までに納税地の所轄税務署長に提出しなかった場合には、**3**の規定にかかわらず、当該提出期限において転用をされたものとみなす。
(三)	納税猶予期限までの間に**3**の表の(一)の貸付けを行わないこととなった場合又は同(一)若しくは同(二)の共同住宅の敷地の用に供しないこととなった場合には、**3**の規定にかかわらず、当該行わないこととなった日又は当該供しないこととなった日において転用をされたものとみなす。
(四)	(一)から(三)までの規定に該当する場合には、**2**の規定によりなおその効力を有するものとされる旧法の第七節《特例農地等の買換え》の規定は、適用しない。

　　　(承認後に建設の工事に着手しなかった場合)
(1)　**3**の承認を受けた場合で、平成19年3月31日において、**3**の各号に規定する要件に該当する共同住宅の建設の工事に着手していないときは、たとえ当該承認に係る特定市街化区域農地等が引き続き**3**の各号に規定する農業相続人の農業の用に供されている場合であっても、**5**の表の(一)の規定により、当該特定市街化区域農地等は同日において転用されたものとみなされ、旧法の第四節の2《納税猶予の一部打切り》の規定により当該特定市街化区域農地等の価額に対応する部分の相続税の納税猶予税額は、納付を要することになるのであるから留意する。(特定転用通達15)

　　　(共同住宅の要件に該当しなくなった場合)
(2)　**5**の表の(三)に規定する「同(一)若しくは同(二)の共同住宅の敷地の用に供しないこととなった場合」には、納税猶予期限までの間に、次に掲げる場合に該当することとなった場合も含まれ、これらの場合には、**3**の承認に係る特定市街化区域農地等は、それぞれ次に掲げる日において転用されたものとみなされ、旧法の第四節の2《納税猶予の一部打切り》の規定により当該承認に係る特定市街化区域農地等の価額に対応する部分の相続税の納税猶予税額は、納付を要することになるのであるから留意する。(特定転用通達16)
　(一)　共同住宅の独立部分の全部又は一部が居住の用以外の用に供された場合　　居住の用以外の用に供された日のうち最も早い日
　(二)　公募の方法以外の方法で共同住宅の独立部分の全部又は一部の賃貸が行われた場合　　公募の方法以外の方法により賃貸された日のうち最も早い日
　(三)　**3**の承認に係る特定市街化区域農地等の上に新築又は取得された共同住宅が、**3**の表の(一)の注の③に掲げる要

第二章　農地等についての相続税の納税猶予及び免除等
（第十五節　平成３年改正法の施行に伴う相続税の経過措置）

件に該当しなかった場合　　当該共同住宅を新築又は取得をした日

（四）　**3**の承認に係る特定市街化区域農地等の上に**3**の表に規定する要件に該当する共同住宅が新築又は取得された場合において、その後当該共同住宅について資本的支出があったため、その資本的支出後の当該共同住宅の独立部分（共用部分を含む。）の取得価額（当初の取得価額にその後の資本的支出の額を加算した金額から除外部分の取得価額を控除した金額）が、同（一）の注の③の〈ハ〉の取得価額基準を超えることとなった場合　　その資本的支出に係る工事が完了した日

（注）（四）に該当する場合であっても、当該資本的支出があったことにより当該共同住宅の賃貸に係る家賃の額が増額されたと認められる場合を除き、この（四）には該当しないものとすることができる。

6　転用承認農地等に係る貸付け又は建設工事着手の届出

（貸付け又は建設工事着手届）

（1）　**2**の規定によりなおその効力を有するものとされる旧法の第一節の**1**の規定の適用を受ける**3**に規定する特定市街化区域農地等の転用につき**3**の税務署長の承認を受けた当該農業相続人は、平成19年３月31日までに**3**の表の（一）又は（二）に掲げる要件に係る建設の工事に着手した場合（独立行政法人都市再生機構が当該共同住宅の建設の工事に着手した場合を含む。）には、当該着手の日後遅滞なく、次の各号に掲げる転用の区分に応じ、当該各号に定める事項を記載した届出書に（2）に定める書類を添付して、これを当該承認をした税務署長に提出しなければならない。（平3改措規附9④）

（一）　**3**の表の（一）に係る転用　　次に掲げる事項

イ　届出書を提出する者の氏名及び住所又は居所

ロ　当該共同住宅の敷地の用に供する当該特定市街化区域農地等の地目、面積及びその所在場所その他の明細

ハ　当該共同住宅の建設の工事に着手した年月日

ニ　当該共同住宅に係る独立部分の**3**の表の（一）の注の③の〈イ〉の床面積及び当該共同住宅に係る独立部分の数

ホ　**3**の表の（一）の注の③の〈ハ〉の取得価額に係る予定費用の額及び当該共同住宅の階数

ヘ　当該共同住宅を貸し付ける特定法人の名称及び住所

ト　その他参考となるべき事項

（二）　**3**の表の（二）に係る転用　　次に掲げる事項

イ　（一）のイからホまでに掲げる事項

ロ　**4**の（1）の（二）のハの融資を受けて当該共同住宅を新築する場合には、住宅金融公庫又は農業協同組合等からの融資の額及びその貸付けの条件

ハ　当該共同住宅を独立行政法人都市再生機構から取得する場合には、その旨及び当該共同住宅を譲り受ける年月日

ニ　その他参考となるべき事項

（添付書類）

（2）　（1）の届出書に添付すべき書類は、次に掲げる転用の区分に応じ、それぞれに定める書類とする。（平3改措規附9⑤）

（一）　**3**の表の（一）に係る転用　　次に掲げる書類

イ　特定法人と締結した共同住宅の貸付けに関する契約書の写し

ロ　当該共同住宅を新築する場合にあっては、建設の工事の請負契約書の写し、当該共同住宅及び附属設備ごとの費用の明細の見積書の写し並びに当該共同住宅の独立部分及び共用部分の床面積、独立部分の数、構造、階数、専用設備その他の明細を証する書類

ハ　当該共同住宅を独立行政法人都市再生機構から取得する場合にあっては、当該共同住宅の売買契約書の写し、当該共同住宅及び附属設備ごとの費用の明細の見積書の写し並びに当該共同住宅の独立部分及び共用部分の床面積、独立部分の数、構造、階数、専用設備その他の明細を証する書類

ニ　当該農業相続人の書類で、当該共同住宅の新築又は取得をした場合には遅滞なく所轄税務署長に対して当該共同住宅に係る建築基準法（昭和25年法律第201号）第６条第１項若しくは第６条の２第１項の規定による確認通知書及び同法第７条第５項若しくは第７条の２第５項に規定する検査済証の写し又は登記簿の謄本を提出する旨の記載があるもの

（二）　**3**の表の（二）に係る転用　　次に掲げる書類

イ　（一）のロからニまでに掲げる書類

－933－

第四編　農地等に係る相続税・贈与税の納税猶予及び免除

　　ロ　4の（1）の（二）のハの融資を受けて当該共同住宅を新築する場合には、住宅金融公庫又は農業協同組合等の融資
　　　に関する契約書の写し

7　転用承認農地等以外の農地等を譲渡等した場合の納税猶予の打切規定の適用

　　3に規定する承認を受けた3に規定する農業相続人が3の特例農地等（当該承認を受けた特定市街化区域農地等を除く。
以下7において同じ。）を有する場合において、当該特例農地等の面積の100分の20を超える面積の当該特例農地等の旧法
の第四節《納税猶予の打切り》の1の（一）に規定する譲渡等（同（一）に規定する収用交換等による譲渡その他政令で定め
る譲渡又は設定を除く。）をしたとき、又は当該特例農地等に係る農業経営の廃止をしたときは、当該特例農地等について
は、2の規定によりなおその効力を有するものとされる旧法の第四節の1各号に掲げる場合に該当するものとみなして、
同1の規定を適用する。ただし、当該承認に係る特定市街化区域農地等については、この限りでない。（平3改措法附19
⑨）

　　　　（政令で定める譲渡又は設定）
（1）　7に規定する政令で定める譲渡又は設定は、旧令の第一節の4の（2）に規定する譲渡又は設定とする。（平3改措令
　　附10⑨）

　　　　（承認外特例農地等について譲渡等又は農業経営の廃止があった場合）
（2）　3に規定する承認を受けた農業相続人が旧法の第一節の1に規定する特例農地等（当該承認を受けた特定市街化区
　　域農地等を除く。以下「**承認外特例農地等**」という。）を有する場合において、当該承認外特例農地等について、旧法の
　　第四節1《納税猶予の全部打切り》の（一）の規定による譲渡等（以下「**譲渡等**」という。）をしたとき又は当該承認外特
　　例農地等に係る農業経営の廃止があったときにおける旧法の第一節の1の規定による相続税の納税猶予の適用について
　　は、次のとおりとなるのであるから留意する。（特定転用通達18）
　　（一）　承認外特例農地等の譲渡等（旧法の第四節1の（一）に規定する収用交換等による譲渡その他旧令の同1の（3）《政
　　　令で定める譲渡又は設定》に規定する譲渡又は設定（以下「**収用交換等による譲渡等**」という。）を除く。）があった
　　　場合で、当該譲渡等に係る承認外特例農地等の面積が承認外特例農地等の面積の100分の20を超えることとなったとき
　　　には、すべての承認外特例農地等の価額に対応する相続税の納税猶予税額（既に旧法の第四節の2《納税猶予の一部
　　　打切り》の規定により、納税猶予の期限が到来しているものを除く。）について納税猶予の期限が確定する。
　　（二）　承認外特例農地等の譲渡等があった場合で、（一）に該当しないときには、当該譲渡等があった承認外特例農地等の
　　　価額に対応する相続税の納税猶予税額について納税猶予の期限が確定する。
　　（三）　承認外特例農地等に係る農業経営の廃止があった場合には、すべての承認外特例農地等の価額に対応する相続税
　　　の納税猶予税額（既に旧法の第四節の2《納税猶予の一部打切り》の規定により、納税猶予の期限が到来しているも
　　　のを除く。）について納税猶予の期限が確定する。

　　　　（譲渡等をした承認外特例農地等の面積が100分の20を超えるかどうかの計算）
（3）　7に規定する100分の20を超えるかどうかの計算は、次に掲げる場合に応じ、それぞれ次に掲げる算式により行うの
　　であるから留意する。（特定転用通達19）
　　（一）　既往において旧法の第七節の1の規定に該当する農地又は採草放牧地（以下「**代替取得農地等**」という。）を取得
　　　していない場合

$$\frac{B+C}{A-G}$$

　　（二）　既往において、代替取得農地等を取得している場合

$$\frac{B+C}{(A-G)+(F-D+E)}$$

　　（注）　算式中の符号は、次のとおりである。
　　　　Aは、相続又は遺贈により取得した旧法の第一節の1に規定する特例農地等（以下「特例農地等」という。）の取得時の面積をいう。
　　　　Bは、今回譲渡等をした承認外特例農地等の面積をいう。
　　　　　この場合の譲渡等には、収用交換等による譲渡等を含まない。
　　　　Cは、既往において譲渡等（収用交換等による譲渡等を除く。）をした特例農地等の面積をいい、この面積は、旧法の第七節の1の規定によ
　　　　り譲渡等がなかったものとみなされるものの面積を除き、同1の規定により譲渡等がされたものとみなされるものの面積を含む。
　　　　Dは、既往において同1の規定により譲渡等がなかったものとみなされた特例農地等の面積をいい、次の算式により計算する。

－934－

第二章　農地等についての相続税の納税猶予及び免除等
（第十五節　平成３年改正法の施行に伴う相続税の経過措置）

$$
\text{譲渡等をし}\atop{\text{た特例農地}}\atop{\text{等の面積}} \times \frac{\text{譲渡等の対価の額のうち}\atop\text{代替取得農地等の取得に}\atop\text{充てる見込金額}}{\text{譲渡等をした特例農地等}\atop\text{の対価の額}}
$$

Eは、Dの面積のうち、同１の規定によりその後譲渡等がされたものとみなされた特例農地等の面積をいい、次の算式により計算する。

$$
\text{Dの面積} \times \frac{\text{Dの面積に係る譲渡等の対価}\atop\text{の額のうち代替取得農地等の}\atop\text{取得に充てられなかった金額}}{\text{Dの面積に係る譲渡等の対価の額}}
$$

Fは、代替取得農地等の面積をいう。
Gは、**3**に規定する承認に係る特定市街化区域農地等の面積をいう。

　　（承認前に譲渡等をした特例農地等がある場合の100分の20を超えるかどうかの計算）
（４）　**3**の承認を受けた農業相続人について当該承認前に譲渡等をした特例農地等がある場合には、当該承認時においては、**7**に規定する100分の20を超えるかどうかの計算は行わないのであるが、その後、当該100分の20を超えるかどうかの計算を要する承認外特例農地等の譲渡等があった時においては、当該譲渡等をした承認外特例農地等の面積に当該承認前に譲渡等（収用交換等による譲渡等を除く。）をした特例農地等の面積を加算して、当該100分の20の計算を行うものとして取り扱う。（特定転用通達20）

　　（承認を受けた後に生前一括贈与があった場合）
（５）　**3**の承認に係る特定市街化区域農地等を有する**3**に規定する農業相続人が、承認外特例農地等について第一章《農地等についての贈与税の納税猶予》の規定の適用を受ける贈与をした場合には、旧法の第一節の**1**に規定する「当該特例農地等の一部につき当該贈与があった場合」に該当するのであるから留意する。（特定転用通達21）
　　（注）　上記の場合には、贈与された特例農地等の価額に対応する部分の相続税の額は免除され、贈与されなかった特例農地等（当該承認に係る特定市街化区域農地等を含む。）の価額に対応する相続税の額（当該相続税の額に係る利子税の額を含む。）は、旧法の第一節の**1**の規定によりその贈与があった日から２か月を経過する日までに納付することになるのであるから留意する。

8　転用承認農地等に係る３年ごとの納税猶予継続届の提出義務
　3に規定する承認を受けた**3**に規定する農業相続人は、納税猶予期限までの間、当該承認を受けた日の翌日から起算して３年を経過するごとの日までに、（１）の政令で定めるところにより、引き続いて**3**の各号に掲げる要件を満たす旨の届出書を納税地の所轄税務署長に提出しなければならない。（平３改措法附19⑩）

　　（継続届出書記載事項）
（１）　**8**の規定により提出する届出書には、引き続いて**2**の規定によりなおその効力を有するものとされる旧法の第一節の**1**の規定の適用を受けたい旨及び次に掲げる事項を記載し、かつ、（２）の財務省令で定める書類を添付しなければならない。（平３改措令附10⑩）
　（一）　届出者の氏名及び住所
　（二）　**3**の税務署長の承認を受けた年月日
　（三）　**3**の表の各号に掲げる要件に該当する事実の明細
　（四）　**4**の(二)から(四)までに掲げる事項
　（五）　その他参考となるべき事項

　　（継続届出書の添付書類）
（２）　（１）に規定する財務省令で定める書類は、特定法人の引き続き**3**の表の(一)の共同住宅を借り受けることを証する書類とする。（平３改措規附9⑧）

　　（届出書の期限内不提出の場合の納税猶予打切り）
（３）　**8**の届出書が**8**に規定する期限までに提出されない場合には、**3**に規定する相続税については、**3**の規定にかかわらず、当該期限の翌日から２月を経過する日（当該期限後同日以前に当該相続税に係る農業相続人が死亡した場合には、当該農業相続人の相続人が当該農業相続人の死亡による相続の開始があったことを知った日の翌日から６月を経過する日）をもって**2**の規定によりなおその効力を有するものとされる旧法の第四節の**2**《納税猶予の一部打切り》の規定による納税の猶予に係る期限とする。（平３改措法附19⑪）

－935－

（ゆうじょ規定）
（４）　**3**の表の(二)のニの証明書の写し又は**8**の届出書が提出期限又は**8**に規定する期限までに提出されなかった場合においても、これらの規定に規定する税務署長がこれらの期限内にその提出がなかったことについてやむを得ない事情があると認める場合において、（５）又は（６）で定めるところにより、当該証明書の写し又は届出書が当該税務署長に提出されたときは、**5**の(二)又は上記（３）の規定の適用については、当該証明書の写し又は届出書がこれらの期限内に提出されたものとみなす。（平３改措法附19⑫）

　（期限後提出に係る証明書の添付書類）
（５）　（４）の規定により提出する**3**の表の(二)のニの証明書の写しには、当該証明書の写しを同(二)のホに規定する提出期限までに提出することができなかった事情の詳細を記載した書類を添付しなければならない。（平３改措令附10⑪）

　（期限後提出に係る届出書の付記事項）
（６）　（４）の規定により提出する**8**の届出書には、（１）に規定する事項のほか当該届出書を**8**に規定する期限までに提出することができなかった事情の詳細を記載し、かつ、（１）の財務省令で定める書類を添付しなければならない。（平３改措令附10⑫）

　（継続届出書の提出を要しない場合）
（７）　**3**に規定する農業相続人が、旧法の第一節の**1**の規定の適用を受ける同**1**に規定する特例農地等（既に旧法の第四節の**2**《納税猶予の一部打切り》の規定により納税猶予の期限が確定しているものを除く。）の全部につき**3**の承認を受けたときは、旧法の第十一節の**1**に規定する相続税の申告期限から３年目ごとの届出書（（８）において「届出書」という。）の提出は要しないものとして取り扱う。（特定転用通達23）

　（特例農地等の全部担保の要件に該当しなくなった場合の継続届出書の提出）
（８）　旧法の第十二節の**1**の（３）の規定により特例農地等の全部を担保として提供していた**3**に規定する農業相続人が、**3**の承認を受けるに際して、当該特例農地等の全部又は一部につき担保の提供を取りやめた場合には、その者は、その取りやめた日後、旧法の第十二節の**1**の規定により届出書の提出を要することとなるのであるが、この場合における当該届出書の提出期限は、その取りやめた日の翌日から起算するのではなく、当該特例農地等の相続又は遺贈に係る相続税の申告書の提出期限の翌日から起算して３年を経過するごとの日となるのであるから留意する。（特定転用通達24）

9　旧法の特例適用農地等のうちの特定市街化区域農地等を特定法人に譲渡した場合の特例

　2の規定によりなおその効力を有するものとされる旧法の第一節の**1**の規定の適用を受ける農業相続人が、平成４年１月１日から平成６年12月31日までの間に、国、地方公共団体、住宅・都市整備公団その他政令で定める法人に対し同**1**の規定の適用を受ける特定市街化区域農地等（昭和60年１月１日前に開始した相続に係るものに限る。）の旧法の第四節の**1**《納税猶予の全部打切り》の(一)の譲渡をした場合には、当該譲渡については、同(一)に規定する収用交換等による譲渡とみなして同**1**及び**2**《納税猶予の一部打切り》の規定を適用する。（平３改措法附19⑬）

　（政令で定める法人）
注　**9**に規定する政令で定める法人は、地方住宅供給公社及び土地開発公社とする。（平３改措令附10⑬）

第十六節　相続税の納税猶予を適用している場合の特定貸付けの特例

1　相続税の納税猶予を適用している場合の特定貸付けの特例

①　制度の概要

　第一節の**1**の規定の適用を受ける同**1**に規定する農業相続人（以下本節において「**猶予適用者**」という。）が、同**1**に規定する納税猶予期限までに同**1**本文の規定の適用を受ける同**1**に規定する特例農地等（第二節の**4**の表の（二）の右欄のロに規定する市街化区域内農地等を除く。）のうち農地又は採草放牧地の全部又は一部について農地中間管理事業の推進に関する法律第２条第３項に規定する農地中間管理事業（同項第７号に掲げる業務を行う事業を除く。）のために行われる使用貸借による権利又は賃借権（以下本節において「**賃借権等**」という。）の設定による貸付け（以下本節において「**特定貸付け**」という。）を行い、当該特定貸付けを行った日から２月以内に、（1）の政令で定めるところにより特定貸付けを行っている旨その他の（2）の財務省令で定める事項を記載した届出書を納税地の所轄税務署長に提出した場合には、当該猶予適用者に係る第四節の**1**《納税猶予の全部打切り》及び第四節の**2**《納税猶予の一部打切り》の規定の適用については、当該特定貸付けを行った当該農地又は採草放牧地の全部又は一部に係る賃借権等の設定はなかったものと、農業経営は廃止していないものとみなす。（措法70の６の２①）

　　　（届出書の提出）
（1）　①の規定の適用を受けようとする①に規定する猶予適用者（②に規定する旧法猶予適用者を含む。③の（1）及び同③の（2）において「猶予適用者」という。）は、①に規定する事項を記載した届出書に、（3）の財務省令で定める書類を添付し、これをその行った①に規定する特定貸付けごとに提出しなければならない。（措令40の７の２①）

　　　（届出書の記載事項）
（2）　①に規定する財務省令で定める事項は、①に規定する猶予適用者（②に規定する旧法猶予適用者を含む。以下この節において「猶予適用者」という。）が①に規定する特例農地等のうち第一節の**1**に規定する農地又は同**1**に規定する採草放牧地の全部又は一部について、①に規定する特定貸付けを行っている旨及び①の規定の適用を受けようとする旨並びに次に掲げる事項とする。（措規23の８の２①）
（一）　届出者の氏名及び住所又は居所
（二）　③の（1）に規定する特定貸付農地等の所在、地番、地目及び面積
（三）　②に規定する旧法猶予適用者（第一節の**1**に規定する特例農地等（以下（2）及び（3）の（二）において「特例農地等」という。）のうちに相続又は遺贈により取得（第一章第十八節の**1**又は第一節の**3**の②の規定により相続又は遺贈により取得したとみなされる場合の取得を含む。以下本節において同じ。）をした日において第一節**1**の（1）の（四）に規定する都市営農農地等を有しないものに限る。（3）の（二）において同じ。）が①の規定の適用を受けようとする場合には、当該特例農地等が同日において次に掲げる特例農地等のうちいずれに該当するかの別
　　イ　都市計画法第８条第１項第14号に掲げる生産緑地地区内にある特例農地等
　　ロ　第二節の**4**の（二）のロに規定する市街化区域内農地等（ハにおいて「市街化区域内農地等」という。）である特例農地等（イに掲げるものを除く。）
　　ハ　市街化区域内農地等以外の特例農地等
（四）　当該特定貸付けを行った年月日
（五）　当該特定貸付農地等を借り受けた者の氏名及び住所若しくは居所又は名称及び本店若しくは主たる事務所の所在地
（六）　当該特定貸付けに係る①に規定する賃借権等の存続期間
（七）　当該特定貸付農地等に係る被相続人の氏名及びその死亡の時における住所又は居所並びに当該被相続人から相続又は遺贈により当該特定貸付農地等を取得した年月日
（八）　その他参考となるべき事項

第四編　農地等に係る相続税・贈与税の納税猶予及び免除

（届出書の添付書類）
（３）　（１）に規定する財務省令で定める書類は、次に掲げる書類とする。（措規23の８の２②）
　（一）　次に掲げる場合の区分に応じそれぞれ次に定める書類
　　イ　ロ及びハに掲げる場合以外の場合　　特定貸付農地等について猶予適用者が特定貸付けを行った年月日を証する農地中間管理事業の推進に関する法律第２条第４項に規定する農地中間管理機構の書類並びに当該特定貸付けにつき農地法第３条第１項第14号のニの届出を受理した旨及び当該届出を受理した年月日を証する当該特定貸付農地等の所在地を管轄する農業委員会の書類
　　ロ　特定貸付農地等について猶予適用者が行った特定貸付けが農地中間管理事業の推進に関する法律第18条第８項に規定する農用地利用集積等促進計画の定めるところにより行われる場合　　当該特定貸付農地等に係る当該農用地利用集積等促進計画につき同条第７項の規定による公告をした者の当該公告をした旨及び当該公告の年月日を証する書類
　　ハ　特定貸付農地等について猶予適用者が行った特定貸付けが福島復興再生特別措置法第17条の27に規定する農用地利用集積等促進計画の定めるところにより行われる場合　　当該特定貸付農地等に係る当該農用地利用集積等促進計画につき同法第17条の26の規定による公告をした旨及び当該公告の年月日を証する福島県知事の書類
　（二）　特例農地等のうちに相続又は遺贈により取得をした日において（２）の（三）のロに掲げるものを有する旧法猶予適用者が①の規定の適用を受けようとする場合には、当該特例農地等が同日において（２）の（三）のロに掲げるものである旨及び当該特例農地等の明細を記載した当該特例農地等の所在地の市町村長の書類

　　　（措置法第70条の６の２の適用の対象となる特例農地等の範囲）
（４）　①に規定する特定貸付けの対象となる農地又は採草放牧地とは、都市計画法第７条第１項に規定する市街化区域内に所在する農地又は採草放牧地以外の第十節の１の（３）の（一）に規定する地域に所在する農地又は採草放牧地であり、①の規定の適用がある農地又は採草放牧地は特例農地等に限られるのであるが、この場合において、次に掲げる特例農地等は特定貸付けの対象とならないことに留意する。（措通70の６の２－１）
　（一）　第一節の１に規定する準農地である特例農地等
　（二）　同１の（５）の（二）又は（三）に掲げる敷地又は用地である特例農地等
　（三）　第五節の１の規定の適用を受ける特例農地等
　（四）　第六節の１に規定する貸付特例適用農地等
　（五）　第九節の１に規定する一時的道路用地等の用に供するため同１に規定する地上権等の設定（以下（４）において「地上権等の設定」という。）に基づく貸付けの対象となっている特例農地等（農業相続人が特定貸付けを行っていた特例農地等の全部又は一部について一時的道路用地等の用に供するために特定貸付けに係る地上権、永小作権、使用貸借による権利又は賃借権を消滅させ、一時的道路用地等の用に供するため地上権等の設定に基づく貸付けを行っている特例農地等で同１に規定する貸付期限が到来したものを除く。）
　（六）　第十節の１に規定する営農困難時貸付けの対象となっている特例農地等
　（七）　第十七節の１に規定する認定都市農地貸付け又は農園用地貸付けの対象となっている特例農地等

　　　（特定貸付けに該当しない貸付け）
（５）　第十節の１に規定する営農困難時貸付けを行っている特例農地等に第九節の２に規定する耕作の放棄又は同２に規定する権利消滅があった場合において、当該特例農地等に係る新たな貸付けを特定貸付けにより行ったときの当該特定貸付けについての１の①の規定の適用については、第一章第十七節１の（６）《特定貸付けに該当しない貸付け》を準用する。（措通70の６の２－２）

　　　（特定貸付けが行われている特例農地等について相続税の課税価格の計算の基礎に算入すべき価額）
（６）　①の規定の適用を受ける①に規定する農業相続人（以下「猶予適用者」という。）が死亡した場合において、特定貸付けが行われている特例農地等の相続税の課税価格の計算の基礎に算入すべき価額は、当該猶予適用者の死亡の日における貸付けの態様に応じた当該特例農地等の時価によることに留意する。（措通70の６の２－３）
　　（注）　特定貸付けが行われていた特例農地等について、猶予適用者の死亡の日前までに（13）において準用する第一章第十七節の２に規定する貸付期限（当該貸付期限の到来前に①に規定する賃借権等の解約が行われたことにより当該賃借権等が消滅した場合には、当該賃借権等が消滅した日。以下「貸付期限」という。）が到来した場合又は同第十七節の７に規定する耕作の放棄（以下「耕作の放棄」という。）があった場合において、当該猶予適用者の死亡の日において新たな特定貸付けが行われていないときにおける当該特例農地等の相続税の課税価格の計算の基礎に算入すべき価額は、当該猶予適用者の死亡の日における当該特例農地等の時価によることに留意する。

－938－

第二章　農地等についての相続税の納税猶予及び免除等
（第十六節　相続税の納税猶予を適用している場合の特定貸付けの特例）

（特定貸付けに係る権利設定に関する届出書）
（7）　①に規定する届出書の提出については、第一章第十七節の**1**の（7）《特定貸付けに係る権利設定に関する届出書》を準用する。（措通70の6の2－4）

（注）　(13)において準用する第一章第十七節の**2**及び同十七節の**4**の届出書の提出も同様であることに留意する。

（①の賃借権等の設定があった場合の第一節の**1**の担保）
（8）　特例農地等が第一節の**1**に規定する担保に提供されている場合において、その特例農地等につき①に規定する賃借権等の設定（民法第269条の2第1項の地上権の設定を除く。）があったときの担保については、第一章第十七節の**1**の（8）《同十七節の**1**の賃借権等の設定があった場合の第一章第一節の**1**の担保》を準用する。（措通70の6の2－5）

（届出書の記載事項）
（9）　第一章第十七節の規定は、(13)において第一章第十七節の規定を準用する場合及び(15)において第一章第十七節の規定を準用する場合について準用する。（措規23の8の2③）

（貸付期限の更新があった場合）
（10）　特定貸付けを行った農地又は採草放牧地の全部又は一部の貸付けに係る期限の到来前に、当該貸付けに係る期限を延長したときの当該延長前の貸付けに係る期限については、第一章第十七節の**2**の（4）《貸付期限の更新があった場合》を準用する。（措通70の6の2－6）

（特定貸付けを行っている特例農地等につき貸付期限の到来又は耕作の放棄があった後に猶予適用者が死亡した場合）
（11）　①の規定の適用を受ける特例農地等につき貸付期限の到来又は耕作の放棄があったときにおいて、次の（一）又は（二）に掲げる場合には、当該貸付期限の到来又は耕作の放棄があった当該特例農地等に係る納税猶予期限は確定せず、第十三節の**1**の規定により相続税は免除されることに留意する。

　　なお、（二）の場合において、当該猶予適用者の死亡の日前に新たな特定貸付けを行った部分又は当該猶予適用者の農業の用に供した部分に係る(13)において準用する第一章第十七節の**4**の届出書がその提出期限（当該猶予適用者の死亡の日前に提出期限が到来しているものに限る。）までに提出されていない部分については猶予期限は確定していることに留意する。（措通70の6の2－8）

（一）　貸付期限の到来又は耕作の放棄があった日から2月以内に当該特例農地等に係る猶予適用者が死亡した場合
（二）　(12)において準用する第一章第十七節の**3**の税務署長の承認を受け、貸付期限の到来又は耕作の放棄があった日から1年を経過する日までに、当該特例農地等に係る猶予適用者が死亡した場合

（注）　上記（一）又は（二）の場合において、貸付期限の到来又は耕作の放棄があったときから猶予適用者の死亡の日までの間に、当該貸付期限の到来又は耕作の放棄があった特例農地等について新たな特定貸付けを行ったとき又は当該猶予適用者の農業の用に供したときであっても、(13)で準用する第一章第十七節の**2**又は同十七節の**4**の届出書の提出は要しないことに留意する。

（読み替え規定）
（12）　第一章第十七節の規定は、**1**の①の規定の適用を受ける猶予適用者又は旧法猶予適用者について準用する。（措法70の6の2③）

（読み替え規定）
（13）　(12)において第一章第十七節の規定を準用する場合に、同節**2**中「**1**」とあるのは「本節**1**の①」と、「受ける特定貸付農地等」とあるのは「受ける特定貸付けを行った農地又は採草放牧地の全部又は一部（以下(13)において「特定貸付農地等」という。）」と、同節**3**及び同節**5**中「**1**」とあるのは「本節**1**の①」と、同節**6**中「**1**の規定」とあるのは「本節**1**の①の規定」と、「第一節の**1**」とあるのは「本章第一節の**1**」と、「納税猶予分の贈与税額」とあるのは「納税猶予分の相続税額」と、「同節の**2**」とあるのは「本章第四節の**2**」と、「、**1**の」とあるのは「、本節**1**の①に規定する特定貸付けを行った」と、同十七節の**7**中「、**1**」とあるのは「、本節**1**の①」と、「第四節の**1**《納税猶予の全部打切り》の表の（一）」とあるのは「本章第四節の**1**《納税猶予の全部打切り》の表の（一）」と、「「**1**」とあるのは「「本節**1**の①」と、同十七節の**8**の（1）中「旧法猶予適用者が**8**の規定により**1**」とあるのは「本節**1**の②に規定する旧法猶予適用者が同②の規定により本節の**1**の①」と、「第一節の**1**《農地等を贈与した『場合の贈与税の納税猶予》に規定する受贈者」とあるのは「本章第一節の**1**に規定する農業相続人」と、「**8**の各号」とあるのは「本節**1**の②各号」と、

－939－

「第70条の４」とあるのは「第70条の６」と読み替えるものとする。（措令40の７の２④）

　　　（読み替え規定の準用）
(14)　第一章第十七節の**2**の（1）、**3**の（1）及び（4）、**4**の（1）、**5**の（1）、**7**の（1）並びに**9**の（4）の規定は、(13)において第一章第十七節の規定を準用する場合について準用する。（措令40の７の２⑤）

②　旧法猶予適用者の扱い
　　次に掲げる農業相続人（（1）において「**旧法猶予適用者**」という。）は、①の規定の適用を受けることができる。（措法70の６の２②）
(一)　租税特別措置法の一部を改正する法律（平成３年法律第16号）附則第19条第５項の規定によりなおその効力を有するものとされる同法による改正前の租税特別措置法第70条の６第１項本文の規定の適用を受けている同項に規定する農業相続人
(二)　租税特別措置法等の一部を改正する法律（平成12年法律第13号）附則第19条第５項第２号に掲げる同法第１条の規定による改正前の租税特別措置法第70条の６第１項本文の規定の適用を受けている同項に規定する農業相続人
(三)　租税特別措置法等の一部を改正する法律（平成13年法律第７号）附則第32条第９項第３号に掲げる同法第１条の規定による改正前の租税特別措置法第70条の６第１項本文の規定の適用を受けている同項に規定する農業相続人
(四)　所得税法等の一部を改正する法律（平成15年法律第８号）附則第123条第11項の規定によりなお従前の例によることとされる場合における同法第12条の規定による改正前の租税特別措置法第70条の６第１項本文の規定の適用を受けている同項に規定する農業相続人
(五)　所得税法等の一部を改正する法律（平成17年法律第21号）附則第55条第17項の規定によりなお従前の例によることとされる場合における同法第５条の規定による改正前の租税特別措置法第70条の６第１項本文の規定の適用を受けている同項に規定する農業相続人
(六)　所得税法等の一部を改正する法律（平成21年法律第13号）附則第66条第６項の規定によりなおその効力を有するものとされる同法第５条の規定による改正前の租税特別措置法第70条の６第１項本文の規定の適用を受けている同項に規定する農業相続人
(七)　所得税法等の一部を改正する法律（平成26年法律第10号）附則第128条第７項の規定によりなお従前の例によることとされる場合における同法第10条の規定による改正前の租税特別措置法第70条の６第１項本文の規定の適用を受けている同項に規定する農業相続人
(八)　所得税法等の一部を改正する法律（平成28年法律第15号）附則第127条第９項の規定によりなお従前の例によることとされる場合における同法第10条の規定による改正前の租税特別措置法第70条の６第１項本文の規定の適用を受けている同項に規定する農業相続人
(九)　所得税法等の一部を改正する法律（平成30年法律第７号）附則第118条第11項から第13項までの規定によりなお従前の例によることとされる場合における同法第15条の規定による改正前の租税特別措置法第70条の６第１項本文の規定の適用を受けている同項に規定する農業相続人
(十)　所得税法等の一部を改正する法律（令和２年法律第８号）附則第108条第２項第10号に掲げる同法第15条の規定による改正前の租税特別措置法第70条の６第１項本文の規定の適用を受けている同項に規定する農業相続人
(十一)　所得税法等の一部を改正する法律（令和４年法律第４号）附則第51条第11項の規定によりなお従前の例によることとされる場合における同法第11条の規定による改正前の租税特別措置法第70条の６第１項本文の規定の適用を受けている同項に規定する農業相続人

　　　（特定市街化区域農地等がある場合）
(1)　②の(一)に掲げる農業相続人が①の(13)において準用する第一章第十七節の**8**の（1）の規定により第一節の**1**に規定する農業相続人とみなされた場合において、当該農業相続人が有する租税特別措置法の一部を改正する法律（平成３年法律第16号）による改正前の租税特別措置法第70条の６第１項本文に規定する特例農地等のうちに同**1**の（三）に規定する特定市街化区域農地等があるときは、当該特定市街化区域農地等については同**1**の（四）に規定する都市営農農地等以外の第二節の**4**の表の（二）右欄のロに規定する市街化区域内農地等とみなして、同**1**の規定を適用する。（措令40の７の２②）

　　　（３年ごとの継続届出）
(2)　次の各号に掲げる農業相続人（当該各号に掲げる農業相続人の区分に応じ当該各号に定める規定の適用を受けてい

第二章　農地等についての相続税の納税猶予及び免除等
（第十六節　相続税の納税猶予を適用している場合の特定貸付けの特例）

るものに限る。）が❶の(12)において準用する第一章第十七節の**8**の（1）の規定により第一節の**1**に規定する農業相続人とみなされた場合における第十二節の**1**の規定の適用については、同**1**中「第一節の**1**の相続税の申告書の提出期限」とあるのは「第十六節の**1**の❶の届出書を提出した日」と、「引き続いて同**1**」とあるのは「引き続いて第十六節の**1**の❶」とする。（措令40の7の2③）

（一）　❷の（一）に掲げる農業相続人　　租税特別措置法の一部を改正する法律（平成3年法律第16号）附則第19条第5項の規定によりなおその効力を有するものとされる同法による改正前の租税特別措置法第70条の6第14項の規定

（二）　❷の（二）に掲げる農業相続人　　租税特別措置法等の一部を改正する法律（平成12年法律第13号）第1条の規定による改正前の租税特別措置法第70条の6第16項の規定

（三）　❷の（三）に掲げる農業相続人　　租税特別措置法等の一部を改正する法律（平成13年法律第7号）第1条の規定による改正前の租税特別措置法第70条の6第25項の規定

（四）　❷の（四）に掲げる農業相続人　　所得税法等の一部を改正する法律（平成15年法律第8号）附則第123条第11項の規定によりなお従前の例によることとされる場合における同法第12条の規定による改正前の租税特別措置法第70条の6第31項の規定

（五）　❷の（五）に掲げる農業相続人　　所得税法等の一部を改正する法律（平成17年法律第21号）附則第55条第17項の規定によりなお従前の例によることとされる場合における同法第5条の規定による改正前の租税特別措置法第70条の6第31項の規定

　　（旧法猶予適用者が❶の規定の適用を受けた場合の相続税の納税猶予についての取扱い）
（3）　❷の各号に掲げる農業相続人が❶の規定の適用を受けた場合には、❶の(12)において準用する第一章第十七節の**8**の（1）の規定により当該旧法猶予適用者は第一節の**1**に規定する農業相続人とみなして本章の規定が適用され、❷の各号に規定する改正前の租税特別措置法第70条の6の規定は適用がないことに留意する。（措通70の6の2－9）

　　（平成3年改正前の措置法第70条の6第1項の規定の適用を受ける農業相続人が❶の規定の適用を受けた場合の相続税の納税猶予についての取扱い）
（4）　平成3年改正前の措置法第70条の6第1項本文の規定の適用を受ける農業相続人が❶の規定の適用を受けた場合には、❶の(13)において準用する第一章第十七節の**8**の（1）の規定により第一節の**1**に規定する農業相続人とみなして本章の規定を適用することとなるが、この場合において当該農業相続人が有する特例農地等のうちに第一節の**1**の（1）の（三）に規定する特定市街化区域農地等がある場合には、当該特定市街化区域農地等については同（1）の（四）に規定する都市営農地等以外の第二節の**4**の表の（二）の右欄のロに規定する市街化区域内農地等とみなして、本章の規定の適用をすることに留意する。（措通70の6の2－10）

　　（旧法猶予適用者が❶の規定の適用を受けた場合の継続届出書の提出）
（5）　旧法猶予適用者（次の（一）から（五）までに掲げる農業相続人である旧法猶予適用者に限る。）が❶の規定の適用を受けた場合には、❶の(12)において準用する第一章第十七節の**8**の（1）の規定により第一節の**1**に規定する農業相続人とみなして本章の規定を適用することとなるが、この場合において（一）から（五）までに掲げる農業相続人の区分に応じ（一）から（五）までに掲げる規定の適用を受けている場合の第十二節の**1**に規定する届出書（以下「継続届出書」という。）については、❶に規定する届出書を提出した日の翌日から起算して3年を経過するごとの日までに継続届出書を提出しなければならないことに留意する。（措通70の6の2－11）

（一）　平成3年改正前の措置法第70条の6第1項本文の規定の適用を受ける農業相続人　　同条第14項の規定

（二）　平成12年改正前の措置法第70条の6第1項本文の規定の適用を受ける農業相続人　　同条第16項の規定

（三）　平成13年改正前の措置法第70条の6第1項本文の規定の適用を受ける農業相続人　　同条第25項の規定

（四）　平成15年改正前の措置法第70条の6第1項本文の規定の適用を受ける農業相続人　　同条第31項の規定

（五）　平成17年改正前の措置法第70条の6第1項本文の規定の適用を受ける農業相続人　　同条第31項の規定

（注）　上記の継続届出書の提出期間については、当該3年を経過するごとの日の属する月の前々月の初日から当該3年を経過するごとの日までの期間として取り扱う。

　　（旧法猶予適用者が❶の規定の適用を受けた場合の利子税の割合）
（6）　旧法猶予適用者が❶の規定の適用を受けた場合には、当該旧法猶予適用者は第一節の**1**に規定する農業相続人とみなして本章の規定が適用されることとなるが、第四節の**6**に規定する利子税の割合については、次に掲げる旧法猶予適用者の区分に応じそれぞれ次の割合となることに留意する。（措通70の6の2－12）

－941－

　　　　（一）　特例農地等のうちに相続又は遺贈により取得をした日において都市営農農地等であるものを有する旧法猶予適用
　　　　者　　年3.6％

　　　　（二）　特例農地等のうちに相続又は遺贈により取得をした日において都市営農農地等であるものを有しない旧法猶予適
　　　　用者

　　　　　イ　特例農地等のうち相続又は遺贈により取得をした日において第十三節の1の（2）の（一）に規定する市街化区域内
　　　　　　農地等に対応する部分の金額を基礎とする部分　　年6.6％

　　　　　ロ　イ以外の部分　　年3.6％

　（注1）　上記の利子税の割合は、農地法等の一部を改正する法律（平成21年法律第57号）の施行の日以後の期間に対応する利子税について適用が
　　　　あることに留意する。
　（注2）　第四節の7の規定の適用があることに留意する。

③　その他

　　　（特定貸付農地等を特定貸付けに基づき借り受けた者に引き続き貸し付けている場合）
（1）　①の規定の適用を受ける特定貸付けを行った農地又は採草放牧地の全部又は一部（以下③において「特定貸付農地
　　等」という。）に係る特定貸付けを行った猶予適用者が当該特定貸付けを行った後当該特定貸付農地等を当該特定貸付け
　　に基づき借り受けた者に引き続き貸し付けている場合における当該猶予適用者に係る第一節の1の規定の適用について
　　は、同節の1の（一）中「「が当該特例農地等」とあるのは「又は2の（1）の規定の適用を受ける同項に規定する特定貸付
　　けを行った農地若しくは採草放牧地の全部若しくは一部（以下（1）において「特定貸付農地等」という。）を当該特定貸
　　付けに基づき借り受けた者（農地中間管理事業の推進に関する法律第2条第4項に規定する農地中間管理機構が当該借
　　り受けた者である場合には、当該農地中間管理機構から借り受けた者）が当該特例農地等」と、「（以下本章」とあるの
　　は「（第十六節1の①の規定の適用を受ける同①に規定する賃借権等が設定されている特定貸付農地等）の当該農業相続
　　人による当該譲渡、贈与、転用若しくは設定又は消滅に伴う当該賃借権等の消滅を除く。以下本章」と、「に係る土地を
　　含む」とあるのは「及び第十六節1の①の規定の適用を受ける特定貸付農地等に係る土地を含む」とする。（措令40の7
　　の2⑥）

　　　（一時的道路用地等の用に供するために貸付けを行った場合）
（2）　第九節《一時的道路用地等の用に供するための地上権等の設定》の規定は、特定貸付けを行った猶予適用者が、当
　　該特定貸付けに係る特定貸付農地等の全部又は一部について、第九節の1に規定する一時的道路用地等の用に供するた
　　めに当該特定貸付けに係る①に規定する賃借権等を消滅させ、かつ、当該用に供するために同1に規定する地上権等の
　　設定に基づき貸付けを行った場合について準用する。この場合において、同1中「農業の用に供する」とあるのは「農
　　業の用に供し、又は当該特例農地等について第十六節の1の①の規定により同①に規定する特定貸付けを行う」と、同
　　1の（一）中「地上権等の設定」とあるのは「第十六節の1の①に規定する特定貸付けに係る同①に規定する賃借権等の
　　消滅及び地上権等の設定」と、同1の（二）中「場合」とあるのは「場合又は第十六節の1の①の規定により同①に規定
　　する特定貸付けを行っていない場合」と、「供していない部分」とあるのは「供している部分及び当該特定貸付けを行っ
　　ている部分以外の部分」と読み替えるものとする。（措令40の7の2⑦）

　　　（営農困難時貸付けの特例）
（3）　猶予適用者が特定貸付けを行っている場合における第十二節の2の（1）、第十四節の3の（2）及び同3の（3）の規
　　定の適用については、同（1）中「営農困難時貸付け」とあるのは「第十六節の1の①に規定する特定貸付け」と、「当該
　　営農困難時貸付け」とあるのは「当該特定貸付け」と、「第十節の1に規定する営農困難時貸付特例農地等」とあるのは
　　「③の（1）に規定する特定貸付農地等」と、「当該営農困難時貸付特例農地等」とあるのは「当該特定貸付農地等」と、
　　第十四節の3の（3）中「第十節の1」とあるのは「第十六節の1の①」と、「営業困難時貸付特別農地等」とあるのは「③
　　の（1）に規定する特例貸付農地等」と、同3の（2）中「第十節の1」とあるのは「第十六節の1の①」とする。（措規23
　　の8の2④）

2　特定貸付けを行った農地又は採草放牧地についての相続税の課税の特例

　　　（特定貸付けを行った農地又は採草放牧地についての相続税の課税の特例）
（1）　1の①の（一）から（三）に掲げる貸付け（以下（1）及び（2）において「**特定貸付け**」という。）を行っている者（以下

第二章　農地等についての相続税の納税猶予及び免除等
（第十六節　相続税の納税猶予を適用している場合の特定貸付けの特例）

「**特定貸付者**」という。）が死亡した場合において、当該特定貸付者の相続人が当該特定貸付者から当該特定貸付けを行っていた農地又は採草放牧地を相続又は遺贈により取得をしたときは、当該特定貸付けを行っていた農地又は採草放牧地は当該特定貸付者がその死亡の日まで農業の用に供していたものとみなして、第一節の**1**の規定を適用する。（措法70の6の3①）

　　（農業相続人が死亡した場合）
（2）　農業を営んでいた個人として（3）の政令で定める者（以下「**農業経営者**」という。）又は第一節の**1**に規定する農業相続人（以下「**農業相続人**」という。）が死亡した場合において、当該農業経営者又は農業相続人の相続人が当該農業経営者又は農業相続人から相続又は遺贈により取得をした農地又は採草放牧地について第一編第七章第一節**一**の**1**の規定による申告書の提出期限（（4）において「**相続税の申告期限**」という。）までに特定貸付けを行ったときは、当該農地又は採草放牧地は当該相続人の農業の用に供する農地又は採草放牧地に該当するものとみなして、第一節の**1**の規定を適用する。（措法70の6の3②）

　　（政令で定める農業を営んでいた個人）
（3）　（2）に規定する農業を営んでいた個人として政令で定める者は、次に掲げる者とする。（措令40の7の3①）
　（一）　第一節の**2**の（一）に掲げる個人（当該個人に係る同**2**に規定する第一次農業相続人を含む。）
　（二）　（1）に規定する特定貸付者

　　（贈与者が死亡した場合）
（4）　第一章第一節の**1**の規定の適用を受ける同**1**に規定する受贈者に係る贈与者が死亡した場合において、当該受贈者が同**1**本文の規定の適用を受ける同**1**に規定する農地等のうち農地又は採草放牧地について当該贈与者の死亡に係る相続税の申告期限において第一章第十七節の**1**に規定する特定貸付又は**1**の①に規定する特定貸付けを行っているときは、当該農地又は採草放牧地は当該受贈者の農業の用に供する農地又は採草放牧地に該当するものとみなして、第一節の**1**の規定を適用する。（措法70の6の3③）

　　（届出書の提出期限）
（5）　（1）（2）（4）の規定の適用がある場合における**1**の①の規定の適用については、同①中「から2月以内」とあるのは、「の翌日から2月を経過する日又は第一節の**1**に規定する相続税の申告書の提出期限のいずれか遅い日まで」とするほか、同①の規定の適用に関し必要な事項は、（6）の政令で定める。（措法70の6の3④）

　　（届出書の提出）
（6）　（5）の規定により読み替えて適用する**1**の①の規定の適用を受けようとする者が同①の届出書を提出する場合において、同①に規定する特定貸付けを行った日の翌日から2月を経過する日が第一節の**1**に規定する相続税の申告書の提出期限以前となるときは、当該届出書を当該相続税の申告書に添付して提出しなければならない。（措令40の7の3②）

　　（相続税申告書の添付書類）
（7）　（5）の規定により読み替えて適用する**1**の①の規定の適用を受けようとする者が相続税の申告書を提出する場合において、特定貸付けを行った日の翌日から2月を経過する日が当該相続税の申告書の提出期限後となるとき（既に同①の届出書を当該相続税の申告書に添付して提出している場合を除く。）は、当該相続税の申告書に同①の規定の適用を受けようとする旨及び当該届出書の提出予定年月日その他（8）の財務省令で定める事項の記載がある書類を添付しなければならない。（措令40の7の3③）

　　（添付書類の記載事項）
（8）　（7）に規定する財務省令で定める事項は、次に掲げる事項とする。（措規23の8の3）
　（一）　（7）に規定する書類を提出する者の氏名及び住所又は居所
　（二）　特定貸付農地等の所在、地番、地目及び面積
　（三）　特定貸付けを行った年月日
　（四）　特定貸付農地等に係る被相続人の氏名及びその死亡の時における住所又は居所並びに当該被相続人から相続又は遺贈により当該特定貸付農地等の取得（第一章第十六節の**1**の規定により相続又は遺贈により取得したとみなされる場合の取得を含む。）をした年月日

—943—

第四編　農地等に係る相続税・贈与税の納税猶予及び免除

（五）　その他参考となるべき事項

（相続開始の年に贈与を受けた場合）

（9）　（2）の相続人が（2）の規定により第一節の**1**の規定の適用を受ける場合（同**1**に規定する特例農地等のすべてについて相続税の申告書の提出期限までに特定貸付けを行っている場合に限る。）における第一節の**4**の規定の適用については、同**4**の（一）中「に係る農業経営を開始し、その後引き続き当該農業経営」とあるのは、「のすべてについて**1**の**①**に規定する特定貸付け」とする。（措令40の7の3④）

（規定の準用）

（10）　（9）の規定は、（4）の受贈者が（4）の規定により本章の規定の適用を受ける場合について準用する。（措令40の7の3⑤）

（特定貸付者の範囲）

（11）　（1）に規定する「特定貸付者」とは、第一章第十七節の**1**又は**1**の**①**に規定する特定貸付け（以下**2**において「特定貸付け」という。）を死亡の日まで行っていた者をいうのであるが、次の（一）から（六）までに掲げる者が死亡の日までに、それぞれに掲げる規定に係る貸付けを行っていた場合には、当該者は（1）に規定する特定貸付者に含まれることに留意する。（措通70の6の3－1）

（一）　第六節の**1**の規定の適用を受ける農業相続人

（二）　第一章第六節の**1**の規定の適用を受ける受贈者

（三）　第十節の**1**の規定の適用を受ける農業相続人（当該農業相続人の死亡の日まで行われていた貸付けが特定貸付けにより行われていた場合に限る。）

（四）　第一章第十節の**1**の規定の適用を受ける受贈者（当該受贈者の死亡の日まで行われていた貸付けが特定貸付けにより行われていた場合に限る。）

（五）　**1**の**①**の規定の適用を受ける農業相続人

（六）　第一章第十七節の**1**の規定の適用を受ける受贈者

（（1）に規定する特定貸付けを行っていた農地又は採草放牧地）

（12）　（1）に規定する「特定貸付けを行っていた農地又は採草放牧地」とは、特定貸付けを行っていた者の死亡の日において、当該特定貸付けを行っていた者により特定貸付けが行われていた農地又は採草放牧地をいい、当該特定貸付けを行っていた者が当該農地又は採草放牧地について第一章第十七節の**1**又は**1**の**①**の規定の適用を受けているかどうかは問わないことに留意する。（措通70の6の3－2）

（注）　**1**の**①**に規定する「特定貸付けを行っていた農地又は採草放牧地」には、特定貸付けを行っていた者の死亡の日において、当該特定貸付けを行っていた者により次に掲げる貸付けが行われていた農地又は採草放牧地が含まれることに留意する。

① 農地法等の一部を改正する法律（平成21年法律第57号）第2条の規定による改正前の農業経営基盤強化促進法第4条第2項に規定する農地保有合理化事業のために都道府県農地保有合理化法人（同法第7条第1項の承認を受けた法人（同法第5条第2項第4号ロの規定により農業経営基盤強化促進基本方針に定められた者に限る。）をいう。）に対し行っていた貸付け（③に該当するものを除く。）

② 農地法等の一部を改正する法律（平成21年法律第57号）第2条の規定による改正前の農業経営基盤強化促進法第4条第2項に規定する農地保有合理化事業のために市町村農地保有合理化法人（同法第7条第1項の承認を受けた法人（同法第6条第3項の規定により農業経営基盤強化促進基本構想に定められた者に限る。）をいう。以下(12)において同じ。）に対し行っていた貸付けのうち、次のいずれかに該当するもの（③に該当するものを除く。）

イ 旧市町村農地保有合理化法人が、農地法等の一部を改正する法律（平成21年法律第57号）附則第12条第1項の規定によりなお従前の例によるものとされている旧農地売買等事業（同法による改正前の農業経営基盤強化促進法第4条第2項第1号に規定する農地売買等事業をいう。）を実施している場合における当該貸付け

ロ 旧市町村農地保有合理化法人が、農地法等の一部を改正する法律（平成21年法律第57号）第2条の規定による改正後の農業経営基盤強化促進法第11条の9第1項の規定により農地利用集積円滑化事業規程（同項に規定する農地利用集積円滑化事業規程をいう。）の承認を受けている場合における当該貸付け

③ 農地法等の一部を改正する法律（平成21年法律第57号）による改正前の農業経営基盤強化促進法第20条に規定する農用地利用集積計画の定めるところにより行われていた貸付け

④ 農業の構造改革を推進するための農業経営基盤強化促進法等の一部を改正する等の法律（平成25年法律第102号）第1条の規定による改正前の農業経営基盤強化促進法第4条第2項に規定する農地保有合理化事業（同項第1号に掲げる事業に限る。）のために都道府県農地保有合理化法人（同法第7条第1項の承認を受けた法人をいう。）に対して行っていた貸付け

⑤ 農地中間管理事業の推進に関する法律等の一部を改正する法律（令和元年法律第12号）第2条の規定による改正前の農業経営基盤強化促進法第4条第3項に規定する農地利用集積円滑化事業（同項第1号に定める事業（同号ハに掲げるものを除く。）及び同項第2号に定める事

第二章　農地等についての相続税の納税猶予及び免除等
（第十六節　相続税の納税猶予を適用している場合の特定貸付けの特例）

業に限る。）のために同法第11条の14に規定する農地利用集積円滑化団体に対して行っていた貸付け
⑥　農業経営基盤強化促進法等の一部を改正する法律（令和４年法律第56号）第１条の規定による改正前の農業経営基盤強化促進法第20条に規定する農用地利用集積計画の定めるところにより行われていた貸付け

（「相続又は遺贈により取得」の意義）
(13)　（１）及び（２）に規定する「相続又は遺贈により取得」には、第一章第十八節の**1**の規定により相続又は遺贈により取得したとみなされる場合の取得は含まれないことに留意する。（措通70の６の３－３）

（相続税の申告期限までに行われた特定貸付け）
(14)　（２）の規定は、（２）に規定する相続又は遺贈により取得した農地又は採草放牧地について（２）に規定する相続税の申告期限までに特定貸付けを行ったときに限り適用があることに留意する。
　　したがって、特定貸付けが相続税の申告期限までに行われていない場合には、（２）の規定の適用はないこととなる。（措通70の６の３－４）

（特定貸付けが行われた特例農地等について相続税の課税価格の計算の基礎に算入すべき価額）
(15)　**2**の規定の適用を受ける農地又は採草放牧地について、相続税の課税価格の計算の基礎に算入すべき価額は、当該相続税の課税価格の計算に係る被相続人の死亡の日における当該農地又は採草放牧地の時価によることに留意する。（措通70の６の３－５）

（特定貸付けに係る権利設定に関する届出書が提出されない場合）
(16)　**2**の規定は、（５）の規定により読み替えて適用する**1**の①の規定の適用を受けようとする者が同①の届出書を提出することにより適用があるが、当該届出書が提出されない場合の本章の規定の適用は、次に掲げるところによることに留意する。（措通70の６の３－６）
　（一）　特定貸付けを行った日の翌日から２月を経過する日が第一節の**1**に規定する相続税の申告書の提出期限以前となる場合において、当該相続税の申告書に届出書が添付されていない場合　　本章の規定の適用はないことに留意する（**1**の①の(12)において準用する第一章第十七節の**5**の規定の適用がある場合を除く。（二）において同じ。）。
　（二）　特定貸付けを行った日の翌日から２月を経過する日が相続税の申告書の提出期限後となる場合において、当該相続税の申告書に(7)に規定する書類を添付して当該相続税の申告書が提出され、特定貸付けを行った日から２月以内に届出書が提出されない場合　　本章の規定の適用はないものとして取り扱う。
　（注）　上記の場合において、相続税の申告書に特定貸付けを行った農地又は採草放牧地につき第一節の**1**の適用を受けようとする旨の記載がない場合、第三節の**1**に規定する書類又は(7)に規定する書類の添付がない場合には、本章の規定の適用はないことに留意する。

第四編　農地等に係る相続税・贈与税の納税猶予及び免除

相続税の納税猶予の特定貸付けに関する届出書

令和＿＿年＿＿月＿＿日

※欄は記入しないでください。

税務署
受付印

＿＿＿＿＿＿＿＿税務署長

〒

届出者 住 所 ＿＿＿＿＿＿＿＿＿＿＿＿＿＿＿＿＿＿＿＿＿

氏 名 ＿＿＿＿＿＿＿＿＿＿＿＿＿＿＿＿＿

（電話番号　　　　　－　　　－　　　　）

　租税特別措置法第70条の6の2第1項に規定する特定貸付を行った下記の特例農地等については同項の規定の適用を受けたいので、同項の規定により届け出ます。

1　被相続人等に関する事項

被 相 続 人	住 所		氏 名	
届出者が被相続人から農地等を相続（遺贈）により取得した年月日			昭 和 平 成 令 和	年　　月　　日

2　特定貸付けに関する事項

借り受けた者	住所（居所） 又 は 本 店 （主たる事務 所）の所在地			氏 名 又 は 名 称	
特定貸付けを 行った年月日	令和　　年　　月　　日		地上権、永小作権、 使用貸借による権利 又は賃借権の存続期間	自：令和　　年　　月　　日 至：令和　　年　　月　　日	

　上記の者へ特定貸付けを行った特例農地等の明細は、付表1のとおりです。

　上記の特定貸付けは、次の貸付けにより行いました。（該当する番号を○で囲んでください。）

⑴　農地中間管理事業による使用貸借による権利又は賃借権の設定に基づく貸付け

⑵　農用地利用集積計画の定めるところによる使用貸借による権利又は賃借権の設定に基づく貸付け

3　平成30年8月31日以前の相続（遺贈）について納税猶予の適用を受けている農業相続人（相続（遺贈）により取得した日において特例農地等のうちに都市営農農地等を有しない農業相続人に限ります。）が有する特例農地等に関する事項

　農業相続人が有する特例農地等の取得をした日における当該特例農地等の区分は、付表2の1、同2の2及び同2の3のとおりです。

関与税理士		電話番号	

※	通信日付印の年月日	（確　認）	整理簿番号
	年　月　日		

（資12−120−1−A4統一）　　（令3.3）

第二章　農地等についての相続税の納税猶予及び免除等
（第十六節　相続税の納税猶予を適用している場合の特定貸付けの特例）

農業相続人が特定貸付けを行った特定貸付農地等に関する明細書

〒

農業相続人　住　所＿＿＿＿＿＿＿＿＿＿＿＿＿＿＿＿＿＿＿＿＿＿＿＿

氏　名＿＿＿＿＿＿＿＿＿＿　電話＿＿＿＿＿＿＿

　下記の農地又は採草放牧地については、被相続人の死亡に係る相続税の申告書の提出期限までに租税特別措置法第70条の6の2第1項に規定する特定貸付けを行ったので、租税特別措置法第70条の6の2第1項の規定の適用を受けます。

1　被相続人等に関する事項

被相続人の住所及び氏名	住　所		氏　名	
下記の農地又は採草放牧地を被相続人から相続(遺贈)により取得した年月日			令和　　年　　月　　日	

2　特定貸付けを行った農地又は採草放牧地等に関する事項

番号	所　在　場　所	地目	面積	特定貸付けを行った年月日	特定貸付けに関する届出書の提出予定年月日
1			㎡	令和　年　月　日	令和　年　月　日
2				令和　年　月　日	令和　年　月　日
3				令和　年　月　日	令和　年　月　日
4				令和　年　月　日	令和　年　月　日
5				令和　年　月　日	令和　年　月　日
6				令和　年　月　日	令和　年　月　日
7				令和　年　月　日	令和　年　月　日
8				令和　年　月　日	令和　年　月　日
9				令和　年　月　日	令和　年　月　日
10				令和　年　月　日	令和　年　月　日

※　この明細書は、相続税の申告書に添付して提出してください。

（資12－125－A4統一）

第十七節　相続税の納税猶予を適用している場合の都市農地の貸付けの特例

1　相続税の納税猶予を適用している場合の都市農地の貸付けの特例

　猶予適用者が、第一節の1に規定する納税猶予期限までに同1の規定の適用を受ける同1に規定する特例農地等（都市計画法第8条第1項第14号に掲げる生産緑地地区内にある農地であって、生産緑地法第10条（同法第10条の5の規定により読み替えて適用する場合を含む。）又は第15条第1項の規定による買取りの申出がされたもの及び同法第10条の6第1項の規定による指定の解除がされたものを除く。）の全部又は一部について認定都市農地貸付け又は農園用地貸付けを行い、これらの貸付けを行った日（（1）の（三）のロに掲げる貸付けにあっては、同（三）のロに規定する貸付規程に基づく最初の貸付けの日）から2月以内に、（2）の政令で定めるところにより認定都市農地貸付け又は農園用地貸付けを行っている旨その他の財務省令で定める事項を記載した届出書を納税地の所轄税務署長に提出した場合には、当該猶予適用者に係る第四節の1及び2の規定の適用については、これらの貸付けを行った当該特例農地等の全部又は一部（以下本節において「**貸付都市農地等**」という。）に係る地上権、永小作権、使用貸借による権利又は賃借権（**4**において「賃借権等」という。）の設定（民法第269条の2第1項の地上権の設定を除く。（1）及び**4**において同じ。）はなかったものと、農業経営は廃止していないものとみなす。（措法70の6の4①）

　　（用語の意義）
（1）　本節において、次の各号に掲げる用語の意義は、当該各号に定めるところによる。（措法70の6の4②）
　（一）　**猶予適用者**　第一節の1の規定の適用を受ける同1に規定する農業相続人をいう。
　（二）　**認定都市農地貸付け**　賃借権又は使用貸借による権利の設定による貸付けであって都市農地の貸借の円滑化に関する法律（平成30年法律第68号）第7条第1項第1号に規定する認定事業計画の定めるところにより行われるものをいう。
　（三）　**農園用地貸付け**　次に掲げる貸付けをいう。
　　イ　特定農地貸付けに関する農地法等の特例に関する法律（平成元年法律第58号。以下（三）及び**4**の（二）において「特定農地貸付法」という。）第3条第3項の承認（市民農園整備促進法（平成2年法律第44号）第11条第1項の規定により承認を受けたものとみなされる場合における当該承認を含む。以下（三）において同じ。）を受けた地方公共団体又は農業協同組合が当該承認に係る特定農地貸付法第2条第2項に規定する特定農地貸付けの用に供するために猶予適用者との間で締結する賃借権その他の使用及び収益を目的とする権利の設定に関する契約に基づく貸付け
　　ロ　特定農地貸付法第3条第3項の承認（当該承認の申請書に適正な貸付けを確保するために必要な事項として財務省令で定める事項が記載された特定農地貸付法第2条第2項第5号イに規定する貸付協定が添付されたものに限る。）を受けた地方公共団体及び農業協同組合以外の者が行う当該承認に係る特定農地貸付法第2条第2項に規定する特定農地貸付けのうち、猶予適用者が当該承認に係る特定農地貸付法第3条第1項の貸付規程に基づき行う貸付け
　　ハ　都市農地の貸借の円滑化に関する法律第11条において準用する特定農地貸付法第3条第3項の承認を受けた地方公共団体及び農業協同組合以外の者が当該承認に係る都市農地の貸借の円滑化に関する法律第10条に規定する特定都市農地貸付けの用に供するために猶予適用者との間で締結する賃借権又は使用貸借による権利の設定に関する契約に基づく貸付け

　　（届出書の提出）
（2）　1の規定の適用を受けようとする（1）の（一）に規定する猶予適用者（**6**に規定する旧法猶予適用者を含む。**7**の（1）及び（4）において「猶予適用者」という。）は、1に規定する事項を記載した届出書に、財務省令で定める書類を添付し、これをその行った（1）の（二）に規定する認定都市農地貸付けごと又は（1）の（三）に規定する農園用地貸付けごとに提出しなければならない。（措令40の7の4①）

　　（財務省令で定める事項）
（3）　1に規定する財務省令で定める事項は、（1）の（一）に規定する猶予適用者（**6**に規定する旧法猶予適用者を含む。以下（3）から（5）、**2**の（3）から（5）、**4**の（1）、**7**の（4）（5）において「猶予適用者」という。）が、1に規定する特

－948－

第二章　農地等についての相続税の納税猶予及び免除等
（第十七節　相続税の納税猶予を適用している場合の都市農地の貸付けの特例）

例農地等の全部又は一部について、（1）の（二）に規定する認定都市農地貸付け（以下（3）から（5）、**2**の（3）から（5）、**4**の（1）、**7**の（4）（5）において「認定都市農地貸付け」という。）又は（1）の（三）に規定する農園用地貸付け（以下（3）から（5）、**2**の（3）から（5）、**4**の（1）、**7**の（4）（5）において「農園用地貸付け」という。）を行っている旨及び**1**の規定の適用を受けようとする旨並びに次に掲げる事項（当該農園用地貸付けが同号ロに掲げるものである場合には、**六**及び**七**に掲げる事項を除く。）とする。（措規23の8の4①）

（一）　届出者の氏名及び住所又は居所

（二）　**1**に規定する貸付都市農地等（以下（3）から（5）、**2**の（3）から（5）、**4**の（1）、**7**の（4）（5）及び第十八節**4**の（4）において「貸付都市農地等」という。）の所在、地番、地目及び面積

（三）　**6**に規定する旧法猶予適用者（第一節の**1**に規定する特例農地等（以下（三）及び（4）の（（二）において「特例農地等」という。）のうちに相続又は遺贈により取得（第一章第十八節の**1**又は第一節**3**の**②**の規定により相続又は遺贈により取得をしたとみなされる場合の取得を含む。（八）及び（4）の（二）において同じ。）をした日において第一節の**1**の（1）に規定する都市営農農地等を有しないものに限る。（4）の（二）において「旧法猶予適用者」という。）が**1**の規定の適用を受けようとする場合には、当該特例農地等が同日において次に掲げる特例農地等のうちいずれに該当するかの別

　イ　都市計画法第8条第1項第14号に掲げる生産緑地地区内にある特例農地等

　ロ　第二節**4**の（二）のロに規定する市街化区域内農地等（ハにおいて「市街化区域内農地等」という。）である特例農地等（イに掲げるものを除く。）

　ハ　市街化区域内農地等以外の特例農地等

（四）　当該認定都市農地貸付け又は農園用地貸付け（（五）及び（七）並びに（九）並びに第十八節**4**の（4）の（三）において「認定都市農地貸付け等」という。）が、認定都市農地貸付け又は農園用地貸付けのうち（1）の（三）のイからハまでに掲げる貸付けのいずれの貸付けに該当するかの別

（五）　当該認定都市農地貸付け等を行った年月日（当該認定都市農地貸付け等が（1）の（三）のロに掲げる貸付けである場合には、同（三）のロの貸付規程に基づく最初の貸付けの年月日）

（六）　当該貸付都市農地等を借り受けた者の氏名及び住所若しくは居所又は名称及び本店若しくは主たる事務所の所在地

（七）　当該認定都市農地貸付け等に係る**1**に規定する賃借権等の存続期間

（八）　当該貸付都市農地等に係る被相続人の氏名及びその死亡の時における住所又は居所並びに当該被相続人から相続又は遺贈により当該貸付都市農地等の取得をした年月日

（九）　その他参考となるべき事項

（財務省令で定める書類）

（4）　（2）に規定する財務省令で定める書類は、次に掲げる書類とする。（措規23の8の4②）

（一）　貸付都市農地等について猶予適用者が行った貸付けの次に掲げる区分に応じそれぞれ次に定める書類

　イ　認定都市農地貸付け　都市農地の貸借の円滑化に関する法律（平成30年法律第68号）第4条第1項に規定する申請者が当該貸付都市農地等に係る同項に規定する事業計画につき同項の認定を受けた旨及びその年月日並びに猶予適用者が当該貸付けを行った年月日を証する当該貸付都市農地等の所在地の市町村長又は特別区の区長の書類の写し

　ロ　農園用地貸付け　次に掲げる場合の区分に応じそれぞれ次に定める書類

　　①　当該貸付けが（1）の（三）のイに掲げるものである場合（④に掲げる場合を除く。）　同（三）のイの地方公共団体又は農業協同組合が当該貸付都市農地等における特定農地貸付けに関する農地法等の特例に関する法律（平成元年法律第58号。以下ロにおいて「特定農地貸付法」という。）第2条第2項に規定する特定農地貸付けにつき特定農地貸付法第3条第3項の承認を受けた旨及びその年月日並びに猶予適用者が当該貸付けを行った年月日を証する当該貸付都市農地等の所在地を管轄する農業委員会の書類

　　②　当該貸付けが（1）の（三）のロに掲げるものである場合（④に掲げる場合を除く。）　猶予適用者が当該貸付けにつき特定農地貸付法第3条第3項の承認を受けた旨及びその年月日並びに当該承認の申請書に次項に規定する事項が記載された特定農地貸付法第2条第2項第5号イに規定する貸付協定（④（ⅱ）において「貸付協定」という。）が添付された旨並びに当該猶予適用者が行った（1）の（三）のロの貸付規程に基づく最初の当該貸付けの年月日を証する当該貸付都市農地等の所在地を管轄する農業委員会の書類

　　③　当該貸付けが（1）の（三）のハに掲げるものである場合（④に掲げる場合を除く。）　同（三）のハの地方公共団体又は農業協同組合以外の者が当該貸付都市農地等における都市農地の貸借の円滑化に関する法律第10条に規定す

—949—

る特定都市農地貸付けにつき同法第11条において準用する特定農地貸付法第3条第3項の承認を受けた旨及びその年月日並びに猶予適用者が当該貸付けを行った年月日を証する当該貸付都市農地等の所在地を管轄する農業委員会の書類

④　当該貸付けが市民農園整備促進法（平成2年法律第44号）第7条第1項又は第5項の規定による認定に係るものである場合　次に掲げる貸付けの区分に応じそれぞれ次に定める書類

（ⅰ）　（1）の（三）のイ又はハに掲げる貸付け　当該貸付けに基づき借り受けた者が当該認定を受けた旨及びその年月日並びに猶予適用者が当該貸付けを行った年月日を証する当該貸付都市農地等の所在地の市町村長又は特別区の区長の書類

（ⅱ）　（1）の（三）のロに掲げる貸付け　猶予適用者が当該認定を受けた旨及びその年月日並びに当該貸付けにつき次項に規定する事項が記載された貸付協定を当該貸付都市農地等の所在地の市町村又は特別区と締結している旨並びに同号ロの貸付規程に基づく最初の当該貸付けの年月日を証する当該市町村又は特別区の長の書類

（二）　特例農地等のうちに相続又は遺贈により取得をした日において（3）の（三）のロに掲げるものを有する旧法猶予適用者が1の規定の適用を受けようとする場合には、当該特例農地等が同日において（3）の（三）のロに掲げるものである旨及び当該特例農地等の明細を記載した当該特例農地等の所在地の市町村長の書類

　　（財務省で定める事項）
（5）　（1）の（三）のロに規定する財務省令で定める事項は、特定農地貸付けに関する農地法等の特例に関する法律施行規則（平成元年農林水産省令第36号）第1条第2項各号に掲げる事項とする。（措規23の8の4③）

　　（措置法第70条の6の4の適用の対象となる特例農地等の範囲）
（6）　（1）の（二）又は（三）に規定する認定都市農地貸付け又は農園用地貸付け（以下5までにおいて「認定都市農地貸付け等」という。）の対象となる特例農地等とは、都市計画法第8条第1項第14号に掲げる生産緑地地区内にある農地（生産緑地法第10条（同法第10条の5の規定により読み替えて適用する場合を含む。）又は第15条第1項の規定による買取りの申出がされたもの及び同法第10条の6第1項の規定による指定の解除がされたものを除く。）に限られるのであるが、この場合において、次に掲げる特例農地等は認定都市農地貸付け等の対象とならないことに留意する。（措通70の6の4－1）

（一）　第一節の1に規定する採草放牧地又は準農地である特例農地等

（二）　第一節の1の（5）の（二）又は（三）に掲げる敷地又は用地である特例農地等

（三）　第五節の1の規定の適用を受ける特例農地等

（四）　第六節の1に規定する貸付特例適用農地等

（五）　第九節の1に規定する一時的道路用地等の用に供するため同項に規定する地上権等の設定（以下（6）において「地上権等の設定」という。）に基づく貸付けの対象となっている特例農地等（農業相続人が認定都市農地貸付け等を行っていた特例農地等の全部又は一部について一時的道路用地等の用に供するために認定都市農地貸付け等に係る地上権、永小作権、使用貸借による権利又は賃借権を消滅させ、一時的道路用地等の用に供するため地上権等の設定に基づく貸付けを行っている特例農地等で同項に規定する貸付期限が到来したものを除く。）

（六）　第十節の1に規定する営農困難時貸付けの対象となっている特例農地等

（七）　第十六節の1の①に規定する特定貸付けの対象となっている特例農地等

　　（認定都市農地貸付け等に該当しない貸付け）
（7）　第十節の1に規定する営農困難時貸付けを行っている特例農地等に第十節の2に規定する耕作の放棄又は同2に規定する権利消滅があった場合において、当該特例農地等に係る新たな貸付けを認定都市農地貸付け等により行ったときであっても、当該認定都市農地貸付け等は第十節の1の規定が適用される営農困難時貸付けであり、本節の規定の適用はないことに留意する。（措通70の6の4－2により準用する措通70の4の2－2）

　　（認定都市農地貸付け等が行われている特例農地等について相続税の課税価格の計算の基礎に算入すべき価額）
（8）　1の規定の適用を受ける（1）の（一）に規定する猶予適用者（以下5までにおいて「猶予適用者」という。）が死亡した場合において、認定都市農地貸付け等が行われている特例農地等の相続税の課税価格の計算の基礎に算入すべき価額は、当該猶予適用者の死亡の日における貸付けの態様に応じた当該特例農地等の時価によることに留意する。（措通70の6の4－3）

（注）　認定都市農地貸付け等が行われていた特例農地等について、猶予適用者の死亡の日前までに次に掲げる認定都市農地貸付け等の区分に応じ、

第二章　農地等についての相続税の納税猶予及び免除等
（第十七節　相続税の納税猶予を適用している場合の都市農地の貸付けの特例）

それぞれ次に定める場合に該当することとなった場合において、当該猶予適用者の死亡の日において新たな認定都市農地貸付け等が行われていないときにおける当該特例農地等の相続税の課税価格の計算の基礎に算入すべき価額は、当該猶予適用者の死亡の日における当該特例農地等の時価によることに留意する。

1　認定都市農地貸付け（（1）の（二）に規定する認定都市農地貸付けをいう。5までにおいて同じ。）　次に掲げる場合

　①　2の（1）において読み替えられた第一章第十七節の2に規定する貸付期限（当該貸付期限の到来前に1に規定する賃借権等が消滅した場合には、当該賃借権等が消滅した日）が到来した場合

　②　2に規定する耕作の放棄又は認定の取消しがあった場合

2　農園用地貸付け（（1）の（三）に規定する農園用地貸付けをいう。本節において同じ。）　次に掲げる場合

　①　3において読み替えられた第一章第十七節の2に規定する貸付期限（（1）の（三）のロに掲げる貸付けにあっては3の貸付都市農地等に係る（1）の（三）のロに規定する貸付規程に基づく最後の貸付けが終了した日とし、当該貸付期限の到来前に1に規定する賃借権等が消滅した場合には当該賃借権等が消滅した日）が到来した場合

　②　（1）の（三）のイの賃借権その他の使用及び収益を目的とする権利の設定に関する契約又は同（三）のハの賃借権若しくは使用貸借による権利の設定に関する契約が解除された場合

　③　特定農地貸付けに関する農地法等の特例に関する法律（平成元年法律第58号）第3条第3項《特定農地貸付けの承認》（都市農地の貸借の円滑化に関する法律（平成30年法律第68号）第11条《特定農地貸付法の準用》において準用する場合を含む。）の承認の取消し又は市民農園整備促進法（平成2年法律第44号）第10条《認定の取消し》の規定による認定の取消しがあった場合

　④　（1）の（三）のロの貸付協定が廃止された場合又は都市農地の貸借の円滑化に関する法律第10条第2号《定義》の協定が廃止された場合

（認定都市農地貸付け等に係る権利設定に関する届出書）

（9）　1に規定する届出書は、認定都市農地貸付け又は農園用地貸付けを行ったごとに提出しなければならないのであるから、例えば、認定都市農地貸付け又は農園用地貸付けを行った日において2以上の（1）の（二）の認定事業計画又は（1）の（三）のイ若しくはハの契約若しくは同（三）のロの貸付規程の定めるところにより認定都市農地貸付け又は農園用地貸付けを行っている場合には、それぞれの認定事業計画又は契約若しくは貸付規程ごとに当該届出書を提出しなければならないことに留意する。（措通70の6の4－4）

（注）　2、3又は5において準用する第一章第十七節の2の届出書及び同節の4の届出書の提出も同様であることに留意する。

（1の賃借権等の設定があった場合の第一節の1の担保）

（10）　特例農地等が第一節の1に規定する担保に提供されている場合において、その特例農地等につき1に規定する賃借権等の設定（民法第269条の2第1項の地上権の設定を除く。）があったときにおいても、その担保を提供した1に規定する猶予適用者に対して国税通則法第51条第1項に規定する増担保の提供を命ずる必要はないことに留意する。（措通70の6の4－5により準用する措通70の4の2－4）

2　納税猶予の打切り規定等の準用

第一章第十七節の2から7までの規定は、認定都市農地貸付けを行っている1の規定の適用を受ける貸付都市農地等の貸付けに係る期限が到来する場合、貸付都市農地等に係る耕作の放棄（第四節の1の表の（一）に規定する耕作の放棄をいう。）があった場合又は都市農地の貸借の円滑化に関する法律第7条第2項の規定による同法第4条第1項の認定の取消しがあった場合について準用する。この場合において、必要な技術的読替えは、政令で定める。（措法70の6の4③）

（読替え規定）

（1）　2において第一章第十七節の2から7までの規定を準用する場合には、同節の2中「1」とあるのは「第二章第十七節の1」と、「受ける特定貸付農地等」とあるのは「受ける同1の（1）の（二）に規定する認定都市農地貸付け（以下本節において「認定都市農地貸付け」という。）を行った同1に規定する貸付都市農地等（以下本節において「貸付都市農地等」という。）」と、「到来前に特定貸付け」とあるのは「到来前に認定都市農地貸付け」と、「到来した特定貸付農地等」とあるのは「到来した貸付都市農地等」と、「特定貸付けを行っている」とあるのは「認定都市農地貸付け若しくは第二章第十七節の1の（1）の（三）に規定する農園用地貸付け（以下本節において「新たな認定都市農地貸付け等」という。）を行っている」と、「新たな特定貸付けを行った」とあるのは「新たな認定都市農地貸付け等を行った」と、「新たな特定貸付けに」とあるのは「新たな認定都市農地貸付け等に」と、同節の3中「1」とあるのは「第二章第十七節の1」と、「新たな特定貸付け」とあるのは「新たな認定都市農地貸付け等」と、「特定貸付農地等」とあるのは「貸付都市農地等」と、同節の4「特定貸付農地等」とあるのは「貸付都市農地等」と、「新たな特定貸付け」とあるのは「新たな認定都市農地貸付け等」と、同節の5中「1」とあるのは「第二章第十七節の1」と、「が特定貸付け」とあるのは「が認定都市農地貸付け」と、「新たな特定貸付け」とあるのは「新たな認定都市農地貸付け等」と、同節の6中「1の規定」とあるのは「第二章第十七節の1の規定」と、「第一節の1」とあるのは「第二章第一節の1」と、「納税猶予分の贈与税額」とあるのは「納税猶予分の相続税額」と、「同節の2《納税猶予の一部打切り》」とあるのは「第二章第十七節の

－951－

6」と、「1の特定貸付農地等」とあるのは「認定都市農地貸付けを行った貸付都市農地等」と、「当該特定貸付農地等」とあるのは「当該貸付都市農地等」と、「の新たな特定貸付け」とあるのは「の新たな認定都市農地貸付け等」と、「は新たな特定貸付け」とあるのは「は新たな認定都市農地貸付け等」と、同6の(一)及び(三)中「特定貸付農地等」とあるのは「貸付都市農地等」と、「新たな特定貸付け」とあるのは「新たな認定都市農地貸付け等」と、同節の7中「　、1」とあるのは「　、第二章第十七節の1」と、「特定貸付農地等」とあるのは「貸付都市農地等」と、「第四節の1《納税猶予の全部打切り》の表の(一)」とあるのは「第二章第四節の1《納税猶予の全部打切り》の表の(一)」と、「をいう。)」とあるのは「をいう。)又は認定の取消し(第二章第十七節の2の認定の取消しをいう。)」と、「特定貸付け」とあるのは「認定都市農地貸付け」と、「いう。以下」とあるのは「いい、第二章第十七節の2の認定の取消しを含む。以下」と、「「1」とあるのは「「第二章第十七節の1」と、「　、部分」とあるのは「　、第二章第十七節の1の(1)の(三)」とあるのは「同1の(三)」と、「部分」と、「耕作の放棄」」とあるのは「耕作の放棄又は賃借権等の設定」」と読み替えるものとする。(措令40の7の4②)

　　　（特例貸付けの特例の準用）
（2）　第一章第十七節の2の(1)、3の(1)、3の(4)、4の(1)、5の(1)、7の(1)及び9の(4)の規定は、2において第一章第十七節の2から7までの規定を準用する場合について準用する。(措令40の7の4③)

　　　（読替え規定）
（3）　第一章第十七節2の(2)(3)、同節3の(2)、同節4の(2)、同節7の(1)(2)、同節9の(5)までの規定は、2において第一章第十七節の2から7までの規定を準用する場合について準用する。この場合において、第一章第十七節の2の(3)の(一)中「1の(4)の(一)から(三)」とあるのは、「(4)の(一)から(二)」と読み替えるものとする。(措規23の8の4④)

　　　（財務省令で定める書類）
（4）　(2)において準用する第一章第一節の1の(5)に規定する財務省令で定める書類は、認定都市農地貸付けに係る期限が到来した貸付都市農地等について行おうとする次の(一)(二)に掲げる貸付けの区分に応じ当該(一)(二)に定める書類とする。(措規23の8の4⑤)
　　(一)　認定都市農地貸付け　猶予適用者が当該貸付都市農地等の所在地の市町村長又は特別区の区長に提出した新たな認定都市農地貸付けの申込書の写し
　　(二)　農園用地貸付け　次に掲げる場合の区分に応じそれぞれ次に定める書類
　　イ　ロに掲げる場合以外の場合　猶予適用者が当該貸付都市農地等の所在地を管轄する農業委員会に提出した新たな農園用地貸付けの申込書の写し
　　ロ　当該貸付けが市民農園整備促進法第7条第1項又は第5項の規定による認定に係るものである場合　猶予適用者が当該貸付都市農地等の所在地の市町村長又は特別区の区長に提出した新たな農園用地貸付けの申込書の写し

　　　（準用規定）
（5）　(4)の規定は、(2)において準用する第一章第十七節の7の(1)において同節3の(1)の規定を準用する場合並びに3の(2)及び5の(2)において第一章第十七節の3の(1)の規定を準用する場合について準用する。(措規23の8の4⑥)

3　期限が到来する場合についての準用

　　第一章第十七節の2から6までの規定は、農園用地貸付けを行っている1の規定の適用を受ける貸付都市農地等の貸付けに係る期限（1の(1)の(三)のロに掲げる貸付けにあっては、当該貸付都市農地等に係る同(三)のロに規定する貸付規程に基づく最後の貸付けの日）が到来する場合について準用する。この場合において、必要な技術的読替えは、政令で定める。(措法70の6の4④)

　　　（読替え規定）
（1）　3において第一章第十七節の2から6までの規定を準用する場合には、同節の2中「1」とあるのは「第二章第十七節の1」と、「特定貸付農地等の貸付けに係る期限（」とあるのは「同1の(1)の(三)に規定する農園用地貸付け（以下本節において「農園用地貸付け」という。）を行った同1に規定する貸付都市農地等（以下本節において「貸付都市農地等」という。）の貸付けに係る期限（同1の(1)の(三)のロに掲げる貸付けにあっては当該貸付都市農地等に係る同(三)

－952－

第二章　農地等についての相続税の納税猶予及び免除等
（第十七節　相続税の納税猶予を適用している場合の都市農地の貸付けの特例）

のロに規定する貸付規程に基づく最後の貸付けの日とし、」と、「到来前に特定貸付け」とあるのは「到来前に農園用地貸付け」と、「到来した特定貸付農地等」とあるのは「到来した貸付都市農地等」と、「特定貸付けを行っている」とあるのは「農園用地貸付け若しくは1の（1）の（二）に規定する認定都市農地貸付け（以下本節において「新たな農園用地貸付け等」という。）を行っている」と、「新たな特定貸付けを行った」とあるのは「新たな農園用地貸付け等を行った」と、「新たな特定貸付けに」とあるのは「新たな農園用地貸付け等に」と、3中「1」とあるのは「第二章第十七節の1」と、「新たな特定貸付け」とあるのは「新たな農園用地貸付け等」と、「特定貸付農地等」とあるのは「貸付都市農地等」と、4中「特定貸付農地等」とあるのは「貸付都市農地等」と、「新たな特定貸付け」とあるのは「新たな農園用地貸付け等」と、5中「1」とあるのは「第二章第十七節の1」と、「が特定貸付け」とあるのは「が農園用地貸付け」と、「新たな特定貸付け」とあるのは「新たな農園用地貸付け等」と、6中「1の規定」とあるのは「第二章第十七節の1の規定」と、「第一節の1《農地等を贈与した場合の贈与税の納税猶予及び免除》」とあるのは「第二章第一節の1《農地等についての相続税の納税猶予及び免除等》」と、「納税猶予分の贈与税額」とあるのは「納税猶予分の相続税額」と、「同節の2《納税猶予の一部打切り》」とあるのは「第二章第十七節の6」と、「1の特定貸付農地等」とあるのは「農園用地貸付けを行った貸付都市農地等」と、「当該特定貸付農地等」とあるのは「当該貸付都市農地等」と、「の新たな特定貸付け」とあるのは「の新たな農園用地貸付け等」と、「は新たな特定貸付け」とあるのは「は新たな農園用地貸付け等」と、6の（一）及び（三）中「特定貸付農地等」とあるのは「貸付都市農地等」と、「新たな特定貸付け」とあるのは「新たな農園用地貸付け等」と読み替えるものとする。（措令40の7の4④）

　　　（特例貸付けの特例の準用）
（2）　第一章第十七節の2の（1）、3の（1）、3の（4）、4の（1）、5の（1）及び9の（4）の規定は、3において第一章第十七節の2から6までの規定を準用する場合について準用する。（措令40の7の4⑤）

　　　（貸付期限の更新があった場合）
（3）　認定都市農地貸付け等を行った農地の全部又は一部の貸付けに係る期限の到来前に、当該貸付けに係る期限を延長したときには、当該延長前の貸付けに係る期限において3に規定する貸付期限は到来しないことに留意する。（措通70の6の4-6により準用する措通70の4の2-5）

　　　（新たな貸付けを行う場合の貸付けの範囲等）
（4）　貸付期限の到来等（1の（8）の（注）に定める場合をいう。以下（5）において同じ。）に該当することとなった貸付都市農地等（1に規定する貸付都市農地等をいう。）について新たな貸付け（2の（1）、3の（1）又は5の（1）の規定により読み替えられた第一章第十七節の2又は同節の4の規定により行う新たな貸付けをいう。以下（4）において同じ。）を行う場合には、認定都市農地貸付け又は農園用地貸付けのいずれかによることに留意する。
　　　なお、新たな貸付けを行った場合の本節の規定の適用については、当該貸付都市農地等に係る当初の貸付けの区分（認定都市農地貸付け又は農園用地貸付けの別をいう。以下（4）において同じ。）にかかわらず、新たに行った貸付けの区分に応じて、本節の規定が適用されることに留意する。（措通70の6の4-7）

　　　（認定都市農地貸付け等を行っている特例農地等につき貸付期限の到来等があった後に猶予適用者が死亡した場合）
（5）　1の規定の適用を受ける特例農地等につき貸付期限の到来等に該当することとなった場合において、次の（一）又は（二）に掲げるときは、当該貸付期限の到来等があった当該特例農地等に係る納税猶予期限は確定せず、第十三節の1の規定により相続税は免除されることに留意する。
　　　なお、（二）の場合において、当該猶予適用者の死亡の日前に新たな認定都市農地貸付等を行った部分又は当該猶予適用者の農業の用に供した部分に係る2、3又は5において準用する第一章第十七節の4の届出書がその提出期限（当該猶予適用者の死亡の日前に提出期限が到来しているものに限る。）までに提出されていない部分については猶予期限は確定していることに留意する。（措通70の6の4-8）
（一）　貸付期限の到来等に該当することとなった日から2月以内に当該特例農地等に係る猶予適用者が死亡した場合
（二）　2、3又は5において準用する第一章第十七節の3の税務署長の承認を受け、貸付期限の到来等に該当することとなった日から1年を経過する日までに、当該特例農地等に係る猶予適用者が死亡した場合
（注）　上記（一）又は（二）の場合において、貸付期限の到来等に該当することとなったときから猶予適用者の死亡の日までの間に、当該貸付期限の到来等があった特例農地等について新たな認定都市農地貸付け等を行ったとき又は当該猶予適用者の農業の用に供したときであっても、2、3又は5において準用する第一章第十七節の2又は4の届出書の提出は要しないことに留意する。

-953-

4 賃借権の権利の設定に関する契約が解除された場合等のみなし規定

　1の規定の適用を受ける貸付都市農地等に係る農園用地貸付けが次の(一)から(三)に掲げる場合のいずれかに該当することとなった場合には、第一節の1に規定する納税猶予分の相続税額に係る第四の1及び同節の2の規定の適用については、当該(一)から(三)に定める日において当該農園用地貸付けに係る貸付都市農地等について、賃借権等の設定があったものとみなす。(措法70の6の4⑤)

(一)　1の(1)の(三)のイの賃借権その他の使用及び収益を目的とする権利の設定に関する契約又は同(三)のハの賃借権若しくは使用貸借による権利の設定に関する契約が解除された場合　当該解除された日

(二)　特定農地貸付法第3条第3項(都市農地の貸借の円滑化に関する法律第11条において準用する場合を含む。)の承認の取消し又は市民農園整備促進法第10条の規定による認定の取消しがあった場合　これらの取消しがあった日

(三)　1の(1)の(三)のロの貸付協定について財務省令で定める事由が生じた場合又は都市農地の貸借の円滑化に関する法律第10条第2号の協定が廃止された場合　当該事由が生じた日又は当該廃止された日

　　　(財務省令で定める事由)
(1)　4の(三)に規定する財務省令で定める事由は、1の(1)の(三)のロの貸付協定が廃止されたこととする。(措規23の8の4⑧)

5 賃借権の権利の設定に関する契約が解除された場合等の準用

　第一章第十七節の2から6までの規定は、4の農園用地貸付けが4の各号に掲げる場合に該当した場合について準用する。この場合において、必要な技術的読替えは、政令で定める。(措法70の6の4⑥)

　　　(読替え規定)
(1)　5において第一章第十七節の2から6までの規定を準用する場合には、同節の2中「1」とあるのは「第二章第十七節の1」と、「特定貸付農地等の貸付けに係る期限(当該期限の到来前に特定貸付けに係る賃借権等の消滅があった場合には、当該消滅の日。以下本節において「貸付期限」という。)が到来した」とあるのは「同1の(1)の(三)に規定する農園用地貸付け(以下本節において「農園用地貸付け」という。)を行った同1に規定する貸付都市農地等(以下本節において「貸付都市農地等」という。)に係る第二章第十七節の4各号のいずれかに該当する事実が生じた」と、「1」とあるのは「同節の1」と、「貸付期限から」とあるのは「事実が生じた日から」と、「貸付期限が到来した特定貸付農地等」とあるのは「事実が生じた貸付都市農地等」と、「新たな特定貸付けを行っている」とあるのは「新たな農園用地貸付け若しくは同1の(1)の(二)に規定する認定都市農地貸付け(以下本節において「新たな農園用地貸付け等」という。)を行っている」と、「新たな特定貸付けを行った部分については、新たな特定貸付け」とあるのは「新たな農園用地貸付け等を行った部分又は当該猶予適用者の農業の用に供した部分については、当該事実は生じなかったものと、新たな農園用地貸付け等」と、3中「1」とあるのは「第二章第十七節の1」と、「貸付期限」とあるのは「事実が生じた日」と、「新たな特定貸付け」とあるのは「新たな農園用地貸付け等」と、「特定貸付農地等については」とあるのは「貸付都市農地等については、当該事実は生じなかったものとみなし」と、4中「特定貸付農地等」とあるのは「貸付都市農地等」と、「新たな特定貸付け」とあるのは「新たな農園用地貸付け等」と、5中「1」とあるのは「第二章第十七節の1」と、「が特定貸付け」とあるのは「が農園用地貸付け」と、「貸付期限」とあるのは「同節の2の事実が生じた日」と、「新たな特定貸付け」とあるのは「新たな農園用地貸付け等」と、6中「1の規定」とあるのは「第二章第十七節の1の規定」と、「第一節の1《農地等を贈与した場合の贈与税の納税猶予及び免除》」とあるのは「第二章第一節の1《農地等についての相続税の納税猶予及び免除等》」と、「納税猶予分の贈与税額」とあるのは「納税猶予分の相続税額」と、「同節の2《納税猶予の一部打切り》」とあるのは「第二章第十七節の6」と、「1の特定貸付農地等に係る貸付期限」とあるのは「農園用地貸付けを行った貸付都市農地等に係る第二章第十七節の2の事実が生じた日」と、「当該特定貸付農地等」とあるのは「当該貸付都市農地等」と、「の新たな特定貸付け」とあるのは「の新たな農園用地貸付け等」と、「は新たな特定貸付け」とあるのは「は新たな農園用地貸付け等」と、6の(一)中「貸付期限から」とあるのは「事実が生じた日から」と、「貸付期限が到来した特定貸付農地等」とあるのは「事実が生じた貸付都市農地等」と、「新たな特定貸付け」とあるのは「新たな農園用地貸付け等」と、6の(二)中「貸付期限」とあるのは「事実が生じた日」と、6の(三)中「特定貸付農地等」とあるのは「貸付都市農地等」と、「新たな特定貸付け」とあるのは「新たな農園用地貸付け等」と読み替えるものとする。(措令40の7の4⑥)

　　　(特例貸付けの特例の準用)
(2)　第一章第十七節の2の(1)、3の(1)、3の(4)、4の(1)、5の(1)及び9の(4)の規定は、5において第一

第二章　農地等についての相続税の納税猶予及び免除等
（第十七節　相続税の納税猶予を適用している場合の都市農地の貸付けの特例）

章第十七節の**2**から**6**までの規定を準用する場合について準用する。（措令40の7の4⑦）

6　旧法猶予適用者の場合の都市農地の貸付けの特例

　第十六節の**1**《相続税の納税猶予を適用している場合の特定貸付けの特例》の**②**の（一）から（九）に掲げる農業相続人（**6**において「旧法猶予適用者」という。）は、**1**の規定の適用を受けることができる。この場合において、当該旧法猶予適用者は第一節の**1**《農地等についての相続税の納税猶予及び免除等》に規定する農業相続人とみなして本章第一節から第十五節までの規定を適用し、当該各号に規定する改正前の租税特別措置法第70条の6の規定は、適用しない。（措法70の6の4⑦）

　　　（旧法猶予適用者の場合のみなし規定）
（1）　第十六節の**1**の**②**の（2）《3年ごとの継続届出》各号に掲げる農業相続人（当該各号に掲げる農業相続人の区分に応じ当該各号に定める規定の適用を受けているものに限る。）が**6**の規定により第一節の**1**に規定する農業相続人とみなされた場合における第十二節の**1**《毎年ごとの届出書の提出》の規定の適用については、同節の**1**中「同**1**の相続税の申告書の提出期限」とあるのは「第十七節の**1**の届出書を提出した日」と、「引き続いて同**1**」とあるのは「引き続いて第一節の**1**」とする。（措令40の7の4⑧）

　　　（旧法猶予適用者が措置法第70条の6の4第1項の規定の適用を受けた場合の相続税の納税猶予についての取扱い）
（2）　第十六節の**1**の**②**の（一）から（九）に掲げる農業相続人（（4）において「旧法猶予適用者」という。）が**1**の規定の適用を受けた場合には、**6**の規定により当該旧法猶予適用者は第一節の**1**に規定する農業相続人とみなして措置法第70条の6の規定が適用され、）第十六節の**1**の**②**の（一）から（九）に規定する改正前の租税特別措置法第70条の6の規定は適用がないことに留意する。（措通70の6の4－10）

　　　（旧法猶予適用者が措置法第70条の6の4第1項の規定の適用を受けた場合の継続届出書の提出）
（3）　旧法猶予適用者（次の（一）から（五）までに掲げる農業相続人である旧法猶予適用者に限る。）が**1**の規定の適用を受けた場合において、（一）から（五）までに掲げる農業相続人の区分に応じ（一）から（五）までに掲げる規定の適用を受けているときの第十二節の**1**に規定する届出書（以下「継続届出書」という。）の提出については、**1**に規定する届出書を提出した日の翌日から起算して3年を経過するごとの日までに継続届出書を提出しなければならないことに留意する。（措通70の6の4－11により準用する措通70の6の2－11）
（一）　平成3年改正前の措置法第70条の6第1項本文の規定の適用を受ける農業相続人　同条第14項の規定
（二）　平成12年改正前の措置法第70条の6第1項本文の規定の適用を受ける農業相続人　同条第16項の規定
（三）　平成13年改正前の措置法第70条の6第1項本文の規定の適用を受ける農業相続人　同条第25項の規定
（四）　平成15年改正前の措置法第70条の6第1項本文の規定の適用を受ける農業相続人　同条第31項の規定
（五）　平成17年改正前の措置法第70条の6第1項本文の規定の適用を受ける農業相続人　同条第31項の規定

　　　（旧法猶予適用者が措置法第70条の6の4第1項の規定の適用を受けた場合の利子税の割合）
（4）　旧法猶予適用者が**1**の規定の適用を受けた場合には、当該旧法猶予適用者は、第一節の**1**に規定する農業相続人とみなして本章の規定が適用されることとなるが、第四節の**6**に規定する利子税の割合については、次に掲げる旧法猶予適用者の区分に応じそれぞれ次の割合となることに留意する。（措通70の6の4－12により準用する措通70の6の2－12）
（一）　特例農地等のうちに相続又は遺贈により取得をした日において都市営農地等であるものを有する旧法猶予適用者　年3.6％
（二）　特例農地等のうちに相続又は遺贈により取得をした日において都市営農地等であるものを有しない旧法猶予適用者
　イ　特例農地等のうち相続又は遺贈により取得をした日において第二節の**3**に規定する市街化区域内農地等に対応する部分の金額を基礎とする部分　年6.6％
　ロ　イ以外の部分　年3.6％
（注）1　上記の利子税の割合は、農地法等の一部を改正する法律（平成21年法律第57号）の施行の日以後の期間に対応する利子税について適用があることに留意する。
　　　2　第四節の**7**の規定の適用があることに留意する。

7　その他

（特定貸付農地等を特定貸付けに基づき借り受けた者に引き続き貸し付けている場合の読替え規定）
（1）　第十六節の**1**の**③**の（1）《特定貸付農地等を特定貸付けに基づき借り受けた者に引き続き貸し付けている場合》の規定は、**1**の規定の適用を受ける認定都市農地貸付け又は農園用地貸付けを行った農地の全部又は一部（以下（1）及び（3）において「貸付都市農地等」という。）に係る認定都市農地貸付け又は農園用地貸付けを行った猶予適用者が当該認定都市農地貸付け又は農園用地貸付けを行った後当該貸付都市農地等を当該認定都市農地貸付け又は農園用地貸付けに基づき借り受けた者に引き続き貸し付けている場合について準用する。この場合において、第十六節の**1**の**③**の（1）中「農地中間管理事業の推進に関する法律第２条第４項に規定する農地中間管理機構が当該借り受けた者である場合には、当該農地中間管理機構」とあるのは、「第十七節の**1**の（1）の（三）のイ又はハに掲げる貸付けを行っている場合には、同（三）のイの地方公共団体若しくは農業協同組合又は同（三）のハの地方公共団体及び農業協同組合以外の者」と読み替えるものとする。（措令40の７の４⑨）

（一時的道路用地等の用に供されている特例農地等に対する適用等の場合の読替え規定）
（2）　農園用地貸付けにつき**1**の規定の適用がある場合における第四節の**1**の（1）《政令で定める転用》及び第一節の**1**の（5）《一時的道路用地等の用に供されている特例農地等に対する適用》の規定の適用については、第四節の**1**の（1）中「耕作若しくは養畜の事業（当該農業相続人が第一節の**4**《農業相続人》の（二）に該当する者である場合には、その推定相続人の耕作又は養畜の事業を含む。）」とあるのは「（第十七節の**1**の（1）の（三）のイ又はハに掲げる貸付けを行っている場合には、同（三）のイの地方公共団体若しくは農業協同組合又は同（三）のハの地方公共団体及び農業協同組合以外の者）の貸付けの事業」と、「又はこれらの」とあるのは「若しくは当該」と、「宿舎」とあるのは「宿舎又は市民農園整備促進法（平成２年法律第44号）第２条第２項第２号に規定する市民農園施設（同法第９条に規定する認定計画に記載されたものに限る。）」と、第一節の**1**の（5）の（二）中「又は使用人の宿舎」とあるのは「若しくは使用人の宿舎又は市民農園施設」とする。（措令40の７の４⑩）

（100分の20の計算から除外される貸付けの事業に係る施設等に転用された特例農地等）
（3）　第四節の**1**の（一）の規定による特例農地等の転用から除外される（2）で読み替えて適用する第四節の**1**の（1）に規定する「転用」が行われた土地は、その転用後も転用前の状態のままあるものとして特例農地等に含まれるのであるから留意する。（措通70の６の４－９により準用する70の４－28）

　（注）　上記の「転用」は、農園用地貸付けにつき**1**の規定の適用がある場合において、第一節の**1**に規定する農業相続人が、特例農地等を当該農業相続人（**1**の（1）の（三）のイ又はハに掲げる貸付けを行っている場合には、同（三）のイの地方公共団体若しくは農業協同組合又は同（三）のハの地方公共団体及び農業協同組合以外の者）の貸付けの事業に係る事務所、作業場、倉庫その他の施設若しくは当該事業に従事する使用人の宿舎又は市民農園整備促進法第２条第２項第２号《定義》に規定する市民農園施設（同法第９条《勧告》に規定する認定計画に記載されたものに限る。）の敷地にするための転用をいうことに留意する。

（一時的道路用地等の用に供するための地上権等の設定に基づき貸付けを行った場合の準用）
（4）　第十六節の**1**の**③**の（2）《一時的道路用地等の用に供するために貸付けを行った場合》の規定は、認定都市農地貸付け又は農園用地貸付けを行った猶予適用者が、当該認定都市農地貸付け又は農園用地貸付けに係る貸付都市農地等の全部又は一部について、第九節《一時的道路用地等の用に供するための地上権等の設定》の**1**に規定する一時的道路用地等の用に供するために当該認定都市農地貸付け又は農園用地貸付けに係る**1**に規定する賃借権等を消滅させ、かつ、当該用に供するために第十六節の**1**の**③**の（2）に規定する地上権等の設定に基づき貸付けを行った場合について準用する。（措令40の７の４⑪）

（読替え規定）
（5）　第一章第十七節の**2**の（2）（3）、**3**の（2）、**4**の（2）及び**9**の（5）の規定は、**3**及び**5**において第一章第十七節の**2**から**7**までの規定を準用する場合について準用する。この場合において、第一章第十七節の**2**の（3）の（一）中「**1**の（4）の（一）から（三）」とあるのは、「**1**の（4）の（一）（二）」と読み替えるものとする。（措規23の８の４⑦）

（猶予適用者が認定都市農地貸付け等を行っている場合の規定の適用）
（6）　猶予適用者が認定都市農地貸付け等を行っている場合における第十二節**2**の（1）、第十四節**3**の（1）、同**3**の（3）の規定の適用については、第十二節**2**の（1）中「について営業困難時貸付け」とあるのは「について**1**の（1）の（二）に規定する認定都市農地貸付け（（四）において「認定都市農地貸付け」という。）又は同（1）の（三）に規定する農園用地貸

第二章　農地等についての相続税の納税猶予及び免除等
（第十七節　相続税の納税猶予を適用している場合の都市農地の貸付けの特例）

付け（（四）において「農園用地貸付け」という。）」と、同（1）の（四）中「営農困難時貸付け」とあるのは「認定都市農地貸付け又は農園用地貸付け」と、「第十節の1に規定する営農困難時貸付特例農地等」とあるのは「1に規定する貸付都市農地等」と、「当該営農困難時貸付特例農地等」とあるのは「当該貸付都市農地等」と、第十四節3の（1）中「第一節の4《農業相続人》の（二）の規定の適用を受けた者である場合には、その推定相続人の農業の用を含み、当該受贈者が第十節の1の規定の適用を受けている場合には、営農困難時貸付農地等を借り受けた者（農地中間管理機構が当該借り受けた者である場合には、当該農地中間管理機構から借り受けた者）の農業の用」とあるのは「1の規定の適用を受けている場合には、1の（1）の（二）に規定する認定都市農地貸付け又は3に規定する農園用地貸付けの用」と、同3の（3）中「第十節の1」とあるのは「1」とする。（措規23の8の4⑨）

第十八節　認定都市農地貸付け又は農園用地貸付けを行った農地についての相続税の課税の特例

1　認定都市農地貸付け又は農園用地貸付けを行った農地についての相続税の課税の特例

　第十七節の1の（1）の（二）に規定する認定都市農地貸付（以下本節において「**認定都市農地貸付け**」という。）又は同（1）の（三）に規定する農園用地貸付（以下本節において「**農園用地貸付け**」という。）を行っている者が死亡した場合において、その死亡した者の相続人がその死亡した者から当該認定都市農地貸付け又は農園用地貸付けを行っていた農地を相続又は遺贈により取得をしたときは、当該認定都市農地貸付け又は農園用地貸付けを行っていた農地はその死亡した者がその死亡の日まで農業の用に供していたものとみなして、第一節の1の規定を適用する。（措法70の6の5①）

　（認定都市農地貸付け又は農園用地貸付けを行っている者の範囲）
（1）　1に規定する「認定都市農地貸付け又は農園用地貸付けを行っている者」（以下（1）において「都市農地貸付者」という。）とは、これらの貸付け（以下**4**の（5）までにおいて「認定都市農地貸付け等」という。）を死亡の日まで行っていた者をいうのであるが、次の（一）から（三）までに掲げる者が死亡の日までに、それぞれに掲げる規定に係る貸付けを行っていた場合には、当該者は都市農地貸付者に含まれることに留意する。（措通70の6の5－1）
　　（一）　第十節の1の規定の適用を受ける農業相続人（当該農業相続人の死亡の日まで行われていた貸付けが認定都市農地貸付け等により行われていた場合に限る。）
　　（二）　第一章第十節の1の規定の適用を受ける受贈者（当該受贈者の死亡の日まで行われていた貸付けが認定都市農地貸付け等により行われていた場合に限る。）
　　（三）　第十七節の1の規定の適用を受ける農業相続人

　（1に規定する認定都市農地貸付け又は農園用地貸付けを行っていた農地）
（2）　1に規定する「認定都市農地貸付け又は農園用地貸付けを行っていた農地」とは、認定都市農地貸付け等を行っていた者の死亡の日において、当該認定都市農地貸付け等を行っていた者により認定都市農地貸付け等が行われていた農地をいい、当該認定都市農地貸付け等を行っていた者が当該農地について第十七節の1の規定の適用を受けているかどうかは問わないことに留意する。（措通70の6の5－2）

　（「相続又は遺贈により取得」の意義）
（3）　1及び2に規定する「相続又は遺贈により取得」には、第一章第十八節の1の規定により相続又は遺贈により取得したとみなされる場合の取得は含まれないことに留意する。（措通70の6の5－3により準用する措通70の6の3－3）

2　農業経営者又は農業相続人が死亡した場合の相続税の課税の特例

　農業を営んでいた個人として（1）の政令で定める者（以下**2**において「農業経営者」という。）又は第一節の1に規定する農業相続人（以下**2**において「農業相続人」という。）が死亡した場合において、当該農業経営者又は農業相続人の相続人が当該農業経営者又は農業相続人から相続又は遺贈により取得をした農地について第一編第七章第一節**―**の1《申告書の提出期限》の規定による申告書の提出期限（**3**において「相続税の申告期限」という。）までに認定都市農地貸付け又は農園用地貸付けを行ったときは、当該農地は当該相続人の農業の用に供する農地に該当するものとみなして、第一節の1の規定を適用する。（措法70の6の5②）

　（農業を営んでいた個人として政令で定める者）
（1）　2に規定する農業を営んでいた個人として政令で定める者は、次に掲げる者とする。（措令40の7の5①）
　　（一）　第一節の2の表の（一）に掲げる個人（当該個人に係る同2に規定する第一次農業相続人を含む。）
　　（二）　認定都市農地貸付け又は農園用地貸付けを行っている者

　（農業相続人に係る読替え規定）
（2）　2の相続人が2の規定により第一節から第十四節までの規定の適用を受ける場合（第一節の1に規定する特例農地等の全てについて相続税の申告書の提出期限までに認定都市農地貸付け又は農園用地貸付けを行っている場合に限る。）

－958－

第二章　農地等についての相続税の納税猶予及び免除等
（第十八節　認定都市農地貸付け又は農園用地貸付けを行った農地についての相続税の課税の特例）

における第一節の**4**の規定の適用については、同**4**の表の（一）中「に係る農業経営を開始し、その後引き続き当該農業経営」とあるのは、「の全てについて第十七節の**1**の（1）の（二）に規定する認定都市農地貸付け又は同（1）の（三）に規定する農園用地貸付け」とする。（措令40の7の5⑤）

　　（相続税の申告期限までに行われた認定都市農地貸付け等）
（3）　**2**の規定は、**2**に規定する相続又は遺贈により取得した農地又は採草放牧地について**2**に規定する相続税の申告期限までに特定貸付けを行ったときに限り適用があることに留意する。
　　したがって、特定貸付けが相続税の申告期限までに行われていない場合には、**2**の規定の適用はないこととなる。（措通70の6の5－4により準用する措通70の6の3－4）

　　（認定都市農地貸付け等が行われた特例農地等について相続税の課税価格の計算の基礎に算入すべき価額）
（4）　本節の規定の適用を受ける農地に係る農地又は採草放牧地について、相続税の課税価格の計算の基礎に算入すべき価額は、当該相続税の課税価格の計算に係る被相続人の死亡の日における当該農地又は採草放牧地の時価によることに留意する。（措通70の6の5－5により準用する措通70の6の3－5）

3　贈与税の納税猶予を適用している場合の認定都市農地貸付け又は農園用地貸付けを行っている農地についての相続税の課税の特例

　　第一章第一節の**1**の規定の適用を受ける同**1**に規定する受贈者に係る贈与者が死亡した場合において、当該受贈者が同**1**の本文の規定の適用を受ける同**1**に規定する農地等のうち農地について当該贈与者の死亡に係る相続税の申告期限において認定都市農地貸付け又は農園用地貸付けを行っているときは、当該農地は当該受贈者の農業の用に供する農地に該当するものとみなして、第一節の**1**の規定を適用する。（措法70の6の5③）

　　（農業相続人に係る読替え規定の準用）
（1）　**2**の（2）の規定は、**3**の受贈者が**3**の規定により第一節から第十四節までの規定の適用を受ける場合について準用する。（措令40の7の5⑥）

4　その他

　　（相続税の納税猶予を適用している場合の都市農地の貸付けの特例の読替え規定）
（1）　**1**から**3**までの規定の適用がある場合における第十七節の**1**の規定の適用については、同節の**1**中「から2月以内」とあるのは、「の翌日から2月を経過する日又は第一節の**1**に規定する相続税の申告書の提出期限のいずれか遅い日まで」とする。（措令40の7の5②）

　　（相続税の納税猶予を適用している場合の都市農地の貸付けの特例に係る届出書の添付）
（2）　（1）の規定により読み替えて適用する第十七節の**1**の規定の適用を受けようとする者が同節の**1**の届出書を提出する場合において、認定都市農地貸付け又は農園用地貸付けを行った日の翌日から2月を経過する日が第一節の**1**に規定する相続税の申告書の提出期限以前となるときは、当該届出書を当該相続税の申告書に添付して提出しなければならない。（措令40の7の5③）

　　（相続税の納税猶予を適用している場合の都市農地の貸付けの特例に係る書類の添付）
（3）　（1）の規定により読み替えて適用する第十七節の**1**の規定の適用を受けようとする者が相続税の申告書を提出する場合において、認定都市農地貸付け又は農園用地貸付けを行った日の翌日から2月を経過する日が当該相続税の申告書の提出期限後となるとき（既に同節の**1**の届出書を当該相続税の申告書に添付して提出している場合を除く。）は、当該相続税の申告書に同節の**1**の規定の適用を受けようとする旨及び当該届出書の提出予定年月日その他財務省令で定める事項の記載がある書類を添付しなければならない。（措令4Cの7の5④）

　　（財務省令で定める事項）
（4）　（3）に規定する財務省令で定める事項は、次に掲げる事項とする。（措規23の8の5①）
　（一）　（3）の書類を提出する者の氏名及び住所又は居所
　（二）　貸付都市農地等の所在、地番、地目及び面積

－959－

（三）　認定都市農地貸付け等を行った年月日（当該認定都市農地貸付け等が第十七節の**1**の（1）の（3）のロに掲げる貸付けである場合には、同（3）のロに規定する貸付規程に基づく最初の貸付けの年月日）

（四）　貸付都市農地等に係る被相続人の氏名及びその死亡の時における住所又は居所並びに当該被相続人から相続又は遺贈により当該貸付都市農地等の取得（第一章第十八節の**1**の規定により相続又は遺贈により取得したとみなされる場合の取得を含む。）をした年月日

　　（認定都市農地貸付け等に係る権利設定に関する届出書が提出されない場合）

（5）　本節の規定は、（1）の規定により読み替えて適用する第十七節の**1**の規定の適用を受けようとする者が同項の届出書（以下（5）において「届出書」という。）を提出することにより適用があるが、当該届出書が提出されない場合の本章の規定の適用は、次に掲げるところによることに留意する。（措通70の6の5－6）

（一）　認定都市農地貸付け等を行った日の翌日から2月を経過する日が第一節の**1**に規定する相続税の申告書（（5）において「相続税の申告書」という。）の提出期限以前となる場合において、当該相続税の申告書に届出書が添付されていないとき　本章の規定の適用はないことに留意する。

（二）　認定都市農地貸付け等を行った日の翌日から2月を経過する日が相続税の申告書の提出期限後となる場合において、当該相続税の申告書に（3）に規定する書類を添付して当該相続税の申告書が提出され、認定都市農地貸付け等を行った日から2月以内に届出書が提出されないとき　本章の規定の適用はないものとして取り扱う。

（注）　上記の場合において、相続税の申告書に認定都市農地貸付け等を行った農地につき第一節の**1**の規定の適用を受けようとする旨の記載がない場合、第三節の**1**に規定する書類又は（3）に規定する書類の添付がない場合には、本章の規定の適用はないことに留意する。

第三章　山林についての相続税の納税猶予及び免除

第一節　特例適用の要件

1　山林についての相続税の納税猶予及び免除

　特定森林経営計画が定められている区域内に存する山林（立木又は土地をいう。以下本章において同じ。）を有していた個人として（1）の政令で定める者（以下本章において**「被相続人」**という。）から相続又は遺贈により特例施業対象山林の取得をした林業経営相続人が、当該相続に係る第一編第七章第一節の一《相続税の申告》の1の規定による申告書（当該申告書の提出期限前に提出するものに限る。以下本章において**「相続税の申告書」**という。）の提出により納付すべき相続税の額のうち、当該特例施業対象山林で当該相続税の申告書に1の規定の適用を受けようとする旨の記載があるもの（当該林業経営相続人が自ら経営〔施業又は当該施業と一体として行う保護をいう。〕を行うものであって、次に掲げる要件の全てを満たすものに限る。以下本章において**「特例山林」**という。）に係る納税猶予分の相続税額に相当する相続税については、当該相続税の申告書の提出期限までに当該納税猶予分の相続税額に相当する担保を提供した場合に限り、第一編第八章第一節《納付》二の1の規定にかかわらず、当該林業経営相続人の死亡の日まで、その納税を猶予する。（措法70の6の6①）

（一）　当該特定森林経営計画において、作業路網の整備を行う山林として記載されているものであること。

（二）　都市計画法第7条第1項に規定する市街化区域内に所在するものでないこと。

（三）　立木にあっては、当該相続の開始の日から当該立木が森林法第10条の5第1項に規定する市町村森林整備計画に定める標準伐期齢（同条第2項第5号の公益的機能別施業森林区域内に存する立木にあっては、（4）の財務省令で定める林齢）に達する日までの期間が当該林業経営相続人の当該相続の開始の時における平均余命期間（当該相続の開始の日から当該林業経営相続人に係る余命年数として（5）の政令で定めるものを経過する日までの期間〔当該期間が30年を超える場合には、30年〕をいう。）を超える場合における当該立木であること。

　　（政令で定める被相続人）

（1）　1に規定する政令で定める者は、次に掲げる要件の全てを満たす者とする。（措令40の7の6①）

（一）　1の規定の適用に係る相続の開始の直前において、特定森林経営計画（2の（二）に規定する特定森林経営計画をいう。以下本章において同じ。）が定められている区域内に存する1に規定する山林（森林の保健機能の増進に関する特別措置法（平成元年法律第71号）第2条第2項第2号に規定する森林保健施設の整備に係る地区内に存するものを除く。（二）において同じ。）であって、当該山林に係る土地について作業路網の整備が行われる部分の面積の合計が100ヘクタール以上であるものを有していた者であること。

（二）　次に掲げる事項について、その死亡前に（2）の財務省令で定めるところにより証明を受けていた者であること。

　イ　特定森林経営計画の達成のために必要な機械その他の設備を利用することができること。

　ロ　特定森林経営計画が定められている区域内に存する山林の全てについて、当該特定森林経営計画に従って適正かつ確実に経営（1に規定する経営をいう。以下本章において同じ。）及び作業路網の整備を行うものと認められること。

　ハ　特定森林経営計画に従って山林の経営の規模の拡大を行うものと認められること。

（三）　特定森林経営計画に従って2の（六）に規定する当初認定起算日（その者が当該当初認定起算日後に森林法第17条第1項の包括承継人となる場合にあっては、同項の認定森林所有者等の死亡の日）からその死亡の直前（その者がその有する山林（立木又は土地をいう。以下本章において同じ。）の全部の経営をその者の推定相続人に委託をしているときは、その委託をした時の直前）まで継続して、次に掲げる山林の全ての経営を適正かつ確実に行ってきた者であることについて、（3）の財務省令で定めるところにより証明がされた者であること。

　イ　その有する山林（当該山林を含む一の一体的かつ連続的な山林の面積が著しく小さい場合における当該山林、分収林特別措置法〔昭和33年法律第57号〕第2条第3項に規定する分収林契約並びに国有林野の管理経営に関する法律〔昭和26年法律第246号〕第10条に規定する分収造林契約及び同法第17条の3に規定する分収育林契約に係る山林

第四編　農地等に係る相続税・贈与税の納税猶予及び免除

　　並びに入会林野等に係る権利関係の近代化の助長に関する法律〔昭和41年法律第126号〕第２条第１項に規定する入
　　会林野に係る山林を除く。）
　ロ　他の山林の所有者から経営の委託を受けた山林

　　（財務省令で定めるところにより証明を受けていた者）
（２）　（１）の（二）に規定する財務省令で定めるところにより証明を受けていた者は、森林法施行規則第99条第１号及び第
　　２号に掲げる要件に該当することについて同令第100条第１項本文の農林水産大臣の確認を受けていた者とする。（措規
　　23の８の６①）

　　（財務省令で定めるところにより証明がされた者）
（３）　（１）の（三）に規定する財務省令で定めるところにより証明がされた者は、森林法施行規則第99条第２号に掲げる要
　　件に該当することについて（１）の（三）に規定する当初認定起算日からその者の相続の開始の直前（その者がその有する
　　山林（立木又は土地をいう。以下本章において同じ。）の全部の経営（１に規定する経営をいう。以下本章において同じ。）
　　をその者の推定相続人に委託をしているときは、当該委託をした時の直前）まで引き続いて森林法施行規則第100条第１
　　項本文の農林水産大臣の確認を受けてきた者とする。（措規23の８の６②）

　　（財務省令で定める林齢）
（４）　１の（三）に規定する財務省令で定める林齢は、次の（一）から（三）に掲げる立木の区分に応じ、当該（一）から（三）に
　　定める林齢とする。（措規23の８の６③）
　（一）　水源涵養機能維持増進森林（森林法施行規則第39条第１項に規定する水源涵養機能維持増進森林をいう。（二）に
　　おいて同じ。）の区域内に存する立木　標準伐期齢（市町村森林整備計画（森林法第10条の５第１項に規定する市町村
　　森林整備計画をいう。（二）及び第四節の１の（８）の（一）のロにおいて同じ。）に定める標準伐期齢をいう。以下（４）
　　において同じ。）に10年を加えた林齢
　（二）　水源涵養機能維持増進森林の区域以外に存する立木のうち長伐期施業森林（標準伐期齢のおおむね２倍以上に相
　　当する林齢を超える林齢において主伐を行う森林施業を推進すべき森林として市町村森林整備計画において定められ
　　ている森林をいう。）の区域内に存する立木　当該長伐期施業森林につき市町村森林整備計画に定められている林齢
　（三）　前２号に掲げる立木以外の立木　標準伐期齢

　　（余命年数として政令で定める年数）
（５）　１の（三）に規定する余命年数として政令で定める年数は、１の規定の適用に係る相続の開始の日における１の規定
　　の適用を受ける林業経営相続人（２の（四）に規定する林業経営相続人をいう。以下本章において同じ。）の年齢及び性別
　　に応じた厚生労働省の作成に係る生命表を勘案して（６）の財務省令で定める平均余命とする。（措令40の７の６②）

　　（財務省令で定める平均余命）
（６）　（５）に規定する財務省令で定める平均余命は、厚生労働省の作成に係る完全生命表に掲げる年齢及び性別に応じた
　　平均余命（１年未満の端数があるときは、これを切り捨てた年数）とする。（措規23の８の６④）

　　（被相続人の相続人が第１次林業経営相続人に該当し第２次林業経営相続人がいるとき）
（７）　被相続人から１の規定の適用に係る相続又は遺贈（贈与をした者の死亡により効力を生ずる贈与を含む。以下本章
　　において同じ。）により山林の取得をした当該被相続人の相続人が**第１次林業経営相続人**（当該被相続人からの相続又は
　　遺贈によりその有する山林の取得をした相続人で、当該相続又は遺贈に係る１に規定する相続税の申告書の提出期限前
　　に当該相続税の申告書を提出しないで死亡したものをいう。）に該当する場合で、**第２次林業経営相続人**（当該第１次林業
　　経営相続人からの相続又は遺贈により当該山林の取得をした当該第１次林業経営相続人の相続人で、当該山林の経営
　　を確実に承継すると認められる要件として（８）の財務省令で定めるものを満たしているものをいう。）があるときは、当
　　該第１次林業経営相続人に係る１の規定の適用については、１中次の表の左欄に掲げる字句は、同表の右欄に掲げる字
　　句とする。この場合において、当該第１次林業経営相続人に係る１の規定の適用については、当該第１次林業経営相続
　　人は２の（四）のロの要件を満たしているものとみなし、当該第２次林業経営相続人に係る１の規定の適用については、
　　当該第１次林業経営相続人はその死亡の日前において１の（二）及び（三）に掲げる要件を満たしていたものとみなす。
　　（措令40の７の６③）

－962－

第三章　山林についての相続税の納税猶予及び免除
（第一節　特例適用の要件）

が、当該相続に係る第一編第七章第一節一の1	の相続人が、当該相続に係る第一編第七章第一節**四**の1
当該特例施業対象山林で当該	当該特例施業対象山林（当該林業経営相続人からの相続又は遺贈により当該特例施業対象山林の取得をした林業経営相続人〔以下**1**において「**第2次林業経営相続人**」という。〕が、第一編第七章第一節一の1の規定による申告書〔当該相続税の申告書の提出期限前に提出するものに限る。〕に1の規定の適用を受けようとする旨の記載をしたものに限る。）
当該相続税の申告書の提出期限までに当該	当該第2次林業経営相続人が当該林業経営相続人からの相続又は遺贈により取得をした特例山林につきこの項の規定の適用を受けるため特例山林に係る
その納税を猶予する	第五節の**1**《林業経営相続人の死亡等による納税猶予税額の免除》の規定の適用については、その納税を猶予したものとみなす

　　（山林の経営を確実に承継すると認められる要件）
（8）　（7）に規定する財務省令で定める要件は、（7）に規定する第1次林業経営相続人の相続の開始の直前において、当該第1次林業経営相続人の相続人が、当該第1次林業経営相続人が受けた森林法施行規則第99条第3号に掲げる要件に該当することについての同令第100条第1項本文の確認（同令第101条第1項の変更の確認があった場合には、変更後のもの。**2**の（4）の（一）、第四節の**2**の（5）の（一）及び第二節の（2）の（十）において同じ。）に係る同令第99条第3号の推定相続人であったこととする。（措規23の8の6⑤）

　　（山林の意義）
（9）　**1**に規定する「山林」とは、森林法第2条第1項に規定する「森林」をいうことに留意する。（措通70の6の6-1）

　　（経営の意義）
（10）　**1**に規定する「経営」については、山林の施業又は施業と一体として行う保護を**2**の（四）に規定する林業経営相続人（措通70の6の4-2から措通70の6の4-14までにおいて「林業経営相続人」という。）が自ら行わなければならないことに留意する。したがって、林業経営相続人が会社若しくは官庁等に勤務するなど他に職を有し又は他に主たる事業を有している場合であっても、山林の施業又は施業と一体として行う保護を林業経営相続人が自ら行う限り、**1**に規定する経営に該当することに留意する。また、他人に**1**に規定する経営の全部又は一部を委託している場合には、自ら経営していないこととなることに留意する。（措通70の6の6-2）

　　（推定相続人に委託をしているとき）
（11）　（1）の（三）及び（3）に規定する「その者がその有する山林の全部の経営をその者の推定相続人に委託をしているとき」とは、その者の相続の開始の直前において、その委託をした時の直前まで特定森林経営計画に従って経営をしていた山林の全部の経営をその者の推定相続人に委託をしているときをいうことに留意する。（措通70の6の6-2の2）
　　(注)　上記の「推定相続人」とは、上記の相続の開始の直前において最先順位の相続権（代襲相続権を含む。）を有する者をいうのであるから留意する。

　　（代償分割により取得した山林についての納税猶予の不適用）
（12）　遺産の分割に当たり、遺産の代償として取得した他の共同相続人の所有に属する山林は、被相続人が相続の開始の直前に有していたものではないので、**1**の規定による納税猶予の対象となる山林に該当しないことに留意する。（措通70の6の6-3）

2　用語の意義
　本章において、次の各号に掲げる用語の意義は、当該各号に定めるところによる。（措法70の6の6②）
（一）　**市町村長等の認定**　森林法第11条第5項（同法第12条第3項において読み替えて準用する場合並びに木材の安定供給の確保に関する特別措置法第8条の規定により読み替えて適用される場合及び同法第9条第2項又は第3項において読み替えて適用される森林法第12条第3項において読み替えて準用する場合を含む。）の規定による市町村の長（同法第19条の規定の適用がある場合には、同条第1項各号に掲げる場合の区分に応じ当該各号に定める者）の認定をいう。
（二）　**特定森林経営計画**　市町村長等の認定を受けた森林法第11条第1項に規定する森林経営計画（以下（二）において「森林経営計画」という。）であって、次に掲げる要件の全てを満たすものをいう。

イ　その対象とする山林が同一の者により一体として整備することを相当とするものとして（1）の財務省令で定めるものであること。

　ロ　当該森林経営計画に森林法第11条第3項に規定する事項が記載されていること。

　ハ　イ及びロに掲げるもののほか、当該森林経営計画の内容が同一の者による効率的な山林の経営（施業又は当該施業と一体として行う保護をいう。以下本章において同じ。）を実現するために必要とされる要件として（2）の財務省令で定めるものを満たしていること。

（三）　**特例施業対象山林**　被相続人が当該被相続人に係る相続の開始の直前に有していた山林のうち当該相続の開始の前に特定森林経営計画が定められている区域内に存するもの（森林の保健機能の増進に関する特別措置法第2条第2項第2号に規定する森林保健施設の整備に係る地区内に存するものを除く。）であって、次に掲げる要件の全てを満たすものをいう。

　イ　当該被相続人又は当該被相続人からその有する山林の全部の経営の委託を受けた者により当該相続の開始の直前まで引き続き当該特定森林経営計画に従って適正かつ確実に経営が行われてきた山林であること。

　ロ　当該特定森林経営計画に記載されている山林のうち作業路網の整備を行う部分が、同一の者により一体として効率的な施業を行うことができるものとして（3）の政令で定める要件を満たしていること。

（四）　**林業経営相続人**　被相続人から前項の規定の適用に係る相続又は遺贈により当該被相続人が当該相続の開始の直前に有していた全ての山林（特定森林経営計画が定められている区域内に存するものに限る。）の取得をした個人であって、次に掲げる要件の全てを満たす者をいう。

　イ　当該個人が、当該相続の開始の直前において、当該被相続人の推定相続人であること。

　ロ　当該個人が、当該相続の開始の時から当該相続に係る相続税の申告書の提出期限（当該提出期限前に当該個人が死亡した場合には、その死亡の日）まで引き続き当該相続又は遺贈により取得をした当該山林の全てを有し、かつ、当該特定森林経営計画に従ってその経営を行っていること。

　ハ　当該個人が、当該特定森林経営計画に従って当該山林の経営を適正かつ確実に行うものと認められる要件として（4）の財務省令で定めるものを満たしていること。

（五）　**納税猶予分の相続税額**　イに掲げる金額からロに掲げる金額を控除した残額をいう。

　イ　1の規定の適用に係る特例山林の価額を1の林業経営相続人に係る相続税の課税価格とみなして、相続税法第13条から第19条までの規定を適用して3の①の政令で定めるところにより計算した当該林業経営相続人の相続税の額

　ロ　1の規定の適用に係る特例山林の価額に100分の20を乗じて計算した金額を1の林業経営相続人に係る相続税の課税価格とみなして、相続税法第13条から第19条までの規定を適用して3の①の（1）の政令で定めるところにより計算した当該林業経営相続人の相続税の額

（六）　**施業整備期間**　当初認定起算日（特定森林経営計画〔当該特定森林経営計画につき過去に森林法第17条第1項の規定の適用があった場合には、最初の適用に係る同項の認定森林所有者等が市町村長等の認定を受けたものに限る。〕の期間の起算日として（5）の政令で定める日をいう。以下（六）及び（七）において同じ。）から当該当初認定起算日以後10年を経過する日までの間に1の規定の適用に係る被相続人について相続が開始した場合における、当該相続の開始の日の翌日から当該10年を経過する日又は当該相続に係る林業経営相続人の死亡の日のいずれか早い日までの期間をいう。

（七）　**経営報告基準日**　次のイ又はロに掲げる期間の区分に応じイ又はロに定める日をいう。

　イ　施業整備期間　当初認定起算日から1年を経過するごとの日

　ロ　施業整備期間の末日の翌日（当初認定起算日以後10年を経過する日の翌日以後に1の規定の適用に係る被相続人について相続が開始した場合にあっては、当該翌日）から納税猶予分の相続税額（既に第四節の1又は同節の3の規定の適用があった場合には、これらの規定の適用があった特例山林の価額に対応する部分の金額を除く。以下本章において「**猶予中相続税額**」という。）に相当する相続税の全部につき1、第四節の1、同節の3、第三節の2、第四節の4又は第六節の（3）の規定による納税の猶予に係る期限が確定する日までの期間　当該末日の翌日から3年を経過するごとの日

　　　（同一の者により一体として整備することを相当とする山林）

（1）　2の（二）のイに規定する財務省令で定める山林は、森林法施行令〔昭和26年政令第276号〕第3条に規定する基準に適合するもの（森林法施行規則第33条第2号に掲げる場合に該当するものに限る。）とする。（措規23の8の6⑥）

　　　（森林経営計画の内容が同一の者による効率的な山林の経営を実現するために必要とされる要件）

（2）　2の（二）のハに規定する財務省令で定める要件は、次に掲げる要件とする。（措規23の8の6⑦）

　（一）　森林法第11条第5項第4号及び第7号（これらの規定を同法第12条第3項において準用する場合を含む。）に掲げ

－964－

第三章　山林についての相続税の納税猶予及び免除
（第一節　特例適用の要件）

る要件に該当する森林経営計画（**2**の（二）に規定する森林経営計画をいう。以下本章において同じ。）であって、その期間が連続し、かつ、引き続いて市町村長等の認定（**2**の（一）に規定する市町村長等の認定をいう。以下本章において同じ。）を受けているものであること。

（二）　森林法第11条第3項に規定する事項が最初に記載された森林経営計画の始期（当該森林経営計画について同法第12条第3項において読み替えて準用する同法第11条第5項の認定を受けた場合にあっては、当該認定を受けた日）以降連続して森林法施行規則第99条第2号に掲げる要件に該当することについて同令第100条第1項本文の農林水産大臣の確認を受けている森林経営計画であること。

（三）　その定められている区域内に次に掲げる山林の全てが存する森林経営計画であること。

　イ　当該森林経営計画について市町村長等の認定を受けた個人の有する山林（当該山林を含む一の一体的かつ連続的な山林の面積が著しく小さい場合における当該山林、分収林特別措置法〔昭和33年法律第57号〕第2条第3項に規定する分収林契約並びに国有林野の管理経営に関する法律〔昭和26年法律第246号〕第10条に規定する分収造林契約及び同法第17条の3に規定する分収育林契約に係る山林並びに入会林野等に係る権利関係の近代化の助長に関する法律〔昭和41年法律第126号〕第2条第1項に規定する入会林野に係る山林を除く。）

　ロ　イの個人が他の山林の所有者から経営の委託を受けた山林

（四）　その定められている区域内に存する山林（（三）のイの個人（当該個人がその被相続人又は林業経営相続人（第一節の**2**の（四）に規定する林業経営相続人をいう。以下本章において同じ。）が有する山林の全部の経営の委託を受けている場合には、当該委託をした者）が有するものに限る。）のうち作業路網の整備を行う部分の面積が100ヘクタール以上ある森林経営計画であること。

（五）　その定められている区域内に存する山林のうちに一の小流域（第四節の**1**の（1）の（一）のロに規定する小流域をいう。以下（五）及び第四節の**1**の（7）の（三）において同じ。）内に存するものの面積が5ヘクタール未満である山林がある場合にあっては、当該山林（隣接する小流域内に存する山林（作業路網の整備を行わない山林を除く。）と一体的に施業することができる山林を除く。）の全てが作業路網の整備を行わない山林である旨が記載された森林経営計画であること。

　（作業路網の整備を行う部分が、同一の者により一体として効率的な施業を行うことができるものとして政令で定める要件）

（3）　**2**の（三）のロに規定する政令で定める要件は、次に掲げる要件とする。（措令40の7の6④）

（一）　特定森林経営計画が定められている区域内に存する山林であって、その面積の合計が100ヘクタール以上であること。

（二）　自然的条件及び作業路網の整備の状況に照らして、同一の者により、造林、保育、伐採及び木材の搬出を一体として効率的に行うことができると認められる山林であること。

　（特定森林経営計画に従って当該山林の経営を適正かつ確実に行うものと認められる要件）

（4）　**2**の（四）のハに規定する財務省令で定める要件は、次に掲げる要件とする。（措規23の8の6⑧）

（一）　森林法施行規則第99条第3号に掲げる要件に該当することについて同令第100条第1項本文の確認を受けた被相続人（**1**に規定する被相続人をいう。）の当該確認に係る推定相続人であること。

（二）　特定森林経営計画について森林法第16条の規定により市町村長等の認定が取り消されたことがある場合にあっては、その取消しの日から起算して10年を経過している者であること。

（三）　特定森林経営計画についてその期間満了時までに引き続いて市町村長等の認定を受けなかったことがある場合にあっては、当該期間満了の日から10年を経過している者であること。

（四）　被相続人の死亡により森林法第17条第1項の規定の適用があった場合にあっては、当該死亡に係る同条第2項の届出書を当該死亡後遅滞なく提出していること。

（五）　その有する山林（次に掲げるものを除き、被相続人から相続又は遺贈〔贈与をした者の死亡により効力を生ずる贈与を含む。〕により取得したものに限る。）について作業路網の整備が行われる部分の面積の合計が100ヘクタール以上であること。

　イ　森林の保健機能の増進に関する特別措置法（平成元年法律第71号）第2条第2項第2号に規定する森林保健施設の整備に係る地区内に存する山林

　ロ　当該山林（ロにおいて「所有山林」という。）を含む一の一体的かつ連続的な山林の面積が著しく小さい場合における当該所有山林

　ハ　分収林特別措置法第2条第3項に規定する分収林契約並びに国有林野の管理経営に関する法律第10条に規定する

－965－

分収造林契約及び同法第17条の３に規定する分収育林契約に係る山林並びに入会林野等に係る権利関係の近代化の助長に関する法律第２条第１項に規定する入会林野に係る山林

（六）　その有する山林（（五）のロ及びハに掲げるものを除き、被相続人から相続又は遺贈により取得したものを含む。）の全て及び当該個人が他の山林の所有者から経営の委託を受けた山林の全てが、特定森林経営計画が定められている区域内に存すること。

（七）　次に掲げる事項について、農林水産大臣の確認を受けた者であること。

イ　特定森林経営計画の達成のために必要な機械その他の設備を利用することができること。

ロ　１の規定の適用に係る相続又は遺贈により被相続人から取得をした特定森林経営計画が定められている区域内に存する山林の全てについて、当該特定森林経営計画に従って適正かつ確実に経営（当該山林の経営の規模の拡大及び作業路網の整備を含む。）を行うことができること。

（八）　当該個人が被相続人が有する山林の全部の経営の委託を受けている場合にあっては、森林法施行規則第99条第２号に掲げる要件に該当することについて当該委託を受けた日から当該被相続人の相続の開始の直前まで引き続いて同令第100条第１項本文の農林水産大臣の確認を受けてきた者であること。

　　（特定森林経営計画の期間の起算日として政令で定める日）

（５）　２の（六）に規定する政令で定める日は、１の特定森林経営計画に係る１の被相続人（当該特定森林経営計画につき過去に森林法第17条第１項の規定の適用があった場合にあっては、最初の適用に係る同項の認定森林所有者等）が２の（一）に規定する市町村長等の認定（以下（５）並びに第四節の１の（１）の（二）及び（五）において「**市町村長等の認定**」という。）を受けた当該特定森林経営計画（森林法第11条第３項に規定する事項が記載された最初のものに限る。）の始期（当該特定森林経営計画に係る市町村長等の認定が森林法第12条第３項（木材の安定供給の確保に関する特別措置法第９条第２項又は第３項の規定により読み替えて適用される場合を含む。）において読み替えて準用する森林法第11条第５項の規定による認定である場合にあっては、当該認定を受けた日）とする。（措令40の７の６⑪）

　　（特例の適用を受けることができる林業経営相続人の意義等）

（６）　相続又は遺贈により取得した当該山林以外に山林（（４）の（五）のロ及びハに掲げるものを除く。）を有する場合又は他の山林所有者から経営の委託を受けた山林がある場合には、これらの山林の全て（（４）の（五）のロ及びハに掲げるものを除く。）が特定森林経営計画が定められている区域内に所在することとなるよう、被相続人から森林法第17条《死亡・解散又は分割の場合の包括承継人に対する効力等》の規定により包括承継した特定森林経営計画について同法第12条の規定により変更の認定を第一編第七章第一節の一１の相続税の申告期限までに受けなければ、林業経営相続人に該当しないことに留意する。（措通70の６の６－７）

（注）１　相続税の申告期限までに、相続又は遺贈により取得した山林の全部又は一部が共同相続人又は包括受遺者によって分割されていない場合には、１の規定の適用はないことに留意する。

２　林業経営相続人が、特例施業対象山林のうち１の各号の要件に該当するもの全てについて１の規定の適用を受けなければ、１の規定の適用はないことに留意する。

　　（第２次林業経営相続人がある場合の第１次林業経営相続人に係る相続税の納税猶予の適用要件）

（７）　１の（７）に規定する第２次林業経営相続人がある場合の同１の（７）に規定する第１次林業経営相続人に係る１の規定の適用については、次に掲げることに留意する。（措通70の６の６－８）

（一）　第１次林業経営相続人は２の(四)のロの要件を満たしているとみなされること。

（二）　１の適用対象となる山林は、第２次林業経営相続人が第１次林業経営相続人からの相続又は遺贈に係る相続税の期限内申告書に１の規定の適用を受ける旨の記載をしたものに限られること。

（三）　担保は、第２次林業経営相続人が第１次林業経営相続人からの相続又は遺贈に係る相続税の申告書の提出期限までに、第２次林業経営相続人に係る納税猶予分の相続税額に相当するものの提供をすればよいこと。

3　納税猶予分の相続税額の計算

①　納税猶予分の相続税額の計算

　　２の（五）のイに規定する林業経営相続人の相続税の額は、同イに規定する特例山林の価額（第一編第四章第二節三の１の規定により控除すべき債務がある場合において、控除未済債務額があるときは、当該特例山林の価額から当該控除未済債務額を控除した残額。以下①において「**特定価額**」という。）を当該林業経営相続人に係る相続税の課税価格とみなして、

—966—

第三章　山林についての相続税の納税猶予及び免除
（第一節　特例適用の要件）

第一編第四章から第一編第六章第三節まで、第三編第一章第三節一及び二の規定を適用して計算した当該林業経営相続人の相続税の額（当該林業経営相続人が第一編第六章第四節から第八節まで、第三編第一章第三節一又は二の規定の適用を受ける者である場合において、当該林業経営相続人に係る**1**に規定する納付すべき相続税の額の計算上これらの規定により控除された金額の合計額が次に掲げる金額の合計額を超えるときは、当該超える部分の金額を控除した残額）とする。（措令40の7の6⑤）

（一）　特定価額に100分の20を乗じて計算した金額を当該林業経営相続人に係る相続税の課税価格とみなして、第一編第四章から第一編第六章第三節まで、第三編第一章第三節一及び二の規定を適用して計算した当該林業経営相続人の相続税の額

（二）　イに掲げる金額からロに掲げる金額を控除した残額

　イ　第一編第四章から第六章第三節まで、第三編第一章第三節一及び二の規定を適用して計算した当該林業経営相続人の相続税の額

　ロ　特定価額を当該林業経営相続人に係る相続税の課税価格とみなして、第一編第五章から第一編第六章第三節まで、第三編第一章第三節一及び二の規定を適用して計算した当該林業経営相続人の相続税の額

　　（控除未済債務額）

（1）　①の「控除未済債務額」とは、（一）に掲げる金額から（二）に掲げる金額を控除した金額（当該金額が零を下回る場合には、零とする。）をいう。（措令40の7の6⑥）

（一）　第一編第四章第二節三《債務控除》の**1**の規定により控除すべき林業経営相続人の負担に属する部分の金額

（二）　（一）の林業経営相続人に係るイに掲げる価額とロに掲げる金額との合計額からハに掲げる価額を控除した残額

　イ　当該林業経営相続人が**1**の規定の適用に係る相続又は遺贈により取得した財産の価額

　ロ　当該林業経営相続人が被相続人からの贈与により取得した財産で第三編第一章第一節二の（1）の規定の適用を受けるものの価額から同章第二節一の（1）の規定（同節三の規定を含む。）による控除をした残額

　ハ　**2**の（五）のイに規定する特例山林の価額

　<small>（注）　改正後の（1）の規定は、令和6年1月1日以後に贈与（贈与をした者の死亡により効力を生ずる贈与を除く。以下同じ。）により財産を取得する者（以下「改正後受贈者」という。）に係る新規定に規定する控除未済債務額について適用し、令和5年12月31日以前に贈与により財産を取得した者（改正後受贈者を除く。）に係る改正前の（1）に規定する控除未済債務額については、なお従前の例による。（令5改措令附14⑦）</small>

　　（林業経営相続人の相続税の額）

（2）　**2**の（五）のロに規定する林業経営相続人の相続税の額は、①の（一）に掲げる金額とする。（措令40の7の6⑦）

　　（納税猶予分の端数処理）

（3）　**2**の（五）に規定する納税猶予分の相続税額（③を除き、以下本章において「**納税猶予分の相続税額**」という。）に100円未満の端数があるとき、又はその全額が100円未満であるときは、その端数金額又はその全額を切り捨てる。（措令40の7の6⑧）

　　（第二章第一節の**1**の適用者がある場合の相続税の課税価格）

（4）　納税猶予分の相続税額を計算する場合において、**1**の規定の適用を受ける林業経営相続人に係る被相続人から相続又は遺贈により財産の取得をした者のうちに第二章第一節の**1**の規定の適用を受ける者があるときにおける当該財産の取得をした全ての者に係る相続税の課税価格は、第二章第二節**1**の（一）の規定により計算される相続税の課税価格とする。（措令40の7の6⑨）

　　（相次相続控除の算式）

（5）　第2次相続に係る被相続人が第二章第一節の**1**の規定の適用を受けていた場合又は第2次相続により財産を取得した者のうちに同**1**の規定の適用を受ける者がある場合における相次相続控除額は、第一編第六章第七節の**1**の（3）《相次相続控除の算式》に準じて算出することに留意する。

　　この場合において、同**1**の（3）中のAは、当該被相続人が当該納税猶予の適用を受けていた場合には、第五節の**1**の規定により免除された相続税額以外の税額に限ることに留意する。（措通70の6の6－10）

②　農地等についての相続税の納税猶予等の特例がある場合の納税猶予分の相続税額の計算

　1の規定の適用を受ける林業経営相続人が次の各号に掲げる規定の適用を受ける者である場合において、当該各号に定

－967－

第四編　農地等に係る相続税・贈与税の納税猶予及び免除

める税額と調整前山林猶予税額（第二章第二節の**2**の（3）の（一）に規定する調整前山林猶予税額をいう。）との合計額が猶予可能税額（当該林業経営相続人が**1**の規定及び当該各号に掲げる規定の適用を受けないものとした場合における当該林業経営相続人が納付すべき相続税の額をいう。）を超えるときにおける同項に規定する特例山林（以下第三章において「特例山林」という。）に係る納税猶予分の相続税額は、当該猶予可能税額に当該調整前山林猶予税額が当該合計額に占める割合を乗じて計算した金額とする。この場合において、当該計算した金額に100円未満の端数があるときは、その端数金額を切り捨てる。（措令40の7の6⑩）

（一）　**1**　調整前農地等猶予税額（第二章第二節の**2**の（3）に規定する調整前農地等猶予税額をいう。）

（二）　第五編第一節の**1**　調整前美術品猶予税額（第二章第二節の**2**の（3）に規定する調整前美術品猶予税額をいう。）

（三）　第六編第三章第一節の**1**　調整前事業用資産猶予税額（第二章第二節の**2**の（3）の（三）に規定する調整前事業用資産猶予税額をいう。）

（四）　第七編第二章第一節の**1**、同編第三章第二節の**1**、同編第五章第一節の**1**、又は同編第六章第二節の**1**　調整前株式等猶予税額（第二章第二節の**2**の（3）の（四）に規定する調整前株式等猶予税額をいう。）

（五）　第八編第三章第一節の**1**　調整前持分猶予税額（第二章第二節の**2**の（3）の（五）に規定する調整前持分猶予税額をいう。）

−968−

第三章　山林についての相続税の納税猶予及び免除
（第二節　特例の適用を受けるための手続）

第二節　特例の適用を受けるための手続

　　第一節の1の規定は、同1の規定の適用を受けようとする相続人が提出する相続税の申告書に、特例施業対象山林（同1の（一）から（三）に掲げる要件の全てを満たすものに限る。）の全部につき同1の規定の適用を受けようとする旨の記載がない場合又は次に掲げる書類の添付がない場合には、適用しない。（措法70の6の6⑩）

（一）　当該特例施業対象山林の明細及び納税猶予分の相続税額の計算に関する明細を記載した書類その他（2）の財務省令で定める書類

（二）　当該特例施業対象山林に係る被相続人の死亡の日の翌日以後最初に到来する経営報告基準日の翌日から5月を経過する日が当該被相続人の死亡に係る相続税の申告書の提出期限までに到来する場合には、当該特例施業対象山林の経営に関する事項として（3）の財務省令で定めるものを記載した書類

（三）　第一節の1の規定の適用に係る相続の開始の時において、当該相続人が第一節の2の（四）のイからハまでに掲げる要件その他（4）の財務省令で定める要件を満たしていることを証する書類として（5）の財務省令で定めるもの

　　（未分割の山林）
（1）　第一節の1の規定は、同1の相続に係る相続税の申告書の提出期限までに、当該相続又は遺贈により取得をした山林（特定森林経営計画が定められている区域内に存するものに限る。）の全部又は一部が共同相続人又は包括受遺者によってまだ分割されていない場合には、適用しない。（措法70の6の6⑧）

　　（財務省令で定める書類）
（2）　第二節の（一）に規定する財務省令で定める書類は、次に掲げる書類とする。（措規23の8の6㉑）

（一）　林業経営相続人が被相続人の死亡による相続の開始があったことを知った日その他参考となるべき事項を記載した書類

（二）　被相続人から相続又は遺贈により取得した特例施業対象山林（第一節の2の（三）に規定する特例施業対象山林をいう。以下本節において同じ。）の面積及びその所在場所並びに当該特例施業対象山林（立木に限る。）が第一節の1の（三）に規定する標準伐期齢に達する日までの期間、同1の（三）の林業経営相続人の同1の（三）の相続の開始の時における平均余命期間及び当該標準伐期齢に達する日までの期間が当該相続の開始の時における平均余命期間を超えるかどうかの別その他特例施業対象山林についての明細を記載した書類

（三）　第一節の2の（五）に規定する納税猶予分の相続税額の計算に関する明細を記載した書類

（四）　市町村長の証明書で、特定森林経営計画の第一節の2の（六）に規定する当初認定起算日（第四節の1の（2）の（二）に掲げる期間に該当する場合にあっては、認定起算日）から第一節の1の規定の適用に係る相続の開始の直前（当該相続に係る被相続人がその有する山林の全部の経営をその推定相続人に委託をしている場合には、当該委託をした日の直前。（五）において同じ。）まで継続して特定森林経営計画に従って適正かつ確実に経営が行われ、認定が継続してきたことを証するもの

（五）　農林水産大臣の証明書で特定森林経営計画の第一節の2の（六）に規定する当初認定起算日から第一節の1の規定の適用に係る相続の開始の直前まで森林法施行規則第99条第2号に掲げる要件に該当することについて引き続いて同令第100条第1項本文の農林水産大臣の確認を受けていたことを証するもの及び同令第99条第1号に掲げる要件に該当することについての同項の農林水産大臣の確認（被相続人が最初に受けたものに限る。）に係る同令第100条第6項の確認書

（六）　農林水産大臣の証明書で、特定森林経営計画及び特例施業対象山林がそれぞれ第一節の2の（二）のイからハまで並びに同2の（三）のイ及びロに掲げる要件を満たしていることを証するもの

（七）　（一）の相続の開始があったことを知った日が当該相続の開始の日と異なる場合にあっては、当該相続に係る林業経営相続人が当該相続の開始があったことを知った日を明らかにする書類

（八）　遺言書の写し、財産の分割の協議に関する書類（当該書類に当該相続に係る全ての共同相続人及び包括受遺者が自署し、自己の印を押しているものに限る。）の写し（当該自己の印に係る印鑑証明書が添付されているものに限る。）その他の財産の取得の状況を証する書類

（九）　林業経営相続人の戸籍の謄本又は抄本その他の書類で、当該林業経営相続人が（一）の相続の開始の直前において当該林業経営相続人に係る被相続人の推定相続人であった旨を明らかにする書類

（十）　森林法施行規則第99条第3号（被相続人がその有する山林の全部の経営をその推定相続人に委託をしている場合

－969－

第四編　農地等に係る相続税・贈与税の納税猶予及び免除

には、同号及び同条第4号）に掲げる要件に該当することについて被相続人が受けた同令第100条第1項本文の農林水産大臣の確認に係る同条第6項の確認書

（十一）　相続の開始の直前及び相続税の申告書の提出期限を経過する時において現に効力を有する特定森林経営計画（特例施業対象山林に係るものに限る。）に係る計画書の写し及び当該特定森林経営計画に係る市町村長等の認定に係る通知の写し

（十二）　その他参考となるべき書類

　　　（財務省令で定める事項）
（3）　第二節の(二)に規定する財務省令で定める事項は、次に掲げる事項とする。（措規23の8の6㉒）

（一）　林業経営相続人の氏名及び住所又は居所

（二）　被相続人から相続又は遺贈により特例山林（第一節の1に規定する特例山林をいう。以下同1において同じ。）の取得をした日

（三）　特例山林の所在場所

（四）　第二節の(二)の経営報告基準日の翌日から5月を経過する日が当該経営報告基準日の翌年である場合にあっては、当該経営報告基準日の属する年分の所得税法第32条第1項《山林所得》に規定する山林所得に係る収入金額

（五）　その他参考となるべき事項

　　　（財務省令で定める要件）
（4）　第二節の(三)に規定する財務省令で定める要件は、森林法第11条第5項第4号及び第7号（これらの規定を同法第12条第3項において準用する場合を含む。）に掲げる要件に該当することとする。（措規23の8の6㉓）

　　　（財務省令で定める書類）
（5）　第二節の(三)に規定する財務省令で定める書類は、次の(一)又は(二)に掲げる場合の区分に応じ当該(一)又は(二)に定める書類とする。（措規23の8の6㉔）

（一）　(二)に掲げる場合以外の場合　　次に掲げる書類

イ　森林法第17条第2項の届出書の写し

ロ　森林法施行規則第99条第1号に掲げる要件に該当することについての同令第100条第1項本文の農林水産大臣の確認（同条第2項第2号に掲げる場合に該当するものに限る。）に係る同条第6項の確認書

ハ　第二節の(二)の経営報告基準日の翌日から5月を経過する日が被相続人の死亡に係る相続税の申告書の提出期限までに到来する場合にあっては、当該経営報告基準日以後に受ける森林法施行規則第99条第2号に掲げる要件に該当することについての同令第100条第1項本文の農林水産大臣の確認に係る同条第6項の確認書

ニ　市町村長の証明書で、第一節の2の(4)の(二)、(三)、(五)及び(六)に掲げる要件に該当することを証するもの

ホ　その他参考となるべき書類

（二）　第一節の1の規定の適用を受けようとする相続人が被相続人が有する山林の全部の経営の委託を受けている場合　次に掲げる書類

イ　市町村長の証明書で、当該委託を受けた日から当該被相続人の死亡の日の前日まで継続して特定森林経営計画に従って適正かつ確実に経営が行われ、認定が継続してきたことを証するもの

ロ　農林水産大臣の証明書で当該委託を受けた日から当該被相続人の死亡の日の前日まで森林法施行規則第99条第2号に掲げる要件に該当することについて引き続いて同令第100条第1項本文の農林水産大臣の確認を受けていたことを証するもの及び同令第99条第1号に掲げる要件に該当することについての同項本文の農林水産大臣の確認（当該相続人が最初に受けたものに限る。）に係る同令第100条第6項の確認書

ハ　(一)のハからホまでに掲げる書類

　　　（修正申告等に係る相続税額の納税猶予）
（6）　第一節の1の規定は、山林の相続に係る相続税についての期限後申告、修正申告又は更正に係る税額については、適用がないことに留意する。ただし、修正申告又は更正があった場合で、当該修正申告又は更正が期限内申告に係る第一節の1の規定による相続税の納税猶予の適用を受けた特例山林の評価又は税額計算の誤りのみに基づいてされるときにおける当該修正申告又は更正により納付すべき相続税額（附帯税を除く。）については、当初から第一節の1の規定の適用があることとして取り扱う。

　　　この場合において、当該修正申告又は更正により納税猶予を受ける相続税の本税の額と当該本税に係る利子税の額に

－970－

第三章　山林についての相続税の納税猶予及び免除
（第二節　特例の適用を受けるための手続）

相当する担保については、当該修正申告書の提出の日又は当該更正に係る通知書が発せられた日の翌日から起算して1月を経過する日までに提供しなければならないこととして取り扱う。（措通70の6の6－6）

（担保の提供等）

（7）　第一節の**1**の規定による担保の提供については、国税通則法第50条から第54条までの規定の適用があることに留意する。（措通70の6の6－4）

（相続税の額に相当する担保）

（8）　第一節の**1**に規定する「当該納税猶予分の相続税額に相当する担保」とは、納税猶予に係る相続税の本税の額と当該本税に係る納税猶予期間中の利子税の額との合計額に相当する担保をいうことに留意する。

　なお、この場合の当該本税に係る猶予期間中の利子税の額は、第一節の**1**の規定の適用に係る相続税の申告書の提出期限における林業経営相続人の平均余命年数を納税猶予期間として計算した額によるものとして取り扱うことに留意する。

　また、第一節の**1**の規定の適用を受ける特例山林の全部を担保として提供する場合であっても、上記と同様の取扱いであることに留意する。（措通70の6の6－5）

　（注）　上記平均余命年数は、第一節の**1**の（6）に定める平均余命によることに留意する。

－971－

第四編　農地等に係る相続税・贈与税の納税猶予及び免除

第三節　納税猶予期間中の継続届出書の提出

1　継続届出書の提出

　第一節の**1**の規定の適用を受ける林業経営相続人は、同**1**の相続に係る被相続人の死亡の日の翌日から猶予中相続税額に相当する相続税の全部につき同**1**の規定又は第四節の**1**、**3**、第三節の**2**、第四節の**4**若しくは第六節の（**3**）の規定による納税の猶予に係る期限が確定する日までの間に経営報告基準日（特例山林に係る被相続人の死亡の日の翌日以後最初に到来する経営報告基準日の翌日から5月を経過する日が第一節の**1**の相続に係る相続税の申告書の提出期限までに到来する場合における当該最初に到来する経営報告基準日を除く。）が存する場合には、届出期限（経営報告基準日の翌日から5月を経過する日をいう。第四節の**5**の（1）、第三節の**2**及び本節の**2**の（1）において同じ。）までに、（1）の政令で定めるところにより引き続いて第一節の**1**の規定の適用を受けたい旨及び特例山林の経営に関する事項を記載した届出書を納税地の所轄税務署長に提出しなければならない。（措法70の6の6⑪）

　　　（継続届出書の記載事項）
（1）　**1**の規定により提出する届出書には、引き続いて第一節の**1**の規定の適用を受けたい旨及び次に掲げる事項を記載し、かつ、（2）の財務省令で定める書類を添付しなければならない。（措令40の7の6㉑）
　　（一）　林業経営相続人の氏名及び住所
　　（二）　被相続人から相続又は遺贈により特例山林の取得をした日
　　（三）　特例山林の所在地
　　（四）　当該届出書を提出する日の直前の第一節の**2**の（七）に規定する経営報告基準日（以下（四）及び第五節の**1**の（1）において「経営報告基準日」という。）の属する年の前年までの各年分（当該経営報告基準日の直前の経営報告基準日がない場合又は第一節の**1**に規定する相続税の申告書の提出期限までに存する場合にあっては当該相続税の申告書の提出期限の属する年の前年までの各年分を除き、当該直前の経営報告基準日が当該相続税の申告書の提出期限後に存する場合にあっては当該直前の経営報告基準日の属する年の前年までの各年分を除く。）の所得税法第32条第1項《山林所得》に規定する山林所得に係る収入金額
　　（五）　第四節の**2**に規定する経営委託をしている場合にあっては、当該経営委託をしている旨
　　（六）　（3）のその他財務省令で定める事項

　　　（継続届出書の添付書類）
（2）　（1）に規定する財務省令で定める書類は、特例山林（林業経営相続人が第四節の**2**の規定の適用を受けた者である場合には、同**2**の規定の適用に係る経営委託山林）に係る次に掲げる書類（（1）の届出書を提出する日の直前の経営報告基準日に係るものに限る。）とする。（措規23の8の6㉕）
　　（一）　市町村長の証明書で、特定森林経営計画に従って適正かつ確実に経営が行われてきたことを証するもの
　　（二）　森林法施行規則第99条第2号に掲げる要件に該当することについての同令第100条第1項本文の農林水産大臣の確認に係る同条第6項の確認書
　　（三）　その他参考となるべき書類

　　　（継続届出書のその他の記載事項）
（3）　（1）の（六）に規定する財務省令で定める事項は、次に掲げる事項とする。（措規23の8の6㉖）
　　（一）　その経営報告基準日における第一節の**2**の（七）のロに規定する猶予中相続税額（（三）及び第五節の**1**の（2）において「猶予中相続税額」という。）
　　（二）　その経営報告基準日において林業経営相続人が有する特例山林の面積及び当該林業経営相続人に係る被相続人の氏名
　　（三）　その経営報告基準日（以下（三）において「基準日」という。）の直前の経営報告基準日の翌日から当該基準日までの間に林業経営相続人につき第四節の**1**又は**3**の規定により納税の猶予に係る期限が到来した猶予中相続税額がある場合には、第四節の**1**の各号又は**3**のいずれの場合に該当したかの別及び該当した日並びに当該猶予中相続税額及びその明細
　　（四）　その他参考となるべき事項

第三章　山林についての相続税の納税猶予及び免除
（第三節　納税猶予期間中の継続届出書の提出）

　　　（継続届出書の提出期間）
（4）　**1**に規定する届出書は、第一節の**2**の(七)に規定する経営報告基準日の翌日から5月を経過するごとの日までに提出しなければならないのであるが、その提出期間は、当該経営報告基準日の翌日から当該5月を経過するごとの日までの期間として取り扱う。（措通70の6の6－16）

2　継続届出書が提出されなかった場合

　1の届出書が届出期限までに納税地の所轄税務署長に提出されない場合には、当該届出期限における猶予中相続税額に相当する相続税については、第一節の**1**の規定にかかわらず、当該届出期限の翌日から2月を経過する日（当該届出期限の翌日から当該2月を経過する日までの間に当該相続税に係る林業経営相続人が死亡した場合には、当該林業経営相続人の相続人が当該林業経営相続人の死亡による相続の開始があったことを知った日の翌日から6月を経過する日）をもって同**1**の規定による納税の猶予に係る期限とする。（措法70の6の6⑬）

　　　（ゆうじょ規定）
（1）　**1**又は第五節の**1**の届出書が**1**に規定する届出期限又は第五節の**1**の免除届出期限までに提出されなかった場合においても、これらの規定に規定する税務署長がこれらの期限内にその提出がなかったことについてやむを得ない事情があると認める場合において、（2）の政令で定めるところにより当該届出書が当該税務署長に提出されたときは、**2**又は第五節の**1**の規定の適用については、当該届出書がこれらの期限内に提出されたものとみなす。（措法70の6の6⑱）

　　　（（1）の場合の届出書の提出等）
（2）　（1）の規定により提出する**1**又は第五節の**1**の届出書には、**1**の（1）又は第五節の**1**の（1）に規定する事項のほか当該届出書を**1**に規定する届出期限又は第五節の**1**に規定する免除届出期限までに提出することができなかった事情の詳細を記載し、かつ、**1**の（1）又は第五節の**1**の（1）に規定する財務省令で定める書類を添付しなければならない。（措令40の7の6㉔）

第四編　農地等に係る相続税・贈与税の納税猶予及び免除

第四節　納税猶予の打切り

1　納税猶予の全部打切り

　第一節の1の規定の適用を受ける林業経営相続人又は同1の特例山林について次の各号のいずれかに掲げる場合に該当することとなった場合には、同1の規定にかかわらず、当該各号に定める日から2月を経過する日（当該各号に定める日から当該2月を経過する日までの間に当該林業経営相続人が死亡した場合には、当該林業経営相続人の相続人〔包括受遺者を含む。以下本章において同じ。〕が当該林業経営相続人の死亡による相続の開始があったことを知った日の翌日から6月を経過する日）をもって同1の規定による納税の猶予に係る期限とする。（措法70の6の6③）

（一）　当該林業経営相続人による特定森林経営計画に従った特例山林の経営が適正かつ確実に行われていない場合として（1）の政令で定める場合に該当する場合において、当該特定森林経営計画に係る農林水産大臣、都道府県知事又は市町村長（以下本章において「**農林水産大臣等**」という。）から当該林業経営相続人の納税地の所轄税務署長に当該該当する旨の通知があったとき　当該通知があった日

（二）　当該林業経営相続人が当該特例山林の譲渡、贈与若しくは転用（当該特例山林の土地を立木の生育以外の用に供する行為として（7）の財務省令で定める行為をいう。）をし、若しくは当該特例山林につき地上権、永小作権、使用貸借による権利若しくは賃借権の設定をした場合（租税特別措置法第33条の4《収用交換等の場合の譲渡所得等の特別控除》第1項に規定する収用交換等による譲渡があった場合を除く。）又は当該特例山林が路網未整備等（作業路網の一部の整備が適正に行われていない場合又は一体的かつ効率的な経営に適さなくなった山林となった場合として（8）の政令で定める場合をいう。以下（二）及び2において同じ。）に該当することとなった場合において、当該譲渡、贈与、転用若しくは設定（以下本章において「**譲渡等**」という。）又は路網未整備等があった当該特例山林に係る土地の面積（当該譲渡等又は路網未整備等の時前に第一節の1の特例山林につき譲渡等〔租税特別措置法第33条の4第1項に規定する収用交換等による譲渡を除く。〕又は路網未整備等があった場合には、当該譲渡等又は路網未整備等に係る土地の面積を加算した面積）が、当該林業経営相続人のその時の直前における同1の特例山林に係る土地の面積（その時前に同1の特例山林につき譲渡等又は路網未整備等があった場合には、当該譲渡等又は路網未整備等に係る土地の面積を加算した面積）の100分の20を超えるとき　農林水産大臣等から当該林業経営相続人の納税地の所轄税務署長に当該100分の20を超えることとなった譲渡等又は路網未整備等に係る通知があった日

（三）　当該特例山林に係る山林の経営を廃止した場合　その廃止した日

（四）　当該林業経営相続人のその年分の所得税法第32条第1項に規定する山林所得に係る収入金額が零となった場合　当該収入金額が零となった年の12月31日

（五）　当該林業経営相続人が第一節の1の規定の適用を受けることをやめる旨を記載した届出書を納税地の所轄税務署長に提出した場合　当該届出書の提出があった日

　　（特例山林の経営が適正かつ確実に行われていない場合として政令で定める場合）

（1）　1の（一）に規定する政令で定める場合は、次に掲げる場合とする。（措令40の7の6⑫）

（一）　特定森林経営計画が定められている区域内に存する山林（作業路網の整備が行われる部分に限る。）の面積が第一節の2の（六）に規定する当初認定起算日（当該当初認定起算日における同2の（六）の認定森林所有者等に係る包括承継人が当該当初認定起算日から起算して10年を経過する日までに死亡した場合にあっては、当該認定森林所有者等の死亡の日。以下（1）において同じ。）から起算して10年（震災、風水害、落雷、火災その他これらに類する災害により当該特定森林経営計画に従って山林の経営の規模の拡大を行うことが困難となった場合にあっては、15年）を経過する日において、当該特定森林経営計画に係る基準面積（山林の経営の受託その他の方法により経営の規模の拡大を図るべき山林の面積として（2）の財務省令で定める面積をいう。（二）及び（三）のイにおいて同じ。）を下回った場合又は当該区域内における作業路網の延長が次に掲げる場合の区分に応じそれぞれ次に定める日において山林の経営を一体として効率的に行うために必要とされる作業路網の延長として（3）の財務省令で定めるもの（（二）及び（四）のハにおいて「基準延長」という。）を下回った場合

イ　ロに掲げる場合以外の場合　当該当初認定起算日から起算して10年を経過する日

ロ　震災、風水害、落雷、火災その他これらに類する災害により作業路網の整備を行うことが困難な山林を含む小流域（造林、保育、伐採及び木材の搬出を一体として効率的に行うことができると認められる流域として（4）の財務省令で定めるものをいう。以下（1）、（9）及び(11)において同じ。）が当該区域内に存する場合　次の①又は②に掲

－974－

第三章　山林についての相続税の納税猶予及び免除
（第四節　納税猶予の打切り）

げる区域の区分に応じ、それぞれ①又は②に定める日

①　当該特定森林経営計画が定められている区域（当該小流域に属する区域を除く。）　当該当初認定起算日から起算して10年を経過する日

②　当該特定森林経営計画が定められている区域　当該当初認定起算日から起算して15年を経過する日

（二）　特定森林経営計画が定められている区域内に存する山林（作業路網の整備が行われる部分に限る。）の面積が認定起算日（当初認定起算日から起算して10年を経過する日後の日であって、（一）の包括承継人の包括承継人その他の者が市町村長等の認定を受けた特定森林経営計画に従って山林の経営を開始すべき日として（4）の財務省令で定める日をいう。以下（四）までにおいて同じ。）から起算して10年（震災、風水害、落雷、火災その他これらに類する災害により当該特定森林経営計画に従って山林の経営の規模の拡大を行うことが困難となった場合にあっては、15年）を経過する日において当該特定森林経営計画に係る基準面積を下回った場合又は当該区域内における作業路網の延長が次に掲げる場合の区分に応じそれぞれ次に定める日において基準延長を下回った場合（認定起算日における山林〔当該区域内に存する山林であって作業路網の整備が行われる部分に限る。〕の面積が林業の収益性その他の事情を勘案して（5）の財務省令で定める面積以上である場合を除く。）

イ　ロに掲げる場合以外の場合　当該認定起算日から起算して10年を経過する日

ロ　震災、風水害、落雷、火災その他これらに類する災害により作業路網の整備を行うことが困難な山林を含む小流域が当該区域内に存する場合　次の①又は②に掲げる区域の区分に応じ、それぞれ①又は②に定める日

①　当該特定森林経営計画が定められている区域（当該小流域に属する区域を除く。）　当該認定起算日から起算して10年を経過する日

②　当該特定森林経営計画が定められている区域　当該認定起算日から起算して15年を経過する日

（三）　特定森林経営計画が定められている区域内に存する山林（作業路網の整備が行われる部分に限る。以下（三）において同じ。）の面積が、次に掲げる時期（当初認定起算日〔認定起算日における山林の面積が（5）の財務省令で定める面積未満である場合にあっては、認定起算日〕から起算して10年（震災、風水害、落雷、火災その他これらに類する災害により当該特定森林経営計画に従って山林の経営の規模の拡大を行うことが困難となつた場合にあっては、15年）を経過する日後のものに限る。以下（三）において同じ。）において、それぞれ次に掲げる時期の区分に応じそれぞれ次に定める面積を下回ることとなった場合

イ　当該特定森林経営計画の期間　基準面積

ロ　当該特定森林経営計画の終期　当該特定森林経営計画に記載されている山林の経営の規模の目標とする面積

（四）　特定森林経営計画が定められている区域内における作業路網の延長が、次に掲げる時期（当初認定起算日（認定起算日における山林の面積が（二）の財務省令で定める面積未満である場合にあっては、認定起算日）から起算して10年を経過する日後のものに限る。以下（四）において同じ。）において、それぞれ次に掲げる時期の区分に応じそれぞれ次に定める作業路網の延長を下回ることとなった場合

イ　当該特定森林経営計画の期間　当該特定森林経営計画の始期（当該始期が当該特定森林経営計画に係る当初認定起算日又は認定起算日から起算して10年を経過する日の直前の始期である場合にあっては、当該経過する日）において整備されていた作業路網の延長

ロ　当該特定森林経営計画の終期　当該特定森林経営計画に記載されている整備を行う作業路網の延長

ハ　林業経営相続人の死亡の日の前日　基準延長

（五）　林業経営相続人が特定森林経営計画に係る第一節の2の（二）に規定する森林経営計画について引き続いて市町村長等の認定を受けなかった場合

（六）　特定森林経営計画が定められている区域内に存する山林について伐採、造林又は作業路網の整備のいずれも行わない年があった場合

（七）　特例山林の面積の合計が100ヘクタールを下回ることとなった場合

（八）　前各号に掲げる場合のほか、林業経営相続人による特定森林経営計画に従った特例山林の経営が適正かつ確実に行われていない場合として（6）の財務省令で定める場合

（経営の規模の拡大を図るべき山林の面積として財務省令で定める面積）

（2）　（1）の（一）に規定する財務省令で定める面積は、次の各号に掲げる期間の区分に応じ、当該各号に定める日における特定森林経営計画が定められている区域内に存する山林（作業路網の整備が行われる部分に限る。以下（2）において同じ。）の面積に、当該山林（当該各号に定める日において他の山林の所有者から経営の委託を受けていた山林を除く。）の面積に10分の3を乗じて得た面積又は150ヘクタールのいずれか小さい面積を加えて得た面積とする。（措規23の8の6⑨）

第四編　農地等に係る相続税・贈与税の納税猶予及び免除

　（一）　当初認定起算日（（1）の（一）に規定する当初認定起算日をいう。以下（2）において同じ。）から起算して10年を経
　　　過する日から認定起算日（（1）の（二）に規定する認定起算日をいう。以下本章において同じ。）から起算して10年（（1）
　　　の（二）の規定の適用に係る震災、風水害、落雷、火災その他これらに類する災害により特定森林経営計画に従って山
　　　林の経営の規模の拡大を行うことが困難となった場合にあっては、15年。（二）において同じ。）を経過する日の前日ま
　　　での期間　当初認定起算日
　（二）　認定起算日から起算して10年を経過する日以後の期間　認定起算日（当該認定起算日における特定森林経営計画
　　　が定められている区域内に存する山林の面積が650ヘクタールを超える場合にあっては、当初認定起算日）

　　　　（作業路網の延長として財務省令で定めるもの）
（3）　（1）の（一）に規定する作業路網の延長として財務省令で定めるものは、森林法施行規則付録第6の算式によって計
　　算した値に相当する作業路網の延長とする。（措規23の8の6⑩）

　　　　（財務省令で定める流域）
（4）　（1）の（一）のロに規定する財務省令で定める流域は、森林法施行規則第33条第1号のイに規定する小流域とする。
　　（措規23の8の6⑪）

　　　　（山林の経営を開始すべき日として財務省令で定める日）
（5）　（1）の（二）に規定する財務省令で定める日は、次の各号に掲げる場合の区分に応じ、当該各号に定める日とする。
　　（措規23の8の6⑫）
　（一）　（二）に掲げる場合以外の場合　第2次認定森林所有者等（（1）の（一）に規定する当初認定起算日における森林法
　　　第17条第1項の認定森林所有者等に係る包括承継人〔同項の包括承継人をいう。以下（一）及び（二）において同じ。〕の
　　　包括承継人をいう。（二）において同じ。）が包括承継人となった日
　（二）　第2次認定森林所有者等の包括承継人が（一）に定める日から起算して10年を経過する日までに死亡した場合　当
　　　該包括承継人が当該第2次認定森林所有者等の包括承継人となった日

　　　　（財務省令で定める面積）
（6）　（1）の（二）に規定する財務省令で定める面積は、650ヘクタールとする。（措規23の8の6⑬）

　　　　（特例山林の経営が適正かつ確実に行われていない場合として財務省令で定める場合）
（7）　（1）の（ハ）に規定する財務省令で定める場合は、次に掲げる場合（震災、風水害、落雷、火災その他これらに類す
　　る災害により次に掲げる場合に該当した場合であって、当該震災、風水害、落雷、火災その他これらに類する災害がな
　　ければ次に掲げる場合に該当しなかったと認められるときを除く。）とする。（措規23の8の6⑭）
　（一）　特定森林経営計画が定められている区域内に存する山林が、当該山林の経営の実施の状況からみて同一の者によ
　　　り造林、保育、伐採及び木材の搬出を一体として効率的に行われていなかった場合（一体として効率的に行うことが
　　　できると認められなくなった場合を含む。）
　（二）　特定森林経営計画が定められている区域内に存する山林において行われた主伐が森林法施行規則第38条第6号
　　　（同令第39条第1項において読み替えて適用する場合を含む。）又は第39条第2項第2号に掲げる基準に該当しない場
　　　合その他の当該特定森林経営計画が定められている区域内に存する山林において実施された山林の施業が同令第38条
　　　各号（同令第39条第1項及び第2項において読み替えて適用する場合を含む。）又は第39条第2項各号に掲げる基準の
　　　いずれにも該当しない場合
　（三）　林業経営相続人が、特定森林経営計画が定められている区域内に存する山林と同一の小流域内に存する他の山林
　　　の所有者から当該山林の経営の委託の申出を受けた場合において、当該山林の経営の委託を受けなかった場合
　（四）　林業経営相続人が有する山林（次に掲げるものを除く。）の全て又は他の山林の所有者から委託を受けて経営する
　　　山林の全てが特定森林経営計画が定められている区域内に存する山林となっていない場合
　　イ　当該林業経営相続人が有する山林を含む一の一体的かつ連続的な山林の面積が著しく小さい場合における当該有
　　　する山林
　　ロ　分収林特別措置法第2条第3項に規定する分収林契約、国有林野の管理経営に関する法律第10条に規定する分収
　　　造林契約及び同法第17条の3に規定する分収育林契約並びに入会林野等に係る権利関係の近代化の助長に関する法
　　　律第2条第1項に規定する入会林野に係る山林
　（五）　特定森林経営計画が定められている区域内に存する山林について、次に掲げる場合のいずれかに該当すること

－976－

第三章　山林についての相続税の納税猶予及び免除
（第四節　納税猶予の打切り）

なった場合

イ　その経営の全部又は一部を他の者に委託（**2**に規定する経営委託（以下本章において「経営委託」という。）を除く。）をした場合

ロ　他の者と共同して経営を行った場合

ハ　当該区域内に他の者が所有する山林（他の山林の所有者から経営の委託を受けたものを除く。）が存することとなった場合

（六）　特定森林経営計画について他の者と共同で作成したと認められる場合

（七）　特定森林経営計画に記載のない伐採、造林又は作業路網の整備を行った場合

（八）　林業経営相続人が森林法第12条第1項各号に掲げる場合において、同項の規定による認定の請求をせず、又は請求をしたが当該認定を受けることができなかった場合

（九）　森林法第15条の規定による届出書を提出せず、又は虚偽の届出書の提出をした場合

（十）　森林法施行規則第100条第4項に規定する書類その他の特定森林経営計画に係る書類で林業経営相続人が農林水産大臣又は市町村長（森林法第19条第1項の規定により同項の市町村の長の権限に属することになった事項を都道府県知事又は農林水産大臣が処理する場合にあっては、当該都道府県知事又は農林水産大臣。**2**の（8）の（一）を除き、以下本章において同じ。）に提出すべきものをその提出期限までに提出せず、又は虚偽の記載をして提出した場合

（十一）　前各号に掲げるもののほか、森林法第14条の規定に違反していると認められる場合

　（特例山林の土地を立木の生育以外の用に供する行為として財務省令で定める行為）

（8）　**1**の（二）に規定する財務省令で定める行為は、次に掲げる行為とする。（措規23の8の6⑮）

（一）　立木の生育の用に供される土地を当該立木の生育以外の用に供する行為（次に掲げる場合に該当するものを除く。）

イ　特定森林経営計画に従って作業路網を設置し、又は一時的に作業路網に附帯する施設のために使用する場合

ロ　森林法第5条第1項の規定による地域森林計画又は市町村森林整備計画に従って設置する同法第41条第3項に規定する保安施設事業に係る保安施設及び林野の保全に係る地すべり等防止法（昭和33年法律第30号）第2条第3項に規定する地すべり防止施設並びに一時的にこれらの施設に附帯する施設の用に供する場合

（二）　作業路網が整備されている土地を立木の生育以外の用に供する行為その他これに類する行為

　（作業路網の一部の整備が適正に行われていない場合等として政令で定める場合）

（9）　**1**の（二）に規定する政令で定める場合は、次に掲げる場合とする。（措令40の7の6⑬）

（一）　一の小流域内に存する特例山林における作業路網の整備が適正に行われていない場合

（二）　同一の小流域内に存する特例山林（当該小流域内に存する他の山林の所有者から経営の委託を受けた山林（特定森林経営計画が定められている区域内に存するものに限り、作業路網の整備を行わないものを除く。）を含む。以下（二）において同じ。）の面積の合計が5ヘクタールを下回ることとなった場合（当該小流域に隣接する小流域内に存する特例山林と一体的に施業することができる場合を除く。）

　（一定の日までに林業経営相続人が死亡したときにおける規定の適用）

（10）　第一節の**1**の規定の適用を受ける林業経営相続人又は同**1**の特例山林について**1**の（一）若しくは（二）に掲げる場合又は**3**に規定する場合に該当することとなった場合において、これらの場合に該当することとなった日以後**1**の（一）若しくは（二）に定める日又は**3**に規定する通知があった日までの間に当該林業経営相続人が死亡したときにおける**1**又は**3**の規定の適用については、同**1**の（一）中「当該通知があった日」とあり、同**1**の（二）中「農林水産大臣等から当該林業経営相続人の納税地の所轄税務署長に当該100分の20を超えることとなった譲渡等又は路網未整備等に係る通知があった日」とあり、並びに**3**中「農林水産大臣等から当該林業経営相続人の納税地の所轄税務署長に当該譲渡等又は路網未整備等があった旨の通知があった日」及び「当該通知があった日」とあるのは、「当該林業経営相続人の死亡の日の前日」とする。（措令40の7の6⑭）

　（路網未整備等のみなし規定）

（11）　特例山林の一部が（9）の（一）に掲げる場合に該当することとなった場合には、その該当することとなった特例山林が所在する小流域内に存する全部の特例山林が**1**に規定する路網未整備等に該当するものとみなして同**1**及び**2**の規定を適用する。（措令40の7の6⑮）

－977－

第四編　農地等に係る相続税・贈与税の納税猶予及び免除

（申告期限前に総収入金額がゼロとなった場合）

(12)　第一節の1に規定する被相続人に相続が開始した日から当該被相続人に係る相続税の申告期限までの間に12月31日がある場合において、林業経営相続人の当該12月31日の属する年分の所得税法第32条第1項に規定する山林所得に係る収入金額が零となった場合であっても、1の(四)の規定の適用はないことに留意する。　（措通70の6の6-9）

（納税猶予税額の全部又は一部について納税猶予の期限が確定する場合）

(13)　第一節の1の(一)又は(二)に掲げる場合に該当する場合における納税猶予の期限は、農林水産大臣等（1の(一)に規定する農林水産大臣等をいう。）から納税地の所轄税務署長に対する1の(一)又は(二)の通知があった日から2月を経過する日であることに留意する。したがって、（1）の(一)から(八)のいずれかに該当する場合又は1の(二)に掲げる場合に該当する場合であっても、当該通知が所轄税務署長に到達しなければ、納税猶予の期限が確定することはないことに留意する。

　　　ただし、（1）の各号に該当する場合又は1の(二)に掲げる場合に該当する場合において、その該当することとなった日以後これらの号に定める日までの間に林業経営相続人が死亡した場合には、当該林業経営相続人の死亡の日の前日がこれらの号に定める日に代わることとなり、当該林業経営相続人の相続人（包括受遺者を含む。）が林業経営相続人の死亡による相続の開始があったことを知った日の翌日から6月を経過する日が納税猶予の期限となることに留意する。（措通70の6の6-11）

(注)　3の場合に該当する場合においても上記と同様であることに留意する。

（譲渡をした特例山林の面積が100分の20を超えるかどうかの計算）

(14)　1の(二)に規定する100分の20を超えるかどうかの計算は、次に掲げる算式により行うことに留意する。（措通70の6の6-12）

　　　B＋C／A

(注)1　算式中の符号は次のとおりである。

　　　Aは、相続又は遺贈により取得した特例山林の土地の面積をいう。

　　　Bは、今回、譲渡等をした又は路網未整備等に該当することとなった特例山林の土地の面積をいい、Cは、既往において譲渡等をした又は路網未整備等に該当した特例山林の土地の面積をいうことに留意する。この場合のB又はCの譲渡等には、措置法第33条の4第1項に規定する収用交換等による譲渡は含まないことに留意する。

　　2　特例山林の面積が100ヘクタールを下回った場合で1の(二)の通知があったときには、上記の算式の割合が100分の20を超えないときであっても猶予中相続税額の全部につき納税の猶予に係る期限が到来することに留意する。

（林業経営相続人が特例山林についての納税猶予の適用を取りやめる場合の期限）

(15)　1の(五)の規定に該当することによる納税の猶予に係る期限は、第一節の1の規定の適用を受けている林業経営相続人から第一節の1の規定の適用を受けることをやめる旨の届出書の提出があった日から2月を経過する日（当該届出書の提出があった日から当該2月を経過する日までの間に当該林業経営相続人が死亡した場合には、当該林業経営相続人の相続人〔包括受遺者を含む。〕が当該林業経営相続人の死亡による相続の開始があったことを知った日の翌日から6月を経過する日）となることから、当該納税猶予に係る相続税の額及び当該相続税の額に係る利子税の額の納付の有無に関わらず、当該2月を経過する日に到来することに留意する。（措通70の6の6-14）

2　障害等により経営委託をする場合

　　第一節の1の規定の適用を受ける林業経営相続人が、障害、疾病その他の事由により同1の特例山林について経営を行うことが困難な状態として(1)の政令で定める状態となった場合において、当該特例山林の全部の経営を当該林業経営相続人の推定相続人で(4)の政令で定める者に委託（以下2において「経営委託」という。）をしたときは、当該経営委託をした日から2月以内に、(6)の政令で定めるところにより当該経営委託をした旨の届出書を納税地の所轄税務署長に提出したときに限り、1の規定の適用については、当該経営委託をした特例山林（以下2において「経営委託山林」という。）に係る山林の経営は、廃止していないものとみなす。（措法70の6の6⑥）

（政令で定める状態）

（1）　2に規定する政令で定める状態は、第一節の1の規定の適用を受ける林業経営相続人（同1に規定する相続税の申告書の提出期限において既に次に掲げる事由が生じていた者（当該提出期限後に新たに当該事由が生じた者並びに(二)の身体障害者手帳の交付を受けている者のうち、当該提出期限後に当該身体障害者手帳に記載された身体上の障害の程度が2級から1級に変更された者及び身体上の障害の程度が1級又は2級である障害が当該身体障害者手帳に新たに記

-978-

第三章　山林についての相続税の納税猶予及び免除
（第四節　納税猶予の打切り）

載された者を除く。）を除く。）に次に掲げる事由が生じている状態とする。（措令40の7の6⑰）
（一）　当該林業経営相続人が精神保健及び精神障害者福祉に関する法律第45条第2項の規定により精神障害者保健福祉
　　手帳（精神保健及び精神障害者福祉に関する法律施行令第6条第3項に規定する障害等級が1級である者として記載
　　されているものに限る。）の交付を受けていること。
（二）　当該林業経営相続人が身体障害者福祉法第15条第4項の規定により身体障害者手帳（身体上の障害の程度が1級
　　又は級である者として記載されているものに限る。）の交付を受けていること。
（三）　当該林業経営相続人が介護保険法第19条第1項の規定により同項に規定する要介護認定（同項の要介護状態区分
　　が（2）の財務省令で定める区分に該当するものに限る。）を受けていること。
（四）　（一）から（三）に掲げる事由のほか、当該林業経営相続人が当該提出期限後に山林の経営を行うことを不可能にさ
　　せる故障として農林水産大臣が財務大臣と協議して定めるものを有するに至ったことにつき、市町村長の認定を受け
　　ていること。

　　（財務省令で定める区分）
（2）　（1）の（三）に規定する財務省令で定める区分は、要介護認定等に係る介護認定審査会による審査及び判定の基準等
　　に関する省令第1条第1項第5号に掲げる区分とする。（措規23の8の6⑯）

　　（農林水産大臣が財務大臣と協議して定めるもの）
（3）　農林水産大臣は、（2）の（四）の規定により故障を定めたときは、これを告示する。（措令40の7の6㉖）

　　（政令で定める者）
（4）　2に規定する政令で定める者は、同項の林業経営相続人から当該林業経営相続人の有する第一節の1の特例山林の
　　全部の経営の委託を受けた個人であって、次に掲げる要件の全てを満たす者をいう。（措令40の7の6⑱）
（一）　当該個人が、2に規定する経営委託を受けた日において、当該林業経営相続人の推定相続人であること。
（二）　当該個人が、特定森林経営計画に従って当該特例山林の経営を適正かつ確実に行うものと認められる要件として
　　（5）の財務省令で定めるものを満たしていること。

　　（財務省令で定める要件）
（5）　（4）の（二）に規定する財務省令で定める要件は、次に掲げる要件とする。（措規23の8の6⑰）
（一）　森林法施行規則第99条第3号及び第4号に掲げる要件に該当することについて同令第100条第1項本文の確認を
　　受けた2の規定の適用を受けようとする林業経営相続人の当該確認に係る推定相続人であること。
（二）　特定森林経営計画について森林法第16条の規定により市町村長等の認定が取り消されたことがある場合にあって
　　は、その取消しの日から起算して10年を経過している者であること。
（三）　特定森林経営計画についてその期間満了時までに引き続いて市町村長等の認定を受けなかったことがある場合に
　　あっては、当該期間満了の日から10年を経過している者であること。
（四）　当該個人が（一）の林業経営相続人から経営委託を受けた山林（第一節の2の（4）の（五）のイからハまでに掲げる
　　ものを除く。）について作業路網の整備が行われる部分の面積の合計が100ヘクタール以上であること。
（五）　その有する山林（第一節の2の（4）の（五）のロ及びハに掲げるものを除く。）の全て及び当該個人が他の山林の所
　　有者から経営の委託を受けた山林の全てが、特定森林経営計画が定められている区域内に存すること。
（六）　次に掲げる事項について、農林水産大臣の確認を受けた者であること。
　イ　特定森林経営計画の達成のために必要な機械その他の設備を利用することができること。
　ロ　特定森林経営計画が定められている区域内に存する山林の全てについて、当該特定森林経営計画に従って適正か
　　つ確実に経営（当該山林の経営の規模の拡大及び作業路網の整備を含む。）を行うことができること。

　　（届出書の記載事項）
（6）　2の規定の適用を受けようとする林業経営相続人は、2に規定する経営委託山林について2の規定の適用を受けよ
　　うとする旨及び当該経営委託山林に係る2に規定する経営委託に関する事項その他（7）の財務省令で定める事項を記載
　　した届出書に、（8）の財務省令で定める書類を添付しなければならない。（措令40の7の6⑲）

　　（財務省令で定める事項）
（7）　（6）に規定する財務省令で定める事項は、次に掲げる事項とする。（措規23の8の6⑱）

－979－

第四編　農地等に係る相続税・贈与税の納税猶予及び免除

- （一）　林業経営相続人の氏名及び住所又は居所
- （二）　（一）の林業経営相続人から経営委託を受けた者（以下本章において「経営受託者」という。）の氏名及び住所又は居所並びに当該林業経営相続人との続柄
- （三）　（一）の林業経営相続人が（二）の経営委託を行った年月日
- （四）　**2**に規定する経営委託山林の所在場所
- （五）　その他参考となるべき事項

　　（財務省令で定める書類）
（8）　（6）に規定する財務省令で定める書類は、次に掲げる書類とする。（措規23の8の6⑲）
- （一）　**2**の規定の適用を受けようとする林業経営相続人の精神障害者保健福祉手帳の写し、身体障害者手帳の写し又は介護保険の被保険者証の写し、当該林業経営相続人が（1）の（四）に規定する市町村長の認定を受けていることを証する当該市町村長の書類その他の書類で、第一節の**1**に規定する相続税の申告書の提出期限後に当該林業経営相続人が（1）の（一）から（四）に掲げる事由のいずれかに該当することとなったこと（当該林業経営相続人が当該提出期限後に新たに当該事由が生じた者並びに（1）の（二）の身体障害者手帳の交付を受けている者のうち、当該提出期限後に当該身体障害者手帳に記載された身体上の障害の程度が2級から1級に変更された者及び身体上の障害の程度が1級又は2級である障害が当該身体障害者手帳に新たに記載された者である場合には、これらの者に該当することとなったこと）及びその該当することとなった年月日を明らかにする書類
- （二）　（一）の林業経営相続人が経営受託者との間で締結した経営委託に係る委託契約書の写し
- （三）　（二）の経営受託者の戸籍の謄本又は抄本その他の書類で、当該経営受託者が（二）の経営委託を受けた日において（一）の林業経営相続人の推定相続人であった旨を明らかにする書類
- （四）　森林法施行規則第99条第3号及び第4号に掲げる要件に該当することについて（一）の林業経営相続人が受けた同令第100条第1項本文の農林水産大臣の確認に係る同条第6項の確認書
- （五）　森林法施行規則第99条第1号に掲げる要件に該当することについて（二）の経営受託者が受けた同令第100条第1項本文の農林水産大臣の確認に係る同条第6項の確認書
- （六）　市町村長の証明書で、（二）の経営受託者が（5）の（二）から（五）までに掲げる要件に該当することを証するもの

　　（林業経営相続人が特例山林について経営を行うことが困難な状態となった場合）
（9）　**2**に規定する林業経営相続人が特例山林について経営を行うことが困難な状態となった場合として（1）に定める状態とは、次に掲げる状態をいうことに留意する。（措通70の6の6－14の2）
- （一）　措置法第70条の6の4第1項に規定する相続税の申告書の提出期限（以下（9）において「相続税の申告書の提出期限」という。）後において、林業経営相続人に（1）の（一）から（四）に規定する事由が生じたこと
- （二）　林業経営相続人が相続税の申告書の提出期限において既に身体上の障害の程度が2級である者として記載のある身体障害者手帳の交付を受けていた場合で、当該相続税の申告書の提出期限後に、当該身体障害者手帳に記載された身体上の障害　の程度が1級に変更されたこと
- （三）　林業経営相続人が相続税の申告書の提出期限において既に身体上の障害の程度が1級又は2級である者として記載のある身体障害者手帳の交付を受けていた場合で、当該相続税の申告書の提出期限後に、その障害とは別に身体上の障害の程度が1級又は2級である障害が当該身体障害者手帳に新たに記載されたこと
- （四）　林業経営相続人が相続税の申告書の提出期限において既に同項各号に掲げる事由が生じていた場合で、当該相続税の申告書の提出期限後に、新たに当該林業経営相続人に同項各号に掲げる事由が生じたこと

　　（**2**の規定の適用に係る推定相続人の意義等）
（10）　**2**に規定する経営委託を受けた者が同項に規定する経営委託山林以外に山林（第一節**2**の（4）の（五）のハに掲げるものを除く。）を有する場合又は他の山林所有者から経営の委託を受けた山林がある場合には、これらの全てが、特定森林経営計画が定められている区域内に所在しなければならないことに留意する。（措通70の6の6－14の3）

　　（経営委託をした旨の届出書が届出期限までに提出されない場合等）
（11）　**2**の規定の適用を受けようとする林業経営相続人は、**2**に規定する届出書を同項に規定する経営委託をした日から2月以内（以下において「期限内」という。）に納税地の所轄税務署長に提出しなければ、**2**の規定の適用はないことに留意する。（措通70の6の6－14の4）
　　当該届出書を期限内に提出しない場合には、**2**の（三）の規定の適用については、当該経営委託をした特例山林に係る

－980－

第三章　山林についての相続税の納税猶予及び免除
（第四節　納税猶予の打切り）

山林の経営を廃止したこととなり、その廃止した日から2月を経過する日（当該日から当該2月を経過する日までの間に当該林業経営相続人が死亡した場合には、当該林業経営相続人の相続人（包括受遺者を含む。）が当該林業経営相続人の死亡による相続の開始があったことを知った日の翌日から6月を経過する日）に納税の猶予に係る期限が到来することに留意する。

(注)1　期限内に同項に規定する届出書の提出がなかった場合のゆうじょ規定は設けられていない。
　　2　上記の「その廃止した日」とは、経営委託をした日をいうことに留意する。

（2の規定の適用を受けた後に特例山林について経営を行うことが困難な状態が解消した場合）

(12)　2の規定の適用を受ける林業経営相続人について、2に規定する経営委託の終了前に、当該林業経営相続人が特例山林について経営を行うことが困難な状態が解消した場合であっても、その相続税の納税猶予の期限は確定しないことに留意する。（措通70の6の6－14の5）

（林業経営相続人の推定相続人に該当しないこととなった場合）

(13)　2の規定の適用を受ける林業経営相続人の同項の適用に係る推定相続人が2に規定する経営委託の終了前に、当該林業経営相続人の推定相続人に該当しないこととなった場合であっても、その相続税の納税猶予の期限は確定しないことに留意する。（措通70の6の6－14の6）

（読替え規定）

(14)　2の規定の適用を受ける林業経営相続人若しくは当該林業経営相続人から経営委託を受けた者又は経営委託山林に対する1及び3の規定の適用については、1中「又は同1の特例山林」とあるのは「若しくは当該林業経営相続人から2に規定する経営委託を受けた者（以下1及び3において「経営受託者」という。）又は2の経営委託山林」と、1の(一)中「林業経営相続人による」とあるのは「経営受託者による」と、「特例山林」とあるのは「経営委託山林」と、1の(二)中「林業経営相続人が」とあるのは「経営受託者が」と、「特例山林」とあるのは「経営委託山林」と、「に同1」とあるのは「に2」と、「、当該林業経営相続人」とあるのは「、当該経営受託者」と、「おける同1」とあるのは「おける2」と、1の(三)中「特例山林」とあるのは「経営委託山林」と、3中「第一節の1の規定の適用を受ける林業経営相続人」とあるのは「2の規定の適用に係る経営受託者」と、「特例山林」とあるのは「経営委託山林」とするほか、2の規定の適用に関し必要な事項は、政令で定める。（措法70の6の6⑦）

（読替え規定）

(15)　2の規定の適用を受ける林業経営相続人若しくは当該林業経営相続人から2に規定する経営委託を受けた者又は2に規定する経営委託山林に対する1の(1)、1の(9)から(11)までの規定の適用については、同(1)の(五)中「林業経営相続人」とあるのは「2に規定する経営委託を受けた者（(八)及び(10)において「経営受託者」という。）」と、同(1)の(七)中「特例山林」とあるのは「2に規定する経営委託山林（以下(11)までにおいて「経営委託山林」という。）」と、同(1)の(八)中「林業経営相続人」とあるのは「経営受託者」と、「特例山林」とあるのは「経営委託山林」と、1の(9)の(一)及び(二)中「特例山林」とあるのは「経営委託山林」と、1の(10)中「第一節の1の規定の適用を受ける林業経営相続人又は同1の特例山林について1の(一)」とあるのは「経営受託者又は経営委託山林について1の(一)」と、「当該林業経営相続人が」とあるのは「同1の規定の適用を受ける林業経営相続人が」と、(11)中「特例山林」とあるのは「経営委託山林」とする。（措令40の7の6⑳）

（読替え規定）

(16)　2の規定の適用を受ける林業経営相続人若しくは経営受託者又は経営委託山林に対する1の(7)の規定の適用については、同(7)の(三)中「林業経営相続人」とあるのは「経営受託者（2の(7)の(二)に規定する経営受託者をいう。(四)、(八)及び(十)において同じ。）」と、同(7)の(四)、(八)及び(十)中「林業経営相続人」とあるのは「経営受託者」とする。（措規23の8の6⑳）

3　納税猶予の一部打切り

　猶予中相続税額に相当する相続税の全部につき第一節の1、本節の1、この3、第三節の2、本節の4又は第六節の(3)の規定による納税の猶予に係る期限が確定する日までに、第一節の1の規定の適用を受ける林業経営相続人が同1の特例山林の一部の譲渡等をした場合又は当該特例山林が路網未整備等に該当することとなった場合には、猶予中相続税額のうち、当該譲渡等をした特例山林又は当該路網未整備等に該当することとなった特例山林の価額に対応する部分の額として

－981－

（1）の政令で定めるところにより計算した金額に相当する相続税については、第一節の**1**の規定にかかわらず、農林水産大臣等から当該林業経営相続人の納税地の所轄税務署長に当該譲渡等又は路網未整備等があった旨の通知があった日から2月を経過する日（当該通知があった日から当該2月を経過する日までの間に当該林業経営相続人が死亡した場合には、当該林業経営相続人の相続人が当該林業経営相続人の死亡による相続の開始があったことを知った日の翌日から6月を経過する日）をもって同**1**の規定による納税の猶予に係る期限とする。（措法70の6の6④）

　　　（政令で定める特例山林の額に対応する部分の額）
（1）　**3**に規定する政令で定めるところにより計算した金額は、同**3**の譲渡等又は路網未整備等の直前における第一節の**3**の(七)のロに規定する猶予中相続税額に、当該譲渡等をした特例山林又は当該路網未整備等に該当することとなった特例山林の価額が当該譲渡等又は路網未整備等の直前における当該特例山林の価額に占める割合を乗じて計算した金額とする。この場合において、当該計算した金額に100円未満の端数があるとき、又はその全額が100円未満であるときは、その端数金額又はその全額を切り捨てる。（措令40の7の6⑯）

　　　（立木のみについて譲渡等があった場合のみなし規定）
（2）　**3**の場合において、特例山林のうち立木のみ又は当該立木の生育の用に供される土地のみについて譲渡等があったときにおける同**3**の規定の適用については、当該立木の生育の用に供される土地又は当該土地に生育している立木についても、当該譲渡等があった日において譲渡等があったものとみなす。（措法70の6の6⑤）

　　　（納税猶予税額の一部について納税猶予の期限が確定する場合の相続税額の計算）
（3）　**3**の規定により納税猶予税額の一部について納税猶予の期限が確定する場合における相続税の額の計算は、**3**の規定に該当する直前の猶予中相続税額に次に掲げる場合の区分に応じ次に定める割合を乗ずることにより行うことに留意する。
　　なお、これにより算出した金額に100円未満の端数があるとき又はその全額が100円未満であるときは、その端数金額又はその全額を切り捨て、その切り捨てた金額は、納税猶予税額として残ることに留意する。（措通70の6の6－13）
（1）　特例山林の一部を譲渡等した場合

$$\frac{今回、譲渡等をした特例山林の価額}{今回、譲渡等をした直前の特例山林の価額}$$

（2）　特例山林が路網未整備等に該当することとなった場合

$$\frac{今回、路網未整備等に該当した特例山林の価額}{今回、路網未整備等に該当した直前の特例山林の価額}$$

　（注）　特例山林のうち立木のみ又は立木の生育の用に供される土地のみについて譲渡等があった場合には、当該立木の生育の用に供される土地又は当該土地に生育している立木についても譲渡等があったものとみなして上記算式の分子の特例山林に含めて分子の金額を算定することに留意する。

4　担保変更等の命令に応じない場合の打切り

　税務署長は、次に掲げる場合には、猶予中相続税額に相当する相続税に係る第一節の**1**の規定による納税の猶予に係る期限を繰り上げることができる。この場合においては、国税通則法第49条第2項及び第3項《納税猶予の取消しをする場合の弁明の聴取等》の規定を準用する。（措法70の6の6⑭）
（一）　第一節の**1**の規定の適用を受ける林業経営相続人が同**1**に規定する担保について国税通則法第51条第1項《担保変更等》の規定による命令に応じない場合
（二）　当該林業経営相続人から提出された第三節の**1**の届出書に記載された事項と相違する事実が判明した場合

　　　（増担保命令等に応じない場合の納税猶予の期限の繰上げ）
（1）　**4**の規定により、増担保命令等に応じないため納税猶予の期限を繰り上げる場合には、担保不足に対応する納税猶予に係る税額だけでなく、猶予中相続税額の全額について納税猶予の期限を繰り上げることに留意する。（措通70の6の6－15）

5　納税猶予の打切り等があった場合の利子税の納付

　第一節の**1**の規定の適用を受けた林業経営相続人は、次の表の(一)から(三)の左欄に掲げる場合に該当する場合には、

－982－

第三章　山林についての相続税の納税猶予及び免除
（第四節　納税猶予の打切り）

当該（一）から（三）の表の中欄に掲げる金額を基礎とし、当該林業経営相続人が同1の規定の適用を受けるために提出する相続税の申告書の提出期限の翌日からそれぞれ次表の右欄に掲げる日（同表の（一）の右欄に掲げる日以前2月以内に当該林業経営相続人が死亡した場合には、当該林業経営相続人の相続人が当該林業経営相続人の死亡による相続の開始があったことを知った日の翌日から6月を経過する日）までの期間に応じ、年3.6パーセントの割合を乗じて計算した金額に相当する利子税を、当該各号の中欄に掲げる金額に相当する相続税にあわせて納付しなければならない。（措法70の6の6⑲）

（一）	1《納税猶予の全部打切り》の規定の適用があった場合（（三）の左欄に掲げる場合に該当する場合を除く。）	猶予中相続税額	1の各号に定める日から2月を経過する日
（二）	3《納税猶予の一部打切り》又は第三節の3の規定の適用があった場合（（三）の左欄に掲げる場合に該当する場合を除く。）	これらの規定により納税の猶予に係る期限が確定する猶予中相続税額	これらの規定による納税の猶予に係る期限
（三）	4《担保変更等の命令に応じない場合の打切り》又は第六節の（3）の規定の適用があった場合	これらの規定により納税の猶予に係る期限が繰り上げられる猶予中相続税額	これらの規定により繰り上げられた納税の猶予に係る期限

（継続届出書の時効中断の効果）
（1）　猶予中相続税額に相当する相続税並びに当該相続税に係る利子税及び延滞税の徴収を目的とする国の権利の時効については、第六節の（2）の（二）の規定により読み替えて適用される国税通則法第73条第4項の規定の適用がある場合を除き、第三節の1の届出書の提出があった時から当該届出書の提出期限までの間は完成せず、当該届出期限の翌日から新たにその進行を始めるものとする。（措法70の6の6⑫）

6　納税猶予の打切り等があった場合の利子税の割合の特例

5に規定する利子税の年3.6パーセントの割合は、5の規定にかかわらず、各年の利子税特例基準割合が年7.3パーセントの割合に満たない場合には、その年中においては、当該利子税の割合に当該利子税特例基準割合が年7.3パーセントの割合のうちに占める割合を乗じて計算した割合とする。（措法93⑤）

$$\text{利子税の割合} \times \frac{\text{利子税特例基準割合}}{7.3\%} = \text{利子税の特例割合}$$

（利子税特例基準割合）
（1）　6に規定する利子税特例基準割合とは、平均貸付割合（各年の前々年の9月から前年の8月までの各月における短期貸付けの平均利率（当該各月において銀行が新たに行った貸付け（貸付期間が1年未満のものに限る。）に係る利率の平均をいう。）の合計を12で除して計算した割合として各年の前年の11月30日までに財務大臣が告示する割合をいう。以下同じ。）に年0.5パーセントの割合を加算した割合をいう。（措法93②）

（利子税の額の計算）
（2）　5の規定の適用がある場合における利子税の額の計算において、6に規定する計算した割合に0.1パーセント未満の端数があるときはこれを切り捨てるものとし、6に規定する計算した割合及び加算した割合（平均貸付割合を除く。）が年0.1パーセント未満の割合であるときは年0.1パーセントの割合とする。（措法96①）

（利子税の額の計算過程における端数処理）
（3）　6の規定の適用がある場合における利子税の額の計算において、その計算の過程における金額に1円未満の端数が生じたときは、これを切り捨てる。（措法96②）

7　山林についての相続税の納税猶予に係る利子税の特例

第一節1の規定の適用を受ける同1の林業経営相続人が同1に規定する特例山林の全部又は一部につき租税特別措置法第33条の4第1項に規定する収用交換等（以下7において「**収用交換等**」という。）による譲渡をしたことにより、5（二）の左欄（3の規定の適用があった場合に限る。）に掲げる場合に該当することとなった場合には、5の規定により当該林業経営相続人の納付すべき利子税の額は、同5の規定にかかわらず、5の規定により計算した金額の2分の1に相当する金額とする。（措法70の8④）

—983—

第四編　農地等に係る相続税・贈与税の納税猶予及び免除

(注)　**6**の規定の適用がある場合は、**7**の規定中の「**5**の規定により計算した金額」は**6**の利子税の割合の特例により計算した金額となることに留意する。（編者注）

（届出書の提出）

（1）　**7**の規定は、**7**の林業経営相続人が（2）で定めるところにより**7**の規定の適用を受けたい旨の届出書を第一節の**1**、第四節の**1**の規定による納税の猶予に係る期限までに納税地の所轄税務署長に提出した場合（当該税務署長においてやむを得ない事情があると認める場合には、当該届出書を当該期限後に提出した場合を含む。）に限り、適用する。（措法70の8⑤により読み替えて準用される同70の8②）

（届出書の記載事項等）

（2）　**7**の規定の適用を受けようとする**7**の林業経営相続人は、（1）の届出書に**7**の規定の適用を受けたい旨及び次に掲げる事項を記載し、かつ、公共事業施行者（租税特別措置法第33条の4第3項第1号に規定する公共事業施行者をいう。）の（二）の山林につき収用交換等による譲渡を受けたことを証する書類（（二）に掲げる事項の記載があるものに限る。）を添付して、これを当該林業経営相続人の納税地の所轄税務署長に提出しなければならない。（措規23の13④により読み替えて準用される同23の13①②）

(一)	届出者の氏名及び住所又は居所
(二)	収用交換等による譲渡をした**7**に規定する山林の地目、面積及びその所在場所その他の明細並びに当該収用交換等による譲渡をした年月日
(三)	（二）の山林の譲渡先の名称及び所在地
(四)	その他参考となるべき事項

（納税猶予期限後に提出する届出書）

（3）　（1）に規定する納税の猶予に係る期限後に（1）の届出書を提出する場合には、当該届出書に、（2）各号に掲げる事項のほか当該届出書を当該期限までに提出することができなかった事情の詳細を記載しなければならない。（措規23の13④により読み替えて準用される同23の13③）

第五節　納税猶予税額の免除

1　林業経営相続人の死亡等による納税猶予税額の免除

　第一節の1の規定の適用を受ける林業経営相続人が死亡した場合（その死亡した日前に第三節の2の規定の適用があった場合及び同日前に第四節の4又は第六節の(3)の規定による納税の猶予に係る期限の繰上げがあった場合並びに同日前に同節の1の(一)から(五)に掲げる場合に該当することになった場合を除く。）には、猶予中相続税額に相当する相続税を免除する。この場合において、当該林業経営相続人の相続人は、その死亡した日から同日以後6月を経過する日（第三節の2の(1)において「免除届出期限」という。）までに、(1)の政令で定めるところにより、(4)の財務省令で定める事項を記載した届出書を納税地の所轄税務署長に提出しなければならない。（措法70の6の6⑰）

　　（免除届出書の提出）
（1）　第一節の1の規定の適用を受ける林業経営相続人の相続人（包括受遺者を含む。）は、1の届出書を提出する場合には、当該林業経営相続人が死亡した日の直前の経営報告基準日（当該林業経営相続人が第一節の1の規定の適用に係る同1に規定する相続税の申告書の提出期限の翌日から同日以後最初に到来する経営報告基準日までの間に死亡した場合には、当該相続税の申告書の提出期限）の翌日から当該死亡した日までの間における当該林業経営相続人又は同1の特例山林が第四節の1の(一)の政令で定める場合若しくは同1の(二)から(五)までに掲げる場合又は第四節の3の譲渡等をした場合若しくは同2の路網未整備等に該当することとなった場合に該当する事由の有無その他の(2)の財務省令で定める事項を明らかにする書類として(3)の財務省令で定めるものを当該届出書に添付しなければならない。（措令40の7の6㉓）

　　（財務省令で定める事項）
（2）　(1)に規定する財務省令で定める事項は、次に掲げる事項とする。（措規23の8の6㉗）
　（一）　林業経営相続人の氏名及びその死亡の時における住所又は居所
　（二）　被相続人から第一節の1の規定の適用に係る相続又は遺贈により特例山林の取得をした日
　（三）　特例山林の所在場所
　（四）　林業経営相続人の死亡の日の直前の経営報告基準日の属する年の前年までの各年分（当該経営報告基準日の直前の経営報告基準日がない場合又は相続税の申告書の提出期限までに存する場合にあっては当該相続税の申告書の提出期限の属する年の前年までの各年分を除き、当該直前の経営報告基準日が当該相続税の申告書の提出期限後に存する場合にあっては当該直前の経営報告基準日の属する年の前年までの各年分を除く。）の所得税法第32条第1項《山林所得》に規定する山林所得に係る収入金額
　（五）　林業経営相続人の死亡の日における猶予中相続税額
　（六）　林業経営相続人の死亡の日において当該林業経営相続人が有する特例山林の面積及び当該林業経営相続人に係る被相続人の氏名
　（七）　林業経営相続人の死亡の日の直前の経営報告基準日の翌日から当該死亡の日までの間に当該林業経営相続人につき第四節の1又は同節の3の規定により納税の猶予に係る期限が到来した猶予中相続税額がある場合には、第四節の1又は同節の3のいずれの場合に該当したかの別及び該当した日並びに当該猶予中相続税額及びその明細
　（八）　その他参考となるべき事項

　　（財務省令で定める書類）
（3）　(1)に規定する財務省令で定める書類は、特例山林に係る次に掲げる書類とする。（措規23の8の6㉘）
　（一）　市町村長の証明書で、被相続人に係る相続の開始の日から林業経営相続人の死亡の日の前日（当該林業経営相続人が第四節の2の規定の適用を受けた者である場合には、同2の規定の適用に係る経営委託をした日の前日。(二)において同じ。）までの間継続して当該林業経営相続人によって特定森林経営計画に従って　適正かつ確実に経営が行われてきたことを証するもの
　（二）　農林水産大臣の証明書で、被相続人に係る相続の開始の日から林業経営相続人の死亡の日の前日まで森林法施行規則第99条第2号に掲げる要件に該当することについて当該林業経営相続人が引き続いて同令第100条第1項本文の農林水産大臣の確認を受けてきたこと並びに第四節の1及び同節の3の規定に該当しなかったことを証するもの

第四編　農地等に係る相続税・贈与税の納税猶予及び免除

（三）　林業経営相続人が第四節の2の規定の適用を受けた者である場合には、市町村長の証明書で、同2の規定の適用に係る経営委託をした日から当該林業経営相続人の死亡の日の前日までの間継続して同2の規定の適用に係る経営受託者によって特定森林経営計画に従って適正かつ確実に経営が行われてきたことを証するもの

（四）　林業経営相続人が第四節の2の規定の適用を受けた者である場合には、農林水産大臣の証明書で、同2の規定の適用に係る経営委託をした日から当該林業経営相続人の死亡の日の前日まで森林法施行規則第99条第2号に掲げる要件に該当することについて同2の規定の適用に係る経営受託者が引き続いて同令第100条第1項本文の農林水産大臣の確認を受けてきたことを証するもの

（五）　その他参考となるべき書類

　　（財務省令で定める事項）

（4）　1に規定する財務省令で定める事項は、次に掲げる事項とする。（措規23の8の6㉙）

（一）　1の届出書を提出する者の氏名及び住所又は居所並びに死亡した林業経営相続人との続柄

（二）　（一）の死亡した林業経営相続人の氏名及びその死亡の時における住所又は居所並びにその死亡した年月日

（三）　1の規定による相続税の免除を受けようとする旨及び当該免除を受けようとする相続税の額

（四）　その他参考となるべき事項

第六節　雑　　則

（他の納税猶予との重複適用の排除）
（1）　第一節の 1 の規定は、同 1 の相続に係る被相続人から同 1 の相続又は遺贈により財産の取得をした者が当該財産について第一編第四章第二節一の11《特定計画山林についての相続税の課税価格の計算の特例》の①の規定の適用を受けた場合又は受けようとする場合には、適用しない。（措法70の 6 の 6 ⑨）

（国税通則法、国税徴収法及び相続税法の規定の適用）
（2）　第一節の 1 の規定による納税の猶予がされた場合における国税通則法、国税徴収法及び相続税法の規定の適用については、次に定めるところによる。（措法70の 6 の 6 ⑮）
（一）　第一節の 1 の規定の適用があった場合における相続税に係る延滞税については、その相続税の額のうち納税猶予分の相続税額とその他のものとに区分し、更に当該納税猶予分の相続税額を（三）に規定する納税の猶予に係る期限が異なるものごとに区分して、それぞれの税額ごとに国税通則法の延滞税に関する規定を適用する。
（二）　第一節の 1 の規定による納税の猶予を受けた相続税については、国税通則法第64条第 1 項及び第73条第 4 項中「延納」とあるのは、「延納（第一節の 1 《山林についての相続税の納税猶予及び免除》の規定による納税の猶予を含む。）」とする。
（三）　第一節の 1 の規定による納税の猶予に係る期限（第四節の 1 、同節の 3 、第三節の 2 、第四節の 4 又は第六節の（3）の規定による当該期限を含む。）は、国税通則法及び国税徴収法中法定納期限又は納期限に関する規定を適用する場合には、相続税法の規定による延納に係る期限に含まれるものとする。
（四）　第四節の 1 、同節の 3 、第三節の 2 、第四節の 4 又は第六節の（3）の規定に該当する相続税については、第一編第八章第二節一《相続税の延納》の 1 及び同章第三節一《物納の要件》の 1 の規定は、適用しない。
（五）　相続又は遺贈により取得をした財産のうちに特例山林に該当するものがある者の当該財産に係る相続税の額で納税猶予分の相続税額以外のものについては、当該特例山林の価額は、当該特例山林の価額に100分の20を乗じて計算した価額であるものとして、第一編第八章第二節一の 1 （同章第三節二の12《物納申請の全部又は一部の却下に係る延納》において準用する場合を含む。）、同章同節六の 2 の（6）《未経過延納税額》、同章第二節五《延納の利子税》の 1 又は同章第三節七の 2 《物納撤回に係る利子税》の①の（1）の（二）の（ロ）の規定を適用する。
（六）　特例山林について第一節の 1 の規定の適用があった場合における第一編第八章第三節三《特定の延納税額に係る物納》の（5）において準用する同節一の 2 《物納できる財産》の規定の適用については、同 2 中「財産を除く」とあるのは、「財産及び第四編第三章第一節の 1 《山林についての相続税の納税猶予及び免除》の規定の適用に係る同 1 に規定する特例山林を除く」とする。

（同族会社等の行為又は計算の否認等）
（3）　第一編第十章第一節の六《同族会社等の行為又は計算の否認》（同六の（1）において準用する場合を含む。）及び同節の七《移転法人又は取得法人の行為又は計算の否認》の規定は、本章第一節の 1 の規定の適用を受ける林業経営相続人若しくは当該林業経営相続人に係る被相続人又はこれらの者と（4）の政令で定める特別の関係がある者の相続税又は贈与税の負担が不当に減少する結果となると認められる場合について準用する。この場合において、第一編第十章第一節の六中「又はその親族その他これらの者」とあるのは「である第四編第三章第一節の 1 《山林についての相続税の納税猶予及び免除》の林業経営相続人若しくは当該林業経営相続人に係る被相続人又はこれらの者」と、「相続税又は贈与税についての更正又は決定に際し」とあるのは「第四編第三章《山林についての相続税の納税猶予及び免除》の規定の適用に関し」と、「課税価格を計算する」とあるのは「納税の猶予に係る期限を繰り上げ、又は免除する納税の猶予に係る相続税を定める」と、第一編第十章第一節の六の（1）中「又はその親族その他これらの者と六に規定する特別の関係がある者の相続税又は贈与税に係る更正又は決定」とあるのは「である第四編第三章第一節の 1 の林業経営相続人の納税の猶予に係る期限の繰上げ又は相続税の免除」と、第一編第十章第一節の七中「相続税又は贈与税についての更正又は決定に際し」とあるのは「第四編第三章《山林についての相続税の納税猶予及び免除》の規定の適用に関し」と、「課税価格を計算する」とあるのは「納税の猶予に係る期限を繰り上げ、又は免除する納税の猶予に係る相続税を定める」と読み替えるものとする。（措法70の 6 の 6 ⑯）

第四編　農地等に係る相続税・贈与税の納税猶予及び免除

　　　（政令で定める特別の関係がある者）
（４）　（３）に規定する林業経営相続人若しくは当該林業経営相続人に係る被相続人又はこれらの者（以下（４）において「**林業経営相続人等**」という。）と政令で定める特別の関係がある者は、次に掲げる者とする。（措令40の７の６㉒）
　　（一）　当該林業経営相続人等の親族
　　（二）　当該林業経営相続人等と婚姻の届出をしていないが事実上婚姻関係と同様の事情にある者
　　（三）　当該林業経営相続人等の使用人
　　（四）　当該林業経営相続人等から受ける金銭その他の資産によって生計を維持している者（（一）から（三）に掲げる者を除く。）
　　（五）　（二）から（四）に掲げる者と生計を一にするこれらの者の親族

　　　（法人税法、所得税法及び地価税法規定の適用）
（５）　（３）において第一編第十章第一節の**六**《同族会社等の行為又は計算の否認》の規定を準用する場合における法人税法第132条第３項、所得税法第157条第３項及び地価税法（平成３年法律第69号）第32条第３項の規定の適用については、これらの規定中「相続税法」とあるのは、「第四編第三章第六節の（３）において準用する相続税法」とする。（措令40の７の６㉕）

　　　（農林水産大臣等の通知義務）
（６）　農林水産大臣等は、第一節の１の規定の適用を受ける林業経営相続人又は特例山林について、第四節の１又は同節の３の規定による納税の猶予に係る期限の確定に係る事実に関し、法令の規定に基づき認定、確認、報告の受理その他の行為をしたことにより当該事実があったことを知った場合には、遅滞なく、当該特例山林について当該事実が生じた旨その他（７）の財務省令で定める事項を、書面により、国税庁長官又は当該林業経営相続人の納税地の所轄税務署長に通知しなければならない。（措法70の６の６⑳）

　　　（財務省令で定める事項）
（７）　（６）に規定する財務省令で定める事項は、次に掲げる事項とする。（措規23の８の６㉚）
　　（一）　林業経営相続人又は特例山林（当該林業経営相続人が第四節の２の規定の適用を受けた者である場合には、当該林業経営相続人、同２の規定の適用に係る経営受託者又は経営委託山林）について、（６）の納税の猶予に係る期限の確定に係る事実が生じた旨
　　（二）　（一）の事実が生じた特例山林の面積及びその所在場所並びに当該特例山林について第一節の１の規定の適用を受けている林業経営相続人及び当該林業経営相続人に係る被相続人の氏名及びその死亡の時における住所又は居所
　　（三）　（６）の納税の猶予に係る期限の確定に係る事実の詳細及び当該事実の生じた年月日並びに当該事実に係る認定、確認、報告の受理その他の行為の内容
　　（四）　その他参考となるべき事項

　　　（農林水産大臣等への通知義務）
（８）　税務署長は、第一節の１の場合において農林水産大臣等の事務（同１の規定の適用を受ける林業経営相続人に関する事務で、（６）の規定の適用に係るものに限る。）の処理を適正かつ確実に行うため必要があると認めるときは、農林水産大臣等に対し、当該林業経営相続人が第一節の１の規定の適用を受ける旨その他（９）の財務省令で定める事項を通知することができる。（措法70の６の６㉑）

　　　（財務省令で定める事項）
（９）　（８）に規定する財務省令で定める事項は、次に掲げる事項とする。（措規23の８の６㉛）
　　（一）　第一節の１の規定の適用を受ける林業経営相続人に係る被相続人の氏名及びその死亡の時における住所又は居所
　　（二）　（一）の林業経営相続人が同（一）の被相続人から第一節の１の規定の適用に係る相続又は遺贈により取得をした山林に係る相続税の申告書が提出された日
　　（三）　（一）の林業経営相続人が前号の山林について第一節の１の規定の適用を受けている旨並びに同１の規定の適用に係る特例山林の面積及びその所在場所
　　（四）　その他（８）の通知の事務に関し税務署長が必要と認める事項

—988—

第三章　山林についての相続税の納税猶予及び免除
（第六節　雑　則）

山林についての相続税の納税猶予の継続届出書

税務署
受付印

令和＿＿＿年＿＿＿月＿＿＿日

＿＿＿＿＿＿＿税務署長

〒　　－

届出者　　住　所＿＿＿＿＿＿＿＿＿＿＿＿＿＿＿＿
（林業経営相続人）

氏　名＿＿＿＿＿＿＿＿＿＿＿＿＿＿＿＿

（電話番号　　　　　－　　　　　－　　　　　）

※欄は記入しないでください。

　租税特別措置法第70条の６の６第１項の規定による山林についての相続税の納税の猶予を引き続いて受けたいので、次に掲げる税額等について確認し、同条第11項の規定により関係書類を添付して届け出ます。

山林の相続（遺贈）があった年月日	平 成令 和	年　　　月　　　日

被相続人	住所		氏名	

1　この届出書を提出する日の直前の経営報告基準日（以下「今回の基準日」
　といいます。）・・・・・・・・・・・・・・・・・・・・・・・・・　令和＿＿＿年＿＿＿月＿＿＿日

2　今回の基準日における猶予中相続税額

　(1)　今回の基準日の直前の経営報告基準日（以下「前回の基準日」とい
　　います。）における猶予中相続税額　・・・・・・　　＿＿＿＿＿＿＿＿＿＿円

　(2)　前回の基準日の翌日から今回の基準日までの間に納税の猶予に係る
　　期限が到来した猶予中相続税額　・・・・・・・・・　＿＿＿＿＿＿＿＿＿＿円

　(3)　猶予中相続税額〔(1)－(2)〕　・・・・・・・　　＿＿＿＿＿＿＿＿＿＿円

　　　　　　　　　　　　　　　　　　　　　　　　（内＿＿＿＿＿＿＿＿＿＿円）

3　林業経営相続人の山林所得に係る収入金額

	年分	所得税の申告書の提出先	山林所得に係る収入金額
今回の基準日の属する年の３年前分	＿＿＿年分	＿＿＿＿＿＿税務署	＿＿＿＿＿＿円
今回の基準日の属する年の２年前分	＿＿＿年分	＿＿＿＿＿＿税務署	＿＿＿＿＿＿円
今回の基準日の属する年の前年分	＿＿＿年分	＿＿＿＿＿＿税務署	＿＿＿＿＿＿円

4　租税特別措置法第70条の６の６第６項に規定する経営委託の有無　□

【添付書類】
1　特定森林経営計画に従って適正かつ確実に経営が行われてきたことを証する市町村長の証明書
2　森林法施行規則第99条第２号に掲げる要件に該当することについての農林水産大臣の確認書
3　「特例山林の明細書（兼特例山林の異動明細書）」

関与税理士		電話番号	

※	通信日付印の年月日	（確　認）	猶予整理簿	検　算	整理簿番号
	年　月　日				

（資12③－１－Ａ４統一）　（令3.3）

－989－

第四編　農地等に係る相続税・贈与税の納税猶予及び免除

猶予整理簿	検　算
※	※

林業経営相続人の氏名

※印欄は記入しないでください。

特例山林の明細書（兼特例山林の異動明細書）

特例山林の明細及び特例山林の異動状況は次のとおりです。

継続届出書の「前回の基準日」又は免除届出書の「死亡日直前の基準日」における特例山林の合計額等	土地の合計			立木の合計		合計額
	面積	価額		面積	価額	
	ha	① 円		ha	② 円	①+② 円

特例山林の異動状況	所在場所	土地		立木			異動事由（事由が生じた年月日）
		面積	特例山林の土地の価額	樹種	面積	特例山林の立木の価額	
		ha	円		ha	円	（　・　・　）
							（　・　・　）
							（　・　・　）
							（　・　・　）
							（　・　・　）
	合計	ha	③ 円		ha	④ 円	③+④ 円

継続届出書の「今回の基準日」又は免除届出書の「死亡日」における特例山林の明細	所在場所	土地		立木			備考
		面積	特例山林の土地の価額	樹種	面積	特例山林の立木の価額	
		ha	円		ha	円	
	合計	ha	⑤ 円		ha	⑥ 円	⑤+⑥ 円

（資12③－4－A4統一）

第三章　山林についての相続税の納税猶予及び免除
（第六節　雑　則）

山林についての相続税の納税猶予取りやめ届出書

税務署
受付印

令和＿＿＿年＿＿＿月＿＿＿日

＿＿＿＿＿＿税務署長

〒　　　－

届出者　　住　所＿＿＿＿＿＿＿＿＿＿＿＿＿＿＿＿
（林業経営相続人）

氏　名＿＿＿＿＿＿＿＿＿＿＿＿＿＿＿＿
（電話番号　　　　　－　　　　　－　　　　　）

※欄は記入しないでください。

租税特別措置法第70条の６の６第１項の規定に基づく山林についての相続税の納税猶予の特例について、この特例の適用を受けることを取りやめたいので、同条第３項第５号の規定によりその旨を届け出ます。

被相続人
〒　　　　　　　　（電話番号　　　　　－　　　　　－　　　　　）

住所＿＿＿＿＿＿＿＿＿＿＿＿＿＿＿　氏名＿＿＿＿＿＿＿＿＿＿

相続（遺贈）
があった年月日

平成
令和＿＿＿年＿＿＿月＿＿＿日

この届出書を提出する日における猶予中相続税額　・・・・・・・・・・・　＿＿＿＿＿＿＿＿＿＿＿＿円

（注）　この届出書を提出した日から２か月を経過する日（当該２か月を経過する日までの間に届出書を提出した林業経営相続人が死亡した場合には、林業経営相続人の相続人（包括受遺者を含みます。）が林業経営相続人の死亡による相続の開始のあったことを知った日の翌日から６か月を経過する日）が納税の猶予に係る期限となりますので、当該納税の猶予に係る期限までに、納税猶予中の相続税及び利子税を納付する必要があります。

関与税理士		電話番号	

※	通信日付印の年月日	（確　認）	猶予整理簿	検　算	整理簿番号
	年　　月　　日				

（資１２③－２－Ａ４統一）　　（令3.3）

第四編　農地等に係る相続税・贈与税の納税猶予及び免除

山林についての相続税の納税猶予に係る免除届出書

税務署
受付印

※欄は記入しないでください。

令和＿＿＿年＿＿＿月＿＿＿日

＿＿＿＿＿＿税務署長

令和＿＿＿年＿＿＿月＿＿＿日に林業経営相続人（氏名＿＿＿＿＿＿＿＿＿＿＿＿＿＿＿＿＿＿＿＿＿）

（住所＿＿＿＿＿＿＿＿＿＿＿＿＿＿＿＿＿＿＿＿＿＿＿）が死亡したので、

租税特別措置法第70条の6の6第17項の規定により、次の相続税を免除されたいので関係書類を添付して届け出ます。

届出者（林業経営相続人の相続人）

〒　　　－
住所＿＿＿＿＿＿＿＿＿＿＿＿＿＿＿＿　氏名＿＿＿＿＿＿＿＿＿＿＿＿＿＿　林業経営相続人との続柄＿＿＿＿＿

（電話番号　　　　－　　　　－　　　　）

〒　　　－
住所＿＿＿＿＿＿＿＿＿＿＿＿＿＿＿＿　氏名＿＿＿＿＿＿＿＿＿＿＿＿＿＿　林業経営相続人との続柄＿＿＿＿＿

（電話番号　　　　－　　　　－　　　　）

〒　　　－
住所＿＿＿＿＿＿＿＿＿＿＿＿＿＿＿＿　氏名＿＿＿＿＿＿＿＿＿＿＿＿＿＿　林業経営相続人との続柄＿＿＿＿＿

（電話番号　　　　－　　　　－　　　　）

〒　　　－
住所＿＿＿＿＿＿＿＿＿＿＿＿＿＿＿＿　氏名＿＿＿＿＿＿＿＿＿＿＿＿＿＿　林業経営相続人との続柄＿＿＿＿＿

（電話番号　　　　－　　　　－　　　　）

※　書ききれない場合は適宜の用紙に記載してください。

被相続人

〒　　　－
住所＿＿＿＿＿＿＿＿＿＿＿＿＿　氏名＿＿＿＿＿＿＿＿＿＿＿　相続（遺贈）があった日　平成・令和＿＿＿年＿＿＿月＿＿＿日

1　林業経営相続人の死亡の日（以下「死亡日」といいます。）における猶予中相続税額

(1) 死亡日の直前の経営報告基準日（以下「死亡日直前の基準日」といいます。）
における猶予中相続税額　・・・・・・・・・・・・・・・・・・・＿＿＿＿＿＿＿＿＿＿円

(2) 死亡日直前の基準日の翌日から死亡日までの間に納税猶予に係る期限が到来
した猶予中相続税額　・・・・・・・・・・・・・・・・・・・・・＿＿＿＿＿＿＿＿＿＿円

(3) 猶予中相続税額〔(1)－(2)〕　・・・・・・・・・・・・・・・＿＿＿＿＿＿＿＿＿＿円

（内＿＿＿＿＿＿＿＿＿円）

2　免除を受ける相続税額　・・・・・・・・・・・・・・・・・・・・・＿＿＿＿＿＿＿＿＿＿円

3　林業経営相続人の山林所得に係る収入金額

	年分	所得税の申告書の提出先	山林所得に係る収入金額
死亡日の属する年の3年前分	＿＿＿年分	＿＿＿税務署	＿＿＿＿＿円
死亡日の属する年の2年前分	＿＿＿年分	＿＿＿税務署	＿＿＿＿＿円
死亡日の属する年の前年分	＿＿＿年分	＿＿＿税務署	＿＿＿＿＿円

【添付書類】

1　被相続人に係る相続の開始の日から林業経営相続人の死亡日の前日（その林業経営相続人が租税特別措置法第70条の6の6第6項の規定の適用を受けた者である場合には、同項の規定の適用に係る経営委託をした日の前日）までの間継続してその林業経営相続人によって特定森林経営計画に従って適正かつ確実に経営が行われてきたことを証する市町村長の証明書

2　1と同じ期間において、森林法施行規則第99条第2号に掲げる要件に該当することについてその林業経営相続人が引き続いて農林水産大臣の確認を受けてきたことを証する農林水産大臣の証明書

3　1と同じ期間において、租税特別措置法第70条の6の6第3項及び第4項の規定に該当しなかったことを証する農林水産大臣の証明書

4　林業経営相続人が租税特別措置法第70条の6の6第6項の規定の適用を受けた者である場合には、同項の規定の適用に係る経営委託をした日からその林業経営相続人の死亡日の前日までの間継続して同項の規定の適用に係る経営受託者によって特定森林経営計画に従って適正かつ確実に経営が行われてきたことを証する市町村長の証明書

5　林業経営相続人が租税特別措置法第70条の6の6第6項の規定の適用を受けた者である場合には、4と同じ期間において、森林法施行規則第99条第2号に掲げる要件に該当することについて同項の規定の適用に係る経営受託者が引き続いて農林水産大臣の確認を受けてきたことを証する農林水産大臣の証明書

6　「特例山林の明細書（兼特例山林の異動明細書）」

関与税理士		電話番号	

※	通信日付印の年月日	（確認）	猶予整理簿	検算	整理簿番号
	＿＿年＿＿月＿＿日				

（資12③－3－A4統一）　（令 3.3）

第五編　特定の美術品についての相続税の納税猶予及び免除

第一節　特例適用の要件

1　特定の美術品についての相続税の納税猶予及び免除

　寄託先美術館の設置者と特定美術品の寄託契約を締結し、認定保存活用計画に基づき当該特定美術品を当該寄託先美術館の設置者に寄託していた者から相続又は遺贈により当該特定美術品を取得した寄託相続人が、当該特定美術品の当該寄託先美術館の設置者への寄託を継続する場合には、当該寄託相続人が当該相続に係る第一編第七章第一節一《相続税の申告》の1の規定による期限内申告書（以下本章において「**相続税の申告書**」という。）の提出により納付すべき相続税の額のうち、当該特定美術品で当該相続税の申告書に1の規定の適用を受けようとする旨の記載があるものに係る納税猶予分の相続税額に相当する相続税については、当該相続税の申告書の提出期限までに当該納税猶予分の相続税額に相当する担保を提供した場合に限り、第一編第八章第一節《納付》二の1の規定にかかわらず、当該寄託相続人の死亡の日まで、その納税を猶予する。（措法70の6の7①）

（相続税の納税猶予及び免除の対象とならない特定美術品）
（1）　1の適用対象となる特定美術品（2の（一）に規定する特定美術品をいう。以下第六節の（8）までにおいて同じ。）には、次に掲げる特定美術品は含まれないことに留意する。（措通70の6の7－1）
（一）　第一編第四章第二節**四**の規定の適用を受ける特定美術品
（二）　相続時精算課税の適用を受ける特定美術品

（代償分割により取得をした特定美術品についての相続税の納税猶予及び免除の不適用）
（2）　遺産の分割に当たり、遺産の代償として取得した他の共同相続人の所有に属する特定美術品は、被相続人が相続の開始の直前に有していたものではないので、1の規定による納税猶予の対象となる特定美術品に該当しないことに留意する。（措通70の6の7－2）

（被相続人の相続人が第1次寄託相続人に該当し第2次寄託相続人がいるとき）
（3）　1の寄託していた者（以下本章において「**被相続人**」という。）から1の規定の適用に係る相続又は遺贈（贈与をした者の死亡により効力を生ずる贈与を含む。以下本章において同じ。）により2の（一）に規定する特定美術品の取得をした当該被相続人の相続人（包括受遺者を含む。以下（1）及び第五節の（1）において同じ。）が**第1次寄託相続人**（当該被相続人からの相続又は遺贈によりその有する特定美術品の取得をした相続人で、当該相続又は遺贈に係る1に規定する相続税の申告書の提出期限前に当該相続税の申告書を提出しないで死亡したものをいう。）に該当する場合で、**第2次寄託相続人**（当該第1次寄託相続人からの相続又は遺贈により当該特定美術品の取得をした当該第1次寄託相続人の相続人をいう。）があるときは、当該第1次寄託相続人に係る1の規定の適用については、1中次の表の左欄に掲げる字句は、同表の右欄に掲げる字句とする。（措令40の7の7①）

が当該相続に係る第一編第七章第一節一《相続税の申告》の1	の相続人が当該相続に係る第一編第七章第一節**四**《申告書の提出義務者が死亡した場合の申告》の1
当該特定美術品で当該	当該特定美術品（当該寄託相続人からの相続又は遺贈により当該特定美術品の取得をした寄託相続人（以下1において「第2次寄託相続人」という。）が、第一編第七章第一節一《相続税の申告》の1の規定による期限内申告書に1の規定の適用を受けようとする旨の記載をしたものに限る。）で
当該相続税の申告書の提出期限までに当該	当該第2次寄託相続人が当該寄託相続人からの相続又は遺贈により取得をした特定美術品につきこの項の規定の適用を受けるため当該特定美術品に係る
その納税を猶予する	第五節の規定の適用については、その納税を猶予したものとみなす

（第2次寄託相続人がある場合の第1次寄託相続人に係る相続税の納税猶予及び免除の適用要件）
（4）　（3）に規定する第2次寄託相続人（以下（4）において「第2次寄託相続人」という。）がある場合の（3）に規定する

－995－

第五編　特定の美術品についての相続税の納税猶予及び免除

第1次寄託相続人（以下（4）において「第1次寄託相続人」という。）に係る**1**の規定の適用については、次に掲げることに留意する。（措通70の6の7－6）

（一）　**1**の適用対象となる特定美術品は、第2次寄託相続人が第1次寄託相続人からの相続又は遺贈に係る相続税の期限内申告書に**1**の規定の適用を受ける旨の記載をしたものに限られること。

（二）　担保は、第2次寄託相続人が第1次寄託相続人からの相続又は遺贈に係る相続税の申告書の提出期限までに、第2次寄託相続人に係る納税猶予分の相続税の額に相当するものの提供をすればよいこと。

2　用語の意義

本章において、次に掲げる用語の意義は、当該（一）から（六）に定めるところによる。（措法70の6の7②）

（一）　**特定美術品**　認定保存活用計画に記載された次に掲げるものをいう。

イ　文化財保護法第27条第1項の規定により重要文化財として指定された絵画、彫刻、工芸品その他の有形の文化的所産である動産

ロ　文化財保護法第58条第1項に規定する登録有形文化財（建造物であるものを除く。第四節の1の（四）及び（六）において「登録有形文化財」という。）のうち世界文化の見地から歴史上、芸術上又は学術上特に優れた価値を有するもの

（二）　**寄託契約**　特定美術品の所有者と寄託先美術館の設置者との間で締結された特定美術品の寄託に関する契約で、契約期間その他（1）の財務省令で定める事項の記載があるものをいう。

（三）　**認定保存活用計画**　次に掲げるものをいう。

イ　文化財保護法第53条の2第3項第3号に掲げる事項が記載されている同法第53条の6に規定する認定重要文化財保存活用計画

ロ　文化財保護法第67条の2第3項第2号に掲げる事項が記載されている同法第67条の5に規定する認定登録有形文化財保存活用計画

（四）　**寄託相続人**　相続又は遺贈により特定美術品を取得した個人をいう。

（五）　**寄託先美術館**　博物館法（昭和26年法律第285号）第2条第1項に規定する博物館又は同法第29条の規定により博物館に相当する施設として指定された施設のうち、特定美術品の公開（公衆の観覧に供することをいう。）及び保管を行うものをいう。

（六）　**納税猶予分の相続税額**　イに掲げる金額からロに掲げる金額を控除した金額をいう。

イ　**1**の規定の適用に係る特定美術品の価額を同項の寄託相続人に係る相続税の課税価格とみなして、第一編第四章第二節**三**の1から第一編第六章第三節までの規定を適用して**3**の①で定めるところにより計算した当該寄託相続人の相続税の額

ロ　**1**の規定の適用に係る特定美術品の価額に100分の20を乗じて計算した金額を**1**寄託相続人に係る相続税の課税価格とみなして、第一編第四章第二節**三**の1から第一編第六章第三節までの規定を適用して（2）の政令で定めるところにより計算した当該寄託相続人の相続税の額

（財務省令で定める事項）

（1）　**2**の（二）に規定する財務省令で定める事項は、重要文化財保存活用計画等の認定等に関する省令（平成31年文部科学省令第5号）第4条第3項第1号及び第3号に掲げる基準に係る事項又は同令第12条第2項第1号及び第3号に掲げる基準に係る事項とする。（措規23の8の7②）

（寄託相続人の相続税の額）

（2）　**2**の（六）のロに規定する寄託相続人の相続税の額は、**3**の①の（一）に掲げる金額とする。（措令40の7の7⑥）

（納税猶予分の相続税額の端数処理）

（3）　**2**の（六）に規定する納税猶予分の相続税額に100円未満の端数があるとき、又はその全額が100円未満であるときは、その端数金額又はその全額を切り捨てる。（措令40の7の7⑦）

3　納税猶予分の相続税額の計算

①　納税猶予分の相続税額の計算

寄託相続人に係る**2**の（六）のイに規定する相続税の額は、**1**の規定の適用を受ける特定美術品の価額（第一編第四章第二節**三**の1の規定により控除すべき債務がある場合において、**控除未済債務額**があるときは、当該特定美術品の価額から当該控除未済債務額を控除した残額。以下①において**「特定価額」**という。）を当該寄託相続人に係る相続税の課税価格と

－996－

みなして、第一編第四章第二節三の1から第一編第六章第三節まで、第三編第一章第三節一及び二の規定を適用して計算した当該寄託相続人の相続税の額（当該寄託相続人が第一編第六章第四節から第八節まで、第三編第一章第三節一及び二の規定の適用を受ける者である場合において、当該寄託相続人に係る1に規定する納付すべき相続税の額の計算上これらの規定により控除された金額の合計額が次に掲げる金額の合計額を超えるときは、当該超える部分の金額を控除した残額）とする。（措令40の7の7④）

（一）　特定価額に100分の20を乗じて計算した金額を当該寄託相続人に係る相続税の課税価格とみなして、第一編第四章第二節三の1から第一編第六章第三節まで、第三編第一章第三節一及び二の規定を適用して計算した当該寄託相続人の相続税の額

（二）　イに掲げる金額からロに掲げる金額を控除した残額

　イ　第一編第四章から第一編第六章第三節まで、第三編第一章第三節一及び二の規定を適用して計算した当該寄託相続人の相続税の額

　ロ　特定価額を当該寄託相続人に係る相続税の課税価格とみなして、第一編第四章第二節三の1から第一編第六章第三節まで、第三編第一章第三節一及び二の規定を適用して計算した当該寄託相続人の相続税の額

（控除未済債務額の意義）

（1）　①の「控除未済債務額」とは、（一）に掲げる金額から（二）に掲げる金額を控除した金額（当該金額が零を下回る場合には、零とする。）をいう。（措令40の7の7⑤）

（一）　第一編第四章第二節三の1の規定により控除すべき寄託相続人の負担に属する部分の金額

（二）　（一）の寄託相続人に係るイに掲げる価額とロに掲げる金額との合計額からハに掲げる価額を控除した残額

　イ　当該寄託相続人が法第七十条の六の七第一項の規定の適用に係る相続又は遺贈により取得した財産の価額

　ロ　当該寄託相続人が被相続人からの贈与により取得した財産で第三編第一章第一節二の（1）の規定の適用を受けるものの価額から同章第二節一の（1）の規定（同節三の規定を含む。）による控除をした残額

　ハ　当該寄託相続人が1の規定の適用に係る相続又は遺贈により取得した1の規定の適用を受ける特定美術品の価額

　（注）　改正後の（1）の規定は、令和6年1月1日以後に贈与（贈与をした者の死亡により効力を生ずる贈与を除く。以下同じ。）により財産を取得する者（以下「改正後受贈者」という。）に係る新規定に規定する控除未済債務額について適用し、令和5年12月31日以前に贈与により財産を取得した者（改正後受贈者を除く。）に係る改正前の（1）に規定する控除未済債務額については、なお従前の例による。（令5改措令附14⑦）

（修正申告等に係る相続税額の納税猶予）

（2）　1の規定は、特定美術品の相続に係る相続税についての期限後申告、修正申告又は更正に係る税額については、適用がないことに留意する。ただし、修正申告又は更正があった場合で、当該修正申告又は更正が期限内申告に係る1の規定による相続税の納税猶予の適用を受けた特定美術品の評価又は税額計算の誤りのみに基づいてされるときにおける当該修正申告又は更正により納付すべき相続税額（附帯税を除く。）については、当初から1の規定の適用があることとして取り扱う。

　　　この場合において、当該修正申告又は更正により納税猶予を受ける相続税の本税の額と当該本税に係る利子税の額に相当する担保については、当該修正申告書の提出の日又は当該更正に係る通知書が発せられた日の翌日から起算して1月を経過する日までに提供しなければならないこととして取り扱う。（措通70の6の7-5）

（相次相続控除の算式）

（3）　第2次相続に係る被相続人が1の規定の適用を受けていた場合又は第2次相続により財産を取得した者のうちに1の規定の適用を受ける者がある場合における相次相続控除額は、第一編第六章第七節の1の（3）《相次相続控除の算式》に準じて算出することに留意する。

　　　この場合において、同1の（3）中のAは、当該被相続人が当該納税猶予の適用を受けていた場合には、第五節の規定により免除された相続税額以外の税額に限ることに留意する。（措通70の6の7-7）

（特定美術品が2以上ある場合における納税猶予分の相続税額の計算）

（4）　1の規定の適用を受ける特定美術品が2以上ある場合における納税猶予分の相続税額の計算においては、当該特定美術品に係る寄託相続人が被相続人から1の規定の適用に係る相続又は遺贈により取得をした全ての特定美術品の価額の合計額（第一編第四章第二節三の規定により控除すべき債務がある場合において、（1）に規定する控除未済債務額があるときは、当該特定美術品の価額の合計額から当該控除未済債務額を控除した残額）を当該寄託相続人に係る相続税の課税価格とみなす。（措令40の7の7⑧）

第五編　特定の美術品についての相続税の納税猶予及び免除

（特定美術品が２以上ある場合の納税猶予分の相続税額の計算）

（５）　特定美術品が２以上ある場合における納税猶予分の相続税額の計算は、次の順により行うことに留意する。

この場合において、寄託相続人が２以上あるときにおける当該計算は、それぞれの寄託相続人ごとに行うことに留意する。（措通70の６の７－８）

（一）　当該特定美術品に係る寄託相続人が被相続人から１の規定の適用に係る相続又は遺贈により取得をした全ての特定美術品の価額の合計額（（１）に規定する控除未済債務額を控除した金額）を当該寄託相続人に係る相続税の課税価格とみなして、２の(六)の規定により計算する（２の(3)の規定による100円未満の端数処理は行わない。）。

（二）　(6)の規定により、当該特定美術品の異なるものごとの納税猶予分の相続税額を計算する（(6)の規定による100円未満の端数処理を行う。）。

（三）　上記（二）により算出されたそれぞれの納税猶予分の相続税額の合計額が、当該寄託相続人に係る納税猶予分の相続税額となる。

（特定美術品が２以上ある場合における納税猶予分の相続税額の端数処理）

（６）　（４）の場合において、特定美術品の異なるものごとの納税猶予分の相続税額は、（一）に掲げる金額に（二）に掲げる割合を乗じて計算した金額とする。この場合において、当該計算した金額に100円未満の端数があるとき、又はその全額が100円未満であるときは、その端数金額又はその全額を切り捨てる。（措令40の７の７⑨）

（一）　（４）の規定を適用して計算した納税猶予分の相続税額

（二）　特定美術品の異なるものごとの価額が１の規定の適用に係る相続又は遺贈により取得をした全ての特定美術品の価額の合計額に占める割合

（農地等についての相続税の納税猶予及び免除等の適用を受ける者があるときにおける相続税の課税価格）

（７）　納税猶予分の相続税額を計算する場合において、１の規定の適用を受ける寄託相続人に係る被相続人から相続又は遺贈により財産の取得をした者のうちに第四編第二章第一節の１《農地等についての相続税の納税猶予及び免除等》の規定の適用を受ける者があるときにおける当該財産の取得をした全ての者に係る相続税の課税価格は、同章第二節の１《農業相続人がいる場合の相続税額》の表の(一)の規定により計算される相続税の課税価格とする。（措令40の７の７⑩）

（特定美術品が２以上ある場合における規定の適用）

（８）　（４）の場合において、第三節の２、第四節の１から３まで、５及び第五節の規定は、特定美術品の異なるものごとに適用するものとする。（措令40の７の７⑫）

②　農地等についての相続税の納税猶予等の特例がある場合の納税猶予分の相続税額の計算

　１の規定の適用を受ける寄託相続人が次に掲げる規定の適用を受ける者である場合において、それぞれに定める税額と調整前美術品猶予税額（第四編第二章第二節の２の(3)《農地等以外の相続税・贈与税の納税猶予がある場合の納税猶予額の計算》の(二)に規定する調整前美術品猶予税額をいう。）との合計額が猶予可能税額（当該寄託相続人が１の規定及び当該各号に掲げる規定の適用を受けないものとした場合における当該寄託相続人が納付すべき相続税の額をいう。）を超えるときにおける特定美術品に係る納税猶予分の相続税額は、当該猶予可能税額に当該調整前美術品猶予税額が当該合計額に占める割合を乗じて計算した金額とする。この場合において、当該計算した金額に100円未満の端数があるときは、その端数金額を切り捨てる。（措令40の７の７⑪）

（一）　第四編第二章第二節の１　調整前農地等猶予税額（第四編第二章第二節の２の(3)に規定する調整前農地等猶予税額をいう。）

（二）　第四編第三章第一節の１　調整前山林猶予税額（第四編第二章第二節の２の(3)の(一)に規定する調整前山林猶予税額をいう。）

（三）　第六編第三章第一節の１　調整前事業用資産猶予税額（第四編第二章第二節の２の(3)の(三)に規定する調整前事業用資産猶予税額をいう。）

（四）　第七編第二章第一節の１、同編第三章第二節の１、同編第五章第一節の１又は同編第六章第二節の１　調整前株式等猶予税額（第四編第二章第二節の２の(3)の(四)に規定する調整前株式等猶予税額をいう。）

（五）　第八編第三章第一節の１　調整前持分猶予税額（第四編第二章第二節の２の(3)の(五)に規定する調整前持分猶予税額をいう。）

－998－

第二節　特例の適用を受けるための手続

　第一節の1の規定は、同1の規定の適用を受けようとする寄託相続人が提出する相続税の申告書に、特定美術品につき同1の規定の適用を受けようとする旨の記載がない場合又は当該特定美術品の明細及び納税猶予分の相続税額の計算に関する明細を記載した書類その他の(1)の財務省令で定める書類の添付がない場合には、適用しない。(措法70の6の7⑧)

　　(財務省令で定める書類)
(1)　第二節に規定する財務省令で定める書類は、次に掲げる書類とする。(措規23の8の7⑩)
　(一)　次に掲げる事項を記載した書類
　　イ　第一節の1の寄託していた者 (以下(1)、第七節の(4)の(二)及び同節の(6)の(二)において「被相続人」という。)の死亡による相続の開始があったことを知った日
　　ロ　第一節の1の規定の適用を受けようとする特定美術品の明細
　　ハ　ロの特定美術品の寄託を受けている寄託先美術館の名称及び所在地
　　ニ　その他参考となるべき事項
　(二)　(一)のロの特定美術品に係る重要文化財保存活用計画等の認定等に関する省令第5条第5項又は第13条第5項の評価価格通知書の写し
　(三)　第一節の2の(六)に規定する納税猶予分の相続税額の計算に関する明細を記載した書類
　(四)　次に掲げる日において現に効力を有する(一)のロの特定美術品に係る第一節の2の(三)に規定する認定保存活用計画に係る計画書の写し及び当該認定保存活用計画に係る認定 (文化財保護法第53条の2第4項又は第67条の2第4項の規定による文化庁長官の認定 (同法第53条の3第1項又は第67条の3第1項の規定による変更の認定を含む。)をいう。第三節の1の(3)及び第五節の(2)の(一)において同じ。)に係る通知の写し
　　イ　被相続人の相続の開始の日 (第四節の1の(5)に規定する場合に該当する場合には、同1の(5)の計画期間が満了する日)
　　ロ　相続税の申告書の提出期限
　(五)　次に掲げる日において被相続人又は寄託相続人が寄託先美術館の設置者に当該特定美術品を寄託していたことを明らかにする書類
　　イ　被相続人の相続の開始の日
　　ロ　相続税の申告書の提出期限 (第四節の4に規定する場合に該当する場合において、当該提出期限において同項に規定する新寄託先美術館の設置者に当該特定美術品を寄託していないときは、同4に規定する場合に該当した日)
　(六)　遺言書の写し、財産の分割の協議に関する書類 (当該書類に当該財産に係る全ての共同相続人及び包括受遺者が自署し、自己の印を押しているものに限る。)の写し (当該自己の印に係る印鑑証明書が添付されているものに限る。)その他の財産の取得の状況を証する書類
　(七)　第四節の1の(5)に規定する場合に該当する場合には、その旨を記載した書類及び同1の(5)の被相続人が文化庁長官に提出した同1の(5)の認定に係る申請書の写し
　(八)　第四節の4に規定する場合に該当する場合には、その旨及び同4に規定する場合に該当することとなった事情の詳細を記載した書類並びに第四節の2の(2)又は同節の3の(2)に規定する書類
　(九)　その他参考となるべき書類

　　(未分割の特定美術品)
(2)　第一節の1の相続又は遺贈に係る相続税の申告書の提出期限までに、当該相続又は遺贈により取得をした特定美術品が共同相続人又は包括受遺者によってまだ分割されていない場合における同1の規定の適用については、その分割されていない特定美術品は、当該相続税の申告書に同1の規定の適用を受ける旨の記載をすることができないものとする。(措法70の6の7⑦)

第五編　特定の美術品についての相続税の納税猶予及び免除

第三節　納税猶予期間中の継続届出書の提出

1　継続届出書の提出

　第一節の**1**の規定の適用を受ける寄託相続人は、同**1**の相続税の申告書の提出期限の翌日から納税猶予分の相続税額に相当する相続税につき同**1**、第三節の**2**、第四節の**1**又は同節の**5**の規定による納税の猶予に係る期限が確定する日までの間、第一節の**1**の相続税の申告書の提出期限の翌日から起算して3年を経過するごとの日（以下本章において「**届出期限**」という。）までに、（1）の政令で定めるところにより、引き続き同**1**の規定の適用を受けたい旨を記載した届出書に、寄託先美術館の設置者が発行する（2）の財務省令で定める事項を証する書類を添付して、これを納税地の所轄税務署長に提出しなければならない。（措法70の6の7⑨）

　　　（継続届出書の記載事項）
（1）　**1**の規定により提出する届出書には、引き続き第一節の**1**の規定の適用を受けたい旨及び次に掲げる事項を記載し、かつ、寄託先美術館の設置者が発行する（2）の財務省令で定める事項を証する書類を添付しなければならない。（措令40の7の7㉒）
　　（一）　寄託相続人の氏名及び住所
　　（二）　被相続人から相続又は遺贈により特定美術品の取得をした日
　　（三）　当該特定美術品の明細
　　（四）　当該特定美術品に係る寄託先美術館の名称及び所在地
　　（五）　その他参考となるべき事項

　　　（財務省令で定める事項）
（2）　**1**及び（1）に規定する財務省令で定める事項は、次に掲げる事項とする。（措規23の8の7⑪）
　　（一）　寄託契約に基づき特定美術品の寄託が継続している旨
　　（二）　**1**の届出書に係る**1**に規定する届出期限（（3）及び第五節の（2）の（二）のロにおいて「届出期限」という。）前3年以内に寄託先美術館において（一）の特定美術品の公開（公衆の観覧に供することをいう。第五節の（2）の（二）のロにおいて同じ。）が行われた期間

　　　（届出書の届出期限前3年以内に新たに認定を受けた認定保存活用計画に係るものがあるとき）
（3）　寄託相続人が**1**の規定により届出書を提出する場合において、第一節の**1**の規定の適用を受ける特定美術品のうちに当該届出書の届出期限前3年以内に新たに認定を受けた認定保存活用計画に係るものがあるときは、当該届出書に当該認定保存活用計画に係る計画書の写し及び当該認定に係る通知の写しを添付しなければならない。（措規23の8の7⑫）

　　　（継続届出書の記載事項の読替え規定）
（4）　第四節の**2**の（1）又は同節の**3**の（1）の申請書を提出した寄託相続人（**1**に規定する届出期限までに特定美術品を第四節の**2**又は同節の**3**に規定する新寄託先美術館の設置者に寄託していないものに限る。）が**1**の規定により**1**の届出書を提出する場合には、**1**に規定する財務省令で定める事項を証する書類の添付を要しない。この場合において、（1）の規定の適用については、（1）中「を記載し、かつ、寄託先美術館の設置者が発行する財務省令で定める事項を証する書類を添付しなければ」とあるのは、「（（四）に掲げる事項を除く。）その他財務省令で定める事項を記載しなければ」とする。（措令40の7の7㉓）

　　　（財務省令で定める事項）
（5）　（4）の規定により読み替えて適用する（1）に規定する財務省令で定める事項は、第四節の**2**の（1）又は同節の**3**の（1）の申請書を提出している旨とする。（措規23の8の7⑬）

　　　（継続届出書の提出期間）
（6）　**1**に規定する届出書は、第一節の**1**の相続税の申告書の提出期限の翌日から起算して3年を経過するごとの日までに提出しなければならないのであるが、その提出期間は、当該3年を経過するごとの日の属する月の前々月の初日から

−1000−

第三節　納税猶予期間中の継続届出書の提出

当該３年を経過するごとの日までの期間として取り扱う。（措通70の６の７－15）

2　継続届出書が提出されなかった場合

　１の届出書が届出期限までに納税地の所轄税務署長に提出されない場合には、当該届出期限における納税猶予分の相続税額に相当する相続税については、第一節の１の規定にかかわらず、当該届出期限の翌日から２月を経過する日（当該届出期限の翌日から当該２月を経過する日までの間に当該相続税に係る寄託相続人が死亡した場合には、当該寄託相続人の相続人〔包括受遺者を含む。〕が当該寄託相続人の死亡による相続の開始があったことを知った日の翌日から６月を経過する日）をもって同１の規定による納税の猶予に係る期限とする。（措法70の６の７⑪）

　　　（ゆうじょ規定）

（１）　１の届出書が届出期限までに提出されなかった場合においても、１の税務署長が当該届出期限内にその提出がなかったことについてやむを得ない事情があると認める場合において、（２）の政令で定めるところにより当該届出書が当該税務署長に提出されたときは、２の規定の適用については、当該届出書が当該届出期限内に提出されたものとみなす。（措法70の６の７⑮）

　　　（政令で定める届出書の提出等）

（２）　（１）の規定により提出する１の届出書には、１の（１）に規定する引き続き第一節の１の規定の適用を受けたい旨及び１の（１）の各号に掲げる事項のほか当該届出書を１に規定する届出期限までに提出することができなかった事情の詳細を記載し、かつ、１の（１）に規定する財務省令で定める事項を証する書類を添付しなければならない。（措令40の７の７㉕）

－1001－

第五編　特定の美術品についての相続税の納税猶予及び免除

第四節　納税猶予の打切り

1　納税猶予の打切り

　第一節の1の規定の適用を受ける寄託相続人若しくは特定美術品又は同1の寄託先美術館について、次のいずれかに掲げる場合に該当することとなった場合には、同1の規定にかかわらず、それぞれに定める日から2月を経過する日（当該各号に定める日から当該2月を経過する日までの間に当該寄託相続人が死亡した場合には、当該寄託相続人の相続人〔包括受遺者を含む。〕が当該寄託相続人の死亡による相続の開始があったことを知った日の翌日から6月を経過する日）をもって同1の規定による納税の猶予に係る期限とする。（措法70の6の7③）

（一）　当該寄託相続人が当該特定美術品を譲渡した場合（当該特定美術品をその寄託先美術館の設置者に贈与した場合を除く。）　当該特定美術品の譲渡があったことについての第七節の（3）の規定による文化庁長官からの通知を当該寄託相続人の納税地の所轄税務署長が受けた日

（二）　当該特定美術品が滅失（災害〔震災、風水害その他の（1）の政令で定める災害をいう。（六）及び第五節において同じ。〕による滅失を除く。）をし、又は寄託先美術館において亡失し、若しくは盗み取られた場合　これらの事由が生じたことについての第七節の（3）の規定による文化庁長官からの通知を当該寄託相続人の納税地の所轄税務署長が受けた日

（三）　当該特定美術品に係る寄託契約の契約期間が終了をした場合　当該終了の日

（四）　当該特定美術品に係る認定保存活用計画の文化財保護法第53条の2第4項又は第67条の2第4項の規定による認定（（五）において「認定」という。）が、同法第53条の7第1項又は第67条の6第1項の規定により取り消された場合（同法第59条第1項の規定により登録有形文化財の登録が抹消されたことに伴い取り消された場合として（3）の政令で定める場合を除く。）　当該認定が取り消された日

（五）　当該特定美術品に係る認定保存活用計画の文化財保護法第53条の2第2項第3号に掲げる計画期間又は同法第67条の2第2項第3号に掲げる計画期間が満了した日から4月を経過する日（2の規定の適用を受けている場合には、同日と2の契約期間の終了の日から1年を経過する日とのいずれか遅い日とする。以下（五）において同じ。）において当該認定保存活用計画に記載された当該特定美術品について新たな認定を受けていない場合　これらの計画期間が満了した日から4月を経過する日

（六）　当該特定美術品について、重要文化財の指定が文化財保護法第29条第1項の規定により解除された場合又は登録有形文化財の登録が同法第59条第2項若しくは第3項の規定により抹消された場合（災害による滅失に基因して解除され、又は抹消された場合を除く。）　当該指定が解除された日又は当該登録が抹消された日

（七）　寄託先美術館について、博物館法第14条第1項の規定により登録を取り消された場合又は同法第15条第2項の規定により登録を抹消された場合（当該寄託先美術館が同法第29条の規定により博物館に相当する施設として指定された施設である場合には、これらに類するものとして（5）の財務省令で定める事由が生じた場合）　当該取り消され、若しくは抹消され、又は事由が生じた日

　　　（政令で定める災害）
（1）　1の（二）に規定する政令で定める災害は、震災、風水害、落雷、噴火その他これらに類する災害で、これらの災害により特定美術品が滅失した場合において当該特定美術品に付された保険に係る保険契約により保険金が支払われないこととされているものとする。（措令40の7の7⑬）

　　　（納税猶予の打切りの場合の読替え規定）
（2）　第一節の1の規定の適用を受ける寄託相続人又は特定美術品について1の（一）又は（二）に掲げる場合に該当することとなった場合において、これらの場合に該当することとなった日以後これらの規定に定める日までの間に当該寄託相続人が死亡したときにおける1の規定の適用については、1の（一）中「当該特定美術品の譲渡があったことについての第七節の（3）の規定による文化庁長官からの通知を当該寄託相続人の納税地の所轄税務署長が受けた日」とあり、及び1の（二）中「これらの事由が生じたことについての第七節の（3）の規定による文化庁長官からの通知を当該寄託相続人の納税地の所轄税務署長が受けた日」とあるのは、「当該寄託相続人の死亡の日の前日」とする。（措令40の7の7⑭）

　　　（特定美術品の譲渡等により納税猶予税額について納税猶予の期限が確定する場合）
（3）　1の（一）又は（二）に掲げる場合に該当する場合における納税猶予の期限は、文化庁長官から納税地の所轄税務署長

－1002－

第四節　納税猶予の打切り

に対する**1**の(一)又は(二)の通知があった日から**2**月を経過する日であることに留意する。したがって、**1**の(一)又は(二)に掲げる場合に該当する場合であっても、当該通知が所轄税務署長に到達しなければ、納税猶予の期限が確定することはないことに留意する。

　ただし、**1**の(一)又は(二)に掲げる場合に該当する場合において、その該当することとなった日以後これらに定める日までの間に寄託相続人が死亡した場合には、(2)の規定により当該寄託相続人の死亡の日の前日がこれらに定める日に代わることとなり、当該寄託相続人の相続人（包括受遺者を含む。）が寄託相続人の死亡による相続の開始があったことを知った日の翌日から**6**月を経過する日が納税猶予の期限となることに留意する。(措通70の6の7－9)

　　　(登録有形文化財の登録が抹消されたことに伴い取り消された場合)
（4）　**1**の(四)に規定する政令で定める場合は、第一節の**1**の規定の適用を受ける特定美術品について、文化財保護法第59条第1項の規定により同法第58条第1項に規定する登録有形文化財の登録が抹消されることに伴い同法第67条の6第1項の規定により同法第67条の5に規定する認定登録有形文化財保存活用計画の認定が取り消される前に同法第53条の2第4項の規定による同条第1項に規定する重要文化財保存活用計画（同条第3項第3号に掲げる事項が記載されたものに限る。）の認定を受けている場合とする。(措令40の7の7⑮)

　　　(新たな認定保存活用計画に係る認定の申請をした場合)
（5）　被相続人が第一節の**1**の規定の適用を受けようとする特定美術品に係る同節の**2**の(三)に規定する認定保存活用計画の**1**の(五)の計画期間が満了した日以後**4**月以内に死亡した場合において、その死亡の日前に当該特定美術品に係る新たな認定保存活用計画に係る文化財保護法第53条の2第1項又は第67条の2第1項の規定による認定の申請をし、かつ、同日において当該認定を受けていないときにおける第一節の**1**の規定の適用については、当該被相続人は認定保存活用計画に基づき当該特定美術品を同節の**2**の(五)に規定する寄託先美術館の設置者に寄託していたものとみなす。(措令40の7の7⑫)

　　　(認定保存活用計画の計画期間満了後に寄託相続人が死亡した場合)
（6）　特定美術品に係る第一節の**2**の(三)に規定する認定保存活用計画の**1**の(五)の計画期間が満了した日から**1**の(五)に規定する**4**月を経過する日までに寄託相続人が死亡した場合には、当該寄託相続人による当該特定美術品に係る新たな認定保存活用計画の認定の申請（文化財保護法第53条の2第1項又は第67条の2第1項の規定による申請をいう。(注)において同じ。）の有無にかかわらず、納税猶予期限は確定せず、第五節の規定により相続税は免除されることに留意する。(措通70の6の7－12)
　　(注)　上記の場合において、当該寄託相続人が、その死亡の日前に当該特定美術品に係る新たな認定保存活用計画の認定の申請をしていないときは、当該寄託相続人から相続又は遺贈により当該特定美術品を取得した個人については、第一節の**1**の規定の適用はないことに留意する。

2　寄託契約の契約期間が終了をした場合のみなし規定

　1の(三)に掲げる場合において、寄託契約の契約期間の終了が寄託先美術館の設置者からの契約の解除又は当該寄託契約の更新を行わない旨の申出によるものであるときは、第一節の**1**の規定の適用を受ける寄託相続人が**1**の(三)に定める終了の日から**1**年以内に新たな寄託先美術館（以下「**新寄託先美術館**」という。）の設置者との間で寄託契約を締結し、寄託先美術館の設置者に寄託していた特定美術品を新寄託先美術館の設置者に寄託する見込みであることにつき、(1)の政令で定めるところにより、納税地の所轄税務署長の承認を受けたときにおける**1**規定の適用については、次に定めるところによる。(措法70の6の7④)
(一)　**1**の(三)の寄託契約の契約期間は、終了をしていないものとみなす。
(二)　当該終了の日から**1**年を経過する日において、当該新寄託先美術館の設置者との間の寄託契約に基づき当該承認に係る特定美術品を当該新寄託先美術館の設置者に寄託していない場合には、同日において**1**の(三)の寄託契約の契約期間が終了をしたものとみなす。
(三)　当該終了の日から**1**年を経過する日までに当該承認に係る特定美術品が当該新寄託先美術館の設置者に寄託された場合には、当該新寄託先美術館の設置者と当該寄託相続人との間の寄託契約は第一節の**1**の寄託契約と、当該新寄託先美術館は同節の**1**の寄託先美術館とみなす。

　　　(申請書の記載事項)
（1）　**2**の税務署長の承認を受けようとする寄託相続人は、**2**の特定美術品について**2**の規定の適用を受けようとする旨及び次に掲げる事項を記載した申請書に(2)の財務省令で定める書類を添付して、これを**1**の(三)に定める日から**1**月

－1003－

以内に、納税地の所轄税務署長に提出しなければならない。（措令40の7の7⑯）

（一）　寄託相続人の氏名及び住所

（二）　当該特定美術品の明細

（三）　当該特定美術品に係る寄託先美術館及び当該特定美術品を寄託しようとする設置者に係る**2**に規定する新寄託先美術館の名称及び所在地

（四）　（三）の新寄託先美術館の設置者に対する寄託予定年月日

（五）　その他参考となるべき事項

　　　　（財務省令で定める書類）

（2）　（1）に規定する財務省令で定める書類は、**2**の特定美術品に係る寄託契約の契約期間の終了が寄託先美術館の設置者からの契約の解除又は契約の更新を行わない旨の申出によるものであること及び当該終了の年月日を明らかにする書類（当該寄託先美術館の設置者が発行するものに限る。）とする。（措規23の8の7③）

　　　　（特定美術品を新寄託先美術館の設置者に寄託をした場合）

（3）　**2**の税務署長の承認を受けた寄託相続人は、**1**の（三）に定める終了の日から1年以内に当該承認に係る特定美術品を**2**に規定する新寄託先美術館の設置者に寄託をした場合には、当該寄託の日後遅滞なく、当該新寄託先美術館の設置者との間で締結した寄託契約に係る契約書の写しその他の書類で当該特定美術品を当該新寄託先美術館の設置者に寄託をしている旨及びその寄託の年月日を明らかにするもの並びに次に掲げる事項を記載した書類を当該承認をした税務署長に提出しなければならない。（措規23の8の7④）

（一）　当該書類を提出する者の氏名及び住所

（二）　当該終了の年月日

（三）　当該特定美術品の明細

（四）　当該新寄託先美術館の名称及び所在地

（五）　その他参考となるべき事項

　　　　（（1）の申請書等が申請期限までに提出されない場合等）

（4）　寄託相続人が**2**又は**3**の税務署長の承認を受けようとする場合には、（1）又は**3**の（1）に規定する期間内にこれらに規定する申請書を納税地の所轄税務署長に提出しなければ、**2**又は**3**の規定の適用はないことに留意する。当該申請書を当該期間内に提出しない場合には、**1**の（三）又は（七）に掲げる場合の区分に応じ、これらに定める日から2月を経過する日（これらに定める日から当該2月を経過する日までの間に当該寄託相続人が死亡した場合には、当該寄託相続人の相続人（包括受遺者を含む。）が当該寄託相続人の死亡による相続の開始があったことを知った日の翌日から6月を経過する日）に納税の猶予に係る期限が到来することに留意する。（措通70の6の7－10）

（注）　当該期間内に（1）又は**3**の（1）に規定する申請書の提出がなかった場合のゆうじょ規定は設けられていない。

　　　　（寄託契約の契約期間の終了等があった後に寄託相続人が死亡した場合）

（5）　第一節の**1**の規定の適用を受ける寄託相続人若しくは特定美術品又は寄託先美術館（同節の**2**の（五）に規定する寄託先美術館をいう。以下（5）において同じ。）について**1**の（三）又は（七）に該当することとなった場合において、当該寄託相続人が次に掲げる場合に該当するときには、納税猶予期限は確定せず、第五節の規定により相続税は免除されることに留意する。（措通70の6の7－11）

（一）　**1**の（三）の寄託契約の契約期間の終了が寄託先美術館の設置者からの契約の解除又は当該寄託契約の更新を行わない旨の申出によるものである場合において、**1**の（三）に定める日から1月以内に寄託相続人が死亡したとき（（二）に掲げる場合を除く。）

（二）　寄託相続人が**2**の税務署長の承認を受けた場合において、**1**の（三）に定める日から1年を経過する日までに死亡したとき

（三）　**1**の（七）に定める日から1月以内に寄託相続人が死亡した場合（（四）に掲げる場合を除く。）

（四）　寄託相続人が**3**の税務署長の承認を受けた場合において、**1**の（七）に定める日から1年を経過する日までに死亡したとき

（注）1　上記（一）又は（三）の場合には、当該寄託相続人の相続人（包括受遺者を含む。）が提出する第五節の規定による免除に係る同節の（1）の届出書に（2）又は**3**の（2）に規定する書類を添付する必要があることに留意する。

　　　2　上記（二）の場合において、**1**の（三）に定める日から寄託相続人の死亡の日までの間に特定美術品を**2**に規定する新寄託先美術館の設置者に寄託し、かつ、当該寄託相続人が（3）の書類を提出することなく死亡したときであっても、当該寄託相続人の相続人（包括受遺者を含む。）

は当該書類の提出を要しないことに留意する。

　　3　上記(四)の場合において、1の(七)に定める日から寄託相続人の死亡の日までの間に特定美術品を3に規定する新寄託先美術館の設置者に寄託し、かつ、当該寄託相続人が3の(5)において準用する(3)の書類を提出することなく死亡したときであっても、当該寄託相続人の相続人（包括受遺者を含む。）は当該書類の提出を要しないことに留意する。

　　4　上記(一)から(四)までに掲げる場合において、当該寄託相続人の死亡の日において当該特定美術品が2又は3に規定する新寄託先美術館の設置者に寄託されていないときは、当該寄託相続人から相続又は遺贈により当該特定美術品を取得した個人については、第一節の1の規定の適用はないことに留意する。

3　登録を取り消された場合等のみなし規定

　　1の(七)に掲げる場合において、第一節の1の規定の適用を受ける寄託相続人が同(七)に定める取り消され、若しくは抹消され、又は事由が生じた日から1年以内に同(七)の寄託先美術館の設置者に寄託していた特定美術品を新寄託先美術館の設置者に寄託する見込みであることにつき、(1)の政令で定めるところにより、納税地の所轄税務署長の承認を受けたときにおける1の規定の適用については、次に定めるところによる。(措法70の6の7⑤)

(一)　1の(七)の登録の取消し若しくは抹消はなかったものと、又は同(七)の事由は生じなかったものとみなす。

(二)　当該取り消され、若しくは抹消され、又は事由が生じた日から1年を経過する日において、当該承認に係る特定美術品を当該新寄託先美術館の設置者に寄託していない場合には、同日において1の(七)の取り消された場合若しくは抹消された場合又は事由が生じた場合に該当するものとみなす。

(三)　当該取り消され、若しくは抹消され、又は事由が生じた日から1年を経過する日までに当該承認に係る特定美術品が当該新寄託先美術館の設置者に寄託された場合には、当該新寄託先美術館の設置者と当該寄託相続人との間の寄託契約は第一節の1の寄託契約と、当該新寄託先美術館は同節の1の寄託先美術館とみなす。

　　　　（申請書の記載事項）
(1)　3の税務署長の承認を受けようとする寄託相続人は、3の特定美術品について3の規定の適用を受けようとする旨及び次に掲げる事項を記載した申請書に(2)の財務省令で定める書類を添付して、これを1の(七)に定める日から1月以内に、納税地の所轄税務署長に提出しなければならない。(措令40の7の7⑰)

(一)　寄託相続人の氏名及び住所

(二)　当該特定美術品の明細

(三)　当該特定美術品に係る寄託先美術館及び当該特定美術品を寄託しようとする設置者に係る3に規定する新寄託先美術館の名称及び所在地

(四)　(三)の新寄託先美術館の設置者に対する寄託予定年月日

(五)　その他参考となるべき事項

　　　　（財務省令で定める書類）
(2)　(1)に規定する財務省令で定める書類は、寄託先美術館について1の(七)に掲げる場合に該当することとなった旨及びその年月日を明らかにする書類とする。(措規23の8の7⑤)

　　　　（申請につき承認又は却下の処分がなかったとき）
(3)　2の(1)又は3の(1)の申請書の提出があった場合において、その申請書の提出があった日から1月以内にその申請につき承認又は却下の処分がなかったときは、その承認があったものとみなす。(措令40の7の7⑱)

　　　　（寄託契約の解除に伴う契約期間の終了の不適用）
(4)　寄託相続人が3の税務署長の承認を受けた場合には、当該寄託相続人による寄託契約の解除に伴う契約期間の終了については、1((三)に係る部分に限る。)の規定は、適用しない。(措規23の8の7⑥)

　　　　（特定美術品を新寄託先美術館の設置者に寄託をした場合の準用）
(5)　2の(3)の規定は、3の税務署長の承認を受けた寄託相続人が、1の(七)に定める日から1年以内に当該承認に係る特定美術品を3に規定する新寄託先美術館の設置者に寄託をした場合について準用する。(措規23の8の7⑦)

4　新寄託先美術館の設置者に寄託する見込みである場合等のみなし規定

　　第一節の1の規定の適用に係る相続の開始の日から当該相続に係る同1に規定する相続税の申告書の提出期限までの間に、同1の規定の適用を受けようとする特定美術品に係る同節の2の(二)に規定する寄託契約の契約期間が寄託先美術館

の設置者からの契約の解除若しくは契約の更新を行わない旨の申出により終了した場合又は当該特定美術品を寄託された寄託先美術館が**1**の（七）に掲げる場合に該当することとなった場合において、第一節の**2**の（四）に規定する寄託相続人が当該相続税の申告書の提出期限から１年を経過する日までに新たな寄託先美術館（以下**4**において「新寄託先美術館」という。）の設置者との間で寄託契約を締結し、かつ、当該特定美術品を当該新寄託先美術館の設置者に寄託する見込みであるときにおける第一節の**1**及び本節の**1**の規定の適用については、次に定めるところによる。（措令40の７の７③）

（一）　（三）の寄託の日まで当該特定美術品の第一節の**1**の寄託先美術館の設置者への寄託が継続しているものとみなす。

（二）　当該相続税の申告書の提出期限から１年を経過する日において、当該新寄託先美術館の設置者との間の寄託契約に基づき当該特定美術品を当該新寄託先美術館の設置者に寄託していない場合には、同日において**1**の（三）又は（七）に掲げる場合に該当したものとみなす。

（三）　当該相続税の申告書の提出期限から１年を経過する日までに当該特定美術品が当該新寄託先美術館の設置者に寄託された場合には、当該寄託の日以後は、当該新寄託先美術館の設置者と当該寄託相続人との間の寄託契約は第一節の**1**の寄託契約と、当該新寄託先美術館は同項の寄託先美術館とみなす。

　　　（特定美術品を新寄託先美術館の設置者に寄託をした場合）

（１）　**4**の規定の適用を受けた第一節の**2**の（四）に規定する寄託相続人は、同節の**1**に規定する相続税の申告書の提出期限から１年を経過する日までに同節の**2**の（一）に規定する特定美術品を**4**に規定する新寄託先美術館の設置者に寄託をした場合には、当該寄託の日後遅滞なく、当該新寄託先美術館の設置者との間で締結した第一節の**2**の（二）に規定する寄託契約に係る契約書の写しその他の書類で当該特定美術品を当該新寄託先美術館の設置者に寄託をしている旨及びその寄託の年月日を明らかにするもの並びに次に掲げる事項を記載した書類を納税地の所轄税務署長に提出しなければならない。（措規23の８の７①）

（一）　当該書類を提出する者の氏名及び住所

（二）　当該特定美術品の明細

（三）　当該新寄託先美術館の名称及び所在地

（四）　その他参考となるべき事項

5　担保変更等の命令に応じない場合の打切り

　税務署長は、次に掲げる場合には、納税猶予分の相続税額に相当する相続税に係る第一節の**1**の規定による納税の猶予に係る期限を繰り上げることができる。この場合においては、国税通則法第49条第２項及び第３項《納税猶予の取消しをする場合の弁明の聴取等》の規定を準用する。（措法70の６の７⑫）

（一）　第一節の**1**の規定の適用を受ける寄託相続人が同**1**に規定する担保について国税通則法第51条第１項《担保変更等》の規定による命令に応じない場合

（二）　第一節の**1**の規定の適用を受ける寄託相続人から提出された第三節の**1**の届出書に記載された事項と相違する事実が判明した場合

　　　（増担保命令等に応じない場合の納税猶予の期限の繰上げ）

（１）　**5**の規定により、増担保命令等に応じないため納税猶予の期限を繰り上げる場合には、担保不足に対応する納税猶予に係る税額だけでなく、猶予中相続税額の全額について納税猶予の期限を繰り上げることに留意する。（措通70の６の７－13）

6　納税猶予の打切り等があった場合の利子税の納付

　第一節の**1**の規定の適用を受けた寄託相続人は、次の各号のいずれかに掲げる場合に該当する場合には、納税猶予分の相続税額を基礎とし、当該各号の相続税に係る相続税の申告書の提出期限の翌日から当該各号に定める納税の猶予に係る期限までの期間に応じ、年3.6パーセントの割合を乗じて計算した金額に相当する利子税を、当該納税猶予分の相続税額に係る相続税に併せて納付しなければならない。（措法70の６の７⑯）

（一）	**1**の規定の適用があった場合	第一節の**1**の規定の適用を受ける相続税に係る**1**の規定による納税の猶予に係る期限
（二）	第三節の**2**の規定の適用があった場合	同**2**に規定する相続税に係る同**2**の規定による納税の猶予に係る期限
（三）	**5**の規定の適用があった場合	**5**に規定する相続税に係る**5**の規定により繰り上げられた納税の猶予に係る期限

第五節　納税猶予額の免除

　第一節の**1**の規定の適用を受ける寄託相続人が死亡した場合、同**1**の規定の適用を受ける寄託相続人が特定美術品を寄託している寄託先美術館の設置者に当該特定美術品の贈与をした場合又は同**1**の規定の適用を受ける特定美術品が災害により滅失した場合（これらの場合に該当することとなった日前に第三節の**2**の規定の適用があった場合又は第四節の**5**の規定による納税の猶予に係る期限の繰上げがあった場合及び同日前に第四節の**1**の（一）から（七）に掲げる場合に該当することとなった場合を除く。）には、当該特定美術品に係る納税猶予分の相続税額に相当する相続税は、（1）の政令で定めるところにより、免除する。（措法70の6の7⑭）

　　　（納税猶予額の免除に係る届出書の提出）
（1）　第五節の規定による免除を受けようとする寄託相続人又はその相続人は、次に掲げる事項を記載した届出書に（2）の財務省令で定める書類を添付して、これを同節の事由が生じた日後遅滞なく、納税地の所轄税務署長に提出しなければならない。（措令40の7の7㉔）
　（一）　届出書を提出する者の氏名及び住所
　（二）　（一）の者が寄託相続人の相続人である場合には、当該寄託相続人の氏名及び住所並びに当該届出書を提出する者と当該寄託相続人との続柄
　（三）　第五節の規定に該当することとなった事情の詳細及びその事情の生じた日
　（四）　第五節の規定による相続税の免除を受けようとする旨
　（五）　免除を受ける相続税の額
　（六）　その他参考となるべき事項

　　　（財務省令で定める書類）
（2）　（1）に規定する財務省令で定める書類は、（一）から（四）までに掲げる書類（第五節の死亡した日、贈与をした日又は滅失した日（以下（2）において「死亡等の日」という。）において第四節の**2**若しくは同節の**3**の規定又は同節の**4**の規定の適用を受けていた場合（当該死亡等の日以前1月以内に同節の**1**の（三）又は（七）に掲げる場合に該当した場合において、当該死亡等の日前に同節の**2**又は同節の**3**の規定の適用を受けていないときを含む。）には、（一）及び（三）から（五）までに掲げる書類）とする。（措規23の8の7⑭）
　（一）　死亡等の日の前日（第一節の**1**の規定の適用を受ける特定美術品に係る認定保存活用計画の計画期間が満了した日から第四節の**1**の（五）に規定する4月を経過する日までの間に当該死亡等の日があった場合において、当該死亡等の日前に当該特定美術品に係る新たな認定保存活用計画の認定を受けていないときは、当該計画期間が満了する日）において現に効力を有する当該特定美術品に係る認定保存活用計画の計画書の写し及び当該認定保存活用計画の認定に係る通知の写し
　（二）　死亡等の日において第一節の**1**の規定の適用を受ける特定美術品の寄託を受けていた寄託先美術館の設置者が発行する次に掲げる事項を証する書類
　　イ　当該死亡等の日まで寄託契約に基づき当該特定美術品の寄託が継続していた旨
　　ロ　直前の届出期限（最初の届出期限が当該死亡等の日以後に到来する場合には、相続税の申告書の提出期限）から当該死亡等の日までの間に当該寄託先美術館において当該特定美術品の公開が行われた期間
　（三）　第一節の**1**の規定の適用を受ける寄託相続人が特定美術品を寄託していた寄託先美術館の設置者に当該特定美術品の贈与をした場合には、当該贈与に係る契約書の写しその他の書類で当該寄託先美術館の設置者が当該贈与を受けた旨及びその年月日並びに当該特定美術品の明細を明らかにするもの
　（四）　特定美術品が第四節の**1**の（二）に規定する災害により滅失した場合には、次に掲げる書類
　　イ　当該特定美術品に付された保険に係る保険証券の写しその他の書類で当該特定美術品について当該保険に係る保険契約により保険金が支払われないことを明らかにするもの
　　ロ　当該特定美術品が当該災害により滅失した旨を証する文化庁長官の書類
　（五）　第四節の**2**若しくは同節の**3**の規定又は同節の**4**に規定する場合に該当する旨を記載した書類（死亡等の日以前1月以内に同節の**1**の（三）又は（七）に掲げる場合に該当した場合において、当該死亡等の日前に同節の**2**又は同節の**3**の規定の適用を受けていないときは、当該書類及び同節の**2**の（2）又は同節の**3**の（2）に規定する書類）

－1007－

第六節　納税猶予分の相続税額に係る担保の提供

　第一節の**1**の規定の適用を受けようとする寄託相続人の納税猶予分の相続税額に係る担保の提供については、次に定めるところによる。（措法70の６の７⑥）

（一）　国税通則法第50条《担保の種類》の規定にかかわらず、（１）の政令で定めるところにより第一節の**1**の規定の適用を受けようとする特定美術品を担保として提供することができる。

（二）　担保として提供しようとする特定美術品には、保険が付されなければならない。

（三）　（一）の場合には、税務署長は、当該寄託相続人と（一）の特定美術品に関する寄託契約を締結している寄託先美術館の設置者に当該特定美術品を保管させることができる。

　　　（担保の提供方法）
（１）　第一節の**1**の規定の適用を受けようとする寄託相続人が第六節の（一）の規定により特定美術品を担保として提供する場合におけるその担保の提供については、当該寄託相続人が当該特定美術品を担保として提供することを約する書類その他の（２）の財務省令で定める書類を納税地の所轄税務署長に提出する方法によるものとする。（措令40の７の７⑲）

　　　（財務省令で定める書類）
（２）　（１）に規定する財務省令で定める書類は、次に掲げる書類とする。（措規23の８の７⑧）

　（一）　寄託相続人が特定美術品を担保として提供するために当該特定美術品に係る寄託先美術館の設置者に対し当該特定美術品を納税地の所轄税務署長のために保管することを命じたこと及び当該寄託先美術館の設置者が当該保管することについて承諾したことを証する確定日付のある証書（当該証書が公正証書以外のものである場合には、当該寄託相続人及び当該寄託先美術館の設置者の印が押されているものに限る。）

　（二）　（一）の証書が公正証書以外のものである場合には、（一）の寄託相続人及び寄託先美術館の設置者の印に係る印鑑証明書（当該寄託先美術館の設置者が国又は地方公共団体である場合には、当該寄託相続人の印に係る印鑑証明書）

　（三）　（一）の特定美術品に付された保険に係る保険証券の写し

　（四）　保険業法第２条第１項に規定する保険業その他これに類する事業を行う者に対して提出する書類で、（一）の特定美術品に付された保険に係る保険金請求権に質権を設定することの承認を請求するためのもの

　　　（特定美術品を担保として提供することを約する書類等の返還）
（３）　税務署長は、（１）の規定により特定美術品が担保として提供されている場合において、当該担保を解除したときは、当該寄託相続人が当該特定美術品を担保として提供することを約する書類その他の（４）の財務省令で定める書類を当該寄託相続人に返還しなければならない。（措令40の７の７⑳）

　　　（財務省令で定める書類）
（４）　（３）に規定する財務省令で定める書類は、（２）の（一）に掲げる書類及び（２）の（二）の寄託先美術館の設置者の印に係る印鑑証明書とする。（措規23の８の７⑨）

　　　（担保の変更等）
（５）　第六節の規定は、第四節の**2**若しくは**3**の規定又は**4**の規定の適用に係る特定美術品をこれらの規定に規定する新寄託先美術館の設置者に寄託した場合において、当該特定美術品を国税通則法第51条《担保の変更等》第２項の承認を受けて担保として提供するときについて準用する。（措令40の７の７㉑）

　　　（担保の提供等）
（６）　第一節の**1**の規定による担保の提供については、国税通則法第50条から第54条までの規定の適用があることに留意する。（措通70の６の７－３）

　　　（相続税の額に相当する担保）
（７）　第一節の**1**に規定する「当該納税猶予分の相続税額に相当する担保」とは、納税猶予に係る相続税の本税の額と当該本税に係る納税猶予期間中の利子税の額との合計額に相当する担保をいうことに留意する。

－1008－

第六節　納税猶予分の相続税額に係る担保の提供

　なお、この場合の当該本税に係る猶予期間中の利子税の額は、同**1**の規定の適用に係る相続税の申告書の提出期限における寄託相続人（第一節の**2**の(四)に規定する寄託相続人をいう。以下同じ。）の平均余命年数を納税猶予期間として計算した額によるものとして取り扱うことに留意する。

　また、第一節の**1**の規定の適用を受ける特定美術品の全部を担保として提供する場合であっても、上記と同様の取扱いであることに留意する。（措通70の６の７－４）

(注)1　上記平均余命年数は、相続税法施行規則第12条の６《定期金給付契約の目的とされた者に係る平均余命》に定める平均余命によることに留意する。

　　2　第六節の(一)の規定により特定美術品を担保として提供する場合の同節の(二)の保険の金額は、その担保財産により担保される当該納税猶予分の相続税額及びこれに先立つ質権等により担保される債権その他の債権の合計額を超えるものでなければならないことに留意する。

　　　　（２以上の特定美術品がある場合の担保の取扱い）

（８）　特定美術品が２以上ある場合、第一節の**1**に係る担保の提供手続き、第四節の**5**に係る納税猶予の期限の繰上げの取扱いに当たっては、特定美術品の異なるものごとの納税猶予分の相続税額にそれぞれの規定を適用することに留意する。（措通70の６の７－14）

第五編　特定の美術品についての相続税の納税猶予及び免除

第七節　雑　　則

（国税通則法、国税徴収法及び相続税法の規定の適用）
（1）　第一節の1の規定による納税の猶予がされた場合における国税通則法、国税徴収法及び相続税法の規定の適用については、次に定めるところによる。（措法70の6の7⑬）
　（一）　第一節の1の規定の適用があった場合における相続税に係る延滞税については、その相続税の額のうち納税猶予分の相続税額とその他のものとに区分し、更に当該納税猶予分の相続税額を（三）に規定する納税の猶予に係る期限が異なるものごとに区分して、それぞれの税額ごとに国税通則法の延滞税に関する規定を適用する。
　（二）　第一節の1の規定による納税の猶予を受けた相続税については、国税通則法第64条第1項及び第73第4項中「延納」とあるのは、「延納（第一節の1《特定の美術品についての相続税の納税猶予及び免除》の規定による納税の猶予を含む。）」とする。
　（三）　第一節の1の規定による納税の猶予に係る期限（第三節の2、第四節の1又は同節の5の規定による当該期限を含む。）は、国税通則法及び国税徴収法中法定納期限又は納期限に関する規定を適用する場合には、相続税法の規定による延納に係る期限に含まれるものとする。
　（四）　第三節の2、第四節の1又は同節の5の規定に該当する相続税については、第一編第八章第二節一《相続税の延納》の1及び同章第三節一《物納の要件》の1の規定は、適用しない。
　（五）　相続又は遺贈により取得をした財産のうちに特定美術品に該当するものがある者の当該財産に係る相続税の額で納税猶予分の相続税額以外のものについては、当該特定美術品の価額は、当該特定美術品の価額に100分の20を乗じて計算した価額であるものとして、第一編第八章第二節一の1（同章第三節二の12《物納申請の全部又は一部の却下に係る延納》において準用する場合を含む。）、同章同節六の2の（6）《未経過延納税額》、同章第二節五《延納の利子税》の1又は同章第三節七の2《物納撤回に係る利子税》の①の（1）の（二）の（ロ）の規定を適用する。
　（六）　特定美術品について第一節の1の規定の適用があつた場合における第一編第八章第三節三《特定の延納税額に係る物納》の（5）において準用する同節一の2《物納できる財産》の規定の適用については、同2中「財産を除く」とあるのは、「財産及び第一節の1《特定の美術品についての相続税の納税猶予及び免除》の規定の適用に係る第同節の2の（一）に規定する特定美術品を除く」とする。

　　　（時効の中断）
（2）　納税猶予分の相続税額に相当する相続税並びに当該相続税に係る利子税及び延滞税の徴収を目的とする国の権利の時効については、（1）の（二）の規定により読み替えて適用される国税通則法第73条《時効の中断及び停止》第4項の規定の適用がある場合を除き、第三節の1の届出書の提出があった時から当該届出書の提出期限までの間は完成せず、当該届出期限の翌日から新たにその進行を始めるものとする。（措法70の6の7⑩）

　　　（文部科学大臣等の通知義務）
（3）　文部科学大臣又は文化庁長官は、第一節の1の規定の適用を受ける寄託相続人若しくは特定美術品又は同1の寄託先美術館について、第四節の1の規定により納税の猶予に係る期限とされる同節の1の（一）から（七）に掲げる場合に該当する事実に関し、法令の規定に基づき報告の受理その他の行為をしたことにより当該事実があったことを知った場合には、遅滞なく、当該特定美術品について当該事実が生じた旨その他（4）の財務省令で定める事項を、書面により、国税庁長官又は当該寄託相続人の納税地の所轄税務署長に通知しなければならない。（措法70の6の7⑰）

　　　（財務省令で定める事項）
（4）　（3）に規定する財務省令で定める事項は、次に掲げる事項とする。（措規23の8の7⑮）
　（一）　第一節の1の規定の適用を受ける寄託相続人若しくは特定美術品又は同項の寄託先美術館について、（3）の納税の猶予に係る期限の確定に係る事実が生じた旨
　（二）　（一）の事実が生じた特定美術品の明細又は当該事実が生じた寄託先美術館の名称及び所在地並びに当該特定美術品又は当該寄託先美術館に係る第一節の1の規定の適用を受けている寄託相続人及び当該寄託相続人に係る被相続人の氏名及びその死亡の時における住所
　（三）　（一）の事実の詳細及び当該事実の生じた年月日並びに当該事実に係る報告の受理その他の行為の内容
　（四）　その他参考となるべき事項

第七節　雑　　則

（文部科学大臣等への通知義務）
（５）　税務署長は、第一節の**1**の場合において文部科学大臣又は文化庁長官の事務（同**1**の規定の適用を受ける寄託相続人に関する事務で、（３）の規定の適用に係るものに限る。）の処理を適正かつ確実に行うために必要があると認めるときは、文部科学大臣又は文化庁長官に対し、当該寄託相続人が同**1**の規定の適用を受ける旨その他（６）の財務省令で定める事項を通知することができる。（措法70の6の7⑱）

（財務省令で定める事項）
（６）　（５）に規定する財務省令で定める事項は、次に掲げる事項とする。（措規23の8の7⑯）
（一）　第一節の**1**の規定の適用を受ける寄託相続人の氏名及び住所
（二）　（一）の寄託相続人が被相続人から第一節の**1**の規定の適用に係る相続又は遺贈により取得をした特定美術品に係る相続税の申告書が提出された日
（三）　（一）の寄託相続人が（二）の特定美術品について第一節の**1**の規定の適用を受けている旨及び同**1**の規定の適用に係る特定美術品の明細
（四）　その他税務署長が必要と認める事項

－1011－

第六編　個人の事業用資産に係る相続税・贈与税の納税猶予及び免除

第一章　個人の事業用資産についての贈与税の納税猶予及び免除

第一節　特例適用の要件

1　個人の事業用資産についての贈与税の納税猶予及び免除

　特定事業用資産を有していた個人として（1）の政令で定める者（既に1の規定の適用に係る贈与をしているものを除く。以下本章及び第二章において「**贈与者**」という。）が特例事業受贈者にその事業に係る特定事業用資産の全て（当該特定事業用資産の全部又は一部が数人の共有に属する場合には、当該贈与者以外の者が有していた共有持分に係る部分を除く。）の贈与（平成31年1月1日から令和10年12月31日までの間の贈与で、最初の1の規定の適用に係る贈与及び当該贈与の日その他（2）の政令で定める日から1年を経過する日までの贈与に限る。）をした場合には、当該特例事業受贈者の当該贈与の日の属する年分の贈与税で贈与税の申告書（第二編第六章第一節一の1《申告書の提出期限》の規定による期限内申告書をいう。以下本章において同じ。）の提出により納付すべきものの額のうち、当該特定事業用資産で当該贈与税の申告書に1の規定の適用を受けようとする旨の記載があるもの（以下本章及び第二章において「**特例受贈事業用資産**」という。）に係る納税猶予分の贈与税額に相当する贈与税については、当該年分の贈与税の申告書の提出期限までに当該納税猶予分の贈与税額に相当する担保を提供した場合に限り、第二編第七章第一節二の1の規定にかかわらず、当該贈与者（特例受贈事業用資産が当該贈与者の第六節の1（（三）に係る部分に限る。）の規定の適用に係るものである場合における当該特例受贈事業用資産に係る納税猶予分の贈与税額に相当する贈与税については、1の規定の適用を受けていた者として（3）の政令で定めるものに当該特例受贈事業用資産に係る特定事業用資産の贈与をした者。第六節の1において同じ。）の死亡の日まで、その納税を猶予する。（措法70の6の8①）

　　（政令で定める贈与者）
（1）　1に規定する特定事業用資産を有していた個人として政令で定める者は、次に掲げる場合の区分に応じそれぞれに定める者とする。（措令40の7の8①）
（一）　2の（一）に規定する特定事業用資産を有していた者が1の規定の適用に係る贈与（贈与をした者の死亡により効力を生ずる贈与を除く。以下本章において同じ。）の時前において当該特定事業用資産に係る事業（2の（一）に規定する事業をいう。以下本章及び第三章において同じ。）を行っていた者である場合　　次に掲げる要件の全てを満たす者
　イ　当該贈与の時において所得税の納税地の所轄税務署長に当該事業を廃止した旨の届出書を提出していること又は当該贈与に係る1に規定する贈与税の申告書の提出期限までに当該届出書を提出する見込みであること。
　ロ　当該事業について、当該贈与の日の属する年、その前年及びその前々年の所得税法第2条《定義》第1項第37号に規定する確定申告書を同項第40号に規定する青色申告書（租税特別措置法第25条の2《青色申告特別控除》第3項の規定の適用に係るものに限る。）により所得税の納税地の所轄税務署長に提出していること。
（二）　（一）に掲げる場合以外の場合　　次に掲げる要件の全てを満たす者
　イ　（一）の贈与の直前において、（一）に定める者と生計を一にする親族（1の規定の適用を受けようとする者が当該贈与の時前に相続又は遺贈（贈与をした者の死亡により効力を生ずる贈与を含む。以下本章において同じ。）により取得した当該特定事業用資産に係る事業と同一の事業に係る他の資産について第三章第一節の1の規定の適用を受けようとする場合又は受けている場合には、同1の規定の適用に係る同1に規定する被相続人（以下本章及び第七章において「被相続人」という。）で第三章第一節の1の（1）の（一）に定める者の相続の開始の直前において、その者と生計を一にしていたその者の親族）であること。
　ロ　（一）に定める者の1の規定の適用に係る贈与の時（1の規定の適用を受けようとする者が当該贈与の時前に相続又は遺贈により取得した1の規定の適用を受けようとする特定事業用資産に係る事業と同一の事業に係る他の資産について第三章第一節の1の規定の適用を受けようとする場合又は受けている場合には、同1の規定の適用に係る被相続人で第三章第一節の1の（1）の（一）に定める者の相続の開始の時）後に当該特定事業用資産の贈与をしていること。

第六編　個人の事業用資産に係る相続税・贈与税の納税猶予及び免除

　　　（政令で定める日）
（２）　１に規定する政令で定める日は、１の規定の適用を受けようとする者が１の規定の適用に係る贈与の時前に相続又は遺贈により取得した１の規定の適用を受けようとする特定事業用資産に係る事業と同一の事業に係る他の資産について第三章第一節の１の規定の適用を受けようとする場合又は受けている場合における最初の同１の規定の適用に係る相続の開始の日とする。（措令40の７の８②）

　　　（政令で定める者）
（３）　１に規定する１の規定の適用を受けていた者として政令で定める者は、次に掲げる場合の区分に応じそれぞれに定める者とする。（措令40の７の８③）
　（一）　１に規定する贈与者に対する１の規定の適用に係る贈与が、当該贈与をした者の第六節の１（（三）に係る部分に限る。）の規定の適用に係るもの（以下（一）において「免除対象贈与」という。）である場合　　１に規定する特例受贈事業用資産に係る特定事業用資産の免除対象贈与をした者のうち最初に１の規定の適用を受けた者
　（二）　（一）に掲げる場合以外の場合　　贈与者

　　　（贈与者の意義等）
（４）　２の（一）に規定する特定事業用資産に係る１に規定する贈与者からは、既に１の規定の適用に係る贈与をしているものは除かれることに留意する。（措通70の６の８－１）
　（注）１　２の（二）に規定する特例事業受贈者が２人以上ある場合において、同一年中に、これらの特例事業受贈者に特定事業用資産の贈与を行うものは「既に１の規定の適用に係る贈与をしているもの」に含まれないことに留意する。
　　　２　一の個人が、ある事業（２の（一）に規定する事業に限る。以下同じ。）につき（1）の（一）に定める者に該当し、かつ、他の事業につき（1）の（二）に定める者に該当する場合において、これらのうちいずれか一の者として１の規定の適用に係る贈与をしているときは、他の者として特定事業用資産の贈与を行う場合であっても、当該個人は、（注）１に掲げる場合に該当する場合を除き、「既に１の規定の適用に係る贈与をしているもの」に該当することに留意する。

　　　（「全ての贈与」の意義）
（５）　１の規定の適用に当たっては、贈与者はその有する特定事業用資産の全ての贈与をする必要があるのであるが、全ての贈与が行われたかどうかの判定については、次の取扱いに留意する。（措通70の６の８－２）
　（一）　贈与者（生計一親族等を含む。）の営む事業が２以上ある場合には、その事業ごとに判定を行う。
　　　（注）　「生計一親族等」とは、当該贈与者と生計を一にする配偶者その他の親族及び２の（1）に規定する者をいう。
　（二）　贈与者が同一年中に、２人以上の者に特定事業用資産の贈与をした場合において、その贈与が異なる時期に行われたときには、当該贈与のうち最後に行われた贈与直後において特定事業用資産の全ての贈与が行われたかどうかの判定を行う。

　　　（特例受贈事業用資産の取得の意義等）
（６）　１の適用対象となる特定事業用資産の贈与者からの贈与による取得は、平成31年１月１日から令和10年12月31日までの間の贈与で、次に掲げる贈与（以下「特例対象贈与」という。）による取得に限られることに留意する。（措通70の６の８－３）
　（一）　最初の１の規定の適用に係る贈与
　（二）　（一）の贈与の日から１年を経過する日までの贈与
　（注）１　１に規定する贈与税の申告書に同項の規定の適用を受ける旨の記載がある特定事業用資産が１に規定する特例受贈事業用資産に該当することに留意する。
　　　２　１の規定の適用を受けようとする者が、当該贈与の時前に相続又は遺贈により取得をした１の規定の適用を受けようとする特定事業用資産に係る事業と同一の事業に係る他の資産について第三章第一節の１の規定の適用を受けようとする場合又は受けている場合には、（二）中「（一）の贈与の日」とあるのは「最初の第三章第一節の１の規定の適用に係る相続の開始の日」となることに留意する。
　　　３　贈与者からの贈与が「最初の１の規定の適用に係る贈与」に該当するかどうかの判定は、受贈者が、当該贈与に係る特定事業用資産に係る事業と同一の事業に係る他の資産につき既に１の規定の適用に係る贈与又は第三章第一節の１の規定の適用に係る相続若しくは遺贈を受けていないかどうかにより行うことに留意する。

　　　（特例対象贈与に係る贈与者が贈与税の申告期限前に死亡した場合）
（７）　特例対象贈与に係る贈与者が、当該特例対象贈与に係る贈与税の申告書の提出期限前に、かつ、受贈者による当該申告書の提出前に死亡した場合（（８）及び（９）に掲げる場合を除く。）における１の規定の適用については、次に掲げることに留意する。（措通70の６の８－４）

－1016－

第一章　個人の事業用資産についての贈与税の納税猶予及び免除
（第一節　特例適用の要件）

（一）　贈与者が特例対象贈与をした日の属する年に死亡した場合
　イ　受贈者がロ以外の者である場合
　　（イ）　受贈者が贈与者の死亡に係る相続又は遺贈により財産を取得したとき当該特例対象贈与により取得をした特定事業用資産については、第二編第四章**4**の規定に該当する場合には贈与税の課税価格の計算の基礎に算入されないので、**1**の規定の適用はない。
　　　（注）　上記の場合、贈与者の死亡に係る相続税については、当該特定事業用資産は、第三章第一節の**1**の（3）の規定により受贈者が贈与者から相続又は遺贈により取得をしたものとみなされることから、同節の**1**の規定の適用に係る要件を満たしている場合には、同節の**1**の規定の適用を受けることができることに留意する。
　　（ロ）　受贈者が贈与者の死亡に係る相続又は遺贈により財産を取得しなかったとき受贈者が、当該特例対象贈与により取得をした特定事業用資産について**1**の規定の適用を受ける旨の贈与税の申告書を提出したとき（**1**の規定の適用に係る要件を満たしている場合に限る。）は、当該申告書は、**1**の規定の適用のある申告書となることに留意する。この場合において、**1**の規定による贈与税の納税猶予の適用要件のうち担保の提供については、その提供を要しないものとし、第六節の**1**の規定による贈与税の免除の規定の適用に当たっては、当該申告書の提出があった時に免除の効果が生ずるものとして取り扱う。
　ロ　受贈者が贈与者に係る相続時精算課税適用者（相続時精算課税の適用を受けようとする者を含む。）である場合　当該特例対象贈与により取得をした特定事業用資産については、贈与税の課税価格の計算の基礎に算入されるが、第二編第六章第一節**一**の**4**の規定により贈与税の申告は不要のため**1**の規定の適用はない。
　　　（注）　上記の場合、贈与者の死亡に係る相続税については、当該特定事業用資産は、第三章第一節の**1**の（3）の規定により受贈者が贈与者から相続又は遺贈により取得をしたものとみなされることから、同節の**1**の規定の適用に係る要件を満たしている場合には、同節の**1**の規定の適用を受けることができることに留意する。
（二）　贈与者が特例対象贈与をした日の属する年の翌年に死亡した場合
　　　上記（一）のイ（ロ）を準用する。

（特例対象贈与に係る贈与者の前の贈与者が贈与税の申告期限前に死亡した場合）
（8）　**1**の規定の適用を受けようとする特例事業受贈者に係る贈与者の前の贈与者が、特例対象贈与に係る贈与税の申告書の提出期限前に、かつ、特例事業受贈者による当該申告書の提出前に死亡した場合における**1**の規定の適用については、当該特例事業受贈者が、当該特例対象贈与により取得をした特定事業用資産について**1**の規定の適用を受ける旨の贈与税の申告書を提出したとき（**1**の規定の適用に係る要件を満たしている場合に限る。）は、当該申告書は、**1**の規定の適用のある申告書となることに留意する。
　　この場合において、**1**の規定による贈与税の納税猶予の適用要件のうち担保の提供については、その提供を要しないものとし、第六節の**1**（（三）に係る部分に限る。）の規定による贈与税の免除の規定の適用に当たっては、当該申告書の提出があった時に免除の効果が生ずるものとして取り扱う。（措通70の6の8－5）
　（注）　「前の贈与者」とは、次に掲げる場合の区分に応じ、それぞれに定める者に当該特定事業用資産の贈与をした者をいう（以下同じ。）。
　　イ　贈与者に対する**1**の規定の適用に係る贈与が、当該贈与をした者の第六節の**1**（（三）に係る部分に限る。）の規定の適用に係るもの（以下「免除対象贈与」という。）である場合　特定事業用資産の免除対象贈与をした者のうち最初に**1**の規定の適用を受けた者
　　ロ　イに掲げる場合以外の場合　贈与者

（**1**の規定の適用を受けている贈与者が贈与税の申告期限前に死亡した場合）
（9）　贈与者（**1**の規定の適用を受けている特例事業受贈者に限る。）が、当該贈与者に係る特例受贈事業用資産の贈与（当該贈与者の第六節の**1**の（三）の規定の適用に係る贈与に限る。）の日の属する年に死亡した場合において、当該贈与に係る特例事業受贈者が**1**の規定の適用を受けるためには、**1**に規定する贈与税の申告書の提出を要することに留意する。
　　なお、当該贈与者の相続の開始に係る相続税については、**1**の規定の適用を受けた当該特例受贈事業用資産には、第六節の**1**の（11）の規定により、第一編第四章第二節**四**、第三編第一章第三節**一**及び同節**二**の規定の適用がないことに留意する。（措通70の6の8－6）

（特例対象贈与に係る受贈者が贈与税の申告期限前に死亡した場合）
（10）　特例対象贈与に係る受贈者が、当該特例対象贈与を受けた日の属する年の中途において死亡した場合又は当該特例対象贈与に係る贈与税の申告書の提出期限前に当該申告書を提出しないで死亡した場合において、当該受贈者の相続人（包括受遺者を含む。）が当該受贈者の当該特例対象贈与に係る特定事業用資産について**1**の規定の適用を受ける旨の贈与税の申告書を提出したとき（**1**の規定の適用に係る要件を満たしている場合に限る。）は、当該申告書は、**1**の規定の適用のある申告書として取り扱って差し支えない。

この場合において、**1**の規定による贈与税の納税猶予の適用要件のうち担保の提供については、その提供を要しないものとし、第六節の**1**の規定による贈与税の免除の規定の適用に当たっては、当該申告書の提出があった時に免除の効果が生ずるものとして取り扱う。（措通70の６の８－７）

　　　（申告期限前に全部確定事由が生じた場合）
(11)　特例対象贈与があった日の翌日から贈与税の申告書の提出期限までの間に、第五節の**1**のそれぞれに掲げる場合のいずれかに該当することとなった場合には、当該特例対象贈与に係る特定事業用資産について**1**の規定の適用を受けることができないことに留意する。（措通70の６の８－８）

　　　（修正申告等に係る贈与税額の納税猶予）
(12)　**1**の規定は、特例受贈事業用資産の贈与に係る贈与税についての期限後申告、修正申告又は更正に係る税額について適用がないことに留意する。ただし、修正申告又は更正があった場合で、当該修正申告又は更正が期限内申告において**1**の規定の適用を受けた特例受贈事業用資産の評価又は税額計算の誤りのみに基づいてされるときにおける当該修正申告又は更正により納付すべき贈与税額（附帯税を除く。）については、当初から**1**の規定の適用があることとして取り扱う。
　　　この場合において、当該修正申告又は更正により納税猶予を受ける贈与税の本税の額と当該本税に係る利子税の額に相当する担保については、当該修正申告書の提出の日又は当該更正に係る通知書が発せられた日の翌日から起算して１月を経過する日までに提供しなければならないこととして取り扱う。（措通70の６の８－９）

　　　（担保の提供等）
(13)　**1**の規定による担保の提供については、国税通則法第50条から第54条までの規定の適用があることに留意する。（措通70の６の８－10）

　　　（贈与税の額に相当する担保）
(14)　**1**に規定する「当該納税猶予分の贈与税額に相当する担保」とは、納税猶予に係る贈与税の本税の額と当該本税に係る納税猶予期間中の利子税の額との合計額に相当する担保をいうことに留意する。
　　　なお、この場合の当該本税に係る猶予期間中の利子税の額は、**1**の規定の適用に係る贈与税の申告書の提出期限における贈与者の平均余命年数を納税猶予期間として計算した額によるものとして取り扱うことに留意する。（措通70の６の８－11）
　　（注）　上記平均余命年数は、相続税法施行規則第12条の３《平均余命》に定める平均余命によることに留意する（以下第三章第一節の**1**の(19)において同じ。）。

　　　（２以上の贈与者がある場合の担保の取扱い）
(15)　特例受贈事業用資産に係る贈与者が２以上ある場合、**1**に係る担保の提供手続き、第四節に係る納税猶予の期限の繰上げの取扱いに当たっては、贈与者の異なるものごとの納税猶予分の贈与税額にそれぞれの規定を適用することに留意する。（措通70の６の８－75）

2　用語の意義

本章において、次に掲げる用語の意義は、それぞれに定めるところによる。（措法70の６の８②）

(一)　**特定事業用資産**　贈与者（当該贈与者と生計を一にする配偶者その他の親族及びこれらに類するものとして(1)の政令で定める者を含む。(二)のトにおいて同じ。）の事業（不動産貸付業その他(2)の政令で定めるものを除く。以下本章及び第三章において同じ。）の用に供されていた次に掲げる資産（当該贈与者の**1**の規定の適用に係る贈与の日の属する年の前年分の事業所得（所得税法第27条《事業所得》第１項に規定する事業所得をいう。以下本章及び第三章において同じ。）に係る青色申告書（同法第２条《定義》第１項第40号に規定する青色申告書をいい、租税特別措置法第25条の２《青色申告特別控除》第３項の規定の適用に係るものに限る。第五節の**1**の(四)及び(五)において同じ。）の貸借対照表に計上されているものに限る。）の区分に応じそれぞれ次に定めるものをいう。
　イ　宅地等（土地又は土地の上に存する権利をいい、(6)の財務省令で定める建物又は構築物の敷地の用に供されているもののうち(7)の政令で定めるものに限る。）　当該宅地等の面積の合計のうち400平方メートル以下の部分
　ロ　建物（当該事業の用に供されている建物として(13)の政令で定めるものに限る。）　当該建物の床面積の合計のうち800平方メートル以下の部分

－1018－

第一章 個人の事業用資産についての贈与税の納税猶予及び免除
(第一節 特例適用の要件)

ハ 減価償却資産(所得税法第2条《定義》第1項第19号に規定する減価償却資産をいい、ロに掲げるものを除く。) 地方税法第341条《固定資産税に関する用語の意義》第4号に規定する償却資産、自動車税又は軽自動車税において営業用の標準税率が適用される自動車その他これらに準ずる減価償却資産で(14)の財務省令で定めるもの

(二) **特例事業受贈者** 贈与者から1の規定の適用に係る贈与により特定事業用資産の取得をした個人で、次に掲げる要件の全てを満たす者をいう。

イ 当該個人が、当該贈与の日において18歳以上であること。

ロ 当該個人が、中小企業における経営の承継の円滑化に関する法律(平成20年法律第33号)第2条に規定する中小企業者であって同法第12条第1項の経済産業大臣(同法第17条の規定に基づく政令の規定により経済産業大臣の権限に属する事務を都道府県知事が行うこととされている場合にあっては、当該都道府県知事)の認定(同項第2号に係るものとして(17)の財務省令で定めるものに限る。第七節の(4)及び第三章第一節の2の(二)のイにおいて「**特例円滑化法認定**」という。)を受けていること。

ハ 当該個人が、当該贈与の日まで引き続き3年以上にわたり当該特定事業用資産に係る事業(当該事業に準ずるものとして(19)の財務省令で定めるものを含む。)に従事していたこと。

ニ 当該個人が、当該贈与の時から当該贈与の日の属する年分の贈与税の申告書の提出期限(当該提出期限前に当該個人が死亡した場合には、その死亡の日。ホにおいて同じ。)まで引き続き当該特定事業用資産の全てを有し、かつ、自己の事業の用に供していること。

ホ 当該個人が、当該贈与の日の属する年分の贈与税の申告書の提出期限において、所得税法第229条《開業等の届出》の規定により当該特定事業用資産に係る事業について開業の届出書を提出していること及び同法第143条《青色申告》の承認(同法第147条《青色申告の承認があったものとみなす場合》の規定により当該承認があったものとみなされる場合の承認を含む。)を受けていること。

ヘ 当該個人の当該特定事業用資産に係る事業が、当該贈与の時において、資産保有型事業、資産運用型事業及び風俗営業等の規制及び業務の適正化等に関する法律(昭和23年法律第122号)第2条第5項に規定する性風俗関連特殊営業のいずれにも該当しないこと。

ト 当該個人が、贈与者の事業を確実に承継すると認められる要件として(20)の財務省令で定めるものを満たしていること。

(三) **納税猶予分の贈与税額** 次のイ又はロに掲げる場合の区分に応じイ又はロに定める金額をいう。

イ ロに掲げる場合以外の場合 1の規定の適用に係る特例受贈事業用資産の価額(贈与者から当該特例受贈事業用資産の贈与とともに当該特例受贈事業用資産に係る債務を引き受けた場合には、当該特例受贈事業用資産の価額から当該債務の金額を控除した額として(25)の政令で定める価額。ロにおいて同じ。)を1の特例事業受贈者に係るその年分の贈与税の課税価格とみなして、第二編第五章第一節の1及び同第五章第三節一の規定(同第一節の2及び同第三節の二の規定により適用される場合を含む。)を適用して計算した金額

ロ 1の規定の適用に係る特例受贈事業用資産が第三編第一章第一節二の(1)(同節三、第六編第一章第八節(第七編第四章第九節において準用する場合を含む。)又は第三編第二章の1において準用する場合を含む。第七節の(3)の(六)及び(七)において同じ。)の規定の適用を受けるものである場合 当該特例受贈事業用資産の価額を1の特例事業受贈者に係るその年分の贈与税の課税価格とみなして、第三編第一章第二節一の(1)から(7)まで(同節三の規定を含む。)及び同節二の規定を適用して計算した金額

(四) **資産保有型事業** 個人の特定事業用資産に係る事業の資産状況を確認する期間として(32)の政令で定める期間内のいずれかの日において、次のイ及びハに掲げる金額の合計額に対するロ及びハに掲げる金額の合計額の割合が100分の70以上となる事業をいう。

イ その日における当該事業に係る貸借対照表に計上されている総資産の帳簿価額の総額

ロ その日における当該事業に係る貸借対照表に計上されている特定資産(現金、預貯金その他の資産であって(34)の財務省令で定めるものをいう。次号において同じ。)の帳簿価額の合計額

ハ その日以前5年以内において、当該個人と(35)の政令で定める特別の関係がある者(以下本章及び第三章において「特別関係者」という。)が当該個人から受けた必要経費不算入対価等(特別関係者に対して支払われた対価又は給与の金額であって当該個人の所得税法第27条《事業所得》第2項に規定する事業所得の金額の計算上、必要経費に算入されないものとして(36)の政令で定めるものをいう。以下本章及び第三章において同じ。)の合計額

(五) **資産運用型事業** 個人の特定事業用資産に係る事業の資産の運用状況を確認する期間として(39)の政令で定める期間内のいずれかの年における事業所得に係る総収入金額に占める特定資産の運用収入の合計額の割合が100分の75以上となる事業をいう。

(注) 改正後の(三)のロの規定は、令和6年1月1日以後に贈与により取得をする特定事業用資産((一)に規定する特定事業用資産をいう。以下同

-1019-

第六編　個人の事業用資産に係る相続税・贈与税の納税猶予及び免除

じ。）に係る贈与税について適用し、令和5年12月31日以前に贈与により取得をした特定事業用資産に係る贈与税については、なお従前の例による。（令5所法等附51⑥）

　　　（政令で定める者）
（1）　2の（一）に規定する政令で定める者は、1の規定の適用を受けようとする者（1の規定の適用を受けようとする特定事業用資産に係る事業と同一の事業に係る他の資産について第三章第一節の1の規定の適用を受けようとする者又は受けている者に限る。）の同1の規定の適用に係る被相続人（第三章第一節の1の（1）の（一）に定める者であって、当該被相続人の相続の開始の直前において贈与者と生計を一にしていた当該贈与者の親族であるものに限る。）とする。（措令40の7の8④）

　　　（政令で定める事業）
（2）　2の（一）に規定する政令で定める事業は、駐車場業及び自転車駐車場業とする。（措令40の7の8⑤）

　　　（贈与者の事業の意義等）
（3）　贈与者（生計一親族等を含む。）の事業からは、不動産貸付業並びに（2）に規定する駐車場業及び自転車駐車場業が除かれているのであるから、贈与者（生計一親族等を含む。）の不動産貸付業、駐車場業又は自転車駐車場業については、その規模、設備の状況及び営業形態等を問わず全て1の規定の適用対象となる事業に当たらないことに留意する。（措通70の6の8－12）
　（注）　下宿等のように部屋を使用させるとともに食事を供する事業は、2の（一）に規定する「不動産貸付業その他政令で定めるもの」に当たらないことに留意する。

　　　（贈与者の事業の用に供されていた資産）
（4）　2の（一）のイからハまでに定める資産が贈与者（生計一親族等を含む。）の事業の用に供されていた資産に該当するかどうかは、当該資産が特例対象贈与の直前において現実に事業の用に供されていたかどうかで判定するのであるが、当該事業の用に供されていた資産には、災害、疾病等のため、当該特例対象贈与の直前において一時的に当該事業の用に供されていないものが含まれることに留意する。（措通70の6の8－13）
　（注）1　贈与者が1の（1）の（二）に定める者に該当する場合における上記の判定は、当該贈与者に係る生計一親族等（1の（1）の（一）に定める者に限る。）の特例対象贈与（当該贈与者から特例対象贈与により取得をした特定事業用資産について1の規定の適用を受けようとする者が、当該特例対象贈与の時前に生計一親族等（第三章第一節の1の（1）に定める者に限る。）から相続又は遺贈により取得をした当該特定事業用資産に係る事業と同一の事業に係る他の資産について同節の1の規定の適用を受けようとする場合又は受けている場合には、当該生計一親族等に係る相続の開始。以下（5）の（二）において同じ。）の直前における現況により行うことに留意する。
　　　2　贈与者の営む一の事業を、2人以上の受贈者がそれぞれ別の事業として承継をする場合において、特例対象贈与が異なる時期に行われたときにおける上記の判定は、当該特例対象贈与のうち最初に行われた贈与の直前における現況により行うことに留意する。

　　　（特定事業用資産の基準となる貸借対照表）
（5）　1の規定の対象となる特定事業用資産は、次に掲げる贈与者の区分に応じ、それぞれに定める貸借対照表に計上されているものに限られることに留意する。（措通70の6の8－14）
　（一）　1の（1）の（一）に定める贈与者　　当該贈与者の特例対象贈与の日の属する年の前年分の事業所得（所得税法第27条第1項に規定する事業所得をいう。以下同じ。）に係る青色申告書（同法第2条第1項第40号に規定する青色申告書をいい、措置法第25条の2第3項の規定の適用に係るものに限る。以下（5）において同じ。）の貸借対照表
　（二）　1の（1）の（二）に定める贈与者　　当該贈与者に係る生計一親族等（1の（1）の（一）に定める者に限る。）の特例対象贈与の日の属する年の前年分の事業所得に係る青色申告書の貸借対照表
　（注）　（一）に掲げる贈与者又は（二）に定める生計一親族等の特例対象贈与の直前において事業の用に供されていた2の（一）のイからハまでに規定する資産であっても、当該特例対象贈与の日の属する年中に取得をした資産など（一）又は（二）に定める貸借対照表に計上されていない資産については、特定事業用資産に該当しないことに留意する。

　　　（財務省令で定める建物又は構築物）
（6）　2の（一）のイに規定する財務省令で定める建物又は構築物は、次に掲げる建物又は構築物以外の建物又は構築物とする。（措規23の8の8①）
　（一）　温室その他の建物で、その敷地が耕作（農地法第43条第1項の規定により耕作に該当するものとみなされる農作物の栽培を含む。（二）及び第二節の（1）の（一）のハ並びに第三章第二節の（1）の（四）のハにおいて同じ。）の用に供されるもの

－1020－

第一章　個人の事業用資産についての贈与税の納税猶予及び免除
（第一節　特例適用の要件）

（二）　暗渠その他の構築物で、その敷地が耕作の用又は耕作若しくは養畜のための採草若しくは家畜の放牧の用に供されるもの

（建物又は構築物の敷地の用に供されているもののうち政令で定めるもの）

（７）　２の（一）のイに規定する建物又は構築物の敷地の用に供されているもののうち政令で定めるものは、**１**の規定の適用に係る贈与（当該贈与が**１**の（１）の（二）に定める者からのものである場合にあっては**１**の（１）の（一）に定める者からの贈与とし、**１**の規定の適用に係る贈与の時前に相続又は遺贈により取得した資産について第三章第一節の**１**の規定の適用を受けようとする場合又は受けている場合にあっては最初の同**１**の規定の適用に係る相続の開始とする。（13）において同じ。）の直前において、２の（一）に規定する贈与者の事業の用に供されていた宅地等（土地又は土地の上に存する権利をいう。以下（７）において同じ。）のうち所得税法第２条《定義》第１項第16号に規定する棚卸資産（（13）において「棚卸資産」という。）に該当しない宅地等とし、当該宅地等のうちに当該事業の用以外の用に供されていた部分があるときは、当該贈与者の当該事業の用に供されていた部分に限るものとする。（措令40の７の８⑥）

（贈与者の事業の用に供されていた宅地等の範囲）

（８）　（７）の「贈与者の事業の用に供されていた宅地等」とは、贈与者（生計一親族等を含む。）の事業の用に供されていた建物又は構築物（以下（９）までにおいて「建物等」という。）で、当該贈与者が所有していたもの又は当該贈与者の親族（生計一親族等を除く。以下（９）までにおいて「その他親族」という。）が所有していたもの（当該贈与者が当該建物等を当該その他親族から無償（相当の対価に至らない程度の対価の授受がある場合を含む。（９）において同じ。）で借り受けていた場合における当該建物等に限る。）の敷地の用に供されていた宅地等（当該贈与の直前において配偶者居住権に基づき使用又は収益されていた建物等の敷地の用に供されていたものを除く（当該宅地等については（９）参照。）。）をいうことに留意する。（措通70の６の８－15）
（注）　他に貸し付けられていた宅地等（当該貸付けが不動産貸付業、駐車場業及び自転車駐車場業に該当する場合に限る。）は、「贈与者の事業の用に供されていた宅地等」に該当しないことに留意する。（９）において同じ。

（宅地等が配偶者居住権の目的となっている建物等の敷地である場合の贈与者の事業の用に供されていた宅地等の範囲）

（９）　贈与により取得した宅地等が、当該贈与の直前において配偶者居住権に基づき使用又は収益されていた建物等の敷地の用に供されていたものである場合には、贈与者（生計一親族等を含む。）の事業の用に供されていた建物等（当該贈与者又はその他親族が所有していた建物等をいう。以下（９）において同じ。）で、当該贈与者が配偶者居住権者（当該配偶者居住権を有する者をいう。以下（９）において同じ。）であるもの又はその他親族が配偶者居住権者であるもの（当該贈与者が当該建物等を配偶者居住権者である当該その他親族から無償で借り受けていた場合における当該建物等に限る。）の敷地の用に供されていた宅地等が、（７）の「贈与者の事業の用に供されていた宅地等」に該当することに留意する。（措通70の６の８－15の２）

（使用人の寄宿舎等の敷地等）

（10）　贈与者（贈与者が**１**の（１）の（二）に定める者である場合には、当該贈与者の生計一親族等。以下（10）において同じ。）の営む事業に従事する使用人の寄宿舎等（当該贈与者の親族のみが使用していたものを除く。）の用に供されていた建物及びその敷地の用に供されていた宅地等は、当該贈与者の当該事業に係る特定事業用資産に当たることに留意する。（措通70の６の８－16）

（店舗兼住宅等の敷地の持分の贈与について贈与税の配偶者控除の適用を受けたものの事業の用に供されていた部分の範囲）

（11）　店舗兼住宅等（贈与者（生計一親族等を含む。）の事業の用に供されていた建物のうちに当該事業の用以外の用に供されていた部分のある建物及び当該建物の敷地の用に供されていた宅地等をいう。）で、特例対象贈与の日の属する年以前にされたその持分の贈与につき第二編第五章第二節の**１**の規定による贈与税の配偶者控除の適用を受け又は受けようとするもの（同節の**２**の（３）のただし書の取扱いを適用して贈与税の申告がされたもの又はされるものに限る。）であっても、（７）及び（13）に規定する当該贈与者の当該事業の用に供されていた部分の判定は、当該特例対象贈与の直前における現況によって行うことに留意する。（措通70の６の８－17）

－1021－

第六編　個人の事業用資産に係る相続税・贈与税の納税猶予及び免除

（限度面積の判定について）
(12)　宅地等又は建物に係る**2**の(一)のイ又はロに定める限度面積要件の判定は、贈与者ごとに行うことに留意する。（措通70の6の8－18）

（事業の用に供されている建物として政令で定めるもの）
(13)　**2**の(一)のロに規定する事業の用に供されている建物として政令で定めるものは、**1**の規定の適用に係る贈与の直前において、**2**の(一)に規定する贈与者の事業の用に供されていた建物のうち棚卸資産に該当しない建物とし、当該建物のうちに当該事業の用以外の用に供されていた部分があるときは、当該贈与者の当該事業の用に供されていた部分に限るものとする。（措令40の7の8⑦）

（財務省令で定めるもの）
(14)　**2**の(一)のハに規定する財務省令で定めるものは、次に掲げる資産（主として趣味又は娯楽の用に供する目的で保有するものを除くものとし、当該資産のうちに**2**の(一)に規定する特定事業用資産に係る事業の用以外の用に供されていた部分があるときは、当該事業の用に供されていた部分に限るものとする。）とする。（措規23の8の8②）
(一)　所得税法施行令第6条《減価償却資産の範囲》第8号及び第9号に掲げる資産
(二)　自動車税又は軽自動車税において営業用の標準税率が適用される自動車以外の自動車で次に掲げるもの
　イ　自動車登録規則（昭和45年運輸省令第7号）別表第二の自動車の範囲欄の1、2、4及び6に掲げるもの
　ロ　道路運送車両法施行規則別表第二の四の自動車の用途による区分欄の1及び3に掲げるもの
　ハ　イ及びロ並びに(三)に掲げる自動車以外の自動車（当該自動車の取得価額が500万円を超える場合には、当該自動車の**1**の規定の適用に係る贈与の時における価額に500万円が当該自動車の取得価額のうちに占める割合を乗じて計算した金額に対応する部分に限る。）
(三)　地方税法第442条《軽自動車税に関する用語の意義》第4号に規定する原動機付自転車、同条第5号に規定する軽自動車（二輪のものに限る。）及び同条第6号に規定する小型特殊自動車（四輪以上のもののうち、乗用のもの及び営業用の標準税率が適用される貨物用のものを除く。）

（特定事業用資産である減価償却資産に該当するリース資産）
(15)　リース資産（所得税法第67条の2第1項《リース取引に係る所得の金額の計算》に規定するリース資産をいう。）であっても、当該リース資産の賃借人である贈与者が、地方税法第341条第4号《固定資産税に関する用語の意義》に規定する償却資産として同法第342条第3項《固定資産税の課税客体等》の規定に基づき同法第383条《固定資産の申告》、第394条《道府県知事又は総務大臣によって評価される固定資産の申告》又は第745条《道府県が課する固定資産税の賦課徴収等》の規定による償却資産の申告を行っているものについては、**2**の(一)のハに定める減価償却資産に該当することに留意する。（措通70の6の8－19）

（他の資産について個人の事業用資産についての相続税の納税猶予及び免除を受けようとする場合）
(16)　**1**の規定の適用を受けようとする者が**1**の規定の適用に係る贈与（贈与をした者の死亡により効力を生ずる贈与を除く。以下本章において同じ。）の時前に相続又は遺贈（贈与をした者の死亡により効力を生ずる贈与を含む。）により取得した**1**の規定の適用を受けようとする特定事業用資産に係る事業と同一の事業に係る他の資産について第三章第一節の**1**の規定の適用を受けようとする場合又は受けている場合における**2**の(二)の規定の適用については、**2**の(二)中「要件の」とあるのは、「要件（イ及びハを除く。）の」とする。（措規23の8の8③）

（財務省令で定めるもの）
(17)　**2**の(二)のロに規定する財務省令で定めるものは、中小企業における経営の承継の円滑化に関する法律（平成20年法律第33号）第12条第1項の認定（中小企業における経営の承継の円滑化に関する法律施行規則（平成21年経済産業省令第22号。以下「円滑化省令」という。）第6条第16項第7号又は第9号の事由に係るものに限る。）とする。（措規23の8の8④）

（3年以上事業に従事していたこと）
(18)　特定事業用資産の贈与を受けた受贈者が、**2**の(二)のハの3年以上特定事業用資産に係る事業（当該事業に準ずるものとして(19)に規定するものを含む。）に従事していたかどうかの判定は、次によることに留意する。（措通70の6の8－20）

－1022－

第一章　個人の事業用資産についての贈与税の納税猶予及び免除
（第一節　特例適用の要件）

（一）　当該受贈者が従事していた事業が(19)に規定する「特定事業用資産に係る事業と同種又は類似の事業」に該当するかどうかの判定は、日本標準産業分類（令和５年総務省告示第256号）に掲げる中分類（中分類がない場合には大分類）に基づき行う。

　　（注）　当該受贈者が従事していた事業が中分類上、特定事業用資産に係る事業と異なるものに分類される場合であっても、当該受贈者が当該事業において従事していた業務が、当該特定事業用資産に係る事業において行われる業務と同種又は類似のものであるときは、当該受贈者は特定事業用資産に係る事業に従事していた場合に該当することに留意する。

（二）　当該特定事業用資産に係る事業に必要な知識及び技能を習得するための高等学校、大学、高等専門学校その他の教育機関における修学期間は、上記の３年以上の期間に含まれる。

（三）　上記の３年以上の期間には、当該受贈者が学生、生徒又は給与所得者等として繁忙期及び休祭日等に当該特定事業用資産に係る事業に従事していた期間を含めても差し支えない。

　　（事業に準ずるものとして財務省令で定めるもの）

(19)　2の(二)のハに規定する事業に準ずるものとして財務省令で定めるものは、特定事業用資産に係る事業と同種又は類似の事業に係る業務（当該特定事業用資産に係る事業に必要な知識及び技能を習得するための学校教育法第１条に規定する高等学校、大学、高等専門学校その他の教育機関における修学を含む。）とする。（措規23の８の８⑤）

　　（財務省令で定める要件）

(20)　2の(二)のトに規定する財務省令で定める要件は、同(二)のトの個人が、円滑化省令第17条第１項の確認（同項第３号に係るものに限るものとし、円滑化省令第18条第７項の規定による変更の確認を受けたときは、その変更後のものとする。）を受けた者であることとする。（措規23の８の８⑥）

　　（贈与者が２人以上いる場合における納税猶予分の贈与税額の計算）

(21)　2の(二)に規定する特例事業受贈者に係る贈与者が２人以上いる場合における納税猶予分の贈与税額の計算においては、次に掲げる場合の区分に応じそれぞれに定める額を当該特例事業受贈者に係るその年分の贈与税の課税価格とみなす。（措令40の７の８⑪）

（一）　(二)に掲げる場合以外の場合　　当該特例事業受贈者がその年中において1の規定の適用に係る贈与により取得をした全ての特例受贈事業用資産の価額（2の(三)のイに規定する特例受贈事業用資産の価額をいう。(二)及び(23)の(一)のロにおいて同じ。）の合計額

（二）　1の規定の適用に係る贈与により取得をした特例受贈事業用資産が第三編第一章第一節二の（1）《相続時精算課税選択届出書に係る贈与財産の税額の計算》の規定の適用を受けるものである場合　　当該特例事業受贈者がその年中において取得をした特例受贈事業用資産の価額の特定贈与者（同二の（2）《相続時精算課税適用者が特定贈与者の推定相続人でなくなった場合》に規定する特定贈与者をいう。）ごとの額

　　（特例事業受贈者に係る贈与者が２人以上ある場合の納税猶予分の贈与税額の計算）

(22)　特例事業受贈者に係る贈与者が２人以上ある場合における納税猶予分の贈与税額の計算は、次の順により行うことに留意する。（措通70の６の８－27）

（一）　次に掲げる場合の区分に応じ、それぞれに掲げる額を当該特例事業受贈者に係るその年分の贈与税の課税価格とみなして、2の(三)の規定により計算する（(30)の規定による100円未満の端数処理は行わない。）。

　　イ　ロに掲げる場合以外の場合　　当該特例事業受贈者がその年中において特例対象贈与により取得をした全ての特例受贈事業用資産の価額（2の(三)のイに規定する特例受贈事業用資産の価額をいう。ロにおいて同じ。）の合計額

　　ロ　当該特例受贈事業用資産が第三編第一章第一節二の（1）（同節三、第八節（第七編第四章第九節において準用する場合を含む。）又は第三編第二章の1において準用する場合を含む。）の規定の適用を受けるものである場合　　当該特例受贈事業用資産に係る特例事業受贈者がその年中において特例対象贈与により取得をした全ての特例受贈事業用資産の価額を特定贈与者ごとに合計した額のそれぞれの額

　　　　（注）　その年中において特定贈与者から当該特例受贈事業用資産以外の財産の贈与がある場合における当該特例受贈事業用資産の価額から控除される相続時精算課税に係る基礎控除の額は、その年中において特例対象贈与により取得をした当該特例受贈事業用資産の価額を基礎として計算した金額ではなく、その年分の贈与税の課税価格（当該特例受贈事業用資産の価額及び当該特例受贈事業用資産以外の財産の価額の合計額）を基礎として計算した金額となることに留意する。

（二）　(23)の規定により、当該特例受贈事業用資産の上記(一)のイ及びロに掲げる場合の区分に応じ、当該特例受贈事業用資産に係る贈与者の異なるものごとの納税猶予分の贈与税額を計算する（(23)の規定による100円未満の端数処理を行う。）。

－1023－

第六編　個人の事業用資産に係る相続税・贈与税の納税猶予及び免除

（三）　上記（二）により算出されたそれぞれの納税猶予分の贈与税額の合計額が当該特例事業受贈者に係る納税猶予分の贈与税額となる。

（特例事業受贈者に係る贈与者の異なるものごとの納税猶予分の贈与税額）

（23）　（21）の場合において、特例事業受贈者に係る贈与者の異なるものごとの納税猶予分の贈与税額は、次の各号に掲げる場合の区分に応じ当該各号に定める金額とする。この場合において、当該金額に100円未満の端数があるとき、又はその全額が100円未満であるときは、その端数金額又はその全額を切り捨てる。（措令40の7の8⑫）

（一）　（21）の（一）に掲げる場合　　イに掲げる金額にロに掲げる割合を乗じて計算した金額

イ　（21）（（一）に係る部分に限る。）の規定を適用して計算した納税猶予分の贈与税額

ロ　特例受贈事業用資産に係る贈与者の異なるものごとの特例受贈事業用資産の価額が（21）の（一）に定めるその年分の贈与税の課税価格に占める割合

（二）　（21）の（二）に掲げる場合　　（21）（（二）に係る部分に限る。）の規定を適用して計算した納税猶予分の贈与税額

（特例事業受贈者に係る贈与者の異なるものごとの適用）

（24）　（21）の場合において、第五節の**1**、同節の**2**、第三節の**2**、第四節及び第六節の**1**から**4**までの規定は、特例事業受贈者に係る贈与者の異なるものごとに適用する。（措令40の7の8⑬）

（政令で定める価額）

（25）　**2**の（三）のイに規定する政令で定める価額は、（一）に掲げる金額から（二）に掲げる金額を控除した残額を特例受贈事業用資産の価額から控除した金額に相当する価額とする。（措令40の7の8⑧）

（一）　当該特例受贈事業用資産の贈与とともに引き受けた債務の金額

（二）　（一）の債務の金額のうち当該特例受贈事業用資産に係る事業に関するものと認められるもの以外の債務（当該事業に関するもの以外の債務であることが金銭の貸付けに係る消費貸借に関する契約書その他の書面により明らかにされているものに限る。）の金額

（債務の金額の意義）

（26）　**2**の（三）のイの債務は、その引き受けた時に現に存するものであって、確実と認められるものに限り、その金額は、当該債務を引き受けた時の現況による金額によることに留意する。（措通70の6の8－24）

（特例受贈事業用資産に係る事業に関するものと認められる債務の意義）

（27）　**2**の（三）に規定する納税猶予分の贈与税額（以下「納税猶予分の贈与税額」という。）の計算をする場合には、特例受贈事業用資産の贈与とともに引き受けた**2**の（三）のイの「特例受贈事業用資産に係る債務」を控除する必要があるのであるが、当該債務には、当該特例受贈事業用資産に係る事業に関するものと認められる債務のほか、当該事業に関するものと認められるもの以外の債務であることが金銭の貸付けに係る消費貸借に関する契約書その他の書面によって明らかにされない債務も含まれることに留意する。（措通70の6の8－25）

（注）　「当該事業に関するものと認められるもの以外の債務」は、例えば次に掲げるものが該当することに留意する。

（イ）　居住の用に供する家屋及びその敷地を取得するための資金に充てるための借入金（当該家屋及びその敷地に当該事業の用に供する部分がある場合において当該事業の用に供する部分を明らかに区分できるときにおける当該事業の用に供する部分以外の部分に対応する借入金を含む。）

（ロ）　教育に要する資金に充てるための借入金

（ハ）　当該事業の用に供しない自動車その他の資産の取得に要する資金に充てるための借入金

（特例受贈事業用資産が土地及び土地の上に存する権利並びに家屋及びその附属設備又は構築物である場合の価額）

（28）　（25）の特例受贈事業用資産が土地及び土地の上に存する権利並びに家屋及びその附属設備又は構築物である場合において（25）の価額を計算するときにおける（25）の特例受贈事業用資産の価額は、（25）の債務の引受けがないものとした場合における価額とする。（措令40の7の8⑨）

（債務の引受けがないものとされる場合）

（29）　（28）の規定により（25）の特例受贈事業用資産の価額が債務の引受けがないものとした場合における価額とされるのは、**2**の（三）の規定による納税猶予分の贈与税額の計算をする場合に限られるのであって、当該特例受贈事業用資産に係る特例対象贈与の日の属する年分の贈与税で**1**の贈与税の申告書の提出により納付すべきものの額の計算について

－1024－

第一章　個人の事業用資産についての贈与税の納税猶予及び免除
（第一節　特例適用の要件）

は、(28)の規定の適用はないことに留意する。（措通70の6の8－26）

(注)　(28)の規定が適用される場合には、平成元年3月29日付直評5、直資2－204「負担付贈与又は対価を伴う取引により取得した土地等及び家屋等に係る評価並びに相続税法第7条及び第9条の規定の適用について」の取扱いがないことに留意する。

（納税猶予分の贈与税額の端数処理）

(30)　**2**の(三)に規定する納税猶予分の贈与税額に100円未満の端数があるとき、又はその全額が100円未満であるときは、その端数金額又はその全額を切り捨てる。（措令40の7の8⑩）

（納税猶予の対象とならない資産保有型事業の意義）

(31)　**2**の(二)のへの要件を判定する場合において、特定事業用資産に係る事業が**2**の(四)に規定する資産保有型事業に該当するかどうかの判定は、特例対象贈与の日の属する年の前年1月1日から当該特例対象贈与に係る贈与税の申告期限までの間のいずれかの日において次の算式を満たすかどうかにより行うことに留意する。（措通70の6の8－21）

（算式）

$$\frac{B+C}{A+C} \geqq \frac{70}{100}$$

(注)1　上記算式中の符号は次のとおり。

A＝当該いずれかの日における当該事業に係る貸借対照表に計上されている総資産の帳簿価額の総額

B＝当該いずれかの日における当該事業に係る貸借対照表に計上されている特定資産（現金、預貯金その他の資産であって(34)に規定するものをいう。以下(37)において同じ。）の帳簿価額の合計額

C＝当該いずれかの日以前5年以内において特別関係者（特例事業受贈者と(35)に規定する特別の関係がある者をいう。以下(37)において同じ。）が当該特例事業受贈者から受けた**2**の(四)のハに規定する必要経費不算入対価等（以下(37)までにおいて「必要経費不算入対価等」という。）の合計額

2　上記算式中の金額の算定については、次の取扱いに留意する。

(イ)　上記Cの金額の算定に当たり、特定事業用資産に係る事業に従事したことその他の事由により特別関係者が支払を受けた対価又は給与の金額がある場合で、当該対価又は給与の金額が最初の特例対象贈与の時（当該贈与の時前に相続又は遺贈により取得をした当該事業と同一の事業に係る他の資産について第三章第一節の**1**の規定の適用を受けようとする場合又は受けている場合には、最初の同節の**1**の規定の適用に係る相続の開始の時。以下第五節の**1**の(4)において同じ。）前又は当該特例対象贈与の時以後のいずれに属するものか区分することができないときは、当該区分することができない金額を当該特例対象贈与の日の属する年の1月1日から当該特例対象贈与の日の前日までの日数と当該特例対象贈与の日からその年の12月31日までの日数がそれぞれその年の日数に占める割合によりあん分する。この場合において、あん分後の金額に1円未満の端数があるときは、その端数金額を切り捨てて差し支えない。なお、必要経費不算入対価等の意義については、(37)を参照。

(ロ)　上記算式による判定は特定事業用資産に係る事業について行うことから、特例事業受贈者が特定事業用資産に係る事業以外の事業（以下(31)において「特例対象外事業」という。）を行っている場合には、当該特例対象外事業の用に供される資産及び当該特例事業受贈者の特別関係者が当該特例対象外事業に従事したことその他の事由により支払を受けた対価又は給与の金額は、上記の算式に算入されない。

(ハ)　特例事業受贈者が一の贈与者から特例対象贈与により取得をした特定事業用資産に係る事業が2以上ある場合における上記算式中の各金額は、その2以上の事業の合計による。

3　特例事業受贈者の事業活動のために必要な資金の借入れを行ったことその他の(33)に規定する事由が生じたことにより、当該いずれかの日において当該特定事業用資産に係る事業が上記算式を満たした場合には、当該いずれかの日から同日以後6月を経過する日までの期間は、資産保有型事業の判定に係る上記の期間から除かれることに留意する。

（政令で定める期間）

(32)　**2**の(四)に規定する政令で定める期間は、**1**の規定の適用に係る特例受贈事業用資産の贈与の日の属する年の前年1月1日から特例事業受贈者の第五節の**2**に規定する猶予中贈与税額に相当する贈与税の全部につき**1**、第五節の**1**の、同節の**2**、第三節の**2**又は第四節の規定による納税の猶予に係る期限が確定する日までの期間とする。ただし、当該特例事業受贈者の事業活動のために必要な資金の借入れを行ったことその他の(33)の財務省令で定める事由が生じたことにより当該期間内のいずれかの日において当該特例受贈事業用資産に係る事業に係る貸借対照表に計上されている**2**の(四)のロに規定する特定資産の割合（同(四)のイ及びハに掲げる金額の合計額に対する同(四)のロ及びハに掲げる金額の合計額の割合をいう。）が100分の70以上となった場合には、当該事由が生じた日から同日以後6月を経過する日までの期間を除くものとする。（措令40の7の8⑭）

（財務省令で定める事由）

(33)　(32)に規定する財務省令で定める事由は、事業活動のために必要な資金を調達するための資金の借入れ、その事業の用に供していた資産の譲渡又は当該資産について生じた損害に基因した保険金の取得その他事業活動上生じた偶発的な事由でこれらに類するものとする。（措規23の8の8⑦）

第六編　個人の事業用資産に係る相続税・贈与税の納税猶予及び免除

　　　　（財務省令で定める資産）
(34)　**2**の(四)のロに規定する財務省令で定める資産は、円滑化省令第１条第29項第２号イからホまでに掲げるものとする。（措規23の８の８⑧）

　　　　（政令で定める特別の関係）
(35)　**2**の(四)のハに規定する当該個人と政令で定める特別の関係がある者は、次に掲げる者とする。（措令40の７の８⑮）
　（一）　当該個人の親族
　（二）　当該個人と婚姻の届出をしていないが事実上婚姻関係と同様の事情にある者
　（三）　当該個人の使用人
　（四）　当該個人から受ける金銭その他の資産によって生計を維持している者（(一)から(三)までに掲げる者を除く。）
　（五）　(二)から(四)までに掲げる者と生計を一にするこれらの者の親族
　（六）　次に掲げる会社
　　イ　当該個人（(一)から(五)までに掲げる者を含む。以下(六)において同じ。）が有する会社の株式等（株式又は出資をいう。以下本章において同じ。）に係る議決権の数の合計が、当該会社に係る総株主等議決権数（総株主（株主総会において決議をすることができる事項の全部につき議決権を行使することができない株主を除く。）又は総社員の議決権の総数をいう。ロ及びハにおいて同じ。）の100分の50を超える数である場合における当該会社
　　ロ　当該個人及びイに掲げる会社が有する他の会社の株式等に係る議決権の数の合計が、当該他の会社に係る総株主等議決権数の100分の50を超える数である場合における当該他の会社
　　ハ　当該個人及びイ又はロに掲げる会社が有する他の会社の株式等に係る議決権の数の合計が、当該他の会社に係る総株主等議決権数の100分の50を超える数である場合における当該他の会社

　　　　（必要経費に算入されないものとして政令で定めるもの）
(36)　**2**の(四)のハに規定する必要経費に算入されないものとして政令で定めるものは、同(四)のハの個人の特定事業用資産に係る事業に従事したことその他の事由により同(四)のハに規定する特別関係者が当該個人から支払を受けた対価又は給与（最初の**1**の規定の適用に係る贈与の時（当該贈与の時前に相続又は遺贈により取得した当該事業と同一の事業に係る他の資産について第三章第一節の**1**の規定の適用を受けようとする場合又は受けている場合には、最初の同**1**の規定の適用に係る相続の開始の時）前に受けたもの及び当該事業に従事したことにより当該個人の使用人（(35)の(一)又は(二)に掲げる者に該当するものを除く。）が支払を受けたものを除く。）の金額であって、所得税法第56条《事業から対価を受ける親族がある場合の必要経費の特例》又は第57条《事業に専従する親族がある場合の必要経費の特例等》の規定により当該個人の事業に係る同法第27条《事業所得》第２項に規定する事業所得の金額の計算上必要経費に算入されるもの以外のものとする。（措令40の７の８⑯）

　　　　（必要経費不算入対価等の意義）
(37)　必要経費不算入対価等の算定に当たっては、次によることに留意する。（措通70の６の８−23）
　（一）　特例事業受贈者の特別関係者が特定事業用資産に係る事業に従事したことその他の事由により当該特例事業受贈者から支払を受けた対価又は給与の金額は、所得税法第56条《事業から対価を受ける親族がある場合の必要経費の特例》又は第57条《事業に従事する親族がある場合の必要経費の特例等》の規定により当該事業に係る事業所得の金額の計算上、必要経費に算入されるもの以外のものについては必要経費不算入対価等に該当することから、特例事業受贈者と生計を一にする親族に該当しない特別関係者が当該事業から支払を受けた対価又は給与の金額は、当該事業に係る事業所得の金額の計算上、必要経費に算入されるものであっても、必要経費不算入対価等に該当することに留意する。
　（二）　当該特定事業用資産に係る事業に従事する当該特例事業受贈者の使用人（(35)の(一)又は(二)に掲げる者を除く。）が当該事業に従事したことにより支払を受けた対価又は給与は、(36)の規定により必要経費不算入対価等に該当しないことに留意する。

　　　　（納税猶予の対象とならない資産運用型事業の意義）
(38)　**2**の(二)のへの要件を判定する場合において、特定事業用資産に係る事業が**2**の(五)に規定する資産運用型事業に該当するかどうかの判定は、特例対象贈与の日の属する年の前年１月１日から当該特例対象贈与の日の属する年の12月31日までの間のいずれかの年において次の算式を満たすかどうかにより行うことに留意する。（措通70の６の８−22）

−1026−

第一章　個人の事業用資産についての贈与税の納税猶予及び免除
（第一節　特例適用の要件）

（算式）

$$\frac{B}{A} \geqq \frac{75}{100}$$

(注) 1　上記算式中の符号は次のとおり。

　　A＝当該いずれかの年における総収入金額

　　B＝当該いずれかの年における特定資産の運用収入の合計額

　2　特例事業受贈者の事業活動のために必要な資金を調達するために特定資産を譲渡したことその他の(40)に規定する事由が生じたことにより、当該いずれかの年において当該特定事業用資産に係る事業が上記算式を満たした場合には、当該いずれかの年の1月1日からその翌年12月31日までの期間は、資産運用型事業の判定に係る上記の期間から除かれることに留意する。

　3　(31)の(注)2は、資産運用型事業の判定を行う場合について準用する。

（政令で定める期間）

(39)　**2**の(五)に規定する政令で定める期間は、**1**の規定の適用に係る特例受贈事業用資産の贈与の日の属する年の前年1月1日から特例事業受贈者の猶予中贈与税額に相当する贈与税の全部につき**1**又は第五節の**1**、同節の**2**、第三節の**2**若しくは第四節の規定による納税の猶予に係る期限が確定する日の属する年の前年12月31日までの期間とする。ただし、当該特例事業受贈者の事業活動のために必要な資金を調達するために特定資産を譲渡したことその他の(40)の財務省令で定める事由が生じたことにより当該期間内のいずれかの年における所得税法第27条《事業所得》第1項に規定する事業所得に係る総収入金額に占める特定資産の運用収入の割合が100分の75以上となった場合には、その年1月1日からその翌年12月31日までの期間を除くものとする。（措令40の7の8⑰）

（財務省令で定める事由）

(40)　(39)に規定する財務省令で定める事由は、事業活動のために必要な資金を調達するための**2**の(四)のロに規定する特定資産の譲渡その他事業活動上生じた偶発的な事由でこれに類するものとする。（措規23の8の8⑨）

第六編　個人の事業用資産に係る相続税・贈与税の納税猶予及び免除

第二節　適用を受けるための手続

　第一節の1の規定は、同1の規定の適用を受けようとする特例事業受贈者のその贈与者から贈与により取得をした事業の用に供される資産に係る贈与税の申告書に、当該資産の全部若しくは一部につき同1の規定の適用を受けようとする旨の記載がない場合又は当該資産の明細及び納税猶予分の贈与税額の計算に関する明細その他（1）の財務省令で定める事項を記載した書類の添付がない場合には、適用しない。（措法70の6の8⑧）

（財務省令で定める事項を記載した書類）
（1）　第二節に規定する財務省令で定める事項を記載した書類は、次に掲げる書類（第一節の2の(16)の規定の適用がある場合には、（三）に掲げる書類を除く。）とする。（措規23の8の8⑭）
　（一）　第一節の1に規定する贈与者から同1の規定の適用に係る贈与により取得した次に掲げる特定事業用資産の区分に応じそれぞれ次に定める書類
　　イ　第一節の2の(一)のハに定める資産（同(一)のハに規定する償却資産に限る。）　　当該資産についての地方税法第393条《道府県知事又は総務大臣がする固定資産の価格等の納税者に対する通知》の規定による通知に係る通知書の写しその他の書類（同法第341条《固定資産税に関する用語の意義》第14号に規定する償却資産課税台帳に登録をされている次に掲げる事項が記載されたものに限る。）
　　　（1）　当該資産の所有者の住所及び氏名
　　　（2）　当該資産の所在、種類、数量及び価格
　　ロ　第一節の2の(一)のハに定める資産（自動車に限る。）並びに同2の(14)の(二)及び(三)に掲げる資産　　道路運送車両法第58条第1項の規定により交付を受けた自動車検査証（当該贈与の日において効力を有するものに限る。）の写し又は地方税法第20条の10《納税証明書の交付》の規定により交付を受けたこれらの資産に係る同条の証明書の写しその他の書類でこれらの資産が自動車税及び軽自動車税において営業用の標準税率が適用されていること又は第一節の2の(14)の(二)若しくは同(14)の(三)に掲げる資産に該当することを明らかにするもの
　　ハ　第一節の2の(14)の(一)に掲げる資産（所得税法施行令第6条《減価償却資産の範囲》第9号ロ及びハに掲げる資産に限る。）　　当該資産が所在する敷地が耕作の用に供されていることを証する書類
　（二）　第一節の1の規定の適用に係る贈与に係る契約書の写しその他の当該贈与の事実を明らかにする書類
　（三）　第一節の1の規定の適用に係る贈与により特定事業用資産を取得した者が当該贈与の日まで引き続き3年以上にわたり当該特定事業用資産に係る同節の2の(二)のハに規定する事業に従事していた旨及びその事実の詳細を記載した書類
　（四）　円滑化省令第7条第14項の認定書（円滑化省令第6条第16項第7号又は第9号の事由に係るものに限る。）の写し及び円滑化省令第7条第10項（同条第12項において準用する場合を含む。）の申請書の写し
　（五）　円滑化省令第17条第5項の確認書の写し及び同条第4項の申請書の写し
　（六）　第一節の1の規定の適用に係る贈与の日により特定事業用資産（同節の2の(一)のイ又はロに掲げるものに限る。以下(六)において同じ。）を取得した日の属する年中において、特例事業受贈者に係る贈与者から贈与により特定事業用資産を取得した他の同節の1の規定の適用を受けようとする者がいる場合には、当該特例事業受贈者が同節の1の規定の適用を受けるものの選択についてのその者の同意を証する書類
　（七）　特例受贈事業用資産の全部又は一部が贈与者の第六節の1（（三）に係る部分に限る。）の規定の適用に係る贈与（第三節の1の(4)の(五)及び第六節の1の(2)の(九)において「免除対象贈与」という。）により取得をしたものである場合には、第一節の1の(3)のそれぞれに掲げる場合の区分に応じ当該それぞれに定める者に当該特例受贈事業用資産の贈与をした者ごとの当該特例受贈事業用資産の明細及び当該贈与をした年月日を記載した書類
　（八）　その他参考となるべき書類

－1028－

第三節　納税猶予期間中の継続届出書の提出

1　継続届出書の提出

　第一節の1の規定の適用を受ける特例事業受贈者は、同1の規定の適用に係る贈与の日の属する年分の贈与税の申告書の提出期限の翌日から猶予中贈与税額に相当する贈与税の全部につき同1、第五節の1、同節の2、第三節の2又は第四節の規定による納税の猶予に係る期限が確定する日までの間に特例贈与報告基準日（特定申告期限の翌日から3年を経過するごとの日をいう。）が存する場合には、届出期限（当該特例贈与報告基準日の翌日から3月を経過する日をいう。第五節の6の（1）、本節の2及び同節の2の（1）において同じ。）までに、（1）の政令で定めるところにより引き続いて第一節の1の規定の適用を受けたい旨及び同1の特例受贈事業用資産に係る事業に関する事項を記載した届出書を納税地の所轄税務署長に提出しなければならない。（措法70の6の8⑨）

　（継続届出書の提出）
（1）　1の規定により提出する届出書には、引き続いて第一節の1の規定の適用を受けたい旨及び次に掲げる事項を記載し、かつ、（2）の財務省令で定める書類を添付しなければならない。（措令40の7の8㉘）
　（一）　特例事業受贈者の氏名及び住所
　（二）　贈与者から特例受贈事業用資産の取得をした年月日
　（三）　特例受贈事業用資産に係る事業の所在地
　（四）　当該届出書を提出する直前の1に規定する特例贈与報告基準日の属する年の前年以前の各年（当該特例贈与報告基準日の直前の特例贈与報告基準日の属する年の前年以前の各年を除く。）における第一節の1の事業に係る所得税法第27条《事業所得》第1項に規定する事業所得の総収入金額
　（五）　その他（4）の財務省令で定める事項

　（財務省令で定める書類）
（2）　（1）に規定する財務省令で定める書類は、特例受贈事業用資産に係る次に掲げる書類（第五節の4の規定の適用があった場合には、第七編第一章第三節の1の（2）及び（3）に規定する書類に準ずる書類）とする。（措規23の8の8⑮）
　（一）　その特例贈与報告基準日（1に規定する特例贈与報告基準日をいう。以下同じ。）における第二節の（1）の（一）に掲げる書類
　（二）　その特例贈与報告基準日（（4）及び（6）において「基準日」という。）の属する年の前年以前3年内の各年における当該特例受贈事業用資産に係る事業に係る次に掲げる書類（特例事業受贈者が営む事業が当該特例受贈事業用資産に係る事業のみである場合には、イに掲げる書類を除く。）
　イ　当該事業に係る貸借対照表及び損益計算書
　ロ　当該特例受贈事業用資産とその他の資産の内訳を記載した書類で当該特例受贈事業用資産がイの貸借対照表に計上されていることを明らかにするもの
　（三）　その他参考となるべき書類

　（特例受贈事業用資産に係る事業と別の事業を営んでいる場合に継続届出書に添付する貸借対照表等の意義）
（3）　第一節の1の規定の適用を受ける特例事業受贈者が同節の1の規定の適用を受ける特例受贈事業用資産に係る事業（以下（3）において「特例対象事業」という。）と別の事業を営んでいる場合には、1の規定により提出する届出書に添付すべき（2）の（二）のイに掲げる貸借対照表及び損益計算書は、当該別の事業と区分された当該特例対象事業に係る貸借対照表及び損益計算書をいうことに留意する。（措通70の6の8－51）
　（注）　特例事業受贈者が特例対象事業と別の事業を営んでいる場合には、第七節の（2）の規定により、それぞれの事業につき所得税法第148条第1項《青色申告者の帳簿書類》の規定による帳簿書類の備付け、記録又は保存を要することとされており、当該貸借対照表及び損益計算書は、当該帳簿書類に基づき作成することに留意する。

　（財務省令で定める事項）
（4）　（1）の（五）に規定する財務省令で定める事項は、次に掲げる事項（第五節の4の規定の適用があった場合には、第七編第四章第三節の1の（5）に規定する事項に準ずる事項）とする。（措規23の8の8⑯）
　（一）　基準日における第五節の2に規定する猶予中贈与税額

第六編　個人の事業用資産に係る相続税・贈与税の納税猶予及び免除

（二）　基準日において特例事業受贈者が有する特例受贈事業用資産の明細及び当該特例事業受贈者に係る贈与者の氏名

（三）　特例受贈事業用資産に係る事業に係る次に掲げる事項

イ　基準日の属する年の前年12月31日における第一節の2の(四)のイからハまでに掲げる額、これらの明細及び同(四)の割合

ロ　基準日の属する年の前年における第一節の2の(五)の総収入金額、運用収入の合計額、これらの明細及び同(五)の割合

ハ　基準日の直前の特例贈与報告基準日（当該基準日が最初の特例贈与報告基準日である場合には、第一節の1に規定する贈与税の申告書の提出期限。以下(4)において同じ。）の翌日から当該基準日までの間に第一節の2の(32)のただし書又は同2の(39)のただし書に規定する場合に該当することとなった場合には、次に掲げる事項

（1）　第一節の2の(32)のただし書又は同2の(39)のただし書に規定する事由の詳細及びこれらの事由の生じた年月日

（2）　第一節の2の(32)のただし書の割合を100分の70未満に減少させた事情又は同2の(39)のただし書の割合を100分の75未満に減少させた事情の詳細及びこれらの事情の生じた年月日

（四）　基準日の直前の特例贈与報告基準日の翌日から当該基準日までの間に特例事業受贈者につき第五節の2の規定により納税の猶予に係る期限が確定した猶予中贈与税額がある場合には、同2に該当した旨及び該当した日並びに当該猶予中贈与税額及びその計算の明細

（五）　基準日において特例事業受贈者が有する特例受贈事業用資産の全部又は一部が贈与者の免除対象贈与により取得をしたものである場合（当該基準日の直前の特例贈与報告基準日の翌日から当該基準日までの間に特例受贈事業用資産の明細につき変更があった場合に限る。）には、当該基準日における特例受贈事業用資産の明細

（六）　第六節の4の規定の適用を受けた場合（基準日の直前の特例贈与報告基準日の翌日から当該基準日までの間に同節の2の(5)の規定による再計算免除贈与税の額の通知があった場合に限る。）には、その旨、同節の4に規定する認可決定日及び同4に規定する再計算免除贈与税の額

（七）　その他参考となるべき事項

（継続届出書の提出期間）

（5）　1に規定する届出書は、1に規定する特例贈与報告基準日の翌日から3月を経過するごとの日までに提出しなければならないのであるが、その提出期間は、当該特例贈与報告基準日の翌日から当該3月を経過するごとの日までの期間として取り扱う。（措通70の6の8－50）

（注）　上記の「特例贈与報告基準日」とは、特定申告期限（特例事業受贈者の最初の特例対象贈与の日の属する年分の贈与税の申告書の提出期限又は最初の第三章第一節の1の規定の適用に係る相続に係る同節の1に規定する相続税の申告書の提出期限のいずれか早い日をいう。）の翌日から3年を経過するごとの日をいうことに留意する。

（期間の末日が基準日後に到来する場合）

（6）　第一節の2の(32)のただし書又は同2の(39)のただし書に規定する期間第五節の4の規定の適用があった場合には、第七編第一章第一節の2の(25)のただし書又は同2の(33)のただし書に規定する期間に準ずる期間の末日が基準日後に到来する場合には、1の届出書に(4)の(三)のハの(2)に掲げる事項（第五節の4の規定の適用があった場合には、第七編第一章第三節の1の(4)の(三)のニの②に掲げる事項に準ずる事項）を記載することを要しない。この場合において、特例事業受贈者は、当該期間の末日から2月を経過する日（同日が当該届出書に係る1に規定する届出期限前に到来する場合には、当該届出期限）までに次に掲げる事項（第五節の4の規定の適用があった場合には、第七編第一章第三節の1の(5)各号に掲げる事項に準ずる事項）を記載した書類を納税地の所轄税務署長に提出しなければならない。（措規23の8の8⑰）

（一）　特例事業受贈者の氏名及び住所

（二）　特例受贈事業用資産に係る事業の所在地

（三）　(4)の(三)のハの(2)に掲げる事項

2　継続届出書が提出されなかった場合

1の届出書が届出期限までに納税地の所轄税務署長に提出されない場合には、当該届出期限における猶予中贈与税額に相当する贈与税については、第一節の1の規定にかかわらず、当該届出期限の翌日から2月を経過する日をもって同1の規定による納税の猶予に係る期限とする。（措法70の6の8⑪）

－1030－

第一章　個人の事業用資産についての贈与税の納税猶予及び免除
（第三節　納税猶予期間中の継続届出書の提出）

（ゆうじょ規定）
（1）　　**1**又は第六節の**1**の届出書が届出期限又は免除届出期限までに提出されなかった場合においても、これらの規定に規定する税務署長がこれらの期限内にその提出がなかったことについてやむを得ない事情があると認める場合において、（2）の政令で定めるところによりこれらの届出書が当該税務署長に提出されたときは、**2**又は第六節の**1**の規定の適用については、これらの届出書がこれらの期限内に提出されたものとみなす。（措法70の6の8⑮）

（（1）の場合の届出書の提出等）
（2）　（1）の規定により提出する**1**又は第六節の**1**の届出書には、**1**の（1）又は第六節の**1**の（1）に規定する事項のほか、これらの届出書を**1**に規定する届出期限又は第六節の**1**に規定する免除届出期限までに提出することができなかった事情の詳細を記載し、かつ、**1**の（1）又は第六節の**1**の（1）に規定する財務省令で定める書類を添付しなければならない。（措令40の7の8㉜）

－1031－

第六編　個人の事業用資産に係る相続税・贈与税の納税猶予及び免除

第四節　担保の変更の命令に応じない場合等の納税猶予期限の繰上げ

　税務署長は、次に掲げる場合には、猶予中贈与税額に相当する贈与税に係る第一節の1の規定による納税の猶予に係る期限を繰り上げることができる。この場合においては、国税通則法第49条《納税の猶予の取消し》第2項及び第3項の規定を準用する。（措法70の6の8⑫）

（一）　第一節の1の規定の適用を受ける特例事業受贈者が同1に規定する担保について国税通則法第51条《担保の変更等》第1項の規定による命令に応じない場合

（二）　同1の規定の適用を受ける特例事業受贈者から提出された第三節の1の届出書に記載された事項と相違する事実が判明した場合

　　　（増担保命令等に応じない場合の納税猶予の期限の繰上げ）

（1）　第四節の規定により、増担保命令等に応じないため納税猶予の期限を繰り上げる場合には、担保不足に対応する納税猶予に係る税額だけでなく、猶予中贈与税額の全額について納税猶予の期限を繰り上げることに留意する。（措通70の6の8－52）

－1032－

第五節　納税猶予の打切り

1　納税猶予の打切り

　第一節の 1 の規定の適用を受ける特例事業受贈者、同 1 の特例受贈事業用資産又は当該特例受贈事業用資産に係る事業について次に掲げる場合のいずれかに該当することとなった場合には、同 1 の規定にかかわらず、それぞれに定める日から 2 月を経過する日をもって同 1 の規定による納税の猶予に係る期限とする。（措法70の 6 の 8 ③）

（一）　当該特例事業受贈者が当該事業を廃止した場合又は当該特例事業受贈者について破産手続開始の決定があった場合　その事業を廃止した日又はその決定があった日

（二）　当該事業が資産保有型事業、資産運用型事業又は風俗営業等の規制及び業務の適正化等に関する法律第 2 条第 5 項に規定する性風俗関連特殊営業のいずれかに該当することとなった場合　その該当することとなった日

（三）　当該特例事業受贈者のその年の当該事業に係る事業所得の総収入金額が零となった場合　その年の12月31日

（四）　当該特例受贈事業用資産の全てが当該特例事業受贈者のその年の事業所得に係る青色申告書の貸借対照表に計上されなくなった場合　その年の12月31日

（五）　当該特例事業受贈者が所得税法第150条《青色申告の承認の取消し》第 1 項の規定により同法第143条《青色申告》の承認を取り消された場合又は同法第151条《青色申告の取りやめ等》第 1 項の規定による青色申告書の提出をやめる旨の届出書を提出した場合　その承認が取り消された日又はその届出書の提出があった日

（六）　当該特例事業受贈者が第一節の 1 の規定の適用を受けることをやめる旨を記載した届出書を納税地の所轄税務署長に提出した場合　その届出書の提出があった日

　　　（事業を廃止した場合の意義）
（ 1 ）　1 の（一）の「事業を廃止した場合」とは、特例受贈事業用資産に係る事業の全てを廃止した場合をいうのであって、次に掲げる場合は、1 の（一）の「事業を廃止した場合」に該当しないことに留意する。（措通70の 6 の 8 －28）

（一）　特例受贈事業用資産に係る事業が 2 以上ある場合において、そのうちの一部の事業を廃止したとき

（二）　特例受贈事業用資産に係る事業を他の事業（第一節の 2 の（一）に規定する事業に限る。）に転業した場合

（三）　災害、疾病等のためやむを得ず一時的に当該事業を休止した場合

（注）　上記の場合に該当したことに伴い、特例事業受贈者の事業の用に供されなくなった特例受贈事業用資産があるときは、当該特例受贈事業用資産に係る猶予中贈与税額（2 に規定する猶予中贈与税額をいう。以下同じ。）に相当する贈与税については、2 の規定に基づき、納税猶予の期限が到来することに留意する。

　　　（確定事由となる資産保有型事業又は資産運用型事業の意義）
（ 2 ）　1 の（二）の要件を判定する場合には、第一節の 2 の（31）《納税猶予の対象とならない資産保有型事業の意義》及び同 2 の（38）《納税猶予の対象とならない資産運用型事業の意義》を準用する。

　　　この場合において、同 2 の（31）中「特例対象贈与の日の属する年の前年 1 月 1 日」とあるのは「贈与税の申告期限の翌日」と、「贈与税の申告期限」とあるのは「第五節の 2 に規定する猶予中贈与税額に相当する贈与税の全部につき納税の猶予に係る期限が確定する日」と、同 2 の（38）中「特例対象贈与の日の属する年の前年 1 月 1 日」とあるのは「贈与税の申告期限の翌日」と、「の日の属する年の12月31日」とあるのは「に係る第五節の 2 に規定する猶予中贈与税額に相当する贈与税の全部につき納税の猶予に係る期限が確定する日の属する年の前年12月31日」となることに留意する。（措通70の 6 の 8 －29）

（注）　特例事業受贈者が 3 の承認を受けた場合には、同項の譲渡があった日から同日以後 1 年を経過する日又は 3 の（三）の取得の日のいずれか早い日までの間は、3 の譲渡の対価の額に相当する金銭は、特定資産に該当しないことに留意する。

　　　（性風俗関連特殊営業に該当することとなった日の意義）
（ 3 ）　1 の（二）の風俗営業等の規制及び業務の適正化等に関する法律（昭和23年法律第122号）第 2 条第 5 項《用語の意義》に規定する性風俗関連特殊営業に「該当することとなった日」とは、同法第27条第 1 項、第31条の 2 第 1 項、第31条の 7 第 1 項、第31条の12第 1 項又は第31条の17第 1 項《営業等の届出》の届出書を提出した日とする。（措通70の 6 の 8 －30）

　　　（事業所得の総収入金額が零となった場合）
（ 4 ）　1 の（三）の「当該事業に係る事業所得の総収入金額が零となった場合」の判定を行う場合には、次によることに留

－1033－

第六編　個人の事業用資産に係る相続税・贈与税の納税猶予及び免除

意する。（措通70の6の8－31）

（一）　特例事業受贈者が一の贈与者から特例対象贈与により取得をした特例受贈事業用資産に係る事業が2以上ある場合には、その2以上の事業の合計額により行う。

（二）　特例事業受贈者が特例受贈事業用資産に係る事業と別の事業を営んでいる場合には、当該別の事業に係る総収入金額は、上記の判定に含まれない。

（特例事業受贈者が個人の事業用資産についての納税猶予の適用を取りやめる場合の期限）

（5）　1の（六）の規定に該当することによる納税の猶予に係る期限は、第一節の1の規定の適用を受けている特例事業受贈者から第一節の1の規定の適用を受けることをやめる旨の届出書の提出があった日から2月を経過する日（当該届出書の提出があった日から当該2月を経過する日までの間に当該特例事業受贈者が死亡した場合には、当該特例事業受贈者の相続人（包括受遺者を含む。）が当該特例事業受贈者の死亡による相続の開始があったことを知った日の翌日から6月を経過する日）となることから、当該納税猶予に係る贈与税の額及び当該贈与税の額に係る利子税の額の納付の有無に関わらず、当該2月を経過する日に確定することに留意する。（措通70の6の8－32）

（贈与者が2以上ある場合の全部確定事由の判定）

（6）　特例事業受贈者に係る贈与者が2以上ある場合における1のそれぞれに掲げる場合に該当するかどうかの判定は、贈与者の異なるものごとに行うことに留意する。（措通70の6の8－33）

2　納税猶予税額の一部確定

　第一節の1の規定の適用を受ける特例受贈事業用資産の全部又は一部が特例事業受贈者の事業の用に供されなくなった場合（1の（一）から（六）に掲げる場合及び当該事業の用に供することが困難になった場合として（2）の政令で定める場合を除く。）には、納税猶予分の贈与税額（既に2の規定の適用があった場合には、2の規定の適用があった特例受贈事業用資産の価額に対応するものとして（6）の政令で定めるところにより計算した金額を除く。以下本章及び第三章第一節の1において「**猶予中贈与税額**」という。）のうち、当該事業の用に供されなくなった部分に対応する部分の額として（7）の政令で定めるところにより計算した金額に相当する贈与税については、第一節の1の規定にかかわらず、当該事業の用に供されなくなった日から2月を経過する日をもって同1の規定による納税の猶予に係る期限とする。（措法70の6の8④）

（特例受贈事業用資産の譲渡等の判定）

（1）　2又は3の規定を適用する場合における特例受贈事業用資産の譲渡又は贈与（以下「譲渡等」という。）があったかどうかの判定は、（9）及び（10）の規定により行うことに留意する。（措通70の6の8－34）

（注）　なお、特例受贈事業用資産を第六節の1の（三）の規定による贈与をしたかどうかの判定についても上記により行うことに留意する。

（事業の用に供することが困難になった場合）

（2）　2に規定する事業の用に供することが困難になった場合として政令で定める場合は、特例受贈事業用資産の陳腐化、腐食、損耗その他これらに準ずる事由により当該特例受贈事業用資産を廃棄した場合とする。この場合において、当該特例受贈事業用資産の全部又は一部の廃棄をした特例事業受贈者は、次に掲げる事項を記載した届出書に当該廃棄をしたことが確認できる書類として（3）の財務省令で定める書類を添付し、これを当該廃棄をした日から2月以内に納税地の所轄税務署長に提出しなければならない。（措令40の7の8⑱）

（一）　当該特例事業受贈者の氏名及び住所

（二）　当該廃棄をした特例受贈事業用資産の明細及び当該特例受贈事業用資産の贈与者からの贈与の時における価額

（三）　当該特例受贈事業用資産の廃棄の委託をした場合には、当該委託を受けた事業者の氏名又は名称及び住所又は事業所の所在地

（四）　その他参考となるべき事項

（財務省令で定める書類）

（3）　（2）に規定する財務省令で定める書類は、第一節の1に規定する特例受贈事業用資産の次に掲げる場合の区分に応じそれぞれに定める書類とする。（措規23の8の8⑩）

（一）　特例受贈事業用資産の廃棄を委託した場合　　当該特例受贈事業用資産の廃棄に要した費用の支出に係る領収書の写し並びに廃棄の委託を受けた事業者が交付する書類の写しで当該委託に係る特例受贈事業用資産の明細及び第一節の2の（二）に規定する特例事業受贈者が当該事業者に当該特例受贈事業用資産の廃棄を委託した旨が記載されてい

－1034－

第一章　個人の事業用資産についての贈与税の納税猶予及び免除
（第五節　納税猶予の打切り）

　るもの

（二）　特例受贈事業用資産の廃棄を委託しない場合　　当該特例受贈事業用資産の廃棄に要した機具の明細、当該機具
　　に係る賃借料その他廃棄の方法の詳細を記載した書類

　　　（廃棄に係る届出書が届出期限までに提出されない場合等）

（４）　特例事業受贈者が（２）の規定の適用を受けようとする場合には、（２）に規定する期限（以下（４）において「届出期
　　限」という。）までに（２）に規定する届出書を納税地の所轄税務署長に提出しなければ、（２）の規定の適用はないことに
　　留意する。

　　当該届出書を届出期限までに提出しない場合には、（２）の廃棄をした特例受贈事業用資産に係る猶予中贈与税額に相
　　当する贈与税については **2** の事業の用に供されなくなった日から２月を経過する日（当該事業の用に供されなくなった
　　日から当該２月を経過する日までの間に当該特例事業受贈者が死亡した場合には、当該特例事業受贈者の相続人（包括
　　受遺者を含む。）が当該特例事業受贈者の死亡による相続の開始があったことを知った日の翌日から６月を経過する日）
　　に納税の猶予に係る期限が到来することに留意する。（措通70の６の８－36）

　（注）　届出期限までに（２）に規定する届出書の提出がなかった場合のゆうじょ規定は設けられていない。

　　　（特例受贈事業用資産の処分によって得た対価がある場合）

（５）　（２）の事由により特例受贈事業用資産を処分した場合において、その処分によって得た対価があるとき（その処分
　　に要した費用の額がある場合には、当該対価の額が当該費用の額を超えるときに限る。）は、当該特例受贈事業用資産の
　　処分は（２）の廃棄に該当しないことに留意する。（措通70の６の８－37）

　（注）　特例受贈事業用資産の処分によって得た対価がある場合における当該処分は、**3** の「特例受贈事業用資産の譲渡」に該当することに留意す
　　　る。

　　　（特例受贈事業用資産の価額に対応するものとして計算した金額）

（６）　**2** に規定する特例受贈事業用資産の価額に対応するものとして政令で定めるところにより計算した金額は、第一節
　　の **1** の規定の適用を受ける特例事業受贈者に係る納税猶予分の贈与税額のうち **2** に規定する場合に該当したことにより
　　納税の猶予に係る期限が確定したものの合計額とする。（措令40の７の８⑲）

　　　（事業の用に供されなくなった部分に対応する部分の額として計算した金額）

（７）　**2** に規定する事業の用に供されなくなった部分に対応する部分の額として政令で定めるところにより計算した金額
　　は、当該事業の用に供されなくなった時の直前における納税猶予分の贈与税額（既に **2** に規定する場合に該当したこと
　　により納税の猶予に係る期限が確定した贈与税の金額を除く。）に、（一）に掲げる金額が（二）に掲げる金額に占める割合
　　を乗じて計算した金額とする。この場合において、当該計算した金額に100円未満の端数があるとき、又はその全額が100
　　円未満であるときは、その端数金額又はその全額を切り捨てる。（措令40の７の８⑳）

（一）　当該事業の用に供されなくなった特例受贈事業用資産の第一節の **1** の規定の適用に係る贈与の時における価額

（二）　当該事業の用に供されなくなった時の直前において当該事業の用に供されていた全ての特例受贈事業用資産の第
　　一節の **1** の規定の適用に係る贈与の時における価額

　　　（納税猶予税額の一部について納税猶予の期限が確定する場合の贈与税の額の計算）

（８）　**2** の規定により納税猶予税額の一部について、納税猶予の期限が確定する場合における贈与税の額の計算は、**2** の
　　規定に該当する直前の猶予中贈与税額に、次に定める割合を乗ずることにより行うことに留意する。

　　なお、これにより算出された金額に100円未満の端数があるとき又はその全額が100円未満であるときは、その端数金
　　額又はその全額を切り捨て、その切り捨てた金額は、納税猶予税額として残ることに留意する。（措通70の６の８－35）

$$\frac{\text{事業の用に供されなくなった特例受贈事業用資産の第一節の } \mathbf{1} \text{ の規定の適用に係る贈与の時における価額}}{\text{当該事業の用に供されなくなった時の直前において当該事業の用に供されていた全ての特例受贈事業用資産の第一節の } \mathbf{1} \text{ の規定の適用に係る贈与の時における価額}}$$

　（注）１　「当該事業の用に供されなくなった時の直前において当該事業の用に供されていた全ての特例受贈事業用資産」には、（２）の届出に係る
　　　　　　特例受贈事業用資産が含まれることに留意する。

　　　　２　「事業の用に供されなくなった特例受贈事業用資産」には、災害、疾病等のためやむを得ず一時的に当該事業の用に供されていない特例
　　　　　　受贈事業用資産は含まれないことに留意する。

　　　　３　第六節の **4** の規定の適用を受けた場合における上記算式中の「贈与の時における価額」は、同 **4** に規定する認可決定日における価額とな

第六編　個人の事業用資産に係る相続税・贈与税の納税猶予及び免除

ることに留意する。

　　　（対象事業用資産以外の資産の譲渡又は贈与をしたときのみなし規定）
（９）　特例事業受贈者が対象事業用資産（特例受贈事業用資産及び第三章第一節の**１**に規定する特例事業用資産をいう。以下（９）及び（10）において同じ。）以外の当該特例事業受贈者の事業の用に供されている資産（第一節の**２**の（一）のイ若しくはロに掲げる資産又は同（一）のハに定める資産に限る。）を有する場合において、当該資産の譲渡又は贈与をしたとき（第六節の**１**（（三）に係る部分に限る。）の規定の適用に係る贈与をしたときを除く。）は、**２**の規定の適用については、当該対象事業用資産以外の資産から先に譲渡又は贈与をしたものとみなし、第六節の**１**（（三）に係る部分に限る。）の規定の適用に係る贈与をしたときは、**２**及び第六節の**１**（（三）に係る部分に限る。）の規定の適用については、当該対象事業用資産から先に当該贈与をしたものとみなす。（措令40の７の８⑩）

　　　（対象事業用資産の譲渡等の順序）
（10）　特例事業受贈者が対象事業用資産の譲渡又は贈与をした場合における**２**及び第六節の**１**（（三）に係る部分に限る。）の規定の適用については、当該対象事業用資産のうち先に取得したもの（当該先に取得したものが第六節の**１**（（三）に係る部分に限る。）の規定の適用に係る贈与により取得した特例受贈事業用資産である場合には、当該特例受贈事業用資産のうち先に第一節の**１**の規定の適用を受けた他の特例事業受贈者に係るもの）から順次譲渡又は贈与をしたものとみなす。（措令40の７の８㊶）

３　特例受贈事業用資産の譲渡である場合の納税猶予税額の一部確定

　　２の場合において、**２**の事業の用に供されなくなった事由が特例受贈事業用資産の譲渡であるときは、当該譲渡があった日から１年以内に当該譲渡の対価の額の全部又は一部をもって特例事業受贈者の事業の用に供される資産（第一節の**２**の（一）のイ若しくはロに掲げる資産又は同（一）のハに定める資産に限る。）を取得する見込みであることにつき、（１）の政令で定めるところにより、納税地の所轄税務署長の承認を受けたときにおける**２**の規定の適用については、次に定めるところによる。（措法70の６の８⑤）

（一）　当該承認に係る特例受贈事業用資産は、（三）の取得の日まで当該特例事業受贈者の事業の用に供されていたものとみなす。

（二）　当該譲渡があった日から１年を経過する日において、当該承認に係る譲渡の対価の額の全部又は一部が当該事業の用に供される資産の取得に充てられていない場合には、当該譲渡に係る特例受贈事業用資産のうちその充てられていないものに対応するものとして（８）の政令で定める部分は、同日において当該事業の用に供されなくなったものとみなす。

（三）　当該譲渡があった日から１年を経過する日までに当該承認に係る譲渡の対価の額の全部又は一部が当該事業の用に供される資産の取得に充てられた場合には、当該取得をした資産は、第一節の**１**の規定の適用を受ける特例受贈事業用資産とみなす。

　　　（税務署長の承認を受けようとする場合）
（１）　**３**の税務署長の承認を受けようとする特例事業受贈者は、**３**の譲渡に係る特例受贈事業用資産について**３**の規定の適用を受けようとする旨及び次に掲げる事項を記載した申請書を当該譲渡があった日から１月以内に納税地の所轄税務署長に提出しなければならない。（措令40の７の８㉑）

　（一）　申請者の氏名及び住所
　（二）　当該譲渡に係る特例受贈事業用資産の明細、当該特例受贈事業用資産の贈与者からの贈与の時における価額及び当該譲渡の対価の額
　（三）　当該譲渡があった日から１年以内に**３**の事業の用に供される資産に該当することとなる見込みのある資産の明細、取得予定年月日及び取得価額の見積額
　（四）　その他参考となるべき事項

　　　（買換承認に係る申請書が申請期限までに提出されない場合等）
（２）　特例事業受贈者が**３**の規定の適用を受けようとする場合には、（１）に規定する期限（以下（２）において「申請期限」という。）までに（１）に規定する申請書（以下（２）において「承認申請書」という。）を納税地の所轄税務署長に提出しなければ、**３**の規定の適用はないことに留意する。

　　　当該申請書を申請期限までに提出しない場合には、**３**の譲渡をした特例受贈事業用資産に係る猶予中贈与税額に相当する贈与税については当該譲渡があった日から２月を経過する日（当該譲渡があった日から当該２月を経過する日まで

－1036－

第一章　個人の事業用資産についての贈与税の納税猶予及び免除
（第五節　納税猶予の打切り）

の間に当該特例事業受贈者が死亡した場合には、当該特例事業受贈者の相続人（包括受遺者を含む。）が当該特例事業受
贈者の死亡による相続の開始があったことを知った日の翌日から６月を経過する日）に納税の猶予に係る期限が到来す
ることに留意する。（措通70の６の８－38）

（注）１　申請期限までに（１）に規定する申請書の提出がなかった場合のゆうじょ規定は設けられていない。

　　　２　「譲渡があった日」とは、当該特例受贈事業用資産の引渡しがあった日をいうことに留意する。

　　　　　ただし、当該特例事業受贈者が３の規定の適用を受けようとする場合において、当該特例受贈事業用資産の譲渡に関する契約の締結され
　　　　た日をもって当該譲渡があった日とする承認申請書が提出されたときは、当該契約の締結された日をもって「譲渡があった日」として取り
　　　　扱って差し支えない（以下（４）までにおいて同じ。）。

　　　３　特例受贈事業用資産について交換、換地処分又は権利変換が行われた場合で、当該交換、換地処分又は権利変換が所得税法又は措置法の
　　　　規定により所得税の課税上譲渡がなかったものとみなされたときであっても、当該交換、換地処分又は権利変換は、３の譲渡に該当するこ
　　　　とから、当該交換、換地処分又は権利変換により取得した資産について３の規定の適用を受けようとする場合には、申請期限までに承認申
　　　　請書の提出を要することに留意する。

（申請の承認に係るみなし規定）

（３）　（１）の規定による申請書の提出があった場合において、その提出があった日から１月以内に当該申請の承認又は却
　　下の処分がなかったときは、当該申請の承認があったものとみなす。（措令40の７の８㉒）

（特例受贈事業用資産の譲渡の対価の額の意義）

（４）　３の納税地の所轄税務署長の承認（以下（９）までにおいて「買換承認」という。）に係る特例受贈事業用資産の「譲
　　渡の対価の額」は、買換承認を受けた特例事業受贈者の次に掲げる区分に応じ、それぞれに定める価額をいうことに留
　　意する。（措通70の６の８－39）

　（一）　当該特例事業受贈者が（三）に掲げる者以外の者である場合において税抜経理方式を適用しているとき　　　当該特
　　　例受贈事業用資産に係る税抜価額

　（二）　当該特例事業受贈者が（三）に掲げる者以外の者である場合において税込経理方式を適用しているとき　　　当該特
　　　例受贈事業用資産に係る税込価額

　（三）　当該特例事業受贈者が免税事業者等である場合　　　当該特例受贈事業用資産の実際の譲渡価額

（注）１　「税抜経理方式」とは、平成元年３月29日付直所３－８、直資３－６「消費税法等の施行に伴う所得税の取扱いについて」（以下（４）にお
　　　　いて「取扱い通達」という。）１（５）《用語の意義》に定めるものをいい、「税抜価額」とは、消費税の額及び地方消費税の額を含まない取
　　　　引の対価の額をいうことに留意する。

　　　２　「税込経理方式」とは、取扱い通達１（６）に定めるものをいい、「税込価額」とは、消費税の額及び地方消費税の額を含んだ取引の対価の
　　　　額をいうことに留意する。

　　　３　「免税事業者等」とは、取扱い通達５《免税事業者等の消費税の処理》の消費税の納税義務が免除されている個人事業者（取扱い通達５（注）
　　　　の個人事業者を含む。）をいうことに留意する。

（買換資産の取得の意義等）

（５）　３に規定する特例事業受贈者の事業の用に供される資産（以下（９）までにおいて「買換資産」という。）の取得に
　　ついては、次の取扱いに留意する。（措通70の６の８－40）

　（一）　３に規定する特例事業受贈者の事業の用に供される資産（以下（９）までにおいて「買換資産」という。）の取得に
　　　は、購入による取得のほか、自己の建設、製作又は製造（以下（５）において「建設等」という。）に係る資産の建設等
　　　による取得、自己が生育させた所得税法施行令第６条第９号イ《減価償却資産の範囲》に掲げる生物の生育による取
　　　得並びに自己が成熟させた同号ロ及びハに掲げる生物の成熟による取得が含まれる。

（注）　３の（二）又は（三）の１年を経過する日において資産の建設等、生育又は成熟が完了していないときには、同日までに買換資産の取得が行わ
　　　れていないことから、当該資産の建設等、生育又は成熟に要する費用に充てられた同項の特例受贈事業用資産の譲渡の対価の額の全部が、３
　　　の（二）の買換資産の取得に充てられていないものに該当することに留意する。

　（二）　特例受贈事業用資産の譲渡があった日前に買換資産の取得が行われた場合においては、その取得に関する契約が
　　　譲渡に関する契約があった日以後に行われていると認められるときに限り、３の規定の適用があるものとして取り扱
　　　う。

（仲介料、登記費用等の費用）

（６）　３の規定による買換承認を受けている場合において３に規定する特例受贈事業用資産の譲渡又は買換資産の取得に
　　要した仲介料、登記費用等の費用があるときは、次によることに留意する。（措通70の６の８－41）

　（一）　３に規定する特例受贈事業用資産の譲渡について仲介料、登記費用等の費用を要した場合には、当該譲渡の対価
　　　の額から当該譲渡に要した費用の額を控除した金額をもって３の（二）及び（三）に規定する「譲渡の対価の額」とする。

－1037－

第六編　個人の事業用資産に係る相続税・贈与税の納税猶予及び免除

（二）　買換資産の取得について仲介料、登記費用等の費用を要した場合には、当該費用の額は、当該買換資産の取得に充てられたものとする。

（注）　上記の費用の額については、（４）《特例受贈事業用資産の譲渡の対価の額の意義》を準用する。

（特例受贈事業用資産とみなされる買換資産の意義）

（７）　買換承認に係る譲渡の対価の額を充てて取得をした買換資産は、**3**の（三）の規定により、第一節の**1**の規定の適用を受ける特例受贈事業用資産とみなされることから、当該譲渡の対価の額を充てて取得をした一の資産の取得価額が当該譲渡の対価の額を超える場合においても、その取得をした当該一の資産が同**1**の規定の適用を受ける特例受贈事業用資産に該当することに留意する。（措通70の６の８－42）

（注）1　当該譲渡の対価の額を充てて取得をした資産が宅地等である場合において、当該宅地等の分筆等により、当該宅地等のうち当該譲渡の対価の額を充てて取得した部分が特定されているときは、当該宅地等のうちその特定された部分が買換資産に該当することに留意する。

この場合において、当該譲渡の対価の額を充てて取得した宅地等の部分の面積については、次の算式により計算した面積によることに留意する。

（算式）

$$A \times \frac{C}{B}$$

（注）　上記算式中の符号は次のとおり。

A＝取得した宅地等の面積

B＝取得した宅地等の取得価額

C＝譲渡をした特例受贈事業用資産の対価の額

2　上記（注）1の「宅地等の取得価額」及び「特例受贈事業用資産の対価の額」については、（４）及び（６）の取扱いに留意する。

（事業の用に供される資産の取得に充てられなかったものに対応する部分）

（８）　**3**の（二）に規定する政令で定める部分は、同（二）の譲渡に係る特例受贈事業用資産のうち、当該譲渡の対価で当該譲渡があった日から１年を経過する日までに同（二）の事業の用に供される資産の取得に充てられなかったものの額が当該譲渡の対価の額のうちに占める割合を、当該譲渡に係る特例受贈事業用資産の贈与者からの贈与の時における価額に乗じて計算した金額に相当する部分とする。（措令40の７の８㉓）

（譲渡の対価の額の全部又は一部が買換資産の取得に充てられていない場合における事業の用に供されなくなった部分の計算）

（９）　**3**の（二）の規定により、**3**の（二）の「当該譲渡があった日から１年を経過する日」において特例事業受贈者の事業の用に供されなくなったものとみなされる買換承認に係る特例受贈事業用資産の部分は、次の算式により計算した部分によることに留意する。（措通70の６の８－44）

（算式）

$$A \times \frac{B-C}{B}$$

（注）1　上記算式中の符号は次のとおり。

A＝買換承認に係る特例受贈事業用資産の第一節の**1**の規定の適用に係る贈与の時における価額

B＝買換承認に係る特例受贈事業用資産の譲渡の対価の額

C＝買換資産の取得価額

2　第六節の**4**の規定の適用を受けた場合における上記Aの「贈与の時における価額」は、同**4**に規定する認可決定日における価額となることに留意する。

3　上記Bの「譲渡の対価の額」及びCの「取得価額」については、（４）及び（６）の取扱いに留意する。

（特定資産に該当しない譲渡の対価の額）

（10）　特例事業受贈者が**3**の承認を受けた場合には、**3**の譲渡があった日から同日以後１年を経過する日又は**3**の（三）の取得の日のいずれか早い日までの間は、**3**の譲渡の対価の額に相当する金銭は、特定資産に該当しないものとみなす。（措令40の７の８㉔）

（特例受贈事業用資産の贈与の時における価額）

（11）　特例受贈事業用資産が**3**（（三）に係る部分に限る。）の規定により第一節の**1**の規定の適用を受ける特例受贈事業用資産とみなされたものである場合又は特例受贈事業用資産について第六節の**4**の規定の適用があった場合には、**2**の

－1038－

第一章　個人の事業用資産についての贈与税の納税猶予及び免除
（第五節　納税猶予の打切り）

（２）の（二）、２の（７）の（一）及び（二）、３の（１）の（二）、３の（８）、４の（１）の（二）並びに第六節の１の（５）の特例受贈事業用資産の贈与の時における価額は、それぞれ、第一節の１の規定の適用に係る贈与により取得した特例受贈事業用資産で３の規定による承認に係る譲渡があったものの当該贈与の時における価額のうち３の規定により第一節の１の特例受贈事業用資産とみなされたものの価額に対応する部分の金額として(12)の財務省令で定めるところにより計算した金額又は特例受贈事業用資産の第六節の４に規定する認可決定日における価額とする。（措令40の７の８㉛）

（財務省令で定めるところにより計算した金額）
(12)　(11)に規定する財務省令で定めるところにより計算した金額は、贈与者から第一節の１の規定の適用に係る贈与により取得した特例受贈事業用資産で３の規定による承認に係る譲渡があつたものの当該贈与の時における価額（既に当該特例受贈事業用資産が３の（三）の規定により第一節の１の規定の適用を受ける特例受贈事業用資産とみなされたものである場合には、(12)の規定により計算した金額）に、当該譲渡の対価で当該譲渡があった日から１年を経過する日までに特例事業受贈者の事業の用に供される資産の取得に充てられたものの額が当該譲渡の対価の額のうちに占める割合を乗じて計算した金額とする。（措規23の８の８㉒）

（書類の記載事項）
(13)　特例受贈事業用資産の譲渡につき３の税務署長の承認を受けた特例事業受贈者は、当該譲渡があった日から１年を経過する日までに当該承認に係る３の譲渡の対価の額の全部又は一部を３の（三）に規定する事業の用に供される資産の取得に充てた場合には、当該取得後遅滞なく、次に掲げる事項を記載した書類を当該税務署長に提出しなければならない。（措規23の８の８⑪）
（一）　当該書類を提出する者の氏名及び住所
（二）　当該承認に係る譲渡があった日及び当該譲渡の対価の額
（三）　当該取得をした資産の第一節の２の（一）のイからハまでの区分、その所在その他の明細並びにその取得年月日及び取得価額
（四）　その他参考となるべき事項

（買換承認に係る１年を経過する日までに特例事業受贈者が死亡した場合）
(14)　３の買換承認を受けた特例事業受贈者が、当該買換承認に係る特例受贈事業用資産の譲渡があった日から１年を経過する日までに、次に掲げる場合に該当するときには、納税猶予期限は確定せず、第六節の１の規定により贈与税は免除されることに留意する。（措通70の６の８－43）
（一）　当該特例事業受贈者が死亡した場合
（二）　当該特例事業受贈者に係る贈与者（当該特例事業受贈者に係る贈与が免除対象贈与である場合には、前の贈与者）が死亡した場合
（注）１　上記（一）の場合において、当該特例事業受贈者がその死亡の日までに買換資産の取得をし、かつ、(13)の書類を提出することなく死亡したときであっても、当該特例事業受贈者の相続人（包括受遺者を含む。）は当該書類の提出を要しないことに留意する。
　　２　上記（一）の場合における当該特例事業受贈者に係る相続税の課税に当たっては、当該譲渡をした特例受贈事業用資産は相続財産を構成せず、当該特例事業受贈者が相続開始の時において有していた財産が相続税の課税価格計算の基礎となることに留意する。
　　３　上記（二）の場合には、第二章の１（同１の（１）の規定により読み替えて適用する場合を含む。）の規定により、当該譲渡をした特例受贈事業用資産は、当該特例事業受贈者が当該贈与者から相続又は遺贈により取得をしたものとみなされるのであるが、この場合において、当該特例事業受贈者が第三章第一節の１の規定の適用を受けるときは、同１の（９）の（五）の規定により、当該譲渡は同章第五節の３の譲渡とみなされ、当該買換承認は、同３の承認とみなされることに留意する。

４　現物出資による全ての特例受贈事業用資産の移転である場合の納税猶予税額の一部確定

　２の場合において、２の事業の用に供されなくなった事由が特定申告期限（第一節の１の規定の適用を受ける特例事業受贈者の最初の同１の規定の適用に係る贈与の日の属する年分の贈与税の申告書の提出期限又は最初の第三章第一節の１の規定の適用に係る相続に係る同１に規定する相続税の申告書の提出期限のいずれか早い日をいう。第三節の１及び第六節の１の（三）において同じ。）の翌日から５年を経過する日後の会社の設立に伴う現物出資による全ての特例受贈事業用資産の移転であるときは、当該特例受贈事業用資産の移転につき、（１）の政令で定めるところにより、納税地の所轄税務署長の承認を受けたときにおける２の規定の適用については、当該承認に係る移転はなかったものと、当該現物出資により取得した株式又は持分は一節の１の規定の適用を受ける特例受贈事業用資産（合併により当該会社が消滅した場合その他の（５）の財務省令で定める場合には、当該会社の株式又は持分に相当するものとして（５）の財務省令で定めるものを含む。）と、それぞれみなす。この場合において、当該承認を受けた後における第五節の１、同節の２及び第六節の１から４

－1039－

第六編　個人の事業用資産に係る相続税・贈与税の納税猶予及び免除

までの規定の適用に関し必要な事項は、（7）の政令で定める。（措法70の6の8⑥）

　　（政令で定める事項）
（1）　4の税務署長の承認を受けようとする特例事業受贈者は、4の移転に係る特例受贈事業用資産について4の規定の適用を受けようとする旨及び次に掲げる事項を記載した申請書に（2）の財務省令で定める書類を添付し、これを当該移転があった日から1月以内に納税地の所轄税務署長に提出しなければならない。（措令40の7の8㉕）
　　（一）　申請者の氏名及び住所
　　（二）　当該移転に係る特例受贈事業用資産の明細、当該特例受贈事業用資産の贈与者からの贈与の時における価額並びに当該移転により設立された会社の名称、本店の所在地及び定款に記載された当該特例受贈事業用資産の出資の額
　　（三）　当該移転により取得をした株式等の明細、取得年月日及び取得時の価額
　　（四）　その他参考となるべき事項

　　（財務省令で定める書類）
（2）　（1）に規定する財務省令で定める書類は、4の会社（以下本章において「**承継会社**」という。）に係る次に掲げる書類とする。（措規23の8の8⑫）
　　（一）　承継会社の定款の写し
　　（二）　承継会社の登記事項証明書
　　（三）　第三節の1の（1）各号に掲げる事項に準ずる事項を記載した書類及び同（1）に規定する書類に準ずる書類
　　（四）　その他参考となるべき書類

　　（現物出資承認に係る申請書が申請期限までに提出されない場合等）
（3）　特例事業受贈者が4の規定の適用を受けようとする場合には、（1）に規定する期限（以下（3）において「申請期限」という。）までに（1）に規定する申請書を納税地の所轄税務署長に提出しなければ、4の規定の適用はないことに留意する。
　　当該申請書を申請期限までに提出しない場合には、猶予中贈与税額に相当する贈与税については4の移転があった日から2月を経過する日（当該移転があった日から当該2月を経過する日までの間に当該特例事業受贈者が死亡した場合には、当該特例事業受贈者の相続人（包括受遺者を含む。）が当該特例事業受贈者の死亡による相続の開始があったことを知った日の翌日から6月を経過する日）に納税の猶予に係る期限が到来することに留意する。（措通70の6の8－45）
　　（注）1　申請期限までに（1）に規定する申請書の提出がなかった場合のゆうじょ規定は設けられていない。
　　　　2　「移転があった日」とは、会社法第34条第1項《出資の履行》の規定に基づく財産の給付として当該特例受贈事業用資産の引渡しがあった日をいうことに留意する。

　　（申請の承認に係るみなし規定）
（4）　（1）の規定による申請書の提出があった場合において、その提出があった日から1月以内に当該申請の承認又は却下の処分がなかったときは、当該申請の承認があったものとみなす。（措令40の7の8㉖）

　　（財務省令で定める場合等）
（5）　4に規定する財務省令で定める場合は次に掲げる場合とし、4に規定する承継会社の株式又は持分に相当するものとして財務省令で定めるものは当該各号に掲げる場合の区分に応じ当該各号に定める会社の株式又は持分とする。（措規23の8の8⑬）
　　（一）　承継会社が合併により消滅した場合　　当該合併により特例事業受贈者が取得をした当該合併により存続する会社又は設立する会社の株式又は持分
　　（二）　承継会社が株式交換又は株式移転により他の会社の会社法第768条第1項第1号に規定する株式交換完全子会社又は同法第773条第1項第5号に規定する株式移転完全子会社となった場合　　特例事業受贈者が取得をした当該他の会社の株式又は持分
　　（三）　承継会社が株式の併合若しくは分割又は株式無償割当てをした場合　　当該承継会社に係る株式及び当該株式の併合若しくは分割又は株式無償割当てにより特例事業受贈者が取得をした当該株式に対応する株式

　　（4の規定の適用を受けるための移転）
（6）　4の規定の適用を受けようとする場合には、会社の設立に伴う現物出資により第一節の1の規定の適用を受けてい

－1040－

第一章　個人の事業用資産についての贈与税の納税猶予及び免除
（第五節　納税猶予の打切り）

る特例受贈事業用資産の全ての移転をする必要があるのであるが、全ての移転をしたかどうかの判定については、次によることに留意する。（措通70の６の８－46）

（一）　特例事業受贈者が一の贈与者から特例対象贈与により取得をした特例受贈事業用資産に係る事業が２以上ある場合には、その２以上の事業に係る全ての特例受贈事業用資産の移転を要すること。

（二）　当該特例受贈事業用資産に係る事業の用に供されている資産のうちに、第一節の１の規定の適用を受けていない資産がある場合には、当該資産については移転を要しないこと。

（三）　特例事業受贈者に係る贈与者が２以上ある場合には、贈与者の異なるものごとに判定を行うこと。

（注）　２以上の贈与者から特例対象贈与により取得をした特例受贈事業用資産に係る事業が同一の事業である場合において、特例事業受贈者が当該２以上の贈与者のうち一部の贈与者に係る特例受贈事業用資産について４の移転をしたときは、４の移転をしなかった他の贈与者に係る特例受贈事業用資産については、引き続き当該特例事業受贈者の事業の用に供する必要があることに留意する。

（納税猶予の打切り及び納税猶予額の免除に係る必要事項）

（７）　４の承認を受けた後における特例事業受贈者、４の特例受贈事業用資産とみなされた株式等又は当該株式等に係る会社についての第五節の１、同節の２、同節の６、第三節の１及び第六節の１から４までの規定並びに第三節の１の（１）及び第六節の１の（１）の規定の適用については、次に定めるところによる。（措令40の７の８㉗）

（一）　当該特例事業受贈者については、第五節の１、同節の２、第六節の１（（四）に係る部分に限る。）、同節の２から４まで及び第五節の６（同６の表の（三）及び（四）に係る部分を除く。）の規定は、適用しない。

（二）　第七編第一章第一節の２《用語の意義》の（八）及び（九）、同章第五節の１《経営贈与承継期間内の納税猶予の打切り》の（六）及び（八）から（十二）まで、同章第六節《経営贈与承継期間後の納税猶予の打切り》、同章第九節の（４）《同族会社の行為又は計算の否認等》（第五編第四章第八節の（２）《国税通則法、国税徴収法及び相続税法の規定の適用》において準用する場合を含む。）並びに同編第一章第七節の２《その他の場合による納税猶予税額の免除》、同節の３《認定贈与承継会社について再生計画又は更生計画の認可の決定があった場合の免除》並びに第七編第四章第六節の２《その他の場合による納税猶予税額の免除》から同節の５《贈与税の免除に係る手続》までの規定は、当該特例事業受贈者の納税の猶予に係る期限及び贈与税の免除について準用する。この場合において、第七編第一章第一節の２の（八）中「認定贈与承継会社」とあるのは「第六編第一章第五節の４の会社（以下本章において「承継会社」という。）」と、同（八）のハ中「経営承継受贈者及び当該経営承継贈与者」とあるのは「特例事業受贈者（第六編第一章第一節の２の（二）に規定する特例事業受贈者をいう。以下本章において同じ。）及び当該特例事業受贈者」と、同２の（九）中「認定贈与承継会社」とあるのは「承継会社」と、同章第五節の１の（六）中「当該経営承継受贈者が適用対象非上場株式等」とあるのは「特例事業受贈者が承継会社の株式等」と、「適用対象非上場株式等に係る認定贈与承継会社」とあるのは「承継会社」と、同１の（八）から（十一）までの規定中「当該対象受贈非上場株式等に係る認定贈与承継会社」とあるのは「承継会社」と、同１の（十二）中「当該経営承継受贈者」とあるのは「特例事業受贈者」と、同章第六節中「経営贈与承継期間の末日の翌日から猶予中贈与税額」とあるのは「承継会社の株式等を取得した日から猶予中贈与税額（第六編第一章第五節の２に規定する猶予中贈与税額をいう。以下本節において同じ。）」と、「第一節の１、本節、第三節の２、第四節又は第九節の（４）」とあるのは「本節、第九節の（４）、第六編第一章第一節の１、同章第三節の２又は同章第四節」と、「経営承継受贈者」とあるのは「特例事業受贈者」と、「対象受贈非上場株式等」とあるのは「承継会社の株式等」と、「認定贈与承継会社」とあるのは「承継会社」と、第九節の（４）中「、第一節の１」とあるのは「、第六編第一章第一節の１」と、「経営承継受贈者」とあるのは「特例事業受贈者」と、「同二の３中」とあるのは「第二編第六章第六節二の３中」と、「第一節の２の（一）に規定する認定贈与承継会社」とあるのは「第六編第一章《個人の事業用資産についての贈与税の納税猶予及び免除》第五節の４の会社」と、「第一章の」とあるのは「第六編第一章第五節の４の（７）の（二）において読み替えて準用する第七編第一章の」と、「第一節の２の（一）に規定する認定贈与承継会社」とあるのは「第六編第一章第五節の４の会社」と、「認定贈与承継会社の」とあるのは「会社の」と、「第一節の１」とあるのは「第六編第一章第一節の１」と、「第一章《非上場株式等についての贈与税の納税猶予及び免除》の」とあるのは「第六編第一章《個人の事業用資産についての贈与税の納税猶予及び免除》の」と、同章第七節の２中「経営承継受贈者又は同１の対象受贈非上場株式等に係る認定贈与承継会社」とあるのは「経営承継受贈者（特例事業受贈者を含む。以下３までにおいて同じ。）又は第一節の１の対象受贈非上場株式等（承継会社の株式等を含む。以下３までにおいて同じ。）に係る認定贈与承継会社（承継会社を含む。以下３までにおいて同じ。）」と、第七編第四章第六節の２中「特例経営承継受贈者又は同１の特例対象受贈非上場株式等に係る特例認定贈与承継会社」とあるのは「特例経営承継受贈者（第六編第一章第一節の２の（二）に規定する特例事業受贈者を含む。以下５までにおいて同じ。）又は第一節の１の特例対象受贈非上場株式等（第六編第一章第五節の４の株式又は出資を含む。以下４までにおいて同じ。）に係る特例認定贈与承継会社（同章第五節の４の会社を含む。以下２において同じ。）」と

第六編　個人の事業用資産に係る相続税・贈与税の納税猶予及び免除

読み替えるものとする。

（三）　当該特例事業受贈者が**4**の規定により特例受贈事業用資産とみなされた株式等の全ての贈与をした場合において、当該贈与により当該株式等を取得した者が当該株式等について第七編第一章第一節の**1**又は同編第四章第一節の**1**の規定の適用を受けるときにおける第六節の**1**（（三）に係る部分に限る。）の規定の適用については、同**1**の（三）中「同**1**」とあるのは、「第七編第一章第一節の**1**又は同編第四章第一節の**1**」とする。

（四）　第七編第一章第五節の**3**（同**3**の表の（三）及び（五）から（九）までに係る部分に限る。）及び同編第四章第五節の**2**（同**2**の表の（九）から（十三）までに係る部分に限る。）の規定は、（二）において読み替えて準用する同編第一章第一節の**2**の（八）若しくは（九）、同章第五節の**1**の（六）若しくは（八）から（十二）まで、同章第六節、同章第九節の（**4**）、同章第七節の**2**若しくは同節の**3**又は同編第四章第六節の**2**若しくは同節の**4**の規定の適用があった場合における利子税の納付について準用する。

（五）　第七編第一章第八節の**1**、**2**又は**4**の規定は、当該会社が同節の**1**の各号に掲げる場合に該当することとなった場合について準用する。

（六）　当該特例事業受贈者が第三節の**1**の規定による届出書を提出する場合における同**1**の（1）の規定の適用については、同**1**の（1）の（二）中「年月日」とあるのは「年月日（第五節の**4**の会社の株式等を取得した年月日を含む。）」と、同**1**の（1）の（三）中「所在地」とあるのは「所在地（第五節の**4**の会社の名称及び本店の所在地を含む。）」と、同**1**の（1）の（四）中「年」とあるのは「事業年度」と、「第一節の**1**の事業に係る所得税法第27条《事業所得》第1項に規定する事業所得」とあるのは「第五節の**4**の会社」とする。

（七）　当該特例事業受贈者又は当該特例事業受贈者の相続人（包括受遺者を含む。）が第六節の**1**の規定による届出書を提出する場合における第六節の**1**の（1）の規定の適用については、同**1**の（1）中「事業が第五節の**1**の各号に掲げる場合又は同節の**2**」とあるのは、「第五節の**4**の株式等若しくは当該株式等に係る会社について第五節の**4**の（7）の（二）において読み替えて準用する第七編第一章第一節の**2**の（八）若しくは（九）、同章第五節の**1**の（六）若しくは（八）から（十二）まで又は同章第六節」とする。

（現物出資承認を受けた後における確定事由）

（**8**）　特例事業受贈者が**4**の承認（以下（9）において「現物出資承認」という。）を受けた場合には、当該特例事業受贈者に係る贈与税の納税猶予の期限が到来する事由については、**1**及び**2**の規定の適用はなく、（7）において準用する第七編第一章第六節及び同章第九節の（**4**）（同編第四章第八節の（**2**）において準用する場合を含む。）の規定によることに留意する。（措通70の**6**の**8**−47）

（注）1　この場合においては、同編第一章第五節の**1**の（6）から（8）、（10）、（13）、（14）、（17）から（20）、同節の**2**の（3）、同章第六節の（5）又は（7）を準用する。

2　納税猶予の期限が到来した場合における利子税の納付については、（7）の（四）において準用する第七編第一章第五節の**3**（同**3**の表の（三）及び（五）から（九）までに係る部分に限る。）及び同編第四章第五節の**2**（同**2**の表の（九）から（十三）までに係る部分に限る。）の規定によることに留意する。

（現物出資承認を受けた後における免除事由）

（**9**）　特例事業受贈者が現物出資承認を受けた場合における贈与税の免除については、次の取扱いに留意する。（措通70の**6**の**8**−48）

（一）　特例受贈事業用資産とみなされた株式等（株式又は出資をいう。以下（9）において同じ。）の全ての贈与をした場合において、当該贈与により当該株式等を取得した者が第七編第一章第一節の**1**又は同編第四章第一節の**1**の規定の適用を受けたときは、第六節の**1**の（三）の規定により贈与税が免除される。

（注）　特例事業受贈者から贈与により取得をした当該株式等について、当該贈与に係る受贈者が第七編第一章第一節の**1**又は同編第四章第一節の**1**の規定の適用を受けない部分がある場合には、当該部分に係る猶予中贈与税額については免除されず、（7）において準用する第七編第一章第六節の規定により納税の猶予に係る期限が到来することに留意する。

なお、特例事業受贈者が当該株式等の全ての贈与をした場合において、当該株式等を取得した受贈者において第七編第一章第一節の**1**の（2）に規定する部分を超える部分が生じたときは、当該株式等のうちその超える部分については「第七編第一章第一節の**1**の規定の適用を受けない部分」に該当しないことに留意する。

（二）　第六節の**1**の（四）の規定による免除の適用はない。

（三）　第六節の**2**から**4**までの規定による免除の適用はなく、（7）の（二）において準用する第七編第一章第七節の**2**、同**2**の（10）から（12）、同節の**3**、同**3**の（1）から（3）及び同編第四章第六節の**2**、**3**、**4**、**4**の（5）、**5**、**5**の（4）、（5）の規定による免除が適用される。

（注）　（三）の場合には、第七編第一章第七節の**2**の（7）から（9）、（14）、（16）及び**3**の（12）から（15）並びに同編第四章第六節の**2**の（1）、（3）、（4）、（10）、（12）、（14）、（19）、（22）、（23）、同節の**3**の（3）、同節の**4**の（1）、（3）、同節の**5**の（1）を準用する。

−1042−

第一章　個人の事業用資産についての贈与税の納税猶予及び免除
（第五節　納税猶予の打切り）

（既に個人の事業用資産についての相続税の納税猶予及び免除等の適用を受けている他の者がいる場合等）

（10）　特定事業用資産について、第一節の**1**の規定の適用を受けようとする場合において、第一節の**1**の規定の適用を受けようとする者以外の者が当該特定事業用資産に係る事業と同一の事業の用に供される資産について次に掲げるいずれかの規定の適用を受け、又は受けようとしているときは、同項の規定の適用を受けることができないことに留意する。（措通70の6の8－49）

　（一）　第一節の**1**

　（二）　第三章第一節の**1**

（注）1　第一節の**1**の規定の適用を受けようとする者が、当該特定事業用資産に係る事業と同一の事業の用に供される資産について上記（一）又は（二）のいずれかの規定の適用を受けている場合には、同項の規定の適用を受けることができることに留意する。

　　　2　上記の第一節の**1**の規定の適用を受けることができるかどうかの判定は、特定事業用資産に係る事業ごとに行うことに留意する。

5　特例事業受贈者が死亡した場合の納税猶予の期限等の特例

　第五節の**1**、同節の**2**、第三節の**2**若しくは第六節の**4**に規定する納税の猶予に係る期限、同節の**2**、同節の**3**、若しくは同節の**4**の（4）に規定する申請書の提出期限、同節の**2**の（6）に規定する納期限又は**6**に規定する利子税（**6**の表の（五）又は（六）に係るものに限る。）の計算の基礎となる期間の終期までにこれらの規定に規定する特例事業受贈者が死亡した場合には、これらの規定に規定する納税の猶予に係る期限、申請書の提出期限、納期限又は利子税の計算の基礎となる期間の終期は、これらの規定にかかわらず、それぞれ、これらの特例事業受贈者の相続人が当該特例事業受贈者の死亡による相続の開始があったことを知った日の翌日から6月を経過する日とする。（措法70の6の8㉖）

6　利子税の納付

　第一節の**1**の規定の適用を受ける特例事業受贈者は、次の表の（一）から（七）の左欄に掲げる場合に該当する場合には、（一）から（七）の中欄に掲げる金額を基礎とし、当該特例事業受贈者が同**1**の規定の適用を受けるために提出する贈与税の申告書の提出期限の翌日から（一）から（七）の右欄に掲げる日までの期間に応じ、年3.6パーセントの割合を乗じて計算した金額に相当する利子税を、（一）から（七）の中欄に掲げる金額に相当する贈与税に併せて納付しなければならない。（措法70の6の8㉕）

（一）　第五節の**1**の規定の適用があった場合（（四）から（六）までの左欄に掲げる場合に該当する場合を除く。）	猶予中贈与税額	同**1**の規定による納税の猶予に係る期限
（二）　第五節の**2**の規定の適用があった場合（（四）から（六）までの左欄に掲げる場合に該当する場合を除く。）	同**2**の規定により納税の猶予に係る期限が確定する猶予中贈与税額	同**2**の規定による納税の猶予に係る期限
（三）　第三節の**2**の規定の適用があった場合（（四）の左欄に掲げる場合に該当する場合を除く。）	同**2**の規定により納税の猶予に係る期限が確定する猶予中贈与税額	同**2**の規定による納税の猶予に係る期限
（四）　第四節の規定の適用があった場合	同節の規定により納税の猶予に係る期限が繰り上げられる猶予中贈与税額	同節の規定により繰り上げられた納税の猶予に係る期限
（五）　第六節の**2**の（一）又は（二）の規定の適用があった場合（（四）の左欄に掲げる場合に該当する場合を除く。）	同**2**の（一）のイ及びロに掲げる金額の合計額又は同**2**の（二）のロに掲げる金額	これらの号に掲げる場合に該当することとなった日から2月を経過する日
（六）　第六節の**3**の（一）又は（二）の規定の適用があった場合（（四）の左欄に掲げる場合に該当する場合を除く。）	同**3**の（一）のイ及びロに掲げる金額の合計額又は同**3**の（二）のイ及びロに掲げる金額の合計額	これらの号に掲げる場合に該当することとなった日から2月を経過する日
（七）　第六節の**4**の規定の適用があった場合（（四）の左欄に掲げる場合に該当する場合を除く。）	同**4**の（二）に掲げる金額	同**4**の規定による納税の猶予に係る期限

第六編　個人の事業用資産に係る相続税・贈与税の納税猶予及び免除

（継続届出書の時効中断の効果）
（1）　猶予中贈与税額に相当する贈与税並びに当該贈与税に係る利子税及び延滞税の徴収を目的とする国の権利の時効については、第七節の（3）の（三）の規定により読み替えて適用される国税通則法第73条《時効の中断及び停止》第4項の規定の適用がある場合を除き、第三節の**1**の届出書の提出があった時から当該届出書の届出期限までの間は完成せず、当該届出期限の翌日から新たにその進行を始めるものとする。（措法70の6の8⑩）

（利子税の割合の特例）
（2）　**6**に規定する利子税の割合は、この規定にかかわらず、各年の利子税特例基準割合が年7.3パーセントの割合に満たない場合には、その年中においては、当該利子税の割合に当該利子税特例基準割合が年7.3パーセントの割合のうちに占める割合を乗じて計算した割合とする。（措法93⑤）

（利子税特例基準割合）
（3）　（2）に規定する利子税特例基準割合とは、平均貸付割合（各年の前々年の9月から前年の8月までの各月における短期貸付けの平均利率（当該各月において銀行が新たに行った貸付け（貸付期間が1年未満のものに限る。）に係る利率の平均をいう。）の合計を12で除して計算した割合として各年の前年の11月30日までに財務大臣が告示する割合をいう。以下同じ。）に年0.5パーセントの割合を加算した割合をいう。（措法93②）

−1044−

第一章　個人の事業用資産についての贈与税の納税猶予及び免除
（第六節　納税猶予税額の免除）

第六節　納税猶予税額の免除

1　贈与者等の死亡等による納税猶予税額の免除

　第一節の**1**の規定の適用を受ける特例事業受贈者又は当該特例事業受贈者に係る贈与者が次に掲げる場合のいずれかに該当することとなった場合（その該当することとなった日前に猶予中贈与税額に相当する贈与税の全部につき第五節の**1**、同節の**2**、第三節の**2**又は第四節の規定による納税の猶予に係る期限が確定した場合を除く。）には、それぞれに定める贈与税を免除する。この場合において、当該特例事業受贈者又は当該特例事業受贈者の相続人（包括受遺者を含む。第五節の**5**において同じ。）は、その該当することとなった日から同日（（三）に掲げる場合に該当することとなった場合にあっては、同（三）の特例受贈事業用資産の贈与を受けた者が当該特例受贈事業用資産について第一節の**1**の規定の適用に係る贈与税の申告書を提出した日）以後6月を経過する日（第三節の**2**の（1）において「**免除届出期限**」という。）までに、（1）の政令で定めるところにより、（4）の財務省令で定める事項を記載した届出書を納税地の所轄税務署長に提出しなければならない。（措法70の6の8⑭）

（一）　当該贈与者の死亡の時以前に当該特例事業受贈者が死亡した場合　　猶予中贈与税額に相当する贈与税

（二）　当該贈与者が死亡した場合　　猶予中贈与税額のうち、当該贈与者が贈与をした特例受贈事業用資産に対応する部分の額として（5）の政令で定めるところにより計算した金額に相当する贈与税

（三）　特定申告期限の翌日から5年を経過する日後に、当該特例事業受贈者が第一節の**1**の規定の適用に係る特例受贈事業用資産の全てにつき同**1**の規定の適用に係る贈与をした場合　　猶予中贈与税額に相当する贈与税

（四）　当該特例事業受贈者がその有する当該特例受贈事業用資産に係る事業を継続することができなくなった場合（当該事業を継続することができなくなったことについて（8）の財務省令で定めるやむを得ない理由がある場合に限る。）猶予中贈与税額に相当する贈与税

　　（免除届出書の提出）
（1）　特例事業受贈者又は当該特例事業受贈者の相続人（包括受遺者を含む。）は、**1**の届出書を提出する場合には、**1**の（一）から（四）に掲げる場合のいずれかに該当することとなった日の直前の特例贈与報告基準日（第一節の**1**の規定の適用に係る同**1**に規定する贈与税の申告書の提出期限の翌日から同日以後3年を経過する日までの間に当該各号に掲げる場合のいずれかに該当することとなった場合において、当該期間内に特例贈与報告基準日がないときは、当該贈与税の申告書の提出期限）の翌日から当該該当することとなった日までの間における当該特例事業受贈者又は特例受贈事業用資産に係る事業が第五節の**1**のそれぞれに掲げる場合又は同節の**2**に規定する場合に該当する事由の有無その他（2）の財務省令で定める事項を明らかにする書類として（3）の財務省令で定めるものを当該届出書に添付しなければならない。（措令40の7の8㉙）

　　（財務省令で定める事項）
（2）　（1）に規定する財務省令で定める事項は、次に掲げる事項（第五節の**4**の規定の適用があった場合には、第七編第一章第七節の**1**の（2）に規定する事項に準ずる事項）とする。（措規23の8の8⑱）

（一）　**1**の各号に掲げる場合のいずれに該当するかの別
（二）　特例事業受贈者の氏名及び住所
（三）　贈与者から第一節の**1**の規定の適用に係る贈与により特例受贈事業用資産の取得をした年月日
（四）　その死亡等の日（**1**の各号に掲げる場合のいずれかに該当することとなった日をいう。以下（2）及び（3）において同じ。）の属する年の前年以前の各年（当該死亡等の日の直前の特例贈与報告基準日の属する年の前年以前の各年を除く。）における特例受贈事業用資産に係る事業に係る総収入金額
（五）　その死亡等の日における猶予中贈与税額
（六）　その死亡等の日において特例事業受贈者が有する特例受贈事業用資産の明細及び当該特例事業受贈者に係る贈与者の氏名
（七）　特例受贈事業用資産に係る事業に係る次に掲げる事項
　イ　その死亡等の日の属する年の前年12月31日における第一節の**2**の（四）のイからハまでに掲げる額、これらの明細及び同（四）の割合
　ロ　その死亡等の日の属する年の前年における第一節の**2**の（五）の総収入金額、運用収入の合計額、これらの明細及び同（五）の割合

－1045－

第六編　個人の事業用資産に係る相続税・贈与税の納税猶予及び免除

ハ　その死亡等の日の直前の特例贈与報告基準日（直前の特例贈与報告基準日がない場合には、第一節の1に規定する贈与税の申告書の提出期限。(八)及び(3)の(一)において同じ。）の翌日から当該死亡等の日までの間に第一節の2の(32)のただし書又は同2の(39)のただし書に規定する場合に該当することとなった場合には、これらの規定に規定する事由の詳細及びこれらの事由の生じた年月日（これらの事由が生じた日から当該死亡等の日までの間に同2の(32)のただし書の割合が100分の70未満となった場合又は同2の(39)のただし書の割合が100分の75未満となった場合には、これらの事由の詳細及びこれらの事由の生じた年月日並びにこれらの割合を減少させた事情の詳細及びこれらの事情の生じた年月日）

(八)　その死亡等の日の直前の特例贈与報告基準日の翌日から当該死亡等の日までの間に特例事業受贈者につき第五節の1又は同節の2の規定により納税の猶予に係る期限が確定した猶予中贈与税額がある場合には、同節の1又は同節の2のいずれの場合に該当したかの別及び該当した日並びに当該猶予中贈与税額及びその計算の明細

(九)　その死亡等の日において特例事業受贈者が有する特例受贈事業用資産の全部又は一部が贈与者の免除対象贈与により取得をしたものである場合には、その死亡等の日における当該特例受贈事業用資産の明細

(十)　その他参考となるべき事項

（財務省令で定める書類）

(3)　(1)に規定する財務省令で定める書類は、特例事業受贈者に係る次に掲げる書類（第五節の4の規定の適用があった場合には、第七編第一章第七節の1の(3)に規定する書類に準ずる書類）とする。（措規23の8の8⑲）

(一)　その死亡等の日の直前の特例贈与報告基準日の属する年から当該死亡等の日の属する年の前年までの各年における特例受贈事業用資産に係る事業に係る次に掲げる書類（当該特例事業受贈者が営む事業が当該特例受贈事業用資産に係る事業のみである場合には、イに掲げる書類を除く。）

イ　当該事業に係る貸借対照表及び損益計算書

ロ　当該特例受贈事業用資産とその他の資産の内訳を記載した書類で当該特例受贈事業用資産がイの貸借対照表に計上されていることを明らかにするもの

(二)　1の納税地の所轄税務署長と1の(二)の贈与者の死亡に係る相続税の納税地の所轄税務署長とが異なる場合において、1に規定する免除届出期限までに円滑化省令第13条第12項の確認書の交付を受けているときは、当該確認書の写し

(三)　特例事業受贈者が1の(四)に掲げる場合に該当する場合には、当該特例事業受贈者の精神障害者保健福祉手帳の写し、身体障害者手帳の写し又は介護保険の被保険者証の写しその他の書類で当該特例事業受贈者が(8)のそれぞれに掲げる事由のいずれかに該当することとなったこと及びその該当することとなった年月日を明らかにするもの

(四)　その他参考となるべき書類

（財務省令で定める事項）

(4)　1に規定する財務省令で定める事項（第五節の4の規定の適用があった場合には、第七編第一章第七節の1の(4)に規定する事項に準ずる事項）は、次の各号に掲げる場合の区分に応じ当該各号に定める事項とする。（措規23の8の8⑳）

(一)　1の(一)の規定に該当するものとして1の規定により贈与税の免除を受けようとする場合　　次に掲げる事項

イ　1の届出書を提出する者の氏名及び住所

ロ　死亡した特例事業受贈者の氏名及び住所並びにその死亡した年月日並びに当該特例事業受贈者との続柄

ハ　特例受贈事業用資産に係る事業の所在地

ニ　1の規定による贈与税の免除を受けようとする旨及び当該免除を受けようとする贈与税の額

ホ　その他参考となるべき事項

(二)　1の(二)の規定に該当するものとして1の規定により贈与税の免除を受けようとする場合　　次に掲げる事項

イ　(一)のイ及びハに掲げる事項

ロ　1の(二)の死亡した贈与者の氏名及び住所並びにその死亡した年月日並びに当該贈与者との続柄

ハ　1の規定による贈与税の免除を受けようとする旨並びに当該免除を受けようとする贈与税の額及びその計算の明細

ニ　ロの贈与者の死亡の直前における特例受贈事業用資産の明細

ホ　その他参考となるべき事項

(三)　1の(三)の規定に該当するものとして1の規定により贈与税の免除を受けようとする場合　　次に掲げる事項

イ　(一)のイ、ハ及びニに掲げる事項

－1046－

第一章　個人の事業用資産についての贈与税の納税猶予及び免除
（第六節　納税猶予税額の免除）

　　　ロ　1の（三）の贈与により特例受贈事業用資産の取得をした者の氏名及び住所並びに当該取得をした年月日
　　　ハ　その他参考となるべき事項
　（四）　1の（四）の規定に該当するものとして1の規定により贈与税の免除を受けようとする場合　　次に掲げる事項
　　　イ　（一）のイ、ハ及びニに掲げる事項
　　　ロ　特例事業受贈者が（8）のそれぞれに掲げる事由のいずれに該当するかの別及びその該当することとなった年月日
　　　ハ　その他参考となるべき事項

　　（政令で定めるところにより計算した金額）
（5）　1の（二）に規定する政令で定めるところにより計算した金額は、同（二）の贈与者の死亡の直前における猶予中贈与
　税額に、当該贈与者が贈与をした特例受贈事業用資産の当該贈与の時における価額（当該贈与者が1（（三）に係る部分
　に限る。）の規定の適用に係る贈与をした特例受贈事業用資産の価額を除く。）が当該贈与者の死亡の直前に当該特例受
　贈事業用資産に係る事業の用に供されていた当該特例受贈事業用資産の当該贈与の時における価額のうちに占める割合
　を乗じて計算した金額とする。この場合において、当該計算した金額に100円未満の端数があるとき、又はその全額が100
　円未満であるときは、その端数金額又はその全額を切り捨てる。（措令40の7の8㉚）

　　（贈与者が死亡した場合の免除税額等）
（6）　1の（二）の規定により免除となる贈与税は、1の（二）の贈与者の死亡の直前における猶予中贈与税額に次の割合を
　乗じて計算した金額となることに留意する。（措通70の6の8－53）

$$\frac{当該贈与者が贈与をした特例受贈事業用資産の当該贈与の時における価額}{\begin{array}{l}当該贈与者の死亡の直前に当該特例受贈事業用資産に係る事業の用に供されていた全ての当該特例受贈\\事業用資産の当該贈与の時における価額\end{array}}$$

　　なお、これにより算出された金額に100円未満の端数があるとき又はその全額が100円未満であるときは、その端数金
　額又はその全額を切り捨てる。
　（注）1　上記の「当該贈与者が贈与をした特例受贈事業用資産の当該贈与の時における価額」からは、当該贈与者が1の（三）の規定の適用に係る
　　　　　贈与をした当該特例受贈事業用資産の価額が除かれることに留意する。
　　　　2　上記の「当該贈与者が贈与をした特例受贈事業用資産の当該贈与の時における価額」からは、第一節の1の規定の適用を受ける特例事業
　　　　　受贈者が、その有する第五節の2の（9）に規定する対象事業用資産の譲渡等をしている場合には、その譲渡等をした当該対象事業用資産の
　　　　　価額は除かれることに留意する。
　　　　　　なお、この場合において、「当該贈与者が贈与をした特例受贈事業用資産の当該贈与の時における価額」の算定に当たっては、<u>第五節の2
　　　　　の（9）の規定</u>の適用に留意する。
　　　　3　「当該贈与者の死亡の直前に当該特例受贈事業用資産に係る事業の用に供されていた全ての当該特例受贈事業用資産」及び「当該贈与者
　　　　　が贈与をした特例受贈事業用資産」には、第五節の2の（2）の届出に係る特例受贈事業用資産が含まれることに留意する。
　　　　4　4の規定の適用を受けた場合における上記算式中の「贈与の時における価額」は、4に規定する認可決定日における価額となることに留
　　　　　意する。

　　（第一節の1の適用に係る贈与をした場合の免除）
（7）　1の（三）の規定による免除については、次によることに留意する。（措通70の6の8－54）
　（一）　特例事業受贈者が1の（三）の規定による免除を受けるためには、1の規定の適用を受けている特例受贈事業用資
　　　産の全ての贈与をする必要があるのであるが、全ての贈与をしたかどうかの判定については次による。
　　　イ　特例受贈事業用資産に係る事業が2以上ある場合には、その2以上の事業に係る全ての特例受贈事業用資産の贈
　　　　与を行う必要がある。
　　　（注）　上記の場合において特例事業受贈者がその2以上の事業のうち一部の事業に係る特例受贈事業用資産のみ贈与をしたときは、当該贈与を
　　　　　した特例受贈事業用資産に係る猶予中贈与税額については免除されず第五節の2の規定により納税の猶予に係る期限が到来するのであるが、
　　　　　当該贈与を受けた受贈者については、第一節の1の規定の適用に係る要件を満たした場合には、第一節の1の規定の適用を受けることがで
　　　　　きることに留意する。
　　　ロ　当該特例事業受贈者が同一年中に2人以上の受贈者に特例受贈事業用資産の贈与をした場合において、その贈与
　　　　が異なる時期に行われたときには、当該贈与のうち最後に行われた贈与直後において特例受贈事業用資産の全ての
　　　　贈与が行われたかどうかの判定を行う。
　（二）　特例事業受贈者から贈与を受けた者が第一節の1の規定の適用を受けるためには、当該特例事業受贈者の事業に
　　　係る特定事業用資産の全ての贈与を受ける必要があることから、当該特例事業受贈者が1の（三）の規定による免除を
　　　受けるには、特例受贈事業用資産の全てに加え、当該事業に係る特例受贈事業用資産以外の特定事業用資産の全ての

－1047－

第六編　個人の事業用資産に係る相続税・贈与税の納税猶予及び免除

贈与を行う必要がある。

(注)　上記の要件を満たさない場合には、贈与をした特例受贈事業用資産に係る猶予中贈与税額については免除されず、第五節の2の規定により納税の猶予に係る期限が到来することに留意する。

（三）　特例事業受贈者からの贈与により取得をした当該特例受贈事業用資産について、当該贈与に係る受贈者が第一節の1の規定の適用を受けない部分がある場合には、当該部分に係る猶予中贈与税額については免除されず第五節の2の規定により納税の猶予に係る期限が到来する。

(注)　当該受贈者が取得をした当該特例受贈事業用資産のうちに宅地等又は建物がある場合において、当該宅地等の面積の合計又は建物の床面積の合計が第1節の2の（一）のイ又はロに定める限度面積を超えるときにおけるその超える部分については、上記の「第一節の1の規定の適用を受けない部分」に該当しないことに留意する。

（四）　1の（三）の規定の適用に係る贈与をした特例受贈事業用資産が、宅地等又は建物である場合において、当該宅地等又は建物のうちに特例受贈事業用資産に該当しない部分があるときは、当該贈与を受けた受贈者は、当該宅地等又は建物のうち、当該特例受贈事業用資産に係る部分から先に同節の1の規定の適用を受けるものとする。

（財務省令で定めるやむを得ない理由）

（8）　1の（四）に規定する財務省令で定めるやむを得ない理由は、第一節の1に規定する贈与税の申告書の提出期限後に特例事業受贈者が次に掲げる事由のいずれかに該当することとなったこととする。（措規23の8の8㉑）

（一）　精神保健及び精神障害者福祉に関する法律（昭和25年法律第123号）第45条第2項の規定により精神障害者保健福祉手帳（精神保健及び精神障害者福祉に関する法律施行令（昭和25年政令第155号）第6条第3項に規定する障害等級が1級である者として記載されているものに限る。）の交付を受けたこと。

（二）　身体障害者福祉法（昭和24年法律第283号）第15条第4項の規定により身体障害者手帳（身体上の障害の程度が1級又は2級である者として記載されているものに限る。）の交付を受けたこと。

（三）　介護保険法第19条第1項の規定による同項に規定する要介護認定（同項の要介護状態区分が要介護認定等に係る介護認定審査会による審査及び判定の基準等に関する省令第1条第1項第5号に掲げる区分に該当するものに限る。）を受けたこと。

（事業を継続することができなくなった場合に該当することとなった日）

（9）　1の（四）に掲げる場合に該当することとなった日とは、原則として第一節の1に規定する贈与税の申告書の提出期限（以下(10)において「贈与税の申告書の提出期限」という。）後に(8)の（一）から（三）に掲げる事由に該当することとなった日をいうのであるが、特例事業受贈者が当該事由に該当することとなった日後のいずれかの日を1の（四）に掲げる場合に該当することとなった日として1に規定する届出書を提出した場合には、同日によることとして差し支えない。（措通70の6の8－55）

（特例受贈事業用資産に係る事業を継続することができなくなったやむを得ない理由）

（10）　1の（四）に規定する特例事業受贈者が特例受贈事業用資産に係る事業を継続することができなくなったことについて(8)に定めるやむを得ない理由とは、次に掲げる事由に該当することとなったことをいうことに留意する。（措通70の6の8－56）

（一）　贈与税の申告書の提出期限後において、特例事業受贈者に(8)の（一）から（三）に規定する事由が生じたこと

（二）　特例事業受贈者が贈与税の申告書の提出期限において既に身体上の障害の程度が2級である者として記載のある身体障害者手帳の交付を受けていた場合で、当該贈与税の申告書の提出期限後に、当該身体障害者手帳に記載された身体上の障害の程度が1級に変更されたこと

（三）　特例事業受贈者が贈与税の申告書の提出期限において既に身体上の障害の程度が1級又は2級である者として記載のある身体障害者手帳の交付を受けていた場合で、当該贈与税の申告書の提出期限後に、その障害とは別に身体上の障害の程度が1級又は2級である障害が当該身体障害者手帳に新たに記載されたこと

（四）　特例事業受贈者が贈与税の申告書の提出期限において既に(8)の（一）から（三）に掲げる事由が生じていた場合で、当該贈与税の申告書の提出期限後に、新たに当該特例事業受贈者に(8)の（一）から（三）に掲げる事由が生じたこと

（贈与の日の属する年に贈与者の相続が開始したとき）

（11）　第一節の1の規定の適用を受けようとする特例事業受贈者が贈与者（同1の規定の適用を受けている特例事業受贈者に限る。）から1（（三）に係る部分に限る。）の規定の適用に係る贈与により当該贈与者に係る特例受贈事業用資産を取得している場合において、当該贈与の日の属する年に当該贈与者の相続が開始したときは、当該特例受贈事業用資産

－1048－

第一章　個人の事業用資産についての贈与税の納税猶予及び免除
（第六節　納税猶予税額の免除）

については、第一編第四章第二節**四**、第三編第一章第三節**一**及び同節**二**の規定は、適用しない。（措令40の7の8㊷）

　　（免除を受けた特例事業受贈者に係る相続税法第21条の14から第21条の16までの不適用）
(12)　第一節の**1**の規定の適用を受ける特例事業受贈者が**1**から**4**までの規定により猶予中贈与税額の全部又は一部の免除を受けた場合において、第一節の**1**の規定の適用に係る特例受贈事業用資産（第三編第一章第一節**二**の（1）（同節**三**、第八節（第七編第四章第九節において準用する場合を含む。）又は第三編第二章の**1**において準用する場合を含む。以下(13)において同じ。）の規定の適用を受けるものに限る。）の贈与者の相続が開始したときは、当該特例受贈事業用資産のうち当該免除を受けた猶予中贈与税額に対応する部分については、第三編第一章第三節**一**から**三**までの規定は適用されないことに留意する。
　　この場合において、「当該特例受贈事業用資産のうち当該免除を受けた猶予中贈与税額に対応する部分」とは、当該特例事業受贈者が当該免除につき適用を受けた次に掲げる規定の区分に応じ、それぞれに定める部分をいうことに留意する。（措通70の6の8－57）
(一)　**1**の(一)　　当該特例受贈事業用資産のうち当該特例事業受贈者が**1**の(一)の死亡の直前に有していたもの
(二)　**1**の(二)　　当該特例受贈事業用資産のうち**1**の(二)の贈与者が贈与（免除対象贈与を除く。）をしたものであって当該特例事業受贈者が**1**の(二)の死亡の直前に有していたもの
(三)　**1**の(三)　　当該特例受贈事業用資産のうち当該特例事業受贈者が**1**の(三)の規定の適用に係る贈与をしたもの
(四)　**1**の(四)　　当該特例受贈事業用資産のうち当該特例事業受贈者が**1**の(四)に掲げる場合に該当することとなった直前に有していたもの
(五)　**2**　　当該特例受贈事業用資産のうち次の算式により計算した金額に相当する部分
　（算式）

$$A \times \frac{C}{B}$$

　　(注)　上記算式中の符号は次のとおり。
　　　　A＝当該特例受贈事業用資産の第一節の**1**の規定の適用に係る贈与の時における価額
　　　　B＝当該特例受贈事業用資産に係る納税猶予分の贈与税額
　　　　C＝**2**の規定により免除された贈与税の額
(六)　**3**　　当該特例受贈事業用資産のうち、次の算式により計算した金額に相当する部分
　（算式）

$$(A-B) \times \frac{C}{C+D}$$

　　(注)　上記算式中の符号は次のとおり。
　　　　A＝当該特例受贈事業用資産の第一節の**1**の規定の適用に係る贈与の時における価額
　　　　B＝当該特例受贈事業用資産の**3**の(一)のイの譲渡等の対価の額又は**3**の(二)のイの廃止の直前における当該特例受像事業用資産の時価に相当する金額（当該譲渡等の対価の額が、**3**の(一)のイに規定する当該特例受贈事業用資産の時価に相当する金額の2分の1以下である場合には、当該2分の1に相当する金額）
　　　　C＝**3**の規定により免除された贈与税の額
　　　　D＝**3**の(一)のロ又は(二)のロに掲げる金額
(七)　**4**　　当該特例受贈事業用資産のうち次の算式により計算した金額に相当する部分
　（算式）

$$(A-B) \times \frac{C}{C+D}$$

　　(注)　上記算式中の符号は次のとおり。
　　　　A＝当該特例受贈事業用資産の第一節の**1**の規定の適用に係る贈与の時における価額
　　　　B＝当該特例受贈事業用資産の**4**に規定する認可決定日における価額
　　　　C＝**4**の規定により免除された贈与税の額
　　　　D＝**4**の(二)に掲げる金額
　(注)1　上記(一)から(四)に定めるものには、第五節の**2**の(2)の届出に係る特例受贈事業用資産が含まれることに留意する。
　　　2　上記(五)から(七)までに掲げる規定の適用前に当該特例受贈事業用資産について**4**の規定の適用を受けている場合には、上記(五)から(七)までの算式中の「贈与の時における価額」は、**4**に規定する認可決定日における価額による。

　　（第二贈与者が死亡した場合の相続税法第21条の14から第21条の16までの不適用）
(13)　第一節の**1**の規定の適用を受ける特例事業受贈者の第一節の**1**の規定の適用に係る贈与が**1**の(三)の規定の適用に係る贈与（第三編第一章第一節**二**の（1）の規定の適用を受ける特例受贈事業用資産に係る贈与に限る。以下(13)におい

－1049－

て「第二贈与」という。）であり、かつ、当該特例受贈事業用資産が第二贈与者（第二贈与をした者をいう。以下(13)において同じ。）が第一贈与者（第二贈与前に第二贈与者に当該特例受贈事業用資産の贈与をした者をいう。）からの贈与により取得をしたものである場合の当該第二贈与者が死亡したときにおける当該特例事業受贈者が当該第二贈与により取得をした当該特例受贈事業用資産については、第三編第一章第三節一から三までの規定は適用されないことに留意する。（措通70の6の8－58）

2　特例受贈事業用資産の全部を譲渡等したとき又は特例受贈事業用資産に係る事業を廃止したときの納税猶予税額の免除

　　第一節の**1**の規定の適用を受ける特例事業受贈者が次に掲げる場合のいずれかに該当することとなった場合（その該当することとなった日前に猶予中贈与税額に相当する贈与税の全部につき第五節の**1**、同節の**2**、第三節の**2**又は第四節の規定による納税の猶予に係る期限が確定した場合を除く。）において、当該特例事業受贈者は、それぞれに定める贈与税の免除を受けようとするときは、その該当することとなった日から2月を経過する日までに、当該免除を受けたい旨、当該免除を受けようとする贈与税に相当する金額（(6)において「**免除申請贈与税額**」という。）及びその計算の明細その他の(1)の財務省令で定める事項を記載した申請書（当該免除の手続に必要な書類として(2)の財務省令で定める書類を添付したものに限る。）を納税地の所轄税務署長に提出しなければならない。（措法70の6の8⑯）

(一)　当該特例事業受贈者が第一節の**1**の規定の適用に係る特例受贈事業用資産の全てについて、当該特例事業受贈者の特別関係者以外の者のうちの1人の者として(3)の政令で定めるものに対して譲渡若しくは贈与（以下(一)及び**3**の(一)において「譲渡等」という。）をした場合又は民事再生法（平成11年法律第225号）の規定による再生計画（同法第196条第4号に規定する住宅資金特別条項を定めた再生計画並びに同法第221条第1項に規定する小規模個人再生及び同法第239条第1項に規定する給与所得者等再生に係る再生計画を除く。以下(一)、**4**及び**4**の(4)において同じ。）の認可の決定に基づき当該再生計画（当該決定に準ずる(4)の政令で定める事実が生じた場合にあっては、債務処理計画（債務の処理に関する計画として(4)の政令で定めるものをいう。**4**及び**4**の(4)において同じ。））を遂行するために譲渡等をした場合において、次に掲げる金額の合計額が当該譲渡等の直前における猶予中贈与税額に満たないとき　　当該猶予中贈与税額から当該合計額を控除した残額に相当する贈与税

イ　当該譲渡等があった時における当該譲渡等をした特例受贈事業用資産の時価に相当する金額（その金額が当該譲渡等をした特例受贈事業用資産の譲渡等の対価の額より低い金額である場合には、当該譲渡等の対価の額）

ロ　当該譲渡等があった日以前5年以内において、当該特例事業受贈者の特別関係者が当該特例事業受贈者から受けた必要経費不算入対価等の合計額

(二)　当該特例事業受贈者について破産手続開始の決定があった場合　　イに掲げる金額からロに掲げる金額を控除した残額に相当する贈与税

イ　当該破産手続開始の決定の直前における猶予中贈与税額

ロ　当該破産手続開始の決定があった日以前5年以内において、当該特例事業受贈者の特別関係者が当該特例事業受贈者から受けた必要経費不算入対価等の合計額

　　（財務省令で定める事項）
(1)　**2**に規定する財務省令で定める事項は、次に掲げる事項とする。（措規23の8の8㉓）

(一)　**2**の申請書を提出する者の氏名及び住所

(二)　**2**の規定による贈与税の免除を受けようとする旨並びに当該免除を受けようとする贈与税の額及びその計算の明細

(三)　(二)の免除が**2**の(一)又は(二)のいずれに該当するかの別並びにその該当することとなった事情の詳細及びその事情が生じた年月日

(四)　その他参考となるべき事項

　　（財務省令で定める書類）
(2)　**2**に規定する財務省令で定める書類は、次に掲げる場合の区分に応じそれぞれに定める書類とする。（措規23の8の8㉔）

(一)　**2**の(一)に該当するものとして**2**の規定により贈与税の免除を受けようとする場合　　次に掲げる書類

イ　次に掲げる場合の区分に応じそれぞれ次に定める書類

(1)　**2**の(一)の1人の者に対して**2**の(一)の譲渡等（譲渡又は贈与をいう。以下本章において同じ。）をする場合　　当該譲渡等があったことを明らかにする書類、当該譲渡等を受けた者が(3)のそれぞれに掲げる者に該当す

－1050－

第一章　個人の事業用資産についての贈与税の納税猶予及び免除
（第六節　納税猶予税額の免除）

　　ることを明らかにする書類並びにその者の氏名又は名称及び住所又は所在地が確認できる書類
　（２）　２の（一）に規定する再生計画（（ｉ）及び４の（６）の（一）のイにおいて「再生計画」という。）又は２の（一）
　　に規定する債務処理計画（（ⅱ）及び４の（６）の（二）のロにおいて「債務処理計画」という。）を遂行するために２
　　の（一）の譲渡等をする場合　　次に掲げる計画の区分に応じそれぞれ次に定める書類
　　（ｉ）　再生計画　特例事業受贈者に係る再生計画（民事再生法（平成11年法律第225号）第174条第１項の規定に
　　　より認可の決定がされたものに限る。）の写し及び当該再生計画の認可の決定があったことを証する書類
　　（ⅱ）　債務処理計画　特例事業受贈者に係る債務処理計画（当該債務処理計画に係る法人税法施行令第24条の２
　　　《再生計画認可の決定に準ずる事実等》第１項第１号に規定する一般に公表された債務処理を行うための手続に
　　　ついての準則が、産業競争力強化法第135条第１項に規定する中小企業再生支援協議会が定めたものである場合
　　　に限る。）の写し及び当該債務処理計画が成立したことを証する書類
　　ロ　２の（一）の譲渡等の直前における猶予中贈与税額、２の（一）のイに掲げる金額及び２の（一）のロに掲げる合計額
　　　を記載した書類
　　ハ　その他参考となるべき事項を記載した書類
　（二）　２の（二）に該当するものとして２の規定により贈与税の免除を受けようとする場合　　次に掲げる書類
　　イ　２の（二）の特例事業受贈者について破産手続開始の決定があったことを証する書類
　　ロ　２の（二）のイに掲げる猶予中贈与税額及び２の（二）のロに掲げる合計額を記載した書類
　　ハ　その他参考となるべき事項を記載した書類

　　　（政令で定めるもの）
（３）　２の（一）に規定する１人の者として政令で定めるものは、次に掲げる者とする。（措令40の７の８㉝）
　（一）　２の（一）の譲渡又は贈与の時において、所得税法第143条《青色申告》の承認（同法第147条《青色申告の承認が
　　あったものとみなす場合》の規定により当該承認があったものとみなされる場合の承認を含む。）を受けている個人
　（二）　持分の定めのある法人（医療法人を除く。）
　（三）　持分の定めのない法人（一般社団法人（公益社団法人を除く。）及び一般財団法人（公益財団法人を除く。）を除
　　く。）

　　　（政令で定める事実及び計画）
（４）　２の（一）及び４に規定する政令で定める事実は、法人税法施行令第24条の２《再生計画認可の決定に準ずる事実等》
　　第１項に規定する事実（２の（一）に規定する一般に公表された債務処理を行うための手続についての準則が、産業競争
　　力強化法第135条第１項に規定する中小企業再生支援協議会が定めたものである場合に限る。）とし、２の（一）に規定す
　　る政令で定める計画は、同令第24条の２第１項第１号から第３号まで及び第４号又は第５号に掲げる要件に該当する債
　　務処理に関する計画とする。（措令40の７の８㉞）

　　　（免除通知）
（５）　税務署長は、２、３又は４の（４）の規定による申請書の提出があった場合において、これらの申請書に記載された
　　事項について調査を行い、２の各号若しくは３の各号に掲げる場合の区分に応じこれらの各号に定める贈与税若しくは
　　再計算免除贈与税の免除をし、又はこれらの申請書に係る申請の却下をする。この場合において、税務署長は、これら
　　の申請書に係る申請の期限の翌日から起算して６月以内に、当該免除をした贈与税の額若しくは当該再計算免除贈与税
　　の額又は当該却下をした旨及びその理由を記載した書面により、これをこれらの申請書を提出した特例事業受贈者に通
　　知するものとする。（措法70の６の８㉑）

　　　（徴収の猶予）
（６）　税務署長は、２又は３の申請書の提出があった場合において相当の理由があると認めるときは、これらの申請書に
　　係る納期限（第五節の６の表の（五）の左欄又は同表の（六）の左欄に掲げる場合の区分に応じ同表の（五）の右欄又は同表
　　の（六）の右欄に掲げる日をいう。）又はこれらの申請書の提出があった日のいずれか遅い日から（５）の規定による通知を
　　発した日の翌日以後１月を経過する日までの間、これらの申請に係る免除申請贈与税額に相当する贈与税の徴収を猶予
　　することができる。（措法70の６の８㉒）

　　　（延滞税の免除）
（７）　税務署長は、特例事業受贈者が２の（一）又は３の（一）若しくは（二）の規定の適用を受ける場合において、当該特例

－1051－

第六編　個人の事業用資産に係る相続税・贈与税の納税猶予及び免除

事業受贈者が適正な時価を算定できないことについてやむを得ない理由があると認めるときは、第五節の**6**の表の(五)の左欄又は同表の(六)の左欄に掲げる場合に該当することとなったことにより納付することとなった贈与税に係る延滞税につき、（6）に規定する納期限の翌日から（5）の規定による通知を発した日の翌日以後1月を経過する日までの間に対応する部分の金額を免除することができる。（措法70の6の8㉓）

　　　（延滞税の計算方法）

（8）　**2**又は**3**の申請書の提出があった場合において、当該提出があった日又は（6）に規定する納期限のいずれか遅い日の翌日から（5）の規定による通知（**2**又は**3**に係るものに限る。）を発した日までの間の延滞税の額を計算するときは、猶予中贈与税額から**2**又は**3**に規定する免除申請贈与税額を控除した残額を基礎として計算するものとする。（措令40の7の8㊲）

　　　（免除申請があった場合の延滞税の計算）

（9）　（8）の規定は、**2**又は**3**の規定による免除申請書が提出された場合で、（6）に規定する納期限又は当該免除申請書の提出があった日のいずれか遅い日の翌日から（5）の規定による免除通知書を発した日までの間に猶予中贈与税額から**2**又は**3**に規定する免除申請贈与税額（以下(11)までにおいて「免除申請贈与税額」という。）を控除した残額に相当する贈与税を納付するときに、それと併せて納付すべき延滞税の額の計算に関する取扱いであることに留意する。したがって、当該免除通知書を発した日後においては、猶予中贈与税額から（5）の規定により免除をする税額を控除した残額に相当する贈与税を基礎金額として、納付すべき延滞税の額を計算することに留意する。（措通70の6の8－73）

　　（注）　免除申請贈与税額と免除をする税額が異なる場合には、（8）の規定により計算した延滞税の額と免除後の贈与税額を基礎金額として計算した納付すべき延滞税の額に差額が生じることになるため、（8）の規定により計算した延滞税の額の増額又は減額の処理を行う必要があることに留意する。

　　　（利子税の計算方法）

（10）　**2**又は**3**の申請書の提出があった場合において、当該提出があった日から（5）の規定による通知（**2**又は**3**に係るものに限る。）を発した日までの間の利子税の額を計算するときは、猶予中贈与税額から**2**又は**3**に規定する免除申請贈与税額を控除した残額を基礎として計算するものとする。（措令40の7の8㊳）

　　　（免除申請があった場合の利子税の計算）

（11）　（10）の規定は、**2**又は**3**の規定による免除申請書が提出された場合で、当該免除申請書の提出があった日から（5）の規定による免除通知書を発した日までの間に猶予中贈与税額から免除申請贈与税額を控除した残額に相当する贈与税を納付するときに、それと併せて納付すべき利子税の額の計算に関する取扱いであることに留意する。したがって、当該免除通知書を発した日後においては、猶予中贈与税額から（5）の規定により免除をする税額を控除した残額に相当する贈与税を基礎金額として、納付すべき利子税の額を計算することに留意する。（措通70の6の8－74）

　　（注）　免除申請贈与税額と免除をする税額が異なる場合には、(10)の規定により計算した利子税の額と免除後の贈与税額を基礎金額として計算した納付すべき利子税の額に差額が生じることになるため、(10)の規定により計算した利子税の額の増額又は減額の処理を行う必要があることに留意する。

　　　（破産免除等の申請書が申請期限までに提出されない場合等）

（12）　特例事業受贈者が**2**の規定に基づき贈与税の免除を受けようとする場合には、**2**に規定する期限（以下(12)において「免除申請期限」という。）までに**2**に規定する申請書を納税地の所轄税務署長に提出しなければ、**2**の規定の適用はないことに留意する。

　　　当該申請書を免除申請期限までに提出しない場合には、猶予中贈与税額に相当する贈与税については**2**の（一）又は（二）に掲げる場合に該当することとなった日から2月を経過する日（**2**の（一）又は（二）に掲げる場合に該当することとなった日から当該2月を経過する日までの間に当該特例事業受贈者が死亡した場合には、当該特例事業受贈者の相続人（包括受遺者を含む。）が当該特例事業受贈者の死亡による相続の開始があったことを知った日の翌日から6月を経過する日）に納税の猶予に係る期限が到来することに留意する。（措通70の6の8－59）

　　（注）　免除申請期限までに**2**に規定する申請書の提出がなかった場合のゆうじょ規定は設けられていない。

　　　（**2**の（一）の規定の適用を受けるための譲渡等）

（13）　**2**の（一）の規定の適用を受けようとする場合には、第一節の**1**の規定の適用を受けている特例受贈事業用資産の全ての譲渡等をする必要があるのであるが、全ての譲渡等をしたかどうかの判定については、次によることに留意する。

－1052－

第一章　個人の事業用資産についての贈与税の納税猶予及び免除
（第六節　納税猶予税額の免除）

（措通70の6の8－60）

（一）　特例受贈事業用資産に係る事業が2以上ある場合には、その2以上の事業に係る全ての特例受贈事業用資産の譲渡等を行う必要がある。

（二）　特例事業受贈者に係る贈与者が2以上ある場合には、贈与者の異なるものごとにその判定を行う。

（三）　当該特例受贈事業用資産に係る事業の用に供されている資産のうちに、第一節の1の規定の適用を受けていない資産がある場合には、当該資産については譲渡等をする必要はない。

　　　（特例受贈事業用資産の時価に相当する金額の意義）

（14）　2の（一）のイの「特例受贈事業用資産の時価に相当する金額」は、評価基本通達の定めにより算定することに留意する。（措通70の6の8－61）

　　　（特例受贈事業用資産の譲渡等の対価の額の意義）

（15）　2の（一）のイの「特例受贈事業用資産の譲渡等の対価の額」の意義については、第五節の3の（4）《特例受贈事業用資産の譲渡の対価の額の意義》を準用する。（措通70の6の8－62）

3　その他の場合による納税猶予税額の免除

　　第一節の1の規定の適用を受ける特例事業受贈者が次に掲げる場合のいずれかに該当することとなった場合（当該特例事業受贈者の特例受贈事業用資産に係る事業の継続が困難な事由として（1）の政令で定める事由が生じた場合に限るものとし、その該当することとなった日前に猶予中贈与税額に相当する贈与税の全部につき第五節の1、同節の2、第三節の2又は第四節の規定による納税の猶予に係る期限が確定した場合を除く。）において、当該特例事業受贈者は、それぞれに定める贈与税の免除を受けようとするときは、その該当することとなった日から2月を経過する日までに、当該免除を受けたい旨、当該免除を受けようとする贈与税に相当する金額（2の（6）において「**免除申請贈与税額**」という。）及びその計算の明細その他の（8）の財務省令で定める事項を記載した申請書（当該免除の手続に必要な書類として（9）の財務省令で定める書類を添付したものに限る。）を納税地の所轄税務署長に提出しなければならない。（措法70の6の8⑰）

（一）　当該特例事業受贈者が当該特例事業受贈者の特別関係者以外の者に対して当該特例受贈事業用資産の全ての譲渡等をした場合において、次に掲げる金額の合計額が当該譲渡等の直前における猶予中贈与税額に満たないとき　　　当該猶予中贈与税額から当該合計額を控除した残額に相当する贈与税

　イ　当該譲渡等の対価の額（その額が当該譲渡等をした時における当該譲渡等をした当該特例受贈事業用資産の時価に相当する金額の2分の1以下である場合には、当該2分の1に相当する金額）を第一節の1の規定の適用に係る贈与により取得をした特例受贈事業用資産の当該贈与の時における価額とみなして、同節の2の（三）の規定により計算した金額

　ロ　当該譲渡等があった日以前5年以内において、当該特例事業受贈者の特別関係者が当該特例事業受贈者から受けた必要経費不算入対価等の合計額

（二）　当該特例受贈事業用資産に係る事業の廃止をした場合において、次に掲げる金額の合計額が当該廃止の直前における猶予中贈与税額に満たないとき　　　当該猶予中贈与税額から当該合計額を控除した残額に相当する贈与税

　イ　当該廃止の直前における当該特例受贈事業用資産の時価に相当する金額を第一節の1の規定の適用に係る贈与により取得をした特例受贈事業用資産の当該贈与の時における価額とみなして、同節の2の（三）の規定により計算した金額

　ロ　当該廃止の日以前5年以内において、当該特例事業受贈者の特別関係者が当該特例事業受贈者から受けた必要経費不算入対価等の合計額

　　　（政令で定める事由）

（1）　**3**に規定する特例受贈事業用資産に係る事業の継続が困難な事由として政令で定める事由は、次に掲げる事由とする。（措令40の7の8㉟）

　（一）　特例事業受贈者又は当該事業が**3**の各号に掲げる場合のいずれかに該当することとなった日の属する年の前年以前3年内の各年（（二）において「直前3年内の各年」という。）のうち2以上の年において、当該事業に係る所得税法第27条《事業所得》第2項に規定する事業所得の金額が零未満であること。

　（二）　直前3年内の各年のうち2以上の年において、当該事業に係る各年の所得税法第27条第1項に規定する事業所得に係る総収入金額が、当該各年の前年の総収入金額を下回ること。

　（三）　（一）、（二）に掲げるもののほか、特例事業受贈者による当該事業の継続が困難となった事由として（2）の財務省

－1053－

令で定める事由

（財務省令で定める事由）
（２）　（１）の(三)に規定する財務省令で定める事由は、特例事業受贈者が心身の故障その他の事由により特例受贈事業用資産に係る事業に従事することができなくなったこととする。（措規23の８の８㉕）

（事業の継続が困難な事由の意義）
（３）　**３**に規定する特例受贈事業用資産に係る事業の継続が困難な事由とは、次に掲げる事由をいうことに留意する。（措通70の６の８－64）
　（一）　直前３年内の各年（特例事業受贈者が**３**の(一)又は(二)に掲げる場合のいずれかに該当することとなった日の属する年の前年以前３年内の各年をいう（(二)において同じ。）のうち２以上の年において、当該事業に係る事業所得の金額が零未満であること。
　（二）　直前３年内の各年のうち２以上の年において、当該事業に係る各年の事業所得に係る総収入金額が当該各年の前年の総収入金額を下回ること。
　（三）　特例事業受贈者が心身の故障その他の事由により当該特例受贈事業用資産に係る事業に従事することができなくなったこと。
　（注）　上記(一)及び(二)の判定については、次の取扱いに留意する。
　　（イ）　特例事業受贈者が一の贈与者から特例対象贈与により取得をした特例受贈事業用資産に係る事業が２以上ある場合には、その２以上の事業の合計額により行うこと。
　　（ロ）　特例事業受贈者が特例受贈事業用資産に係る事業と別の事業を営んでいる場合における当該別の事業に係る金額は、上記の判定に含まれないこと。

（**３**の(一)の規定の適用を受けるための譲渡等）
（４）　**３**の(一)の「特例受贈事業用資産の全ての譲渡等」の意義については、**２**の(13)《**２**の(一)の規定の適用を受けるための譲渡等》を準用する。（措通70の６の８－65）

（特例受贈事業用資産に係る事業の廃止の意義）
（５）　**３**の(二)の「事業の廃止をした場合」とは、特例受贈事業用資産に係る事業の全てを廃止した場合をいうのであるから、特例事業受贈者が一の贈与者から特例対象贈与により取得をした特例受贈事業用資産に係る事業が２以上ある場合において、その一部の事業を廃止したときは、**３**の規定の適用はないことに留意する。（措通70の６の８－66）
　（注）　事業の全てを廃止したかどうかの判定は、特例事業受贈者に係る贈与者の異なるものごとに行うことに留意する。

（免除申請贈与税額の基礎となる金額の計算）
（６）　**３**に規定する免除申請贈与税額の基礎となる**３**の(一)のイ又は(二)のイの金額の計算については、次の取扱いに留意する。（措通70の６の８－67）
　（一）　**３**の(一)又は(二)のイの「特例受贈事業用資産の時価に相当する金額」は、評価基本通達の定めにより算定する。
　（二）　**３**の(一)のイの「譲渡等の対価の額」の意義については、第五節の**３**の(4)《特例受贈事業用資産の譲渡の対価の額の意義》を準用する。
　（三）　納税猶予分の贈与税額の計算に当たり第一節の**２**の(25)の「特例受贈事業用資産の価額から控除した金額」がある場合には、当該控除した金額を**３**の(一)のイに規定する譲渡等の対価の額又は**３**の(二)のイの特例受贈事業用資産の時価に相当する金額から控除する。

（**３**の規定の適用を受ける場合の納税猶予の期限）
（７）　特例事業受贈者が**３**の規定の適用を受ける場合には、次の表の左欄に掲げる場合の区分に応じ、中欄に掲げる金額に相当する贈与税については右欄に掲げる日から２月を経過する日（当該右欄に掲げる日から当該２月を経過する日までの間に当該特例事業受贈者が死亡した場合には、当該特例事業受贈者の相続人（包括受遺者を含む。）が当該特例事業受贈者の死亡による相続の開始があったことを知った日の翌日から６月を経過する日）に納税の猶予に係る期限が到来することに留意する。（措通70の６の８－68）

場合	金額	日
（一）　**３**の(一)に掲げる場合	**３**の(一)のイ及びロに掲げる金額の合計額	**３**の(一)の譲渡等をした日

| （二） | 3の（二）に掲げる場合 | 3の（二）のイ及びロに掲げる金額の合計額 | 3の（二）の事業の廃止をした日 |

　　（財務省令で定める事項）
（8）　3に規定する財務省令で定める事項は、次に掲げる事項とする。（措規23の8の8㉖）
　（一）　3の申請書を提出する者の氏名及び住所
　（二）　3の規定による贈与税の免除を受けようとする旨並びに当該免除を受けようとする贈与税の額及びその計算の明細
　（三）　3の（一）又は（二）に掲げる場合に該当することとなった事情の詳細及びその事情が生じた年月日
　（四）　3の（一）のイの譲渡等の対価の額
　（五）　（1）の（一）から（三）に掲げる事由のいずれに該当するかの別及びそれぞれに掲げる事由が生じることとなった事情の詳細
　（六）　その他参考となるべき事項

　　（財務省令で定める書類）
（9）　3に規定する財務省令で定める書類は、次に掲げる書類とする。（措規23の8の8㉗）
　（一）　3の（一）の譲渡等に係る契約書の写しその他の書類で3の各号に掲げる場合のいずれかに該当することとなったことを証するもの
　（二）　（8）の（四）の対価の額を証する書類
　（三）　貸借対照表、損益計算書その他の書類で（1）の各号に掲げる事由のいずれに該当するかを明らかにするもの
　（四）　3の（一）の譲渡等又は3の（二）の事業の廃止の直前における猶予中贈与税額、3の（一）又は（二）のイに掲げる金額及び3の（一）又は（二）のロに掲げる合計額を記載した書類
　（五）　その他参考となるべき事項を記載した書類

　　（差額免除の申請書が申請期限までに提出されない場合等）
（10）　3の規定に基づき贈与税の免除を受けようとする場合には、3に規定する期限（以下（10）において「申請期限」という。）までに3に規定する申請書を納税地の所轄税務署長に提出しなければ、これらの規定の適用はないことに留意する。
　　これらの申請書を申請期限までに提出しない場合には、猶予中贈与税額に相当する贈与税については3の（一）の譲渡等をした日又は3の（二）の事業の廃止をした日から2月を経過する日（当該譲渡等をした日又は事業の廃止をした日から当該2月を経過する日までの間に当該特例事業受贈者が死亡した場合には、当該特例事業受贈者の相続人（包括受遺者を含む。）が当該特例事業受贈者の死亡による相続の開始があったことを知った日の翌日から6月を経過する日）に納税の猶予に係る期限が到来することに留意する。（措通70の6の8－63）
　（注）1　申請期限までに3に規定する申請書の提出がなかった場合のゆうじょ規定は設けられていない。
　　　　2　「譲渡等をした日」とは、特例受贈事業用資産の引渡しがあった日ということに留意する（以下同じ。）。

4　特例事業受贈者について再生計画の認可の決定があった場合の免除
　　第一節の1の特例事業受贈者について民事再生法の規定による再生計画の認可の決定があった場合（再生計画の認可の決定に準ずる2の（4）の政令で定める事実が生じた場合を含む。）において、当該特例事業受贈者の有する資産につき（1）の政令で定める評定が行われたとき（当該認可の決定があった日（当該2の（4）の政令で定める事実が生じた場合にあっては、債務処理計画が成立した日。以下「認可決定日」という。）以後2の（5）の規定による通知が発せられた日前に猶予中贈与税額に相当する贈与税の全部につき第五節の1、同節の2、第三節の2又は第四節の規定による納税の猶予に係る期限が確定した場合を除くものとし、再生計画を履行している特例事業受贈者にあっては、監督委員又は管財人が選任されている場合に限る。）は、再計算猶予中贈与税額をもって特例受贈事業用資産に係る猶予中贈与税額とする。この場合において、（二）に掲げる金額に相当する贈与税については、第一節の1の規定にかかわらず、当該通知が発せられた日から2月を経過する日をもって同1の規定による納税の猶予に係る期限とし、猶予中贈与税額から次に掲げる金額の合計額を控除した残額に相当する贈与税（「**再計算免除贈与税**」という。）については、免除する。（措法70の6の8⑱）

| （一） | 当該再計算猶予中贈与税額 |
| （二） | 認可決定日以前5年以内において、当該特例事業受贈者の特別関係者が当該特例事業受贈者から受けた必要経費不算入対価等の合計額 |

第六編　個人の事業用資産に係る相続税・贈与税の納税猶予及び免除

（政令で定める評定）
（１）　**4**に規定する政令で定める評定は、次に掲げる事実の区分に応じそれぞれに定める評定とする。（措令40の７の８㊱）
　（一）　民事再生法の規定による再生計画の認可の決定があったこと　　特例事業受贈者が有する特例受贈事業用資産について当該再生計画の認可の決定があった時の価額により行う評定
　（二）　**4**に規定する**2**の（４）の政令で定める事実　　特例事業受贈者が法人税法施行令第24条の２《再生計画認可の決定に準ずる事実等》第１項第１号イに規定する事項に従って行う同項第２号の資産評定

（再計算猶予中贈与税額）
（２）　**4**の「再計算猶予中贈与税額」とは、第一節の**1**の規定の適用に係る特例受贈事業用資産（猶予中贈与税額に対応する部分に限る。）の認可決定日における価額を同**1**の規定の適用に係る贈与により取得をした特例受贈事業用資産の当該贈与の時における価額とみなして、同節の**2**の（三）の規定により計算した金額をいう。（措法70の６の８⑲）

（再計算猶予中贈与税額の計算）
（３）　（２）に規定する再計算猶予中贈与税額の計算については、次の取扱いに留意する。（措通70の６の８－72）
　（一）　（２）の「特例受贈事業用資産の認可決定日における価額」は、評価基本通達の定めにより算定する。
　（二）　納税猶予分の贈与税額の計算に当たり第一節の**2**の（25）の「特例受贈事業用資産の価額から控除した金額」がある場合には、当該金額を**4**の特例受贈事業用資産の認可決定日の価額から控除する。

（適用要件）
（４）　**4**の規定は、**4**の規定の適用を受けようとする特例事業受贈者が、認可決定日から２月を経過する日までに、**4**の規定の適用を受けたい旨、（２）に規定する再計算猶予中贈与税額及びその計算の明細その他（５）の財務省令で定める事項を記載した申請書（**4**に規定する認可の決定があった再生計画（債務処理計画を含む。）に関する書類として（６）の財務省令で定めるものを添付したものに限る。）を納税地の所轄税務署長に提出した場合に限り、適用する。（措法70の６の８⑳）

（財務省令で定める事項）
（５）　（４）に規定する財務省令で定める事項は、次に掲げる事項とする。（措規23の８の８㉘）
　（一）　（４）の申請書を提出する者の氏名及び住所
　（二）　**4**に規定する場合に該当することとなった事情の詳細及びその事情が生じた年月日
　（三）　その他参考となるべき事項

（財務省令で定める書類）
（６）　（４）に規定する財務省令で定める書類は、次に掲げる場合の区分に応じそれぞれに定める書類とする。（措規23の８の８㉙）
　（一）　民事再生法の規定による再生計画の認可の決定があった場合　　次に掲げる書類
　イ　特例事業受贈者に係る再生計画（民事再生法第174条第１項の規定により認可の決定がされたものに限る。）の写し及び当該再生計画の認可の決定があったことを証する書類
　ロ　特例事業受贈者の有する資産及び負債につき（１）の（一）に規定する評定に基づいて作成された貸借対照表
　ハ　その他参考となるべき事項を記載した書類
　（二）　**2**の（４）に規定する事実が生じた場合　　次に掲げる書類
　イ　特例事業受贈者に係る**2**の（２）の（一）のイの（２）の（ⅱ）の書類
　ロ　法人税法施行規則第８条の６《資産の評価益の益金算入に関する書類等》第１項第１号中「内国法人、その役員及び株主等（株主等となると見込まれる者を含む。）並びに」とあるのを「特例事業受贈者及び」と、「当該内国法人」とあるのを「当該特例事業受贈者」と読み替えた場合における同号に掲げる者が作成した書類で特例事業受贈者に係る債務処理計画が**2**の（４）に規定するものである旨を証するもの
　ハ　その他参考となるべき事項を記載した書類

（猶予中贈与税額の再計算に係る申請書が申請期限までに提出されない場合等）
（７）　特例事業受贈者が**4**の規定の適用を受けようとする場合には、（４）の申請期限（以下（７）において「申請期限」と

－1056－

第一章　個人の事業用資産についての贈与税の納税猶予及び免除
（第六節　納税猶予税額の免除）

いう。）までに（4）に規定する申請書を納税地の所轄税務署長に提出しなければ、**4**の規定の適用はないことに留意する。
（措通70の6の8－69）

（注）　申請期限までに**4**に規定する申請書の提出がなかった場合のゆうじょ規定は設けられていない。

　　　（債務処理計画が成立した日の意義）
（8）　　**4**に規定する「債務処理計画が成立した日」とは、産業競争力強化法（平成25年法律第98号）第135条第1項に規定
　する中小企業再生支援協議会が、**2**の(一)に規定する債務処理計画の策定の支援を含む特例受贈事業用資産に係る事業
　の再生を支援する場合において、対象となる債権者全員が再生計画に同意する旨の書面を提出した日をいうことに留意
　する。（措通70の6の8－70）

　　　（認可決定日後に確定事由が生じた場合）
（9）　　**4**に規定する認可決定日以後**2**の(5)の規定による通知が発せられた日（以下（9）において「通知日」という。）前
　に、第五節の**1**の(一)から(六)までに掲げる場合に該当することとなった場合、同節の**2**の場合に該当することとなっ
　た場合及び第三節の**2**の規定の適用があった場合並びに当該通知日前に第四節の規定による納税の猶予に係る期限の繰
　上げがあった場合には、**4**の規定の適用がないことに留意する。（措通70の6の8－71）

第六編　個人の事業用資産に係る相続税・贈与税の納税猶予及び免除

第七節　雑　　則

（他の納税猶予との重複適用の排除）

（１）　第一節の**1**の規定は、贈与者から贈与により取得をした特定事業用資産に係る事業と同一の事業の用に供される資産について、同**1**の規定の適用を受けている他の特例事業受贈者若しくは同**1**の規定の適用を受けようとする他の特例事業受贈者又は第三章第一節の**1**の規定の適用を受けている他の同節の**2**の（二）に規定する特例事業相続人等がいる場合には、当該特定事業用資産については、適用しない。（措法70の６の８⑦）

（特例受贈事業用資産に係る事業と別の事業を営んでいる場合）

（２）　特例事業受贈者が特例受贈事業用資産に係る事業と別の事業を営んでいる場合には、当該特例事業受贈者は、それぞれの事業につき所得税法第148条《青色申告者の帳簿書類》第１項の規定による帳簿書類の備付け、記録又は保存をしなければならない。（措令40の７の８㊴）

（国税通則法、国税徴収法及び相続税法の規定の適用）

（３）　特例事業受贈者が第一節の**1**の規定の適用を受けようとする場合又は同**1**の規定による納税の猶予がされた場合における国税通則法、国税徴収法及び相続税法の規定の適用については、次に定めるところによる。（措法70の６の８⑬）

　（一）　第一節の**1**の規定の適用があった場合における贈与税に係る延滞税については、その贈与税の額のうち納税猶予分の贈与税額とその他のものとに区分し、更に当該納税猶予分の贈与税額を（四）に規定する納税の猶予に係る期限が異なるものごとに区分して、それぞれの税額ごとに国税通則法の延滞税に関する規定を適用する。

　（二）　第六節の**2**の（５）の規定による通知（同節の**2**又は同節の**3**に係るものに限る。）により過誤納となった額に相当する贈与税の国税通則法第56条《還付》から第58条《還付加算金》までの規定の適用については、当該通知を発した日又は第六節の**2**若しくは同節の**3**の規定による申請の期限から６月を経過する日のいずれか早い日に過誤納があったものとみなす。

　（三）　第一節の**1**の規定による納税の猶予を受けた贈与税については、国税通則法第64条《利子税》第１項及び第73条《時効の中断及び停止》第４項中「延納」とあるのは、「延納（第六編第一章第一節の**1**《個人の事業用資産についての贈与税の納税猶予及び免除》の規定による納税の猶予を含む。）」とする。

　（四）　第一節の**1**の規定による納税の猶予に係る期限（第五節の**1**、同節の**2**、第三節の**2**又は第四節の規定による当該期限を含む。）は、国税通則法及び国税徴収法中法定納期限又は納期限に関する規定を適用する場合には、相続税法の規定による延納に係る期限に含まれるものとする。

　（五）　第六節の**2**又は同節の**3**の申請書の提出があった場合において、これらの申請書に係るこれらの規定に規定する免除申請贈与税額に相当する贈与税は、国税徴収法第82条《交付要求の手続》第１項の規定の適用については、第六節の**2**の（５）の規定による通知を発する日まで同条第１項の滞納に係る国税に該当しないものとする。

　（六）　第一節の**1**の規定の適用を受ける特例事業受贈者が第六節の**1**から**4**までの規定により猶予中贈与税額の全部又は一部の免除を受けた場合において、第一節の**1**の規定の適用に係る特例受贈事業用資産（第三編第一章第一節二の（１）《相続時精算課税選択届出書に係る贈与財産の税額の計算》の規定の適用を受けるものに限る。）の贈与者の相続が開始したときは、当該特例受贈事業用資産のうち当該免除を受けた猶予中贈与税額に対応する部分については、同章第三節**一**から**三**までの規定は、適用しない。

　（七）　第一節の**1**の規定の適用を受ける特例事業受贈者の同**1**の規定の適用に係る贈与が第六節の**1**（（三）に係る部分に限る。）の規定の適用に係る贈与（第三編第一章第一節二の（１）の規定の適用を受ける特例受贈事業用資産に係る贈与に限る。以下（七）において「第二贈与」という。）であり、かつ、当該特例受贈事業用資産が第二贈与者（当該第二贈与をした者をいう。以下（七）において同じ。）が第一贈与者（第二贈与前に第二贈与者に当該特例受贈事業用資産の贈与をした者をいう。）から贈与により取得をしたものである場合には、当該第二贈与者が死亡したときにおける当該特例事業受贈者が当該第二贈与により取得をした当該特例受贈事業用資産については、第三編第一章第三節《相続時精算課税に係る相続税の課税価格及び税額》の**一**から**三**までの規定は、適用しない。

　（八）　第五節の**1**、同節の**2**、第三節の**2**又は第四節の規定に該当する贈与税については、第二編第七章第二節**一**《贈与税の延納》の規定は、適用しない。

－1058－

第一章　個人の事業用資産についての贈与税の納税猶予及び免除
（第七節　雑　　則）

（経済産業大臣等の通知義務）
（４）　経済産業大臣又は経済産業局長（中小企業における経営の承継の円滑化に関する法律第17条の規定に基づく政令の
　　規定により特例円滑化法認定を都道府県知事が行うこととされている場合には、当該都道府県知事。（６）並びに第三章
　　第七節の（４）及び（６）において同じ。）は、第一節の１の規定の適用を受ける特例事業受贈者、同１の特例受贈事業用資
　　産又は当該特例受贈事業用資産に係る事業について、第五節の１又は同節の２の規定による納税の猶予に係る期限の確
　　定に係る事実に関し、法令の規定に基づき認定、確認、報告の受理その他の行為をしたことにより当該事実があったこ
　　とを知った場合には、遅滞なく、当該事業について当該事実が生じた旨その他（５）の財務省令で定める事項を、書面に
　　より、国税庁長官又は当該特例事業受贈者の納税地の所轄税務署長に通知しなければならない。（措法70の６の８㉗）

　　（財務省令で定める事項）
（５）　（４）に規定する財務省令で定める事項は、次に掲げる事項とする。（措規23の８の８㉚）
　　（一）　特例事業受贈者及び当該特例事業受贈者に係る贈与者の氏名及び住所
　　（二）　その他参考となるべき事項

　　（経済産業大臣等の通知義務）
（６）　税務署長は、第一節の１の場合において経済産業大臣又は経済産業局長の事務（同１の規定の適用を受ける特例事
　　業受贈者に関する事務で、（４）の規定の適用に係るものに限る。）の処理を適正かつ確実に行うため必要があると認める
　　ときは、経済産業大臣又は経済産業局長に対し、当該特例事業受贈者が第一節の１の規定の適用を受ける旨その他（７）
　　の財務省令で定める事項を通知することができる。（措法70の６の８㉘）

　　（財務省令で定める事項）
（７）　（６）に規定する財務省令で定める事項は、次に掲げる事項とする。（措規23の８の８㉛）
　　（一）　特例事業受贈者及び当該特例事業受贈者に係る贈与者の氏名及び住所
　　（二）　（一）の特例事業受贈者が同号の贈与者から第一節の１の規定の適用に係る贈与により取得をした特例受贈事業用
　　　　資産に係る第一節の１に規定する贈与税の申告書が提出された日
　　（三）　（一）の特例事業受贈者が（二）の特例受贈事業用資産について第一節の１の規定の適用を受けている旨及び第一節
　　　　の１の規定の適用に係る特例受贈事業用資産の明細
　　（四）　その他（６）の通知の事務に関し税務署長が必要と認める事項

第八節 個人の事業用資産についての贈与税の納税猶予及び免除に係る相続時精算課税適用者の特例

　贈与により第一節の**1**の規定の適用に係る特例受贈事業用資産（同**1**に規定する特例受贈事業用資産をいう。以下本節において同じ。）を取得した同**1**の規定の適用を受ける特例事業受贈者(同節の**2**の(二)に規定する特例事業受贈者をいう。以下本節において同じ。）が贈与者（その贈与をした同節の**1**に規定する贈与者をいう。以下本節において同じ。）の直系卑属である推定相続人以外の者（その贈与者の孫を除き、その年1月1日において18歳以上である者に限る。）であり、かつ、その贈与者が同日において60歳以上の者である場合には、その贈与により当該特例受贈事業用資産を取得した特例事業受贈者については、第三編第一章第一節一《相続時精算課税制度の適用対象者》又は同節二《相続時精算課税制度の選択》の規定を準用する。（措法70の2の7①）

　（特例受贈事業用資産の取得の時前に当該贈与者からの贈与により取得した財産がある場合）
（1）　特例事業受贈者が贈与者（その年1月1日において60歳以上の者に限る。）からの贈与により特例受贈事業用資産を取得した場合において、当該特例受贈事業用資産の取得の時前に当該贈与者からの贈与により取得した財産については、第八節の規定の適用はないものとする。（措法70の2の7②）

　（贈与税の納税猶予の期限確定・免除の場合の贈与者から取得した財産）
（2）　第八節において準用する第三編第一章第一節二の届出書を提出した特例事業受贈者が、第五節の**2**に規定する猶予中贈与税額に相当する贈与税の全部につき納税の猶予に係る期限が確定した場合又は免除された場合においても、贈与者からの贈与により取得した財産については、第八節において準用する第三編第一章第一節の二の(1)《相続時精算課税選択届出書に係る贈与財産の税額の計算》の規定の適用があるものとする。（措法70の2の7③）

　（相続時精算課税適用者が贈与者の推定相続人でなくなった場合）
（3）　第八節において準用する第三編第一章第一節の二《相続時精算課税制度の選択》の届出書を提出した特例事業受贈者については同二の(1)《相続時精算課税選択届出書に係る贈与財産の税額の計算》の規定の適用を受ける財産を取得した同二の(2)《相続時精算課税適用者が特定贈与者の推定相続人でなくなった場合》に規定する相続時精算課税適用者と、贈与者については同二の(1)の規定の適用を受ける財産の贈与をした同二の(2)に規定する特定贈与者とそれぞれみなして、相続税法その他相続税又は贈与税に関する法令の規定を適用する。（措法70の2の7④）

　（相続税法その他の法令の規定の適用）
（4）　第八節において準用する第三編第一章第二節二《相続時精算課税の選択》の届出書に係る贈与をした者からの贈与により取得する財産については、同二の(1)《相続時精算課税選択届出書に係る贈与財産の税額の計算》の規定の適用を受ける財産とみなして、相続税法その他相続税又は贈与税に関する法令の規定を適用する。（措令40の4の7①）

　（相続時精算課税の適用に係る相続税の申告）
（5）　第八節の規定の適用がある場合における第三編第一章第五節三の(3)《贈与税の申告内容の開示請求の方法等》の規定の適用については、同三の(3)中「推定相続人」とあるのは「推定相続人（第六編第一章第八節《個人の事業用資産についての贈与税の納税猶予及び免除に係る相続時精算課税適用者の特例》の規定の適用を受けた同章第一節の**2**の(二)に規定する特例事業受贈者を含む。）」とする。（措令40の4の7②）

　（相続時精算課税選択届出書の添付書類等）
（6）　第八節の規定の適用がある場合における第三編第一章第一節二の(5)《相続時精算課税選択届出書の添付書類》及び同編第一章第五節三の(6)《開示請求書の添付書類等》の(三)の規定の適用については、同編第一章第一節二の(5)中「者の戸籍の謄本又は抄本その他の書類でその者の」とあるのは「者の」と、「の推定相続人に該当する」とあるのは「からの贈与により第六編第一章第一節の**1**《個人の事業用資産についての贈与税の納税猶予及び免除》に規定する特例受贈事業用資産の取得をした」と、第四編第一章第五節三の(6)の(三)中「の推定相続人であった場合」とあるのは「か

第一章　個人の事業用資産についての贈与税の納税猶予及び免除
（第八節　個人の事業用資産についての贈与税の納税猶予及び免除に係る相続時精算課税適用者の特例）

らの贈与により第六編第一章第一節の**1**《個人の事業用資産についての贈与税の納税猶予及び免除》に規定する特例受贈事業用資産の取得をした場合」と、「戸籍の謄本又は抄本その他の書類で当該対象共同相続人等が当該被相続人の推定相続人であった」とあるのは「当該贈与に係る契約書の写しその他の書類で当該対象共同相続人等が当該特例受贈事業用資産の取得をした」とする。（措規23の5の7）

　　（納税猶予分の贈与税額が算出されない場合）
（7）　特例事業受贈者（第一節の**2**の（二）に規定する特例事業受贈者をいう。）が贈与により取得した特例受贈事業用資産（第一節の**1**に規定する特例受贈事業用資産をいう。）につき第一節の**2**の（三）のロの規定により計算した同（三）に規定する納税猶予分の贈与税額が零となる場合には、当該特例事業受贈者は第八節の規定の適用を受けることができないことに留意する。（措通70の2の7－1）

　　（特例受贈事業用資産の取得の時前に贈与により取得した財産がある場合）
（8）　特例事業受贈者が（1）に規定する贈与者からの贈与による特例受贈事業用資産の取得の時前に当該贈与者からの贈与を受けたことから、（1）の規定により相続時精算課税が適用されない贈与があるときにおける当該贈与により取得した財産に係る贈与税額は、暦年課税により計算することとなり、第二編第五章第一節の**1**（同節の**2**を含む。）の規定の適用があることに留意する。（措通70の2の7－2）
　　（注）　（1）の規定により相続時精算課税が適用されない贈与がある場合においても、その年分の相続時精算課税に係る基礎控除の額は、110万円（同一年中において2人以上の特定贈与者からの贈与により財産を取得した場合には、第三編第一章第二節一の（4）《特定贈与者が2人以上ある場合における相続時精算課税に係る基礎控除の額》の定めにより計算した金額）となることに留意する。

　　（相続時精算課税関係通達の準用）
（9）　第三編第一章第三節三の(18)《相続時精算課税適用者に対する第一編第四章第二節四の**1**の規定の適用》、第三編第一章第一節二の（8）《「相続時精算課税選択届出書」の提出先等》、同二の（9）《相続時精算課税選択届出書の提出》及び同二の(10)《住所又は居所を証する書類》から同章第四節二の(10)《相続人が2人以上いる場合》までについては、特例事業受贈者が第八節の規定の適用を受ける場合について準用する。（措通70の2の7－3）

－1061－

第六編　個人の事業用資産に係る相続税・贈与税の納税猶予及び免除

第二章　個人の事業用資産の贈与者が死亡した場合の相続税の課税の特例

1　特例適用の要件

　第一章第一節の1《個人の事業用資産についての贈与税の納税猶予及び免除》の規定の適用を受ける同節の2の(二)に規定する特例事業受贈者に係る贈与者が死亡した場合（その死亡の日前に猶予中贈与税額に相当する贈与税の全部につき第一章第五節の1、同節の2、同章第三節の2又は同章第四節の規定による納税の猶予に係る期限が確定した場合並びにその死亡の時以前に当該特例事業受贈者が死亡した場合及び同章第六節の1の(四)に掲げる場合に該当した場合を除く。）には、当該贈与者の死亡による相続又は遺贈に係る相続税については、当該特例事業受贈者が当該贈与者から相続（当該特例事業受贈者が当該贈与者の相続人以外の者である場合には、遺贈）により同章第一節の1の規定の適用に係る特例受贈事業用資産（同章第五節の3又は4の規定により特例受贈事業用資産とみなされたものを含み、猶予中贈与税額に対応する部分に限る。）の取得をしたものとみなす。この場合において、その死亡による相続又は遺贈に係る相続税の課税価格の計算の基礎に算入すべき当該特例受贈事業用資産の価額については、当該贈与者から同章第一節の1の規定の適用に係る贈与により取得をした特例受贈事業用資産の当該贈与の時（同章第六節の4の規定の適用があった場合には、同4に規定する認可決定日）における価額（同章第一節の2の(三)のイの特例受贈事業用資産の価額をいう。）を基礎として計算するものとする。（措法70の6の9①）

　　　（納税猶予額の免除の適用に係る場合の読み替え）
(1)　第一章第一節の1の規定の適用を受ける同節の2の(二)に規定する特例事業受贈者の同節の1の規定の適用に係る贈与が当該特例事業受贈者に係る贈与者の同章第六節の1（(三)に係る部分に限る。）の規定の適用に係る贈与である場合における1の規定の適用については、1中「係る贈与者」とあるのは「係る前の贈与者（同節の1の規定の適用を受けていた者としての(2)の政令で定める者に同1の特定事業用資産の贈与をした者をいう。）」と、「当該贈与者」とあるのは「当該前の贈与者」と、「贈与により取得」とあるのは「前の贈与（同1の規定の適用を受けていた者として(2)の政令で定める者に対する当該特定事業用資産の贈与をいう。）により当該政令で定める者が取得」と、「当該贈与の」とあるのは「当該前の贈与の」とする。（措法70の6の9②）

　　　（政令で定める者）
(2)　(1)の規定により読み替えて適用する1に規定する政令で定める者は、第一章第一節の1の(3)の(一)又は(二)に掲げる場合の区分に応じそれぞれに定める者とする。（措令40の7の9）

　　　（措置法第70条の6の9の規定により相続又は遺贈により取得をしたものとみなされる特例受贈事業用資産の価額の計算）
(3)　1（(1)の規定により読み替えて適用する場合を含む。）の規定により相続又は遺贈により取得をしたものとみなされる特例受贈事業用資産の価額の計算については、次の取扱いに留意する。（措通70の6の9－1）
(一)　特例受贈事業用資産の価額は、特例対象贈与の時（(1)の規定により読み替えて適用する1の規定による場合には、前の贈与者が行った前の贈与の時）における当該特例受贈事業用資産の価額によるが、第一章第六節の4の規定の適用があった場合には、同4に規定する認可決定日における当該特例受贈事業用資産の価額による。
(注)1　「前の贈与者」とは、次に掲げる場合の区分に応じ、それぞれに定める者に当該特例受贈事業用資産の贈与をした者をいう（以下(6)までにおいて同じ。）。
　　　イ　贈与者に対する第一章第一節の1の規定の適用に係る贈与が、当該贈与をした者の同章第六節の1（(三)に係る部分に限る。）の規定の適用に係るもの（以下このイにおいて「免除対象贈与」という。）である場合　特例受贈事業用資産に係る免除対象贈与をした者のうち最初に同章第一節の1の規定の適用を受けた者
　　　ロ　イに掲げる場合以外の場合　贈与者
　　2　「前の贈与」とは、(注)1のイ又はロに掲げる場合の区分に応じ、それぞれに定める者に対する当該特例受贈事業用資産の贈与をいう（以下(6)までにおいて同じ。）。
　　3　特例受贈事業用資産が、第三編第一章第一節二の(1)（同節三、第一章第八節（第七編第四章第九節において準用する場合を含む。）又は第三編第二章の1において準用する場合を含む。）の規定の適用を受けているものであっても、当該特例受贈事業用資産の価額から相続時精算課税に係る基礎控除の額は控除しないことに留意する。

－1062－

第二章　個人の事業用資産の贈与者が死亡した場合の相続税の課税の特例

　（二）　納税猶予分の贈与税額（第一章第一節の**2**の（三）に規定する納税猶予分の贈与税額をいい、同章第六節の**4**の規定の適用があった場合には、同**4**の（2）に規定する再計算猶予中贈与税額とする。以下（3）において同じ。）の計算において同章第一節の**2**の（三）の債務の金額が控除された場合には、（一）の価額に次の算式による割合を乗じて計算した価額による。

　（算式）

$$\frac{A-B}{A}$$

　（注）1　上記算式中の符号は次のとおり。
　　　　　A＝納税猶予分の贈与税額の計算に係る特例受贈事業用資産の価額の合計額
　　　　　B＝納税猶予分の贈与税額の計算において控除された同**2**の（三）の債務の金額
　　　　2　上記により計算した価額に1円未満の端数がある場合には、その端数金額を切り捨てて差し支えない。

　（三）　「相続又は遺贈により取得をしたものとみなされる特例受贈事業用資産」には、同章第五節の**2**の（2）の届出に係る特例受贈事業用資産が含まれる。

　（贈与者の死亡の日前に納税猶予の期限が確定した特例受贈事業用資産）
（4）　第一章第一節の**1**の規定の適用に係る贈与者が死亡した場合（（5）に掲げる場合を除く。）において、当該贈与者の死亡の日前に、当該納税猶予に係る贈与税の全部又は一部についての納税猶予の期限が確定しているときの当該死亡に係る相続税の課税関係は、次の区分に応じ、それぞれに定めるところによることに留意する。（措通70の6の9－2）

　（一）　納税猶予に係る納税猶予分の贈与税額について第一章第一節の**2**の（三）のイ（暦年課税）の規定により計算している場合

　　　当該適用に係る特例対象贈与が当該贈与者の死亡に係る相続税の加算対象期間内にあった場合において、当該贈与者の死亡の日前に、当該納税猶予に係る贈与税の全部又は一部についての納税猶予の期限が確定しており、かつ、特例事業受贈者が当該贈与者から相続又は遺贈により財産を取得している場合における当該期限の確定に係る特例受贈事業用資産は、第一編第四章第二節**四**の規定により、特例対象贈与の時における価額で相続税が課税されることに留意する。

　　　なお、当該特例受贈事業用資産は、第三章第一節の**1**の規定の適用対象とならないことに留意する。

　（二）　納税猶予に係る納税猶予分の贈与税額について第一章第一節の**2**の（三）のロ（相続時精算課税）の規定により計算している場合

　　　当該贈与者の死亡の日前に、当該納税猶予に係る贈与税の全部又は一部についての納税猶予の期限が確定している場合における当該期限の確定に係る特例受贈事業用資産は、第三編第三節**一**の（1）又は**二**の（2）の規定により、特例対象贈与の時における価額で相続税が課税されることに留意する。

　　　なお、当該特例受贈事業用資産は、第三章第一節の**1**の規定の適用対象とならないことに留意する。

　（注）1　当該贈与者の死亡の時において、現に第一章第一節の**1**の規定の適用を受けている特例受贈事業用資産は、**1**の規定により特例事業受贈者が当該贈与者から相続（当該特例事業受贈者が当該贈与者の相続人以外の者である場合には遺贈）により取得をしたものとみなされ、特例対象贈与の時（第一章第六節の**4**の規定の適用があった場合には、同**4**に規定する認可決定日）の価額を基礎として計算した価額で相続税が課税されることに留意する。
　　　　　なお、当該特例受贈事業用資産は、第三章第一節の**1**の適用に係る要件を満たせば、同**1**の規定の適用対象となることに留意する。
　　　　2　当該特例受贈事業用資産のうち、第一章第六節の**1**から**4**までの規定により免除を受けた猶予中贈与税額に対応する部分については、上記（一）及び（二）の規定の適用はないことに留意する。なお、「免除を受けた猶予中贈与税額に対応する部分」の意義については、同節の**1**の（12）を参照。

　（免除対象贈与を行った贈与者の死亡の日前に納税猶予の期限が確定した特例受贈事業用資産）
（5）　第一章第一節の**1**の規定の適用に係る贈与者（同**1**の規定の適用を受けている特例事業受贈者に限る。）が死亡した場合において、当該贈与者の死亡の日前に、当該納税猶予に係る贈与税の全部又は一部についての納税猶予の期限が確定しているときの当該死亡に係る相続税の課税関係は、次の区分に応じ、それぞれに定めるところによることに留意する。（措通70の6の9－3）

　（一）　当該納税猶予に係る納税猶予分の贈与税額について第一章第一節の**2**の（三）のイの規定（暦年課税）により計算している場合

　　　当該適用に係る特例対象贈与が当該贈与者の死亡に係る相続税の加算対象期間内にあった場合において、当該贈与者の死亡の日前に、当該納税猶予に係る贈与税の全部又は一部についての納税猶予の期限が確定しており、かつ、特例事業受贈者が当該贈与者から相続又は遺贈により財産を取得している場合における当該期限の確定に係る特例受贈

－1063－

第六編　個人の事業用資産に係る相続税・贈与税の納税猶予及び免除

事業用資産は、第一編第四章第二節**四**の規定により、特例対象贈与の時における価額で相続税が課税されることに留意する。

なお、当該特例受贈事業用資産は、第三章第一節の**1**の規定の適用対象とならないことに留意する。

(二) 当該納税猶予に係る納税猶予分の贈与税額について第一章第一節の**2**の(三)のロの規定（相続時精算課税）により計算している場合

当該贈与者の死亡の日前に、当該納税猶予に係る贈与税の全部又は一部についての納税猶予の期限が確定している場合における当該期限の確定に係る特例受贈事業用資産は、第三編第三節**一**又は**二**の(2)の規定により、特例対象贈与の時における価額で相続税が課税されることに留意する。

なお、当該特例受贈事業用資産は、第一章第五節の**6**の(1)の規定の適用対象とならないことに留意する。

(注)　当該特例受贈事業用資産のうち、第一章第六節の**1**から**4**までの規定により免除を受けた猶予中贈与税額に対応する部分については、上記(一)及び(二)の規定の適用はないことに留意する。なお、「免除を受けた猶予中贈与税額に対応する部分」の意義については、同節の**1**の(12)を参照。

（買換えの承認に係る特例受贈事業用資産）

(6)　特例受贈事業用資産の譲渡につき第一章第五節の**3**の規定による買換えの承認を受けている場合において、同**3**の特例事業受贈者の事業の用に供される資産（以下(6)において「買換資産」という。）を取得する前に贈与者（前の贈与者を含む。）が死亡したときにおける当該承認に係る譲渡をした特例受贈事業用資産に係る相続税の課税に当たっては、当該特例受贈事業用資産は、同**3**の規定により譲渡がなかったものとみなされることから、**1**（(1)の規定により読み替えて適用する場合を含む。）の規定により当該特例事業受贈者が当該贈与者から相続又は遺贈により取得をしたものとみなされ、当該譲渡に係る特例受贈事業用資産の贈与（前の贈与者にあっては前の贈与）の時（第一章第六節の**4**の規定の適用があった場合には、同項に規定する認可決定日）の価額を基礎として計算した価額が相続税の課税価格の計算の基礎に算入されることに留意する。（措通70の6の9－4）

(注)　上記の譲渡に係る特例受贈事業用資産について、第三章第一節の**1**の規定による相続税の納税猶予の適用を受ける場合には、同節の**1**の(8)において読み替えて適用する同**1**の規定により当該特例受贈事業用資産は、相続又は遺贈により取得をした同節の**2**の(一)に規定する特定事業用資産に含まれることから相続税の納税猶予の適用を受けることができることとなる。

なお、この場合において、当該譲渡があった日から1年以内に買換資産を取得しなかったときには、その譲渡があった日から1年を経過する日において譲渡があったものとみなされ、当該譲渡に係る特例受贈事業用資産の価額に対応する部分の相続税の納税猶予税額は、納付を要することに留意する。

2　物納財産の不適格

1の前段に規定する特例受贈事業用資産について**1**（**1**の(1)の規定により読み替えて適用する場合を含む。）の規定の適用を受ける場合における第一編第八章第三節**一**の**2**《物納できる財産》（同節**三**の(5)《規定の準用》において準用する場合を含む。）の規定の適用については、第一編第八章第三節**一**の**2**中「財産を除く」とあるのは、「財産及び第六編第二章《個人の事業用資産の贈与者が死亡した場合の相続税の課税の特例》の**1**（同**1**の(1)の規定により読み替えて適用する場合を含む。）の規定により相続又は遺贈により取得をしたものとみなされる同**1**に規定する特例受贈事業用資産を除く」とする。（措法70の6の9③）

第三章　個人の事業用資産についての相続税の納税猶予及び免除

第一節　特例適用の要件

1　個人の事業用資産についての相続税の納税猶予及び免除

　特定事業用資産を有していた個人として（1）の政令で定める者（以下本章において「**被相続人**」という。）から相続又は遺贈によりその事業に係る特定事業用資産の全て（当該特定事業用資産の全部又は一部が数人の共有に属する場合には、当該被相続人以外の者が有していた共有持分に係る部分を除く。）の取得（平成31年1月1日から令和10年12月31日までの間の取得で、最初の1の規定の適用に係る相続又は遺贈による取得及び当該取得の日その他（2）の政令で定める日から1年を経過する日までの相続又は遺贈による取得に限る。）をした特例事業相続人等が、当該相続に係る相続税の申告書（第一編第七章第一節一の1《申告書の提出期限》の規定による期限内申告書をいう。以下本章において同じ。）の提出により納付すべき相続税の額のうち、当該特定事業用資産で当該相続税の申告書に1の規定の適用を受けようとする旨の記載があるもの（以下本章において「**特例事業用資産**」という。）に係る納税猶予分の相続税額に相当する相続税については、当該相続税の申告書の提出期限までに当該納税猶予分の相続税額に相当する担保を提供した場合に限り、第一編第八章第一節二の1《期限内申告に係る相続税の納付期限》の規定にかかわらず、当該特例事業相続人等の死亡の日まで、その納税を猶予する。（措法70の6の10①）

　　（特定事業用資産を有していた個人として政令で定める者）
（1）　1に規定する特定事業用資産を有していた個人として政令で定める者は、次に掲げる場合の区分に応じそれぞれに定める者とする。（措令40の7の10①）
　（一）　2の（一）に規定する特定事業用資産を有していた者が1の規定の適用に係る相続の開始の直前において当該特定事業用資産（（9）の（三）を除く。）に係る事業を行っていた者である場合　　当該事業について、当該相続の開始の日の属する年、その前年及びその前々年の所得税法第2条《定義》第1項37号に規定する確定申告書を同項第40号に規定する青色申告書（租税特別措置法第25条の2《青色申告特別控除》第3項の規定の適用に係るものに限る。）により所得税の納税地の所轄税務署長に提出している者
　（二）　（一）に掲げる場合以外の場合　　次に掲げる要件の全てを満たす者
　　イ　（一）の相続の開始の直前において、（一）に定める者と生計を一にする親族（1の規定の適用を受けようとする者が当該相続の開始前に贈与（贈与をした者の死亡により効力を生ずる贈与を除く。以下本章において同じ。）により取得した当該特定事業用資産に係る事業と同一の事業に係る他の資産について第一章第一節の1の規定の適用を受けようとする場合又は受けている場合には、同1の規定の適用に係る贈与者で同1の（1）の（一）に定める者からの贈与の直前において、その者と生計を一にしていたその者の親族）であること。
　　ロ　（一）に定める者の1の規定の適用に係る相続の開始の時（1の規定の適用を受けようとする者が当該相続の開始前に贈与により取得した1の規定の適用を受けようとする特定事業用資産に係る事業と同一の事業に係る他の資産について第一章第一節の1の規定の適用を受けようとする場合又は受けている場合には、同1の規定の適用に係る贈与者で同1の（1）の（一）に定める者からの贈与の時）後に開始した相続に係る被相続人であること。

　　（政令で定める日）
（2）　1に規定する政令で定める日は、1の規定の適用を受けようとする者が1の規定の適用に係る相続の開始前に贈与により取得した1の規定の適用を受けようとする特定事業用資産に係る事業と同一の事業に係る他の資産について第一章第一節の1の規定の適用を受けようとする場合又は受けている場合における最初の同1の規定の適用に係る贈与の日とする。（措令40の7の10②）

第六編　個人の事業用資産に係る相続税・贈与税の納税猶予及び免除

(被相続人から親族へ贈与した特定事業用資産の価額が相続税の課税価格に加算される場合)

（３）　被相続人から１の規定の適用に係る贈与により特定事業用資産の取得をした個人が、当該贈与の日の属する年において当該被相続人の相続が開始し、かつ、当該被相続人からの相続又は遺贈（贈与をした者の死亡により効力を生ずる贈与を含む。以下本章において同じ。）により財産の取得をしたことにより第一編第四章第二節**四**《相続開始前３年以内に贈与があった場合の相続税額》又は第三編第一章第三節**一**《相続又は遺贈により財産を取得した相続時精算課税適用者》の規定により当該贈与により取得をした特定事業用資産の価額が相続税の課税価格に加算される場合（当該特定事業用資産について同節**二**《相続又は遺贈により財産を取得しなかった相続時精算課税適用者》の規定の適用がある場合を含む。）には、１の規定の適用については、当該贈与により取得をした特定事業用資産は、当該個人が当該被相続人からの相続又は遺贈により取得をしたものとみなす。この場合において、２の(一)中「の１の規定の適用に係る相続の開始」とあるのは「からの当該資産の贈与」と、２の(二)中「１の規定の適用に係る相続又は遺贈」とあるのは「贈与」と、２の(二)のハ及びホ中「相続の開始」とあるのは「贈与」と、（１）の(一)及び(二)、第五節の２の(２)の(二)、同２の(７)の(一)及び(二)、同節の３の(１)の(二)、同３の(８)、同３の(11)並びに同節の４の(１)の(二)中「相続の開始」とあるのは「贈与」とする。(措令40の７の10③)

(特例対象贈与に係る贈与者が贈与税の申告期限前に死亡した場合)

（４）　特例対象贈与により取得をした特定事業用資産の受贈者が、第一章第一節の１の(７)《特例対象贈与に係る贈与者が贈与税の申告期限前に死亡した場合》の(一)のイの(イ)又はロに該当し同１の規定の適用を受けることができない場合であっても、当該特例対象贈与により取得をした特定事業用資産は(３)の規定により当該受贈者が当該贈与者から相続又は遺贈により取得をしたものとみなされることから、１の規定の適用に係る要件を満たすときには、当該受贈者は当該贈与者の死亡に係る相続税について１の規定の適用を受けることができることに留意する。(措通70の６の10－４)

(注)　第一章第六節の１の(11)の規定の適用を受ける特定事業用資産については、同章第一節の１の(３)の規定の適用がないことに留意する。

(被相続人の親族が第１次特例事業相続人等に該当し第２次特例事業相続人等がいるとき)

（５）　被相続人から１の規定の適用に係る相続又は遺贈により特定事業用資産の取得をした個人が第１次特例事業相続人等（当該被相続人からの相続又は遺贈により特定事業用資産の取得をした個人で、当該相続又は遺贈に係る１に規定する相続税の申告書の提出期限前に当該相続税の申告書を提出しないで死亡したものをいう。）に該当する場合において、第２次特例事業相続人等（当該第１次特例事業相続人等からの相続又は遺贈により当該特定事業用資産の取得をした個人で、当該被相続人が60歳以上で死亡した場合にあっては、当該特定事業用資産に係る事業（当該事業に準ずるものとして(７)の財務省令で定めるものを含む。）に従事していたものをいう。）があるときは、当該第１次特例事業相続人等に係る１の規定の適用については、１中「が、当該相続に係る相続税の申告書（第一編第七章第一節**一**の１《申告書の提出期限》の規定による期限内申告書をいう。以下本章において同じ。）」とあるのは「の相続人が、当該相続に係る第一編第七章第一節**四**の１《申告書を提出しないで死亡した者の相続人の申告義務》の規定による申告書」と、「特定事業用資産で当該相続税の」とあるのは「特定事業用資産（当該特例事業相続人等からの相続又は遺贈により当該特定事業用資産の取得をした特例事業相続人等（以下１において「第２次特例事業相続人等」という。）が、相続税の申告書（同節**一**の１《申告書の提出期限》の規定による期限内申告書をいう。）に１の規定の適用を受けようとする旨の記載をしたものに限る。）で同節**四**の１の規定による」と、「相続税の申告書の提出期限までに当該」とあるのは「第２次特例事業相続人等が当該特例事業相続人等からの相続又は遺贈により取得をした特定事業用資産につき１の規定の適用を受けるため特例事業用資産に係る」と、「その納税を猶予する」とあるのは「第六節の１の規定の適用については、その納税を猶予したものとみなす」とする。(措令40の７の10④)

(第２次特例事業相続人がある場合の第１次特例事業相続人に係る相続税の納税猶予及び免除の適用要件)

（６）　(５)に規定する第２次特例事業相続人等（以下(６)において「第２次特例事業相続人等」という。）がある場合の同項に規定する第１次特例事業相続人等（以下(６)において「第１次特例事業相続人等」という。）に係る１の規定の適用については、次に掲げることに留意する。(措通70の６の10－５)

　　(一)　１の適用対象となる特定事業用資産は、第２次特例事業相続人等が第１次特例事業相続人等からの相続又は遺贈に係る相続税の期限内申告書に１の規定の適用を受ける旨の記載をしたものに限られること。

　　(二)　担保は、第２次特例事業相続人等が第１次特例事業相続人等からの相続又は遺贈に係る相続税の申告書の提出期限までに、第２次特例事業相続人等に係る納税猶予分の相続税の額に相当するものの提供をすればよいこと。

－1066－

第三章　個人の事業用資産についての相続税の納税猶予及び免除
（第一節　特例適用の要件）

　　　（財務省令で定めるものの準用）
（7）　第一章第一節の2の(18)の規定は、2の(二)のロ及び(5)に規定する財務省令で定めるものについて準用する。(措規23の8の9①)

　　　（特例受贈事業用資産について特例の適用を受ける場合の読替え規定）
（8）　第二章の1（同1の(1)の規定により読み替えて適用する場合を含む。）の規定により相続又は遺贈により取得した
　　ものとみなされた同1に規定する特例受贈事業用資産について第一節の1の規定の適用を受ける場合における同1の規
　　定の適用については、同1中「平成31年1月1日から令和10年12月31日までの間の取得で、最初の1の規定の適用に係
　　る相続又は遺贈による取得及び当該取得の日その他(2)の政令で定める日から1年を経過する日までの相続又は遺贈に
　　よる取得に限る」とあるのは、「第二章の1　（同1の(1)の規定により読み替えて適用する場合を含む。）の規定により
　　相続又は遺贈により取得をしたものとみなされる場合の当該取得を含む。第五節の3、同節の4及び第二節の(2)を除
　　き、以下本章において同じ」とし、当該特例受贈事業用資産は特定事業用資産とみなす。(措法70の6の10㉚)

　　　（特例受贈事業用資産について特例の適用を受ける場合の読替え規定）
（9）　第二章の1（同1の(1)の規定により読み替えて適用する場合を含む。以下本節において同じ。）の規定により相続
　　又は遺贈により取得したものとみなされた同1に規定する特例受贈事業用資産について同1の特例事業受贈者が1の規
　　定の適用を受ける場合における1、2及び第五節の3の規定並びに3の①及び同①の(1)の規定の適用については、次
　　に定めるところによる。(措令40の7の10㉟)
　(一)　当該特例事業受贈者が1の規定の適用を受けようとする場合における1に規定する特定事業用資産を有していた
　　　個人として政令で定める者は、第一章第一節の1の(1)に規定する者とする。
　(二)　当該特例事業受贈者に係る被相続人から相続又は遺贈により取得をした資産について1の規定の適用を受けよう
　　　とする場合における2の(一)の規定の適用については、同(一)のイ中「400平方メートル（」とあるのは「残存宅地等
　　　面積(400平方メートルから第一章第一節の1の規定の適用を受けるものとして同1に規定する贈与税の申告書に記載
　　　された同節の2の(一)のイの宅地等の面積を控除した面積をいう。）（」と、「を400平方メートル」とあるのは「を当
　　　該残存宅地等面積」と、同(一)のロ中「第一章第一節の2の(一)のロに定める資産」とあるのは「当該建物の床面積
　　　の合計のうち800平方メートルから第五章第一節の1の規定の適用を受けるものとして同1に規定する贈与税の申告
　　　書に記載された同節の2の(一)のロの建物の床面積を控除した床面積以下の部分」とする。
　(三)　当該特例事業受贈者に係る被相続人から第一章第一節の1の規定の適用に係る贈与により取得をした同節の2の
　　　(一)に規定する特定事業用資産のうちに同(一)のイに規定する宅地等（以下(三)において「受贈宅地等」という。）が
　　　ある場合において、当該被相続人から相続又は遺贈により取得をした第一編第四章第二節一の10の①に規定する宅地
　　　等について同①の規定の適用を受ける者がいるときは、当該特例受贈事業用資産のうち次に掲げるものについては、
　　　それぞれ次に定める面積の合計が400平方メートルから2の(10)に定める面積を控除した面積を超えない場合に限り、
　　　1の規定を適用する。
　　イ　受贈宅地等　当該特例受贈事業用資産のうち1の規定の適用を受けようとする部分の面積
　　ロ　受贈宅地等の譲渡につき第一章第五節の3の承認があった場合における同3の(三)の規定により同章第一節の1
　　　の規定の適用を受ける同1に規定する特例受贈事業用資産とみなされた資産　①に掲げる面積に②に掲げる割合を
　　　乗じて計算した面積
　　　①　第一章第一節の1の規定の適用を受けた受贈宅地等の面積
　　　②　1の規定の適用を受けようとする当該特例受贈事業用資産の価額として(10)の財務省令で定める金額が第一章
　　　　第一節の1の規定の適用を受けた受贈宅地等の当該贈与の時（同章第六節の4の規定の適用があった場合には、
　　　　同4に規定する認可決定日。ハの②において同じ。）における価額のうちに占める割合
　　ハ　イ又はロに掲げるものの現物出資による移転につき第一章第五節の4の承認があった場合における同4の規定に
　　　より同章第一節の1の規定の適用を受ける同1に規定する特例受贈事業用資産とみなされた株式又は持分　①に掲
　　　げる面積に②に掲げる割合を乗じて計算した面積
　　　①　ロの①に掲げる面積
　　　②　1の規定の適用を受けようとする当該特例受贈事業用資産のうち受贈宅地等に相当する部分の価額として(11)
　　　　の財務省令で定める金額が第一章第一節の1の規定の適用を受けた受贈宅地等の当該贈与の時における価額のう
　　　　ちに占める割合
　(四)　当該特例事業受贈者が1の規定の適用を受けようとする場合における2（(二)に係る部分に限る。）の規定の適用
　　　については、同(二)中「当該被相続人が60歳未満で死亡した場合には、ロ」とあるのは、「イからニまで」とする。

第六編　個人の事業用資産に係る相続税・贈与税の納税猶予及び免除

（五）　当該相続又は遺贈により取得したものとみなされる基因となった贈与者の死亡の日前1年以内に行われた当該特例受贈事業用資産に係る第一章第五節の3の譲渡につき同3に規定する承認を受けている場合には、当該譲渡は第五節の3の譲渡とみなし、当該承認は同3の規定による承認とみなす。

（六）　当該特例受贈事業受贈者に係る第一章第一節の2の（三）に規定する納税猶予分の贈与税額（同章第六節の4の（2）に規定する再計算猶予中贈与税額を含む。以下（六）において同じ。）の計算において同節の2の（三）の債務の金額が控除された場合には、当該特例受贈事業用資産の価額に、イに掲げる金額がロに掲げる金額に占める割合を乗じて計算した金額を3の①の特例事業用資産の価額とみなして当該特例受贈事業受贈者の納税猶予分の相続税額を計算する。

イ　当該納税猶予分の贈与税額の計算において第一章第一節の2の(25)の規定により計算された価額に相当する金額

ロ　当該納税猶予分の贈与税額の計算に係る第一章第一節の1に規定する特例受贈事業用資産の価額の合計額

（財務省令で定める金額）

(10)　（9）の（三）のロの②に規定する財務省令で定める金額は、第二章の1（同1の（1）の規定により読み替えて適用する場合を含む。以下2の(23)までにおいて同じ。）の規定により相続税の課税価格の計算の基礎に算入された第二章の1の特例受贈事業用資産の価額（当該特例受贈事業用資産に係る第一章第一節の2の（三）に規定する納税猶予分の贈与税額の計算において同2の（三）の債務の金額が控除された場合には、当該価額に、（一）に掲げる金額に対する（二）に掲げる金額の割合を乗じて計算した金額。(11)において同じ。）のうち1の規定の適用を受けようとする（9）の（三）のロに掲げる特例受贈事業用資産に対応する部分の価額に相当する金額とする。（措規23の8の9㉗）

（一）　当該納税猶予分の贈与税額の計算において第一章第一節の2の(25)の規定により計算された価額に相当する金額

（二）　第一章第一節の1の規定の適用を受けた同1に規定する特例受贈事業用資産の価額

（財務省令で定める金額）

(11)　（9）の（三）のハの②に規定する財務省令で定める金額は、第二章の1の規定により相続税の課税価格の計算の基礎に算入された同1の特例受贈事業用資産の価額のうち1の規定の適用を受けようとする（9）の（三）のハに掲げる特例受贈事業用資産に対応する部分の価額に、（一）に掲げる金額が（二）に掲げる金額のうちに占める割合を乗じて計算した金額とする。（措規23の8の9㉘）

（一）　第一章第五節の4の承認に係る現物出資により移転をした第一編第四章第二節一の10の①の（7）に規定する受贈宅地等（同（7）に規定する受贈宅地等の譲渡につき第一章第五節の3の承認があった場合における同3の（三）の規定により同章第一節の1の規定の適用を受ける同1に規定する特例受贈事業用資産とみなされた資産を含む。）の同章第一節の1の規定の適用に係る贈与の時（同章第六節の4の規定の適用があった場合には、同4に規定する認可決定日。（二）において同じ。）における価額に相当する金額（当該特例受贈事業用資産とみなされた資産にあっては、同章第五節の3の(12)の規定により計算した金額）

（二）　（一）の承認に係る現物出資により移転をした全ての第一章第一節の1に規定する特例受贈事業用資産の同1の規定の適用に係る贈与の時における価額（当該特例受贈事業用資産が同章第五節の3の（三）の規定により同章第一節の1の規定の適用を受ける同1に規定する特例受贈事業用資産とみなされたものである場合には、同章第五節の3の(12)の規定により計算した金額）の合計額

（特例事業用資産の取得の意義等）

(12)　1の適用対象となる1に規定する被相続人からの相続又は遺贈による2の（一）に規定する特定事業用資産の全ての取得は、平成31年1月1日から令和10年12月31日までの間の相続又は遺贈による取得で、次に掲げるものに限られることに留意する。（措通70の6の10－1）

（一）　最初の1の規定の適用に係る相続又は遺贈による取得

（二）　（一）の取得の日から1年を経過する日までの相続又は遺贈による取得

(注)1　被相続人が2以上の事業を営んでいる場合における特定事業用資産の全ての取得をしたかどうかの判定は、その事業ごとに行うことに留意する。

2　1に規定する相続税の申告書に1の規定の適用を受ける旨の記載がある特定事業用資産が1に規定する特例事業用資産に該当することに留意する。

3　1の規定の適用を受けようとする者が、1の規定の適用に係る相続の開始前に贈与により取得をした1の規定の適用を受けようとする特定事業用資産に係る事業と同一の事業に係る他の資産について第一章第一節の1の規定の適用を受けようとする場合又は受けている場合には、（二）中「（一）の取得の日」とあるのは「最初の第一章第一節の1の規定の適用に係る贈与の日」となることに留意する。

4　被相続人からの相続又は遺贈が「最初の1の規定の適用に係る相続又は遺贈」に該当するかどうかの判定は、当該相続又は遺贈により財産を取得した者が、当該相続又は遺贈に係る特定事業用資産に係る事業と同一の事業に係る他の資産につき既に1の規定の適用に係る相続

－1068－

第三章　個人の事業用資産についての相続税の納税猶予及び免除
（第一節　特例適用の要件）

若しくは遺贈又は第一章第一節の**1**の規定の適用に係る贈与を受けていないかどうかにより行うことに留意する。

　5　第二章の**1**（同**1**の（1）の規定により読み替えて適用する場合を含む。）の規定により贈与者から相続又は遺贈により取得をしたものとみなされた特例受贈事業用資産に係る当該取得については、上記の期間内の相続又は遺贈による取得に限られないことに留意する。

（相続税の納税猶予及び免除の対象とならない資産）

(13)　**1**の適用対象となる特定事業用資産には、次に掲げる資産は含まれないことに留意する。（措通70の6の10－2）

　（一）　第一編第四章第二節**四**の規定の適用を受ける資産（（3）の規定により相続又は遺贈により取得をしたものとみなされるものを除く。）

　（二）　相続時精算課税の適用を受ける資産（（3）の規定により相続又は遺贈により取得をしたものとみなされるものを除く。）

　（三）　第一章第六節の**1**の(11)の規定の適用を受ける資産

（代償分割により取得をした資産についての相続税の納税猶予及び免除の不適用）

(14)　遺産の分割に当たり、遺産の代償として取得した他の共同相続人の所有に属する資産は、被相続人が相続の開始の直前に有していたものではないので、**1**の規定による納税猶予の対象となる特定事業用資産に該当しないことに留意する。（措通70の6の10－3）

（申告期限前に全部確定事由が生じた場合）

(15)　相続の開始の日の翌日から相続税の申告書の提出期限までの間に、第五節の**1**のそれぞれに掲げる場合のいずれかに該当することとなった場合には、当該相続に係る特定事業用資産について**1**の規定の適用を受けることができないことに留意する。（措通70の6の10－6）

（相次相続控除の算式）

(16)　第2次相続に係る被相続人が**1**の規定の適用を受けていた場合又は第2次相続により財産を取得した者のうちに同節の**1**の規定の適用を受ける者がある場合における相次相続控除額は、第一編第六章第七節の**1**の（3）《相次相続控除の算式》に準じて算出することに留意する。

　この場合において、同（3）中のAは、当該被相続人が当該納税猶予の適用を受けていた場合には、第一章第三節の**2**の（1）又は同章第六節の**3**、**4**、**4**の（2）の規定により免除された相続税額以外の税額に限ることに留意する。（措通70の6の10－7）

（修正申告等に係る相続税額の納税猶予）

(17)　**1**の規定の適用を受ける旨の相続税の申告について特例事業用資産の評価又は税額計算の誤りがあり、その誤りのみに基づいて修正申告又は更正があった場合における当該修正申告又は更正により納付すべき相続税額（附帯税を除く。）については、第一章第一節の**1**の(12)《修正申告等に係る贈与税額の納税猶予》を準用する。（措通70の6の10－8）

（担保の提供等）

(18)　**1**の規定による担保の提供については、国税通則法第50条から第54条までの規定の適用があることに留意する。（措通70の6の10－9）

（相続税の額に相当する担保）

(19)　**1**に規定する「当該納税猶予分の相続税額に相当する担保」とは、納税猶予に係る相続税の本税の額と当該本税に係る納税猶予期間中の利子税の額との合計額に相当する担保をいうことに留意する。

　なお、この場合の当該本税に係る猶予期間中の利子税の額は、**1**の規定の適用に係る相続税の申告書の提出期限における特例事業相続人等の平均余命年数を納税猶予期間として計算した額によるものとして取り扱うことに留意する。（措通70の6の10－10）

2　用語の意義

　本章において、次に掲げる用語の意義は、それぞれに定めるところによる。（措法70の6の10②）

(一)　**特定事業用資産**　被相続人（当該被相続人と生計を一にする配偶者その他の親族及びこれらに類するものとして

－1069－

第六編　個人の事業用資産に係る相続税・贈与税の納税猶予及び免除

（1）の政令で定める者を含む。（二）のト及び第二節の**1**において同じ。）の事業の用に供されていた次に掲げる資産（当該被相続人の**1**の規定の適用に係る相続の開始の日の属する年の前年分の事業所得に係る青色申告書（所得税法第2条《定義》第1項第40号に規定する青色申告書をいい、租税特別措置法第25条の2《青色申告特別控除》第3項の規定の適用に係るものに限る。第五節の**1**の（四）及び（五）において同じ。）の貸借対照表に計上されているものに限る。）の区分に応じそれぞれ次に定めるものをいう。

イ　宅地等（土地又は土地の上に存する権利をいい、（8）の財務省令で定める建物又は構築物の敷地の用に供されているもののうち（9）の政令で定めるものに限る。イにおいて同じ。）　　当該宅地等の面積の合計のうち400平方メートル（当該被相続人から相続又は遺贈により取得をした宅地等について、第一編第四章第二節一の**10**《小規模宅地等についての相続税の課税価格の計算の特例》の①の規定の適用を受ける者がいる場合には、同**10**の①に規定する小規模宅地等に相当する面積として（10）の政令で定めるところにより計算した面積を400平方メートルから控除した面積）以下の部分

ロ　建物（当該事業の用に供されている建物として（13）の政令で定めるものに限る。）　　第一章第一節の**2**の（一）のロに定める資産

ハ　減価償却資産（所得税法第2条《定義》第1項第19号に規定する減価償却資産をいい、ロに掲げるものを除く。）　　第一章第一節の**2**の（一）のハに定める資産

（二）　特例事業相続人等　被相続人から**1**の規定の適用に係る相続又は遺贈により特定事業用資産の取得をした個人で、次に掲げる要件（当該被相続人が60歳未満で死亡した場合には、ロに掲げる要件を除く。）の全てを満たす者をいう。

イ　当該個人が、中小企業における経営の承継の円滑化に関する法律第2条に規定する中小企業者であって特例円滑化法認定を受けていること。

ロ　当該個人が、当該相続の開始の直前において当該特定事業用資産に係る事業（当該事業に準ずるものとして**1**の（7）の財務省令で定めるものを含む。）に従事していたこと。

ハ　当該個人が、当該相続の開始の時から当該相続に係る相続税の申告書の提出期限（当該提出期限前に当該個人が死亡した場合には、その死亡の日。ニにおいて同じ。）までの間に当該特定事業用資産に係る事業を引き継ぎ、当該提出期限まで引き続き当該特定事業用資産の全てを有し、かつ、自己の事業の用に供していること。

ニ　当該個人が、当該相続に係る相続税の申告書の提出期限において、所得税法第229条《《開業等の届出》》の規定により当該特定事業用資産に係る事業について開業の届出書を提出していること及び同法第143条《青色申告》の承認（同法第147条《青色申告の承認があったものとみなす場合》の規定により当該承認があったものとみなされる場合の承認を含む。）を受けていること又は当該承認を受ける見込みであること。

ホ　当該個人の当該特定事業用資産に係る事業が、当該相続の開始の時において、資産保有型事業、資産運用型事業及び風俗営業等の規制及び業務の適正化等に関する法律第2条第5項に規定する性風俗関連特殊営業のいずれにも該当しないこと。

ヘ　当該個人に係る被相続人から相続又は遺贈により財産を取得した者が、第一編第四章第二節一の**10**《小規模宅地等についての相続税の課税価格の計算の特例》の③の（一）に規定する特定事業用宅地等について同**10**の①の規定の適用を受けていないこと。

ト　当該個人が、被相続人の事業を確実に承継すると認められる要件として（19）の財務省令で定めるものを満たしていること。

（三）　納税猶予分の相続税額　**1**の規定の適用に係る特例事業用資産の価額を**1**の特例事業相続人等に係る相続税の課税価格とみなして、第一編第四章第二節三から第一編第六章第三節までの規定を適用して**3**の①の政令で定めるところにより計算した当該特例事業相続人等の相続税の額をいう。

（四）　資産保有型事業　第一章第一節の**2**の（四）に定める事業をいう。

（五）　資産運用型事業　第一章第一節の**2**の（五）に定める事業をいう。

　　（政令で定める者）

（1）　**2**の（一）に規定する政令で定める者は、**1**の規定の適用を受けようとする者（**1**の規定の適用を受けようとする特定事業用資産に係る事業と同一の事業に係る他の資産について第一章第一節の**1**の規定の適用を受けようとする者又は受けている者に限る。）の同節の**1**の規定の適用に係る贈与者（同節の**1**の（一）に定める者であって、当該贈与者からの贈与の直前において被相続人と生計を一にしていた当該被相続人の親族であるものに限る。）とする。（措令40の7の10⑤）

第三章　個人の事業用資産についての相続税の納税猶予及び免除
（第一節　特例適用の要件）

（被相続人の事業の意義等）
（２）　被相続人（生計一親族等を含む。）の事業の意義等については、第一章第一節の２の（３）《贈与者の事業の意義等》を準用する。（措通70の６の10－11）
　　(注)　「生計一親族等」とは、当該被相続人と生計を一にする配偶者その他の親族及び（１）に規定する者をいう（以下（６）までにおいて同じ。）。

（被相続人の事業の用に供されていた資産）
（３）　２の（一）のイからハまでに定める資産が被相続人（生計一親族等を含む。）の事業の用に供されていた資産に該当するかどうかは、当該資産が１の規定の適用に係る相続の開始の直前において現実に事業の用に供されていたかどうかで判定するのであるが、当該事業の用に供されていた資産には、災害、疾病等のため、当該相続の開始の直前において一時的に当該事業の用に供されていないものが含まれることに留意する。（措通70の６の10－12）
　　(注)　被相続人が１の（１）の（二）に定める者に該当する場合における上記の判定は、当該被相続人に係る生計一親族等（１の（１）の（一）に定める者に限る。）の１の規定の適用に係る相続の開始（当該被相続人から１の規定の適用に係る相続又は遺贈により取得をした特定事業用資産について１の規定の適用を受けようとする者が、当該相続の開始の時前に生計一親族等（第一章第一節の１の（１）の（一）に定める者に限る。）から特例対象贈与により取得をした当該特定事業用資産に係る事業と同一の事業に係る他の資産について同節の１の規定の適用を受けようとする場合又は受けている場合には、当該生計一親族等に係る特例対象贈与。以下（４）において同じ。）の直前における現況により行うことに留意する。

（特定事業用資産の基準となる貸借対照表）
（４）　１の規定の対象となる特定事業用資産は、次に掲げる被相続人の区分に応じ、それぞれに定める貸借対照表に計上されているものに限られることに留意する。（措通70の６の10－13）
　（一）　１の（１）の（一）に定める被相続人　当該被相続人の１の規定の適用に係る相続の開始の日の属する年の前年分の事業所得（所得税法第27条第１項《事業所得》に規定する事業所得をいう。以下同じ。）に係る青色申告書（同法第２条第１項第40号に規定する青色申告書をいい、措置法第25条の２第３項の規定の適用に係るものに限る。以下（４）において同じ。）の貸借対照表
　（二）　１の（１）の（二）に定める被相続人　当該被相続人に係る生計一親族等（１の（１）の（一）に定める者に限る。）の１の規定の適用に係る相続の開始の日の属する年の前年分の事業所得に係る青色申告書の貸借対照表
　　(注)　（一）に掲げる被相続人又は（二）に定める生計一親族等の１の規定の適用に係る相続の開始の直前において事業の用に供されていた第一章第一節の２の（一）のイからハまでに規定する資産であっても、当該相続の開始の日の属する年中に取得をした資産など（一）又は（二）に定める貸借対照表に計上されていない資産については、特定事業用資産に該当しないことに留意する。

（特定事業用資産に該当する宅地等の範囲）
（５）　第一章第一節の２の（８）《贈与者の事業の用に供されていた宅地等の範囲》及び同２の（９）《宅地等が配偶者居住権の目的となっている建物等の敷地である場合の贈与者の事業の用に供されていた宅地等の範囲》並びに同２の（10）《使用人の寄宿舎等の敷地等》は、２の（一）のイに掲げる宅地等（以下「宅地等」という。）及び２の（一）のロに掲げる建物（以下「建物」という。）が特定事業用資産に該当するかどうかの判定について準用する。（措通70の６の10－14）

（店舗兼住宅等の敷地の持分の贈与について贈与税の配偶者控除等の適用を受けたものの事業の用に供されていた部分の範囲）
（６）　店舗兼住宅等（被相続人（生計一親族等を含む。）の事業の用に供されていた建物のうちに当該事業の用以外の用に供されていた部分のある建物及び当該建物の敷地の用に供されていた宅地等をいう。）で、１の規定の適用に係る相続の開始の日の属する年の前年以前にされたその持分の贈与につき第二編第五章第二節の１の規定による贈与税の配偶者控除の適用を受け若しくは受けようとするもの（同節の２の（３）のただし書の取扱いを適用して贈与税の申告がされたもの若しくはされるものに限る。）又は当該相続の開始の日の属する年に被相続人からのその持分の贈与につき第一編第四章第二節**四**の２の（二）の規定により特定贈与財産に該当することとなったもの（同**四**の２の（10）の後段の取扱いを適用して相続税の申告がされたものに限る。）であっても、（９）及び（13）に規定する当該被相続人の当該事業の用に供されていた部分の判定は、当該相続の開始の直前における現況によって行うことに留意する。（措通70の６の10－15）

（第六章の規定により相続又は遺贈により取得をしたものとみなされる特例受贈事業用資産がある場合の限度面積要件）
（７）　特例事業受贈者が第二章の１（同１の（１）の規定により読み替えて適用する場合を含む。以下（７）において同じ。）の規定により贈与者から相続又は遺贈により取得をしたものとみなされた特例受贈事業用資産について１の規定の適用

－1071－

を受ける場合には、**2**の(一)のイに定める宅地等に係る限度面積は400㎡から当該特例事業受贈者が第一章第一節の**1**の規定の適用を受けるものとして贈与税の申告書に記載した同節の**2**の(一)のイの宅地等（以下(11)までにおいて「受贈宅地等」という。）の面積を控除した面積となり、**2**の(一)のロに定める建物に係る限度面積は800㎡から当該特例事業受贈者が第一章第一節の**1**の規定の適用を受けるものとして贈与税の申告書に記載した同節の**2**の(一)のロの建物（以下(7)において「受贈建物」という。）の床面積を控除した面積となるのであるが、この場合には、次の取扱いに留意する。（措通70の6の10－16）

(一) 当該特例事業受贈者が当該受贈宅地等又は当該受贈建物の全部又は一部について**1**の規定の適用を受けない場合（当該贈与者の死亡の日前に当該受贈宅地等又は当該受贈建物に係る贈与税の全部又は一部について納税猶予の期限が確定している場合を含む。）であっても、当該特例事業受贈者が第二章の**1**の規定により当該贈与者から相続又は遺贈により取得をしたものとみなされた他の特例受贈事業用資産について**1**の規定の適用を受ける場合には、当該受贈宅地等の面積又は当該受贈建物の床面積については、上記により控除される。

(二) 当該特例事業受贈者が当該受贈宅地等又は当該受贈建物につき行った第一章第五節の**3**の譲渡又は同節の**4**の移転につき同節の**3**又は同節の**4**の承認を受けている場合における上記の控除すべき面積又は床面積は、当該譲渡又は移転をした当該受贈宅地等の面積又は当該受贈建物の床面積による。

　　　（財務省令で定める建物又は構築物の準用）
(8) 第一章第一節の**2**の(6)の規定は、**2**の(一)のイに規定する財務省令で定める建物又は構築物について準用する。（措規23の8の9②）

　　　（建物又は構築物の敷地の用に供されているもののうち政令で定めるもの）
(9) 第一章第一節の**2**の(7)の規定は、**2**の(一)のイに規定する建物又は構築物の敷地の用に供されている**2**の(一)のイに規定する宅地等のうち政令で定めるものについて準用する。（措令40の7の10⑥）

　　　（小規模宅地等に相当する面積として政令で定める面積）
(10) **2**の(一)のイに規定する小規模宅地等に相当する面積として政令で定める面積は、次に掲げる場合の区分に応じそれぞれに定める面積とする。（措令40の7の10⑦）

(一) 被相続人から相続又は遺贈により財産を取得した者が、第一編第四章第二節一の10の③の(三)に規定する特定同族会社事業用宅地等である同10の①に規定する小規模宅地等について同10の①の規定の適用を受ける場合（(二)に掲げる場合に該当する場合を除く。）　同10の①の規定の適用を受けるものとしてその者が選択をした当該特定同族会社事業用宅地等の面積

(二) 被相続人から相続又は遺贈により財産を取得した者が、第一編第四章第二節一の10の③の(四)に規定する貸付事業用宅地等である同10の①に規定する小規模宅地等について同10の①の規定の適用を受ける場合　同10の①の規定の適用を受けるものとしてその者が選択をした同10の②の(三)のイからハまでの規定により計算した面積の合計に2を乗じて計算した面積

(三) (一)又は(二)に掲げる場合以外の場合　　零

　　　（個人の事業用資産についての納税猶予及び免除と小規模宅地等の特例を重複適用する場合）
(11) 被相続人から相続又は遺贈により取得をした第一編第四章第二節一の10の①に規定する小規模宅地等（以下(12)までにおいて「小規模宅地等」という。）について同10の①の規定の適用を受ける者がいる場合の**1**の規定の適用については、その者が適用を受ける同10の①に規定する選択特例対象宅地等（以下(11)において「選択特例対象宅地等」という。）の次の区分に応じ、それぞれに定めるところによることに留意する。（措通70の6の10－17）

(一) 同10の③の(一)に規定する特定事業用宅地等である選択特例対象宅地等である場合　　当該被相続人から相続又は遺贈により取得をした特定事業用資産については、**1**の規定の適用を受けることはできない。

(二) 同10の③の(三)に規定する特定同族会社事業用宅地等（以下(11)において「特定同族会社事業用宅地等」という。）である選択特例対象宅地等である場合（(三)に掲げる場合に該当する場合を除く。）　　次の算式により計算した面積が限度面積となる。
　　（算式）
　　400㎡ － 当該特定同族会社事業用宅地等の面積の合計

(三) 同10の③の(四)に規定する貸付事業用宅地等（以下(11)において「貸付事業用宅地等」という。）である選択特例対象宅地等である場合　　次の算式により計算した面積が限度面積となる。

－1072－

第三章　個人の事業用資産についての相続税の納税猶予及び免除
（第一節　特例適用の要件）

（算式）

$$400\text{m}^2 - 2 \times \left(A \times \frac{200}{330} + B \times \frac{200}{400} + C \right)$$

（注）1　**2**の（一）のイに定める限度面積要件を満たす特例事業用資産である宅地等又は選択特例対象宅地等について、**1**又は第一編第四章第二節**一**の**10**の**①**の適用を受ける場合において、上記の計算に該当するときを算式で示せば次のとおりとなる。

（算式）

$$A \times \frac{200}{330} + (B+D) \times \frac{200}{400} + C \leqq 200\text{m}^2$$

2　上記算式中の符号は次のとおり。

A＝同**10**の**③**の（二）に規定する特定居住用宅地等（以下（11）において「特定居住用宅地等」という。）である選択特例対象宅地等の面積の合計

B＝特定同族会社事業用宅地等である選択特例対象宅地等の面積の合計

C＝貸付事業用宅地等である選択特例対象宅地等の面積の合計

D＝特例事業用資産である宅地等の面積の合計

（四）　特定居住用宅地等である選択特例対象宅地等である場合（（三）に掲げる場合に該当する場合を除く。）　400m²が限度面積となる。

（注）　特例事業受贈者が第二章の**1**（同**1**の（1）の規定により読み替えて適用する場合を含む。以下（11）において同じ。）の規定により贈与者から相続又は遺贈により取得をしたものとみなされた特例受贈事業用資産について**1**の規定の適用を受ける場合において、当該特例事業受贈者が贈与により取得した特定事業用資産のうちに受贈宅地等があるときは、当該特例受贈事業用資産のうち次に掲げる資産については、それぞれに定める面積の合計に基づき、上記②から④までの限度面積の計算を行うことに留意する。

①　受贈宅地等　**1**の規定の適用を受けようとする部分の面積

②　受贈宅地等の譲渡につき第一章第五節の**3**の承認があった場合における同**3**の（三）の規定により特例受贈事業用資産とみなされた資産（以下②において「受贈買換資産」という。）　次の算式により計算した面積

$$\text{当該受贈宅地等の面積} \times \frac{\begin{array}{c}\text{第二章の 1 の規定により相続税の課税価格の計算の基礎に算入された}\\\text{特例受贈事業用資産の価額（※）のうち 1 の規定の適用を受けようとす}\\\text{る受贈買換資産に対応する部分の価額}\end{array}}{\begin{array}{c}\text{当該受贈宅地等の贈与の時（第一章第六節の 4 の規定の適用があった場}\\\text{合には、同 4 に規定する認可決定E。③において同じ。）における価額}\end{array}}$$

※　当該特例受贈事業用資産に係る第一章第一節の**2**の（三）に規定する納税猶予分の贈与税額の計算において同**2**の（三）の債務の金額が控除された場合には、当該価額に次の割合を乗じて計算した金額となる。③において同じ。

$$\frac{\text{第一章第一節の 1 の規定の適用を受けた特例受贈事業用資産の価額}}{\text{当該納税猶予分の贈与税額の計算において同節の 2 の(25)の規定により計算された価額に相当する金額}}$$

③　①又は②に掲げるものの現物出資による移転につき第一章第五節の**4**の承認があった場合における同**4**の規定により特例受贈事業用資産とみなされた株式等（以下③において「受贈株式等」という。）　次の算式により計算した面積

$$\text{当該受贈宅地等の面積} \times \frac{\begin{array}{c}\text{第二章の 1 の規定により相続税の課税価}\\\text{格の計算の基礎に算入された特例受贈事}\\\text{業用資産の価額のうち 1 の規定の適用を}\\\text{受けようとする受贈株式等に対応する部}\\\text{分の価額}\end{array}}{\text{当該受贈宅地等の贈与の時における価額}} \times \frac{\begin{array}{c}\text{当該現物出資により移転をした受贈宅地等（※ 1）の贈}\\\text{与の時における価額に相当する金額（※ 2）}\end{array}}{\begin{array}{c}\text{当該現物出資により移転をした全ての受贈事業用}\\\text{資産の贈与の時における価額（※ 3）の合計額}\end{array}}$$

※1　受贈宅地等の譲渡につき第一章第五節の**3**の承認があった場合における同**3**の（三）の規定により特例受贈事業用資産とみなされた資産を含む。

2　※1の特例受贈事業用資産とみなされた資産については、第一章第五節の**3**の(12)の規定により計算した金額による。

3　当該特例受贈事業用資産のうちに※1の特例受贈事業用資産とみなされた資産がある場合には、当該みなされた資産については第一章第五節の**3**の(12)の規定により計算した金額による。

（個人の事業用資産についての納税猶予及び免除、小規模宅地等の特例又は特定計画山林の特例を重複適用する場合に限度面積要件等を満たさないとき）

(12)　小規模宅地等、第一編第四章第二節**一**の**11**の**①**に規定する選択特定計画山林（以下(12)において「選択特定計画山林」という。）又は特例事業用資産のうち宅地等（以下(12)において「猶予対象宅地等」という。）について、同**一**の**10**の**①**、同**一**の**11**の**①**又は**1**の規定の適用を重複して受けようとする場合において、その猶予対象宅地等の面積が**2**の（一）のイに規定する限度面積（（11）参照）を超えるとき又はその選択特定計画山林の価額が同**一**の**11**の**①**の（2）（同**①**の（3）の規定の適用がある場合を含む。）に規定する限度額（同**①**の（9）参照）を超えるときは、その猶予対象宅地等の全てについて**1**の規定の適用はないことに留意する。（措通70の6の10－18）

（注）1　上記の限度面積を超える場合における当該小規模宅地等又は上記の限度額を超える場合における当該小規模宅地等及び当該選択特定計画山林は、その全てについて第一編第四章第二節**一**の**10**の**①**又は同**一**の**11**の**①**の適用もないことに留意する（同**一**の**10**の**②**の（3）及び同**一**の

第六編　個人の事業用資産に係る相続税・贈与税の納税猶予及び免除

11の①の(10)参照)。

　　なお、この場合、その小規模宅地等又は選択特定計画山林については、その後の国税通則法第18条第2項に規定する期限後申告書及び同
　　法第19条第3項に規定する修正申告書において、当該限度面積又は当該限度額を超えないこととなったときは、同一の**10**の①又は同一の**11**
　　の①の規定の適用があることに留意する。

　2　上記の「猶予対象宅地等」には、第二章の**1**（同**1**の(1)の規定により読み替えて適用する場合を含む。）の規定により相続又は遺贈によ
　　り取得をしたものとみなされた特例受贈事業用資産のうち**2**の(一)のイに掲げるものを含むことに留意する。

　　（事業の用に供されている建物として政令で定めるもの）
(13)　第一章第一節の**2**の(13)の規定は、**2**の(一)のロに規定する事業の用に供されている建物として政令で定めるもの
　　について準用する。（措令40の7の10⑧）

　　（特定事業用資産である減価償却資産である減価償却資産に該当するリース資産）
(14)　第一章第一節の**2**の(15)《特定事業用資産である減価償却資産に該当するリース資産》は、リース資産（所得税法
　　第67条の2第1項に規定するリース資産をいう。）が**2**の(一)のハに定める減価償却資産に該当するかどうかの判定につ
　　いて準用する。（措通70の6の10-19）

　　（財務省令で定めるもの）
(15)　第一節（**2**の(一)のハ及び(二)のイに係る部分に限る。）の規定の適用がある場合における第一章第一節の**2**の(14)
　　及び(17)の規定の適用については、同**2**の(14)の(二)のハ中「**1**」とあるのは「第三章第一節の**1**」と、「贈与」とある
　　のは「相続の開始」と、同**2**の(17)中「第6条第16項第7号又は第9号」とあるのは「第6条第16項第8号又は第10号」
　　とする。（措規23の8の9③）

　　（相続の開始の直前において事業に従事していたこと）
(16)　第一章第一節の**2**の(18)《3年以上事業に従事していたこと》は、被相続人から相続又は遺贈により特定事業用資
　　産を取得した者が、**2**の(二)のロに規定する当該特定事業用資産に係る事業に従事していたかどうかの判定について準
　　用する。（措通70の6の10-20）
　(注)　被相続人が60歳未満で死亡した場合には、上記の要件は不要とされることに留意する。

　　（納税猶予の対象とならない資産保有型事業の意義）
(17)　**2**の(二)のホの要件を判定する場合において、特定事業用資産に係る事業が**2**の(四)に規定する資産保有型事業に
　　該当するかどうかの判定は、**1**の規定の適用に係る相続の開始の日の属する年の前年1月1日から当該相続に係る相続
　　税の申告期限までの間のいずれかの日において次の算式を満たすかどうかにより行うことに留意する。（措通70の6の
　　10-21）
　（算式）

$$\frac{B+C}{A+C} \geqq \frac{70}{100}$$

　(注)1　上記算式中の符号は次のとおり。
　　　　A＝当該いずれかの日における当該事業に係る貸借対照表に計上されている総資産の帳簿価額の総額
　　　　B＝当該いずれかの日における当該事業に係る貸借対照表に計上されている特定資産（現金、預貯金その他の資産であって第一章第一節の
　　　　　2の(34)に規定するものをいう。以下(17)において同じ。）の帳簿価額の合計額
　　　　C＝当該いずれかの日以前5年以内において特別関係者（特例事業相続人等と同節の**2**の(35)に規定する特別の関係がある者をいう。以下
　　　　　(17)において同じ。）が当該特例事業相続人等から受けた同節の**2**の(四)のハに規定する必要経費不算入対価等（以下(17)において「必要
　　　　　経費不算入対価等」という。）の合計額
　　　2　上記算式中の金額の算定については、次の取扱いに留意する。
　　　(イ)　上記Cの金額の算定に当たり、特定事業用資産に係る事業に従事したことその他の事由により特別関係者が支払を受けた対価又は給
　　　　　与の金額がある場合で、当該対価又は給与の金額が、最初の**1**の規定の適用に係る相続の開始の時（当該相続の開始の時前に第一章第一
　　　　　節の**1**の規定の適用に係る贈与により取得をした当該事業と同一の事業に係る他の資産について同節の**1**の規定の適用を受けようとする
　　　　　場合又は受けている場合には、最初の同節の**1**の規定の適用に係る贈与の時。以下(17)において同じ。）前又は当該相続の開始の時以後の
　　　　　いずれに属するものか区分することができないときは、当該区分することができない金額を当該相続の開始の日の属する年の1月1日か
　　　　　ら当該相続の開始の日の前日までの日数と当該相続の開始の日からその年の12月31日までの日数がそれぞれその年の日数に占める割合に
　　　　　によりあん分する。この場合において、あん分後の金額に1円未満の端数があるときは、その端数金額を切り捨てて差し支えない。なお、
　　　　　必要経費不算入対価等の意義については、同節の**2**の(37)《必要経費不算入対価等の意義》を参照。
　　　(ロ)　上記算式による判定は特定事業用資産に係る事業について行うことから、特例事業相続人等が特定事業用資産に係る事業以外の事業
　　　　　（以下(17)において「特例対象外事業」という。）を行っている場合には、当該特例対象外事業の用に供される資産及び当該特例事業相続

－1074－

第三章　個人の事業用資産についての相続税の納税猶予及び免除
（第一節　特例適用の要件）

人等の特別関係者が当該特例対象外事業に従事したことその他の事由により支払を受けた対価又は給与の金額は、上記の算式に算入されない。

　　（ハ）　特例事業相続人等が被相続人から**1**の規定の適用に係る相続又は遺贈により取得をした特定事業用資産に係る事業が2以上ある場合における上記算式中の各金額は、その2以上の事業の合計による。

　3　特例事業相続人等の事業活動のために必要な資金の借入れを行ったことその他の(21)において準用する同節の**2**の(33)に規定する事由が生じたことにより、当該いずれかの日において当該特定事業用資産に係る事業が上記算式を満たした場合には、当該いずれかの日から同日以後6月を経過する日までの期間は、資産保有型事業の判定に係る上記の期間から除かれることに留意する。

　　（納税猶予の対象とならない資産運用型事業の意義）

(18)　**2**の(二)のホの要件を判定する場合において、特定事業用資産に係る事業が**2**の(五)に規定する資産運用型事業に該当するかどうかの判定は、相続の開始の日の属する年の前年1月1日から当該相続の開始の日の属する年の12月31日までの間のいずれかの年において次の算式を満たすかどうかにより行うことに留意する。（措通70の6の10-22）

（算式）

$$\frac{B}{A} \geqq \frac{75}{100}$$

（注）1　上記算式中の符号は次のとおり。

　　　A＝当該いずれかの年における総収入金額

　　　B＝当該いずれかの年における特定資産の運用収入の合計額

　2　特例事業相続人等の事業活動のために必要な資金を調達するために特定資産を譲渡したことその他の(22)において準用する第一章第一節の**2**の(40)に規定する事由が生じたことにより、当該いずれかの年において当該特定事業用資産に係る事業が上記算式を満たした場合には、当該いずれかの年の1月1日からその翌年12月31日までの期間は、資産運用型事業の判定に係る上記の期間から除かれることに留意する。

　3　(17)の(注)2は、資産運用型事業の判定を行う場合について準用する。

　　（財務省令で定める要件）

(19)　**2**の(二)のトに規定する財務省令で定める要件は、同(二)のトの個人が、円滑化省令第17条第1項の確認（同項第3号に係るものに限るものとし、円滑化省令第18条第7項の規定による変更の確認を受けたときは、その変更後のものとする。）を受けた者であることとする。（措規23の8の9④）

　　（政令で定める期間、政令で定めるもの）

(20)　第一章第一節の**2**の(32)、(36)及び(39)の規定は、**1**の規定の適用がある場合における第一章第一節の**2**の(四)に規定する政令で定める期間、同**2**の(四)のハに規定する必要経費に算入されないものとして政令で定めるもの及び同**2**の(五)に規定する政令で定める期間について、それぞれ準用する。（措令40の7の10⑭）

　　（財務省令で定める事由の準用）

(21)　第一章第一節の**2**の(33)の規定は、(20)において準用する第一章第一節の**2**の(32)のただし書に規定する財務省令で定める事由について準用する。（措規23の8の9⑤）

　　（財務省令で定める事由の準用）

(22)　第一章第一節の**2**の(40)の規定は、(20)において準用する第一章第一節の**2**の(39)のただし書に規定する財務省令で定める事由について準用する。（措規23の8の9⑥）

　　（読替え規定）

(23)　第二章の**1**の規定により相続又は遺贈により取得したものとみなされた同**1**に規定する特例受贈事業用資産について同**1**の特例事業受贈者が第一節の**1**の規定の適用を受ける場合における(15)、(19)及び第二節の(1)の規定の適用については、(15)中「同**2**の(14)の(二)のハ中「**1**」とあるのは「第三章第一節の**1**」と、「贈与」とあるのは「相続の開始」と、同**2**の(17)」とあるのは「同(17)」と、(19)中「第17条第1項の確認（同項第3号に係るものに限るものとし、円滑化省令第18条第7項の規定による変更の確認を受けたときは、その変更後のものとする。）」とあるのは「第13条第6項（同条第8項において準用する場合を含む。）又は第9項（同条第11項において準用する場合を含む。）の確認」と、第二節の(1)の(一)から(十)の列記以外の部分中「次に掲げる書類」とあるのは「次に掲げる書類（(三)から(六)まで及び(九)に掲げる書類を除き、第二章の**1**の特例事業受贈者が第一章第五節の**4**の承認を受けている場合には、第一節の**1**の規定の適用に係る相続の開始の時における当該承認に係る会社の第七編第二章第三節の**1**の(2)に規定する書類に準ずる書類を含む。）」と、第二節の(1)の(七)中「第17条第5項」とあるのは「第13条第12項」と、「同条第4項」と

－1075－

第六編　個人の事業用資産に係る相続税・贈与税の納税猶予及び免除

あるのは「同条第7項（同条第8項において準用する場合を含む。）又は第10項（同条第11項において準用する場合を含む。）」と、第二節の（1）の（八）中「相続又は遺贈により第一節の2の（一）のイに掲げる資産、」とあるのは「贈与により第一章第一節の2の（一）のイに掲げる資産（同節の1の規定の適用を受けるものに限る。）を取得した同節の1の特例事業受贈者以外に当該被相続人から相続又は遺贈により」と、「特例対象宅地等」とあるのは「特例対象宅地等（同10の③の（一）に規定する特定事業用宅地等を除く。）」と、「1人でない」とあるのは「いる」とする。（措規23の8の9㉙）

3　納税猶予の相続税額の計算

①　納税猶予の相続税額の計算

2の（二）に規定する特例事業相続人等の2の（三）の相続税の額は、2の（三）に規定する特例事業用資産の価額（第一編第四章第二節三の規定により控除すべき債務がある場合において、特定債務額があるときは、当該特例事業用資産の価額から当該特定債務額を控除した残額。（二）において「特定価額」という。）を当該特例事業相続人等に係る相続税の課税価格とみなして、第一編第四章第二節三から第一編第六章第三節まで、第三編第一章第三節一及び二の規定を適用して計算した当該特例事業相続人等の相続税の額（当該特例事業相続人等が第一編第六章第四節から第八節まで、第三編第一章第三節一又は二の規定の適用を受ける者である場合において、当該特例事業相続人等に係る1に規定する納付すべき相続税の額の計算上これらの規定により控除された金額の合計額が（一）に掲げる金額から（二）に掲げる金額を控除した残額を超えるときは、当該超える部分の金額を控除した残額）とする。（措令40の7の10⑨）

（一）　第一編第四章から第一編第六章第三節まで、第三編第一章第三節一及び二の規定を適用して計算した当該特例事業相続人等の相続税の額

（二）　特定価額を当該特例事業相続人等に係る相続税の課税価格とみなして、第一編第四章第二節三から第一編第六章第三節まで、第三編第一章第三節一及び二の規定を適用して計算した当該特例事業相続人等の相続税の額

（「特定債務額」とは）

（1）　①に規定する特定債務額とは、（一）に掲げる金額から（二）に掲げる金額を控除した金額（その金額が零を下回る場合には、零）に（三）に掲げる金額を加えた金額をいう。（措令40の7の10⑩）

（一）　第一編第四章第二節三の規定により控除すべき特例事業相続人等の負担に属する部分の金額から（三）に掲げる金額を控除した残額

（二）　（一）の特例事業相続人等に係るイに掲げる価額とロに掲げる金額との合計額からハに掲げる価額を控除した残額

イ　当該特例事業相続人等が1の規定の適用に係る相続又は遺贈により取得した財産の価額

ロ　当該特例事業相続人等が被相続人からの贈与により取得した財産で第三編第一章第一節二の（1）の規定の適用を受けるものの価額から同章第二節一の（1）の規定（同節三の規定を含む。）による控除をした残額

ハ　2の（三）に規定する特例事業用資産の価額

（三）　第一編第四章第二節三の規定により控除すべき特例事業相続人等の負担に属する部分の金額から1に規定する特例事業用資産に係る事業に関する債務と認められるもの以外の債務（当該事業に関するもの以外のものであることが金銭の貸付けに係る消費貸借に関する契約書その他の書面により明らかにされているものに限る。）の金額を控除した残額

（注）　改正後の（1）の規定は、令和6年1月1日以後に贈与により財産を取得する者（以下「改正後受贈者」という。）者に係る（1）に規定する特定債務額について適用し、令和5年12月31日以前に贈与により財産を取得した者（改正前受贈者という。）。に係る改正前の（1）に規定する特定債務額については、なお従前の例による。（令5改措令附14⑧）

（特例事業用資産に係る事業に関するものと認められる債務の意義）

（2）　2の（三）に規定する納税猶予分の相続税額（以下「納税猶予分の相続税額」という。）の計算をする場合における（1）の（三）の「特例事業用資産に係る事業に関する債務」の意義については、第一章第一節の2の（27）《特例受贈事業用資産に係る事業に関するものと認められる債務の意義》を準用する。（措通70の6の10-23）

（注）　同節の2の（27）の（注）（イ）から（ハ）までに掲げるもののほか、被相続人に係る葬式費用も（1）の（三）の「特例事業用資産に係る事業に関する債務」に該当しないことに留意する。

（納税猶予分の相続税額の端数処理）

（3）　2の（三）に規定する納税猶予分の相続税額に100円未満の端数があるとき、又はその全額が100円未満であるときは、その端数金額又はその全額を切り捨てる。（措令40の7の10⑪）

－1076－

第三章　個人の事業用資産についての相続税の納税猶予及び免除
（第一節　特例適用の要件）

②　農地等についての相続税の納税猶予等の特例の適用がある場合の納税猶予分の相続税額の計算

　納税猶予分の相続税額を計算する場合において、特例事業相続人等に係る被相続人から相続又は遺贈により財産の取得をした者のうちに第四編第二章第一節の**1**《農地等についての相続税の納税猶予及び免除等》の規定の適用を受ける者がいるときにおける当該財産の取得をした全ての者に係る相続税の課税価格は、同章第二節の**1**《農業相続人がいる場合の相続税額》の(一)の規定により計算される相続税の課税価格とする。（措令40の7の10⑫）

③　農地等についての相続税の納税猶予制度との調整

　特例事業相続人等が次の各号に掲げる規定の適用を受ける者である場合において、当該各号に定める税額と調整前事業用資産猶予税額（第四編第二章第二節の**2**の(3)の(三)に規定する調整前事業用資産猶予税額をいう。）との合計額が猶予可能税額（当該特例事業相続人等が**1**の規定及び当該各号に掲げる規定の適用を受けないものとした場合における当該特例事業相続人等が納付すべき相続税の額をいう。）を超えるときにおける特例事業用資産に係る納税猶予分の相続税額は、当該猶予可能税額に当該調整前事業用資産猶予税額が当該合計額に占める割合を乗じて計算した金額とする。この場合において、当該計算した金額に100円未満の端数があるとき、又はその全額が100円未満であるときは、その端数金額又はその全額を切り捨てる。（措令40の7の10⑬）

(一)　第四編第二章第一節の**1**　調整前農地等猶予税額（同編第二章第二節の**2**の(3)に規定する調整前農地等猶予税額をいう。）

(二)　第四編第三章第一節の**1**　調整前山林猶予税額（同編第二章第二節の**2**の(3)の(一)に規定する調整前山林猶予税額をいう。）

(三)　第五編第一節の**1**　調整前美術品猶予税額（第四編第二章第二節の**2**の(3)の(二)に規定する調整前美術品猶予税額をいう。）

(四)　第七編第二章第一節の**1**、同編第三章第二節の**1**、同編第五章第一節の**1**又は同編第六章第二節の**1**　調整前株式等猶予税額（第四編第二章第二節の**2**の(3)の(四)に規定する調整前株式等猶予税額をいう。）

(五)　第八編第三章第一節の**1**　調整前持分猶予税額（第四編第二章第二節の**2**の(3)の(五)に規定する調整前持分猶予税額をいう。）

第六編　個人の事業用資産に係る相続税・贈与税の納税猶予及び免除

第二節　適用を受けるための手続

　第一節の1の規定は、同1の規定の適用を受けようとする特例事業相続人等のその被相続人から相続又は遺贈により取得をした事業の用に供される資産に係る相続税の申告書に、当該資産の全部若しくは一部につき同1の規定の適用を受けようとする旨の記載がない場合又は当該資産の明細及び納税猶予分の相続税額の計算に関する明細その他（1）の財務省令で定める事項を記載した書類の添付がない場合には、適用しない。（措法70の6の10⑨）

　　（財務省令で定める事項を記載した書類）
（1）　第二節に規定する財務省令で定める事項を記載した書類は、次に掲げる書類とする。（措規23の8の9⑫）
　（一）　次に掲げる事項を記載した書類
　　イ　特例事業相続人等に係る被相続人の死亡による第一節の1の規定の適用に係る相続の開始があったことを知った日
　　ロ　その他参考となるべき事項
　（二）　（一）のイの相続の開始があったことを知った日が当該相続の開始の日と異なる場合にあっては、当該相続に係る特例事業相続人等が当該相続の開始があったことを知った日を明らかにする書類
　（三）　遺言書の写し、財産の分割の協議に関する書類（当該書類に当該相続に係る全ての共同相続人及び包括受遺者が自署し、自己の印を押しているものに限る。）の写し（当該自己の印に係る印鑑証明書が添付されているものに限る。）その他の財産の取得の状況を明らかにする書類
　（四）　被相続人から第一節の1の規定の適用に係る相続又は遺贈により取得した次に掲げる第一節の2の（一）に規定する特定事業用資産の区分に応じそれぞれ次に定める書類
　　イ　第一節の2の（一）のハに掲げる資産（地方税法第341条《固定資産税に関する用語の意義》第4号に規定する償却資産に限る。）　当該資産についての地方税法第393条《道府県知事又は総務大臣がする固定資産の価格等の納税者に対する通知》の規定による通知に係る通知書の写しその他の書類（同法第341条第14号に規定する償却資産課税台帳に登録をされている次に掲げる事項が記載されたものに限る。）
　　　（1）　当該資産の所有者の住所及び氏名
　　　（2）　当該資産の所在、種類、数量及び価格
　　ロ　第一節の2の（一）のハに定める資産（自動車に限る。）並びに第一章第一節の2の（14）の（二）及び（三）に掲げる資産　道路運送車両法第58条第1項の規定により交付を受けた自動車検査証（当該相続の開始の日において効力を有するものに限る。）の写し又は地方税法第20条の10《納税証明書の交付》の規定により交付を受けたこれらの資産に係る同条の証明書の写しその他の書類でこれらの資産が自動車税及び軽自動車税において営業用の標準税率が適用されていること又は第一章第一節の2の（14）の（二）若しくは（三）に掲げる資産に該当することを明らかにするもの
　　ハ　第一章第一節の2の（14）の（一）に掲げる資産（所得税法施行令第6条《減価償却資産の範囲》第9号ロ及びハに掲げる資産に限る。）　当該資産が所在する敷地が耕作の用に供されていることを証する書類
　（五）　特例事業相続人等に係る被相続人が60歳以上で死亡した場合には、当該特例事業相続人等が相続の開始の直前において（四）の特定事業用資産に係る第一節の2の（二）のロに規定する事業に従事していた旨及びその事実の詳細を記載した書類
　（六）　円滑化省令第7条第14項の認定書（円滑化省令第6条第16項第8号又は第10号の事由に係るものに限る。）の写し及び円滑化省令第7条第11項（同条第13項において準用する場合を含む。）の申請書の写し
　（七）　円滑化省令第17条第5項の確認書の写し及び同条第4項の申請書の写し
　（八）　（一）のイの被相続人から相続又は遺贈により第一節の2の（一）のイに掲げる資産、第一編第四章第二節一の10の①に規定する特例対象宅地等又は同10の①の（7）に規定する特例対象山林若しくは同10の①の（7）に規定する特例対象受贈山林を取得した個人が1人でない場合には、これらを取得した全ての個人の第一節の1の規定の適用を受けるものの選択についての同意を証する書類
　（九）　（一）のイの被相続人から相続又は遺贈により第一節の2の（一）のロに掲げる資産を取得した個人が1人でない場合には、当該資産を取得した全ての個人の第一節の1の規定の適用を受けるものの選択についての同意を証する書類
　（十）　その他参考となるべき書類

第三章　個人の事業用資産についての相続税の納税猶予及び免除
（第二節　適用を受けるための手続）

（未分割の資産）

（2）　第一節の **1** の相続に係る相続税の申告書の提出期限までに、当該相続又は遺贈により取得をした被相続人の事業の用に供されていた資産の全部又は一部が共同相続人又は包括受遺者によってまだ分割されていない場合における同 **1** の規定の適用については、その分割されていない資産は、当該相続税の申告書に同 **1** の規定の適用を受ける旨の記載をすることができないものとする。（措法70の 6 の10⑦）

第六編　個人の事業用資産に係る相続税・贈与税の納税猶予及び免除

第三節　納税猶予期間中の継続届出書の提出

1　継続届出書の提出

　第一節の1の規定の適用を受ける特例事業相続人等は、同1の相続に係る相続税の申告書の提出期限の翌日から猶予中相続税額に相当する相続税の全部につき同1、第五節の1、同節の2、第三節の2又は第四節の規定による納税の猶予に係る期限が確定する日までの間に特例相続報告基準日（特定申告期限の翌日から3年を経過するごとの日をいう。）が存する場合には、届出期限（当該特例相続報告基準日の翌日から3月を経過する日をいう。第五節の6の(1)、2及び2の(1)において同じ。）までに、(1)の政令で定めるところにより引き続いて第一節の1の規定の適用を受けたい旨及び同1の特例事業用資産に係る事業に関する事項を記載した届出書を納税地の所轄税務署長に提出しなければならない。（措法70の6の10⑩）

　　（継続届出書の提出）
（1）　1の規定により提出する届出書には、引き続いて第一節の1の規定の適用を受けたい旨及び次に掲げる事項を記載し、かつ、(2)の財務省令で定める書類を添付しなければならない。（措令40の7の10㉖）
　　（一）　特例事業相続人等の氏名及び住所
　　（二）　被相続人から特例事業用資産の取得をした年月日
　　（三）　特例事業用資産に係る事業の所在地
　　（四）　当該届出書を提出する直前の1に規定する特例相続報告基準日（以下(四)及び第六節の1の(1)において「特例相続報告基準日」という。）の属する年の前年以前の各年（当該特例相続報告基準日の直前の特例相続報告基準日の属する年の前年以前の各年を除く。）における第一節の1の事業に係る所得税法第27条第1項に規定する事業所得の総収入金額
　　（五）　その他(4)の財務省令で定める事項

　　（財務省令で定める書類）
（2）　(1)に規定する財務省令で定める書類は、特例事業用資産に係る次に掲げる書類（第五節の4の規定の適用があった場合には、第七編第二章第三節の1の(2)及び(5)に規定する書類に準ずる書類）とする。（措規23の8の9⑬）
　　（一）　その特例相続報告基準日（1に掲げる特例相続報告基準日をいう。以下同じ。）における第二節の(1)の(四)に掲げる書類
　　（二）　その特例相続報告基準日（(4)及び(6)において「基準日」という。）の属する年の前年以前3年内の各年における当該特例事業用資産に係る事業に係る次に掲げる書類（特例事業相続人等が営む事業が当該特例事業用資産に係る事業のみである場合には、イに掲げる書類を除く。）
　　イ　当該事業に係る貸借対照表及び損益計算書
　　ロ　当該特例事業用資産とその他の資産の内訳を記載した書類で当該特例事業用資産がイの貸借対照表に計上されていることを明らかにするもの
　　（三）　その他参考となるべき書類

　　（特例事業用資産に係る事業と別の事業を営んでいる場合に継続届出書に添付する貸借対照表等の意義）
（3）　第一章第三節の1の(3)《特例受贈事業用資産に係る事業と別の事業を営んでいる場合に継続届出書に添付する貸借対照表等の意義》は、第一節の1の規定の適用を受ける特例事業相続人等が第一節の1の規定の適用を受ける特例事業用資産に係る事業と別の事業を営んでいる場合において、1の規定により提出する届出書に添付すべき貸借対照表及び損益計算書の意義について準用する。（措通70の6の10－46）

　　（財務省令で定める事項）
（4）　(1)の(五)に規定する財務省令で定める事項は、次に掲げる事項（第五節の4の規定の適用があった場合には、第七編第五章第三節の1の(5)に規定する事項に準ずる事項）とする。（措規23の8の9⑭）
　　（一）　基準日における第五節の2に規定する猶予中相続税額
　　（二）　基準日において特例事業相続人等が有する特例事業用資産の明細及び当該特例事業相続人等に係る被相続人の氏名

－1080－

第三章　個人の事業用資産についての相続税の納税猶予及び免除
（第三節　納税猶予期間中の継続届出書の提出）

(三)　特例事業用資産に係る事業に係る次に掲げる事項

イ　基準日の属する年の前年12月31日における第一章第一節の**2**の(四)のイからハまでに掲げる額、これらの明細及び同(四)の割合

ロ　基準日の属する年の前年における第一章第一節の**2**の(五)の総収入金額、運用収入の合計額、これらの明細及び同(五)の割合

ハ　基準日の直前の特例相続報告基準日（当該基準日が最初の特例相続報告基準日である場合には、第一節の**1**に規定する相続税の申告書の提出期限。(四)及び(五)において同じ。）の翌日から当該基準日までの間に第一節の**2**の(20)において準用する第一章第一節の**2**の(32)のただし書又は第一節の**2**の(20)において準用する第一章第一節の**2**の(39)のただし書に規定する場合に該当することとなった場合には、次に掲げる事項

（１）　第一節の**2**の(20)において準用する第一章第一節の**2**の(32)のただし書又は第一節の**2**の(20)において準用する第一章第一節の**2**の(39)のただし書に規定する事由の詳細及びこれらの事由の生じた年月日

（２）　第一節の**2**の(20)において準用する第一章第一節の**2**の(32)のただし書の割合を100分の70未満に減少させた事情又は第一節の**2**の(20)において準用する第一章第一節の**2**の(39)のただし書の割合を100分の75未満に減少させた事情の詳細及びこれらの事情の生じた年月日

(四)　基準日の直前の特例相続報告基準日の翌日から当該基準日までの間に特例事業相続人等につき第五節の**2**の規定により納税の猶予に係る期限が確定した猶予中相続税額がある場合には、同**2**に該当した旨及び該当した日並びに当該猶予中相続税額及びその計算の明細

(五)　第六節の**4**の規定の適用を受けた場合（基準日の直前の特例相続報告基準日の翌日から当該基準日までの間に同節の**3**の(9)の規定による再計算免除相続税の額の通知があった場合に限る。）には、その旨、同(9)に規定する認可決定日及び同節の**4**に規定する再計算免除相続税の額

(六)　その他参考となるべき事項

　　　（継続届出書の提出期間）
（５）　**1**に規定する届出書は、**1**に規定する特例相続報告基準日の翌日から3月を経過するごとの日までに提出しなければならないのであるが、その提出期間は、当該特例相続報告基準日の翌日から当該3月を経過するごとの日までの期間として取り扱う。（措通70の6の10−45）

(注)　上記の「特例相続報告基準日」とは、特定申告期限（特例事業相続人等の最初の第一節の**1**の規定の適用に係る相続に係る第一節の**1**に規定する相続税の申告書の提出期限又は最初の第一章第一節の**1**の規定の適用に係る贈与の日の属する年分の第一章第一節の**1**に規定する贈与税の申告書の提出期限のいずれか早い日をいう。）の翌日から3年を経過するごとの日をいうことに留意する。

　　　（期間の末日が基準日後に到来する場合）
（６）　第一節の**2**の(20)において準用する第一章第一節の**2**の(32)のただし書又は(4)において準用する第一章第一節の**2**の(39)のただし書に規定する期間（第五節の**4**の規定の適用があった場合には、第七編第二章第一節の**2**の(25)のただし書又は(30)ただし書に規定する期間に準ずる期間）の末日が基準日後に到来する場合には、**1**の届出書に(4)の(三)のハの(2)に掲げる事項（第五節の**4**の規定の適用があった場合には、第七編第二章第三節の**1**の(3)の(三)のニの②に規定する事項に準ずる事項）を記載することを要しない。この場合において、特例事業相続人等は、当該期間の末日から2月を経過する日（同日が当該届出書に係る**1**に規定する届出期限前に到来する場合には、当該届出期限）までに次に掲げる事項（第五節の**4**の規定の適用があった場合には、第七編第二章第三節の**1**の(4)各号に規定する事項に準ずる事項）を記載した書類を納税地の所轄税務署長に提出しなければならない。（措規23の8の9⑮）

(一)　特例事業相続人等の氏名及び住所
(二)　特例事業用資産に係る事業の所在地
(三)　(3)の(三)のハの(2)に掲げる事項

2　継続届出書が提出されなかった場合

　　1の届出書が届出期限までに納税地の所轄税務署長に提出されない場合には、当該届出期限における猶予中相続税額に相当する相続税については、第一節の**1**の規定にかかわらず、当該届出期限の翌日から2月を経過する日をもって同**1**の規定による納税の猶予に係る期限とする。（措法70の6の10⑫）

　　　（ゆうじょ規定）
（１）　**1**又は第六節の**1**の届出書が届出期限又は免除届出期限までに提出されなかった場合においても、これらの規定に

−1081−

第六編　個人の事業用資産に係る相続税・贈与税の納税猶予及び免除

規定する税務署長がこれらの期限内にその提出がなかったことについてやむを得ない事情があると認める場合において、（2）の政令で定めるところによりこれらの届出書が当該税務署長に提出されたときは、**2**又は第六節の**1**の規定の適用については、これらの届出書がこれらの期限内に提出されたものとみなす。（措法70の6の10⑯）

　　　（（1）の場合の届出書の提出）
（2）　（1）の規定により提出する第三節の**1**又は第六節の**1**の届出書には、第三節の**1**又は第六節の**1**に規定する事項のほか、これらの届出書を**1**に規定する届出期限又は第六節の**1**に規定する免除届出期限までに提出することができなかった事情の詳細を記載し、かつ、第三節の**1**又は第六節の**1**に規定する財務省令で定める書類を添付しなければならない。（措令40の7の10㉘）

－1082－

第四節　担保の変更の命令に応じない場合等の納税猶予期限の繰上げ

　税務署長は、次に掲げる場合には、猶予中相続税額に相当する相続税に係る第一節の**1**の規定による納税の猶予に係る期限を繰り上げることができる。この場合においては、国税通則法第49条《納税の猶予の取消し》第2項及び第3項の規定を準用する。（措法70の6の10⑬）

（一）　第一節の**1**の規定の適用を受ける特例事業相続人等が同**1**に規定する担保について国税通則法第51条《担保の変更等》第1項の規定による命令に応じない場合

（二）　同**1**の規定の適用を受ける特例事業相続人等から提出された第三節の**1**の届出書に記載された事項と相違する事実が判明した場合

　　　　（増担保命令等に応じない場合の納税猶予の期限の繰上げ）

（1）　第四節の規定により、増担保命令等に応じないため納税猶予の期限を繰り上げる場合には、担保不足に対応する納税猶予に係る税額だけでなく、猶予中相続税額の全額について納税猶予の期限を繰り上げることに留意する。（措通70の6の10−47）

第六編　個人の事業用資産に係る相続税・贈与税の納税猶予及び免除

第五節　納税猶予の打切り

1　納税猶予の打切り

　第一節の1の規定の適用を受ける特例事業相続人等、同1の特例事業用資産又は当該特例事業用資産に係る事業について次に掲げる場合のいずれかに該当することとなった場合には、同1の規定にかかわらず、それぞれに定める日から2月を経過する日をもって同1の規定による納税の猶予に係る期限とする。（措法70の6の10③）

（一）　当該特例事業相続人等が当該事業を廃止した場合又は当該特例事業相続人等について破産手続開始の決定があった場合　　その事業を廃止した日又はその決定があった日

（二）　当該事業が資産保有型事業、資産運用型事業又は風俗営業等の規制及び業務の適正化等に関する法律第2条第5項に規定する性風俗関連特殊営業のいずれかに該当することとなった場合　　その該当することとなった日

（三）　当該特例事業相続人等のその年の当該事業に係る事業所得の総収入金額が零となった場合　　その年の12月31日

（四）　当該特例事業用資産の全てが当該特例事業相続人等のその年の事業所得に係る青色申告書の貸借対照表に計上されなくなった場合　　その年の12月31日

（五）　当該特例事業相続人等が所得税法第150条《青色申告の承認の取消し》第1項の規定により同法第143条《青色申告》の承認を取り消された場合又は同法第151条《青色申告の取りやめ等》第1項の規定による青色申告書の提出をやめる旨の届出書を提出した場合　　その承認が取り消された日又はその届出書の提出があった日

（六）　当該特例事業相続人等が第一節の1の規定の適用を受けることをやめる旨を記載した届出書を納税地の所轄税務署長に提出した場合　　その届出書の提出があった日

（七）　当該特例事業相続人等が第一節の2の（二）のニの承認を受ける見込みであることにより同節の1の規定の適用を受けた場合において、所得税法第145条《青色申告の承認申請の却下》の規定により当該承認の申請が却下されたとき　　その申請が却下された日

　　　　（事業を廃止した場合の意義）
（1）　1の（一）の「事業を廃止した場合」の意義については、第一章第五節の1の（1）《事業を廃止した場合の意義》を準用する。（措通70の6の10－24）

　　　　（確定事由となる資産保有型事業又は資産運用型事業の意義）
（2）　1の（二）の要件を判定する場合には、第一節の2の（17）《納税猶予の対象とならない資産保有型事業の意義》及び同2の（18）《納税猶予の対象とならない資産運用型事業の意義》を準用する。
　　　この場合において、同2の（17）中「相続の開始の日の属する年の前年1月1日」とあるのは「相続税の申告期限の翌日」と、「相続税の申告期限」とあるのは「第五節の2に規定する猶予中相続税額に相当する相続税の全部につき納税の猶予に係る期限が確定する日」と、第一節の2の（18）中「相続の開始の日の属する年の前年1月1日」とあるのは「相続税の申告期限の翌日」と、「の開始の日の属する年の12月31日」とあるのは「に係る第五節の2に規定する猶予中相続税額に相当する相続税の全部につき納税の猶予に係る期限が確定する日の属する年の前年12月31日」となることに留意する。（措通70の6の10－25）

　　　　（性風俗関連特殊営業に該当することとなった日の意義）
（3）　1の（二）の風俗営業等の規制及び業務の適正化等に関する法律第2条第5項に規定する性風俗関連特殊営業に「該当することとなった日」の意義については、第一章第五節の1の（3）《性風俗関連特殊営業に該当することとなった日の意義》を準用する。（措通70の6の10－26）

　　　　（事業所得の総収入金額が零となった場合）
（4）　1の（三）の「当該事業に係る事業所得の総収入金額が零となった場合」の判定については、第一章第五節の1の（4）《事業所得の総収入金額が零となった場合》を準用する。（措通70の6の10－27）

　　　　（特例事業相続人等が個人の事業用資産についての納税猶予の適用を取りやめる場合の期限）
（5）　1の（六）の規定に該当することによる納税の猶予に係る期限は、第一節の1の規定の適用を受けている特例事業相続人等から第一節の1の規定の適用を受けることをやめる旨の届出書の提出があった日から2月を経過する日（当該届

－1084－

第三章　個人の事業用資産についての相続税の納税猶予及び免除
（第五節　納税猶予の打切り）

出書の提出があった日から当該２月を経過する日までの間に当該特例事業相続人等が死亡した場合には、当該特例事業相続人等の相続人（包括受遺者を含む。）が当該特例事業相続人等の死亡による相続の開始があったことを知った日の翌日から６月を経過する日）となることから、当該納税猶予に係る相続税の額及び当該相続税の額に係る利子税の額の納付の有無に関わらず、当該２月を経過する日に確定することに留意する。（措通70の６の10－28）

２　納税猶予税額の一部確定

第一節の１の規定の適用を受ける特例事業用資産の全部又は一部が特例事業相続人等の事業の用に供されなくなった場合（１の（一）から（七）に掲げる場合及び当該事業の用に供することが困難になった場合として（２）の政令で定める場合を除く。）には、納税猶予分の相続税額（既に２の規定の適用があった場合には、２の規定の適用があった特例事業用資産の価額に対応するものとして（６）の政令で定めるところにより計算した金額を除く。以下本章において「**猶予中相続税額**」という。）のうち、当該事業の用に供されなくなった部分に対応する部分の額とし（７）の政令で定めるところにより計算した金額に相当する相続税については、第一節の１の規定にかかわらず、当該事業の用に供されなくなった日から２月を経過する日をもって同１の規定による納税の猶予に係る期限とする。（措法70の６の10④）

（特例事業用資産の譲渡等の判定）
（１）　２又は３の規定を適用する場合における特例事業用資産の譲渡又は贈与（以下「譲渡等」という。）があったかどうかの判定は、（９）及び(10)の規定により行うことに留意する。（措通70の６の10－29）
　(注)　なお、特例事業用資産を第六節の１の（二）の規定による贈与をしたかどうかの判定についても上記により行うことに留意する。

（事業の用に供することが困難になった場合）
（２）　２に規定する事業の用に供することが困難になった場合として政令で定める場合は、特例事業用資産の陳腐化、腐食、損耗その他これらに準ずる事由により当該特例事業用資産を廃棄した場合とする。この場合において、当該特例事業用資産の全部又は一部の廃棄をした特例事業相続人等は、次に掲げる事項を記載した届出書に当該廃棄をしたことが確認できる書類として（３）の財務省令で定める書類を添付し、これを当該廃棄をした日から２月以内に納税地の所轄税務署長に提出しなければならない。（措令40の７の10⑮）
（一）　当該特例事業相続人等の氏名及び住所
（二）　当該廃棄をした特例事業用資産の明細及び当該特例事業用資産の第一節の１の規定の適用に係る相続の開始の時における価額
（三）　当該特例事業用資産の廃棄の委託をした場合には、当該委託を受けた事業者の氏名又は名称及び住所又は事業所の所在地
（四）　その他参考となるべき事項

（財務省令で定める書類の準用）
（３）　第一章第五節の２の（３）の規定は、（２）に規定する財務省令で定める書類について準用する。（措規23の８の９⑦）

（廃棄に係る届出書が届出期限までに提出されない場合等）
（４）　第一章第五節の２の（４）《廃棄に係る届出書が届出期限までに提出されない場合等》は、特例事業相続人等が（２）の規定の適用を受けようとする場合に準用する。（措通70の６の10－31）

（特例事業用資産の処分によって得た対価がある場合）
（５）　第一章第五節の２の（５）《特例受贈事業用資産の処分によって得た対価がある場合》は、（２）の事由による特例事業用資産の処分によって得た対価がある場合について準用する。（措通70の６の10－32）

（特例事業用資産の価額に対応するものとして計算した金額）
（６）　２に規定する特例事業用資産の価額に対応するものとして政令で定めるところにより計算した金額は、第一節の１の規定の適用を受ける特例事業相続人等に係る納税猶予分の相続税額のうち２に規定する場合に該当したことにより納税の猶予に係る期限が確定したものの合計額とする。（措令40の７の10⑯）

（事業の用に供されなくなった部分に対応する部分の額として計算した金額）
（７）　２に規定する事業の用に供されなくなった部分に対応する部分の額として政令で定めるところにより計算した金額

－1085－

は、当該事業の用に供されなくなった時の直前における納税猶予分の相続税額（既に**2**に規定する場合に該当したことにより納税の猶予に係る期限が確定した相続税の金額を除く。）に、(一)に掲げる金額が(二)に掲げる金額に占める割合を乗じて計算した金額とする。この場合において、当該計算した金額に100円未満の端数があるとき、又はその全額が100円未満であるときは、その端数金額又はその全額を切り捨てる。（措令40の7の10⑰）

(一)　当該事業の用に供されなくなった特例事業用資産の第一節の**1**の規定の適用に係る相続の開始の時における価額

(二)　当該事業の用に供されなくなった時の直前において当該事業の用に供されていた全ての特例事業用資産の第一節の**1**の規定の適用に係る相続の開始の時における価額

（納税猶予税額の一部について納税猶予の期限が確定する場合の相続税の額の計算）

(8)　**2**の規定により納税猶予税額の一部について、納税猶予の期限が確定する場合における相続税の額の計算は、**2**の規定に該当する直前の猶予中相続税額（**2**に規定する猶予中相続税額をいう。以下同じ。）に、次に定める割合を乗ずることにより行うことに留意する。

なお、これにより算出された金額に100円未満の端数があるとき又はその全額が100円未満であるときは、その端数金額又はその全額を切り捨て、その切り捨てた金額は、納税猶予税額として残ることに留意する。（措通70の6の10-30）

$$\frac{\text{事業の用に供されなくなった特例事業用資産の第一節の\textbf{1}の規定の適用に係る相続の開始の時における価額}}{\text{当該事業の用に供されなくなった時の直前において当該事業の用に供されていた全ての特例事業用資産の第一節の\textbf{1}の規定の適用に係る相続の開始の時における価額}}$$

(注)1　「当該事業の用に供されなくなった時の直前において当該事業の用に供されていた全ての特例事業用資産」には、第六節の**1**の届出に係る特例事業用資産が含まれることに留意する。

2　「事業の用に供されなくなった特例事業用資産」には、災害、疾病等のためやむを得ず一時的に当該事業の用に供されていない特例事業用資産は含まれないことに留意する。

3　第六節の**4**の規定の適用を受けた場合における上記算式中の「相続の開始の時における価額」は、第六節の**4**に規定する認可決定日における価額となることに留意する。

（対象事業用資産以外の資産の譲渡又は贈与をしたときのみなし規定）

(9)　特例事業相続人等が対象事業用資産（特例事業用資産及び第一章第一節の**1**に規定する特例受贈事業用資産をいう。以下(9)及び(10)において同じ。）以外の当該特例事業相続人等の事業の用に供されている資産（第一節の**2**の(一)のイ若しくはロに掲げる資産又は同(一)のハに定める資産に限る。）を有する場合において、当該資産の譲渡又は贈与をしたとき（第六節の**1**（(二)に係る部分に限る。）の規定の適用に係る贈与をしたときを除く。）は、**2**の規定の適用については、当該対象事業用資産以外の資産から先に譲渡又は贈与をしたものとみなし、第六節の**1**（(二)に係る部分に限る。）の規定の適用に係る贈与をしたときは、**2**及び第六節の**1**（(二)に係る部分に限る。）の規定の適用については、当該対象事業用資産から先に当該贈与をしたものとみなす。（措令40の7の10㊲）

（対象事業用資産の譲渡等の順序）

(10)　特例事業相続人等が対象事業用資産の譲渡又は贈与をした場合における**2**及び第六節の**1**（(二)に係る部分に限る。）の規定の適用については、当該対象事業用資産のうち先に取得したもの（当該先に取得したものが第一章第六節の**1**（(三)に係る部分に限る。）の規定の適用に係る贈与により取得した同章第一節の**1**に規定する特例受贈事業用資産である場合には、当該特例受贈事業用資産のうち先に同**1**の規定の適用を受けた他の第一章第一節の**2**の(二)に規定する特例事業受贈者に係るもの）から順次譲渡又は贈与をしたものとみなす。（措令40の7の10㊳）

3　特例事業用資産の譲渡である場合の納税猶予税額の一部確定

2の場合において、**2**の事業の用に供されなくなった事由が特例事業用資産の譲渡であるときは、当該譲渡があった日から1年以内に当該譲渡の対価の額の全部又は一部をもって特例事業相続人等の事業の用に供される資産（第一節の**2**の(一)のイ若しくはロに掲げる資産又は同(一)ハに定める資産に限る。）を取得する見込みであることにつき、(1)の政令で定めるところにより、納税地の所轄税務署長の承認を受けたときにおける**2**の規定の適用については、次に定めるところによる。（措法70の6の10⑤）

(一)　当該承認に係る特例事業用資産は、(三)の取得の日まで当該特例事業相続人等の事業の用に供されていたものとみなす。

(二)　当該譲渡があった日から1年を経過する日において、当該承認に係る譲渡の対価の額の全部又は一部が当該事業の

－1086－

第三章　個人の事業用資産についての相続税の納税猶予及び免除
（第五節　納税猶予の打切り）

用に供される資産の取得に充てられていない場合には、当該譲渡に係る特例事業用資産のうちその充てられていないものに対応するものとして（8）の政令で定める部分は、同日において当該事業の用に供されなくなったものとみなす。

（三）　当該譲渡があった日から1年を経過する日までに当該承認に係る譲渡の対価の額の全部又は一部が当該事業の用に供される資産の取得に充てられた場合には、当該取得をした資産は、第一節の**1**の規定の適用を受ける特例事業用資産とみなす。

　　　（税務署長の承認を受けようとする場合）
（1）　**3**の税務署長の承認を受けようとする特例事業相続人等は、**3**の譲渡に係る特例事業用資産について**3**の規定の適用を受けようとする旨及び次に掲げる事項を記載した申請書を当該譲渡があった日から1月以内に納税地の所轄税務署長に提出しなければならない。（措令40の7の10⑱）
　（一）　申請者の氏名及び住所
　（二）　当該譲渡に係る特例事業用資産の明細、当該特例事業用資産の第一節の**1**の規定の適用に係る相続の開始の時における価額及び当該譲渡の対価の額
　（三）　当該譲渡があった日から1年以内に**3**の事業の用に供される資産に該当することとなる見込みのある資産の明細、取得予定年月日及び取得価額の見積額
　（四）　その他参考となるべき事項

　　　（買換承認に係る申請書が申請期限までに提出されない場合等）
（2）　第一章第五節の**3**の（2）《買換承認に係る申請書が申請期限までに提出されない場合等》は、特例事業相続人等が**3**の規定の適用を受けようとする場合に準用する。（措通70の6の10−33）

　　　（申請の承認に係るみなし規定）
（3）　（1）の規定による申請書の提出があった場合において、その提出があった日から1月以内に当該申請の承認又は却下の処分がなかったときは、当該申請の承認があったものとみなす。（措令40の7の10⑲）

　　　（特例事業用資産の譲渡の対価の額の意義）
（4）　**3**の納税地の所轄税務署長の承認（以下（14）までにおいて「買換承認」という。）に係る**3**の特例事業用資産の譲渡の対価の額の意義については、第一章第五節の**3**の（4）《特例受贈事業用資産の譲渡の対価の額の意義》を準用する。（措通70の6の10−34）

　　　（買換資産の取得の意義等）
（5）　**3**に規定する特例事業相続人等の事業の用に供される資産（以下（14）までにおいて「買換資産」という。）の取得の意義等については、第一章第五節の**3**の（5）《買換資産の取得の意義等》を準用する。（措通70の6の10−35）

　　　（仲介料、登記費用等の費用）
（6）　第一章第五節の**3**の（6）《仲介料、登記費用等の費用》は、**3**の規定による買換承認を受けている場合において**3**に規定する特例事業用資産の譲渡又は買換資産の取得に要した仲介料、登記費用等の費用の取扱いについて準用する。（措通70の6の10−36）

　　　（特例事業用資産とみなされる買換資産の意義）
（7）　**3**の（三）の規定により特例事業用資産とみなされる買換資産の意義については、第一章第五節の**3**の（7）《特例受贈事業用資産とみなされる買換資産の意義》を準用する。（措通70の6の10−37）

　　　（事業の用に供される資産の取得に充てられなかったものに対応する部分）
（8）　**3**の（二）に規定する政令で定める部分は、同（二）の譲渡に係る特例事業用資産のうち、当該譲渡の対価で当該譲渡があった日から1年を経過する日までに同（二）の事業の用に供される資産の取得に充てられなかったものの額が当該譲渡の対価の額に占める割合を、当該譲渡に係る特例事業用資産の第一節の**1**の規定の適用に係る相続の開始の時における価額に乗じて計算した金額に相当する部分とする。（措令40の7の10⑳）

−1087−

第六編　個人の事業用資産に係る相続税・贈与税の納税猶予及び免除

（譲渡の対価の額の全部又は一部が買換資産の取得に充てられていない場合における事業の用に供されなくなった部分の計算）

（9）　**3**の（二）の規定により、**3**の（二）の「当該譲渡があった日から１年を経過する日」において特例事業相続人等の事業の用に供されなくなったものとみなされる。

買換承認に係る特例事業用資産の部分は、次の算式により計算した部分によることに留意する。（措通70の６の10－39）

（算式）

$$A \times \frac{B - C}{B}$$

（注）1　上記算式中の符号は次のとおり。

A＝買換承認に係る特例事業用資産の第一節の**1**の規定の適用に係る相続の開始の時における価額

B＝買換承認に係る特例事業用資産の譲渡の対価の額

C＝買換資産の取得価額

2　第六節の**4**の規定の適用を受けた場合における上記Aの「相続の開始の時における価額」は、同**4**に規定する認可決定日における価額となることに留意する。

3　上記Bの「譲渡の対価の額」及びCの「取得価額」については、（4）及び（6）の取扱いに留意する。

（特定資産に該当しない譲渡の対価の額）

（10）　第一章第五節の**3**の（10）の規定は、特例事業相続人等が**3**の承認を受けた場合における**3**の譲渡の対価の額に相当する金銭について準用する。（措令40の７の10㉑）

（特例事業用資産の相続の開始の時における価額）

（11）　特例事業用資産が**3**（（三）に係る部分に限る。）の規定により第一節の**1**の規定の適用を受ける特例事業用資産とみなされたものである場合又は特例事業用資産について第六節の**4**の規定の適用があった場合には、**2**の（2）の（二）、**2**の（7）の（一）及び（二）、**3**の（1）の（二）、同**3**の（8）並びにの**4**の（1）の（二）の特例事業用資産の相続の開始の時における価額は、それぞれ、第一節の**1**の規定の適用に係る相続若しくは遺贈により取得した特例事業用資産で**3**の規定による承認に係る譲渡があったものの当該相続の開始の時における価額のうち**3**の規定により第一節の**1**の特例事業用資産とみなされたものの価額に対応する部分の金額として（12）の財務省令で定めるところにより計算した金額又は特例事業用資産の第六節の**4**に規定する認可決定日における価額とする。（措令40の７の10㉔）

（財務省令で定めるところにより計算した金額）

（12）　（11）に規定する財務省令で定めるところにより計算した金額は、第一節の**1**に規定する被相続人から相続又は遺贈（贈与をした者の死亡により効力を生ずる贈与を含む。以下本章において同じ。）により取得をした特例事業用資産で**3**の規定による承認に係る譲渡があったものの当該取得の時における価額（既に当該特例事業用資産が**3**の（三）の規定により第一節の**1**の規定の適用を受ける特例事業用資産とみなされたものである場合には、（12）の規定により計算した金額）に、当該譲渡の対価で当該譲渡があった日から１年を経過する日までに第一節の**2**の（二）に規定する特例事業相続人等の事業の用に供される資産の取得に充てられたものの額が当該譲渡の対価の額のうちに占める割合を乗じて計算した金額とする。（措規23の８の９⑪）

（書類の記載事項の準用）

（13）　第一章第五節の**3**の（13）の規定は、第一節の**1**に規定する特例事業用資産について**3**の承認を受けた場合について準用する。（措規23の８の９⑧）

（買換承認に係る１年を経過する日までに特例事業相続人等が死亡した場合）

（14）　**3**の買換承認を受けた特例事業相続人等が、当該買換承認に係る特例事業用資産の譲渡があった日から１年を経過する日までに死亡した場合には、納税猶予期限は確定せず、第六節の**1**の規定により相続税は免除されることに留意する。（措通70の６の10－38）

（注）1　上記の場合において、当該特例事業相続人等がその死亡の日までに買換資産の取得をし、かつ、（13）において準用する第一章第五節の**3**の（13）の書類を提出することなく死亡したときであっても、当該特例事業相続人等の相続人（包括受遺者を含む。）は当該書類の提出を要しないことに留意する。

2　上記の場合における当該特例事業相続人等に係る相続税の課税に当たっては、当該譲渡をした特例事業用資産は相続財産を構成せず、当該特例事業相続人等が相続開始の時において有していた財産が相続税の課税価格計算の基礎となることに留意する。

－1088－

第三章　個人の事業用資産についての相続税の納税猶予及び免除
（第五節　納税猶予の打切り）

4　現物出資による全ての特例事業用資産の移転である場合の納税猶予税額の一部確定

　　2の場合において、2の事業の用に供されなくなった事由が特定申告期限（第一節の1の規定の適用を受ける特例事業相続人等の最初の同1の規定の適用に係る相続に係る相続税の申告書の提出期限又は最初の第一章第一節の1の規定の適用に係る贈与の日の属する年分の第一章第一節の1に規定する贈与税の申告書の提出期限のいずれか早い日をいう。第三節の1及び第六節の1の（二）において同じ。）の翌日から5年を経過する日後の会社の設立に伴う現物出資による全ての特例事業用資産の移転であるときは、当該特例事業用資産の移転につき、（1）の政令で定めるところにより、納税地の所轄税務署長の承認を受けたときにおける2の規定の適用については、当該承認に係る移転はなかったものと、当該現物出資により取得した株式又は持分は第一節の1の規定の適用を受ける特例事業用資産（合併により当該会社が消滅した場合その他の（5）の財務省令で定める場合には、当該会社の株式又は持分に相当するものとして（5）の財務省令で定めるものを含む。）と、それぞれみなす。この場合において、当該承認を受けた後における第五節の1、同節の2及び第六節の1から4までの規定の適用に関し必要な事項は、（7）の政令で定める。（措法70の6の10⑥）

　　（政令で定める事項）
（1）　4の税務署長の承認を受けようとする特例事業相続人等は、4の移転に係る特例事業用資産について4の規定の適用を受けようとする旨及び次に掲げる事項を記載した申請書に（2）の財務省令で定める書類を添付し、これを当該移転があった日から1月以内に納税地の所轄税務署長に提出しなければならない。（措令40の7の10㉒）
　（一）　申請者の氏名及び住所
　（二）　当該移転に係る特例事業用資産の明細、当該特例事業用資産の第一節の1の規定の適用に係る相続の開始の時における価額並びに当該移転により設立された会社の名称、本店の所在地及び定款に記載された当該特例事業用資産の出資の額
　（三）　当該移転により取得をした株式等（株式又は出資をいう。以下本章において同じ。）の明細、取得年月日及び取得時の価額
　（四）　その他参考となるべき事項

　　（財務省令で定める書類の準用）
（2）　第一章第五節の4の（2）の規定は、（1）に規定する財務省令で定める書類について準用する。（措規23の8の9⑨）

　　（現物出資承認に係る申請書が申請期限までに提出されない場合等）
（3）　第一章第五節の4の（3）《現物出資承認に係る申請書が申請期限までに提出されない場合等》は、特例事業相続人等が4の規定の適用を受けようとする場合に準用する。（措通70の6の10－40）

　　（申請の承認に係るみなし規定）
（4）　（1）の規定による申請書の提出があった場合において、その提出があった日から1月以内に当該申請の承認又は却下の処分がなかったときは、当該申請の承認があったものとみなす。（措令40の7の10㉓）

　　（財務省令で定める場合等の準用）
（5）　第一章第五節の4の（5）の規定は、4に規定する財務省令で定める場合及び4の会社の株式又は持分に相当するものとして財務省令で定めるものについて準用する。（措規23の8の9⑩）

　　（4の規定の適用を受けるための移転）
（6）　特例事業相続人等が4の規定の適用を受けようとする場合において、会社の設立に伴う現物出資により第一節の1の規定の適用を受けている特例事業用資産の全ての移転をしたかどうかの判定については、第一章第五節の4の（6）《4の規定の適用を受けるための移転》を準用する。（措通70の6の10－41）

　　（納税猶予の打切り及び納税猶予額の免除に係る必要事項）
（7）　4の承認を受けた後における特例事業相続人等、4の特例事業用資産とみなされた株式等又は当該株式等に係る会社についての第五節の1、同節の2、同節の6、第三節の1及び第六節の1から4までの規定並びに第六節の1の（1）及び第三節の1の（1）の規定の適用については、次に定めるところによる。（措令40の7の10㉕）
　（一）　当該特例事業相続人等については、第五節の1、同節の2、第六節の1（（三）に係る部分に限る。）、同節の2から4まで及び第五節の6（同6の表の（三）及び（四）に係る部分を除く。）の規定は、適用しない。

－1089－

第六編　個人の事業用資産に係る相続税・贈与税の納税猶予及び免除

（二）　第七編第一章第一節の2の（八）及び（九）、同編第二章第五節の1の（六）及び（八）から（十二）まで、同章第六節、同章第十節の（4）（同編第五章第八節の（2）において準用する場合を含む。）並びに同編第二章第七節の2、同2の（8）から（10）まで、同節の3、同3の（1）から（3）まで、並びに同編第五章第六節の2から5まで、同5の（4）及び（5）の規定は、当該特例事業相続人等の納税の猶予に係る期限及び相続税の免除について準用する。この場合において、第七編第一章第一節の2の（八）中「認定贈与承継会社」とあるのは「第六編第三章第五節の4の会社（（九）及び第二章において「承継会社」という。）」と、同（八）のハ中「経営承継受贈者及び当該経営承継受贈者」とあるのは「特例事業相続人等（第六編第三章第一節の2の（二）に規定する特例事業相続人等をいう。以下ハ及び第二章において同じ。）及び当該特例事業相続人等」と、第七編第一章第一節の2の（九）中「認定贈与承継会社」とあるのは「承継会社」と、同編第二章第五節の1の（六）中「当該経営承継相続人等が適用対象非上場株式等」とあるのは「特例事業相続人等が承継会社の株式等」と、「適用対象非上場株式等に係る認定承継会社」とあるのは「承継会社」と、同編の1の（八）から（十一）までの規定中「当該対象非上場株式等に係る認定承継会社」とあるのは「承継会社」と、同節の1の（十二）中「当該経営承継相続人等」とあるのは「特例事業相続人等」と、同章第六節中「経営承継期間の末日の翌日から猶予中相続税額」とあるのは「承継会社の株式等を取得した日から猶予中相続税額（第六編第三章第五節の2に規定する猶予中相続税額をいう。以下本節において同じ。）」と、「第一節の1、本節、第三節の2、第四節又は第十節の（4）」とあるのは「本節、第十節の（4）、第六編第三章第三節の2又は同章第四節」と、「経営承継相続人等」とあるのは「特例事業相続人等」と、「対象非上場株式等」とあるのは「承継会社の株式等」と、「認定承継会社」とあるのは「承継会社」と、同章第十節の（4）中「、第一節の1」とあるのは「、第六編第三章第一節の1」と、「経営承継相続人等」とあるのは「特例事業相続人等」と、「同**六**中」とあるのは「第一編第十節第一節の**六**中」と、「第一節の2の（一）に規定する認定承継会社」とあるのは「第六編第三章第五節の4の会社」と、「同条の」とあるのは「第五節の4の（7）の（二）において読み替えて準用する第二章の」と、「第一節の2の（一）に規定する認定承継会社」とあるのは「第六編第三章第五節の4の会社」と、「認定承継会社の」とあるのは「会社の」と、「第一節の1」とあるのは「第六編第三章第一節の1」と、「第二章《非上場株式等についての相続税の納税猶予及び免除》の」とあるのは「第六編第三章《個人の事業用資産についての相続税の納税猶予及び免除》の」と、同章第七節の2中「経営承継相続人等又は同1の対象非上場株式等に係る認定承継会社」とあるのは「経営承継相続人等（特例事業相続人等を含む。以下3の（3）までにおいて同じ。）又は第一節の1の対象非上場株式等（承継会社の株式等を含む。以下3の（1）までにおいて同じ。）に係る認定承継会社（承継会社を含む。以下3の（2）までにおいて同じ。）」と、同編第五章第六節の2中「特例経営承継相続人等又は同1の特例対象非上場株式等に係る特例認定承継会社」とあるのは「特例経営承継相続人等（第六編第三章第一節の2の（二）に規定する特例事業相続人等を含む。以下5の（4）までにおいて同じ。）又は第一節の1の特例対象非上場株式等（第六編第三章第五節の4の株式又は出資を含む。以下4の（5）までにおいて同じ。）に係る特例認定承継会社（第六編第三章第五節の4の会社を含む。以下2において同じ。）」と読み替えるものとする。

（三）　当該特例事業相続人等が4の規定により特例事業用資産とみなされた株式等の全ての贈与をした場合において、当該贈与により当該株式等を取得した者が当該株式等について第七編第一章第一節の1又は同編第四章第一節の1の規定の適用を受けるときにおける第六節の1（（二）に係る部分に限る。）の規定の適用については、同1の（二）中「第一章第一節の1」とあるのは、「第七編第二章第一節の1又は同編第四章第一節の1」とする。

（四）　第七編第二章第五節の3（同3の（三）及び（五）から（九）までに係る部分に限る。）及び同編第五章第五節の2（同2の表の（九）から（十三）までに係る部分に限る。）の規定は、（二）において読み替えて準用する同編第一章第一節の2の（八）若しくは（九）、同編第二章第五節の2の（六）若しくは（八）から（十二）まで、同章第六節、同章第十節の（4）、同章第七節の2、若しくは同節の3又は同編第五章第六節の2若しくは同節の4の規定の適用があった場合における利子税の納付について準用する。

（五）　第七編第二章第九節の1、2、4、4の（1）、5、5の（2）、6、6の（1）の規定は、当該会社が同節の1の各号に掲げる場合に該当することとなった場合について準用する。

（六）　当該特例事業相続人等が第三節の1の規定による届出書を提出する場合における第三節の1の（1）の規定の適用については、同（1）の（二）中「年月日」とあるのは「年月日（第五節の4の会社の株式等を取得した年月日を含む。）」と、同（1）の（三）中「所在地」とあるのは「所在地（第五節の4の会社の名称及び本店の所在地を含む。）」と、同（1）の（四）中「年」とあるのは「事業年度」と、「第一節の1の事業に係る所得税法第27条第1項に規定する事業所得」とあるのは「第五節の4の会社」とする。

（七）　当該特例事業相続人等又は当該特例事業相続人等の相続人（包括受遺者を含む。）が第六節の1の規定による届出書を提出する場合における第六節の1の（1）の規定の適用については、同（1）中「事業が第五節の1の各号に掲げる場合又は同節の2」とあるのは、「4の株式等若しくは当該株式等に係る会社について第五節の4の（7）の（二）において読み替えて準用する第七編第一章第一節の2の（八）若しくは（九）又は同編第二章第五節の1の（六）若しくは（八）か

－1090－

第三章　個人の事業用資産についての相続税の納税猶予及び免除
（第五節　納税猶予の打切り）

ら（十二）まで若しくは同章第六節」とする。

　　（現物出資承認を受けた後における確定事由）
（8）　特例事業相続人等が**4**の承認（以下（8）において「現物出資承認」という。）を受けた場合には、当該特例事業相続人等に係る相続税の納税猶予の期限が到来する事由については、**1**及び**2**の規定は適用されず、（7）において準用する第七編第二章第六節及び同章第十節の（4）（同編第五章第八節の（2）において準用する場合を含む。）の規定によることに留意する。（措通70の6の10−42）

　（注）1　この場合においては、同編第二章第五節の**1**の（8）《対象非上場株式等の譲渡等の判定》〜同節の**2**の（3）《納税猶予税額の一部について納税猶予の期限が確定する場合の相続税の額の計算》を準用する。

　　　　2　納税猶予の期限が到来した場合における利子税の納付については、（7）の（四）において準用する第七編第二章第五節の**3**（同**3**の表の（三）及び（五）から（九）までに係る部分に限る。）及び同編第五章第五節の**2**（同**2**の表の（九）から（十三）までに係る部分に限る。）の規定によることに留意する。

　　（現物出資承認を受けた後における免除事由）
（9）　特例事業相続人等が現物出資承認を受けた場合における相続税の免除については、次の取扱いに留意する。（措通70の6の10−43）

　（一）　特例事業用資産とみなされた株式等（株式又は出資をいう。以下（9）において同じ。）の全ての贈与をした場合において、当該贈与により当該株式等を取得した者が第七編第一章第一節の**1**又は同編第四章第一節の**1**の規定の適用を受けたときは、第六節の**1**の（二）の規定により相続税が免除される。

　　（注）　特例事業相続人等から贈与により取得をした当該株式等について、当該贈与に係る受贈者が第七編第一章第一節の**1**又は同編第四章第一節の**1**の規定の適用を受けない部分がある場合には、当該部分に係る猶予中相続税額については免除されず、（7）において準用する第七編第二章第六節の規定により納税の猶予に係る期限が到来することに留意する。

　　　　なお、特例事業相続人等が当該株式等の全ての贈与をした場合において、当該株式等を取得した受贈者において第七編第一章第一節の**1**の（2）に規定する部分を超える部分が生じたときは、当該株式等のうちその超える部分については「第七編第一章第一節の**1**の規定の適用を受けない部分」に該当しないことに留意する。

　（二）　第六節の**1**の（三）の規定による免除の適用はない。

　（三）　第六節の**2**から**4**までの規定による免除の適用はなく、（7）の（二）において準用する第七編第二章第七節の**2**から同節の**3**の（3）まで及び同編第五章第六節の**2**から同節の**5**の（5）までの規定による免除が適用される。

　　（注）　（三）の場合には、第七編第二章第七節の**2**の（14）《破産免除等の申請書が申請期限までに提出されない場合等》〜（18）《免除申請があった場合の利子税の計算》及び同節の**3**の（11）《猶予中相続税額の再計算に係る申請書が申請期限までに提出されない場合等》〜（14）《対象非上場株式等の認可決定日における価額の意義》並びに同編第五章第六節の**2**の（1）《事業の継続が困難な事由の判定の時期》〜同**2**の（23）《差額免除に係る免除申請があった場合の利子税の計算》を準用する。

　　（既に個人の事業用資産についての贈与税の納税猶予及び免除等の適用を受けている他の者がいる場合等）
（10）　特定事業用資産について、第一節の**1**の規定の適用を受けようとする場合において、第一節の**1**の規定の適用を受けようとする者以外の者が当該特定事業用資産に係る事業と同一の事業の用に供される資産について次に掲げるいずれかの規定の適用を受け、又は受けようとしているときは、同項の規定の適用を受けることができないことに留意する。（措通70の6の10−44）

　（一）　第一章第一節の**1**
　（二）　第一節の**1**

　（注）1　第一節の**1**の規定の適用を受けようとする者が当該特定事業用資産について上記（一）又は（二）のいずれかの規定の適用を受けている場合には、第一節の**1**の規定の適用を受けることができることに留意する。

　　　　2　上記の第一節の**1**の規定の適用を受けることができるかどうかの判定は、特定事業用資産に係る事業ごとに行うことに留意する。

5　特例事業相続人等が死亡した場合の納税猶予の期限等の特例

　　第五節の**1**、同節の**2**、第三節の**2**若しくは第六節の**4**に規定する納税の猶予に係る期限、同節の**2**、同節の**3**若しくは同節の**4**の（4）に規定する申請書の提出期限、同節の**3**の（10）に規定する納期限又は**6**に規定する利子税（**6**の表の（五）又は（六）に係るものに限る。）の計算の基礎となる期間の終期までにこれらの規定に規定する特例事業相続人等が死亡した場合には、これらの規定に規定する納税の猶予に係る期限、申請書の提出期限、納期限又は利子税の計算の基礎となる期間の終期は、これらの規定にかかわらず、それぞれ、これらの特例事業相続人等の相続人が当該特例事業相続人等の死亡による相続の開始があったことを知った日の翌日から6月を経過する日とする。（措法70の6の10㉗）

—1091—

6 利子税の納付

第一節の**1**の規定の適用を受ける特例事業相続人等は、次の表の(一)から(七)の左欄に掲げる場合に該当する場合には、(一)から(七)の中欄に掲げる金額を基礎とし、当該特例事業相続人等が同**1**の規定の適用を受けるために提出する相続税の申告書の提出期限の翌日から(一)から(七)の右欄に掲げる日までの期間に応じ、年3.6パーセントの割合を乗じて計算した金額に相当する利子税を、(一)から(七)の中欄に掲げる金額に相当する相続税に併せて納付しなければならない。(措法70の6の10㉖)

(一) 第五節の**1**の規定の適用があった場合((四)から(六)までの左欄に掲げる場合に該当する場合を除く。)	猶予中相続税額	同**1**の規定による納税の猶予に係る期限
(二) 第五節の**2**の規定の適用があった場合((四)から(六)までの左欄に掲げる場合に該当する場合を除く。)	同**2**の規定により納税の猶予に係る期限が確定する猶予中相続税額	同**2**の規定による納税の猶予に係る期限
(三) 第三節の**2**の規定の適用があった場合((四)の左欄に掲げる場合に該当する場合を除く。)	同**2**の規定により納税の猶予に係る期限が確定する猶予中相続税額	同**2**の規定による納税の猶予に係る期限
(四) 第四節の規定の適用があった場合	同節の規定により納税の猶予に係る期限が繰り上げられる猶予中相続税額	同節の規定により繰り上げられた納税の猶予に係る期限
(五) 第六節の**2**の(一)又は(二)の規定の適用があった場合((四)の左欄に掲げる場合に該当する場合を除く。)	同**2**の(一)のイ及びロに掲げる金額の合計額又は同**2**の(二)のロに掲げる金額	これらの号に掲げる場合に該当することとなった日から2月を経過する日
(六) 第六節の**3**の(一)又は(二)の規定の適用があった場合((四)の左欄に掲げる場合に該当する場合を除く。)	同**3**の(一)のイ及びロに掲げる金額の合計額又は同**3**の(二)のイ及びロに掲げる金額の合計額	これらの号に掲げる場合に該当することとなった日から2月を経過する日
(七) 第六節の**4**の規定の適用があった場合((四)の左欄に掲げる場合に該当する場合を除く。)	同**4**の(二)に掲げる金額	同**4**の規定による納税の猶予に係る期限

(継続届出書の時効中断の効果)

(1) 猶予中相続税額に相当する相続税並びに当該相続税に係る利子税及び延滞税の徴収を目的とする国の権利の時効については、第七節の(3)の(三)の規定により読み替えて適用される国税通則法第73条《時効の中断及び停止》第4項の規定の適用がある場合を除き、第三節の**1**の届出書の提出があった時から当該届出書の届出期限までの間は完成せず、当該届出期限の翌日から新たにその進行を始めるものとする。(措法70の6の10⑪)

(利子税の割合の特例)

(2) **6**に規定する利子税の割合は、この規定にかかわらず、各年の利子税特例基準割合が年7.3パーセントの割合に満たない場合には、その年中においては、当該利子税の割合に当該利子税特例基準割合が年7.3パーセントの割合のうちに占める割合を乗じて計算した割合とする。(措法93⑤)

(利子税特例基準割合)

(3) (2)に規定する利子税特例基準割合とは、平均貸付割合(各年の前々年の9月から前年の8月までの各月における短期貸付けの平均利率(当該各月において銀行が新たに行った貸付け(貸付期間が1年未満のものに限る。)に係る利率の平均をいう。)の合計を12で除して計算した割合として各年の前年の11月30日までに財務大臣が告示する割合をいう。以下同じ。)に年0.5パーセントの割合を加算した割合をいう。(措法93②)

第六節　納税猶予税額の免除

1　特例事業相続人等の死亡等による納税猶予税額の免除

　第一節の**1**の規定の適用を受ける特例事業相続人等が次に掲げる場合のいずれかに該当することとなった場合（その該当することとなった日前に猶予中相続税額に相当する相続税の全部につき第五節の**1**、同節の**2**、第三節の**2**又は第四節の規定による納税の猶予に係る期限が確定した場合を除く。）には、猶予中相続税額に相当する相続税を免除する。この場合において、当該特例事業相続人等又は当該特例事業相続人等の相続人（包括受遺者を含む。第五節の**5**において同じ。）は、その該当することとなった日から同日（（二）に掲げる場合に該当することとなった場合にあっては、（二）の特例事業用資産の贈与を受けた者が当該特例事業用資産について第一章第一節の**1**の規定の適用に係る同節の**1**に規定する贈与税の申告書を提出した日）以後６月を経過する日（第三節の**2**の（1）において「**免除届出期限**」という。）までに、（1）の政令で定めるところにより、（4）の財務省令で定める事項を記載した届出書を納税地の所轄税務署長に提出しなければならない。（措法70の６の10⑮）

（一）　当該特例事業相続人等が死亡した場合

（二）　特定申告期限の翌日から５年を経過する日後に、当該特例事業相続人等が第一節の**1**の規定の適用に係る特例事業用資産の全てにつき第一章第一節の**1**の規定の適用に係る贈与をした場合

（三）　当該特例事業相続人等がその有する当該特例事業用資産に係る事業を継続することができなくなった場合（当該事業を継続することができなくなったことについて（6）の財務省令で定めるやむを得ない理由がある場合に限る。）

　　　（免除届出書の提出）

（1）　特例事業相続人等又は当該特例事業相続人等の相続人（包括受遺者を含む。）は、**1**の届出書を提出する場合には、**1**のそれぞれに掲げる場合のいずれかに該当することとなった日の直前の特例相続報告基準日（第一節の**1**の規定の適用に係る同**1**に規定する相続税の申告書の提出期限の翌日から同日以後３年を経過する日までの間に当該各号に掲げる場合のいずれかに該当することとなった場合において、当該期間内に特例相続報告基準日がないときは、当該相続税の申告書の提出期限）の翌日から当該該当することとなった日までの間における当該特例事業相続人等又は特例事業用資産に係る事業が第五節の**1**の各号に掲げる場合又は同節の**2**に規定する場合に該当する事由の有無その他の（2）の財務省令で定める事項を明らかにする書類として（3）の財務省令で定めるものを当該届出書に添付しなければならない。（措令40の７の10㉗）

　　　（財務省令で定める事項）

（2）　（1）に規定する財務省令で定める事項は、次に掲げる事項（第五節の**4**の規定の適用があった場合には、第七編第二章第七節の**1**の（2）に規定する事項に準ずる事項）とする。（措規23の８の９⑯）

（一）　**1**の各号に掲げる場合のいずれに該当するかの別

（二）　特例事業相続人等の氏名及び住所

（三）　被相続人から第一節の**1**の規定の適用に係る相続又は遺贈により特例事業用資産の取得をした年月日

（四）　その死亡等の日（**1**の各号に掲げる場合のいずれかに該当することとなった日をいう。以下（2）及び（3）において同じ。）の属する年の前年以前の各年（当該死亡等の日の直前の特例相続報告基準日の属する年の前年以前の各年を除く。）における特例事業用資産に係る事業に係る総収入金額

（五）　その死亡等の日における猶予中相続税額

（六）　その死亡等の日において特例事業相続人等が有する特例事業用資産の明細及び当該特例事業相続人等に係る被相続人の氏名

（七）　特例事業用資産に係る事業に係る次に掲げる事項

　イ　その死亡等の日の属する年の前年12月31日における第一章第一節の**2**の（四）のイからハまでに掲げる額、これらの明細及び同（四）の割合

　ロ　その死亡等の日の属する年の前年における第一章第一節の**2**の（五）の総収入金額、運用収入の合計額、これらの明細及び同（五）の割合

　ハ　その死亡等の日の直前の特例相続報告基準日（直前の特例相続報告基準日がない場合には、第一節の**1**に規定する相続税の申告書の提出期限。（八）及び（3）の（一）において同じ。）の翌日から当該死亡等の日までの間に第一節の**2**の（20）において準用する第一章第一節の**2**の（32）のただし書又は第一節の**2**の（20）において準用する第一章第一

第六編　個人の事業用資産に係る相続税・贈与税の納税猶予及び免除

節の**2**の(39)のただし書に規定する場合に該当することとなった場合には、これらの規定に規定する事由の詳細及びこれらの事由の生じた年月日（これらの事由が生じた日から当該死亡等の日までの間に第一節の**2**の(20)において準用する第一章第一節の**2**の(32)のただし書の割合が100分の70未満となった場合又は第一節の**2**の(20)において準用する第一章第一節の**2**の(39)のただし書の割合が100分の75未満となった場合には、これらの事由の詳細及びこれらの事由の生じた年月日並びにこれらの割合を減少させた事情の詳細及びこれらの事情の生じた年月日）

（八）　その死亡等の日の直前の特例相続報告基準日の翌日から当該死亡等の日までの間に特例事業相続人等につき第五節の**1**又は**2**の規定により納税の猶予に係る期限が確定した猶予中相続税額がある場合には、第五節の**1**の各号又は**2**のいずれの場合に該当したかの別及び該当した日並びに当該猶予中相続税額及びその計算の明細

（九）　その他参考となるべき事項

（財務省令で定める書類）

（3）　（1）に規定する財務省令で定める書類は、特例事業相続人等に係る次に掲げる書類（第五節の**4**の規定の適用があった場合には、第七編第二章第七節の**1**の(3)に規定する書類に準ずる書類）とする。（措規23の8の9⑰）

（一）　その死亡等の日の直前の特例相続報告基準日の属する年から当該死亡等の日の属する年の前年までの各年における特例事業用資産に係る事業に係る次に掲げる書類（当該特例事業相続人等が営む事業が当該特例事業用資産に係る事業のみである場合には、イに掲げる書類を除く。）

イ　当該事業に係る貸借対照表及び損益計算書

ロ　当該特例事業用資産とその他の資産の内訳を記載した書類で当該特例事業用資産がイの貸借対照表に計上されていることを明らかにするもの

（二）　特例事業相続人等が**1**の(三)に該当する場合にあっては、当該特例事業相続人等の精神障害者保健福祉手帳の写し、身体障害者手帳の写し又は介護保険の被保険者証の写しその他の書類で当該特例事業相続人等が(6)において準用する第一章第六節の**1**の(8)に掲げる事由のいずれかに該当することとなったこと及びその該当することとなった年月日を明らかにするもの

（三）　その他参考となるべき書類

（財務省令で定める事項）

（4）　**1**に規定する財務省令で定める事項は、次に掲げる場合の区分に応じそれぞれに定める事項（第五節の**4**の規定の適用があった場合には、第七編第二章第七節の**1**の(4)に規定する事項に準ずる事項）とする。（措規23の8の9⑱）

（一）　**1**の(一)の規定に該当するものとして**1**の規定により相続税の免除を受けようとする場合　　次に掲げる事項

イ　**1**の届出書を提出する者の氏名及び住所並びに死亡した特例事業相続人等との続柄並びに当該死亡した特例事業相続人等に係る特例事業用資産に係る事業の所在地

ロ　イの死亡した特例事業相続人等の氏名及び住所並びにその死亡した年月日

ハ　**1**の規定による相続税の免除を受けようとする旨及び当該免除を受けようとする相続税の額

ニ　その他参考となるべき事項

（二）　**1**の(二)の規定に該当するものとして**1**の規定により相続税の免除を受けようとする場合　　次に掲げる事項

イ　(一)のハに掲げる事項

ロ　**1**の届出書を提出する特例事業相続人等の氏名及び住所並びに当該届出書を提出する特例事業相続人等に係る特例事業用資産に係る事業の所在地

ハ　**1**の届出書を提出する特例事業相続人等から**1**の(二)の贈与により同(二)の特例事業用資産の取得をした者の氏名及び住所並びに当該取得をした年月日

ニ　その他参考となるべき事項

（三）　**1**の(三)の規定に該当するものとして同**1**の規定により相続税の免除を受けようとする場合　　次に掲げる事項

イ　(二)のイ及びロに掲げる事項

ロ　特例事業相続人等が次項において準用する第一章第六節の**1**の(8)に掲げる事由のいずれに該当するかの別及びその該当することとなった年月日

ハ　その他参考となるべき事項

（第一章第一節の**1**の適用に係る贈与をした場合の免除）

（5）　**1**の(二)の規定による免除については、次によることに留意する。（措通70の6の10－48）

（一）　特例事業相続人等が**1**の(二)の規定による免除を受けるためには、**1**の規定の適用を受けている特例事業用資産

－1094－

第三章　個人の事業用資産についての相続税の納税猶予及び免除
（第六節　納税猶予税額の免除）

の全ての贈与をする必要があるのであるが、全ての贈与をしたかどうかの判定については次による。
- イ　特例事業用資産に係る事業が２以上ある場合には、その２以上の事業に係る全ての特例事業用資産の贈与を行う必要がある。
- （注）　上記の場合において特例事業相続人等がその２以上の事業のうち一部の事業に係る特例事業用資産のみ贈与をしたときは、当該贈与をした特例事業用資産に係る猶予中相続税額については免除されず第五節の２の規定により納税の猶予に係る期限が到来するのであるが、当該贈与を受けた受贈者については、第一章第一節の１の規定の適用に係る要件を満たした場合には、同節の１の規定の適用を受けることができることに留意する。
- ロ　当該特例事業相続人等が同一年中に２人以上の受贈者に特例事業用資産の贈与をした場合において、その贈与が異なる時期に行われたときには、当該贈与のうち最後に行われた贈与直後において特例事業用資産の全ての贈与が行われたかどうかの判定を行う。
- （二）　特例事業相続人等から贈与を受けた者が第一章第一節の１の規定の適用を受けるためには、当該特例事業相続人等の事業に係る特定事業用資産の全ての贈与を受ける必要があることから、当該特例事業相続人等が１の（二）の規定による免除を受けるには、特例事業用資産の全てに加え、当該事業に係る特例事業用資産以外の特定事業用資産の全ての贈与が必要となる。
- （注）　上記の要件を満たさない場合には、贈与をした特例事業用資産に係る猶予中相続税額については免除されず、第五節の２の規定により納税の猶予に係る期限が到来することに留意する。
- （三）　特例事業相続人等から贈与により取得をした当該特例事業用資産について、当該贈与に係る受贈者が第一章第一節の１の規定の適用を受けない部分がある場合には、当該部分に係る猶予中相続税額については免除されず第五節の２の規定により納税の猶予に係る期限が到来することに留意する。
- （注）　当該受贈者が取得をした当該特例事業用資産のうちに宅地等又は建物がある場合において、当該宅地等の面積の合計又は建物の床面積の合計が第一章第一節の２の（一）のイ又はロに定める限度面積を超えるときにおけるその超える部分については、上記の「第一章第一節の１の規定の適用を受けない部分」に該当しないことに留意する。
- （四）　１の（二）の規定の適用に係る贈与をした特例事業用資産が、宅地等又は建物である場合において、当該宅地等又は建物のうちに特例事業用資産に該当しない部分があるときは、当該贈与を受けた受贈者は、当該宅地等又は建物のうち、当該特例事業用資産に係る部分から先に第一節の１の規定の適用を受けるものとする。

　　（財務省令で定めるやむを得ない理由の準用）
（６）　第一章第六節の１の（８）の規定は、１の（三）に規定する財務省令で定めるやむを得ない理由について準用する。（措規23の８の９⑲）

　　（事業を継続することができなくなった場合に該当することとなった日）
（７）　１の（三）に掲げる場合に該当することとなった日の意義については、第一章第六節の１の（９）《事業を継続することができなくなった場合に該当することとなった日》を準用する。（措通70の６の10−49）

　　（特例事業用資産に係る事業を継続することができなくなったやむを得ない理由）
（８）　１の（三）に規定する特例事業相続人等が特例事業用資産に係る事業を継続することができなくなったことについてのやむを得ない理由の意義については、第一章第六節の１の（10）《特例受贈事業用資産に係る事業を継続することができなくなったやむを得ない理由》を準用する。（70の６の10−50）

２　特例事業用資産の全部を譲渡等したとき又は特例事業用資産に係る事業を廃止したときの納税猶予税額の免除

　第一節の１の規定の適用を受ける特例事業相続人等が次に掲げる場合のいずれかに該当することとなった場合（その該当することとなった日前に猶予中相続税額に相当する相続税の全部につき第五節の１、同節の２、第三節の２又は第四節の規定による納税の猶予に係る期限が確定した場合を除く。）において、当該特例事業相続人等は、それぞれに定める相続税の免除を受けようとするときは、その該当することとなった日から２月を経過する日までに、当該免除を受けたい旨、当該免除を受けようとする相続税に相当する金額（３の（10）において「**免除申請相続税額**」という。）及びその計算の明細その他の（１）の財務省令で定める事項を記載した申請書（当該免除の手続に必要な書類として（２）の財務省令で定める書類を添付したものに限る。）を納税地の所轄税務署長に提出しなければならない。（措法70の６の10⑰）
- （一）　当該特例事業相続人等が第一節の１の規定の適用に係る特例事業用資産の全てについて、当該特例事業相続人等の特別関係者以外の者のうちの１人の者として（３）の政令で定めるものに対して譲渡若しくは贈与（以下（一）及び３の（一）において「譲渡等」という。）をした場合又は民事再生法の規定による再生計画（同法第196条第４号に規定する住

−1095−

第六編　個人の事業用資産に係る相続税・贈与税の納税猶予及び免除

宅資金特別条項を定めた再生計画並びに同法第221条第1項に規定する小規模個人再生及び同法第239条第1項に規定する給与所得者等再生に係る再生計画を除く。以下(一)、4及び4の(4)において同じ。)の認可の決定に基づき当該再生計画(当該決定に準ずる(4)の政令で定める事実が生じた場合にあっては、債務処理計画(債務の処理に関する計画として(4)の政令で定めるものをいう。4及び4の(4)において同じ。))を遂行するために譲渡等をした場合において、次に掲げる金額の合計額が当該譲渡等の直前における猶予中相続税額に満たないとき　当該猶予中相続税額から当該合計額を控除した残額に相当する相続税

イ　当該譲渡等があった時における当該譲渡等をした特例事業用資産の時価に相当する金額(その金額が当該譲渡等をした特例事業用資産の譲渡等の対価の額より低い金額である場合には、当該譲渡等の対価の額)

ロ　当該譲渡等があった日以前5年以内において、当該特例事業相続人等の特別関係者が当該特例事業相続人等から受けた必要経費不算入対価等の合計額

(二)　当該特例事業相続人等について破産手続開始の決定があった場合　イに掲げる金額からロに掲げる金額を控除した残額に相当する相続税

イ　当該破産手続開始の決定の直前における猶予中相続税額

ロ　当該破産手続開始の決定があった日以前5年以内において、当該特例事業相続人等の特別関係者が当該特例事業相続人等から受けた必要経費不算入対価等の合計額

(財務省令で定める事項)

(1)　**2**に規定する財務省令で定める事項は、次に掲げる事項とする。(措規23の8の9⑳)

(一)　**2**の申請書を提出する者の氏名及び住所

(二)　**2**の規定による相続税の免除を受けようとする旨並びに当該免除を受けようとする相続税の額及びその計算の明細

(三)　(二)の免除が**2**の(一)又は(二)のいずれに該当するかの別並びに**2**の(一)又は(二)に掲げる場合に該当することとなった事情の詳細及びその事情が生じた年月日

(四)　その他参考となるべき事項

(財務省令で定める書類)

(2)　**2**に規定する財務省令で定める書類は、次に掲げる場合の区分に応じそれぞれに定める書類とする。(措規23の8の9㉑)

(一)　**2**の(一)の規定に該当するものとして**2**の規定により相続税の免除を受けようとする場合　次に掲げる書類

イ　次に掲げる場合の区分に応じそれぞれ次に定める書類

(1)　**2**の(一)の1人の者に対して同(一)の譲渡等(譲渡又は贈与(贈与をした者の死亡により効力を生ずる贈与を除く。第一節の**1**の(11)において同じ。)をいう。以下本章において同じ。)をする場合　当該譲渡等があったことを明らかにする書類、当該譲渡等を受けた者が(3)において準用する第一章第六節の**2**の(3)に掲げる者に該当することを明らかにする書類並びにその者の氏名又は名称及び住所又は所在地が確認できる書類

(2)　**2**の(一)に規定する再生計画((ⅰ)において「再生計画」という。)又は同(一)に規定する債務処理計画((ⅱ)において「債務処理計画」という。)を遂行するために同(一)の譲渡等をする場合　次に掲げる計画の区分に応じそれぞれ次に定める書類

(ⅰ)　再生計画　特例事業相続人等に係る再生計画(民事再生法第174条第1項の規定により認可の決定がされたものに限る。)の写し及び当該再生計画の認可の決定があったことを証する書類

(ⅱ)　債務処理計画　特例事業相続人等に係る債務処理計画(当該債務処理計画に係る法人税法施行令第24条の2《再生計画認可の決定に準ずる事実等》第1項第1号に規定する一般に公表された債務処理を行うための手続についての準則が、産業競争力強化法第135条第1項に規定する中小企業再生支援協議会が定めたものである場合に限る。)の写し及び当該債務処理計画が成立したことを証する書類

ロ　**2**の(一)の譲渡等の直前における猶予中相続税額、同(一)のイに掲げる金額及び同(一)のロに掲げる合計額を記載した書類

ハ　その他参考となるべき事項を記載した書類

(二)　**2**の(二)の規定に該当するものとして同(二)の規定により相続税の免除を受けようとする場合　次に掲げる書類

イ　**2**の(二)の特例事業相続人等について破産手続開始の決定があったことを証する書類

ロ　**2**の(二)のイに掲げる猶予中相続税額及び同(二)のロに掲げる合計額を記載した書類

第三章　個人の事業用資産についての相続税の納税猶予及び免除
（第六節　納税猶予税額の免除）

ハ　その他参考となるべき事項を記載した書類

　　（政令で定めるものの準用）
（3）　第一章第六節の**2**の（3）の規定は、**2**の（一）に規定する１人の者として政令で定めるものについて準用する。（措令40の7の10㉙）

　　（政令で定める事実及び計画の準用）
（4）　第一章第六節の**2**の（4）の規定は、**2**の（一）及び**4**に規定する政令で定める事実並びに**2**の（一）に規定する政令で定める計画について準用する。（措令40の7の10㉚）

　　（延滞税の計算方法）
（5）　**2**又は**3**の申請書の提出があった場合において、当該提出があった日又は**3**の(10)に規定する納期限のいずれか遅い日の翌日から**3**の（9）の規定による通知（**2**又は**3**に係るものに限る。）を発した日までの間の延滞税の額を計算するときは、第五節の**2**に規定する猶予中相続税額から**2**又は**3**に規定する免除申請相続税額を控除した残額を基礎として計算するものとする。（措令40の7の10㉝）

　　（免除申請があった場合の延滞税の計算）
（6）　（5）の規定は、**2**又は**3**の規定による免除申請書が提出された場合で、納期限又は当該免除申請書の提出があった日のいずれか遅い日の翌日から**3**の（9）の規定による免除通知書を発した日までの間に猶予中相続税額から**2**又は**3**に規定する免除申請相続税額（以下（8）までにおいて「免除申請相続税額」という。）を控除した残額に相当する相続税を納付するときに、それと併せて納付すべき延滞税の額の計算に関する取扱いであることに留意する。したがって、当該免除通知書を発した日後においては、猶予中相続税額から**3**の（9）の規定により免除をする税額を控除した残額に相当する相続税を基礎金額として、納付すべき延滞税の額を計算することに留意する。（措通70の6の10－65）
　　(注)　免除申請相続税額と免除をする税額が異なる場合には、（5）の規定により計算した延滞税の額と免除後の相続税額を基礎金額として計算した納付すべき延滞税の額に差額が生じることになるため、（5）の規定により計算した延滞税の額の増額又は減額の処理を行う必要があることに留意する。

　　（利子税の計算方法）
（7）　**2**又は**3**の申請書の提出があった場合において、当該提出があった日から**3**の（9）の規定による通知（**2**又は**3**に係るものに限る。）を発した日までの間の利子税の額を計算するときは、第五節の**2**に規定する猶予中相続税額から**2**又は**3**に規定する免除申請相続税額を控除した残額を基礎として計算するものとする。（措令40の7の10㉞）

　　（免除申請があった場合の利子税の計算）
（8）　（7）の規定は、**2**又は**3**の規定による免除申請書が提出された場合で、当該免除申請書の提出があった日から**3**の（9）の規定による免除通知書を発した日までの間に猶予中相続税額から免除申請相続税額を控除した残額に相当する相続税を納付するときに、それと併せて納付すべき利子税の額の計算に関する取扱いであることに留意する。したがって、当該免除通知書を発した日後においては、猶予中相続税額から**3**の（9）の規定により免除をする税額を控除した残額に相当する相続税を基礎金額として、納付すべき利子税の額を計算することに留意する。（措通70の6の10－66）
　　(注)　免除申請相続税額と免除をする税額が異なる場合には、（7）の規定により計算した利子税の額と免除後の相続税額を基礎金額として計算した納付すべき利子税の額に差額が生じることになるため、（7）の規定により計算した利子税の額の増額又は減額の処理を行う必要があることに留意する。

　　（破産免除等の申請書が申請期限までに提出されない場合等）
（9）　第一章第六節の**2**の(12)《破産免除等の申請書が申請期限までに提出されない場合等》は、特例事業相続人等が**2**の規定に基づき相続税の免除を受けようとする場合に準用する。（措通70の6の10－51）

　　（**2**の（一）の規定の適用を受けるための譲渡等）
(10)　**2**の（一）の規定の適用を受けようとする場合には、第一節の**1**の規定の適用を受けている特例事業用資産の全ての譲渡等をする必要があるのであるが、当該特例事業用資産に係る事業の用に供されている資産であっても、第一節の**1**の規定の適用を受けていない資産については譲渡等を要しないことに留意する。（措通70の6の10－52）

－1097－

第六編　個人の事業用資産に係る相続税・贈与税の納税猶予及び免除

　　　（特例事業用資産の時価に相当する金額の意義）
（11）　**2**の（一）のイの「特例事業用資産の時価に相当する金額」は、評価基本通達の定めにより算定することに留意する。
　　　（措通70の6の10−53）

　　　（特例事業用資産の譲渡等の対価の額の意義）
（12）　**2**の（一）のイの「特例事業用資産の譲渡等の対価の額」の意義については、第五節の**3**の（4）《特例事業用資産の
　　　譲渡の対価の額の意義》を準用する。（措通70の6の10−54）

3　その他の場合による納税猶予税額の免除

　　第一節の**1**の規定の適用を受ける特例事業相続人等が次に掲げる場合のいずれかに該当することとなった場合（当該特
例事業相続人等の特例事業用資産に係る事業の継続が困難な事由として（1）の政令で定める事由が生じた場合に限るもの
とし、その該当することとなった日前に猶予中相続税額に相当する相続税の全部につき第五節の**1**、同節の**2**、第三節の
2又は第四節の規定による納税の猶予に係る期限が確定した場合を除く。）において、当該特例事業相続人等は、それぞれ
に定める相続税の免除を受けようとするときは、その該当することとなった日から2月を経過する日までに、当該免除を
受けたい旨、当該免除を受けようとする相続税に相当する金額（（10）において「**免除申請相続税額**」という。）及びその計
算の明細その他の（2）の財務省令で定める事項を記載した申請書（当該免除の手続に必要な書類として（8）の財務省令で
定める書類を添付したものに限る。）を納税地の所轄税務署長に提出しなければならない。（措法70の6の10⑱）
（一）　当該特例事業相続人等が当該特例事業相続人等の特別関係者以外の者に対して当該特例事業用資産の全ての譲渡等
　　　をした場合において、次に掲げる金額の合計額が当該譲渡等の直前における猶予中相続税額に満たないとき　　当該猶
　　　予中相続税額から当該合計額を控除した残額に相当する相続税
　イ　当該譲渡等の対価の額（その額が当該譲渡等をした時における当該譲渡等をした当該特例事業用資産の時価に相当
　　　する金額の2分の1以下である場合には、当該2分の1に相当する金額）を第一節の**1**の規定の適用に係る相続によ
　　　り取得をした特例事業用資産の当該相続の開始の時における価額とみなして、同節の**2**の（三）の規定により計算した
　　　金額
　ロ　当該譲渡等があった日以前5年以内において、当該特例事業相続人等の特別関係者が当該特例事業相続人等から受
　　　けた必要経費不算入対価等の合計額
（二）　当該特例事業用資産に係る事業の廃止をした場合において、次に掲げる金額の合計額が当該廃止の直前における猶
　　　予中相続税額に満たないとき　　当該猶予中相続税額から当該合計額を控除した残額に相当する相続税
　イ　当該廃止の直前における当該特例事業用資産の時価に相当する金額を第一節の**1**の規定の適用に係る相続により取
　　　得をした特例事業用資産の当該相続の開始の時における価額とみなして、同節の**2**の（三）の規定により計算した金額
　ロ　当該廃止の日以前5年以内において、当該特例事業相続人等の特別関係者が当該特例事業相続人等から受けた必要
　　　経費不算入対価等の合計額

　　　（政令で定める事由の準用）
（1）　第一章第六節の**3**の（1）の規定は、**3**に規定する特例事業用資産に係る事業の継続が困難な事由として政令で定め
　　　る事由について準用する。（措令40の7の10㉛）

　　　（財務省令で定める事項）
（2）　**3**に規定する財務省令で定める事項は、次に掲げる事項とする。（措規23の8の9㉒）
　　（一）　**3**の申請書を提出する者の氏名及び住所
　　（二）　**3**の規定による相続税の免除を受けようとする旨並びに当該免除を受けようとする相続税の額及びその計算の明
　　　　　細
　　（三）　**3**の（一）又は（二）に掲げる場合に該当することとなった事情の詳細及びその事情が生じた年月日
　　（四）　**3**の（一）のイの譲渡等の対価の額
　　（五）　（1）において準用する第五章第六節の**3**の（1）の（一）から（三）に掲げる事由のいずれに該当するかの別及びそれ
　　　　　ぞれに掲げる事由が生じることとなった事情の詳細
　　（六）　その他参考となるべき事項

　　　（事業の継続が困難な事由の意義）
（3）　**3**に規定する特例事業用資産に係る事業の継続が困難な事由とは、次に掲げる事由をいうことに留意する。（措通70

−1098−

第三章　個人の事業用資産についての相続税の納税猶予及び免除
（第六節　納税猶予税額の免除）

の6の10－56）

（一）　直前3年内の各年（特例事業相続人等が3のそれぞれに掲げる場合のいずれかに該当することとなった日の属する年の前年以前3年内の各年をいう（（二）において同じ。）のうち2以上の年において、当該事業に係る事業所得の金額が零未満であること。

（二）　直前3年内の各年のうち2以上の年において、当該事業に係る各年の事業所得に係る総収入金額が当該各年の前年の総収入金額を下回ること。

（三）　特例事業相続人等が心身の故障その他の事由により当該特例事業用資産に係る事業に従事することができなくなったこと。

（注）　上記（一）及び（二）の判定については、次の取扱いに留意する。

　（イ）　特例事業相続人等が一の被相続人から第一節の1の規定の適用に係る相続又は遺贈により取得をした特例事業用資産に係る事業が2以上ある場合には、その2以上の事業の合計額により行うこと。

　（ロ）　特例事業相続人等が特例事業用資産に係る事業と別の事業を営んでいる場合における当該別の事業に係る金額は、上記の判定に含まれないこと。

（3の（一）の規定の適用を受けるための譲渡等）

（4）　3の（一）の「特例事業用資産の全ての譲渡等」の意義については、2の（10）《2の（一）の規定の適用を受けるための譲渡等》を準用する。（措通70の6の10－57）

（特例事業用資産に係る事業の廃止の意義）

（5）　3の（二）の「事業の廃止をした場合」とは、特例事業用資産に係る事業の全てを廃止した場合をいうのであるから、特例事業相続人等が被相続人から第一節の1の規定の適用に係る相続又は遺贈により取得をした特例事業用資産に係る事業が2以上ある場合において、その一部の事業を廃止したときは、第一節の1の規定の適用はないことに留意する。（措通70の6の10－58）

（免除申請相続税額の基礎となる金額の計算）

（6）　3に規定する免除申請相続税額の基礎となる3の（一）のイ又は（二）のイの金額の計算については、次の取扱いに留意する。（措通70の6の10－59）

（一）　3のそれぞれのイの「特例事業用資産の時価に相当する金額」は、評価基本通達の定めにより算定する。

（二）　3の（一）のイの「譲渡等の対価の額」の意義については、第五節の3の（4）《特例事業用資産の譲渡の対価の額の意義》を準用する。

（三）　納税猶予分の相続税額の計算に当たり控除した第一節の3の①に規定する特定債務額がある場合には、当該特定債務額を3の（一）のイに規定する譲渡等の対価の額又は3の（二）のイの特例事業用資産の時価に相当する金額から控除する。

（3の規定の適用を受ける場合の納税猶予の期限）

（7）　特例事業相続人等が3の規定の適用を受ける場合には、次の表の左欄に掲げる場合の区分に応じ、中欄に掲げる金額に相当する相続税については右欄に掲げる日から2月を経過する日（当該右欄に掲げる日から当該2月を経過する日までの間に当該特例事業相続人等が死亡した場合には、当該特例事業相続人等の相続人（包括受遺者を含む。）が当該特例事業相続人等の死亡による相続の開始があったことを知った日の翌日から6月を経過する日。）に納税の猶予に係る期限が到来することに留意する。（措通70の6の10－60）

場合	金額	日
（1）　3の（一）に掲げる場合	3の（一）のイ及びロに掲げる金額の合計額	3の（一）の譲渡等をした日
（2）　3の（二）に掲げる場合	3の（二）のイ及びロに掲げる金額の合計額	3の（二）の事業の廃止をした日

（財務省令で定める書類）

（8）　3に規定する財務省令で定める書類は、次に掲げる書類とする。（措規23の8の9㉓）

（一）　3の（一）の譲渡等に係る契約書の写しその他の書類で3の（一）又は（二）のいずれに該当するかを証するもの

（二）　（2）の（四）の対価の額を証する書類

－1099－

（三）　貸借対照表、損益計算書その他の書類で（1）において準用する第一章第六節の**3**の（1）の（一）から（三）に掲げる事由のいずれに該当するかを明らかにするもの

（四）　**3**の（一）の譲渡等又は**3**の（二）の事業の廃止の直前における猶予中相続税額、**3**の（一）又は（二）のイに掲げる金額及び**3**の（一）又は（二）のロに掲げる合計額を記載した書類

（五）　その他参考となるべき事項を記載した書類

（免除通知）

（9）　税務署長は、**2**、**3**又は**4**の（3）の規定による申請書の提出があった場合において、これらの申請書に記載された事項について調査を行い、**2**の（一）又は（二）若しくは**3**の（一）又は（二）に掲げる場合の区分に応じこれらの各号に定める相続税若しくは再計算免除相続税の免除をし、又はこれらの申請書に係る申請の却下をする。この場合において、税務署長は、これらの申請書に係る申請の期限の翌日から起算して6月以内に、当該免除をした相続税の額若しくは当該再計算免除相続税の額又は当該却下をした旨及びその理由を記載した書面により、これをこれらの申請書を提出した特例事業相続人等に通知するものとする。（措法70の6の10㉒）

（徴収の猶予）

（10）　税務署長は、**2**又は**3**の申請書の提出があった場合において相当の理由があると認めるときは、これらの申請書に係る納期限（第五節の**6**の表の（五）の左欄又は同表の（六）の左欄に掲げる場合の区分に応じ同表の（五）の右欄又は同表の（六）の右欄に掲げる日をいう。）又はこれらの申請書の提出があった日のいずれか遅い日から（9）の規定による通知を発した日の翌日以後1月を経過する日までの間、これらの申請に係る免除申請相続税額に相当する相続税の徴収を猶予することができる。（措法70の6の10㉓）

（延滞税の免除）

（11）　税務署長は、特例事業相続人等が**2**の（一）又は**3**の（一）若しくは（二）の規定の適用を受ける場合において、当該特例事業相続人等が適正な時価を算定できないことについてやむを得ない理由があると認めるときは、第五節の**6**の表の（五）の左欄又は同表の（六）の左欄に掲げる場合に該当することとなったことにより納付することとなった相続税に係る延滞税につき、前項に規定する納期限の翌日から（9）の規定による通知を発した日の翌日以後1月を経過する日までの間に対応する部分の金額を免除することができる。（措法70の6の10㉔）

（差額免除の申請書が申請期限までに提出されない場合等）

（12）　第一章第六節の**3**の（10）《差額免除の申請書が申請期限までに提出されない場合等》は、特例事業相続人等が**3**の規定の適用を受けようとする場合に準用する。（措通70の6の10－55）

4　特例事業相続人等について再生計画の認可の決定があった場合の免除

第一節の**1**の特例事業相続人等について民事再生法の規定による再生計画の認可の決定があった場合（再生計画の認可の決定に準ずる**2**の（4）の政令で定める事実が生じた場合を含む。）において、当該特例事業相続人等の有する資産につき（1）の政令で定める評定が行われたとき（当該認可の決定があった日（当該**2**の（4）の政令で定める事実が生じた場合にあっては、債務処理計画が成立した日。以下（4）までにおいて「認可決定日」という。）以後**3**の（9）の規定による通知が発せられた日前に猶予中相続税額に相当する相続税の全部につき第五節の**1**、同節の**2**、第三節の**2**又は第四節の規定による納税の猶予に係る期限が確定した場合を除くものとし、再生計画を履行している特例事業相続人等にあっては、監督委員又は管財人が選任されている場合に限る。）は、再計算猶予中相続税額をもって特例事業用資産に係る猶予中相続税額とする。この場合において、（二）に掲げる金額に相当する相続税については、第一節の**1**の規定にかかわらず、当該通知が発せられた日から2月を経過する日をもって同**1**の規定による納税の猶予に係る期限とし、猶予中相続税額から次に掲げる金額の合計額を控除した残額に相当する相続税（**3**の（9）において「**再計算免除相続税**」という。）については、免除する。（措法70の6の10⑲）

（一）	当該再計算猶予中相続税額
（二）	認可決定日以前5年以内において、当該特例事業相続人等の特別関係者が当該特例事業相続人等から受けた必要経費不算入対価等の合計額

第三章　個人の事業用資産についての相続税の納税猶予及び免除
（第六節　納税猶予税額の免除）

　　　（政令で定める評定の準用）
（１）　第一章第六節の**4**の（１）の規定は、**4**に規定する政令で定める評定について準用する。（措令40の７の10㉜）

　　　（再計算猶予中相続税額）
（２）　**4**の「再計算猶予中相続税額」とは、第一節の**1**の規定の適用に係る特例事業用資産（猶予中相続税額に対応する
　部分に限る。）の認可決定日における価額を同**1**の規定の適用に係る相続により取得をした特例事業用資産の当該相続の
　開始の時における価額とみなして、第一節の**2**の（三）の規定により計算した金額をいう。（措法70の６の10⑳）

　　　（再計算猶予中相続税額の計算）
（３）　（２）に規定する再計算猶予中相続税額の計算については、次の取扱いに留意する。（措通70の６の10－64）
　（一）　（２）の「特例事業用資産の許可決定日における価額」は、評価基本通達の定めにより算定する。
　（二）　納税猶予分の相続税額の計算に当たり控除した第一節の**3**の**①**に規定する特定債務額がある場合には、当該特定
　　債務額を（２）の特例事業用資産の認可決定日における価額から控除する。

　　　（適用要件）
（４）　**4**の規定は、**4**の規定の適用を受けようとする特例事業相続人等が、認可決定日から２月を経過する日までに、**4**
　の規定の適用を受けたい旨、（２）に規定する再計算猶予中相続税額及びその計算の明細その他（５）の財務省令で定める
　事項を記載した申請書（**4**に規定する認可の決定があった再生計画（債務処理計画を含む。）に関する書類として（６）
　の財務省令で定めるものを添付したものに限る。）を納税地の所轄税務署長に提出した場合に限り、適用する。（措法70
　の６の10㉑）

　　　（財務省令で定める事項の準用）
（５）　第一章第六節の**4**の（５）の規定は、（４）に規定する財務省令で定める事項について準用する。（措規23の８の９㉔）

　　　（財務省令で定める書類の準用）
（６）　第一章第六節の**4**の（６）の規定は、（４）に規定する財務省令で定める書類について準用する。（措規23の８の９㉕）

　　　（猶予中相続税額の再計算に係る申請書が申請期限までに提出されない場合等）
（７）　第一章第六節の**4**の（７）《猶予中贈与税額の再計算に係る申請書が申請期限までに提出されない場合等》は、特例
　事業相続人等が**4**の規定の適用を受けようとする場合に準用する。（措通70の６の10－61）

　　　（債務処理計画が成立した日の意義）
（８）　**4**に規定する「債務処理計画が成立した日」の意義については、第一章第六節の**4**の（８）《債務処理計画が成立し
　た日の意義》を準用する。（措通70の６の10－62）

　　　（認可決定日後に確定事由が生じた場合）
（９）　**4**に規定する認可決定日以後**3**の（９）の規定による通知が発せられた日（以下（９）において「通知日」という。）前
　に、第五節の**1**のそれぞれに掲げる場合に該当することとなった場合、同節の**2**の場合に該当することとなった場合及
　び第三節の**2**の規定の適用があった場合並びに当該通知日前に第四節の規定による納税の猶予に係る期限の繰上げがあ
　った場合には、**4**の規定の適用がないことに留意する。（措通70の６の10－63）

－1101－

第六編　個人の事業用資産に係る相続税・贈与税の納税猶予及び免除

第七節　雑　　則

（他の納税猶予との重複適用の排除）

（1）　第一節の1の規定は、被相続人から相続又は遺贈により取得をした特定事業用資産に係る事業と同一の事業の用に供される資産について、同1の規定の適用を受けている他の特例事業相続人等若しくは同1の規定の適用を受けようとする他の特例事業相続人等又は第一章第一節の1の規定の適用を受けている他の同節の2の（二）に規定する特例事業受贈者がいる場合には、当該特定事業用資産については、適用しない。（措法70の6の10⑧）

（特例事業用資産に係る事業と別の事業を営んでいる場合）

（2）　特例事業相続人等が特例事業用資産に係る事業と別の事業を営んでいる場合には、当該特例事業相続人等は、それぞれの事業につき所得税法第148条《青色申告者の帳簿書類》第1項の規定による帳簿書類の備付け、記録又は保存をしなければならない。（措令40の7の10㊱）

（国税通則法、国税徴収法及び相続税法の規定の適用）

（3）　特例事業相続人等が第一節の1の規定の適用を受けようとする場合又は同1の規定による納税の猶予がされた場合における国税通則法、国税徴収法及び相続税法の規定の適用については、次に定めるところによる。（措法70の6の10⑭）

（一）　第一節の1の規定の適用があった場合における相続税に係る延滞税については、その相続税の額のうち納税猶予分の相続税額とその他のものとに区分し、更に当該納税猶予分の相続税額を（四）に規定する納税の猶予に係る期限が異なるものごとに区分して、それぞれの税額ごとに国税通則法の延滞税に関する規定を適用する。

（二）　第六節の3の（9）の規定による通知（同節の2又は3に係るものに限る。）により過誤納となった額に相当する相続税の国税通則法第56条から第58条までの規定の適用については、当該通知を発した日又は第六節の2若しくは3の規定による申請の期限から6月を経過する日のいずれか早い日に過誤納があったものとみなす。

（三）　第一節の1の規定による納税の猶予を受けた相続税については、国税通則法第64条第1項及び第73条第4項中「延納」とあるのは、「延納（第六編第三章第一節の1《個人の事業用資産についての相続税の納税猶予及び免除》の規定による納税の猶予を含む。）」とする。

（四）　第一節の1の規定による納税の猶予に係る期限（第五節の1、同節の2、第三節の2又は第四節の規定による当該期限を含む。）は、国税通則法及び国税徴収法中法定納期限又は納期限に関する規定を適用する場合には、相続税法の規定による延納に係る期限に含まれるものとする。

（五）　第六節の2又は3の申請書の提出があった場合において、これらの申請書に係るこれらの規定に規定する免除申請相続税額に相当する相続税は、国税徴収法第82条第1項の規定の適用については、第六節の3の（9）の規定による通知を発する日まで同条第1項の滞納に係る国税に該当しないものとする。

（六）　第五節の1、同節の2、第三節の2又は第四節の規定に該当する相続税については、第一編第八章第二節一の1及び同第八章第三節一の1の規定は、適用しない。

（七）　相続又は遺贈により取得をした財産のうちに特例事業用資産に該当するものがある者の当該財産に係る相続税の額で納税猶予分の相続税額以外のものについては、当該特例事業用資産の価額は零であるものとして、第一編第八章第二節一の1（同第八章第三節二の12において準用する場合を含む。）、同第三節六の2の（6）、同第二節五の1又は同第三節七の2の①の（1）の（二）の（ロ）の規定を適用する。

（八）　特例事業用資産について第一節の1の規定の適用があつた場合における第一編第八章第三節三の（5）において準用する同第三節一の2の規定の適用については、同2中「財産を除く」とあるのは、「財産及び第六編第三章第一節の1《個人の事業用資産についての相続税の納税猶予及び免除》の規定の適用に係る同1に規定する特例事業用資産を除く」とする。

（経済産業大臣等の通知義務）

（4）　経済産業大臣又は経済産業局長は、第一節の1の規定の適用を受ける特例事業相続人等、同1の特例事業用資産又は当該特例事業用資産に係る事業について、第五節の1又は2の規定による納税の猶予に係る期限の確定に係る事実に

－1102－

第三章　個人の事業用資産についての相続税の納税猶予及び免除
(第七節　雑　　則)

関し、法令の規定に基づき認定、確認、報告の受理その他の行為をしたことにより当該事実があったことを知った場合には、遅滞なく、当該事業について当該事実が生じた旨その他(5)の財務省令で定める事項を、書面により、国税庁長官又は当該特例事業相続人等の納税地の所轄税務署長に通知しなければならない。(措法70の6の10㉘)

　　　(財務省令で定める事項の準用)
（5）　第一章第七節の(5)及び(7)の規定は、(4)及び(6)に規定する財務省令で定める事項について準用する。(措規23の8の9㉖)

　　　(経済産業大臣等の通知義務)
（6）　税務署長は、第一節の1の場合において経済産業大臣又は経済産業局長の事務（同1の規定の適用を受ける特例事業相続人等に関する事務で、(4)の規定の適用に係るものに限る。）の処理を適正かつ確実に行うため必要があると認めるときは、経済産業大臣又は経済産業局長に対し、当該特例事業相続人等が第一節の1の規定の適用を受ける旨その他(5)の財務省令で定める事項を通知することができる。(措法70の6の10㉙)

—1103—

第七編　非上場株式等に係る相続税・贈与税の納税猶予及び免除

第一章　非上場株式等についての贈与税の納税猶予及び免除

第一節　特例適用の要件

1　非上場株式等を贈与した場合の贈与税の納税猶予及び免除

　認定贈与承継会社の非上場株式等（議決権に制限のないものに限る。以下 **1** において同じ。）を有していた個人として（1）の政令で定める者（当該認定贈与承継会社の非上場株式等について既に **1** の規定の適用に係る贈与をしているものを除く。以下、本章及び第三章において「**贈与者**」という。）が経営承継受贈者に当該認定贈与承継会社の非上場株式等の贈与（経営贈与承継期間の末日までに贈与税の申告書（第二編第六章第一節一の **1**《申告書の提出期限》の規定による期限内申告書をいう。以下本章において同じ。）の提出期限（第二編第四章の **7** の**②**《贈与税の申告書の提出期限の特例》の規定又は第一編第十章第一節**九**《期間及び期限》の規定により当該提出期限が延長された場合には、当該延長前の提出期限）が到来する贈与に限る。）をした場合において、当該贈与が次の（一）（二）に掲げる場合の区分に応じ当該（一）（二）に定める贈与であるときは、当該経営承継受贈者の当該贈与の日の属する年分の贈与税で贈与税の申告書の提出により納付すべきものの額のうち、当該非上場株式等で当該贈与税の申告書に **1** の規定の適用を受けようとする旨の記載があるもの（当該贈与の時における当該認定贈与承継会社の発行済株式又は出資（議決権に制限のない株式等（株式又は出資をいう。以下、本章において同じ。）に限る。（一）において同じ。）の総数又は総額の3分の2に達するまでの部分として（2）の政令で定めるものに限る。以下、本章及び第三章において「**対象受贈非上場株式等**」という。）に係る納税猶予分の贈与税額に相当する贈与税については、（3）の政令で定めるところにより当該年分の贈与税の申告書の提出期限までに当該納税猶予分の贈与税額に相当する担保を提供した場合に限り、第二編第七章第一節**二**の **1** の規定にかかわらず、当該贈与者（対象受贈非上場株式等の全部又は一部が当該贈与者の第七節の **1**（同 **1** の（三）に係る部分に限り、第四章第六節の **1** において準用する場合を含む。）の規定の適用に係るものである場合における当該対象受贈非上場株式等に係る納税猶予分の贈与税額に相当する贈与税については、**1** 又は第四章第一節の **1** の規定の適用を受けていた者として（7）の政令で定める者に当該対象受贈非上場株式等に係る認定贈与承継会社の非上場株式等の贈与をした者。**2** の（六）、第五節の **1** の（二）及び第七節の **1** において同じ。）の死亡の日まで、その納税を猶予する。（措法70の7①）

（一）　当該贈与の直前において、当該贈与者が有していた当該認定贈与承継会社の非上場株式等の数又は金額が、当該認定贈与承継会社の発行済株式又は出資の総数又は総額の3分の2から当該経営承継受贈者が有していた当該認定贈与承継会社の非上場株式等の数又は金額を控除した残数又は残額以上の場合　　当該控除した残数又は残額以上の数又は金額に相当する非上場株式等の贈与

（二）　（一）に掲げる場合以外の場合　　当該贈与者が当該贈与の直前において有していた当該認定贈与承継会社の非上場株式等の全ての贈与

　　（政令で定める贈与者）

（1）　**1** に規定する非上場株式等を有していた個人として政令で定める者は、次の（一）（二）に掲げる場合の区分に応じ当該（一）（二）に定める者とする。（措令40の8①）

　　（一）　（二）に掲げる場合以外の場合　　**1** の規定の適用に係る贈与の時前において、**2** の（一）に規定する認定贈与承継会社（以下本章において「**認定贈与承継会社**」という。）の代表権（制限が加えられた代表権を除く。イ及びロ、**2** の（6）並びに **2** の（21）において同じ。）を有していた個人で、次に掲げる要件の全てを満たすもの

　　　イ　当該贈与の直前（当該個人が当該贈与の直前において当該認定贈与承継会社の代表権を有しない場合には、当該個人が当該代表権を有していた期間内のいずれかの時及び当該贈与の直前）において、当該個人及び当該個人と **2** の（三）のハに規定する特別の関係がある者の有する当該認定贈与承継会社の **2** の（二）に規定する非上場株式等（以下本章において「**非上場株式等**」という。）に係る議決権の数の合計が、当該認定贈与承継会社の **2** の（三）のハに規定する総株主等議決権数（**2** の（6）及び（15）において「**総株主等議決権数**」という。）の100分の50を超える数であること。

　　　ロ　当該贈与の直前（当該個人が当該贈与の直前において当該認定贈与承継会社の代表権を有しない場合には、当

第七編　非上場株式等に係る相続税・贈与税の納税猶予及び免除

該個人が当該代表権を有していた期間内のいずれかの時及び当該贈与の直前）において、当該個人が有する当該認定贈与承継会社の非上場株式等に係る議決権の数が、当該個人と2の（三）のハに規定する特別の関係がある者（当該認定贈与承継会社の2の（三）に規定する経営承継受贈者（以下本章において「**経営承継受贈者**」という。）となる者を除く。）のうちいずれの者が有する当該非上場株式等に係る議決権の数をも下回らないこと。

ハ　当該贈与の時において、当該個人が当該認定贈与承継会社の代表権を有していないこと。

（二）　1の規定の適用を受けようとする者が、次に掲げる者のいずれかに該当する場合　認定贈与承継会社の非上場株式等を有していた個人で、1の規定の適用に係る贈与の時において当該認定贈与承継会社の代表権を有していないもの

イ　当該認定贈与承継会社の非上場株式等について、1、第二章第一節の1又は第三章第二節の1の規定の適用を受けている者

ロ　（一）に定める者から1の規定の適用に係る贈与により当該認定贈与承継会社の非上場株式等の取得をしている者（イに掲げる者を除く。）

ハ　第二章第一節の1の（1）の（一）に定める者から同節の1の規定の適用に係る相続又は遺贈により当該認定贈与承継会社の非上場株式等の取得をしている者（イに掲げる者を除く。）

（発行済株式又は出資の総数又は総額の3分の2に達するまでの部分として政令で定めるもの）

（2）　1に規定する発行済株式又は出資の総数又は総額の3分の2に達するまでの部分として政令で定めるものは、経営承継受贈者が1の規定の適用に係る贈与により取得をした認定贈与承継会社の非上場株式等（議決権に制限のないものに限る。以下において同じ。）のうち、当該贈与の時における当該認定贈与承継会社の発行済株式又は出資（議決権に制限のない株式等（株式又は出資をいう。以下、本章において同じ。）に限る。）の総数又は総額の3分の2（当該贈与の直前において当該贈与に係る経営承継受贈者が有していた当該認定贈与承継会社の非上場株式等があるときは、当該総数又は総額の3分の2から当該経営承継受贈者が有していた当該認定贈与承継会社の非上場株式等の数又は金額を控除した残数又は残額）に達するまでの部分とする。この場合において、当該総数又は総額の3分の2に一株未満又は1円未満の端数があるときは、その端数を切り上げる。（措令40の8②）

（担保の提供方法）

（3）　1の規定の適用を受けようとする経営承継受贈者が行う担保の提供については、国税通則法施行令第16条に定める手続によるほか、認定贈与承継会社（株券不発行会社（会社法第117条第7項に規定する株券発行会社以外の株式会社をいう。（5）及び第二節の2の（1）の（三）において同じ。）又は持分会社であるものに限る。）の1に規定する対象受贈非上場株式等を担保として提供する場合には、当該経営承継受贈者が当該対象受贈非上場株式等を担保として提供することを約する書類その他の（4）の財務省令で定める書類を納税地の所轄税務署長に提出する方法によるものとする。（措令40の8③）

（担保提供に係る書類）

（4）　（3）に規定する財務省令で定める書類は、次の（一）及び（二）に掲げる2の（一）に規定する認定贈与承継会社（以下本章において「**認定贈与承継会社**」という。）の区分に応じ当該各号に定める書類とする。（措規23の9①）

（一）　株券不発行会社（（3）に規定する株券不発行会社をいう。）である認定贈与承継会社　次に掲げる書類

イ　経営承継受贈者（以下本章において「**経営承継受贈者**」という。）が1に規定する対象受贈非上場株式等（以下本章において「**対象受贈非上場株式等**」という。）である株式に質権の設定をすることについて承諾した旨を記載した書類（当該経営承継受贈者が自署し、自己の印を押しているものに限る。）

ロ　イの経営承継受贈者の印に係る印鑑証明書

ハ　当該認定贈与承継会社が交付した会社法第149条第1項の書面（当該認定贈与承継会社の代表権を有する者が自署し、自己の印を押しているものに限る。）及び当該認定贈与承継会社の代表権を有する者の印に係る印鑑証明書

（二）　持分会社である認定贈与承継会社　次に掲げる書類

イ　経営承継受贈者が対象受贈非上場株式等である出資の持分に質権の設定をすることについて承諾した旨を記載した書類（当該経営承継受贈者が自署し、自己の印を押しているものに限る。）

ロ　イの経営承継受贈者の印に係る印鑑証明書

ハ　当該認定贈与承継会社がイの質権の設定について承諾したことを証する書類で次に掲げるいずれかのもの

（イ）　当該質権の設定について承諾した旨が記載された公正証書

（ロ）　当該質権の設定について承諾した旨が記載された私署証書で登記所又は公証人役場において日付のある印章

－1108－

第一章　非上場株式等についての贈与税の納税猶予及び免除
（第一節　特例適用の要件）

が押されているもの（当該認定贈与承継会社の印を押しているものに限る。）及び当該認定贈与承継会社の印に係る印鑑証明書

（ハ）　当該質権の設定について承諾した旨が記載された書類（当該認定贈与承継会社の印を押しているものに限る。）で郵便法（昭和22年法律第165号）第48条第１項の規定により内容証明を受けたもの及び当該認定贈与承継会社の印に係る印鑑証明書

（担保の解除）

（５）　税務署長は、（３）の規定により認定贈与承継会社（株券不発行会社又は持分会社であるものに限る。）の１に規定する対象受贈非上場株式等が担保として提供されている場合において、当該担保を解除したときは、当該経営承継受贈者が当該対象受贈非上場株式等を担保として提供することを約する書類その他の（６）の財務省令で定める書類を当該経営承継受贈者に返還しなければならない。（措令40の８④）

（担保解除に係る書類）

（６）　（５）に規定する財務省令で定める書類は、（４）の（一）のイ及びハ又は（二）のイ及びハに掲げる書類とする。（措規23の９②）

（政令で定める者）

（７）　１に規定する１又は第四章第一節の１の規定の適用を受けていた者として政令で定める者は、次の（一）（二）に掲げる場合の区分に応じ当該（一）（二）に定める者とする。（措令40の８⑤）

（一）　１に規定する贈与者（以下本章において「**贈与者**」という。）に対する１又は第四章第一節の１の規定の適用に係る贈与が、当該贈与をした者の第七節の１（同１の（三）に係る部分に限り、第四章第六節の１において準用する場合を含む。）の規定の適用に係るもの（以下（一）において「**免除対象贈与**」という。）である場合　１に規定する対象受贈非上場株式等に係る認定贈与承継会社の非上場株式等の免除対象贈与をした者のうち最初に１又は第四章第一節の１の規定の適用を受けた者

（二）　（一）に掲げる場合以外の場合　贈与者

（既に非上場株式等についての相続税の納税猶予及び免除等の適用を受けている他の者がいる場合等）

（８）　認定贈与承継会社の非上場株式等について、１の規定の適用を受けようとする場合において、１の規定の適用を受けようとする者以外の者が当該認定贈与承継会社の非上場株式等について次に掲げるいずれかの規定の適用を現に受けているときは、１の規定の適用を受けることができないことに留意する。（措通70の７－34）

（一）　１
（二）　第二章第一節の１
（三）　第三章第二節の１

(注)1　１の規定の適用を受けようとする者が、当該認定贈与承継会社の非上場株式等について上記(一)から(三)までのいずれかの規定の適用を受けている場合第七節の１の(三)又は第二章第七節の１の(二)の規定の適用に係る贈与により当該認定贈与承継会社の非上場株式等の取得をした者である場合には、１の規定の適用を受けることができることに留意する。

2　上記の１の規定の適用を受けることができるかどうかの判定は、認定贈与承継会社ごとに行うことに留意する。

2　用語の意義

本章において、次の（一）から（九）に掲げる用語の意義は、当該（一）から（九）に定めるところによる。（措法70の７②）

（一）　**認定贈与承継会社**　　中小企業における経営の承継の円滑化に関する法律第２条に規定する中小企業者のうち円滑化法認定を受けた会社（合併により当該会社が消滅した場合その他の（1）の財務省令で定める場合には、当該会社に相当するものとして（1）の財務省令で定めるもの）で、１の規定の適用に係る贈与の時において、次に掲げる要件の全てを満たすものをいう。

イ　当該会社の常時使用従業員（常時使用する従業員として（2）の財務省令で定めるものをいう。ホ、第五節の１の（二）及び第八節の１において同じ。）の数が１人以上であること。

ロ　当該会社が、資産保有型会社又は資産運用型会社のうち（4）の政令で定めるものに該当しないこと。

ハ　当該会社（ハにおいて「**特定会社**」という。）の株式等及び特別関係会社（当該特定会社と（6）の政令で定める特別の関係がある会社をいう。以下２において同じ。）のうち当該特定会社と密接な関係を有する会社として（7）の政令で定める会社（ニ及び第五節の１の（十六）において「**特定特別関係会社**」という。）の株式等が、非上場株式等に

－1109－

該当すること。

ニ　当該会社及び特定特別関係会社が、風俗営業会社（風俗営業等の規制及び業務の適正化等に関する法律第2条第5項に規定する性風俗関連特殊営業に該当する事業を営む会社をいう。第五節の1の（十六）において同じ。）に該当しないこと。

ホ　当該会社の特別関係会社が会社法第2条第2号に規定する外国会社に該当する場合（当該会社又は当該会社との間に会社が他の法人の発行済株式若しくは出資（当該他の法人が有する自己の株式等を除く。）の総数若しくは総額の100分の50を超える数若しくは金額の株式等を直接若しくは間接に保有する関係として（9）の政令で定める関係（（五）のイ、第二章第一節の1及び第三章第二節の2において「**支配関係**」という。）がある法人が当該特別関係会社の株式等を有する場合に限る。）にあっては、当該会社の常時使用従業員の数が5人以上であること。

ヘ　イからホまでに掲げるもののほか、会社の円滑な事業の運営を確保するために必要とされる要件として（10）の政令で定めるものを備えているものであること。

（二）　**非上場株式等**　次に掲げる株式等をいう。

イ　当該株式に係る会社の株式の全てが金融商品取引法第2条第16項に規定する金融商品取引所に上場されていないことその他（11）の財務省令で定める要件を満たす株式

ロ　合名会社、合資会社又は合同会社の出資のうち（12）の財務省令で定める要件を満たすもの

（三）　**経営承継受贈者**　贈与者から1の規定の適用に係る贈与により認定贈与承継会社の非上場株式等の取得をした個人で、次に掲げる要件の全てを満たす者（その者が二以上ある場合には、当該認定贈与承継会社が定めた一の者に限る。）をいう。

イ　当該個人が、当該贈与の日において18歳以上であること。

ロ　当該個人が、当該贈与の時において、当該認定贈与承継会社の代表権（制限が加えられた代表権を除く。以下本章、第二章及び第三章第二節において同じ。）を有していること。

ハ　当該贈与の時において、当該個人及び当該個人と（15）の政令で定める特別の関係がある者の有する当該認定贈与承継会社の非上場株式等に係る議決権の数の合計が、当該認定贈与承継会社に係る総株主等議決権数（総株主（株主総会において決議をすることができる事項の全部につき議決権を行使することができない株主を除く。）又は総社員の議決権の数をいう。第五節の1、第二章及び第三章第二節において同じ。）の100分の50を超える数であること。

ニ　当該贈与の時において、当該個人が有する当該認定贈与承継会社の非上場株式等に係る議決権の数が、当該個人とハに規定する（15）の政令で定める特別の関係がある者のうちいずれの者が有する当該認定贈与承継会社の非上場株式等に係る議決権の数をも下回らないこと。

ホ　当該個人が、当該贈与の時から当該贈与の日の属する年分の贈与税の申告書の提出期限（当該提出期限前に当該個人が死亡した場合には、その死亡の日）まで引き続き当該贈与により取得をした当該認定贈与承継会社の対象受贈非上場株式等の全てを有していること。

ヘ　当該個人が、当該贈与の日まで引き続き3年以上にわたり当該認定贈与承継会社の役員その他の地位として（17）の財務省令で定めるものを有していること。

ト　当該個人が、当該認定贈与承継会社の非上場株式等について第四章第一節の1、第五章第一節の1又は第六章第二節の1の規定の適用を受けていないこと。

（四）　**円滑化法認定**　中小企業における経営の承継の円滑化に関する法律第12条第1項（同項第1号に係るものとして（20）の財務省令で定めるものに限る。）の経済産業大臣（同法第16条の規定に基づく政令の規定により都道府県知事が行うこととされている場合にあっては、当該都道府県知事）の認定をいう。

（五）　**納税猶予分の贈与税額**　次のイ又はロに掲げる場合の区分に応じイ又はロに定める金額をいう。

イ　ロに掲げる場合以外の場合　1の規定の適用に係る対象受贈非上場株式等の価額（当該対象受贈非上場株式等に係る認定贈与承継会社又は当該認定贈与承継会社の特別関係会社であって当該認定贈与承継会社との間に支配関係がある法人（イにおいて「**認定贈与承継会社等**」という。）が会社法第2条第2号に規定する外国会社（当該認定贈与承継会社の特別関係会社に該当するものに限る。）その他（21）の政令で定める法人の株式等（投資信託及び投資法人に関する法律第2条第14項に規定する投資口を含む。イにおいて同じ。）を有する場合には、当該認定贈与承継会社等が当該株式等を有していなかったものとして計算した価額。ロにおいて同じ。）を1の経営承継受贈者に係るその年分の贈与税の課税価格とみなして、第二編第五節第一節の1及び同編第三節の一の規定（同章第一節の2及び同章第三節の二の規定を含む。）を適用して計算した金額

ロ　1の規定の適用に係る対象受贈非上場株式等が第三編第一章第一節の二の（1）（同節の三、第六編第一章第八節（第四章第九節において準用する場合を含む。）又は第三編第二章の1において準用する場合を含む。）の規定の適用を受けるものである場合　当該対象受贈非上場株式等の価額を1の経営承継受贈者に係るその年分の贈与税の課

第一章　非上場株式等についての贈与税の納税猶予及び免除
（第一節　特例適用の要件）

税価格とみなして、第三編第一章第二節の<u>一の（3）から（7）まで</u>及び同節の<u>二</u>の規定を適用して計算した金額

(注)１　——線部分の規定は、令和６年１月１日以後については、「（3）から（7）まで」とあるのは「（1）から（7）まで（同節三の規定を含む。）」とする。（令５改所法等附１三二）

２　改正後の（五）のロの規定は、令和６年１月１日以後に贈与により取得をする非上場株式等（（二）に規定する非上場株式等をいう。以下同じ。）に係る贈与税について適用し、令和５年12月31日以前に贈与により取得をした非上場株式等に係る贈与税については、なお従前の例による。（令５改所法等附51⑦）

（六）　**経営贈与承継期間**　　１の規定の適用に係る贈与の日の属する年分の贈与税の申告書の提出期限の翌日から次に掲げる日のいずれか早い日又は１の規定の適用を受ける経営承継受贈者若しくは当該経営承継受贈者に係る贈与者の死亡の日の前日のいずれか早い日までの期間をいう。

イ　当該経営承継受贈者の最初の１の規定の適用に係る贈与の日の属する年分の贈与税の申告書の提出期限の翌日以後５年を経過する日

ロ　当該経営承継受贈者の最初の第二章第一節の１の規定の適用に係る相続に係る同節の１に規定する相続税の申告書の提出期限の翌日以後５年を経過する日

（七）　**経営贈与報告基準日**　　次のイ又はロに掲げる期間の区分に応じイ又はロに定める日をいう。

イ　経営贈与承継期間　　１の規定の適用に係る贈与の日の属する年分の贈与税の申告書の提出期限（経営承継受贈者が１の規定の適用を受ける前に１の対象受贈非上場株式等に係る認定贈与承継会社の非上場株式等について第二章第一節の１の規定の適用を受けている場合には、同節の１に規定する相続税の申告書の提出期限）の翌日から１年を経過するごとの日（第三節の１において「**第１種贈与基準日**」という。）

ロ　経営贈与承継期間の末日の翌日から納税猶予分の贈与税額（既に第五節の**２**又は第六節の規定の適用があった場合には、これらの規定の適用があった対象受贈非上場株式等の価額に対応する部分の額として(23)の政令で定めるところにより計算した金額を除く。以下、本章及び第三章第一節の１において「**猶予中贈与税額**」という。）に相当する贈与税の全部につき１、第五節、第六節、第三節の**２**、第四節又は第九節の（4）の規定による納税の猶予に係る期限が確定する日までの期間　　当該末日の翌日から３年を経過するごとの日（第三節の１において「**第２種贈与基準日**」という。）

（八）　**資産保有型会社**　　認定贈与承継会社の資産状況を確認する期間として(25)の政令で定める期間内のいずれかの日において、次のイ及びハに掲げる金額の合計額に対するロ及びハに掲げる金額の合計額の割合が100分の70以上となる会社をいう。

イ　その日における当該会社の総資産の貸借対照表に計上されている帳簿価額の総額

ロ　その日における当該会社の特定資産（現金、預貯金その他の資産であって(27)の財務省令で定めるものをいう。（九）において同じ。）の貸借対照表に計上されている帳簿価額の合計額

ハ　その日以前５年以内において、経営承継受贈者及び当該経営承継受贈者と(29)の政令で定める特別の関係がある者が当該会社から受けた剰余金の配当等（会社の株式等に係る剰余金の配当又は利益の配当をいう。以下、本章及び第二章において同じ。）の額その他当該会社から受けた金額として(30)の政令で定めるものの合計額

（九）　**資産運用型会社**　　認定贈与承継会社の資産の運用状況を確認する期間として(33)の政令で定める期間内のいずれかの事業年度における総収入金額に占める特定資産の運用収入の合計額の割合が100分の75以上となる会社をいう。

(注)　次に掲げる者は、（三）に規定する経営承継受贈者とみなして、１、第五節の１、同２、同３、第七節の１及び第八節の規定（一又は二に掲げる経営承継受贈者にあっては、第七節の１の規定）を適用する。（平30改所法等附118㉑）

一　所得税法の一部を改正する法律（平成22年法律第６号）第18条の規定による改正前の租税特別措置法第70条の７第１項の規定の適用を受けている同条第２項第３号に規定する経営承継受贈者

二　現下の厳しい経済状況及び雇用情勢に対応して税制の整備を図るための所得税法等の一部を改正する法律（平成23年法律第82号）第17条の規定による改正前の租税特別措置法第70条の７第１項の規定の適用を受けている同条第２項第３号に規定する経営承継受贈者

三　所得税法等の一部を改正する法律（平成25年法律第５号）第８条の規定による改正前の租税特別措置法第70条の７第１項の規定の適用を受けている同条第２項第３号に規定する経営承継受贈者

四　所得税法等の一部を改正する法律（平成27年法律第９号）第８条の規定による改正前の租税特別措置法第70条の７第１項の規定の適用を受けている同条第２項第３号に規定する経営承継受贈者

五　所得税法等の一部を改正する等の法律（平成29年法律第４号）第12条の規定による改正前の租税特別措置法第70条の７第１項の規定の適用を受けている同条第２項第３号に規定する経営承継受贈者

六　旧租税特別措置法第70条の７第１項の規定の適用を受けている同条第２項第３号に規定する経営承継受贈者

（財務省令で定める消滅した場合）

（１）　**２**の（一）に規定する財務省令で定める場合は次に掲げる場合とし、同（一）に規定する財務省令で定める会社に相当するものは当該（一）（二）に掲げる場合の区分に応じ当該（一）（二）に定める会社とする。（措規23の９③）

（一）　**２**の（四）に規定する円滑化法認定を受けた会社（（二）において「**認定会社**」という。）が合併により消滅した場合

－1111－

当該合併により当該認定会社の権利義務の全てを承継した会社（以下、本章において「**合併承継会社**」という。）

（二）　認定会社が株式交換若しくは株式移転（以下、本章において「**株式交換等**」という。）により他の会社の第五節の1の（六）に規定する株式交換完全子会社等（以下、本章において「**株式交換完全子会社等**」という。）となった場合　　当該他の会社（以下、本章において「**交換等承継会社**」という。）

　　（常時使用する従業員として財務省令で定めるもの）
（２）　２の（一）のイに規定する常時使用する従業員として財務省令で定めるものは、会社の従業員であって、次に掲げるいずれかの者とする。（措規23の９④）

（一）　厚生年金保険法（昭和29年法律第115号）第９条に規定する被保険者（同法第18条第１項の厚生労働大臣の確認があった者に限るものとし、その１週間の所定労働時間が同一の事業所に使用される同法第12条第５号に規定する通常の労働者（以下（一）において「通常の労働者」という。）の１週間の所定労働時間の４分の３未満である同条第５号に規定する短時間労働者（以下（一）において「短時間労働者」という。）又はその１月間の所定労働日数が同一の事業所に使用される通常の労働者の１月間の所定労働日数の４分の３未満である短時間労働者を除く。）

（二）　船員保険法（昭和14年法律第73号）第２条第１項に規定する被保険者（同法第15条第１項に規定する厚生労働大臣の確認があった者に限る。）

（三）　健康保険法（大正11年法律第70号）第３条第１項に規定する被保険者（同法第39条第１項に規定する保険者等の確認があった者に限るものとし、その１週間の所定労働時間が同一の事業所に使用される同法第３条第１項第９号に規定する通常の労働者（以下（三）において「通常の労働者」という。）の１週間の所定労働時間の４分の３未満である同項第９号に規定する短時間労働者（以下（三）において「短時間労働者」という。）又はその１月間の所定労働日数が同一の事業所に使用される通常の労働者の１月間の所定労働日数の４分の３未満である短時間労働者を除く。）

（四）　高齢者の医療の確保に関する法律（昭和57年法律第80号）第50条に規定する被保険者で当該会社と２月を超える雇用契約を締結しているもの（（一）に掲げる者を除く。）

　　（常時使用従業員の意義）
（３）　経営承継受贈者の親族であっても、（２）に規定する者に該当すれば、当該親族は、２の（一）のイに規定する常時使用従業員に該当することに留意する。（措通70の７－10）

　　（資産保有型会社又は資産運用型会社のうち政令で定めるもの）
（４）　２の（一）のロに規定する資産保有型会社又は資産運用型会社のうち政令で定めるものは、２の（八）に規定する資産保有型会社又は２の（九）に規定する資産運用型会社（以下（４）、（21）及び第五節の１の（９）において「**資産保有型会社等**」という。）のうち、１の規定の適用に係る贈与の時において、次に掲げる要件の全てに該当するものとする。（措令40の８⑥）

（一）　当該資産保有型会社等の２の（八）のロに規定する特定資産（（33）、第五節の１の（９）の（一）及び第八節の１の（３）において「**特定資産**」という。）から当該資産保有型会社等が有する当該資産保有型会社等の２の（一）のハに規定する特別関係会社（以下（一）及び第五節の１の（９）の（一）において「**特別関係会社**」という。）で次に掲げる要件の全てを満たすものの株式等を除いた場合であっても、当該資産保有型会社等が２の（八）に規定する資産保有型会社又は２の（九）に規定する資産運用型会社に該当すること。

イ　当該特別関係会社が、１の規定の適用に係る贈与の日まで引き続き３年以上にわたり、商品の販売その他の業務で（５）の財務省令で定めるものを行っていること。

ロ　イの贈与の時において、当該特別関係会社の２の（一）のイに規定する常時使用従業員（経営承継受贈者及び当該経営承継受贈者と生計を一にする親族を除く。以下（４）及び第五節の１の（９）において「**親族外従業員**」という。）の数が５人以上であること。

ハ　イの贈与の時において、当該特別関係会社が、ロの親族外従業員が勤務している事務所、店舗、工場その他これらに類するものを所有し、又は賃借していること。

（二）　当該資産保有型会社等が、次に掲げる要件の全てを満たす２の（八）に規定する資産保有型会社又は２の（九）に規定する資産運用型会社でないこと。

イ　当該資産保有型会社等が、１の規定の適用に係る贈与の日まで引き続き３年以上にわたり、商品の販売その他の業務で（５）の財務省令で定めるものを行っていること。

ロ　イの贈与の時において、当該資産保有型会社等の親族外従業員の数が５人以上であること。

ハ　イの贈与の時において、当該資産保有型会社等が、ロの親族外従業員が勤務している事務所、店舗、工場その他

第一章　非上場株式等についての贈与税の納税猶予及び免除
（第一節　特例適用の要件）

これらに類するものを所有し、又は賃借していること。

　　（財務省令で定める業務）
（５）　（４）の（一）のイ及び（４）の（二）のイ並びに第五節の**1**の（９）の（一）のイ及び同（９）の（二）のイに規定する財務省令で定める業務は、次に掲げるいずれかのものとする。（措規23の９⑤）
　（一）　商品販売等（商品の販売、資産の貸付け（経営承継受贈者及び当該経営承継受贈者と(15)に規定する特別の関係がある者に対する貸付けを除く。）又は役務の提供で、継続して対価を得て行われるものをいい、その商品の開発若しくは生産又は役務の開発を含む。（二）において同じ。）
　（二）　商品販売等を行うために必要となる資産（（４）の（一）のハ及び（４）の（二）のハの事務所、店舗、工場その他これらに類するものを除く。）の所有又は賃借
　（三）　（一）（二）に掲げる業務に類するもの

　　（政令で定める特別の関係がある会社）
（６）　**2**の（一）のハに規定する政令で定める特別の関係がある会社は、同（一）に規定する円滑化法認定を受けた会社、当該円滑化法認定を受けた会社の代表権を有する者及び当該代表権を有する者と次に掲げる特別の関係がある者（（六）のハに掲げる会社を除く。）が有する他の会社（会社法第２条第２号に規定する外国会社を含む。）の株式等に係る議決権の数の合計が、当該他の会社に係る総株主等議決権数の100分の50を超える数である場合における当該他の会社とする。（措令40の８⑦）
　（一）　当該代表権を有する者の親族
　（二）　当該代表権を有する者と婚姻の届出をしていないが事実上婚姻関係と同様の事情にある者
　（三）　当該代表権を有する者の使用人
　（四）　当該代表権を有する者から受ける金銭その他の資産によって生計を維持している者（（一）から（三）に掲げる者を除く。）
　（五）　（一）から（三）に掲げる者と生計を一にするこれらの者の親族
　（六）　次に掲げる会社
　　イ　当該代表権を有する者（当該円滑化法認定を受けた会社及び（一）から（五）に掲げる者を含む。以下（六）において同じ。）が有する会社の株式等に係る議決権の数の合計が、当該会社に係る総株主等議決権数の100分の50を超える数である場合における当該会社
　　ロ　当該代表権を有する者及びイに掲げる会社が有する他の会社の株式等に係る議決権の数の合計が、当該他の会社に係る総株主等議決権数の100分の50を超える数である場合における当該他の会社
　　ハ　当該代表権を有する者及びイ又はロに掲げる会社が有する他の会社の株式等に係る議決権の数の合計が、当該他の会社に係る総株主等議決権数の100分の50を超える数である場合における当該他の会社

　　（政令で定める特定会社と密接な関係を有する会社）
（７）　（６）の規定は、**2**の（一）のハに規定する特定会社と密接な関係を有する会社として政令で定める会社について準用する。この場合において、（６）の（一）中「の親族」とあるのは、「と生計を一にする親族」と読み替えるものとする。（措令40の８⑧）

　　（特定特別関係会社の意義等）
（８）　会社（以下（８）において**「特定会社」**という。）の**2**の（一）のハに規定する特定特別関係会社が同（一）のニに規定する風俗営業会社に該当する場合若しくは中小企業における経営の承継の円滑化に関する法律（平成20年法律第33号）第２条に規定する中小企業者に該当しない場合又は当該特定特別関係会社の株式等が非上場株式等に該当しない場合には、当該特定会社は認定贈与承継会社に該当しないことに留意する。（措通70の７－11の３）
　　(注)　特定会社の代表権を有する者と生計を一にする親族が**1**の（１）の（一）のイに規定する総株主等議決権数の過半数を有する会社は特定特別関係会社に該当するが、代表権を有する者と生計を一にしない親族が当該総株主等議決権数の過半数を有する会社は特定特別関係会社に該当しないことに留意する。

　　（政令で定める支配関係）
（９）　**2**の（一）のホに規定する政令で定める関係は、会社が他の法人の発行済株式又は出資（当該他の法人が有する自己の株式等を除く。以下（９）において**「発行済株式等」**という。）の総数又は総額の100分の50を超える数又は金額の株式

－1113－

等を保有する場合における当該会社と他の法人との間の関係（以下（9）において「**直接支配関係**」という。）とする。この場合において、当該会社及びこれとの間に直接支配関係がある一若しくは二以上の他の法人又は当該会社との間に直接支配関係がある一若しくは二以上の他の法人がその他の法人の発行済株式等の総数又は総額の100分の50を超える数又は金額の株式等を保有するときは、当該会社は当該その他の法人の発行済株式等の総数又は総額の100分の50を超える数又は金額の株式等を保有するものとみなす。（措令40の8⑨）

　　（政令で定める会社の円滑な事業の運営を確保するために必要な要件）
(10)　２の（一）のへに規定する政令で定める要件は、次に掲げる要件とする。（措令40の8⑩）
　（一）　２の（一）に規定する円滑化法認定を受けた会社の１の規定の適用に係る贈与の日の属する事業年度の直前の事業年度（当該贈与の日が当該贈与の日の属する事業年度の末日である場合には、当該贈与の日の属する事業年度及び当該事業年度の直前の事業年度）における総収入金額（主たる事業活動から生ずる収入の額とされるべきものとして第五節の１の（11）の財務省令で定めるものに限る。）が、零を超えること。
　（二）　（一）の円滑化法認定を受けた会社が発行する会社法第108条第１項第８号に掲げる事項についての定めがある種類の株式を当該円滑化法認定を受けた会社に係る経営承継受贈者以外の者が有していないこと。
　（三）　（一）の円滑化法認定を受けた会社の２の（一）のハに規定する特定特別関係会社（会社法第２条第２号に規定する外国会社に該当するものを除く。）が、中小企業における経営の承継の円滑化に関する法律第２条に規定する中小企業者に該当すること。

　　（財務省令で定める非上場株式等の要件）
(11)　２の（二）のイに規定する財務省令で定める要件は、次に掲げる要件とする。（措規23の9⑦）
　（一）　同イの会社の株式の全てが金融商品取引法第２条第16項に規定する金融商品取引所（（二）において「**金融商品取引所**」という。）への上場の申請がされていないこと。
　（二）　同イの会社の株式の全てが金融商品取引所に類するものであって外国に所在するものに上場がされていないこと又は当該上場の申請がされていないこと。
　（三）　同イの会社の株式の全てが金融商品取引法第67条の11第１項に規定する店頭売買有価証券登録原簿（（四）において「**店頭売買有価証券登録原簿**」という。）に登録がされていないこと又は当該登録の申請がされていないこと。
　（四）　同イの会社の株式の全てが店頭売買有価証券登録原簿に類するものであって外国に備えられるものに登録がされていないこと又は当該登録の申請がされていないこと。

　　（財務省令で定める非上場株式等の要件の準用）
(12)　(11)の（二）及び（四）の規定は、２の（二）のロに規定する財務省令で定める要件について準用する。（措規23の9⑧）

　　（贈与税の納税猶予及び免除の対象となる非上場株式等の意義）
(13)　１の適用対象となる２の（二）に規定する非上場株式等（以下本編において「**非上場株式等**」という。）は、議決権に制限のない株式等に限られていることから、次に掲げる株式等は含まれないことに留意する。（措通70の7－1）
　（一）　会社の株主総会又は社員総会（以下「**株主総会等**」という。）において議決権を行使できる事項の全部又は一部について制限がある株式等
　（二）　会社の株主総会等において議決権を行使できる事項の全部又は一部について制限がある株主又は社員（以下本編において「**株主等**」という。）の有する株式等

　　（対象受贈非上場株式等の意義等）
(14)　１の適用対象となる非上場株式等（議決権に制限のない株式等に限る。以下(14)において同じ。）の贈与及び１に規定する対象受贈非上場株式等（以下第三章第二節の７までにおいて「**対象受贈非上場株式等**」という。）とは、次の表の左欄に掲げる場合の区分に応じ、それぞれ、中欄に掲げる贈与（２の（六）に規定する経営贈与承継期間の末日までに贈与税の申告書（第二編第六章第一節**一**の1《申告書の提出期限》の規定による期限内申告書をいう。以下本編において同じ。）の提出期限（第二編第四章の7の②《贈与税の申告書の提出期限の特例》の規定又は国税通則法第10条《期間の計算及び期限の特例》若しくは第11条《災害等による期限の延長》の規定により当該提出期限が延長された場合には、当該延長前の提出期限）が到来する贈与に限る。以下第三章第二節の7までにおいて「**対象贈与**」という。）及び右欄に掲げる株式の数又は出資の金額に達するまでの部分をいうことに留意する。（措通70の7－2）

第一章　非上場株式等についての贈与税の納税猶予及び免除
（第一節　特例適用の要件）

区　分		対象贈与	対象受贈非上場株式等
（一）	$A＋B≧C×\dfrac{2}{3}$ の場合	$C×\dfrac{2}{3}－B$ 以上の贈与	$C×\dfrac{2}{3}－B$
（二）	$A＋B＜C×\dfrac{2}{3}$ の場合	Aの全部の贈与	A

（注）1　上記算式中の符号は次のとおり。

Aは、**1**に規定する贈与者（以下第三章二節の**5**の（6）までにおいて「贈与者」という。）が**1**の規定の適用に係る贈与の直前に有していた非上場株式等の数又は金額

Bは、**2**の（三）に規定する経営承継受贈者が当該贈与の直前に有していた非上場株式等の数又は金額

Cは、当該贈与の時における**2**の（一）に規定する認定贈与承継会社の発行済株式又は出資（議決権に制限のない株式等に限る。）の総数又は総額

2　同一年中に、異なる贈与者から同一の認定贈与承継会社に係る非上場株式等を贈与により取得をした場合、異なる贈与者から複数の認定贈与承継会社に係る非上場株式等を贈与により取得をした場合及び同一の贈与者から複数の認定贈与承継会社に係る非上場株式等を贈与により取得をした場合の対象贈与及び対象受贈非上場株式等に該当するかどうかの判定は、それぞれの認定贈与承継会社及び贈与ごとに行うことに留意する。

3　上記（一）又は（二）により計算された株式の数又は出資の金額のうち、**1**に規定する贈与税の申告書に**1**の規定の適用を受ける旨の記載がある部分が対象受贈非上場株式等に該当することに留意する。

4　上記（一）の右欄のC×$\dfrac{2}{3}$の数又は金額に一株又は1円未満の端数がある場合には、**1**の（2）の規定により、その端数は切り上げることに留意する。

（政令で定める特別の関係がある者）

（15）　**2**の（三）のハに規定する当該個人と政令で定める特別の関係がある者は、次に掲げる者とする。（措令40の8⑪）

（一）　当該個人の親族

（二）　当該個人と婚姻の届出をしていないが事実上婚姻関係と同様の事情にある者

（三）　当該個人の使用人

（四）　当該個人から受ける金銭その他の資産によって生計を維持している者（（一）から（三）に掲げる者を除く。）

（五）　（一）から（三）に掲げる者と生計を一にするこれらの者の親族

（六）　次に掲げる会社

イ　当該個人（（一）から（五）に掲げる者を含む。以下（六）において同じ。）が有する会社の株式等に係る議決権の数の合計が、当該会社に係る総株主等議決権数の100分の50を超える数である場合における当該会社

ロ　当該個人及びイに掲げる会社が有する他の会社の株式等に係る議決権の数の合計が、当該他の会社に係る総株主等議決権数の100分の50を超える数である場合における当該他の会社

ハ　当該個人及びイ又はロに掲げる会社が有する他の会社の株式等に係る議決権の数の合計が、当該他の会社に係る総株主等議決権数の100分の50を超える数である場合における当該他の会社

（経営承継受贈者を判定する場合等の議決権の数の意義）

（16）　**2**の（三）のハ及びニの要件を判定する場合の同（三）のハの「議決権の数」及び「総株主等議決権数」並びに同（三）のニの「議決権の数」には、次の（一）及び（二）に掲げる株式等に係る議決権の数が含まれることに留意する。（措通70の7－12）

（一）　株主総会等において議決権を行使できる事項の一部について制限がある株式等

（二）　株主総会等において議決権を行使できる事項の一部について制限がある株主等が有する株式等

（注）1　**2**の（三）のハ及びニの要件の判定は、対象贈与直後の株主等の構成により行うことに留意する。

2　**1**の（1）の（一）のイ及びロの要件、第七節の**2**の（4）の（一）及び（二）の要件、同節の**3**の（9）の（一）及び（二）、（6）の特別の関係がある会社並びに（15）の特別の関係がある者を判定する場合も上記に準じて行うことに留意する。

（役員の地位として財務省令で定めるもの）

（17）　**2**の（三）のへに規定する役員の地位として財務省令で定めるものは、会社法第329条第1項に規定する役員とする。（措規23の9⑨）

（役員である期間の意義）

（18）　**2**の（三）のへの要件は、同（三）の個人が対象贈与の日からさかのぼって3年目の応当日から当該対象贈与の日までの間（以下（18）において「**直近3年間**」という。）、継続して、**2**の（一）の認定贈与承継会社が株式会社の場合にはその役員（取締役、会計参与及び監査役をいう。）としての地位を、持分会社の場合にはその業務を執行する社員としての地

—1115—

第七編　非上場株式等に係る相続税・贈与税の納税猶予及び免除

位を有することをいうことに留意する。（措通70の7-13）

(注)1　直近3年間において、当該地位を有しない期間がある場合には、**2**の(三)の要件は満たさないことに留意する。

2　当該地位は、直近3年間において当該地位のいずれかを有していれば、同一の地位を有する必要はないことに留意する。

（財務省令で定める認定贈与承継会社の経営を確実に承継すると認められる要件）

(19)　認定贈与承継会社が持分会社である場合における(17)の規定の適用については、(17)中「会社法第329条第1項に規定する役員」とあるのは、「業務を執行する社員」とする。（措規23の9⑩）

（財務省令で定める経済産業大臣の認定）

(20)　**2**の(四)に規定する財務省令で定めるものは、中小企業における経営の承継の円滑化に関する法律第12条第1項の認定（円滑化省令第6条第1項第7号又は第9号の事由に係るものに限る。）とする。（措規23の9⑪）

（政令で定める法人）

(21)　**2**の(五)のイに規定する政令で定める法人は、認定贈与承継会社、当該認定贈与承継会社の代表権を有する者及び当該代表権を有する者と(6)に掲げる特別の関係がある者が有する次の(一)及び(二)（当該認定贈与承継会社が資産保有型会社等に該当しない場合にあっては、(一)を除く。以下(21)において同じ。）に掲げる法人の株式等（投資信託及び投資法人に関する法律第2条第14項に規定する投資口を含む。(一)において同じ。）の数又は金額が、当該(一)(二)に定める数又は金額である場合における当該法人とする。（措令40の8⑫）

(一)　法人（医療法人を除く。）の株式等（非上場株式等を除く。）　当該法人の発行済株式（投資信託及び投資法人に関する法律第2条第12項に規定する投資法人にあっては、発行済みの同条第14項に規定する投資口）又は出資の総数又は総額の100分の3以上に相当する数又は金額

(二)　医療法人の出資　当該医療法人の出資の総額の100分の50を超える金額

（経営贈与承継期間の意義）

(22)　**2**の(六)に規定する経営贈与承継期間とは、対象贈与の日の属する年分の贈与税の申告書の提出期限の翌日から、次の(一)又は(二)のいずれか早い日までの期間をいうことに留意する。（措通70の7-13の2）

(一)　次のいずれか早い日

イ　経営承継受贈者の最初の対象贈与の日の属する年分の贈与税の申告書の提出期限の翌日以後5年を経過する日

ロ　経営承継受贈者の最初の第二章第一節**1**の規定の適用に係る相続に係る相続税の申告書（第一編第七章第一節一の**1**《申告書の提出期限》の規定による期限内申告書をいう。以下第六章第二節までにおいて同じ。）の提出期限の翌日以後5年を経過する日

(二)　経営承継受贈者又は当該経営承継受贈者に係る贈与者の死亡の日の前日

(注)　上記(二)の「贈与者」は、対象受贈非上場株式等の全部又は一部が当該贈与者の第七節の**1**（(三)に係る部分に限り、第四章第六節の**1**において準用する場合を含む。）の規定の適用に係るものである場合における当該対象受贈非上場株式等に係る納税猶予分の贈与税については「前の贈与者」となることに留意する（第五節**1**の(5)(注)1及び5において同じ。）。

（政令で定めるところにより計算した金額）

(23)　**2**の(七)のロに規定する政令で定めるところにより計算した金額は、次の(一)から(七)に掲げる場合の区分に応じ当該(一)から(七)に定めるところにより計算した金額を合計した金額とする。（措令40の8⑰）

(一)　第五節の**2**《経営贈与承継期間内の納税猶予税額の一部確定》の規定の適用があった場合（同**2**の表の(一)の左欄に掲げる場合に限る。）　納税猶予分の贈与税額に、イに掲げる数又は金額がロに掲げる数又は金額に占める割合を乗じて計算した金額（その金額に100円未満の端数があるとき、又はその全額が100円未満であるときは、その端数金額又はその全額を切り捨てた額）

イ　第五節の**2**の表の(一)の左欄の贈与をした対象受贈非上場株式等の数又は金額

ロ　贈与時対象受贈株式等（**1**の規定の適用に係る贈与の時に経営承継受贈者が有していた対象受贈非上場株式等をいう。以下(23)において同じ。）の数又は金額（当該贈与の時からイの贈与の直前までの間に当該贈与時対象受贈株式等の併合があったことその他の(24)の財務省令で定める事由により当該贈与時対象受贈株式等の数又は金額が増加又は減少をしている場合には、当該増加又は減少をした後の数又は金額に換算した数又は金額）

(二)　第五節の**2**《経営贈与承継期間内の納税猶予税額の一部確定》の規定の適用があった場合（同**2**の表の(二)の左欄に掲げる場合に限る。）　納税猶予分の贈与税額に、イに掲げる金額がロに掲げる金額に占める割合を乗じて計算した金額（その金額に100円未満の端数があるとき、又はその全額が100円未満であるときは、その端数金額又はその

-1116-

第一章　非上場株式等についての贈与税の納税猶予及び免除
（第一節　特例適用の要件）

全額を切り捨てた額）

イ　認定贈与承継会社が、第五節の2の表の（二）の左欄の適格合併をした場合（同2の（2）において「**適格合併をした場合**」という。）における合併又は同欄の適格交換等をした場合（同（2）において「**適格交換等をした場合**」という。）における株式交換若しくは株式移転（以下、本章において「**株式交換等**」という。）に際して、同欄の吸収合併存続会社等（以下、本章において「**吸収合併存続会社等**」という。）又は同欄の他の会社が交付しなければならない株式等（一株に満たない端数の合計数に相当する数の株式を除く。同（2）において同じ。）以外の金銭その他の資産で、対象受贈非上場株式等に係る経営承継受贈者が受けるものの額

ロ　イの合併がその効力を生ずる日の属する年の前年12月31日における対象受贈非上場株式等に係る認定贈与承継会社の純資産額（（四）のロ、第五節の2の（2）及び第六節の（2）において「**合併前純資産額**」という。）又はイの株式交換等がその効力を生ずる日の属する年の前年12月31日における当該認定贈与承継会社の純資産額（（五）のロ、第五節の2の（2）及び第六節の（3）において「**交換等前純資産額**」という。）のうち当該合併又は当該株式交換等がその効力を生ずる直前における当該対象受贈非上場株式等の数又は金額に対応する部分の額に、贈与時対象受贈株式等の数又は金額（当該贈与時対象受贈株式等に係る贈与の時から当該合併又は当該株式交換等がその効力を生ずる直前までの間に当該贈与時対象受贈株式等の併合があったことその他の(24)の財務省令で定める事由により当該贈与時対象受贈株式等の数又は金額が増加又は減少をしている場合には、当該増加又は減少をした後の数又は金額に換算した数又は金額）の当該合併又は当該株式交換等がその効力を生ずる直前における当該対象受贈非上場株式等の数又は金額に対する割合を乗じて計算した金額

（三）　第六節《経営贈与承継期間後の納税猶予の打切り》の規定の適用があった場合（第六節の表の（二）の左欄に掲げる場合に限る。）　納税猶予分の贈与税に、イに掲げる数又は金額がロに掲げる数又は金額に占める割合を乗じて計算した金額（その金額に100円未満の端数があるとき、又はその全額が100円未満であるときは、その端数金額又はその全額を切り捨てた額）

イ　第六節の表の（二）の左欄の譲渡等をした対象受贈非上場株式等（合併又は株式交換等に際して吸収合併存続会社等又は第五節の2の表の（二）の左欄の他の会社が交付しなければならない株式のうち一株に満たない端数の合計数に相当する数の株式を除く。第六節の（1）において同じ。）の数又は金額

ロ　贈与時対象受贈株式等の数又は金額（当該贈与時対象受贈株式等に係る贈与の時からイの譲渡等の直前までの間に当該贈与時対象受贈株式等の併合があったことその他の(24)の財務省令で定める事由により当該贈与時対象受贈株式等の数又は金額が増加又は減少をしている場合には、当該増加又は減少をした後の数又は金額に換算した数又は金額）

（四）　第六節の規定の適用があった場合（第六節の表の（三）の左欄に掲げる場合に限る。）　納税猶予分の贈与税額に、イに掲げる金額がロに掲げる金額に占める割合を乗じて計算した金額（その金額に100円未満の端数があるとき、又はその全額が100円未満であるときは、その端数金額又はその全額を切り捨てた額）

イ　第六節の表の（三）の左欄の合併に際して吸収合併存続会社等が交付しなければならない株式等（一株に満たない端数の合計数に相当する数の株式を除く。第六節の（2）において同じ。）以外の金銭その他の資産で対象受贈非上場株式等に係る経営承継受贈者が受けるものの額

ロ　合併前純資産額のうちイの合併がその効力を生ずる直前における対象受贈非上場株式等の数又は金額に対応する部分の額に、贈与時対象受贈株式等の数又は金額（当該贈与時対象受贈株式等に係る贈与の時から当該合併がその効力を生ずる直前までの間に当該贈与時対象受贈株式等の併合があったことその他の(24)の財務省令で定める事由により当該贈与時対象受贈株式等の数又は金額が増加又は減少をしている場合には、当該増加又は減少をした後の数又は金額に換算した数又は金額）の当該合併がその効力を生ずる直前における当該対象受贈非上場株式等の数又は金額に対する割合を乗じて計算した金額

（五）　第六節の規定の適用があった場合（第六節の表の（四）の左欄に掲げる場合に限る。）　納税猶予分の贈与税額に、イに掲げる金額がロに掲げる金額に占める割合を乗じて計算した金額（その金額に100円未満の端数があるとき、又はその全額が100円未満であるときは、その端数金額又はその全額を切り捨てた額）

イ　第六節の表の（四）の左欄の株式交換等に際して同欄の他の会社が交付しなければならない株式等（一株に満たない端数の合計数に相当する数の株式を除く。第六節の（3）において同じ。）以外の金銭その他の資産で対象受贈非上場株式等に係る経営承継受贈者が受けるものの額

ロ　交換等前純資産額のうちイの株式交換等がその効力を生ずる直前における対象受贈非上場株式等の数又は金額に対応する部分の額に、贈与時対象受贈株式等の数又は金額（当該贈与時対象受贈株式等に係る贈与の時から当該株式交換等がその効力を生ずる直前までの間に当該贈与時対象受贈株式等の併合があったことその他の(24)の財務省令で定める事由により当該贈与時対象受贈株式等の数又は金額が増加又は減少をしている場合には、当該増加又は

減少をした後の数又は金額に換算した数又は金額）の当該株式交換等がその効力を生ずる直前における当該対象受贈非上場株式等の数又は金額に対する割合を乗じて計算した金額

（六）　第六節の規定の適用があった場合（第六節の表の（五）の左欄に掲げる場合に限る。）　納税猶予分の贈与税額に、イに掲げる金額がロに掲げる金額に占める割合を乗じて計算した金額（その金額に100円未満の端数があるとき、又はその全額が100円未満であるときは、その端数金額又はその全額を切り捨てた額）

イ　第六節の表の（五）の左欄の会社分割に際して、同欄に規定する吸収分割承継会社等（イ及び第六節の（４）において「**吸収分割承継会社等**」という。）が認定贈与承継会社から承継した資産の当該会社分割がその効力を生ずる日の属する年の前年12月31日における価額から当該吸収分割承継会社等が当該認定贈与承継会社から承継した負債の同日における価額を控除した残額（同（４）において「**承継純資産額**」という。）に、当該認定贈与承継会社から対象受贈非上場株式等に係る経営承継受贈者に配当された当該吸収分割承継会社等の株式等の数又は金額が当該認定贈与承継会社が交付を受けた当該吸収分割承継会社等の株式等の数又は金額に占める割合を乗じて計算した金額

ロ　イの会社分割がその効力を生ずる日の属する年の前年12月31日における対象受贈非上場株式等に係る認定贈与承継会社の純資産額（同（４）において「**分割前純資産額**」という。）のうち当該会社分割がその効力を生ずる直前における当該対象受贈非上場株式等の数又は金額に対応する部分の額に、贈与時対象受贈株式等の数又は金額（当該贈与時対象受贈株式等に係る贈与の時から当該会社分割がその効力を生ずる直前までの間に当該贈与時対象受贈株式等の併合があったことその他の（24）の財務省令で定める事由により当該贈与時対象受贈株式等の数又は金額が増加又は減少をしている場合には、当該増加又は減少をした後の数又は金額に換算した数又は金額）の当該会社分割がその効力を生ずる直前における当該対象受贈非上場株式等の数又は金額に対する割合を乗じて計算した金額

（七）　第六節の規定の適用があった場合（第六節の表の（六）の左欄に掲げる場合に限る。）　納税猶予分の贈与税額に、イに掲げる金額がロに掲げる金額に占める割合を乗じて計算した金額（その金額に100円未満の端数があるとき、又はその全額が100円未満であるときは、その端数金額又はその全額を切り捨てた額）

イ　第六節の表の（六）の左欄の組織変更に際して認定贈与承継会社から交付された当該認定贈与承継会社の株式等以外の財産で対象受贈非上場株式等に係る経営承継受贈者が受けるものの価額

ロ　イの組織変更がその効力を生ずる日の属する年の前年12月31日における対象受贈非上場株式等に係る認定贈与承継会社の純資産額（第六節の（６）において「**組織変更前純資産額**」という。）のうち当該組織変更がその効力を生ずる直前における当該対象受贈非上場株式等の数又は金額に対応する部分の額に、贈与時対象受贈株式等の数又は金額（当該贈与時対象受贈株式等に係る贈与の時から当該組織変更がその効力を生ずる直前までの間に当該贈与時対象受贈株式等の併合があったことその他の（24）の財務省令で定める事由により当該贈与時対象受贈株式等の数又は金額が増加又は減少をしている場合には、当該増加又は減少をした後の数又は金額に換算した数又は金額）の当該組織変更がその効力を生ずる直前における当該対象受贈非上場株式等の数又は金額に対する割合を乗じて計算した金額

（財務省令で定める贈与時特例受贈株式等の数又は金額が増加又は減少をしている事由）

(24)　(23)の（一）のロ、（二）のロ、（三）のロ、（四）のロ、（五）のロ、（六）のロ及び（七）のロに規定する財務省令で定める事由は、認定贈与承継会社が合併により消滅したこと若しくは株式交換等により他の会社の株式交換完全子会社等となったこと又は認定贈与承継会社に係る対象受贈非上場株式等について株式の併合若しくは分割若しくは株式無償割当てがあったこととする。（措規23の9⑬）

（政令で定める認定贈与承継会社の資産状況を確認する期間）

(25)　2の（八）に規定する政令で定める期間は、認定贈与承継会社の1の規定の適用に係る贈与の日の属する事業年度の直前の事業年度の開始の日から当該認定贈与承継会社に係る経営承継受贈者の2の（七）のロに規定する猶予中贈与税額に相当する贈与税の全部につき1、第五節及び第六節、第三節の2、第四節又は第九節の（４）の規定による納税の猶予に係る期限が確定する日までの期間とする。ただし、認定贈与承継会社の事業活動のために必要な資金の借入れを行ったことその他の（26）の財務省令で定める事由が生じたことにより当該期間内のいずれかの日において当該認定贈与承継会社に係る特定資産の割合（2の（八）のイ及びハに掲げる金額の合計額に対する同（八）のロ及びハに掲げる金額の合計額の割合をいう。）が100分の70以上となった場合には、当該事由が生じた日から同日以後6月を経過する日までの期間を除くものとする。（措令40の8⑲）

（財務省令で定める事由）

(26)　(25)のただし書に規定する財務省令で定める事由は、事業活動のために必要な資金を調達するための資金の借入れ、

－1118－

第一章　非上場株式等についての贈与税の納税猶予及び免除
（第一節　特例適用の要件）

その事業の用に供していた資産の譲渡又は当該資産について生じた損害に基因した保険金の取得その他事業活動上生じた偶発的な事由でこれらに類するものとする。（措規23の9⑭）

（財務省令で定める資産保有型会社の特定資産）

(27)　**2**の（八）のロに規定する財務省令で定める資産は、円滑化省令第1条第17項第2号イからホまでに掲げるものとする。（措規23の9⑮）

（合併前純資産額等の計算方法）

(28)　(23)の（二）のロ、（六）のロ及び（七）のロの純資産額は、それぞれ(23)の（二）のイの合併又は株式交換等、(23)の（六）のイの会社分割及び(23)の（七）のイの組織変更がその効力を生ずる日の属する年の前年12月31日における対象受贈非上場株式等に係る認定贈与承継会社の資産の額から負債の額を控除した残額とする。（措令40の8⑱）

（政令で定める特別の関係がある者の準用）

(29)　(15)の規定は、**2**の（八）のハ、第五節の**1**の（三）、第九節の（4）、第七節の**2**の（一）、（三）及び（四）、第八節の**4**の（一）並びに第九節の（2）に規定する政令で定める特別の関係がある者について準用する。（措令40の8⑳）

（剰余金の配当等の額その他会社から受けた金額として政令で定めるもの）

(30)　**2**の（八）のハに規定する剰余金の配当等の額その他会社から受けた金額として政令で定めるものは、次に掲げる金額の合計額とする。（措令40の8㉑）

(一)　同ハの会社から受けた当該会社の株式等に係る剰余金の配当又は利益の配当（最初の**1**の規定の適用に係る贈与の時（対象受贈非上場株式等に係る認定贈与承継会社の非上場株式等について、当該贈与の時前に第二章第一節の**1**《非上場株式等を相続等した場合の相続税の納税猶予及び免除》の規定の適用に係る相続又は遺贈により当該非上場株式等の取得をしている場合には、最初の同節の**1**の規定の適用に係る相続の開始の時。（二）及び第五節の**1**の（3）において同じ。）前に受けたものを除く。）の額

(二)　（一）の会社から支給された給与（債務の免除による利益その他の経済的な利益を含み、最初の**1**の規定の適用に係る贈与の時前に支給されたものを除く。）の額のうち、法人税法第34条又は第36条の規定により当該会社の各事業年度の所得の金額の計算上損金の額に算入されないこととなる金額

（認定贈与承継会社から支給された給与等の意義）

(31)　(30)の（二）に規定する「給与（債務の免除による利益その他の経済的な利益」とは、対象受贈非上場株式等に係る認定贈与承継会社（以下(31)において「**当該認定贈与承継会社**」という。）から対象受贈非上場株式等に係る経営承継受贈者及び当該経営承継受贈者と特別の関係がある者（（15）に規定する者をいう。）（以下(31)において「**当該経営承継受贈者等**」という。）に対し支給された給与（当該認定贈与承継会社の使用人としての給与を含む。）及び当該経営承継受贈者等に対しもたらされた経済的な利益（所得税法上経済的な利益として課税されないものを除き、当該認定贈与承継会社が例えば次に掲げる行為をした場合のように、その行為をしたことにより当該認定贈与承継会社から当該経営承継受贈者等に対し実質的に給与が支給されたと同様の経済的効果がもたらされる利益をいう。）をいい、明らかに株主等の地位に基づいて取得したと認められるもの及び香典又は災害等の見舞金など社交上の必要によるもので、その金額が社会的地位、当該認定贈与承継会社と当該経営承継受贈者等との関係等に照らし社会通念上相当と認められるものは除かれることに留意する。（措通70の7－11の2）

(一)　当該経営承継受贈者等に対して有する債権の放棄をし又は免除をした場合（貸倒れに該当する場合を除く。）

(二)　当該経営承継受贈者等に対して物品その他の資産の贈与をした場合

(三)　当該経営承継受贈者等に対して資産を低い価額で譲渡した場合

(四)　当該経営承継受贈者等から高い価額で資産を買い入れた場合

(五)　当該経営承継受贈者等から債務を無償で引き受けた場合

(六)　当該経営承継受贈者等に対してその居住の用に供する土地又は家屋を無償又は低い価額で提供した場合

(七)　当該経営承継受贈者等に対して金銭を無償又は通常の利率よりも低い利率で貸し付けた場合

(八)　当該経営承継受贈者等に対して無償又は低い対価で上記（六）及び（七）に掲げるもの以外の用役の提供をした場合

(九)　当該経営承継受贈者等に対して機密費、接待費、交際費、旅費等の名義で支給したもののうち、当該認定贈与承継会社の業務のために使用したことが明らかでないものがある場合

(十)　当該経営承継受贈者等のために個人的費用を負担した場合

－1119－

第七編　非上場株式等に係る相続税・贈与税の納税猶予及び免除

(十一)　当該経営承継受贈者等が社交団体等の会員となるため又は会員となっているために要する当該社交団体の入会金、経常会費その他当該社交団体の運営のために要する費用で当該経営承継受贈者等が負担すべきものを当該認定贈与承継会社が負担した場合

(十二)　当該認定贈与承継会社が当該経営承継受贈者等を被保険者及び保険受取人とする生命保険契約を締結してその保険料の額の全部又は一部を負担した場合

(納税猶予の対象とならない資産保有型会社又は資産運用型会社の意義)

(32)　**2**の(一)のロの要件を判定する場合において、**2**の(八)に規定する資産保有型会社に該当するかどうかの判定は、対象贈与の日の属する事業年度の直前の事業年度の開始の日から当該対象贈与に係る贈与税の申告期限までの間のいずれかの日において次の(一)に掲げる算式を満たすかどうかにより行い、**2**の(九)に規定する資産運用型会社に該当するかどうかの判定は、対象贈与の日の属する事業年度の直前の事業年度の開始の日から当該対象贈与に係る贈与税の申告期限までの間に終了するいずれかの事業年度において次の(二)に掲げる算式を満たすかどうかにより行うのであるが、これらの会社のうち(4)の(一)及び(二)の要件の全てに該当するものに係る非上場株式等が、**1**の適用対象とならないことに留意する。(措通70の7-11)

(一)　$\dfrac{B+C}{A+C} \geqq \dfrac{70}{100}$

(注)1　上記算式中の符号は次のとおり。
　　A＝当該いずれかの日における当該会社の総資産の貸借対照表に計上されている帳簿価額の総額
　　B＝当該いずれかの日における当該会社の特定資産(現金、預貯金その他の資産であって(27)に規定するものをいう。以下(32)において同じ。)の貸借対照表に計上されている帳簿価額の合計額
　　C＝当該いずれかの日以前5年以内において経営承継受贈者及び当該経営承継受贈者と特別の関係がある者((15)に規定する者をいう。)がその会社から受けた次のa及びbに掲げる額の合計額
　　　a　当該会社から受けた当該会社の株式等に係る剰余金の配当又は利益の配当(最初の対象贈与の時(対象受贈非上場株式等に係る認定贈与承継会社の非上場株式等について、当該対象贈与の時前に第二章第一節の**1**の規定の適用に係る相続又は遺贈により当該非上場株式等の取得をしている場合には、最初の同**1**の規定の適用に係る相続の開始の時。以下(32)において同じ。)前に受けたものを除く。)の額
　　　b　当該会社から支給された給与(債務の免除による利益その他の経済的な利益を含み、最初の対象贈与の時前に支給されたものを除く。)の額のうち、法人税法第34条《役員給与の損金不算入》又は第36条《過大な使用人給与の損金不算入》の規定により当該会社の各事業年度の所得の金額の計算上損金の額に算入されないこととなる金額
　　　(注)　**2**の(八)に規定する資産保有型会社に該当するかどうかの判定において、(30)の(二)に規定する法人税法第34条又は第36条の規定により当該会社の各事業年度の所得の金額の計算上損金の額に算入されないこととなる金額がある場合で、当該損金の額に算入されないこととなる金額が、最初の対象贈与の時前又は当該対象贈与の時以後のいずれに属するものか区分することができないときは、当該区分することができない金額を当該対象贈与の日の属する事業年度の開始の日から当該対象贈与の日の前日までの日数と当該対象贈与の日から当該事業年度の末日までの日数がそれぞれ当該事業年度の日数に占める割合によりあん分する。この場合において、あん分後の金額に1円未満の端数があるときは、その端数金額を切り捨てて差し支えない。
　　2　認定贈与承継会社の事業活動のために必要な資金の借入れを行ったことその他の(26)に規定する事由が生じたことにより、当該いずれかの日において当該認定贈与承継会社が上記算式を満たした場合には、当該事由が生じた日から同日以後6月を経過する日までの期間は、資産保有型会社の判定に係る上記の期間から除かれることに留意する。

(二)　$\dfrac{B}{A} \geqq \dfrac{75}{100}$

(注)1　上記算式中の符号は次のとおり。
　　A＝当該いずれかの事業年度における総収入金額
　　B＝当該いずれかの事業年度における特定資産の運用収入の合計額
　　2　認定贈与承継会社の事業活動のために必要な資金を調達するために特定資産を譲渡したことその他の(34)に規定する事由が生じたことにより、当該いずれかの事業年度において当該認定贈与承継会社が上記算式を満たした場合には、当該いずれかの事業年度の開始の日から当該いずれかの事業年度終了の日の翌日以後6月を経過する日の属する事業年度終了の日までの期間は、資産運用型会社の判定に係る上記の期間から除かれることに留意する。

(政令で定める期間)

(33)　**2**の(九)に規定する政令で定める期間は、認定贈与承継会社の**1**の規定の適用に係る贈与の日の属する事業年度の直前の事業年度の開始の日から当該認定贈与承継会社に係る経営承継受贈者の猶予中贈与税額に相当する贈与税の全部につき**1**又は第五節、第六節、第三節の**2**、第四節若しくは第九節の(4)の規定による納税の猶予に係る期限が確定する日までに終了する事業年度の末日までの期間とする。ただし、認定贈与承継会社の事業活動のために必要な資金を調達するために特定資産を譲渡したことその他の(34)の財務省令で定める事由が生じたことにより当該期間内に終了する

－1120－

第一章　非上場株式等についての贈与税の納税猶予及び免除
（第一節　特例適用の要件）

いずれかの事業年度における当該認定贈与承継会社に係る総収入金額に占める特定資産の運用収入の割合が100分の75
以上となった場合には、当該事業年度の開始の日から当該事業年度終了の日の翌日以後6月を経過する日の属する事業
年度終了の日までの期間を除くものとする。（措令40の8㉒）

　　（財務省令で定める事由）

(34)　(33)のただし書に規定する財務省令で定める事由は、事業活動のために必要な資金を調達するための2の(八)のロ
　　に規定する特定資産（第八節の2の(1)の(四)のイ、第二章第九節の2の(1)の(四)のイ及び同節の5の(7)の(一)の
　　イにおいて「特定資産」という。）の譲渡その他事業活動上生じた偶発的な事由でこれに類するものとする。（措規23の
　　9⑯）

3　納税猶予分の相続税額の計算

①　認定承継会社が1社である場合の納税猶予分の相続税額の計算

　　2の(五)に規定する納税猶予分の贈与税額に100円未満の端数があるとき、又はその全額が100円未満であるときは、そ
の端数金額又はその全額を切り捨てる。（措令40の8⑬）

②　認定承継会社が2社以上である場合の納税猶予分の相続税額の計算

　　1に規定する対象受贈非上場株式等を1の規定の適用を受ける経営承継受贈者に贈与（贈与をした者の死亡により効力
を生ずる贈与を除く。以下第七編までにおいて同じ。）をした贈与者又は当該対象受贈非上場株式等に係る認定贈与承継会
社が二以上ある場合における納税猶予分の贈与税額の計算においては、次の(一)又は(二)に掲げる場合の区分に応じ当該
(一)又は(二)に定める額を当該経営承継受贈者に係るその年分の贈与税の課税価格とみなす。（措令40の8⑭）
(一)　(二)に掲げる場合以外の場合　　当該対象受贈非上場株式等に係る経営承継受贈者がその年中において1の規定の
　　適用に係る贈与により取得をした全ての認定贈与承継会社の対象受贈非上場株式等の価額（2の(五)のイに規定する対
　　象受贈非上場株式等の価額をいう。(二)及び(1)において同じ。）の合計額
(二)　当該対象受贈非上場株式等が第三編第一章第一節の二の(1)の規定の適用を受けるものである場合　　当該対象受
　　贈非上場株式等に係る経営承継受贈者がその年中において1の規定の適用に係る贈与により取得をした全ての認定贈与
　　承継会社の対象受贈非上場株式等の価額を特定贈与者（第三編第一節の二の(2)に規定する特定贈与者をいう。）ごとに
　　合計した額（(1)の(二)のロにおいて「特定贈与者ごとの贈与税の課税価格」という。）のそれぞれの額

　　（贈与者及び認定贈与承継会社の異なるものごとの納税猶予分の贈与税額の計算）

(1)　②の場合において、1に規定する対象受贈非上場株式等に係る贈与者及び認定贈与承継会社の異なるものごとの納
　　税猶予分の贈与税額は、次の(一)又は(二)に掲げる場合の区分に応じ当該(一)又は(二)に定める金額とする。この場合
　　において、当該金額に100円未満の端数があるとき、又はその全額が100円未満であるときは、その端数金額又はその全
　　額を切り捨てる。（措令40の8⑮）
(一)　②の(一)に掲げる場合　　イに掲げる金額にロに掲げる割合を乗じて計算した金額
　イ　②（(一)に係る部分に限る。）の規定を適用して計算した納税猶予分の贈与税額
　ロ　1に規定する対象受贈非上場株式等に係る贈与者及び認定贈与承継会社の異なるものごとの対象受贈非上場株式
　　　等の価額が②の(一)に定めるその年分の贈与税の課税価格に占める割合
(二)　②の(二)に掲げる場合　　イに掲げる金額にロに掲げる割合を乗じて計算した金額
　イ　②（(二)に係る部分に限る。）の規定を適用して計算した納税猶予分の贈与税額
　ロ　1に規定する対象受贈非上場株式等に係る贈与者及び認定贈与承継会社の異なるものごとの対象受贈非上場株式
　　　等の価額が特定贈与者ごとの贈与税の課税価格に占める割合

　　（贈与者及び認定贈与承継会社の異なるものごとの適用）

(2)　②の場合において、第二節の2、第三節の2、第四節、第五節の1、同節の2、第六節、第七節の1、同節の2、
　　同節の3、第九節の(4)の規定は、1に規定する対象受贈非上場株式等（合併により当該対象受贈非上場株式等に係る
　　認定贈与承継会社が消滅した場合その他の(3)の財務省令で定める場合には、当該対象受贈非上場株式等に相当するも
　　のとして(3)の財務省令で定めるもの。）に係る贈与者及び認定贈与承継会社の異なるものごとに適用するものとする。
　　（措令40の8⑯）

－1121－

第七編　非上場株式等に係る相続税・贈与税の納税猶予及び免除

（財務省令で定める認定贈与承継会社が消滅した場合）

（３）　第五節の**1**《経営贈与承継期間内の納税猶予の打切り》及び（２）に規定する財務省令で定める場合は次の（一）から（三）に掲げる場合とし、これらの規定に規定する対象受贈非上場株式等に相当するものとして財務省令で定めるものは当該（一）から（三）に掲げる場合の区分に応じ当該（一）から（三）に定める株式等（株式又は出資をいい、議決権に制限のないものに限る。以下（３）において同じ。）とする。（措規23の9⑫）

（一）　認定贈与承継会社が合併により消滅した場合　　当該合併により経営承継受贈者が取得をした当該合併により存続する会社又は設立する会社の株式等

（二）　認定贈与承継会社が株式交換等により他の会社の株式交換完全子会社等となった場合　　経営承継受贈者が取得をした当該他の会社の株式等

（三）　認定贈与承継会社が株式の併合若しくは分割又は株式無償割当てをした場合　　当該認定贈与承継会社に係る対象受贈非上場株式等及び当該株式の併合若しくは分割又は株式無償割当てにより経営承継受贈者が取得をした当該対象受贈非上場株式等に対応する株式

（認定贈与承継会社等が外国会社、上場会社又は医療法人の株式等を有する場合の納税猶予分の贈与税額の計算の基となる対象受贈非上場株式等の価額）

（４）　対象受贈非上場株式等について**1**の規定の適用を受ける場合において、贈与の時に、対象受贈非上場株式等に係る認定贈与承継会社又は当該認定贈与承継会社の特別関係会社（**2**の（６）の特別の関係がある会社をいう。以下（５）までにおいて同じ。）であって当該認定贈与承継会社との間に**2**の（一）のホに規定する支配関係（以下第三章二節の**2**の（11）までにおいて「支配関係」という。）がある法人（以下（５）までにおいて「特別支配関係法人」という。）が会社法第2条第2号に規定する外国会社（当該認定贈与承継会社の特別関係会社に該当するものに限る。）、**2**の（21）の（一）に掲げる法人（当該認定贈与承継会社が**2**の（八）に規定する資産保有型会社又は同（九）に規定する資産運用型会社（以下「資産保有型会社等」という。）に該当する場合に限る。）又は**2**の（21）の（二）に掲げる医療法人（以下（５）までにおいて「外国会社等」という。）の株式等（投資信託及び投資法人に関する法律（昭和26年法律第198号）第2条第14項に規定する投資口を含む。）を有するときにおける**2**の（五）に規定する納税猶予分の贈与税額（以下第三章第一節の**1**の（２）までにおいて「**納税猶予分の贈与税額**」という。）の計算の基となる当該対象受贈非上場株式等の価額は、当該認定贈与承継会社又は当該認定贈与承継会社の特別支配関係法人の株式等の価額の計算において適用する評価基本通達の定めを基礎とし、次に掲げる場合の区分により計算した価額となることに留意する。

この場合において、「当該外国会社等の株式等を有していなかったものとして計算した」価額とは、当該対象受贈非上場株式等の価額を評価基本通達の定めにより計算した価額を基礎とし、当該認定贈与承継会社又は当該認定贈与承継会社の特別支配関係法人が有していなかったものとされる外国会社等の株式等の価額及び当該外国会社等から受けた配当金に相当する金額を除外したところで計算した場合の当該株式等の価額とする。（措通70の7－14）

（一）　当該認定贈与承継会社が外国会社等の株式等を有する場合

当該認定贈与承継会社が当該外国会社等の株式等を有していなかったものとして計算した価額

（注）　上記価額の計算に当たっては、当該外国会社等との間に支配関係がある他の外国会社等の株式等について考慮する必要がないことに留意する。

（二）　当該認定贈与承継会社の特別支配関係法人が外国会社等の株式等を有する場合（当該特別支配関係法人が上記（一）の認定贈与承継会社が有する株式等に係る外国会社等である場合を除く。）

当該特別支配関係法人が当該外国会社等の株式等を有していなかったものとして計算した当該特別支配関係法人の株式等の価額を基に当該認定贈与承継会社の株式等の価額を計算して得た価額

（注）　上記価額の計算に当たっては、当該外国会社等との間に支配関係がある他の外国会社等の株式等について考慮する必要がないことに留意する。

（対象受贈非上場株式等に係る贈与者又は認定贈与承継会社が二以上ある場合の納税猶予分の贈与税額の計算）

（５）　対象受贈非上場株式等を**1**の適用を受ける経営承継受贈者に贈与をした**1**に規定する贈与者又は対象受贈非上場株式等に係る認定贈与承継会社が二以上ある場合における納税猶予分の贈与税額の計算は、次の順により行うことに留意する。（措通70の7－14の2）

（一）　次に掲げる場合の区分に応じ、それぞれに掲げる額を当該経営承継受贈者に係るその年分の贈与税の課税価格とみなして、**2**の（五）の規定により計算する（①の規定による100円未満の端数処理は行わない。）。

イ　ロに掲げる場合以外の場合　　当該対象受贈非上場株式等に係る経営承継受贈者がその年中において対象贈与により取得をした全ての認定贈与承継会社の特例受贈非上場株式等の価額の合計額

－1122－

第一章　非上場株式等についての贈与税の納税猶予及び免除
(第一節　特例適用の要件)

　　ロ　当該対象受贈非上場株式等が第三編第一章第一節の**二**の（１）《相続時精算課税選択届出書に係る贈与財産の税額
　　　の計算》（同第一節の**三**《相続時精算課税適用者の特例》、第六編第一章第八節《個人の事業用資産についての贈与
　　　税の納税猶予及び免除に係る相続時精算課税適用者の特例》（第四章第九節において準用する場合を含む。）又は第
　　　三編第二章の**１**《住宅取得等資金の贈与を受けた場合の相続時精算課税の特例》において準用する場合を含む。）の
　　　規定の適用を受けるものである場合　当該対象受贈非上場株式等に係る経営承継受贈者がその年中において対象贈
　　　与により取得をした全ての認定贈与承継会社の対象受贈非上場株式等の価額を特定贈与者ごとに合計した額のそれ
　　　ぞれの額

　（注）１　贈与の時において、対象受贈非上場株式等に係る認定贈与承継会社又は当該認定贈与承継会社の特別支配関係法人が外国会社等の株式
　　　　　等を有する場合の納税猶予分の贈与税額の計算の基となる当該対象受贈非上場株式等の価額については、（４）の取扱いによることに留意
　　　　　する。

　　　　　２　その年中において特定贈与者から当該対象受贈非上場株式等以外の財産の贈与がある場合における当該対象受贈非上場株式等の価額か
　　　　　ら控除される相続時精算課税に係る基礎控除の額は、その年中において対象贈与により取得をした当該対象受贈非上場株式等の価額を基
　　　　　礎として計算した金額ではなく、その年分の贈与税の課税価格（当該対象受贈非上場株式等の価額及び当該対象受贈非上場株式等以外の
　　　　　財産の価額の合計額）を基礎として計算した金額となることに留意する。

（二）　（１）の規定により、当該対象受贈非上場株式等の上記（一）のイ及びロに掲げる場合の区分に応じ、当該対象受贈
　　　非上場株式等に係る贈与者及び認定贈与承継会社の異なるものごとの納税猶予分の贈与税額を計算する（（１）の規定
　　　による100円未満の端数処理を行う。）。

（三）　上記（二）により算出されたそれぞれの納税猶予分の贈与税額の合計額が当該経営承継受贈者に係る納税猶予分の
　　　贈与税額となる。

　　　（２以上の認定贈与承継会社がある場合等の担保の取扱い）

（６）　対象受贈非上場株式等に係る贈与者又は認定贈与承継会社が二以上ある場合、**１**に係る担保の提供手続き、第二節
　　　の**２**に係るみなす充足の取扱い、第四節に係る納税猶予の期限の繰り上げの取扱いに当たっては、贈与者又は認定贈与
　　　承継会社の異なるものごとの納税猶予分の贈与税額にそれぞれの規定を適用することに留意する。（措通70の７－44）

－1123－

第二節　適用を受けるための手続

1　申告手続

　第一節の1の規定は、同1の規定の適用を受けようとする経営承継受贈者のその贈与者から贈与により取得をした非上場株式等に係る贈与税の申告書に、当該非上場株式等の全部若しくは一部につき同1の規定の適用を受けようとする旨の記載がない場合又は当該非上場株式等の明細及び納税猶予分の贈与税額の計算に関する明細その他（1）の財務省令で定める事項を記載した書類の添付がない場合には、適用しない。（措法70の7⑧）

　　（財務省令で定める添付書類に記載する事項）
（1）　1に規定する財務省令で定める事項を記載した書類は、次に掲げる書類とする。（措規23の9㉔）
　（一）　第一節の1の規定の適用に係る贈与の時における認定贈与承継会社の定款の写し（会社法その他の法律の規定により定款の変更をしたものとみなされる事項がある場合にあっては、当該事項を記載した書面を含む。以下において同じ。）
　（二）　（一）の贈与の直前及び当該贈与の時における認定贈与承継会社の株主名簿の写しその他の書類で当該認定贈与承継会社の全ての株主又は社員の氏名又は名称及び住所又は所在地並びにこれらの者が有する当該認定贈与承継会社の株式等に係る議決権の数が確認できるもの（当該認定贈与承継会社が証明したものに限る。）
　（三）　（一）の贈与に係る契約書の写しその他の当該贈与の事実を明らかにする書類
　（四）　円滑化省令第7条第14項の認定書（円滑化省令第6条第1項第7号又は第9号の事由に係るものに限る。）の写し及び円滑化省令第7条第2項（同条第4項において準用する場合を含む。以下（四）において同じ。）の申請書の写し（同条第2項の規定に基づき都道府県知事に提出されたものであって、第一節の2の（三）のイからトまでに掲げる要件の全てを満たす者が二以上ある場合には、認定贈与承継会社が定めた一の者の記載があるものに限る。）
　（五）　対象受贈非上場株式等の全部又は一部が第一節の1に規定する贈与者の第七節の1（（三）に係る部分に限り、第四章第六節の1において準用する場合を含む。）の規定の適用に係る贈与（第三節の1の（4）の（六）及び第七節の1の（2）の（十一）において「**免除対象贈与**」という。）により取得をしたものである場合にあっては、第一節の1の（7）に掲げる場合の区分に応じそれぞれに定める者に当該対象受贈非上場株式等の贈与をした者ごとの当該対象受贈非上場株式等の数又は金額の内訳及び当該贈与をした年月日（以下本章において「**対象受贈非上場株式等の内訳等**」という。）を記載した書類
　（六）　第九節の（2）に規定する現物出資等資産に該当するものがある場合にあっては、同（2）の（一）及び（二）に掲げる額並びに当該現物出資等資産の明細並びにその現物出資又は贈与をした者の氏名又は名称その他参考となるべき事項を記載した書類（当該現物出資等資産の取得をした認定贈与承継会社が証明したものに限る。）
　（七）　その他参考となるべき書類

　　（対象贈与に係る贈与者が贈与税の申告期限前に死亡した場合）
（2）　対象贈与に係る贈与者が、当該特例対象贈与に係る贈与税の申告書の提出期限前に、かつ、受贈者による当該申告書の提出前に死亡した場合（（6）及び（7）に掲げる場合を除く。）における第一節の1の規定の適用については、次に掲げることに留意する。（措通70の7－3）
　（一）　贈与者が対象贈与をした日の属する年に死亡した場合
　　イ　受贈者がロ以外の者である場合
　　　（イ）　受贈者が贈与者の死亡に係る相続又は遺贈により財産を取得したとき
　　　　　当該対象贈与により取得をした認定贈与承継会社の非上場株式等については、第二編第四章の4《相続開始の年に被相続人から贈与を受けた財産の除外》の規定に該当する場合には贈与税の課税価格の計算の基礎に算入されないので、第一節の1の規定の適用はない。
　　　　（注）　上記の場合、贈与者の死亡に係る相続税については、当該非上場株式等は、第二章第一節の1の（7）の規定により受贈者が贈与者から相続又は遺贈により取得をしたものとみなされることから、同（7）の規定により読み替えられた第二章第一節の1の規定の適用に係る要件を満たしている場合には、同1の規定の適用を受けることができることに留意する。
　　　（ロ）　受贈者が贈与者の死亡に係る相続又は遺贈により財産を取得しなかったとき
　　　　　受贈者が、当該対象贈与により取得をした認定贈与承継会社の非上場株式等について第一節の1の規定の適用

－1124－

第一章　非上場株式等についての贈与税の納税猶予及び免除
（第二節　適用を受けるための手続）

を受ける旨の贈与税の申告書を提出したとき（同1の規定の適用に係る要件を満たしている場合に限る。）は、当
該申告書は、同1の規定の適用のある申告書となることに留意する。

　　　この場合において、同1の規定による贈与税の納税猶予の適用要件のうち担保の提供については、その提供を
要しないものとし、第七節の1の規定による贈与税の免除の規定の適用に当たっては、当該申告書の提出があっ
た時に免除の効果が生ずるものとして取り扱う。

　ロ　受贈者が贈与者に係る相続時精算課税適用者（相続時精算課税の適用を受けようとする者を含む。）である場合

　　　当該対象贈与により取得をした認定贈与承継会社の非上場株式等については、贈与税の課税価格の計算の基礎に
算入されるが、第三編第一章第五節の一の（3）の規定により贈与税の申告は不要のため第一節の1の規定の適用は
ない。

　　（注）　上記の場合、贈与者の死亡に係る相続税については、当該非上場株式等は、第二章第一節の1の（7）の規定により受贈者が贈与者から
　　　　　相続又は遺贈により取得をしたものとみなされることから、同（7）の規定により読み替えられた第二章第一節の1の規定の適用に係る要
　　　　　件を満たしている場合には、同1の規定の適用を受けることができることに留意する。

（二）　贈与者が対象贈与をした日の属する年の翌年に死亡した場合

　　　上記（一）のイ（ロ）を準用する。

（対象贈与に係る受贈者が贈与税の申告期限前に死亡した場合）

（3）　対象贈与に係る受贈者が、当該対象贈与を受けた日の属する年の中途において死亡した場合又は当該象贈与に係る
贈与税の申告書の提出期限前に当該申告書を提出しないで死亡した場合において、当該受贈者の相続人（包括受遺者を
含む。）が当該受贈者の当該対象贈与に係る認定贈与承継会社の非上場株式等について第一節の1の規定の適用を受ける
旨の贈与税の申告書を提出したとき（同1の規定の適用に係る要件を満たしている場合に限る。）は、当該申告書は、同
1の規定の適用のある申告書として取り扱って差し支えない。

　　　この場合において、同1の規定による贈与税の納税猶予の適用要件のうち担保の提供については、その提供を要しな
いものとし、第七節の1の規定による贈与税の免除の規定の適用に当たっては、当該申告書の提出があった時に免除の
効果が生ずるものとして取り扱う。（措通70の7－4）

（申告期限前に全部確定事由が生じた場合）

（4）　対象贈与があった日の翌日から贈与税の申告書の提出期限までの間に、第五節の1の（一）から（十七）に掲げる場合
のいずれかに該当することとなった場合には、当該対象贈与に係る認定贈与承継会社の非上場株式等について第一節の
1の規定の適用を受けることができないことに留意する。（措通70の7－5）

（修正申告等に係る贈与税額の納税猶予）

（5）　第一節の1の規定は、対象受贈非上場株式等の贈与に係る贈与税についての期限後申告、修正申告又は更正に係る
税額について適用がないことに留意する。

　　　ただし、修正申告又は更正があった場合で、当該修正申告又は更正が期限内申告において同1の規定の適用を受けた
対象受贈非上場株式等の評価又は税額計算の誤りのみに基づいてされるときにおける当該修正申告又は更正により納付
すべき贈与税額（附帯税を除く。）については、当初から同1の規定の適用があることとして取り扱う。

　　　この場合において、当該修正申告又は更正により納税猶予を受ける贈与税の本税の額と当該本税に係る利子税の額に
相当する担保については、当該修正申告書の提出の日又は当該更正に係る通知書が発せられた日の翌日から起算して1
月を経過する日までに提供しなければならないこととして取り扱う。（措通70の7－6）

（対象贈与に係る贈与者の前の贈与者が贈与税の申告期限前に死亡した場合）

（6）　第一節の1の規定の適用を受けようとする経営承継受贈者に係る贈与者の前の贈与者が、対象贈与に係る贈与税の
申告書の提出期限前に、かつ、経営承継受贈者による当該申告書の提出前に死亡した場合における同1の規定の適用に
ついては、当該経営承継受贈者が、当該対象贈与により取得をした認定贈与承継会社の非上場株式等について同1の規
定の適用を受ける旨の贈与税の申告書を提出したとき（同1の規定の適用に係る要件を満たしている場合に限る。）は、
当該申告書は、同1の規定の適用のある申告書となることに留意する。

　　　この場合において、同1の規定による贈与税の納税猶予の適用要件のうち担保の提供については、その提供を要しな
いものとし、第七節の1（（三）に係る部分に限り、第四章第六節の1において準用する場合を含む。）の規定による贈与
税の免除の規定の適用に当たっては、当該申告書の提出があった時に免除の効果が生ずるものとして取り扱う。（措通70
の7－3の2）

－1125－

第七編　非上場株式等に係る相続税・贈与税の納税猶予及び免除

（注）　「前の贈与者」とは、次に掲げる場合の区分に応じそれぞれに定める者に当該認定贈与承継会社の非上場株式等の贈与をした者をいう。

イ　贈与者に対する第一節の1又は第四章第一節の1の規定の適用に係る贈与が、当該贈与をした者の第七節の1（（三）に係る部分に限り、第四章第六節の1において準用する場合を含む。）の規定の適用に係るもの（以下このイ及び第九節の(15)において「**免除対象贈与**」という。）である場合　対象受贈非上場株式等に係る認定贈与承継会社の非上場株式等の免除対象贈与をした者のうち最初に第一節の1又は第四章第一節の1の規定の適用を受けた者

ロ　イに掲げる場合以外の場合　贈与者

（第一節の1又は第四章第一節の1の規定の適用を受けている贈与者が贈与税の申告期限前に死亡した場合）

（7）　贈与者（第一節の1の規定の適用を受けている経営承継受贈者又は第四章第一節の1の規定の適用を受けている同節の2（六）に規定する特例経営承継受贈者に限る。）が、当該贈与者に係る対象受贈非上場株式等又は同節の1に規定する特例対象受贈非上場株式等の贈与（当該贈与者の第七節の1の(三)（第四章第六節の1において準用する場合を含む。）の規定の適用に係る贈与に限る。）の日の属する年に死亡した場合において、当該贈与に係る経営承継受贈者が第一節の1の規定の適用を受けるためには、同1に規定する贈与税の申告書の提出を要することに留意する。

なお、当該贈与者の相続の開始に係る相続税については、同1の規定の適用を受けた当該対象受贈非上場株式又は特例対象受贈非上場株式等には、第六節の(10)（第四章第五節の1の(4)において準用する場合を含む。）の規定により、第一編第四章第二節四の1、第三編第一章第三節一及び同節二の規定の適用がないことに留意する。（措通70の7－3の3）

2　担保の変更等

第一節の1の規定の適用を受けようとする経営承継受贈者が納税猶予分の贈与税額につき対象受贈非上場株式等の全てを担保として提供した場合には、当該対象受贈非上場株式等の価額の合計額が当該納税猶予分の贈与税額に満たないときであっても、同1の規定の適用については、当該納税猶予分の贈与税額に相当する担保が提供されたものとみなす。ただし、その後において、その提供された担保の全部又は一部につき変更があった場合その他の（1）の政令で定める場合に該当することとなった場合は、この限りでない。（措法70の7⑥）

（政令で定める提供された担保の全部又は一部につき変更があった場合）

（1）　2に規定する政令で定める場合は、次に掲げる場合とする。（措令40の8㉝）

（一）　2本文の規定により提供された担保の全部又は一部につき変更があった場合

（二）　2本文の規定により担保として提供された対象受贈非上場株式等に係る認定贈与承継会社が、当該対象受贈非上場株式等に係る株券を発行する旨の定款の定めを廃止する定款の変更をした場合（税務署長に対し書面によりその旨の通知があった場合において、当該定款の変更がその効力を生ずる日までに第一節の1の(3)に規定する方法により担保の提供が行われたときを除く。）

（三）　2本文の規定により担保として提供された対象受贈非上場株式等に係る認定承継会社（株券不発行会社であるものに限る。）が、当該対象受贈非上場株式等に係る株券を発行する旨の定款の定めを設ける定款の変更をした場合（税務署長に対し書面によりその旨の通知があった場合において、当該定款の変更がその効力を生ずる日までに国税通則法施行令第16条に定める手続により担保の提供が行われたときを除く。）

（みなす充足に該当しないこととなる事由）

（2）　（1）の（一）の「担保の全部又は一部につき変更があった場合」とは、例えば、次のようなものをいうことに留意する。（措通70の7－30）

（一）　担保として提供された対象受贈非上場株式等に係る認定贈与承継会社が合併により消滅した場合

（二）　担保として提供された対象受贈非上場株式等に係る認定贈与承継会社が株式交換等により他の会社の株式交換完全子会社等になった場合

（三）　担保として提供された対象受贈非上場株式等に係る認定贈与承継会社が組織変更した場合

（四）　担保として提供された対象受贈非上場株式等である株式の併合又は分割があった場合

（五）　担保として提供された対象受贈非上場株式等に係る認定贈与承継会社が会社法第185条《株式無償割当て》に規定する株式無償割当てをした場合

（六）　担保として提供された対象受贈非上場株式等に係る認定贈与承継会社の名称変更があったことその他の事由により担保として提供された当該対象受贈非上場株式等に係る株券の差替えの手続が必要となった場合

（七）　担保財産の変更等が行われたため、対象受贈非上場株式等の全てが担保として提供されていないこととなった場合

－1126－

第一章　非上場株式等についての贈与税の納税猶予及び免除
（第二節　適用を受けるための手続）

（八）　担保として提供された対象受贈非上場株式等について、第九節の（7）に掲げる要件に該当しないこととなった場合

　　（特定事由により担保の全部又は一部を解除することがやむを得ないと認められる場合）
（3）　対象受贈非上場株式等（**2**本文の規定により担保として提供されたものに限る。）に係る認定贈与承継会社について合併（合併により当該認定贈与承継会社が消滅する場合に限る。）、株式交換その他の事由（以下（3）及び（4）において「**特定事由**」という。）が生じ、又は生ずることが確実であると認められ、かつ、その提供された担保の全部又は一部を解除することがやむを得ないと認められる場合において、当該対象受贈非上場株式等に係る経営承継受贈者が当該特定事由が生じた後遅滞なく対象受贈非上場株式等の全部又は一部を再び担保として提供することが確実であると見込まれるときは、税務署長は、当該経営承継受贈者の申請に基づき、その提供された担保の全部又は一部を解除することができる。この場合において、**2**ただし書の規定の適用については、次に定めるところによる。（措令40の8㉞）
（一）　当該担保の解除は、なかったものとみなす。
（二）　当該経営承継受贈者が、対象受贈非上場株式等の全部又は一部について、当該特定事由が生じた日から2月を経過する日（当該経営承継受贈者が同日までに再び担保として提供することができないことにつき税務署長においてやむを得ない事情があると認める場合には、税務署長の指定する日）までに再び担保として提供しなかった場合には、同日において国税通則法第51条第1項の規定による命令に応じなかったものとみなす。

　　（申請書の提出）
（4）　（3）の申請は、特定事由が生じた日から1月を経過する日までに、（3）の対象受贈非上場株式等について（3）の規定の適用を受けようとする旨その他（5）の財務省令で定める事項を記載した申請書に（6）の財務省令で定める書類を添付したものをもってしなければならない。（措令40の8㉟）

　　（申請書の記載事項）
（5）　（4）に規定する財務省令で定める事項は、（3）の規定により担保の解除を受けようとする理由、当該担保の解除を受けようとする対象受贈非上場株式等の数又は金額及び（3）の特定事由が生じた日又は生ずると見込まれる日とする。（措規23の9㉒）

　　（申請書の添付書類）
（6）　（4）に規定する財務省令で定める書類は、次に掲げる書類とする。（措規23の9㉓）
（一）　（3）の規定の適用を受けようとする経営承継受贈者が（3）に規定する特定事由が生じた日から2月を経過する日までに対象受贈非上場株式等を再び担保として提供することを約する書類
（二）　合併契約書、株式交換契約書若しくは株式移転計画書の写し又は登記事項証明書その他の書類で（一）の特定事由が生じた日又は生ずると見込まれる日を明らかにする書類
（三）　その他参考となるべき書類

　　（担保の提供等）
（7）　第一節の**1**の規定による担保の提供については、国税通則法第50条から第54条までの規定の適用があることに留意する。（措通70の7－7）

　　（贈与税の額に相当する担保）
（8）　第一節の**1**に規定する「当該納税猶予分の贈与税額に相当する担保」とは、納税猶予に係る贈与税の本税の額と当該本税に係る納税猶予期間中の利子税の額との合計額に相当する担保をいうことに留意する。
　　なお、この場合の当該本税に係る猶予期間中の利子税の額は、同**1**の規定の適用に係る贈与税の申告書の提出期限における贈与者の平均余命年数を納税猶予期間として計算した額によるものとして取り扱うことに留意する。（措通70の7－8）
　　（注）　上記平均余命年数は、第九編第十一章第一節の①の（8）《定期金給付契約の目的とされた者に係る平均余命》に定める平均余命によることに留意する。

　　（持分会社の持分等が担保提供された場合）
（9）　**2**本文により認定贈与承継会社（持分会社又は株券不発行会社（会社法第117条第6項《株式の価格の決定等》に規

－1127－

第七編　非上場株式等に係る相続税・贈与税の納税猶予及び免除

定する株券発行会社（以下「**株券発行会社**」という。）以外の株式会社をいう。以下同じ。）に限る。）の持分又は株式を担保として提供を受け質権を設定した場合には、納税猶予期間中においては、当該持分又は株式から生じる配当その他の利益処分については、税務署長はその支払又は引渡し等を受けないことに留意する。（措通70の7－9）

　　　（担保財産の変更等が行われた場合のみなす充足）
(10)　**2**本文の規定は、第一節の**1**の規定の適用を受けようとする場合に対象受贈非上場株式等の全てを担保として提供したときに適用されるものであることから、同**1**の規定の適用を受けるに当たり対象受贈非上場株式等以外の財産を担保として提供したこと等により**2**本文の規定が適用されなかった場合又は**2**本文の規定が適用されたものの担保の全部若しくは一部につき変更があったため**2**ただし書に該当した場合には、その後に担保財産の変更を行った結果、対象受贈非上場株式等の全てを担保提供している状況が生じても、その時点から**2**本文の規定が適用されるものではないことに留意する。
　　　ただし、**2**本文の規定が適用されたものの担保の全部又は一部につき変更があったため**2**ただし書に該当した場合であっても、担保として提供している対象受贈非上場株式等について（3）に規定する特定事由が生じた又は生じることが確実と認められるため、（3）の規定に基づき、当該対象受贈非上場株式等に対応するものとして新たに取得した対象受贈非上場株式等の全部が担保として提供されたときには、（3）の（一）の規定により当該担保の解除はなかったものとみなすことから、**2**本文の規定が継続して適用されることに留意する。（措通70の7－31）

　　　（譲渡制限株式の担保の取扱い）
(11)　対象受贈非上場株式等の全てが担保として提供される場合には、当該対象受贈非上場株式等が会社法第107条第1項第1号《株式の内容についての特別の定め》又は同法第108条第1項第4号《異なる種類の株式》の規定により譲渡に制限が付されているものであっても、**2**の規定により、納税猶予分の贈与税額に相当する担保が提供されたものとみなすことに留意する。（措通70の7－32）

　　　（特定事由）
(12)　（3）に規定する「特定事由」とは、（2）の（一）から（六）に掲げるようなものをいうことに留意する。（措通70の7－33）

－1128－

第三節　納税猶予期間中の継続届出書の提出

1　継続届出書の提出

　第一節の**1**の規定の適用を受ける経営承継受贈者は、同**1**の規定の適用に係る贈与の日の属する年分の贈与税の申告書の提出期限の翌日から猶予中贈与税額に相当する贈与税の全部につき同**1**、第五節及び第六節、第三節の**2**、第四節又は第九節の（４）の規定による納税の猶予に係る期限が確定する日までの間に経営贈与報告基準日が存する場合には、届出期限（第１種贈与基準日の翌日から５月を経過する日及び第２種贈与基準日の翌日から３月を経過する日をいう。**2**、**2**の（１）及び第五節の**3**の（１）において同じ。）までに、（１）の政令で定めるところにより引き続いて第一節の**1**の規定の適用を受けたい旨及び同**1**の対象受贈非上場株式等に係る認定贈与承継会社の経営に関する事項を記載した届出書を納税地の所轄税務署長に提出しなければならない。（措法70の7⑨）

　　（継続届出書の提出）
（１）　**1**の規定により提出する届出書には、引き続いて第一節の**1**の規定の適用を受けたい旨及び次に掲げる事項を記載し、かつ、（２）の財務省令で定める書類を添付しなければならない。（措令40の8㊱）
　（一）　経営承継受贈者の氏名及び住所
　（二）　贈与者から第一節の**1**の規定の適用に係る贈与により対象受贈非上場株式等の取得をした年月日
　（三）　対象受贈非上場株式等に係る認定贈与承継会社の名称及び本店の所在地
　（四）　当該届出書を提出する日の直前の第一節の**2**の（七）に規定する経営贈与報告基準日までに終了する各事業年度（当該経営贈与報告基準日の直前の経営贈与報告基準日及び第一節の**1**に規定する贈与税の申告書の提出期限までに終了する事業年度を除く。）における総収入金額
　（五）　その他（４）の財務省令で定める事項

　　（継続届出書の添付書類）
（２）　（１）に規定する財務省令で定める書類は、対象受贈非上場株式等に係る認定贈与承継会社に係る次に掲げる書類（その経営贈与報告基準日（第一節の**2**の（七）に規定する経営贈与報告基準日をいう。以下（２）において同じ。）が、第一節の**2**の（六）のイ又はロに掲げる日のいずれか早い日以前である場合には（二）に掲げる書類を除き、当該いずれか早い日の翌日以後である場合には（四）に掲げる書類を除く。）とする。（措規23の9㉕）
　（一）　その経営贈与報告基準日における定款の写し
　（二）　登記事項証明書（その経営贈与報告基準日以後に作成されたものに限る。）
　（三）　その経営贈与報告基準日における株主名簿の写しその他の書類で株主又は社員の氏名又は名称及び住所又は所在地並びにこれらの者が有する当該認定贈与承継会社の株式等に係る議決権の数が確認できる書類（当該認定贈与承継会社が証明したものに限る。）
　（四）　円滑化省令第12条第2項（同条第14項において準用する場合を含む。）の報告書の写し及び当該報告書に係る同条第37項の確認書の写し
　（五）　その経営贈与報告基準日（以下（五）及び（３）において「**報告基準日**」という。）の直前の経営贈与報告基準日（当該報告基準日が最初の経営贈与報告基準日である場合には、第一節の**1**の規定の適用に係る贈与の日の属する年分の第一節の**1**に規定する贈与税の申告書の提出期限（以下本章において「贈与税の申告書の提出期限」という。）。（３）において同じ。）の翌日から当該報告基準日までの間に会社分割又は組織変更があった場合には、当該会社分割に係る吸収分割契約書若しくは新設分割計画書の写し又は当該組織変更に係る組織変更計画書の写し
　（六）　その他参考となるべき書類

　　（合併又は株式交換等があった場合の添付書類の追加）
（３）　第一節の**1**の規定の適用を受ける経営承継受贈者は、その有する対象受贈非上場株式等に係る認定贈与承継会社について報告基準日の直前の経営贈与報告基準日の翌日から当該報告基準日までの間に合併又は株式交換等があった場合には、次に掲げる書類（第一節の**2**の（六）のイ又はロに掲げる日のいずれか早い日までに合併又は株式交換等があった場合には(一)に掲げる書類を除き、当該いずれか早い日の翌日以後に合併又は株式交換等があった場合には、（二）のロに掲げる書類を除く。）を（２）の書類と併せて（１）の届出書に添付しなければならない。（措規23の9㉖）

第七編　非上場株式等に係る相続税・贈与税の納税猶予及び免除

（一）　当該合併又は株式交換等に係る合併契約書又は株式交換契約書若しくは株式移転計画書の写し
（二）　次に掲げる書類（当該合併又は株式移転により合併承継会社又は交換等承継会社が設立される場合には、当該合併又は株式移転がその効力を生ずる日の直前に係るものを除く。）
　イ　当該合併又は株式交換等がその効力を生ずる日における当該合併承継会社又は交換等承継会社の株主名簿その他の書類で当該合併承継会社又は交換等承継会社の全ての株主又は社員の氏名又は名称及び住所又は所在地並びにこれらの者が有する当該認定贈与承継会社の株式等に係る議決権の数が確認できる書類（当該合併承継会社又は交換等承継会社が証明したものに限る。）
　ロ　当該合併又は株式交換等に係る円滑化省令第12条第9項又は第10項（これらの規定を同条第18項において準用する場合を含む。）の報告書の写し及び当該報告書に係る同条第37項の確認書の写し

（継続届出書の記載事項）
（4）　（1）の（五）に規定する財務省令で定める事項は、次に掲げる事項とする。（措規23の9㉗）
（一）　その経営贈与報告基準日における第一節の2の（七）のロに規定する猶予中贈与税額
（二）　その経営贈与報告基準日において経営承継受贈者が有する対象受贈非上場株式等の数又は金額及び当該経営承継受贈者に係る贈与者の氏名
（三）　その経営贈与報告基準日が第一節の2の（六）のイ又はロに掲げる日のいずれか早い日の翌日以後である場合には、認定贈与承継会社に係る次に掲げる事項（当該経営贈与報告基準日（以下（4）及び（5）において「**報告基準日**」という。）の直前の経営贈与報告基準日の翌日から当該報告基準日までの間において、認定贈与承継会社が第一節の2の（八）に規定する資産保有型会社又は同2の（九）に規定する資産運用型会社（第七節の1の（2）の（八）において「**資産保有型会社等**」という。）であるとした場合に第五節の1の（9）の（二）のイからハまでに掲げる要件の全てを満たしているときは、その旨及びイに掲げる事項）
　イ　当該報告基準日の属する事業年度の直前の事業年度末における資本金の額及び準備金の額又は出資の総額
　ロ　当該報告基準日の属する事業年度の直前の事業年度末における第一節の2の（八）のイからハまでに掲げる額、これらの明細及び同（八）の割合
　ハ　当該報告基準日の属する事業年度の直前の事業年度における第一節の2の（九）の総収入金額、運用収入の合計額、これらの明細及び同（九）の割合
　ニ　当該報告基準日の直前の経営贈与報告基準日の翌日から当該報告基準日までの間に第一節の2の(25)のただし書又は同2の(33)ののただし書に規定する場合に該当することとなった場合には、次に掲げる事項
　　①　第一節の2の(25)のただし書又は同2の(33)のただし書に規定する事由の詳細及びこれらの事由の生じた年月日
　　②　第一節の2の(25)のただし書の割合を100分の70未満に減少させた事情又は同2の(33)のただし書の割合を100分の75未満に減少させた事情の詳細及びこれらの事情の生じた年月日又は事業年度
（四）　報告基準日の直前の経営贈与報告基準日（当該報告基準日が最初の経営贈与報告基準日である場合には、贈与税の申告書の提出期限。（五）及び（六）において同じ。）の翌日から当該報告基準日までの間に認定贈与承継会社が商号の変更をした場合、本店の所在地を変更した場合、合併により消滅した場合、株式交換等により他の会社の株式交換完全子会社等となった場合、会社分割をした場合、組織変更をした場合又は解散（会社法その他の法律の規定により解散をしたものとみなされる場合の当該解散を含む。）をした場合には、その旨
（五）　報告基準日の直前の経営贈与報告基準日の翌日から当該報告基準日までの間に経営承継受贈者につき第五節の2又は第六節の規定により納税の猶予に係る期限が確定した猶予中贈与税額がある場合には、第五節の2の表のそれぞれの左欄又は第六節の表のそれぞれの左欄のいずれの場合に該当したかの別及び該当した日並びに当該猶予中贈与税額及びその明細
（六）　報告基準日において経営承継受贈者が有する対象受贈非上場株式等の全部又は一部が贈与者の免除対象贈与により取得をしたものである場合（報告基準日の直前の経営贈与報告基準日の翌日から当該報告基準日までの間に対象受贈非上場株式等の内訳等につき変更があった場合に限る。）には、当該報告基準日における対象受贈非上場株式等の内訳等
（七）　第七節の3の規定の適用を受けた場合（報告基準日の直前の経営贈与報告基準日の翌日から当該報告基準日までの間に同3の（3）の規定による再計算免除贈与税の額の通知があった場合に限る。）には、同3の規定の適用を受けた旨、同3に規定する認可決定日並びに同3の（二）に掲げる金額及び同3に規定する再計算免除贈与税の額
（八）　その他参考となるべき事項

－1130－

第一章　非上場株式等についての贈与税の納税猶予及び免除
（第三節　納税猶予期間中の継続届出書の提出）

　　　（期間の末日が報告基準日後に到来する場合）
（5）　第一節の**2**の(25)のただし書又は同**2**の(33)のただし書に規定する期間の末日が報告基準日後に到来する場合には、**1**の届出書に（4）の（三）のニの②に掲げる事項を記載することを要しない。この場合において、経営承継受贈者は、当該期間の末日から２月を経過する日（同日が当該届出書に係る**1**に規定する届出期限前に到来する場合には、当該届出期限）までに次に掲げる事項を記載した書類を納税地の所轄税務署長に提出しなければならない。（措規23の9㉘）
　（一）　経営承継受贈者の氏名及び住所
　（二）　対象受贈非上場株式等に係る認定贈与承継会社の名称及び本店の所在地
　（三）　（4）の（三）のニの②に掲げる事項

　　　（継続届出書の提出期間）
（6）　**1**に規定する届出書は、特例対象贈与に係る第一節の**2**の（七）のイに規定する第１種贈与基準日の翌日から５月を経過するごとの日及び同（七）のロに規定する第２種贈与基準日の翌日から３月を経過するごとの日までに提出しなければならないのであるが、その提出期間は、それぞれ、当該第１種贈与基準日の翌日から当該５月を経過するごとの日までの期間及び当該第２種贈与基準日の翌日から当該３月を経過するごとの日までの期間として取り扱う。（措通70の7－35）
　　（注）1　上記の「第１種贈与基準日」とは、対象贈与の日の属する年分の贈与税の申告書の提出期限（経営承継受贈者が対象受贈非上場株式等に係る認定贈与承継会社の非上場株式等について第二章第一節の**1**の適用を受けている場合において、その適用に係る相続税の申告書の提出期限が当該贈与税の申告書の提出期限前であるときは、当該相続税の申告書の提出期限）の翌日から１年を経過するごとの日をいうことに留意する。
　　　　　2　上記の「第２種贈与基準日」とは、経営贈与承継期間の末日の翌日から３年を経過するごとの日をいうことに留意する。

2　継続届出書が提出されなかった場合

　1の届出書が届出期限までに納税地の所轄税務署長に提出されない場合には、当該届出期限における猶予中贈与税額に相当する贈与税については、第一節の**1**の規定にかかわらず、当該届出期限の翌日から２月を経過する日（当該届出期限の翌日から当該２月を経過する日までの間に当該贈与税に係る経営承継受贈者が死亡した場合には、当該経営承継受贈者の相続人が当該経営承継受贈者の死亡による相続の開始があったことを知った日の翌日から６月を経過する日）をもって同**1**の規定による納税の猶予に係る期限とする。（措法70の7⑪）

　　　（ゆうじょ規定）
（1）　**1**又は第七節の**1**の届出書が届出期限又は免除届出期限までに提出されなかった場合においても、これらの規定に規定する税務署長がこれらの期限内にその提出がなかったことについてやむを得ない事情があると認める場合において、（2）の政令で定めるところにより当該届出書が当該税務署長に提出されたときは、**2**又は第七節の**1**の規定の適用については、当該届出書がこれらの期限内に提出されたものとみなす。（措法70の7㉖）

　　　（（1）の場合の届出書の提出等）
（2）　（1）の規定により提出する**1**又は第七節の**1**の届出書には、**1**の（1）又は第七節の**1**の（1）に規定する事項のほか、当該届出書を**1**に規定する届出期限又は第七節の**1**に規定する免除届出期限までに提出することができなかった事情の詳細を記載し、かつ、**1**の（1）又は第七節の**1**の（1）に規定する財務省令で定める書類を添付しなければならない。（措令40の8㊽）

第七編　非上場株式等に係る相続税・贈与税の納税猶予及び免除

第四節　担保の変更の命令に応じない場合等の
　　　　納税猶予期限の繰上げ

　税務署長は、次に掲げる場合には、猶予中贈与税額に相当する贈与税に係る第一節の**1**の規定による納税の猶予に係る期限を繰り上げることができる。この場合においては、国税通則法第49条《納税の猶予の取消し》第2項及び第3項の規定を準用する。（措法70の7⑫）

（一）　第一節の**1**の規定の適用を受ける経営承継受贈者が同**1**に規定する担保について国税通則法第51条第1項の規定による命令に応じない場合

（二）　当該経営承継受贈者から提出された第三節の**1**の届出書に記載された事項と相違する事実が判明した場合

　　（増担保命令等に応じない場合の納税猶予の期限の繰上げ）

注　上記の規定により、増担保命令等に応じないため（第二節の**2**の（3）の（二）の規定により増担保命令等に応じなかったものとみなす場合を含む。）納税猶予の期限を繰り上げる場合には、担保不足に対応する納税猶予に係る税額だけでなく、猶予中贈与税額の全額について納税猶予の期限を繰り上げることに留意する。（措通70の7－36）

－1132－

第一章　非上場株式等についての贈与税の納税猶予及び免除
（第五節　経営贈与承継期間内の納税猶予の打切り）

第五節　経営贈与承継期間内の納税猶予の打切り

1　経営贈与承継期間内の納税猶予の打切り

　経営贈与承継期間内に第一節の1の規定の適用を受ける経営承継受贈者又は同1の対象受贈非上場株式等（合併により当該対象受贈非上場株式等に係る認定贈与承継会社が消滅した場合その他の第一節の3の②の（3）の財務省令で定める場合には、当該対象受贈非上場株式等に相当するものとして同（3）の財務省令で定めるもの。以下、本章において同じ。）に係る認定贈与承継会社について次の（一）から（十七）に掲げる場合のいずれかに該当することとなった場合には、同1の規定にかかわらず、当該（一）から（十七）に定める日から2月を経過する日（当該（一）から（十七）に定める日から当該2月を経過する日までの間に当該経営承継受贈者が死亡した場合には、当該経営承継受贈者の相続人（包括受遺者を含む。以下、本章において同じ。）が当該経営承継受贈者の死亡による相続の開始があったことを知った日の翌日から6月を経過する日）をもって同1の規定による納税の猶予に係る期限とする。（措法70の7③）

（一）　当該経営承継受贈者がその有する当該対象受贈非上場株式等に係る認定贈与承継会社の代表権を有しないこととなった場合（当該代表権を有しないこととなったことについて（1）の財務省令で定めるやむを得ない理由がある場合を除く。）　　その有しないこととなった日

（二）　従業員数確認期間（当該対象受贈非上場株式等に係る認定贈与承継会社の非上場株式等について第一節の1又は第二章第一節の1の規定の適用を受けるために提出する最初の贈与税の申告書又は同節の1に規定する相続税の申告書の提出期限の翌日から同日以後5年を経過する日（当該経営承継受贈者又は当該経営承継受贈者に係る贈与者が同日までに死亡した場合には、その死亡の日の前日）までの期間をいう。以下（二）及び第八節の1の（二）のイにおいて同じ。）内に存する各基準日（当該提出期限の翌日から1年を経過するごとの日をいう。以下（二）及び第八節の1の（二）のイにおいて同じ。）における当該対象受贈非上場株式等に係る認定贈与承継会社の常時使用従業員の数の合計を従業員数確認期間の末日において従業員数確認期間内に存する基準日数で除して計算した数が、当該常時使用従業員の雇用が確保されているものとして（3）の政令で定める数を下回る数となった場合（第一節の2の（六）のイ又はロに掲げる日のいずれか早い日までに当該経営承継受贈者に係る贈与者が死亡した場合において当該経営承継受贈者が当該対象受贈非上場株式等につき第三章第二節の1の規定の適用を受けるときを除く。）　　従業員数確認期間の末日

（三）　当該経営承継受贈者及び当該経営承継受贈者と第一節の2の（29）の政令で定める特別の関係がある者の有する議決権の数（当該対象受贈非上場株式等に係る認定贈与承継会社の非上場株式等に係るものに限る。）の合計が当該認定贈与承継会社の総株主等議決権数の100分の50以下となった場合（当該経営承継受贈者がその有する当該対象受贈非上場株式等に係る認定贈与承継会社の代表権を有しないこととなった場合（（一）に規定する財務省令で定めるやむを得ない理由がある場合に限る。2の表の（一）の左欄及び第七節1の（三）において同じ。）において、当該経営承継受贈者が当該対象受贈非上場株式等（当該対象受贈非上場株式等以外の当該認定贈与承継会社に係る対象受贈非上場株式等又は当該認定贈与承継会社に係る第二章第一節の1に規定する対象非上場株式等若しくは第三章第二節の1に規定する対象相続非上場株式等を含む。以下（三）、（五）及び（六）において「**適用対象非上場株式等**」という。）につき第一節の1又は第四章第一節の1の規定の適用に係る贈与（当該贈与と併せて行う当該適用対象非上場株式等の贈与を含む。2の表の（一）において同じ。）をしたときを除く。（四）及び（五）において同じ。）　　当該100分の50以下となった日

（四）　当該経営承継受贈者と（三）に規定する第一節の2の（29）の政令で定める特別の関係がある者のうちいずれかの者が、当該経営承継受贈者が有する当該対象受贈非上場株式等に係る認定贈与承継会社の非上場株式等に係る議決権の数を超える数の当該非上場株式等に係る議決権を有することとなった場合　　その有することとなった日

（五）　当該経営承継受贈者が適用対象非上場株式等の一部の譲渡又は贈与（以下、本章において「**譲渡等**」という。）をした場合　　当該譲渡等をした日

（六）　当該経営承継受贈者が適用対象非上場株式等の全部の譲渡等をした場合（適用対象非上場株式等に係る認定贈与承継会社が株式交換又は株式移転（以下、本章において「**株式交換等**」という。）により他の会社の株式交換完全子会社等（会社法第768条第1項第1号に規定する株式交換完全子会社又は同法第773条第1項第5号に規定する株式移転完全子会社をいう。以下、本章において同じ。）となった場合を除く。）　　当該譲渡等をした日

（七）　第六節の表の（五）の左欄又は同表の（六）の左欄に掲げる場合　　それぞれ同表の（五）の右欄又は同表の（六）の右欄に掲げる日

（八）　当該対象受贈非上場株式等に係る認定贈与承継会社が解散をした場合（合併により消滅する場合を除く。）又は会社法その他の法律の規定により解散をしたものとみなされた場合　　当該解散をした日又はそのみなされた解散の日

－1133－

第七編　非上場株式等に係る相続税・贈与税の納税猶予及び免除

（九）　当該対象受贈非上場株式等に係る認定贈与承継会社が資産保有型会社又は資産運用型会社のうち(9)の政令で定めるものに該当することとなった場合　　その該当することとなった日

（十）　当該対象受贈非上場株式等に係る認定贈与承継会社の事業年度における総収入金額（主たる事業活動から生ずる収入の額とされるべきものとして(11)の財務省令で定めるものに限る。）が零となった場合　　当該事業年度終了の日

（十一）　当該対象受贈非上場株式等に係る認定贈与承継会社が、会社法第447条第1項若しくは第626条第1項の規定により資本金の額の減少をした場合又は同法第448条第1項の規定により準備金の額の減少をした場合（同法第309条第2項第9号イ及びロに該当する場合その他これに類する場合として(12)の財務省令で定める場合を除く。）　　当該資本金の額の減少又は当該準備金の額の減少がその効力を生じた日

（十二）　当該経営承継受贈者が第一節の1の規定の適用を受けることをやめる旨を記載した届出書を納税地の所轄税務署長に提出した場合　　当該届出書の提出があった日

（十三）　当該対象受贈非上場株式等に係る認定贈与承継会社が合併により消滅した場合（当該合併により当該認定贈与承継会社に相当するものが存する場合として(15)の財務省令で定める場合（2の表の(二)の左欄において**「適格合併をした場合」**という。）を除く。）　　当該合併がその効力を生じた日

（十四）　当該対象受贈非上場株式等に係る認定贈与承継会社が株式交換等により他の会社の株式交換完全子会社等となった場合（当該株式交換等により当該認定贈与承継会社に相当するものが存する場合として(16)の財務省令で定める場合（2の表の(二)の左欄において**「適格交換等をした場合」**という。）を除く。）　　当該株式交換等がその効力を生じた日

（十五）　当該対象受贈非上場株式等に係る認定贈与承継会社の株式等が非上場株式等に該当しないこととなった場合　　その該当しないこととなった日

（十六）　当該対象受贈非上場株式等に係る認定贈与承継会社又は当該認定贈与承継会社の特定特別関係会社が風俗営業会社に該当することとなった場合　　その該当することとなった日

（十七）　(一)から(十六)に掲げる場合のほか、経営承継受贈者による対象受贈非上場株式等に係る認定贈与承継会社の円滑な事業の運営に支障を及ぼすおそれがある場合として(21)の政令で定める場合　　(21)の政令で定める日

　　　　（財務省令で定めるやむを得ない理由）
（1）　1の(一)に規定する財務省令で定めるやむを得ない理由は、経営承継受贈者が次に掲げる事由のいずれかに該当することとなったこととする。（措規23の9⑰）
　　（一）　精神保健及び精神障害者福祉に関する法律第45条第2項の規定により精神障害者保健福祉手帳（精神保健及び精神障害者福祉に関する法律施行令第6条第3項に規定する障害等級が1級である者として記載されているものに限る。）の交付を受けたこと。
　　（二）　身体障害者福祉法第15条第4項の規定により身体障害者手帳（身体上の障害の程度が1級又は2級である者として記載されているものに限る。）の交付を受けたこと。
　　（三）　介護保険法第19条第1項の規定による同項に規定する要介護認定（同項の要介護状態区分が要介護認定等に係る介護認定審査会による審査及び判定の基準等に関する省令第1条第1項第5号に掲げる区分に該当するものに限る。）を受けたこと。
　　（四）　(一)～(三)に掲げる事由に類すると認められること。

　　　　（代表権を有しないこととなった場合の意義）
（2）　1の(一)に掲げる「代表権を有しないこととなった場合」とは、次のいずれかをいうことに留意する。ただし、次のいずれかに該当する場合であっても(1)に掲げるいずれかの事由に該当するときは、1の(一)に掲げる「代表権を有しないこととなった場合」には該当しないことに留意する。（措通70の7－16）
　　（一）　経営承継受贈者が有していた制限のない代表権を有しないこととなった場合
　　（二）　経営承継受贈者が有していた制限のない代表権に制限が加えられた場合

　　　　（政令で定める常時使用従業員の数）
（3）　1の(二)に規定する政令で定める数は、認定贈与承継会社の最初の第一節の1の規定の適用に係る贈与の時における常時使用従業員（第一節の2の(一)のイに規定する常時使用従業員をいう。以下本章において同じ。）の数（当該贈与の時後に合併その他の(4)の財務省令で定める事由が生じたときは、常時使用従業員の数に相当するものとして(4)の財務省令で定める数。以下(3)において同じ。）に100分の80を乗じて計算した数（その数に1人未満の端数があるときは、これを切り捨てた数とし、当該贈与の時における常時使用従業員の数が1人のときは1人とする。）とする。（措令40の8㉓）

－1134－

第一章　非上場株式等についての贈与税の納税猶予及び免除
（第五節　経営贈与承継期間内の納税猶予の打切り）

（財務省令で定める合併その他の事由）

（４）　（３）に規定する財務省令で定める事由は次の（一）から（三）に掲げる事由とし、（３）に規定する財務省令で定める数は次の（一）から（三）に掲げる事由の区分に応じ次の（一）から（三）に定める数に調整割合（当該事由がその効力を生ずる日から１の（二）に規定する従業員数確認期間の末日までの間に存する同（二）に規定する基準日の数を当該従業員数確認期間内に存する基準日の数で除して得た割合をいう。）を乗じて計算した数と第一節の２の（30）の（一）に規定する最初の第一節の１の規定の適用に係る贈与の時における認定贈与承継会社の常時使用従業員（第一節の２の（一）のイに規定する常時使用従業員をいう。以下本章において同じ。）の数とを合計した数とする。（措規23の９⑱）

（一）　吸収合併（認定贈与承継会社が消滅する場合に限る。）　　当該吸収合併がその効力を生ずる直前における当該吸収合併により存続する会社及び当該吸収合併により消滅する会社（当該認定贈与承継会社を除く。）の常時使用従業員の数

（二）　新設合併　　当該新設合併がその効力を生ずる直前における当該新設合併により消滅する会社（当該認定贈与承継会社を除く。）の常時使用従業員の数

（三）　株式交換（認定贈与承継会社が株式交換完全子会社等となる場合に限る。）　　当該株式交換がその効力を生ずる直前における当該株式交換に係る交換等承継会社の常時使用従業員の数

（常時使用従業員の雇用が確保されていない場合）

（５）　１の（二）に規定する「常時使用従業員の雇用が確保されているものとして政令で定める数を下回る数となった場合」とは、従業員数確認期間内にある各基準日における対象受贈非上場株式等に係る認定贈与承継会社の常時使用従業員の数の合計を従業員数確認期間の末日において従業員数確認期間内にある基準日の数で除して計算した数が、最初の対象贈与の時（対象受贈非上場株式等に係る認定贈与承継会社の非上場株式等について、当該対象贈与の時前に第二章第一節の１の規定の適用に係る相続又は遺贈により当該非上場株式等の取得をしている場合には、最初の同１の規定の適用に係る相続の開始の時。以下（５）において同じ。）における常時使用従業員の数に100分の80を乗じて計算した数を下回る数となったことをいうことに留意する。（措通70の７－16の２）

（注）１　上記の「従業員数確認期間」とは、当該対象受贈非上場株式等に係る認定贈与承継会社の非上場株式等について第一節の１又は第二章第一節の１の規定の適用を受けるために提出する最初の贈与税の申告書又は相続税の申告書の提出期限の翌日から同日以後５年を経過する日（当該経営承継受贈者又は当該経営承継受贈者に係る贈与者が同日までに死亡した場合には、その死亡の日の前日）までの期間をいうことに留意する。

　　２　上記の「基準日」とは、上記１の提出期限の翌日から１年を経過するごとの日をいうことに留意する。

　　３　当該対象贈与の時後に（４）の（一）から（三）に掲げる事由が生じたときにおける上記の「対象贈与の時における常時使用従業員の数」は、（４）に定める数となることに留意する。

　　４　上記の「常時使用従業員の数に100分の80を乗じて計算した数」は、その数に１人未満の端数があるときはこれを切り捨てた数となり、当該対象贈与の時における常時使用従業員の数が１人のときは１人となることに留意する。

　　５　上記１の「最初の贈与税の申告書又は相続税の申告書の提出期限の翌日から同日以後５年を経過する日」までに当該経営承継受贈者に係る贈与者が死亡した場合において、当該経営承継受贈者が当該対象受贈非上場株式等につき第三章第二節の１《非上場株式等の贈与者が死亡した場合の相続税の納税猶予及び免除》の規定の適用を受けるときは、１の（二）の規定の適用はないことに留意する。

（対象受贈非上場株式等の譲渡等の判定）

（６）　１の（五）若しくは（六）、２の表の（一）又は第六節の表の（一）若しくは（二）の対象受贈非上場株式等の全部又は一部の１の（五）に規定する譲渡等があったかどうかの判定は、第六節の（８）及び（９）の規定により行うことに留意する。（措通70の７－17）

（注）　なお、対象受贈非上場株式等を第七節の１の（三）の規定による贈与をしたかどうかの判定についても上記により行うことに留意する。

（譲渡等をした日の意義）

（７）　１の（五）、（六）及び第六節の表の（二）の右欄の「当該譲渡等をした日」とは、当該譲渡等の効力が発生した日をいうのであるが、具体的には次に掲げる場合の区分に応じ次に定める日であることに留意する。（措通70の７－18）

（一）　株券発行会社の場合　　株券の交付を行った日

（二）　株券不発行会社の場合　　譲渡契約効力発生の日

（注）　ただし、株券不発行会社の株式について書面によらない贈与を行った場合には、株主名簿の名義変更の日とする。

（解散等をした場合等の意義）

（８）　１の（八）の「解散をした場合」とは、会社法第471条各号（同条第４号を除く。）又は第641条各号（同条第５号を除く。）《解散の事由》に掲げるいずれかの事由が生じた場合をいい、「解散をした日」とは、当該事由が生じた日をいうこ

－1135－

とに留意する。

　　また、1の(八)の「会社法の規定により解散をしたものとみなされた場合」とは、会社法第472条第１項《休眠会社の
みなし解散》の規定に該当する場合をいい、「そのみなされた解散の日」とは、1の「期間の満了の時」をいうことに留
意する。（措通70の７－19）

　　　（政令で定める資産保有型会社又は資産運用型会社）
（９）　1の(九)に規定する資産保有型会社又は資産運用型会社のうち政令で定めるものは、資産保有型会社等のうち、資
産保有型会社等に該当することとなった日（以下（９）において**該当日**という。）において、次に掲げる要件の全てに
該当するものとする。（措令40の８㉔）
　　（一）　当該資産保有型会社等の特定資産から当該資産保有型会社等が有する当該資産保有型会社等の特別関係会社（次
　　　に掲げる要件の全てを満たすものに限る。）の株式等を除いた場合であっても、当該資産保有型会社等が第一節の2の
　　　(八)に規定する資産保有型会社又は同2の(九)に規定する資産運用型会社に該当すること。
　　　イ　該当日において、当該特別関係会社が、商品の販売その他の業務で同2の(5)の財務省令で定めるものを行って
　　　　いること。
　　　ロ　該当日において、当該特別関係会社の親族外従業員の数が５人以上であること。
　　　ハ　該当日において、当該特別関係会社が、ロの親族外従業員が勤務している事務所、店舗、工場その他これらに類
　　　　するものを所有し、又は賃借していること。
　　（二）　当該資産保有型会社等が次に掲げる要件の全てを満たす第一節の2の(八)に規定する資産保有型会社又は同2の
　　　(九)に規定する資産運用型会社でないこと。
　　　イ　該当日において、当該資産保有型会社等が、商品の販売その他の業務で同2の(5)の財務省令で定めるものを行
　　　　っていること。
　　　ロ　該当日において、当該資産保有型会社等の親族外従業員の数が５人以上であること。
　　　ハ　該当日において、当該資産保有型会社等が、ロの親族外従業員が勤務している事務所、店舗、工場その他これら
　　　　に類するものを所有し、又は賃借していること。

　　　（確定事由となる資産保有型会社又は資産運用型会社の意義）
（10）　1の(九)の要件を判定する場合には、第一節の2の(32)を準用する。
　　　この場合において、同(32)中「対象贈与の日の属する事業年度の直前の事業年度の開始の日」とあるのは「贈与税の
申告期限の翌日」と、「贈与税の申告期限」とあるのは「第一節の2の(七)のロに規定する猶予中贈与税額に相当する贈
与税の全部につき納税の猶予に係る期限が確定する日」と、「(4)」とあるのは「第五節の1の(9)」となることに留意
する。（措通70の７－20）

　　　（主たる事業活動から生ずる収入の額とされるべきもの）
（11）　1の(十)及び第一節の2の(10)の(一)に規定する主たる事業活動から生ずる収入の額とされるべきものとして財務
省令で定めるものは、認定贈与承継会社の総収入金額のうち会社計算規則（平成18年法務省令第13号）第88条第１項第
４号に掲げる営業外収益及び同項第６号に掲げる特別利益以外のものとする。（措規23の９⑥）

　　　（財務省令で定める認定贈与承継会社が資本金等の減少をする場合）
（12）　1の(十一)に規定する財務省令で定める場合は、認定贈与承継会社が減少をする資本金の額の全部を準備金とする
場合又は減少をする準備金の額の全部を資本金とする場合若しくは会社法第449条第１項ただし書に該当する場合とす
る。（措規23の９⑲）

　　　（資本金等の額の減少がその効力を生じた日の意義）
（13）　1の(十一)の「資本金の額の減少又は当該準備金の額の減少がその効力を生じた日」とは、会社法第449条第６項又
は第627条第６項《債権者の異議》に定める日（同法第449条第６項ただし書の規定の適用がある場合には、同条第７項
の規定による変更した日）をいうことに留意する。（措通70の７－21）

　　　（経営承継受贈者が非上場株式等についての納税猶予の適用を取りやめる場合の期限）
（14）　1の(十二)の規定に該当することによる納税の猶予に係る期限は、第一節の1の規定の適用を受けている経営承継
受贈者から同1の規定の適用を受けることをやめる旨の届出書の提出があった日から２月を経過する日（当該届出書の

－1136－

第一章　非上場株式等についての贈与税の納税猶予及び免除
（第五節　経営贈与承継期間内の納税猶予の打切り）

提出があった日から当該2月を経過する日までの間に当該経営承継受贈者が死亡した場合には、当該経営承継受贈者の相続人（包括受遺者を含む。）が当該経営承継受贈者の死亡による相続の開始があったことを知った日の翌日から6月を経過する日）となることから、当該納税猶予に係る贈与税の額及び当該贈与税の額に係る利子税の額の納付の有無に関わらず、当該2月を経過する日に確定することに留意する。（措通70の7－22）

　　　（財務省令で定める適格合併をした場合）
(15)　1の(十三)に規定する財務省令で定める場合は、同(十三)の合併がその効力を生ずる日において次に掲げる要件の全てを満たしている場合とする。（措規23の9⑳）
　(一)　当該合併に係る合併承継会社が第一節の2の(一)のイからヘまでに掲げる要件を満たしていること。
　(二)　第一節の1の規定の適用を受ける経営承継受贈者が(一)の合併承継会社の代表権（制限が加えられた代表権を除く。以下、本章において同じ。）を有していること。
　(三)　(二)の経営承継受贈者及び当該経営承継受贈者と第一節の2の(三)のハに規定する特別の関係がある者の有する(一)の合併承継会社の非上場株式等（同2の(二)に規定する非上場株式等をいう。以下、本章において同じ。）に係る議決権の数の合計が、当該合併承継会社に係る同2の(三)のハに規定する総株主等議決権数（以下、本章において「**総株主等議決権数**」という。）の100分の50を超える数であること。
　(四)　(二)の経営承継受贈者が有する(一)の合併承継会社の非上場株式等に係る議決権の数が、当該経営承継受贈者と(三)に規定する特別の関係がある者のうちいずれの者が有する当該合併承継会社の非上場株式等に係る議決権の数をも下回らないこと。
　(五)　当該合併に際して(一)の合併承継会社が交付しなければならない株式及び出資以外の金銭その他の資産（剰余金の配当等（株式又は出資に係る剰余金の配当又は利益の配当をいう。(16)の(五)において同じ。）として交付される金銭その他の資産を除く。）の交付がされていないこと。

　　　（財務省令で定める適格交換等をした場合）
(16)　1の(十四)に規定する財務省令で定める場合は、同(十四)の株式交換等がその効力を生ずる日において次に掲げる要件の全てを満たしている場合とする。（措規23の9㉑）
　(一)　当該株式交換等に係る交換等承継会社が第一節の2の(一)のイからヘまでに掲げる要件を満たしていること。
　(二)　第一節の1の規定の適用を受ける経営承継受贈者が(一)の交換等承継会社及び1の(十四)の認定贈与承継会社の代表権を有していること。
　(三)　(二)の経営承継受贈者及び当該経営承継受贈者と第一節の2の(三)のハに規定する特別の関係がある者の有する(一)の交換等承継会社の非上場株式等に係る議決権の数の合計が、当該交換等承継会社に係る総株主等議決権数の100分の50を超える数であること。
　(四)　(二)の経営承継受贈者が有する(一)の交換等承継会社の非上場株式等に係る議決権の数が、当該経営承継受贈者と(三)に規定する特別の関係がある者のうちいずれの者が有する当該交換等承継会社の非上場株式等に係る議決権の数をも下回らないこと。
　(五)　当該株式交換等に際して(一)の交換等承継会社が交付しなければならない株式及び出資以外の金銭その他の資産（剰余金の配当等として交付される金銭その他の資産を除く。）の交付がされていないこと。

　　　（合併がその効力を生じた日の意義）
(17)　1の(十三)及び第六節の表の(三)の右欄並びに2の表の(二)の右欄「合併がその効力を生じた日」とは、吸収合併の場合には吸収合併契約において定めたその効力を生ずる日をいい、新設合併の場合には新設合併設立会社の成立の日（設立登記の日）をいうことに留意する。（措通70の7－23）

　　　（株式交換等がその効力を生じた日の意義）
(18)　1の(十四)及び第六節の表の(四)の右欄並びに2の表の(二)の右欄「株式交換等がその効力を生じた日」とは、株式交換の場合には株式交換契約において定めたその効力を生ずる日をいい、株式移転の場合には株式移転設立完全親会社の成立の日（設立登記の日）をいうことに留意する。（措通70の7－24）

　　　（非上場株式等に該当しないこととなった場合等の意義）
(19)　1の(十五)の「当該対象受贈非上場株式等に係る認定贈与承継会社の株式等が非上場株式等に該当しないこととなった場合」とは、次に掲げる場合をいい、「その該当しないこととなった日」とは、当該場合の区分に応じ次に定める日

－1137－

第七編　非上場株式等に係る相続税・贈与税の納税猶予及び免除

をいうことに留意する。（措通70の7－25）

（一）　第一節の2の(11)の(一)に規定する金融商品取引所（金融商品取引所に類するものであって外国に所在するものを含む。）への上場又は当該上場の申請がなされた場合　　当該上場の申請がなされた日（申請が不要の場合には、当該上場がなされた日）

（二）　第一節の2の(11)の(三)に規定する店頭売買有価証券登録原簿（店頭売買有価証券登録原簿に類するものであって外国に備えられているものを含む。）への登録若しくは当該登録の申請がなされた場合　　当該登録の申請がなされた日（申請が不要の場合には、当該登録がなされた日）

（注）　持分会社の出資の場合にも、上記に準ずることに留意する。

　　　（風俗営業会社に該当することとなった日の意義等）

(20)　1の(十六)に規定する「風俗営業会社」とは、風俗営業等の規制及び業務の適正化等に関する法律第2条第5項に規定する性風俗関連特殊営業に該当する事業を営む会社をいい、同(十六)の「その該当することとなった日」とは、同法第27条第1項、第31条の2第1項、第31条の7第1項、第31条の12第1項又は第31条の17第1項の届出書を提出した日とする。（措通70の7－26）

　　　（政令で定める認定贈与承継会社の円滑な事業の運営に支障を及ぼすおそれがある場合）

(21)　1の(十七)に規定する政令で定める場合は次の(一)から(四)に掲げる場合とし、同(十七)に規定する政令で定める日は(一)から(四)に掲げる場合の区分に応じ(一)から(四)に定める日とする。（措令40の8㉕）

（一）　対象受贈非上場株式等に係る認定贈与承継会社が発行する会社法第108条第1項第8号に掲げる事項についての定めがある種類の株式を当該認定贈与承継会社に係る経営承継受贈者以外の者が有することとなったとき　　その有することとなった日

（二）　対象受贈非上場株式等に係る認定贈与承継会社（株式会社であるものに限る。）が当該対象受贈非上場株式等の全部又は一部の種類を株主総会において議決権を行使することができる事項につき制限のある株式に変更した場合　　その変更した日

（三）　対象受贈非上場株式等に係る認定贈与承継会社（持分会社であるものに限る。）が定款の変更により当該認定贈与承継会社に係る経営承継受贈者が有する議決権の制限をした場合　　当該制限をした日

（四）　対象受贈非上場株式等に係る贈与者が当該対象受贈非上場株式等に係る認定贈与承継会社の代表権を有することとなった場合　　その有することとなった日

2　経営贈与承継期間内の納税猶予税額の一部確定

　経営贈与承継期間内に第一節の1の規定の適用を受ける経営承継受贈者又は同1の対象受贈非上場株式等に係る認定贈与承継会社について次の表の(一)及び(二)の左欄に掲げる場合に該当することとなった場合には、当該(一)及び(二)の中欄に掲げる金額に相当する贈与税については、同1の規定にかかわらず、当該(一)及び(二)の右欄に掲げる日から2月を経過する日（当該(一)及び(二)の右欄に掲げる日から当該2月を経過する日までの間に当該経営承継受贈者が死亡した場合には、当該経営承継受贈者の相続人が当該経営承継受贈者の死亡による相続の開始があったことを知った日の翌日から6月を経過する日）をもって同1の規定による納税の猶予に係る期限とする。（措法70の7④）

（一）　当該経営承継受贈者がその有する当該対象受贈非上場株式等に係る認定贈与承継会社の代表権を有しないこととなった場合において、当該経営承継受贈者が当該対象受贈非上場株式等の一部につき第一節の1又は第四章第一節の1の規定の適用に係る贈与をしたとき。	猶予中贈与税額のうち、当該贈与をした対象受贈非上場株式等の数又は金額に対応する部分の額として(1)の政令で定めるところにより計算した金額	当該贈与をした日
（二）　当該認定贈与承継会社が適格合併をした場合又は適格交換等をした場合において、当該対象受贈非上場株式等に係る経営承継受贈者が、当該適格合併をした場合における合併又は当該適格交換等をした場合における株式交換等に際して、吸収合併存続会社等（会社法第749条第1項に規定する吸収合併存続会社又は同法第753条第1項に規定する新設合併設立会社をいう。第六節の表の(三)の中欄及び第七節の2の(三)において同じ。）及び他の会社（当該認定贈	猶予中贈与税額のうち、当該金銭その他の資産の額に対応する部分の額として(2)の政令で定めるところにより計算した金額	当該合併又は当該株式交換等がその効力を生じた日

－1138－

第一章　非上場株式等についての贈与税の納税猶予及び免除
（第五節　経営贈与承継期間内の納税猶予の打切り）

| 与承継会社が株式交換等により他の会社の株式交換完全子会社等となった場合における当該他の会社をいう。）の株式等以外の金銭その他の資産の交付を受けたとき。 | | |

　　　（政令で定めるところにより計算した金額）
（１）　**2** の表の（一）の中欄に規定する政令で定めるところにより計算した金額は、同欄の贈与の直前における猶予中贈与税額に、当該贈与をした対象受贈非上場株式等の数又は金額が当該贈与の直前における当該対象受贈非上場株式等の数又は金額に占める割合を乗じて計算した金額とする。この場合において、当該計算した金額に100円未満の端数があるとき、又はその全額が100円未満であるときは、その端数金額又はその全額を切り捨てる。（措令40の8㉖）

　　　（政令で定める金銭その他の資産の額に対応する部分の額）
（２）　**2** の表の（二）の中欄に規定する政令で定めるところにより計算した金額は、認定贈与承継会社が適格合併をした場合における合併又は適格交換等をした場合における株式交換等がその効力を生ずる直前における猶予中贈与税額に、当該合併又は当該株式交換等に際して吸収合併存続会社等又は同（二）の左欄の他の会社が交付しなければならない株式等以外の金銭その他の資産の額が合併前純資産額又は交換等前純資産額に占める割合を乗じて計算した金額とする。この場合において、当該計算した金額に100円未満の端数があるとき、又はその全額が100円未満であるときは、その端数金額又はその全額を切り捨てる。（措令40の8㉗）

　　　（納税猶予税額の一部について納税猶予の期限が確定する場合の贈与税の額の計算）
（３）　**2** 又は第六節の規定により納税猶予税額の一部について、納税猶予の期限が確定する場合における贈与税の額の計算は、**2** 又は第六節の規定に該当する直前の猶予中贈与税額（第一節の **2** の（七）のロに規定する猶予中贈与税額をいう。）に、次に掲げる場合の区分に応じ、次に定める割合を乗ずることにより行うことに留意する。
　　　なお、これにより算出された金額に100円未満の端数があるとき又はその全額が100円未満であるときは、その端数金額又はその全額を切り捨て、その切り捨てた金額は、納税猶予税額として残ることに留意する。（措通70の7－29）
（一）　**2** の表の（一）の規定に該当する場合

$$\frac{同（一）の贈与をした対象受贈非上場株式等の数又は金額}{同（一）の贈与の直前における当該対象受贈非上場株式等の数又は金額}$$

（注）1　上記の「贈与」とは、1の（三）に規定する贈与をいう。したがって、当該贈与は、経営承継受贈者が対象受贈非上場株式等につき行う第一節の1の2又は第四章第一節の1の規定の適用に係る贈与だけでなく、当該贈与と併せて行う第五節の1の（三）に規定する適用対象非上場株式等の贈与が含まれることに留意する。
　　　2　猶予中贈与税額に上記の割合を乗じて計算した金額のうち、経営承継受贈者が第一節の1の2又は第四章第一節の1の規定の適用に係る贈与をした対象受贈非上場株式等に対応する部分の金額については、第七節の1の（三）の規定により免除される。この場合、当該経営承継受贈者は、同1の（三）の対象受贈非上場株式等の贈与を受けた者が当該対象受贈非上場株式等について第一節の1の2又は第四章第一節の1の規定の適用に係る贈与税の申告書を提出した日以後6月を経過する日までに第七節の1に規定する届出書を納税地の所轄税務署長に提出しなければならない。
　　　3　猶予中贈与税額に上記の割合を乗じて計算した金額のうち、上記2の免除される部分以外の金額については、当該贈与の日から2月を経過する日をもって納税の猶予に係る期限が確定することから、当該経営承継受贈者は、贈与を受けた者の贈与税の申告書の提出を待たずに贈与税を納付しなければならないことに留意する。
（二）　**2** の表の（二）の規定に該当する場合

$$\frac{吸収合併存続会社等又は\textbf{2}の他の会社が、消滅する認定贈与承継会社又は株式交換完全子会社等の全ての株主等に対し交付しなければならない金銭等（株式等以外の金銭その他の資産をいう。以下（3）において同じ）の額}{合併前純資産額又は交換等前純資産額}$$

（注）1　上記の分子の金銭等に、合併又は株式交換等（株式交換又は株式移転をいう。）に際して交付すべき吸収合併存続会社等又は**2**の表の（二）の他の会社の株式に一株未満の端数が生じたため交付されたものがある場合の1の（15）の（五）又は1の（16）の（五）の要件の判定に当たっては、当該交付された金銭等は同（15）の（五）又は同（16）の（五）の交付しなければならない株式に含まれるものとして判定することに留意する。
　　　2　「吸収合併存続会社等」とは、**2**の表の（二）に規定する吸収合併存続会社等をいう。
　　　3　「株式交換完全子会社等」とは、1の（六）に規定する株式交換完全子会社等をいう。
　　　4　「合併前純資産額」とは、合併がその効力を生ずる日の属する年の前年の12月31日における認定贈与承継会社の純資産額（資産の額から負債の額を控除した残額をいう。「承継純資産額」という場合を除き、（3）において同じ。）をいう。
　　　5　「交換等前純資産額」とは、株式交換等がその効力を生ずる日の属する年の前年の12月31日における認定贈与承継会社の純資産額をいう。
　　　6　上記4及び5の「純資産額」を算定する場合における各資産及び各負債の価額は、評価基本通達の定めにより算定した価額となることに留意する。

－1139－

（三）　第六節の表の（二）の規定に該当する場合

$$\frac{譲渡等をした対象受贈非上場株式等の数又は金額}{譲渡等の直前における対象受贈非上場株式等の数又は金額}$$

(注)　上記の「譲渡等」が1の（三）に規定する贈与である場合には、（一）の（注）2及び3によることに留意する。

（四）　第六節の表の（三）の規定に該当する場合

$$\frac{吸収合併存続会社等が、消滅する認定贈与承継会社の全ての株主等に対し交付しなければならない金銭等の額}{合併前純資産額}$$

（五）　第六節の表の（四）の規定に該当する場合

$$\frac{同（四）の中欄の他の会社が、株式交換等完全子会社等の全ての株主等に対し交付しなければならない金銭等の額}{交換等前純資産額}$$

（六）　第六節の表の（五）の規定に該当する場合

$$承継純資産額 \times \frac{認定贈与承継会社から、当該認定贈与承継会社の全ての株主等に対し配当された吸収分割承継会社等の株式等の数又は金額}{吸収分割承継会社等から、当該認定贈与承継会社が交付を受けた当該吸収分割承継会社等の株式等の数又は金額}$$

$$分割前純資産額$$

(注)1　「承継純資産額」とは、吸収分割承継会社等が認定贈与承継会社から承継した資産の当該会社分割がその効力を生ずる日の属する年の前年12月31日における価額から当該吸収分割承継会社等が当該認定贈与承継会社から承継した負債の同日における価額を控除した残額をいう。
　　2　「吸収分割承継会社等」とは、第六節の表の（五）の左欄に規定する吸収分割承継会社等をいう。
　　3　「分割前純資産額」とは、会社分割がその効力を生ずる日の属する年の前年の12月31日における認定贈与承継会社の純資産額をいう。
　　4　上記1の「承継した資産の当該会社分割がその効力を生ずる日の属する年の前年12月31日における価額」及び「承継した負債の同日における価額」並びに上記3の「純資産額」を算定する場合における各資産及び各負債の価額は、評価基本通達の定めにより算定した価額となることに留意する。

（七）　第六節の表の（六）の規定に該当する場合

$$\frac{認定贈与承継会社から当該認定贈与承継会社の全ての株主等に対し交付された金銭等の額}{組織変更前純資産額}$$

(注)1　「組織変更前純資産額」とは、組織変更がその効力を生ずる日の属する年の前年の12月31日における認定贈与承継会社の純資産額をいう。
　　2　上記1の「純資産額」を算定する場合における各資産及び各負債の価額は、評価基本通達の定めにより算定した価額となることに留意する。

3　利子税の納付

　第一節の1の規定の適用を受けた経営承継受贈者は、次の表の（一）から（九）の左欄に掲げる場合に該当する場合には、（一）から（九）の中欄に掲げる金額を基礎とし、当該経営承継受贈者が同1の規定の適用を受けるために提出する贈与税の申告書の提出期限の翌日から（一）から（九）の右欄に掲げる日（同表の（一）から（三）まで又は（六）から（八）までの右欄に掲げる日以前2月以内に当該経営承継受贈者が死亡した場合には、当該経営承継受贈者の相続人が当該経営承継受贈者の死亡による相続の開始があったことを知った日の翌日から6月を経過する日）までの期間に応じ、年3.6パーセントの割合を乗じて計算した金額に相当する利子税を、（一）から（九）の中欄に掲げる金額に相当する贈与税にあわせて納付しなければならない。（措法70の7㉗）

（一）　1の規定の適用があった場合（（五）の左欄に掲げる場合に該当する場合を除く。）	猶予中贈与税額	1の（一）から（十七）に定める日から2月を経過する日
（二）　2の規定の適用があった場合（（五）の左欄に掲げる場合に該当する場合を除く。）	2の表の（一）及び（二）の中欄に掲げる猶予中贈与税額	同表の（一）及び（二）の右欄に掲げる日から2月を経過する日
（三）　第六節の規定の適用があった場合（（五）から（八）までの左欄に掲げる場合に該当する場合を除く。）	第六節の表の（一）から（六）の中欄に掲げる猶予中贈与税額	第六節の同表の（一）から（六）の右欄に掲げる日から2月を経過する日
（四）　第三節の2の規定の適用があった場合（（五）の左欄に掲げる場合に該当する場合を	同2の規定により納税の猶予に係る期限が確定する猶予中贈与税額	同2の規定による納税の猶予に係る期限

−1140−

除く。）		
（五）　第四節又は第九節の（4）の規定の適用があった場合	これらの規定により納税の猶予に係る期限が繰り上げられる猶予中贈与税額	これらの規定により繰り上げられた納税の猶予に係る期限
（六）　第七節の**2**の（一）の規定の適用があった場合（（五）の左欄に掲げる場合に該当する場合を除く。）	同**2**の（一）のイ及びロに掲げる金額の合計額	同（一）の譲渡等をした日から２月を経過する日
（七）　第七節の**2**の（二）の規定の適用があった場合（（五）の左欄に掲げる場合に該当する場合を除く。）	同**2**の（二）のロに掲げる金額	同（二）の認定贈与承継会社が解散をした日から２月を経過する日
（八）　第七節の**2**の（三）又は（四）の規定の適用があった場合（（五）の左欄に掲げる場合に該当する場合を除く。）	同**2**の（三）のイ及びロ又は同**2**の（四）のイ及びロに掲げる金額の合計額	同**2**の（三）又は（四）の合併又は株式交換等がその効力を生じた日から２月を経過する日
（九）　第七節の**3**の規定の適用があった場合（（五）の左欄に掲げる場合に該当する場合を除く。）	同**3**の（二）に掲げる金額	同**3**の規定による納税の猶予に係る期限

（継続届出書の時効中断の効果）
（１）　猶予中贈与税額に相当する贈与税並びに当該贈与税に係る利子税及び延滞税の徴収を目的とする国の権利の時効については、第九節の（6）の（五）の規定により読み替えて適用される国税通則法第73条第4項《時効の中断及び停止》の規定の適用がある場合を除き、第三節の**1**の届出書の提出があった時から当該届出書の提出期限までの間は完成せず、当該届出期限の翌日から新たにその進行を始めるものとする。（措法70の7⑩）

（**3**の表の（三）から（九）までの左欄に掲げる場合に該当する場合の適用）
（２）　第一節の**1**の規定の適用を受けた経営承継受贈者が**3**の表の（三）から（九）までの左欄に掲げる場合に該当する場合（同**3**の表の（四）又は（五）の左欄に掲げる場合に該当する場合には、経営承継期間の末日の翌日以後にこれらの規定に規定する場合に該当することとなった場合に限る。）における同**3**の規定の適用については、同**3**中「年3.6パーセント」とあるのは、「年3.6パーセント（経営贈与承継期間については、年零パーセント）」とする。（措法70の7㉘）

（利子税の割合の特例）
（３）　**3**に規定する利子税の割合は、この規定にかかわらず、各年の利子税特例基準割合が年7.3パーセントの割合に満たない場合には、その年中においては、当該利子税の割合に当該利子税特例基準割合が年7.3パーセントの割合のうちに占める割合を乗じて計算した割合とする。（措法93⑤）

（利子税特例基準割合）
（４）　（3）に規定する利子税特例基準割合とは、平均貸付割合（各年の前々年の9月から前年の8月までの各月における短期貸付けの平均利率（当該各月において銀行が新たに行った貸付け（貸付期間が1年未満のものに限る。）に係る利率の平均をいう。）の合計を12で除して計算した割合として各年の前年の11月30日までに財務大臣が告示する割合をいう。以下同じ。）に年0.5パーセントの割合を加算した割合をいう。（措法93②）

第六節　経営贈与承継期間後の納税猶予の打切り

　経営贈与承継期間の末日の翌日から猶予中贈与税額に相当する贈与税の全部につき第一節の**1**、本節、第三節の**2**、第四節又は第九節の（4）の規定による納税の猶予に係る期限が確定する日までの間において、第一節の**1**の規定の適用を受ける経営承継受贈者又は同**1**の対象受贈非上場株式等に係る認定贈与承継会社について次の表の（一）から（六）の左欄に掲げる場合に該当することとなった場合には、当該（一）から（六）の中欄に掲げる金額に相当する贈与税については、同**1**の規定にかかわらず、当該（一）から（六）の右欄に掲げる日から2月を経過する日（当該（一）から（六）の右欄に掲げる日から当該2月を経過する日までの間に当該経営承継受贈者が死亡した場合には、当該経営承継受贈者の相続人が当該経営承継受贈者の死亡による相続の開始があったことを知った日の翌日から6月を経過する日）をもって同**1**の規定による納税の猶予に係る期限とする。（措法70の7⑤）

（一）　第五節の**1**の（六）又は（八）から（十二）までに掲げる場合	猶予中贈与税額	同**1**の（六）又は（八）から（十二）までに定める日
（二）　当該経営承継受贈者が当該対象受贈非上場株式等の一部の譲渡等をした場合	猶予中贈与税額のうち、当該譲渡等をした対象受贈非上場株式等の数又は金額に対応する部分の額として（1）の政令で定めるところにより計算した金額	当該譲渡等をした日
（三）　当該認定贈与承継会社が合併により消滅した場合	猶予中贈与税額（当該合併に際して吸収合併存続会社等の株式等の交付があった場合には、当該株式等の価額に対応する部分の額として（2）の政令で定めるところにより計算した金額を除く。）	当該合併がその効力を生じた日
（四）　当該認定贈与承継会社が株式交換等により他の会社の株式交換完全子会社等となった場合	猶予中贈与税額（当該株式交換等に際して当該他の会社の株式等の交付があった場合には、当該株式等の価額に対応する部分の額として（3）の政令で定めるところにより計算した金額を除く。）	当該株式交換等がその効力を生じた日
（五）　当該認定贈与承継会社が会社分割をした場合（当該会社分割に際して吸収分割承継会社等（会社法第757条に規定する吸収分割承継会社又は同法第763条第1項に規定する新設分割設立会社をいう。）の株式等を配当財産とする剰余金の配当があった場合に限る。）	猶予中贈与税額のうち、当該会社分割に際して認定贈与承継会社から配当された当該吸収分割承継会社等の株式等の価額に対応する部分の額として（4）の政令で定めるところにより計算した金額	当該会社分割がその効力を生じた日
（六）　当該認定贈与承継会社が組織変更をした場合（当該組織変更に際して当該認定贈与承継会社の株式等以外の財産の交付があった場合に限る。）	猶予中贈与税額のうち、当該組織変更に際して認定贈与承継会社から交付された当該認定贈与承継会社の株式等以外の財産の価額に対応する部分の額として（6）の政令で定めるところにより計算した金額	当該組織変更がその効力を生じた日

　　　（政令で定めるところにより計算した（二）の中欄に規定する金額）

（1）　上記の表の（二）の中欄に規定する政令で定めるところにより計算した金額は、同欄の譲渡等の直前における猶予中贈与税額に、当該譲渡等をした対象受贈非上場株式等の数又は金額が当該譲渡等の直前における当該対象受贈非上場株式等の数又は金額に占める割合を乗じて計算した金額とする。この場合において、当該計算した金額に100円未満の端数があるとき、又はその全額が100円未満であるときは、その端数金額又はその全額を切り捨てる。（措令40の8㉘）

　　　（政令で定めるところにより計算した（三）の中欄に規定する金額）

（2）　上記の表の（三）の中欄に規定する政令で定めるところにより計算した金額は、同欄の合併がその効力を生ずる直前における猶予中贈与税額に、合併前純資産額から当該合併に際して吸収合併存続会社等が交付しなければならない株式等以外の金銭その他の資産の額を控除した残額が当該合併前純資産額に占める割合を乗じて計算した金額とする。この

－1142－

第一章　非上場株式等についての贈与税の納税猶予及び免除
（第六節　経営贈与承継期間後の納税猶予の打切り）

場合において、当該計算した金額に100円未満の端数があるとき、又はその全額が100円未満であるときは、その端数金額又はその全額を切り上げる。（措令40の8㉙）

　　　（政令で定めるところにより計算した（四）の中欄に規定する金額）
（３）　上記の表の（四）の中欄に規定する政令で定めるところにより計算した金額は、同欄の株式交換等がその効力を生ずる直前における猶予中贈与税額に、交換等前純資産額から当該株式交換等に際して同欄の他の会社が交付しなければならない株式等以外の金銭その他の資産の額を控除した残額が当該交換等前純資産額に占める割合を乗じて計算した金額とする。この場合において、当該計算した金額に100円未満の端数があるとき、又はその全額が100円未満であるときは、その端数金額又はその全額を切り上げる。（措令40の8㉚）

　　　（政令で定めるところにより計算した（五）の中欄に規定する金額）
（４）　上記の表の（五）の中欄に規定する政令で定めるところにより計算した金額は、同欄の会社分割がその効力を生ずる直前における猶予中贈与税額に、配当分純資産額（承継純資産額に、当該会社分割に際して対象受贈非上場株式等に係る認定贈与承継会社から配当された吸収分割承継会社等の株式等の数又は金額が当該会社分割に際して当該認定贈与承継会社が交付を受けた当該吸収分割承継会社等の株式等の数又は金額に占める割合を乗じて計算した金額）が分割前純資産額に占める割合を乗じて計算した金額とする。この場合において、当該計算した金額に100円未満の端数があるとき、又はその全額が100円未満であるときは、その端数金額又はその全額を切り捨てる。（措令40の8㉛）

　　　（会社分割をした場合等の意義）
（５）　上記の表の（五）の左欄に掲げる場合には、株式等以外のみを配当財産とする剰余金の配当があった場合は含まれないことに留意する。
　　　また、同（五）の右欄の「会社分割がその効力を生じた日」とは、吸収分割の場合には吸収分割契約において定めたその効力を生ずる日をいい、新設分割の場合には新設分割設立会社の成立の日（設立登記の日）をいうことに留意する。（措通70の7－27）

　　　（政令で定めるところにより計算した（六）の中欄に規定する金額）
（６）　上記の表の（六）の中欄に規定する政令で定めるところにより計算した金額は、同欄の組織変更がその効力を生ずる直前における猶予中贈与税額に、当該組織変更に際して認定贈与承継会社から交付された当該認定贈与承継会社の株式等以外の財産の価額が組織変更前純資産額に占める割合を乗じて計算した金額とする。この場合において、当該計算した金額に100円未満の端数があるとき、又はその全額が100円未満であるときは、その端数金額又はその全額を切り捨てる。（措令40の8㉜）

　　　（組織変更をした場合等の意義）
（７）　上記の表の（六）の左欄に掲げる「組織変更」とは、会社法第2条第26号に規定する組織変更をいうのであるから、持分会社の中で会社の種類を変更した場合（例えば、合名会社から合資会社への変更など）は含まれないことに留意する。
　　　また、同（六）の右欄の「組織変更がその効力を生じた日」とは、組織変更計画において定めたその効力を生ずる日をいうことに留意する。（措通70の7－28）

　　　（経営承継受贈者が対象株式等以外のものを有する場合に認定贈与承継会社の非上場株式等の譲渡等をしたとき）
（８）　第一節の1の規定の適用を受ける経営承継受贈者が認定贈与承継会社の非上場株式等で対象株式等（対象受贈非上場株式等、第二章第一節の1に規定する対象非上場株式等及び第三章第二節の1に規定する対象相続非上場株式等をいう。以下（8）及び（9）において同じ。）以外のものを有する場合において、当該認定贈与承継会社の非上場株式等の譲渡等（譲渡又は贈与をいう。）をしたとき（第七節の1（同1の（三）に係る部分に限る。）の規定の適用に係る贈与をしたときを除く。）は、第五節の1、同節の2、第六節までの規定の適用については、当該対象株式等以外の非上場株式等から先に譲渡等をしたものとみなし、第七節の1（同1の（三）に係る部分に限る。）の規定の適用に係る贈与をしたときは、第五節の1、同節の2、第六節まで及び第七節の1（同1の（三）に係る部分に限る。）の規定の適用については、当該対象株式等から先に当該贈与をしたものとみなす。（措令40の8㉞）

－1143－

第七編　非上場株式等に係る相続税・贈与税の納税猶予及び免除

（経営承継受贈者が対象株式等の譲渡等をした場合）

（９）　第一節の**１**規定の適用を受ける経営承継受贈者が、その有する対象株式等の譲渡等をした場合には、第五節の**１**、同節の**２**、第六節まで及び第七節の**１**（同**１**の(三)に係る部分に限る。）の規定の適用については、当該対象株式等のうち先に取得をしたもの（当該先に取得をしたものが第七節の**１**（同**１**の(三)に係る部分に限り、第四章第六節の**１**において準用する場合を含む。）の規定の適用に係る贈与により取得をした対象受贈非上場株式等である場合には、当該対象受贈非上場株式等のうち先に第一節の**１**又は第四章第一節の**１**の規定の適用を受けた他の経営承継受贈者又は特例経営承継受贈者（第四章第一節の**２**の(六)に規定する特例経営承継受贈者をいう。(10)において同じ。）に係るもの）から順次譲渡等をしたものとみなす。（措令40の8㊿）

（対象受贈非上場株式等又は特例対象受贈非上場株式等の取得をしている場合）

（10）　第一節の**１**の規定の適用を受けようとする経営承継受贈者が贈与者（同**１**の規定の適用を受けている経営承継受贈者又は第四章第一節の**１**の規定の適用を受けている特例経営承継受贈者に限る。）からの贈与（当該贈与者の第七節の**１**（同**１**の(三)に係る部分に限り、第四章第六節の**１**において準用する場合を含む。）の規定の適用に係る贈与に限る。）により当該贈与者に係る対象受贈非上場株式等又は特例対象受贈非上場株式等（第四章第一節の**１**に規定する特例対象受贈非上場株式等をいう。以下(10)において同じ。）の取得をしている場合において、当該贈与の日の属する年に当該贈与者の相続が開始したときは、当該対象受贈非上場株式等又は特例対象受贈非上場株式等については、第一編第四章第二節**四**、第三編第一章第三節**一**及び同節**二**の規定は、適用しない。（措令40の8㊾）

－1144－

第一章　非上場株式等についての贈与税の納税猶予及び免除
（第七節　納税猶予税額の免除）

第七節　納税猶予税額の免除

1　贈与者等の死亡等による納税猶予税額の免除

　　第一節の**1**の規定の適用を受ける経営承継受贈者又は当該経営承継受贈者に係る贈与者が次の（一）から（三）に掲げる場合のいずれかに該当することとなった場合（その該当することとなった日前に第三節の**2**の規定の適用があった場合及び同日前に第四節又は第九節の（4）の規定による納税の猶予に係る期限の繰上げがあった場合並びに経営贈与承継期間内に第五節の**1**の（一）から（十七）までに掲げる場合に該当することとなった場合を除く。）には、次の（一）から（三）に定める贈与税を免除する。この場合において、当該経営承継受贈者又は当該経営承継受贈者の相続人は、その該当することとなった日から同日（（三）に掲げる場合に該当することとなった場合にあっては、（三）の対象受贈非上場株式等の贈与を受けた者が当該対象受贈非上場株式等について第一節の**1**の規定の適用に係る贈与税の申告書を提出した日）以後6月（（二）に掲げる場合に該当することとなった場合にあっては、10月）を経過する日（第三節の**2**の（1）において「**免除届出期限**」という。）までに、（1）の政令で定めるところにより、（4）の財務省令で定める事項を記載した届出書を納税地の所轄税務署長に提出しなければならない。（措法70の7⑮）

（一）　当該贈与者の死亡の時以前に当該経営承継受贈者が死亡した場合　　猶予中贈与税額に相当する贈与税

（二）　当該贈与者が死亡した場合　　猶予中贈与税額のうち、当該贈与者が贈与をした対象受贈非上場株式等に対応する部分の額として（5）の政令で定めるところにより計算した金額に相当する贈与税

（三）　経営贈与承継期間の末日の翌日（経営贈与承継期間内に当該経営承継受贈者がその有する対象受贈非上場株式等に係る認定贈与承継会社の代表権を有しないこととなった場合には、その有しないこととなった日）以後に、当該経営承継受贈者が対象受贈非上場株式等につき第一節の**1**又は第四章第一節の**1**の規定の適用に係る贈与をした場合　　猶予中贈与税額のうち、当該贈与に係る対象受贈非上場株式等でこれらの規定の適用に係るものに対応する部分の額として（6）の政令で定めるところにより計算した金額に相当する贈与税額

　　　　（免除届出書の提出）

（1）　第一節の**1**の規定の適用を受ける経営承継受贈者又は当該経営承継受贈者の相続人（包括受遺者を含む。）は、**1**の届出書を提出する場合には、**1**の（一）から（三）に掲げる場合（**1**の（三）に掲げる場合にあっては、対象受贈非上場株式等の全てについて同（三）に規定する贈与をした場合に限る。）のいずれかに該当することとなった日の直前の経営贈与報告基準日（第一節の**1**の規定の適用に係る同**1**に規定する贈与税の申告書の提出期限の翌日から同日以後1年を経過する日までの間に当該（一）から（三）に掲げる場合のいずれかに該当することとなった場合において、当該期間内に経営贈与報告基準日がないときは、当該贈与税の申告書の提出期限）の翌日から当該該当することとなった日までの間における当該経営承継受贈者又は第一節の**1**の対象受贈非上場株式等に係る認定贈与承継会社が第五節の**2**の表の（一）（二）の左欄又は第六節の表の（一）から（六）の左欄に掲げる場合に該当する事由の有無その他の（2）の財務省令で定める事項を明らかにする書類として（3）の財務省令で定めるものを当該届出書に添付しなければならない。この場合において、当該届出書が**1**の（二）に係るものであって、当該経営承継受贈者が同（二）の贈与者の死亡（第一節の**1**に規定する贈与税の申告書の提出期限の翌日から第一節の**2**の（六）のイ又はロに掲げる日のいずれか早い日までの間における死亡に限る。）に係る第一編第七章第一節の**1**《申告書の提出期限》の規定による相続税の申告書を提出するとき（**1**の納税地の所轄税務署長と当該贈与者の死亡に係る相続税の納税地の所轄税務署長とが同一である場合に限る。）は、当該届出書を当該相続税の申告書と併せて提出しなければならない。（措令40の8㊲）

　　　　（添付書類の記載事項）

（2）　（1）に規定する財務省令で定める事項は、次に掲げる事項とする。（措規23の9㉚）

（一）　**1**の（一）から（三）のいずれに該当するかの別

（二）　経営承継受贈者の氏名及び住所

（三）　贈与者から第一節の**1**の規定の適用に係る贈与により対象受贈非上場株式等の取得をした年月日

（四）　対象受贈非上場株式等に係る認定贈与承継会社の名称及び本店の所在地

（五）　その死亡等の日（（1）の経営承継受贈者若しくは当該経営承継受贈者に係る**1**の（二）の贈与者が死亡した日又は当該経営承継受贈者が**1**（**1**の（三）に係る部分に限る。）の規定の適用に係る贈与をした日をいう。以下（2）及び（3）において同じ。）までに終了する各事業年度（当該死亡等の日の直前の経営贈与報告基準日及び贈与税の申告書の提出

－1145－

期限までに終了する事業年度を除く。）における第一節の**2**の(10)の(一)に規定する総収入金額

（六）　その死亡等の日における猶予中贈与税額

（七）　その死亡等の日において経営承継受贈者が有する対象受贈非上場株式等の数又は金額及び当該経営承継受贈者に係る贈与者の氏名

（八）　その死亡等の日が第一節の**2**の(六)のイ又はロに掲げる日のいずれか早い日の翌日以後である場合には、認定贈与承継会社に係る次に掲げる事項（その死亡等の日の直前の経営贈与報告基準日の翌日から当該死亡等の日までの間において、認定贈与承継会社が資産保有型会社等であるとした場合に第五節の**1**の(9)の(二)のイからハまでに掲げる要件の全てを満たしているときは、その旨及びイに掲げる事項）

イ　当該死亡等の日の属する事業年度の直前の事業年度末における資本金の額及び準備金の額又は出資の総額

ロ　当該死亡等の日の属する事業年度の直前の事業年度末における第一節の**2**の(八)のイからハまでに掲げる額、これらの明細及び同(八)の割合

ハ　当該死亡等の日の属する事業年度の直前の事業年度における同**2**の(九)の総収入金額、運用収入の合計額、これらの明細及び同(九)の割合

ニ　その死亡等の日の直前の経営贈与報告基準日の翌日から当該死亡等の日までの間に第一節の**2**の(25)のただし書又は同**2**の(33)のただし書に規定する場合に該当することとなった場合には、これらの規定に規定する事由の詳細及びこれらの事由の生じた年月日（これらの事由が生じた日から当該死亡等の日までの間に第一節の**2**の(25)のただし書の割合が100分の70未満となった場合又は同**2**の(33)のただし書の割合が100分の75未満となった場合には、これらの事由の詳細及びこれらの事由の生じた年月日並びにこれらの割合を減少させた事情の詳細及びこれらの事情の生じた年月日又は事業年度）

（九）　その死亡等の日の直前の経営贈与報告基準日（経営承継受贈者又は当該経営承継受贈者に係る**1**の(二)の贈与者が贈与税の申告書の提出期限の翌日から同日以後１年を経過する日までの間に死亡した場合において、当該期間内に経営贈与報告基準日がないときは、当該贈与税の申告書の提出期限。(十)及び(3)において同じ。）の翌日から当該死亡等の日までの間に認定贈与承継会社が商号の変更をした場合、本店の所在地を変更した場合、合併により消滅した場合、株式交換等により他の会社の株式交換完全子会社等となった場合、会社分割をした場合、組織変更をした場合又は解散（会社法その他の法律の規定により解散をしたものとみなされる場合の当該解散を含む。）をした場合には、その旨

（十）　その死亡等の日の直前の経営贈与報告基準日の翌日から当該死亡等の日までの間に経営承継受贈者につき第五節の**2**又は第六節の規定により納税の猶予に係る期限が確定した猶予中贈与税額がある場合には、第五節の**2**の表の(一)及び(二)の左欄又は第六節の表の(一)から(六)の左欄のいずれの場合に該当したかの別及び該当した日並びに当該猶予中贈与税額及びその明細

（十一）　その死亡等の日において経営承継受贈者が有する対象受贈非上場株式等の全部又は一部が贈与者の免除対象贈与により取得をしたものである場合には、その死亡等の日における対象受贈非上場株式等の内訳等

（十二）　その他参考となるべき事項

（免除届出書の添付書類）

（3）　(1)に規定する財務省令で定める書類は、対象受贈非上場株式等に係る認定贈与承継会社に係る次に掲げる書類（その死亡等の日が、第一節の**2**の(六)のイ又はロに掲げる日のいずれか早い日以前である場合には(二)及び(五)に掲げる書類を除き、当該いずれか早い日の翌日以後である場合には(四)に掲げる書類を除く。）とする。（措規23の9㉛）

（一）　その死亡等の日における定款の写し

（二）　登記事項証明書（その死亡等の日以後に作成されたものに限る。）

（三）　その死亡等の日における株主名簿の写しその他の書類で株主又は社員の氏名又は名称及び住所又は所在地並びにこれらの者が有する株式等に係る議決権の数が確認できる書類（当該認定贈与承継会社が証明したものに限る。）

（四）　円滑化省令第12条第６項若しくは第12項（これらの規定を同条第16項において準用する場合を含む。）の報告書の写し及び当該報告書に係る同条第37項の確認書の写し又は円滑化省令第13条第２項（同条第３項において準用する場合を含む。）の申請書の写し及び当該申請書に係る同条第12項の確認書の写し

（五）　**1**の納税地の所轄税務署長と**1**の(二)の贈与者の死亡に係る相続税の納税地の所轄税務署長とが異なる場合において、**1**に規定する免除届出期限までに円滑化省令第13条第12項の確認書の交付を受けているときは、当該確認書の写し

（六）　その死亡等の日の直前の経営贈与報告基準日の翌日から当該死亡等の日までの間に会社分割又は組織変更があった場合には、当該会社分割に係る吸収分割契約書若しくは新設分割計画書の写し又は当該組織変更に係る組織変更計

－1146－

第一章　非上場株式等についての贈与税の納税猶予及び免除
（第七節　納税猶予税額の免除）

画書の写し

（七）　その死亡等の日の直前の経営贈与報告基準日の翌日から当該死亡等の日までの間に合併又は株式交換等があった場合には、当該合併又は株式交換等に係る第三節の1の（3）の（一）及び（二）に掲げる書類（当該いずれか早い日までに合併又は株式交換等があった場合には、同（3）の（一）に掲げる書類を除き、当該いずれか早い日の翌日以後に合併又は株式交換等があった場合には、同（3）の（二）のロに掲げる書類を除く。）

（八）　その他参考となるべき書類

（添付書類の記載事項）

（4）　1に規定する財務省令で定める事項は、次に掲げる場合の区分に応じ当該（一）から（三）に定める事項とする。（措規23の9㉜）

（一）　1の（一）に掲げる場合　　次に掲げる事項

イ　1の届出書を提出する者の氏名及び住所又は居所

ロ　死亡した経営承継受贈者の氏名及び住所並びにその死亡した年月日並びに当該経営承継受贈者との続柄

ハ　認定贈与承継会社の商号

ニ　1の規定による贈与税の免除を受けようとする旨及び当該免除を受けようとする贈与税の額

ホ　その他参考となるべき事項

（二）　1の（二）に掲げる場合　　次に掲げる事項

イ　（一）のイ及びハに掲げる事項

ロ　1の（二）の死亡した贈与者の氏名及び住所並びにその死亡した年月日並びに当該贈与者との続柄

ハ　1の規定による贈与税の免除を受けようとする旨並びに当該免除を受けようとする贈与税の額及びその計算の明細

ニ　ロの贈与者の死亡の直前における対象受贈非上場株式等の内訳等

ホ　その他参考となるべき事項

（三）　1の（三）に掲げる場合　　次に掲げる事項

イ　（一）のイ及びハ並びに（二）のハに掲げる事項

ロ　1の（三）の贈与により対象受贈非上場株式等の取得をした者の氏名及び住所

ハ　その他参考となるべき事項

（政令で定めるところにより計算した金額）

（5）　1の（二）に規定する政令で定めるところにより計算した金額は、1の（二）の贈与者の死亡の直前における猶予中贈与税額に、当該贈与者が贈与をした対象受贈非上場株式等の数又は金額（当該贈与者が1（1の（三）に係る部分に限り、第四章第六節の1において準用する場合を含む。）の規定の適用に係る贈与をした当該対象受贈非上場株式等の数又は金額を除く。）が当該贈与者の死亡の直前における当該対象受贈非上場株式等の数又は金額のうちに占める割合を乗じて計算した金額とする。この場合において、当該計算した金額に100円未満の端数があるとき、又はその全額が100円未満であるときは、その端数金額又はその全額を切り捨てる。（措令40の8㊳）

（政令で定めるところにより計算した金額）

（6）　1の（三）に規定する政令で定めるところにより計算した金額は、1の（三）に規定する贈与の直前における猶予中贈与税額に、当該贈与をした対象受贈非上場株式等の数又は金額が当該贈与の直前における当該対象受贈非上場株式等の数又は金額のうちに占める割合を乗じて計算した金額とする。この場合において、当該計算した金額に100円未満の端数があるとき、又はその全額が100円未満であるときは、その端数金額又はその全額を切り捨てる。（措令40の8㊴）

2　その他の場合による納税猶予税額の免除

第一節の1の規定の適用を受ける経営承継受贈者又は同1の対象受贈非上場株式等に係る認定贈与承継会社が次の各号に掲げる場合のいずれかに該当することとなった場合（その該当することとなった日前に第三節の2の規定の適用があった場合及び同日前に第四節又は第九節の（4）の規定による納税の猶予に係る期限の繰上げがあった場合を除く。）において、当該経営承継受贈者は、当該（一）から（四）に定める贈与税の免除を受けようとするときは、その該当することとなった日から2月を経過する日（その該当することとなった日から当該2月を経過する日までの間に当該経営承継受贈者が死亡した場合には、当該経営承継受贈者の相続人が当該経営承継受贈者の死亡による相続の開始があったことを知った日の翌日から6月を経過する日。(10)において**「申請期限」**という。）までに、当該免除を受けたい旨、免除を受けようとする

－1147－

贈与税に相当する金額（（11）において「**免除申請贈与税額**」という。）及びその計算の明細その他の（1）の財務省令で定める事項を記載した申請書（当該免除の手続に必要な書類として（2）の財務省令で定める書類を添付したものに限る。）を納税地の所轄税務署長に提出しなければならない。（措法70の7⑯）

（一）　経営贈与承継期間の末日の翌日以後に、当該経営承継受贈者が当該対象受贈非上場株式等に係る認定贈与承継会社の非上場株式等の全部の譲渡等をした場合（当該経営承継受贈者と第一節の2の(29)の政令で定める特別の関係がある者以外の者のうちの1人の者として（3）の政令で定めるものに対して行う場合又は民事再生法の規定による再生計画若しくは会社更生法（平成14年法律第154号）の規定による更生計画の認可の決定があった場合（再生計画の認可の決定に準ずる3の（4）で定める事実が生じた場合を含む。第八節の4の（一）のロにおいて同じ。）において当該再生計画若しくは当該更生計画（債務の処理に関する計画として3の（4）で定めるもの（3において「**債務処理計画**」という。）を含む。第八節の4の（一）のロにおいて同じ。）に基づき当該非上場株式等を消却するために行うときに限り、（四）に掲げる場合に該当する場合を除く。）において、次に掲げる金額の合計額が当該譲渡等の直前における猶予中贈与税額に満たないとき　　当該猶予中贈与税額から当該合計額を控除した残額に相当する贈与税

イ　当該譲渡等があった時における当該譲渡等をした対象受贈非上場株式等の時価に相当する金額として（5）の財務省令で定める金額（当該（5）で定める金額が当該譲渡等をした対象受贈非上場株式等の譲渡等の対価の額より小さい金額である場合には、当該譲渡等の対価の額）

ロ　当該譲渡等があった日以前5年以内において、当該経営承継受贈者及び当該経営承継受贈者と生計を一にする者が当該認定贈与承継会社から受けた剰余金の配当等の額その他当該認定贈与承継会社から受けた金額として第一節の2の(30)の政令で定めるものの合計額

（二）　経営贈与承継期間の末日の翌日以後に、当該対象受贈非上場株式等に係る認定贈与承継会社について破産手続開始の決定又は特別清算開始の命令があった場合　　イに掲げる金額からロに掲げる金額を控除した残額に相当する贈与税

イ　当該認定贈与承継会社の解散（会社法その他の法律の規定により解散をしたものとみなされる場合の当該解散を含む。ロ及び第五節の3の表の（七）の右欄において同じ。）の直前における猶予中贈与税額

ロ　当該認定贈与承継会社の解散前5年以内において、当該経営承継受贈者及び当該経営承継受贈者と生計を一にする者が当該認定贈与承継会社から受けた剰余金の配当等の額その他当該認定贈与承継会社から受けた金額として第一節の2の(30)の政令で定めるものの合計額

（三）　経営贈与承継期間の末日の翌日以後に、当該対象受贈非上場株式等に係る認定贈与承継会社が合併により消滅した場合（吸収合併存続会社等が当該経営承継受贈者と第一節の2の(29)の政令で定める特別の関係がある者以外のものであり、かつ、当該合併に際して当該吸収合併存続会社等の株式等の交付がない場合に限る。）において、次に掲げる金額の合計額が当該合併がその効力を生ずる直前における猶予中贈与税額に満たないとき　　当該猶予中贈与税額から当該合計額を控除した残額に相当する贈与税

イ　当該合併がその効力を生ずる直前における当該対象受贈非上場株式等の時価に相当する金額として（5）の財務省令で定める金額（当該（5）で定める金額が合併対価（当該吸収合併存続会社等が当該合併に際して当該消滅する認定贈与承継会社の株主又は社員に対して交付する財産をいう。）の額より小さい金額である場合には、当該合併対価の額）

ロ　当該合併がその効力を生ずる日以前5年以内において、当該経営承継受贈者及び当該経営承継受贈者と生計を一にする者が当該認定贈与承継会社から受けた剰余金の配当等の額その他当該認定贈与承継会社から受けた金額として第一節の2の(30)の政令で定めるものの合計額

（四）　経営贈与承継期間の末日の翌日以後に、当該対象受贈非上場株式等に係る認定贈与承継会社が株式交換等により他の会社の株式交換完全子会社等となった場合（当該他の会社が当該経営承継受贈者と第一節の2の(29)の政令で定める特別の関係がある者以外のものであり、かつ、当該株式交換等に際して当該他の会社の株式等の交付がない場合に限る。）において、次に掲げる金額の合計額が当該株式交換等がその効力を生ずる直前における猶予中贈与税額に満たないとき　　当該猶予中贈与税額から当該合計額を控除した残額に相当する贈与税

イ　当該株式交換等がその効力を生ずる直前における当該対象受贈非上場株式等の時価に相当する金額として（5）の財務省令で定める金額（当該（5）で定める金額が交換等対価（当該他の会社が当該株式交換等に際して当該株式交換完全子会社等となった認定贈与承継会社の株主に対して交付する財産をいう。）の額より小さい金額である場合には、当該交換等対価の額）

ロ　当該株式交換等がその効力を生ずる日以前5年以内において、当該経営承継受贈者及び当該経営承継受贈者と生計を一にする者が当該認定贈与承継会社から受けた剰余金の配当等の額その他当該認定贈与承継会社から受けた金額として第一節の2の(30)の政令で定めるものの合計額

－1148－

第一章　非上場株式等についての贈与税の納税猶予及び免除
（第七節　納税猶予税額の免除）

（免除申請書の記載事項）

（1）　**2**に規定する財務省令で定める事項は、次に掲げるものとする。（措規23の9㉝）

（一）　**2**の申請書を提出する者の氏名及び住所又は居所

（二）　**2**の規定による贈与税の免除を受けようとする旨並びに当該免除を受けようとする贈与税の額及びその計算の明
細

（三）　（二）の免除が**2**の（一）から（四）のいずれの規定に基づくものであるかの別並びに**2**の（一）から（四）に掲げる場合
に該当することとなった事情の詳細及びその事情が生じた年月日

（四）　その他参考となるべき事項

（免除申請書の添付書類）

（2）　**2**に規定する財務省令で定める書類は、次に掲げる場合の区分に応じ当該（一）から（四）に定める書類とする。（措規
23の9㉞）

（一）　**2**の（一）の規定に該当するものとして**2**の規定により贈与税の免除を受けようとする場合　　次に掲げる書類

イ　次に掲げる場合の区分に応じそれぞれ次に定める書類

①　**2**の（一）の1人の者に対して同（一）の譲渡等をする場合　　当該譲渡等があったことを明らかにする書類、当
該譲渡等後の同（一）の認定贈与承継会社の登記事項証明書（当該譲渡等後に作成されたものに限る。）及び当該譲
渡等後の当該認定贈与承継会社の株主名簿の写しその他の書類で当該認定贈与承継会社の全ての株主又は社員の
氏名又は名称及び住所又は所在地並びにこれらの者が有する当該認定贈与承継会社の株式等に係る議決権の数が
確認できる書類（当該認定贈与承継会社が証明したものに限る。）

②　**2**の（一）の再生計画、更生計画又は同（一）に規定する債務処理計画（（ⅲ）及び**3**の（11）の（二）のホにおいて「**債
務処理計画**」という。）に基づき**2**の（一）の対象受贈非上場株式等を消却するために同（一）の譲渡等をする場合　　
当該譲渡等後の認定贈与承継会社の株主名簿の写しその他の書類で当該認定贈与承継会社の全ての株主又は社員
の氏名又は名称及び住所又は所在地が確認できる書類（当該認定贈与承継会社が証明したものに限る。）並びに次
に掲げる計画の区分に応じそれぞれ次に定める書類

（ⅰ）　再生計画　　当該認定贈与承継会社に係る再生計画（民事再生法第2条第3号に規定する再生計画で同法第
174条第1項の規定により認可の決定がされたものに限る。）の写し及び当該再生計画の認可の決定があったこ
とを証する書類

（ⅱ）　更生計画　　当該認定贈与承継会社に係る更生計画（会社更生法第2条第2項に規定する更生計画で同法第
199条第1項の規定により認可の決定がされたものに限る。）の写し及び当該更生計画の認可の決定があったこ
とを証する書類

（ⅲ）　債務処理計画　　当該認定贈与承継会社に係る債務処理計画（当該債務処理計画に係る法人税法施行令第24
条の2第1項第1号に規定する一般に公表された債務処理を行うための手続についての準則が、産業競争力強
化法第135条第1項に規定する中小企業再生支援協議会が定めたものである場合に限る。）の写し及び当該債務
処理計画が成立したことを証する書類

ロ　**2**の（一）の譲渡等の直前における猶予中贈与税額、同（一）のイに掲げる金額及び同（一）のロに掲げる合計額を記
載した書類

ハ　その他参考となるべき事項を記載した書類

（二）　**2**の（二）の規定に該当するものとして**2**の規定により贈与税の免除を受けようとする場合　　次に掲げる書類

イ　**2**の（二）の認定贈与承継会社について破産手続開始の決定又は特別清算開始の命令があったことを証する書類

ロ　**2**の（二）のイに掲げる猶予中贈与税額及び同（二）のロに掲げる合計額を記載した書類

ハ　その他参考となるべき事項を記載した書類

（三）　**2**の（三）の規定に該当するものとして**2**の規定により贈与税の免除を受けようとする場合　　次に掲げる書類

イ　**2**の（三）の合併があったことを明らかにする書類

ロ　**2**の（三）の合併がその効力を生ずる直前における猶予中贈与税額、同（三）のイに掲げる金額及び同（三）のロに掲
げる合計額を記載した書類

ハ　その他参考となるべき事項を記載した書類

（四）　**2**の（四）の規定に該当するものとして**2**の規定により贈与税の免除を受けようとする場合　　次に掲げる書類

イ　**2**の（四）の株式交換等があったことを明らかにする書類

ロ　**2**の（四）の株式交換等がその効力を生ずる日の直前における猶予中贈与税額、同（四）のイに掲げる金額及び同
（四）のロに掲げる合計額を記載した書類

第七編　非上場株式等に係る相続税・贈与税の納税猶予及び免除

ハ　その他参考となるべき事項を記載した書類

（１人の者として政令で定めるもの）

（３）　２の（一）及び第八節の４の（一）のイに規定する１人の者として政令で定めるものは、持分の定めのある法人（医療法人を除く。）又は個人で、２の（一）の譲渡等があった後の認定贈与承継会社の経営を実質的に支配する者として（４）の財務省令で定める者とする。（措令40の８㊵）

（財務省令で定める認定贈与承継会社の経営を実質的に支配する者）

（４）　（３）に規定する財務省令で定める者は、次に掲げる要件の全てを満たす者とする。（措規23の９㉟）

（一）　２の（一）の譲渡等後において、同（一）の１人の者及び当該１人の者と第一節の２の（三）のハに規定する特別の関係がある者の有する２の（一）の認定贈与承継会社の非上場株式等に係る議決権の数の合計が、当該認定贈与承継会社の総株主等議決権数の100分の50を超える数を有することとなる場合における当該１人の者であること。

（二）　（一）の譲渡等後において、（一）の１人の者が有する（一）の認定贈与承継会社の非上場株式等の議決権の数が、当該１人の者と（一）の特別の関係がある者のうちいずれの者が有する当該認定贈与承継会社の非上場株式等に係る議決権の数をも下回らないこと。

（三）　（一）の譲渡等後において、（一）の１人の者（当該１人の者が持分の定めのある法人（医療法人を除く。）である場合には、当該法人の会社法第329条第１項に規定する役員又は業務を執行する社員その他これらに類する者で当該法人の経営に従事している者）が当該認定贈与承継会社の代表権を有すること。

（財務省令で定める特例受贈非上場株式等の時価に相当する金額）

（５）　２の（一）のイ、２の（三）のイ及び２の（四）のイに規定する財務省令で定める金額は、個人が、２の（一）のイの譲渡等の直前又は２の（三）のイの合併若しくは２の（四）のイの株式交換等がその効力を生ずる直前において贈与者から対象受贈非上場株式等に係る認定贈与承継会社の発行済株式又は出資（議決権があるものに限る。３の（8）において同じ。）の総数又は総額の全てを贈与により取得したものとした場合の当該贈与の時における当該認定贈与承継会社の株式又は出資の一単位当たりの価額に、２の（一）のイの譲渡等の直前又は２の（三）のイの合併若しくは２の（四）のイの株式交換等がその効力を生ずる直前において当該経営承継受贈者が有していた当該対象受贈非上場株式等の数又は金額を乗じて得た金額とする。（措規23の９㊱）

（政令で定める剰余金の配当等の額その他認定贈与承継会社から受けた金額の準用）

（６）　第一節の２の（30）の規定は、２の（一）のロ、２の（二）のロ、２の（三）のロ及び２の（四）のロ並びに３の（二）に規定する剰余金の配当等の額その他認定贈与承継会社から受けた金額として政令で定めるものについて準用する。（措令40の８㊷）

（破産免除等の申請書が申請期限までに提出されない場合等）

（７）　経営承継受贈者が２の規定に基づき贈与税の免除を受けようとする場合には、２に規定する申請期限（以下（７）において「**免除申請期限**」という。）までに２に規定する申請書を納税地の所轄税務署長に提出しなければ、２の規定の適用はないことに留意する。

当該申請書を免除申請期限までに提出しない場合には、２の（一）から（四）に掲げる場合の区分に応じ第六節の表の（一）から（六）の中欄に掲げる金額に相当する贈与税については当該（一）から（六）の右欄に掲げる日から２月を経過する日（当該（一）から（六）の右欄に掲げる日から当該２月を経過する日までの間に当該経営承継受贈者が死亡した場合には、当該経営承継受贈者の相続人（包括受遺者を含む。）が当該経営承継受贈者の死亡による相続の開始があったことを知った日の翌日から６月を経過する日）に納税の猶予に係る期限が到来することに留意する。（措通70の７－38）

(注)　免除申請期限までに２に規定する申請書の提出がなかった場合のゆうじょ規定は設けられていない。

（２の（一）の規定の適用を受けるための譲渡等）

（８）　２の（一）の規定の適用を受けようとする場合には、第一節の１の規定の適用を受けている対象受贈非上場株式等のみならず、経営承継受贈者が有する当該対象受贈非上場株式等に係る会社の株式等の全てを譲渡等する必要があることに留意する。（措通70の７－39）

－1150－

第一章　非上場株式等についての贈与税の納税猶予及び免除
（第七節　納税猶予税額の免除）

　　　（対象受贈非上場株式等の時価に相当する金額の意義）

（9）　**2**の（一）のイ、**2**の（三）のイ及び**2**の（四）のイの「対象受贈非上場株式等の時価に相当する金額として財務省令で
　　定める金額」は、（5）に規定する金額をいうのであるが、（5）の「一単位当たりの価額」は、（5）の規定に基づき評価
　　基本通達の定めにより算定することに留意する。
　　　この場合において、（5）の規定により評価基本通達185《純資産価額》（第九編第八章第四節の（10））のただし書及び
　　評価基本通達188－2《同族株主以外の株主等が取得した株式の評価》（同第四節の（16））に定める評価方法（これらの
　　定めと同様に評価することとされている評価基本通達に定める評価方法を含む。）が適用されることはないことに留意する。
　　（措通70の7－40）

　　　（免除通知）

（10）　税務署長は、**2**の規定による申請書の提出があった場合において、当該申請書に記載された事項について調査を行
　　い、当該申請書に係る**2**の（一）から（四）に掲げる場合の区分に応じ当該（一）から（四）に定める贈与税の免除をし、又は
　　当該申請書に係る申請の却下をする。この場合において、税務署長は、当該申請書に係る申請期限の翌日から起算して
　　6月以内に、当該免除をした贈与税の額又は当該却下をした旨及びその理由を記載した書面により、これを当該申請書
　　を提出した経営承継受贈者に通知するものとする。（措法70の7⑰）

　　　（徴収の猶予）

（11）　税務署長は、**2**の申請書の提出があった場合において相当の理由があると認めるときは、当該申請書に係る納期限
　　（第五節の**3**の表の（六）から（八）までの左欄に掲げる場合の区分に応じ同表の（六）から（八）までの右欄に掲げる日（同日
　　以前2月以内に第一節の**1**の規定の適用を受けた経営承継受贈者が死亡した場合には、当該経営承継受贈者の相続人が
　　当該経営承継受贈者の死亡による相続の開始があったことを知った日の翌日から6月を経過する日）をいう。）又は当該
　　申請書の提出があった日のいずれか遅い日から（10）の規定による通知を発した日の翌日以後1月を経過する日までの
　　間、その申請に係る免除申請贈与税額に相当する贈与税の徴収を猶予することができる。（措法70の7⑱）

　　　（延滞税の免除）

（12）　税務署長は、経営承継受贈者が**2**の（一）、（三）又は（四）の規定の適用を受ける場合において、当該経営承継受贈者
　　が適正な時価を算定できないことについてやむを得ない理由があると認めるときは、第五節の**3**の表の（六）の左欄又は
　　同表の（八）の左欄に掲げる場合に該当することとなったことにより納付することとなった贈与税に係る延滞税につき、
　　（11）に規定する納期限の翌日から（10）の規定による通知を発した日の翌日以後1月を経過する日までの間に対応する部
　　分の金額を免除することができる。（措法70の7⑲）

　　　（延滞税の計算方法）

（13）　**2**の申請書の提出があった場合において、当該提出があった日又は（11）に規定する納期限のいずれか遅い日の翌日
　　から（10）の規定による通知を発した日までの間において延滞税の額を計算するときは、猶予中贈与税額から**2**に規定す
　　る免除申請贈与税額を控除した残額を基礎として計算するものとする。（措令40の8㊸）

　　　（免除申請があった場合の延滞税の計算）

（14）　（13）の規定は、**2**の規定による免除申請書が提出された場合で、納期限又は当該免除申請書の提出があった日のい
　　ずれか遅い日の翌日から（10）の規定による免除通知書を発した日までの間に猶予中贈与税額から**2**に規定する免除申請
　　贈与税額を控除した残額に相当する贈与税を納付するときに、それと併せて納付すべき延滞税の額の計算に関する取扱
　　いであることに留意する。したがって、当該免除通知書を発した日後においては、猶予中贈与税額から（10）の規定によ
　　り免除をする税額を控除した残額に相当する贈与税を基礎金額として、納付すべき延滞税の額を計算することに留意す
　　る。（措通70の7－41）
　　（注）　免除申請贈与税額と免除をする税額が異なる場合には、（13）の規定により計算した延滞税の額と免除後の贈与税額を基礎金額として計算し
　　　　た納付すべき延滞税の額に差額が生じることになるため、（13）の規定により計算した延滞税の額の増額又は減額の処理を行う必要があること
　　　　に留意する。

　　　（利子税の計算方法）

（15）　**2**の申請書の提出があった場合において、当該提出があった日から（10）の規定による通知を発した日までの間にお
　　いて利子税の額を計算するときは、猶予中贈与税額から**2**に規定する免除申請贈与税額を控除した残額を基礎として計

－1151－

算するものとする。（措令40の8㊹）

　　　（免除申請があった場合の利子税の計算）
(16)　(15)の規定は、**2**の規定による免除申請書が提出された場合で、当該免除申請書の提出があった日から(10)の規定
　　による免除通知書を発した日までの間に猶予中贈与税額から免除申請贈与税額を控除した残額に相当する贈与税を納付
　　するときに、それと併せて納付すべき利子税の額の計算に関する取扱いであることに留意する。したがって、当該免除
　　通知書を発した日後においては、猶予中贈与税額から(10)の規定により免除をする税額を控除した残額に相当する贈与
　　税を基礎金額として、納付すべき利子税の額を計算することに留意する。（措通70の7－42）
　　　(注)　免除申請贈与税額と免除をする税額が異なる場合には、(15)の規定により計算した利子税の額と免除後の贈与税額を基礎金額として計算し
　　　　た納付すべき利子税の額に差額が生じることになるため、(15)の規定により計算した利子税の額の増額又は減額の処理を行う必要があること
　　　　に留意する。

　　　（担保の解除）
(17)　**2**の申請書の提出があった場合において、**2**の(一)から(四)の猶予中贈与税額から**2**の(一)から(四)に規定する免
　　除申請贈与税額を控除した残額に相当する贈与税の納付があったときは、税務署長は、当該猶予中贈与税額に係る担保
　　（当該担保が第二節の**2**の規定により提供された対象受贈非上場株式等である場合に限る。）を解除することができる。
　　（措令40の8㊺）

　　　（免除申請に伴い担保解除を行う場合に納付すべき贈与税額）
(18)　(17)に規定する「**2**の(一)から(四)の猶予中贈与税額から**2**に規定する免除申請贈与税額を控除した残額に相当す
　　る贈与税額」とは、**2**の(一)から(四)の猶予中贈与税額から免除申請贈与税額を控除した残額に相当する贈与税の額と、
　　(15)の規定により計算した当該贈与税の額に係る納税猶予期間中の利子税の額の合計額をいうことに留意する。（措通
　　70の7－43）

3　認定贈与承継会社について再生計画又は更生計画の認可の決定があった場合の免除

　　経営贈与承継期間の末日の翌日以後に、第一節の**1**の対象受贈非上場株式等に係る認定贈与承継会社（中小企業におけ
　る経営の承継の円滑化に関する法律第2条に規定する中小企業者であることその他(5)の政令で定める要件を満たすもの
　に限る。）について民事再生法の規定による再生計画又は会社更生法の規定による更生計画の認可の決定があった場合（再
　生計画の認可の決定に準ずる(4)の政令で定める事実が生じた場合を含む。）において、当該認定贈与承継会社の有する資
　産につき(6)の政令で定める評定が行われたとき（当該認可の決定があった日（当該(4)の政令で定める事実が生じた場
　合にあっては、債務処理計画が成立した日。以下(2)までにおいて「認可決定日」という。）以後当該認定贈与承継会社に
　係る経営承継受贈者が(3)の規定による通知が発せられた日（以下**3**において「通知日」という。）前に第六節の表の(一)
　から(六)の左欄に掲げる場合に該当することとなった場合及び第三節の**2**の規定の適用があった場合並びに当該通知日前
　に第四節又は第九節の(4)の規定による納税の猶予に係る期限の繰上げがあった場合を除き、再生計画を履行している認
　定贈与承継会社にあっては、監督委員又は管財人が選任されている場合に限る。）は、再計算猶予中贈与税額をもって当該
　対象受贈非上場株式等に係る猶予中贈与税額とする。この場合において、(二)に掲げる金額に相当する贈与税については、
　第一節の**1**の規定にかかわらず、当該通知日から2月を経過する日（当該通知日から当該2月を経過する日までの間に当
　該経営承継受贈者が死亡した場合には、当該経営承継受贈者の相続人が当該経営承継受贈者の死亡による相続の開始があっ
　たことを知った日の翌日から6月を経過する日）をもって第一節**1**の規定による納税の猶予に係る期限とし、猶予中贈
　与税額から次に掲げる金額の合計額を控除した残額に相当する贈与税（(3)において「**再計算免除贈与税**」という。）につ
　いては、免除する。（措法70の7㉑）

(一)	当該再計算猶予中贈与税額
(二)	認可決定日前5年以内において、当該経営承継受贈者及び当該経営承継受贈者と生計を一にする者が当該認定贈与承継会社から受けた剰余金の配当等の額その他当該認定贈与承継会社から受けた金額として第一節の**2**の(30)の政令で定めるものの合計額

　　　（再計算猶予中贈与税額）
(1)　**3**の「再計算猶予中贈与税額」とは、第一節の**1**の規定の適用に係る対象受贈非上場株式等（猶予中贈与税額に対
　　応する部分に限り、合併により当該対象受贈非上場株式等に係る同**1**の認定贈与承継会社が消滅した場合その他の(7)

－1152－

第一章　非上場株式等についての贈与税の納税猶予及び免除
（第七節　納税猶予税額の免除）

にて準用する第一節の**3**の**②**の（3）の財務省令で定める場合には、当該対象受贈非上場株式等に相当するものとして（7）にて準用する第一節**3**の**②**の（3）の財務省令で定めるものとする。以下（1）において同じ。）の認可決定日における価額として（8）の財務省令で定める金額を第一節の**1**の規定の適用に係る贈与により取得をした対象受贈非上場株式等の当該贈与の時における価額とみなして、第一節の**2**の（五）の規定により計算した金額をいう。（措法70の7㉒）

　　　（適用要件）
（2）　**3**の規定は、**3**の規定の適用を受けようとする経営承継受贈者（**3**の認定贈与承継会社の代表権を有する者その他これに準ずる者として（9）の財務省令で定める者に限る。）が、認可決定日から2月を経過する日（当該認可決定日から当該2月を経過する日までの間に当該経営承継受贈者が死亡した場合には、当該経営承継受贈者の相続人が当該経営承継受贈者の死亡による相続の開始があったことを知った日の翌日から6月を経過する日。（3）において「**申請期限**」という。）までに、**3**の規定の適用を受けたい旨、（1）に規定する再計算猶予中贈与税額及びその計算の明細その他（10）の財務省令で定める事項を記載した申請書（**3**に規定する認可の決定があった再生計画又は更生計画（債務処理計画を含む。）に関する書類として（11）の財務省令で定めるものを添付したものに限る。）を納税地の所轄税務署長に提出した場合に限り、適用する。（措法70の7㉓）

　　　（申請書に係る申請の却下）
（3）　税務署長は（2）の規定による申請書の提出があった場合において、当該申請書に記載された事項について調査を行い、当該申請書に係る再計算免除贈与税の免除をし、又は当該申請書に係る申請の却下をする。この場合において、税務署長は、当該申請書に係る申請期限の翌日から起算して6月以内に、当該再計算免除贈与税の額又は当該却下をした旨及びその理由を記載した書面により、これを当該申請書を提出した経営承継受贈者に通知するものとする。（措法70の7㉔）

　　　（政令で定める事実）
（4）　**2**の（一）及び**3**に規定する政令で定める事実は、法人税法施行令第24条の2第1項に規定する事実（同項第1号に規定する一般に公表された債務処理を行うための手続についての準則が、産業競争力強化法第135条第1項に規定する中小企業再生支援協議会が定めたものである場合に限る。）とし、**2**の（一）に規定する政令で定める計画は、法人税法施行令第24条の2第1項第1号から第3号まで及び第4号又は第5号に掲げる要件に該当する債務処理に関する計画とする。（措令40の8㊶）

　　　（政令で定める要件）
（5）　**3**に規定する政令で定める要件は、**3**に規定する認可決定日において、次に掲げる要件の全てを満たすこととする。（措令40の8㊻）
　（一）　第一節の**1**の対象受贈非上場株式等に係る認定贈与承継会社が中小企業における経営の承継の円滑化に関する法律第2条に規定する中小企業者であること。
　（二）　（一）の認定贈与承継会社の株式等が非上場株式等に該当すること。

　　　（政令で定める評定）
（6）　**3**に規定する政令で定める評定は、次の（一）及び（二）に掲げる事実の区分に応じ当該（一）及び（二）に定める評定とする。（措令40の8㊼）
　（一）　民事再生法の規定による再生計画又は会社更生法の規定による更生計画の認可の決定があったこと　認定贈与承継会社がその有する資産の価額につき当該再生計画又は当該更生計画の認可の決定があった時の価額により行う評定
　（二）　**3**に規定する政令で定める事実　認定贈与承継会社が法人税法施行令第24条の2第1項第1号イに規定する事項に従って行う同項第2号の資産評定

　　　（財務省令で定めるもの）
（7）　第一節**3**の**②**の（3）の規定は、（1）に規定する財務省令で定める場合及び同（1）に規定する財務省令で定めるものについて準用する。（措規23の9㊲）

　　　（財務省令で定める金額）
（8）　（1）に規定する財務省令で定める金額は、個人が、**3**に規定する認可決定日の直前において贈与者から対象受贈非

－1153－

第七編　非上場株式等に係る相続税・贈与税の納税猶予及び免除

上場株式等に係る認定贈与承継会社の発行済株式又は出資の総数又は総額の全てを贈与により取得したものとした場合の当該贈与の時における当該認定贈与承継会社の株式又は出資の一単位当たりの価額に、当該認可決定日の直前において当該経営承継受贈者が有していた当該対象受贈非上場株式等の数又は金額を乗じて得た金額とする。（措規23の9㊳）

　（財務省令で定める者）
（９）　（２）に規定する財務省令で定める者は、（２）の認可決定日の直前において代表権を有していた経営承継受贈者のうち、次の（一）及び（二）に掲げる要件の全てを満たす（２）の認定贈与承継会社の会社法第329条第１項に規定する役員又は業務を執行する社員である者とする。（措規23の9㊴）
（一）　当該経営承継受贈者及び当該経営承継受贈者と第一節の**2**の(15)に規定する特別の関係がある者の有する当該認定贈与承継会社の非上場株式等に係る議決権の数の合計が、当該認定贈与承継会社に係る総株主等議決権数の100分の50を超える数であること。
（二）　当該経営承継受贈者が有する当該認定贈与承継会社の非上場株式等に係る議決権の数が、当該経営承継受贈者と第一節の**2**の(15)に規定する特別の関係がある者のうちいずれの者が有する当該認定贈与承継会社の非上場株式等に係る議決権の数をも下回らないこと。

　（財務省令で定める事項）
（10）　（２）に規定する財務省令で定める事項は、次に掲げるものとする。（措規23の9㊵）
（一）　（２）の申請書を提出する者の氏名及び住所又は居所
（二）　**3**に規定する場合に該当することとなった事情の詳細及びその事情が生じた年月日
（三）　その他参考となるべき事項

　（財務省令で定める書類）
（11）　（２）に規定する財務省令で定める書類は、次の（一）及び（二）に掲げる場合の区分に応じ当該（一）及び（二）に定める書類とする。（措規23の9㊶）
（一）　民事再生法の規定による再生計画又は会社更生法の規定による更生計画の認可の決定があった場合　次に掲げる書類
　イ　当該認可の決定があった日における認定贈与承継会社の定款の写しその他の書類で（５）に規定する要件を満たすことを証するもの
　ロ　認定贈与承継会社に係る登記事項証明書（当該認可の決定があった日以後に作成されたもので次に掲げる事項の記載があるものに限る。）
　　（イ）　当該認可の決定があった日の前日において、経営承継受贈者が認定贈与承継会社の代表権を有する者であった旨
　　（ロ）　再生計画の認可の決定があった場合にあっては、監督委員又は管財人が選任されている旨
　ハ　当該認可の決定があった日における**3**に規定する認定贈与承継会社の株主名簿の写しその他の書類で当該認定贈与承継会社の全ての株主又は社員の氏名又は名称及び住所又は所在地並びにこれらの者が有する当該認定贈与承継会社の株式等に係る議決権の数が確認できる書類（当該認定贈与承継会社が証明したものに限る。）
　ニ　**3**に規定する認定贈与承継会社に係る再生計画（民事再生法第２条第３号に規定する再生計画で同法第174条第１項の規定により認可の決定がされたものに限る。）の写し及び当該再生計画の認可の決定があったことを証する書類又は当該認定贈与承継会社に係る更生計画（会社更生法第２条第２項に規定する更生計画で同法第199条第１項の規定により認可の決定がされたものに限る。）の写し及び当該更生計画の認可の決定があったことを証する書類
　ホ　**3**に規定する認定贈与承継会社の有する資産及び負債につき（６）の（一）に規定する評定に基づいて作成された貸借対照表
　ヘ　その他参考となるべき事項を記載した書類
（二）　（４）に規定する事実が生じた場合　次に掲げる書類
　イ　当該事実が生じた日における認定贈与承継会社の定款の写しその他の書類で（５）に規定する要件を満たすことを証するもの
　ロ　認定贈与承継会社に係る登記事項証明書（当該事実が生じた日以後に作成されたもので、当該事実が生じた日の前日において、経営承継受贈者が認定贈与承継会社の代表権を有する者であった旨の記載があるものに限る。）
　ハ　当該事実が生じた時における認定贈与承継会社の株主名簿の写しその他の書類で当該認定贈与承継会社の全ての

－1154－

第一章　非上場株式等についての贈与税の納税猶予及び免除
（第七節　納税猶予税額の免除）

　　株主又は社員の氏名又は名称及び住所又は所在地並びにこれらの者が有する当該認定贈与承継会社の株式等に係る
　　議決権の数が確認できる書類（当該認定贈与承継会社が証明したものに限る。）
　　ニ　認定贈与承継会社に係る**2**の（2）の（一）のイの②の（ⅲ）の書類
　　ホ　法人税法施行規則第8条の6第1項第1号に掲げる者が作成した書類で認定贈与承継会社に係る債務処理計画が
　　　（4）に規定するものである旨を証するもの
　　ヘ　その他参考となるべき事項を記載した書類

　　　（猶予中贈与税額の再計算に係る申請書が申請期限までに提出されない場合等）
（12）　経営承継受贈者が**3**の規定の適用を受けようとする場合には、（2）に規定する申請期限（以下において「**申請期限**」
　　という。）までに（2）に規定する申請書を納税地の所轄税務署長に提出しなければ、**3**の規定の適用はないことに留意す
　　る。（措通70の7－45）
　　(注)　申請期限までに（2）に規定する申請書の提出がなかった場合のゆうじょ規定は設けられていない。

　　　（債務処理計画が成立した日の意義）
（13）　**3**に規定する「債務処理計画が成立した日」とは、産業競争力強化法第135条第1項に規定する中小企業再生支援協
　　議会が、**2**の（一）に規定する債務処理計画の策定の支援を含む認定贈与承継会社の事業の再生を支援する場合において、
　　対象となる債権者全員が再生計画に同意する旨の書面を提出した日をいうことに留意する。（措通70の7－46）

　　　（認可決定日後に確定事由が生じた場合）
（14）　**3**に規定する認可決定日以後（3）の規定による通知が発せられた日（以下において「**通知日**」という。）前に、第六
　　節の表の（一）から（六）の左欄に掲げる場合に該当することとなった場合及び第三節の**2**の規定の適用があった場合並び
　　に当該通知日前に第四節又は第九節の（4）の規定による納税の猶予に係る期限の繰上げがあった場合には、**3**の規定の
　　適用がないことに留意する。（措通70の7－47）

　　　（対象受贈非上場株式等の認可決定日における価額の意義）
（15）　（1）の「対象受贈非上場株式等の認可決定日における価額として財務省令で定める金額」は、**2**の（5）に規定する
　　金額をいうのであるが、同（5）の「一単位当たりの価額」は、同（5）の規定に基づき評価基本通達の定めにより算定す
　　ることに留意する。
　　　この場合において、同（5）の規定により評価基本通達185《純資産価額》（第九編第八章第四節の（10））のただし書及
　　び評価基本通達188－2《同族株主以外の株主等が取得した株式の評価》（同第四節の（16））に定める評価方法（これら
　　の定めと同様に評価することとされている評価基本通達に定める評価方法を含む。）が適用されることはないことに留意
　　する。（措通70の7－48により準用する措通70の7－40）

　　　（納税猶予期限の繰上げに該当することとなった日）
（16）　第五節の**3**の表の（五）の左欄に掲げる場合に該当する場合における第五節の**3**の（2）に規定する「経営贈与承継期
　　間の末日の翌日以後にこれらの規定に規定する場合に該当することとなった場合」とは、税務署長が納税猶予期限の繰
　　上通知書を発した日が当該経営贈与承継期間の末日の翌日以後である場合をいうことに留意する。（措通70の7－49）

－1155－

第七編　非上場株式等に係る相続税・贈与税の納税猶予及び免除

第八節　事業用資産等が災害によって甚大な被害を受けた場合

1　事業用資産等が災害によって甚大な被害を受けた場合

第一節の1の対象受贈非上場株式等に係る認定贈与承継会社が次の(一)から(四)のそれぞれに掲げる場合に該当することとなった場合における当該認定贈与承継会社に係る同1の規定の適用を受ける経営承継受贈者に対する第五節の1及び第六節の規定の適用については、当該(一)から(四)のそれぞれに定めるところによる。(措法70の7㉚)

(一)　当該認定贈与承継会社の事業の用に供する資産が災害(震災、風水害、火災その他(1)の政令で定める災害をいう。以下(一)及び(二)、第二章第九節の1の(一)及び(二)並びに同節の5の(一)及び(二)並びに第三章第二節の10の(3)の(一)及び(二)において同じ。)によって甚大な被害を受けた場合として(3)の政令で定める場合　　当該認定贈与承継会社が、経営贈与承継期間(当該災害が発生した日以後の期間に限る。以下1及び4において同じ。)内に第五節の1の(二)若しくは(九)に掲げる場合又は贈与特定期間(経営贈与承継期間の末日の翌日から当該災害が発生した日の直前の経営贈与報告基準日の翌日以後10年を経過する日までの期間(最初の経営贈与報告基準日が当該災害が発生した日後に到来する場合にあっては、当該経営贈与報告基準日の翌日から同日以後10年を経過する日までの期間)をいう。以下(四)までにおいて同じ。)内に第六節の表の(一)の左欄(第五節の1の(九)に係る部分に限る。)に掲げる場合に該当することとなった場合であっても、当該認定贈与承継会社は、これらの場合に該当しないものとみなす。

(二)　当該認定贈与承継会社の事業所(常時使用従業員が勤務している事務所、店舗、工場その他これらに類するものに限る。イにおいて同じ。)が災害によって被害を受けたことにより当該認定贈与承継会社における雇用の確保が困難となった場合として(7)の政令で定める場合((一)に掲げる場合に該当する場合を除く。)　　次に定めるところによる。

イ　従業員数確認期間(当該災害が発生した日以後の期間に限る。イにおいて同じ。)内にある各基準日におけるその事業所(イにおいて「被災事業所」という。)の常時使用従業員の数の合計を従業員数確認期間の末日において従業員数確認期間内にある基準日の数で除して計算した数が、当該被災事業所の常時使用従業員の雇用が確保されているものとして(9)の政令で定める数を下回る数となったことにより当該認定贈与承継会社が第五節の1の(二)に掲げる場合に該当することとなった場合(当該認定贈与承継会社の事業所のうちに被災事業所以外の事業所がある場合にあっては、従業員数確認期間内にある各基準日における当該事業所の常時使用従業員の数の合計を従業員数確認期間の末日において従業員数確認期間内にある基準日の数で除して計算した数が、当該事業所の常時使用従業員の雇用が確保されているものとして(9)の政令で定める数以上である場合に限る。)であっても、当該認定贈与承継会社は、第五節の1の(二)に掲げる場合に該当しないものとみなす。

ロ　当該認定贈与承継会社が、経営贈与承継期間内に第五節の1の(九)に掲げる場合又は贈与特定期間内に第六節の表の(一)の左欄(第五節の1の(九)に係る部分に限る。)に掲げる場合に該当することとなった場合であっても、当該認定贈与承継会社は、これらの場合に該当しないものとみなす。

(三)　中小企業信用保険法(昭和25年法律第264号)第2条第5項第1号又は第2号のいずれかに該当することにより当該認定贈与承継会社の売上金額が大幅に減少した場合として(12)の政令で定める場合((一)又は(二)に掲げる場合に該当する場合を除く。)　　当該認定贈与承継会社が、経営贈与承継期間内に第五節の1の(二)に掲げる場合に該当することとなった場合であっても、当該認定贈与承継会社は、売上金額に応じた常時使用従業員の雇用が確保されているときとして(15)の政令で定めるときに限り、経営贈与承継期間の末日においては、第五節の1の(二)に掲げる場合に該当しないものとみなす。

(四)　中小企業信用保険法第2条第5項第3号又は第4号のいずれかに該当することにより当該認定贈与承継会社の売上金額が大幅に減少した場合として(17)の政令で定める場合((一)、(二)又は(三)に掲げる場合に該当する場合を除く。)　　当該認定贈与承継会社が、経営贈与承継期間内に第五節の1の(二)若しくは(九)に掲げる場合又は贈与特定期間内に第六節の表の(一)の左欄(第五節の1の(九)に係る部分に限る。)に掲げる場合に該当することとなった場合であっても、当該認定贈与承継会社は、売上金額に応じた常時使用従業員の雇用が確保されているときとして(20)の政令で定めるときに限り、経営贈与承継期間の末日(経営贈与承継期間内に第五節の1の(九)に掲げる場合又は贈与特定期間内に第六節の表の(一)の左欄(第五節の1の(九)に係る部分に限る。)に掲げる場合に該当することとなった場合にあっては、経営贈与報告基準日(当該売上金額に係る事業年度の翌事業年度中にあるものに限る。以下(四)において「**基準日**」という。)の直前の経営贈与報告基準日の翌日から当該基準日までの期間(次のイ又はロに掲げる場合にあっては、それぞれイ又はロに定める期間))においては、これらの場合に該当しないものとみなす。

イ　当該基準日が最初の経営贈与報告基準日である場合　　第一節の1の規定の適用に係る贈与の日の属する年分の贈

－1156－

第一章　非上場株式等についての贈与税の納税猶予及び免除
（第八節　事業用資産等が災害によって甚大な被害を受けた場合）

与税の申告書の提出期限の翌日から当該基準日までの期間

ロ　経営贈与報告基準日が贈与特定期間内にある場合　　経営贈与承継期間の末日から１年を経過するごとの日（ロにおいて「**特定基準日**」という。）の直前の特定基準日（当該１年を経過する日が最初の特定基準日である場合には、経営贈与承継期間の末日）の翌日から次の特定基準日（当該売上金額に係る事業年度（当該売上金額が中小企業信用保険法第２条第５項第３号又は第４号のいずれかに該当する前の水準に最初に回復した事業年度として(25)の政令で定める事業年度前の事業年度に限る。）の翌事業年度中にあるものに限る。）までの期間

　　（政令で定める災害）
（１）　１の(一)に規定する政令で定める災害は、冷害、雪害、干害、落雷、噴火その他の自然現象の異変による災害及び鉱害、火薬類の爆発その他の人為による異常な災害並びに害虫、害獣その他の生物による異常な災害とする。（措令40の8㊾）

　　（「贈与特定期間」の意義）
（２）　１の規定の適用に当たり、同項に規定する「贈与特定期間」（以下３の(3)までにおいて「**贈与特定期間**」という。）とは、次の(一)及び(二)の区分に応じて、それぞれに掲げる期間をいうことに留意する。（措通70の7－51）
（一）　災害が１の(一)に規定する経営贈与承継期間（以下３の(3)までにおいて「**経営贈与承継期間**」という。）の末日までに発生した場合
　　　　経営贈与承継期間の末日の翌日から、当該災害が発生した日の直前の経営贈与報告基準日（１の(一)に規定する経営贈与報告基準日をいう。以下(2)において同じ。）の翌日以後10年を経過する日までの期間（最初の経営贈与報告基準日が当該災害が発生した日後に到来する場合にあっては、当該経営贈与報告基準日の翌日から同日以後10年を経過する日までの期間）
（二）　災害が経営贈与承継期間の末日の翌日以後に発生した場合
　　　　当該災害が発生した日の直前の特定基準日の翌日から同日以後10年を経過する日までの期間（最初の特定基準日が当該災害が発生した日後に到来する場合にあっては、経営贈与承継期間の末日の翌日から同日以後10年を経過する日までの期間）であって、当該災害が発生した日以後の期間
（注）1　上記の「災害」とは、１の(一)に規定する災害をいうことに留意する。
　　　2　上記の「特定基準日」とは、経営贈与承継期間の末日から１年を経過するごとの日をいうことに留意する。

　　（災害によって甚大な被害を受けた場合）
（３）　１の(一)に規定する政令で定める場合は、同(一)に規定する災害（以下本章及び第二章において「災害」という。）が発生した日の属する事業年度の直前の事業年度終了の時における認定贈与承継会社の総資産の貸借対照表に計上されている帳簿価額の総額に対する当該認定贈与承継会社の当該災害により滅失（通常の修繕によっては原状回復が困難な損壊を含む。(7)において同じ。）をした資産（特定資産を除く。）の貸借対照表に計上されている帳簿価額の合計額の割合が100分の30以上である場合とする。（措令40の8㊿）

　　（災害によって甚大な被害を受けた場合）
（４）　１の(一)に規定する「災害によって甚大な被害を受けた場合」とは、次の算式を満たす場合をいうことに留意する。（措通70の7－52）
　　　　（算式）

$$\frac{\text{認定贈与承継会社の災害により滅失をした資産（特定資産を除く。）の貸借対照表に計上されている帳簿価額の合計額}}{\text{災害が発生した日の属する事業年度の直前の事業年度終了の時における認定贈与承継会社の総資産の貸借対照表に計上されている帳簿価額の総額}} \geqq \frac{30}{100}$$

（注）　上記算式における「滅失」には、通常の修繕によっては原状回復が困難な損壊が含まれることに留意する。

　　（通常の修繕によっては原状回復が困難な損壊）
（５）　(3)に規定する「通常の修繕によっては原状回復が困難な損壊」とは、(3)に規定する災害によって被害を受けた(3)に規定する資産につき、今後取壊し若しくは除去せざるを得ないと認められる場合又は相当の修繕を行わなければ使用することができないと認められる場合の当該資産に係る損壊をいうことに留意する。（措通70の7－53）

（災害が経営贈与承継期間の末日の翌日以後に発生した場合）

(6)　災害が**1**の(一)に規定する経営贈与承継期間（(20)及び**3**において「経営贈与承継期間」という。）の末日の翌日以後に発生した場合における**1**の規定の適用については、**1**の(一)中「経営贈与承継期間の末日の翌日から当該災害が発生した日の直前の経営贈与報告基準日の翌日以後10年を経過する日までの期間（最初の経営贈与報告基準日が当該災害が発生した日後に到来する場合にあっては、当該経営贈与報告基準日の翌日から同日以後10年を経過する日までの期間）をいう」とあるのは、「当該災害が発生した日の直前の特定基準日（(四)のロに規定する特定基準日をいう。以下(一)において同じ。）の翌日から同日以後10年を経過する日までの期間（最初の特定基準日が当該災害が発生した日後に到来する場合にあっては、経営贈与承継期間の末日の翌日から同日以後10年を経過する日までの期間）をいい、当該災害が発生した日以後の期間に限る」とする。（措令40の８(51)）

（雇用の確保が困難となった場合）

(7)　**1**の(二)に規定する政令で定める場合は、認定贈与承継会社の災害が発生した日の前日における常時使用従業員の総数に対する当該認定贈与承継会社の被災常時使用従業員（同(二)に規定する事業所（当該災害により滅失し、又はその全部若しくは一部が損壊したものに限る。）のうち当該災害が発生した日から同日以後６月を経過する日までの間継続して常時使用従業員が当該認定贈与承継会社の本来の業務に従事することができないと認められるものにおいて、当該災害が発生した日の前日に使用していた常時使用従業員をいう。）の数の割合が100分の20以上である場合とする。（措令40の８(52)）

（事業所が災害によって被害を受けたことにより認定贈与承継会社における雇用の確保が困難となった場合）

(8)　**1**の(二)に規定する「事業所が災害によって被害を受けたことにより当該認定贈与承継会社における雇用の確保が困難となった場合」とは、次の算式を満たす場合をいうことに留意する。（措通70の７－54）

（算式）

$$\frac{\text{認定贈与承継会社の被災常時使用従業員の数}}{\text{認定贈与承継会社の災害が発生した日の前日における時使用従業員の総数}} \geqq \frac{20}{100}$$

(注)　上記算式における「被災常時使用従業員」とは、当該認定贈与承継会社の事業所（常時使用従業員が勤務している事務所、店舗、工場その他これらに類するもので、当該災害により滅失し、又はその全部若しくは一部が損壊したものに限る。）のうち当該災害が発生した日から同日以後６月を経過する日までの間継続して常時使用従業員が当該認定贈与承継会社の本来の業務に従事することができないと認められるものにおいて、当該災害が発生した日の前日に使用していた常時使用従業員をいうことに留意する。

（政令で定める数）

(9)　**1**の(二)のイに規定する政令で定める数は、同(二)のイの被災事業所又は被災事業所以外の事業所につき、それぞれ特例対象贈与（最初の第一節の**1**の規定の適用に係る贈与をいう。以下(9)及び(20)の(一)において同じ。）の時（対象受贈非上場株式等に係る認定贈与承継会社の非上場株式等について、当該贈与の時前に第二章第一節の**1**《非上場株式等を相続等した場合の相続税の納税猶予及び免除》の規定の適用に係る相続又は遺贈により当該非上場株式等の取得をしている場合には、最初の同節の**1**の規定の適用に係る相続の開始の時。以下(9)及び(20)の(一)において同じ。）における常時使用従業員の数（当該特例対象贈与の時後に合併その他の(10)の財務省令で定める事由が生じたときは、常時使用従業員の数に相当するものとして(10)の財務省令で定める数。以下(9)及び(20)の(一)において同じ。）に100分の80を乗じて計算した数（その数に１人未満の端数があるときはこれを切り捨てた数とし、当該特例対象贈与の時における常時使用従業員の数が１人のときは１人とする。）とする。（措令40の８(53)）

（財務省令で定める事由及び数）

(10)　(9)に規定する財務省令で定める事由は第五節の**1**の(4)の(一)から(三)に掲げる事由とし、(9)に規定する財務省令で定める数は第五節の**1**の(4)の(一)から(三)に掲げる事由の区分に応じ当該同(4)の(一)から(三)に定める数に調整割合（次の(一)から(三)に掲げる場合の区分に応じ当該(一)から(三)に定める割合をいう。）を乗じて計算した数と第一節の**2**の(30)の(一)に規定する最初の第一節の**1**の規定の適用に係る贈与の時における認定贈与承継会社（(一)に掲げる場合にあっては、**1**の(二)のイの被災事業所以外の事業所）の常時使用従業員の数とを合計した数とする。（措規23の９㊷）

(一)　(9)の規定の適用がある場合　　当該事由がその効力を生ずる日から**1**の(二)のイに規定する従業員数確認期間（以下(一)において「**従業員数確認期間**」という。）の末日までの間にある基準日の数を従業員数確認期間内にある基準日の数で除して得た割合（当該割合が１を超える場合には、１）

第一章　非上場株式等についての贈与税の納税猶予及び免除
（第八節　事業用資産等が災害によって甚大な被害を受けた場合）

　　（二）　(20)の（一）（(15)において準用する場合を含む。）の規定の適用がある場合　　当該事由がその効力を生ずる日から１の（一）に規定する経営贈与承継期間の末日までの間にある(20)の（一）に規定する雇用判定基準日（以下（二）において「**雇用判定基準日**」という。）の数を当該経営贈与承継期間内にある雇用判定基準日の数で除して得た割合（最初の売上判定事業年度（(20)の（一）に規定する売上判定事業年度をいう。(21)及び３の（１）において同じ。）終了の日が当該末日の翌日以後である場合には、１）

　　（三）　(20)の（二）の規定の適用がある場合　　　１

　　　（被災事業所の常時使用従業員の雇用が確保されているものとして政令で定める数を下回る数となったこと）

(11)　　１の（二）のイに規定する「当該被災事業所の常時使用従業員の雇用が確保されているものとして政令で定める数を下回る数となったこと」とは、従業員数確認期間内にある各基準日における被災事業所（同（二）のイに規定する「被災事業所」をいう。以下(11)において同じ。）の常時使用従業員の数の合計を従業員数確認期間の末日において従業員数確認期間内にある基準日の数で除して計算した数が、当該被災事業所に係る特例対象贈与（最初の第一節の１の規定の適用に係る贈与をいう。以下(14)(16)(19)(23)において同じ。）の時（対象受贈非上場株式等に係る認定贈与承継会社の非上場株式等について、当該特例対象贈与の時前に第二章第一節の１の規定の適用に係る相続又は遺贈により当該非上場株式等の取得をしている場合には、最初の第二章第一節の１の規定の適用に係る相続の開始の時。以下(14)(16)(19)(23)において同じ。）における常時使用従業員の数に100分の80を乗じて計算した数を下回る数となったことをいうことに留意する。

　　なお、当該認定贈与承継会社の事業所のうちに被災事業所以外の事業所がある場合にあっては、従業員数確認期間内にある各基準日における当該事業所の常時使用従業員の数の合計を従業員数確認期間の末日において従業員数確認期間内にある基準日の数で除して計算した数が、当該事業所に係る特例対象贈与の時における常時使用従業員の数に100分の80を乗じて計算した数以上である場合に限られることに留意する。（措通70の７－55）

　　（注）１　上記の「従業員数確認期間」は、災害が発生した日以後の期間に限られることに留意する。

　　　　　２　特例対象贈与の時後に第五節１の（４）の（一）から（三）に掲げる事由が生じたときにおける上記の「特例対象贈与の時における常時使用従業員の数」は、(10)に定める数となることに留意すること。

　　　　　３　上記の「常時使用従業員の数に100分の80を乗じて計算した数」は、その数に１人未満の端数があるときはこれを切り捨てた数となり、当該特例対象贈与の時における常時使用従業員の数が１人のときは１人となることに留意する。

　　　（認定贈与承継会社の売上金額が大幅に減少した場合）

(12)　　１の（三）に規定する政令で定める場合は、認定贈与承継会社の（一）に掲げる金額に対する（二）に掲げる金額の割合が100分の70以下である場合（当該認定贈与承継会社が中小企業信用保険法（昭和25年法律第264号）第２条第５項第１号又は第２号に該当することにつき(13)の財務省令で定めるところにより証明がされた場合に限る。）とする。（措令40の８㊺）

　　（一）　特定日（中小企業信用保険法第２条第５項第１号の事由が発生した日又は同項第２号の事業者が同号の経済産業大臣の指定した事業活動の制限を実施した日をいう。（二）において同じ。）の１年前の日から同日以後６月を経過する日までの間における売上金額

　　（二）　特定日から特定日以後６月を経過する日までの間における売上金額

　　　（財務省令で定めるところによる証明）

(13)　　(12)に規定する財務省令で定めるところにより証明がされた場合は、２の（２）の（三）に定める書類を２の規定により提出する届出書に添付することにより証明がされた場合とする。（措規23の９㊸）

　　　（１の（三）に規定する「認定贈与承継会社の売上金額が大幅に減少した場合」）

(14)　　１の（三）に規定する「当該認定贈与承継会社の売上金額が大幅に減少した場合」とは、次の算式を満たす場合をいうことに留意する。

　　なお、次の算式を満たす場合であっても当該認定贈与承継会社が中小企業信用保険法（昭和25年法律第264号）第２条第５項第１号又は第２号《定義》に該当することにつき(13)に定めるところにより証明がされた場合に限られることに留意する。（措通70の７－56）

　　　　　（算式）

$$\frac{\text{特定日から特定日以後６月を経過する日までの間における売上金額}}{\text{特定日の１年前の日から同日以後６月を経過する日までの間における売上金額}} \leqq \frac{70}{100}$$

第七編　非上場株式等に係る相続税・贈与税の納税猶予及び免除

(注)1　上記算式における「特定日」とは、中小企業信用保険法第2条第5項第1号の事由が発生した日又は同項第2号の事業者が同号の経済産業大臣の指定した事業活動の制限を実施した日をいうことに留意する。

　　　2　中小企業信用保険法第2条第5項第1号の事由が発生した日又は同項第2号の事業者が同号の経済産業大臣の指定した事業活動の制限を実施した日については、2の(3)参照。

（常時使用従業員の雇用が確保されているとき）

(15)　(20)（(一)に係る部分に限る。）の規定は、1の(三)に規定する売上金額に応じた常時使用従業員の雇用が確保されているときとして政令で定めるときについて準用する。（措令40の8�55）

（1の(三)に規定する「売上金額に応じた常時使用従業員の雇用が確保されているとき」）

(16)　1の(三)に規定する「売上金額に応じた常時使用従業員の雇用が確保されているとき」とは、売上割合の平均値の次表の①から③までに掲げる区分に応じ、雇用割合の平均値がそれぞれ①から③までに掲げる割合以上であるときをいうことに留意する。（措通70の7－57）

売上割合の平均値	雇用割合の平均値
① 100分の100以上の場合	100分の80
② 100分の70以上100分の100未満の場合	100分の40
③ 100分の70未満の場合	零（0）

(注)1　上記表の「売上割合の平均値」とは、次の算式により計算した割合をいう。

　　　なお、最初の売上判定事業年度終了の日が経営贈与承継期間の末日の翌日以後である場合には、(12)に規定する割合をいうことに留意する。

（算式）

$$\frac{各売上判定事業年度における売上割合の合計}{経営贈与承継期間（中小企業信用保険法第2条第5項第1号又は第2号の事由が生じた日以後の期間に限る。）内に終了する当該売上判定事業年度の数}$$

　イ　上記算式における「売上判定事業年度」とは、基準日（売上金額に係る事業年度の翌事業年度中にある経営贈与報告基準日をいう。以下(16)において同じ。）の直前の経営贈与報告基準日の翌日から当該基準日までの間に終了する事業年度（当該基準日が最初の経営贈与報告基準日である場合には、第一節の1の(一)の規定の適用に係る贈与の日の属する年分の贈与税の申告書の提出期限の翌日から当該基準日までの期間内に終了する事業年度とし、中小企業信用保険法第2条第5項第1号又は第2号の事由が発生した日の属する事業年度以前の事業年度を除く。）をいうことに留意する。

　ロ　上記算式における「売上割合」とは、次の算式で計算した割合をいう。

（算式）

$$\frac{当該売上判定事業年度における売上金額}{贈与特定事業年度における売上金額}$$

　　(注)　上記算式における「贈与特定事業年度における売上金額」とは、次の算式で計算した金額をいう。

（算式）

$$\frac{贈与特定事業年度における売上金額 \times 当該売上判定事業年度の月数}{贈与特定事業年度の月数}$$

　　　(注)1　上記算式における「贈与特定事業年度」とは、認定贈与承継会社の中小企業信用保険法第2条第5項第1号又は第2号の事由が発生した日の属する事業年度の直前の事業年度をいうことに留意する。

　　　　　2　特例対象贈与の時後に(21)で定める事由が生じたときは、当該事由が生じた日以後の認定贈与承継会社に係る当該割合として、(21)で定めるものをいうことに留意する。

　　　2　「雇用割合の平均値」とは、次の算式により計算した割合をいう。

　　　なお、最初の売上判定事業年度終了の日が経営贈与承継期間の末日の翌日以後である場合には、当該認定贈与承継会社の特例対象贈与の時における常時使用従業員の数に対する経営贈与承継期間の末日における常時使用従業員の数の割合をいうことに留意する。

（算式）

$$\frac{各雇用判定基準日における雇用割合の合計}{当該売上判定事業年度に係る雇用判定基準日の数}$$

　　　(注)1　上記算式における「雇用判定基準日」とは、売上判定事業年度に係る基準日が経営贈与承継期間（中小企業信用保険法第2条第5項第1号又は第2号の事由が発生した日以後の期間に限る。）内にある場合における当該基準日をいうことに留意する。

　　　　　2　上記算式における「雇用割合」とは、次の算式で計算した割合をいうことに留意する。

　　　　　（算式）

$$\frac{雇用判定基準日における常時使用従業員の数}{認定贈与承継会社の特例対象贈与の時における常時使用従業員の数}$$

　　　　　(注)　上記算式における「特例対象贈与の時における常時使用従業員の数」については、特例対象贈与の時後に第五節1の(4)の(一)から(三)

第一章　非上場株式等についての贈与税の納税猶予及び免除
（第八節　事業用資産等が災害によって甚大な被害を受けた場合）

に掲げる事由が生じたときには、特例対象贈与の時における常時使用従業員の数に相当するものとして(10)で定める数となることに留意する。

（認定贈与承継会社の売上金額が大幅に減少した場合）

(17)　**1**の(四)に規定する政令で定める場合は、認定贈与承継会社の(一)に掲げる金額に対する(二)に掲げる金額の割合が100分の70以下である場合（当該認定贈与承継会社が中小企業信用保険法第2条第5項第3号又は第4号に該当することにつき(18)の財務省令で定めるところにより証明がされた場合に限る。）とする。（措令40の8㊶）

(一)　特定日（中小企業信用保険法第2条第5項第3号又は第4号の経済産業大臣の指定する事由が発生した日をいう。(二)において同じ。）の1年前の日から同日以後6月を経過する日までの間における売上金額

(二)　特定日から特定日以後6月を経過する日までの間における売上金額

（財務省令で定めるところによる証明）

(18)　(17)に規定する財務省令で定めるところにより証明がされた場合は、**2**の(2)の(四)に定める書類を**2**の規定により提出する届出書に添付することにより証明がされた場合とする。（措規23の9㊹）

（**1**の(四)に規定する「認定贈与承継会社の売上金額が大幅に減少した場合」）

(19)　**1**の(四)に規定する「当該認定贈与承継会社の売上金額が大幅に減少した場合」とは、次の算式を満たす場合をいうことに留意する。
　　なお、次の算式を満たす場合であっても当該認定贈与承継会社が中小企業信用保険法第2条第5項第3号又は第4号に該当することにつき(18)に定めるところにより証明がされた場合に限られることに留意する。（措通70の7－58）
　　　　（算式）

$$\frac{特定日から特定日以後6月を経過する日までの間における売上金額}{特定日の1年前の日から同日以後6月を経過する日までの間における売上金額} \leqq \frac{70}{100}$$

（注）1　上記算式における「特定日」とは、中小企業信用保険法第2条第5項第3号又は第4号の経済産業大臣の指定する事由が発生した日をいうことに留意する。
　　　2　中小企業信用保険法第2条第5項第3号又は第4号の経済産業大臣の指定する事由が発生した日については、**2**の(3)参照。

（常時使用従業員の雇用が確保されているとき）

(20)　**1**の(四)に規定する売上金額に応じた常時使用従業員の雇用が確保されているときとして政令で定めるときは、次の(一)又は(二)に掲げる場合の区分に応じ当該(一)又は(二)に定めるときとする。（措令40の8㊵）

(一)　経営贈与承継期間内に第五節の**1**の(二)に掲げる場合に該当することとなった場合　　各売上判定事業年度（**1**の(四)に規定する基準日（以下(20)、(24)及び**3**において「**基準日**」という。）の直前の経営贈与報告基準日の翌日から当該基準日までの間に終了する事業年度（同(四)のイに掲げる場合には同(四)のイに定める期間内に終了する事業年度とし、中小企業信用保険法第2条第5項第3号又は第4号の事由が発生した日の属する事業年度以前の事業年度を除く。）をいう。以下(20)及び(24)において同じ。）における売上割合（認定贈与承継会社の当該事由が発生した日の属する事業年度の直前の事業年度（以下(一)及び(25)において「**贈与特定事業年度**」という。）における売上金額に当該売上判定事業年度の月数を乗じてこれを贈与特定事業年度の月数で除して計算した金額に対する当該売上判定事業年度における売上金額の割合（特例対象贈与の時後に合併その他の(21)の財務省令で定める事由が生じたときは、当該事由が生じた日以後の認定贈与承継会社に係る当該割合として(21)の財務省令で定めるもの）をいう。(二)において同じ。）の合計を経営贈与承継期間の末日において経営贈与承継期間内に終了する当該売上判定事業年度の数で除して計算した割合（最初の売上判定事業年度終了の日が経営贈与承継期間の末日の翌日以後である場合には、(17)に規定する割合。以下(一)において「**売上割合の平均値**」という。）の次のイからハまでに掲げる場合の区分に応じ、各雇用判定基準日（当該売上判定事業年度に係る基準日が経営贈与承継期間内にある場合における当該基準日をいう。以下(20)において同じ。）における雇用割合（当該認定贈与承継会社の特例対象贈与の時における常時使用従業員の数に対する当該雇用判定基準日における常時使用従業員の数の割合をいう。(三)において同じ。）の合計を経営贈与承継期間の末日において当該売上判定事業年度に係る雇用判定基準日の数で除して計算した割合（最初の売上判定事業年度終了の日が経営贈与承継期間の末日の翌日以後である場合には、当該認定贈与承継会社の特例対象贈与の時における常時使用従業員の数に対する経営贈与承継期間の末日における常時使用従業員の数の割合）がそれぞれイからハまでに定める割合以上であるとき。

イ　売上割合の平均値が100分の100以上の場合　　　　100分の80

第七編　非上場株式等に係る相続税・贈与税の納税猶予及び免除

　　ロ　売上割合の平均値が100分の70以上100分の100未満の場合　　100分の40

　　ハ　売上割合の平均値が100分の70未満の場合　　零

（二）　経営贈与承継期間内に第五節の **1** の（九）に掲げる場合又は贈与特定期間（**1** の（一）（（6）の規定により読み替えて適用する場合を含む。）に規定する贈与特定期間をいう。以下（二）において同じ。）内に第六節の表の（一）の左欄（第五節の **1** の（九）に係る部分に限る。）に掲げる場合に該当することとなった場合　　売上判定事業年度（**1** の（四）のロに掲げる場合には、同（四）のロに定める期間内に終了する事業年度。以下（二）及び（24）において同じ。）における売上割合の次のイからハまでに掲げる場合の区分に応じ、当該売上判定事業年度に係る雇用判定基準日（当該売上判定事業年度に係る基準日が贈与特定期間内にある場合には、特定基準日（**1** の（四）のロに規定する特定基準日をいう。（24）において同じ。））における雇用割合がそれぞれイからハまでに定める割合以上であるとき。

　　イ　売上割合が100分の100以上の場合　　100分の80

　　ロ　売上割合が100分の70以上100分の100未満の場合　　100分の40

　　ハ　売上割合が100分の70未満の場合　　零

　　　（財務省令で定める事由及び割合）

（21）　（20）の（一）（（15）において準用する場合を含む。）に規定する財務省令で定める事由は次の（一）から（三）に掲げる事由とし、（20）の（一）（（15）において準用する場合を含む。）に規定する財務省令で定める割合は当該（一）から（三）に掲げる事由の区分に応じ当該（一）から（三）に定める割合とする。（措規23の9㊺）

（一）　吸収合併（認定贈与承継会社が消滅するものに限るものとし、贈与特定事業年度（（20）の（一）に規定する贈与特定事業年度をいう。以下（21）及び **3** の（1）において同じ。）開始の日以前にその効力が生ずるものを除く。）　　次のイ又はロに掲げる場合の区分に応じそれぞれイ又はロに定める割合

　　イ　中小企業信用保険法（昭和25年法律第264号）第2条第5項第3号又は第4号の事由（（15）において（20）（（一）に係る部分に限る。）の規定を準用する場合にあっては、同法第2条第5項第1号又は第2号の事由。以下（21）において「**災害等**」という。）が発生した日以後に吸収合併がその効力を生ずる場合　　①に掲げる金額に対する②に掲げる金額の割合

　　　①　贈与特定事業年度における当該吸収合併により消滅した認定贈与承継会社の売上金額に調整割合（売上判定事業年度の月数を売上金額に係る事業年度の月数で除して得た割合をいう。以下（21）において同じ。）を乗じて計算した金額と、当該吸収合併がその効力を生ずる日（以下（一）において「効力発生日」という。）の属する事業年度の直前の事業年度における当該吸収合併に係る合併承継会社の売上金額及び当該吸収合併により消滅した会社（当該認定贈与承継会社を除く。）の売上金額にそれぞれ調整割合を乗じて計算した金額とを合計した金額

　　　②　売上判定事業年度における当該吸収合併に係る合併承継会社の売上金額（効力発生日の属する売上判定事業年度にあっては、当該売上金額と、当該効力発生日の属する事業年度における当該吸収合併により消滅した会社の売上金額を当該事業年度の月数で除し、これに当該売上判定事業年度開始の日から当該効力発生日の前日までの期間の月数を乗じて計算した金額とを合計した金額）

　　ロ　イに掲げる場合以外の場合　　①に掲げる金額に対する②に掲げる金額の割合

　　　①　贈与特定事業年度における当該吸収合併に係る合併承継会社の売上金額に調整割合を乗じて計算した金額と、効力発生日の属する事業年度の直前の事業年度における当該吸収合併により消滅した会社の売上金額に調整割合を乗じて計算した金額（効力発生日が贈与特定事業年度中にある場合には、当該計算した金額に贈与特定事業年度の月数のうちに占める贈与特定事業年度開始の日から当該効力発生日の前日までの期間の月数の割合を乗じて計算した金額）とを合計した金額

　　　②　売上判定事業年度における当該吸収合併に係る合併承継会社の売上金額

（二）　新設合併（贈与特定事業年度開始の日以前にその効力が生ずるものを除く。）　　次のイ又はロに掲げる場合の区分に応じそれぞれイ又はロに定める割合

　　イ　災害等が発生した日以後に新設合併がその効力を生ずる場合　　①に掲げる金額に対する②に掲げる金額の割合

　　　①　贈与特定事業年度における当該新設合併により消滅した認定贈与承継会社の売上金額に調整割合を乗じて計算した金額と、当該新設合併がその効力を生ずる日の属する事業年度の直前の事業年度における当該新設合併により消滅した会社（当該認定贈与承継会社を除く。）の売上金額に調整割合を乗じて計算した金額とを合計した金額

　　　②　売上判定事業年度における当該新設合併に係る合併承継会社の売上金額

　　ロ　イに掲げる場合以外の場合　　①に掲げる金額に対する②に掲げる金額の割合

　　　①　当該新設合併がその効力を生ずる日の属する事業年度の直前の事業年度における当該新設合併により消滅した会社の売上金額にそれぞれ調整割合を乗じて計算した金額を合計した金額

－1162－

第一章　非上場株式等についての贈与税の納税猶予及び免除
（第八節　事業用資産等が災害によって甚大な被害を受けた場合）

　　②　イの②に掲げる金額
（三）　株式交換等（認定贈与承継会社が株式交換完全子会社等となるものに限るものとし、贈与特定事業年度開始の日以前にその効力が生ずるものを除く。）　　次のイ又はロに掲げる場合の区分に応じそれぞれイ又はロに定める割合
　イ　災害等が発生した日以後に株式交換等がその効力を生ずる場合　　①に掲げる金額に対する②に掲げる金額の割合
　　①　贈与特定事業年度における当該株式交換等により株式交換完全子会社等となった認定贈与承継会社の売上金額に調整割合を乗じて計算した金額（株式交換にあっては、当該計算した金額と、当該株式交換がその効力を生ずる日の属する事業年度の直前の事業年度における当該株式交換に係る交換等承継会社の売上金額に調整割合を乗じて計算した金額とを合計した金額）
　　②　売上判定事業年度における、当該株式交換等に係る交換等承継会社の売上金額と、当該株式交換等により株式交換完全子会社等となった認定贈与承継会社の売上金額に調整割合を乗じて計算した金額とを合計した金額
　ロ　イに掲げる場合以外の場合　　①に掲げる金額に対する②に掲げる金額の割合
　　①　当該株式交換等がその効力を生ずる日の属する事業年度の直前の事業年度における当該株式交換等により株式交換完全子会社等となった認定贈与承継会社の売上金額に調整割合を乗じて計算した金額（株式交換にあっては、当該計算した金額と、贈与特定事業年度における当該株式交換に係る交換等承継会社の売上金額に調整割合を乗じて計算した金額とを合計した金額）
　　②　イの②に掲げる金額

（端数の計算）
(22)　(21)の月数は、暦に従って計算し、１月に満たない端数を生じたときは、これを１月とする。（措規23の９⑯）

（１の（四）に規定する「売上金額に応じた常時使用従業員の雇用が確保されているとき」）
(23)　１の（四）に規定する「売上金額に応じた常時使用従業員の雇用が確保されているとき」とは、次の（一）及び（二）に掲げる場合の区分に応じ、（一）及び（二）に掲げるときをいうことに留意する。（措通70の７−59）
（一）　経営贈与承継期間内に第五節１の（二）に掲げる場合に該当することとなった場合
　　売上割合の平均値の次表の①から③までに掲げる区分に応じ、雇用割合の平均値がそれぞれ①から③までに掲げる割合以上であるとき。

	売上割合の平均値	雇用割合の平均値
①	100分の100以上の場合	100分の80
②	100分の70以上100分の100未満の場合	100分の40
③	100分の70未満の場合	零（０）

（注）1　上記表の「売上割合の平均値」とは、次の算式により計算した割合をいう。
　　　　なお、最初の売上判定事業年度終了の日が経営贈与承継期間の末日の翌日以後である場合には、(17)に規定する割合をいうことに留意する。
　　　（算式）

$$\frac{各売上判定事業年度における売上割合の合計}{経営贈与承継期間（中小企業信用保険法第２条第５項第３号又は第４号の事由が生じた日以後の期間に限る。）内に終了する当該売上判定事業年度の数}$$

　　イ　上記算式における「売上判定事業年度」とは、基準日（売上金額に係る事業年度の翌事業年度中にある経営贈与報告基準日をいう。以下(23)において同じ。）の直前の経営贈与報告基準日の翌日から当該基準日までの間に終了する事業年度（当該基準日が最初の経営贈与報告基準日である場合には、第一節の１の規定の適用に係る贈与の日の属する年分の贈与税の申告書の提出期限の翌日から当該基準日までの期間内に終了する事業年度とし、中小企業信用保険法第２条第５項第３号又は第４号の事由が発生した日の属する事業年度以前の事業年度を除く。）をいうことに留意する。
　　ロ　上記算式における「売上割合」とは、次の算式で計算した割合をいう。
　　　（算式）

$$\frac{当該売上判定事業年度における売上金額}{贈与特定事業年度における売上金額}$$

　　　（注）　上記算式における「贈与特定事業年度における売上金額」とは、次の算式で計算した金額をいう。
　　　　（算式）

$$\frac{贈与特定事業年度における売上金額×当該売上判定事業年度の月数}{贈与特定事業年度の月数}$$

－1163－

第七編　非上場株式等に係る相続税・贈与税の納税猶予及び免除

(注)1　上記算式における「贈与特定事業年度」とは、認定贈与承継会社の中小企業信用保険法第2条第5項第3号又は第4号の事由が発生した日の属する事業年度の直前の事業年度をいうことに留意する。

2　特例対象贈与の時後に(21)で定める事由が生じたときは、当該事由が生じた日以後の認定贈与承継会社に係る当該割合として、(21)で定めるものをいうことに留意する。

2　「雇用割合の平均値」とは、次の算式により計算した割合をいう。

なお、最初の売上判定事業年度終了の日が経営贈与承継期間の末日の翌日以後である場合には、当該認定贈与承継会社の特例対象贈与の時における常時使用従業員の数に対する経営贈与承継期間の末日における常時使用従業員の数の割合をいうことに留意する。

(算式)

$$\frac{各雇用判定基準日における雇用割合の合計}{当該売上判定事業年度に係る雇用判定基準日の数}$$

(注)1　上記算式における「雇用判定基準日」とは、売上判定事業年度に係る基準日が経営贈与承継期間（中小企業信用保険法第2条第5項第3号又は第4号の事由が発生した日以後の期間に限る。）内にある場合における当該基準日をいうことに留意する。

2　上記算式における「雇用割合」とは、次の算式で計算した割合をいうことに留意する。

(算式)

$$\frac{雇用判定基準日における常時使用従業員の数}{認定贈与承継会社の特例対象贈与の時における常時使用従業員の数}$$

(注)　上記算式における「特例対象贈与の時における常時使用従業員の数」については、特例対象贈与の時後に第五節の1の(4)の(一)から(三)に掲げる事由が生じたときには、特例対象贈与の時における常時使用従業員の数に相当するものとして(10)で定める数となることに留意する。

(二)　経営贈与承継期間内に第五節の1の(九)に掲げる場合又は贈与特定期間内に第六節の表の(一)の左欄（第五節の1の(九)に係る部分に限る。）に掲げる場合に該当することとなった場合

売上判定事業年度（1の(四)のロに掲げる場合には、同ロに定める期間内に終了する事業年度）における売上割合の次表の①から③までに掲げる区分に応じ、当該売上判定事業年度に係る雇用判定基準日（当該売上判定事業年度に係る基準日が贈与特定期間内にある場合には、特定基準日）における雇用割合がそれぞれ①から③までに掲げる割合以上であるとき。

	売上割合	雇用割合
①	100分の100以上の場合	100分の80
②	100分の70以上100分の100未満の場合	100分の40
③	100分の70未満の場合	零（0）

(注)1　上記の「雇用判定基準日」とは、当該売上判定事業年度に係る基準日が経営贈与承継期間（中小企業信用保険法第2条第5項第3号又は第4号の事由が発生した日以後の期間に限る。）内にある場合における当該基準日をいうことに留意する。

2　上記の「特定基準日」とは、経営贈与承継期間の末日から1年を経過するごとの日をいうことに留意する。

3　上記表の「売上割合」とは、次の算式により計算した割合をいう。

(算式)

$$\frac{当該売上判定事業年度における売上金額}{贈与特定事業年度における売上金額}$$

(注)　上記算式における「贈与特定事業年度における売上金額」とは、次の算式で計算した金額をいう。

(算式)

$$\frac{贈与特定事業年度における売上金額×当該売上判定事業年度の月数}{贈与特定事業年度の月数}$$

(注)1　上記算式における「贈与特定事業年度」とは、認定贈与承継会社の中小企業信用保険法第2条第5項第3号又は第4号の事由が発生した日の属する事業年度の直前の事業年度をいうことに留意する。

2　特例対象贈与の時後に(21)で定める事由が生じたときは、当該事由が生じた日以後の認定贈与承継会社に係る当該割合として、(21)で定めるものをいうことに留意する。

4　上記表の「雇用割合」とは、次の算式で計算した割合をいう。

(算式)

$$\frac{雇用判定基準日における常時使用従業員の数}{認定贈与承継会社の特例対象贈与の時における常時使用従業員の数}$$

(注)　上記算式における「特例対象贈与の時における常時使用従業員の数」については、特例対象贈与の時後に第五節の1の(4)の(一)から(三)に掲げる事由が生じたときには、特例対象贈与の時における常時使用従業員の数に相当するものとして(10)で定める数となることに留意する。

(読替え規定)

(24)　売上判定事業年度に係る基準日が中小企業信用保険法第2条第5項第3号又は第4号の事由が発生した日以後最初に到来する基準日である場合における1（(四)に係る部分に限る。）の規定の適用については、1の(四)中「経営贈与報

第一章　非上場株式等についての贈与税の納税猶予及び免除
（第八節　事業用資産等が災害によって甚大な被害を受けた場合）

告基準日（当該売上金額に係る事業年度の翌事業年度中にあるものに限る。以下(四)において「基準日」という。）の直前の経営贈与報告基準日の翌日から当該基準日」とあるのは、「同条第５項第３号又は第４号の事由が発生した日から同日以後最初に到来する経営贈与報告基準日（当該売上金額に係る事業年度の翌事業年度中にあるものに限る。以下(四)において「基準日」という。）」とし、売上判定事業年度に係る特定基準日が当該事由が発生した日以後最初に到来する特定基準日である場合における**1**（同**1**の(四)のロに係る部分に限る。）の規定の適用については、同(四)のロ中「経営贈与承継期間の末日から１年を経過するごとの日（ロにおいて「特定基準日」という。）の直前の特定基準日（当該１年を経過する日が最初の特定基準日である場合には、経営贈与承継期間の末日）の翌日から次の特定基準日（」とあるのは「中小企業信用保険法第２条第５項第３号又は第４号の事由が発生した日から同日以後最初に到来する特定基準日（経営贈与承継期間の末日から１年を経過するごとの日をいい、」と、「中小企業信用保険法第２条第５項第３号又は第４号」とあるのは「これらの号」とする。（措令40の8㊺）

　　（前の水準に最初に回復した事業年度）

(25)　**1**の(四)のロに規定する政令で定める事業年度は、事業年度（中小企業信用保険法第２条第５項第３号又は第４号の事由が発生した日の属する事業年度以前の事業年度を除く。）における売上金額に贈与特定事業年度の月数を乗じてこれを当該事業年度の月数で除して計算した金額が最初に贈与特定事業年度における売上金額以上となった場合における当該事業年度とする。（措令40の8㊾）

2　適用要件

　1の規定は、第一節の**1**の規定の適用を受ける経営承継受贈者（**1**の(一)若しくは(二)の災害又は**1**の(三)の中小企業信用保険法第２条第５項第１号若しくは第２号の事由若しくは**1**の(四)の同条第５項第３号若しくは第４号の事由（以下**2**において「災害等」という。）の発生前に第一節の**1**の規定の適用に係る贈与により第一節の**1**の非上場株式等の取得をしていた者に限る。**4**において同じ。）が(1)の財務省令で定めるところにより**1**の規定の適用を受けたい旨を記載した届出書を当該災害等の発生した日から10月を経過する日までに納税地の所轄税務署長に提出した場合（当該税務署長においてやむを得ない事情があると認める場合には、当該届出書を当該期限後に提出した場合を含む。）に限り、適用する。（措法70の7㉛）

　　（財務省令で定める事項）

(1)　**2**の規定により提出する届出書には、**1**の規定の適用を受けたい旨及び次に掲げる事項を記載し、かつ、(2)に定める書類を添付しなければならない。（措規23の9㊼）

(一)　経営承継受贈者の氏名及び住所又は居所

(二)　贈与者から第一節の**1**の規定の適用に係る贈与により対象受贈非上場株式等の取得をした年月日

(三)　対象受贈非上場株式等に係る認定贈与承継会社の名称及び本店の所在地

(四)　(三)の認定贈与承継会社の次に掲げる場合の区分に応じそれぞれ次に定める事項

　イ　当該認定贈与承継会社が**1**の(一)に掲げる場合に該当することとなった場合

　　同(一)の災害が発生した年月日、当該災害が発生した日の属する事業年度の直前の事業年度終了の時における当該認定贈与承継会社の総資産の貸借対照表に計上されている帳簿価額の総額、当該認定贈与承継会社の当該災害により滅失（通常の修繕によっては原状回復が困難な損壊を含む。）をした資産（特定資産を除く。）の貸借対照表に計上されている帳簿価額の合計額及び当該総額に対する当該合計額の割合

　ロ　当該認定贈与承継会社が**1**の(二)に掲げる場合に該当することとなった場合

　　同(二)の災害が発生した年月日、当該災害が発生した日の前日における当該認定贈与承継会社の常時使用従業員の総数、当該認定贈与承継会社の**1**の(7)に規定する被災常時使用従業員の数及び当該総数に対する当該被災常時使用従業員の数の割合

　ハ　当該認定贈与承継会社が**1**の(三)に掲げる場合に該当することとなった場合

　　中小企業信用保険法第２条第５項第１号又は第２号の事由のいずれに該当するかの別、**1**の(12)の(一)に規定する特定日、当該認定贈与承継会社の同(一)及び同(12)の(二)に掲げる金額並びに同(12)の(一)に掲げる金額に対する同(12)の(二)に掲げる金額の割合

　ニ　当該認定贈与承継会社が**1**の(四)に掲げる場合に該当することとなった場合

　　中小企業信用保険法第２条第５項第３号又は第４号の事由のいずれに該当するかの別、**1**の(17)の(一)に規定する特定日、当該認定贈与承継会社の同(一)及び同(17)の(二)に掲げる金額並びに同(17)の(一)に掲げる金額に対する同(17)の(二)に掲げる金額の割合

－1165－

第七編　非上場株式等に係る相続税・贈与税の納税猶予及び免除

　　　　（添付書類）
（２）　（１）の届出書に添付すべき書類は、次の（一）から（四）に掲げる場合の区分に応じ当該（一）から（四）に定める書類とする。（措規23の9㊽）
　　（一）　（１）の（四）のイに掲げる場合　　円滑化省令第13条の2第4項の確認書（同条第1項第1号に係るものに限る。）の写し及び同条第2項の規定により都道府県知事に提出した同項の申請書（同号に係るものに限る。）の写し
　　（二）　（１）の（四）のロに掲げる場合　　円滑化省令第13条の2第4項の確認書（同条第1項第2号に係るものに限る。）の写し及び同条第2項の規定により都道府県知事に提出した同項の申請書（同号に係るものに限る。）の写し
　　（三）　（１）の（四）のハに掲げる場合　　円滑化省令第13条の2第4項の確認書（同条第1項第3号又は第4号に係るものに限る。）の写し及び同条第2項の規定により都道府県知事に提出した同項の申請書（これらの号に係るものに限る。）の写し
　　（四）　（１）の（四）のニに掲げる場合　　円滑化省令第13条の2第4項の確認書（同条第1項第5号又は第6号に係るものに限る。）の写し及び同条第2項の規定により都道府県知事に提出した同項の申請書（これらの号に係るものに限る。）の写し

　　　　（中小企業信用保険法第2条第5項第1号から第4号の事由の発生した日）
（３）　2に規定する「当該災害等が発生した日」のうち中小企業信用保険法第2条第5項第1号から第4号までの事由の発生した日とは、次に掲げる区分に応じ、それぞれに掲げる日となることに留意する。（措通70の7－60）
　　（一）　同項第1号の事由
　　　　同号の規定に基づき経済産業大臣が指定した事業者に係る市町村長又は特別区長に対して特定中小企業者の認定を申請することができる期間の初日
　　（二）　同項第2号の事由
　　　　同号の規定に基づき経済産業大臣が指定した事業活動の制限に係る指定期間の初日
　　（三）　同項第3号又は第4号の事由
　　　　同項第3号又は第4号の規定に基づき経済産業大臣が指定した災害その他の突発的に生じた事由に係る指定の期間の初日
　　（注）　1の(12)の（一）に規定する「中小企業信用保険法第2条第5項第1号の事由が発生した日又は同項第2号の事業者が同号の経済産業大臣の指定した事業活動の制限を実施した日」及び1の(17)の（一）に規定する「中小企業信用保険法第2条第5項第3号又は第4号の経済産業大臣の指定する事由が発生した日」についても同様であることに留意する。

3　引き続き適用を受けるための手続
　　1（（三）又は（四）に係る部分に限る。）の規定の適用を受ける1の経営承継受贈者は、届出期限（基準日が経営贈与承継期間内にある場合には当該基準日の翌日から5月を経過する日をいい、基準日が当該経営贈与承継期間の末日の翌日以後にある場合には当該基準日の翌日から3月を経過する日をいう。）までに、引き続いて1（（三）又は（四）に係る部分に限る。）の規定の適用を受けたい旨その他（１）の財務省令で定める事項を記載した届出書を納税地の所轄税務署長に提出しなければならない。（措令40の8㊶）

　　　　（財務省令で定める事項）
（１）　3に規定する財務省令で定める事項は、次に掲げる事項とする。（措規23の9㊾）
　　（一）　経営承継受贈者の氏名及び住所又は居所
　　（二）　贈与者から第一節の1の規定の適用に係る贈与により対象受贈非上場株式等の取得をした年月日
　　（三）　対象受贈非上場株式等に係る認定贈与承継会社の名称及び本店の所在地
　　（四）　中小企業信用保険法第2条第5項第1号若しくは第2号の事由又は同項第3号若しくは第4号の事由が発生した年月日
　　（五）　3の基準日（1の（四）に規定する基準日をいう。以下（１）において同じ。）の直前の経営贈与報告基準日（当該基準日が最初の経営贈与報告基準日である場合には、贈与税の申告書の提出期限。（八）において同じ。）の翌日から当該基準日までの間に終了する各売上判定事業年度の売上金額
　　（六）　贈与特定事業年度における売上金額
　　（七）　（六）の贈与特定事業年度の売上金額に対する（五）の各売上判定事業年度の売上金額の割合
　　（八）　基準日の直前の経営贈与報告基準日の翌日から当該基準日までの間に到来する1の(20)の（二）に規定する雇用判定基準日（（十）及び（十一）のロにおいて「雇用判定基準日」という。）における常時使用従業員の数

－1166－

第一章　非上場株式等についての贈与税の納税猶予及び免除
（第八節　事業用資産等が災害によって甚大な被害を受けた場合）

（九）　（二）の贈与の時における常時使用従業員の数

（十）　（九）の贈与の時における常時使用従業員の数に対する（八）の雇用判定基準日における常時使用従業員の数の割合

（十一）　その基準日が経営贈与承継期間（1の（一）に規定する経営贈与承継期間をいう。以下（十一）及び（十二）において同じ。）の末日である場合（経営贈与承継期間内に第五節の1の（二）に掲げる場合に該当することとなった場合に限る。）には、次に掲げる事項

イ　当該末日において経営贈与承継期間内に終了する各売上判定事業年度の（七）の割合を合計し、当該各売上判定事業年度の数で除して計算した割合

ロ　当該末日において同日までに到来する各雇用判定基準日における（十）の割合を合計し、当該末日までに到来する各雇用判定基準日の数で除して計算した割合

（十二）　基準日（経営贈与承継期間の末日の翌日以後に到来するものに限る。）の直前の経営贈与報告基準日の翌日から当該基準日までの間に（五）の売上金額が（六）の売上金額以上となった場合には、その旨

（十三）　その他参考となるべき事項

　　　（添付書類）

（2）　1（（三）又は（四）に係る部分に限る。）の規定の適用を受ける経営承継受贈者が3の規定により提出する届出書には、円滑化省令第13条の3第2項の規定に基づき都道府県知事に提出された報告書の写しを添付しなければならない。（措規23の9㊿）

　　　（3に規定する届出書の提出期間等）

（3）　3に規定する届出書は、基準日が経営贈与承継期間内にある場合には当該基準日の翌日から5月を経過するごとの日、基準日が経営贈与承継期間の末日の翌日以後にある場合には当該基準日の翌日から3月を経過するごとの日までに提出しなければならないのであるが、その提出期間は、それぞれ、当該基準日の翌日から5月を経過する日ごとの日までの期間及び当該基準日の翌日から3月を経過するごとの日までの期間として取り扱う。

　　なお、当該届出書は、贈与特定期間終了後に初めて到来する同項に規定する届出期限が当該届出書の最終の提出期限となり、その後は当該届出書の提出は要しないことに留意する。（措通70の7−61）

　　　（第七節の2に関する通達の準用）

（4）　第七節の2の（7）から（9）まで、（14）、（16）、（18）については、4の規定により、第七節の2の（一）又は同2の（二）に掲げる場合に該当するものとみなし、この規定を適用する場合について準用する。（措通70の7−62）

4　納税猶予税額の免除

　経営承継受贈者が有する対象受贈非上場株式等に係る認定贈与承継会社が1の（一）から（四）に掲げる場合に該当することとなった場合において、当該経営承継受贈者又は当該認定贈与承継会社が経営贈与承継期間内に次の（一）又は（二）のいずれかに該当することとなったときは、当該経営承継受贈者又は当該認定贈与承継会社は、それぞれ第七節の2の（一）又は（二）に掲げる場合に該当するものとみなして、本章の規定を適用する。（措法70の7㉜）

（一）　当該経営承継受贈者が当該認定贈与承継会社の非上場株式等の全部の譲渡等をしたとき（次のイ又はロのいずれかに該当するときに限るものとし、当該認定贈与承継会社が株式交換等により他の会社の株式交換完全子会社等となったとき（当該他の会社が当該経営承継受贈者と第一節の2の（29）の政令で定める特別の関係がある者以外のものであり、かつ、当該株式交換等に際して当該他の会社の株式等の交付がないときに限る。）を除く。）。

イ　その譲渡等が当該経営承継受贈者と同（29）の政令で定める特別の関係がある者以外の者のうちの一人の者として第七節の2の（3）の政令で定めるものに対して行うものであるとき。

ロ　その譲渡等が、民事再生法の規定による再生計画又は会社更生法の規定による更生計画の認可の決定があった場合において、当該再生計画又は当該更生計画に基づき当該非上場株式等を消却するために行うものであるとき。

（二）　当該対象受贈非上場株式等に係る認定贈与承継会社について破産手続開始の決定又は特別清算開始の命令があったとき。

　　　（読替え規定）

（1）　4の規定の適用がある場合における第七節の2の規定の適用については、同2の（一）及び（二）中「の末日の翌日以後に」とあるのは、「内に」とする。（措法70の7㉝）

−1167−

第七編　非上場株式等に係る相続税・贈与税の納税猶予及び免除

　　　（添付書類の記載事項）
（２）　**4**の規定の適用を受けようとする**4**の経営承継受贈者が（１）の規定により読み替えて適用する第七節の**2**の申請書を提出する場合には、当該申請書に次に掲げる事項の記載がある書類を添付しなければならない。（措令40の8⑥）
　　（一）　**4**の規定の適用を受けようとする旨
　　（二）　**4**の経営承継受贈者又は認定贈与承継会社が**4**の（一）又は（二）に掲げる場合に該当する旨及び該当することとなった事情の詳細
　　（三）　その他（３）の財務省令で定める事項

　　　（財務省令で定める事項）
（３）　（２）の（三）に規定する財務省令で定める事項は、**2**の（１）の（四）に掲げる事項とする。（措規23の9⑤）

　　　（読替え規定）
（４）　**4**の規定の適用を受けようとする**4**の経営承継受贈者が（１）の規定により読み替えて適用する第七節の**2**の規定により提出する申請書には、第七節の**2**の（２）に規定する書類のほか、**2**の（２）に規定する書類を添付しなければならない。ただし、既に**2**の届出書に当該書類を添付して提出している場合は、この限りでない。（措規23の9⑤）

5　みなし規定

　　次に掲げる者は、第一節の**2**の（三）に規定する経営承継受贈者とみなして、本節の規定を適用する。この場合において、当該経営承継受贈者に係るこれらの規定の適用に関し必要な事項は、政令で定める。（平29改所法等附88⑪）
（一）　所得税法等の一部を改正する法律（平成22年法律第6号）第18条の規定による改正前の租税特別措置法（以下**5**において「平成22年旧法」という。）第70条の7第1項の規定の適用を受けている同条第2項第3号に規定する経営承継受贈者
（二）　現下の厳しい経済状況及び雇用情勢に対応して税制の整備を図るための所得税法等の一部を改正する法律（平成23年法律第82号）第17条の規定による改正前の租税特別措置法（以下**5**において「平成23年旧法」という。）第70条の7第1項の規定の適用を受けている同条第2項第3号に規定する経営承継受贈者
（三）　所得税法等の一部を改正する法律（平成25年法律第5号）第8条の規定による改正前の租税特別措置法（以下**5**において「平成25年旧法」という。）第70条の7第1項の規定の適用を受けている同条第2項第3号に規定する経営承継受贈者
（四）　所得税法等の一部を改正する法律（平成27年法律第9号）第8条の規定による改正前の租税特別措置法（以下**5**において「平成27年旧法」という。）第70条の7第1項の規定の適用を受けている同条第2項第3号に規定する経営承継受贈者
（五）　所得税法等の一部を改正する法律（平成29年法律第4号）第12条の規定による改正前の租税特別措置法（以下**5**において「平成29年旧法」という。）第70条の7第1項の規定の適用を受けている同条第2項第3号に規定する経営承継受贈者

　　　（みなし規定）
（１）　**5**の規定により適用する本節の規定は、次に掲げる会社が、平成28年4月1日以後に発生した**2**に規定する災害等により**1**の（一）から（四）に掲げる場合に該当することとなった場合について適用する。（平29改所法等附88⑫）
　　（一）　**5**の（一）に掲げる経営承継受贈者が有する平成22年旧法第70条の7第1項の特例受贈非上場株式等に係る同条第2項第1号に規定する認定贈与承継会社
　　（二）　**5**の（二）に掲げる経営承継受贈者が有する平成23年旧法第70条の7第1項の特例受贈非上場株式等に係る同条第2項第1号に規定する認定贈与承継会社
　　（三）　**5**の（三）に掲げる経営承継受贈者が有する平成25年旧法第70条の7第1項の特例受贈非上場株式等に係る同条第2項第1号に規定する認定贈与承継会社
　　（四）　**5**の（四）に掲げる経営承継受贈者が有する平成27年旧法第70条の7第1項の特例受贈非上場株式等に係る同条第2項第1号に規定する認定贈与承継会社
　　（五）　**5**の（五）に掲げる経営承継受贈者が有する平成29年旧法第70条の7第1項の特例受贈非上場株式等に係る同条第2項第1号に規定する認定贈与承継会社

第一章　非上場株式等についての贈与税の納税猶予及び免除
（第八節　事業用資産等が災害によって甚大な被害を受けた場合）

　　　（みなし規定）
（２）　５の（一）から（五）に掲げる者は、第一節の２の（三）に規定する経営承継受贈者とみなして、第五節の１の（３）の規定を適用する。（平29改措令附30①）

　　　（過誤納となった場合の国税通則法の適用）
（３）　５の規定により第一節の２の（三）に規定する経営承継受贈者とみなされた５の（一）から（五）に掲げる者に対する２及び４の（１）の規定の適用並びに１の規定の適用により過誤納となった額に相当する贈与税の国税通則法第56条から第58条までの規定の適用については、次に定めるところによる。（平29改措令附30②）
　（一）　２及び４の（１）の規定の適用については、２中「日から」とあるのは「日（当該日が所得税法等の一部を改正する等の法律（平成29年法律第４号）の施行の日前である場合には、当該施行の日）から」と、４の（１）中「同２の（一）」とあるのは「同２中「日から２月」とあるのは「日（当該日が所得税法等の一部を改正する等の法律（平成29年法律第４号）の施行の日前である場合には、当該施行の日。以下２において同じ。）から２月」と、同２の（一）」とする。
　（二）　１の規定の適用により過誤納となった額に相当する贈与税の国税通則法第56条から第58条までの規定の適用については、２の届出書の提出があった日に過誤納があったものとみなす。

　　　（読替え規定）
（４）　５の（一）から（三）までに掲げる者（所得税法等の一部を改正する法律（平成25年法律第５号。以下５において「平成25年改正法」という。）附則第86条第４項の規定の適用を受けた者を除く。）に対する１の（二）から（四）までの規定及び１の（12）の（一）の規定の適用については、次に定めるところによる。（平29改措令附30③）
　（一）　１の（二）から（四）までの規定の適用については、１の（二）のイ中「各第１種贈与基準日におけるその」とあるのは「経営贈与承継期間内に第１種贈与基準日におけるその」と、「の合計を経営贈与承継期間の末日において経営贈与承継期間内にある第１種贈与基準日の数で除して計算した数が、当該」とあるのは「が当該」と、「第五節の１の（二）」とあるのは「所得税法等の一部を改正する法律（平成22年法律第６号）第18条の規定による改正前の租税特別措置法第70条の７第４項第２号、現下の厳しい経済状況及び雇用情勢に対応して税制の整備を図るための所得税法等の一部を改正する法律（平成23年法律第82号）第17条の規定による改正前の租税特別措置法第70条の７第４項第２号又は所得税法等の一部を改正する法律（平成25年法律第５号）第８条の規定による改正前の租税特別措置法第70条の７第４項第２号」と、「あっては、各第１種贈与基準日における」とあるのは「あっては、」と、「第五節の１の（二）」とあるのは「当該各号」と、１の（三）中「第五節の１の（二）」とあるのは「所得税法等の一部を改正する法律（平成22年法律第６号）第18条の規定による改正前の租税特別措置法第70条の７第４項第２号、現下の厳しい経済状況及び雇用情勢に対応して税制の整備を図るための所得税法等の一部を改正する法律（平成23年法律第82号）第17条の規定による改正前の租税特別措置法第70条の７第４項第２号又は所得税法等の一部を改正する法律（平成25年法律第５号）第８条の規定による改正前の租税特別措置法第70条の７第４項第２号」と、「経営贈与承継期間の末日においては、第五節の１の（二）」とあるのは「当該各号の第１種贈与基準日においては、当該各号」と、１の（四）号中「第五節の１の（二）若しくは（九）に掲げる場合又は贈与特定期間内に第六節の表の（一）の左欄（五節の１の（九））」とあるのは「所得税法等の一部を改正する法律（平成22年法律第６号）第18条の規定による改正前の租税特別措置法第70条の７第４項第２号若しくは第９号に掲げる場合若しくは贈与特定期間内に同条第６項の表の第１号の上欄（同条第４項第９号に係る部分に限る。）に掲げる場合、経営贈与承継期間内に現下の厳しい経済状況及び雇用情勢に対応して税制の整備を図るための所得税法等の一部を改正する法律（平成23年法律第82号）第17条の規定による改正前の租税特別措置法第70条の７第４項第２号若しくは第９号に掲げる場合若しくは贈与特定期間内に同条第６項の表の第１号の上欄（同条第４項第９号に係る部分に限る。）に掲げる場合又は経営贈与承継期間内に所得税法等の一部を改正する法律（平成25年法律第５号）第８条の規定による改正前の租税特別措置法第70条の７第４項第２号若しくは第９号に掲げる場合若しくは贈与特定期間内に同条第６項の表の第１号の上欄（同条第４項第９号」と、「限り、経営贈与承継期間の末日（経営贈与承継期間内に五節の１の（九）に掲げる場合又は贈与特定期間内に第六節の表の（一）の左欄（五節の１の（九）に係る部分に限る。）に掲げる場合に該当することとなった場合にあっては」とあるのは「限り」と、「期間））において」とあるのは「期間）」とする。
　（二）　１の（20）の（一）の規定の適用については、同（一）中「第五節の１の（二）」とあるのは「所得税法等の一部を改正する法律（平成22年法律第６号）第18条の規定による改正前の租税特別措置法第70条の７第４項第２号、現下の厳しい経済状況及び雇用情勢に対応して税制の整備を図るための所得税法等の一部を改正する法律（平成23年法律第82号）第17条の規定による改正前の租税特別措置法第70条の７第４項第２号又は所得税法等の一部を改正する法律（平成25年法律第５号）第８条の規定による改正前の租税特別措置法第70条の７第４項第２号」と、「各売上判定事業年度（１

－1169－

第七編　非上場株式等に係る相続税・贈与税の納税猶予及び免除

の(四)」とあるのは「売上判定事業年度（１の(四)」と、「）をいう。(二)」とあるのは「）をいう。以下(12)」と、「）の合計を経営贈与承継期間の末日において経営贈与承継期間内に終了する当該売上判定事業年度の数で除して計算した割合（最初の売上判定事業年度終了の日が経営贈与承継期間の末日の翌日以後である場合には、(10)に規定する割合。以下(二)において「売上割合の平均値」という。）の」とあるのは「）の」と、「各雇用判定基準日」とあるのは「当該売上判定事業年度に係る雇用判定基準日」と、「）の合計を経営贈与承継期間の末日において当該売上判定事業年度に係る雇用判定基準日の数で除して計算した割合（最初の売上判定事業年度終了の日が経営贈与承継期間の末日の翌日以後である場合には、当該認定贈与承継会社の特例対象贈与の時における常時使用従業員の数に対する経営贈与承継期間の末日における常時使用従業員の数の割合）が」とあるのは「）が」と、「以上で」とあるのは「（最初の売上判定事業年度終了の日が経営贈与承継期間の末日の翌日以後である場合には、特定売上割合（(10)に規定する割合をいう。以下(一)において同じ。）の次のイからハまでに掲げる場合の区分に応じ、当該認定贈与承継会社の特例対象贈与の時における常時使用従業員の数に対する経営贈与承継期間の末日における常時使用従業員の数の割合がそれぞれイからハまでに定める割合）以上で」と、同(一)のイからハまでの規定中「売上割合の平均値」とあるのは「売上割合又は特定売上割合」とする。

　　（みなし規定）
（５）　５の(一)から(五)に掲げる者は、第一節の２の(三)に規定する経営承継受贈者とみなして、第一節の２の(２)、第三節の１の(４)（(三)に係る部分に限る。）及び第七節の１の(２)（(八)に係る部分に限る。）の規定を適用する。(平29改措規附16①)

　　（読替え規定）
（６）　５の規定により第一節の２の(三)に規定する経営承継受贈者とみなされた５の(一)から(三)までに掲げる者（平成25年改正法附則第86条第４項の規定の適用を受けた者を除く。）に対する１の(６)及び３の(１)の規定の適用については、１の(６)中「数に調整割合（次の(一)から(三)に掲げる場合の区分に応じ当該(一)から(三)に定める割合をいう。）を乗じて計算した数と」とあるのは「数と」と、３の(１)中「事項と」とあるのは「事項（(十一)に掲げる事項を除く。）と」とする。(平29改措規附16②)

－1170－

第一章　非上場株式等についての贈与税の納税猶予及び免除
（第九節　雑　　則）

第九節　雑　　則

　　　（他の納税猶予との重複適用の排除）
（1）　第一節の1の規定は、贈与者から贈与により取得をした非上場株式等に係る会社の株式等について、同1の規定の
　　適用を受けている他の経営承継受贈者又は第二章第一節の1の規定の適用を受けている第二章第一節の2の(三)に規定
　　する経営承継相続人等若しくは第三章第二節の1の規定の適用を受けている第三章第二節の2の(三)に規定する経営相
　　続承継受贈者がある場合（第一節の1の規定の適用を受けようとする者が、当該経営承継相続人等若しくは当該経営相
　　続承継受贈者又は第七節の1（同1の(三)に係る部分に限る。）若しくは第二章第七節の1（(二)に係る部分に限る。）
　　の規定の適用に係る贈与により当該会社の株式等の取得をした者である場合を除く。）には、当該非上場株式等について
　　は、適用しない。（措法70の7⑦）

　　　（現物出資等がある場合の適用除外）
（2）　第一節の1の対象受贈非上場株式等に係る認定贈与承継会社が同1の規定の適用を受けようとする経営承継受贈者
　　及び当該経営承継受贈者と第一節の2の(29)の政令で定める特別の関係がある者から現物出資又は贈与により取得をし
　　た資産（第一節の1の贈与前3年以内に取得をしたものに限る。（二)において「**現物出資等資産**」という。）がある場合
　　において、同1の贈与があった時における、(一)に掲げる金額に対する(二)に掲げる金額の割合が100分の70以上である
　　ときは、当該経営承継受贈者については、同1の規定は、適用しない。（措法70の7㉙）
（一）　当該認定贈与承継会社の資産の価額の合計額
（二）　現物出資等資産の価額（当該認定贈与承継会社が第一節の1の贈与があった時において当該現物出資等資産を有
　　　していない場合には、当該贈与があった時に有しているものとしたときにおける当該現物出資等資産の価額）の合計
　　　額

　　　（(2)の価額の意義）
（3）　(2)の(一)の「認定贈与承継会社の資産の価額」及び(2)の(二)の「現物出資等資産の価額」は、対象贈与があっ
　　た時における評価基本通達の定めにより算定した価額をいうことに留意する。（措通70の7－50）
　　（注）　対象贈与があった時に(2)に規定する現物出資等資産（以下(3)において「現物出資等資産」という。）を認定贈与承継会社が有していない
　　　　　場合でも、当該現物出資等資産を有しているものとして上記により(2)の(二)の価額を算定することに留意する。

　　　（同族会社の行為又は計算の否認等）
（4）　第二編第六章第六節二の3《同族会社等の行為計算の否認等》及び同二の4《移転法人又は取得法人の行為又は計
　　算の否認》の規定は、第一節の1の規定の適用を受ける経営承継受贈者若しくは当該経営承継受贈者に係る贈与者又は
　　これらの者と第一節の2の(29)の政令で定める特別の関係がある者の相続税又は贈与税の負担が不当に減少する結果と
　　なると認められる場合について準用する。この場合において、同二の3中「同族会社等」とあるのは「第一節の2の(一)
　　に規定する認定贈与承継会社」と、「株主若しくは社員又はその親族」とあるのは「第一節の1の経営承継受贈者又は同
　　1の贈与者」と、「相続税又は贈与税についての更正又は決定に際し」とあるのは「第一章の規定の適用に関し」と、「課
　　税価格を計算する」とあるのは「納税の猶予に係る期限を繰り上げ、又は免除する納税の猶予に係る贈与税を定める」
　　と「、同族会社等」とあるのは「、第一節の2の(一)に規定する認定贈与承継会社」と、「同族会社等の株主若しくは社
　　員又はその親族その他これらの者と上記に規定する特別の関係がある者の相続税又は贈与税に係る更正又は決定」とあ
　　るのは「認定贈与承継会社の第一節の1の経営承継受贈者の納税の猶予に係る期限の繰上げ又は贈与税の免除」と、同
　　二の4中「相続税又は贈与税についての更正又は決定に際し」とあるのは「第一章《非上場株式等についての贈与税の
　　納税猶予及び免除》の規定の適用に関し」と、「課税価格を計算する」とあるのは「納税の猶予に係る期限を繰り上げ、
　　又は免除する納税の猶予に係る贈与税を定める」と読み替えるものとする。（措法70の7⑭）

　　　（法人税法、所得税法及び地価税法の規定の適用）
（5）　(4)において第二編第六章第六節二の3の規定を準用する場合における法人税法第132条第3項、所得税法第157条
　　第3項及び地価税法第32条第3項の規定の適用については、法人税法第132条第3項中「相続税法」とあるのは「租税特
　　別措置法第70条の7第14項において準用する相続税法」と、「準用する」とあるのは「準用する。この場合において、第
　　1項第1号中「内国法人である同族会社」とあるのは、「租税特別措置法第70条の7第2項第1号《非上場株式等につい

－1171－

第七編　非上場株式等に係る相続税・贈与税の納税猶予及び免除

ての贈与税の納税猶予及び免除》に規定する認定贈与承継会社」と読み替えるものとする」と、所得税法第157条第3項中「相続税法」とあるのは「租税特別措置法第70条の7第14項において準用する相続税法」と、「準用する」とあるのは「準用する。この場合において、第1項第1号中「法人税法第2条第10号《定義》に規定する同族会社」とあるのは、「租税特別措置法第70条の7第2項第1号《非上場株式等についての贈与税の納税猶予及び免除》に規定する認定贈与承継会社」と読み替えるものとする」と、地価税法第32条第3項中「相続税法」とあるのは「租税特別措置法第70条の7第14項において準用する相続税法」と、「準用する」とあるのは「準用する。この場合において、第1項中「法人税法第2条第10号《定義》に規定する同族会社又は所得税法第157条第1項第2号《同族会社等の行為又は計算の否認等》に掲げる法人」とあるのは、「租税特別措置法（昭和32年法律第26号）第70条の7第2項第1号《非上場株式等についての贈与税の納税猶予及び免除》に規定する認定贈与承継会社」と読み替えるものとする」とする。(措令40の8㉟)

　　　(国税通則法、国税徴収法及び相続税法の規定の適用)
（6）　経営承継受贈者が第一節の1の規定の適用を受けようとする場合又は同1の規定による納税の猶予がされた場合における国税通則法、国税徴収法及び相続税法の規定の適用については、次に定めるところによる。(措70の7⑬)
　(一)　第一節の1の規定の適用があった場合における贈与税に係る延滞税については、その贈与税の額のうち納税猶予分の贈与税額とその他のものとに区分し、更に当該納税猶予分の贈与税額を(六)に規定する納税の猶予に係る期限が異なるものごとに区分して、それぞれの税額ごとに国税通則法の延滞税に関する規定を適用する。
　(二)　第一節の1の規定の適用を受けようとする経営承継受贈者が第二節の2本文の規定により対象受贈非上場株式等の全てを担保として提供する場合には、国税通則法第50条第2号中「有価証券で税務署長等（国税に関する法律の規定により国税庁長官又は国税局長が担保を徴するものとされている場合には、国税庁長官又は国税局長。以下この条及び次条において同じ。）が確実と認めるもの」とあるのは、「有価証券及び持分会社の出資の持分（質権その他の担保権の目的となっていないことその他の(7)の財務省令で定める要件を満たすものに限る。）」とし、同法第51条第1項の規定は、適用しない。
　(三)　(二)の場合において、同2ただし書の規定の適用があるときは、(二)の規定は、適用しない。
　(四)　第七節の2の(10)の規定による通知により過誤納となった額に相当する贈与税の国税通則法第56条から第58条までの規定の適用については、当該通知を発した日又は同2に規定する申請期限から6月を経過する日のいずれか早い日に過誤納があったものとみなす。
　(五)　第一節の1の規定による納税の猶予を受けた贈与税については、国税通則法第64条第1項及び第73条第4項中「延納」とあるのは、「延納（租税特別措置法第70条の7第1項《非上場株式等についての贈与税の納税猶予及び免除》の規定による納税の猶予を含む。）」とする。
　(六)　第一節の1の規定による納税の猶予に係る期限（第五節から第六節、第三節の2、第四節又は(4)の規定による当該期限を含む。）は、国税通則法及び国税徴収法中法定納期限又は納期限に関する規定を適用する場合には、相続税法の規定による延納に係る期限に含まれるものとする。
　(七)　第一節の1の規定による納税の猶予を受けた贈与税については、国税通則法第52条第4項中「認めるときは、税務署長等」とあるのは「認めるとき（租税特別措置法第70条の7第1項《非上場株式等についての贈与税の納税猶予及び免除》の規定による納税の猶予の担保として同項に規定する対象受贈非上場株式等に係る同項の認定贈与承継会社の株式又は出資が提供された場合には、当該認めるとき、又は当該株式若しくは出資を換価に付しても買受人がないとき）は、税務署長等」と、国税徴収法第35条第1項中「1年以上前」とあるのは「1年以上前（当該滞納に係る国税が贈与税である場合にあっては、当該贈与税に係る贈与の前）」と、同法第48条第1項中「財産は」とあるのは「財産（租税特別措置法第70条の7第1項《非上場株式等についての贈与税の納税猶予及び免除》の規定による納税の猶予の担保として同項に規定する対象受贈非上場株式等に係る同項の認定贈与承継会社の株式又は出資が提供された場合において、当該株式又は出資を換価に付しても買受人がないときにおける当該担保を提供した同条第2項第3号に規定する経営承継受贈者の他の財産を除く。）は」とする。
　(八)　第七節の2の申請書の提出があった場合において、当該申請書に係る同2に規定する免除申請贈与税額に相当する贈与税は、国税徴収法第82条第1項の規定の適用については、同2の(10)の規定による通知を発する日まで同条第1項の滞納に係る国税に該当しないものとする。
　(九)　第一節の1の規定の適用を受ける経営承継受贈者が第七節の1、同節の2又は同節の3の規定により猶予中贈与税額の全部又は一部の免除を受けた場合において、第一節の1の規定の適用に係る対象受贈非上場株式等（第三編第一節の二の(1)（同節の三、同編第二章の1又は第六編第一章第八節（第四章第九節において準用する場合を含む。）において準用する場合を含む。(十)において同じ。）の規定の適用を受けるものに限る。）の贈与者の相続が開始したときは、当該対象受贈非上場株式等のうち当該免除を受けた猶予中贈与税額に対応する部分については、第三編第三

－1172－

第一章　非上場株式等についての贈与税の納税猶予及び免除
（第九節　雑　　則）

節の一から三までの規定は、適用しない。

（十）　第一節の1の規定の適用を受ける経営承継受贈者の同1の規定の適用に係る贈与が第七節の1（（三）に係る部分に限り、第四章第六節の1において準用する場合を含む。）の規定の適用に係る贈与（第三編第一節の二の（1）の規定の適用を受ける対象受贈非上場株式等に係る贈与に限る。以下（十）において「**第二贈与**」という。）であり、かつ、当該対象受贈非上場株式等が第二贈与者（当該第二贈与をした者をいう。以下（十）において同じ。）が第一贈与者（第二贈与前に第二贈与者に当該対象受贈非上場株式等の贈与をした者をいう。）からの贈与により取得をしたものである場合には、当該第二贈与者が死亡したときにおける当該経営承継受贈者が当該第二贈与により取得をした当該対象受贈非上場株式等については、第三編第三節の一から三までの規定は、適用しない。

（十一）　第五節の1（同1の（二）に係る部分を除く。）、同節の2、第六節、第三節の2及び第四節又は（4）の規定に該当する贈与税については、第二編第七章第二節一の規定は、適用しない。

（十二）　第五節の1（同1の（二）に係る部分を除く。）の規定に該当する納税猶予分の贈与税額に相当する贈与税については、第二編第七章第二節二の1《延納申請と許可》の延納を求めようとする贈与税の納期限は、経営贈与承継期間の末日から5月を経過する日（以下（十二）において「**延納申請期限**」という。）とする。この場合において、第一節の1の規定による納税の猶予に係る期限（第五節の1の（二）に係るものに限る。）の翌日から延納申請期限までの間については、当該期間に対応する部分の延滞税（猶予中贈与税額のうち延納の許可を受けた部分に係るものに限る。）に代え、利子税を納付するものとし、納付すべき利子税の額は、当該許可を受けた部分を基礎として、当該期間に、年6.6パーセントの割合を乗じて計算した金額とする。

　（国税通則法第50条第2号の財務省令で定める要件）

（7）　（6）の（二）の規定により読み替えて適用する国税通則法第50条第2号の財務省令で定める要件は、第一節の1の規定の適用に係る対象受贈非上場株式等について、質権の設定がされていないこと、差押えがされていないことその他の当該対象受贈非上場株式等について担保の設定又は処分の制限（民事執行法（昭和54年法律第4号）その他の法令の規定による処分の制限をいう。）がされていないこととする。（措規23の9㉙）

　（持分会社の出資の持分等を担保提供できる場合）

（8）　（6）の（二）の規定は、第一節の1の規定の適用を受けようとする場合に対象受贈非上場株式等の全てを担保として提供するとき又は第二節の2の（3）の規定により対象受贈非上場株式等を再び担保として提供する場合に適用されることに留意する。（措通70の7－37）

　（経済産業大臣等の通知義務）

（9）　経済産業大臣又は経済産業局長（中小企業における経営の承継の円滑化に関する法律第17条の規定に基づく政令の規定により円滑化法認定を都道府県知事が行うこととされている場合には、当該都道府県知事。（11）、第二章第十節の(10)及び同節(12)並びに第三章第二節11の（5）及び同11の（6）において同じ。）は、第一節の1の規定の適用を受ける経営承継受贈者又は同1の対象受贈非上場株式等若しくは当該対象受贈非上場株式等に係る認定贈与承継会社について、第五節、第六節の規定による納税の猶予に係る期限の確定に係る事実に関し、法令の規定に基づき認定、確認、報告の受理その他の行為をしたことにより当該事実があったことを知った場合には、遅滞なく、当該対象受贈非上場株式等について当該事実が生じた旨その他(10)の財務省令で定める事項を、書面により、国税庁長官又は当該経営承継受贈者の納税地の所轄税務署長に通知しなければならない。（措法70の7㉟）

　（経済産業大臣等の通知事項）

(10)　（9）に規定する財務省令で定める事項は、次に掲げる事項とする。（措規23の9㊿）

（一）　経営承継受贈者又は対象受贈非上場株式等若しくは当該対象受贈非上場株式等に係る認定贈与承継会社について、（9）の納税の猶予に係る期限の確定に係る事実が生じた旨

（二）　（一）の事実が生じた対象受贈非上場株式等に係る認定贈与承継会社の商号及び本店の所在地並びに当該対象受贈非上場株式等について第一節の1の規定の適用を受けている経営承継受贈者及び当該経営承継受贈者に係る贈与者の氏名及び住所又は居所

（三）　（9）の納税の猶予に係る期限の確定に係る事実の詳細及び当該事実の生じた年月日並びに当該事実に係る認定、確認、報告の受理その他の行為の内容

（四）　その他参考となるべき事項

－1173－

第七編　非上場株式等に係る相続税・贈与税の納税猶予及び免除

　　　（経済産業大臣等への通知義務）

(11)　税務署長は、第一節の**1**の場合において経済産業大臣又は経済産業局長の事務（同**1**の規定の適用を受ける経営承継受贈者に関する事務で、（9）の規定の適用に係るものに限る。）の処理を適正かつ確実に行うため必要があると認めるときは、経済産業大臣又は経済産業局長に対し、当該経営承継受贈者が第一節の**1**の規定の適用を受ける旨その他(12)の財務省令で定める事項を通知することができる。（措法70の7㊱）

　　　（経済産業大臣等への通知事項）

(12)　(11)に規定する財務省令で定める事項は、次に掲げる事項とする。（措規23の9㊵）

　(一)　第一節の**1**の規定の適用を受ける経営承継受贈者及び当該経営承継受贈者に係る贈与者の氏名及び住所又は居所

　(二)　(一)の経営承継受贈者が(一)の贈与者から第一節の**1**の規定の適用に係る贈与により取得をした非上場株式等に係る同**1**に規定する贈与税の申告書が提出された日

　(三)　(一)の経営承継受贈者が(二)の非上場株式等について第一節の**1**の規定の適用を受けている旨及び同**1**の規定の適用に係る対象受贈非上場株式等の数又は金額

　(四)　その他(11)の通知の事務に関し税務署長が必要と認める事項

　　　（贈与者が死亡した場合の免除税額等）

(13)　第七節の**1**の(二)の規定により免除となる贈与税は、同(二)の贈与者の死亡の直前における猶予中贈与税額に次の割合を乗じて計算した金額となることに留意する。

$$\frac{当該贈与者が贈与をした対象受贈非上場株式等の数又は金額}{当該贈与者の死亡の直前における当該対象受贈非上場株式等の数又は金額}$$

　　なお、これにより算出された金額に100円未満の端数があるとき又はその全額が100円未満であるときは、その端数金額又はその全額を切り捨てる。（措通70の7－37の2）

　　(注)1　上記の「当該贈与者が贈与をした対象受贈非上場株式等の数又は金額」からは、当該贈与者が第七節の**1**の(三)（第四章第六節の**1**において準用する場合を含む。）の規定の適用に係る贈与をした当該対象受贈非上場株式等の数又は金額が除かれることに留意する。

　　　　2　上記の「当該贈与者が贈与をした対象受贈非上場株式等の数又は金額」からは、第一節の**1**の規定の適用を受ける経営承継受贈者が、当該贈与により取得した対象非上場株式等の譲渡等をしている場合には、その譲渡等をした当該対象受贈非上場株式等の数又は金額は除かれることに留意する。

　　　　　なお、この場合において、「当該贈与者が贈与をした対象受贈非上場株式等の数又は金額」の算定に当たっては、第六節の(8)又は(9)の規定の適用に留意する。

　　　（第一節の**1**又は第四章第一節の**1**の適用に係る贈与をした場合の免除税額等）

(14)　第七節の**1**の(三)の規定により免除となる贈与税は、同(三)に規定する贈与の直前における猶予中贈与税額に次の割合を乗じて計算した金額となることに留意する。

$$\frac{同(三)の贈与をした対象受贈非上場株式等の数又は金額}{同(三)の贈与の直前における当該対象受贈非上場株式等の数又は金額}$$

　　なお、これにより算出された金額に100円未満の端数があるとき又はその全額が100円未満であるときは、その端数金額又はその全額を切り捨てる。

　　　この場合において、当該猶予中贈与税額（下記(注)2により期限が到来した部分を除く。）のうち、上記により免除された金額以外の金額は、納税猶予税額として残ることに留意する。（措通70の7－37の3）

　　(注)1　第七節の**1**の(三)の規定の適用を受ける経営承継受贈者から対象受贈非上場株式等を贈与により取得をした受贈者が、当該対象受贈非上場株式等及び当該対象受贈非上場株式等以外の当該対象受贈非上場株式等に係る会社の非上場株式等を贈与により取得をした場合には、当該対象受贈非上場株式等から先に第一節の**1**又は第四章第一節の**1**の規定の適用を受けるものとすることに留意する。

　　　　2　経営承継受贈者からの贈与により取得をした当該対象受贈非上場株式等について、当該贈与に係る受贈者が第一節の**1**又は第四章第一節の**1**の規定の適用を受けない部分がある場合には、当該部分に係る猶予中贈与税額については免除されず第五節の**2**又は第六節の規定により納税の猶予に係る期限が到来することに留意する。

　　　（免除を受けた経営承継受贈者に係る第三編第一章第三節の**一**から同節の**三**までの不適用）

(15)　第一節の**1**の規定の適用を受ける経営承継受贈者が第七節の**1**、**2**又は**3**の規定により猶予中贈与税額の全部又は一部の免除を受けた場合において、第一節の**1**の規定の適用に係る対象受贈非上場株式等（第三編第一章第一節**二**の(1)（第三編第一章第一節**三**、第六編第一章第八節（第四章第九節において準用する場合を含む。）又は第三編第二

－1174－

第一章　非上場株式等についての贈与税の納税猶予及び免除
（第九節　雑　　則）

章の**1**において準用する場合を含む。（16）において同じ。）の規定の適用を受けるものに限る。）の贈与者の相続が開始したときは、当該対象受贈非上場株式等のうち当該免除を受けた猶予中贈与税額に対応する部分については、第三編第一章第三節**一**から**三**までの規定は適用されないことに留意する。

　この場合において、「当該対象受贈非上場株式等のうち当該免除を受けた猶予中贈与税額に対応する部分」とは、当該経営承継受贈者が当該免除につき適用を受けた次に掲げる規定の区分に応じ、それぞれに定める部分をいうことに留意する。（措通70の7－37の4）

（一）　第七節の**1**の（一）　　当該対象受贈非上場株式等のうち当該経営承継受贈者が同（一）の死亡の直前に有していたもの

（二）　第七節の**1**の（二）　　当該対象受贈非上場株式等のうち同（二）の贈与者が贈与（免除対象贈与を除く。）をしたものであって当該経営承継受贈者が同（二）の死亡の直前に有していたもの

（三）　第七節の**1**の（三）　　当該対象受贈非上場株式等のうち当該経営承継受贈者が同（三）の規定の適用に係る贈与をしたもの

（四）　第七節の**2**　　当該対象受贈非上場株式等のうち次の算式により計算した金額に相当する部分

　（算式）

$$A \times \frac{C}{B}$$

（注）　上記算式中の符号は次のとおり。
　　　A＝当該対象受贈非上場株式等の第一節の**1**の規定の適用に係る贈与の時における価額
　　　B＝当該対象受贈非上場株式等に係る納税猶予分の贈与税額
　　　C＝第七節の**2**の規定により免除された贈与税の額

（五）　第七節の**3**　　当該対象受贈非上場株式等のうち次の算式により計算した金額に相当する部分

　（算式）

$$(A-B) \times \frac{C}{C+D}$$

（注）　上記算式中の符号は次のとおり。
　　　A＝当該対象受贈非上場株式等の第一節の**1**の規定の適用に係る贈与の時における価額
　　　B＝当該対象受贈非上場株式等の第七節の**3**に規定する認可決定日における価額
　　　C＝第七節の**3**の規定により免除された贈与税の額
　　　D＝第七節の**3**の（二）に掲げる金額

（注）　上記（四）又は（五）に掲げる規定の適用前に当該対象受贈非上場株式等について第七節の**3**の規定の適用を受けている場合には、上記（四）又は（五）の算式中の「贈与の時における価額」は、同**3**に規定する認可決定日における価額による。

（第二贈与者が死亡した場合の第三編第一章第三節の**一**から**三**までの不適用）

（16）　第一節の**1**の規定の適用を受ける経営承継受贈者の同**1**の規定の適用に係る贈与が第七節の**1**の（三）（第四章第六節の**1**において準用する場合を含む。）の規定の適用に係る贈与（第三編第一章第一節**二**の（1）の規定の適用を受ける対象受贈非上場株式等に係る贈与に限る。以下（16）において「**第二贈与**」という。）であり、かつ、当該対象受贈非上場株式等が第二贈与者（第二贈与をした者をいう。以下（16）において同じ。）が第一贈与者（第二贈与前に第二贈与者に当該対象受贈非上場株式等の贈与をした者をいう。）からの贈与により取得をしたものである場合の当該第二贈与者が死亡したときにおける当該経営承継受贈者が当該第二贈与により取得をした当該対象受贈非上場株式等については、第三編第一章第三節**一**から**三**までの規定は適用されないことに留意する。（措通70の7－37の5）

－1175－

第七編　非上場株式等に係る相続税・贈与税の納税猶予及び免除

非上場株式等についての 贈与税／相続税 の納税猶予の継続届出書（一般措置）

税務署 受付印	令和＿＿年＿＿月＿＿日

＿＿＿＿＿＿税務署長

〒
届出者　住所＿＿＿＿＿＿＿＿＿＿＿＿＿＿

氏名＿＿＿＿＿＿＿＿＿＿＿＿＿＿
（電話番号　　－　　－　　）

※欄は記入しないでください。

　　　　　　　　　　第70条の7第1項
租税特別措置法　第70条の7の2第1項　の規定による　贈与税／相続税　の納税の猶予を引き続いて受けたいので、次に掲げる税額等
　　　　　　　　　　第70条の7の4第1項

　　　　　　　　　　　第9項
について確認し、同条　第10項　の規定により関係書類を添付して届け出ます。
　　　　　　　　　　　第8項

非上場株式等の	贈与を受けた 相続(遺贈)があった　年月日	平成 令和　　年　　月　　日

贈　与　者 被　相　続　人	住所		氏名	

この届出書は、認定(贈与・相続)承継会社、贈与者ごとに作成してください。

1　経営(贈与・相続)報告基準日（以下「報告基準日」といいます。）　　平成／令和＿＿＿年＿＿＿月＿＿＿日

2　1の報告基準日における猶予中　贈与税／相続税　額　　＿＿＿＿＿＿＿＿＿＿円

3　1の報告基準日において有する対象(受贈・相続)非上場株式等（以下「**非上場株式等**」といいます。）
　の数又は金額　　＿＿＿＿＿＿＿＿＿株(口・円)

【非上場株式等の内訳等】※　記載に当たっては、裏面の記載方法等の「2」をご覧ください。

	贈与年月日	贈与者の氏名	贈与者の住所	左記の贈与者が贈与した株式等の数又は金額
イ	・　・			株 (口・円)
ロ	・　・			株 (口・円)

4　認定(贈与・相続)承継会社の名称　　＿＿＿＿＿＿＿＿＿＿

5　1の報告基準日の直前の経営(贈与・相続)報告基準日の翌日から当該報告基準日までの間に、経営承継者につき納税の猶予に係る期限が到来した猶予中贈与税・相続税額がある場合又は再計算免除贈与税・相続税額の通知があった場合には、その明細を「納税の猶予に係る期限が到来した猶予中贈与税・相続税額又は再計算免除贈与税・相続税額の明細書（一般措置）」に記載の上、この届出書に添付して提出してください。

【添付書類】　認定(贈与・相続)承継会社に係る報告基準日における次に掲げる書類
① 定款の写し
② 株主名簿の写しその他の書類で認定(贈与・相続)承継会社の株主又は社員の氏名又は名称及び住所又は所在地並びにこれらの者が有する認定(贈与・相続)承継会社の株式等に係る議決権の数が確認できる書類（認定(贈与・相続)承継会社が証明したものに限ります。）
③ 中小企業における経営の承継の円滑化に関する法律施行規則第12条第2項（同条第14項において準用する場合を含みます。）又は同条第4項（同条第15項において準用する場合を含みます。）の報告書の写し及び当該報告書に係る同条第37項の確認書の写し
④ 報告基準日の直前の経営(贈与・相続)報告基準日（最初の経営(贈与・相続)報告基準日の場合は、贈与税・相続税の申告書の提出期限）の翌日から報告基準日までの間に会社分割又は組織変更があった場合には、会社分割に係る吸収分割契約書若しくは新設分割計画書の写し又は組織変更に係る組織変更計画書の写し
⑤ 報告基準日の直前の経営(贈与・相続)報告基準日の翌日から報告基準日までの間に合併又は株式交換等があった場合には、裏面の4に掲げる書類

(注)　報告基準日が最初の「非上場株式等についての贈与税・相続税の納税猶予及び免除」の適用に係る贈与税又は相続税の申告書の提出期限の翌日以後5年を経過する日のいずれか早い日の翌日以後である場合は③の書類の提出は必要ありません。

関与税理士		電話番号	

※	通信日付印の年月日	(確認)	入力	確認	納税猶予番号
	年　月　日				

（資12②－13－Ａ4統一）　（令3.6）

－1176－

第一章　非上場株式等についての贈与税の納税猶予及び免除
（第九節　雑　則）

非上場株式等についての　贈 与 税／相 続 税　の納税猶予の免除届出書（死亡免除）（一般措置）

税務署
受付印

令和＿＿＿年＿＿＿月＿＿＿日

※欄は記入しないでください。

＿＿＿＿＿＿＿＿税務署長

｜　贈 与 者
年　　月　　日に　受 贈 者　（ 氏名：＿＿＿＿＿＿＿＿＿＿＿＿＿＿＿＿＿＿＿＿＿ ）
｜　相続人等

（ 住所：＿＿＿＿＿＿＿＿＿＿＿＿＿＿＿＿＿＿＿＿＿＿＿＿＿＿ ）が 死 亡 し、租 税 特 別 措 置 法

第70条の 7 第15項第＿＿号
第70条の 7 の 2 第16項第 1 号　の規定により次の　贈 与 税／相 続 税　を免除されたいので届け出ます。
第70条の 7 の 4 第12項

【 届 出 者 】※　書ききれない場合は適宜の用紙に記載してください。
〒

住 所 ＿＿＿＿＿＿＿＿＿＿＿＿＿＿＿＿＿　氏 名 ＿＿＿＿＿＿＿＿＿＿＿＿＿＿＿

贈 与 者
受 贈 者 と の 続 柄　＿＿＿＿＿＿＿
相続人等

1　対象（受贈・相続）非上場株式等（以下「**非上場株式等**」といいます。）

の　贈 与 を 受 け た／相続（遺贈）があった　年月日　＿＿＿＿年＿＿＿月＿＿＿日

2　死亡日の直前における猶予中　贈与税／相続税　額　＿＿＿＿＿＿＿＿＿＿＿＿＿＿＿＿円

3　死亡日の直前において有する非上場株式等の数又は金額　＿＿＿＿＿＿＿＿株（口・円）

【非上場株式等の内訳等】※　記載に当たっては、裏面の「2　記載方法等」の（4）をご覧ください。

| | 贈与年月日 | 贈与者の氏名 | 贈与者の住所 | 左記の贈与者が贈与した株式等の数又は金額（単位：株（口・円）） | | |
				Ⓐ死亡日の直前	Ⓑ免除を受ける株式等	Ⓒ死亡日の後（Ⓐ-Ⓑ）
イ	・・					
ロ	・・					
ハ	・・					

4　免除を受ける　贈与税／相続税　額　＿＿＿＿＿＿＿＿＿＿＿＿＿＿＿＿円

※　租税特別措置法第70条の 7 第15項第 2 号の規定により贈与税の免除を受ける場合には、次の欄の算式に従って計算し記載してください。

死亡した贈与者から贈与を受けた非上場株式等の数又は金額（注 1 ）

上記 2 の
「死亡日の直前における猶予中贈与税額」

（円）

| | （株（口・円）） |

×

上記 3 の「死亡日の直前において有する非上場株式等の数又は金額」

| | （株（口・円）） |

＝

免除を受ける贈与税額（注 2 ）

| | （円） |

▶ この欄の金額を上記 4 の「免除を受ける贈与税額」欄に転記してください。

（注）1　【非上場株式等の内訳等】の「Ⓑ免除を受ける株式等」欄に数又は金額の記載がない場合には、上記 3 の「死亡日の直前において有する非上場株式等の数又は金額」に記載された数又は金額を転記し、【非上場株式等の内訳等】の「Ⓑ免除を受ける株式等」欄に数又は金額の記載がある場合には、同欄に記載された数又は金額を転記します。
　　2　計算した金額に百円未満の端数があるとき、又はその全額が百円未満であるときは、その端数金額又はその全額を切り捨てください。

5　贈 与 者／被相続人　の住所＿＿＿＿＿＿＿＿＿＿＿＿＿＿＿＿＿　氏名＿＿＿＿＿＿＿＿＿＿＿＿＿＿＿

6　死亡日の直前の経営（贈与・相続）報告基準日の翌日からその死亡日までの間に経営承継者につき納税の猶予に係る期限が到来した猶予中贈与税・相続税額がある場合には、その明細を「納税の猶予に係る期限が到来した猶予中贈与税・相続税額の明細書（免除届出用）（一般措置）」に記載の上、この届出書に添付して提出してください。

関与税理士		電 話 番 号	

※	通信日付印の年月日	（確　認）	入　力	確　認	納税猶予番号
	年　　月　　日				

（資12②-16-1 A 4 統一）　（令3.3）

－1177－

第七編　非上場株式等に係る相続税・贈与税の納税猶予及び免除

非上場株式等についての　贈与税／相続税　の納税猶予の免除届出書（贈与による免除）（一般措置）

税務署
受付印

令和＿＿年＿＿月＿＿日

※欄は記入しないでください。

＿＿＿＿＿＿＿＿税務署長

私は、租税特別措置法　第70条の7第1項／第70の7の5第1項　の規定の適用に係る贈与をし、

同法　第70条の7第15項第3号／第70条の7の2第16項第2号／第70条の7の4第12項　の規定により次の　贈与税／相続税　を免除されたいので届け出ます。

【届出者】
〒
住所＿＿＿＿＿＿＿＿＿＿＿＿＿＿＿＿＿＿＿＿＿＿　氏名＿＿＿＿＿＿＿＿＿＿＿＿＿＿

認定（贈与・相続）承継会社の商号＿＿＿＿＿＿＿＿＿＿＿＿＿＿＿＿＿＿＿＿＿＿＿＿＿＿

1　対象（受贈・相続）非上場株式等（以下「非上場株式等」といいます。）
　　の贈与をした年月日　　　　　　　　　　　　　　　　　　　　　　　＿＿＿年＿＿月＿＿日

2　非上場株式等の贈与を受けた人の住所・氏名
　　住所＿＿＿＿＿＿＿＿＿＿＿＿＿＿＿＿＿＿＿＿　氏名＿＿＿＿＿＿＿＿＿＿＿＿＿＿

3　贈与の直前における猶予中　贈与税／相続税　額　　　　　　　　　　　　　　　　＿＿＿＿＿＿＿＿円

4　贈与の直前において有する非上場株式等の数又は金額　　　　　　　　　　＿＿＿＿＿＿株（口・円）

5　贈与をした非上場株式等の数又は金額　　　　　　　　　　　　　　　　＿＿＿＿＿＿株（口・円）

【非上場株式等の内訳等】※　記載に当たっては、裏面の「2　記載方法等」の（2）をご覧ください。

	贈与年月日	贈与者の氏名	贈与者の住所	左記の贈与者が贈与した株式等の数又は金額（単位：株（口・円））		
				Ⓐ贈与の直前	Ⓑ贈与をした株式等	Ⓒ贈与をした日の後（Ⓐ－Ⓑ）
イ	・・					
ロ	・・					
ハ	・・					

6　免除を受ける　贈与税／相続税　額　　　　　　　　　　　　　　　　　　＿＿＿＿＿＿＿＿円

　　※　次の欄の算式に従って計算し記載してください。

上記3の「贈与の直前における猶予中　贈与税／相続税　額」（円）

×

贈与をした非上場株式等の数又は金額(注1)（株（口・円））／上記4の「贈与の直前において有する非上場株式等の数又は金額」（株（口・円））

＝

免除を受ける　贈与税／相続税　額(注2)（円）

➤この欄の金額を「6　免除を受ける　贈与税／相続税　額」欄に転記してください。

（注）1　「贈与をした非上場株式等の数又は金額」には、贈与をした非上場株式等について、その贈与を受けた人が租税特別措置法第70条の7第1項の規定の適用を受けた非上場株式等の数又は金額を記載してください。
　　　2　計算した金額に百円未満の端数があるとき、又はその全額が百円未満であるときは、その端数金額又はその全額を切り捨てください。

7　非上場株式等を相続（遺贈）した年月日　　　　　　　　　　　　　　　　＿＿＿年＿＿月＿＿日

8　被相続人の住所＿＿＿＿＿＿＿＿＿＿＿＿＿＿＿＿＿＿＿＿＿氏名＿＿＿＿＿＿＿＿＿＿＿＿

9　贈与をした日の直前の経営（贈与・相続）報告基準日の翌日から贈与をした日までの間に経営承継者につき納税の猶予に係る期限が到来した猶予中贈与税・相続税額がある場合には、その明細を「納税の猶予に係る期限が到来した猶予中贈与税・相続税額の明細書（免除届出用）（一般措置）」に記載の上、この届出書に添付して提出してください。

関与税理士		電話番号	

※	通信日付印の年月日	（確認）	入力	確認	納税猶予番号
	年　月　日				

（資12②－19－1 A4統一）　（令3.3）

第一章　非上場株式等についての贈与税の納税猶予及び免除
（第九節　雑　　則）

非上場株式等についての納税猶予の　贈 与 税　の免除申請書（破産等免除）（一般措置）
　　　　　　　　　　　　　　　　　　相 続 税

※欄は記入しないでください。

税務署
受付印

_____税　務　署　長

令和____年____月____日

〒
住所　_____

氏名　_____
（電話番号　　　　　　　－　　　　　　－　　　　　　）

　　　　　　　　　　　第70条の7第16項
租税特別措置法　第70条の7の2第17項　の規定により納税の猶予に係る猶予中の　相続税　について、
　　　　　　　　　　　第70条の7の4第12項　　　　　　　　　　　　　　　　　　　贈与税

次のとおり免除を受けたいので、関係書類を添付して申請します。

1　この申請に係る事由の別

認定（贈与・相続）承継会社の名称_____所在地_____

※　該当する事由にレ点を付してください。

□　①　租税特別措置法（第70条の7第16項第1号・第70条の7の2第17項第1号）に該当

（譲渡先の氏名又は名称）　　　　　　　　　_____

（譲渡先の住所又は所在地）　　　　　　　　_____

□　②　租税特別措置法（第70条の7第16項第2号・第70条の7の2第17項第2号）に該当

（破産手続開始の決定、特別清算開始の命令があった日）　____年____月____日

（解散をした日）　　　　　　　　　　　　　　　　　　____年____月____日

□　③　租税特別措置法（第70条の7第16項第3号・第70条の7の2第17項第3号）に該当

（吸収合併存続会社等[注1]の名称）　　　　_____

（吸収合併存続会社等の所在地）　　　　　　_____

□　④　租税特別措置法（第70条の7第16項第4号・第70条の7の2第17項第4号）に該当

（株式交換完全親会社等[注2]の名称）　　　_____

（株式交換完全親会社等の所在地）　　　　　_____

2　1の事情が生じた年月日　　　　　　　　　　　　____年____月____日

3　1の事情の詳細

_____

※　書ききれない場合は適宜の用紙に記載してください。

4　免除を受けようとする贈与税・相続税額の計算

※　上記1の②の事由に該当する場合には、次の②欄～④欄は記載を要しません。

①　猶予中贈与税・相続税額[注3]・・・・・・・・・・・・・・・・①　_____円

②　対象（受贈・相続）非上場株式等の譲渡等の対価の額[注4]・・・②　_____円

③　対象（受贈・相続）非上場株式等の時価に相当する金額[注5]・・・③　_____円

④　②と③のいずれか大きい金額・・・・・・・・・・・・・・・④　_____円

⑤　剰余金の配当等の額（イ＋ロの金額）[注6]・・・・・・・・・⑤　_____円

イ　経営承継者[注7]及び経営承継者と生計を一にする者が

会社から受けた剰余金の配当又は利益の配当の額・・・・・・・・（イ_____円）

ロ　会社から支給された給与[注8]の額のうち、法人税法第

34条又は第36条の規定により損金の額に算入されない金額・・・・・（ロ_____円）

⑥　免除を受けようとする贈与税・相続税額（①－（④＋⑤））・・・・⑥　_____円

※　この申請に必要な書類については、裏面をご覧ください。

関与税理士		電話番号	

※	通信日付印の年月日	（確　認）	入　力	確　認	納税猶予番号
	年　　月　　日				

（資12②－25－A4統一）　　（令3.6）

－1179－

第七編　非上場株式等に係る相続税・贈与税の納税猶予及び免除

非上場株式等についての　贈与税／相続税　の納税猶予取りやめ届出書（一般措置）

税務署
受付印

令和＿＿＿年＿＿＿月＿＿＿日

※欄は記入しないでください。

＿＿＿＿＿＿＿税務署長

〒
届出者住所　＿＿＿＿＿＿＿＿＿＿＿＿＿＿＿＿＿＿＿＿

氏名　＿＿＿＿＿＿＿＿＿＿＿＿＿＿＿＿＿＿

（電話番号　　　　　－　　　　－　　　　　）

私は、下記に係る租税特別措置法　第70条の7第1項／第70条の7の2第1項／第70条の7の4第1項　の規定に基づく非上場株式等

についての納税猶予について、この制度の適用を受けることを取りやめたいので、その旨

届け出ます。

記

1　贈与者又は被相続人の住所　＿＿＿＿＿＿＿＿＿＿＿＿＿＿＿＿＿　氏名＿＿＿＿＿＿＿

2　対象（受贈・相続）非上場株式等

の　贈与を受けた／相続(遺贈)があった　年月日　＿＿＿＿年＿＿＿＿月＿＿＿＿日

3　認定（贈与・相続）承継会社の所在地　＿＿＿＿＿＿＿＿＿＿＿＿＿　名称＿＿＿＿＿＿＿

4　猶予中贈与税額（相続税額）　＿＿＿＿＿＿＿＿＿＿＿＿＿＿＿＿＿円

（注）この届出書を提出した日から2か月を経過する日（当該2か月を経過する日までの間に届出書を提出した者
（経営承継受贈者、経営承継相続人等又は経営相続承継受贈者をいいます。以下「届出者」といいます。）が死
亡した場合には、届出者の相続人（包括受遺者を含みます。）が届出者の死亡による相続の開始のあったことを
知った日の翌日から6か月を経過する日）が納税の猶予に係る期限となりますので、当該納税の猶予に係る期限
までに、猶予中の贈与税（相続税）及び利子税を納付する必要があります。

関与税理士		電話番号	

※	通信日付印の年月日	（確　認）	入　力	確　認	納税猶予番号
	年　月　日				

（資12②－20－1 Ａ4統一）　（令3.3）

－1180－

第一章　非上場株式等についての贈与税の納税猶予及び免除
（〔参考〕中小企業における経営の承継の円滑化に関する法律・同施行令・同施行規則）

《 参 考 》

中小企業における経営の承継の円滑化に関する法律〈抜粋〉

（平成20年5月16日法律第33号、令和5年6月16日法律第61号最終改正）

第2条（定義）

この法律において「中小企業者」とは、次の各号のいずれかに該当する者をいう。

（一）　資本金の額又は出資の総額が3億円以下の会社並びに常時使用する従業員の数が300人以下の会社及び個人であって、製造業、建設業、運輸業その他の業種（次号から第4号までに掲げる業種及び第5号の政令で定める業種を除く。以下この項において同じ。）に属する事業を主たる事業として営むもの

（二）　資本金の額又は出資の総額が1億円以下の会社並びに常時使用する従業員の数が100人以下の会社及び個人であって、卸売業（第5号の政令で定める業種を除く。）に属する事業を主たる事業として営むもの

（三）　資本金の額又は出資の総額が5,000万円以下の会社並びに常時使用する従業員の数が100人以下の会社及び個人であって、サービス業（第5号の政令で定める業種を除く。）に属する事業を主たる事業として営むもの

（四）　資本金の額又は出資の総額が5,000万円以下の会社並びに常時使用する従業員の数が50人以下の会社及び個人であって、小売業（次号の政令で定める業種を除く。）に属する事業を主たる事業として営むもの

（五）　資本金の額又は出資の総額がその業種ごとに政令で定める金額以下の会社並びに常時使用する従業員の数がその業種ごとに政令で定める数以下の会社及び個人であって、その政令で定める業種に属する事業を主たる事業として営むもの

第12条（経済産業大臣の認定）

1　次の各号に掲げる者は、当該各号に該当することについて、経済産業大臣の認定を受けることができる。

（一）　会社である中小企業者（金融商品取引法第2条第16項に規定する金融商品取引所に上場されている株式又は同法第67条の11第1項の店頭売買有価証券登録原簿に登録されている株式を発行している株式会社を除く。以下この項において同じ。）　次のいずれかに該当すること。

　イ　当該中小企業者における代表者の死亡等に起因する経営の承継に伴い、死亡したその代表者（代表者であった者を含む。）又は退任したその代表者の資産のうち当該中小企業者の事業の実施に不可欠なものを取得するために多額の費用を要することその他経済産業省令で定める事由が生じているため、当該中小企業者の事業活動の継続に支障が生じていると認められること。

　ロ　当該中小企業者（純資産の額が一定の額以上であることその他の経済産業省令で定める要件を備えているものを除く。）が、他の中小企業者の役員（当該他の中小企業者が法人である場合に限る。次号ロ及び第3号において同じ。）又は親族（他の中小企業者が法人である場合にあっては、当該他の中小企業者の代表者の親族を含む。ハ、次号ロ及び第3号において同じ。）の中から当該他の中小企業者の経営を承継しようとする者を確保することが困難であることその他経済産業省令で定める事由が生じていることにより、当該他の中小企業者の事業活動の継続に支障が生じている場合であって、当該他の中小企業者の経営の承継を行うため、当該承継に不可欠な資産の譲受けを行うものであると認められること。

　ハ　当該中小企業者（純資産の額が一定の額以上であることその他の経済産業省令で定める要件を備えているものに限る。ニにおいて同じ。）が、他の中小企業者の役員又は親族の中から当該他の中小企業者の経営を承継しようとする者を確保することが困難であることその他経済産業省令で定める事由が生じていることにより、当該他の中小企業者の事業活動の継続に支障が生じている場合であって、当該他の中小企業者の経営の承継を行うため、当該承継に不可欠な資産の譲受けを行うものであると認められること。

　ニ　当該中小企業者の代表者が当該中小企業者の金融機関（中小企業信用保険法（昭和25年法律第264号）第3条第1項に規定する金融機関をいう。次条第6項及び第16条第3項において同じ。）からの借入れによる債務を保証していることその他当該中小企業者の経営の承継を妨げることとなるおそれがある事由として経済産業省令で定める事由が生じているため、当該中小企業者の事業活動の継続に支障が生じていると認められること。

　ホ　当該中小企業者（株式会社に限る。）の代表者が年齢、健康状態その他の事情により、継続的かつ安定的に経営を行うことが困難であるため、当該中小企業者の事業活動の継続に支障が生じている場合であって、当該中小企業者の一部の株主の所在が不明であることにより、その経営を当該代表者以外の者（第16条第2項において「株式会社事業後継者」という。）に円滑に承継させることが困難であると認められること。

（二）　個人である中小企業者　次のイ又はロのいずれかに該当すること。

　イ　他の個人である中小企業者の死亡等に起因する当該他の個人である中小企業者が営んでいた事業の経営の承継に伴い、当該他の個人である中小企業者の資産のうち当該個人である中小企業者の事業の実施に不可欠なものを取得するた

－1181－

めに多額の費用を要することその他経済産業省令で定める事由が生じているため、当該個人である中小企業者の事業活動の継続に支障が生じていると認められること。

　　ロ　当該個人である中小企業者が、他の中小企業者の役員又は親族の中から当該他の中小企業者の経営を承継しようとする者を確保することが困難であることその他経済産業省令で定める事由が生じていることにより、当該他の中小企業者の事業活動の継続に支障が生じている場合であって、当該他の中小企業者の経営の承継を行うため、当該承継に不可欠な資産の譲受けを行うものであると認められること。

　（三）　事業を営んでいない個人　当該事業を営んでいない個人が、他の中小企業者の役員又は親族の中から当該他の中小企業者の経営を承継しようとする者を確保することが困難であることその他経済産業省令で定める事由が生じていることにより、当該他の中小企業者の事業活動の継続に支障が生じている場合であって、当該他の中小企業者の経営の承継を行うため、当該承継に不可欠な資産の譲受けを行うものであると認められること。

2　前項の認定に関し必要な事項は、経済産業省令で定める。

第17条（都道府県が処理する事務）

　この法律に規定する経済産業大臣の権限に属する事務の一部は、政令で定めるところにより、都道府県知事が行うこととすることができる。

中小企業における経営の承継の円滑化に関する法律施行令

（平成20年8月1日政令第245号、令和3年7月30日政令第29号最終改正）

　中小企業における経営の承継の円滑化に関する法律第2条第5号に規定する政令で定める業種並びにその業種ごとの資本金の額又は出資の総額及び従業員の数は、次の表のとおりとする。

	業　　種	資本金の額又は出資の総額	従業員の数
（一）	ゴム製品製造業（自動車又は航空機用タイヤ及びチューブ製造業並びに工業用ベルト製造業を除く。）	3億円	900人
（二）	ソフトウェア業又は情報処理サービス業	3億円	300人
（三）	旅館業	5,000万円	200人

中小企業における経営の承継の円滑化に関する法律施行規則〈抜粋〉

（平成21年経済産業省令第67号、令和6年3月30日同省令第27号最終改正）

第1条（定義）　　（中略）

11　この省令において「従業員数証明書」とは、厚生年金保険法（昭和29年法律第115号）第21条第1項及び第22条第1項の規定による標準報酬月額の決定を通知する書類、健康保険法（大正11年法律第70号）第41条第1項及び第42条第1項の規定による標準報酬月額の決定を通知する書類その他の中小企業者の常時使用する従業員（次に掲げるいずれかに該当する者をいう。以下同じ。）の数を証するために必要な書類をいう。

　（一）　厚生年金保険法第9条、船員保険法（昭和14年法律第73号）第2条第1項又は健康保険法第3条第1項に規定する被保険者（厚生年金保険法第18条第1項若しくは船員保険法第15条第1項に規定する厚生労働大臣の確認又は健康保険法第39条第1項に規定する保険者等の確認があった者に限り、その1週間の所定労働時間が同一の事業所に使用される短時間労働者の雇用管理の改善等に関する法律（平成5年法律第76号）第2条に規定する通常の労働者（以下この号において「通常の労働者」という。）の1週間の所定労働時間の4分の3未満である同条に規定する短時間労働者（以下この号において「短時間労働者」という。）又はその1月間の所定労働日数が同一の事業所に使用される通常の労働者の1月間の所定労働日数の4分の3未満である短時間労働者に該当する厚生年金保険法第9条又は健康保険法第3条第1項に規定する被保険者を除く。）に限る。）

　（二）　高齢者の医療の確保に関する法律（昭和57年法律第80号）第50条に規定する被保険者で当該中小企業者と2月を超える雇用契約を締結しているもの（前号に掲げる者を除く。）

17　（中略）

　（二）　当該一の日における次に掲げる資産（以下「特定資産」という。）の帳簿価額の合計額

　　イ　金融商品取引法第2条第1項に規定する有価証券及び同条第2項の規定により有価証券とみなされる権利（以下「有価証券」という。）であって、当該会社の特別子会社（資産の帳簿価額の総額に対する有価証券（当該特別子会社の特別

子会社の株式又は持分を除く。）及びロからホまでに掲げる資産（イにおいて「特別特定資産」という。）の帳簿価額の合計額の割合が100分の70以上である会社（第6条第2項において「資産保有型子会社」という。）又は当該一の日の属する事業年度の直前の事業年度における総収入金額に占める特別特定資産の運用収入の合計額の割合が100分の75以上である会社（同項において「資産運用型子会社」という。）以外の会社に限る。）の株式又は持分以外のもの

ロ　当該会社が現に自ら使用していない不動産（不動産の一部分につき現に自ら使用していない場合は、当該一部分に限る。）

ハ　ゴルフ場その他の施設の利用に関する権利（当該会社の事業の用に供することを目的として有するものを除く。）

ニ　絵画、彫刻、工芸品その他の有形の文化的所産である動産、貴金属及び宝石（当該会社の事業の用に供することを目的として有するものを除く。）

ホ　現金、預貯金その他これらに類する資産（次に掲げる者に対する貸付金、未収金その他これらに類する資産を含む。）

①　第一種経営承継受贈者（第6条第1項第7号トの第一種経営承継受贈者をいう。次号及び第6条第1項第7号ハ③において同じ。）

②　第一種経営承継相続人（第6条第1項第8号トの第一種経営承継相続人をいう。次号において同じ。）

③　第二種経営承継受贈者（第6条第1項第9号トの第二種経営承継受贈者をいう。次号及び第6条第1項第9号ハ③において同じ。）

④　第二種経営承継相続人（第6条第1項第10号トの第二種経営承継相続人をいう。次号において同じ。）

⑤　第一種特例経営承継受贈者（第6条第1項第11号トの第一種特例経営承継受贈者をいう。次号及び第6条第1項第11号ハ③において同じ。）

⑥　第一種特例経営承継相続人（第6条第1項第12号トの第一種特例経営承継相続人をいう。次号において同じ。）

⑦　第二種特例経営承継受贈者（第6条第1項第13号トの第二種特例経営承継受贈者をいう。次号及び第6条第1項第13号ハ③において同じ。）

⑧　第二種特例経営承継相続人（第6条第1項第14号トの第二種特例経営承継相続人をいう。次号において同じ。）

⑨　①から⑧までに掲げる者の関係者のうち、第12項第6号中「会社」とあるのを「会社（外国会社を含む。）」と読み替えた場合における同項各号に掲げる者

（三）　略

第6条（法第12条第1項の経済産業省令で定める事由）

1　法第12条第1項第1号イの経済産業省令で定める事由は、中小企業者の代表者（代表者であった者を含む。）の死亡又は退任に起因する経営の承継に伴い生じる事由であって、次に掲げるものとする。

（中略）

（七）　当該中小企業者が次に掲げるいずれにも該当する場合であって、当該中小企業者の代表者（当該代表者に係る贈与者からの贈与の時以後において、代表者である者に限る。以下この号において同じ。）が贈与により取得した当該中小企業者の株式等に係る贈与税を納付することが見込まれること。

イ　当該贈与の時以後において、上場会社等（金融商品取引所若しくは店頭売買有価証券登録原簿に上場若しくは登録の申請がされている株式又は金融商品取引所若しくは店頭売買有価証券登録原簿に類するものであって外国に所在する若しくは備えられるものに上場若しくは登録若しくはこれらの申請がされている株式若しくは持分に係る会社を含む。以下この項において同じ。）又は風俗営業等の規制及び業務の適正化等に関する法律（昭和23年法律第122号）第2条第5項に規定する性風俗関連特殊営業に該当する事業を営む会社（以下「風俗営業会社」という。）のいずれにも該当しないこと。

ロ　当該贈与の日の属する事業年度の直前の事業年度の開始の日以後において、資産保有型会社に該当しないこと。

ハ　第一種贈与認定申請基準事業年度（当該贈与の日の属する事業年度の直前の事業年度及び当該贈与の日の属する事業年度から第一種贈与認定申請基準日（次に掲げる場合の区分に応じ、それぞれ次に定める日をいう。以下同じ。）の翌日の属する事業年度の直前の事業年度までの各事業年度をいう。以下同じ。）においていずれも資産運用型会社に該当しないこと。

①　当該贈与の日が1月1日から10月15日までのいずれかの日である場合（③に規定する場合を除く。）　当該10月15日

②　当該贈与の日が10月16日から12月31日までのいずれかの日である場合　当該贈与の日

③　当該贈与の日の属する年の5月15日前に当該中小企業者の第一種経営承継受贈者又は第一種経営承継贈与者の相続が開始した場合　当該相続の開始の日の翌日から5月を経過する日

ニ　第一種贈与認定申請基準事業年度においていずれも総収入金額（会社計算規則（平成18年法務省令第13号）第88条第

1項第4号に掲げる営業外収益及び同項第6号に掲げる特別利益を除く。以下同じ。）が零を超えること。

ホ　当該贈与の時において、当該中小企業者の常時使用する従業員の数が1人以上（当該中小企業者の特別子会社が外国会社に該当する場合（当該中小企業者又は当該中小企業者による支配関係がある法人が当該特別子会社の株式又は持分を有する場合に限る。）にあっては5人以上）であること。

ヘ　当該贈与の時以後において、当該中小企業者の特定特別子会社（第1条第12項第1号中「の親族」とあるのを「と生計を一にする親族」と読み替えた場合における同条第10項に規定する当該他の会社をいう。以下同じ。）が上場会社等、大会社又は風俗営業会社のいずれにも該当しないこと。

ト　当該中小企業者の代表者が次に掲げるいずれにも該当する者（2人以上あるときは、そのうちの当該中小企業者が定めた1人に限る。以下「第一種経営承継受贈者」という。）であること。

① 当該贈与により当該中小企業者の株式等を取得した代表者（代表権を制限されている者を除く。以下⑧を除きこの号において同じ。）であって、当該贈与の時において、当該代表者に係る同族関係者と合わせて当該中小企業者の総株主等議決権数の100分の50を超える議決権の数を有し、かつ、当該代表者が有する当該株式等に係る議決権の数がいずれの当該同族関係者が有する当該株式等に係る議決権の数も下回らない者であること。

② 削除

③ 当該贈与の日において、18歳以上であること。

④ 当該贈与の日まで引き続き3年以上にわたり当該中小企業者の役員（会社法第329条第1項に規定する役員をいい、当該中小企業者が持分会社である場合にあっては、業務を執行する社員をいう。以下同じ。）であること。

⑤ 当該贈与の時以後において、当該代表者が当該贈与により取得した当該中小企業者の株式等（当該贈与の時以後のいずれかの時において当該中小企業者が合併により消滅した場合にあっては当該合併に際して交付された吸収合併存続会社等（会社法第749条第1項に規定する吸収合併存続会社又は同法第753条第1項に規定する新設合併設立会社をいう。以下同じ。）の株式等（同法第234条第1項の規定により競売しなければならない株式を除く。）、当該贈与の時以後のいずれかの時において当該中小企業者が株式交換又は株式移転（以下「株式交換等」という。）により他の会社の株式交換完全子会社等（同法第768条第1項第1号に規定する株式交換完全子会社又は同法第773条第1項第5号に規定する株式移転完全子会社をいう。以下同じ。）となった場合にあっては当該株式交換等に際して交付された株式交換完全親会社等（同法第767条に規定する株式交換完全親会社又は同法第773条第1項第1号に規定する株式移転設立完全親会社をいう。以下同じ。）の株式等（同法第234条第1項の規定により競売しなければならない株式を除く。））のうち租税特別措置法第70条の7第1項の規定の適用を受けようとする株式等の全部を有していること。

⑥ 当該贈与により当該中小企業者の株式等を取得した代表者が、当該中小企業者の株式等につき法第12条第1項の認定（第11号又は第13号の事由に係るものに限る。）に係る贈与を受けた者又は第12条第1項の認定（第12号又は第14号の事由に係るものに限る。）に係る相続若しくは遺贈を受けた者でないこと。

⑦ 当該中小企業者の株式等の贈与者（当該贈与の時前において、当該中小企業者の代表者であった者に限る。⑧において同じ。）が、当該贈与の直前（当該贈与者が当該贈与の直前において、当該中小企業者の代表者でない場合には、当該贈与者が当該代表者であった期間内のいずれかの時及び当該贈与の直前）において、当該贈与者に係る同族関係者と合わせて当該中小企業者の総株主等議決権数の100分の50を超える議決権の数を有し、かつ、当該贈与者が有する当該株式等に係る議決権の数がいずれの当該同族関係者（当該中小企業者の第一種経営承継受贈者となる者を除く。）が有していた当該株式等に係る議決権の数も下回らなかった者であること。

⑧ 当該贈与の時において、当該中小企業者の株式等の贈与者が当該中小企業者の代表者でなく、かつ、当該中小企業者の株式等について既に法第12条第1項の認定（この号及び第9号の事由に係るものに限る。）に係る贈与をしたことがないこと。

チ　当該贈与が、次の①又は②に掲げる場合の区分に応じ、当該①又は②に定める贈与であること。

① 当該贈与の直前において、当該中小企業者の株式等の贈与者が有していた当該株式等（議決権に制限のない株式等に限る。以下チにおいて同じ。）の数又は金額が、当該中小企業者の発行済株式又は出資（議決権に制限のない株式等に限る。）の総数又は総額の3分の2（一株未満又は1円未満の端数がある場合にあっては、その端数を切り上げた数又は金額）から当該代表者（当該中小企業者の第一種経営承継受贈者となる者に限る。）が有していた当該株式等の数又は金額を控除した残数又は残額以上の場合　当該控除した残数又は残額以上の数又は金額に相当する株式等の贈与

② ①に掲げる場合以外の場合　当該中小企業者の株式等の贈与者が当該贈与の直前において有していた当該株式等のすべての贈与

リ　当該中小企業者が会社法第108条第1項第8号に掲げる事項についての定めがある種類の株式を発行している場合にあっては、当該贈与の時以後において当該株式を当該中小企業者の代表者（当該中小企業者の第一種経営承継受贈者となる者に限る。）以外の者が有していないこと。

第一章　非上場株式等についての贈与税の納税猶予及び免除
（〔参考〕中小企業における経営の承継の円滑化に関する法律・同施行令・同施行規則）

　　ヌ　第一種贈与認定申請基準日における当該中小企業者の常時使用する従業員の数が当該贈与の時における常時使用する
　　　従業員の数に100分の80を乗じて計算した数（その数に１人未満の端数があるときは、その端数を切り捨てた数。ただし、
　　　当該贈与の時における常時使用する従業員の数が１人のときは、１人とする。）を下回らないこと。

（八）　当該中小企業者が次に掲げるいずれにも該当する場合であって、当該中小企業者の代表者（当該代表者の被相続人（遺
　　贈をした者を含む。以下同じ。）の相続の開始の日の翌日から５月を経過する日以後において、代表者である者に限る。以
　　下この号において同じ。）が相続又は遺贈により取得した当該中小企業者の株式等（次条第３項に規定する申請書を提出す
　　る時において、当該相続又は遺贈に係る共同相続人又は包括受遺者によってまだ分割されていないものを除く。）に係る相
　　続税を納付することが見込まれること。

　　イ　当該相続の開始の時以後において、上場会社等又は風俗営業会社のいずれにも該当しないこと。

　　ロ　当該相続の開始の日の属する事業年度の直前の事業年度の開始の日以後において、資産保有型会社に該当しないこと。

　　ハ　第一種相続認定申請基準事業年度（当該相続の開始の日の属する事業年度の直前の事業年度及び当該相続の開始の日
　　　の属する事業年度から第一種相続認定申請基準日（当該相続の開始の日の翌日から５月を経過する日をいう。以下同じ。）
　　　の翌日の属する事業年度の直前の事業年度までの各事業年度をいう。以下同じ。）においていずれも資産運用型会社に該
　　　当しないこと。

　　ニ　第一種相続認定申請基準事業年度においていずれも総収入金額が零を超えること。

　　ホ　当該相続の開始の時において、当該中小企業者の常時使用する従業員の数が１人以上（当該中小企業者の特別子会社
　　　が外国会社に該当する場合（当該中小企業者又は当該中小企業者による支配関係がある法人が当該特別子会社の株式又
　　　は持分を有する場合に限る。）にあっては５人以上）であること。

　　ヘ　当該相続の開始の時以後において、当該中小企業者の特定特別子会社が上場会社等、大会社又は風俗営業会社のいず
　　　れにも該当しないこと。

　　ト　当該中小企業者の代表者が次に掲げるいずれにも該当する者（２人以上あるときは、そのうちの当該中小企業者が定
　　　めた１人に限る。以下「第一種経営承継相続人」という。）であること。

　　　①　当該相続又は遺贈により当該中小企業者の株式等を取得した代表者（代表権を制限されている者を除く。以下この
　　　　号において同じ。）であって、当該相続の開始の時において、当該代表者に係る同族関係者と合わせて当該中小企業者
　　　　の総株主等議決権数の100分の50を超える議決権の数を有し、かつ、当該代表者が有する当該株式等に係る議決権の数
　　　　がいずれの当該同族関係者が有する当該株式等に係る議決権の数も下回らない者であること。

　　　②　削除

　　　③　当該相続の開始の直前において当該中小企業者の役員であったこと（当該代表者の被相続人が70歳未満で死亡した
　　　　場合を除く。）

　　　④　当該相続の開始の時以後において、当該代表者がその被相続人から相続又は遺贈により取得した当該中小企業者の
　　　　株式等（当該相続の開始の時以後のいずれかの時において当該中小企業者が合併により消滅した場合にあっては当該
　　　　合併に際して交付された吸収合併存続会社等の株式等（会社法第234条第１項の規定により競売しなければならない株
　　　　式を除く。）、当該相続の開始の時以後のいずれかの時において当該中小企業者が株式交換等により他の会社の株式交
　　　　換完全子会社等となった場合にあっては当該株式交換等に際して交付された株式交換完全親会社等の株式等（同項の
　　　　規定により競売しなければならない株式を除く。））のうち租税特別措置法第70条の７の２第１項の規定の適用を受け
　　　　ようとする株式等の全部を有していること。

　　　⑤　当該相続又は遺贈により当該中小企業者の株式等を取得した代表者が、当該中小企業者の株式等につき法第12条第
　　　　１項の認定（第11号又は第13号の事由に係るものに限る。）に係る贈与を受けた者又は第12条第１項の認定（第12号又
　　　　は第14号の事由に係るものに限る。）に係る相続若しくは遺贈を受けた者でないこと。

　　　⑥　当該代表者の被相続人（当該相続の開始前において、当該中小企業者の代表者であった者に限る。）が、当該相続の
　　　　開始の直前（当該被相続人が当該相続の開始の直前において当該中小企業者の代表者でない場合には、当該被相続人
　　　　が当該代表者であった期間内のいずれかの時及び当該相続の開始の直前）において、当該被相続人に係る同族関係者
　　　　と合わせて当該中小企業者の総株主等議決権数の100分の50を超える議決権の数を有し、かつ、当該被相続人が有する
　　　　当該中小企業者の株式等に係る議決権の数がいずれの当該同族関係者（当該中小企業者の第一種経営承継相続人とな
　　　　る者を除く。）が有していた当該株式等に係る議決権の数も下回らなかった者であること。

　　　⑦　当該代表者の被相続人が当該中小企業者の株式等について法第12条第１項の認定（前号及び次号の事由に係るもの
　　　　に限る。）に係る贈与をした者でないこと。

　　チ　当該中小企業者が会社法第108条第１項第８号に掲げる事項についての定めがある種類の株式を発行している場合に
　　　あっては、当該相続の開始の時以後において当該株式を当該中小企業者の代表者（当該中小企業者の第一種経営承継相
　　　続人となる者に限る。）以外の者が有していないこと。

－1185－

第七編　非上場株式等に係る相続税・贈与税の納税猶予及び免除

　　リ　第一種相続認定申請基準日における当該中小企業者の常時使用する従業員の数が当該相続の開始の時における常時使用する従業員の数に100分の80を乗じて計算した数（その数に1人未満の端数があるときは、その端数を切り捨てた数。ただし、当該相続の開始の時における常時使用する従業員の数が1人のときは、1人とする。）を下回らないこと。

（九）当該中小企業者が次に掲げるいずれにも該当する場合であって、当該中小企業者の代表者（当該代表者に係る贈与者からの贈与の時以後において、代表者である者に限る。以下この号において同じ。）が贈与（当該贈与に係る贈与税申告期限（第8条第2項に規定する贈与税申告期限（租税特別措置法第69条の8第3項の規定又は国税通則法（昭和37年法律第66号）第10条若しくは第11条の規定により当該提出期限が延長された場合には、当該延長前の申告期限）をいう。第13号において同じ。）が、当該中小企業者に係る法第12条第1項の認定（第7号又は前号の事由に係るものに限る。）の有効期限までに到来するものに限る。）により取得した当該中小企業者の株式等に係る贈与税を納付することが見込まれること。

　　イ　当該贈与の時以後において、上場会社等又は風俗営業会社のいずれにも該当しないこと。

　　ロ　当該贈与の日の属する事業年度の直前の事業年度の開始の日以後において、資産保有型会社に該当しないこと。

　　ハ　第二種贈与認定申請基準事業年度（当該贈与の日の属する事業年度の直前の事業年度及び当該贈与の日の属する事業年度から第二種贈与認定申請基準日（次に掲げる場合の区分に応じ、それぞれ次に定める日をいう。以下同じ。）の翌日の属する事業年度の直前の事業年度までの各事業年度をいう。以下同じ。）においていずれも資産運用型会社に該当しないこと。

　　　①　当該贈与の日が1月1日から10月15日までのいずれかの日である場合（③に規定する場合を除く。）　当該10月15日

　　　②　該贈与の日が10月16日から12月31日までのいずれかの日である場合　当該贈与の日

　　　③　当該贈与の日の属する年の5月15日前に当該中小企業者の第二種経営承継受贈者又は第二種経営承継贈与者（当該第二種経営承継受贈者に係る当該会社の株式等を贈与した者をいう。以下同じ。）の相続が開始した場合　当該相続の開始の日の翌日から5月を経過する日

　　ニ　第二種贈与認定申請基準事業年度においていずれも総収入金額が零を超えること。

　　ホ　当該贈与の時において、当該中小企業者の常時使用する従業員の数が1人以上（当該中小企業者の特別子会社が外国会社に該当する場合（当該中小企業者又は当該中小企業者による支配関係がある法人が当該特別子会社の株式又は持分を有する場合に限る。）にあっては5人以上）であること。

　　ヘ　当該贈与の時以後において、当該中小企業者の特定特別子会社が上場会社等、大会社又は風俗営業会社のいずれにも該当しないこと。

　　ト　当該中小企業者の代表者が次に掲げるいずれにも該当する者（2人以上あるときは、そのうちの当該中小企業者が定めた1人に限る。以下「第二種経営承継受贈者」という。）であること。

　　　①　当該贈与により当該中小企業者の株式等を取得した代表者（代表権を制限されている者を除く。以下⑥を除きこの号において同じ。）であって、当該贈与の時において、当該代表者に係る同族関係者と合わせて当該中小企業者の総株主等議決権数の100分の50を超える議決権の数を有し、かつ、当該代表者が有する当該株式等に係る議決権の数がいずれの当該同族関係者が有する当該株式等に係る議決権の数も下回らない者であること。

　　　②　当該贈与の日において、18歳以上であること。

　　　③　当該贈与の日まで引き続き3年以上にわたり当該中小企業者の役員であること。

　　　④　当該贈与の時以後において、当該代表者が当該贈与により取得した当該中小企業者の株式等（当該贈与の時以後のいずれかの時において当該中小企業者が合併により消滅した場合にあっては当該合併に際して交付された吸収合併存続会社等の株式等（会社法第234条第1項の規定により競売しなければならない株式を除く。）、当該贈与の時以後のいずれかの時において当該中小企業者が株式交換等により他の会社の株式交換完全子会社等となった場合にあっては当該株式交換等に際して交付された株式交換完全親会社等の株式等（同項の規定により競売しなければならない株式を除く。））のうち租税特別措置法第70条の7第1項の規定の適用を受けようとする株式等の全部を有していること。

　　　⑤　当該贈与により当該中小企業者の株式等を取得した代表者が、当該中小企業者の株式等につき法第12条第1項の認定（第11号又は第13号の事由に係るものに限る。）に係る贈与を受けた者又は法第12条第1項の認定（第12号又は第14号の事由に係るものに限る。）に係る相続若しくは遺贈を受けた者でないこと。

　　　⑥　当該贈与の時において、当該中小企業者の株式等の贈与者が当該中小企業者の代表者でなく、かつ、当該中小企業者の株式等について既に法第12条第1項の認定（第7号及びこの号の事由に係るものに限る。）に係る贈与をしたことがないこと。

　　チ　当該贈与が、次の①又は②に掲げる場合の区分に応じ、当該①又は②に定める贈与であること。

　　　①　当該贈与の直前において、当該中小企業者の株式等の贈与者が有していた当該株式等（議決権に制限のない株式等に限る。以下チにおいて同じ。）の数又は金額が、当該中小企業者の発行済株式又は出資（議決権に制限のない株式等に限る。）の総数又は総額の3分の2（1株未満又は1円未満の端数がある場合にあっては、その端数を切り上げた数

－1186－

第一章　非上場株式等についての贈与税の納税猶予及び免除
（〔参考〕中小企業における経営の承継の円滑化に関する法律・同施行令・同施行規則）

又は金額）から当該代表者（当該中小企業者の第二種経営承継受贈者となる者に限る。）が有していた当該株式等の数又は金額を控除した残数又は残額以上の場合　当該控除した残数又は残額以上の数又は金額に相当する株式等の贈与

②　①に掲げる場合以外の場合　当該中小企業者の株式等の贈与者が当該贈与の直前において有していた当該株式等のすべての贈与

リ　当該中小企業者が会社法第108条第1項第8号に掲げる事項についての定めがある種類の株式を発行している場合にあっては、当該贈与の時以後において当該株式を当該中小企業者の代表者（当該中小企業者の第二種経営承継受贈者となる者に限る。）以外の者が有していないこと。

ヌ　当該中小企業者が法第12条第1項の認定（第7号又は前号の事由に係るものに限る。）を受けている者であり、かつ、当該贈与の時において、当該代表者が当該中小企業者の株式等について法第12条第1項の認定（第7号の事由に係るものに限る。）に係る贈与（以下「第一種経営承継贈与」という。）又は法第12条第1の認定（前号の事由に係るものに限る。）に係る相続若しくは遺贈（以下「第一種経営承継相続」という。）を受けた者であること。

（十）　当該中小企業者が次に掲げるいずれにも該当する場合であって、当該中小企業者の代表者（当該代表者の被相続人の相続の開始の日の翌日から5月を経過する日以後において、代表者である者に限る。以下この号において同じ。）が相続又は遺贈（当該相続に係る相続税申告期限（第8条第2項に規定する相続税申告期限（租税特別措置法第69条の8第1項若しくは第2項の規定又は国税通則法第10条若しくは第11条の規定により当該提出期限が延長された場合には、当該延長前の申告期限）をいう。第14号において同じ。）が、当該中小企業者に係る法第12条第1項の認定（第7号又は第8号の事由に係るものに限る。）の有効期限までに到来するものに限る。）により取得した当該中小企業者の株式等（次条第5項において読み替えられた同条第3項に規定する申請書を提出する時において、当該相続又は遺贈に係る共同相続人又は包括受遺者によってまだ分割されていないものを除く。）に係る相続税を納付することが見込まれること。

イ　当該相続の開始の時以後において、上場会社等又は風俗営業会社のいずれにも該当しないこと。

ロ　当該相続の開始の日の属する事業年度の直前の事業年度の開始の日以後において、資産保有型会社に該当しないこと。

ハ　第二種相続認定申請基準事業年度（当該相続の開始の日の属する事業年度の直前の事業年度及び当該相続の開始の日の属する事業年度から第二種相続認定申請基準日（当該相続の開始の日の翌日から五月を経過する日をいう。以下同じ。）の翌日の属する事業年度の直前の事業年度までの各事業年度をいう。以下同じ。）においていずれも資産運用型会社に該当しないこと。

ニ　第二種相続認定申請基準事業年度においていずれも総収入金額が零を超えること。

ホ　当該相続の開始の時において、当該中小企業者の常時使用する従業員の数が1人以上（当該中小企業者の特別子会社が外国会社に該当する場合（当該中小企業者又は当該中小企業者による支配関係がある法人が当該特別子会社の株式又は持分を有する場合に限る。）にあっては5人以上）であること。

ヘ　当該相続の開始の時以後において、当該中小企業者の特定特別子会社が上場会社等、大会社又は風俗営業会社のいずれにも該当しないこと。

ト　当該中小企業者の代表者が次に掲げるいずれにも該当する者（2人以上あるときは、そのうちの当該中小企業者が定めた1人に限る。以下「第二種経営承継相続人」という。）であること。

①　当該相続又は遺贈により当該中小企業者の株式等を取得した代表者（代表権を制限されている者を除く。以下この号において同じ。）であって、当該相続の開始の時において、当該代表者に係る同族関係者と合わせて当該中小企業者の総株主等議決権数の100分の50を超える議決権の数を有し、かつ、当該代表者が有する当該株式等に係る議決権の数がいずれの当該同族関係者が有する当該株式等に係る議決権の数も下回らない者であること。

②　当該相続の開始の直前において当該中小企業者の役員であったこと（当該代表者の被相続人が70歳未満で死亡した場合を除く。）。

③　当該相続の開始の時以後において、当該代表者がその被相続人から相続又は遺贈により取得した当該中小企業者の株式等（当該相続の開始の時以後のいずれかの時において当該中小企業者が合併により消滅した場合にあっては当該合併に際して交付された吸収合併存続会社等の株式等（会社法第234条第1項の規定により競売しなければならない株式を除く。）、当該相続の開始の時以後のいずれかの時において当該中小企業者が株式交換等により他の会社の株式交換完全子会社等となった場合にあっては当該株式交換等に際して交付された株式交換完全親会社等の株式等（同項の規定により競売しなければならない株式を除く。））のうち租税特別措置法第70条の7の2第1項の規定の適用を受けようとする株式等の全部を有していること。

④　当該相続又は遺贈により当該中小企業者の株式等を取得した代表者が、当該中小企業者の株式等につき法第12条第1項の認定（次号又は第13号の事由に係るものに限る。）に係る贈与を受けた者又は法第12条第1項の認定（第12号又は第14号の事由に係るものに限る。）に係る相続若しくは遺贈を受けた者でないこと。

チ　当該中小企業者が会社法第108条第1項第8号に掲げる事項についての定めがある種類の株式を発行している場合に

－1187－

あっては、当該相続の開始の時以後において当該株式を当該中小企業者の代表者（当該中小企業者の第二種経営承継相続人となる者に限る。）以外の者が有していないこと。

リ　当該中小企業者が法第12条第1項の認定（第7号又は第8号の事由に係るものに限る。）を受けている者であり、かつ、当該相続の開始の時において、当該代表者が当該中小企業者の株式等について第一種経営承継贈与又は第一種経営承継相続を受けた者であること。

（十一）　当該中小企業者が次に掲げるいずれにも該当する場合であって、当該中小企業者の代表者（当該代表者に係る贈与者からの贈与の時以後において、代表者である者に限る。以下この号において同じ。）が贈与により取得した当該中小企業者の株式等に係る贈与税を納付することが見込まれること。

イ　当該贈与の時以後において、上場会社等又は風俗営業会社のいずれにも該当しないこと。

ロ　当該贈与の日の属する事業年度の直前の事業年度の開始の日以後において、資産保有型会社に該当しないこと。

ハ　第一種特例贈与認定申請基準事業年度（当該贈与の日の属する事業年度の直前の事業年度及び当該贈与の日の属する事業年度から第一種特例贈与認定申請基準日（次に掲げる場合の区分に応じ、それぞれ次に定める日をいう。以下同じ。）の翌日の属する事業年度の直前の事業年度までの各事業年度をいう。以下同じ。）においていずれも資産運用型会社に該当しないこと。

①　当該贈与の日が1月1日から10月15日までのいずれかの日である場合（③に規定する場合を除く。）　当該10月15日

②　当該贈与の日が10月16日から12月31日までのいずれかの日である場合　当該贈与の日

③　当該贈与の日の属する年の5月15日前に当該中小企業者の第一種特例経営承継受贈者又は第一種特例経営承継贈与者の相続が開始した場合　当該相続の開始の日の翌日から5月を経過する日

ニ　第一種特例贈与認定申請基準事業年度においていずれも総収入金額が零を超えること。

ホ　当該贈与の時において、当該中小企業者の常時使用する従業員の数が1人以上（当該中小企業者の特別子会社が外国会社に該当する場合（当該中小企業者又は当該中小企業者による支配関係がある法人が当該特別子会社の株式又は持分を有する場合に限る。）にあっては5人以上）であること。

ヘ　当該贈与の時以後において、当該中小企業者の特定特別子会社が上場会社等、大会社又は風俗営業会社のいずれにも該当しないこと。

ト　当該中小企業者の代表者が次に掲げるいずれにも該当する者（その者が2人又は3人以上ある場合には、当該中小企業者が定めた2人又は3人までに限る。以下「第一種特例経営承継受贈者」という。）であること。

①　当該贈与により当該中小企業者の株式等を取得した代表者（代表権を制限されている者を除く。以下⑧を除きこの号において同じ。）であって、当該贈与の時において、当該代表者に係る同族関係者と合わせて当該中小企業者の総株主等議決権数の100分の50を超える議決権の数を有し、かつ、次に掲げる場合の区分に応じ、それぞれ定める要件を満たしていること。

（ⅰ）　当該代表者が1人の場合　当該代表者が有する当該株式等に係る議決権の数がいずれの当該同族関係者が有する当該株式等に係る議決権の数も下回らない者であること。

（ⅱ）　当該代表者が2人又は3人の場合　当該代表者が有する当該株式等に係る議決権の数が当該中小企業者の総株主等議決権数の100分の10以上であること及びいずれの当該代表者に係る同族関係者（当該代表者以外の当該中小企業者の第一種特例経営承継受贈者となる者を除く。）が有する当該株式等に係る議決権の数も下回らない者であること。

②　当該贈与の日において、18歳以上であること。

③　当該贈与の日まで引き続き3年以上にわたり当該中小企業者の役員であること。

④　当該贈与の時以後において、当該代表者が当該贈与により取得した当該中小企業者の株式等（当該贈与の時以後のいずれかの時において当該中小企業者が合併により消滅した場合にあっては当該合併に際して交付された吸収合併存続会社等の株式等（会社法第234条第1項の規定により競売しなければならない株式を除く。）、当該贈与の時以後のいずれかの時において当該中小企業者が株式交換等により他の会社の株式交換完全子会社等となった場合にあっては当該株式交換等に際して交付された株式交換完全親会社等の株式等（同項の規定により競売しなければならない株式を除く。））のうち租税特別措置法第70条の7の5第1項の規定の適用を受けようとする株式等の全部を有していること。

⑤　当該贈与により当該中小企業者の株式等を取得した代表者が、当該中小企業者の株式等につき法第12条第1項の認定（第7号又は第9号の事由に係るものに限る。）に係る贈与を受けた者又は法第12条第1項の認定（第8号又は前号の事由に係るものに限る。）に係る相続若しくは遺贈を受けた者でないこと。

⑥　当該中小企業者の代表者が第17条第1項第1号の確認（第18条第1項若しくは第2項の規定による変更の確認又は第18条の2第2項の規定による報告の確認があったときは、その変更又は報告後のもの）を受けた当該中小企業者の当該確認に係る特例後継者（第16条第1項第1号ロに規定する特例後継者をいう。以下この条において同じ。）である

-1188-

第一章　非上場株式等についての贈与税の納税猶予及び免除
（〔参考〕中小企業における経営の承継の円滑化に関する法律・同施行令・同施行規則）

こと。

⑦　当該中小企業者の株式等の贈与者（当該贈与の時前において、当該中小企業者の代表者であった者に限る。⑧において同じ。）が、当該贈与の直前（当該贈与者が当該贈与の直前において当該中小企業者の代表者でない場合には、当該贈与者が当該代表者であった期間内のいずれかの時及び当該贈与の直前）において、当該贈与者に係る同族関係者と合わせて当該中小企業者の総株主等議決権数の100分の50を超える議決権の数を有し、かつ、当該贈与者が有する当該株式等に係る議決権の数がいずれの当該同族関係者（当該中小企業者の第一種特例経営承継受贈者となる者を除く。）が有していた当該株式等に係る議決権の数も下回らなかった者であること。

⑧　当該贈与の時において、当該中小企業者の株式等の贈与者が当該中小企業者の代表者でなく、かつ、当該中小企業者の株式等の贈与者が当該中小企業者の株式等について法第12条第1項の認定（この号又は第13号の事由に係るものに限る。）に係る贈与をした者でないこと。ただし、当該贈与により当該中小企業者の株式等を取得した当該中小企業者の代表者が2人又は3人である場合において、当該贈与が同一の年中に行われるときは、当該贈与のうち最初の贈与後の贈与については、ト⑦中「当該贈与者が当該贈与の直前において当該中小企業者の代表者でない場合には、当該贈与者が当該代表者であった期間内のいずれかの時及び当該贈与の直前」とあるのは「当該贈与者が当該贈与の直前において当該中小企業者の代表者でない場合には、当該贈与者が当該代表者であった期間内のいずれかの時及び当該贈与の直前（同一の年中に当該贈与により当該中小企業者の株式等を取得した当該中小企業者の代表者が2人又は3人である場合には、当該贈与のうち最初の贈与の直前）」と、ト⑧中「当該中小企業者の株式等の贈与者が当該中小企業者の株式等について法第12条第1項の認定（この号又は第13号の事由に係るものに限る。）に係る贈与をした者でないこと」とあるのは「当該中小企業者の株式等の贈与者が当該中小企業者の株式等について法第12条第1項の認定（第13号の事由に係るものに限る。）に係る贈与をした者でないこと」と、チ②中「当該第一種特例経営承継贈与者の有する当該中小企業者の株式等の数又は金額を上回る贈与」とあるのは「当該贈与のうち最後の贈与の時における第一種特例経営承継贈与者の有する当該中小企業者の株式等の数又は金額を上回る贈与」と読み替えるものとする。

⑨　当該中小企業者の株式等の贈与者が第17条第1項第1号の確認（第18条第1項若しくは第2項の規定による変更の確認又は第18条の2第2項の規定による報告の確認があったときは、その変更又は報告後のもの）を受けた当該中小企業者の当該確認に係る特例代表者（第16条第1号ハに規定する特例代表者をいう。以下この条において同じ。）であること。

チ　当該贈与が、次の①又は②に掲げる場合の区分に応じ、当該①又は②に定める贈与であること。

①　第一種特例経営承継受贈者が一人である場合　次に掲げる場合の区分に応じそれぞれに定める贈与

（ⅰ）　当該贈与の直前において、当該中小企業者の株式等の贈与者が有していた当該株式等（議決権に制限のない株式等に限る。以下チにおいて同じ。）の数又は金額が、当該中小企業者の発行済株式又は出資（議決権に制限のない株式等に限る。以下チにおいて同じ。）の総数又は総額の3分の2（1株未満又は1円未満の端数がある場合にあっては、その端数を切り上げた数又は金額）から当該代表者（当該中小企業者の第一種特例経営承継受贈者となる者に限る。）が有していた当該株式等の数又は金額を控除した残数又は残額以上の場合　当該控除した残数又は残額以上の数又は金額に相当する株式等の贈与

（ⅱ）　（ⅰ）に掲げる場合以外の場合　当該中小企業者の株式等の贈与者が当該贈与の直前において有していた当該株式等のすべての贈与

②　第一種特例経営承継受贈者が2人又は3人である場合　いずれの第一種特例経営承継受贈者の有する当該中小企業者の株式等の数又は金額が、当該中小企業者の発行済株式又は出資の総数又は総額の10分の1以上となる贈与であって、かつ、いずれの第一種特例経営承継受贈者の有する当該中小企業者の株式等の数又は金額が当該第一種特例経営承継贈与者の有する当該中小企業者の株式等の数又は金額を上回る贈与

リ　当該中小企業者が会社法第108条第1項第8号に掲げる事項についての定めがある種類の株式を発行している場合にあっては、当該贈与の時以後において当該株式を当該中小企業者の代表者（当該中小企業者の第一種特例経営承継受贈者となる者に限る。）以外の者が有していないこと。

（十二）　当該中小企業者が次に掲げるいずれにも該当する場合であって、当該中小企業者の代表者（当該代表者の被相続人の相続の開始の日の翌日から5月を経過する日以後において、代表者である者に限る。以下この号において同じ。）が相続又は遺贈により取得した当該中小企業者の株式等（次条第7項に規定する申請書を提出する時において、当該相続又は遺贈に係る共同相続人又は包括受遺者によってまだ分割されていないものを除く。）に係る相続税を納付することが見込まれること。

イ　当該相続の開始の時以後において、上場会社等又は風俗営業会社のいずれにも該当しないこと。

ロ　当該相続の開始の日の属する事業年度の直前の事業年度の開始の日以後において、資産保有型会社に該当しないこと。

ハ　第一種特例相続認定申請基準事業年度（当該相続の開始の日の属する事業年度の直前の事業年度及び当該相続の開始

—1189—

の日の属する事業年度から第一種特例相続認定申請基準日（当該相続の開始の日の翌日から5月を経過する日をいう。以下同じ。）の翌日の属する事業年度の直前の事業年度までの各事業年度をいう。以下同じ。）においていずれも資産運用型会社に該当しないこと。

ニ　第一種特例相続認定申請基準事業年度においていずれも総収入金額が零を超えること。

ホ　当該相続の開始の時において、当該中小企業者の常時使用する従業員の数が1人以上（当該中小企業者の特定子会社が外国会社に該当する場合（当該中小企業者又は当該中小企業者による支配関係がある法人が当該特定子会社の株式又は持分を有する場合に限る。）にあっては5人以上）であること。

ヘ　当該相続の開始の時以後において、当該中小企業者の特定特別子会社が上場会社等、大会社又は風俗営業会社のいずれにも該当しないこと。

ト　当該中小企業者の代表者が次に掲げるいずれにも該当する者（その者が2人又は3人以上ある場合には、当該中小企業者が定めた2人又は3人までに限る。以下「第一種特例経営承継相続人」という。）であること。

①　当該相続又は遺贈により当該中小企業者の株式等を取得した代表者（代表権を制限されている者を除く。以下この号において同じ。）であって、当該相続の開始の時において、当該代表者に係る同族関係者と合わせて当該中小企業者の総株主等議決権数の100分の50を超える議決権の数を有し、かつ、次に掲げる場合の区分に応じ、それぞれに定める要件を満たしていること。

（i）　当該代表者が1人の場合　当該代表者が有する当該株式等に係る議決権の数がいずれの当該同族関係者が有する当該株式等に係る議決権の数も下回らない者であること。

（ii）　当該代表者が2人又は3人の場合　当該代表者が有する当該株式等に係る議決権の数が当該中小企業者の総株主等議決権数の100分の10以上であること及びいずれの当該同族関係者（当該代表者以外の当該中小企業者の第一種特例経営承継相続人となる者を除く。）が有する当該株式等に係る議決権の数も下回らない者であること。

②　当該相続の開始の直前において当該中小企業者の役員であったこと（当該代表者の被相続人が70歳未満で死亡した場合又は当該中小企業者の代表者が当該相続の開始の直前において、第17条第1項第1号の確認（第18条第1項若しくは第2項の規定による変更の確認又は第18条の2第2項の規定による報告の確認があったときは、その変更又は報告後のもの）を受けている当該中小企業者の当該確認に係る特例後継者である場合を除く。）。

③　当該相続の開始の時以後において、当該代表者がその被相続人から相続又は遺贈により取得した当該中小企業者の株式等（当該相続の開始の時以後のいずれかの時において当該中小企業者が合併により消滅した場合にあっては当該合併に際して交付された吸収合併存続会社等の株式等（会社法第234条第1項の規定により競売しなければならない株式を除く。）、当該相続の開始の時以後のいずれかの時において当該中小企業者が株式交換等により他の会社の株式交換完全子会社等となった場合にあっては当該株式交換等に際して交付された株式交換完全親会社等の株式等（同項の規定により競売しなければならない株式を除く。））のうち租税特別措置法第70条の7の6第1項の規定の適用を受けようとする株式等の全部を有していること。

④　当該相続又は遺贈により当該中小企業者の株式等を取得した代表者が、当該中小企業者の株式等につき法第12条第1項の認定（第7号又は第9号の事由に係るものに限る。）に係る贈与を受けた者又は法第12条第1項の認定（第8号又は第10号の事由に係るものに限る。）に係る相続若しくは遺贈を受けた者でないこと。

⑤　当該中小企業者の代表者が第17条第1項第1号の確認（第18条第1項若しくは第2項の規定による変更又は第18条の2第2項の規定による報告の確認があったときは、その変更又は報告後のもの）を受けた当該中小企業者の当該確認に係る特例後継者であること。

⑥　当該代表者の被相続人（当該相続の開始前において、当該中小企業者の代表者であった者に限る。）が、当該相続の開始の直前（当該被相続人が当該相続の開始の直前において当該中小企業者の代表者でない場合には、当該被相続人が当該代表者であった期間内のいずれかの時及び当該相続の開始の直前）において、当該被相続人に係る同族関係者と合わせて当該中小企業者の総株主等議決権数の100分の50を超える議決権の数を有し、かつ、当該被相続人が有する当該中小企業者の株式等に係る議決権の数がいずれの当該同族関係者（当該中小企業者の第一種特例経営承継相続人となる者を除く。）が有していた当該株式等に係る議決権の数も下回らなかった者であること。

⑦　当該代表者の被相続人が当該中小企業者の株式等について既に法第12条第1項の認定（前号及び次号の事由に係るものに限る。）に係る贈与をした者でないこと。

⑧　当該中小企業者の代表者の被相続人が第17条第1項第1号の確認（第18条第1項若しくは第2項の規定による変更又は第18条の2第2項の規定による報告の確認があったときは、その変更又は報告後のもの）を受けた当該中小企業者の当該確認に係る特例代表者であること。

チ　当該中小企業者が会社法第108条第1項第8号に掲げる事項についての定めがある種類の株式を発行している場合にあっては、当該相続の開始の時以後において当該株式を当該中小企業者の代表者（当該中小企業者の第一種特例経営承

第一章　非上場株式等についての贈与税の納税猶予及び免除
（〔参考〕中小企業における経営の承継の円滑化に関する法律・同施行令・同施行規則）

継相続人となる者に限る。）以外の者が有していないこと。

（十三）　当該中小企業者が次に掲げるいずれにも該当する場合であって、当該中小企業者の代表者（当該代表者に係る贈与者からの贈与の時以後において、代表者である者に限る。以下この号において同じ。）が贈与（当該贈与に係る贈与税申告期限が、当該中小企業者に係る法第12条第１項の認定（第11号又は前号の事由に係るものに限る。）の有効期限までに到来するものに限る。）により取得した当該中小企業者の株式等に係る贈与税を納付することが見込まれること。

イ　当該贈与の時以後において、上場会社等又は風俗営業会社のいずれにも該当しないこと。

ロ　当該贈与の日の属する事業年度の直前の事業年度の開始の日以後において、資産保有型会社に該当しないこと。

ハ　第二種特例贈与認定申請基準事業年度（当該贈与の日の属する事業年度の直前の事業年度及び当該贈与の日の属する事業年度から第二種特例贈与認定申請基準日（次に掲げる場合の区分に応じ、それぞれ次に定める日をいう。以下同じ。）の翌日の属する事業年度の直前の事業年度までの各事業年度をいう。以下同じ。）においていずれも資産運用型会社に該当しないこと。

①　当該贈与の日が１月１日から10月15日までのいずれかの日である場合（③に規定する場合を除く。）　当該10月15日

②　当該贈与の日が10月16日から12月31日までのいずれかの日である場合　当該贈与の日

③　当該贈与の日の属する年の５月15日前に当該中小企業者の第二種特例経営承継受贈者又は第二種特例経営承継贈与者（当該第二種特例経営承継受贈者に係る当該会社の株式等を贈与した者をいう。以下同じ。）の相続が開始した場合　当該相続の開始の日の翌日から５月を経過する日

ニ　第二種特例贈与認定申請基準事業年度においていずれも総収入金額が零を超えること。

ホ　当該贈与の時において、当該中小企業者の常時使用する従業員の数が１人以上（当該中小企業者の特別子会社が外国会社に該当する場合（当該中小企業者又は当該中小企業者による支配関係がある法人が当該特別子会社の株式又は持分を有する場合に限る。）にあっては５人以上）であること。

ヘ　当該贈与の時以後において、当該中小企業者の特定特別子会社が上場会社等、大会社又は風俗営業会社のいずれにも該当しないこと。

ト　当該中小企業者の代表者が次に掲げるいずれにも該当する者（その者が２人又は３人以上ある場合には、当該中小企業者が定めた２人又は３人までに限る。以下「第二種特例経営承継受贈者」という。）であること。

①　当該贈与により当該中小企業者の株式等を取得した代表者（代表権を制限されている者を除く。以下⑦を除きこの号において同じ。）であって、当該贈与の時において、当該代表者に係る同族関係者と合わせて当該中小企業者の総株主等議決権数の100分の50を超える議決権の数を有し、かつ、次に掲げる場合の区分に応じ、それぞれに定める要件を満たしていること。

（ⅰ）　当該代表者が１人の場合　当該代表者が有する当該株式等に係る議決権の数がいずれの当該同族関係者（当該代表者以外の当該中小企業者の第一種特例経営承継受贈者、第一種特例経営承継相続人、第二種特例経営承継受贈者、第二種特例経営承継受贈者となる者、第二種特例経営承継相続人又は第二種特例経営承継相続人となる者を除く。（ⅱ）において同じ。）が有する当該株式等に係る議決権の数も下回らない者であること。

（ⅱ）　当該代表者が２人又は３人の場合　当該代表者が有する当該株式等に係る議決権の数が当該中小企業者の総株主等議決権数の100分の10以上であること及びいずれの当該代表者に係る同族関係者が有する当該株式等に係る議決権の数も下回らない者であること。

②　当該贈与の日において、18歳以上であること。

③　当該贈与の日まで引き続き３年以上にわたり当該中小企業者の役員であること。

④　当該贈与の時以後において、当該代表者が当該贈与により取得した当該中小企業者の株式等（当該贈与の時以後のいずれかの時において当該中小企業者が合併により消滅した場合にあっては当該合併に際して交付された吸収合併存続会社等の株式等（会社法第234条第１項の規定により競売しなければならない株式を除く。）、当該贈与の時以後のいずれかの時において当該中小企業者が株式交換等により他の会社の株式交換完全子会社等となった場合にあっては当該株式交換等に際して交付された株式交換完全親会社等の株式等（同項の規定により競売しなければならない株式を除く。））のうち租税特別措置法第70条の７の５第１項の規定の適用を受けようとする株式等の全部を有していること。

⑤　当該贈与により当該中小企業者の株式等を取得した代表者が、当該中小企業者の株式等につき法第12条第１項の認定（第７号又は第９号の事由に係るものに限る。）に係る贈与を受けた者又は法第12条第１項の認定（第８号又は第10号の事由に係るものに限る。）に係る相続若しくは遺贈を受けた者でないこと。

⑥　当該中小企業者の代表者が第17条第１項第１号の確認（第18条第１項若しくは第２項の規定による変更の確認又は第18条の２第２項の規定による報告の確認があったときは、その変更又は報告後のもの）を受けた当該中小企業者の当該確認に係る特例後継者であること。

⑦　当該贈与の時において、当該中小企業者の株式等の贈与者が当該中小企業者の代表者でなく、かつ、当該中小企業

－1191－

第七編　非上場株式等に係る相続税・贈与税の納税猶予及び免除

者の株式等の贈与者が当該中小企業者の株式等について法第12条第1項の認定（第11号及びこの号の事由に係るものに限る。）に係る贈与をした者でないこと。ただし、当該贈与により当該中小企業者の株式等を取得した当該中小企業者の代表者が2人又は3人である場合において、当該贈与が同一の年中に行われるときは、当該贈与のうち最初の贈与後の贈与については、ト⑦中「当該中小企業者の株式等の贈与者が当該中小企業者の株式等について法第12条第1項の認定（第11号及びこの号の事由に係るものに限る。）に係る贈与をした者でないこと」とあるのは「当該中小企業者の株式等の贈与者が当該中小企業者の株式等について法第12条第1項の認定（第11号の事由に係るものに限る。）に係る贈与をした者でないこと」と、チ②中「当該第二種特例経営承継贈与者の有する当該中小企業者の株式等の数又は金額を上回る贈与」とあるのは「当該贈与のうち最後の贈与の時における第二種特例経営承継贈与者の有する当該中小企業者の株式等の数又は金額を上回る贈与」と読み替えるものとする。

　チ　当該贈与が、次の①又は②に掲げる場合の区分に応じ、当該①又は②に定める贈与であること。
　　①　第二種特例経営承継受贈者が1人である場合　次に掲げる場合の区分に応じそれぞれに定める贈与
　　　（ⅰ）　当該贈与の直前において、当該中小企業者の株式等の贈与者が有していた当該株式等（議決権に制限のない株式等に限る。以下チにおいて同じ。）の数又は金額が、当該中小企業者の発行済株式又は出資（議決権に制限のない株式等に限る。以下チにおいて同じ。）の総数又は総額の3分の2（1株未満又は1円未満の端数がある場合にあっては、その端数を切り上げた数又は金額）から当該代表者（当該中小企業者の第二種特例経営承継受贈者となる者に限る。）が有していた当該株式等の数又は金額を控除した残数又は残額以上の場合　当該控除した残数又は残額以上の数又は金額に相当する株式等の贈与
　　　（ⅱ）　（ⅰ）に掲げる場合以外の場合　当該中小企業者の株式等の贈与者が当該贈与の直前において有していた当該株式等のすべての贈与
　　②　第二種特例経営承継受贈者が2人又は3人である場合　いずれの第二種特例経営承継受贈者の有する当該中小企業者の株式等の数又は金額が、当該中小企業者の発行済株式又は出資の総数又は総額の10分の1以上となる贈与であって、かつ、いずれの第二種特例経営承継受贈者の有する当該中小企業者の株式等の数又は金額が当該第二種特例経営承継贈与者の有する当該中小企業者の株式等の数又は金額を上回る贈与
　リ　当該中小企業者が会社法第108条第1項第8号に掲げる事項についての定めがある種類の株式を発行している場合にあっては、当該贈与の時以後において当該株式を当該中小企業者の代表者（当該中小企業者の第一種特例経営承継受贈者、第一種特例経営承継相続人、第二種特例経営承継受贈者、第二種特例経営承継受贈者となる者、第二種特例経営相続人又は第二種特例経営相続人となる者に限る。）以外の者が有していないこと。
　ヌ　当該中小企業者が法第12条第1項の認定（第11号又は前号の事由に係るものに限る。）を受けている者であり、かつ、当該贈与の時において、当該中小企業者の代表者が当該中小企業者の株式等について法第12条第1項の認定（第11号の事由に係るものに限る。）に係る贈与（以下「第一種特例経営承継贈与」という。）又は法第12条第1項の認定（前号の事由に係るものに限る。）に係る相続（以下「第一種特例経営承継相続」という。）を受けていること。

（十四）　当該中小企業者が次に掲げるいずれにも該当する場合であって、当該中小企業者の代表者（当該代表者の被相続人の相続の開始の日の翌日から5月を経過する日以後において、代表者である者に限る。以下この号において同じ。）が相続又は遺贈（当該相続に係る相続税申告期限が、当該中小企業者に係る法第12条第1項の認定（第11号又は第12号の事由に係るものに限る。）の有効期限までに到来するものに限る。）により取得した当該中小企業者の株式等（次条第9項において読み替えられた同条第7項に規定する申請書を提出する時において、当該相続又は遺贈に係る共同相続人又は包括受遺者によってまだ分割されていないものを除く。）に係る相続税を納付することが見込まれること。
　イ　当該相続の開始の時以後において、上場会社等又は風俗営業会社のいずれにも該当しないこと。
　ロ　当該相続の開始の日の属する事業年度の直前の事業年度の開始の日以後において、資産保有型会社に該当しないこと。
　ハ　第二種特例相続認定申請基準事業年度（当該相続の開始の日の属する事業年度の直前の事業年度及び当該相続の開始の日の属する事業年度から第二種特例相続認定申請基準日（当該相続の開始の日の翌日から5月を経過する日をいう。以下同じ。）の翌日の属する事業年度の直前の事業年度までの各事業年度をいう。以下同じ。）においていずれも資産運用型会社に該当しないこと。
　ニ　第二種特例相続認定申請基準事業年度においていずれも総収入金額が零を超えること。
　ホ　当該相続の開始の時において、当該中小企業者の常時使用する従業員の数が1人以上（当該中小企業者の特別子会社が外国会社に該当する場合（当該中小企業者又は当該中小企業者による支配関係がある法人が当該特別子会社の株式又は持分を有する場合に限る。）にあっては5人以上）であること。
　ヘ　当該相続の開始の時以後において、当該中小企業者の特定特別子会社が上場会社等、大会社又は風俗営業会社のいずれにも該当しないこと。
　ト　当該中小企業者の代表者が次に掲げるいずれにも該当する者（その者が2人又は3人以上ある場合には、当該中小企

－1192－

第一章　非上場株式等についての贈与税の納税猶予及び免除
（〔参考〕中小企業における経営の承継の円滑化に関する法律・同施行令・同施行規則）

業者が定めた２人又は３人までに限る。以下「第二種特例経営承継相続人」という。）であること。

①　当該相続又は遺贈により当該中小企業者の株式等を取得した代表者（代表権を制限されている者を除く。以下この号において同じ。）であって、当該相続の開始の時において、当該代表者に係る同族関係者と合わせて当該中小企業者の総株主等議決権数の100分の50を超える議決権の数を有し、かつ、次に掲げる場合の区分に応じ、それぞれに定める要件を満たしていること。

（ⅰ）　当該代表者が１人の場合　当該代表者が有する当該株式等に係る議決権の数がいずれの当該同族関係者（当該代表者以外の当該中小企業者の第一種特例経営承継受贈者、第一種特例経営承継相続人、第二種特例経営承継受贈者、第二種特例経営承継受贈者となる者、第二種特例経営承継相続人又は第二種特例経営承継相続人となる者を除く。（ⅱ）において同じ。）が有する当該株式等に係る議決権の数も下回らない者であること。

（ⅱ）　当該代表者が２人又は３人の場合　当該代表者が有する当該株式等に係る議決権の数が当該中小企業者の総株主等議決権数の100分の10以上であること及びいずれの当該同族関係者が有する当該株式等に係る議決権の数も下回らない者であること。

②　当該相続の開始の直前において当該中小企業者の役員であったこと（当該代表者の被相続人が70歳未満で死亡した場合又は当該中小企業者の代表者が当該相続の開始の直前において、第17条第１項第１号の確認（第18条第１項若しくは第２項の規定による変更の確認又は第18条の２第２項の規定による報告の確認があったときは、その変更又は報告後のもの）を受けている当該中小企業者の当該確認に係る特例後継者である場合を除く。）。

③　当該相続の開始の時以後において、当該代表者がその被相続人から相続又は遺贈により取得した当該中小企業者の株式等（当該相続の開始の時以後のいずれかの時において当該中小企業者が合併により消滅した場合にあっては当該合併に際して交付された吸収合併存続会社等の株式等（会社法第234条第１項の規定により競売しなければならない株式を除く。）、当該相続の開始の時以後のいずれかの時において当該中小企業者が株式交換等により他の会社の株式交換完全子会社等となった場合にあっては当該株式交換等に際して交付された株式交換完全親会社等の株式等（同項の規定により競売しなければならない株式を除く。））のうち租税特別措置法第70条の７の６第１項の規定の適用を受けようとする株式等の全部を有していること。

④　当該相続又は遺贈により当該中小企業者の株式等を取得した代表者が、当該中小企業者の株式等につき法第12条第１項の認定（第７号又は第９号の事由に係るものに限る。）に係る贈与を受けた者又は法第12条第１項の認定（第８号又は第10号の事由に係るものに限る。）に係る相続若しくは遺贈を受けた者でないこと。

⑤　第17条第１項第１号の確認（第18条第１項若しくは第２項の規定による変更又は第18条の２第２項の規定による報告の確認があったときは、その変更又は報告後のもの）を受けた当該中小企業者の当該確認に係る特例後継者であること。

チ　当該中小企業者が会社法第108条第１項第８号に掲げる事項についての定めがある種類の株式を発行している場合にあっては、当該相続の開始の時以後において当該株式を当該中小企業者の代表者（第一種特例経営承継受贈者、第一種特例経営承継相続人、第二種特例経営承継受贈者、第二種特例経営承継受贈者となる者、第二種特例経営相続人又は第二種特例経営相続人となる者に限る。）以外の者が有していないこと。

リ　当該中小企業者が法第12条第１項の認定（第11号又は第12号の事由に係るものに限る。）を受けている者であり、かつ、当該相続の開始の時において、当該中小企業者の代表者が当該中小企業者の株式等について第一種特例経営承継贈与又は第一種特例経営承継相続を受けていること。

（以下略）

第７条（認定の申請）　（中略）

2　法第12条第１項の認定（前条第１項第７号の事由に係るものに限る。）を受けようとする会社である中小企業者は、当該認定に係る贈与の日の属する年の翌年の１月15日（当該贈与に係る贈与税申告期限（次条第２項に規定する贈与税申告期限をいう。以下この条において同じ。）前に当該中小企業者の第一種経営承継贈与者の相続が開始した場合（当該贈与の日の属する年において当該第一種経営承継贈与者の相続が開始し、かつ、当該中小企業者の第一種経営承継受贈者が当該第一種経営承継贈与者からの相続又は遺贈により財産を取得したことにより相続税法第19条又は第21条の15の規定により当該贈与により取得した当該株式等の価額が相続税の課税価格に加算されることとなる場合（当該株式等について同法第21条の16の規定の適用がある場合を含む。）を除く。）にあっては当該第一種経営承継贈与者の相続の開始の日の翌日から８月を経過する日又は当該贈与の日の属する年の翌年の１月15日のいずれか早い日、当該贈与税申告期限前に当該第一種経営承継受贈者の相続が開始した場合にあっては当該第一種経営承継受贈者の相続の開始の日の翌日から８月を経過する日）までに、**様式第７**による申請書に、当該申請書の写し一通及び次に掲げる書類を添付して、都道府県知事に提出するものとする。

（一）　当該贈与に係る第一種贈与認定申請基準日における当該中小企業者の定款の写し

第七編　非上場株式等に係る相続税・贈与税の納税猶予及び免除

(二)　当該贈与の直前(当該第一種経営承継贈与者が当該贈与の直前において当該中小企業者の代表者(代表権を制限されている者を除く。次号において同じ。)でない場合にあっては当該第一種経営承継贈与者が当該代表者であった期間内のいずれかの時及び当該贈与の直前。以下この号において同じ。)、当該贈与の時及び当該贈与に係る第一種贈与認定申請基準日における当該中小企業者(当該第一種経営承継贈与者又は当該第一種経営承継受贈者に係る同族関係者である会社がある場合にあっては、当該会社を含む。以下この号において同じ。)の株主名簿の写し(当該中小企業者が持分会社である場合にあっては、当該贈与の直前及び当該贈与の時における当該中小企業者の定款の写し)

(三)　登記事項証明書(当該贈与に係る第一種贈与認定申請基準日以後に作成されたものに限り、当該第一種経営承継贈与者が当該贈与の直前において当該中小企業者の代表者でない場合にあっては当該第一種経営承継贈与者が代表者であった旨の記載のある登記事項証明書を含む。)

(四)　当該第一種経営承継受贈者が贈与により取得した当該中小企業者の株式等に係る贈与契約書の写しその他の当該贈与の事実を証する書類及び当該株式等に係る贈与税の見込額を記載した書類

(五)　当該贈与の時及び当該贈与に係る第一種贈与認定申請基準日における当該中小企業者の従業員数証明書

(六)　当該中小企業者の当該贈与に係る第一種贈与認定申請基準事業年度(前条第2項に該当する中小企業者である場合にあっては、当該贈与の日前3年以内に終了した各事業年度を含む。)の会社法第435条第2項又は第617条第2項に規定する書類その他これらに類する書類

(七)　当該贈与の時から当該贈与に係る第一種贈与認定申請基準日までの間において当該中小企業者が上場会社等(金融商品取引所若しくは店頭売買有価証券登録原簿に上場若しくは登録の申請がされている株式又は金融商品取引所若しくは店頭売買有価証券登録原簿に類するものであって外国に所在する若しくは備えられるものに上場若しくは登録若しくはこれらの申請がされている株式若しくは持分に係る会社を含む。以下同じ。)又は風俗営業会社のいずれにも該当しない旨の誓約書

(八)　次に掲げる誓約書
イ　当該贈与の時において、当該中小企業者の特別子会社が外国会社に該当する場合であって当該中小企業者又は当該中小企業者による支配関係がある法人が当該特別子会社の株式又は持分を有しないときは、当該有しない旨の誓約書
ロ　当該贈与の時から当該贈与に係る第一種贈与認定申請基準日までの間において、当該中小企業者の特定特別子会社が上場会社等、大会社又は風俗営業会社のいずれにも該当しない旨の誓約書

(九)　当該贈与の時における当該第一種経営承継贈与者及びその親族(当該中小企業者の第一種経営承継贈与者からの贈与の時において、当該中小企業者が前条第2項各号に掲げるいずれにも該当するときは、当該中小企業者の株式等を有する親族に限る。以下この号において同じ。)の戸籍謄本等並びに当該贈与の時における当該第一種経営承継受贈者及びその親族の戸籍謄本等

(十)　削除

(十一)　前各号に掲げるもののほか、法第12条第1項の認定(前条第1項第7号の事由に係るものに限る。)の参考となる書類

3　法第12条第1項の認定(前条第1項第8号の事由に係るものに限る。)を受けようとする会社である中小企業者は、当該認定に係る相続の開始の日の翌日から8月を経過する日(当該相続に係る相続税申告期限(次条第2項に規定する相続税申告期限をいう。以下この条において同じ。)前に当該中小企業者の第一種経営承継相続人の相続が開始した場合にあっては、当該第一種経営承継相続人の相続の開始の日の翌日から8月を経過する日)までに、**様式第8**による申請書に、当該申請書の写し一通及び次に掲げる書類を添付して、都道府県知事に提出するものとする。

(一)　当該相続に係る第一種相続認定申請基準日における当該中小企業者の定款の写し

(二)　当該相続の開始の直前(当該被相続人が当該相続の開始の直前において当該中小企業者の代表者(代表権を制限されている者を除く。次号において同じ。)でない場合にあっては当該被相続人が当該代表者であった期間内のいずれかの時及び当該相続の開始の直前。以下この号において同じ。)、当該相続の開始の時及び当該相続に係る第一種相続認定申請基準日における当該中小企業者(当該被相続人又は当該第一種経営承継相続人に係る同族関係者である会社がある場合にあっては、当該会社を含む。以下この号において同じ。)の株主名簿の写し(当該中小企業者が持分会社である場合にあっては、当該相続の開始の直前及び当該相続の開始の時における当該中小企業者の定款の写し)

(三)　登記事項証明書(当該相続に係る第一種相続認定申請基準日以後に作成されたものに限り、当該被相続人が当該相続の開始の直前において当該中小企業者の代表者でない場合にあっては当該被相続人が代表者であった旨の記載のある登記事項証明書を含む。)

(四)　当該第一種経営承継相続人が相続又は遺贈により取得した当該中小企業者の株式等に係る遺言書の写し、遺産の分割の協議に関する書類(当該相続に係る全ての共同相続人及び包括受遺者が自署し、自己の印を押しているものに限る。)の写しその他の当該株式等の取得の事実を証する書類及び当該株式等に係る相続税の見込額を記載した書類

－1194－

第一章　非上場株式等についての贈与税の納税猶予及び免除
（〔参考〕中小企業における経営の承継の円滑化に関する法律・同施行令・同施行規則）

（五）　当該相続の開始の日及び当該相続に係る第一種相続認定申請基準日における当該中小企業者の従業員数証明書

（六）　当該中小企業者の当該相続に係る第一種相続認定申請基準事業年度（前条第2項に該当する中小企業者である場合にあっては、当該相続の開始の日前3年以内に終了した各事業年度を含む。）の会社法第435条第2項又は第617条第2項に規定する書類その他これらに類する書類

（七）　当該相続の開始の時から当該相続に係る第一種相続認定申請基準日までの間において当該中小企業者が上場会社等又は風俗営業会社のいずれにも該当しない旨の誓約書

（八）　次に掲げる誓約書

　イ　当該相続の時において、当該中小企業者の特別子会社が外国会社に該当する場合であって当該中小企業者又は当該中小企業者による支配関係がある法人が当該特別子会社の株式又は持分を有しないときは、当該有しない旨の誓約書

　ロ　当該相続の開始の時から当該相続に係る第一種相続認定申請基準日までの間において、当該中小企業者の特定特別子会社が上場会社等、大会社又は風俗営業会社のいずれにも該当しない旨の誓約書

（九）　当該相続の開始の時における当該被相続人及びその親族（当該中小企業者の第一種経営承継相続人の被相続人の相続の開始の時において、当該中小企業者が前条第2項各号に掲げるいずれにも該当するときは、当該中小企業者の株式等を有する親族に限る。以下この号において同じ。）の戸籍謄本等並びに当該相続の開始の時における第一種経営承継相続人及びその親族の戸籍謄本等又は当該被相続人の法定相続情報一覧図

（十）　削除

（十一）　前各号に掲げるもののほか、法第12条第1項の認定（前条第1項第8号の事由に係るものに限る。）の参考となる書類

4　第2項の規定は、法第12条第1項の認定（前条第1項第9号の事由に係るものに限る。）を受けようとする会社である中小企業者について準用する。この場合において、「第一種経営承継贈与者」とあるのは「第二種経営承継贈与者」と、「第一種経営承継受贈者」とあるのは「第二種経営承継受贈者」と、**様式第7**とあるのは**様式第7の2**と、「第一種贈与認定申請基準日」とあるのは「第二種贈与認定申請基準日」と、「当該贈与の直前（当該第一種経営承継贈与者が当該贈与の直前において当該中小企業者の代表者（代表権を制限されている者を除く。次号において同じ。）でない場合にあっては当該第一種経営承継贈与者が当該代表者であった期間内のいずれかの時及び当該贈与の直前。以下この号において同じ。）、当該贈与の時」とあるのは「当該贈与の時」と、「（当該贈与に係る第一種贈与認定申請基準日以後に作成されたものに限り、当該第一種経営承継贈与者が当該贈与の直前において当該中小企業者の代表者でない場合にあっては当該第一種経営承継贈与者が代表者であった旨の記載のある登記事項証明書を含む。）」とあるのは「（当該贈与に係る第二種贈与認定申請基準日以後に作成されたものに限る。）」と、「第一種贈与認定申請基準事業年度」とあるのは「第二種贈与認定申請基準事業年度」と読み替えるものとする。

5　第3項の規定は、法第12条第1項の認定（前条第1項第10号の事由に係るものに限る。）を受けようとする会社である中小企業者について準用する。この場合において、「第一種経営承継相続人」とあるのは「第二種経営承継相続人」と、**様式第8**とあるのは**様式第8の2**と、「第一種相続認定申請基準日」とあるのは「第二種相続認定申請基準日」と、「当該相続の開始の直前（当該被相続人が当該相続の開始の直前において当該中小企業者の代表者（代表権を制限されている者を除く。次号において同じ。）でない場合にあっては当該被相続人が当該代表者であった期間内のいずれかの時及び当該相続の開始の直前。以下この号において同じ。）、当該相続の開始の時」とあるのは「当該相続の開始の時」と、「（当該相続に係る第一種相続認定申請基準日以後に作成されたものに限り、当該被相続人が当該相続の開始の直前において当該中小企業者の代表者でない場合にあっては当該被相続人が代表者であった旨の記載のある登記事項証明書を含む。）」とあるのは「（当該相続に係る第二種相続認定申請基準日以後に作成されたものに限る。）」と、「第一種相続認定申請基準事業年度」とあるのは「第二種相続認定申請基準事業年度」と読み替えるものとする。

6　法第12条第1項の認定（前条第1項第11号の事由に係るものに限る。）を受けようとする会社である中小企業者は、当該認定に係る贈与の日の属する年の翌年の1月15日（当該贈与に係る贈与税申告期限前に当該中小企業者の第一種特例経営承継贈与者の相続が開始した場合（当該贈与の日の属する年において当該第一種特例経営承継贈与者の相続が開始し、かつ、当該中小企業者の第一種特例経営承継受贈者が当該第一種特例経営承継贈与者からの相続又は遺贈により財産を取得したことにより相続税法第19条又は第21条の15の規定により当該贈与により取得した当該株式等の価額が相続税の課税価格に加算されることとなる場合（当該株式等について同法第21条の16の規定の適用がある場合を含む。）を除く。）にあっては、当該第一種特例経営承継贈与者の相続の開始の日の翌日から8月を経過する日又は当該贈与の日の属する年の翌年の1月15日のいずれか早い日、当該贈与税申告期限前に当該第一種特例経営承継受贈者の相続が開始した場合にあっては、当該第一種特例経営承継受贈者の相続の開始の日の翌日から8月を経過する日）までに、**様式第7の3**による申請書に、当該申請書の写し一通及び次に掲げる書類を添付して、都道府県知事に提出するものとする。

（一）　当該贈与に係る第一種特例贈与認定申請基準日における当該中小企業者の定款の写し

－1195－

第七編　非上場株式等に係る相続税・贈与税の納税猶予及び免除

（二）　当該贈与の直前（当該第一種特例経営承継贈与者が当該贈与の直前において当該中小企業者の代表者（代表権を制限されている者を除く。次号において同じ。）でない場合にあっては当該第一種特例経営承継贈与者が当該代表者であった期間内のいずれかの時及び当該贈与の直前。以下この号において同じ。）、当該贈与の時及び当該贈与に係る第一種特例贈与認定申請基準日における当該中小企業者（当該第一種特例経営承継贈与者又は当該第一種特例経営承継受贈者に係る同族関係者である会社がある場合にあっては、当該会社を含む。以下この号において同じ。）の株主名簿の写し（当該中小企業者が持分会社である場合にあっては、当該贈与の直前及び当該贈与の時における当該中小企業者の定款の写し）

（三）　登記事項証明書（当該贈与に係る第一種特例贈与認定申請基準日以後に作成されたものに限り、当該第一種特例経営承継贈与者が当該贈与の直前において当該中小企業者の代表者でない場合にあっては当該第一種特例経営承継贈与者が代表者であった旨の記載のある登記事項証明書を含む。）

（四）　当該第一種特例経営承継受贈者が贈与により取得した当該中小企業者の株式等に係る贈与契約書の写しその他の当該贈与の事実を証する書類及び当該株式等に係る贈与税の見込額を記載した書類

（五）　当該贈与の時における当該中小企業者の従業員数証明書

（六）　当該中小企業者の当該贈与に係る第一種特例贈与認定申請基準事業年度（前条第2項に該当する中小企業者である場合にあっては、当該贈与の日前3年以内に終了した各事業年度を含む。）の会社法第435条第2項又は第617条第2項に規定する書類その他これらに類する書類

（七）　当該贈与の時から当該贈与に係る第一種特例贈与認定申請基準日までの間において当該中小企業者が上場会社等又は風俗営業会社のいずれにも該当しない旨の誓約書

（八）　次に掲げる誓約書

　イ　当該贈与の時において、当該中小企業者の特別子会社が外国会社に該当する場合であって当該中小企業者又は当該中小企業者による支配関係がある法人が当該特別子会社の株式又は持分を有しないときは、当該有しない旨の誓約書

　ロ　当該贈与の時から当該贈与に係る第一種特例贈与認定申請基準日までの間において、当該中小企業者の特定特別子会社が上場会社等、大会社又は風俗営業会社のいずれにも該当しない旨の誓約書

（九）　当該贈与の時における当該第一種特例経営承継贈与者及びその親族（当該中小企業者の第一種特例経営承継贈与者からの贈与の時において、当該中小企業者が前条第2項各号に掲げるいずれにも該当するときは、当該中小企業者の株式等を有する親族に限る。以下この号において同じ。）の戸籍謄本等並びに当該贈与の時における当該第一種特例経営承継受贈者及びその親族の戸籍謄本等

（十）　第17条第5項に規定する確認書（同条第1項第1号に該当することを確認の事由とするものに限り、第18条第1項若しくは第2項の規定による変更の確認又は第18条の2第2項の規定による報告の確認があった場合にあっては、同条第10項の確認書を含む。次項において同じ。）

（十一）　前各号に掲げるもののほか、法第12条第1項の認定（前条第1項第11号の事由に係るものに限る。）の参考となる書類

7　法第12条第1項の認定（前条第1項第12号の事由に係るものに限る。）を受けようとする会社である中小企業者は、当該認定に係る相続の開始の日の翌日から8月を経過する日（当該相続に係る相続税申告期限前に当該中小企業者の第一種特例経営承継相続人の相続が開始した場合にあっては、当該第一種特例経営承継相続人の相続の開始の日の翌日から8月を経過する日）までに、**様式第8の3**による申請書に、当該申請書の写し一通及び次に掲げる書類を添付して、都道府県知事に提出するものとする。

（一）　当該相続に係る第一種特例相続認定申請基準日における当該中小企業者の定款の写し

（二）　当該相続の開始の直前（当該被相続人が当該相続の開始の直前において当該中小企業者の代表者（代表権を制限されている者を除く。次号において同じ。）でない場合にあっては当該被相続人が当該代表者であった期間内のいずれかの時及び当該相続の開始の直前。以下この号において同じ。）、当該相続の開始の時及び当該相続に係る第一種特例相続認定申請基準日における当該中小企業者（当該被相続人又は当該第一種特例経営承継相続人に係る同族関係者である会社がある場合にあっては、当該会社を含む。以下この号において同じ。）の株主名簿の写し（当該中小企業者が持分会社である場合にあっては、当該相続の開始の直前及び当該相続の開始の時における当該中小企業者の定款の写し）

（三）　登記事項証明書（当該相続に係る第一種特例相続認定申請基準日以後に作成されたものに限り、当該被相続人が当該相続の開始の直前において当該中小企業者の代表者でない場合にあっては当該被相続人が代表者であった旨の記載のある登記事項証明書を含む。）

（四）　当該第一種特例経営承継相続人が相続又は遺贈により取得した当該中小企業者の株式等に係る遺言書の写し、遺産の分割の協議に関する書類（当該相続に係る全ての共同相続人及び包括受遺者が自署し、自己の印を押しているものに限る。）の写しその他の当該株式等の取得の事実を証する書類及び当該株式等に係る相続税の見込額を記載した書類

（五）　当該相続の開始の日における当該中小企業者の従業員数証明書

－1196－

第一章　非上場株式等についての贈与税の納税猶予及び免除
（〔参考〕中小企業における経営の承継の円滑化に関する法律・同施行令・同施行規則）

（六）　当該中小企業者の当該相続に係る第一種特例相続認定申請基準事業年度（前条第２項に該当する中小企業者である場合にあっては、当該相続の開始の日前３年以内に終了した各事業年度を含む。）の会社法第435条第２項又は第617条第２項に規定する書類その他これらに類する書類

（七）　当該相続の開始の時から当該相続に係る第一種特例相続認定申請基準日までの間において当該中小企業者が上場会社等又は風俗営業会社のいずれにも該当しない旨の誓約書

（八）　次に掲げる誓約書

　イ　当該相続の開始の時において、当該中小企業者の特別子会社が外国会社に該当する場合であって当該中小企業者又は当該中小企業者による支配関係がある法人が当該特別子会社の株式又は持分を有しないときは、当該有しない旨の誓約書

　ロ　当該相続の開始の時から当該相続に係る第一種特例相続認定申請基準日までの間において、当該中小企業者の特定特別子会社が上場会社等、大会社又は風俗営業会社のいずれにも該当しない旨の誓約書

（九）　当該相続の開始の時における当該被相続人及びその親族（当該中小企業者の第一種特例経営承継相続人の被相続人の相続の開始の時において、当該中小企業者が前条第２項各号に掲げるいずれにも該当するときは、当該中小企業者の株式等を有する親族に限る。以下この号において同じ。）の戸籍謄本等並びに当該相続の開始の時における第一種特例経営承継相続人及びその親族の戸籍謄本等又は当該被相続人の法定相続情報一覧図

（十）　第17条第５項に規定する確認書

（十一）前各号に掲げるもののほか、法第12条第１項の認定（前条第１項第12号の事由に係るものに限る。）の参考となる書類

8　第６項の規定は、法第12条第１項の認定（前条第１項第13号の事由に係るものに限る。）を受けようとする会社である中小企業者について準用する。この場合において、「第一種特例経営承継贈与者」とあるのは「第二種特例経営承継贈与者」と、「第一種特例経営承継受贈者」とあるのは「第二種特例経営承継受贈者」と、**「様式第７の３」**とあるのは**「様式第７の４」**と、「第一種特例贈与認定申請基準日」とあるのは「第二種特例贈与認定申請基準日」と、「当該贈与の直前（当該第一種特例経営承継贈与者が当該贈与の直前において当該中小企業者の代表者（代表権を制限されている者を除く。次号において同じ。）でない場合にあっては当該第一種特例経営承継贈与者が当該代表者であった期間内のいずれかの時及び当該贈与の直前。以下この号において同じ。）、当該贈与の時」とあるのは「当該贈与の時」と、「（当該贈与に係る第一種特例贈与認定申請基準日以後に作成されたものに限り、当該第一種特例経営承継贈与者が当該贈与の直前において当該中小企業者の代表者でない場合にあっては当該第一種特例経営承継贈与者が代表者であった旨の記載のある登記事項証明書を含む。）」とあるのは「（当該贈与に係る第二種特例贈与認定申請基準日以後に作成されたものに限る。）」と、「第一種特例贈与認定申請基準事業年度」とあるのは「第二種特例贈与認定申請基準事業年度」と読み替えるものとする。

9　第７項の規定は、法第12条第１項の認定（前条第１項第14号の事由に係るものに限る。）を受けようとする会社である中小企業者について準用する。この場合において、「第一種特例経営承継相続人」とあるのは「第二種特例経営承継相続人」と、**「様式第８の３」**とあるのは**「様式第８の４」**と、「第一種特例相続認定申請基準日」とあるのは「第二種特例相続認定申請基準日」と、「当該相続の開始の直前（当該被相続人が当該相続の開始の直前において当該中小企業者の代表者（代表権を制限されている者を除く。次号において同じ。）でない場合にあっては当該被相続人が当該代表者であった期間内のいずれかの時及び当該相続の開始の直前。以下この号において同じ。）、当該相続の開始の時」とあるのは「当該相続の開始の時」と、「（当該相続に係る第一種特例相続認定申請基準日以後に作成されたものに限り、当該被相続人が当該相続の開始の直前において当該中小企業者の代表者でない場合にあっては当該被相続人が代表者であった旨の記載のある登記事項証明書を含む。）」とあるのは「（当該相続に係る第二種特例相続認定申請基準日以後に作成されたものに限る。）」と、「第一種特例相続認定申請基準事業年度」とあるのは「第二種特例相続認定申請基準事業年度」と読み替えるものとする。

10　法第12条第１項の認定（前条第16項第７号の事由に係るものに限る。）を受けようとする個人である中小企業者は、当該認定に係る贈与の日の属する年の翌年の１月15日（当該贈与に係る贈与税申告期限前に当該他の個人である中小企業者の相続が開始した場合（当該贈与の日の属する年において、当該他の個人である中小企業者の相続が開始し、かつ、当該個人である中小企業者が当該他の個人である中小企業者からの相続又は遺贈により財産を取得したことにより相続税法第19条又は第21条の15の規定により当該贈与により取得した当該特定事業用資産の価額が相続税の課税価格に加算されることとなる場合（当該特定事業用資産について同法第21条の16の規定の適用がある場合を含む。）を除く。）にあっては、当該他の個人である中小企業者の相続の開始の日の翌日から８月を経過する日又は当該贈与の日の属する年の翌年の１月15日のいずれか早い日、当該贈与税申告期限前に当該個人である中小企業者の相続が開始した場合にあっては、当該個人である中小企業者の相続の開始の日の翌日から８月を経過する日）までに、**様式第７の５**による申請書に、当該申請書の写し１通及び次に掲げる書類を添付して、都道府県知事に提出するものとする。

（一）　当該個人である中小企業者が贈与により取得した当該他の個人である中小企業者の特定事業用資産に係る贈与契約書の写しその他の当該贈与の事実を証する書類及び当該特定事業用資産に係る贈与税の見込額を記載した書類

－1197－

第七編　非上場株式等に係る相続税・贈与税の納税猶予及び免除

　（二）　当該個人である中小企業者の開業の届出書の写し

　（三）　当該個人である中小企業者の青色申告の承認の通知（所得税法第146条の規定に基づき税務署長が通知する書面をいう。次項において同じ。）又は青色申告の承認の申請書（同法第144条の規定に基づき提出された青色申告の承認の申請書をいう。次項において同じ。）の写し

　（四）　当該他の個人である中小企業者が営んでいた特定事業用資産に係る事業を廃止した旨の届出書（所得税法第229条に定める届出書をいう。）の写し

　（五）　当該他の個人である中小企業者の当該贈与の日の属する年の前年、前々年における青色申告書及び所得税法第149条の規定により青色申告書に添附する貸借対照表及び損益計算書その他の明細書の写し

　（六）　次に掲げる事項について認定経営革新等支援機関の確認を受けたことを証する書面

　　イ　当該贈与により取得した特定事業用資産が、当該贈与の直前において、当該他の個人である中小企業者が所有し、かつ、その事業の用に供していた資産（第1条第27項各号に掲げる種類の資産に限る。）の全てであること。

　　ロ　当該個人である中小企業者が当該特定事業用資産のうち租税特別措置法第70条の6の8第1項の規定の適用を受けようとする特定事業用資産の全部を自己の事業の用に供していること又はその見込みであること。

　　ハ　当該事業に係る取引を記録し、かつ、帳簿書類の備付けを行っていること（当該個人である中小企業者が、当該贈与の時から当該贈与に係る第一種贈与申請基準日までの間において、事業所得を生じる他の事業を行っている場合には、当該事業と当該他の事業とを区分整理していること。）。

　（七）　当該個人である中小企業者が、当該贈与の日まで引き続き3年以上にわたり当該特定事業用資産に係る事業又はこれと同種若しくは類似の事業に従事していたことを証する書面

　（八）　当該贈与の時から当該贈与に係る第一種贈与申請基準日までの間において、当該個人である中小企業者が営む特定事業用資産に係る事業が性風俗関連特殊営業に該当しない旨の誓約書

　（九）　当該贈与の時における当該個人である中小企業者及び当該他の個人である中小企業者の住民票の写し

　（十）　第17条第5項に規定する確認書（同条第1項第3号に該当することを確認の事由とするものに限り、第18条第7項又は第8項の規定による変更の確認があった場合にあっては、同条第10項の確認書を含む。次項において同じ。）

　（十一）　前各号に掲げるもののほか、法第12条第1項の認定（前条第16項第7号の事由に係るものに限る。）の参考となる書類

11　法第12条第1項の認定（前条第16項第8号の事由に係るものに限る。）を受けようとする個人である中小企業者は、当該認定に係る相続の開始の日の翌日から8月を経過する日（当該相続に係る相続税申告期限前に当該個人である中小企業者の相続が開始した場合にあっては、当該個人である中小企業者の相続の開始の日の翌日から8月を経過する日）までに、**様式第8の5**による申請書に、当該申請書の写し1通及び次に掲げる書類を添付して、都道府県知事に提出するものとする。

　（一）　当該個人である中小企業者が相続又は遺贈により取得した当該他の個人である中小企業者の特定事業用資産に係る遺言書の写し、遺産の分割の協議に関する書類（当該相続に係る全ての共同相続人及び包括受遺者が自署し、自己の印を押しているものに限る。）の写しその他の当該特定事業用資産の取得の事実を証する書類及び当該特定事業用資産に係る相続税の見込額を記載した書類

　（二）　当該個人である中小企業者の開業の届出書の写し

　（三）　当該個人である中小企業者の青色申告の承認の通知又は青色申告の承認の申請書の写し

　（四）　次に掲げる事項について認定経営革新等支援機関の確認を受けたことを証する書面

　　イ　当該相続又は遺贈により取得した特定事業用資産が、当該相続の開始の直前において、当該他の個人である中小企業者が所有し、かつ、その事業の用に供していた資産（第1条第27項各号に掲げる種類の資産に限る。）の全てであること。

　　ロ　当該個人である中小企業者が当該特定事業用資産のうち租税特別措置法第70条の6の10第1項の規定の適用を受けようとする特定事業用資産の全部を自己の事業の用に供していること又はその見込みであること。

　　ハ　当該事業に係る取引を記録し、かつ、帳簿書類の備付けを行っていること（当該個人である中小企業者が、当該相続の開始の時から当該相続又は遺贈に係る第一種相続申請基準日までの間において、事業所得を生じる他の事業を行っている場合には、当該事業と当該他の事業とを区分整理していること。）。

　（五）　当該個人である中小企業者が、当該相続の開始の直前において、当該特定事業用資産に係る事業又はこれと同種若しくは類似の事業に従事していたことを証する書面（当該他の個人である中小企業者が60歳未満で死亡した場合を除く。）

　（六）　当該他の個人である中小企業者の相続の開始の日の属する年の前年及びその前々年における青色申告書及び所得税法第149条の規定により青色申告書に添附する貸借対照表及び損益計算書その他の明細書

　（七）　当該相続の開始の時から当該相続又は遺贈に係る第一種相続申請基準日までの間において、当該個人である中小企業者が営む特定事業用資産に係る事業が性風俗関連特殊営業に該当しない旨の誓約書

－1198－

第一章　非上場株式等についての贈与税の納税猶予及び免除
（〔参考〕中小企業における経営の承継の円滑化に関する法律・同施行令・同施行規則）

（八）　当該相続の開始の時における当該個人である中小企業者及び当該他の個人である中小企業者の住民票の写し

（九）　第17条第5項に規定する確認書

（十）　前各号に掲げるもののほか、法第12条第1項の認定（前条第16項第8号の事由に係るものに限る。）の参考となる書類

12　第10項の規定（第2号から第5号まで、第7号及び第8号を除く。）は、法第12条第1項の認定（前条第16項第9号の事由に係るものに限る。）を受けようとする個人である中小企業者について準用する。この場合において、第10項中「他の個人である中小企業者」とあるのは「生計一親族等」と、「前条第16項第7号」とあるのは「前条第16項第9号」と、「その事業の用に供していた資産」とあるのは「当該他の個人である中小企業者が事業の用に供していた資産」と、「第一種贈与申請基準日」とあるのは「第二種贈与申請基準日」と、「**様式第7の5**」とあるのは「**様式第7の6**」と読み替えるものとする。

13　第11項の規定（第2号、第3号及び第5号から第7号までを除く。）は、法第12条第1項の認定（前条第16項第10号の事由に係るものに限る。）を受けようとする個人である中小企業者について準用する。この場合において、第11項中「他の個人である中小企業者」とあるのは「生計一親族等」と、「前条第16項第8号」とあるのは「前条第16項第10号」と、「その事業の用に供していた資産」とあるのは「当該他の個人である中小企業者が事業の用に供していた資産」と、「第一種相続申請基準日」とあるのは「第二種相続申請基準日」と、「**様式第8の5**」とあるのは「**様式第8の6**」と読み替えるものとする。

14　都道府県知事は、前各項の申請を受けた場合において、法第12条第1項の認定をしたときは**様式第9**による認定書を交付し、当該認定をしない旨の決定をしたときは**様式第10**により申請者である中小企業者に対して通知しなければならない。

（以下略）

第12条（報告）

1　第一種特別贈与認定中小企業者は、当該認定に係る贈与に係る贈与税申告期限（当該贈与税申告期限が、同一の者が受けた第二種経営承継贈与に係る贈与税申告期限又は第二種経営承継相続に係る相続税申告期限の後に到来するときは、当該第二種経営承継贈与に係る贈与税申告期限又は当該第二種経営承継相続に係る相続税申告期限（これらの期限が2以上あるときは当該期限のうち最も早いもの）。以下この項において同じ。）から5年間、当該贈与税申告期限の翌日から起算して1年を経過するごとの日（以下「第一種贈与報告基準日」という。）の翌日から3月を経過する日までに、次に掲げる事項を都道府県知事に報告しなければならない。

（一）　第一種贈与報告基準期間（当該第一種贈与報告基準日の属する年の前年の第一種贈与報告基準日（これに当たる日がないときは、第一種贈与認定申請基準日。以下同じ。）の翌日から当該第一種贈与報告基準日までの間をいう。以下同じ。）における代表者の氏名

（二）　当該第一種贈与報告基準日における常時使用する従業員の数

（三）　第一種贈与報告基準期間における当該第一種特別贈与認定中小企業者の株主又は社員の氏名及びこれらの者が有する株式等に係る議決権の数

（四）　第一種贈与報告基準期間において、当該第一種特別贈与認定中小企業者が上場会社等又は風俗営業会社のいずれにも該当しないこと。

（五）　第一種贈与報告基準期間において、当該第一種特別贈与認定中小企業者が資産保有型会社に該当しないこと。

（六）　第一種贈与報告基準事業年度（当該第一種贈与報告基準日の属する年の前年の第一種贈与報告基準日の翌日の属する事業年度から当該第一種贈与報告基準日の翌日の属する事業年度の直前の事業年度までの各事業年度をいう。以下同じ。）においていずれも当該第一種特別贈与認定中小企業者が資産運用型会社に該当しないこと。

（七）　第一種贈与報告基準事業年度における当該第一種特別贈与認定中小企業者の総収入金額

（八）　第一種贈与報告基準期間において、当該第一種特別贈与認定中小企業者の特定特別子会社が風俗営業会社に該当しないこと。

2　前項の報告をしようとする第一種特別贈与認定中小企業者は、**様式第11**による報告書に、当該報告書の写し一通及び次に掲げる書類を添付して、都道府県知事に提出するものとする。

（一）　第一種贈与報告基準日における当該第一種特別贈与認定中小企業者の定款の写し

（二）　登記事項証明書（第一種贈与報告基準日以後に作成されたものに限る。）

（三）　当該第一種特別贈与認定中小企業者が株式会社である場合にあっては、第一種贈与報告基準日における当該第一種特別贈与認定中小企業者の株主名簿の写し

（四）　第一種贈与報告基準日における当該第一種特別贈与認定中小企業者の従業員数証明書

（五）　当該第一種特別贈与認定中小企業者の第一種贈与報告基準事業年度の会社法第435条第2項又は第617条第2項に規定する書類その他これらに類する書類

（六）　第一種贈与報告基準期間において、当該第一種特別贈与認定中小企業者が上場会社等又は風俗営業会社のいずれにも該当しない旨の誓約書

第七編　非上場株式等に係る相続税・贈与税の納税猶予及び免除

（七）　第一種贈与報告基準期間において、当該第一種特別贈与認定中小企業者の特定特別子会社が風俗営業会社に該当しない旨の誓約書

（八）　前各号に掲げるもののほか、前項各号に掲げる事項に関し参考となる書類

3　第一種特別相続認定中小企業者は、当該認定に係る相続に係る相続税申告期限（当該相続税申告期限が、同一の者が受けた第二種経営承継贈与に係る贈与税申告期限又は第二種経営承継相続に係る相続税申告期限の後に到来するときは、当該第二種経営承継贈与に係る贈与税申告期限又は当該第二種経営承継相続に係る相続税申告期限（これらの期限が2以上あるときは当該期限のうち最も早いもの）。以下この項において同じ。）から5年間、当該相続税申告期限の翌日から起算して1年を経過するごとの日（以下「第一種相続報告基準日」という。）の翌日から3月を経過する日までに、次に掲げる事項を都道府県知事に報告しなければならない。

（一）　第一種相続報告基準期間（当該第一種相続報告基準日の属する年の前年の第一種相続報告基準日（これに当たる日がないときは、第一種相続認定申請基準日。以下同じ。）の翌日から当該第一種相続報告基準日までの間をいう。以下同じ。）における代表者の氏名

（二）　当該第一種相続報告基準日における常時使用する従業員の数

（三）　第一種相続報告基準期間における当該第一種特別相続認定中小企業者の株主又は社員の氏名及びこれらの者が有する株式等に係る議決権の数

（四）　第一種相続報告基準期間において、当該第一種特別相続認定中小企業者が上場会社等又は風俗営業会社のいずれにも該当しないこと。

（五）　第一種相続報告基準期間において、当該第一種特別相続認定中小企業者が資産保有型会社に該当しないこと。

（六）　第一種相続報告基準事業年度（当該第一種相続報告基準日の属する年の前年の第一種相続報告基準日の翌日の属する事業年度から当該第一種相続報告基準日の翌日の属する事業年度の直前の事業年度までの各事業年度をいう。以下同じ。）においていずれも当該第一種特別相続認定中小企業者が資産運用型会社に該当しないこと。

（七）　第一種相続報告基準事業年度における当該第一種特別相続認定中小企業者の総収入金額

（八）　第一種相続報告基準期間において、当該第一種特別相続認定中小企業者の特定特別子会社が風俗営業会社に該当しないこと。

4　前項の報告をしようとする第一種特別相続認定中小企業者は、**様式第11**による報告書に、当該報告書の写し一通及び次に掲げる書類を添付して、都道府県知事に提出するものとする。

（一）　第一種相続報告基準日における当該第一種特別相続認定中小企業者の定款の写し

（二）　登記事項証明書（第一種相続報告基準日以後に作成されたものに限る。）

（三）　当該第一種特別相続認定中小企業者が株式会社である場合にあっては、第一種相続報告基準日における当該第一種特別相続認定中小企業者の株主名簿の写し

（四）　第一種相続報告基準日における当該第一種特別相続認定中小企業者の従業員数証明書

（五）　当該第一種特別相続認定中小企業者の第一種相続報告基準事業年度の会社法第435条第2項又は第617条第2項に規定する書類その他これらに類する書類

（六）　第一種相続報告基準期間において、当該第一種特別相続認定中小企業者が上場会社等又は風俗営業会社のいずれにも該当しない旨の誓約書

（七）　第一種相続報告基準期間において、当該第一種特別相続認定中小企業者の特定特別子会社が風俗営業会社に該当しない旨の誓約書

（八）前各号に掲げるもののほか、前項各号に掲げる事項に関し参考となる書類

（中略）

14　第1項及び第2項の規定は第二種特別贈与認定中小企業者（当該認定に係る第一種経営承継贈与があった者に限る。）及び第二種特別相続認定中小企業者（当該認定に係る第一種経営承継贈与があった者に限る。）について準用する。この場合において第1項中「当該認定に係る贈与」とあるのは「当該認定に係る第一種経営承継贈与」と、「当該第一種特別贈与認定中小企業者」とあるのは「当該第二種特別贈与認定中小企業者又は当該第二種特別相続認定中小企業者」と、第2項中「当該第一種特別贈与認定中小企業者」とあるのは「当該第二種特別贈与認定中小企業者又は当該第二種特別相続認定中小企業者」と読み替えるものとする。

15　第3項及び第4項の規定は、第二種特別贈与認定中小企業者（当該認定に係る第一種経営承継相続があった者に限る。）又は第二種特別相続認定中小企業者（当該認定に係る第一種経営承継相続があった者に限る。）について準用する。この場合において、第3項中「当該認定に係る相続」とあるのは「当該認定に係る第一種経営承継相続」と、「当該第一種特別相続認定中小企業者」とあるのは「当該第二種特別贈与認定中小企業者又は当該第二種特別相続認定中小企業者」と、第4項中「当該第一種特別相続認定中小企業者」とあるのは「当該第二種特別贈与認定中小企業者又は当該第二種特別相続認定中小企業

第一章　非上場株式等についての贈与税の納税猶予及び免除
（［参考］中小企業における経営の承継の円滑化に関する法律・同施行令・同施行規則）

者」と読み替えるものとする。

（中略）

19　第1項、第2項、第5項、第6項、第11項及び第12項の規定（第11項第2号を除く。）は第一種特例贈与認定中小企業者について準用する。この場合において第1項中「第二種経営承継贈与」とあるのは「第二種特例経営承継贈与」と、「第二種経営承継相続」とあるのは「第二種特例経営承継相続」と、「第一種贈与報告基準日」とあるのは「第一種特例贈与報告基準日」と、「第一種贈与報告基準期間」とあるのは「第一種特例贈与報告基準期間」と、「第一種贈与認定申請基準日」とあるのは「第一種特例贈与認定申請基準日」と、「第一種贈与報告基準事業年度」とあるのは「第一種特例贈与報告基準事業年度」と、第2項中「第一種贈与報告基準日」とあるのは「第一種特例贈与報告基準日」と、「第一種贈与報告基準事業年度」とあるのは「第一種特例贈与報告基準事業年度」と、「第一種贈与報告基準期間」とあるのは「第一種特例贈与報告基準期間」と、第5項中「第一種経営承継受贈者」とあるのは「第一種特例経営承継受贈者」と、「第一種随時贈与報告基準日」とあるのは「第一種特例随時贈与報告基準日」と、「第9条第2項各号」とあるのは「第9条第6項の規定により読み替えられた同条第2項各号」と、「第一種随時贈与報告基準期間」とあるのは「第一種特例随時贈与報告基準期間」と、「第一種贈与報告基準日」とあるのは「第一種特例贈与報告基準日」と、「第一種随時贈与報告基準事業年度」とあるのは「第一種特例随時贈与報告基準事業年度」と、「第9条第10項各号」とあるのは「第9条第12項の規定により読み替えられた同条第10項各号」と、「第一種認定贈与株式」とあるのは「第一種特例認定贈与株式」と、「第一種特別贈与認定株式再贈与」とあるのは「第一種特例贈与認定株式再贈与」と、第6項中「第一種経営承継受贈者」とあるのは「第一種特例経営承継受贈者」と、「第9条第10項」とあるのは「第9条第12項の規定により読み替えられた同条第10項」と、「第一種随時贈与報告基準日」とあるのは「第一種特例随時贈与報告基準日」と、「第一種随時贈与報告基準事業年度」とあるのは「第一種特例随時贈与報告基準事業年度」と、「第一種随時贈与報告基準期間」とあるのは「第一種特例随時贈与報告基準期間」と、第11項中「第一種経営承継贈与者」とあるのは「第一種特例経営承継受贈者」と、「第一種認定贈与株式」とあるのは「第一種特例認定贈与株式」と、「第一種臨時贈与報告基準日」とあるのは「第一種特例臨時贈与報告基準日」と、「第一種臨時贈与報告基準期間」とあるのは「第一種特例臨時贈与報告基準期間」と、「第一種贈与報告基準日」とあるのは「第一種特例贈与報告基準日」と、「第一種臨時贈与報告基準事業年度」とあるのは「第一種特例臨時贈与報告基準事業年度」と、第12項中「第一種臨時贈与報告基準日」とあるのは「第一種特例臨時贈与報告基準日」と、「第一種臨時贈与報告基準事業年度」とあるのは「第一種特例臨時贈与報告基準事業年度」と、「第一種臨時贈与報告基準期間」とあるのは「第一種特例臨時贈与報告基準期間」と読み替えるものとする。

20　第3項、第4項、第7項及び第8項の規定は、第一種特例相続認定中小企業者について準用する。この場合において、第3項中「第二種経営承継贈与」とあるのは「第二種特例経営承継贈与」と、「第二種経営承継相続」とあるのは「第二種特例経営承継相続」と、「第一種相続報告基準日」とあるのは「第一種特例相続報告基準日」と、「第一種相続報告基準期間」とあるのは「第一種特例相続報告基準期間」と、「第一種相続認定申請基準日」とあるのは「第一種特例相続認定申請基準日」と、「第一種相続報告基準事業年度」とあるのは「第一種特例相続報告基準事業年度」と、第4項中「第一種相続報告基準日」とあるのは「第一種特例相続報告基準日」と、「第一種相続報告基準事業年度」とあるのは「第一種特例相続報告基準事業年度」と、「第一種相続報告基準期間」とあるのは「第一種特例相続報告基準期間」と、第7項中「第一種経営承継相続人」とあるのは「第一種特例経営承継相続人」と、「第一種随時相続報告基準日」とあるのは「第一種特例随時相続報告基準日」と、「第9条第3項各号」とあるのは「第9条第7項の規定により読み替えられた同条第3項各号」と、「第一種随時相続報告基準期間」とあるのは「第一種特例随時相続報告基準期間」と、「第一種相続報告基準日」とあるのは「第一種特例相続報告基準日」と、「第一種随時相続報告基準事業年度」とあるのは「第一種特例随時相続報告基準事業年度」と、「第9条第10項各号」とあるのは「第9条第12項の規定により読み替えられた同条第10項各号」と、「第一種認定相続株式」とあるのは「第一種特例認定相続株式」と、「第一種特別相続認定株式贈与」とあるのは「第一種特例相続認定株式贈与」と、第8項中「第一種経営承継相続人」とあるのは「第一種特例経営承継相続人」と、「第9条第10項」とあるのは「第9条第12項の規定により読み替えられた同条第10項」と、「第一種随時相続報告基準日」とあるのは「第一種特例随時相続報告基準日」と、「第一種随時相続報告基準事業年度」とあるのは「第一種特例随時相続報告基準事業年度」と、「第一種随時相続報告基準期間」とあるのは「第一種特例随時相続報告基準期間」と読み替えるものとする。

（中略）

22　第1項及び第2項の規定は、第二種特例贈与認定中小企業者（当該認定に係る第二種特例経営承継受贈者が、当該中小企業者の株式等につき最初に受けた法第12条第1項の認定（第6条第1項第11号から第14号までの事由に係るものに限る。）に係る事由が、同項第11号の贈与である者に限る。）又は第二種特例相続認定中小企業者（当該認定に係る第二種特例経営承継相続人が、当該中小企業者の株式等につき最初に受けた法第12条第1項の認定（第6条第1項第11号から第14号までの事由に係るものに限る。）に係る事由が、同項第11号の贈与である者に限る。）について準用する。この場合において、第1項中「当該認定に係る贈与に係る贈与税申告期限（当該贈与税申告期限が、同一の者が受けた第二種経営承継贈与に係る贈与税申

－　120　－

第七編　非上場株式等に係る相続税・贈与税の納税猶予及び免除

告期限又は第二種経営承継相続に係る相続税申告期限の後に到来するときは、当該第二種経営承継贈与に係る贈与税申告期限又は当該第二種経営承継相続に係る相続税申告期限（これらの期限が２以上あるときは当該期限のうち最も早いもの）。以下この項において同じ。）から５年間」とあるのは「当該認定の有効期間中（当該認定に係る贈与税申告期限以前の期間及び相続税申告期限以前の期間を除く。）」と、「当該贈与税申告期限の翌日から起算して１年を経過するごとの日（以下「第一種贈与報告基準日」という。）」とあるのは「当該認定に係る第一種特例経営承継贈与に係る第一種特例贈与報告基準日」と、「第一種贈与報告基準期間（当該第一種贈与報告基準日の属する年の前年の第一種贈与報告基準日（これに当たる日がないときは、第一種贈与認定申請基準日。以下同じ。）の翌日から当該第一種贈与報告基準日までの間をいう。以下同じ。）」とあるのは「第一種特例贈与報告基準期間」と、「第一種贈与認定申請基準日」とあるのは「第一種特例贈与報告基準日」と、「当該第一種特別贈与認定中小企業者」とあるのは「当該第二種特例贈与認定中小企業者又は当該第二種特例相続認定中小企業者」と、「第一種贈与報告基準事業年度（当該第一種贈与報告基準日の属する年の前年の第一種贈与報告基準日の翌日の属する事業年度から当該第一種贈与報告基準日の翌日の属する事業年度の直前の事業年度までの各事業年度をいう。以下同じ。）」とあるのは「第一種特例贈与報告基準事業年度」と、第２項中「第一種贈与報告基準日」とあるのは「第一種特例贈与報告基準日」と、「当該第一種特別贈与認定中小企業者」とあるのは「当該第二種特例贈与認定中小企業者又は当該第二種特例相続認定中小企業者」と、「第一種贈与報告基準事業年度」とあるのは「第一種特例贈与報告基準事業年度」と、「第一種贈与報告基準期間」とあるのは「第一種特例贈与報告基準期間」と読み替えるものとする。

（中略）

23　第３項及び第４項の規定は、第二種特例贈与認定中小企業者（当該認定に係る第二種特例経営承継受贈者が、当該中小企業者の株式等につき最初に受けた法第12条第１項の認定（第６条第１項第11号から第14号までの事由に係るものに限る。）に係る事由が、同項第12号の相続又は遺贈である者に限る。）又は第二種特例相続認定中小企業者（当該認定に係る第二種特例経営承継相続人が、当該中小企業者の株式等につき最初に受けた法第12条第１項の認定（第６条第１項第11号から第14号までの事由に係るものに限る。）に係る事由が、同項第12号の相続又は遺贈である者に限る。）について準用する。この場合において、第３項中「当該認定に係る相続に係る相続税申告期限（当該相続税申告期限が、同一の者が受けた第二種経営承継贈与に係る贈与税申告期限又は第二種経営承継相続に係る相続税申告期限の後に到来するときは、当該第二種経営承継贈与に係る贈与税申告期限又は当該第二種経営承継相続に係る相続税申告期限（これらの期限が２以上あるときは当該期限のうち最も早いもの）。以下この項において同じ。）から５年間」とあるのは「当該認定の有効期間中（当該認定に係る贈与税申告期限以前の期間及び相続税申告期限以前の期間を除く。）」と、「当該相続税申告期限の翌日から起算して１年を経過するごとの日（以下「第一種相続報告基準日」という。）」とあるのは「当該認定に係る第一種特例経営承継相続に係る第一種特例相続報告基準日」と、「第一種相続報告基準期間（当該第一種相続報告基準日の属する年の前年の第一種相続報告基準日（これに当たる日がないときは、第一種相続認定申請基準日。以下同じ。）の翌日から当該第一種相続報告基準日までの間をいう。以下同じ。）」とあるのは「第一種特例相続報告基準期間」と、「第一種相続報告基準日」とあるのは「第一種特例相続報告基準日」と、「当該第一種特別相続認定中小企業者」とあるのは「当該第二種特例贈与認定中小企業者又は当該第二種特例相続認定中小企業者」と、「第一種相続報告基準事業年度（当該第一種相続報告基準日の属する年の前年の第一種相続報告基準日の翌日の属する事業年度から当該第一種相続報告基準日の翌日の属する事業年度の直前の事業年度までの各事業年度をいう。以下同じ。）」とあるのは「第一種特例相続報告基準事業年度」と、第４項中「第一種相続報告基準日」とあるのは「第一種特例相続報告基準日」と、「当該第一種特別相続認定中小企業者」とあるのは「当該第二種特例贈与認定中小企業者又は当該第二種特例相続認定中小企業者」と、「第一種相続報告基準事業年度」とあるのは「第一種特例相続報告基準事業年度」と、「第一種相続報告基準期間」とあるのは「第一種特例相続報告基準期間」と読み替えるものとする。

24　第１項及び第２項の規定は、第二種特例贈与認定中小企業者（当該認定に係る第二種特例経営承継受贈者が受けた第二種特例経営承継贈与が、当該中小企業者の株式等につき最初に受けた法第12条第１項の認定（第６条第１項第11号から第14号までの事由に係るものに限る。）に係る贈与である者に限る。）について準用する。この場合において、第１項中「当該認定に係る贈与に係る贈与税申告期限（当該贈与税申告期限が、同一の者が受けた第二種経営承継贈与に係る贈与税申告期限又は第二種経営承継相続に係る相続税申告期限の後に到来するときは、当該第二種経営承継贈与に係る贈与税申告期限又は当該第二種経営承継相続に係る相続税申告期限（これらの期限が２以上あるときは当該期限のうち最も早いもの）。以下この項において同じ。）」とあるのは「当該認定に係る贈与に係る贈与税申告期限（当該贈与税申告期限が、同一の者が受けた他の第二種特例経営承継贈与に係る贈与税申告期限又は第二種特例経営承継相続に係る相続税申告期限の後に到来するときは、当該他の第二種特例経営承継贈与に係る贈与税申告期限又は当該第二種特例経営承継相続に係る相続税申告期限（これらの期限が２以上あるときは当該期限のうち最も早いもの）。以下この項において同じ。）」と、「第一種贈与報告基準日」とあるのは「第二種特例贈与報告基準日」と、「第一種贈与報告基準期間」とあるのは「第二種特例贈与報告基準期間」と、「第一種贈与認定申請基準日」とあるのは「第二種特例贈与認定申請基準日」と、「第一種贈与報告基準事業年度」とあるのは「第二種特例贈与報告基準事業年度」と、第２項中「第一種贈与報告基準日」とあるのは「第二種特例贈与報告基準日」と、「第

－1202－

第一章　非上場株式等についての贈与税の納税猶予及び免除
（〔参考〕中小企業における経営の承継の円滑化に関する法律・同施行令・同施行規則）

一種贈与報告基準事業年度」とあるのは「第二種特例贈与報告基準事業年度」と、「第一種贈与報告基準期間」とあるのは「第二種特例贈与報告基準期間」と読み替えるものとする。

25　第3項及び第4項の規定は、第二種特例相続認定中小企業者（当該認定に係る第二種特例経営承継相続人が受けた第二種特例経営承継相続人が、当該中小企業者の株式等につき最初に受けた法第12条第1項の認定（第6条第1項第11号から第14号までの事由に係るものに限る。）に係る相続又は遺贈である者に限る。）について準用する。この場合において、第3項中「当該認定に係る相続に係る相続税申告期限（当該相続税申告期限が、同一の者が受けた第二種経営承継贈与に係る贈与税申告期限又は第二種経営承継相続に係る相続税申告期限の後に到来するときは、当該第二種経営承継贈与に係る贈与税申告期限又は当該第二種経営承継相続に係る相続税申告期限（これらの期限が二以上あるときは当該期限のうち最も早いもの）。以下この項において同じ。）」とあるのは「当該認定に係る相続に係る相続税申告期限（当該相続税申告期限が、同一の者が受けた他の第二種特例経営承継贈与に係る贈与税申告期限又は第二種特例経営承継相続に係る相続税申告期限の後に到来するときは、当該第二種特例経営承継贈与に係る贈与税申告期限又は当該第二種特例経営承継相続に係る相続税申告期限（これらの期限が2以上あるときは当該期限のうち最も早いもの）。以下この項において同じ。）」と、「第一種相続報告基準日」とあるのは「第二種特例相続報告基準日」と、「第一種相続報告基準期間」とあるのは「第二種特例相続報告基準期間」と、「第一種相続認定申請基準日」とあるのは「第二種特例相続認定申請基準日」と、「第一種相続報告基準事業年度」とあるのは「第二種特例相続報告基準事業年度」と、第4項中「第一種相続報告基準日」とあるのは「第二種特例相続報告基準日」と、「第一種相続報告基準事業年度」とあるのは「第二種特例相続報告基準事業年度」と、「第一種相続報告基準期間」とあるのは「第二種特例相続報告基準期間」と読み替えるものとする。

26　第1項及び第2項の規定は、第二種特例贈与認定中小企業者（当該認定に係る第二種特例経営承継受贈者が、当該中小企業者の株式等につき最初に受けた法第12条第1項の認定（第6条第1項第11号から第14号までの事由に係るものに限る。）に係る事由が、同項第13号の贈与である者（第24項に規定する者を除く。）に限る。）又は第二種特例相続認定中小企業者（当該認定に係る第二種特例経営承継相続人が、当該中小企業者の株式等につき最初に受けた法第12条第1項の認定（第6条第1項第11号から第14号までの事由に係るものに限る。）に係る事由が、同項第13号の贈与である者に限る。）について準用する。この場合において、第1項中「当該認定に係る贈与に係る贈与税申告期限（当該贈与税申告期限が、同一の者が受けた第二種経営承継贈与に係る贈与税申告期限又は第二種経営承継相続に係る相続税申告期限の後に到来するときは、当該第二種経営承継贈与に係る贈与税申告期限又は当該第二種経営承継相続に係る相続税申告期限（これらの期限が2以上あるときは当該期限のうち最も早いもの）。以下この項において同じ。）から5年間」とあるのは「当該認定の有効期間中（当該認定に係る贈与税申告期限以前の期間及び相続税申告期限以前の期間を除く。）」と、「当該贈与税申告期限の翌日から起算して1年を経過するごとの日（以下「第一種贈与報告基準日」という。）」とあるのは「最初の認定に係る第二種特例贈与報告基準日」と、「第一種贈与報告基準期間（当該第一種贈与報告基準日の属する年の前年の第一種贈与報告基準日（これに当たる日がないときは、第一種贈与認定申請基準日。以下同じ。）の翌日から当該第一種贈与報告基準日までの間をいう。以下同じ。）」とあるのは「当該最初の認定に係る第二種特例贈与報告基準期間」と、「第一種贈与認定申請基準日」とあるのは「当該最初の認定に係る第二種特例贈与報告基準日」と、「当該第一種特別贈与認定中小企業者」とあるのは「当該第二種特例贈与認定中小企業者又は当該第二種特例相続認定中小企業者」と、「第一種贈与報告基準事業年度（当該第一種贈与報告基準日の属する年の前年の第一種贈与報告基準日の翌日の属する事業年度から当該第一種贈与報告基準日の翌日の属する事業年度の直前の事業年度までの各事業年度をいう。以下同じ。）」とあるのは「当該最初の認定に係る第二種特例贈与報告基準事業年度」と、第2項中「第一種贈与報告基準日」とあるのは「当該最初の認定に係る第二種特例贈与報告基準日」と、「当該第一種特別贈与認定中小企業者」とあるのは「当該第二種特例贈与認定中小企業者又は当該第二種特例相続認定中小企業者」と、「第一種贈与報告基準事業年度」とあるのは「当該最初の認定に係る第二種特例贈与報告基準事業年度」と、「第一種贈与報告基準期間」とあるのは「当該最初の認定に係る第二種特例贈与報告基準期間」と読み替えるものとする。

27　第3項及び第4項の規定は、第二種特例贈与認定中小企業者（当該認定に係る第二種特例経営承継受贈者が、当該中小企業者の株式等につき最初に受けた法第12条第1項の認定（第6条第1項第11号から第14号までの事由に係るものに限る。）に係る事由が、同項第14号の相続又は遺贈である者に限る。）又は第二種特例相続認定中小企業者（当該認定に係る第二種特例経営承継相続人が、当該中小企業者の株式等につき最初に受けた法第12条第1項の認定（第6条第1項第11号から第14号までの事由に係るものに限る。）に係る事由が、同項第14号の相続又は遺贈である者（第25項に規定する者を除く。）に限る。）について準用する。この場合において、第3項中「当該認定に係る相続に係る相続税申告期限（当該相続税申告期限が、同一の者が受けた第二種経営承継贈与に係る贈与税申告期限又は第二種経営承継相続に係る相続税申告期限の後に到来するときは、当該第二種経営承継贈与に係る贈与税申告期限又は当該第二種経営承継相続に係る相続税申告期限（これらの期限が2以上あるときは当該期限のうち最も早いもの）。以下この項において同じ。）から5年間」とあるのは「当該認定の有効期間中（当該認定に係る贈与税申告期限以前の期間及び相続税申告期限以前の期間を除く。）」と、「当該相続税申告期限の翌日から起算して1年を経過するごとの日（以下「第一種相続報告基準日」という。）」とあるのは「当該最初の認定に係る第二

－1203－

第七編　非上場株式等に係る相続税・贈与税の納税猶予及び免除

種特例相続報告基準日」と、「第一種相続報告基準期間（当該第一種特例相続報告基準日の属する年の前年の第一種相続報告基準
日（これに当たる日がないときは、第一種相続認定申請基準日。以下同じ。）の翌日から当該第一種相続報告基準日までの間
をいう。以下同じ。）」とあるのは「当該最初の認定に係る第二種特例相続報告基準期間」と、「第一種相続報告基準日」とあ
るのは「最初の認定に係る第二種特例相続報告基準日」と、「当該第一種特別相続認定中小企業者」とあるのは「当該第二種
特例贈与認定中小企業者又は当該第二種特例相続認定中小企業者」と、「第一種相続報告基準事業年度（当該第一種相続報告基準
基準日の属する年の前年の第一種相続報告基準日の翌日の属する事業年度から当該第一種相続報告基準日の翌日の属する事
業年度の直前の事業年度までの各事業年度をいう。以下同じ。）」とあるのは「当該最初の認定に係る第二種特例相続報告基
準事業年度」と、第４項中「第一種相続報告基準日」とあるのは「当該最初の認定に係る第二種特例相続報告基準日」と、「当
該第一種特別相続認定中小企業者」とあるのは「当該第二種特例贈与認定中小企業者又は当該第二種特例相続認定中小企業
者」と、「第一種相続報告基準事業年度」とあるのは「当該最初の認定に係る第二種特例相続報告基準事業年度」と、「第一
種相続報告基準期間」とあるのは「当該最初の認定に係る第二種特例相続報告基準期間」と読み替えるものとする。

（中略）

37　都道府県知事は、第１項及び第３項（第14項、第15項、第19項、第20項及び第22項から第27項までの規定により準用され
る場合を含む。）の報告を受けた場合には第９条第２項各号又は第３項各号（同条第４項から第９項までの規定により準用さ
れる場合を含む。）に該当しないこと、第５項の表の第２号及び第７項の表の第２号（第16項、第17項、第19項、第20項、第
28項及び第29項の規定により準用される場合を含む。）の報告を受けた場合には第９条第２項第２号から第22号まで又は第９
条第３項第２号から第20号まで（同条第４項から第９項までの規定により準用される場合を含む。）に該当しないこと、第５
項の表の第３号及び第７項の表の第３号（第16項、第17項、第19項、第20項、第28項及び第29項の規定により準用される場
合を含む。）の報告を受けた場合には第９条第10項各号（同条第11項から第13項までの規定により準用される場合を含む。）
のいずれかに該当するに至っていること並びに第９条第２項第１号から第３号まで、第６号、第７号及び第９号から第22号
まで又は第９条第３項第１号から第３号まで、第６号、第７号及び第９号から第20号まで（同条第４項から第９項までの規
定により準用される場合を含む。）に該当しないこと、第９項（第18項、第21項及び第30項の規定により準用される場合を含
む。）の報告を受けた場合には第10条第１項各号又は第２項各号（同条第３項から第８項までの規定により準用される場合を
含む。）に該当すること、第10項（第18項、第21項及び第30項の規定により準用される場合を含む。）の報告を受けた場合に
は前条第１項各号又は第２項各号（同条第３項から第８項までの規定により準用される場合を含む。）に該当すること、並び
に第11項（第16項、第19項及び第28項の規定により準用される場合を含む。）の報告を受けた場合には第９第２項各号（第22
号を除き、同条第４項、第６項及び第８項の規定により準用される場合を含む。）、第31項の表の第２号及び第33項の表の第
２号（第35項及び第36項の規定により準用される場合を含む。）の報告を受けた場合には第９条第14項第２号から第13号まで
又は第９条第15項第２号から13号まで（同条第16項又は第17項の規定により準用される場合を含む。）に該当しないことをそ
れぞれ確認したときは、これらの報告をした第一種特別贈与認定中小企業者、第一種特別相続認定中小企業者、第二種特別
贈与認定中小企業者、第二種特別相続認定中小企業者、第一種特例贈与認定中小企業者、第一種特例相続認定中小企業者、
第二種特例贈与認定中小企業者若しくは第二種特例相続認定中小企業者（第９項（第18項、第21項及び第30項の規定により
準用される場合を含む。）の報告を受けた場合にあっては、吸収合併存続会社等、第10項（第18項、第21項及び第30項の規定
により準用される場合を含む。）の報告を受けた場合にあっては、株式交換完全親会社等）又は第一種贈与認定個人事業者、
第一種相続認定個人事業者、第二種贈与認定個人事業者若しくは第二種相続認定個人事業者に対し、**様式第16**による確認書
を交付するものとする。

（以下略）

第13条（第一種経営承継贈与者等の相続が開始した場合の都道府県知事の確認）

1　第一種特別贈与認定中小企業者等（第一種特別贈与認定中小企業者（第一種特別贈与認定中小企業者であった者を含み、
第９条第２項の規定により当該認定が取り消された者を除く。以下この条において同じ。）及び第７条第２項に規定する申請
書を提出している中小企業者並びに第一種特別贈与認定中小企業者が合併により消滅した場合における吸収合併存続会社等
及び第一種特別贈与認定中小企業者が株式交換等により他の会社の株式交換完全子会社等となった場合における株式交換完
全親会社等をいう。以下同じ。）は、当該第一種特別贈与認定中小企業者等（同項に規定する申請書を提出しようとしている
中小企業者を含む。）に係る第一種経営承継贈与者の相続が開始した場合には、次の各号のいずれにも該当すること（第一種
特別贈与認定中小企業者であった者の第一種経営承継贈与者の相続が開始した場合には、第７号に掲げるものを除く。）につ
いて、都道府県知事の確認を受けることができる。

（一）　削除

（二）　当該相続の開始の時において、当該第一種特別贈与認定中小企業者等及び当該第一種特別贈与認定中小企業者等の特
　　　定特別子会社が風俗営業会社に該当しないこと。

－1204－

第一章　非上場株式等についての贈与税の納税猶予及び免除
（〔参考〕中小企業における経営の承継の円滑化に関する法律・同施行令・同施行規則）

（三）　当該相続の開始の時において、当該第一種特別贈与認定中小企業者等が資産保有型会社に該当しないこと。

（四）　当該相続の開始の日の翌日の属する事業年度の直前の事業年度において、当該第一種特別贈与認定中小企業者等が資産運用型会社に該当しないこと。

（五）　当該相続の開始の日の翌日の属する事業年度の直前の事業年度において、当該第一種特別贈与認定中小企業者等の総収入金額が零を超えること。

（六）　当該相続の開始の時において、当該第一種特別贈与認定中小企業者等の常時使用する従業員の数が１人以上（当該第一種特別贈与認定中小企業者等の特別子会社が外国会社に該当する場合（当該第一種特別贈与認定中小企業者等又は当該第一種特別贈与認定中小企業者等による支配関係がある法人が当該特別子会社の株式又は持分を有する場合に限る。）にあっては５人以上）であること。

（七）　当該相続の開始の時において、当該第一種特別贈与認定中小企業者等及び当該第一種特別贈与認定中小企業者等の特定特別子会社が上場会社等に該当しないこと。

（八）　当該第一種特別贈与認定中小企業者等の第一種経営承継受贈者が、当該第一種特別贈与認定中小企業者等の代表者（代表権を制限されている者を除き、第９条第10項各号のいずれかに該当する者を含む。）であって、当該相続の開始の時において、当該第一種経営承継受贈者に係る同族関係者と合わせて当該第一種特別贈与認定中小企業者等の総株主等議決権数の100分の50を超える議決権の数を有し、かつ、当該代表者が有する当該第一種特別贈与認定中小企業者等の株式等に係る議決権の数がいずれの当該同族関係者が有する当該株式等に係る議決権の数も下回らない者であること。

（九）　当該第一種特別贈与認定中小企業者等が会社法第108条第１項第８号に掲げる事項についての定めがある種類の株式を発行している場合にあっては、当該相続の開始の時において当該株式を当該第一種特別贈与認定中小企業者等の第一種経営承継受贈者以外の者が有していないこと。

（中略）

3　前二項の規定は、第二種特別贈与認定中小企業者等（第二種特別贈与認定中小企業者（第二種特別贈与認定中小企業者であった者を含み、第９条第４項の規定により読み替えられた同条第２項の規定により当該認定が取り消された者を除く。以下この条において同じ。）及び第７条第４項の規定により読み替えられた同条第２項に規定する申請書を提出している中小企業者並びに第二種特別贈与認定中小企業者が合併により消滅した場合における吸収合併存続会社等及び第二種特別贈与認定中小企業者が株式交換等により他の会社の株式交換完全子会社等となった場合における株式交換完全親会社等をいう。以下同じ。）について準用する。この場合において、第１項中「第一種特別贈与認定中小企業者」とあるのは「第二種特別贈与認定中小企業者」と、「第９条第２項」とあるのは「第９条第４項の規定により読み替えられた同条第２項」と、「第７条第２項」とあるのは「第７条第４項の規定により読み替えられた同条第２項」と、「第一種経営承継贈与者」とあるのは「第二種経営承継贈与者」と、「第一種経営承継受贈者」とあるのは「第二種経営承継受贈者」と、「第９条第10項各号」とあるのは「第９条第11項の規定により読み替えられた同条第10項各号」と、第２項中「第一種経営承継贈与者」とあるのは「第二種経営承継贈与者」と、「第一種特別贈与認定中小企業者」とあるのは「第二種特別贈与認定中小企業者」と、「第一種経営承継贈与者」とあるのは「第二種経営承継贈与者」と、「第一種経営承継受贈者」とあるのは「第二種経営承継受贈者」と読み替えるものとする。

4　第１項及び第２項の規定は、第一種特例贈与認定中小企業者等（第一種特例贈与認定中小企業者（第一種特例贈与認定中小企業者であった者を含み、第９条第６項の規定により読み替えられた同条第２項の規定により当該認定が取り消された者を除く。以下この条において同じ。）及び第７条第６項に規定する申請書を提出している中小企業者並びに第一種特例贈与認定中小企業者が合併により消滅した場合における吸収合併存続会社等及び第一種特例贈与認定中小企業者が株式交換等により他の会社の株式交換完全子会社等となった場合における株式交換完全親会社等をいう。以下同じ。）について準用する。この場合において、第１項中「第一種特別贈与認定中小企業者」とあるのは「第一種特例贈与認定中小企業者」と、「第９条第２項」とあるのは「第９条第６項の規定により読み替えられた同条第２項」と、「第７条第２項」とあるのは「第７条第６項」と、「第一種経営承継贈与者」とあるのは「第一種特例経営承継贈与者」と、「第一種経営承継受贈者」とあるのは「第一種特例経営承継受贈者」と、「第９条第10項各号」とあるのは「第９条第12項の規定により読み替えられた同条第10項各号」と、「当該同族関係者」とあるのは「当該同族関係者（第一種特例経営承継受贈者、第一種特例経営承継相続人、第二種特例経営承継受贈者及び第二種特例経営承継相続人を除く。）」と、「以外の者」とあるのは「以外の者（第一種特例経営承継相続人、第二種特例経営承継受贈者及び第二種特例経営承継相続人を除く。）」と、第２項中「第一種経営承継贈与者」とあるのは「第一種特例経営承継贈与者」と、「第一種特別贈与認定中小企業者」とあるのは「第一種特例贈与認定中小企業者」と、「第一種経営承継受贈者」とあるのは「第一種特例経営承継受贈者」と読み替えるものとする。

5　第１項及び第２項の規定は、第二種特例贈与認定中小企業者等（第二種特例贈与認定中小企業者（第二種特例贈与認定中小企業者であった者を含み、第９条第８項の規定により読み替えられた同条第２項の規定により当該認定が取り消された者を除く。以下この条において同じ。）及び第７条第８項の規定により読み替えられた同条第６項に規定する申請書を提出して

－1205－

いる中小企業者並びに第二種特例贈与認定中小企業者が合併により消滅した場合における吸収合併存続会社等及び第二種特例贈与認定中小企業者が株式交換等により他の会社の株式交換完全子会社等となった場合における株式交換完全親会社等をいう。以下同じ。）について準用する。この場合において、第1項中「第一種特別贈与認定中小企業者」とあるのは「第二種特例贈与認定中小企業者」と、「第9条第2項」とあるのは「第9条第8項の規定により読み替えられた同条第2項」と、「第7条第2項」とあるのは「第7条第8項の規定により読み替えられた同条第6項」と、「第一種経営承継贈与者」とあるのは「第二種特例経営承継贈与者」と、「第一種経営承継受贈者」とあるのは「第二種特例経営承継受贈者」と、「第9条第10項各号」とあるのは「第9条第13項の規定により読み替えられた同条第10項各号」と、「当該同族関係者」とあるのは「当該同族関係者（第一種特例経営承継受贈者、第一種特例経営承継相続人、第二種特例経営承継贈与者及び第二種特例経営承継相続人を除く。）」と、「以外の者」とあるのは「以外の者（第一種特例経営承継受贈者、第一種特例経営承継相続人又は第二種特例経営相続人を除く。）」と、第2項中「第一種経営承継贈与者」とあるのは「第二種特例経営承継贈与者」と、「第一種特別贈与認定中小企業者」とあるのは「第二種特例贈与認定中小企業者」と、「第一種経営承継受贈者」とあるのは「第二種特例経営承継受贈者」と読み替えるものとする。

6　第一種贈与認定個人事業者等（第一種贈与認定個人事業者（第一種贈与認定個人事業者であった者を含み、第9条第14項の規定により当該認定が取り消された者を除く。以下この条において同じ。）及び第7条第10項に規定する申請書を提出している個人である中小企業者をいう。以下同じ。）は、当該第一種贈与認定個人事業者等（同項に規定する申請書を提出しようとしている個人である中小企業者を含む。）が受けた法第12条第1項の認定に係る贈与を行った他の個人である中小企業者の相続が開始した場合には、次の各号のいずれにも該当することについて、都道府県知事の確認を受けることができる。

（一）　当該相続の開始の時において、当該認定に係る贈与により取得した特定事業用資産に係る事業が資産保有型事業に該当しないこと。

（二）　当該相続の開始の日の翌日の属する年の前年において、当該認定に係る贈与により取得した特定事業用資産に係る事業が資産運用型事業に該当しないこと。

（三）　当該相続の開始の時において、当該認定に係る贈与により取得した特定事業用資産に係る事業が性風俗関連特殊営業に該当しないこと。

（四）　当該相続の開始の日の翌日の属する年の前年において、当該認定に係る贈与により取得した特定事業用資産に係る事業の総収入金額が零を超えること。

（五）　当該相続の開始の時において、当該第一種贈与認定個人事業者等が青色申告の承認を受けている又は受ける見込みであること。

7　前項の確認を受けようとする第一種贈与認定個人事業者等は、当該他の個人である中小企業者の相続の開始の日の翌日から8月を経過する日までに、**様式第17の2**による申請書に、当該申請書の写し1通及び次に掲げる書類を添付して、都道府県知事に提出するものとする。

（一）　当該相続の開始の日の翌日の属する年の前年における青色申告書及び所得税法第149条の規定により青色申告書に添附する貸借対照表及び損益計算書その他の明細書の写し

（二）　当該相続の開始の時において、当該特定事業用資産に係る事業が性風俗関連特殊営業に該当しない旨の誓約書

（三）　当該相続の開始の時における当該第一種贈与認定個人事業者等及び当該他の個人である中小企業者の住民票の写し

（四）　前各号に掲げるもののほか、前項の確認の参考となる書類

8　前二項の規定は、第二種贈与認定個人事業者等（第二種贈与認定個人事業者（第二種贈与認定個人事業者であった者を含み、第9条第16項の規定により当該認定が取り消された者を除く。以下この条において同じ。）及び第7条第12項に規定する申請書を提出している個人である中小企業者をいう。以下同じ。）について準用する。この場合において、第6項中「第一種贈与認定個人事業者等」とあるのは「第二種贈与認定個人事業者等」と、「第7条第10項」とあるのは「第7条第12項の規定により読み替えられた第10項」と、第7項中「第一種贈与認定個人事業者等」とあるのは「第二種贈与認定個人事業者等」と読み替えるものとする。

9　第一種贈与認定個人事業者であった者（第9条第14項の規定により当該認定を取り消された者を除く。以下同じ。）が租税特別措置法第70条の6の8第6項に規定する承認を受けた場合において、当該他の個人である中小企業者の相続が開始したときは、これらの規定により特例受贈事業用資産（同法第70条の6の8第1項に規定する特例受贈事業用資産をいう。以下同じ。）とみなされた会社の株式若しくは持分に係る当該会社が、次の各号のいずれにも該当することについて、都道府県知事の確認を受けることができる。

（一）　当該相続の開始の時において、当該会社が風俗営業会社に該当しないこと。

（二）　当該相続の開始の時において、当該会社が資産保有型会社に該当しないこと。

（三）　当該相続の開始の日の翌日の属する事業年度の直前の事業年度において、当該会社が資産運用型会社に該当しないこと。

第一章　非上場株式等についての贈与税の納税猶予及び免除
（〔参考〕中小企業における経営の承継の円滑化に関する法律・同施行令・同施行規則）

（四）　当該相続の開始の日の翌日の属する事業年度の直前の事業年度において、当該会社の総収入金額が零を超えること。

10　前項の確認を受けようとする第一種贈与認定個人事業者であった者は、当該他の個人である中小企業者の相続の開始の日の翌日から八月を経過する日までに、**様式第17の３**による申請書に、当該申請書の写し１通及び次に掲げる書類を添付して、都道府県知事に提出するものとする。

（一）　登記事項証明書（当該相続の開始の日以後に作成されたものに限る。）

（二）　当該会社の当該相続の開始の日の翌日の属する事業年度の直前の事業年度の会社法第435条第２項又は第617条第２項に規定する書類その他これらに類する書類

（三）　当該相続の開始の時において、当該会社が風俗営業会社に該当しない旨の誓約書

（四）　租税特別措置法第70条の６の８第６項又は第70条の６の10第６項に規定する承認を受けたことを証する書類

11　前二項の規定は、第二種贈与認定個人事業者であった者（第９条第16項の規定により当該認定を取り消された者を除く。以下同じ。）が租税特別措置法第70条の６の８第６項の承認を受けた場合において、当該生計一親族等の相続が開始した場合について準用する。この場合において、第９項中「第一種贈与認定個人事業者であった者（第９条第14項の規定により当該認定を取り消された者を除く。以下同じ。）」とあるのは「第二種贈与認定個人事業者であった者（第９条第16項の規定により当該認定を取り消された者を除く。以下同じ。）」と、前項中「第一種贈与認定個人事業者であった者」とあるのは「第二種贈与認定個人事業者であった者」と読み替えるものとする。

12　都道府県知事は、第２項（第３項から第５項までの規定により準用される場合を含む。）、第７項（第８項の規定により準用される場合を含む。）又は第10項（第11項の規定により準用される場合を含む。）の申請を受けた場合において、第１項（第３項から第５項までの規定により準用される場合を含む。）、第６項（第８項の規定により準用される場合を含む。）又は第９項（第11項の規定により準用される場合を含む。）の確認をしたときは、**様式第18**による確認書を交付し、当該確認をしない旨の決定をしたときは、**様式第19**により申請者である第一種特別贈与認定中小企業者等、第二種特別贈与認定中小企業者等、第一種特例贈与認定中小企業者等、第二種特例贈与認定中小企業者等、第一種贈与認定個人事業者等及び第二種贈与認定個人事業者等に対して通知しなければならない。

（以下略）

第16条　（法第15条の経済産業省令で定める要件）

1　法第15条の経済産業省令で定める要件は、次に掲げる中小企業者の区分に応じ、当該各号に掲げるものとする。

（一）　当該中小企業者の経営を確実に承継するための具体的な計画（「特例承継計画」という。第20条において同じ。）について、認定経営革新等支援機関の指導及び助言を受けた中小企業者であって、次に掲げる要件のいずれにも該当するもの

イ　当該中小企業者が会社であること。

ロ　当該中小企業者に、次に掲げるいずれかの者（その者が２人又は３人以上ある場合には、当該中小企業者が定めた２人又は３人までに限る。以下「特例後継者」という。）がいること。

①　当該中小企業者の代表者（代表者であった者を含む。）が死亡又は退任した場合における新たな代表者の候補者であって、当該代表者から相続若しくは遺贈又は贈与により当該代表者が有する当該中小企業者の株式等を取得することが見込まれるもの

②　当該中小企業者の代表者であって、当該中小企業者の他の代表者（代表者であった者を含む。）から相続若しくは遺贈又は贈与により当該中小企業者の株式等を取得することが見込まれるもの

ハ　当該中小企業者に、次に掲げるいずれかの者（以下「特例代表者」という。）がいること。

①　当該中小企業者の代表者（ロ①の代表者又は②の他の代表者に限り、代表権を制限されている者を除く。以下この号において同じ。）

②　当該中小企業者の代表者であった者

ニ　特例代表者が有する当該中小企業者の株式等を特例後継者が取得するまでの期間における経営に関する具体的な計画を有していること。

ホ　当該中小企業者の特例後継者が当該中小企業者の特例代表者から株式等を承継した後５年間の経営に関する具体的な計画を有していること。

（二）　第１号に掲げる中小企業者及び第３号に掲げる個人である中小企業者以外の中小企業者であって、次に掲げる要件のいずれにも該当するもの

イ　当該中小企業者が会社であること。

ロ　当該中小企業者が上場会社等又は風俗営業会社のいずれにも該当しないこと。

ハ　当該中小企業者に、次に掲げるいずれかの者（２人以上あるときは、そのうちの当該中小企業者が定めた１人に限る。以下「特定後継者」という。）がいること。

① 当該中小企業者の代表者（代表者であった者を含む。）が死亡又は退任した場合における新たな代表者の候補者であって、当該代表者から相続若しくは遺贈又は贈与により当該代表者が有する当該中小企業者の株式等及び事業用資産等を取得することが見込まれるもの

② 当該中小企業者の代表者であって、当該中小企業者の他の代表者（代表者であった者を含む。）から相続若しくは遺贈又は贈与により当該中小企業者の株式等及び事業用資産等を取得することが見込まれるもの

（中略）

（三）　他の個人である中小企業者（以下「先代事業者」という。）の事業を確実に承継するための具体的な計画（「個人事業承継計画」という。）について、認定経営革新等支援機関の指導及び助言を受けた個人である中小企業者（事業を営んでいない個人を含む。次条から第19条までにおいて同じ。）であって、次に掲げる要件のいずれにも該当するもの

イ　当該先代事業者が死亡等した場合に当該先代事業者が営んでいた事業を承継する候補者（以下「個人事業承継者」という。）であって、当該先代事業者から相続若しくは遺贈又は贈与により当該先代事業者が有する特定事業用資産を取得することが見込まれる者

ロ　当該先代事業者が自己の事業を個人事業承継者が承継するまでの期間における経営に関する具体的な計画を有していること。

ハ　当該先代事業者の経営を個人事業承継者が承継した後の経営に関する具体的な計画を有していること。

第17条（指導及び助言に係る都道府県知事の確認）

1　中小企業者は、次の各号に該当することについて、都道府県知事の確認を受けることができる。

（一）　前条第1号に掲げる要件のいずれにも該当すること。

（二）　前条第2号イからホまでに掲げる要件（同号への新たに特定後継者となることが見込まれる者がいる場合にあっては、同号イからへまでに掲げる要件）のいずれにも該当すること。

（三）　前条第3号に掲げる要件のいずれにも該当すること。

2　前項の確認（前項第1号の事由に係るものに限る。）を受けようとする中小企業者は、**令和8年3月31日**までに、**様式第21**による申請書に、当該申請書の写し一通及び次に掲げる書類を添付して、都道府県知事に提出するものとする。

（一）　登記事項証明書（確認申請日（前項の確認を申請をする日をいう。以下同じ。）の前3月以内に作成されたものに限り、特例代表者が確認申請日において当該中小企業者の代表者でない場合にあっては当該特例代表者が代表者であった旨の記載のある登記事項証明書を含む。）

（二）　前号に掲げるもののほか、前項の確認の参考となる書類

3　第1項の確認（同項第2号の事由に係るものに限る。）を受けようとする中小企業者は、**様式第21の2**による申請書に、当該申請書の写し1通及び次に掲げる書類を添付して、都道府県知事に提出するものとする。

（一）　確認申請日における当該中小企業者の定款の写し

（二）　確認申請日及び特定代表者が代表者であった時における当該中小企業者（当該特定代表者に係る同族関係者である会社がある場合にあっては、当該会社を含む。以下この号において同じ。）の株主名簿の写し（当該中小企業者が持分会社である場合にあっては、当該特定代表者が代表者であった時における当該中小企業者の定款の写し）

（三）　登記事項証明書（確認申請日の前3月以内に作成されたものに限り、特定代表者が確認申請日において当該中小企業者の代表者でない場合にあっては当該特定代表者が代表者であった旨の記載のある登記事項証明書を含む。）

（四）　確認申請日において当該中小企業者が上場会社等又は風俗営業会社のいずれにも該当しない旨の誓約書

（五）　特定代表者及びその親族（当該中小企業者の株式等を有する親族に限る。）の戸籍謄本等又は特定代表者の法定相続情報一覧図

（六）　特定後継者が、特定代表者が有する当該中小企業者の株式等及び事業用資産等を支障なく取得するための具体的な計画に関する書類

（七）　当該中小企業者が特定後継者（前条第2号への新たに特定後継者となることが見込まれる者がいる場合にあっては、当該新たに特定後継者となることが見込まれる者を含む。）を定めたことを証する書類

（八）　前各号に掲げるもののほか、第1項の確認の参考となる書類

4　第1項の確認（同項第3号の事由に係るものに限る。）を受けようとする個人である中小企業者は、**令和8年3月31日**までに、**様式第21の3**による申請書に、当該申請書の写し1通、第17条第1項第3号の確認を受ける日の属する年の前年における先代事業者の青色申告書、所得税法第149条の規定により青色申告書に添付する貸借対照表及び損益計算書その他の明細書の写し及び第1項の確認の参考となる書類を添付して、都道府県知事に提出するものとする。

5　都道府県知事は、前三項の申請を受けた場合において、第1項の確認をしたときは、**様式第22**による確認書を交付し、当該確認をしない旨の決定をしたときは、**様式第23**により申請者である中小企業者（事業を営んでいない個人を含む。次項に

第一章　非上場株式等についての贈与税の納税猶予及び免除
（〔参考〕中小企業における経営の承継の円滑化に関する法律・同施行令・同施行規則）

　おいて同じ。）に対して通知しなければならない。

（以下略）

第二章　非上場株式等についての相続税の納税猶予及び免除

第一節　特例適用の要件

1　非上場株式等を相続等した場合の相続税の納税猶予及び免除

　認定承継会社の非上場株式等（議決権に制限のないものに限る。以下1において同じ。）を有していた個人として(1)の政令で定める者（以下、本章において「**被相続人**」という。）から相続又は遺贈により当該認定承継会社の非上場株式等の取得（経営承継期間の末日までに相続税の申告書（第一編第七章第一節**一**の1《申告書の提出期限》の規定による期限内申告書をいう。以下本章及び第三章第二節において同じ。）の提出期限（第一編第四章第二節**一**の12の**②**《相続税の申告書の提出期限の特例》の規定又は第一編第十章第一節**九**《期間及び期限》の規定により当該提出期限が延長された場合には、当該延長前の提出期限）が到来する相続又は遺贈による取得に限る。）をした経営承継相続人等が、当該相続に係る相続税の申告書の提出により納付すべき相続税の額のうち、当該非上場株式等で当該相続税の申告書に1の規定の適用を受けようとする旨の記載があるもの（当該相続の開始の時における当該認定承継会社の発行済株式又は出資（議決権に制限のない株式又は出資に限る。）の総数又は総額の3分の2に達するまでの部分として(2)の政令で定めるものに限る。以下、本章において「**対象非上場株式等**」という。）に係る納税猶予分の相続税額に相当する相続税については、(3)の政令で定めるところにより当該相続税の申告書の提出期限までに当該納税猶予分の相続税額に相当する担保を提供した場合に限り、第一編第八章第一節**二**の1の規定にかかわらず、当該経営承継相続人等の死亡の日まで、その納税を猶予する。（措法70の7の2①）

　　（政令で定める被相続人）
(1)　1に規定する政令で定める者は、次の(一)(二)に掲げる場合の区分に応じ当該(一)(二)に定める者とする。（措令40の8の2①）
(一)　(二)に掲げる場合以外の場合　1の規定の適用に係る相続の開始前において、2の(一)に規定する認定承継会社（以下本章において「**認定承継会社**」という。）の代表権（制限が加えられた代表権を除く。以下本章において同じ。）を有していた個人で、次に掲げる要件の全てを満たすもの
イ　当該相続の開始の直前（当該個人が当該相続の開始の直前において当該認定承継会社の代表権を有しない場合には、当該個人が当該代表権を有していた期間内のいずれかの時及び当該相続の開始の直前）において、当該個人及び当該個人と2の(三)のロに規定する特別の関係がある者の有する当該認定承継会社の2の(二)に規定する非上場株式等（以下本章において「**非上場株式等**」という。）に係る議決権の数の合計が、当該認定承継会社の第一章第一節の2の(三)のハに規定する総株主等議決権数（2の(6)及び2の(14)において「**総株主等議決権数**」という。）の100分の50を超える数であること。
ロ　当該相続の開始の直前（当該個人が当該相続の開始の直前において当該認定承継会社の代表権を有しない場合には、当該個人が当該代表権を有していた期間内のいずれかの時及び当該相続の開始の直前）において、当該個人が有する当該認定承継会社の非上場株式等に係る議決権の数が、当該個人と2の(三)のロに規定する特別の関係がある者（当該認定承継会社の2の(三)に規定する経営承継相続人等（以下本章において「**経営承継相続人等**」という。）となる者を除く。）のうちいずれの者が有する当該非上場株式等に係る議決権の数をも下回らないこと。
(二)　1の規定の適用を受けようとする者が、次に掲げる者のいずれかに該当する場合　認定承継会社の非上場株式等を有していた個人
イ　当該認定承継会社の非上場株式等について、第一章第一節の1、1又は第三章第二節の1の規定の適用を受けている者
ロ　第一章第一節の1の(1)の(一)に定める者から同節の1の規定の適用に係る贈与により当該認定承継会社の非上場株式等の取得をしている者（イに掲げる者を除く。）
ハ　(一)に定める者から1の規定の適用に係る相続又は遺贈により当該認定承継会社の非上場株式等の取得をしている者（イに掲げる者を除く。）

-1210-

第二章　非上場株式等についての相続税の納税猶予及び免除
（第一節　特例適用の要件）

（発行済株式又は出資の総数又は総額の３分の２に達するまでの部分として政令で定めるもの）

（２）　**1**に規定する発行済株式又は出資の総数又は総額の３分の２に達するまでの部分として政令で定めるものは、経営
承継相続人等が**1**の規定の適用に係る相続又は遺贈により取得をした認定承継会社の非上場株式等（議決権に制限のな
いものに限る。以下（２）において同じ。）のうち、当該相続の開始の時における当該認定承継会社の発行済株式又は出資
（議決権に制限のない株式等（株式又は出資をいう。以下、本章において同じ。）に限る。）の総数又は総額の３分の２（当
該相続の開始の直前において当該相続に係る経営承継相続人等が有していた当該認定承継会社の非上場株式等があると
きは、当該総数又は総額の３分の２から当該経営承継相続人等が有していた当該認定承継会社の非上場株式等の数又は
金額を控除した残数又は残額）に達するまでの部分とする。この場合において、当該総数又は総額の３分の２に一株未
満又は１円未満の端数があるときは、その端数を切り上げる。（措令40の８の２④）

（担保の提供方法）

（３）　**1**の規定の適用を受けようとする経営承継相続人等が行う担保の提供については、国税通則法施行令第16条に定め
る手続によるほか、認定承継会社（株券不発行会社（会社法第117条第７項に規定する株券発行会社以外の株式会社をい
う。（５）及び第二節の**2**の（１）の（三）において同じ。）又は持分会社であるものに限る。）の**1**に規定する対象非上場株
式等を担保として提供する場合には、当該経営承継相続人等が当該対象非上場株式等を担保として提供することを約す
る書類その他の（４）の財務省令で定める書類を納税地の所轄税務署長に提出する方法によるものとする。（措令40の８
の２⑤）

（担保提供に係る書類）

（４）　（３）に規定する財務省令で定める書類は、次の（一）、（二）に掲げる認定承継会社の区分に応じ当該（一）（二）に定め
る書類とする。（措規23の10②）

（一）　株券不発行会社（（３）に規定する株券不発行会社をいう。）である認定承継会社　次に掲げる書類

　イ　**2**の（三）に規定する経営承継相続人等（以下第二章において「**経営承継相続人等**」という。）が**1**に規定する対象
非上場株式等（以下第二章において「**対象非上場株式等**」という。）である株式に質権の設定をすることについて承
諾した旨を記載した書類（当該経営承継相続人等が自署し、自己の印を押しているものに限る。）

　ロ　イの経営承継相続人等の印に係る印鑑証明書

　ハ　当該認定承継会社が交付した会社法第149条第１項の書面（当該認定承継会社の代表権を有する者が自署し、自己
の印を押しているものに限る。）及び当該認定承継会社の代表権を有する者の印に係る印鑑証明書

（二）　持分会社である認定承継会社　次に掲げる書類

　イ　経営承継相続人等が対象非上場株式等である出資の持分に質権の設定をすることについて承諾した旨を記載した
書類（当該経営承継相続人等が自署し、自己の印を押しているものに限る。）

　ロ　イの経営承継相続人等の印に係る印鑑証明書

　ハ　当該認定承継会社がイの質権の設定について承諾したことを証する書類で次に掲げるいずれかのもの

　　（イ）　当該質権の設定について承諾した旨が記載された公正証書

　　（ロ）　当該質権の設定について承諾した旨が記載された私署証書で登記所又は公証人役場において日付のある印章
が押されているもの（当該認定承継会社の印を押しているものに限る。）及び当該認定承継会社の印に係る印鑑証
明書

　　（ハ）　当該質権の設定について承諾した旨が記載された書類（当該認定承継会社の印を押しているものに限る。）で
郵便法第48条第１項の規定により内容証明を受けたもの及び当該認定承継会社の印に係る印鑑証明書

（担保の解除）

（５）　税務署長は、（３）の規定により認定承継会社（株券不発行会社又は持分会社であるものに限る。）の**1**に規定する対
象非上場株式等が担保として提供されている場合において、当該担保を解除したときは、当該経営承継相続人等が当該
対象非上場株式等を担保として提供することを約する書類その他の（６）の財務省令で定める書類を当該経営承継相続人
等に返還しなければならない。（措令40の８の２⑥）

（担保解除に係る書類）

（６）　（５）に規定する財務省令で定める書類は、（４）の（一）のイ及びハ又は（二）のイ及びハに掲げる書類とする。（措規23
の10③）

－1211－

第七編　非上場株式等に係る相続税・贈与税の納税猶予及び免除

（被相続人から親族へ贈与した非上場株式等の価額が相続税の課税価格に加算される場合）

（7）　1に規定する被相続人からの贈与（当該贈与が第一章第一節の1の（一）（二）に掲げる場合の区分に応じ当該（一）（二）に定める贈与である場合に限る。）により非上場株式等の取得をしている個人が、当該贈与の日の属する年において当該被相続人の相続が開始し、かつ、当該被相続人からの相続又は遺贈（贈与をした者の死亡により効力を生ずる贈与を含む。以下、本章及び第五章において同じ。）により財産の取得をしたことにより第一編第四章第二節四の1又は第三編第一章第三節一の（1）の規定により当該贈与により取得をした非上場株式等の価額が相続税の課税価格に加算されることとなる場合（当該非上場株式等について同第三節二の（1）の規定の適用がある場合を含む。）には、本章（第九節の5及び6を除く。）の規定の適用については、当該贈与により取得をした非上場株式等は、当該個人が当該被相続人からの相続又は遺贈により取得をしたものとみなす。この場合において、1中「相続の開始」とあるのは「贈与」と、2の（一）中「1の規定の適用に係る相続の開始」とあるのは「被相続人からの非上場株式等の贈与」と、2の（三）中「1の規定の適用に係る相続又は遺贈」とあるのは「贈与」と、同（三）のイ中「相続の開始の日の翌日から5月を経過する日」とあるのは「贈与の時」と、同（三）のロ及びハ中「相続の開始」とあるのは「贈与」と、同（三）のニ中「相続の開始」とあるのは「贈与」と、「相続又は遺贈」とあるのは「贈与」と、第十節の（2）中「相続の開始」とあるのは「贈与」と、第九節の2中「発生した日から1年を経過する日の前日まで」とあるのは「発生前」と、「相続又は遺贈」とあるのは「贈与」と、「（3）の政令で定める期限」とあるのは「当該災害等の発生した日から10月を経過する日」と、（1）、（2）、2の（4）、2の（9）の（一）、2の（20）（25）（27）（30）、第五節の1の（4）、第九節の1の（8）及び同1の（18）の（一）の規定中「相続の開始」とあるのは「贈与」とする。（措令40の8の2②）

（対象贈与に係る贈与者が贈与税の申告期限前に死亡した場合）

（8）　対象贈与により取得をした認定承継会社の非上場株式等の受贈者が、第一章第二節の1の（2）の（一）イ（イ）又はロに該当し第一章第一節の1の規定の適用を受けることができない場合であっても、当該対象贈与により取得をした認定承継会社の非上場株式等は（7）の規定により当該受贈者が当該贈与者から相続又は遺贈により取得をしたものとみなされることから、（7）の規定により読み替えられた1の規定の適用に係る要件を満たすときには、当該受贈者は当該贈与者の死亡に係る相続税について1の規定の適用を受けることができることに留意する。（措通70の7の2－5）

（注）　第一章第六節の（10）（第七編第四章第五節の1の（4）において準用する場合を含む。）の規定の適用を受ける非上場株式等については、（7）の規定の適用がないことに留意する。

（被相続人の親族が第1次経営承継相続人等に該当し第2次経営承継相続人等がいるとき）

（9）　被相続人から1の規定の適用に係る相続又は遺贈により認定承継会社の非上場株式等の取得をした個人が**第1次経営承継相続人等**（当該被相続人からの相続又は遺贈によりその有する認定承継会社の非上場株式等の取得をした個人で、当該相続又は遺贈に係る1に規定する相続税の申告書の提出期限前に当該相続税の申告書を提出しないで死亡したものをいう。）に該当する場合において、**第2次経営承継相続人等**（当該第1次経営承継相続人等からの相続又は遺贈により当該認定承継会社の非上場株式等の取得をした個人で、当該認定承継会社の経営を確実に承継すると認められる要件として(10)の財務省令で定めるものを満たしているものをいう。）があるときは、当該第1次経営承継相続人等に係る1の規定の適用については、1中次の表の左欄に掲げる字句は、同表の右欄に掲げる字句とする。この場合において、当該第1次経営承継相続人等が当該被相続人の相続の開始の日の翌日から5月を経過する日前に死亡したときは、当該第1次経営承継相続人等に係る1の規定の適用については、当該第1次経営承継相続人等は2の（三）のイの要件を満たしているものとみなし、当該第2次経営承継相続人等に係る1の規定の適用については、当該第1次経営承継相続人等はその死亡の日前において当該認定承継会社の代表権を有していたものとみなす。（措令40の8の2③）

が、当該相続に係る相続税の申告書	の相続人が、当該相続に係る第一編第七章第一節四の1の規定による申告書
当該非上場株式等で当該相続税の申告書	当該非上場株式等（当該経営承継相続人等からの相続又は遺贈により当該非上場株式等の取得をした経営承継相続人等（以下1において「**第2次経営承継相続人等**」という。）が、相続税の申告書に1の規定の適用を受けようとする旨の記載をしたものに限る。）で第一編第七章第一節四の1の規定による申告書
当該相続税の申告書の提出期限までに当該	当該第2次経営承継相続人等が当該経営承継相続人等からの相続又は遺贈により取得をした対象非上場株式等につき1の規定の適用を受けるため対象非上場株式等に係る
、相続税法	、同法

－1212－

| その納税を猶予する | 第七節の**1**の規定の適用については、その納税を猶予したものとみなす |

（認定承継会社の経営を確実に承継すると認められる要件）

(10)　（9）に規定する財務省令で定める要件は、（9）に規定する第一次経営承継相続人等の死亡による相続の開始の直前において、当該第1次経営承継相続人等からの相続又は遺贈（贈与をした者の死亡により効力を生ずる贈与を含む。以下第二章において同じ。）により**2**の(一)に規定する認定承継会社（以下、本章において「**認定承継会社**」という。）の同(二)に規定する非上場株式等（以下第二章において「非上場株式等」という。）の取得をした個人が、当該認定承継会社の役員（会社法第329条第1項に規定する役員又は業務を執行する社員をいう。**2**の(16)において同じ。）であったこととする。ただし、当該第一次経営承継相続人等が70歳未満で死亡した場合は、この限りでない。（措規23の10①）

(注)　(10)の――線部分の規定は、令和3年4月1日以後に相続又は遺贈により取得をする**2**の(二)に規定する非上場株式等に係る相続税について適用し、施行日前に相続又は遺贈により取得をした同(二)に規定する非上場株式等に係る相続税については、「70歳」とあるのは「60歳」とする。（令3改措規附16③）

(編者注)　中小企業における経営の承継の円滑化に関する法律及び同施行令並びに施行規則については、1182ページ**《参考》**を参照。

（第2次経営承継相続人がある場合の第1次経営承継相続人に係る相続税の納税猶予及び免除の適用要件）

(11)　（9）に規定する第2次経営承継相続人等がある場合の（9）に規定する第1次経営承継相続人等に係る**1**の規定の適用については、次に掲げることに留意する。（措通70の7の2－6）

(一)　当該第1次経営承継相続人等が被相続人の相続の開始の日の翌日から5月を経過する日前に死亡した場合には、当該第1次経営承継相続人等は、**2**の(三)のイの要件を満たしているものとみなされること。

(二)　**1**の適用対象となる非上場株式等は、第2次経営承継相続人等が第1次経営承継相続人等からの相続又は遺贈に係る相続税の期限内申告書に**1**の規定の適用を受ける旨の記載をしたものに限られること。

(三)　担保は、第2次経営承継相続人等が第1次経営承継相続人等からの相続又は遺贈に係る相続税の申告書の提出期限までに、第2次経営承継相続人等に係る納税猶予分の相続税の額に相当するものの提供をすればよいこと。

（既に非上場株式等についての贈与税の納税猶予及び免除等の適用を受けている他の者がいる場合等）

(12)　認定承継会社の非上場株式等について、**1**の規定の適用を受けようとする場合において、**1**の規定の適用を受けようとする者以外の者が当該認定承継会社の非上場株式等について次に掲げるいずれかの規定の適用を現に受けているときは、**1**の規定の適用を受けることができないことに留意する。（措通70の7の2－35）

(一)　第一章第一節の**1**

(二)　**1**

(三)　第三章第二節の**1**

(注)1　**1**の規定の適用を受けようとする者が当該認定承継会社の非上場株式等について上記(一)から(三)までのいずれかの規定の適用を受けている場合には、**1**の規定の適用を受けることができることに留意する。

2　上記(一)の第一章第一節の**1**の規定の適用を現に受けている者からは、第一章第七節の**1**の(三)の規定の適用に係る贈与をした経営承継贈与者を除くことに留意する。

3　上記の**1**の規定の適用を受けることができるかどうかの判定は、認定承継会社ごとに行うことに留意する。

2　用語の意義

本章において、次の(一)から(九)に掲げる用語の意義は、当該各号に定めるところによる。（措法70の7の2②）

(一)　**認定承継会社**　　中小企業における経営の承継の円滑化に関する法律第2条に規定する中小企業者のうち円滑化法認定を受けた会社（合併により当該会社が消滅した場合その他の(1)の財務省令で定める場合には、当該会社に相当するものとして(1)の財務省令で定めるもの）で、**1**の規定の適用に係る相続の開始の時において、次に掲げる要件の全てを満たすものをいう。

イ　当該会社の常時使用従業員（常時使用する従業員として(2)の財務省令で定めるものをいう。以下、本章において同じ。）の数が1人以上であること。

ロ　当該会社が、資産保有型会社又は資産運用型会社のうち(4)の政令で定めるものに該当しないこと。

ハ　当該会社（ハにおいて「**特定会社**」という。）の株式等（株式又は出資をいう。以下本章において同じ。）及び特別関係会社（当該特定会社と(6)の政令で定める特別の関係がある会社をいう。以下**2**及び第十節の(6)の(十一)において同じ。）のうち当該特定会社と密接な関係を有する会社として(7)の政令で定める会社（ニ及び第五節の**1**の(十六)において「**特定特別関係会社**」という。）の株式等が、非上場株式等に該当すること。

ニ　当該会社及び特定特別関係会社が、第一章第一節の**2**の(一)のニに規定する風俗営業会社に該当しないこと。

－1213－

ホ　当該会社の特別関係会社が会社法第2条第2号に規定する外国会社に該当する場合（当該会社又は当該会社との間に支配関係がある法人が当該特別関係会社の株式等を有する場合に限る。）にあっては、当該会社の常時使用従業員の数が5人以上であること。

ヘ　イからホまでに掲げるもののほか、会社の円滑な事業の運営を確保するために必要とされる要件として(9)の政令で定めるものを備えているものであること。

（二）　**非上場株式等**　第一章第一節の2の（二）に定める株式等をいう。

（三）　**経営承継相続人等**　被相続人から1の規定の適用に係る相続又は遺贈により認定承継会社の非上場株式等の取得をした個人で、次に掲げる要件の全てを満たす者（その者が二以上ある場合には、当該認定承継会社が定めた一の者に限る。）をいう。

イ　当該個人が、当該相続の開始の日の翌日から5月を経過する日において、当該認定承継会社の代表権を有していること。

ロ　当該相続の開始の時において、当該個人及び当該個人と(14)の政令で定める特別の関係がある者の有する当該認定承継会社の非上場株式等に係る議決権の数の合計が、当該認定承継会社に係る総株主等議決権数の100分の50を超える数であること。

ハ　当該相続の開始の時において、当該個人が有する当該認定承継会社の非上場株式等に係る議決権の数が、当該個人とロに規定する(14)の政令で定める特別の関係がある者のうちいずれの者が有する当該認定承継会社の非上場株式等に係る議決権の数をも下回らないこと。

ニ　当該個人が、当該相続の開始の時から当該相続に係る相続税の申告書の提出期限（当該提出期限前に当該個人が死亡した場合には、その死亡の日）まで引き続き当該相続又は遺贈により取得をした当該認定承継会社の対象非上場株式等の全てを有していること。

ホ　当該個人が、当該認定承継会社の非上場株式等について第四章第一節の1、第五章第一節の1又は第六章第二節の1の規定の適用を受けていないこと。

ヘ　当該個人が、当該認定承継会社の経営を確実に承継すると認められる要件として(16)の財務省令で定めるものを満たしていること。

（四）　**円滑化法認定**　第一章第一節の2の（四）に定める認定をいう。

（五）　**納税猶予分の相続税額**　イに掲げる金額からロに掲げる金額を控除した残額をいう。

イ　1の規定の適用に係る対象非上場株式等の価額（当該対象非上場株式等に係る認定承継会社又は当該認定承継会社の特別関係会社であって当該認定承継会社との間に支配関係がある法人（イにおいて「**認定承継会社等**」という。）が会社法第2条第2号に規定する外国会社（当該認定承継会社の特別関係会社に該当するものに限る。）その他(18)の政令で定める法人の株式等（投資信託及び投資法人に関する法律第2条第14項に規定する投資口を含む。）を有する場合には、当該認定承継会社等が当該株式等を有していなかったものとして計算した価額。ロにおいて同じ。）を1の経営承継相続人等に係る相続税の課税価格とみなして、第一編第四章第二節三から第一編第六章第三節までの規定を適用して3の①及び同①の（1）の政令で定めるところにより計算した当該経営承継相続人等の相続税の額

ロ　1の規定の適用に係る対象非上場株式等の価額に100分の20を乗じて計算した金額を1の経営承継相続人等に係る相続税の課税価格とみなして、第一編第四章第二節三から第一編第六章第三節までの規定を適用して3の①の（2）の政令で定めるところにより計算した当該経営承継相続人等の相続税の額

（六）　**経営承継期間**　1の規定の適用に係る相続に係る相続税の申告書の提出期限の翌日から次に掲げる日のいずれか早い日又は当該相続に係る経営承継相続人等の死亡の日の前日のいずれか早い日までの期間をいう。

イ　当該経営承継相続人等の最初の1の規定の適用に係る相続に係る相続税の申告書の提出期限の翌日以後5年を経過する日

ロ　当該経営承継相続人等の最初の第一章第一節の1の規定の適用に係る贈与の日の属する年分の同節の1に規定する贈与税の申告書の提出期限の翌日以後5年を経過する日

（七）　**経営報告基準日**　次のイ又はロに掲げる期間の区分に応じイ又はロに定める日をいう。

イ　経営承継期間　1の規定の適用に係る相続に係る相続税の申告書の提出期限（経営承継相続人等が1の規定の適用を受ける前に1の対象非上場株式等に係る認定承継会社の非上場株式等について第一章第一節の1の規定の適用を受けている場合には、同節の1に規定する贈与税の申告書の提出期限）の翌日から1年を経過するごとの日（第三節の1において「**第1種基準日**」という。）

ロ　経営承継期間の末日の翌日から納税猶予分の相続税額（既に第五節の2又は第六節の規定の適用があった場合には、これらの規定の適用があった対象非上場株式等の価額に対応する部分の額として(20)及び(22)の政令で定めるところにより計算した金額を除く。以下この章において「**猶予中相続税額**」という。）に相当する相続税の全部につ

第二章　非上場株式等についての相続税の納税猶予及び免除
（第一節　特例適用の要件）

き**1**、第五節の**1**から第六節まで、第三節の**2**、第四節又は第十節の（4）の規定による納税の猶予に係る期限が確定する日までの期間　当該末日の翌日から3年を経過するごとの日（第三節の**1**において「**第2種基準日**」という。）

（八）　**資産保有型会社**　第一章第一節の**2**の（八）に定める会社をいう。

（九）　**資産運用型会社**　第一章第一節の**2**の（九）に定める会社をいう。

（注）1　次に掲げる者は、（三）に規定する経営承継相続人等とみなして、第一節の**1**、**2**、第五節の**1**、**2**、第七節の**1**及び第九節の**1**の規定（（一）又は（二）に掲げる経営承継相続人等にあっては、第七節の**1**の規定）を適用する。平30改所法等附118㉓

一　所得税法等の一部を改正する法律（平成22年法律第6号）第18条の規定による改正前の租税特別措置法第70条の7の2第1項の規定の適用を受けている同条第2項第3号に規定する経営承継相続人等

二　現下の厳しい経済状況及び雇用情勢に対応して税制の整備を図るための所得税法等の一部を改正する法律（平成23年法律第82号）第17条の規定による改正前の租税特別措置法第70条の7の2第1項の規定の適用を受けている同条第2項第3号に規定する経営承継相続人等

三　所得税法等の一部を改正する法律（平成25年法律第5号）第8条の規定による改正前の租税特別措置法第70条の7の2第1項の規定の適用を受けている同条第2項第3号に規定する経営承継相続人等

四　所得税法等の一部を改正する法律（平成27年法律第9号）第8条の規定による改正前の租税特別措置法第70条の7の2第1項の規定の適用を受けている同条第2項第3号に規定する経営承継相続人等

五　所得税法等の一部を改正する等の法律（平成29年法律第4号）第12条の規定による改正前の租税特別措置法第70条の7の2第1項の規定の適用を受けている同条第2項第3号に規定する経営承継相続人等

六　旧租税特別措置法第70条の7の2第1項の規定の適用を受けている同条第2項第3号に規定する経営承継相続人等

（財務省令で定める消滅した場合）

（1）　**2**の（一）に規定する財務省令で定める場合は次の（一）（二）に掲げる場合とし、**2**の（一）に規定する財務省令で定める会社に相当するものは当該（一）（二）に掲げる場合の区分に応じ当該（一）（二）に定める会社とする。（措規23の10④により準用する措規23の9③）

（一）　第一章第一節の**2**の（四）に規定する円滑化法認定を受けた会社（（二）において「**認定会社**」という。）が合併により消滅した場合　当該合併により当該認定会社の権利義務の全てを承継した会社（以下、本章において「**合併承継会社**」という。）

（二）　認定会社が株式交換若しくは株式移転（以下、本章において「**株式交換等**」という。）により他の会社の第一章第五節の**1**の（六）に規定する株式交換完全子会社等（以下、本章において「**株式交換完全子会社等**」という。）となった場合　当該他の会社（以下、本章において「**交換等承継会社**」という。）

（常時使用する従業員として財務省令で定めるもの）

（2）　**2**の（一）のイに規定する常時使用する従業員として財務省令で定めるものは、会社の従業員であって、次に掲げるいずれかの者とする。（措規23の10⑤により準用する措規23の9④）

（一）　厚生年金保険法（昭和29年法律第115号）第9条に規定する被保険者（同法第18条第1項の厚生労働大臣の確認があった者に限るものとし、その一週間の所定労働時間が同一の事業所に使用される同法第12条第5号に規定する通常の労働者（以下（一）において「通常の労働者」という。）の一週間の所定労働時間の4分の3未満である同条第5号に規定する短時間労働者（以下（一）において「短時間労働者」という。）又はその1月間の所定労働日数が同一の事業所に使用される通常の労働者の1月間の所定労働日数の4分の3未満である短時間労働者を除く。）

（二）　船員保険法（昭和14年法律第73号）第2条第1項に規定する被保険者（同法第15条第1項に規定する厚生労働大臣の確認があった者に限る。）

（三）　健康保険法（大正11年法律第70号）第3条第1項に規定する被保険者（同法第39条第1項に規定する保険者等の確認があった者に限るものとし、その1週間の所定労働時間が同一の事業所に使用される同法第3条第1項第9号に規定する通常の労働者（以下（三）において「通常の労働者」という。）の1週間の所定労働時間の4分の3未満である同項第9号に規定する短時間労働者（以下（三）において「短時間労働者」という。）又はその1月間の所定労働日数が同一の事業所に使用される通常の労働者の1月間の所定労働日数の4分の3未満である短時間労働者を除く。）

（四）　高齢者の医療の確保に関する法律（昭和57年法律第80号）第50条に規定する被保険者で当該会社と2月を超える雇用契約を締結しているもの（（一）に掲げる者を除く。）

（常時使用従業員の意義）

（3）　**2**の（一）のイに規定する常時使用従業員の意義については、第一章第一節の**2**の（3）を準用する。（措通70の7の2－13）

第七編　非上場株式等に係る相続税・贈与税の納税猶予及び免除

　　　（資産保有型会社又は資産運用型会社のうち政令で定めるもの）
（４）　２の（一）のロに規定する資産保有型会社又は資産運用型会社のうち政令で定めるものは、２の（八）に規定する資産
　　保有型会社又は２の（九）に規定する資産運用型会社（以下、（４）、（18）及び第五節の１の(11)において「**資産保有型会
　　社等**」という。）のうち、１の規定の適用に係る相続の開始の時において、次に掲げる要件の全てに該当するものとする。
　　（措令40の８の２⑦）
　（一）　当該資産保有型会社等の第一章第一節の２の（八）のロに規定する特定資産（以下本章において「**特定資産**」とい
　　　う。）から当該資産保有型会社等が有する当該資産保有型会社等の２の（一）のハに規定する特別関係会社（以下（一）
　　　及び第五節の１の(11)の（一）において「特別関係会社」という。）で次に掲げる要件の全てを満たすものの株式等を除
　　　いた場合であっても、当該資産保有型会社等が２の（八）に規定する資産保有型会社又は２の（九）に規定する資産運用
　　　型会社に該当すること。
　　　イ　当該特別関係会社が、１の規定の適用に係る相続の開始の日まで引き続き３年以上にわたり、商品の販売その他
　　　　の業務で（５）の財務省令で定めるものを行っていること。
　　　ロ　イの相続の開始の時において、当該特別関係会社の２の（一）のイに規定する常時使用従業員（経営承継相続人等
　　　　及び当該経営承継相続人等と生計を一にする親族を除く。以下（４）及び第五節の１の(11)において「親族外従業員」
　　　　という。）の数が５人以上であること。
　　　ハ　イの相続の開始の時において、当該特別関係会社が、ロの親族外従業員が勤務している事務所、店舗、工場その
　　　　他これらに類するものを所有し、又は賃借していること。
　（二）　当該資産保有型会社等が、次に掲げる要件の全てを満たす２の（八）に規定する資産保有型会社又は２の（九）に規
　　　定する資産運用型会社でないこと。
　　　イ　当該資産保有型会社等が、１の規定の適用に係る相続の開始の日まで引き続き３年以上にわたり、商品の販売そ
　　　　の他の業務で（５）の財務省令で定めるものを行っていること。
　　　ロ　イの相続の開始の時において、当該資産保有型会社等の親族外従業員の数が５人以上であること。
　　　ハ　イの相続の開始の時において、当該資産保有型会社等が、ロの親族外従業員が勤務している事務所、店舗、工場
　　　　その他これらに類するものを所有し、又は賃借していること。

　　　（財務省令で定める業務）
（５）　（４）の（一）のイ及び（二）のイ並びに第五節の１の(11)の（一）のイ及び（二）のイに規定する財務省令で定める業務
　　は、次に掲げるいずれかのものとする。（措規23の10⑥により準用する措規23の９⑤）
　（一）　商品販売等（商品の販売、資産の貸付け（経営承継受贈者及び当該経営承継受贈者と(14)に規定する特別の関係
　　　がある者に対する貸付けを除く。）又は役務の提供で、継続して対価を得て行われるものをいい、その商品の開発若し
　　　くは生産又は役務の開発を含む。（二）において同じ。）
　（二）　商品販売等を行うために必要となる資産（第一章第一節の２の（４）の（一）のハ及び（二）のハの事務所、店舗、工
　　　場その他これらに類するものを除く。）の所有又は賃借
　（三）　（一）（二）に掲げる業務に類するもの

　　　（政令で定める特別の関係がある会社）
（６）　２の（一）のハに規定する政令で定める特別の関係がある会社は、同（一）に規定する円滑化法認定を受けた会社、当
　　該円滑化法認定を受けた会社の代表権を有する者及び当該代表権を有する者と次に掲げる特別の関係がある者（（六）の
　　ハに掲げる会社を除く。）が有する他の会社（会社法第２条第２号に規定する外国会社を含む。）の株式等に係る議決権
　　の数の合計が、当該他の会社に係る総株主等議決権数の100分の50を超える数である場合における当該他の会社とする。
　　（措令40の８の２⑧）
　（一）　当該代表権を有する者の親族
　（二）　当該代表権を有する者と婚姻の届出をしていないが事実上婚姻関係と同様の事情にある者
　（三）　当該代表権を有する者の使用人
　（四）　当該代表権を有する者から受ける金銭その他の資産によって生計を維持している者（（一）から（三）に掲げる者を
　　　除く。）
　（五）　（一）から（三）に掲げる者と生計を一にするこれらの者の親族
　（六）　次に掲げる会社
　　　イ　当該代表権を有する者（当該円滑化法認定を受けた会社及び（一）から（五）に掲げる者を含む。以下（六）において
　　　　同じ。）が有する会社の株式等に係る議決権の数の合計が、当該会社に係る総株主等議決権数の100分の50を超える

第二章　非上場株式等についての相続税の納税猶予及び免除
（第一節　特例適用の要件）

数である場合における当該会社
　　ロ　当該代表権を有する者及びイに掲げる会社が有する他の会社の株式等に係る議決権の数の合計が、当該他の会社に係る総株主等議決権数の100分の50を超える数である場合における当該他の会社
　　ハ　当該代表権を有する者及びイ又はロに掲げる会社が有する他の会社の株式等に係る議決権の数の合計が、当該他の会社に係る総株主等議決権数の100分の50を超える数である場合における当該他の会社

　　（政令で定める特定会社と密接な関係を有する会社）
（7）　（6）の規定は、2の（一）のハに規定する特定会社と密接な関係を有する会社として政令で定める会社について準用する。この場合において、（6）の（一）中「の親族」とあるのは、「と生計を一にする親族」と読み替えるものとする。（措令40の8の2⑨）

　　（特定特別関係会社の意義等）
（8）　会社が認定承継会社に該当するかを判定する場合の2の（一）のハに規定する特定特別関係会社の意義等については、第一章第一節の2の（8）《特定特別関係会社の意義等》を準用する。
　　この場合において、同（8）中「同（8）」とあるのは「（8）」と、「第一章第一節の2の（一）のハ」とあるのは「2の（一）のハ」と、「同（一）のニ」とあるのは「第一章第一節の2の（一）のニ」と、「第一章第一節の1の（1）の（一）イ」とあるのは「1の（1）の（一）イ」となることに留意する。（措通70の7の2－14の3）

　　（政令で定める会社の円滑な事業の運営を確保するために必要な要件）
（9）　2の（一）のへに規定する政令で定める要件は、次に掲げる要件とする。（措令40の8の2⑩、措規23の10⑦により準用する措規23の9⑥）
　　（一）　2の（一）に規定する円滑化法認定を受けた会社の1の規定の適用に係る相続の開始の日の属する事業年度の直前の事業年度（当該相続の開始の日が当該相続の開始の日の属する事業年度の末日である場合には、当該相続の開始の日の属する事業年度及び当該事業年度の直前の事業年度）における総収入金額（主たる事業活動から生ずる収入の額とされるべきものとして認定承継会社の総収入金額のうち会社計算規則（平成18年法務省令第13号）第88条第1項第4号に掲げる営業外収益及び同項第6号に掲げる特別利益以外のものに限る。）が、零を超えること。
　　（二）　（一）の円滑化法認定を受けた会社が発行する会社法第108条第1項第8号に掲げる事項についての定めがある種類の株式を当該円滑化法認定を受けた会社に係る経営承継相続人等以外の者が有していないこと。
　　（三）　（一）の円滑化法認定を受けた会社の2の（一）のハに規定する特定特別関係会社（会社法第2条第2号に規定する外国会社に該当するものを除く。）が、中小企業における経営の承継の円滑化に関する法律第2条に規定する中小企業者に該当すること。

　　（相続税の納税猶予及び免除の対象となる非上場株式等の意義）
（10）　1の適用対象となる非上場株式等の意義については、第一章第一節の2の（13）を準用する。（措通70の7の2－1）

　　（対象非上場株式等の意義）
（11）　対象非上場株式等とは、次に掲げる場合の区分に応じ次に掲げる株式の数又は出資の金額に達するまでの部分をいうことに留意する。（措通70の7の2－2）

　　（一）　$A＋B≧C×\dfrac{2}{3}$ の場合

　　　　$C×\dfrac{2}{3}－B$

　　（二）　$A＋B＜C×\dfrac{2}{3}$ の場合

　　　　A

（注）1　上記算式中の符号は次のとおり。
　　　　Aは、経営承継相続人等が当該相続又は遺贈により取得をした認定承継会社の非上場株式等（議決権に制限のない株式等に限る。）の数又は金額
　　　　Bは、経営承継相続人等が当該相続の開始の直前において有していた認定承継会社の非上場株式等の数又は金額
　　　　Cは、当該相続の開始の時における認定承継会社の発行済株式又は出資（議決権に制限のない株式等に限る。）の総数又は総額
　　　2　複数の認定承継会社に係る非上場株式等を相続又は遺贈により取得をした場合の対象非上場株式等に該当するかどうかの判定は、それぞ

－1217－

第七編　非上場株式等に係る相続税・贈与税の納税猶予及び免除

れの認定承継会社ごとに行うことに留意する。

3　上記（一）又は（二）により計算された株式の数又は出資の金額のうち、1に規定する相続税の申告書に1の規定の適用を受ける旨の記載がある部分が対象非上場株式等に該当することに留意する。

4　上記の（一）により計算されたＣ×$\frac{2}{3}$の数又は金額に一株又は１円未満の端数がある場合には、1の（2）の規定により、その端数は切り上げることに留意する。

5　非上場株式等の取得は、2の（6）に規定する経営承継期間の末日までに相続税の申告書の提出期限（第一編第四章第二節の一の12の❷若しくは同❷の（1）の規定又は国税通則法第10条若しくは第11条の規定により当該提出期限が延長された場合には、当該延長前の提出期限）が到来する相続又は遺贈による取得に限られることに留意する。

（相続税の納税猶予及び免除の対象とならない非上場株式等）

(12)　1の適用対象となる非上場株式等には、次に掲げる株式等は含まれないことに留意する。（措通70の7の2－3）

（一）　相続税法第19条の規定の適用を受ける株式等（1の（7）の規定により相続又は遺贈により取得をしたものとみなされるものを除く。）

（二）　相続時精算課税の適用を受ける株式等（所得税法等の一部を改正する法律（平成21年法律第13号）附則第64条第2項又は第7項の規定の適用を受けるもの及び1の（7）の規定により相続又は遺贈により取得をしたものとみなされるものを除く。）

（三）　第一章第六節の（10）（第四章第五節の1の（4）において準用する場合を含む。）の規定の適用を受ける株式等

（四）　次に掲げる株式等

イ　第三章第一節の1の規定により贈与者から相続又は遺贈により取得をしたものとみなされる対象受贈非上場株式等

ロ　同1の規定により贈与者から相続又は遺贈により取得をしたものとみなされる対象受贈非上場株式等につき第三章第二節の1の規定の適用を受ける場合における当該贈与者から相続又は遺贈により取得した当該対象受贈非上場株式等に係る認定贈与承継会社と同一の会社の株式等

（五）　第六章第一節の1の規定により同1に規定する特例贈与者から相続又は遺贈により取得をしたものとみなされる同項に規定する特例対象受贈非上場株式等

（注）1　上記（四）イの対象受贈非上場株式等については、第三章第二節の1の適用に係る要件を満たせば、同1の規定の適用の対象となることに留意する。

2　上記（五）の特例対象受贈非上場株式等については、第六章第二節の1の適用に係る要件を満たせば、同1の規定の適用の対象となることに留意する。

（代償分割により取得をした非上場株式等についての相続税の納税猶予及び免除の不適用）

(13)　遺産の分割に当たり、遺産の代償として取得した他の共同相続人の所有に属する非上場株式等は、被相続人が相続の開始の直前に有していたものではないので、1の規定による納税猶予の対象となる非上場株式等に該当しないことに留意する。（措通70の7の2－4）

（政令で定める特別の関係がある者）

(14)　2の（三）のロに規定する当該個人と政令で定める特別の関係がある者は、次に掲げる者とする。（措令40の8の2⑪）

（一）　当該個人の親族

（二）　当該個人と婚姻の届出をしていないが事実上婚姻関係と同様の事情にある者

（三）　当該個人の使用人

（四）　当該個人から受ける金銭その他の資産によって生計を維持している者（（一）から（三）に掲げる者を除く。）

（五）　（一）から（三）に掲げる者と生計を一にするこれらの者の親族

（六）　次に掲げる会社

イ　当該個人（（一）から（五）に掲げる者を含む。以下（六）において同じ。）が有する会社の株式等に係る議決権の数の合計が、当該会社に係る総株主等議決権数の100分の50を超える数である場合における当該会社

ロ　当該個人及びイに掲げる会社が有する他の会社の株式等に係る議決権の数の合計が、当該他の会社に係る総株主等議決権数の100分の50を超える数である場合における当該他の会社

ハ　当該個人及びイ又はロに掲げる会社が有する他の会社の株式等に係る議決権の数の合計が、当該他の会社に係る総株主等議決権数の100分の50を超える数である場合における当該他の会社

－1218－

第二章　非上場株式等についての相続税の納税猶予及び免除
(第一節　特例適用の要件)

(経営承継相続人等を判定する場合等の議決権の数の意義)
(15)　**2**の(三)のロ及びハの要件を判定する場合の同(三)のロの「議決権の数」及び「総株主等議決権数」並びに同(三)のハの「議決権の数」の意義については、第一章第一節の**2**の(16)を準用する。
　　この場合において、**2**の(三)のロ及びハの要件の判定は、相続の開始直後の株主等の構成により行うことに留意する。(措通70の7の2-15)

(財務省令で定める認定承継会社の経営を確実に承継すると認められる要件)
(16)　**2**の(三)のへに規定する財務省令で定める要件は、同(三)のへの個人が、**1**の規定の適用に係る相続の開始の直前において、当該会社の役員であったこととする。ただし、当該相続に係る被相続人が70歳未満で死亡した場合のいずれかに該当する場合は、この限りでない。(措規23の10⑧)
　(注)　(16)の——線部分の規定は、令和3年4月1日以後に相続又は遺贈により取得をする**2**の(二)に規定する非上場株式等に係る相続税について適用し、施行日前に相続又は遺贈により取得をした同(二)に規定する非上場株式等に係る相続税については、「70歳」とあるのは「60歳」とする。(令3改措規附16③)

(財務省令で定める経済産業大臣の認定)
(17)　本章(**2**の(四)に係る部分に限る。)の規定の適用がある場合における第一章第一節の**2**の(20)の規定の適用については、同(20)中「第6条第1項第7号又は第9号」とあるのは、「第6条第1項第8号又は第10号」とする。(措規23の10⑨)

(政令で定める法人)
(18)　**2**の(五)のイ及び第十節の(6)の(十一)に規定する政令で定める法人は、認定承継会社、当該認定承継会社の代表権を有する者及び当該代表権を有する者と(6)の(一)から(六)に掲げる特別の関係がある者が有する次の(一)及び(二)(当該認定承継会社が資産保有型会社等に該当しない場合にあっては、(一)を除く。以下(18)において同じ。)に掲げる法人の株式等(投資信託及び投資法人に関する法律第2条第14項に規定する投資口を含む。(一)において同じ。)の数又は金額が、当該(一)及び(二)に定める数又は金額である場合における当該法人とする。(措令40の8の2⑫)
　(一)　法人(医療法人を除く。)の株式等(非上場株式等を除く。)　当該法人の発行済株式(投資信託及び投資法人に関する法律第2条第12項に規定する投資法人にあっては、発行済みの同条第14項に規定する投資口)又は出資の総数又は総額の100分の3以上に相当する数又は金額
　(二)　医療法人の出資　当該医療法人の出資の総額の100分の50を超える金額

(経営承継期間の意義)
(19)　**2**の(六)に規定する経営承継期間とは、**1**の規定の適用に係る相続に係る相続税の申告書の提出期限の翌日から、次の(一)又は(二)のいずれか早い日までの期間をいうことに留意する。(措通70の7の2-15の2)
　(一)　次のいずれか早い日
　　イ　経営承継相続人等の最初の**1**の規定の適用に係る相続に係る相続税の申告書の提出期限の翌日以後5年を経過する日
　　ロ　経営承継相続人等の最初の対象贈与の日の属する年分の贈与税の申告書の提出期限の翌日以後5年を経過する日
　(二)　経営承継相続人等の死亡の日の前日

(政令で定めるところにより計算した金額)
(20)　**2**の(七)のロに規定する政令で定めるところにより計算した金額は、次の(一)から(七)に掲げる場合の区分に応じ当該各号に定めるところにより計算した金額を合計した金額とする。(措令40の8の2㉒)
　(一)　第五節の**2**の規定の適用があった場合(同**2**の表の(一)の左欄に掲げる場合に限る。)　納税猶予分の相続税額に、イに掲げる数又は金額がロに掲げる数又は金額に占める割合を乗じて計算した金額(その金額に100円未満の端数があるとき、又はその全額が100円未満であるときは、その端数金額又はその全額を切り捨てた額)
　　イ　第五節の**2**の表の(一)の上欄の贈与をした対象非上場株式等の数又は金額
　　ロ　相続時対象株式等(**1**の規定の適用に係る相続の開始の時に経営承継相続人等が有していた対象非上場株式等をいう。以下(一)において同じ。)の数又は金額(当該相続の開始の時からイの贈与の直前までの間に当該相続時対象株式等の併合があったことその他の(21)の財務省令で定める事由により当該相続時対象株式等の数又は金額が増加又は減少をしている場合には、当該増加又は減少をした後の数又は金額に換算した数又は金額)

第七編　非上場株式等に係る相続税・贈与税の納税猶予及び免除

　（二）　第五節の**2**の規定の適用があった場合（同**2**の表の（二）の左欄に掲げる場合に限る。）　　納税猶予分の相続税額に、イに掲げる金額がロに掲げる金額に占める割合を乗じて計算した金額（その金額に100円未満の端数があるとき、又はその全額が100円未満であるときは、その端数金額又はその全額を切り捨てた額）

　　イ　認定承継会社が、第五節の**2**の表の（二）の左欄の適格合併をした場合（同**2**の（2）において「**適格合併をした場合**」という。）における合併又は同欄の適格交換等をした場合（同（2）において「**適格交換等をした場合**」という。）における株式交換若しくは株式移転（以下、本章において「**株式交換等**」という。）に際して、同欄の吸収合併存続会社等（以下、本章において「**吸収合併存続会社等**」という。）又は同欄の他の会社が交付しなければならない株式等（一株に満たない端数の合計数に相当する数の株式を除く。同**2**の（2）において同じ。）以外の金銭その他の資産で、対象非上場株式等に係る経営承継相続人等が受けるものの額

　　ロ　イの合併がその効力を生ずる日の属する年の前年12月31日における対象非上場株式等に係る認定承継会社の純資産額（（四）のロ、第五節の**2**の（2）及び第六節の（2）において「**合併前純資産額**」という。）又はイの株式交換等がその効力を生ずる日の属する年の前年12月31日における当該認定承継会社の純資産額（（五）のロ、第五節の**2**の（2）及び第六節の（3）において「**交換等前純資産額**」という。）のうち当該合併又は当該株式交換等がその効力を生ずる直前における当該対象非上場株式等の数又は金額に対応する部分の額に、相続時対象株式等の数又は金額（当該相続時対象株式等に係る相続の開始の時から当該合併又は当該株式交換等がその効力を生ずる直前までの間に当該相続時対象株式等の併合があったことその他の（21）の財務省令で定める事由により当該相続時対象株式等の数又は金額が増加又は減少をしている場合には、当該増加又は減少をした後の数又は金額に換算した数又は金額）の当該合併又は当該株式交換等がその効力を生ずる直前における当該対象非上場株式等の数又は金額に対する割合を乗じて計算した金額

（三）　第六節の規定の適用があった場合（第六節の表の（二）の左欄に掲げる場合に限る。）　　納税猶予分の相続税額に、イに掲げる数又は金額がロに掲げる数又は金額に占める割合を乗じて計算した金額（その金額に100円未満の端数があるとき、又はその全額が100円未満であるときは、その端数金額又はその全額を切り捨てた額）

　　イ　第六節の表の（二）の左欄の譲渡等をした対象非上場株式等（合併又は株式交換等に際して吸収合併存続会社等又は第五節の**2**の表の（二）の左欄の他の会社が交付しなければならない株式のうち一株に満たない端数の合計数に相当する数の株式を除く。第六節の（1）において同じ。）の数又は金額

　　ロ　相続時対象株式等の数又は金額（当該相続時対象株式等に係る相続の開始の時からイの譲渡等の直前までの間に当該相続時対象株式等の併合があったことその他の（21）の財務省令で定める事由により当該相続時対象株式等の数又は金額が増加又は減少をしている場合には、当該増加又は減少をした後の数又は金額に換算した数又は金額）

（四）　第六節の規定の適用があった場合（第六節の表の（三）の左欄に掲げる場合に限る。）　　納税猶予分の相続税額に、イに掲げる金額がロに掲げる金額に占める割合を乗じて計算した金額（その金額に100円未満の端数があるとき、又はその全額が100円未満であるときは、その端数金額又はその全額を切り捨てた額）

　　イ　第六節の表の（三）の左欄の合併に際して吸収合併存続会社等が交付しなければならない株式等（一株に満たない端数の合計数に相当する数の株式を除く。第六節の（2）において同じ。）以外の金銭その他の資産で対象非上場株式等に係る経営承継相続人等が受けるものの額

　　ロ　合併前純資産額のうちイの合併がその効力を生ずる直前における対象非上場株式等の数又は金額に対応する部分の額に、相続時対象株式等の数又は金額（当該相続時対象株式等に係る相続の開始の時から当該合併がその効力を生ずる直前までの間に当該相続時対象株式等の併合があったことその他の（21）の財務省令で定める事由により当該相続時対象株式等の数又は金額が増加又は減少をしている場合には、当該増加又は減少をした後の数又は金額に換算した数又は金額）の当該合併がその効力を生ずる直前における当該対象非上場株式等の数又は金額に対する割合を乗じて計算した金額

（五）　第六節の規定の適用があった場合（第六節の表の（四）の左欄に掲げる場合に限る。）　　納税猶予分の相続税額に、イに掲げる金額がロに掲げる金額に占める割合を乗じて計算した金額（その金額に100円未満の端数があるとき、又はその全額が100円未満であるときは、その端数金額又はその全額を切り捨てた額）

　　イ　第六節の表の（四）の左欄の株式交換等に際して同欄の他の会社が交付しなければならない株式等（一株に満たない端数の合計数に相当する数の株式を除く。第六節の（3）において同じ。）以外の金銭その他の資産で対象非上場株式等に係る経営承継相続人等が受けるものの額

　　ロ　交換等前純資産額のうちイの株式交換等がその効力を生ずる直前における対象非上場株式等の数又は金額に対応する部分の額に、相続時対象株式等の数又は金額（当該相続時対象株式等に係る相続の開始の時から当該株式交換等がその効力を生ずる直前までの間に当該相続時対象株式等の併合があったことその他の（21）の財務省令で定める事由により当該相続時対象株式等の数又は金額が増加又は減少をしている場合には、当該増加又は減少をした後の

－1220－

第二章　非上場株式等についての相続税の納税猶予及び免除
(第一節　特例適用の要件)

　数又は金額に換算した数又は金額)の当該株式交換等がその効力を生ずる直前における当該対象非上場株式等の数
　又は金額に対する割合を乗じて計算した金額
(六)　第六節の規定の適用があった場合(第六節の表の(五)の左欄に掲げる場合に限る。)　　納税猶予分の相続税額に、
　イに掲げる金額がロに掲げる金額に占める割合を乗じて計算した金額(その金額に100円未満の端数があるとき、又は
　その全額が100円未満であるときは、その端数金額又はその全額を切り捨てた額)
　イ　第六節の表の(五)の左欄の会社分割に際して、同欄に規定する吸収分割承継会社等(イ及び第六節の(4)におい
　　て「**吸収分割承継会社等**」という。)が認定承継会社から承継した資産の当該会社分割がその効力を生ずる日の属す
　　る年の前年12月31日における価額から当該吸収分割承継会社等が当該認定承継会社から承継した負債の同日におけ
　　る価額を控除した残額(同(4)において「**承継純資産額**」という。)のうち、当該認定承継会社から対象非上場株式
　　等に係る経営承継相続人等に配当された当該吸収分割承継会社等の株式等の数又は金額が当該認定承継会社が交付
　　を受けた当該吸収分割承継会社等の株式等の数又は金額に占める割合を乗じて計算した金額
　ロ　イの会社分割がその効力を生ずる日の属する年の前年12月31日における対象非上場株式等に係る認定承継会社の
　　純資産額(同(4)において「**分割前純資産額**」という。)のうち当該会社分割がその効力を生ずる直前における当該
　　対象非上場株式等の数又は金額に対応する部分の額に、相続時対象株式等の数又は金額(当該相続時対象株式等に
　　係る相続の開始の時から当該会社分割がその効力を生ずる直前までの間に当該相続時対象株式等の併合があったこ
　　とその他の(21)の財務省令で定める事由により当該相続時対象株式等の数又は金額が増加又は減少をしている場合
　　には、当該増加又は減少をした後の数又は金額に換算した数又は金額)の当該会社分割がその効力を生ずる直前に
　　おける当該対象非上場株式等の数又は金額に対する割合を乗じて計算した金額
(七)　第六節の規定の適用があった場合(第六節の表の(六)の左欄に掲げる場合に限る。)　　納税猶予分の相続税額に、
　イに掲げる金額がロに掲げる金額に占める割合を乗じて計算した金額(その金額に100円未満の端数があるとき、又は
　その全額が100円未満であるときは、その端数金額又はその全額を切り捨てた額)
　イ　第六節の表の(六)の左欄の組織変更に際して認定承継会社から交付された当該認定承継会社の株式等以外の財産
　　で対象非上場株式等に係る経営承継相続人等が受けるものの価額
　ロ　イの組織変更がその効力を生ずる日の属する年の前年12月31日における対象非上場株式等に係る認定承継会社の
　　純資産額(第六節の(5)において「**組織変更前純資産額**」という。)のうち当該組織変更がその効力を生ずる直前に
　　おける当該対象非上場株式等の数又は金額に対応する部分の額に、相続時対象株式等の数又は金額(当該相続時対
　　象株式等に係る相続の開始の時から当該組織変更がその効力を生ずる直前までの間に当該相続時対象株式等の併合
　　があったことその他の(21)の財務省令で定める事由により当該相続時対象株式等の数又は金額が増加又は減少をし
　　ている場合には、当該増加又は減少をした後の数又は金額に換算した数又は金額)の当該組織変更がその効力を生
　　ずる直前における当該対象非上場株式等の数又は金額に対する割合を乗じて計算した金額

　(財務省令で定める相続時特例株式等の数又は金額が増加又は減少をしている事由)
(21)　(20)の(一)のロ、(二)のロ、(三)のロ、(四)のロ、(五)のロ、(六)のロ及び(七)のロに規定する財務省令で定める
　事由は、認定承継会社が合併により消滅したこと若しくは株式交換等により他の会社の株式交換完全子会社等となった
　こと又は認定贈与承継会社に係る対象受贈非上場株式等について株式の併合若しくは分割若しくは株式無償割当てがあ
　ったこととする。(措規23の10⑪により準用する措規23の9⑬)

　(合併前純資産額等の計算方法)
(22)　(20)の(二)のロ、(六)のロ及び(七)のロの純資産額は、それぞれ(20)の(二)のイの合併又は株式交換等、(20)の(六)
　のイの会社分割及び(20)の(七)のイの組織変更がその効力を生ずる日の属する年の前年12月31日における対象非上場株
　式等に係る認定承継会社の資産の額から負債の額を控除した残額とする。(措令40の8の2㉓)

　(読替え規定)
(23)　**1**の規定の適用がある場合における第一章第一節の**2**の(八)及び(九)の規定の適用については、同(八)中「認定贈
　与承継会社」とあるのは「認定承継会社」と、「経営承継受贈者」とあるのは「経営承継相続人等」と、同(九)中「認定
　贈与承継会社」とあるのは「認定承継会社」とする。(措令40の8の2㉔)

　(読替え規定)
(24)　第一章第一節の**2**の(27)の規定は、(23)の規定により同**2**の(八)の規定を読み替えて適用する場合について準用す
　る。(措規23の10⑫)

－1221－

第七編　非上場株式等に係る相続税・贈与税の納税猶予及び免除

（政令で定める認定承継会社の資産状況を確認する期間）

(25)　(23)の規定により読み替えて適用する第一章第一節の**2**の(八)に規定する政令で定める期間は、認定承継会社の**1**の規定の適用に係る相続の開始の日の属する事業年度の直前の事業年度の開始の日から当該認定承継会社に係る経営承継相続人等の**2**の(七)のロに規定する猶予中相続税額に相当する相続税の全部につき**1**、第五節の**1**、同**2**及び第六節、第三節の**2**、第四節又は第十節の(4)の規定による納税の猶予に係る期限が確定する日までの期間とする。ただし、認定承継会社の事業活動のために必要な資金の借入れを行ったことその他の(26)の財務省令で定める事由が生じたことにより当該期間内のいずれかの日において当該認定承継会社に係る特定資産の割合（(23)の規定により読み替えて適用する第一章第一節の**2**の(八)のイ及びハに掲げる金額の合計額に対する(23)の規定により読み替えて適用する同(八)のロ及びハに掲げる金額の合計額の割合をいう。）が100分の70以上となった場合には、当該事由が生じた日から同日以後6月を経過する日までの期間を除くものとする。（措令40の8の2㉕）

（財務省令で定める事由の準用）

(26)　第一章第一節の**2**の(26)の規定は、(25)のただし書に規定する財務省令で定める事由について準用する。（措規23の10⑬）

（剰余金の配当等の額その他当該会社から受けた金額として政令で定めるもの）

(27)　(23)の規定により読み替えて適用する第一章第一節の**2**の(八)のハに規定する剰余金の配当等の額その他会社から受けた金額として政令で定めるものは、次に掲げる金額の合計額とする。（措令40の8の2㉖）

(一)　(23)の規定により読み替えて適用する第一章第一節の**2**の(八)のハの会社から受けた当該会社の株式等に係る剰余金の配当又は利益の配当（最初の**1**の規定の適用に係る相続の開始の時（対象非上場株式等に係る認定承継会社の非上場株式等について、当該相続の開始の時前に第一章第一節の**1**の規定の適用に係る贈与により当該非上場株式等の取得をしている場合には、最初の同節の**1**の規定の適用に係る贈与の時。(二)及び第五節の**1**の(4)において同じ。）前に受けたものを除く。）の額

(二)　(一)の会社から支給された給与（債務の免除による利益その他の経済的な利益を含み、最初の**1**の規定の適用に係る相続の開始の時前に支給されたものを除く。）の額のうち、法人税法第34条又は第36条の規定により当該会社の各事業年度の所得の金額の計算上損金の額に算入されないこととなる金額

（認定承継会社から支給された給与等の意義）

(28)　(27)の(二)に規定する「給与（債務の免除による利益その他の経済的な利益」の意義については、第一章第一節の**2**の(31)《認定贈与承継会社から支給された給与等の意義》を準用する。

　この場合において、同(31)中「(30)の(二)」とあるのは「(27)の(二)」と、「対象受贈非上場株式等」とあるのは「対象非上場株式等」と、「認定贈与承継会社」とあるのは「認定承継会社」と、「経営承継受贈者及び当該経営承継受贈者と特別の関係がある者（(15)に規定する者をいう。）（以下(31)において**「当該経営承継受贈者等」**という。）」とあるのは「経営承継相続人等及び当該経営承継相続人等と特別の関係がある者（(14)に規定する者をいう。）（以下(28)において**「当該経営承継相続人等その他特別の関係がある者」**という。）」となることに留意する。（措通70の7の2-14の2）

（納税猶予の対象とならない資産保有型会社又は資産運用型会社の意義）

(29)　**2**の(一)のロの要件を判定する場合において、**2**の(八)に規定する資産保有型会社に該当するかどうかの判定は、相続の開始の日の属する事業年度の直前の事業年度の開始の日から当該相続に係る相続税の申告期限までの間のいずれかの日において次の(一)に掲げる算式を満たすかどうかにより行い、**2**の(九)に規定する資産運用型会社に該当するかどうかの判定は、相続の開始の日の属する事業年度の直前の事業年度の開始の日から当該相続に係る相続税の申告期限までの間に終了するいずれかの事業年度において次の(二)に掲げる算式を満たすかどうかにより行うのであるが、これらの会社のうち(4)の(一)及び(二)の要件の全てに該当するものに係る非上場株式等が、**1**の適用対象とならないことに留意する。（措通70の7の2-14）

(一)　$\dfrac{B+C}{A+C} \geqq \dfrac{70}{100}$

(注)1　上記算式中の符号は次のとおり。
A＝当該いずれかの日における当該会社の総資産の貸借対照表に計上されている帳簿価額の総額
B＝当該いずれかの日における当該会社の特定資産（現金、預貯金その他の資産であって(24)において準用する第一章第一節の**2**の(27)に規定するものをいう。以下(29)において同じ。）の貸借対照表に計上されている帳簿価額の合計額

－1222－

第二章　非上場株式等についての相続税の納税猶予及び免除
（第一節　特例適用の要件）

　　　　C＝当該いずれかの日以前5年以内において経営承継相続人等及び当該経営承継相続人等と特別の関係がある者（（14）に規定する者をいう。）がその会社から受けた次のa及びbに掲げる額の合計額

　　　　　a　当該会社から受けた当該会社の株式等に係る剰余金の配当又は利益の配当（最初の**1**の規定の適用に係る相続の開始の時（対象非上場株式等に係る認定承継会社の非上場株式等について、当該相続の開始の時前に対象贈与により当該非上場株式等の取得をしている場合には、最初の対象贈与の時。以下（29）において同じ。）前に受けたものを除く。）の額

　　　　　b　当該会社から支給された給与（債務の免除による利益その他の経済的な利益を含み、最初の**1**の規定の適用に係る相続の開始の時前に支給されたものを除く。）の額のうち、法人税法第34条又は第36条の規定により当該会社の各事業年度の所得の金額の計算上損金の額に算入されないこととなる金額

　　　　（注）　**2**の（八）に規定する資産保有型会社に該当するかどうかの判定において、（27）の（二）に規定する法人税法第34条又は第36条の規定により当該会社の各事業年度の所得の金額の計算上損金の額に算入されないこととなる金額がある場合で、当該損金の額に算入されないこととなる金額が、最初の**1**の規定の適用に係る相続の開始の時前又は当該相続の開始の時以後のいずれに属するものか区分することができないときは、当該区分することができない金額を当該相続の開始の日の属する事業年度の開始の日から当該相続の開始の日の前日までの日数と当該相続の開始の日から当該事業年度の末日までの日数がそれぞれ当該事業年度の日数に占める割合によりあん分する。この場合において、あん分後の金額に1円未満の端数があるときは、その端数金額を切り捨てて差し支えない。

　　　　2　認定承継会社の事業活動のために必要な資金の借入れを行ったことその他の（26）において準用する第一章第一節の**2**の（26）に規定する事由が生じたことにより、当該いずれかの日において当該認定承継会社が上記算式を満たした場合には、当該事由が生じた日から同日以後6月を経過する日までの期間は、資産保有型会社の判定に係る上記の期間から除かれることに留意する。

　（二）　$\dfrac{B}{A} \geqq \dfrac{75}{100}$

　　　（注）1　上記算式中の符号は次のとおり。

　　　　　　A＝当該いずれかの事業年度における総収入金額

　　　　　　B＝当該いずれかの事業年度における特定資産の運用収入の合計額

　　　　　2　認定承継会社の事業活動のために必要な資金を調達するために特定資産を譲渡したことその他の（31）において準用する第一章第一節の**2**の（34）に規定する事由が生じたことにより、当該いずれかの事業年度において当該認定承継会社が上記算式を満たした場合には、当該いずれかの事業年度の開始の日から当該いずれかの事業年度終了の日の翌日以後6月を経過する日の属する事業年度終了の日までの期間は、資産運用型会社の判定に係る上記の期間から除かれることに留意する。

　　　（政令で定める期間）

（30）　（23）の規定により読み替えて適用する第一章第一節の**2**の（九）に規定する政令で定める期間は、認定承継会社の**1**の規定の適用に係る相続の開始の日の属する事業年度の直前の事業年度の開始の日から当該認定承継会社に係る経営承継相続人等の猶予中相続税額に相当する相続税の全部につき**1**又は第五節の**1**、同**2**及び第六節、第三節の**2**、第四節若しくは第十節の（4）の規定による納税の猶予に係る期限が確定する日の属する事業年度の直前の事業年度終了の日までの期間とする。ただし、認定承継会社の事業活動のために必要な資金を調達するために特定資産を譲渡したことその他の（31）の財務省令で定める事由が生じたことにより当該期間内に終了するいずれかの事業年度における当該認定承継会社に係る総収入金額に占める特定資産の運用収入の割合が100分の75以上となった場合には、当該事業年度の開始の日から当該事業年度終了の日の翌日以後6月を経過する日の属する事業年度終了の日までの期間を除くものとする。（措令40の8の2㉗）

　　　（財務省令で定める事由の準用）

（31）　第一章第一節の**2**の（34）の規定は、（30）のただし書に規定する財務省令で定める事由について準用する。（措規23の10⑭）

3　納税猶予分の相続税額の計算

①　認定承継会社が1社である場合の納税猶予分の相続税額の計算

　　2の（五）のイに規定する経営承継相続人等の相続税の額は、同イ規定する対象非上場株式等の価額（第一編第四章第二節三の**1**の規定により控除すべき債務がある場合において、控除未済債務額があるときは、当該対象非上場株式等の価額から当該控除未済債務額を控除した残額。以下①において「**特定価額**」という。）を当該経営承継相続人等に係る相続税の課税価格とみなして、第一編第四章第二節三から第一編第六章第三節まで、第三編第一章第三節一の（1）及び三の（2）並びに二の（1）及び三の（3）の規定を適用して計算した当該経営承継相続人等の相続税の額（当該経営承継相続人等が第一編第六章第四節から第八節まで、第三編第一章第三節一、二、三の規定の適用を受ける者である場合において、当該経営承継相続人等に係る**1**に規定する納付すべき相続税の額の計算上これらの規定により控除された金額の合計額が次の各号

－1223－

に掲げる金額の合計額を超えるときは、当該超える部分の金額を控除した残額）とする。（措令40の8の2⑬）

（一） 特定価額に100分の20を乗じて計算した金額を当該経営承継相続人等に係る相続税の課税価格とみなして、第一編第四章第二節三から同編第六章第三節まで、第三編第一章第三節一の（1）及び三の（2）並びに二の（1）及び三の（3）の規定を適用して計算した当該経営承継相続人等の相続税の額

（二） イに掲げる金額からロに掲げる金額を控除した残額

イ 第一編第四章から第六章まで、第三編第一章第三節一の（1）及び三の（2）並びに二の（1）及び三の（3）の規定を適用して計算した当該経営承継相続人等の相続税の額

ロ 特定価額を当該経営承継相続人等に係る相続税の課税価格とみなして、第一編第四章第二節三から第一編第六章第三節まで、第三編第一章第三節一の（1）、二の（1）及び三の（1）、（3）の規定を適用して計算した当該経営承継相続人等の相続税の額

（「控除未済債務額」とは）

（1） ①の「控除未済債務額」とは、（一）に掲げる金額から（二）に掲げる金額を控除した金額（当該金額が零を下回る場合には、零とする。）をいう。（措令40の8の2⑭）

（一） 第一編第四章第二節三の規定により控除すべき経営承継相続人等の負担に属する部分の金額

（二） （一）の経営承継相続人等に係るイに掲げる価額とロに掲げる金額との合計額からハに掲げる価額を控除した残額

イ 当該経営承継相続人等が1の規定の適用に係る相続又は遺贈により取得した財産の価額

ロ 当該経営承継相続人等が被相続人からの贈与により取得した財産で第三編第一章第一節二の（1）の規定の適用を受けるものの価額から同編第二節一の（1）の規定（同節三の規定を含む。）による控除をした残額

ハ 2の（五）のイに規定する対象非上場株式等の価額

（注） 改正後の（1）の規定は、令和6年1月1日以後に贈与（贈与をした者の死亡により効力を生ずる贈与を除く。以下同じ。）により財産を取得する者（以下「改正後受贈者」という。）に係る新規定に規定する控除未済債務額について適用し、令和5年12月31日以前に贈与により財産を取得した者（改正後受贈者を除く。）に係る改正前の（1）に規定する控除未済債務額については、なお従前の例による。（令5改措令附則14⑦）

（経営承継相続人等の相続税の額）

（2） 2の（五）のロに規定する経営承継相続人等の相続税の額は、①の（一）に掲げる金額とする。（措令40の8の2⑮）

（納税猶予分の相続税額の端数処理）

（3） 2の（五）に規定する納税猶予分の相続税額に100円未満の端数があるとき、又はその全額が100円未満であるときは、その端数金額又はその全額を切り捨てる。（措令40の8の2⑯）

（認定承継会社等が外国会社、上場会社又は医療法人の株式等を有する場合の納税猶予分の相続税額の計算の基となる対象非上場株式等の価額）

（4） 対象非上場株式等について1の規定の適用を受ける場合において、相続の開始の時に、対象非上場株式等に係る認定承継会社又は当該認定承継会社の特別関係会社（2の（6）の特別の関係がある会社をいう。以下第十節の（9）までにおいて同じ。）であって当該認定承継会社との間に支配関係がある法人（以下②の（3）までにおいて「特別支配関係法人」という。）が会社法第2条第2号に規定する外国会社（当該認定承継会社の特別関係会社に該当するものに限る。）、2の（18）の（一）に掲げる法人（当該認定承継会社が資産保有型会社等に該当する場合に限る。）又は同（18）の（二）に掲げる医療法人（以下②の（3）までにおいて「外国会社等」という。）の株式等（投資信託及び投資法人に関する法律第2条第14項に規定する投資口を含む。）を有するときにおける納税猶予分の相続税額の計算の基となる当該対象非上場株式等の価額は、当該認定承継会社又は当該認定承継会社の特別支配関係法人の株式等の価額の計算において適用する評価基本通達の定めを基礎とし、次に掲げる場合の区分により計算した価額となることに留意する。

この場合において、「当該外国会社等の株式等を有していなかったものとして計算した」価額とは、当該対象非上場株式等の価額を評価基本通達の定めにより計算した価額を基礎とし、当該認定承継会社又は当該認定承継会社の特別支配関係法人が有していなかったものとされる外国会社等の株式等の価額及び当該外国会社から受けた配当金に相当する金額を除外したところで計算した場合の当該株式等の価額とする。（措通70の7の2−16）

（一） 当該認定承継会社が外国会社等の株式等を有する場合

当該認定承継会社が当該外国会社等の株式等を有していなかったものとして計算した価額

（注） 上記価額の計算に当たっては、当該外国会社等との間に支配関係がある他の外国会社等の株式等について考慮する必要がないことに留意する。

（二） 当該認定承継会社の特別支配関係法人が外国会社等の株式等を有する場合（当該特別支配関係法人が上記（一）の

第二章　非上場株式等についての相続税の納税猶予及び免除
（第一節　特例適用の要件）

認定承継会社が有する株式等に係る外国会社等である場合を除く。）

当該特別支配関係法人が当該外国会社等の株式等を有していなかったものとして計算した当該特別支配関係法人の株式等の価額を基に当該認定承継会社の株式等の価額を計算して得た価額

（注）　上記価額の計算に当たっては、当該外国会社等との間に支配関係がある他の外国会社等の株式等について考慮する必要がないことに留意する。

②　認定承継会社が２社以上である場合の納税猶予分の相続税額の計算

1に規定する対象非上場株式等に係る認定承継会社が二以上ある場合における納税猶予分の相続税額の計算においては、当該対象非上場株式等に係る経営承継相続人等が被相続人から1の規定の適用に係る相続又は遺贈により取得をした全ての認定承継会社の2の（五）のイに規定する対象非上場株式等の価額の合計額（第一編第四章第二節三の1の規定により控除すべき債務がある場合において、①の（1）に規定する控除未済債務額があるときは、当該対象非上場株式等の価額の合計額から当該控除未済債務額を控除した残額）を当該経営承継相続人等に係る相続税の課税価格とみなす。（措令40の8の2⑰）

（認定承継会社の異なるものごとの納税猶予分の相続税額の端数処理）
（1）　②の場合において、1に規定する対象非上場株式等に係る認定承継会社の異なるものごとの納税猶予分の相続税額は、（一）に掲げる金額に（二）に掲げる割合を乗じて計算した金額とする。この場合において、当該計算した金額に100円未満の端数があるとき、又はその全額が100円未満であるときは、その端数金額又はその全額を切り捨てる。（措令40の8の2⑱）
（一）　②の規定を適用して計算した納税猶予分の相続税額
（二）　1に規定する対象非上場株式等に係る認定承継会社の異なるものごとの2の（五）のイに規定する対象非上場株式等の価額が1の規定の適用に係る相続又は遺贈により取得をした全ての当該対象非上場株式等の価額の合計額に占める割合

（認定承継会社の異なるものごとの適用）
（2）　②の場合において、第三節の2、第四節、第五節の1、2、第六節、第七節の1、2、3、第十節の（4）の規定は、1に規定する対象非上場株式等（合併により当該対象非上場株式等に係る認定承継会社が消滅した場合その他の第五節の1の（1）の財務省令で定める場合には、当該対象非上場株式等に相当するものとして同（1）の財務省令で定めるもの。）に係る認定承継会社の異なるものごとに適用するものとする。（措令40の8の2㉑）

（対象非上場株式等に係る認定承継会社が２以上ある場合の納税猶予分の相続税額の計算）
（3）　対象非上場株式等に係る認定承継会社が２以上ある場合における納税猶予分の相続税額の計算は、次の順により行うことに留意する。
この場合において、経営承継相続人等が二以上あるときにおける当該計算は、それぞれの経営承継相続人等ごとに行うことに留意する。（措通70の7の2－16の2）
（一）　当該対象非上場株式等に係る経営承継相続人等が被相続人から1の規定の適用に係る相続又は遺贈により取得をした全ての認定承継会社の当該対象非上場株式等の価額の合計額（①の（1）に規定する控除未済債務額を控除した金額）を当該経営承継相続人等に係る相続税の課税価格とみなして、2の（五）の規定により計算する（①の（3）の規定による100円未満の端数処理は行わない。）。
（注）　相続の開始の時において、対象非上場株式等に係る認定承継会社又は当該認定承継会社の特別支配関係法人が外国会社等の株式等を有する場合の納税猶予分の相続税額の計算の基となる当該対象非上場株式等の価額については、①の（4）の取扱いによることに留意する。
（二）　（1）の規定により、当該対象非上場株式等に係る認定承継会社の異なるものごとの納税猶予分の相続税額を計算する（（1）の規定による100円未満の端数処理を行う。）。
（三）　上記（二）により算出されたそれぞれの納税猶予分の相続税額の合計額が、当該経営承継相続人等に係る納税猶予分の相続税額となる。

（２以上の認定承継会社がある場合の担保の取扱い）
（4）　対象非上場株式等に係る認定承継会社が２以上ある場合、1に係る担保の提供手続き、第二節の2に係るみなす充足の取扱い、第四節に係る納税猶予の期限の繰り上げの取扱いに当たっては、認定承継会社の異なるものごとの納税猶予分の相続税額にそれぞれの規定を適用することに留意する。（措通70の7の2－48）

－1225－

第七編　非上場株式等に係る相続税・贈与税の納税猶予及び免除

③　農地等についての相続税の納税猶予等の特例の適用がある場合の納税猶予分の相続税額の計算

　納税猶予分の相続税額を計算する場合において、1の規定の適用を受ける経営承継相続人等に係る被相続人から相続又は遺贈により財産の取得をした者のうちに第四編第二章《農地等についての相続税の納税猶予及び免除等》第一節の1の規定の適用を受ける者があるときにおける当該財産の取得をした全ての者に係る相続税の課税価格は、同第二章第二節の1の(一)の規定により計算される相続税の課税価格とする。（措令40の8の2⑲）

④　農地等についての相続税の納税猶予制度との調整

　1の規定の適用を受ける経営承継相続人等が次の(一)から(五)に掲げる規定の適用を受ける者である場合において、当該(一)から(五)に定める税額と調整前株式等猶予税額（納税猶予分の相続税額で①から③までの規定により計算されたものをいう。）との合計額が猶予可能税額（当該経営承継相続人等が1の規定及び当該(一)から(五)に掲げる規定の適用を受けないものとした場合における当該経営承継相続人等が納付すべき相続税の額をいう。）を超えるときにおける1に規定する対象非上場株式等に係る納税猶予分の相続税額は、当該猶予可能税額に当該調整前株式等猶予税額が当該合計額に占める割合を乗じて計算した金額とする。この場合において、当該計算した金額に100円未満の端数があるときは、その端数金額を切り捨てる。（措令40の8の2⑳）

(一)　第四編第二章第一節の1《農地等についての相続税の納税猶予等》　調整前農地等猶予税額（第四編第二章第二節の2の(3)に規定する調整前農地等猶予税額をいう。）

(二)　第四編第三章第一節の1《山林についての相続税の納税猶予》　調整前山林猶予税額（第四編第二章第二節の2の(3)の(一)に規定する調整前山林猶予税額をいう。）

(三)　第五編第一節の1《特定の美術品についての相続税の納税猶予及び免除》　調整前美術品猶予税額（第四編第二章第二節の2の(3)の(二)に規定する調整前美術品猶予税額をいう。）

(四)　第六編第三章第一節の1《個人の事業用資産についての相続税の納税猶予及び免除》　調整前事業用資産猶予税額（第四編第二章第二節の2の(3)の(三)に規定する調整前事業用資産猶予税額をいう。）

(五)　第八編第三章第一節《医療法人の持分についての相続税の納税猶予及び免除》　調整前持分猶予税額（第四編第二章第二節の2の(3)の(五)に規定する調整前持分猶予税額をいう。）

第二節　特例の適用を受けるための手続

1　申告手続

　　第一節の**1**の規定は、同**1**の規定の適用を受けようとする経営承継相続人等のその被相続人から相続又は遺贈により取得をした非上場株式等に係る相続税の申告書に、当該非上場株式等の全部若しくは一部につき同**1**の規定の適用を受けようとする旨の記載がない場合又は当該非上場株式等の明細及び納税猶予分の相続税額の計算に関する明細その他（2）の財務省令で定める事項を記載した書類の添付がない場合には、適用しない。（措法70の7の2⑨）

　　　（未分割の非上場株式等）
（1）　第一節の**1**の相続に係る相続税の申告書の提出期限までに、当該相続又は遺贈により取得をした非上場株式等の全部又は一部が共同相続人又は包括受遺者によってまだ分割されていない場合における同**1**の規定の適用については、その分割されていない非上場株式等は、当該相続税の申告書に同**1**の規定の適用を受ける旨の記載をすることができないものとする。（措法70の7の2⑦）

　　　（添付書類の記載事項）
（2）　**1**に規定する財務省令で定める事項を記載した書類は、次に掲げる書類とする。（措規23の10㉒）
　（一）　次に掲げる事項を記載した書類
　　イ　経営承継相続人等に係る第一節の**1**に規定する被相続人の死亡による同**1**の規定の適用に係る相続の開始があったことを知った日
　　ロ　その他参考となるべき事項
　（二）　（一）のイの相続の開始の時における認定承継会社の定款の写し（会社法その他の法律の規定により定款の変更をしたものとみなされる事項がある場合にあっては、当該事項を記載した書面を含む。第三節の**1**の（2）及び第七節の**1**の（3）の（一）において同じ。）
　（三）　（一）のイの相続の開始の直前及び当該相続の開始の時における認定承継会社等の株主名簿の写しその他の書類で当該認定承継会社等の全ての株主又は社員の氏名又は名称及び住所又は所在地並びにこれらの者が有する当該認定承継会社等の株式等に係る議決権の数が確認できるもの（当該認定承継会社等が証明したものに限る。）
　（四）　（一）のイの相続の開始があったことを知った日が当該相続の開始の日と異なる場合にあっては、当該相続に係る経営承継相続人等が当該相続の開始があったことを知った日を明らかにする書類
　（五）　遺言書の写し、財産の分割の協議に関する書類（当該書類に当該相続に係る全ての共同相続人及び包括受遺者が自署し、自己の印を押しているものに限る。）の写し（当該自己の印に係る印鑑証明書が添付されているものに限る。）その他の財産の取得の状況を明らかにする書類
　（六）　円滑化省令第7条第14項の認定書（円滑化省令第6条第1項第8号又は第10号の事由に係るものに限る。）の写し及び円滑化省令第7条第3項（同条第5項において準用する場合を含む。以下（六）において同じ。）の申請書の写し（同条第3項の規定に基づき都道府県知事に提出されたものであって、第一節の**2**の（三）イからへまでに掲げる要件の全てを満たす者が二以上ある場合には、認定承継会社が定めた一の者の記載があるものに限る。）
　（七）　第十節の（2）に規定する現物出資等資産に該当するものがある場合にあっては、同（2）の（一）の及び（二）に掲げる額並びに当該現物出資等資産の明細並びにその現物出資又は贈与をした者の氏名又は名称その他参考となるべき事項を記載した書類（当該現物出資等資産を取得した認定承継会社が証明したものに限る。）
　（八）　その他参考となるべき書類

　　　（相次相続控除の算式）
（3）　第2次相続に係る被相続人が第一節の**1**の規定の適用を受けていた場合又は第2次相続により財産を取得した者のうちに同**1**の規定の適用を受ける者がある場合における相次相続控除額は、第一編第六章第七節《相次相続控除》の**1**の（3）に準じて算出することに留意する。
　　この場合において、同（3）中のAは、当該被相続人が当該納税猶予の適用を受けていた場合には、第七節の**1**、同節の**2**又は同節の**3**の規定により免除された相続税額以外の税額に限ることに留意する。（措通70の7の2−8）

−1227−

（修正申告等に係る相続税額の納税猶予）
（４）　第一節の**1**の規定の適用を受ける旨の相続税の申告について対象非上場株式等の評価又は税額計算の誤りがあり、その誤りのみに基づいて修正申告又は更正があった場合における当該修正申告又は更正により納付すべき相続税額（附帯税を除く。）については、第一章第二節の**1**の（５）を準用する。（措通70の７の２−９）

2　担保の変更等

　第一節の**1**の規定の適用を受けようとする経営承継相続人等が納税猶予分の相続税額につき対象非上場株式等の全てを担保として提供した場合には、当該対象非上場株式等の価額の合計額が当該納税猶予分の相続税額に満たないときであっても、同**1**の規定の適用については、当該納税猶予分の相続税額に相当する担保が提供されたものとみなす。ただし、その後において、その提供された担保の全部又は一部につき変更があった場合その他の（１）の政令で定める場合に該当することとなった場合は、この限りでない。（措法70の７の２⑥）

（政令で定める提供された担保の全部又は一部につき変更があった場合）
（１）　**2**に規定する政令で定める場合は、次に掲げる場合とする。（措令40の８の２㊴）
　（一）　**2**本文の規定により提供された担保の全部又は一部につき変更があった場合
　（二）　**2**本文の規定により担保として提供された対象非上場株式等に係る認定承継会社が、当該対象非上場株式等に係る株券を発行する旨の定款の定めを廃止する定款の変更をした場合（税務署長に対し書面によりその旨の通知があった場合において、当該定款の変更がその効力を生ずる日までに第一節の**1**の（３）に規定する方法により担保の提供が行われたときを除く。）
　（三）　**2**本文の規定により担保として提供された対象非上場株式等に係る認定承継会社（株券不発行会社であるものに限る。）が、当該対象非上場株式等に係る株券を発行する旨の定款の定めを設ける定款の変更をした場合（税務署長に対し書面によりその旨の通知があった場合において、当該定款の変更がその効力を生ずる日までに国税通則法施行令第16条に定める手続により担保の提供が行われたときを除く。）

（みなす充足に該当しないこととなる事由）
（２）　（１）の（一）の「担保の全部又は一部につき変更があった場合」とは、例えば、次のようなものをいうことに留意する。（措通70の７の２−31）
　（一）　担保として提供された対象非上場株式等に係る認定承継会社が合併により消滅した場合
　（二）　担保として提供された対象非上場株式等に係る認定承継会社が株式交換等により他の会社の株式交換完全子会社等になった場合
　（三）　担保として提供された対象非上場株式等に係る認定承継会社が組織変更した場合
　（四）　担保として提供された対象非上場株式等である株式の併合又は分割があった場合
　（五）　担保として提供された対象非上場株式等に係る認定承継会社が会社法第185条に規定する株式無償割当てをした場合
　（六）　担保として提供された対象非上場株式等に係る認定承継会社の名称変更があったことその他の事由により担保として提供された当該対象非上場株式等に係る株券の差替えの手続が必要となった場合
　（七）　担保財産の変更等が行われたため、対象非上場株式等の全てが担保として提供されていないこととなった場合
　（八）　担保として提供された対象非上場株式等について、第十節の（７）に掲げる要件に該当しないこととなった場合

（特定事由により担保の全部又は一部を解除することがやむを得ないと認められる場合）
（３）　対象非上場株式等（**2**本文の規定により担保として提供されたものに限る。）に係る認定承継会社について合併（合併により当該認定承継会社が消滅する場合に限る。）、株式交換その他の事由（以下（３）及び（５）において「**特定事由**」という。）が生じ、又は生ずることが確実であると認められ、かつ、その提供された担保の全部又は一部を解除することがやむを得ないと認められる場合において、当該対象非上場株式等に係る経営承継相続人等が当該特定事由が生じた後遅滞なく対象非上場株式等の全部又は一部を再び担保として提供することが確実であると見込まれるときは、税務署長は、当該経営承継相続人等の申請に基づき、その提供された担保の全部又は一部を解除することができる。この場合において、**2**ただし書の規定の適用については、次に定めるところによる。（措令40の８の２㊵）
　（一）　当該担保の解除は、なかったものとみなす。
　（二）　当該経営承継相続人等が、対象非上場株式等の全部又は一部について、当該特定事由が生じた日から２月を経過する日（当該経営承継相続人等が同日までに再び担保として提供することができないことにつき税務署長においてや

−1228−

第二章　非上場株式等についての相続税の納税猶予及び免除
（第二節　特例の適用を受けるための手続）

むを得ない事情があると認める場合には、税務署長の指定する日）までに再び担保として提供しなかった場合には、同日において国税通則法第51条第1項の規定による命令に応じなかったものとみなす。

（特定事由）
（4）　（3）に規定する「特定事由」とは、（2）の（一）から（六）に掲げるようなものをいうことに留意する。（措通70の7の2－34）

（申請書の提出）
（5）　（3）の申請は、特定事由が生じた日から1月を経過する日までに、（3）の対象非上場株式等について（3）の規定の適用を受けようとする旨その他（6）の財務省令で定める事項を記載した申請書に（7）の財務省令で定める書類を添付したものをもってしなければならない。（措令40の8の2㊶）

（申請書の記載事項）
（6）　（5）に規定する財務省令で定める事項は、（3）の規定により担保の解除を受けようとする理由、当該担保の解除を受けようとする対象非上場株式等の数又は金額及び（3）の特定事由が生じた日又は生ずると見込まれる日とする。（措規23の10⑳により準用する措規23の9㉒）

（申請書の添付書類）
（7）　（5）に規定する財務省令で定める書類は、次に掲げる書類とする。（措規23の10㉑）
　（一）　（3）の規定の適用を受けようとする経営承継相続人等が（3）に規定する特定事由が生じた日から2月を経過する日までに対象非上場株式等を再び担保として提供することを約する書類
　（二）　合併契約書、株式交換契約書若しくは株式移転計画書の写し又は登記事項証明書その他の書類で（一）の特定事由が生じた日又は生ずると見込まれる日を明らかにする書類
　（三）　その他参考となるべき書類

（担保の提供等）
（8）　第一節の1の規定による担保の提供については、国税通則法第50条から第54条までの規定の適用があることに留意する。（措通70の7の2－10）

（相続税の額に相当する担保）
（9）　第一節の1に規定する「当該納税猶予分の相続税額に相当する担保」とは、納税猶予に係る相続税の本税の額と当該本税に係る納税猶予期間中の利子税の額との合計額に相当する担保をいうことに留意する。
　　なお、この場合の当該本税に係る猶予期間中の利子税の額は、同1の規定の適用に係る相続税の申告書の提出期限における経営承継相続人等の平均余命年数を納税猶予期間として計算した額によるものとして取り扱うことに留意する。（措通70の7の2－11）

（持分会社の持分が担保提供された場合）
（10）　2本文により認定承継会社（持分会社又は株券不発行会社に限る。）の持分又は株式を担保として提供を受け質権を設定した場合には、納税猶予期間中においては、当該持分又は株式から生じる配当その他の利益処分については、税務署長はその支払い又は引渡し等を受けないことに留意する。（措通70の7の2－12）

（担保財産の変更等が行われた場合のみなす充足）
（11）　2本文の規定は、第一節の1の規定の適用を受けようとする場合に対象非上場株式等の全てを担保として提供したときに適用されるものであることから、第一節の1の規定の適用を受けるに当たり対象非上場株式等以外の財産を担保として提供したこと等により2本文の規定が適用されなかった場合又は2本文の規定が適用されたものの担保の全部若しくは一部につき変更があったため2ただし書に該当した場合には、その後に担保財産の変更を行った結果、対象非上場株式等の全てを担保提供している状況が生じても、その時点から2本文の規定が適用されるものではないことに留意する。
　　ただし、2本文の規定が適用されたものの担保の全部又は一部につき変更があったため2ただし書に該当した場合であっても、担保として提供している対象非上場株式等について（3）に規定する特定事由が生じた又は生じることが確実

－1229－

第七編　非上場株式等に係る相続税・贈与税の納税猶予及び免除

と認められるため、（3）の規定に基づき、当該対象非上場株式等に対応するものとして新たに取得した対象非上場株式等の全部が担保として提供されたときには、（3）の（一）の規定により当該担保の解除はなかったものとみなすことから、**2**本文の規定が継続して適用されることに留意する。（措通70の7の2－32）

（譲渡制限株式の担保の取扱い）

(12)　対象非上場株式等の全てが担保として提供される場合には、当該対象非上場株式等が会社法第107条第1項第1号又は同法第108条第1項第4号の規定により譲渡に制限が付されているものであっても、**2**の規定により、納税猶予分の相続税額に相当する担保が提供されたものとみなすことに留意する。（措通70の7の2－33）

－1230－

第三節　納税猶予期間中の継続届出書の提出

1　継続届出書の提出

　第一節の**1**の規定の適用を受ける経営承継相続人等は、同**1**の相続に係る相続税の申告書の提出期限の翌日から猶予中相続税額に相当する相続税の全部につき同**1**、第五節の**1**、同**2**及び第六節、第三節の**2**、第四節又は第十節の（4）の規定による納税の猶予に係る期限が確定する日までの間に経営報告基準日が存する場合には、届出期限（第1種基準日の翌日から5月を経過する日及び第2種基準日の翌日から3月を経過する日をいう。第五節の**3**の（1）、**2**及び第三節の**2**の（1）において同じ。）までに、（1）の政令で定めるところにより引き続いて第一節の**1**の規定の適用を受けたい旨及び同**1**の対象非上場株式等に係る認定承継会社の経営に関する事項を記載した届出書を納税地の所轄税務署長に提出しなければならない。（措法70の7の2⑩）

　（継続届出書の記載事項）
（1）　**1**の規定により提出する届出書には、引き続いて第一節の**1**の規定の適用を受けたい旨及び次に掲げる事項を記載し、かつ、（2）の財務省令で定める書類を添付しなければならない。（措令40の8の2㊷）
　（一）　経営承継相続人等の氏名及び住所
　（二）　被相続人から相続又は遺贈により対象非上場株式等の取得をした年月日
　（三）　対象非上場株式等に係る認定承継会社の名称及び本店の所在地
　（四）　当該届出書を提出する日の直前の第一節の**2**の（七）に規定する経営報告基準日までに終了する各事業年度（当該経営報告基準日の直前の経営報告基準日及び第一節の**1**に規定する相続税の申告書の提出期限までに終了する事業年度を除く。）における総収入金額
　（五）　その他（3）の財務省令で定める事項

　（継続届出書の添付書類）
（2）　（1）に規定する財務省令で定める書類は、対象非上場株式等に係る認定承継会社に係る次に掲げる書類（その経営報告基準日（第一節の**2**の（七）に規定する経営報告基準日をいう。以下（2）において同じ。）が、第一節の**2**の（六）のイ又はロに掲げる日のいずれか早い日以前である場合には（二）に掲げる書類を除き、当該いずれか早い日の翌日以後である場合には（四）に掲げる書類を除く。）とする。（措規23の10㉓）
　（一）　その経営報告基準日における定款の写し
　（二）　登記事項証明書（その経営報告基準日以後に作成されたものに限る。）
　（三）　その経営報告基準日における株主名簿の写しその他の書類で株主又は社員の氏名又は名称及び住所又は所在地並びにこれらの者が有する株式等に係る議決権の数が確認できる書類（当該認定承継会社が証明したものに限る。）
　（四）　円滑化省令第12条第4項（同条第15項において準用する場合を含む。）の報告書の写し及び当該報告書に係る同条第37項の確認書の写し
　（五）　その経営報告基準日（以下（五）及び（5）において「報告基準日」という。）の直前の経営報告基準日（当該報告基準日が最初の経営報告基準日である場合には、第一節の**1**の規定の適用に係る相続に係る同**1**に規定する相続税の申告書の提出期限（以下本章において「相続税の申告書の提出期限」という。）。（5）において同じ。）の翌日から当該報告基準日までの間に会社分割又は組織変更があった場合には、当該会社分割に係る吸収分割契約書若しくは新設分割計画書の写し又は当該組織変更に係る組織変更計画書の写し
　（六）　その他参考となるべき書類

　（継続届出書のその他の記載事項）
（3）　（1）の（五）に規定する財務省令で定める事項は、次に掲げる事項とする。（措規23の10㉕）
　（一）　その経営報告基準日における第一節の**2**の（七）のロに規定する猶予中相続税額（以下（3）において「**猶予中相続税額**」という。）
　（二）　その経営報告基準日において経営承継相続人等が有する対象非上場株式等の数又は金額及び当該経営承継相続人等に係る被相続人の氏名
　（三）　その経営報告基準日が第一節の**2**の（六）のイ又はロに掲げる日のいずれか早い日の翌日以後である場合には、認定承継会社に係る次に掲げる事項（当該経営報告基準日（以下（3）及び（4）において「**報告基準日**」という。）の直前

－1231－

第七編　非上場株式等に係る相続税・贈与税の納税猶予及び免除

の経営報告基準日の翌日から当該報告基準日までの間において、認定承継会社が第一節の**2**の（八）に規定する資産保有型会社又は同**2**の（九）に規定する資産運用型会社（第七節の**1**の（2）の（八）において「資産保有型会社等」という。）であるとした場合に第五節の**1**の（11）の（二）のイからハまでに掲げる要件の全てを満たしているときは、その旨及びイに掲げる事項）

イ　当該報告基準日の属する事業年度の直前の事業年度末における資本金の額及び準備金の額又は出資の総額

ロ　当該報告基準日の属する事業年度の直前の事業年度末における第一節の**2**の（23）の規定により読み替えて適用する第一章第一節の**2**の（八）のイからハまでに掲げる額、これらの明細及び同**2**の（八）の割合

ハ　当該報告基準日の属する事業年度の直前の事業年度における第一節の**2**の（23）の規定により読み替えて適用する第一章第一節の**2**の（九）の総収入金額、運用収入の合計額、これらの明細及び同**2**の（九）の割合

ニ　当該報告基準日の直前の経営報告基準日の翌日から当該報告基準日までの間に第一節の**2**の（25）のただし書又は同**2**の（30）のただし書に規定する場合に該当することとなった場合には、次に掲げる事項

①　第一節の**2**の（25）のただし書又は同**2**の（30）のただし書に規定する事由の詳細及びこれらの事由の生じた年月日

②　第一節の**2**の（25）のただし書の割合を100分の70未満に減少させた事情又は同**2**の（30）のただし書の割合を100分の75未満に減少させた事情の詳細及びこれらの事情の生じた年月日又は事業年度

（四）　報告基準日の直前の経営報告基準日（当該報告基準日が最初の経営報告基準日である場合には、相続税の申告書の提出期限。（五）において同じ。）の翌日から当該報告基準日までの間に認定承継会社が商号の変更をした場合、本店の所在地を変更した場合、合併により消滅した場合、株式交換等により他の会社の株式交換完全子会社等となった場合、会社分割をした場合、組織変更をした場合又は解散（会社法その他の法律の規定により解散をしたものとみなされる場合の当該解散を含む。）をした場合には、その旨

（五）　報告基準日の直前の経営報告基準日の翌日から当該報告基準日までの間に経営承継相続人等につき第五節の**2**又は第六節の規定により納税の猶予に係る期限が確定した猶予中相続税額がある場合には、第五節の**2**の表の（一）及び（二）の左欄又は第六節の表の（一）から（六）の左欄のいずれの場合に該当したかの別及び該当した日並びに当該猶予中相続税額及びその明細

（六）　第七節の**3**の規定の適用を受けた場合（報告基準日の直前の経営報告基準日の翌日から当該報告基準日までの間に第七節の**3**の（3）の規定による再計算免除相続税の額の通知があった場合に限る。）には、第七節の**3**の規定の適用を受けた旨、同**3**に規定する認可決定日並びに同**3**の（二）に掲げる金額及び同**3**に規定する再計算免除相続税の額

（七）　その他参考となるべき事項

（期間の末日が報告基準日後に到来する場合）

（4）　第一節の**2**の（25）のただし書又は同**2**の（30）のただし書に規定する期間の末日が報告基準日後に到来する場合には、**1**の届出書に（3）の（三）のニの②に掲げる事項を記載することを要しない。この場合において、経営承継相続人等は、当該期間の末日から２月を経過する日（同日が当該届出書に係る**1**に規定する届出期限前に到来する場合には、当該届出期限）までに次に掲げる事項を記載した書類を納税地の所轄税務署長に提出しなければならない。（措規23の10㉖）

（一）　経営承継相続人等の氏名及び住所

（二）　対象非上場株式等に係る認定承継会社の名称及び本店の所在地

（三）　（3）の（三）のニの②に掲げる事項

（直前の経営報告基準日の翌日から経営報告基準日までの間に合併又は株式交換等があった場合）

（5）　第一節の**1**に規定する経営承継相続人等は、その有する対象非上場株式等に係る認定承継会社について報告基準日の直前の経営報告基準日の翌日から当該報告基準日までの間に合併又は株式交換等があった場合には、次に掲げる書類（第一節の**2**の（六）のイ又はロに掲げる日のいずれか早い日までに合併又は株式交換等があった場合には（一）に掲げる書類を除き、当該いずれか早い日の翌日以後に合併又は株式交換等があった場合には、（二）のロに掲げる書類を除く。）を（2）の書類と併せて（1）の届出書に添付しなければならない。（措規23の10㉔）

（一）　当該合併又は株式交換等に係る合併契約書又は株式交換契約書若しくは株式移転計画書の写し

（二）　次に掲げる書類（当該合併又は株式移転により合併承継会社又は交換等承継会社が設立される場合には、当該合併又は株式移転がその効力を生ずる直前に係るものを除く。）

イ　当該合併又は株式交換等がその効力を生ずる日における当該合併承継会社又は交換等承継会社の株主名簿その他の書類で当該合併承継会社又は交換等承継会社の全ての株主又は社員の氏名又は名称及び住所又は所在地並びにこ

－1232－

第二章　非上場株式等についての相続税の納税猶予及び免除
（第三節　納税猶予期間中の継続届出書の提出）

れらの者が有する当該認定承継会社の株式等に係る議決権の数が確認できる書類（当該合併承継会社又は交換等承継会社が証明したものに限る。）

ロ　当該合併又は株式交換等に係る円滑化省令第12条第9項又は第10項（これらの規定を同条第18項において準用する場合を含む。）の報告書の写し及び当該報告書に係る同条第37項の確認書の写し

（継続届出書の提出期間）

（6）　1に規定する届出書は、第一節の1の相続に係る第一節の2の(七)のイに規定する第1種基準日の翌日から5月を経過するごとの日及び同(七)のロに規定する第2種基準日の翌日から3月を経過するごとの日までに提出しなければならないのであるが、その提出期間は、それぞれ、当該第1種基準日の翌日から当該5月を経過するごとの日までの期間及び当該第2種基準日の翌日から当該3月を経過するごとの日までの期間として取り扱う。（措通70の7の2−36）

（注）1　上記の「第1種基準日」とは、第一節の1の規定の適用に係る相続税の申告書の提出期限（経営承継相続人等が対象非上場株式等に係る認定承継会社の非上場株式等について第一章第一節の1の規定の適用を受けている場合において、その適用に係る贈与税の申告書の提出期限が当該相続税の申告書の提出期限前であるときは、当該贈与税の申告書の提出期限）の翌日から1年を経過するごとの日をいうことに留意する。

2　上記の「第2種基準日」とは、経営承継期間の末日の翌日から3年を経過するごとの日をいうことに留意する。

2　継続届出書が提出されなかった場合

　1の届出書が届出期限までに納税地の所轄税務署長に提出されない場合には、当該届出期限における猶予中相続税額に相当する相続税については、第一節の1の規定にかかわらず、当該届出期限の翌日から2月を経過する日（当該届出期限の翌日から当該2月を経過する日までの間に当該相続税に係る経営承継相続人等が死亡した場合には、当該経営承継相続人等の相続人が当該経営承継相続人等の死亡による相続の開始があったことを知った日の翌日から6月を経過する日）をもって同1の規定による納税の猶予に係る期限とする。（措法70の7の2⑫）

（ゆうじょ規定）

（1）　1又は第七節の1の届出書が届出期限又は免除届出期限までに提出されなかった場合においても、これらの規定に規定する税務署長がこれらの期限内にその提出がなかったことについてやむを得ない事情があると認める場合において、（2）の政令で定めるところにより当該届出書が当該税務署長に提出されたときは、2又は同1の規定の適用については、当該届出書がこれらの期限内に提出されたものとみなす。（措法70の7の2㉗）

（（1）の場合の届出書の提出等）

（2）　（1）の規定により提出する1又は第七節の1の届出書には、1の（1）又は第七節の1の（1）に規定する事項のほか当該届出書を1に規定する届出期限又は第七節の1に規定する免除届出期限までに提出することができなかった事情の詳細を記載し、かつ、1の（1）又は第七節の1の（1）に規定する財務省令で定める書類を添付しなければならない。（措令40の8の2㊼）

−1233−

第七編　非上場株式等に係る相続税・贈与税の納税猶予及び免除

第四節　担保の変更の命令に応じない場合等の納税猶予期限の繰上げ

　税務署長は、次に掲げる場合には、猶予中相続税額に相当する相続税に係る第一節の**1**の規定による納税の猶予に係る期限を繰り上げることができる。この場合においては、国税通則法第49条第２項及び第３項の規定を準用する。（措法70の７の２⑬）

（一）　第一節の**1**の規定の適用を受ける経営承継相続人等が同**1**に規定する担保について国税通則法第51条第１項の規定による命令に応じない場合

（二）　当該経営承継相続人等から提出された第三節の**1**の届出書に記載された事項と相違する事実が判明した場合

　（増担保命令等に応じない場合の納税猶予の期限の繰上げ）

（１）　上記の規定により、増担保命令等に応じないため（第二節の**2**の（３）の（二）の規定により増担保命令等に応じなかったものとみなす場合を含む。）納税猶予の期限を繰り上げる場合には、担保不足に対応する納税猶予に係る税額だけでなく、猶予中相続税額の全額について納税猶予の期限を繰り上げることに留意する。（措通70の７の２−37）

−1234−

第二章　非上場株式等についての相続税の納税猶予及び免除
（第五節　経営承継期間内の納税猶予の打切り）

第五節　経営承継期間内の納税猶予の打切り

1　経営承継期間内の納税猶予の打切り

　経営承継期間内に第一節の**1**の規定の適用を受ける経営承継相続人等又は同**1**の対象非上場株式等（合併により当該対象非上場株式等に係る認定承継会社が消滅した場合その他の(1)の財務省令で定める場合には、当該対象非上場株式等に相当するものとして(1)で定めるもの。以下、本章において同じ。）に係る認定承継会社について次に掲げる場合のいずれかに該当することとなった場合には、同**1**の規定にかかわらず、当該(一)から(十七)に定める日から２月を経過する日（当該(一)から(十七)に定める日から当該２月を経過する日までの間に当該経営承継相続人等が死亡した場合には、当該経営承継相続人等の相続人（包括受遺者を含む。以下、本章において同じ。）が当該経営承継相続人等の死亡による相続の開始があったことを知った日の翌日から６月を経過する日）をもって同**1**の規定による納税の猶予に係る期限とする。（措法70の７の２③、措規23の10⑦により準用する措規23の９⑥）

(一)　当該経営承継相続人等がその有する当該対象非上場株式等に係る認定承継会社の代表権を有しないこととなった場合（当該代表権を有しないこととなったことについて(2)の財務省令で定めるやむを得ない理由がある場合を除く。）　その有しないこととなった日

(二)　従業員数確認期間（当該対象非上場株式等に係る認定承継会社の非上場株式等について第一節の**1**又は第一章第一節の**1**の規定の適用を受けるために提出する最初の相続税の申告書又は同節の**1**に規定する贈与税の申告書の提出期限の翌日から同日以後５年を経過する日（当該経営承継相続人等が同日までに死亡した場合には、その死亡の日の前日）までの期間をいう。以下(二)及び第九節の**1**の(二)のイにおいて同じ。）内に存する各基準日（当該提出期限の翌日から１年を経過するごとの日をいう。以下(二)及び第九節の**1**の(二)のイにおいて同じ。）における当該対象非上場株式等に係る認定承継会社の常時使用従業員の数の合計を従業員数確認期間の末日において従業員数確認期間内に存する基準日の数で除して計算した数が、当該常時使用従業員の雇用が確保されているものとして(4)の政令で定める数を下回る数となった場合　従業員数確認期間の末日

(三)　当該経営承継相続人等及び当該経営承継相続人等と第一節の**2**の(14)の政令で定める特別の関係がある者の有する議決権の数（当該対象非上場株式等に係る認定承継会社の非上場株式等に係るものに限る。）の合計が当該認定承継会社の総株主等議決権数の100分の50以下となった場合（当該経営承継相続人等がその有する当該対象非上場株式等に係る認定承継会社の代表権を有しないこととなった場合（(一)に規定する財務省令で定めるやむを得ない理由がある場合に限る。**2**の表の(一)の左欄及び第七節の**1**の(二)において同じ。）において、当該経営承継相続人等が当該対象非上場株式等（当該対象非上場株式等以外の当該認定承継会社に係る対象非上場株式等又は当該認定承継会社に係る第一章第一節の**1**に規定する対象受贈非上場株式等若しくは第三章第二節の**1**に規定する対象相続非上場株式等を含む。以下(三)、(五)及び(六)において**「適用対象非上場株式等」**という。）につき第一章第一節の**1**又は第四章第一節の**1**の規定の適用に係る贈与（当該贈与と併せて行う当該適用対象非上場株式等の贈与を含む。同表の(一)において同じ。）をしたときを除く。(四)及び(五)において同じ。）　当該100分の50以下となった日

(四)　当該経営承継相続人等と(三)に規定する同(14)の政令で定める特別の関係がある者のうちいずれかの者が、当該経営承継相続人等が有する当該対象非上場株式等に係る認定承継会社の非上場株式等に係る議決権の数を超える数の当該非上場株式等に係る議決権を有することとなった場合　その有することとなった日

(五)　当該経営承継相続人等が適用対象非上場株式等の一部の譲渡又は贈与（以下、本章において**「譲渡等」**という。）をした場合　当該譲渡等をした日

(六)　当該経営承継相続人等が適用対象特例非上場株式等の全部の譲渡等をした場合（適用対象特例非上場株式等に係る認定承継会社が株式交換又は株式移転（以下、本章において**「株式交換等」**という。）により他の会社の株式交換完全子会社等（会社法第768条第１項第１号に規定する株式交換完全子会社又は同法第773条第１項第５号に規定する株式移転完全子会社をいう。以下、本章において同じ。）となった場合を除く。）　当該譲渡等をした日

(七)　第六節の表の(五)の左欄又は同表の(六)の左欄に掲げる場合　それぞれ同表の(五)の右欄又は同表の(六)の右欄に掲げる日

(八)　当該対象非上場株式等に係る認定承継会社が解散をした場合（合併により消滅する場合を除く。）又は会社法その他の法律の規定により解散をしたものとみなされた場合　当該解散をした日又はそのみなされた解散の日

(九)　当該対象非上場株式等に係る認定承継会社が資産保有型会社又は資産運用型会社のうち(11)の政令で定めるものに該当することとなった場合　その該当することとなった日

－1235－

第七編　非上場株式等に係る相続税・贈与税の納税猶予及び免除

（十）　当該対象非上場株式等に係る認定承継会社の事業年度における総収入金額（主たる事業活動から生ずる収入の額とされるべきものとして認定承継会社の総収入金額のうち会社計算規則（平成18年法務省令第13号）第88条第１項第４号に掲げる営業外収益及び同項第６号に掲げる特別利益以外のものに限る。）が零となった場合　　当該事業年度終了の日

（十一）　当該対象非上場株式等に係る認定承継会社が、会社法第447条第１項若しくは第626条第１項の規定により資本金の額の減少をした場合又は同法第448条第１項の規定により準備金の額の減少をした場合（同法第309条第２項第９号イ及びロに該当する場合その他これに類する場合として(13)の財務省令で定める場合を除く。）　　当該資本金の額の減少又は当該準備金の額の減少がその効力を生じた日

（十二）　当該経営承継相続人等が第一節の**1**の規定の適用を受けることをやめる旨を記載した届出書を納税地の所轄税務署長に提出した場合　　当該届出書の提出があった日

（十三）　当該対象非上場株式等に係る認定承継会社が合併により消滅した場合（当該合併により当該認定承継会社に相当するものが存する場合として(16)の財務省令で定める場合（**2**の表の(二)の左欄において「**適格合併をした場合**」という。）を除く。）　　当該合併がその効力を生じた日

（十四）　当該対象非上場株式等に係る認定承継会社が株式交換等により他の会社の株式交換完全子会社等となった場合（当該株式交換等により当該認定承継会社に相当するものが存する場合として（18)の財務省令で定める場合（**2**の表の(二)の左欄において「**適格交換等をした場合**」という。）を除く。）　　当該株式交換等がその効力を生じた日

（十五）　当該対象非上場株式等に係る認定承継会社の株式等が非上場株式等に該当しないこととなった場合　　その該当しないこととなった日

（十六）　当該対象非上場株式等に係る認定承継会社又は当該認定承継会社の特定特別関係会社が第一章第一節の**2**の(一)のニに規定する風俗営業会社に該当することとなった場合　　その該当することとなった日

（十七）　(一)から(十六)に掲げる場合のほか、経営承継相続人等による対象非上場株式等に係る認定承継会社の円滑な事業の運営に支障を及ぼすおそれがある場合として(22)の政令で定める場合　　(22)の政令で定める日

　　　　（財務省令で定めるその他の事由）
（１）　**1**及び第一節の**3**の②の（２）に規定する財務省令で定める場合は次の(一)から(三)に掲げる場合とし、これらの規定に規定する対象非上場株式等に相当するものとして財務省令で定めるものは当該(一)から(三)に掲げる場合の区分に応じ当該(一)から(三)に定める株式等（株式又は出資をいい、議決権に制限のないものに限る。以下（１）において同じ。）とする。（措規23の10⑩）

　（一）　認定承継会社が合併により消滅した場合　　当該合併により経営承継相続人等が取得をした当該合併により存続する会社又は設立する会社（以下本章において「**合併承継会社**」という。）の株式等

　（二）　認定承継会社が株式交換又は株式移転（以下本章において「**株式交換等**」という。）により他の会社の法第七十条の七の二第三項第六号に規定する株式交換完全子会社等（以下本章において「**株式交換完全子会社等**」という。）となった場合　　経営承継相続人等が取得をした当該他の会社（以下本章において「**交換等承継会社**」という。）の株式等

　（三）　認定承継会社が株式の併合若しくは分割又は株式無償割当てをした場合　　当該認定承継会社に係る対象非上場株式等及び当該株式の併合若しくは分割又は株式無償割当てにより経営承継相続人等が取得をした当該対象非上場株式等に対応する株式

　　　　（財務省令で定めるやむを得ない理由）
（２）　**1**の(一)に規定する財務省令で定めるやむを得ない理由は、経営承継相続人等が次に掲げる事由のいずれかに該当することとなったこととする。（措規23の10⑮により準用する措規23の9⑰）

　（一）　精神保健及び精神障害者福祉に関する法律（昭和25年法律第123号）第45条第２項の規定により精神障害者保健福祉手帳（精神保健及び精神障害者福祉に関する法律施行令（昭和25年政令第155号）第６条第３項に規定する障害等級が１級である者として記載されているものに限る。）の交付を受けたこと。

　（二）　身体障害者福祉法（昭和24年法律第283号）第15条第４項の規定により身体障害者手帳（身体上の障害の程度が１級又は２級である者として記載されているものに限る。）の交付を受けたこと。

　（三）　介護保険法（平成９年法律第123号）第19条第１項の規定による同項に規定する要介護認定（同項の要介護状態区分が要介護認定等に係る介護認定審査会による審査及び判定の基準等に関する省令第１条第１項第５号に掲げる区分に該当するものに限る。）を受けたこと。

　（四）　(一)から(三)に掲げる事由に類すると認められること。

－1236－

第二章　非上場株式等についての相続税の納税猶予及び免除
（第五節　経営承継期間内の納税猶予の打切り）

　　　（代表権を有しないこととなった場合の意義）
（３）　１の（一）に掲げる「代表権を有しないこととなった場合」の意義については、第一章第五節の１の（２）を準用する。（措通70の７の２－17）

　　　（政令で定める常時使用従業員の数）
（４）　１の（二）に規定する政令で定める数は、認定承継会社の最初の第一節の１の規定の適用に係る相続の開始の時における常時使用従業員（第一節の２の（一）のイに規定する常時使用従業員をいう。以下本章において同じ。）の数（当該相続の開始の時後に合併その他の（５）の財務省令で定める事由が生じたときは、常時使用従業員の数に相当するものとして（５）の財務省令で定める数。以下（４）において同じ。）に100分の80を乗じて計算した数（その数に１人未満の端数があるときはこれを切り捨てた数とし、当該相続の開始の時における常時使用従業員の数が１人のときは１人とする。）とする。（措令40の８の２㉘）

　　　（財務省令で定める合併その他の事由）
（５）　（４）に規定する財務省令で定める事由は次の（一）から（三）に掲げる事由とし、（４）に規定する財務省令で定める数は当該（一）から（三）に掲げる事由の区分に応じ当該（一）から（三）に定める数に調整割合（当該事由がその効力を生ずる日から１の（二）に規定する従業員数確認期間の末日までの間に存する１の（二）に規定する基準日の数を当該従業員数確認期間内に存する基準日の数で除して得た割合をいう。）を乗じて計算した数と第一節の１の規定の適用に係る相続の時における認定承継会社の常時使用従業員（第一節の２の（一）のイに規定する常時使用従業員をいう。以下本章において同じ。）の数とを合計した数とする。（措規23の10⑯により準用する措規23の９⑱）
（一）　吸収合併（認定承継会社が消滅する場合に限る。）　　当該吸収合併がその効力を生ずる直前における当該吸収合併により存続する会社及び当該吸収合併により消滅する会社（当該認定承継会社を除く。）の常時使用従業員の数
（二）　新設合併　　当該新設合併がその効力を生ずる直前における当該新設合併により消滅する会社（当該認定承継会社を除く。）の常時使用従業員の数
（三）　株式交換（認定承継会社が株式交換完全子会社等となる場合に限る。）　　当該株式交換がその効力を生ずる直前における当該株式交換に係る交換等承継会社の常時使用従業員の数

　　　（政令で定める特別の関係がある者の準用）
（６）　第一節の２の(14)の規定は、１の（三）、第十節の（４）、第七節の２の（一）、（三）及び（四）、第九節の４の（一）並びに第十節の（２）に規定する政令で定める特別の関係がある者について準用する。（措令40の８の２㉙）

　　　（常時使用従業員の雇用が確保されていない場合）
（７）　１の（二）に規定する「常時使用従業員の雇用が確保されているものとして政令で定める数を下回る数となった場合」とは、従業員数確認期間内にある各基準日における対象非上場株式等に係る認定承継会社の常時使用従業員の数の合計を従業員数確認期間の末日において従業員数確認期間内にある基準日の数で除して計算した数が、最初の第一節の１の規定の適用に係る相続の開始の時（対象非上場株式等に係る認定承継会社の非上場株式等について、当該相続の開始の時前に対象贈与により当該非上場株式等の取得をしている場合には、最初の対象贈与の時。以下（７）において同じ。）における常時使用従業員の数に100分の80を乗じて計算した数を下回る数となったことをいうことに留意する。（措通70の７の２－17の２）
　　(注)１　上記の「従業員数確認期間」とは、当該対象非上場株式等に係る認定承継会社の非上場株式等について第一節の１又は第一章第一節の１の規定の適用を受けるために提出する最初の相続税の申告書又は贈与税の申告書の提出期限の翌日から同日以後５年を経過する日（当該経営承継相続人等が同日までに死亡した場合には、その死亡の日の前日）までの期間をいうことに留意する。
　　　　２　上記の「基準日」とは、上記１の提出期限の翌日から１年を経過するごとの日をいうことに留意する。
　　　　３　当該相続の開始の時後に（５）において準用する第一章第五節１の（４）の（一）から（三）に掲げる事由が生じたときにおける上記の「対象贈与の時における常時使用従業員の数」は、同（４）に定める数となることに留意する。
　　　　４　上記の「常時使用従業員の数に100分の80を乗じて計算した数」は、その数に１人未満の端数があるときはこれを切り捨てた数となり、当該相続の開始の時における常時使用従業員の数が１人のときは１人となることに留意する。

　　　（対象非上場株式等の譲渡等の判定）
（８）　１の（五）若しくは（六）、２の表の（一）又は第六節の表の（一）若しくは（二）の対象非上場株式等の全部又は一部の１の（五）に規定する譲渡等があったかどうかの判定は、(24)及び(25)の規定により行うことに留意する。（措通70の７の２－18）

第七編　非上場株式等に係る相続税・贈与税の納税猶予及び免除

（注）　なお、対象非上場株式等を第七節の**1**の（二）の規定による贈与をしたかどうかの判定についても上記により行うことに留意する。

　　　（譲渡等をした日の意義）
（9）　**1**の（五）、（六）及び第六節の表の（二）の右欄の「当該譲渡等をした日」の意義については、第一章第五節の**1**の（7）を準用する。（措通70の7の2－19）

　　　（解散等をした場合等の意義）
（10）　**1**の（八）の「解散をした場合」、「解散をした日」、「会社法の規定により解散をしたものとみなされた場合」及び「そのみなされた解散の日」の意義については、第一章第五節の**1**の（8）を準用する。（措通70の7の2－20）

　　　（政令で定める資産保有型会社又は資産運用型会社）
（11）　**1**の（九）に規定する資産保有型会社又は資産運用型会社のうち政令で定めるものは、資産保有型会社等のうち、資産保有型会社等に該当することとなった日（以下（11）において「**該当日**」という。）において、次に掲げる要件の全てに該当するものとする。（措令40の8の2㉚）
　（一）　当該資産保有型会社等の特定資産から当該資産保有型会社等が有する当該資産保有型会社等の特別関係会社（次に掲げる要件の全てを満たすものに限る。）の株式等を除いた場合であっても、当該資産保有型会社等が第一節の**2**の（八）に規定する資産保有型会社又は同**2**の（九）に規定する資産運用型会社に該当すること。
　　イ　該当日において、当該特別関係会社が、商品の販売その他の業務で第一節の**2**の（5）の財務省令で定めるものを行っていること。
　　ロ　該当日において、当該特別関係会社の親族外従業員の数が5人以上であること。
　　ハ　該当日において、当該特別関係会社が、ロの親族外従業員が勤務している事務所、店舗、工場その他これらに類するものを所有し、又は賃借していること。
　（二）　当該資産保有型会社等が次に掲げる要件の全てを満たす第一節の**2**の（八）に規定する資産保有型会社又は同**2**の（九）に規定する資産運用型会社でないこと。
　　イ　該当日において、当該資産保有型会社等が、商品の販売その他の業務で第一節の**2**の（5）の財務省令で定めるものを行っていること。
　　ロ　該当日において、当該資産保有型会社等の親族外従業員の数が5人以上であること。
　　ハ　該当日において、当該資産保有型会社等が、ロの親族外従業員が勤務している事務所、店舗、工場その他これらに類するものを所有し、又は賃借していること。

　　　（確定事由となる資産保有型会社又は資産運用型会社の意義）
（12）　**1**の（九）の要件を判定する場合には、第一節の**2**の（29）を準用する。
　　この場合において、同（29）中「相続の開始の日の属する事業年度の直前の事業年度の開始の日」とあるのは「相続税の申告期限の翌日」と、「相続税の申告期限」とあるのは「第一節の**2**の（七）のロに規定する猶予中相続税額に相当する相続税の全部につき納税の猶予に係る期限が確定する日」と、「（4）」とあるのは「第五節の**1**の（11）」となることに留意する。（措通70の7の2－21）

　　　（財務省令で定める認定承継会社が資本金等の減少をする場合）
（13）　**1**の（十一）に規定する財務省令で定める場合は、認定承継会社が減少をする資本金の額の全部を準備金とする場合又は減少をする準備金の額の全部を資本金とする場合若しくは会社法第449条第1項ただし書に該当する場合とする。（措規23の10⑰により準用する措規23の9⑲）

　　　（資本金等の額の減少がその効力を生じた日の意義）
（14）　**1**の（十一）の「資本金の額の減少又は当該準備金の額の減少がその効力を生じた日」の意義については、第一章第五節の**1**の（13）を準用する。（措通70の7の2－22）

　　　（経営承継相続人等が非上場株式等についての納税猶予の適用を取りやめる場合の期限）
（15）　**1**の（十二）の規定に該当することによる納税の猶予に係る期限は、第一節の**1**の規定の適用を受けている経営承継相続人等から同**1**の規定の適用を受けることをやめる旨の届出書の提出があった日から2月を経過する日（当該届出書の提出があった日から当該2月を経過する日までの間に当該経営承継相続人等が死亡した場合には、当該経営承継相続

－1238－

第二章　非上場株式等についての相続税の納税猶予及び免除
（第五節　経営承継期間内の納税猶予の打切り）

人等の相続人（包括受遺者を含む。）が当該経営承継相続人等の死亡による相続の開始があったことを知った日の翌日から６月を経過する日）となることから、当該納税猶予に係る相続税の額及び当該相続税の額に係る利子税の額の納付の有無に関わらず、当該２月を経過する日に確定することに留意する。（措通70の７の２－23）

（財務省令で定める適格合併をした場合）
(16)　１の（十三）に規定する財務省令で定める場合は、同（十三）の合併がその効力を生ずる日において次に掲げる要件の全てを満たしている場合とする。（措規23の10⑱により準用する措規23の９⑳）
(一)　当該合併に係る合併承継会社が第一節の**2**の（一）のイからへまでに掲げる要件を満たしていること。
(二)　第一節の**1**の規定の適用を受ける経営承継相続人等が（一）の合併承継会社の代表権（制限が加えられた代表権を除く。以下、本章において同じ。）を有していること。
(三)　（二）の経営承継相続人等及び当該経営承継相続人等と第一節の**2**の（三）のハに規定する特別の関係がある者の有する（一）の合併承継会社の非上場株式等（同**2**の（二）に規定する非上場株式等をいう。以下同じ。）に係る議決権の数の合計が、当該合併承継会社に係る同**2**の（三）のハに規定する総株主等議決権数（以下、本章において「**総株主等議決権数**」という。）の100分の50を超える数であること。
(四)　（二）の経営承継相続人等が有する（一）の合併承継会社の非上場株式等に係る議決権の数が、当該経営承継相続人等と（三）に規定する特別の関係がある者のうちいずれの者が有する当該合併承継会社の非上場株式等に係る議決権の数をも下回らないこと。
(五)　当該合併に際して（一）の合併承継会社が交付しなければならない株式又は出資以外の金銭その他の資産（剰余金の配当等（株式又は出資に係る剰余金の配当又は利益の配当をいう。(18)の（五）において同じ。）として交付される金銭その他の資産を除く。）の交付がされていないこと。

（合併がその効力を生じた日の意義）
(17)　１の（十三）及び第六節の表の（三）の右欄並びに第五節の**2**の表の（二）の右欄「合併がその効力を生じた日」の意義については、第一章第五節の**1**の(17)を準用する。（措通70の７の２－24）

（財務省令で定める適格交換等をした場合）
(18)　１の（十四）に規定する財務省令で定める場合は、同（十四）の株式交換等がその効力を生ずる日において次に掲げる要件の全てを満たしている場合とする。（措規23の10⑲により準用する措規23の９㉑）
(一)　当該株式交換等に係る交換等承継会社が第一節の**2**の（一）のイからへまでに掲げる要件を満たしていること。
(二)　第一節の**1**の規定の適用を受ける経営承継相続人等が（一）の交換等承継会社及び１の（十四）の認定承継会社の代表権を有していること。
(三)　（二）の経営承継相続人等及び当該経営承継相続人等と第一節の**2**の（三）のハに規定する特別の関係がある者の有する（一）の交換等承継会社の非上場株式等に係る議決権の数の合計が、当該交換等承継会社に係る総株主等議決権数の100分の50を超える数であること。
(四)　（二）の経営承継相続人等が有する（一）の交換等承継会社の非上場株式等に係る議決権の数が、当該経営承継相続人等と（三）に規定する特別の関係がある者のうちいずれの者が有する当該交換等承継会社の非上場株式等に係る議決権の数をも下回らないこと。
(五)　当該株式交換等に際して（一）の交換等承継会社が交付しなければならない株式及び出資以外の金銭その他の資産（剰余金の配当等として交付される金銭その他の資産を除く。）の交付がされていないこと。

（株式交換等がその効力を生じた日の意義）
(19)　１の（十四）及び第六節の表の（四）の右欄並びに第五節の**2**の表の（二）の右欄「株式交換等がその効力を生じた日」の意義については、第一章第五節の**1**の(18)を準用する。（措通70の７の２－25）

（非上場株式等に該当しないこととなった場合等の意義）
(20)　１の（十五）の「当該対象非上場株式等に係る認定承継会社の株式等が非上場株式等に該当しないこととなった場合」及び「その該当しないこととなった日」の意義については、第一章第五節の**1**の(19)を準用する。（措通70の７の２－26）

（風俗営業会社に該当することとなった日の意義等）
(21)　１の（十六）に規定する「風俗営業会社」の意義及び同（十六）の「その該当することとなった日」の意義については、

－1239－

第七編　非上場株式等に係る相続税・贈与税の納税猶予及び免除

第一章第五節の**1**の(20)を準用する。（措通70の7の2－27）

　　　（政令で定める認定承継会社の円滑な事業の運営に支障を及ぼすおそれがある場合）

(22)　**1**の(十七)に規定する政令で定める場合は次の(一)から(三)に掲げる場合とし、同(十七)に規定する政令で定める日は当該(一)から(三)に掲げる場合の区分に応じ当該(一)から(三)に定める日とする。（措令40の8の2㉛）

　(一)　対象非上場株式等に係る認定承継会社が発行する会社法第108条第1項第8号に掲げる事項についての定めがある種類の株式を当該認定承継会社に係る経営承継相続人等以外の者が有することとなったとき　　その有することとなった日

　(二)　対象非上場株式等に係る認定承継会社（株式会社であるものに限る。）が当該対象非上場株式等の全部又は一部の種類を株主総会において議決権を行使することができる事項につき制限のある株式に変更した場合　　その変更した日

　(三)　対象非上場株式等に係る認定承継会社（持分会社であるものに限る。）が定款の変更により当該認定承継会社に係る経営承継相続人等が有する議決権の制限をした場合　　当該制限をした日

　　　（申告期限前に全部確定事由が生じた場合）

(23)　相続の開始の日の翌日から相続税の申告書の提出期限までの間に、**1**のいずれかに掲げる場合に該当することとなった場合には、当該相続に係る認定承継会社の非上場株式等について第一節の**1**の規定の適用を受けることができないことに留意する。（措通70の7の2－7）

　　　（対象非上場株式等以外を有する経営承継相続人等が認定承継会社の非上場株式等の譲渡等をしたとき）

(24)　第一節の**1**の規定の適用を受ける経営承継相続人等が認定承継会社の非上場株式等で対象株式等（対象非上場株式等、第一章第一節の**1**に規定する対象受贈非上場株式等及び第三章第二節の**1**に規定する対象相続非上場株式等をいう。以下(24)及び(25)において同じ。）以外のものを有する場合において、当該認定承継会社の非上場株式等の譲渡等（譲渡又は贈与をいう。以下(24)及び(25)において同じ。）をしたとき（第七節の**1**（同**1**の(二)に係る部分に限る。）の規定の適用に係る贈与をしたときを除く。）は、第五節の**1**、**2**及び第六節までの規定の適用については、当該対象株式等以外の非上場株式等から先に譲渡等をしたものとみなし、第七節の**1**（同**1**の(二)に係る部分に限る。）の規定の適用に係る贈与をしたときは、第五節の**1**、**2**及び第六節まで及び第七節の**1**（同**1**の(二)に係る部分に限る。）の規定の適用については、当該対象株式等から先に当該贈与をしたものとみなす。（措令40の8の2⑦）

　　　（譲渡等をしたものとみなす特例非上場株式等の順序）

(25)　第一節の**1**の規定の適用を受ける経営承継相続人等が、その有する対象株式等の譲渡等をした場合には、**1**、第五節の**1**、**2**、第六節及び第七節の**1**（同**1**の(二)に係る部分に限る。）の規定の適用については、当該対象株式等のうち先に取得をしたもの（当該先に取得をしたものが第一章第七節の**1**（同**1**の(三)に係る部分に限り、第四章第六節の**1**において準用する場合を含む。）の規定の適用に係る贈与により取得をした第一章第一節の**1**に規定する対象受贈非上場株式等である場合には、当該対象受贈非上場株式等のうち先に同**1**又は第四章第一節の**1**の規定の適用を受けた他の第一章第一節の**2**の(三)に規定する経営承継受贈者又は第四章第一節の**2**の(六)に規定する特例経営承継受贈者に係るもの）から順次譲渡等をしたものとみなす。（措令40の8の2⑦）

2　経営承継期間内の納税猶予税額の一部確定

　経営承継期間内に第一節の**1**の規定の適用を受ける経営承継相続人等又は同**1**の対象非上場株式等に係る認定承継会社について次の表の(一)及び(二)の左欄に掲げる場合に該当することとなった場合には、当該(一)及び(二)の中欄に掲げる金額に相当する相続税については、同**1**の規定にかかわらず、当該(一)及び(二)の右欄に掲げる日から2月を経過する日（当該(一)(二)の右欄に掲げる日から当該2月を経過する日までの間に当該経営承継相続人等が死亡した場合には、当該経営承継相続人等の相続人が当該経営承継相続人等の死亡による相続の開始があったことを知った日の翌日から6月を経過する日）をもって同**1**の規定による納税の猶予に係る期限とする。（措法70の7の2④）

(一)	当該経営承継相続人等がその有する当該対象非上場株式等に係る認定承継会社の代表権を有しないこととなった場合において、当該経営承継相続人等が当該対象非上場株式等の一部につき第一章第一節の**1**又は第四章第一節	猶予中相続税額のうち、当該贈与をした対象非上場株式等の数又は金額に対応する部分の額として(1)の政令で定めるところにより計算した金	当該贈与をした日

－1240－

第二章　非上場株式等についての相続税の納税猶予及び免除
（第五節　経営承継期間内の納税猶予の打切り）

	の**1**の規定の適用に係る贈与をしたとき。	額	
（二）	当該認定承継会社が適格合併をした場合又は適格交換等をした場合において、当該対象非上場株式等に係る経営承継相続人等が、当該適格合併をした場合における合併又は当該適格交換等をした場合における株式交換等に際して、吸収合併存続会社等（会社法第749条第１項に規定する吸収合併存続会社又は同法第753条第１項に規定する新設合併設立会社をいう。第六節の表の（三）の中欄及び第七節の**2**の（三）において同じ。）及び他の会社（当該認定承継会社が株式交換等により他の会社の株式交換完全子会社等となった場合における当該他の会社をいう。）の株式等以外の金銭その他の資産の交付を受けたとき。	猶予中相続税額のうち、当該金銭その他の資産の額に対応する部分の額として（2）の政令で定めるところにより計算した金額	当該合併又は当該株式交換等がその効力を生じた日

　　（政令で定めるところにより計算した金額）
（１）　**2**の表の（一）の中欄に規定する政令で定めるところにより計算した金額は、同欄の贈与の直前における猶予中相続税額に、当該贈与をした対象非上場株式等の数又は金額が当該贈与の直前における当該対象非上場株式等の数又は金額に占める割合を乗じて計算した金額とする。この場合において、当該計算した金額に100円未満の端数があるとき、又はその全額が100円未満であるときは、その端数金額又はその全額を切り捨てる。（措令40の８の２㉜）

　　（政令で定める金銭その他の資産の額に対応する部分の額）
（２）　**2**の表の（二）の中欄に規定する政令で定めるところにより計算した金額は、認定承継会社が適格合併をした場合における合併又は適格交換等をした場合における株式交換等がその効力を生ずる直前における猶予中相続税額に、当該合併又は当該株式交換等に際して吸収合併存続会社等又は同（二）の左欄の他の会社が交付しなければならない株式等以外の金銭その他の資産の額が合併前純資産額又は交換等前純資産額に占める割合を乗じて計算した金額とする。この場合において、当該計算した金額に100円未満の端数があるとき、又はその全額が100円未満であるときは、その端数金額又はその全額を切り捨てる。（措令40の８の２㉝）

　　（納税猶予税額の一部について納税猶予の期限が確定する場合の相続税の額の計算）
（３）　**2**又は第六節の規定により納税猶予税額の一部について、納税猶予の期限が確定する場合における相続税の額の計算は、**2**又は第六節の規定に該当する直前の猶予中相続税額（第一節の**2**の（七）のロに規定する猶予中相続税額をいう。）に、次に掲げる場合の区分に応じ、次に定める割合を乗ずることにより行うことに留意する。
　　なお、これにより算出された金額に100円未満の端数があるとき又はその全額が100円未満であるときは、その端数金額又はその全額を切り捨て、その切り捨てた金額は、納税猶予税額として残ることに留意する。（措通70の７の２−30）
（一）　**2**の表の（一）の規定に該当する場合

$$\frac{同（一）の贈与をした対象非上場株式等の数又は金額}{同（一）の贈与の直前における対象非上場株式等の数又は金額}$$

（注）１　上記の「贈与」とは、**1**の（三）に規定する贈与をいう。したがって、当該贈与は、経営承継相続人等が対象非上場株式等につき行う第一章第一節の**1**又は第四章第一節**1**の（１）の規定の適用に係る贈与だけでなく、当該贈与と併せて行う**1**の（三）に規定する適用対象非上場株式等の贈与が含まれることに留意する。
　　　　２　猶予中相続税額に上記の割合を乗じて計算した金額のうち、経営承継相続人等が第一章第一節の**1**又は第四章第一節**1**の（１）の規定の適用に係る贈与をした対象非上場株式等に対応する部分の金額については、第七節の**1**の（二）により免除される。この場合、経営承継相続人等は、同（二）の対象非上場株式等の贈与を受けた者が当該対象非上場株式等について第一章第一節の**1**又は第四章第一節**1**の（１）の規定の適用に係る贈与税の申告書を提出した日以後６月を経過する日までに第七節の**1**に規定する届出書を納税地の所轄税務署長に提出しなければならない。
　　　　３　猶予中相続税額に上記の割合を乗じて計算した金額のうち、上記２の免除される部分以外の金額については、当該贈与の日から２月を経過する日をもって納税の猶予に係る期限が確定することから、経営承継相続人等は贈与を受けた者の贈与税の申告書の提出を待たずに相続税を納付しなければならないことに留意する。

−1241−

第七編　非上場株式等に係る相続税・贈与税の納税猶予及び免除

(二)　2の表の(二)の規定に該当する場合

$$\frac{吸収合併存続会社等又は2の他の会社が、消滅する認定承継会社又は株式交換完全子会社等の全ての株主等に対し交付しなければならない金銭等（株式等以外の金銭その他の資産をいう。）の額}{合併前純資産額又は交換等前純資産額}$$

(注)1　上記の分子の金銭等に、合併又は株式交換等に際して交付すべき吸収合併存続会社等又は2の表の(二)の他の会社の株式に一株未満の端数が生じたため交付されたものがある場合の1の(16)の(五)又は1の(18)の(五)の要件の判定に当たっては、当該交付された金銭等は同(16)の(五)又は同(18)の(五)の交付しなければならない株式に含まれるものとして判定することに留意する。

2　「吸収合併存続会社等」とは、2の表の(二)に規定する吸収合併存続会社等をいう。

3　「株式交換完全子会社等」とは、1の(六)に規定する株式交換完全子会社等をいう。

4　「合併前純資産額」とは、合併がその効力を生ずる日の属する年の前年の12月31日における認定承継会社の純資産額（資産の額から負債の額を控除した残額をいう。「承継純資産額」という場合を除き、(3)において同じ。）をいう。

5　「交換等前純資産額」とは、株式交換等がその効力を生ずる日の属する年の前年の12月31日における認定承継会社の純資産額をいう。

6　上記4及び5の「純資産額」を算定する場合における各資産及び各負債の価額は、評価基本通達の定めにより算定した価額となることに留意する。

(三)　第六節の表の(二)の規定に該当する場合

$$\frac{譲渡等をした対象非上場株式等の数又は金額}{譲渡等の直前における対象非上場株式等の数又は金額}$$

(注)　上記の「譲渡等」が第五節の1の(三)に規定する贈与である場合には(一)の(注)2及び3によることに留意する。

(四)　第六節の表の(三)の規定に該当する場合

$$\frac{吸収合併存続会社等が、消滅する認定承継会社の全ての株主等に対し交付しなければならない金銭等の額}{合併前純資産額}$$

(五)　第六節の表の(四)の規定に該当する場合

$$\frac{同(四)の中欄の他の会社が、株式交換等完全子会社等の全ての株主等に対し交付しなければならない金銭等の額}{交換前純資産額}$$

(六)　第六節の表の(五)の規定に該当する場合

$$承継純資産額 \times \frac{認定承継会社から、当該認定承継会社の全ての株主等に対し配当された吸収分割承継会社等の株式等の数又は金額}{吸収分割承継会社等から、当該認定承継会社が交付を受けた当該吸収分割承継会社等の株式等の数又は金額}$$

分割前純資産額

(注)1　「承継純資産額」とは、吸収分割承継会社等が認定承継会社から承継した資産の当該会社分割がその効力を生ずる日の属する年の前年12月31日における価額から当該吸収分割承継会社等が当該認定承継会社から承継した負債の同日における価額を控除した残額をいう。

2　「吸収分割承継会社等」とは、第六節の表の(五)の左欄に規定する吸収分割承継会社等をいう。

3　「分割前純資産額」とは、会社分割がその効力を生ずる日の属する年の前年の12月31日における認定承継会社の純資産額をいう。

4　上記1の「承継した資産の当該会社分割がその効力を生ずる日の属する年の前年12月31日における価額」及び「承継した負債の同日における価額」並びに上記3の「純資産額」を算定する場合における各資産及び各負債の価額は、評価基本通達の定めにより算定した価額となることに留意する。

(七)　第六節の表の(六)の規定に該当する場合

$$\frac{認定承継会社から当該認定承継会社の全ての株主等に対し交付された金銭等の額}{組織変更前純資産額}$$

(注)1　「組織変更前純資産額」とは、組織変更がその効力を生ずる日の属する年の前年の12月31日における認定承継会社の純資産額をいう。

2　上記1の「純資産額」を算定する場合における各資産及び各負債の価額は、評価基本通達の定めにより算定した価額となることに留意する。

3　利子税の納付

第一節の1の規定の適用を受けた経営承継相続人等は、次の表の(一)から(九)までの左欄に掲げる場合に該当する場合には、当該(一)から(九)までの中欄に掲げる金額を基礎とし、当該経営承継相続人等が同1の規定の適用を受けるために提出する相続税の申告書の提出期限の翌日から当該(一)から(九)までの右欄に掲げる日（同表の(一)から(三)まで又は(六)から(八)までの右欄に掲げる日以前2月以内に当該経営承継相続人等が死亡した場合には、当該経営承継相続人等の

−1242−

第二章　非上場株式等についての相続税の納税猶予及び免除
（第五節　経営承継期間内の納税猶予の打切り）

相続人が当該経営承継相続人等の死亡による相続の開始があったことを知った日の翌日から６月を経過する日）までの期間に応じ、年3.6パーセントの割合を乗じて計算した金額に相当する利子税を、当該各号の中欄に掲げる金額に相当する相続税にあわせて納付しなければならない。（措法70の７の２㉘）

（一）　**1**の規定の適用があった場合（（五）の左欄に掲げる場合に該当する場合を除く。）	猶予中相続税額	**1**の（一）から（十七）に定める日から２月を経過する日
（二）　**2**の規定の適用があった場合（（五）の左欄に掲げる場合に該当する場合を除く。）	**2**の表の（一）及び（二）の中欄に掲げる猶予中相続税額	同表の（一）及び（二）の右欄に掲げる日から２月を経過する日
（三）　第六節の規定の適用があった場合（（五）から（八）までの左欄に掲げる場合に該当する場合を除く。）	第六節の表の（一）から（六）の中欄に掲げる猶予中相続税額	同表の（一）から（六）の右欄に掲げる日から２月を経過する日
（四）　第三節の**2**の規定の適用があった場合（（五）の左欄に掲げる場合に該当する場合を除く。）	同**2**の規定により納税の猶予に係る期限が確定する猶予中相続税額	同**2**の規定による納税の猶予に係る期限
（五）　第四節又は第十節の（４）の規定の適用があった場合	これらの規定により納税の猶予に係る期限が繰り上げられる猶予中相続税額	これらの規定により繰り上げられた納税の猶予に係る期限
（六）　第七節の**2**の（一）の規定の適用があった場合（（五）の左欄に掲げる場合に該当する場合を除く。）	同**2**の（一）のイ及びロに掲げる金額の合計額	同（一）の譲渡等をした日から２月を経過する日
（七）　第七節の**2**の（二）の規定の適用があった場合（（五）の左欄に掲げる場合に該当する場合を除く。）	同**2**の（二）のロに掲げる金額	同（二）の認定承継会社が解散をした日から２月を経過する日
（八）　第七節の**2**の（三）又は（四）の規定の適用があった場合（（五）の左欄に掲げる場合に該当する場合を除く。）	同**2**の（三）のイ及びロ又は（四）のイ及びロに掲げる金額の合計額	これらの号の合併又は株式交換等がその効力を生じた日から２月を経過する日
（九）　第七節の**3**の規定の適用があった場合（（五）の左欄に掲げる場合に該当する場合を除く。）	同**3**の（二）に掲げる金額	同**3**の規定による納税の猶予に係る期限

　　（継続届出書の時効中断の効果）
（１）　猶予中相続税額に相当する相続税並びに当該相続税に係る利子税及び延滞税の徴収を目的とする国の権利の時効については、第十節の（６）の（五）の規定により読み替えて適用される国税通則法第73条第４項の規定の適用がある場合を除き、第三節の**1**の届出書の提出があった時から当該届出書の届出期限までの間は完成せず、当該届出期限の翌日から新たにその進行を始めるものとする。（措法70の７の２⑪）

　　（**3**の表の（三）から（九）までの左欄に掲げる場合に該当する場合の適用）
（２）　第一節の**1**の規定の適用を受けた経営承継相続人等が**3**の表の（三）から（九）までの左欄に掲げる場合に該当する場合（同**3**の表の（四）又は（五）の左欄に掲げる場合に該当する場合には、経営承継期間の末日の翌日以後にこれらの規定に規定する場合に該当することとなった場合に限る。）における同**3**の規定の適用については、同**3**中「年3.6パーセント」とあるのは、「年3.6パーセント（経営承継期間については、年零パーセント）」とする。（措法70の７の２㉙）

　　（利子税の割合の特例）
（３）　**3**に規定する利子税の割合は、**3**の規定にかかわらず、各年の利子税特例基準割合が年7.3パーセントの割合に満たない場合には、その年中においては、当該利子税の割合に当該利子税特例基準割合が年7.3パーセントの割合のうちに占める割合を乗じて計算した割合とする。（措法93⑤）

　　（利子税特例基準割合）
（４）　（３）に規定する利子税特例基準割合とは、平均貸付割合（各年の前々年の９月から前年の８月までの各月における

－1243－

第七編　非上場株式等に係る相続税・贈与税の納税猶予及び免除

短期貸付けの平均利率（当該各月において銀行が新たに行った貸付け（貸付期間が１年未満のものに限る。）に係る利率の平均をいう。）の合計を12で除して計算した割合として各年の前年の11月30日までに財務大臣が告示する割合をいう。以下同じ。）に年0.5パーセントの割合を加算した割合をいう。（措法93②）

第二章　非上場株式等についての相続税の納税猶予及び免除
（第六節　経営承継期間後の納税猶予の打切り）

第六節　経営承継期間後の納税猶予の打切り

　経営承継期間の末日の翌日から猶予中相続税額に相当する相続税の全部につき第一節の1、本節、第三節の2、第四節又は第十節の（4）の規定による納税の猶予に係る期限が確定する日までの間において、第一節の1の規定の適用を受ける経営承継相続人等又は同1の対象非上場株式等に係る認定承継会社について次の表の（一）から（六）の左欄に掲げる場合に該当することとなった場合には、当該（一）から（六）の中欄に掲げる金額に相当する相続税については、同1の規定にかかわらず、当該（一）から（六）の右欄に掲げる日から2月を経過する日（当該各号の右欄に掲げる日から当該2月を経過する日までの間に当該経営承継相続人等が死亡した場合には、当該経営承継相続人等の相続人が当該経営承継相続人等の死亡による相続の開始があったことを知った日の翌日から6月を経過する日）をもって同1の規定による納税の猶予に係る期限とする。（措法70の7の2⑤）

（一）　第五節の1の（六）又は（八）から（十二）までに掲げる場合	猶予中相続税額	同1の（六）又は（八）から（十二）までに定める日
（二）　当該経営承継相続人等が当該対象非上場株式等の一部の譲渡等をした場合	猶予中相続税額のうち、当該譲渡等をした対象非上場株式等の数又は金額に対応する部分の額として（1）の政令で定めるところにより計算した金額	当該譲渡等をした日
（三）　当該認定承継会社が合併により消滅した場合	猶予中相続税額（当該合併に際して吸収合併存続会社等の株式等の交付があった場合には、当該株式等の価額に対応する部分の額として（2）の政令で定めるところにより計算した金額を除く。）	当該合併がその効力を生じた日
（四）　当該認定承継会社が株式交換等により他の会社の株式交換完全子会社等となった場合	猶予中相続税額（当該株式交換等に際して当該他の会社の株式等の交付があった場合には、当該株式等の価額に対応する部分の額として（3）の政令で定めるところにより計算した金額を除く。）	当該株式交換等がその効力を生じた日
（五）　当該認定承継会社が会社分割をした場合（当該会社分割に際して吸収分割承継会社等（会社法第757条に規定する吸収分割承継会社又は同法第763条に規定する新設分割設立会社をいう。）の株式等を配当財産とする剰余金の配当があった場合に限る。）	猶予中相続税額のうち、当該会社分割に際して認定承継会社から配当された当該吸収分割承継会社等の株式等の価額に対応する部分の額として（4）の政令で定めるところにより計算した金額	当該会社分割がその効力を生じた日
（六）　当該認定承継会社が組織変更をした場合（当該組織変更に際して当該認定承継会社の株式等以外の財産の交付があった場合に限る。）	猶予中相続税額のうち、当該組織変更に際して認定承継会社から交付された当該認定承継会社の株式等以外の財産の価額に対応する部分の額として（5）の政令で定めるところにより計算した金額	当該組織変更がその効力を生じた日

　　（政令で定めるところにより計算した（二）の中欄に規定する金額）
（1）　上記の表の（二）の中欄に規定する政令で定めるところにより計算した金額は、同欄の譲渡等の直前における猶予中相続税額に、当該譲渡等をした対象非上場株式等の数又は金額が当該譲渡等の直前における当該対象非上場株式等の数又は金額に占める割合を乗じて計算した金額とする。この場合において、当該計算した金額に100円未満の端数があるとき、又はその全額が100円未満であるときは、その端数金額又はその全額を切り捨てる。（措令40の8の2㉞）

　　（政令で定めるところにより計算した（三）の中欄に規定する金額）
（2）　上記の表の（三）の中欄に規定する政令で定めるところにより計算した金額は、同欄の合併がその効力を生ずる直前における猶予中相続税額に、合併前純資産額から当該合併に際して吸収合併存続会社等が交付しなければならない株式等以外の金銭その他の資産の額を控除した残額が当該合併前純資産額に占める割合を乗じて計算した金額とする。この場合において、当該計算した金額に100円未満の端数があるとき、又はその全額が100円未満であるときは、その端数金

－1245－

第七編　非上場株式等に係る相続税・贈与税の納税猶予及び免除

額又はその全額を切り上げる。（措令40の8の2㉟）

　　　（政令で定めるところにより計算した(四)の中欄に規定する金額）
（3）　上記の表の(四)の中欄に規定する政令で定めるところにより計算した金額は、同欄の株式交換等がその効力を生ずる直前における猶予中相続税額に、交換等前純資産額から当該株式交換等に際して同欄の他の会社が交付しなければならない株式等以外の金銭その他の資産の額を控除した残額が当該交換等前純資産額に占める割合を乗じて計算した金額とする。この場合において、当該計算した金額に100円未満の端数があるとき、又はその全額が100円未満であるときは、その端数金額又はその全額を切り上げる。（措令40の8の2㊱）

　　　（政令で定めるところにより計算した(五)の中欄に規定する金額）
（4）　上記の表の(五)の中欄に規定する政令で定めるところにより計算した金額は、同欄の会社分割がその効力を生ずる直前における猶予中相続税額に、配当分純資産額（承継純資産額に、当該会社分割に際して対象非上場株式等に係る認定承継会社から配当された吸収分割承継会社等の株式等の数又は金額が当該会社分割に際して当該認定承継会社が交付を受けた当該吸収分割承継会社等の株式等の数又は金額に占める割合を乗じて計算した金額）が分割前純資産額に占める割合を乗じて計算した金額とする。この場合において、当該計算した金額に100円未満の端数があるとき、又はその全額が100円未満であるときは、その端数金額又はその全額を切り捨てる。（措令40の8の2㊲）

　　　（政令で定めるところにより計算した(六)の中欄に規定する金額）
（5）　上記の表の(六)の中欄に規定する政令で定めるところにより計算した金額は、同欄の組織変更がその効力を生ずる直前における猶予中相続税額に、当該組織変更に際して認定承継会社から交付された当該認定承継会社の株式等以外の財産の価額が組織変更前純資産額に占める割合を乗じて計算した金額とする。この場合において、当該計算した金額に100円未満の端数があるとき、又はその全額が100円未満であるときは、その端数金額又はその全額を切り捨てる。（措令40の8の2㊳）

　　　（会社分割をした場合等の意義）
（6）　上記の表の(五)の左欄に掲げる場合の意義及び同(五)の右欄の「会社分割がその効力を生じた日」の意義については、第一章第六節の(5)を準用する。（措通70の7の2－28）

　　　（組織変更をした場合等の意義）
（7）　上記の表の(六)の左欄に掲げる「組織変更」の意義及び同(六)の右欄の「組織変更がその効力を生じた日」の意義については、第一章第六節の(7)を準用する。（措通70の7の2－29）

－1246－

第二章　非上場株式等についての相続税の納税猶予及び免除
（第七節　納税猶予税額の免除）

第七節　納税猶予税額の免除

1　経営承継相続人等の死亡等による納税猶予税額の免除

　第一節の**1**の規定の適用を受ける経営承継相続人等が次の（一）（二）に掲げる場合のいずれかに該当することとなった場合（その該当することとなった日前に第三節の**2**の規定の適用があった場合及び同日前に第四節又は第十節の（4）の規定による納税の猶予に係る期限の繰上げがあった場合並びに経営承継期間内に第五節の**1**の（一）から（十七）に掲げる場合に該当することとなった場合を除く。）には、次の（一）及び（二）に定める相続税を免除する。この場合において、当該経営承継相続人等又は当該経営承継相続人等の相続人は、その該当することとなった日から同日（（二）に掲げる場合に該当することとなった場合にあっては、（二）の対象非上場株式等の贈与を受けた者が当該対象非上場株式等について第一章第一節の**1**の規定の適用に係る同**1**に規定する贈与税の申告書を提出した日）以後6月を経過する日（第三節の**2**の（1）において「**免除届出期限**」という。）までに、（1）の政令で定めるところにより、（4）の財務省令で定める事項を記載した届出書を納税地の所轄税務署長に提出しなければならない。（措法70の7の2⑯）

（一）　当該経営承継相続人等が死亡した場合　　猶予中相続税額に相当する相続税

（二）　経営承継期間の末日の翌日（経営承継期間内に当該経営承継相続人等がその有する対象非上場株式等に係る認定承継会社の代表権を有しないこととなった場合には、その有しないこととなった日）以後に、当該経営承継相続人等が対象非上場株式等につき第一章第一節の**1**又は第四章第一節の**1**の規定の適用に係る贈与をした場合　　猶予中相続税額のうち、当該贈与に係る対象非上場株式等でこれらの規定の適用に係るものに対応する部分の額として（5）の政令で定めるところにより計算した金額に相当する相続税

　　　（免除届出書の提出）
（1）　第一節の**1**の規定の適用を受ける経営承継相続人等又は当該経営承継相続人等の相続人（包括受遺者を含む。）は、**1**の届出書を提出する場合には、**1**の（一）（二）に掲げる場合（**1**の（二）に掲げる場合にあっては、対象非上場株式等の全てについて同（二）に規定する贈与をした場合に限る。）のいずれかに該当することとなった日の直前の経営報告基準日（第一節の**1**の規定の適用に係る同**1**に規定する相続税の申告書の提出期限の翌日から同日以後1年を経過する日までの間に当該（一）（二）に掲げる場合のいずれかに該当することとなった場合において、当該期間内に経営報告基準日がないときは、当該相続税の申告書の提出期限）の翌日から当該該当することとなった日までの間における当該経営承継相続人等又は第一節の**1**の対象非上場株式等に係る認定承継会社が第五節の**2**の表の（一）及び（二）の左欄又は第六節の表の（一）から（六）の左欄に掲げる場合に該当する事由の有無その他の（2）の財務省令で定める事項を明らかにする書類として（3）の財務省令で定めるものを当該届出書に添付しなければならない。（措令40の8の2㊸）

　　　（添付書類の記載事項）
（2）　（1）に規定する財務省令で定める事項は、次に掲げる事項とする。（措規23の10㉘）

（一）　**1**の（一）又は（二）のいずれに該当するかの別

（二）　経営承継相続人等の氏名及び住所

（三）　被相続人から第一節の**1**の規定の適用に係る相続又は遺贈により対象非上場株式等の取得をした年月日

（四）　対象非上場株式等に係る認定承継会社の名称及び本店の所在地

（五）　その死亡等の日（（1）の経営承継相続人等が死亡した日又は当該経営承継相続人等が**1**（（二）に係る部分に限る。）の規定の適用に係る贈与をした日をいう。以下（2）及び（3）において同じ。）までに終了する各事業年度（当該死亡等の日の直前の経営報告基準日及び相続税の申告書の提出期限までに終了する事業年度を除く。）における第一節の**2**の（9）の（一）に規定する総収入金額

（六）　その死亡等の日における猶予中相続税額

（七）　その死亡等の日において経営承継相続人等が有する対象非上場株式等の数又は金額及び当該経営承継相続人等に係る被相続人の氏名

（八）　その死亡等の日が第一節の**2**の（六）のイ又はロに掲げる日のいずれか早い日の翌日以後である場合には、認定承継会社に係る次に掲げる事項（その死亡等の日の直前の経営報告基準日の翌日から当該死亡等の日までの間において、認定承継会社が資産保有型会社等であるとした場合に第五節の**1**の（11）の（二）のイからハまでに掲げる要件の全てを満たしているときは、その旨及びイに掲げる事項）

－1247－

イ　当該死亡等の日の属する事業年度の直前の事業年度末における資本金の額及び準備金の額又は出資の総額

ロ　当該死亡等の日の属する事業年度の直前の事業年度末における第一節の**2**の(23)の規定により読み替えて適用する第一章第一節の**2**の(八)のイからハまでに掲げる額、これらの明細及び同(八)の割合

ハ　当該死亡等の日の属する事業年度の直前の事業年度における第一節の**2**の(23)の規定により読み替えて適用する第一章第一節の**2**の(九)の総収入金額、運用収入の合計額、これらの明細及び同(九)の割合

ニ　当該死亡等の日の直前の経営報告基準日の翌日から当該死亡等の日までの間に第一節の**2**の(25)のただし書又は同**2**の(30)のただし書に規定する場合に該当することとなった場合には、これらの規定に規定する事由の詳細及びこれらの事由の生じた年月日（これらの事由が生じた日から当該死亡等の日までの間に第一節の**2**の(25)のただし書の割合が100分の70未満となった場合又は同**2**の(30)のただし書の割合が100分の75未満となった場合には、これらの事由の詳細及びこれらの事由の生じた年月日並びにこれらの割合を減少させた事情の詳細及びこれらの事情の生じた年月日又は事業年度）

(九)　その死亡等の日の直前の経営報告基準日（経営承継相続人等が相続税の申告書の提出期限の翌日から同日以後1年を経過する日までの間に死亡した場合において、当該期間内に経営報告基準日がないときは、当該相続税の申告書の提出期限。(十)及び(3)において同じ。）の翌日から当該死亡等の日までの間に認定承継会社が商号の変更をした場合、本店の所在地を変更した場合、合併により消滅した場合、株式交換等により他の会社の株式交換完全子会社等となった場合、会社分割をした場合、組織変更をした場合又は解散（会社法その他の法律の規定により解散をしたものとみなされる場合の当該解散を含む。）をした場合には、その旨

(十)　その死亡等の日の直前の経営報告基準日の翌日から当該死亡等の日までの間に経営承継相続人等につき第五節の**2**又は第六節の規定により納税の猶予に係る期限が確定した猶予中相続税額がある場合には、第五節の**2**の表の(一)(二)の左欄又は第六節の(一)から(六)の左欄のいずれの場合に該当したかの別及び該当した日並びに当該猶予中相続税額及びその明細

(十一)　その他参考となるべき事項

（免除届出書の添付書類）

(3)　(1)に規定する財務省令で定める書類は、対象非上場株式等に係る認定承継会社に係る次に掲げる書類（その死亡等の日が、第一節の**2**の(六)のイ又はロに掲げる日のいずれか早い日以前である場合には(二)に掲げる書類を除き、当該いずれか早い日の翌日以後である場合には(四)に掲げる書類を除く。）とする。（措規23の10㉙）

(一)　その死亡等の日における定款の写し

(二)　登記事項証明書（その死亡等の日以後に作成されたものに限る。）

(三)　その死亡等の日における株主名簿の写しその他の書類で株主又は社員の氏名又は名称及び住所又は所在地並びにこれらの者が有する株式等に係る議決権の数が確認できる書類（当該認定承継会社が証明したものに限る。）

(四)　円滑化省令第12条第8項（同条第17項において準用する場合を含む。）の報告書の写し及び当該報告書に係る同条第37項の確認書の写し

(五)　その死亡等の日の直前の経営報告基準日の翌日から当該死亡等の日までの間に会社分割又は組織変更があった場合には、当該会社分割に係る吸収分割契約書若しくは新設分割計画書の写し又は当該組織変更に係る組織変更計画書の写し

(六)　その死亡等の日の直前の経営報告基準日の翌日から当該死亡等の日までの間に合併又は株式交換等があった場合には、当該合併又は株式交換等に係る第三節の**1**の(5)の(一)及び(二)に掲げる書類（当該いずれか早い日までに合併又は株式交換等があった場合には同(5)の(一)に掲げる書類を除き、当該いずれか早い日の翌日以後に合併又は株式交換等があった場合には、同(5)の(二)のロに掲げる書類を除く。）

(七)　その他参考となるべき書類

（免除届出書の記載事項）

(4)　**1**に規定する財務省令で定める事項は、次の(一)(二)に掲げる場合の区分に応じ当該(一)(二)に定める事項とする。（措規23の10㉚）

(一)　**1**の(一)の規定に該当するものとして同**1**の規定により相続税の免除を受けようとする場合　　次に掲げる事項

イ　**1**の届出書を提出する者の氏名及び住所又は居所並びに死亡した経営承継相続人等との続柄並びに当該死亡した経営承継相続人等に係る認定承継会社の商号

ロ　イの死亡した経営承継相続人等の氏名及び住所並びにその死亡した年月日

ハ　**1**の規定による相続税の免除を受けようとする旨及び当該免除を受けようとする相続税の額

第二章　非上場株式等についての相続税の納税猶予及び免除
（第七節　納税猶予税額の免除）

　　ニ　その他参考となるべき事項
　（二）　1の（二）の規定に該当するものとして1の規定により相続税の免除を受けようとする場合　　次に掲げる事項
　　イ　1の届出書を提出する経営承継相続人等の氏名及び住所又は居所並びに当該届出書を提出する経営承継相続人等
　　　に係る認定承継会社の商号
　　ロ　イの届出書を提出する経営承継相続人等から1の（二）に規定する贈与により同（二）の対象非上場株式等の取得を
　　　した者の氏名及び住所並びに当該取得をした年月日
　　ハ　1の規定による相続税の免除を受けようとする旨並びに当該免除を受けようとする相続税の額及びその計算の明
　　　細
　　ニ　その他参考となるべき事項

　　（政令で定めるところにより計算した金額）
（5）　1の（二）に規定する政令で定めるところにより計算した金額は、同（二）に規定する贈与の直前における猶予中相続
　　税額に、当該贈与をした対象非上場株式等の数又は金額が当該贈与の直前における当該対象非上場株式等の数又は金額
　　のうちに占める割合を乗じて計算した金額とする。この場合において、当該計算した金額に100円未満の端数があるとき、
　　又はその全額が100円未満であるときは、その端数金額又はその全額を切り捨てる。（措令40の8の2㊹）

　　（第一章第一節の1又は第四章第一節の1の適用に係る贈与をした場合の免除税額等）
（6）　1の（二）の規定により免除となる相続税は、同（二）の贈与の直前の猶予中相続税額に次の割合を乗じて計算した金
　　額となることに留意する。

$$\frac{1の（二）の贈与をした対象非上場株式等の数又は金額}{1の（二）の贈与の直前における当該対象非上場株式等の数又は金額}$$

　　なお、これにより算出された金額に100円未満の端数があるとき又はその全額が100円未満であるときは、その端数金
　額又はその全額を切り捨てる。
　　この場合において、当該猶予中相続税額（下記(注)2により期限が到来した部分を除く。）のうち、上記により免除さ
　れた金額以外の金額は、納税猶予税額として残ることに留意する。（措通70の7の2－41）
　（注）1　1の（二）の規定の適用を受ける経営承継相続人等から対象非上場株式等を贈与により取得をした受贈者が、当該対象非上場株式等及び当
　　　　該対象非上場株式等以外の当該対象非上場株式等に係る会社の非上場株式等を贈与により取得をした場合には、当該対象非上場株式等から
　　　　先に第一章第一節の1又は第四章第一節の1の規定の適用を受けるものとすることに留意する。
　　　2　経営承継相続人等から贈与により取得をした当該対象非上場株式等について、当該贈与に係る受贈者が第一章第一節の1又は第四章第一
　　　　節の1の規定の適用を受けない部分がある場合には、当該部分に係る猶予中相続税額については免除されず第五節の2又は第六節の規定に
　　　　より納税の猶予に係る期限が到来することに留意する。
　　　3　当該免除後に納税猶予税額が残った場合には、当該免除に係る1の届出書に(1)の書類の添付は要しないことに留意する。

2　その他の場合による納税猶予税額の免除

　　第一節の1の規定の適用を受ける経営承継相続人等又は同1の対象非上場株式等に係る認定承継会社が次の（一）から
　（四）に掲げる場合のいずれかに該当することとなった場合（その該当することとなった日前に第三節の2の規定の適用が
　あった場合及び同日前に第四節又は第十の（4）の規定による納税の猶予に係る期限の繰上げがあった場合を除く。）にお
　いて、当該経営承継相続人等は、当該（一）から（四）に定める相続税の免除を受けようとするときは、その該当すること
　となった日から2月を経過する日（その該当することとなった日から当該2月を経過する日までの間に当該経営承継相続人
　等が死亡した場合には、当該経営承継相続人等の相続人が当該経営承継相続人等の死亡による相続の開始があったことを
　知った日の翌日から6月を経過する日。(8)において「**申請期限**」という。）までに、当該免除を受けたい旨、免除を受け
　ようとする相続税に相当する金額（(9)において「**免除申請相続税額**」という。）及びその計算の明細その他の(1)の財務
　省令で定める事項を記載した申請書（当該免除の手続に必要な書類として(2)の財務省令で定める書類を添付したものに
　限る。）を納税地の所轄税務署長に提出しなければならない。（措法70の7の2⑰）
　（一）　経営承継期間の末日の翌日以後に、当該経営承継相続人等が当該対象非上場株式等に係る認定承継会社の非上場株
　　　式等の全部の譲渡等をした場合（当該経営承継相続人等と第五節の1の（6）の政令で定める特別の関係がある者以外の
　　　者のうちの1人の者として(3)の政令で定めるものに対して行う場合又は民事再生法の規定による再生計画若しくは会
　　　社更生法の規定による更生計画の認可の決定があった場合（再生計画の認可の決定に準ずる(6)の政令で定める事実が
　　　生じた場合を含む。第九節の4の（一）のロにおいて同じ。）において当該再生計画若しくは当該更生計画（債務の処理に
　　　関する計画として(6)の政令で定めるもの（3及び3の(2)において「債務処理計画」という。）を含む。第九節の4の
　　　（一）のロにおいて同じ。）に基づき当該非上場株式等を消却するために行うときに限り、（四）に掲げる場合に該当する場

－1249－

合を除く。）において、次に掲げる金額の合計額が当該譲渡等の直前における猶予中相続税額に満たないとき　　当該猶予中相続税額から当該合計額を控除した残額に相当する相続税

イ　当該譲渡等があった時における当該譲渡等をした対象非上場株式等の時価に相当する金額として(5)の財務省令で定める金額（当該(5)の財務省令で定める金額が当該譲渡等をした対象非上場株式等の譲渡等の対価の額より小さい金額である場合には、当該譲渡等の対価の額）

ロ　当該譲渡等があった日以前5年以内において、当該経営承継相続人等及び当該経営承継相続人等と生計を一にする者が当該認定承継会社から受けた剰余金の配当等の額その他当該認定承継会社から受けた金額として第一節の2の(27)の政令で定めるものの合計額

（二）　経営承継期間の末日の翌日以後に、当該対象非上場株式等に係る認定承継会社について破産手続開始の決定又は特別清算開始の命令があった場合　　イに掲げる金額からロに掲げる金額を控除した残額に相当する相続税

イ　当該認定承継会社の解散（会社法その他の法律の規定により解散をしたものとみなされる場合の当該解散を含む。ロ及び第五節の3の表の(七)の右欄において同じ。）の直前における猶予中相続税額

ロ　当該認定承継会社の解散前5年以内において、当該経営承継相続人等及び当該経営承継相続人等と生計を一にする者が当該認定承継会社から受けた剰余金の配当等の額その他当該認定承継会社から受けた金額として第一節の2の(27)の政令で定めるものの合計額

（三）　経営承継期間の末日の翌日以後に、当該対象非上場株式等に係る認定承継会社が合併により消滅した場合（吸収合併存続会社等が当該経営承継相続人等と第五節の1の(6)の政令で定める特別の関係がある者以外のものであり、かつ、当該合併に際して当該吸収合併存続会社等の株式等の交付がない場合に限る。）において、次に掲げる金額の合計額が当該合併がその効力を生ずる直前における猶予中相続税額に満たないとき　　当該猶予中相続税額から当該合計額を控除した残額に相当する相続税

イ　当該合併がその効力を生ずる直前における当該対象非上場株式等の時価に相当する金額として(5)の財務省令で定める金額（当該(5)の財務省令で定める金額が合併対価（当該吸収合併存続会社等が当該合併に際して当該消滅する認定承継会社の株主又は社員に対して交付する財産をいう。）の額より小さい金額である場合には、当該合併対価の額）

ロ　当該合併がその効力を生ずる日以前5年以内において、当該経営承継相続人等及び当該経営承継相続人等と生計を一にする者が当該認定承継会社から受けた剰余金の配当等の額その他当該認定承継会社から受けた金額として第一節の2の(27)の政令で定めるものの合計額

（四）　経営承継期間の末日の翌日以後に、当該対象非上場株式等に係る認定承継会社が株式交換等により他の会社の株式交換完全子会社等となった場合（当該他の会社が当該経営承継相続人等と第五節の1の(6)の政令で定める特別の関係がある者以外のものであり、かつ、当該株式交換等に際して当該他の会社の株式等の交付がない場合に限る。）において、次に掲げる金額の合計額が当該株式交換等がその効力を生ずる直前における猶予中相続税額に満たないとき　　当該猶予中相続税額から当該合計額を控除した残額に相当する相続税

イ　当該株式交換等がその効力を生ずる直前における当該対象非上場株式等の時価に相当する金額として(5)の財務省令で定める金額（当該(5)の財務省令で定める金額が交換等対価（当該他の会社が当該株式交換等に際して当該株式交換完全子会社等となった認定承継会社の株主に対して交付する財産をいう。）の額より小さい金額である場合には、当該交換等対価の額）

ロ　当該株式交換等がその効力を生ずる日以前5年以内において、当該経営承継相続人等及び当該経営承継相続人等と生計を一にする者が当該認定承継会社から受けた剰余金の配当等の額その他当該認定承継会社から受けた金額として第一節の2の(27)の政令で定めるものの合計額

　　（免除申請書の記載事項）

（1）　2に規定する財務省令で定める事項は、次に掲げるものとする。（措規23の10㉛）

（一）　2の申請書を提出する者の氏名及び住所又は居所

（二）　2の規定による相続税の免除を受けようとする旨並びに当該免除を受けようとする相続税の額及びその計算の明細

（三）　（二）の免除が2の(一)から(四)のいずれの規定に基づくものであるかの別並びに2の(一)から(四)に掲げる場合に該当することとなった事情の詳細及びその事情が生じた年月日

（四）　その他参考となるべき事項

　　（免除申請書の添付書類）

（2）　2に規定する財務省令で定める書類は、次の(一)から(四)に掲げる場合の区分に応じ当該(一)から(四)に定める書

第二章　非上場株式等についての相続税の納税猶予及び免除
（第七節　納税猶予税額の免除）

類とする。（措規23の10㉜）

（一）　**2**の(一)の規定に該当するものとして**2**の規定により相続税の免除を受けようとする場合　　次に掲げる書類

イ　次に掲げる場合の区分に応じそれぞれ次に定める書類

①　**2**の(一)の１人の者に対して同(一)の譲渡等をする場合　　当該譲渡等があったことを明らかにする書類、当該譲渡等後の同(一)の認定承継会社の登記事項証明書（当該譲渡等後に作成されたものに限る。）及び当該譲渡等後の当該認定承継会社の株主名簿の写しその他の書類で当該認定承継会社の全ての株主又は社員の氏名又は名称及び住所又は所在地並びにこれらの者が有する当該認定承継会社の株式等に係る議決権の数が確認できる書類（当該認定承継会社が証明したものに限る。）

②　**2**の(一)の再生計画、更生計画又は同(一)に規定する債務処理計画（(ⅲ)において「債務処理計画」という。）に基づき同(一)の対象非上場株式等を消却するために同(一)の譲渡等をする場合　　当該譲渡等後の認定承継会社の株主名簿の写しその他の書類で当該認定承継会社の全ての株主又は社員の氏名又は名称及び住所又は所在地が確認できる書類（当該認定承継会社が証明したものに限る。）並びに次に掲げる計画の区分に応じそれぞれ次に定める書類

（ⅰ）　再生計画　当該認定承継会社に係る再生計画（民事再生法第２条第３号に規定する再生計画で同法第174条第１項の規定により認可の決定がされたものに限る。）の写し及び当該再生計画の認可の決定があったことを証する書類

（ⅱ）　更生計画　当該認定承継会社に係る更生計画（会社更生法第２条第２項に規定する更生計画で同法第199条第１項の規定により認可の決定がされたものに限る。）の写し及び当該更生計画の認可の決定があったことを証する書類

（ⅲ）　債務処理計画　当該認定承継会社に係る債務処理計画（当該債務処理計画に係る法人税法施行令第24条の２第１項第１号に規定する一般に公表された債務処理を行うための手続についての準則が、産業競争力強化法第135条第１項に規定する中小企業再生支援協議会が定めたものである場合に限る。）の写し及び当該債務処理計画が成立したことを証する書類

ロ　**2**の(一)の譲渡等の直前における猶予中相続税額、同(一)のイに掲げる金額及び同(一)のロに掲げる合計額を記載した書類

ハ　その他参考となるべき事項を記載した書類

（二）　**2**の(二)の規定に該当するものとして**2**の規定により相続税の免除を受けようとする場合　　次に掲げる書類

イ　**2**の(二)の認定承継会社について破産手続開始の決定又は特別清算開始の命令があったことを証する書類

ロ　**2**の(二)のイに掲げる猶予中相続税額及び同(二)のロに掲げる合計額を記載した書類

ハ　その他参考となるべき事項を記載した書類

（三）　**2**の(三)の規定に該当するものとして**2**の規定により相続税の免除を受けようとする場合　　次に掲げる書類

イ　**2**の(三)の合併があったことを明らかにする書類

ロ　**2**の(三)の合併がその効力を生ずる日の直前における猶予中相続税額、同(三)のイに掲げる金額及び同(三)のロに掲げる合計額を記載した書類

ハ　その他参考となるべき事項を記載した書類

（四）　**2**の(四)の規定に該当するものとして**2**の規定により相続税の免除を受けようとする場合　　次に掲げる書類

イ　**2**の(四)の株式交換等があったことを明らかにする書類

ロ　**2**の(四)の株式交換等がその効力を生ずる日の直前における猶予中相続税額、同(四)のイに掲げる金額及び同(四)のロに掲げる合計額を記載した書類

ハ　その他参考となるべき事項を記載した書類

（１人の者として政令で定めるもの）

（3）　**2**の(一)及び第九節の**4**の(一)のイに規定する１人の者として政令で定めるものは、持分の定めのある法人（医療法人を除く。）又は個人で、**2**の(一)の譲渡等があった後の認定承継会社の経営を実質的に支配する者として（4）の財務省令で定める者とする。（措令40の８の２㊺）

（財務省令で定める認定承継会社の経営を実質的に支配する者）

（4）　（3）に規定する財務省令で定める者は、次に掲げる要件の全てを満たす者とする。（措規23の10㉝により準用する措規23の９㉟）

（一）　**2**の(一)の譲渡等後において、同(一)の１人の者及び当該１人の者と第一節の**2**の(三)のハに規定する特別の関

－1251－

第七編　非上場株式等に係る相続税・贈与税の納税猶予及び免除

係がある者の有する**2**の(一)の認定承継会社の非上場株式等に係る議決権の数の合計が、当該認定承継会社の総株主等議決権数の100分の50を超える数を有することとなる場合における当該1人の者であること。

(二)　(一)の譲渡等後において、(一)の1人の者が有する(一)の認定承継会社の非上場株式等の議決権の数が、当該1人の者と(一)の特別の関係がある者のうちいずれの者が有する当該認定承継会社の非上場株式等に係る議決権の数をも下回らないこと。

(三)　(一)の譲渡等後において、(一)の1人の者（当該1人の者が持分の定めのある法人（医療法人を除く。）である場合には、当該法人の会社法第329条第1項に規定する役員又は業務を執行する社員その他これらに類する者で当該法人の経営に従事している者）が当該認定承継会社の代表権を有すること。

　　（財務省令で定める特例非上場株式等の時価に相当する金額）
(5)　**2**の(一)のイ、**2**の(三)のイ及び**2**の(四)のイに規定する財務省令で定める金額は、個人が、**2**の(一)のイの譲渡等の直前又は**2**の(三)のイの合併若しくは**2**の(四)のイの株式交換等がその効力を生ずる直前において**1**に規定する被相続人から特例非上場株式等に係る認定承継会社の発行済株式又は出資（議決権があるものに限る。）の総数又は総額の全てを相続又は遺贈により取得したものとした場合の当該相続の時における当該認定承継会社の株式又は出資の1単位当たりの価額に、**2**の(一)のイの譲渡等の直前又は**2**の(三)のイの合併若しくは**2**の(四)のイの株式交換等がその効力を生ずる直前において当該経営承継者が有していた当該特例非上場株式等の数又は金額を乗じて得た金額とする。（措規23の10㉞により準用する措規23の9㊱）

　　（政令で定める事実）
(6)　**2**の(一)及び**3**に規定する政令で定める事実は、法人税法施行令第24条の2第1項に規定する事実（同項第1号に規定する一般に公表された債務処理を行うための手続についての準則が、産業競争力強化法第135条第1項に規定する中小企業再生支援協議会が定めたものである場合に限る。）とし、**2**の(一)に規定する政令で定める計画は、法人税法施行令第24条の2第1項第1号から第3号まで及び第4号又は第5号に掲げる要件に該当する債務処理に関する計画とする。（措令40の8の2㊻）

　　（政令で定める剰余金の配当等の額その他認定承継会社から受けた金額の準用）
(7)　第一節の**2**の(27)の規定は、**2**の(一)のロ、(二)のロ、(三)のロ及び(四)のロ並びに**3**の(二)に規定する剰余金の配当等の額その他認定承継会社から受けた金額として政令で定めるものについて準用する。（措令40の8の2㊼）

　　（免除通知）
(8)　税務署長は、**2**の規定による申請書の提出があった場合において、当該申請書に記載された事項について調査を行い、当該申請書に係る**2**の(一)から(四)に掲げる場合の区分に応じ当該(一)から(四)に定める相続税の免除をし、又は当該申請書に係る申請の却下をする。この場合において、税務署長は、当該申請書に係る申請期限の翌日から起算して6月以内に、当該免除をした相続税の額又は当該却下をした旨及びその理由を記載した書面により、これを当該申請書を提出した経営承継相続人等に通知するものとする。（措法70の7の2⑱）

　　（徴収の猶予）
(9)　税務署長は、**2**の申請書の提出があった場合において相当の理由があると認めるときは、当該申請書に係る納期限（第五節の**3**の表の(六)から(八)までの左欄に掲げる場合の区分に応じ同表の(六)から(八)までの右欄に掲げる日（同日以前2月以内に第一節の**1**の規定の適用を受けた経営承継相続人等が死亡した場合には、当該経営承継相続人等の相続人が当該経営承継相続人等の死亡による相続の開始があったことを知った日の翌日から6月を経過する日）をいう。）又は当該申請書の提出があった日のいずれか遅い日から(8)の規定による通知を発した日の翌日以後1月を経過する日までの間、その申請に係る免除申請相続税額に相当する相続税の徴収を猶予することができる。（措法70の7の2⑲）

　　（延滞税の免除）
(10)　税務署長は、経営承継相続人等が**2**の(一)、(三)又は(四)の規定の適用を受ける場合において、当該経営承継相続人等が適正な時価を算定できないことについてやむを得ない理由があると認めるときは、第五節の**3**の表の(六)の左欄又は同表の(八)の左欄に掲げる場合に該当することとなったことにより納付することとなった相続税に係る延滞税につき、(9)に規定する納期限の翌日から(8)の規定による通知を発した日の翌日以後1月を経過する日までの間に対応する部分の金額を免除することができる。（措法70の7の2⑳）

－1252－

第二章　非上場株式等についての相続税の納税猶予及び免除
(第七節　納税猶予税額の免除)

　　　(延滞税の計算方法)
(11)　**2**の申請書の提出があった場合において、当該提出があった日又は(9)に規定する納期限のいずれか遅い日の翌日から(8)の規定による通知を発した日までの間において延滞税の額を計算するときは、猶予中相続税額から**2**に規定する免除申請相続税額を控除した残額を基礎として計算するものとする。(措令40の8の2㊽)

　　　(利子税の計算方法)
(12)　**2**の申請書の提出があった場合において、当該提出があった日から(8)の規定による通知を発した日までの間において利子税の額を計算するときは、猶予中相続税額から**2**に規定する免除申請相続税額を控除した残額を基礎として計算するものとする。(措令40の8の2㊾)

　　　(担保の解除)
(13)　**2**の申請書の提出があった場合において、**2**の(一)から(四)の猶予中相続税額から**2**に規定する免除申請相続税額を控除した残額に相当する相続税の納付があったときは、税務署長は、当該猶予中相続税額に係る担保(当該担保が第二節の**2**本文の規定により提供された対象非上場株式等である場合に限る。)を解除することができる。(措令40の8の2㊿)

　　　(破産免除等の申請書が申請期限までに提出されない場合等)
(14)　第一章第七節の**2**の(7)は、経営承継相続人等が**2**の規定に基づき相続税の免除を受けようとする場合に準用する。(措通70の7の2-42)

　　　(**2**の(一)の規定の適用を受けるための譲渡等)
(15)　**2**の(一)の規定の適用を受けようとする場合には、第一節の**1**の規定の適用を受けている対象非上場株式等のみならず、経営承継相続人等が有する当該対象非上場株式等に係る会社の株式等の全てを譲渡等する必要があることに留意する。(措通70の7の2-43)

　　　(対象非上場株式等の時価に相当する金額の意義)
(16)　**2**の(一)のイ、(三)のイ及び(四)のイの「対象非上場株式等の時価に相当する金額として財務省令で定める金額」の意義については、第一章第七節の**2**の(9)を準用する。(指通70の7の2-44)

　　　(免除申請があった場合の延滞税の計算)
(17)　(11)の規定は、**2**の規定による免除申請書が提出された場合で、納期限又は当該免除申請書の提出があった日のいずれか遅い日の翌日から(8)の規定による免除通知書を発した日までの間に猶予中相続税額から**2**に規定する免除申請相続税額を控除した残額に相当する相続税を納付するときに、それと併せて納付すべき延滞税の額の計算に関する取扱いであることに留意する。したがって、当該免除通知書を発した日後においては、猶予中相続税額から(8)の規定により免除をする税額を控除した残額に相当する相続税を基礎金額として、納付すべき延滞税の額を計算することに留意する。(措通70の7の2-45)
　(注)　免除申請相続税額と免除をする税額が異なる場合には、(11)の規定により計算した延滞税の額と免除後の相続税額を基礎金額として計算した納付すべき延滞税の額に差額が生じることになるため、(11)の規定により計算した延滞税の額の増額又は減額の処理を行う必要があることに留意する。

　　　(免除申請があった場合の利子税の計算)
(18)　(12)の規定は、**2**の規定による免除申請書が提出された場合で、当該免除申請書の提出があった日から(8)の規定による免除通知書を発した日までの間に猶予中相続税額から免除申請相続税額を控除した残額に相当する相続税を納付するときに、それと併せて納付すべき利子税の額の計算に関する取扱いであることに留意する。したがって、当該免除通知書を発した日後においては、猶予中相続税額から(8)の規定により免除をする税額を控除した残額に相当する相続税を基礎金額として、納付すべき利子税の額を計算することに留意する。(措通70の7の2-46)
　(注)　免除申請相続税額と免除をする税額が異なる場合には、(12)の規定により計算した利子税の額と免除後の相続税額を基礎金額として計算した納付すべき利子税の額に差額が生じることになるため、(12)の規定により計算した利子税の額の増額又は減額の処理を行う必要があることに留意する。

-1253-

第七編　非上場株式等に係る相続税・贈与税の納税猶予及び免除

（免除申請に伴い担保解除を行う場合に納付すべき相続税額）
(19)　(13)に規定する「**2**の(一)から(四)の猶予中相続税額から**2**に規定する免除申請相続税額を控除した残額に相当する相続税額」とは、**2**の(一)から(四)の猶予中相続税額から免除申請相続税を控除した残額に相当する相続税の額と、(12)の規定により計算した当該相続税の額に係る納税猶予期間中の利子税の額の合計額をいうことに留意する。（措通70の7の2−47）

3　再生計画等の認可の決定による認定承継会社の有する資産の評定

経営承継期間の末日の翌日以後に、第一節の**1**の対象非上場株式等に係る認定承継会社（中小企業における経営の承継の円滑化に関する法律第2条に規定する中小企業者であること(4)のその他の政令で定める要件を満たすものに限る。）について民事再生法の規定による再生計画又は会社更生法の規定による更生計画の認可の決定があった場合（再生計画の認可の決定に準ずる**2**の(6)の政令で定める事実が生じた場合を含む。）において、当該認定承継会社の有する資産につき(5)の政令で定める評定が行われたとき（当該認可の決定があった日（(5)の政令で定める事実が生じた場合にあっては、債務処理計画が成立した日。以下(2)までにおいて「**認可決定日**」という。）以後当該認定承継会社に係る経営承継相続人等が(3)の規定による通知が発せられた日（以下**3**において「**通知日**」という。）前に第六節の表の(一)から(六)の左欄に掲げる場合に該当することとなった場合及び第三節の**2**の規定の適用があった場合並びに当該通知日前に第四節又は第十節の(4)の規定による納税の猶予に係る期限の繰上げがあった場合を除き、再生計画を履行している認定承継会社にあっては、監督委員又は管財人が選任されている場合に限る。）は、再計算猶予中相続税額をもって当該対象非上場株式等に係る猶予中相続税額とする。この場合において、(二)に掲げる金額に相当する相続税については、第一節の**1**の規定にかかわらず、当該通知日から2月を経過する日（当該通知日から当該2月を経過する日までの間に当該経営承継相続人等が死亡した場合には、当該経営承継相続人等の相続人が当該経営承継相続人等の死亡による相続の開始があったことを知った日の翌日から6月を経過する日）をもって同項の規定による納税の猶予に係る期限とし、猶予中相続税額から次に掲げる金額の合計額を控除した残額に相当する相続税（(3)において「**再計算免除相続税**」という。）については、免除する。（措法70の7の2㉒）

(一)	当該再計算猶予中相続税額
(二)	認可決定日前5年以内において、当該経営承継相続人等及び当該経営承継相続人等と生計を一にする者が当該認定承継会社から受けた剰余金の配当等の額その他当該認定承継会社から受けた金額として政令で定めるものの合計額

（「再計算猶予中相続税額」とは）
(1)　**3**の「再計算猶予中相続税額」とは、第一節の**1**の規定の適用に係る対象非上場株式等（猶予中相続税額に対応する部分に限り、合併により当該対象非上場株式等に係る同節の**1**の認定承継会社が消滅した場合(6)のその他の財務省令で定める場合には、当該対象非上場株式等に相当するものとして(6)の財務省令で定めるものとする。以下(1)において同じ。）の認可決定日における価額として(7)の財務省令で定める金額を同節の**1**の規定の適用に係る相続により取得をした対象非上場株式等の当該相続の時における価額とみなして、第一節の**2**の(五)の規定により計算した金額をいう。（措法70の7の2㉓）

（適用手続き）
(2)　**3**の規定は、**3**の規定の適用を受けようとする経営承継相続人等（**3**の認定承継会社の代表権を有する者その他これに準ずる者として(8)の財務省令で定める者に限る。）が、認可決定日から2月を経過する日（当該認可決定日から当該2月を経過する日までの間に当該経営承継相続人等が死亡した場合には、当該経営承継相続人等の相続人が当該経営承継相続人等の死亡による相続の開始があったことを知った日の翌日から6月を経過する日。(3)において「**申請期限**」という。）までに、**3**の規定の適用を受けたい旨、(1)に規定する再計算猶予中相続税額及びその計算の明細その他(9)の財務省令で定める事項を記載した申請書（**3**に規定する認可の決定があった再生計画又は更生計画（債務処理計画を含む。）に関する書類として(10)の財務省令で定めるものを添付したものに限る。）を納税地の所轄税務署長に提出した場合に限り、適用する。（措法70の7の2㉔）

（税務署長による申請書を提出した経営承継相続人等への通知）
(3)　税務署長は、(2)の規定による申請書の提出があった場合において、当該申請書に記載された事項について調査を行い、当該申請書に係る再計算免除相続税の免除をし、又は当該申請書に係る申請の却下をする。この場合において、

−1254−

税務署長は、当該申請書に係る申請期限の翌日から起算して６月以内に、当該再計算免除相続税の額又は当該却下をした旨及びその理由を記載した書面により、これを当該申請書を提出した経営承継相続人等に通知するものとする。（措法70の７の２㉕）

（政令で定める要件）

（４）　**3**に規定する政令で定める要件は、**3**に規定する認可決定日において、次に掲げる要件の全てを満たすこととする。（措令40の８の２51）

（一）　第一節の**1**の対象非上場株式等に係る認定承継会社が中小企業における経営の承継の円滑化に関する法律第２条に規定する中小企業者であること。

（二）　(一)の認定承継会社の株式等が非上場株式等に該当すること。

（政令で定める評定）

（５）　**3**に規定する政令で定める評定は、次の(一)(二)に掲げる事実の区分に応じ当該(一)(二)に定める評定とする。（措令40の８の２52）

（一）　民事再生法の規定による再生計画又は会社更生法の規定による更生計画の認可の決定があったこと　認定承継会社がその有する資産の価額につき当該再生計画又は当該更生計画の認可の決定があった時の価額により行う評定

（二）　**3**に規定する政令で定める事実　認定承継会社が法人税法施行令第24条の２第１項第１号イに規定する事項に従って行う同項第２号の資産評定

（（１）に規定する財務省令で定める場合及び財務省令で定めるもの）

（６）　第五節の**1**の（１）の規定は、（１）に規定する財務省令で定める場合及び財務省令で定めるものについて準用する。（措規23の10㉟）

（（１）に規定する財務省令で定める金額）

（７）　第一章第七節の**3**の（８）の規定は、（１）に規定する財務省令で定める金額について準用する。（措規23の10㊱）

（（２）に規定する財務省令で定める者）

（８）　第一章第七節の**3**の（９）の規定は、（２）に規定する財務省令で定める者について準用する。（措規23の10㊲）

（（２）に規定する財務省令で定める事項）

（９）　第一章第七節の**3**の(10)の規定は、（２）に規定する財務省令で定める事項について準用する。（措規23の10㊳）

（（２）に規定する財務省令で定めるもの）

(10)　第一章第七節の**3**の(11)の規定は、（２）に規定する財務省令で定めるものについて準用する。（措規23の10㊴）

（猶予中相続税額の再計算に係る申請書が申請期限までに提出されない場合等）

(11)　第一章第七節の**3**の(12)は、経営承継相続人等が**3**の規定の適用を受けようとする場合に準用する。（措通70の７の２－49）

（債務処理計画が成立した日の意義）

(12)　**3**に規定する「債務処理計画が成立した日」とは、産業競争力強化法（平成25年法律第98号）第128条第１項に規定する中小企業再生支援協議会が、第一章第七節の**2**の(一)に規定する債務処理計画の策定の支援を含む認定贈与承継会社の事業の再生を支援する場合において、対象となる債権者全員が再生計画に同意する旨の書面を提出した日をいうことに留意する。（措通70の７の２－50）

（認可決定日後に確定事由が生じた場合）

(13)　**3**に規定する認可決定日以後（３）の規定による通知が発せられた日（以下において「**通知日**」という。）前に、第六節の表の(一)から(六)の左欄に掲げる場合に該当することとなった場合及び第三節の**2**の規定の適用があった場合並びに当該通知日前に第四節又は第十節の（４）の規定による納税の猶予に係る期限の繰上げがあった場合には、**3**の規定の適用がないことに留意する。（措通70の７の２－51）

第七編　非上場株式等に係る相続税・贈与税の納税猶予及び免除

（対象非上場株式等の認可決定日における価額の意義）

(14)　（1）の「対象非上場株式等の認可決定日における価額として財務省令で定める金額」とは、第一章第七節2の(5)《財務省令で定める特例受贈非上場株式等の時価に相当する金額》に規定する金額をいうのであるが、同(5)の「一単位当たりの価額」は、同(5)の規定に基づき評価基本通達の定めにより算定することに留意する。この場合において、同(5)の規定により第九編第八章第四節の(10)《純資産価額》のただし書及び同(16)《同族株主以外の株主等が取得した株式の評価》に定める評価方法（これらの定めと同様に評価することとされている評価基本通達に定める評価方法を含む。）が適用されることはないことに留意する。（措通70の7の2−52）

（納税猶予期限の繰上げに該当することとなった日）

(15)　第五節の3の表の(五)の左欄に掲げる場合に該当する場合における同節の3の(2)に規定する「経営承継期間の末日の翌日以後にこれらの規定に規定する場合に該当することとなった場合」とは、税務署長が納税猶予期限の繰上通知書を発した日が当該経営承継期間の末日の翌日以後である場合をいうことに留意する。（措通70の7の2−53）

−1256−

第二章　非上場株式等についての相続税の納税猶予及び免除
（第八節　経過措置）

第八節　経過措置

① 特定受贈同族会社株式等に係る経過措置

　　（従前の取扱いの適用）
（１）　旧租税特別措置法第69条の５第２項第11号に規定する特定事業用資産相続人等（以下①において「**特定事業用資産**
　　相続人等」という。）が施行日（平成21年４月１日）前に贈与により取得をした同条第２項第８号に規定する特定受贈同
　　族会社株式等（以下①において「**特定受贈同族会社株式等**」という。）につき旧租税特別措置法第69条の５第10項又は（１）
　　の規定により相続税法第28条第１項の申告書及び旧租税特別措置法第69条の５第10項の書類を納税地の所轄税務署長に
　　提出している場合には、当該特定受贈同族会社株式等に係る相続税又は贈与税については、なお従前の例による。（平21
　　改所法等附64①）

　　（非上場株式等についての納税猶予の適用）
（２）　（１）に規定する場合（当該特定受贈同族会社株式等の贈与をした者（以下①において「**特定贈与者**」という。）が平
　　成20年10月１日以後に死亡した場合に限る。）において、当該特定贈与者に係る特定事業用資産相続人等が次に掲げる要
　　件のすべてを満たすときは、当該特定事業用資産相続人等は、当該特定受贈同族会社株式等（（２）の規定の適用を受け
　　るものとして（３）の政令で定めるところにより選択したものに限る。以下①において「**選択特定受贈同族会社株式等**」
　　という。）を当該特定贈与者から相続（当該特定事業用資産相続人等が当該特定贈与者の相続人以外の者である場合には、
　　遺贈）により取得をした非上場株式等とみなして、本章の規定の適用を受けることができる。（平21改所法等附64②）
　　（一）　当該特定事業用資産相続人等が、平成22年３月31日までに納税地の所轄税務署長に、（２）の規定により本章の規
　　　定の適用を受けようとする旨その他（５）の財務省令で定める事項を記載した書類を提出していること。ただし、当該
　　　特定贈与者の死亡に係る第一編第七章第一節一の１に規定する相続税の申告書の提出期限が同日までに到来する場合
　　　には、既に当該書類を提出している場合を除き、当該書類を当該相続税の申告書に添付して提出することとする。
　　（二）　当該特定事業用資産相続人等が、当該特定受贈同族会社株式等に係る贈与の時から当該特定贈与者の死亡により
　　　開始した相続に係る相続税の申告書の提出期限（（三）において「申告期限」という。）を経過する時までの間のうち（６）
　　　の政令で定める期間において、当該選択特定受贈同族会社株式等に係る認定承継会社（第一節の２の（一）に規定する
　　　認定承継会社をいう。）の役員その他の地位として（８）の財務省令で定めるものを有していること。
　　（三）　当該特定事業用資産相続人等が、当該特定贈与者からの贈与により取得をした選択特定受贈同族会社株式等のす
　　　べてを当該贈与の時から当該相続に係る申告期限（当該特定事業用資産相続人等が当該申告期限前に死亡した場合に
　　　は、その死亡の日）まで引き続き保有していること。

　　（申告書の添付書類）
（３）　（２）の規定の適用を受けようとする（１）に規定する特定事業用資産相続人等は、（２）の規定の適用を受けたい旨を
　　（２）の（一）に規定する相続税の申告書に記載し、かつ、次に掲げる書類のすべてを当該相続税の申告書に添付すること
　　により、（１）に規定する特定受贈同族会社株式等のうち（２）の規定の適用を受けるものを選択しなければならない。こ
　　の場合において、（２）に規定する特定贈与者からの相続若しくは遺贈（贈与をした者の死亡により効力を生ずる贈与を
　　含む。①において同じ。）又は贈与（当該相続に係る被相続人からの贈与（贈与をした者の死亡により効力を生ずる贈与
　　を除く。）であって当該贈与により取得をした財産につき第三編第一章第一節二の（１）の規定の適用を受けるものに係る
　　贈与に限る。以下①において同じ。）により旧令第40条の２第３項に規定する特例対象受贈株式等（（一）から（三）までに
　　おいて「**特例対象受贈株式等**」という。）若しくは同項に規定する特例対象株式等（（三）において「**特例対象株式等**」と
　　いう。）若しくは同項に規定する特例対象受贈山林（（三）において「**特例対象受贈山林**」という。）若しくは同項に規定
　　する特例対象山林（（三）において「**特例対象山林**」という。）又は同項に規定する特例対象宅地等（（三）において「**特例**
　　対象宅地等」という。）の取得をした個人が１人であるときは、（三）に掲げる書類を当該相続税の申告書に添付すること
　　を要しない。（平21改措令附43①）
　　（一）　（２）の規定の適用を受けるものとして選択をしようとする特例対象受贈株式等の明細を記載した書類
　　（二）　（一）の選択をしようとする特例対象受贈株式等が特定受贈同族会社株式等に該当する旨を記載した書類
　　（三）　特例対象受贈株式等若しくは特例対象株式等若しくは特例対象受贈山林若しくは特例対象山林又は特例対象宅地

－1257－

第七編　非上場株式等に係る相続税・贈与税の納税猶予及び免除

等の取得をしたすべての個人の（一）の選択についての同意を証する書類

（四）　その他（4）の財務省令で定める書類

（財務省令で定めるその他の添付書類）

（4）　（3）の（四）に規定する財務省令で定める書類は、（2）の規定の適用を受けようとする特定事業用資産相続人等が（6）の（一）又は（二）に定める期間において、（2）に規定する特定受贈同族会社株式等に係る法人の（8）の地位を有していたこと又は有することを明らかにする書類（平21改措規附21④）

（添付書類の記載事項）

（5）　（2）の（一）に規定する財務省令で定める事項は、次に掲げる事項とする。（平21改措規附21①）

（一）　（2）の規定の適用を受けようとする（1）に規定する特定事業用資産相続人等の氏名及び住所又は居所

（二）　（一）の特定事業用資産相続人等に係る（2）に規定する特定贈与者の氏名及び住所又は居所

（三）　（一）の特定事業用資産相続人等が（二）の特定贈与者に係る第三編第一章第一節二の（2）に規定する相続時精算課税適用者に該当する旨並びに当該特定贈与者に係る同二の（3）に規定する相続時精算課税選択届出書を提出した税務署の名称及びその提出に係る年分

（四）　（一）の特定事業用資産相続人等が既に（二）の特定贈与者から贈与を受けた旧令第40条の2の2第7項に規定する対象法人の旧法第69条の5第2項第8号に規定する特定受贈同族会社株式等について同条第10項の規定の適用を受けたことがある場合には、その旨並びに同項の書類を提出した税務署の名称及びその提出に係る年分

（五）　その他参考となるべき事項

（政令で定める期間）

（6）　（2）の（二）に規定する政令で定める期間は、次の各号に掲げる場合の区分に応じ当該各号に定める期間とする。（平21改措令附43②）

（一）　特定贈与者が平成22年3月31日以前に死亡した場合　　次に掲げる場合の区分に応じそれぞれ次に定める期間（当該期間が特定受贈同族会社株式等の贈与の日から特定贈与者の死亡により開始した相続に係る（2）に規定する申告期限までの間より長い場合には、当該贈与の日から当該申告期限までの間）

イ　特定事業用資産相続人等が特定受贈同族会社株式等の贈与の日において65歳未満である場合　　当該贈与の日から当該特定事業用資産相続人等が65歳に達する日（当該達する日前に当該贈与に係る特定贈与者が死亡した場合には、当該特定贈与者の死亡により開始した相続に係る申告期限）までの間の100分の80に相当する期間（当該期間が2年より短い場合には、2年間（当該特定事業用資産相続人等が65歳に達する日前に当該特定贈与者が死亡した場合には、当該贈与の日から当該申告期限までの間の100分の80に相当する期間））

ロ　特定事業用資産相続人等が特定受贈同族会社株式等の贈与の日において65歳以上である場合　　2年間（当該贈与の日から当該贈与に係る特定贈与者の死亡により開始した相続に係る申告期限までの間の100分の80に相当する期間が2年より短い場合には、当該期間）

（二）　特定贈与者が平成22年4月1日以後に死亡した場合　　次に掲げる場合の区分に応じそれぞれ次に定める期間

イ　特定事業用資産相続人等が特定受贈同族会社株式等の贈与の日において65歳未満である場合　　当該贈与の日から当該特定事業用資産相続人等が65歳に達する日又は平成22年3月31日のいずれか早い日までの間の100分の80に相当する期間（当該期間が2年より短い場合には、2年間（当該贈与の日から同年3月31日までの間が2年より短い場合には、当該期間））及び同年4月1日から当該特定贈与者の死亡により開始した相続に係る申告期限（当該特定事業用資産相続人等が当該申告期限前に死亡した場合には、当該死亡した日）までの間

ロ　特定事業用資産相続人等が特定受贈同族会社株式等の贈与の日において65歳以上である場合　　当該贈与の日から平成22年3月31日までの間のうちの2年間（当該期間が2年より短い場合には、当該期間）及び同年4月1日から当該特定贈与者の死亡により開始した相続に係る申告期限（当該特定事業用資産相続人等が当該申告期限前に死亡した場合には、当該死亡した日）までの間

（特定事業用資産相続人等が2人以上いる場合）

（7）　（2）の特定贈与者に係る特定事業用資産相続人等が二以上ある場合において、当該特定事業用資産相続人等が（2）の規定の適用を受けようとするときは、当該特定事業用資産相続人等ごとに（2）の（一）の書類を提出することができる。（平21改措規附21②）

－1258－

第二章　非上場株式等についての相続税の納税猶予及び免除
（第八節　経過措置）

（役員その他の地位として財務省令で定めるもの）
（8）　（2）の（二）に規定する役員その他の地位として財務省令で定めるものは、同（二）の認定承継会社が株式会社である場合にあっては会社法第329条第1項に規定する役員とし、（2）の（二）の認定承継会社が持分会社である場合にあっては業務を執行する社員とする。（平21改措規附21③）

②　非上場株式等についての相続税の納税猶予との適用関係

（特定事業用資産相続人等が相続税の納税猶予の適用を受ける場合）
（1）　①の（1）の規定は、①の（2）の規定により特定事業用資産相続人等が当該特定受贈同族会社株式等について本章の適用を受ける場合には、適用しない。（平21改所法等附64③）

（重複適用の不可）
（2）　特定受贈同族会社株式等について①の（2）の規定の適用を受ける場合には、当該特定受贈同族会社株式等に係る特定贈与者から相続又は遺贈により取得をする株式又は出資（当該特定受贈同族会社株式等に係る会社の株式又は出資に限る。）については、旧法第69条の5第1項の規定は、適用しない。（平21改措令附43③）

（特定事業用資産相続人等が相続税の納税猶予の適用を受けない場合）
（3）　特定事業用資産相続人等が、当該特定事業用資産相続人等に係る特定贈与者から相続又は遺贈により取得をした株式又は出資（選択特定受贈同族会社株式等に係る法人のものに限る。）については、当該選択特定受贈同族会社株式等につき①の（2）の規定の適用を受ける場合を除き、本章の規定は、適用しない。（平21改所法等附64④）

③　特定同族株式等の贈与に係る経過措置

（特定同族株式等の贈与に係る相続時精算課税の特例の適用）
（1）　旧租税特別措置法第70条の3の3第3項第1号に規定する特定受贈者（以下**「特定受贈者」**という。）が平成20年12月31日以前に贈与により取得をした同項第2号に規定する特定同族株式等（以下**「特定同族株式等」**という。）につき旧租税特別措置法第70条の3の3第1項又は第70条の3の4第1項の規定により贈与税の申告書（これらの規定の適用を受けようとする旨の記載があるものに限る。）を納税地の所轄税務署長に提出している場合には、当該特定同族株式等に係る贈与税については、なお従前の例による。（平21改所法等附64⑥）

（非上場株式等についての相続税の納税猶予の適用）
（2）　（1）に規定する場合（当該特定同族株式等の贈与をした者（以下**「特定同族株式等贈与者」**という。）が平成20年10月1日以後に死亡した場合に限る。）において、当該特定同族株式等贈与者に係る特定受贈者が次に掲げる要件のすべてを満たすときは、当該特定受贈者は、当該特定同族株式等贈与者からの贈与（旧租税特別措置法第70条の3の3第3項第1号ロに規定する選択年中における当該特定同族株式等の最初の贈与の日から同項第4号に規定する確認日（（四）において「確認日」という。）までの間に行われたものに限る。）により取得をした株式又は出資（当該特定同族株式等に係る会社のもののうち、（2）の規定の適用を受けるものとして（3）の政令で定めるところにより選択したものに限る。以下**「選択特定同族株式等」**という。）を当該特定同族株式等贈与者から相続（当該特定受贈者が当該特定同族株式等贈与者の相続人以外の者である場合には、遺贈）により取得をした非上場株式等とみなして、本章の規定の適用を受けることができる。（平21改所法等附64⑦）
（一）　当該特定受贈者が、平成22年3月31日までに納税地の所轄税務署長に、（2）の規定により本章の規定の適用を受けようとする旨その他（4）の財務省令で定める事項を記載した書類を提出していること。ただし、当該特定同族株式等贈与者の死亡に係る相続税の申告書の提出期限が同日までに到来する場合には、既に当該書類を提出している場合を除き、当該書類を当該相続税の申告書に添付して提出することとする。
（二）　当該特定受贈者が、当該特定同族株式等に係る贈与の時から当該特定同族株式等贈与者の死亡により開始した相続に係る申告期限を経過する時までの間のうち（5）の政令で定める期間において、当該選択特定同族株式等に係る認定承継会社の役員その他の地位として（6）の財務省令で定めるものを有していること。
（三）　当該特定受贈者が、当該特定同族株式等贈与者からの贈与により取得をした選択特定同族株式等のすべてを当該贈与の時から当該相続に係る申告期限（当該特定受贈者が当該申告期限前に死亡した場合には、その死亡の日）まで

－1259－

第七編　非上場株式等に係る相続税・贈与税の納税猶予及び免除

引き続き保有していること。
(四)　当該特定受贈者が、確認日の翌日から2月を経過する日までに、当該特定同族株式等に係る旧租税特別措置法第70条の3の3第1項に規定する確認書を納税地の所轄税務署長に提出していること。

((2)の適用手続)
(3)　(2)の規定の適用を受けようとする(1)に規定する特定受贈者は、(2)の規定の適用を受けたい旨を相続税の申告書に記載し、かつ、(2)の規定の適用を受けるものとして選択をしようとする(1)に規定する特定同族株式等の明細を記載した書類を当該相続税の申告書に添付することにより、当該特定同族株式等のうち(2)の規定の適用を受けるものを選択しなければならない。(平21改措令附43⑤)

((2)の(一)の財務省令で定める事項)
(4)　(2)の(一)に規定する財務省令で定める事項は、次に掲げる事項とする。(平21改措規附21⑤)
(一)　(2)の規定の適用を受けようとする(1)に規定する特定受贈者の氏名及び住所又は居所
(二)　(2)に規定する特定同族株式等贈与者の氏名及び住所又は居所
(三)　(一)の特定受贈者が(二)の特定同族株式等贈与者に係る第三編第一章第一節二の(2)に規定する相続時精算課税適用者に該当する旨並びに当該特定受贈者に係る同二の(3)に規定する相続時精算課税選択届出書を提出した税務署の名称及びその提出に係る年分
(四)　その他参考となるべき事項

((2)の(二)の政令で定める期間)
(5)　(2)の(二)に規定する政令で定める期間は、平成22年4月1日から(2)に規定する特定同族株式等贈与者の死亡により開始した相続に係る申告期限までの間とする。(平21改措令附43⑥)

(役員その他の地位として財務省令で定めるもの)
(6)　(2)の(二)に規定する役員その他の地位として財務省令で定めるものは、同(二)の認定承継会社が株式会社である場合にあっては会社法第329条第1項に規定する役員とし、同(二)の認定承継会社が持分会社である場合にあっては業務を執行する社員とする。(平21改措規附21⑥において準用する平21改措規附21③)

(小規模宅地等についての課税価格の計算特例及び特定計画山林についての課税価格の計算特例との適用関係)
(7)　第一編第四章第二節一の10の①《小規模宅地等についての相続税の課税価格の計算の特例》又は11の①《特定計画山林についての相続税の課税価格の計算の特例》の規定は、これらの規定の相続(施行日(平成21年4月1日)以後に開始するものに限る。)に係る被相続人から相続又は遺贈により財産の取得をした者(当該被相続人から第三編第一章第一節二の(1)(旧法第70条の3の3第1項又は第70条の3の3第1項において準用する場合を含む。)の規定の適用を受ける財産の贈与による取得をした者を含む。)が旧法第70条の3の3第1項又は第70条の3の4第1項の規定の適用を受けた場合には、適用しない。(平21改措令附43⑦)

(平成21年改正前措置法第70条の3の3又は第70条の3の4の規定を受けた特定同族株式等に係る相続税の納税猶予の適用)
(8)　(1)に規定する特定受贈者が、平成20年12月31日以前に贈与により取得した特定同族株式等について平成21年改正前措置法第70条の3の3第1項又は第70条の3の4第1項の規定により贈与税の申告書(これらの規定の適用を受ける旨の記載があるものに限る。)を納税地の所轄税務署長に提出し、かつ、当該特定受贈者に係る特定同族株式等贈与者が平成20年10月1日以後に死亡している場合において、当該特定受贈者が第一節の1の適用に係る要件及び(2)に掲げる要件のすべてを満たすときは、次に掲げる株式等((3)の規定により選択したものに限る。以下「選択特定同族株式等」という。)については当該特定同族株式等贈与者から相続(当該特定受贈者が当該特定同族株式等贈与者の相続人以外の者である場合には、遺贈)により取得した非上場株式等とみなされて、同1の規定の適用があることに留意する。(旧70の3の3・70の3の4-2)
①　平成20年12月31日以前に相続時精算課税に係る贈与により取得した特定同族株式等(贈与税の申告書に平成21年改正前措置法第70条の3の3第1項又は第70条の3の4第1項の規定の適用を受ける旨の記載があるものに限る。)
②　当該特定同族株式等贈与者から平成21年改正前措置法第70条の3の3第3項第1号ロに規定する選択年中における当該特定同族株式等の最初の相続時精算課税に係る贈与の日から同項第4号に規定する確認日までの間に相続時精算

－1260－

第二章　非上場株式等についての相続税の納税猶予及び免除
（第八節　経過措置）

課税に係る贈与により取得した当該特定同族株式等に係る会社の株式等（上記①に該当するものを除く。）

（注）　選択特定同族株式等について第一節の**1**の規定の適用を受けようとする場合の同**1**の（1）の（二）の要件の判定に当たっては、「被相続人
　　　が有する認定承継会社の非上場株式等に係る議決権の数」に、平成21年改正法附則第64条第7項の規定により経営承継相続人等が相続又は
　　　遺贈により取得をしたとみなされる選択特定同族株式等に係る議決権の数を加算したところにより判定することに留意する。

（過去に特定同族株式等の贈与を受けた者に係る相続税の納税猶予の特例の適用）

（9）　平成20年10月1日以後に特定同族株式等贈与者が死亡した場合において、当該特定同族株式等贈与者から相続又は
遺贈により取得した非上場株式等及び（8）の①又は②に掲げる株式等があるときは、当該①又は②に掲げる株式等の全
部について（3）の規定による選択をせず第一節の**1**の規定の適用を受けないときには、当該選択をしない者の当該株式
等に係る会社の株式等のすべてについて同**1**の規定の適用はないことに留意する。（旧70の3の3・70の3の4－3）

（注）　上記については、会社ごとに判定することに留意する。

（平成22年4月1日以後に特定同族株式等事前届出書が提出された場合）

（10）　特定受贈者が（2）の（一）に規定する書類（以下「**特定同族株式等事前届出書**」という。）を平成22年3月31日までに
提出していない場合には、当該特定受贈者について（2）の規定の適用がないことに留意する。（旧70の3の3・70の3の
4－4）

（注）　平成22年3月31日までに特定同族株式等事前届出書が提出されなかった場合におけるゆうじょ規定は設けられていないことに留意する。

（特定同族会社株式等について措置法第70条の7の2第1項の規定の適用を受ける場合の同条第2項第1号ホの要
　件）

（11）　特定同族株式等について（2）の規定により第一節の**1**の規定の適用を受ける場合の第一節の**2**の（一）のホの規定の
適用については、69の5-23《特定受贈同族会社株式等について措置法第70条の7の2第1項の規定の適用を受ける場合
の同条第2項第1号ホの要件》を準用する。（措通旧70の3の3・70の3の4－5）

（選択特定同族株式等に係る認定承継会社等が外国会社又は医療法人の株式等を有する場合の納税猶予分の相続税
　額の計算の基となる特例非上場株式等の価額）

（12）　特定同族株式等について（2）の規定により第一節の**1**の規定の適用を受ける場合において、相続の開始の時に、特
例非上場株式等に係る認定承継会社又は当該認定承継会社の特別支配関係法人が会社法第2条第2号に規定する外国会
社（当該認定承継会社の特別関係会社に該当するものに限る。）又は第一節の**2**の（18）に定める医療法人の株式等を有す
るときにおける納税猶予分の相続税額の計算の基となる当該特例非上場株式等である選択特定同族株式等の価額は、平
成22年改正措令附則第49条第3項《相続税及び贈与税の特例に関する経過措置》の規定により、特定受贈者が当該特定
同族株式等の贈与を受けた時の価額であることに留意する。（措通旧70の3の3・70の3の4－6）

－1261－

第九節　事業用資産等が災害によって甚大な被害を受けた場合

1　事業用資産等が災害によって甚大な被害を受けた場合

　第一節の1の対象非上場株式等に係る認定承継会社が次の(一)から(四)のそれぞれに掲げる場合に該当することとなった場合における当該認定承継会社に係る第一節の1の規定の適用を受ける経営承継相続人等に対する第五節の1及び第六節の規定の適用については、当該(一)から(四)のそれぞれに定めるところによる。(措法70の7の2㉛)

(一)　当該認定承継会社の事業の用に供する資産が災害によって甚大な被害を受けた場合として(2)及び(5)の政令で定める場合　　当該認定承継会社が、経営承継期間(当該災害が発生した日以後の期間に限る。以下1及び4において同じ。)内に第五節の1の(二)若しくは(九)に掲げる場合又は特定期間(経営承継期間の末日の翌日から当該災害が発生した日の直前の経営報告基準日の翌日以後10年を経過する日までの期間(最初の経営報告基準日が当該災害が発生した日以後に到来する場合にあっては、当該経営報告基準日の翌日から同日以後10年を経過する日までの期間)をいう。以下(四)までにおいて同じ。)内に第六節の表の(一)の左欄(第五節の1の(九)に係る部分に限る。)に掲げる場合に該当することとなった場合であっても、当該認定承継会社は、これらの場合に該当しないものとみなす。

(二)　当該認定承継会社の事業所(常時使用従業員が勤務している事務所、店舗、工場その他これらに類するものに限る。イにおいて同じ。)が災害によって被害を受けたことにより当該認定承継会社における雇用の確保が困難となった場合として(6)の政令で定める場合((一)に掲げる場合に該当する場合を除く。)　　次に定めるところによる。

　イ　従業員数確認期間(当該災害が発生した日以後の期間に限る。イにおいて同じ。)内にある各基準日におけるその事業所(イにおいて「被災事業所」という。)の常時使用従業員の数の合計を従業員数確認期間の末日において従業員数確認期間内にある基準日の数で除して計算した数が、当該被災事業所の常時使用従業員の雇用が確保されているものとして(8)の政令で定める数を下回る数となったことにより当該認定承継会社が第五節の1の(二)に掲げる場合に該当することとなった場合(当該認定承継会社の事業所のうちに被災事業所以外の事業所がある場合にあっては、従業員数確認期間内にある各基準日における当該事業所の常時使用従業員の数の合計を従業員数確認期間の末日において従業員数確認期間内にある基準日の数で除して計算した数が、当該事業所の常時使用従業員の雇用が確保されているものとして(8)の政令で定める数以上である場合に限る。)であっても、当該認定承継会社は、第五節の1の(二)に掲げる場合に該当しないものとみなす。

　ロ　当該認定承継会社が、経営承継期間内に第五節の1の(九)に掲げる場合又は特定期間内に第六節の表の(一)の左欄(第五節の1の(九)に係る部分に限る。)に掲げる場合に該当することとなった場合であっても、当該認定承継会社は、これらの場合に該当しないものとみなす。

(三)　中小企業信用保険法第2条第5項第1号又は第2号のいずれかに該当することにより当該認定承継会社の売上金額が大幅に減少した場合として(11)の政令で定める場合((一)又は(二)に掲げる場合に該当する場合を除く。)　　当該認定承継会社が、経営承継期間内に第五節の1の(二)に掲げる場合に該当することとなった場合であっても、当該認定承継会社は、売上金額に応じた常時使用従業員の雇用が確保されているときとして(14)の政令で定めるときに限り、経営承継期間の末日においては、第五節の1の(二)に掲げる場合に該当しないものとみなす。

(四)　中小企業信用保険法第2条第5項第3号又は第4号のいずれかに該当することにより当該認定承継会社の売上金額が大幅に減少した場合として(16)の政令で定める場合((一)、(二)又は(三)に掲げる場合に該当する場合を除く。)

　当該認定承継会社が、経営承継期間内に第五節の1の(二)若しくは(九)に掲げる場合又は特定期間内に第六節の表の(一)の左欄(第五節の1の(九)に係る部分に限る。)に掲げる場合に該当することとなった場合であっても、当該認定承継会社は、売上金額に応じた常時使用従業員の雇用が確保されているときとして(18)の政令で定めるときに限り、経営承継期間の末日(経営承継期間内に第五節の1の(九)に掲げる場合又は特定期間内に第六節の表の(一)の左欄(第五節の1の(九)に係る部分に限る。)に掲げる場合に該当することとなった場合にあっては、経営報告基準日(当該売上金額に係る事業年度の翌事業年度中にあるものに限る。以下(四)において「基準日」という。)の直前の経営報告基準日の翌日から当該基準日までの期間(次のイ又はロに掲げる場合にあっては、それぞれイ又はロに定める期間))においては、これらの場合に該当しないものとみなす。

　イ　当該基準日が最初の経営報告基準日である場合　　第一節の1の規定の適用に係る相続に係る相続税の申告書の提出期限の翌日から当該基準日までの期間

　ロ　経営報告基準日が特定期間内にある場合　　経営承継期間の末日から1年を経過するごとの日(ロにおいて「**特定基準日**」という。)の直前の特定基準日(当該1年を経過する日が最初の特定基準日である場合には、経営承継期間の末日)の翌日から次の特定基準日(当該売上金額に係る事業年度(当該売上金額が中小企業信用保険法第2条第5項

第二章　非上場株式等についての相続税の納税猶予及び免除
（第九節　事業用資産等が災害によって甚大な被害を受けた場合）

第3号又は第4号のいずれかに該当する前の水準に最初に回復した事業年度として(22)の政令で定める事業年度前の事業年度に限る。）の翌事業年度中にあるものに限る。）までの期間

（「特定期間」の意義）
（1）　1の規定の適用に当たり、1に規定する「特定期間」（以下3の(3)までにおいて「**特定期間**」という。）とは、次の(一)及び(二)の区分に応じて、それぞれに掲げる期間をいうことに留意する。（措通70の7の2－55）
（一）　災害が1の(一)に規定する経営承継期間（以下3の(3)までにおいて「**経営承継期間**」という。）の末日までに発生した場合

経営承継期間の末日の翌日から、当該災害が発生した日の直前の経営報告基準日（1の(一)に規定する経営報告基準日をいう。以下(1)において同じ。）の翌日以後10年を経過する日までの期間（最初の経営報告基準日が当該災害が発生した日後に到来する場合にあっては、当該経営報告基準日の翌日から同日以後10年を経過する日までの期間）
（二）　災害が経営承継期間の末日の翌日以後に発生した場合

当該災害が発生した日の直前の特定基準日の翌日から同日以後10年を経過する日までの期間（最初の特定基準日が当該災害が発生した日後に到来する場合にあっては、経営承継期間の末日の翌日から同日以後10年を経過する日までの期間）であって、当該災害が発生した日以後の期間
（注）　上記の「特定基準日」とは、経営承継期間の末日から1年を経過するごとの日をいうことに留意する。

（災害によって甚大な被害を受けた場合）
（2）　1の(一)に規定する政令で定める場合は、災害が発生した日の属する事業年度の直前の事業年度終了の時における認定承継会社の総資産の貸借対照表に計上されている帳簿価額の総額に対する当該認定承継会社の当該災害により滅失（通常の修繕によっては原状回復が困難な損壊を含む。以下本章において同じ。）をした資産（特定資産を除く。）の貸借対照表に計上されている帳簿価額の合計額の割合が100分の30以上である場合とする。（措令40の8の2�54）

（災害によって甚大な被害を受けた場合）
（3）　1の(一)に規定する「災害によって甚大な被害を受けた場合」とは、次の算式を満たす場合をいうことに留意する。（措通70の7の2－56）

（算式）

$$\frac{認定承継会社の災害により滅失をした資産（特定資産を除く。）の貸借対照表に計上されている帳簿価額の合計額}{災害が発生した日の属する事業年度の直前の事業年度終了の時における認定承継会社の総資産の貸借対照表に計上されている帳簿価額の総額} \geqq \frac{30}{100}$$

（通常の修繕によっては原状回復が困難な損壊）
（4）　(2)に規定する「通常の修繕によっては原状回復が困難な損壊」については、第一章第八節1の(3)《災害によって甚大な被害を受けた場合》に規定する災害によって被害を受けた同(3)に規定する資産につき、今後取壊し若しくは除去せざるを得ないと認められる場合又は相当の修繕を行わなければ使用することができないと認められる場合の当該資産に係る損壊をいうことに留意する。（措通70の7の2－57により準用する措通70の7－53）

（災害が経営承継期間の末日の翌日以後に発生した場合）
（5）　災害が1の(一)に規定する経営承継期間（(18)及び3において「**経営承継期間**」という。）の末日の翌日以後に発生した場合における1の規定の適用については、1の(一)中「経営承継期間の末日の翌日から当該災害が発生した日の直前の経営報告基準日の翌日以後10年を経過する日までの期間（最初の経営報告基準日が当該災害が発生した日後に到来する場合にあっては、当該経営報告基準日の翌日から同日以後10年を経過する日までの期間）をいう」とあるのは、「当該災害が発生した日の直前の特定基準日（(四)のロに規定する特定基準日をいう。以下(一)において同じ。）の翌日から同日以後10年を経過する日までの期間（最初の特定基準日が当該災害が発生した日後に到来する場合にあっては、経営承継期間の末日の翌日から同日以後10年を経過する日までの期間）をいい、当該災害が発生した日以後の期間に限る」とする。（措令40の8の2㊶）

（雇用の確保が困難となった場合）
（6）　1の(二)に規定する政令で定める場合は、認定承継会社の災害が発生した日の前日における常時使用従業員の総数

－1263－

第七編　非上場株式等に係る相続税・贈与税の納税猶予及び免除

に対する当該認定承継会社の被災常時使用従業員（同(二)に規定する事業所（当該災害により滅失し、又はその全部若しくは一部が損壊したものに限る。）のうち当該災害が発生した日から同日以後6月を経過する日までの間継続して常時使用従業員が当該認定承継会社の本来の業務に従事することができないと認められるものにおいて、当該災害が発生した日の前日に使用していた常時使用従業員をいう。）の数の割合が100分の20以上である場合とする。（措令40の8の2㊻）

　　　　（事業所が災害によって被害を受けたことにより認定承継会社における雇用の確保が困難となった場合）
（7）　1の(二)に規定する「事業所が災害によって被害を受けたことにより当該認定承継会社における雇用の確保が困難となった場合」とは、次の算式を満たす場合をいうことに留意する。（措通70の7の2−58）
　　　　（算式）

$$\frac{\text{認定承継会社の被災常時使用従業員の数}}{\text{認定承継会社の災害が発生した日の前日における常時使用従業員の総数}} \geqq \frac{20}{100}$$

　（注）　上記算式における「被災常時使用従業員」とは、当該認定承継会社の事業所（常時使用従業員が勤務している事務所、店舗、工場その他これらに類するもので、当該災害により滅失し、又はその全部若しくは一部が損壊したものに限る。）のうち当該災害が発生した日から同日以後6月を経過する日までの間継続して常時使用従業員が当該認定承継会社の本来の業務に従事することができないと認められるものにおいて、当該災害が発生した日の前日に使用していた常時使用従業員をいうことに留意する。

　　　　（政令で定める数）
（8）　1の(二)のイに規定する政令で定める数は、同(二)のイの被災事業所又は被災事業所以外の事業所につき、それぞれ最初の第一節の1の規定の適用に係る相続の開始の時（対象非上場株式等に係る認定承継会社の非上場株式等について、当該相続の開始の時前に第一章第一節の1の規定の適用に係る贈与により当該非上場株式等の取得をしている場合には、最初の同節の1の規定の適用に係る贈与の時。以下（8）及び（18）の(一)において同じ。）における常時使用従業員の数（当該相続の開始の時後に合併その他の財務省令で定める事由が生じたときは、常時使用従業員の数に相当するものとして財務省令で定める数。以下（8）及び（18）の(一)において同じ。）に100分の80を乗じて計算した数（その数に1人未満の端数があるときはこれを切り捨てた数とし、当該相続の開始の時における常時使用従業員の数が1人のときは1人とする。）とする。（措令40の8の2㊼）

　　　　（規定の準用）
（9）　第一章第八節の1の(10)《財務省令で定める事由及び数》の規定は、（8）に規定する財務省令で定める事由及び（8）に規定する財務省令で定める数について準用する。（措規23の10㊵）

　　　　（被災事業所の常時使用従業員の雇用が確保されているものとして政令で定める数を下回る数となったこと）
（10）　1の(二)のイに規定する「当該被災事業所の常時使用従業員の雇用が確保されているものとして政令で定める数を下回る数となったこと」とは、従業員数確認期間内にある各基準日における被災事業所（同(二)のイに規定する「被災事業所」をいう。以下（(10)において同じ。）の常時使用従業員の数の合計を従業員数確認期間の末日において従業員数確認期間内にある基準日の数で除して計算した数が、当該被災事業所の最初の同条第1項の規定の適用に係る相続の開始の時（対象非上場株式等に係る認定承継会社の非上場株式等について、当該相続の開始の時前に対象贈与により当該非上場株式等の取得をしている場合には、最初の対象贈与の時。以下(20)までにおいて同じ。）における常時使用従業員の数に100分の80を乗じて計算した数を下回る数となったことをいうことに留意する。
　　なお、当該認定承継会社の事業所のうちに被災事業所以外の事業所がある場合にあっては、従業員数確認期間内にある各基準日における当該事業所の常時使用従業員の数の合計を従業員数確認期間の末日において従業員数確認期間内にある基準日の数で除して計算した数が、当該事業所の最初の第一節の1の規定の適用に係る相続の開始の時における常時使用従業員の数に100分の80を乗じて計算した数以上である場合に限られることに留意する。（措通70の7の2−59）
　（注）1　上記の「従業員数確認期間」は、災害が発生した日以後の期間に限られることに留意する。
　　　2　最初の第一節の1の規定の適用に係る相続の開始の時後に（9）において準用する第一章第五節1の(4)の(一)から(三)に掲げる事由が生じたときにおける上記の「相続の開始の時における常時使用従業員の数」は、第一章第八節の1の(10)に定める数となることに留意すること。
　　　3　上記の「常時使用従業員の数に100分の80を乗じて計算した数」は、その数に1人未満の端数があるときはこれを切り捨てた数となり、当該相続の開始の時における常時使用従業員の数が1人のときは1人となることに留意する。

−1264−

第二章　非上場株式等についての相続税の納税猶予及び免除
（第九節　事業用資産等が災害によって甚大な被害を受けた場合）

（認定承継会社の売上金額が大幅に減少した場合）
(11)　**1**の(三)に規定する政令で定める場合は、認定承継会社の(一)に掲げる金額に対する(二)に掲げる金額の割合が100分の70以下である場合（当該認定承継会社が中小企業信用保険法第２条第５項第１号又は第２号に該当することにつき(12)の財務省令で定めるところにより証明がされた場合に限る。）とする。（措令40の８の2⑱）
(一)　特定日（中小企業信用保険法第２条第５項第１号の事由が発生した日又は同項第２号の事業者が同号の経済産業大臣の指定した事業活動の制限を実施した日をいう(二)において同じ。）の１年前の日から同日以後６月を経過する日までの間における売上金額
(二)　特定日から特定日以後６月を経過する日までの間における売上金額

（規定の準用）
(12)　第一章第八節の**1**の(13)《財務省令で定めるところによる証明》及び同**1**の(18)《財務省令で定めるところによる証明》の規定は、(11)及び(16)に規定する財務省令で定めるところにより証明がされた場合について準用する。（措規23の10㊶）

（**1**の(三)に規定する「認定承継会社の売上金額が大幅に減少した場合」）
(13)　**1**の(三)に規定する「当該認定承継会社の売上金額が大幅に減少した場合」とは、次の算式を満たす場合をいうことに留意する。
　　なお、次の算式を満たす場合であっても当該認定承継会社が中小企業信用保険法第２条第５項第１号又は第２号に該当することにつき(12)において準用する第一章第八節**1**の(13)に定めるところにより証明がされた場合に限られることに留意する。（措通70の７の2−60）
（算式）
$$\frac{特定日から特定日以後６月を経過する日までの間における売上金額}{特定日の１年前の日から同日以後６月を経過する日までの間における売上金額} \leq \frac{70}{100}$$
（注）1　上記算式における「特定日」とは、中小企業信用保険法第２条第５項第１号の事由が発生した日又は同項第２号の事業者が同号の経済産業大臣の指定した事業活動の制限を実施した日をいうことに留意する。
　　　2　中小企業信用保険法第２条第５項第１号の事由が発生した日又は同項第２号の事業者が同号の経済産業大臣の指定した事業活動の制限を実施した日については、**2**の(4)参照。

（常時使用従業員の雇用が確保されているとき）
(14)　(18)（(一)に係る部分に限る。）の規定は、**1**の(三)に規定する売上金額に応じた常時使用従業員の雇用が確保されているときとして政令で定めるときについて準用する。（措令40の８の2⑲）

（**1**の(三)に規定する「売上金額に応じた常時使用従業員の雇用が確保されているとき」）
(15)　**1**の(三)に規定する「売上金額に応じた常時使用従業員の雇用が確保されているとき」とは、売上割合の平均値の次表の①から③までに掲げる区分に応じ、雇用割合の平均値がそれぞれ①から③までに掲げる割合以上であるときをいうことに留意する。（措通70の７の2−61）

	売上割合の平均値	雇用割合の平均値
①	100分の100以上の場合	100分の80
②	100分の70以上100分の100未満の場合	100分の40
③	100分の70未満の場合	零（０）

（注）1　上記表の「売上割合の平均値」とは、次の算式により計算した割合をいう。
　　　　なお、最初の売上判定事業年度終了の日が経営承継期間の末日の翌日以後である場合には、(11)に規定する割合をいうことに留意する。
（算式）
$$\frac{各売上判定事業年度における売上割合の合計}{経営承継期間（中小企業信用保険法第２条第５項第１号又は第２号の事由が生じた日以後の期間に限る。）内に終了する当該売上判定事業年度の数}$$
　　　イ　上記算式における「売上判定事業年度」とは、基準日（売上金額に係る事業年度の翌事業年度中にある経営報告基準日をいう。以下(15)において同じ。）の直前の経営報告基準日の翌日から当該基準日までの間に終了する事業年度（当該基準日が最初の経営報告基準日である場合には、第一節の**1**の規定の適用に係る相続に係る相続税の申告書の提出期限の翌日から当該基準日までの期間内に終了する事業年度とし、中小企業信用保険法第２条第５項第１号又は第２号の事由が発生した日の属する事業年度以前の事業年度を除く。）をいうことに留

第七編　非上場株式等に係る相続税・贈与税の納税猶予及び免除

意する。

ロ　上記算式における「売上割合」とは、次の算式で計算した割合をいう。

（算式）

$$\frac{\text{当該売上判定事業年度における売上金額}}{\text{特定事業年度における売上金額}}$$

（注）　上記算式における「特定事業年度における売上金額」とは、次の算式で計算した金額をいう。

（算式）

$$\frac{\text{特定事業年度における売上金額×当該売上判定事業年度の月数}}{\text{特定事業年度の月数}}$$

（注）1　上記算式における特定事業年度とは、認定承継会社の中小企業信用保険法第2条第5項第1号又は第2号の事由が発生した日の属する事業年度の直前の事業年度をいうことに留意する。

2　最初の第一節の1の規定の適用に係る相続の開始の時後に(19)において準用する第一章第八節1の(21)で定める事由が生じたときは、当該事由が生じた日以後の認定承継会社に係る当該割合として、同(21)で定めるものをいうことに留意する。

2　「雇用割合の平均値」とは、次の算式により計算した割合をいう。

なお、最初の売上判定事業年度終了の日が経営承継期間の末日の翌日以後である場合には、当該認定承継会社の最初の第一節の1の適用に係る相続の開始の時における常時使用従業員の数に対する経営承継期間の末日における常時使用従業員の数の割合をいうことに留意する。

（算式）

$$\frac{\text{各雇用判定基準日における雇用割合の合計}}{\text{当該売上判定事業年度に係る雇用判定基準日の数}}$$

（注）1　上記算式における「雇用判定基準日」とは、売上判定事業年度に係る基準日が経営承継期間（中小企業信用保険法第2条第5項第1号又は第2号の事由が発生した日以後の期間に限る。）内にある場合における当該基準日をいうことに留意する。

2　上記算式における「雇用割合」とは、次の算式で計算した割合をいうことに留意する。

（算式）

$$\frac{\text{雇用判定基準日における常時使用従業員の数}}{\text{認定承継会社の最初の第一節の1の適用に係る相続の開始の時における常時使用従業員の数}}$$

（注）　上記算式における「相続の開始の時における常時使用従業員の数」については、最初の第一節の1の規定の適用に係る相続の開始の時後に(9)において準用する第一章第五節1の(4)の(一)から(三)に掲げる事由が生じたときには、当該相続の開始の時における常時使用従業員の数に相当するものとして第一章第八節1の(10)で定める数となることに留意すること。

（認定承継会社の売上金額が大幅に減少した場合）

(16)　1の(四)に規定する政令で定める場合は、認定承継会社の(一)に掲げる金額に対する(二)に掲げる金額の割合が100分の70以下である場合（当該認定承継会社が中小企業信用保険法第2条第5項第3号又は第4号に該当することにつき(12)の財務省令で定めるところにより証明がされた場合に限る。）とする。（措令40の8の2⑩）

(一)　特定日（中小企業信用保険法第2条第5項第3号又は第4号の経済産業大臣の指定する事由が発生した日をいう。(二)において同じ。）の1年前の日から同日以後6月を経過する日までの間における売上金額

(二)　特定日から特定日以後6月を経過する日までの間における売上金額

（1の(四)に規定する「認定承継会社の売上金額が大幅に減少した場合」）

(17)　1の(四)に規定する「当該認定承継会社の売上金額が大幅に減少した場合」とは、次の算式を満たす場合をいうことに留意する。

なお、次の算式を満たす場合であっても当該認定承継会社が中小企業信用保険法第2条第5項第3号又は第4号に該当することにつき(12)で準用する第一章第八節1の(18)《財務省令で定めるところによる証明》に定めるところにより証明がされた場合に限られることに留意する。（措通70の7の2−62）

（算式）

$$\frac{\text{特定日から特定日以後6月を経過する日までの間における売上金額}}{\text{特定日の1年前の日から同日以後6月を経過する日までの間における売上金額}} \leqq \frac{70}{100}$$

（注）1　上記算式における「特定日」とは、中小企業信用保険法第2条第5項第3号又は第4号の経済産業大臣の指定する事由が発生した日をいうことに留意する。

2　中小企業信用保険法第2条第5項第3号又は第4号の経済産業大臣の指定する事由が発生した日については、2の(4)参照。

（常時使用従業員の雇用が確保されているとき）

(18)　1の(四)に規定する売上金額に応じた常時使用従業員の雇用が確保されているときとして政令で定めるときは、次の(一)又は(二)に掲げる場合の区分に応じ当該(一)又は(二)に定めるときとする。（措令40の8の2㉖）

−1266−

第二章　非上場株式等についての相続税の納税猶予及び免除
（第九節　事業用資産等が災害によって甚大な被害を受けた場合）

（一）　経営承継期間内に第五節の**1**の（二）に掲げる場合に該当することとなった場合　各売上判定事業年度（**1**の（四）に規定する基準日（以下（18）、（21）及び**3**において「基準日」という。）の直前の経営報告基準日の翌日から当該基準日までの間に終了する事業年度（**1**の（四）のイに掲げる場合には同（四）のイに定める期間内に終了する事業年度とし、中小企業信用保険法第２条第５項第３号又は第４号の事由が発生した日の属する事業年度以前の事業年度を除く。）をいう。以下（18）及び（21）において同じ。）における売上割合（認定承継会社の当該事由が発生した日の属する事業年度の直前の事業年度（以下（一）及び（22）において「特定事業年度」という。）における売上金額に当該売上判定事業年度の月数を乗じてこれを特定事業年度の月数で除して計算した金額に対する当該売上判定事業年度における売上金額の割合（最初の第一節の**1**の規定の適用に係る相続の開始の時後に合併その他（19）の財務省令で定める事由が生じたときは、当該事由が生じた日以後の認定承継会社に係る当該割合として（19）の財務省令で定めるもの）をいう。（二）において同じ。）の合計を経営承継期間の末日において経営承継期間内に終了する当該売上判定事業年度の数で除して計算した割合（最初の売上判定事業年度終了の日が経営承継期間の末日の翌日以後である場合には、（16）に規定する割合。以下（一）において「売上割合の平均値」という。）の次のイからハまでに掲げる場合の区分に応じ、各雇用判定基準日（当該売上判定事業年度に係る基準日が経営承継期間内にある場合における当該基準日をいう。以下（18）において同じ。）における雇用割合（当該認定承継会社の最初の第一節の**1**の規定の適用に係る相続の開始の時における常時使用従業員の数に対する当該雇用判定基準日における常時使用従業員の数の割合をいう。（二）において同じ。）の合計を経営承継期間の末日において当該売上判定事業年度に係る雇用判定基準日の数で除して計算した割合（最初の売上判定事業年度終了の日が経営承継期間の末日の翌日以後である場合には、当該認定承継会社の最初の第一節の**1**の規定の適用に係る相続の開始の時における常時使用従業員の数に対する経営承継期間の末日における常時使用従業員の数の割合）がそれぞれイからハまでに定める割合以上であるとき。
　　イ　売上割合の平均値が100分の100百以上の場合　　100分の80
　　ロ　売上割合の平均値が100分の70以上100分の100未満の場合　　100分の40
　　ハ　売上割合の平均値が100分の70未満の場合　　零
（二）　経営承継期間内に第五節の**1**の（九）に掲げる場合又は特定期間（**1**の（一）（（5）の規定により読み替えて適用する場合を含む。）に規定する特定期間をいう。以下（二）において同じ。）内に第六節の表の（一）の左欄（第五節の**1**の（九）に係る部分に限る。）に掲げる場合に該当することとなった場合　　売上判定事業年度（**1**の（四）のロに掲げる場合には、同（四）のロに定める期間内に終了する事業年度。以下（二）及び（21）において同じ。）における売上割合の次のイからハまでに掲げる場合の区分に応じ、当該売上判定事業年度に係る雇用判定基準日（当該売上判定事業年度に係る基準日が特定期間内にある場合には、特定基準日（**1**の（四）のロに規定する特定基準日をいう。（21）において同じ。））における雇用割合がそれぞれイからハまでに定める割合以上であるとき。
　　イ　売上割合が100分の100以上の場合　　100分の80
　　ロ　売上割合が100分の70以上100分の100未満の場合　　100分の40
　　ハ　売上割合が100分の70未満の場合　　零

　　（規定の準用）
（19）　第一章第八節の**1**の（21）《財務省令で定める事由》及び（22）《端数の計算》の規定は、（18）の（一）（（14）において準用する場合を含む。以下（11）において同じ。）に規定する財務省令で定める事由及び（18）の（一）に規定する財務省令で定める割合について準用する。（措規23の10㊷）

　　（**1**の（四）に規定する「売上金額に応じた常時使用従業員の雇用が確保されているとき」）
（20）　**1**の（四）に規定する「売上金額に応じた常時使用従業員の雇用が確保されているとき」とは、次の（一）及び（二）に掲げる場合の区分に応じ、（一）及び（二）に掲げるときをいうことに留意する。（措通70の７の２－63）
（一）　経営承継期間内に第五節の（二）に掲げる場合に該当することとなった場合
　　売上割合の平均値の次表の①から③までに掲げる区分に応じ、雇用割合の平均値がそれぞれ①から③までに掲げる割合以上である時。

	売上割合の平均値	雇用割合の平均値
①	100分の100以上の場合	100分の80
②	100分の70以上100分の100未満の場合	100分の40
③	100分の70未満の場合	零（0）

（注）1　上記表の「売上割合の平均値」とは、次の算式により計算した割合をいう。

第七編　非上場株式等に係る相続税・贈与税の納税猶予及び免除

なお、最初の売上判定事業年度終了の日が経営承継期間の末日の翌日以後である場合には、(16)に規定する割合をいうことに留意する。
（算式）

$$\frac{各売上判定事業年度における売上割合の合計}{経営承継期間（中小企業信用保険法第2条第5項第3号又は第4号の事由が生じた日以後の期間に限る。）内に終了する当該売上判定事業年度の数}$$

イ　上記算式における「売上判定事業年度」とは、基準日（売上金額に係る事業年度の翌事業年度中にある経営報告基準日をいう。以下(20)において同じ。）の直前の経営報告基準日の翌日から当該基準日までの間に終了する事業年度（当該基準日が最初の経営報告基準日である場合には、第一節の1の規定の適用に係る相続に係る相続税の申告書の提出期限の翌日から当該基準日までの期間内に終了する事業年度とし、中小企業信用保険法第2条第5項第3号又は第4号の事由が発生した日の属する事業年度以前の事業年度を除く。）をいうことに留意する。

ロ　上記算式における「売上割合」とは、次の算式で計算した割合をいう。
（算式）

$$\frac{当該売上判定事業年度における売上金額}{特定事業年度における売上金額}$$

（注）　上記算式における「特定事業年度における売上金額」とは、次の算式で計算した金額をいう。
（算式）

$$\frac{特定事業年度における売上金額×当該売上判定事業年度の月数}{特定事業年度の月数}$$

（注）1　上記算式における「特定事業年度」とは、認定承継会社の中小企業信用保険法第2条第5項第3号又は第4号の事由が発生した日の属する事業年度の直前の事業年度をいうことに留意する。

2　最初の第一節の1の規定の適用に係る相続の開始の時後に(19)において準用する第一章第八節の(21)で定める事由が生じたときは、当該事由が生じた日以後の認定承継会社に係る当該割合として、同(21)で定めるものをいうことに留意する。

2　「雇用割合の平均値」とは、次の算式により計算した割合をいう。
　　なお、最初の売上判定事業年度終了の日が経営承継期間の末日の翌日以後である場合には、当該認定承継会社の最初の第一節の1の規定の適用に係る相続の開始の時における常時使用従業員の数に対する経営承継期間の末日における常時使用従業員の数の割合をいうことに留意する。
（算式）

$$\frac{各雇用判定基準日における雇用割合の合計}{当該売上判定事業年度に係る雇用判定基準日の数}$$

（注）1　上記算式における「雇用判定基準日」とは、売上判定事業年度に係る基準日が経営承継期間（中小企業信用保険法第2条第5項第3号又は第4号の事由が発生した日以後の期間に限る。）内にある場合における当該基準日をいうことに留意する。

2　上記算式における「雇用割合」とは、次の算式で計算した割合をいうことに留意する。
（算式）

$$\frac{雇用判定基準日における常時使用従業員の数}{認定承継会社の最初の第一節の1の規定の適用に係る相続の開始の時における常時使用従業員の数}$$

（注）　上記算式における「相続の開始の時における常時使用従業員の数」については、最初の第一節の1の規定の適用に係る相続の開始の時後に(9)において準用する第一章第五節の1の(4)(一)から(三)に掲げる事由が生じたときには、当該相続の開始の時における常時使用従業員の数に相当するものとして第一章第八節1の(10)で定める数となることに留意する。

(二)　経営承継期間内に第五節の1の(九)に掲げる場合又は特定期間内に第六節の表の(一)の左欄（第五節の1の(九)に係る部分に限る。）に掲げる場合に該当することとなった場合

売上判定事業年度（第九節の1の(四)のロに掲げる場合には、同ロに定める期間内に終了する事業年度）における売上割合の次表の①から③までに掲げる区分に応じ、当該売上判定事業年度に係る雇用判定基準日（当該売上判定事業年度に係る基準日が特定期間内にある場合には、特定基準日）における雇用割合がそれぞれ①から③までに掲げる割合以上であるとき。

	売上割合	雇用割合
①	100分の100以上の場合	100分の80
②	100分の70以上100分の100未満の場合	100分の40
③	100分の70未満の場合	零（0）

（注）1　上記の「雇用判定基準日」とは、当該売上判定事業年度に係る基準日が経営承継期間（中小企業信用保険法第2条第5項第3号又は第4号の事由が発生した日以後の期間に限る。）内にある場合における当該基準日をいうことに留意する。

2　上記の「特定基準日」とは、経営承継期間の末日から1年を経過するごとの日をいうことに留意する。

3　上記表の「売上割合」とは、次の算式により計算した割合をいう。

－1268－

第二章　非上場株式等についての相続税の納税猶予及び免除
（第九節　事業用資産等が災害によって甚大な被害を受けた場合）

（算式）

$$\frac{当該売上判定事業年度における売上金額}{特定事業年度における売上金額}$$

（注）　上記算式における「特定事業年度における売上金額」とは、次の算式で計算した金額をいう。

（算式）

$$\frac{特定事業年度における売上金額×当該売上判定事業年度の月数}{特定事業年度の月数}$$

（注）1　上記算式における「特定事業年度」とは、認定承継会社の中小企業信用保険法第2条第5項第3号又は第4号の事由が発生した日の属する事業年度の直前の事業年度をいうことに留意する。

2　最初の第一節の1の規定の適用に係る相続の開始の時後に(19)において準用する第一章第八節1の(21)で定める事由が生じたときは、当該事由が生じた日以後の認定承継会社に係る当該割合として、同(21)で定めるものをいうことに留意する。

4　上記算式における「雇用割合」とは、次の算式で計算した割合をいうことに留意する。

（算式）

$$\frac{雇用判定基準日における常時使用従業員の数}{認定承継会社の最初の第一節の1の規定の適用に係る相続の開始の時における常時使用従業員の数}$$

（注）　上記算式における「相続の開始の時における常時使用従業員の数」については、最初の第一節の1の規定の適用に係る相続の開始の時後に(9)において準用する第一章第五節の1の(4)(一)から(三)に掲げる事由が生じたときには、当該相続の開始の時における常時使用従業員の数に相当するものとして第一章第八節1の(10)で定める数となることに留意する。

（読替え規定）

(21)　売上判定事業年度に係る基準日が中小企業信用保険法第2条第5項第3号又は第4号の事由が発生した日以後最初に到来する基準日である場合における1（1の(四)に係る部分に限る。）の規定の適用については、1の(四)中「経営報告基準日（当該売上金額に係る事業年度の翌事業年度中にあるものに限る。以下(四)において「基準日」という。）の直前の経営報告基準日の翌日から当該基準日」とあるのは、「同条第5項第3号又は第4号の事由が発生した日から同日以後最初に到来する経営報告基準日（当該売上金額に係る事業年度の翌事業年度中にあるものに限る。以下(四)において「基準日」という。）」とし、売上判定事業年度に係る特定基準日が当該事由が発生した日以後最初に到来する特定基準日である場合における1（1の(四)のロに係る部分に限る。）の規定の適用については、同(四)のロ中「経営承継期間の末日から1年を経過するごとの日（ロにおいて「特定基準日」という。）の直前の特定基準日（当該1年を経過する日が最初の特定基準日である場合には、経営承継期間の末日）の翌日から次の特定基準日（」とあるのは「中小企業信用保険法第2条第5項第3号又は第4号の事由が発生した日から同日以後最初に到来する特定基準日（経営承継期間の末日から1年を経過するごとの日をいい、」と、「中小企業信用保険法第2条第5項第3号又は第4号」とあるのは「これらの号」とする。（措令40の8の2㉒）

（前の水準に最初に回復した事業年度）

(22)　1の(四)のロに規定する政令で定める事業年度は、事業年度（中小企業信用保険法第2条第5項第3号又は第4号の事由が発生した日の属する事業年度以前の事業年度を除く。）における売上金額に特定事業年度の月数を乗じてこれを当該事業年度の月数で除して計算した金額が最初に特定事業年度における売上金額以上となった場合における当該事業年度とする。（措令40の8の2㉓）

（非上場株式等の取得時期）

(23)　1の規定は、2に規定する災害等の発生した日から1年を経過する日の前日までに第一節の1の規定の適用に係る相続又は遺贈により非上場株式等の取得をしていた者に適用があることから、当該災害等の発生した日前に第一節の1の規定の適用に係る相続又は遺贈により非上場株式等の取得をしていた者にも適用があることに留意する。（措通70の7の2-64）

2　適用要件

1の規定は、第一節の1の規定の適用を受ける経営承継相続人等（1の(一)若しくは(二)の災害又は1の(三)の中小企業信用保険法第2条第5項第1号若しくは第2号の事由若しくは1の(四)の同条第5項第3号若しくは第4号の事由（5及び6並びに第三章第二節の10の(3)において「災害等」という。）の発生した日から1年を経過する日の前日までに第一節の1の規定の適用に係る相続又は遺贈により第一節の1の非上場株式等の取得をしていた者に限る。4において同じ。）が(1)及び(2)の財務省令で定めるところにより1の規定の適用を受けたい旨を記載した届出書を(3)の政令で定める期

－1269－

第七編　非上場株式等に係る相続税・贈与税の納税猶予及び免除

限までに納税地の所轄税務署長に提出した場合（当該税務署長においてやむを得ない事情があると認める場合には、当該届出書を当該期限後に提出した場合を含む。）に限り、適用する。（措法70の7の2㉜）

　　　（財務省令で定める事項）
（1）　2の規定により提出する届出書には、1の規定の適用を受けたい旨及び次に掲げる事項を記載し、かつ、（2）に定める書類を添付しなければならない。（措規23の10㊸）
　　（一）　経営承継相続人等の氏名及び住所又は居所
　　（二）　被相続人から第一節の1の規定の適用に係る相続又は遺贈により対象非上場株式等の取得をした年月日
　　（三）　対象非上場株式等に係る認定承継会社の名称及び本店の所在地
　　（四）　（三）の認定承継会社の次に掲げる場合の区分に応じそれぞれ次に定める事項
　　　イ　当該認定承継会社が1の（一）に掲げる場合に該当することとなった場合　　同（一）の災害が発生した年月日、当該災害が発生した日の属する事業年度の直前の事業年度終了の時における当該認定承継会社の総資産の貸借対照表に計上されている帳簿価額の総額、当該認定承継会社の当該災害により滅失（通常の修繕によっては原状回復が困難な損壊を含む。5の（7）の（一）のイにおいて同じ。）をした資産（特定資産を除く。）の貸借対照表に計上されている帳簿価額の合計額及び当該総額に対する当該合計額の割合
　　　ロ　当該認定承継会社が1の（二）に掲げる場合に該当することとなった場合　　同（二）の災害が発生した年月日、当該災害が発生した日の前日における当該認定承継会社の第一節の2の（一）のイに規定する常時使用従業員（3の（1）及び5の（7）の（二）のイにおいて「常時使用従業員」という。）の総数、当該認定承継会社の1の（6）に規定する被災常時使用従業員の数及び当該総数に対する当該被災常時使用従業員の数の割合
　　　ハ　当該認定承継会社が1の（三）に掲げる場合に該当することとなった場合　　中小企業信用保険法第2条第5項第1号又は第2号の事由のいずれに該当するかの別、1の（11）の（一）に規定する特定日、当該認定承継会社の同（11）の（一）及び同（11）の（二）に掲げる金額並びに同（11）の（一）に掲げる金額に対する同（11）の（二）に掲げる金額の割合
　　　ニ　当該認定承継会社が1の（四）に掲げる場合に該当することとなった場合　　中小企業信用保険法第2条第5項第3号又は第4号のいずれに該当するかの別、1の（16）の（一）に規定する特定日、当該認定承継会社の同（16）の（一）及び同（16）の（二）に掲げる金額並びに同（16）の（一）に掲げる金額に対する同（16）の（二）に掲げる金額の割合

　　　（添付書類）
（2）　（1）の届出書に添付すべき書類は、次の（一）から（四）に掲げる場合の区分に応じ当該（一）から（四）に定める書類とする。（措規23の10㊹）
　　（一）　（1）の（四）のイに掲げる場合　　円滑化省令第13条の2第4項の確認書（同条第1項第1号に係るものに限る。）の写し及び同条第2項の規定により都道府県知事に提出した同項の申請書（同号に係るものに限る。）の写し
　　（二）　（1）の（四）のロに掲げる場合　　円滑化省令第13条の2第4項の確認書（同条第1項第2号に係るものに限る。）の写し及び同条第2項の規定により都道府県知事に提出した同項の申請書（同号に係るものに限る。）の写し
　　（三）　（1）の（四）のハに掲げる場合　　円滑化省令第13条の2第4項の確認書（同条第1項第3号又は第4号に係るものに限る。）の写し及び同条第2項の規定により都道府県知事に提出した同項の申請書（これらの号に係るものに限る。）の写し
　　（四）　（1）の（四）のニに掲げる場合　　円滑化省令第13条の2第4項の確認書（同条第1項第5号又は第6号に係るものに限る。）の写し及び同条第二項の規定により都道府県知事に提出した同項の申請書（これらの号に係るものに限る。）の写し

　　　（政令で定める期限）
（3）　2に規定する政令で定める期限は、次の（一）又は（二）に掲げる者の区分に応じ当該（一）又は（二）に定める日とする。（措令40の8の2㉕）
　　（一）　災害等（2に規定する災害等をいう。（二）において同じ。）の発生した日前に第一節の1の規定の適用に係る相続又は遺贈により同1の非上場株式等の取得をしていた者　　同日から10月を経過する日
　　（二）　災害等の発生した日から同日以後1年を経過する日までの間に第一節の1の規定の適用に係る相続又は遺贈により同1の非上場株式等の取得をした者　　当該相続又は遺贈に係る同1に規定する相続税の申告書の提出期限

－1270－

第二章　非上場株式等についての相続税の納税猶予及び免除
（第九節　事業用資産等が災害によって甚大な被害を受けた場合）

（中小企業信用保険法第2条第5項第1号から第4号の事由の発生した日）

（4）　2の災害等が発生した日のうち中小企業信用保険法第2条第5項第1号から第4号までの事由の発生した日とは、次に掲げる区分に応じ、それぞれに掲げる日となることに留意する。（措通70の7の2－65）

（一）　同項第1号の事由

同号の規定に基づき経済産業大臣が指定した事業者に係る市町村長又は特別区長に対して特定中小企業者の認定を申請することができる期間の初日

（二）　同項第2号の事由

同号の規定に基づき経済産業大臣が指定した事業活動の制限に係る指定期間の初日

（三）　同項第3号又は第4号の事由

同項第3号又は第4号の規定に基づき経済産業大臣が指定した災害その他の突発的に生じた事由に係る指定の期間の初日

（注）　1の(11)の(一)に規定する「中小企業信用保険法第2条第5項第1号の事由が発生した日又は同(11)の(二)の事業者が同(二)の経済産業大臣の指定した事業活動の制限を実施した日」及び1の(16)に規定する「中小企業信用保険法第2条第5項第3号又は第4号の経済産業大臣の指定する事由が発生した日」についても同様であることに留意する。

3　引き続き適用を受けるための手続

1（(三)又は(四)に係る部分に限る。）の規定の適用を受ける1の経営承継相続人等は、届出期限（基準日が経営承継期間内にある場合には当該基準日の翌日から5月を経過する日をいい、基準日が当該経営承継期間の末日の翌日以後にある場合には当該基準日の翌日から3月を経過する日をいう。）までに、引き続いて1（(三)又は(四)に係る部分に限る。）の規定の適用を受けたい旨その他(1)の財務省令で定める事項を記載した届出書を納税地の所轄税務署長に提出しなければならない。（措令40の8の2㊿）

（財務省令で定める事項）

（1）　3に規定する財務省令で定める事項は、次に掲げる事項とする。（措規23の10㊺）

（一）　経営承継相続人等の氏名及び住所又は居所

（二）　被相続人から第一節の1の規定の適用に係る相続又は遺贈により対象非上場株式等の取得をした年月日

（三）　対象非上場株式等に係る認定承継会社の名称及び本店の所在地

（四）　中小企業信用保険法第2条第5項第1号若しくは第2号の事由又は同項第3号若しくは第4号の事由が発生した年月日

（五）　3の基準日（1の(四)に規定する基準日をいう。以下(1)において同じ。）の直前の経営報告基準日（当該基準日が最初の経営報告基準日である場合には、相続税の申告書の提出期限。(八)において同じ。）の翌日から当該基準日までの間に終了する各売上判定事業年度（1の(18)の(一)に規定する売上判定事業年度をいう。(七)及び(十一)のイにおいて同じ。）の売上金額

（六）　1の(18)の(一)に規定する特定事業年度（(七)において「**特定事業年度**」という。）における売上金額

（七）　(六)の特定事業年度の売上金額に対する(五)の各売上判定事業年度の売上金額の割合

（八）　基準日の直前の経営報告基準日の翌日から当該基準日までの間に到来する1の(18)の(二)に規定する雇用判定基準日（(十)及び(十一)のロにおいて「雇用判定基準日」という。）における常時使用従業員の数

（九）　(二)の相続の開始の時における常時使用従業員の数

（十）　(九)の相続の開始の時における常時使用従業員の数に対する(八)の雇用判定基準日における常時使用従業員の数の割合

（十一）　その基準日が経営承継期間（1の(一)に規定する経営承継期間をいう。以下(十一)及び(十二)において同じ。）の末日である場合（経営承継期間内に第五節の1の(二)に掲げる場合に該当することとなった場合に限る。）には、次に掲げる事項

イ　当該末日において経営承継期間内に終了する各売上判定事業年度の(七)の割合を合計し、当該各売上判定事業年度の数で除して計算した割合

ロ　当該末日において同日までに到来する各雇用判定基準日における(十)の割合を合計し、当該末日までに到来する各雇用判定基準日の数で除して計算した割合

（十二）　基準日（経営承継期間の末日の翌日以後に到来するものに限る。）の直前の経営報告基準日の翌日から当該基準日までの間に(五)の売上金額が(六)の売上金額以上となった場合には、その旨

（十三）　その他参考となるべき事項

－1271－

第七編　非上場株式等に係る相続税・贈与税の納税猶予及び免除

　　　（添付書類）
（２）　**1**（（三）又は（四）に係る部分に限る。）の規定の適用を受ける経営承継相続人等が**3**の規定により提出する届出書には、円滑化省令第13条の３第２項の規定に基づき都道府県知事に提出された報告書の写しを添付しなければならない。（措規23の10㊻）

　　　（**3**に規定する届出書の提出期間等）
（３）　**3**に規定する届出書は、基準日が経営承継期間内にある場合には当該基準日の翌日から５月を経過するごとの日、基準日が経営承継期間の末日の翌日以後にある場合には当該基準日の翌日から３月を経過するごとの日までに提出しなければならないのであるが、その提出期間は、それぞれ、当該基準日の翌日から５月を経過する日ごとの日までの期間及び当該基準日の翌日から３月を経過するごとの日までの期間として取り扱う。
　　　なお、当該届出書は、特定期間終了後に初めて到来する同項に規定する届出期限が、当該届出書の最終の提出期限となり、その後は当該届出書の提出は要しないことに留意する。（措通70の７の２－66）

4　納税猶予額の免除

　　経営承継相続人等が有する対象非上場株式等に係る認定承継会社が**1**の（一）から（四）に掲げる場合に該当することとなった場合において、当該経営承継相続人等又は当該認定承継会社が経営承継期間内に次の（一）又は（二）のいずれかに該当することとなったときは、当該経営承継相続人等又は当該認定承継会社は、それぞれ第七節の**2**の（一）又は（二）に掲げる場合に該当するものとみなして、本章の規定を適用する。（措法70の７の２㉝）
（一）　当該経営承継相続人等が当該認定承継会社の非上場株式等の全部の譲渡等をしたとき（次のイ又はロのいずれかに該当するときに限るものとし、当該認定承継会社が株式交換等により他の会社の株式交換完全子会社等となったとき（当該他の会社が当該経営承継相続人等と第一節の**2**の(14)の政令で定める特別の関係がある者以外のものであり、かつ、当該株式交換等に際して当該他の会社の株式等の交付がないときに限る。）を除く。）。
　イ　その譲渡等が当該経営承継相続人等と第一節の**2**の(14)の政令で定める特別の関係がある者以外の者のうちの一人の者としての第七節の**2**の（3）の政令で定めるものに対して行うものであるとき。
　ロ　その譲渡等が、民事再生法の規定による再生計画又は会社更生法の規定による更生計画の認可の決定があった場合において、当該再生計画又は当該更生計画に基づき当該非上場株式等を消却するために行うものであるとき。
（二）　当該対象非上場株式等に係る認定承継会社について破産手続開始の決定又は特別清算開始の命令があったとき。

　　　（読替え規定）
（１）　**4**の規定の適用がある場合における第七節の**2**の規定の適用については、同**2**の（一）及び（二）中「の末日の翌日以後に」とあるのは、「内に」とする。（措法70の７の２㉞）

　　　（添付書類の記載事項）
（２）　**4**の規定の適用を受けようとする**4**の経営承継相続人等が（１）の規定により読み替えて適用する第七節の**2**の申請書を提出する場合には、当該申請書に次に掲げる事項の記載がある書類を添付しなければならない。（措令40の８の2㉖）
　（一）　**4**の規定の適用を受けようとする旨
　（二）　**4**の経営承継相続人等又は認定承継会社が**4**の（一）又は（二）に掲げる場合に該当する旨及び該当することとなった事情の詳細
　（三）　その他（3）の財務省令で定める事項

　　　（財務省令で定める事項）
（３）　（２）の（三）に規定する財務省令で定める事項は、**2**の（１）の（四）に掲げる事項とする。（措規23の10㊼）

　　　（読替え規定）
（４）　**4**の規定の適用を受けようとする**4**の経営承継相続人等が（１）の規定により読み替えて適用する第七節の**2**の規定により提出する申請書には、第七節の**2**の（2）に規定する書類のほか、**2**の（2）に規定する書類を添付しなければならない。ただし、既に**2**の届出書に当該書類を添付して提出している場合は、この限りでない。（措規23の10㊽）

－1272－

第二章　非上場株式等についての相続税の納税猶予及び免除
（第九節　事業用資産等が災害によって甚大な被害を受けた場合）

　　　（第七節の**2**に関する通達の準用）
（5）　第七節の**2**の(14)から同**2**の(19)までについては、**4**の規定により、第七節の**2**の(一)又は同**2**の(二)に掲げる場合に該当するものとみなし、本章の規定を適用する場合について準用する。（措通70の7の2－67）

5　災害等が発生した場合の認定承継会社の要件

　災害等が発生した日から同日以後1年を経過する日までの間に相続又は遺贈により会社の非上場株式等の取得をした個人が第一節の**1**の規定の適用を受けようとする場合（当該会社が次に掲げる場合に該当する場合に限る。）における第一節の**2**の(一)の規定の適用については、同**2**の(一)中「要件の全て」とあるのは、「要件（ロに掲げるものを除く。）の全て」とする。（措法70の7の2㉟）
（一）　当該会社の事業の用に供する資産が災害によって甚大な被害を受けた場合として(3)の政令で定める場合
（二）　当該会社の事業所（常時使用従業員が勤務している事務所、店舗、工場その他これらに類するものに限る。）が災害によって被害を受けたことにより当該会社における雇用の確保が困難となった場合として(4)の政令で定める場合（(一)に掲げる場合に該当する場合を除く。）
（三）　中小企業信用保険法第2条第5項第3号又は第4号のいずれかに該当することにより当該会社の売上金額が大幅に減少した場合として(5)の政令で定める場合（(一)又は(二)に掲げる場合に該当する場合を除く。）

　　　（**5**の(一)から(三)に掲げる場合）
（1）　**5**の(一)から(三)に掲げる場合とは、次の(一)から(三)までの区分に応じ、それぞれに掲げる算式を満たす場合（(三)にあっては、当該算式を満たし、かつ、(6)に定めるところにより証明がされた場合）をいうことに留意する。（措通70の7の2－68）
（一）　**5**の(一)に規定する「資産が災害によって甚大な被害を受けた場合」
　　　（算式）
$$\frac{\text{会社の災害により滅失をした資産（特定資産を除く。）の貸借対照表に計上されている帳簿価額の合計額}}{\text{災害が発生した日の属する事業年度の直前の事業年度終了の時における会社の総資産の貸借対照表に計上されている帳簿価額の総額}} \geqq \frac{30}{100}$$

（二）　**5**の(二)に規定する「当該会社における雇用の確保が困難となった場合」
　　　（算式）
$$\frac{\text{会社の被災常時使用従業員の数}}{\text{会社の災害が発生した日の前日における常時使用従業員の総数}} \geqq \frac{20}{100}$$

　（注）　上記算式における「被災常時使用従業員」とは、事業所（常時使用従業員が勤務している事務所、店舗、工場その他これらに類するもので、当該災害により滅失し、又はその全部若しくは一部が損壊したものに限る。）のうち当該災害が発生した日から同日以後6月を経過する日までの間継続して常時使用従業員が当該会社の業務に従事することができないと認められるものにおいて、当該災害が発生した日の前日に使用していた常時使用従業員をいうことに留意する。

（三）　**5**の(三)に規定する「当該会社の売上金額が大幅に減少した場合」
　　　（算式）
$$\frac{\text{特定日から特定日以後6月を経過する日までの間における売上金額}}{\text{特定日の1年前の日から同日以後6月を経過する日までの間における売上金額}} \leqq \frac{70}{100}$$

　（注）1　上記算式における「特定日」とは、中小企業信用保険法第2条第5項第3号又は第4号の経済産業大臣の指定する事由が発生した日をいうことに留意する。
　　　　2　中小企業信用保険法第2条第5項第3号又は第4号の経済産業大臣の指定する事由が発生した日については、**2**の(4)参照。

　　　（読替え規定）
（2）　**5**の個人が**5**の規定の適用を受けようとする場合における第二節の**1**の規定の適用については、第二節の**1**中「又は当該」とあるのは、「又は第十節の**5**の規定の適用を受けようとする旨を記載した書類並びに当該」とする。（措法70の7の2㊱）

　　　（資産が災害によって甚大な被害を受けた場合）
（3）　**5**の(一)に規定する政令で定める場合は、災害が発生した日の属する事業年度の直前の事業年度終了の時における**5**の(一)の会社の総資産の貸借対照表に計上されている帳簿価額の総額に対する当該会社の当該災害により滅失をした

－1273－

資産（特定資産を除く。）の貸借対照表に計上されている帳簿価額の合計額の割合が100分の30以上である場合とする。（措令40の8の2⑥）

（雇用の確保が困難となった場合）
（4）　5の（二）に規定する政令で定める場合は、5の（二）の会社の災害が発生した日の前日における常時使用従業員の総数に対する当該会社の被災常時使用従業員（5の（二）に規定する事業所（当該災害により滅失し、又はその全部若しくは一部が損壊したものに限る。）のうち当該災害が発生した日から同日以後6月を経過する日までの間継続して常時使用従業員が当該会社の本来の業務に従事することができないと認められるものにおいて、当該災害が発生した日の前日に使用していた常時使用従業員をいう。）の数の割合が100分の20以上である場合とする。（措令40の8の2⑥）

（会社の売上金額が大幅に減少した場合）
（5）　5の（三）に規定する政令で定める場合は、5の（三）の会社の（一）に掲げる金額に対する（二）に掲げる金額の割合が100分の70以下である場合（当該会社が中小企業信用保険法第2条第5項第3号又は第4号に該当することにつき（6）の財務省令で定めるところにより証明がされた場合に限る。）とする。（措令40の8の2⑥）
　（一）　特定日（中小企業信用保険法第2条第5項第3号又は第4号の経済産業大臣の指定する事由が発生した日をいう。（二）において同じ。）の1年前の日から同日以後6月を経過する日までの間における売上金額
　（二）　特定日から特定日以後6月を経過する日までの間における売上金額

（財務省令で定めるところにより証明がされた場合）
（6）　（5）に規定する財務省令で定めるところにより証明がされた場合は、2の（2）の（四）に定める書類を第一節の1に規定する相続税の申告書に添付することにより証明がされた場合とする。（措規23の10⑥）

（添付書類）
（7）　5の規定の適用を受けようとする5の個人が提出する（2）の規定により読み替えて適用する第二節の1の相続税の申告書には、第二節の1の（2）に規定する書類のほか、次の（一）から（三）に掲げる場合の区分に応じ当該（一）から（三）に定める書類を添付しなければならない。（措規23の10⑥）
　（一）　5の会社が5の（一）に掲げる場合に該当することとなった場合　　イに掲げる事項を記載した書類及びロに掲げる書類
　　イ　5の（一）の災害が発生した年月日、当該災害が発生した日の属する事業年度の直前の事業年度終了の時における当該会社の総資産の貸借対照表に計上されている帳簿価額の総額、当該会社の当該災害により滅失をした資産（特定資産を除く。）の貸借対照表に計上されている帳簿価額の合計額及び当該総額に対する当該合計額の割合
　　ロ　2の（2）の（一）に定める書類
　（二）　5の会社が5の（二）に掲げる場合に該当することとなった場合　　イに掲げる事項を記載した書類及びロに掲げる書類
　　イ　5の（二）の災害が発生した年月日、当該災害が発生した日の前日における当該会社の常時使用従業員の総数、当該会社の（4）に規定する被災常時使用従業員の数及び当該総数に対する当該被災常時使用従業員の数の割合
　　ロ　2の（2）の（二）に定める書類
　（三）　5の会社が5の（三）に掲げる場合に該当することとなった場合　　イに掲げる事項を記載した書類及びロに掲げる書類
　　イ　中小企業信用保険法第2条第5項第3号又は第4号のいずれに該当するかの別、（5）の（一）に規定する特定日、当該会社の（5）の（一）及び（5）の（二）に掲げる金額並びに（5）の（一）に掲げる金額に対する（5）の（二）に掲げる金額の割合
　　ロ　2の（2）の（四）に定める書類

6　災害等が発生した場合の経営承継相続人等の要件

　災害等が発生した日から同日以後1年を経過する日までの間に被相続人から第一節の1の規定の適用に係る相続又は遺贈により認定承継会社の第一節の1に規定する非上場株式等の取得をした個人が第一節の1の規定の適用を受けようとする場合（当該認定承継会社が1の（一）、（二）又は（四）に掲げる場合に該当する場合に限る。）における第一節の2の（三）の規定の適用については、第一節の2の（三）中「要件の全て」とあるのは、「要件（ヘに掲げるものを除く。）の全て」とする。（措法70の7の2㊲）

第二章　非上場株式等についての相続税の納税猶予及び免除
（第九節　事業用資産等が災害によって甚大な被害を受けた場合）

　　　（読替え規定）
（1）　　**6**の個人が**6**の規定の適用を受けようとする場合における第二節の**1**の規定の適用については、第二節の**1**中「又
　　は当該」とあるのは、「又は**6**の規定の適用を受けようとする旨を記載した書類並びに当該」とする。（措法70の7の2
　　㊳）

　　　（添付書類）
（2）　　**6**の規定の適用を受けようとする**6**の個人が提出する（1）の規定により読み替えて適用する第二節の**1**の相続税の
　　申告書には、第二節の**1**の（2）に規定する書類のほか、**2**の（1）の（四）に掲げる事項を記載した書類及び**2**の（2）に規
　　定する書類を添付しなければならない。（措規23の10�51）

7　みなし規定

　　次に掲げる者は、第一節の**2**の（三）に規定する経営承継相続人等とみなして、本節の規定を適用する。この場合におい
て、当該経営承継相続人等に係るこれらの規定の適用に関し必要な事項は、政令で定める。（平29改所法等附88⑭）
（一）　所得税法等の一部を改正する法律（平成22年法律第6号）第18条の規定による改正前の租税特別措置法（以下**7**に
　　おいて「平成22年旧法」という。）第70条の7の2第1項の規定の適用を受けている同条第2項第3号に規定する経営承
　　継相続人等
（二）　現下の厳しい経済状況及び雇用情勢に対応して税制の整備を図るための所得税法等の一部を改正する法律（平成23
　　年法律第82号）第17条の規定による改正前の租税特別措置法（以下**7**において「平成23年旧法」という。）第70条の7の
　　2第1項の規定の適用を受けている同条第2項第3号に規定する経営承継相続人等
（三）　所得税法等の一部を改正する法律（平成25年法律第5号）第8条の規定による改正前の租税特別措置法（以下**7**に
　　おいて「平成25年旧法」という。）第70条の7の2第1項の規定の適用を受けている同条第2項第3号に規定する経営承
　　継相続人等
（四）　所得税法等の一部を改正する法律（平成27年法律第9号）第8条の規定による改正前の租税特別措置法（以下**7**に
　　おいて「平成27年旧法」という。）第70条の7の2第1項の規定の適用を受けている同条第2項第3号に規定する経営承
　　継相続人等
（五）　所得税法等の一部を改正する法律（平成29年法律第4号）第12条の規定による改正前の租税特別措置法（以下**7**に
　　おいて「平成29年旧法」という。）第70条の7の2第1項の規定の適用を受けている同条第2項第3号に規定する経営承
　　継相続人等

　　　（みなし規定）
（1）　　**7**の規定により適用する本節の規定は、次に掲げる会社が、平成28年4月1日以後に発生した**2**に規定する災害等
　　により**1**の（一）から（四）に掲げる場合に該当することとなった場合について適用する。（平29改所法等附88⑮）
　　（一）　**7**の（一）に掲げる経営承継相続人等が有する平成22年旧法第70条の7の2第1項の特例非上場株式等に係る同条
　　　第2項第1号に規定する認定承継会社
　　（二）　**7**の（二）に掲げる経営承継相続人等が有する平成23年旧法第70条の7の2第1項の特例非上場株式等に係る同条
　　　第2項第1号に規定する認定承継会社
　　（三）　**7**の（三）に掲げる経営承継相続人等が有する平成25年旧法第70条の7の2第1項の特例非上場株式等に係る同条
　　　第2項第1号に規定する認定承継会社
　　（四）　**7**の（四）に掲げる経営承継相続人等が有する平成27年旧法第70条の7の2第1項の特例非上場株式等に係る同条
　　　第2項第1号に規定する認定承継会社
　　（五）　**7**の（五）に掲げる経営承継相続人等が有する平成29年旧法第70条の7の2第1項の特例非上場株式等に係る同条
　　　第2項第1号に規定する認定承継会社

　　　（みなし規定）
（2）　　**7**の（一）から（五）に掲げる者は、第一節の**2**の（三）に規定する経営承継相続人等とみなして、第一節の**1**の（7）及
　　び第五節の**1**の（4）の規定を適用する。（平29改措令附30④）

　　　（過誤納となった場合の国税通則法の適用）
（3）　　**7**の規定により第一節の**2**の（三）に規定する経営承継相続人等とみなされた**7**の（一）から（五）に掲げる者に対する
　　4の（1）及び**2**の（3）の規定の適用並びに**1**の規定の適用により過誤納となった額に相当する相続税の国税通則法第56

－1275－

第七編　非上場株式等に係る相続税・贈与税の納税猶予及び免除

条から第58条までの規定の適用については、次に定めるところによる。（平29改措令附30⑤）

（一）　**4**の（1）の適用については、**4**の（1）中「同**2**の（一）」とあるのは、「同**2**中「日から2月」とあるのは「日（当該日が所得税法等の一部を改正する等の法律（平成29年法律第4号）の施行の日前である場合には、当該施行の日。以下**2**において同じ。）から2月」と、同**2**の（一）」とする。

（二）　**2**の（3）の規定の適用については、同（3）の（一）中「日前」とあるのは「日（当該日が所得税法等の一部を改正する等の法律（平成29年法律第4号）の施行の日前である場合には、当該施行の日。以下（3）において同じ。）前」と、「同日」とあるのは「当該災害等の発生した日」とする。

（三）　**1**の規定の適用により過誤納となった額に相当する相続税の国税通則法第56条から第58条までの規定の適用については、**2**の届出書の提出があった日に過誤納があったものとみなす。

（読替え規定）

（4）　**7**の（一）から（三）までに掲げる者（平成25年改正法附則第86条第8項の規定の適用を受けた者を除く。）に対する**1**の（二）から（四）までの規定及び**1**の(18)の（一）の規定の適用については、次に定めるところによる。（平29改措令附30⑥）

（一）　**1**の（二）から（四）までの規定の適用については、**1**の（二）のイ中「各第1種基準日におけるその」とあるのは「経営承継期間内に第1種基準日におけるその」と、「の合計を経営承継期間の末日において経営承継期間内にある第1種基準日の数で除して計算した数が、当該」とあるのは「が当該」と、「が第五節の**1**の（二）」とあるのは「が所得税法等の一部を改正する法律（平成22年法律第6号）第18条の規定による改正前の租税特別措置法第70条の7の2第3項第2号、現下の厳しい経済状況及び雇用情勢に対応して税制の整備を図るための所得税法等の一部を改正する法律（平成23年法律第82号）第17条の規定による改正前の租税特別措置法第70条の7の2第3項第2号又は所得税法等の一部を改正する法律（平成25年法律第5号）第8条の規定による改正前の租税特別措置法第70条の7の2第3項第2号」と、「あっては、各第1種基準日における」とあるのは「あっては、」と、「、第5節の**1**の（二）」とあるのは「、当該各号」と、**1**の（三）中「第五節の**1**の（二）」とあるのは「所得税法等の一部を改正する法律（平成22年法律第6号）第18条の規定による改正前の租税特別措置法第70条の7の2第3項第2号、現下の厳しい経済状況及び雇用情勢に対応して税制の整備を図るための所得税法等の一部を改正する法律（平成23年法律第82号）第17条の規定による改正前の租税特別措置法第70条の7の2第3項第2号又は所得税法等の一部を改正する法律（平成25年法律第5号）第8条の規定による改正前の租税特別措置法第70条の7の2第3項第2号」と、「経営承継期間の末日においては、第五節の**1**の（二）」とあるのは「当該各号の第1種基準日においては、当該各号」と、第五節の**1**の（四）中「第五節の**1**の（二）若しくは（九）に掲げる場合又は特定期間内に第六節の表の（一）の左欄（第五節の**1**の（九）」とあるのは「所得税法等の一部を改正する法律（平成22年法律第6号）第18条の規定による改正前の租税特別措置法第70条の7の2第3項第2号若しくは第9号に掲げる場合若しくは特定期間内に同条第5項の表の第1号の上欄（同条第3項第9号に係る部分に限る。）に掲げる場合、経営承継期間内に現下の厳しい経済状況及び雇用情勢に対応して税制の整備を図るための所得税法等の一部を改正する法律（平成23年法律第82号）第17条の規定による改正前の租税特別措置法第70条の7の2第3項第2号若しくは第9号に掲げる場合若しくは特定期間内に同条第5項の表の第1号の上欄（同条第3項第9号に係る部分に限る。）に掲げる場合又は経営承継期間内に所得税法等の一部を改正する法律（平成25年法律第5号）第8条の規定による改正前の租税特別措置法第70条の7の2第3項第2号若しくは第9号に掲げる場合若しくは特定期間内に同条第5項の表の第1号の上欄（同条第3項第9号」と、「限り、経営承継期間の末日（経営承継期間内に第五節の**1**の（九）に掲げる場合又は特定期間内に第六節の表の（一）の左欄（第五節の**1**の（九）に係る部分に限る。）に掲げる場合に該当することとなった場合にあっては」とあるのは「限り」と、「（期間））において」とあるのは「（期間）」とする。

（二）　**1**の(18)の（一）の規定の適用については、同(18)の（一）中「第五節の**1**の（二）」とあるのは「所得税法等の一部を改正する法律（平成22年法律第6号）第18条の規定による改正前の租税特別措置法第70条の7の2第3項第2号、現下の厳しい経済状況及び雇用情勢に対応して税制の整備を図るための所得税法等の一部を改正する法律（平成23年法律第82号）第17条の規定による改正前の租税特別措置法第70条の7の2第3項第2号又は所得税法等の一部を改正する法律（平成25年法律第5号）第8条の規定による改正前の租税特別措置法第70条の7の2第3項第2号」と、「各売上判定事業年度（**1**の（四）」とあるのは「売上判定事業年度（**1**の（四）」と、「　　）をいう。（二）」とあるのは「　　）をいう。以下（一）」と、「　　）の合計を経営承継期間の末日において経営承継期間内に終了する当該売上判定事業年度の数で除して計算した割合（最初の売上判定事業年度終了の日が経営承継期間の末日の翌日以後である場合には、（9）に規定する割合。以下（一）において「売上割合の平均値」という。）」とあるのは「　　）の」と、「各雇用判定基準日」とあるのは「当該売上判定事業年度に係る雇用判定基準日」と、「　　）の合計を経営承継期間の末日において当該

－1276－

第二章　非上場株式等についての相続税の納税猶予及び免除
（第九節　事業用資産等が災害によって甚大な被害を受けた場合）

売上判定事業年度に係る雇用判定基準日の数で除して計算した割合（最初の売上判定事業年度終了の日が経営承継期間の末日の翌日以後である場合には、当該認定承継会社の第一節の**1**の規定の適用に係る相続の開始の時における常時使用従業員の数に対する経営承継期間の末日における常時使用従業員の数の割合）が」とあるのは「　）が」と、「以上で」とあるのは「（最初の売上判定事業年度終了の日が経営承継期間の末日の翌日以後である場合には、特定売上割合（**1**の(16)に規定する割合をいう。以下(二)において同じ。）の次のイからハまでに掲げる場合の区分に応じ、当該認定承継会社の第一節の**1**の規定の適用に係る相続の開始の時における常時使用従業員の数に対する経営承継期間の末日における常時使用従業員の数の割合がそれぞれイからハまでに定める割合）以上で」と、(二)のイからハまでの規定中「売上割合の平均値」とあるのは「売上割合又は特定売上割合」とする。

　　（読替え規定）
（5）　**7**の規定により第一節の**2**の(三)に規定する経営承継相続人等とみなされた**7**の(一)から(三)までに掲げる者（平成25年改正法附則第86条第8項の規定の適用を受けた者を除く。）に対する**1**の(9)及び**3**の(1)の規定の適用については、**1**の(9)中「準用する」とあるのは「準用する。この場合において、第一章第八節の**1**の(10)中「数に調整割合（次の(一)から(三)に掲げる場合の区分に応じ当該(一)から(三)に定める割合をいう。）を乗じて計算した数と」とあるのは、「数と」と読み替えるものとする」と、**3**の(1)中「事項と」とあるのは「事項（(十一)に掲げる事項を除く。）と」と」とする。（平29改措規附16④）

—1277—

第十節　雑　則

（他の納税猶予との重複適用の排除）
（1）　第一節の1の規定は、被相続人から相続又は遺贈により取得をした非上場株式等に係る会社の株式等について、同
　　1の規定の適用を受けている他の経営承継相続人等又は第一章第一節の1の規定の適用を受けている第一章第一節の2
　　の(三)に規定する経営承継受贈者（第一章第七節の1（(三)に係る部分に限る。）の規定の適用に係る贈与をした当該経
　　営承継受贈者を除く。）若しくは第三章第二節の1の規定の適用を受けている同第二節の2の(三)に規定する経営相続承
　　継受贈者がある場合（第一節の1の規定の適用を受けようとする者が当該経営承継受贈者又は当該経営相続承継受贈者
　　である場合を除く。）には、当該非上場株式等については、適用しない。（措法70の7の2⑧）

（現物出資等がある場合の適用除外）
（2）　第一節の1の対象非上場株式等に係る認定承継会社が同1の規定の適用を受けようとする経営承継相続人等及び当
　　該経営承継相続人等と第五節の1の(6)の政令で定める特別の関係がある者から現物出資又は贈与により取得をした資
　　産（同1の相続の開始前3年以内に取得をしたものに限る。(二)において「**現物出資等資産**」という。）がある場合にお
　　いて、当該相続の開始の時における、(一)に掲げる金額に対する(二)に掲げる金額の割合が100分の70以上であるときは、
　　当該経営承継相続人等については、同1の規定は、適用しない。（措法70の7の2㉚）
（一）　当該認定承継会社の資産の価額の合計額
（二）　現物出資等資産の価額（当該認定承継会社が当該相続の開始の時において当該現物出資等資産を有していない場
　　合には、当該相続の開始の時に有しているものとしたときにおける当該現物出資等資産の価額）の合計額

（(2)の各号の価額の意義）
（3）　(2)の価額の意義については、第一章第九節の(3)を準用する。
　　　この場合において、同(3)中「第一章第九節の(2)」とあるのは「(2)」と、「認定贈与承継会社」とあるのは「認定
　　承継会社」と、「対象贈与」とあるのは「相続の開始」となることに留意する。（措通70の7の2－54）

（同族会社等の行為又は計算の否認等）
（4）　第一編第十章第一節の**五**《同族会社等の行為又は計算の否認》（同**五**の(1)において準用する場合を含む。）及び同
　　第一節の**六**《移転法人又は取得法人の行為又は計算の否認》の規定は、第一節の1の規定の適用を受ける経営承継相続
　　人等若しくは当該経営承継相続人等に係る被相続人又はこれらの者と第五節の1の(6)の政令で定める特別の関係があ
　　る者の相続税又は贈与税の負担が不当に減少する結果となると認められる場合について準用する。この場合において、
　　同**五**中「同族会社等」とあるのは「第一節の2の(一)に規定する認定承継会社」と、「株主若しくは社員又はその親族そ
　　の他これらの者」とあるのは「第一節の1の経営承継相続人等又は当該経営承継相続人等若しくは同1の被相続人」と、
　　「相続税又は贈与税についての更正又は決定に際し」とあるのは「同条の規定の適用に関し」と、「課税価格を計算する」
　　とあるのは「納税の猶予に係る期限を繰り上げ、又は免除する納税の猶予に係る相続税を定める」と、同**五**の(1)中「、
　　同族会社等」とあるのは「、第一節の2の(一)に規定する認定承継会社」と、「同族会社等の株主若しくは社員又はその
　　親族その他これらの者と**五**に規定する特別の関係がある者の相続税又は贈与税に係る更正又は決定」とあるのは「認定
　　承継会社の第一節の1の経営承継相続人等の納税の猶予に係る期限の繰上げ又は相続税の免除」と、同**六**中「相続税又
　　は贈与税についての更正又は決定に際し」とあるのは「第二章《非上場株式等についての相続税の納税猶予及び免除》
　　の規定の適用に関し」と、「課税価格を計算する」とあるのは「納税の猶予に係る期限を繰り上げ、又は免除する納税の
　　猶予に係る相続税を定める」と読み替えるものとする。（措法70の7の2⑮）

（法人税法、所得税法及び地価税法の規定の適用）
（5）　(4)において第一編第十章第一節の**五**の規定を準用する場合における法人税法第132条第3項、所得税法第157条第
　　3項及び地価税法第32条第3項の規定の適用については、法人税法第132条第3項中「相続税法」とあるのは「租税特別
　　措置法第70条の7の2第15項において準用する相続税法」と、「準用する」とあるのは「準用する。この場合において、
　　第1項第1号中「内国法人である同族会社」とあるのは、「租税特別措置法第70条の7の2第2項第1号《非上場株式等
　　についての相続税の納税猶予及び免除》に規定する認定承継会社」と読み替えるものとする」と、所得税法第157条第3

－1278－

第二章　非上場株式等についての相続税の納税猶予及び免除
（第十節　雑　則）

項中「相続税法」とあるのは「租税特別措置法第70条の7の2第15項において準用する相続税法」と、「準用する」とあるのは「準用する。この場合において、第1項第1号中「法人税法第2条第10号《定義》に規定する同族会社」とあるのは、「租税特別措置法第70条の7の2第2項第1号《非上場株式等についての相続税の納税猶予及び免除》に規定する認定承継会社」と読み替えるものとする」と、地価税法第32条第3項中「相続税法」とあるのは「租税特別措置法第70条の7の2第15項において準用する相続税法」と、「準用する」とあるのは「準用する。この場合において、第1項中「法人税法第2条第10号《定義》に規定する同族会社又は所得税法第157条第1項第2号《同族会社等の行為又は計算の否認等》に掲げる法人」とあるのは、「租税特別措置法第70条の7の2第2項第1号《非上場株式等についての相続税の納税猶予及び免除》に規定する認定承継会社」と読み替えるものとする」とする。（措令40の8の2⑫）

（国税通則法、国税徴収法及び相続税法の規定の適用）
（6）　経営承継相続人等が第一節の1の規定の適用を受けようとする場合又は同1の規定による納税の猶予がされた場合における国税通則法、国税徴収法及び相続税法の規定の適用については、次に定めるところによる。（措法70の7の2⑭）
（一）　第一節の1の規定の適用があった場合における相続税に係る延滞税については、その相続税の額のうち納税猶予分の相続税額とその他のものとに区分し、更に当該納税猶予分の相続税額を（六）に規定する納税の猶予に係る期限が異なるものごとに区分して、それぞれの税額ごとに国税通則法の延滞税に関する規定を適用する。
（二）　第一節の1の規定の適用を受けようとする経営承継相続人等が第二節の2本文の規定により対象非上場株式等の全てを担保として提供する場合には、国税通則法第50条第2号中「有価証券で税務署長等（国税に関する法律の規定により国税庁長官又は国税局長が担保を徴するものとされている場合には、国税庁長官又は国税局長。以下この条及び次条において同じ。）が確実と認めるもの」とあるのは、「有価証券及び持分会社の出資の持分（質権その他の担保権の目的となっていないことその他（7）の財務省令で定める要件を満たすものに限る。）」とし、同法第51条第1項の規定は、適用しない。
（三）　（二）の場合において、第二節の2ただし書の規定の適用があるときは、（二）の規定は、適用しない。
（四）　第七節の2の（8）の規定による通知により過誤納となった額に相当する相続税の国税通則法第56条から第58条までの規定の適用については、当該通知を発した日又は同2に規定する申請期限から6月を経過する日のいずれか早い日に過誤納があったものとみなす。
（五）　第一節の1の規定による納税の猶予を受けた相続税については、国税通則法第64条第1項及び第73条第4項中「延納」とあるのは、「延納（第一節の1《非上場株式等についての相続税の納税猶予及び免除》の規定による納税の猶予を含む。）」とする。
（六）　第一節の1の規定による納税の猶予に係る期限（第五節の1及び第五節の2、第六節、第三節の2、第四節又は（4）の規定による当該期限を含む。）は、国税通則法及び国税徴収法中法定納期限又は納期限に関する規定を適用する場合には、相続税法の規定による延納に係る期限に含まれるものとする。
（七）　第一節の1の規定による納税の猶予を受けた相続税については、国税通則法第52条第4項中「認めるときは、税務署長等」とあるのは「認めるとき（第一節の1《非上場株式等についての相続税の納税猶予及び免除》の規定による納税の猶予の担保として同1に規定する対象非上場株式等に係る同1の認定承継会社の株式又は出資が提供された場合には、当該認めるとき、又は当該株式若しくは出資を換価に付しても買受人がないとき）は、税務署長等」と、国税徴収法第48条第1項中「財産は」とあるのは「財産（第一節の1《非上場株式等についての相続税の納税猶予及び免除》の規定による納税の猶予の担保として同1に規定する対象非上場株式等に係る同1の認定承継会社の株式又は出資が提供された場合において、当該株式又は出資を換価に付しても買受人がないときにおける当該担保を提供した第一節の2の（三）に規定する経営承継相続人等の他の財産を除く。）は」とする。
（八）　第七節の2の申請書の提出があった場合において、当該申請書に係る同2に規定する免除申請相続税額に相当する相続税は、国税徴収法第82条第1項の規定の適用については、同2の（8）の規定による通知を発する日まで同条第1項の滞納に係る国税に該当しないものとする。
（九）　第五節の1（同1の（二）を除く。）及び第五節の2、第六節、第三節の2、第四節又は（4）の規定に該当する相続税については、第一編第八章第二節一の1及び同第八章第三節一の1の規定は、適用しない。
（十）　第五節の1（同1の（二）に係る部分に限る。）の規定に該当する納税猶予分の相続税額に相当する相続税については、第一編第八章第二節一の1の延納期間は、5年以内とし、同節四の1の延納を求めようとする相続税の納期限及び同章第三節二の1の物納を求めようとする相続税の納期限は、経営承継期間の末日から5月を経過する日（以下（十）において「延納等申請期限」という。）とし、同節三の（1）の規定による申請書の提出の期限は、延納等申請期限の翌日から5年を経過する日とし、同章第二節五の利子税の割合は、年6.6パーセントとして、これらの規定を適用する。この場合において、第一節の1の規定による納税の猶予に係る期限（第五節の1の（二）に係るものに限る。）の翌日か

－1279－

ら延納等申請期限までの間については、当該期間に対応する部分の延滞税（猶予中相続税額のうち延納又は物納の許可を受けた部分に係るものに限る。）に代え、利子税を納付するものとし、納付すべき利子税の額は、当該許可を受けた部分を基礎として、当該期間に、次に掲げる場合の区分に応じ、それぞれ次に定める割合を乗じて計算した金額とする。

イ　延納の許可を受けた場合　年6.6パーセント

ロ　物納の許可を受けた場合　年7.3パーセント

（十一）　相続又は遺贈により取得をした財産のうちに対象非上場株式等に該当するものがある者の当該財産に係る相続税の額で納税猶予分の相続税額以外のものについては、当該対象非上場株式等の価額は、当該対象非上場株式等の価額に100分の20を乗じて計算した価額（当該対象非上場株式等に係る認定承継会社又は当該認定承継会社の特別関係会社であって当該認定承継会社との間に支配関係がある法人（以下（十一）において「**認定承継会社等**」という。）が会社法第2条第2号に規定する外国会社（当該認定承継会社の特別関係会社に該当するものに限る。）その他第一節の2の(18)の政令で定める法人の株式等（投資信託及び投資法人に関する法律第2条第14項に規定する投資口を含む。）を有する場合には、当該認定承継会社等が当該株式等を有していなかったものとして計算した価額に100分の20を乗じて計算した価額と当該株式等の価額との合計額）であるものとして、第一編第八章第二節**一**の**1**（同第八章第三節**二**の**12**において準用する場合を含む。）、同第三節**六**の**2**の（6）、同第二節**五**の**1**又は同第三節**七**の**2**の**①**の（1）の（二）の（ロ）の規定を適用する。

（十二）　対象非上場株式等について第一節の**1**の規定の適用があった場合における第一編第八章第三節**三**の（5）において準用する同第三節**一**の**2**の規定の適用については、同**2**中「財産を除く」とあるのは、「財産及び第一節の**1**の規定の適用に係る同**1**に規定する対象非上場株式等のうち第五節の**1**（同**1**の（二）に係る部分に限る。）の規定に該当する猶予中相続税額に係るもの以外のものを除く」とする。

（国税通則法第51条第2号に規定する財務省令で定める要件）

（7）　（6）の（二）の規定により読み替えて適用する国税通則法第51条第2号に規定する財務省令で定める要件は、第一節の**1**の規定の適用に係る特例非上場株式等について、質権の設定がされていないこと、差押えがされていないことその他の当該特例非上場株式等について担保の設定又は処分の制限（民事執行法（昭和54年法律第4号）その他の法令の規定による処分の制限をいう。）がされていないこととする。（措規23の10㉗により準用する措規23の9㉙）

（持分会社の出資の持分等を担保提供できる場合）

（8）　（6）の（二）の規定は、第一節の**1**の規定の適用を受けようとする場合に対象非上場株式等の全てを担保として提供するとき又は第二節の**2**の（3）の規定により対象非上場株式等を再び担保として提供する場合に適用されることに留意する。（措通70の7の2－38）

（延納申請を行う場合の不動産等の割合の計算における端数処理）

（9）　（6）の（十一）の適用に当たり、認定承継会社ごとの対象非上場株式等の価額（当該対象非上場株式等に係る認定承継会社又は当該認定承継会社の特別関係会社であって当該認定承継会社との間に支配関係がある法人（以下「**認定承継会社等**」という。）が会社法第2条第2号に規定する外国会社（当該認定承継会社の特別関係会社に該当するものに限る。）、第一節の**2**の(18)の（一）に掲げる法人（当該認定承継会社が資産保有型会社等に該当する場合に限る。）又は同(18)の（二）に掲げる医療法人の株式等（投資信託及び投資法人に関する法律第2条第14項に規定する投資口を含む。）を有する場合には、当該認定承継会社等が当該株式等を有していなかったものとして計算した価額）に100分の20を乗じた価額に1円未満の端数が生じた場合は、その端数は切り捨てることに留意する。（措通70の7の2－39）

（経済産業大臣等の通知義務）

（10）　経済産業大臣又は経済産業局長は、第一節の**1**の規定の適用を受ける経営承継相続人等又は同**1**の対象非上場株式等若しくは当該対象非上場株式等に係る認定承継会社について、第五節及び第六節の規定による納税の猶予に係る期限の確定に係る事実に関し、法令の規定に基づき認定、確認、報告の受理その他の行為をしたことにより当該事実があったことを知った場合には、遅滞なく、当該対象非上場株式等について当該事実が生じた旨その他(11)の財務省令で定める事項を、書面により、国税庁長官又は当該経営承継相続人等の納税地の所轄税務署長に通知しなければならない。（措法70の7の2㊵）

－1280－

第二章　非上場株式等についての相続税の納税猶予及び免除
（第十節　雑　　則）

　　　（経済産業大臣等の通知事項）
(11)　(10)に規定する財務省令で定める事項は、次に掲げる事項とする。（措規23の10⑫により準用する措規23の9⑬）
　(一)　経営承継相続人等又は特例非上場株式等若しくは当該特例非上場株式等に係る認定承継会社について、(10)の納
　　税の猶予に係る期限の確定に係る事実が生じた旨
　(二)　(一)の事実が生じた特例非上場株式等に係る認定承継会社の商号及び本店の所在地並びに当該特例非上場株式等
　　について第一節の1の規定の適用を受けている経営承継相続人等及び当該経営承継相続人等に係る被相続人の氏名及
　　び住所又は居所
　(三)　(10)の納税の猶予に係る期限の確定に係る事実の詳細及び当該事実の生じた年月日並びに当該事実に係る認定、
　　確認、報告の受理その他の行為の内容
　(四)　その他参考となるべき事項

　　　（経済産業大臣等への通知義務）
(12)　税務署長は、第一節の1の場合において経済産業大臣又は経済産業局長の事務（同1の規定の適用を受ける経営承
　継相続人等に関する事務で、(10)の規定の適用に係るものに限る。）の処理を適正かつ確実に行うため必要があると認め
　るときは、経済産業大臣又は経済産業局長に対し、当該経営承継相続人等が第一節の1の規定の適用を受ける旨その他
　(13)の財務省令で定める事項を通知することができる。（措法70の7の2㊶）

　　　（経済産業大臣等への通知事項）
(13)　(12)に規定する財務省令で定める事項は、次に掲げる事項とする。（措規23の10⑫により準用する措規23の9⑭）
　(一)　第一節の1の規定の適用を受ける経営承継相続人等及び当該経営承継相続人等に係る被相続人の氏名及び住所又
　　は居所
　(二)　(一)の経営承継相続人等が(一)の被相続人から第一節の1の規定の適用に係る相続又は遺贈により取得をした非
　　上場株式等に係る同1に規定する相続税の申告書が提出された日
　(三)　(一)の経営承継相続人等が(二)の非上場株式等について第一節の1の規定の適用を受けている旨及び同1の規定
　　の適用に係る対象受贈非上場株式等の数又は金額
　(四)　その他(12)の通知の事務に関し税務署長が必要と認める事項

－1281－

第七編　非上場株式等に係る相続税・贈与税の納税猶予及び免除

第三章　非上場株式等の贈与者が死亡した場合の相続税の課税の特例

第一節　非上場株式等の贈与者が死亡した場合の相続税の課税の特例

1　特例適用の要件

第一章第一節の 1《非上場株式等についての贈与税の納税猶予及び免除》の規定の適用を受ける同第一節の 2 の(三)に規定する経営承継受贈者に係る贈与者が死亡した場合（その死亡の日前に猶予中贈与税額に相当する贈与税の全部につき第一章第五節及び第六節、第一章第三節の 2、第一章第四節又は第一章第九節の(4)の規定による納税の猶予に係る期限が確定した場合及びその死亡の時以前に当該経営承継受贈者が死亡した場合を除く。）には、当該贈与者の死亡による相続又は遺贈に係る相続税については、当該経営承継受贈者が当該贈与者から相続（当該経営承継受贈者が当該贈与者の相続人以外の者である場合には、遺贈）により第一章第一節の 1 の規定の適用に係る対象受贈非上場株式等（猶予中贈与税額に対応する部分に限るものとし、合併により当該対象受贈非上場株式等に係る同 1 の認定贈与承継会社が消滅した場合その他の(1)の財務省令で定める場合には、当該対象受贈非上場株式等に相当するものとして(1)の財務省令で定めるものとする。第二節において同じ。）の取得をしたものとみなす。この場合において、その死亡による相続又は遺贈に係る相続税の課税価格の計算の基礎に算入すべき当該対象受贈非上場株式等の価額については、当該贈与者から同 1 の規定の適用に係る贈与により取得をした対象受贈非上場株式等の当該贈与の時（第一章第七節の 3 の規定の適用があった場合には、同 3 に規定する認可決定日）における価額（同章第一節の 2 の(五)の対象受贈非上場株式等の価額をいう。）を基礎として計算するものとする。（措法70の 7 の 3 ①）

（財務省令で定める認定贈与承継会社が消滅した場合）
（1）　第一章第一節の 3 の**②**の(3)の規定は、1 に規定する財務省令で定める場合及び 1 に規定する財務省令で定めるものについて準用する。（措規23の11①）

（1 の規定により相続又は遺贈により取得をしたものとみなされる対象受贈非上場株式等の価額の計算）
（2）　1 の規定により相続又は遺贈により取得をしたものとみなされる対象受贈非上場株式等の価額の計算は、次の算式により算定して差し支えない。（措通70の 7 の 3 － 1）

$$A \times \frac{B}{C}$$

（注）1　上記算式中の符号は次のとおり。

A は、1 の贈与者から対象贈与により取得をした対象受贈非上場株式等の当該対象贈与の時（第一章第七節の 3 の規定の適用があった場合には、同 3 に規定する認可決定日）における価額（第一章第一節の 2 の(五)の対象受贈非上場株式等の価額をいう。）

なお、当該対象受贈非上場株式等が、第三編第一章第一節二の(1)（同節三、第六編第一章第八節（第七編第四章第九節において準用する場合を含む。）又は第三編第二章の 1 において準用する場合を含む。）の規定の適用を受けているものであっても、当該対象受贈非上場株式等の価額から相続時精算課税に係る基礎控除の額は控除しないことに留意する。

B は、当該贈与者の死亡直前の当該贈与者に係る経営承継受贈者の猶予中贈与税額

C は、当該贈与者から対象贈与により取得をした対象受贈非上場株式等に係る納税猶予分の贈与税額（第一章第一節の 2 の(五)に規定する納税猶予分の贈与税額をいい、第一章第七節の 3 の規定の適用があった場合には、同 3 の(1)に規定する再計算猶予中贈与税額とする。）

2　当該死亡した贈与者から複数の認定贈与承継会社の非上場株式等を相続又は遺贈により取得をしたものとみなされる場合の A 及び B の価額は、それぞれの認定贈与承継会社ごとに算定することに留意する。

3　上記により計算した価額に 1 円未満の端数がある場合には、その端数金額を切り捨てて差し支えない。

（贈与者の死亡の日前に納税猶予の期限が確定した対象受贈非上場株式等）
（3）　第一章第一節の 1 の規定の適用に係る贈与者が死亡した場合（(8)に掲げる場合を除く。）において、当該贈与者の死亡の日前に、当該納税猶予に係る贈与税の全部又は一部についての納税猶予の期限が確定しているときの当該死亡に係る相続税の課税関係は、次の区分に応じ、それぞれに定めるところによることに留意する。（措通70の 7 の 3 － 2）

－1282－

第三章　非上場株式等の贈与者が死亡した場合の相続税の課税の特例
（第一節　非上場株式等の贈与者が死亡した場合の相続税の課税の特例）

（一）　納税猶予に係る納税猶予分の贈与税額について第一章第一節の**2**の(五)のイ（暦年課税）の規定により計算している場合

当該適用に係る対象贈与が当該贈与者の死亡に係る相続税の加算対象期間内にあった場合において、当該贈与者の死亡の日前に、当該納税猶予に係る贈与税の全部又は一部についての納税猶予の期限が確定しており、かつ、経営承継受贈者が当該贈与者から相続又は遺贈により財産を取得しているときにおける当該期限の確定に係る対象受贈非上場株式等は、第一編第六章第三節の規定により、対象贈与の時における価額で相続税が課税されることに留意する。

なお、当該対象受贈非上場株式等は、第二章第一節の**1**及び第二節の**1**並びに第五章第一節の**1**及び第六章第二節の**1**の規定の適用対象とならないことに留意する。

（二）　納税猶予に係る納税猶予分の贈与税額について第一章第一節の**2**の(五)のロ（相続時精算課税）の規定により計算している場合

当該贈与者の死亡の日前に、当該納税猶予に係る贈与税の全部又は一部についての納税猶予の期限が確定している場合における当該期限の確定に係る対象受贈非上場株式等は、第三編第一章第三節**一**又は**二**の(2)の規定により、対象贈与の時における価額で相続税が課税されることに留意する。

なお、当該対象受贈非上場株式等は、第二章第一節の**1**及び第二節の**1**並びに第五章第一節の**1**及び第六章第二節の**1**の規定の適用対象とならないことに留意する。

(注)1　当該贈与者の死亡の時において、現に第一章第一節の**1**の規定の適用を受けている対象受贈非上場株式等は、**1**の規定により経営承継受贈者が当該贈与者から相続（当該経営承継受贈者が当該贈与者の相続人以外の者である場合には遺贈）により取得をしたものとみなされ、対象贈与の時（第一章第七節の**3**の規定の適用があった場合には、同**3**に規定する認可決定日）の価額を基礎として計算した価額で相続税が課税されることに留意する。

なお、当該対象受贈非上場株式等は、第二節の**1**の適用に係る要件を満たせば、同**1**の規定の適用対象となるのであるが、第二章第一節の**1**並びに第五章第一節の**1**及び第六章第二節の**1**の規定の適用対象とならないことに留意する。

2　対象受贈非上場株式等のうち、第一章第七節の**1**、**2**又は**3**の規定により免除を受けた猶予中贈与税額に対応する部分については、上記（一）及び（二）の規定の適用はないことに留意する。なお、「免除を受けた猶予中贈与税額に対応する部分」の意義については、第一章第九節の(15)を参照。

（納税猶予税額の免除の適用に係る贈与である場合の読み替え）

（4）　第一章第一節の**1**の規定の適用を受ける同節の**2**の(三)に規定する経営承継受贈者の同節の**1**の規定の適用に係る贈与が当該経営承継受贈者に係る贈与者の第一章第七節の**1**（(三)に係る部分に限り、第四章第六節の**1**において準用する場合を含む。）の規定の適用に係る贈与である場合における**1**の規定の適用については、同項中「係る贈与者」とあるのは「係る前の贈与者（第一章第一節の**1**又は第四章第一節の**1**の規定の適用を受けていた者として(5)の政令で定める者に第一章第一節の**1**の対象受贈非上場株式等に係る認定贈与承継会社の非上場株式等の贈与をした者をいう。）」と、「当該贈与者」とあるのは「当該前の贈与者」と、「贈与により取得」とあるのは「前の贈与（第一章第一節の**1**又は第四章第一節の**1**の規定の適用を受けていた者として(5)の政令で定める者に対する当該対象受贈非上場株式等に係る認定贈与承継会社の非上場株式等の贈与をいう。）により当該(5)の政令で定める者が取得」と、「当該贈与の」とあるのは「当該前の贈与の」とする。（措法70の7の3②）

（政令で定める者）

（5）　(4)の規定により読み替えて適用する**1**に規定する政令で定める者は、第一章第一節の**1**の(7)に掲げる場合の区分に応じそれぞれに定める者とする。（措令40の8の3）

（財務省令で定める場合）

（6）　(4)の規定により読み替えて適用する**1**に規定する財務省令で定める場合は次の(一)(二)に掲げる場合とし、(4)の規定により読み替えて適用する**1**に規定する財務省令で定めるものは当該(一)(二)に掲げる場合の区分に応じ当該(一)(二)に定めるものとする。（措規23の11②）

（一）　**1**の(1)において準用する第一章第一節の**3**の②の(3)の(一)から(三)に掲げる場合　　当該(一)から(三)に定める株式等

（二）　第一章第一節の**1**の規定の適用を受ける同節の**2**の(三)に規定する経営承継受贈者の同節の**1**の規定の適用に係る贈与により取得をした同節の**1**に規定する対象受贈非上場株式等（以下(二)において「対象受贈非上場株式等」という。）のうちに第一章第七節の**1**（(三)に係る部分に限り、第四章第六節の**1**において準用する場合を含む。）の規定の適用に係る贈与以外の贈与により取得をした対象受贈非上場株式等がある場合　　(4)の規定により読み替えて適用する**1**の前の贈与者に係る対象受贈非上場株式等

第七編　非上場株式等に係る相続税・贈与税の納税猶予及び免除

（（4）の規定により相続又は遺贈により取得をしたものとみなされる特例受贈非上場株式等の価額の計算）

（7）　（4）の規定により読み替えて適用する1の規定により相続又は遺贈により取得をしたものとみなされる対象受贈非上場株式等の価額の計算は、次の算式により算定して差し支えない。（措通70の7の3-1の2）

$$A \times \frac{B}{C}$$

（注）1　上記算式中の符号は次のとおり。

　　　　Aは、経営承継受贈者に係る前の贈与者から第一章第一節の1又は第四章第一節の1の規定の適用に係る前の贈与により当該前の贈与に係る受贈者が取得した対象受贈非上場株式等又は同1に規定する特例対象受贈非上場株式等の当該前の贈与の時（第一章第七節の3の規定の適用があった場合には、同3に規定する認可決定日）における価額（第一章第一節の2（五）の対象受贈非上場株式等の価額又は第四章第一節の2（八）の特例対象受贈非上場株式等の価額をいう。）

　　　　なお、当該対象受贈非上場株式等又は当該特例対象受贈非上場株式等が、第三編第一章第一節二の（1）（同三、第六編第一章第八節（第七編第四章第九節において準用する場合を含む。）又は第三編第二章の1において準用する場合を含む。）の規定の適用を受けているものであっても、これらの価額から相続時精算課税に係る基礎控除の額は控除しないことに留意する。

　　　　Bは、当該前の贈与者の死亡直前の当該経営承継受贈者の当該相続又は遺贈により取得をしたものとみなされる対象受贈非上場株式等に係る猶予中贈与税額

　　　　Cは、当該相続又は遺贈により取得をしたものとみなされる対象受贈非上場株式等に係る納税猶予分の贈与税額（第一章第一節の2（五）に規定する納税猶予分の贈与税額をいい、第一章第七節の3の規定の適用があった場合には、同3の（1）に規定する再計算猶予中贈与税額とする。）

　　（注）1　「前の贈与者」とは、次に掲げる場合の区分に応じそれぞれに定める者に当該対象受贈非上場株式等に係る認定贈与承継会社の非上場株式等の贈与をした者をいう（以下（7）及び第二節4の①の（7）において同じ。）。

　　　　　イ　贈与者に対する第一章第一節の1又は第四章第一節の1の規定の適用に係る贈与が、当該贈与をした者の第一章第七節の1（同1の（三）に係る部分に限り、第四章第六節の1において準用する場合を含む。）の規定の適用に係るもの（以下このイにおいて「免除対象贈与」という。）である場合　対象受贈非上場株式等に係る認定贈与承継会社の非上場株式等の免除対象贈与をした者のうち最初に第一章第一節の1又は第四章第一節の1の規定の適用を受けた者

　　　　　ロ　イに掲げる場合以外の場合　贈与者

　　　　2　「前の贈与」とは、（注）1のイ又はロに掲げる場合の区分に応じそれぞれに定める者に対する当該対象受贈非上場株式等に係る認定贈与承継会社の非上場株式等の贈与をいう。

　　　2　当該死亡した前の贈与者から複数の認定贈与承継会社の非上場株式等を相続又は遺贈により取得をしたものとみなされる場合には、それぞれの認定贈与承継会社ごとに算定することに留意する。

　　　3　上記により計算した価額に1円未満の端数がある場合には、その端数金額を切り捨てて差し支えない。

　　　4　経営承継受贈者に係る前の贈与者が行った前の贈与が第一章第一節の1又は第四章第一節の1の規定の適用に係る贈与のいずれであるかに関わらず、当該前の贈与者が死亡した場合には、当該経営承継受贈者については、（4）の規定が適用されることに留意する。

（免除対象贈与を行った贈与者の死亡の日前に納税猶予の期限が確定した対象受贈非上場株式等）

（8）　第一章第一節1の規定の適用に係る贈与者（同1の規定の適用を受けている経営承継受贈者又は第四章第一節の1の規定を受けている同節2の（六）に規定する特例経営承継受贈者に限る。）が死亡した場合において、当該贈与者の死亡の日前に、当該納税猶予に係る贈与税の全部又は一部についての納税猶予の期限が確定しているときの当該死亡に係る相続税の課税関係は、次の区分に応じ、それぞれに掲げるところによることに留意する。（措通70の7の3-2の2）

（一）　当該納税猶予に係る納税猶予分の贈与税額について第一章第一節の2のイの規定《暦年課税》により計算している場合

　　　当該適用に係る特例対象贈与が当該贈与者の死亡に係る相続税の加算対象期間内にあった場合において、当該贈与者の死亡の日前に、当該納税猶予に係る贈与税の全部又は一部についての納税猶予の期限が確定しており、かつ、経営承継受贈者が当該贈与者から相続又は遺贈により財産を取得しているときにおける当該期限の確定に係る対象受贈非上場株式等は、第一編第四章第二節の四《相続開始前3年以内に贈与があった場合の相続税額》の規定により、対象贈与の時における価額で相続税が課税されることに留意する。

　　　なお、当該対象受贈非上場株式等は、第二章第一節の1及び第二節の1並びに第五章第一節の1及び第六章第二節の1の規定の適用対象とならないことに留意する。

（二）　当該納税猶予に係る納税猶予分の贈与税額について第一章第一節の2のロの規定《相続時精算課税》により計算している場合

　　　当該贈与者の死亡の日前に、当該納税猶予に係る贈与税の全部又は一部についての納税猶予の期限が確定している場合における当該期限の確定に係る対象受贈非上場株式等は、第三編第一章第三節の一又は二の（2）の規定により、対象贈与の時における価額で相続税が課税されることに留意する。

　　　なお、当該対象受贈非上場株式等は、第二章第一節の1及び第二節の1並びに第五章第一節の1及び第六章第二節

－1284－

第三章 非上場株式等の贈与者が死亡した場合の相続税の課税の特例
（第一節 非上場株式等の贈与者が死亡した場合の相続税の課税の特例）

の**1**の規定の適用対象とならないことに留意する。

　(注)　当該対象受贈非上場株式等のうち、第一章第七節の**1**、**2**又は**3**の規定により免除を受けた猶予中贈与税額に対応する部分については、上
　　　記（一）及び（二）の規定の適用はないことに留意する。なお、「免除を受けた猶予中贈与税額に対応する部分」の意義については、第一章第九節
　　　の(15)を参照。

2　物納財産の不適格

　1の前段に規定する対象受贈非上場株式等について**1**（**1**の（4）の規定により読み替えて適用する場合を含む。第二節
の**1**、同節の**3**及び第二節の**10**の（3）において同じ。）の規定の適用を受ける場合における第一編第八章第三節一《物納の
要件》の**2**（同第三節三の（5）において準用する場合を含む。）の規定の適用については、同**2**中「財産を除く」とあるの
は、「財産及び**1**の規定により相続又は遺贈により取得をしたものとみなされる**1**に規定する対象受贈非上場株式等を除
く」とする。（措法70の7の3③）

－1285－

第七編　非上場株式等に係る相続税・贈与税の納税猶予及び免除

第二節　非上場株式等の贈与者が死亡した場合の相続税の納税猶予及び免除の特例

1　特例適用の要件

第一節の1の規定により同1の贈与者から相続又は遺贈により取得をしたものとみなされた対象受贈非上場株式等につき1の規定の適用を受けようとする経営相続承継受贈者が、当該相続に係る相続税の申告書の提出により納付すべき相続税の額のうち、当該対象受贈非上場株式等（認定相続承継会社の株式等（株式又は出資をいう。以下、本節において同じ。）に限る。）で当該相続税の申告書に1の規定の適用を受けようとする旨の記載があるもの（当該相続の開始の時における当該対象受贈非上場株式等に係る認定相続承継会社の発行済株式又は出資（議決権に制限のない株式等に限る。）の総数又は総額の3分の2に達するまでの部分として（1）の政令で定めるものに限る。以下、本節において「**対象相続非上場株式等**」という。）に係る納税猶予分の相続税額に相当する相続税については、（3）の政令で定めるところにより当該相続税の申告書の提出期限までに当該納税猶予分の相続税額に相当する担保を提供した場合に限り、第一編第八章第一節二の1《期限内申告に係る相続税の納付期限》の規定にかかわらず、当該経営相続承継受贈者の死亡の日まで、その納税を猶予する。（措法70の7の4①）

（政令で定める発行済株式又は出資の総数又は総額の3分の2に達するまでの部分）

（1）　1に規定する発行済株式又は出資の総数又は総額の3分の2に達するまでの部分として政令で定めるものは、**2**の（三）に規定する経営相続承継受贈者（以下、本節において「**経営相続承継受贈者**」という。）が1の規定の適用に係る相続の開始の時に有していた第一章第五節の1に規定する対象受贈非上場株式等（**2**の（一）に規定する認定相続承継会社（以下、本節において「**認定相続承継会社**」という。）の株式等（株式又は出資をいう。以下（1）、**11**の（3）及び**7**の（2）において同じ。）に限る。）のうち、当該相続の開始の時における当該認定相続承継会社の発行済株式又は出資（議決権に制限のない株式等に限る。）の総数又は総額の3分の2（当該対象受贈非上場株式等の第一章第一節の1の規定の適用に係る贈与の直前において当該経営相続承継受贈者が有していた当該認定相続承継会社の**2**の（二）に規定する非上場株式等（議決権に制限のないものに限る。以下（1）において「**非上場株式等**」という。）があるときは、当該総数又は総額の3分の2から当該経営相続承継受贈者が有していた当該認定相続承継会社の非上場株式等の数又は金額（当該贈与の時から当該相続の開始の直前までの間に当該対象受贈非上場株式等に係る会社の株式等の併合があったことその他の（2）の財務省令で定める事由により当該対象受贈非上場株式等の数又は金額が増加又は減少をしている場合には、当該増加又は減少をした後の数又は金額に換算した数又は金額）を控除した残数又は残額）に達するまでの部分とする。この場合において、当該総数又は総額の3分の2に一株未満又は1円未満の端数があるときは、その端数を切り上げる。（措令40の8の4①）

（財務省令で定める特例受贈非上場株式等の数又は金額が増加又は減少をしている場合）

（2）　第一章第一節の**2**の（24）の規定は、（1）に規定する財務省令で定める事由について準用する。（措規23の12①）

（担保の提供及び解除）

（3）　第二章第一節の1の（3）及び（5）の規定は、1の規定による納税の猶予に係る担保の提供及びその解除について準用する。（措令40の8の4②）

（対象相続非上場株式等の意義）

（4）　1に規定する対象相続非上場株式等（以下「**対象相続非上場株式等**」という。）とは、**2**の（三）に規定する経営相続承継受贈者（以下「**経営相続承継受贈者**」という。）が1に係る相続の開始の時に有していた第一章第五節の1に規定する対象受贈非上場株式等（第一節の1（同1の（4）の規定により読み替えて適用する場合を含む。（4）及び**4**の①の（5）において同じ。）の規定の適用がある部分に限る。（第一節の1の（2）参照。））のうち、次に掲げる場合の区分に応じ次に掲げる算式により算出した株式の数又は出資の金額に達するまでの部分をいうことに留意する。（措通70の7の4－1）

（一）　当該対象受贈非上場株式等の対象贈与の直前において、当該経営相続承継受贈者が有していた**2**の（一）に規定する認定相続承継会社（以下「**認定相続承継会社**」という。）の非上場株式等（議決権に制限のないものに限る。以下に

－1286－

第三章　非上場株式等の贈与者が死亡した場合の相続税の課税の特例
（第二節　非上場株式等の贈与者が死亡した場合の相続税の納税猶予及び免除の特例）

おいて同じ。）がある場合

$$A \times \frac{2}{3} - B$$

（二）　当該対象受贈非上場株式等の対象贈与の直前において、当該経営相続承継受贈者が有していた認定相続承継会社の非上場株式等がない場合

$$A \times \frac{2}{3}$$

（注）1　上記算式中の符号は次のとおり。

　　　　　Aは、当該相続の開始の時における当該認定相続承継会社の発行済株式又は出資（議決権に制限のない株式等に限る。）の総数又は総額

　　　　　Bは、当該経営相続承継受贈者が当該対象贈与の直前において有していた当該認定相続承継会社の非上場株式等の数又は金額（当該対象贈与があった時から当該相続の開始の直前までの間に当該対象受贈非上場株式等に係る会社の株式等の併合があったことその他（2）に定める事由により対象受贈非上場株式等の数又は金額が増加又は減少をしている場合には、当該増加又は減少をした後の数又は金額に換算した数又は金額）

　　　　2　複数の認定相続承継会社に係る対象受贈非上場株式等を第一節の1の規定により相続又は遺贈により取得をしたものとみなされた場合の対象相続非上場株式等に該当するかどうかの判定は、それぞれの認定相続承継会社ごとに行うことに留意する。

　　　　3　上記（一）又は（二）により計算された株式の数又は出資の金額のうち、第二章第一節の1に規定する相続税の申告書に1の規定の適用を受ける旨の記載がある部分が対象相続非上場株式等に該当することに留意する。

　　　　4　上記の（一）又は（二）により計算されたＡ×$\frac{2}{3}$の数又は金額に一株又は1円未満の端数がある場合には、（1）の規定により、その端数は切り上げることに留意する。

2　用語の意義

　本節において、次の各号に掲げる用語の意義は、当該各号に定めるところによる。（措法70の7の4②）

（一）　**認定相続承継会社**　　第一章第一節の2の（一）に定める会社で、1の規定の適用に係る相続の開始の時において、次に掲げる要件（1の規定の適用を受ける経営相続承継受贈者に係る贈与者が（五）のイ又はロに掲げる日のいずれか早い日の翌日以後に死亡した場合には、ハに掲げるものを除く。）の全てを満たすものをいう。

　イ　当該会社の常時使用従業員（常時使用する従業員として（1）の財務省令で定めるものをいう。ホ及び**10**の（3）の（二）において同じ。）の数が1人以上であること。

　ロ　当該会社が、第一章第一節の2の（八）に規定する資産保有型会社又は同**2**の（九）に規定する資産運用型会社のうち（2）の政令で定めるものに該当しないこと。

　ハ　当該会社（ハにおいて「**特定会社**」という。）の株式等及び特別関係会社（当該特定会社と（4）の政令で定める特別の関係がある会社をいう。以下**2**において同じ。）のうち当該特定会社と密接な関係を有する会社として（5）の政令で定める会社（ニにおいて「**特定特別関係会社**」という。）の株式等が、非上場株式等に該当すること。

　ニ　当該会社及び特定特別関係会社が、第一章第一節の**2**の（一）のニに規定する風俗営業会社に該当しないこと。

　ホ　当該会社の特別関係会社が会社法第2条第2号に規定する外国会社に該当する場合（当該会社又は当該会社との間に支配関係がある法人が当該特別関係会社の株式等を有する場合に限る。）にあっては、当該会社の常時使用従業員の数が5人以上であること。

　ヘ　イからホまでに掲げるもののほか、会社の円滑な事業の運営を確保するために必要とされる要件として（6）の政令で定めるものを備えているものであること。

（二）　**非上場株式等**　　第一章第一節の**2**の（二）に定める株式等をいう。

（三）　**経営相続承継受贈者**　　第一章第一節の1の規定の適用を受ける同第一節の**2**の（三）に定める者で、次に掲げる要件の全てを満たすものをいう。

　イ　その者が、1の規定の適用に係る相続の開始の時において、当該対象受贈非上場株式等に係る認定相続承継会社の代表権を有していること。

　ロ　1の規定の適用に係る相続の開始の時において、その者及びその者と（7）の政令で定める特別の関係がある者の有する当該認定相続承継会社の株式等に係る議決権の数の合計が、当該認定相続承継会社に係る総株主等議決権数の100分の50を超える数であること。

　ハ　1の規定の適用に係る相続の開始の時において、その者が有する当該認定相続承継会社の株式等に係る議決権の数が、その者とロに規定する（7）の政令で定める特別の関係がある者のうちいずれの者が有する当該認定相続承継会社の株式等に係る議決権の数をも下回らないこと。

（四）　**納税猶予分の相続税額**　　イに掲げる金額からロに掲げる金額を控除した残額をいう。

　イ　1の規定の適用に係る対象相続非上場株式等の価額（当該対象相続非上場株式等に係る認定相続承継会社又は当該認定相続承継会社の特別関係会社であって当該認定相続承継会社との間に支配関係がある法人（イにおいて「**認定相**

-1287-

第七編　非上場株式等に係る相続税・贈与税の納税猶予及び免除

続承継会社等」という。）が会社法第2条第2号に規定する外国会社（当該認定相続承継会社の特別関係会社に該当するものに限る。）その他(9)の政令で定める法人の株式等（投資信託及び投資法人に関する法律第2条第14項に規定する投資口を含む。）を有する場合には、**1**の対象受贈非上場株式等の第一章第一節の**1**の規定の適用に係る贈与の時における当該認定相続承継会社の株式等の価額を基礎とし、当該認定相続承継会社等が当該外国会社その他(9)の政令で定める法人の株式等を有していなかったものとして(10)の財務省令で定めるところにより計算した価額。ロにおいて同じ。）を**1**の経営相続承継受贈者に係る相続税の課税価格とみなして、第一編第四章第二節**三**から第一編第六章第三節までの規定を適用して(9)の政令で定めるところにより計算した当該経営相続承継受贈者の相続税の額

ロ　**1**の規定の適用に係る対象相続非上場株式等の価額に100分の20を乗じて計算した金額を同項の経営相続承継受贈者に係る相続税の課税価格とみなして、第一編第四章第二節**三**から第一編第六章第三節までの規定を適用して(9)の政令で定めるところにより計算した当該経営相続承継受贈者の相続税の額

（五）　経営相続承継期間　　第一章第一節の**1**の規定の適用に係る贈与の日の属する年分の同**1**に規定する贈与税の申告書の提出期限の翌日から次に掲げる日のいずれか早い日までの間に当該贈与に係る贈与者（経営相続承継受贈者の同**1**の規定の適用に係る贈与が当該贈与者の同章第七節の**1**（（三）に係る部分に限り、第四章第六節の**1**において準用する場合を含む。）の規定の適用に係るものである場合には、第一章第一節の**1**又は第四章第一節の**1**の規定の適用を受けていた者として(13)の政令で定める者に前項の対象受贈非上場株式等に係る認定相続承継会社の非上場株式等の贈与をした者。本節及び本節において準用する第二章において同じ。）について相続が開始した場合における当該相続の開始の日から当該次に掲げる日のいずれか早い日又は当該贈与に係る経営相続承継受贈者の死亡の日の前日のいずれか早い日までの期間をいう。

イ　当該経営相続承継受贈者の最初の第一章第一節の**1**の規定の適用に係る贈与の日の属する年分の同節の**1**に規定する贈与税の申告書の提出期限の翌日以後5年を経過する日

ロ　当該経営相続承継受贈者の最初の第二章第一節の**1**の規定の適用に係る相続に係る相続税の申告書の提出期限の翌日以後5年を経過する日

（六）　経営相続報告基準日　　次のイ又はロに掲げる期間の区分に応じイ又はロに定める日をいう。

イ　経営相続承継期間　　第一章第一節の**1**の規定の適用に係る贈与の日の属する年分の同**1**に規定する贈与税の申告書の提出期限（経営相続承継受贈者が同**1**の規定の適用を受ける前に同**1**の対象受贈非上場株式等に係る認定相続承継会社の非上場株式等について第二章第一節の**1**の規定の適用を受けている場合には、相続税の申告書の提出期限）の翌日から1年を経過するごとの日（**5**において準用する第二章第三節の**1**において「第一種相続基準日」という。）

ロ　経営相続承継期間（**1**の規定の適用を受ける経営相続承継受贈者に係る贈与者が（五）のイ又はロに掲げる日のいずれか早い日の翌日以後に死亡した場合にあっては、当該経営相続承継受贈者に係る第一章第一節の**2**の（六）に規定する経営贈与承継期間）の末日の翌日から納税猶予分の相続税額（既に**7**において準用する第二章第五節の**2**又は同章第六節の規定の適用があった場合には、**7**の規定の適用があった対象相続非上場株式等の価額に対応する部分の額として(16)の政令で定めるところにより計算した金額を除く。）に相当する相続税の全部につき**1**、**7**又は**5**の（1）、**6**、**11**の（1）の規定による納税の猶予に係る期限が確定する日までの期間　　当該末日の翌日から3年を経過するごとの日（**5**において準用する第二章第三節の**1**において「第二種相続基準日」という。）

（注）　次に掲げる者は、（三）に規定する経営相続承継受贈者とみなして、**1**及び**2**の規定並びに**7**において準用する第二章第五節の**1**及び**2**、**8**において準用する同章第七節の**1**並びに10の（1）項において準用する同章の第九節の**1**の規定（（一）又は（二）に掲げる経営相続承継受贈者にあっては、**8**において準用する同章第七節の**1**の規定）を適用する。この場合において、当該経営相続承継受贈者に係るこれらの規定の適用に関し必要な事項は、政令で定める。（平30改所法等附118㉕）

一　所得税法等の一部を改正する法律（平成22年法律第6号）第18条の規定による改正前の租税特別措置法第70条の7の4第1項の規定の適用を受けている同条第2項第3号に規定する経営相続承継受贈者

二　現下の厳しい経済状況及び雇用情勢に対応して税制の整備を図るための所得税法等の一部を改正する法律（平成23年法律第82号）第17条の規定による改正前の租税特別措置法第70条の7の4第1項の規定の適用を受けている同条第2項第3号に規定する経営相続承継受贈者

三　所得税法等の一部を改正する法律（平成25年法律第5号）第8条の規定による改正前の租税特別措置法第70条の7の4第1項の規定の適用を受けている同条第2項第3号に規定する経営相続承継受贈者

四　所得税法等の一部を改正する法律（平成27年法律第9号）第8条の規定による改正前の租税特別措置法第70条の7の4第1項の規定の適用を受けている同条第2項第3号に規定する経営相続承継受贈者

五　所得税法等の一部を改正する等の法律（平成29年法律第4号）第12条の規定による改正前の租税特別措置法第70条の7の4第1項の規定の適用を受けている同条第2項第3号に規定する経営相続承継受贈者

六　旧租税特別措置法第70条の7の4第1項の規定の適用を受けている同条第2項第3号に規定する経営相続承継受贈者

（常時使用する従業員として財務省令で定めるもの）

（1）　第一章第一節の**2**の（2）の規定は、**2**の（一）のイに規定する常時使用する従業員として財務省令で定めるものにつ

－1288－

第三章　非上場株式等の贈与者が死亡した場合の相続税の課税の特例
（第二節　非上場株式等の贈与者が死亡した場合の相続税の納税猶予及び免除の特例）

いて準用する。（措規23の12②）

　　（資産保有型会社又は資産運用型会社のうち政令で定めるもの）
（２）　第二章第一節の**2**の（４）の規定は、**2**の（一）のロに規定する資産保有型会社又は資産運用型会社のうち政令で定めるものについて準用する。（措令40の８の４③）

　　（納税猶予の対象とならない資産保有型会社又は資産運用型会社の意義）
（３）　**1**の規定の適用がない資産保有型会社又は資産運用型会社の意義については、第二章第一節の**2**の（29）を準用する。この場合において、同（29）中「相続の開始の日の属する事業年度の直前の事業年度の開始の日から当該相続に係る相続税の申告期限までの間のいずれかの日」とあるのは「相続の開始の日から当該相続に係る相続税の申告期限までの間のいずれかの日」と、同（29）の（一）中「第二章第一節の**1**の規定の適用に係る相続の開始」とあるのは「対象贈与」と、「当該相続の開始」とあるのは「当該対象贈与」と、「対象贈与」とあるのは「第二章第一節の**1**の規定の適用に係る相続」となることに留意する。（措通70の７の４－４）

　　（政令で定める特別の関係がある会社）
（４）　第二章第一節の**2**の（６）の規定は、**2**の（一）のハに規定する政令で定める特別の関係がある会社について準用する。（措令40の８の４④）

　　（政令で定める特定会社と密接な関係を有する会社）
（５）　第二章第一節の**2**の（７）の規定は、**2**の（一）のハに規定する特定会社と密接な関係を有する会社として政令で定める会社について準用する。（措令40の８の４⑤）

　　（政令で定める会社の円滑な事業の運営を確保するために必要な要件）
（６）　第二章第一節の**2**の（９）の規定は、**2**の（一）のへに規定する政令で定める要件について準用する。
　　この場合において、第二章第一節の**2**の（９）中「要件と」とあるのは、「要件（（三）に掲げるものを除く。）と」と読み替えるものとする。（措令40の８の４⑥）

　　（政令で定める特別の関係がある者）
（７）　第二章第一節の**2**の（14）の規定は、**2**の（三）のロに規定するその者と政令で定める特別の関係がある者について準用する。（措令40の８の４⑦）

　　（経営相続承継受贈者を判定する場合等の議決権の数の意義）
（８）　**2**の（三）のロ及びハの要件を判定する場合の同（三）のロの「議決権の数」及び「総株主等議決権数」並びに同（三）のハの「議決権の数」の意義については、第一章第一節の**2**の（16）を準用する。
　　この場合において、**2**の（三）のロ及びハの要件の判定は、相続の開始直後の株主等の構成により行うことに留意する。なお、**1**の適用要件には、第一章第一節の**1**の（１）の（一）又は（二）に定める要件に相当する要件はないことに留意する。（措通70の７の４－５）

　　（納税猶予分の相続税額の計算に係る準用）
（９）　第二章第一節の**2**の（18）及び同第一節の**3**の①（①のうち（４）除く）、②（②のうち（２）から（４）除く）、③及び④の規定は、**1**の規定による**2**の（四）に規定する納税猶予分の相続税額（以下「納税猶予分の相続税額」という。）の計算及び**11**の（１）において第二章第十節の（６）の（十一）を準用する場合について準用する。（措令40の８の４⑧）

　　（財務省令で定めるところにより計算した価額）
（10）　**2**の（四）のイに規定する財務省令で定めるところにより計算した価額は、（一）に掲げる金額に（二）に掲げる割合を乗じて計算した金額（当該金額が第一節の**1**（同**1**の（４）の規定により読み替えて適用する場合を含む。以下（10）において同じ。）の規定により相続税の課税価格の計算の基礎に算入された同**1**の前段の対象受贈非上場株式等の価額を超える場合には、当該対象受贈非上場株式等の価額）とする。（措規23の12③）
（一）　第一節の**1**の規定により相続税の課税価格の計算の基礎に算入された当該対象受贈非上場株式等の一単位当たりの価額に**1**に規定する対象相続非上場株式等（以下「対象相続非上場株式等」という。）の数又は金額を乗じて得た金

－1289－

額

（二）　**1**の規定の適用に係る相続の開始の時における、**2**の（一）に規定する認定相続承継会社（以下「認定相続承継会社」という。）の純資産額（会社の資産の額から負債の額を控除した残額をいう。以下（二）において同じ。）から次に掲げる額の合計額を控除した残額が当該純資産額に占める割合

イ　当該認定相続承継会社が有する**2**の（四）のイの外国会社その他（9）の政令で定める法人（ロにおいて「外国会社等」という。）の株式等（株式、出資又は投資信託及び投資法人に関する法律第2条第14項に規定する投資口をいう。ロにおいて同じ。）の価額

ロ　当該認定相続承継会社が有する当該認定相続承継会社の特別支配関係法人（**2**の（一）のハに規定する特別関係会社であって当該認定相続承継会社との間に**2**の（四）のイに規定する支配関係がある法人をいい、イの株式等に係る外国会社等を除く。）の株式等の価額に①に掲げる金額が②に掲げる金額に占める割合を乗じて得た金額

①　当該特別支配関係法人が直接又は他の特別支配関係法人を通じて間接に有する外国会社等（当該外国会社等との間に支配関係がある他の外国会社等を除く。）の株式等の価額（②に掲げる金額を限度とする。）

②　当該特別支配関係法人の純資産額

（認定相続承継会社等が外国会社、上場会社又は医療法人の株式等を有する場合の納税猶予分の相続税額の計算の基となる対象相続非上場株式等の価額）

（11）　対象相続非上場株式等について**1**の規定の適用を受ける場合において、相続の開始の時に、対象相続非上場株式等に係る認定相続承継会社又は当該認定相続承継会社の特別関係会社（（4）において準用する第二章第一節の**2**の（6）の特別の関係がある会社をいう。以下（12）までにおいて同じ。）であって当該認定相続承継会社との間に支配関係がある法人（以下（12）までにおいて「特別支配関係法人」という。）が会社法第2条第2号に規定する外国会社（当該認定相続承継会社の特別関係会社に該当するものに限る。）、（9）において準用する第二章第一節の**2**の（18）の（一）に掲げる法人（当該認定相続承継会社が資産保有型会社等に該当する場合に限る。）又は同（18）の（二）に掲げる医療法人（以下（12）までにおいて「外国会社等」という。）の株式等（投資信託及び投資法人に関する法律第2条第14項に規定する投資口を含む。）を有するときにおける**2**の（四）に規定する納税猶予分の相続税額（以下（12）までにおいて「納税猶予分の相続税額」という。）の計算の基となる当該対象相続非上場株式等の価額は、（10）の規定に基づき計算した価額となることに留意する。

この場合において、（10）の（二）のロの①に規定する「当該特別支配関係法人が直接又は他の特別支配関係法人を通じて間接に有する外国会社等の株式等の価額」とは、次に掲げる区分により計算した価額となることに留意する。（措通70の7の4－6）

（一）　特別支配関係法人が直接に有する外国会社等の株式等の価額

当該外国会社等の株式等の価額

（二）　特別支配関係法人が他の特別支配関係法人を通じて間接に有する外国会社等の株式等の価額

次の算式により計算した価額

（算式）

$$
\begin{bmatrix} 特別支配関係法人 \\ が有する他の特別 \\ 支配関係法人の株 \\ 式等の数又は金額 \end{bmatrix} \times \begin{bmatrix} 他の特別支配 \\ 関係法人の株 \\ 式等の1単位 \\ 当たりの価額 \end{bmatrix} - \begin{bmatrix} 他の特別支配関係法人が外国会社等の \\ 株式等を有していなかったものとして \\ 計算した場合の当該他の特別支配関係 \\ 法人の株式等の1単位当たりの価額 \end{bmatrix}
$$

（注）1　（10）の（二）の純資産額を算定する場合における各資産及び各負債の価額は、評価基本通達の定めにより算定した価額となることに留意する。

2　上記（二）の算式中、「他の特別支配関係法人が外国会社等の株式等を有していなかったものとして計算した場合の当該他の特別支配関係法人の株式等の1単位当たりの価額」とは、他の特別支配関係法人の株式等の価額を評価基本通達の定めにより計算した価額を基礎とし、当該他の特別支配関係法人が有している外国会社等の株式等の価額及び当該外国会社等から受けた配当金に相当する金額を除外したところで計算した場合の当該株式等の価額とする。

（対象相続非上場株式等に係る認定相続承継会社が二以上ある場合の納税猶予分の相続税額の計算）

（12）　対象相続非上場株式等に係る認定相続承継会社が二以上ある場合における納税猶予分の相続税額の計算は、次の順により行うことに留意する。

この場合において、経営相続承継受贈者が二以上あるときにおける当該計算は、それぞれの経営相続承継受贈者ごとに行うことに留意する。（措通70の7の4－6の2）

（一）　当該対象相続非上場株式等に係る経営相続承継受贈者が被相続人から**1**の規定の適用に係る相続又は遺贈により取得をしたものとみなされた全ての認定相続承継会社の当該対象相続非上場株式等の価額の合計額（（9）において準

－1290－

第三章　非上場株式等の贈与者が死亡した場合の相続税の課税の特例
（第二節　非上場株式等の贈与者が死亡した場合の相続税の納税猶予及び免除の特例）

用する第二章第一節の**3**の**①**の（1）に規定する控除未済債務額を控除した金額）を当該経営相続承継受贈者に係る相続税の課税価格とみなして、**2**の(四)の規定により計算する（（9）において準用する第二章第一節の**3**の**①**の（3）の規定による100円未満の端数処理は行わない。）。

<small>（注）　対象相続非上場株式等の価額は、対象贈与により取得をした対象受贈非上場株式等のそれぞれの当該対象贈与の時（第一章第七節の**3**の規定の適用があった場合には、同**3**に規定する認可決定日。(三)において同じ。）における価額（第一章第一節の**2**の(五)の対象受贈非上場株式等の価額をいう。）を基礎として計算することに留意する。ただし、相続の開始の時において、対象相続非上場株式等に係る認定相続承継会社又は当該認定相続承継会社の特別支配関係法人が外国会社等の株式等を有する場合の納税猶予分の相続税額の計算の基となる当該対象相続非上場株式等の価額については、(11)の取扱いによることに留意する。</small>

（二）　（9）において準用する第二章第一節の**3**の**②**の（1）の規定により、当該対象相続非上場株式等に係る認定相続承継会社の異なるものごとの納税猶予分の相続税額を計算する（同（1）の規定による100円未満の端数処理を行う。）。

（三）　上記（二）により算出されたそれぞれの納税猶予分の相続税額の合計額が、当該経営相続承継受贈者に係る納税猶予分の相続税額となる。

　　（政令で定める者）
(13)　**2**の(五)に規定する政令で定める者は、第一章第一節の**1**の（7）に掲げる場合の区分に応じそれぞれに定める者とする。（措令40の8の4⑩）

　　（経営相続承継期間の意義）
(14)　**1**の規定の適用を受ける場合における**2**の(五)に規定する経営相続承継期間（以下「**経営相続承継期間**」という。）は、次に掲げる場合の区分に応じ次に定めるとおりとなることに留意する。（措通70の7の4－7）

（一）　第一章第一節の**1**の規定の適用に係る贈与の日の属する年分の贈与税の申告書の提出期限の翌日から特定日までの間に当該贈与に係る贈与者（経営相続承継受贈者の同**1**の規定の適用に係る贈与が第一章第七節**1**の(三)（第四章第六節の**1**において準用する場合を含む。）の規定の適用に係るものである場合には、第一章第一節の**1**又は第四章第一節の**1**の規定の適用を受けていた者として(13)に定める者に対象受贈非上場株式等に係る認定相続承継会社の非上場株式等の贈与をした者。以下(14)及び**5**の（6）において同じ。）が死亡した場合

　　当該死亡に係る相続の開始の日から当該特定日又は当該贈与に係る経営相続承継受贈者の死亡の日の前日のいずれか早い日までが経営相続承継期間となる。

（二）　特定日の翌日から猶予中贈与税額に相当する贈与税の全部につき納税の猶予に係る期限が確定する日までの期間に当該贈与に係る贈与者が死亡した場合

　　経営相続承継期間は存在しない。

<small>（注）1　「特定日」とは、次に掲げる日のいずれか早い日をいうことに留意する（以下**5**の（6）において同じ。）。
　　イ　当該経営相続承継受贈者の最初の第一章第一節の**1**の規定の適用に係る贈与の日の属する年分の贈与税の申告書の提出期限の翌日以後５年を経過する日
　　ロ　当該経営相続承継受贈者の最初の第二章第一節の**1**の規定の適用に係る相続に係る相続税の申告書の提出期限の翌日以後５年を経過する日
　　2　「(13)に定める者」とは、次に掲げる場合の区分に応じそれぞれに定める者をいうことに留意する。
　　イ　贈与者に対する第一章第一節の**1**又は第四章第一節の**1**の規定の適用に係る贈与が、当該贈与をした者の第一章第一節**1**の（7）の(一)に規定する免除対象贈与である場合　対象受贈非上場株式等に係る認定相続承継会社の非上場株式等の当該免除対象贈与をした者のうち最初に第一章第一節の**1**又は第四章第一節の**1**の規定の適用を受けた者
　　ロ　イに掲げる場合以外の場合　贈与者</small>

　　（確定事由となる常時使用従業員の数）
(15)　(14)の(一)の場合における、**7**において準用する第二章第五節**1**の(二)の要件の判定は、従業員数確認期間内に存する各基準日における対象相続非上場株式等に係る認定相続承継会社の常時使用従業員の数の合計を従業員数確認期間の末日において従業員数確認期間内に存する基準日の数で除して計算した数により行うことに留意する。（措通70の7の4－7の2）

　　なお、その要件の判定については、第二章第五節**1**の（7）を準用する。

<small>（注）1　「従業員数確認期間」とは、当該対象相続非上場株式等に係る認定相続承継会社の非上場株式等について第一章第一節の**1**又は第二章第一節の**1**の規定の適用を受けるために提出する最初の贈与税の申告書又は相続税の申告書の提出期限の翌日から同日以後５年を経過する日（経営相続承継受贈者が同日までに死亡した場合には、その死亡の日の前日）までの期間をいうことに留意する。
　　2　「基準日」とは、上記**1**の提出期限の翌日から１年を経過するごとの日をいうことに留意する。</small>

－1291－

第七編　非上場株式等に係る相続税・贈与税の納税猶予及び免除

（政令で定めるところにより計算した金額）

(16)　第二章第一節の2の(20)及び(22)の規定は、2の(六)のロに規定する政令で定めるところにより計算した金額について準用する。（措令40の8の4⑪）

（規定の準用）

(17)　1の規定の適用がある場合には、第一章第一節の2の(八)及び(九)の規定を準用する。この場合において、同(八)中「認定贈与承継会社」とあるのは「認定相続承継会社」と、「経営承継受贈者」とあるのは「経営相続承継受贈者」と、同(九)中「認定贈与承継会社」とあるのは「認定相続承継会社」と読み替えるものとする。（措令40の8の4⑬）

（政令で定める期間）

(18)　(17)において準用する第一章第一節の2の(八)に規定する政令で定める期間は、認定相続承継会社の1の規定の適用に係る相続の開始の日から当該認定相続承継会社に係る経営相続承継受贈者の猶予中相続税額に相当する相続税の全部につき1又は7若しくは5の(1)、6、11の(1)において準用する第二章第五節の1、同2及び同章第六節、同章第三節の2、同章第四節若しくは同章第十節の(4)の規定による納税の猶予に係る期限が確定する日までの期間とする。この場合において、第二章第一節の2の(25)のただし書の規定を準用する。（措令40の8の4⑭）

（政令で定める期間）

(19)　(17)において準用する第一章第一節の2の(九)に規定する政令で定める期間は、認定相続承継会社の1の規定の適用に係る相続の開始の日の属する事業年度の直前の事業年度の開始の日から当該認定相続承継会社に係る経営相続承継受贈者の猶予中相続税額に相当する相続税の全部につき1の規定又は7若しくは5の(1)、6、11の(1)において準用する第二章第五節の1、同2及び同章第六節、同章第三節の2、同章第四節若しくは同章第十節の(4)の規定による納税の猶予に係る期限が確定する日の属する事業年度の直前の事業年度終了の日までの期間とする。この場合において、第二章第一節の2の(30)のただし書の規定を準用する。（措令40の8の4⑯）

3　他の納税猶予との適用関係

（非上場株式等に係る相続税の納税猶予の重複適用の排除）

（1）　1の規定は、被相続人から相続又は遺贈により取得をした非上場株式等（第一節の1の規定により相続又は遺贈により取得をしたものとみなされたものを含む。(2)において同じ。）に係る会社の株式等について、1の規定の適用を受けている他の経営相続承継受贈者又は第一章第一節の1の規定の適用を受けている同第一節の2の(三)に規定する経営承継受贈者若しくは第二章第一節の1の規定の適用を受けている同第一節の2の(三)に規定する経営承継相続人等がある場合（1の規定の適用を受けようとする者が当該経営承継受贈者又は当該経営承継相続人等である場合を除く。）には、当該非上場株式等については、適用しない。（措法70の7の4⑤）

（非上場株式等に係る贈与税の納税猶予の重複適用の排除）

（2）　対象受贈非上場株式等について1の規定の適用を受ける場合には、当該対象受贈非上場株式等に係る贈与者から相続又は遺贈により取得をした非上場株式等（当該対象受贈非上場株式等に係る会社の株式等に限る。）については、第二章第一節の1の規定の適用を受けることができない。（措法70の7の4⑥）

（既に非上場株式等についての贈与税の納税猶予及び免除等の適用を受けている他の者がいる場合等）

（3）　認定相続承継会社の株式等について、1の規定の適用を受けようとする場合において、1の規定の適用を受けようとする者以外の者が当該認定相続承継会社の株式等について次に掲げるいずれかの規定の適用を現に受けているときは、1の規定の適用を受けることができないことに留意する。（措通70の7の4－9）

　（一）　第一章第一節の1
　（二）　第二章第一節の1
　（三）　1

　（注）1　1の規定の適用を受けようとする者が当該認定相続承継会社の株式等について上記(一)から(三)までのいずれかの規定の適用を受けている場合には、1の規定の適用を受けることができることに留意する。

　　　　2　上記の1の規定の適用を受けることができるかどうかの判定は、認定相続承継会社ごとに行うことに留意する。

－1292－

第三章　非上場株式等の贈与者が死亡した場合の相続税の課税の特例
（第二節　非上場株式等の贈与者が死亡した場合の相続税の納税猶予及び免除の特例）

4　適用を受けるための手続

①　期限内申告

　1の規定は、1の規定の適用を受けようとする経営相続承継受贈者が提出する相続税の申告書に、対象受贈非上場株式等の全部若しくは一部につき1の規定の適用を受けようとする旨の記載がない場合又は次に掲げる書類の添付がない場合には、適用しない。（措法70の7の4⑦）

（一）　当該対象受贈非上場株式等の明細及び納税猶予分の相続税額の計算に関する明細その他（1）の財務省令で定める事項を記載した書類

（二）　当該対象受贈非上場株式等に係る贈与者の死亡の日の翌日以後最初に到来する経営相続報告基準日の翌日から5月（当該贈与者が2の（五）のイ又はロに掲げる日のいずれか早い日の翌日以後に死亡した場合にあっては、3月）を経過する日が当該贈与者の死亡に係る相続税の申告書の提出期限までに到来する場合には、当該対象受贈非上場株式等に係る認定相続承継会社の経営に関する事項として（2）の財務省令で定めるものを記載した書類

（三）　1の規定の適用に係る相続の開始の時において、当該経営相続承継受贈者が2の（三）のイからハまでに掲げる要件の全てを満たし、かつ、当該対象受贈非上場株式等に係る認定相続承継会社が2の（一）のイからホまでに掲げる要件（当該経営相続承継受贈者に係る贈与者が2の（五）のイ又はロに掲げる日のいずれか早い日の翌日以後に死亡した場合には、2の（一）のハに掲げるものを除く。）その他（3）の財務省令で定める要件を満たしていることを（4）の財務省令で定めるところにより証する書類

　　　（①の（一）に規定する添付書類の記載事項）

（1）　①の（一）に規定する財務省令で定める事項は、次に掲げる事項とする。（措規23の12⑤）

（一）　2の（三）に規定する経営相続承継受贈者に係る1に規定する贈与者（（2）の（二）において「贈与者」という。）の死亡による同1の規定の適用に係る相続の開始があったことを知った日

（二）　その他参考となるべき事項

　　　（①の（二）に規定する添付書類の記載事項）

（2）　①の（二）に規定する財務省令で定めるものは、次に掲げる事項とする。（措規23の12⑥）

（一）　経営相続承継受贈者の氏名及び住所

（二）　経営相続承継受贈者に係る贈与者から第一章第一節の1の規定の適用に係る贈与により対象受贈非上場株式等の取得をした年月日

（三）　認定相続承継会社の商号及び本店の所在地

（四）　①の相続税の申告書を提出する日の直前の①の（二）の経営相続報告基準日（2の（六）に規定する経営相続報告基準日をいう。）までに終了する各事業年度（当該経営相続報告基準日の直前の第一章第一節の2の（七）に規定する経営贈与報告基準日までに終了する事業年度を除く。）における総収入金額（会社計算規則第88条第1項第4号に掲げる営業外収益及び同項第6号に掲げる特別利益を除く。）

（五）　（四）の経営相続報告基準日における第一章第一節の2の（七）のロに規定する猶予中贈与税額

（六）　（四）の経営相続報告基準日において経営相続承継受贈者が有する対象相続非上場株式等の数又は金額

（七）　（四）の経営相続報告基準日における認定相続承継会社の資本金の額若しくは準備金の額又は出資の総額

（八）　認定相続承継会社が商号の変更をした場合、本店の所在地を変更した場合、合併により消滅した場合又は株式交換若しくは株式移転により他の会社の第二章第五節の1の（六）に規定する株式交換完全子会社等となった場合又は解散（会社法その他の法律の規定により解散をしたものとみなされる場合の当該解散を含む。）をした場合には、その旨

（九）　その他参考となるべき事項

　　　（財務省令で定める要件）

（3）　①の（三）に規定する財務省令で定める要件は、2の（6）において準用する第二章第一節の2の（9）の（一）及び（二）に掲げる要件を満たしていること並びに1の相続税の申告書の提出期限までに1の規定の適用を受けようとする経営相続承継受贈者に係る認定相続承継会社が円滑化省令第13条第1項（同条第3項において準用する場合を含む。）の確認を受けていることとする。（措規23の12⑦）

　　　（財務省令で定めるところにより証する書類）

（4）　①の（三）に規定する財務省令で定めるところにより証する書類は、次に掲げるものとする。（措規23の12⑧）

－1293－

第七編　非上場株式等に係る相続税・贈与税の納税猶予及び免除

- （一）　1の規定の適用に係る相続の開始の時における認定相続承継会社の定款の写し（会社法その他の法律の規定により定款の変更をしたものとみなされる事項がある場合にあっては、当該事項を記載した書面を含む。）
- （二）　（一）の相続の開始の時における認定相続承継会社の株主名簿の写しその他の書類で当該認定相続承継会社の全ての株主又は社員の氏名又は名称及び住所又は所在地並びにこれらの者が有する当該認定相続承継会社の株式等に係る議決権の数が確認できるもの（当該認定相続承継会社が証明したものに限る。）
- （三）　円滑化省令第13条第2項（同条第3項において準用する場合を含む。）の申請書の写し及び当該申請書に係る同条第12項の確認書の写し
- （四）　その他参考となるべき書類

（対象贈与に係る贈与者が贈与税の申告期限前に死亡した場合）

（5）　対象贈与により取得をした認定贈与承継会社の非上場株式等の受贈者が、第一章第二節の1の（2）の（一）のイ（ロ）又は（二）に該当し第一章第一節の1の規定の適用を受ける場合には、同1の規定の適用に係る対象受贈非上場株式等は第一節の1の規定により相続又は遺贈により取得をしたものとみなされることから、1の適用に係る要件を満たすときには、当該受贈者は当該贈与者の死亡に係る相続税について1の規定の適用を受けることができることに留意する。

　この場合において、当該贈与税の納税猶予の適用を受ける旨の贈与税の申告書の提出期限が、当該贈与者の死亡に係る相続税の申告書の提出期限より後であるため、当該贈与税の申告書の提出があったことにより当該相続税について期限後申告書又は修正申告書（以下（5）において「**期限後申告書等**」という。）の提出を要する場合において、当該期限後申告書等の提出があったときにおける相続税の取扱いについては、次に掲げるところによる。（措通70の7の4-2）

- （一）　当該贈与者の死亡に係る相続についての相続人又は受遺者の提出した当該期限後申告書等は、第一編第七章第三節二又は同第七章第四節二の1に規定する期限後申告書又は修正申告書に該当するものとし、当該期限後申告書等の提出により納付すべき相続税については、同第七章第六節三の7の②《相続税に係る延滞税の計算期間の特則》の（一）のハの規定に該当するものとして同②の規定を適用する。
- （二）　当該受贈者から1の規定による相続税の納税猶予の適用を受ける旨の当該期限後申告書等の提出があった場合における1の規定の適用については、当該期限後申告書が当該対象受贈非上場株式等の贈与に係る贈与税の申告書の提出期限までに提出された場合に限り、当該期限後申告書等は、相続税の申告書の提出期限内に提出されたものとする。
- （注）　上記の場合、受贈者による贈与税の納税猶予の適用を受ける旨の贈与税の申告書の提出前において、当該対象受贈非上場株式等について1の規定の適用があるものとする相続税の申告書の提出及び担保の提供があった場合には、当該相続税の申告書は、これらの規定の適用のある相続税の申告書として取り扱い、当該贈与税の申告書の提出期限までに当該贈与税の申告書の提出がなされないときは、これらの規定の適用を受けない相続税の申告書として取り扱うことに留意する。

（修正申告等に係る相続税額の納税猶予）

（6）　1の規定の適用を受ける旨の相続税の申告について税額計算の誤りがあり、その誤りのみに基づいて修正申告又は更正があった場合における当該修正申告又は更正により納付すべき相続税額（附帯税を除く。）については、第一章第二節の1の（5）を準用する。（措通70の7の4-3）

（対象贈与に係る贈与者の前の贈与者が贈与税の申告期限前に死亡した場合）

（7）　対象贈与により取得をした認定贈与承継会社の非上場株式等の受贈者が、第一章第二節1の（6）に該当し、第一章第一節1の規定の適用を受ける場合には、同1の規定の適用に係る対象受贈非上場株式等は第一節の1の（4）の規定により読み替えて適用する同1の規定により相続又は遺贈により取得をしたものとみなされることから、1の適用に係る要件を満たすときには、当該受贈者は当該受贈者に係る前の贈与者の死亡に係る相続税について同1の規定の適用を受けることができることに留意する。

　この場合において、当該贈与税の納税猶予の適用を受ける旨の贈与税の申告書の提出期限が、当該前の贈与者の死亡に係る相続税の申告書の提出期限より後であるため、当該贈与税の申告書の提出があったことにより当該相続税について期限後申告書等の提出を要する場合において、当該期限後申告書等の提出があったときにおける相続税の取扱いについては、次に掲げるところによる。（措通70の7の4-2の2）

- （一）　当該前の贈与者の死亡に係る相続についての相続人又は受遺者の提出した当該期限後申告書等は、第一編第七章第三節二又は同章第四節二の1に規定する期限後申告書又は修正申告書に該当するものとし、当該期限後申告書等の提出により納付すべき相続税については、同章第六節三の7の②の（一）のハの規定に該当するものとして同②の規定を適用する。
- （二）　当該受贈者から1の規定による相続税の納税猶予の適用を受ける旨の当該期限後申告書等の提出があった場合に

-1294-

第三章　非上場株式等の贈与者が死亡した場合の相続税の課税の特例
（第二節　非上場株式等の贈与者が死亡した場合の相続税の納税猶予及び免除の特例）

おける**1**の規定の適用については、当該期限後申告書等が当該対象受贈非上場株式等の贈与に係る贈与税の申告書の提出期限までに提出された場合に限り、当該期限後申告書等は、相続税の申告書の提出期限内に提出されたものとする。

（注）　上記の場合、受贈者による贈与税の納税猶予の適用を受ける旨の贈与税の申告書の提出前において、当該対象受贈非上場株式等について**1**の規定の適用があるものとする相続税の申告書の提出及び担保の提供があった場合には、当該相続税の申告書は、これらの規定の適用のある相続税の申告書として取り扱い、当該贈与税の申告書の提出期限までに当該贈与税の申告書の提出がなされないときは、これらの規定の適用を受けない相続税の申告書として取り扱うことに留意する。

②　担保の変更等

　　第二章第二節の**2**の規定は、**1**の規定の適用を受けようとする経営相続承継受贈者が納税猶予分の相続税額につき対象相続非上場株式等（合併により当該対象相続非上場株式等に係る認定相続承継会社が消滅した場合その他の（1）の財務省令で定める場合には、当該対象相続非上場株式等に相当するものとして（1）の財務省令で定めるもの。以下、本節において同じ。）の全てを担保として提供した場合について準用する。（措法70の7の4④）

　　（財務省令で定める認定相続承継会社が消滅した場合）
（1）　第一章第一節の**3**の**②**の（3）の規定は、**②**及び**7**の（2）に規定する財務省令で定める場合及びこれらの規定に規定する財務省令で定める対象相続非上場株式等に相当するものについて準用する。（措規23の12④）

　　（特定事由により担保の全部又は一部を解除することがやむを得ないと認められる場合）
（2）　第二章第二節の**2**の（1）、（3）、（5）の規定は、**1**の規定により納税猶予分の相続税額に相当する担保が提供された場合（**②**の規定の適用がある場合に限る。）について準用する。（措令40の8の4⑱）

　　（認定承継会社の異なるものごとの適用）
（3）　第二章第一節の**3**の**②**の（2）の規定は、本節について準用する。（措令40の8の4⑨）

5　納税猶予期間中の継続届出書の提出

　　第二章第三節の**1**の規定は、経営相続承継受贈者が**1**の規定の適用を受ける場合について準用する。この場合において、同第三節の**1**中「**1**」とあるのは「**1**の」と、「経営承継相続人等」とあるのは「経営相続承継受贈者」と、「同**1**の相続に係る相続税の申告書の提出期限」とあるのは「対象相続非上場株式等に係る贈与者の死亡の日」と、「同**1**、」とあるのは「同**1**の規定又は」と、「又は」とあるのは「若しくは」と、「経営報告基準日」とあるのは「経営相続報告基準日（当該対象相続非上場株式等に係る贈与者の死亡の日の翌日以後最初に到来する経営相続報告基準日の翌日から5月（当該贈与者が**2**の（五）のイ又はロに掲げる日のいずれか早い日の翌日以後に死亡した場合にあっては、3月）を経過する日が当該贈与者の死亡に係る相続税の申告書の提出期限までに到来する場合における当該最初に到来する経営相続報告基準日を除く。）」と、「第一種基準日」とあるのは「第一種相続基準日」と、「第二種基準日」とあるのは「第二種相続基準日」と、「対象非上場株式等」とあるのは「対象相続非上場株式等」と、「認定承継会社」とあるのは「認定相続承継会社」と読み替えるものとする。（措法70の7の4⑧）

　　（継続届出書が提出されなかった場合等の規定の準用）
（1）　第二章第五節の**3**の（1）及び同章第三節の**2**の規定は、**5**において準用する第二章第三節の**1**の規定により提出すべき届出書について準用する。（措法70の7の4⑨）

　　（ゆうじょ規定）
（2）　第二章第三節の**2**の（1）の規定は、**5**において準用する第二章第三節の**1**の規定により提出する届出書又は**8**において準用する第二章第七節の**1**の規定により提出する届出書がこれらの規定に規定する期限までに提出されなかった場合について準用する。（措法70の7の4⑭）

　　（継続届出書の記載事項）
（3）　第二章第三節の**1**の（1）の規定は、**5**において同**1**の規定を準用する場合について準用する。（措令40の8の4⑲）

－1295－

第七編　非上場株式等に係る相続税・贈与税の納税猶予及び免除

　　（継続届出書が提出されなかったことにつきやむを得ない事情がある場合の届出等）
（4）　第二章第三節の2の（2）の規定は、（2）において第二章第三節の2の（1）の規定を準用する場合について準用する。（措令40の8の4㉓）

　　（規定の準用）
（5）　第二章第三節の1の（2）から（5）及び第二章第十節の（7）、第二章第七節の1の（2）から（4）及び同第七節の2の（1）、（2）、（4）、（5）及び同第七節の3の（6）、（7）、（8）、（9）、（10）及び第二章第九節の1の（9）、（12）、（19）及び同第九節の2の（1）、（2）及び同第九節の3の（1）、（2）及び同第九節の4の（3）、（4）及び同第九節の5の（6）の規定は、5、5の（1）、6、8、9、10の（1）及び（2）並びに（6）及び（8）、11の（1）の規定の適用がある場合について準用する。（措規23の12⑨）

　　（継続届出書の提出期間）
（6）　5の規定により読み替えて適用する第二章第三節の1に規定する届出書は、1の相続に係る2の（六）のイに規定する第1種相続基準日の翌日から5月を経過するごとの日及び同（六）のロに規定する第2種相続基準日の翌日から3月を経過するごとの日までに提出しなければならないのであるが、その提出期間は、それぞれ、当該第1種相続基準日の翌日から当該5月を経過するごとの日までの期間及び当該第2種相続基準日の翌日から当該3月を経過するごとの日までの期間として取り扱う。（措通70の7の4－10）

　（注）1　上記の「第1種相続基準日」とは、対象贈与の日の属する年分の贈与税の申告書の提出期限（経営相続承継受贈者が対象受贈非上場株式等に係る認定相続承継会社の非上場株式等について第二章第一節の1の規定の適用を受けている場合において、その適用に係る相続税の申告書の提出期限が当該贈与税の申告書の提出期限前であるときは、当該相続税の申告書の提出期限）の翌日から1年を経過するごとの日をいうことに留意する。
　　　　2　上記の「第2種相続基準日」とは、経営相続承継期間（経営相続承継受贈者に係る贈与者が特定日の翌日以後に死亡した場合には、当該経営相続承継受贈者に係る経営贈与承継期間）の末日の翌日から3年を経過するごとの日をいうことに留意する。

6　担保の変更の命令に応じない場合等の納税猶予期間の繰上げ

　　第二章第四節の規定は、1の規定による納税の猶予に係る期限の繰上げについて準用する。（措法70の7の4⑩）

7　納税猶予の打切り

　　第二章第五節の1、同節の2及び第六節の規定は、1の規定による納税の猶予に係る期限の確定について準用する。この場合において、第二章第五節の1の（一）から（十七）までの列記以外の部分中「経営承継期間」とあるのは「経営相続承継期間」と、「第一節の1の規定の」とあるのは「第三章第二節の1の規定の」と、「経営承継相続人等」とあるのは「経営相続承継受贈者」と、「対象非上場株式等」とあるのは「対象相続非上場株式等」と、「認定承継会社」とあるのは「認定相続承継会社」と、第二章第五節の1の（一）及び（二）中「経営承継相続人等」とあるのは「経営相続承継受贈者」と、「対象非上場株式等」とあるのは「対象相続非上場株式等」と、「認定承継会社」とあるのは「認定相続承継会社」と、同節の1の（三）中「経営承継相続人等」とあるのは「経営相続承継受贈者」と、「当該対象非上場株式等」とあるのは「当該対象相続非上場株式等」と、「認定承継会社」とあるのは「認定相続承継会社」と、「対象非上場株式等又は」とあるのは「対象相続非上場株式等又は」と、「第三章第二節の1に規定する対象相続非上場株式等」とあるのは「対象非上場株式等」と、同節の1の（四）中「経営承継相続人等」とあるのは「経営相続承継受贈者」と、「対象非上場株式等」とあるのは「対象相続非上場株式等」と、「認定承継会社」とあるのは「認定相続承継会社」と、同節の1の（五）及び（六）中「経営承継相続人等」とあるのは「経営相続承継受贈者」と、「認定承継会社」とあるのは「認定相続承継会社」と、同項第八号から第十七号までの規定中「対象非上場株式等」とあるのは「対象相続非上場株式等」と、「認定承継会社」とあるのは「認定相続承継会社」と、「経営承継相続人等」とあるのは「経営相続承継受贈者」と、同節の2中「経営承継期間内に第一節の1」とあるのは「経営相続承継期間内に第三章第二節の1」と、「経営承継相続人等」とあるのは「経営相続承継受贈者」と、「対象非上場株式等」とあるのは「対象相続非上場株式等」と、「認定承継会社」とあるのは「認定相続承継会社」と、第二章第六節中「経営承継期間」とあるのは「経営相続承継期間（第三章第二節の1の規定の適用を受ける経営相続承継受贈者に係る贈与者が同節の2の（五）のイ又はロに掲げる日のいずれか早い日の翌日以後に死亡した場合にあっては、当該経営相続承継受贈者に係る第一章第一節の2の（六）に規定する経営贈与承継期間）」と、「1、」とあるのは「第三章第二節の1の規定又は」と、「又は第十節」とあるのは「若しくは第十節」と、「1の」とあるのは「第三章第二節の1の」と、「経営承継相続人等」とあるのは「経営相続承継受贈者」と、「対象非上場株式等」とあるのは「対象相続非上場株式等」と、「認定承継会社」とあるのは「認定相続承継会社」と読み替えるものとする。（措法70の7の4③）

－1296－

第三章　非上場株式等の贈与者が死亡した場合の相続税の課税の特例
（第二節　非上場株式等の贈与者が死亡した場合の相続税の納税猶予及び免除の特例）

　　　（納税猶予の打ち切りに係る規定の準用）
（１）　第二章第五節の**1**の（４）、（６）、（11）、（22）、同第五節の**2**の（１）、第二章第六節の（１）から（５）までの規定は、
　　7において第二章第五節及び同章第六節の規定を準用する場合について準用する。（措令40の８の４⑰）

　　　（特例非上場株式等以外を有する経営承継相続人等が認定承継会社の非上場株式等の譲渡等をしたとき）
（２）　第二章第五節の**1**の（24）及び（25）の規定は、**1**に規定する対象相続非上場株式等（合併により当該対象相続非上場
　　株式等に係る認定相続承継会社が消滅した場合その他**4**の②の（１）の財務省令で定める場合には、当該対象相続非上場
　　株式等に相当するものとして同（１）の財務省令で定めるもの）に係る認定相続承継会社の株式等の譲渡又は贈与があっ
　　た場合における**7**において準用する第二章第五節の**1**、同節の**2**及び同章第六節までの規定及び**8**において準用する第
　　二章第七節の**1**（（二）に係る部分に限る。）の規定の適用について準用する。（措令40の８の４㉙）

　　　（確定事由となる資産保有型会社又は資産運用型会社の意義）
（３）　**7**において準用する第二章第五節の**1**の（九）の要件を判定する場合には、第二章第一節の**2**の（29）を準用する。（措
　　通70の７の４－８）
　　　この場合において、同（29）中「相続の開始の日の属する事業年度の直前の事業年度の開始の日」とあるのは「相続税
　　の申告期限の翌日」と、「相続税の申告期限」とあるのは「第二章第一節の**2**の（４）に規定する猶予中相続税額に相当す
　　る相続税の全部につき納税の猶予に係る期限が確定する日」と、「（４）」とあるのは「（１）において準用する第二章第五
　　節の**1**の（11）」と、また、同（29）の（一）中「**1**の規定の適用に係る相続の開始」とあるのは「対象贈与」と、「当該相続
　　の開始」とあるのは「当該対象贈与」と、「対象贈与」とあるのは「第二章第一節の**1**の規定の適用に係る相続」となる
　　ことに留意する。

　　　（猶予中相続税額の計算方法）
（４）　**7**、**5**、**5**の（１）、**6**、**8**、**9**及び（５）において準用する第二章第五節の**2**、第二章第六節、第二章第三節の**1**及
　　び**2**、第二章第五節の**3**の（１）、第二章第四節、第二章第七節の**1**及び**2**、**3**、同**3**の（１）及び第二章第五節の**3**に規
　　定する猶予中相続税額は、納税猶予分の相続税額から**2**の（16）の規定により計算した金額を控除した残額とする。（措令
　　40の８の４⑫）

　　　（利子税の納付）
（５）　第二章第五節の**3**の規定は、**7**において準用する第二章第五節の**1**、同**2**及び同章第六節の規定、**5**の（１）におい
　　て準用する第二章第三節の**2**の規定、**6**において準用する第二章第四節の規定又は**11**の（１）において準用する第二章第
　　十節の（４）の規定により納税の猶予に係る期限が確定したことによる利子税の納付について準用する。（措法70の７の
　　４⑮）

8　納税猶予税額の免除

　　第二章第七節の**1**及び**2**、同**2**の（８）から（10）の規定は、**1**の規定により納税の猶予がされた相続税の免除について準
用する。この場合において、同節の**1**中「**1**の規定の適用を受ける」とあるのは「**1**の規定の適用を受ける」と、「経営承
継相続人等」とあるのは「経営相続承継受贈者」と、「並びに経営承継期間内に」とあるのは「並びに経営相続承継期間内
に第五節において準用する」と、「対象非上場株式等」とあるのは「対象相続非上場株式等」と、「経営承継期間の」とあ
るのは「経営相続承継期間（**1**の規定の適用を受ける経営相続承継受贈者に係る贈与者が第三章第二節**2**の（五）のイ又は
ロに掲げる日のいずれか早い日の翌日以後に死亡した場合にあっては、当該経営相続承継受贈者に係る第一章第一節の**2**
の（六）に規定する経営贈与承継期間）の」と、「（経営承継期間」とあるのは「（当該経営相続承継期間」と、「認定承継会
社」とあるのは「認定相続承継会社」と、第二章第七節の**2**中「**1**の規定の適用を受ける」とあるのは「**1**の規定の適用
を受ける」と、「経営承継相続人等」とあるのは「経営相続承継受贈者」と、「対象非上場株式等」とあるのは「対象相続
非上場株式等」と、「認定承継会社」とあるのは「認定相続承継会社」と、「経営承継期間」とあるのは「経営相続承継期
間（**1**の規定の適用を受ける経営相続承継受贈者に係る贈与者が第三章第二節**2**の（五）のイ又はロに掲げる日のいずれか
早い日の翌日以後に死亡した場合にあっては、当該経営相続承継受贈者に係る第一章第一節の**2**の（六）に規定する経営贈
与承継期間）」と読み替えるものとする。（措法70の７の４⑫）

　　（剰余金の配当等の額その他当該会社から受けた金額として政令で定めるもの）
（１）　第二章第一節の**2**の（27）の規定は、**8**において第二章第七節の**2**の規定を準用する場合について準用する。（措令40

－1297－

第七編　非上場株式等に係る相続税・贈与税の納税猶予及び免除

の8の4⑮）

（延滞税の計算方法）
（2）　第二章第七節の1の（1）、（5）、同第七節の2の（3）、（6）、（7）、（11）、（12）の規定は、8において第二章第七節の1及び2の規定を準用する場合について準用する。（措令40の8の4㉑）

9　認定相続承継会社についての評定の納税猶予分の相続税額の計算等

　第一章第七節の3及び同3の（1）から（3）までの規定は、認定相続承継会社について同3に規定する評定が行われた場合における納税猶予分の相続税額の計算及び免除について準用する。この場合において、同3及び同3の（1）から（3）中「経営承継期間」とあるのは「経営相続承継期間（第三章第一節の1の規定の適用を受ける経営相続承継受贈者に係る贈与者が第三章第一節2の（五）のイ又はロに掲げる日のいずれか早い日の翌日以後に死亡した場合にあっては、当該経営相続承継受贈者に係る第一章第一節の2の（六）に規定する経営贈与承継期間）」と、「対象非上場株式等に」とあるのは「特例相続非上場株式等に」と、「認定承継会社」とあるのは「認定相続承継会社」と、「経営承継相続人等」とあるのは「経営相続承継受贈者」と、「対象非上場株式等（」とあるのは「対象相続非上場株式等（」と、「相続により取得をした対象非上場株式等の当該相続の時における」とあるのは「対象相続非上場株式等の」と、第一章第七節の3の（1）中「第一節の2の（五）」とあるのは「第二節の2の（四）」と読み替えるものとする。（措法70の7の4⑬）

10　事業用資産等が災害によって甚大な被害を受けた場合

　　　（事業用資産等が災害によって甚大な被害を受けた場合とその適用要件）
（1）　第二章第九節の1及び2の規定は、1の対象相続非上場株式等に係る認定相続承継会社が同節の1の（一）から（四）に掲げる場合に該当することとなった場合における当該認定相続承継会社に係る1の規定の適用を受ける経営相続承継受贈者に対する7において準用する第二章第五節の1及び同章第六節の規定の適用について準用する。（措法70の7の4⑯）

　　　（納税猶予額の免除）
（2）　第二章第九節の4及び同4の（1）の規定は、経営相続承継受贈者が有する対象相続非上場株式等に係る認定相続承継会社が同節の1の（一）から（四）に掲げる場合に該当することとなった場合において、当該経営相続承継受贈者又は当該認定相続承継会社が経営相続承継期間内に同節の4の（一）又は（二）のいずれかに該当することとなったときについて準用する。（措法70の7の4⑰）

　　　（特例受贈非上場株式等に係る会社の適用要件）
（3）　災害等が発生した日から同日以後1年を経過する日までの間に第一節の1の規定により第一節1の贈与者から相続又は遺贈により第一章第一節の1の規定の適用に係る対象受贈非上場株式等の取得をしたものとみなされた個人が1の規定の適用を受けようとする場合（対象特例受贈非上場株式等に係る会社が次に掲げる場合に該当する場合に限る。）における2の（一）の規定の適用については、2の（一）中「要件（」とあるのは「要件（ロに掲げるものを除き、」と、「、ハ」とあるのは「、ロ及びハ」とする。（措法70の7の4⑱）
　（一）　当該会社の事業の用に供する資産が災害によって甚大な被害を受けた場合として（8）の政令で定める場合
　（二）　当該会社の事業所（常時使用従業員が勤務している事務所、店舗、工場その他これらに類するものに限る。）が災害によって被害を受けたことにより当該会社における雇用の確保が困難となった場合として（8）の政令で定める場合（（一）に掲げる場合に該当する場合を除く。）
　（三）　中小企業信用保険法第2条第5項第3号又は第4号のいずれかに該当することにより当該会社の売上金額が大幅に減少した場合として（8）の政令で定める場合（（一）及び（二）に掲げる場合に該当する場合を除く。）

　　　（（3）に掲げる場合）
（4）　（3）に掲げる場合とは、次の（一）から（三）までの区分に応じ、それぞれに掲げる算式を満たす場合（（三）にあっては、当該算式を満たし、かつ、5の（5）において準用する第二章第九節5の（6）に定めるところにより証明がされた場合）をいうことに留意する。（措通70の7の4－10の2）
　（一）　（3）の（一）に規定する「資産が災害によって甚大な被害を受けた場合」

－1298－

第三章　非上場株式等の贈与者が死亡した場合の相続税の課税の特例
（第二節　非上場株式等の贈与者が死亡した場合の相続税の納税猶予及び免除の特例）

（算式）

$$\frac{会社の災害により滅失をした資産（特定資産を除く。）の貸借対照表に計上されている帳簿価額の合計額}{災害が発生した日の属する事業年度の直前の事業年度終了の時における会社の総資産の貸借対照表に計上されている帳簿価額の総額} \geqq \frac{30}{100}$$

（二）　（3）の（二）に規定する「当該会社における雇用の確保が困難となった場合」

（算式）

$$\frac{会社の被災常時使用従業員の数}{会社の災害が発生した日の前日における常時使用従業員の総数} \geqq \frac{20}{100}$$

（注）　上記算式における「被災常時使用従業員」とは、会社の事業所（常時使用従業員が勤務している事務所、店舗、工場その他これらに類するもので、当該災害により滅失し、又はその全部若しくは一部が損壊したものに限る。）のうち当該災害が発生した日から同日以後6月を経過する日までの間継続して常時使用従業員が当該会社の本来の業務に従事することができないと認められるものにおいて、当該災害が発生した日の前日に使用していた常時使用従業員をいうことに留意する。

（三）　（3）の（三）に規定する「当該会社の売上金額が大幅に減少した場合」

（算式）

$$\frac{特定日から特定日以後6月を経過する日までの間における売上金額}{特定日の1年前の日から同日以後6月を経過する日までの間における売上金額} \leqq \frac{70}{100}$$

（注）1　上記算式における「特定日」とは、中小企業信用保険法第2条第5項第3号又は第4号の経済産業大臣の指定する事由が発生した日をいうことに留意する。

2　中小企業信用保険法第2条第5項第3号又は第4号の経済産業大臣の指定する事由が発生した日については、第二章第九節2の（4）参照。

（準用規定）
（5）　第二章第九節の**1**の（2）、（5）、（6）、（8）、（11）、（14）、（16）、（18）、（21）、（22）、同節の**2**の（3）及び同節の**3**の規定は、（1）において第二章第九節の**1**及び**2**の規定を準用する場合について準用する。（措令40の8の4㉕）

（準用規定）
（6）　（1）において準用する第二章第九節の**1**（（三）又は（四）に係る部分に限る。）の規定及び同節の**1**の（11）、（14）、（16）、（18）、（21）、（22）及び**3**の規定は、第一章第八節の**1**（（三）又は（四）に係る部分に限る。）の規定の適用を受ける同節の**1**の経営承継受贈者が第一節の**1**（第一節の**2**の規定により読み替えて適用する場合を含む。以下（6）この項において同じ。）の規定により第一節の**1**の贈与者から相続又は遺贈により取得をしたものとみなされた第一節の**1**の対象受贈非上場株式等につき**1**の規定の適用を受けることとなった場合について準用する。（措令40の8の4㉖）

（準用規定）
（7）　第二章第九節の**4**の（2）の規定は、（2）において第二章第九節の**4**及び同**4**の（1）の規定を準用する場合について準用する。（措令40の8の4㉗）

（準用規定）
（8）　第二章第九節の**1**の（2）の規定は（3）の（一）に規定する政令で定める場合について、同節の**1**の（6）の規定は（3）の（二）に規定する政令で定める場合について、第二章第九節の**1**の（16）の規定は（3）の（三）に規定する政令で定める場合について、それぞれ準用する。（措令40の8の4㉘）

（読替え規定）
（9）　（3）の個人が（3）の規定の適用を受けようとする場合における**4**の①の規定の適用については、（3）の（一）中「当該」とあるのは、「（3）の規定の適用を受けようとする旨を記載した書類並びに当該」とする。（措法70の7の4⑲）

（準用規定）
（10）　次に掲げる者は、**2**の（三）に規定する経営相続承継受贈者とみなして、（1）において準用する第二章第九節の**1**及び**2**並びに（2）において準用する第二章第九節の**4**及び同**4**の（1）の規定を適用する。この場合において、当該経営相続承継受贈者に係るこれらの規定の適用に関し必要な事項は、政令で定める。（平29改所法等附88⑰）

（一）　所得税法等の一部を改正する法律（平成22年法律第6号）第18条の規定による改正前の租税特別措置法（以下**11**

－1299－

第七編　非上場株式等に係る相続税・贈与税の納税猶予及び免除

において「平成22年旧法」という。）第70条の7の4第1項の規定の適用を受けている同条第2項第3号に規定する経営相続承継受贈者

（二）　現下の厳しい経済状況及び雇用情勢に対応して税制の整備を図るための所得税法等の一部を改正する法律（平成23年法律第82号）第17条の規定による改正前の租税特別措置法（以下11において「平成23年旧法」という。）第70条の7の4第1項の規定の適用を受けている同条第2項第3号に規定する経営相続承継受贈者

（三）　所得税法等の一部を改正する法律（平成25年法律第5号）第8条の規定による改正前の租税特別措置法（以下11において「平成25年旧法」という。）　第70条の7の4第1項の規定の適用を受けている同条第2項第3号に規定する経営相続承継受贈者

（四）　所得税法等の一部を改正する法律（平成27年法律第9号）第8条の規定による改正前の租税特別措置法（以下11において「平成27年旧法」という。）第70条の7の4第1項の規定の適用を受けている同条第2項第3号に規定する経営相続承継受贈者

（五）　所得税法等の一部を改正する法律（平成29年法律第4号）第12条の規定による改正前の租税特別措置法（以下11において「平成29年旧法」という。）第70条の7の4第1項の規定の適用を受けている同条第2項第3号に規定する経営相続承継受贈者

　（準用規定）
(11)　(9)の規定により適用する(1)において準用する第二章第九節の**1**及び**2**並びに(2)において準用する第二章第九節の**4**及び同**4**の(1)の規定は、次に掲げる会社が、平成28年4月1日以後に発生した(1)において準用する第二章第九節の**1**及び**2**第二章第九節の**2**に規定する災害等により(1)において準用する第二章第九節の**1**の(一)から(四)に掲げる場合に該当することとなった場合について適用する。（平29改所法等附88⑱）

（一）　(10)の(一)に掲げる経営相続承継受贈者が有する平成22年旧法第70条の7の4第1項の特例相続非上場株式等に係る同条第2項第1号に規定する認定相続承継会社

（二）　(10)の(二)に掲げる経営相続承継受贈者が有する平成23年旧法第70条の7の4第1項の特例相続非上場株式等に係る同条第2項第1号に規定する認定相続承継会社

（三）　(10)の(三)前項第3号に掲げる経営相続承継受贈者が有する平成25年旧法第70条の7の4第1項の特例相続非上場株式等に係る同条第2項第1号に規定する認定相続承継会社

（四）　(10)の(四)に掲げる経営相続承継受贈者が有する平成27年旧法第70条の7の4第1項の特例相続非上場株式等に係る同条第2項第1号に規定する認定相続承継会社

（五）　(10)の(五)に掲げる経営相続承継受贈者が有する平成29年旧法70条の7の4第1項の特例相続非上場株式等に係る同条第2項第1号に規定する認定相続承継会社

　（みなし規定）
(12)　(10)の(一)から(五)に掲げる者は、**2**の(三)に規定する経営相続承継受贈者とみなして、(1)において準用する第二章第五節の**1**の(4)の規定を適用する。（平29改措令附30⑦）

　（準用規定）
(13)　第二章第九節の**7**の(5)の規定は、(10)の規定により**2**の(三)に規定する経営相続承継受贈者とみなされた(10)の(一)から(五)に掲げる者に対する(2)において準用する第二章第九節の**4**の(1)及び(4)において準用する同節の**2**の(3)の規定の適用並びに(1)において準用する同節の**1**の規定の適用により過誤納となった額に相当する相続税の国税通則法第56条から第58条までの規定の適用について準用する。（平29改措令附30⑧）

　（準用規定）
(14)　第二章第九節の**7**の(6)の規定は、(10)の(一)から(三)までに掲げる者（平成25年改正法附則第86条第12項の規定の適用を受けた者を除く。）に対する(1)において準用する第二章第九節の**1**の(二)から(四)までの規定及び(5)において準用する同節の**1**の(18)の(一)の規定の適用について準用する。（平29改措令附30⑨）

　（読替え規定）
(15)　第二章第九節の**5**の(7)の規定は、(3)の規定の適用を受けようとする(3)の個人が提出する(9)の規定により読み替えて適用する**4**の①の相続税の申告書に添付すべき書類について準用する。（措規23の12⑪）

－1300－

第三章　非上場株式等の贈与者が死亡した場合の相続税の課税の特例
（第二節　非上場株式等の贈与者が死亡した場合の相続税の納税猶予及び免除の特例）

（みなし規定）

(16)　(10)の(一)から(五)に掲げる者は、**2**の(三)に規定する経営相続承継受贈者とみなして、**2**の(1)において準用する第一章第一節の**2**の(2)の規定並びに**5**の(5)において準用する第二章第三節の**1**の(3)（(三)に係る部分に限る。）及び同節第七節の**1**の(2)（(ハ)に係る部分に限る。）の規定を適用する。（平29改措規附16⑤）

（準用規定）

(17)　第二章第九節の**7**の(7)の規定は、(10)の規定により**2**の(三)に規定する経営相続承継受贈者とみなされた(10)の(一)から(三)までに掲げる者（平成25年改正法附則第86条第12項の規定の適用を受けた者を除く。）に対する**5**の(5)において準用する第二章第九節の**1**の(9)及び同節の**3**の(1)の規定の適用について準用する。（平29改措規附16⑥）

11　雑則

（国税通則法、国税徴収法及び相続税法の規定の適用）

（1）　第二章第十節の(4)及び(6)の規定は、経営相続承継受贈者が**1**の規定の適用を受けようとする場合又は**1**の規定による納税の猶予がされた場合における国税通則法、国税徴収法及び相続税法の規定の適用について準用する。（措法70の7の4⑪）

（法人税法、所得税法及び地価税法の規定の準用）

（2）　第二章第十節の(5)の規定は、(1)において同第十節の(4)の規定を準用する場合について準用する。（措令40の8の4㉚）

（外国会社又は医療法人の株式等を有するときにおける規定の適用）

（3）　経営相続承継受贈者が**1**の対象受贈非上場株式等につき**1**の規定の適用を受ける場合において、当該対象受贈非上場株式等に係る認定相続承継会社又は当該認定相続承継会社の特別関係会社（**2**の(一)のハに規定する特別関係会社をいう。以下(3)において同じ。）であって当該認定相続承継会社との間に同(一)のホの支配関係がある法人が会社法第2条第2号に規定する外国会社（当該認定相続承継会社の特別関係会社に該当するものに限る。）又は**2**の(9)において準用する第二章第一節の**2**の(18)に規定する法人の株式等を有するときにおける(1)において準用する第二章第十節の(6)の(十一)の規定の適用については、同(十一)中「対象非上場株式等」とあるのは「対象相続非上場株式等」と、「認定承継会社又は当該認定承継会社」とあるのは「認定相続承継会社又は当該認定相続承継会社」と、「認定承継会社との」とあるのは「認定相続承継会社との」と、「認定承継会社等」とあるのは「認定相続承継会社等」と、「認定承継会社の」とあるのは「認定相続承継会社の」と、「当該認定承継会社等が当該株式等」とあるのは「**1**の対象受贈非上場株式等の第一節の**1**の規定の適用に係る贈与の時における当該認定相続承継会社の株式等の価額を基礎とし、当該認定相続承継会社等が当該外国会社その他**2**の(9)において準用する第二章第一節の**2**の(18)の政令で定める法人の株式等」と、「計算した価額に」とあるのは「(4)の財務省令で定めるところにより計算した価額に」とする。（措令40の8の4⑳）

（財務省令で定めるところにより計算した価額）

（4）　**2**の(10)の規定は、(3)において第二章第十節の(6)の(十一)の規定を読み替えて適用する場合について準用する。（措規23の12⑩）

（経済産業大臣等の通知義務）

（5）　第二章第十節の(10)の規定は、経済産業大臣又は経済産業局長が、**1**の規定の適用を受ける経営相続承継受贈者又は**1**の対象相続非上場株式等若しくは当該対象相続非上場株式等に係る認定相続承継会社について、**7**において準用する第二章第五節の**1**及び**2**、同章第六節の規定による納税の猶予に係る期限の確定に係る事実に関し、法令の規定に基づき認定、確認、報告の受理その他の行為をしたことにより当該事実があったことを知った場合について準用する。（措法70の7の4⑳）

（経済産業大臣等への通知義務）

（6）　第二章第十節の(12)の規定は、税務署長が、経済産業大臣又は経済産業局長の事務（**1**の規定の適用を受ける経営相続承継受贈者に関する事務で、(5)において準用する同第十節の(10)の規定の適用に係るものに限る。）の処理を適正かつ確実に行うため必要があると認める場合について準用する。（措法70の7の4㉑）

—1301—

第七編　非上場株式等に係る相続税・贈与税の納税猶予及び免除

（平成22年４月１日前に贈与により取得をした非上場株式等に係る会社の措置法第70条の７の４第２項第１号への要件）

（７）　平成22年４月１日前に贈与により取得をした平成22年改正前措置法第70条の７第２項第２号に規定する非上場株式等について同条第１項の規定の適用を受けている経営承継受贈者が、当該非上場株式等の贈与をした者の死亡に伴い当該非上場株式等について**1**の規定の適用を受ける場合の**2**の（一）のへの規定の適用については、平成22年改正措令附則第49条第１項第１号《相続税及び贈与税の特例に関する経過措置》の規定により、当該非上場株式等に係る会社は常時使用従業員（**2**の（1）において準用する第一章第一節の**2**の（2）に規定する常時使用する従業員をいう。）の数が５人以上であるとみなされることに留意する。（措通70の７の４－11）

（70の７の２関係通達の準用）

（８）　第二章第一節**2**の（3）（8）（28）、同節の**3**の**②**の（4）、同章第二節**1**の（3）、同節**2**の（2）（4）（8）（9）（10）（11）（12）、同章第四節の（1）、同章第五節**1**の（3）（7）（8）（9）（10）（14）（15）（17）（19）（20）（21）（23）、同節**2**の（3）、同章第六節の（6）（7）、同章第七節**1**の（6）、同節**2**の（14）（15）（16）（17）（18）（19）、同節**3**の（11）（12）（13）（14）（15）、同章第九節**1**の（1）（3）（4）（7）（10）（13）（15）（17）（20）（23）、同節**2**の（4）、同節**3**の（3）、同節**4**の（5）、同章第十節の（3）（8）（9）については、経営相続承継受贈者が**1**の規定の適用を受ける場合について準用する。（措通70の７の４－12）

－1302－

第四章　非上場株式等についての贈与税の納税猶予及び免除の特例

第一節　特例適用の要件

1　非上場株式等についての贈与税の納税猶予及び免除の特例

　特例認定贈与承継会社の非上場株式等（議決権に制限のないものに限る。以下**1**において同じ。）を有していた個人として（2）の政令で定める者（当該特例認定贈与承継会社の非上場株式等について既に**1**の規定の適用に係る贈与をしているものを除く。以下本章、第六章第一節及び同章第二節において「**特例贈与者**」という。）が特例経営承継受贈者に当該特例認定贈与承継会社の非上場株式等の贈与（平成30年1月1日から令和9年12月31日までの間の最初のこの項の規定の適用に係る贈与及び当該贈与の日から特例経営贈与承継期間の末日までの間に贈与税の申告書（第二編第六章第一節の**一**の**1**の規定による期限内申告書をいう。以下本章において同じ。）の提出期限（第二編第四章の**7**の**②**《贈与税の申告書の提出期限の特例》の規定又は第一編第十章第一節**九**《期間及び期限》の規定により当該提出期限が延長された場合には、当該延長前の提出期限）が到来する贈与に限る。）をした場合において、当該贈与が次の（一）（二）に掲げる場合の区分に応じ当該（一）（二）に定める贈与であるときは、当該特例経営承継受贈者の当該贈与の日の属する年分の贈与税で贈与税の申告書の提出により納付すべきものの額のうち、当該非上場株式等で当該贈与税の申告書に**1**の規定の適用を受けようとする旨の記載があるもの（以下本章、第六章第一節及び同章第二節において「**特例対象受贈非上場株式等**」という。）に係る納税猶予分の贈与税額に相当する贈与税については、（4）の政令で定めるところにより当該年分の贈与税の申告書の提出期限までに当該納税猶予分の贈与税額に相当する担保を提供した場合に限り、第二編第七章第一節の**二**の**1**の規定にかかわらず、当該特例贈与者（特例対象受贈非上場株式等の全部又は一部が当該特例贈与者の第一章第七節の**1**（同**1**の（三）に係る部分に限り、第六節の**1**において準用する場合を含む。）の規定の適用に係るものである場合における当該特例対象受贈非上場株式等に係る納税猶予分の贈与税額に相当する贈与税については、**1**又は第一章第一節の**1**の規定の適用を受けていた者として（7）の政令で定める者に当該特例対象受贈非上場株式等に係る特例認定贈与承継会社の非上場株式等の贈与をした者。**2**の（七）及び第六節の**4**並びに同節の**1**において準用する第一章第七節の**1**において同じ。）の死亡の日まで、その納税を猶予する。（措法70の7の5①）

（一）　特例経営承継受贈者が1人である場合　次に掲げる贈与の場合の区分に応じそれぞれ次に定める贈与

　イ　当該贈与の直前において、当該特例贈与者が有していた当該特例認定贈与承継会社の非上場株式等の数又は金額が、当該特例認定贈与承継会社の発行済株式又は出資（議決権に制限のない株式等（株式又は出資をいう。以下本章において同じ。）に限る。（二）において同じ。）の総数又は総額の3分の2から当該特例経営承継受贈者が有していた当該特例認定贈与承継会社の非上場株式等の数又は金額を控除した残数又は残額以上の場合　当該控除した残数又は残額以上の数又は金額に相当する非上場株式等の贈与

　ロ　イに掲げる場合以外の場合　当該特例贈与者が当該贈与の直前において有していた当該特例認定贈与承継会社の非上場株式等の全ての贈与

（二）　特例経営承継受贈者が2人又は3人である場合　当該贈与後におけるいずれの特例経営承継受贈者の有する当該特例認定贈与承継会社の非上場株式等の数又は金額が当該特例認定贈与承継会社の発行済株式又は出資の総数又は総額の10分の1以上となる贈与であって、かつ、いずれの特例経営承継受贈者の有する当該特例認定贈与承継会社の非上場株式等の数又は金額が当該特例贈与者の有する当該特例認定贈与承継会社の非上場株式等の数又は金額を上回る贈与

　　　（贈与税の納税猶予及び免除の特例の対象となる非上場株式等の意義）

（1）　**1**の適用対象となる非上場株式等の意義については、第一章第一節**2**(13)を準用する。（措通70の7の5－1）

　　　（政令で定める特例贈与者）

（2）　**1**に規定する非上場株式等を有していた個人として政令で定める者は、次の（一）（二）に掲げる場合の区分に応じ当該（一）（二）に定める者とする。（措令40の8の5①）

-1303-

第七編　非上場株式等に係る相続税・贈与税の納税猶予及び免除

（一）　（二）に掲げる場合以外の場合　1の規定の適用に係る贈与の時前において、2の（一）に規定する特例認定贈与承継会社の代表権（制限が加えられた代表権を除く。イ及びロにおいて同じ。）を有していた個人で、次に掲げる要件の全てを満たすもの

　イ　当該贈与の直前（当該個人が当該贈与の直前において当該特例認定贈与承継会社の代表権を有しない場合には、当該個人が当該代表権を有していた期間内のいずれかの時及び当該贈与の直前）において、当該個人及び当該個人と2の（六）のハに規定する特別の関係がある者の有する当該特例認定贈与承継会社の2の（五）に規定する非上場株式等に係る議決権の数の合計が、当該特例認定贈与承継会社の2の（六）のハに規定する総株主等議決権数の100分の50を超える数であること。

　ロ　当該贈与の直前（当該個人が当該贈与の直前において当該特例認定贈与承継会社の代表権を有しない場合には、当該個人が当該代表権を有していた期間内のいずれかの時及び当該贈与の直前）において、当該個人が有する当該特例認定贈与承継会社の非上場株式等に係る議決権の数が、当該個人と2の（六）のハに規定する特別の関係がある者（当該特例認定贈与承継会社の2の（六）に規定する特例経営承継受贈者となる者を除く。）のうちいずれの者が有する当該非上場株式等に係る議決権の数をも下回らないこと。

　ハ　当該贈与の時において、当該個人が当該特例認定贈与承継会社の代表権を有していないこと。

（二）　1の規定の適用に係る贈与の直前において、次に掲げる者のいずれかに該当する者がある場合　特例認定贈与承継会社の非上場株式等を有していた個人で、1の規定の適用に係る贈与の時において当該特例認定贈与承継会社の代表権を有していないもの

　イ　当該特例認定贈与承継会社の非上場株式等について、1、第五章第一節の1又は第六章第二節の1の規定の適用を受けている者

　ロ　（一）に定める者から1の規定の適用に係る贈与により当該特例認定贈与承継会社の非上場株式等の取得をしている者（イに掲げる者を除く。）

　ハ　第五章第一節の1の（1）の（一）に定める者から同1の規定の適用に係る相続又は遺贈により当該特例認定贈与承継会社の非上場株式等の取得をしている者（イに掲げる者を除く。）

（特例対象受贈非上場株式等の贈与の意義等）

（3）　1の適用対象となる非上場株式等の贈与とは、次に掲げる場合の区分に応じ、それぞれに定める贈与（以下第六章第一節の1の（3）までにおいて「**特例対象贈与**」という。）をいうことに留意する。

　なお、特例対象贈与は、平成30年1月1日から令和9年12月31日までの間の最初の1の規定の適用に係る贈与及び当該贈与の日から2の（七）に規定する特例経営贈与承継期間の末日までの間に贈与税の申告書の提出期限（第二編第四章の7の②の規定又は国税通則法第10条若しくは第11条の規定により当該提出期限が延長された場合には、当該延長前の提出期限）が到来する贈与に限られることに留意する。（措通70の7の5－3）

（一）　特例経営承継受贈者が1人である場合　次に掲げる贈与

　イ　$A+B \geqq C \times \dfrac{2}{3}$　の場合には、$C \times \dfrac{2}{3} - B$以上の贈与

　ロ　$A+B < C \times \dfrac{2}{3}$　の場合には、Aの全部の贈与

（二）　特例経営承継受贈者が2人又は3人である場合　次のイ及びロを満たす贈与

　イ　$D \geqq C \times \dfrac{1}{10}$

　ロ　$D > E$

（注）1　上記算式中の符号は次のとおり。

Aは、特例贈与者が1の規定の適用に係る贈与の直前に有していた特例認定贈与承継会社の非上場株式等の数又は金額

Bは、特例経営承継受贈者が当該贈与の直前に有していた特例認定贈与承継会社の非上場株式等の数又は金額

Cは、当該贈与の時における特例認定贈与承継会社の発行済株式又は出資（議決権に制限のない株式等に限る。）の総数又は総額

Dは、当該贈与直後におけるそれぞれの特例経営承継受贈者の有する特例認定贈与承継会社の非上場株式等の数又は金額

Eは、当該贈与直後における特例贈与者の有する特例認定贈与承継会社の非上場株式等の数又は金額

2　上記（一）又は（二）のいずれの場合に該当するかは、同一の特例贈与者から同一の特例認定贈与承継会社の非上場株式等を1の規定の適用に係る贈与により取得した特例経営承継受贈者の数によることに留意する。

3　上記（二）の場合には、次の取扱いとなることに留意する。

　イ　当該贈与が異なる時期に行われた場合には、上記（二）ロのEの数又は金額については、当該贈与のうち最後に行われた贈与直後における数又は金額による。

　ロ　上記（二）イ及びロの要件を満たさない特例経営承継受贈者がある場合には、他の特例経営承継受贈者への当該贈与についても、特例対

－1304－

第四章　非上場株式等についての贈与税の納税猶予及び免除の特例
（第一節　特例適用の要件）

象贈与に該当しない。

4　贈与により特例認定贈与承継会社の非上場株式等を取得した者が、当該贈与前に第五章第一節の**1**の規定の適用に係る相続又は遺贈により当該特例認定贈与承継会社の非上場株式等を取得している場合（当該相続又は遺贈による取得の前に特例対象贈与により当該特例認定贈与承継会社の非上場株式等を取得している場合を除く。）には、（3）中「同項の規定の適用に係る贈与及び当該贈与の日から同条」とあるのは、「第五章第一節の**1**の規定の適用に係る相続又は遺贈に係る相続の開始の日から**1**」となることに留意する。

5　同一年中に、異なる特例贈与者から同一の特例認定贈与承継会社に係る非上場株式等を贈与により取得をした場合、異なる特例贈与者から複数の特例認定贈与承継会社に係る非上場株式等を贈与により取得をした場合及び同一の特例贈与者から複数の特例認定贈与承継会社に係る非上場株式等を贈与により取得をした場合の特例対象贈与及び**1**に規定する特例対象受贈非上場株式等（以下第六章第二節**2**の(14)までにおいて「特例対象受贈非上場株式等」という。）に該当するかどうかの判定は、それぞれの特例認定贈与承継会社及び贈与ごとに行うことに留意する。

6　上記(一)又は(二)により計算された株式の数又は出資の金額のうち、**1**に規定する贈与税の申告書に同項の規定の適用を受ける旨の記載があるものが特例対象受贈非上場株式等に該当することに留意する。

（担保の提供方法及び解除）
（4）　第一章第一節の**1**の(3)及び(5)の規定は、**1**の規定による納税の猶予に係る担保の提供及びその解除について準用する。（措令40の8の5③）

（担保提供及び担保解除に係る書類）
（5）　第一章第一節の**1**の(4)及び(6)の規定は、（4）において準用する同**1**の(3)及び(5)に規定する財務省令で定める書類について準用する。（措規23の12の2①）

（担保の提供等に関する取扱いの準用）
（6）　第一章第二節の**2**の(7)から(9)及び第一章第一節の**3**の(6)については、特例経営承継受贈者が**1**の規定により担保の提供を行う場合について準用する。（措通70の7の5－4）

（政令で定める者）
（7）　第一章第一節の**1**の(7)の規定は、**1**に規定する第一章第一節の**1**の又は**1**の規定の適用を受けていた者として政令で定める者について準用する。（措令40の8の5④）

（特例経営承継相続人等が特例を適用した場合）
（8）　特例認定贈与承継会社の非上場株式等について第五章第一節の**1**の規定の適用を受けている同節の**2**の(七)に規定する特例経営承継相続人等（同節の**1**の規定の適用を受ける前に**1**の規定の適用を受けている者を除く。）が、特例贈与者からの贈与により当該特例認定贈与承継会社の非上場株式等の取得をした場合における**1**の規定の適用については、**1**中「**1**の規定の適用に係る贈与及び当該贈与」とあるのは、「第五章第一節の**1**の規定の適用に係る相続又は遺贈に係る相続の開始」とする。（措令40の8の5②）

（その他の第一章関係通達の準用）
（9）　第一章第二節の**1**の(2)から(5)及び第一章第九節の(3)については、特例経営承継受贈者が**1**の規定の適用を受ける場合について準用する。（措通70の7の5－42）

2　用語の意義

本章において、次の(一)から(九)に掲げる用語の意義は、当該(一)から(九)に定めるところによる。（措法70の7の5②）

（一）　**特例認定贈与承継会社**　中小企業における経営の承継の円滑化に関する法律第2条に規定する中小企業者のうち特例円滑化法認定を受けた会社（合併により当該会社が消滅した場合その他の(1)の財務省令で定める場合には、当該会社に相当するものとして(1)の財務省令で定めるもの）で、**1**の規定の適用に係る贈与の時において、次に掲げる要件の全てを満たすものをいう。

イ　当該会社の常時使用従業員（常時使用する従業員として(2)の財務省令で定めるものをいう。ホにおいて同じ。）の数が1人以上であること。

ロ　当該会社が、資産保有型会社又は資産運用型会社のうち(4)の政令で定めるものに該当しないこと。

ハ　当該会社（ハにおいて**「特定会社」**という。）の株式等及び特別関係会社（当該特定会社と(7)の政令で定める特別の関係がある会社をいう。以下**2**において同じ。）のうち当該特定会社と密接な関係を有する会社として(8)の政令で定める会社（ニにおいて**「特定特別関係会社」**という。）の株式等が、非上場株式等に該当すること。

—1305—

第七編　非上場株式等に係る相続税・贈与税の納税猶予及び免除

　ニ　当該会社及び特定特別関係会社が、第一章第一節の２の（一）のニに規定する風俗営業会社に該当しないこと。

　ホ　当該会社の特別関係会社が会社法第２条第２号に規定する外国会社に該当する場合（当該会社又は当該会社との間に会社が他の法人の発行済株式若しくは出資（当該他の法人が有する自己の株式等を除く。）の総数若しくは総額の100分の50を超える数若しくは金額の株式等を直接若しくは間接に保有する関係として（10）の政令で定める関係（（八）のイ、第五章及び第六章第二節の２において「**支配関係**」という。）がある法人が当該特別関係会社の株式等を有する場合に限る。）にあっては、当該会社の常時使用従業員の数が５人以上であること。

　ヘ　イからホまでに掲げるもののほか、会社の円滑な事業の運営を確保するために必要とされる要件として（11）の政令で定めるものを備えているものであること。

（二）　**特例円滑化法認定**　中小企業における経営の承継の円滑化に関する法律第12条第１項（同項第１号に係るものとして（10）の財務省令で定めるものに限る。）の経済産業大臣（同法第17条の規定に基づく政令の規定により都道府県知事が行うこととされている場合にあっては、当該都道府県知事）の認定をいう。

（三）　**資産保有型会社**　第一章第一節の２の（八）に定める会社をいう。

（四）　**資産運用型会社**　第一章第一節の２の（九）に定める会社をいう。

（五）　**非上場株式等**　第一章第一節の２の（二）に定める株式等をいう。

（六）　**特例経営承継受贈者**　特例贈与者から１の規定の適用に係る贈与により特例認定贈与承継会社の非上場株式等の取得をした個人で、次に掲げる要件の全てを満たす者（その者が２人又は３人以上ある場合には、当該特例認定贈与承継会社が定めた２人又は３人までに限る。）をいう。

　イ　当該個人が、当該贈与の日において18歳以上であること。

　ロ　当該個人が、当該贈与の時において、当該特例認定贈与承継会社の代表権（制限が加えられた代表権を除く。第五章及び第六章第二節において同じ。）を有していること。

　ハ　当該贈与の時において、当該個人及び当該個人と（15）の政令で定める特別の関係がある者の有する当該特例認定贈与承継会社の非上場株式等に係る議決権の数の合計が、当該特例認定贈与承継会社に係る総株主等議決権数（総株主（株主総会において決議をすることができる事項の全部につき議決権を行使することができない株主を除く。）又は総社員の議決権の数をいう。ニの（２）、第五章及び第六章第二節において同じ。）の100分の50を超える数であること。

　ニ　次に掲げる場合の区分に応じそれぞれ次に定める要件を満たしていること。

　　（イ）　当該個人が１人の場合　当該贈与の時において、当該個人が有する当該特例認定贈与承継会社の非上場株式等に係る議決権の数が、当該個人とハに規定する（15）の政令で定める特別の関係がある者のうちいずれの者（当該個人以外の１、第五章第一節の１又は第六章第二節の１の規定の適用を受ける者を除く。（ロ）において同じ。）が有する当該特例認定贈与承継会社の非上場株式等に係る議決権の数をも下回らないこと。

　　（ロ）　当該個人が２人又は３人の場合　当該贈与の時において、当該個人が有する当該特例認定贈与承継会社の非上場株式等に係る議決権の数が、当該特例認定贈与承継会社の総株主等議決権数の100分の10以上であること及び当該個人とハに規定する（15）の政令で定める特別の関係がある者のうちいずれの者が有する当該特例認定贈与承継会社の非上場株式等に係る議決権の数をも下回らないこと。

　ホ　当該個人が、当該贈与の時から当該贈与の日の属する年分の贈与税の申告書の提出期限（当該提出期限前に当該個人が死亡した場合には、その死亡の日）まで引き続き当該贈与により取得をした当該特例認定贈与承継会社の特例対象受贈非上場株式等の全てを有していること。

　ヘ　当該個人が、当該贈与の日まで引き続き３年以上にわたり当該特例認定贈与承継会社の役員その他の地位として（17）の財務省令で定めるものを有していること。

　ト　当該個人が、当該特例認定贈与承継会社の非上場株式等について第一章第一節の１、第二章第一節の１又は第三章第二節の１の規定の適用を受けていないこと。

　チ　当該個人が、当該特例認定贈与承継会社の経営を確実に承継すると認められる要件として（19）の財務省令で定めるものを満たしていること。

（七）　**特例経営贈与承継期間**　１の規定の適用に係る贈与の日の属する年分の贈与税の申告書の提出期限の翌日から次に掲げる日のいずれか早い日又は１の規定の適用を受ける特例経営承継受贈者若しくは当該特例経営承継受贈者に係る特例贈与者の死亡の日の前日のいずれか早い日までの期間をいう。

　イ　当該特例経営承継受贈者の最初の１の規定の適用に係る贈与の日の属する年分の贈与税の申告書の提出期限の翌日以後５年を経過する日

　ロ　当該特例経営承継受贈者の最初の第五章第一節の１の規定の適用に係る相続に係る同１に規定する相続税の申告書の提出期限の翌日以後５年を経過する日

－1306－

第四章　非上場株式等についての贈与税の納税猶予及び免除の特例
（第一節　特例適用の要件）

（八）　**納税猶予分の贈与税額**　次のイ又はロに掲げる場合の区分に応じイ又はロに定める金額をいう。

イ　ロに掲げる場合以外の場合　1の規定の適用に係る特例対象受贈非上場株式等の価額（当該特例対象受贈非上場株式等に係る特例認定贈与承継会社又は当該特例認定贈与承継会社の特別関係会社であって当該特例認定贈与承継会社との間に支配関係がある法人（イにおいて「**特例認定贈与承継会社等**」という。）が会社法第2条第2号に規定する外国会社（当該特例認定贈与承継会社の特別関係会社に該当するものに限る。）その他(28)の政令で定める法人の株式等（投資信託及び投資法人に関する法律第2条第14項に規定する投資口を含む。イにおいて同じ。）を有する場合には、当該特例認定贈与承継会社等が当該株式等を有していなかったものとして計算した価額。ロにおいて同じ。）を1の特例経営承継受贈者に係るその年分の贈与税の課税価格とみなして、第二編第五章第一節の1及び同章第三節**一**の規定（同章第一節の**2**及び同章第三節**二**の規定を含む。）を適用して計算した金額

ロ　1の規定の適用に係る特例対象受贈非上場株式等が第三編第一章第一節**二**の（1）（同節**三**、第六編第一章第八節（第九節において準用する場合を含む。）又は第三編第二章の1において準用する場合を含む。）の規定の適用を受けるものである場合　当該特例対象受贈非上場株式等の価額を1の特例経営承継受贈者に係るその年分の贈与税の課税価格とみなして、第三編第一章第二節**一**の（1）から（7）まで（同節**三**の規定を含む。）及び同節**二**の規定を適用して計算した金額

（注）　改正後の（八）のロの規定は、令和6年1月1日以後に贈与により取得をする非上場株式等（第一章第一節**2**の（二）に規定する非上場株式等をいう。以下同じ。）に係る贈与税について適用し、令和5年12月31日以前に贈与により取得をした非上場株式等に係る贈与税については、なお従前の例による。（令5改所法等附51⑦）

（九）　**経営贈与報告基準日**　次のイ又はロに掲げる期間の区分に応じイ又はロに定める日をいう。

イ　特例経営贈与承継期間　1の規定の適用に係る贈与の日の属する年分の贈与税の申告書の提出期限（特例経営承継受贈者が同項の規定の適用を受ける前に1の特例対象受贈非上場株式等に係る特例認定贈与承継会社の非上場株式等について第五章第一節の1の規定の適用を受けている場合には、同1に規定する相続税の申告書の提出期限）の翌日から1年を経過するごとの日（第三節の1において「**第一種贈与基準日**」という。）

ロ　特例経営贈与承継期間の末日の翌日から納税猶予分の贈与税額（既に第五節の1において準用する第一章第五節の**2**又は同章第六節の規定の適用があった場合には、これらの規定の適用があった特例対象受贈非上場株式等の価額に対応する部分の額として(23)の政令で定めるところにより計算した金額を除く。以下本章及び第六章第一節の1において「**猶予中贈与税額**」という。）に相当する贈与税の全部につき1、第五節の1において準用する第一章第五節の1、**2**及び同章第六節まで、第三節の**2**において準用する第一章第三節の**2**、第四節において準用する第一章第四節又は第八節の（2）において準用する第一章第九節の（4）の規定による納税の猶予に係る期限が確定する日までの期間　当該末日の翌日から3年を経過するごとの日（第三節の1において「**第二種贈与基準日**」という。）

（財務省令で定める消滅した場合）

（1）　第一章第一節の**2**の（1）の規定は、**2**の（一）に規定する財務省令で定める場合及び**2**の（一）の会社に相当するものとして財務省令で定めるものについて準用する。（措規23の12の2②）

（常時使用する従業員として財務省令で定めるもの）

（2）　第一章第一節の**2**の（2）の規定は、**2**の（一）のイに規定する常時使用する従業員として財務省令で定めるものについて準用する。（措規23の12の2③）

（常時使用従業員の意義）

（3）　**2**の（一）のイに規定する常時使用従業員の意義については、第一章第一節**2**の（3）を準用する。（措通70の7の5－5）

（資産保有型会社又は資産運用型会社のうち政令で定めるもの）

（4）　第一章第一節の**2**の（4）の規定は、**2**の（一）のロに規定する資産保有型会社又は資産運用型会社のうち政令で定めるものについて準用する。（措令40の8の5⑤）

（納税猶予の特例の対象とならない資産保有型会社又は資産運用型会社の意義）

（5）　**2**の（一）のロの要件を判定する場合において、**2**の（三）に規定する資産保有型会社に該当するかどうかの判定は、特例対象贈与の日の属する事業年度の直前の事業年度の開始の日から当該特例対象贈与に係る贈与税の申告期限までの間のいずれかの日において次の（一）に掲げる算式を満たすかどうかにより行い、**2**の（四）に規定する資産運用型会社に

－1307－

第七編　非上場株式等に係る相続税・贈与税の納税猶予及び免除

該当するかどうかの判定は、特例対象贈与の日の属する事業年度の直前の事業年度の開始の日から当該特例対象贈与に係る贈与税の申告期限までの間に終了するいずれかの事業年度において次の（二）に掲げる算式を満たすかどうかにより行うのであるが、これらの会社のうち（４）において準用する第一章第一節の**2**の（４）の（一）及び同（４）の（二）の要件の全てに該当するものに係る非上場株式等が、**1**の適用対象とならないことに留意する。（措通70の7の5－6）

（一）　$\dfrac{B＋C}{A＋C} \geqq \dfrac{70}{100}$

　（注）1　上記算式中の符号は次のとおり。

　　　　A＝当該いずれかの日における当該会社の総資産の貸借対照表に計上されている帳簿価額の総額

　　　　B＝当該いずれかの日における当該会社の特定資産（現金、預貯金その他の資産であって(29)において準用する第一章第一節**2**(27)に規定するものをいう。以下(5)において同じ。）の貸借対照表に計上されている帳簿価額の合計額

　　　　C＝当該いずれかの日以前5年以内において特例経営承継受贈者及び当該特例経営承継受贈者と特別の関係がある者（(15)において準用する第一章第一節**2**の(15)に規定する者をいう。）がその会社から受けた次のa及びbに掲げる額の合計額

　　　　　a　当該会社から受けた当該会社の株式等に係る剰余金の配当又は利益の配当（最初の特例対象贈与の時（特例対象受贈非上場株式等に係る特例認定贈与承継会社の非上場株式等について、当該特例対象贈与の時前に第五章第一節の**1**の規定の適用に係る相続又は遺贈により当該非上場株式等の取得をしている場合には、最初の同**1**の規定の適用に係る相続の開始の時。以下(5)において同じ。）前に受けたものを除く。）の額

　　　　　b　当該会社から支給された給与（債務の免除による利益その他の経済的な利益を含み、最初の特例対象贈与の時前に支給されたものを除く。）の額のうち、法人税法第34条又は第36条の規定により当該会社の各事業年度の所得の金額の計算上損金の額に算入されないこととなる金額

　　　（注）　**2**の（三）に規定する資産保有型会社に該当するかどうかの判定において、第一章第一節**2**の(30)の（二）に規定する法人税法第34条又は第36条の規定により当該会社の各事業年度の所得の金額の計算上損金の額に算入されないこととなる金額がある場合で、当該損金の額に算入されないこととなる金額が、最初の特例対象贈与の時前又は当該特例対象贈与の時以後のいずれに属するものか区分することができないときは、当該区分することができない金額を当該特例対象贈与の日の属する事業年度の開始の日から当該特例対象贈与の日の前日までの日数と当該特例対象贈与の日から当該事業年度の末日までの日数がそれぞれ当該事業年度の日数に占める割合によりあん分する。この場合において、あん分後の金額に1円未満の端数があるときは、その端数金額を切り捨てて差し支えない。

　　　　2　特例認定贈与承継会社の事業活動のために必要な資金の借入れを行ったことその他の(27)において準用する第一章第一節の**2**の(26)に規定する事由が生じたことにより、当該いずれかの日において当該特例認定贈与承継会社が上記算式を満たした場合には、当該事由が生じた日から同日以後6月を経過する日までの期間は、資産保有型会社の判定に係る上記の期間から除かれることに留意する。

（二）　$\dfrac{B}{A} \geqq \dfrac{75}{100}$

　（注）1　上記算式中の符号は次のとおり。

　　　　A＝当該いずれかの事業年度における総収入金額

　　　　B＝当該いずれかの事業年度における特定資産の運用収入の合計額

　　　　2　特例認定贈与承継会社の事業活動のために必要な資金を調達するために特定資産を譲渡したことその他の(33)において準用する第一章第一節の**2**の(34)に規定する事由が生じたことにより、当該いずれかの事業年度において当該特例認定贈与承継会社が上記算式を満たした場合には、当該いずれかの事業年度の開始の日から当該いずれかの事業年度終了の日の翌日以後6月を経過する日の属する事業年度終了の日までの期間は、資産運用型会社の判定に係る上記の期間から除かれることに留意する。

　　（財務省令で定める業務）

（6）　第一章第一節の**2**の（5）の規定は、（4）において準用する第一章第一節の**2**の（4）の（一）のイ及び（二）のイ並びに第五節の**1**の（2）において準用する第一章第五節の**1**の（9）の（一）のイ及び（二）のイに規定する財務省令で定める業務について準用する。（措規23の12の2④）

　　（政令で定める特別の関係がある会社）

（7）　第一章第一節の**2**の（6）の規定は、**2**の（一）のハに規定する政令で定める特別の関係がある会社について準用する。（措令40の8の5⑥）

　　（政令で定める特定会社と密接な関係を有する会社）

（8）　第一章第一節の**2**の（7）の規定は、**2**の（一）のハに規定する特定会社と密接な関係を有する会社として政令で定める会社について準用する。（措令40の8の5⑦）

　　（特定特別関係会社の意義等）

（9）　会社が特例認定贈与承継会社に該当するかを判定する場合の**2**の（一）のハに規定する特定特別関係会社の意義等については、第一章第一節の**2**の（8）を準用する。（措通70の7の5－8）

第四章　非上場株式等についての贈与税の納税猶予及び免除の特例
(第一節　特例適用の要件)

(政令で定める支配関係)
(10)　第一章第一節の**2**の(9)の規定は、**2**の(一)のホに規定する政令で定める関係について準用する。(措令40の8の5
⑧)

(政令で定める会社の円滑な事業の運営を確保するために必要とされる要件)
(11)　第一章第一節の**2**の(10)の規定は、**2**の(一)のへに規定する政令で定める要件について準用する。この場合におい
て、第一章第一節の**2**の(10)の(二)中「経営承継受贈者」とあるのは、「第四章第一節の**1**の(2)の(二)のイからハまで
に掲げる者」と読み替えるものとする。(措令40の8の5⑨)

(会社の円滑な事業の運営を確保するための要件の判定)
(12)　**2**の(一)のへに規定する要件のうち、(11)において準用する、第一章第一節の**2**の(10)の(二)の要件を判定する場
合には、同(二)の会社が発行する会社法第108条第1項第8号に掲げる事項についての定めがある種類の株式を、次に掲
げる者以外の者が有しているかどうかにより行うことに留意する。(措通70の7の5-9)
(一)　当該会社の非上場株式等について、**1**、第五章第一節の**1**又は第六章第二節の**1**の規定の適用を受けている者
(二)　**1**の(2)の(一)に定める者から第四章第一節の**1**の規定の適用に係る贈与により当該会社の非上場株式等の取得
をしている者((一)に掲げる者を除く。)
(三)　第五章第一節の**1**の(3)の(一)に定める者から第五章第一節の**1**の規定の適用に係る相続又は遺贈により当該会
社の非上場株式等の取得をしている者((一)に掲げる者を除く。)
(注)　特例贈与者から当該会社の非上場株式等を**1**の規定の適用に係る贈与により取得をした特例経営承継受贈者が2人又は3人ある場合におい
て、当該贈与が異なる時期に行われたときは、当該特例贈与者については、当該贈与のうち最後に行われた贈与直後において当該種類の株式
を有しているかどうかにより、上記の判定を行うことに留意する。

(主たる事業活動から生ずる収入の額とされるべきもの)
(13)　第一章第五節の**1**の(11)の規定は、第五節の**1**において準用する第一章第五節の**1**の(十)及び(11)において準用す
る第一章第一節の**2**の(10)の(一)に規定する財務省令で定めるものについて準用する。(措規23の12の2⑤)

(財務省令で定める認定)
(14)　**2**の(二)に規定する財務省令で定めるものは、中小企業における経営の承継の円滑化に関する法律第12条第1項の
認定(円滑化省令第6条第1項第11号又は第13号の事由に係るものに限る。)とする。(措規23の12の2⑥)

(政令で定める特別の関係がある者)
(15)　第一章第一節の**2**の(15)の規定は、**2**の(六)のハ及び第六節の**2**の(一)から(四)並びに本章において準用する第一
章に規定する政令で定める特別の関係がある者について準用する。(措令40の8の5⑭)

(特例経営承継受贈者を判定する場合等の議決権の数の意義)
(16)　**2**の(六)のハ及び二の要件を判定する場合の同(六)のハ及びニの「議決権の数」及び「総株主等議決権数」の意義
については、第一章第一節の**2**の(16)を準用する。(措通70の7の5-10)
(注)1　同(六)ニの(1)又は同(六)ニの(2)のいずれの場合に該当するかは、同一の特例贈与者から同一の特例認定贈与承継会社の非上場株式等
を**1**の規定の適用に係る贈与により取得した個人の数によることに留意する。
2　同(六)ハ及び同(六)ニの要件の判定は、同(六)の贈与直後の株主等の構成により行うのであるが、同(六)ニの(2)に掲げる場合に該当す
る場合において、同(六)の贈与が異なる時期に行われたときには、同(六)ニの(2)に定める要件のうち「当該個人とハに規定する政令で定
める特別の関係がある者のうちいずれの者が有する当該特例認定贈与承継会社の非上場株式等に係る議決権の数をも下回らないこと」の判
定における特例贈与者の有する議決権の数については、当該贈与のうち最後に行われた贈与直後に有する議決権の数によることに留意する。

(役員の地位として財務省令で定めるもの)
(17)　第一章第一節の**2**の(17)及び同**2**の(19)の規定は、**2**の(六)のへに規定する役員その他の地位として財務省令で定
めるものについて準用する。(措規23の12の2⑩)

(役員である期間の意義)
(18)　**2**の(六)のへの要件を判定する場合には、第一章第一節**1**の(18)を準用する。(措通70の7の5-11)

-1309-

第七編　非上場株式等に係る相続税・贈与税の納税猶予及び免除

　　　（財務省令で定める要件）
(19)　　**2**の(六)のチに規定する財務省令で定める要件は、同(六)のチの個人が、円滑化省令第17条第1項の確認（同項第1号に係るものに限るものとし、円滑化省令第18条第1項の規定による変更の確認を受けたときは、その変更後のものとする。）を受けた**2**の(一)に規定する特例認定贈与承継会社の当該確認に係る円滑化省令第16条第1号ロに規定する特例後継者であることとする。（措規23の12の2⑪）

　　　（特例贈与者の意義等）
(20)　　**2**の(一)に規定する特例認定贈与承継会社（以下第六節の**4**の（3）までにおいて「**特例認定贈与承継会社**」という。）に係る**1**に規定する特例贈与者（以下第六章第一節**2**の（1）までにおいて「**特例贈与者**」という。）からは、当該特例認定贈与承継会社の非上場株式等（議決権に制限のない株式等に限る。以下**1**の（3）までにおいて同じ。）について、既に**1**の規定の適用に係る贈与をしているものは除かれることに留意する。（措通70の7の5−2）
　　(注)　　**2**の(六)に規定する特例経営承継受贈者（以下第六章第一節の**1**の（7）までにおいて「**特例経営承継受贈者**」という。）が2人又は3人以上ある場合において、同一年中に、これらの特例経営承継受贈者に特例認定贈与承継会社の非上場株式等の贈与を行うものは「既に**1**の規定の適用に係る贈与をしているもの」に含まれないことに留意する。

　　　（特例経営贈与承継期間の意義）
(21)　　**2**の(七)に規定する特例経営贈与承継期間とは、特例対象贈与の日の属する年分の贈与税の申告書の提出期限の翌日から、次の（1）又は（2）のいずれか早い日までの期間をいうことに留意する。（措通70の7の5−12）
　(一)　　次のいずれか早い日
　　イ　　特例経営承継受贈者の最初の特例対象贈与の日の属する年分の贈与税の申告書の提出期限の翌日以後5年を経過する日
　　ロ　　特例経営承継受贈者の最初の第五章第一節の**1**の規定の適用に係る相続に係る相続税の申告書の提出期限の翌日以後5年を経過する日
　(二)　　特例経営承継受贈者又は当該特例経営承継受贈者に係る特例贈与者の死亡の日の前日
　　(注)　　上記(二)の「特例贈与者」は、特例対象受贈非上場株式等の全部又は一部が当該特例贈与者の第一章第七節の**1**（同**1**（三）に係る部分に限り、第六節の**1**において準用する場合を含む。）の規定の適用に係るもの（以下この(21)において「**免除対象贈与**」という。）である場合における当該特例対象受贈非上場株式等に係る納税猶予分の贈与税については、「前の贈与者」となることに留意する。
　　　　　　なお、「前の贈与者」とは、次に掲げる場合の区分に応じそれぞれに定める者に当該特例対象受贈非上場株式等に係る特例認定贈与承継会社の非上場株式等の贈与をした者をいうことに留意する。
　　イ　　特例贈与者に対する第一章第一節の**1**又は**1**の規定の適用に係る贈与が、免除対象贈与である場合　特例対象受贈非上場株式等に係る特例認定贈与承継会社の非上場株式等の免除対象贈与をした者のうち最初に第一章第一節の**1**又は**1**の規定の適用を受けた者
　　ロ　　イに掲げる場合以外の場合　特例贈与者

　　　（納税猶予分の贈与税額が算出されない場合）
(22)　　特例経営承継受贈者（**2**の(六)に規定する特例経営承継受贈者をいう。以下(22)、第九節（1）、同節（2）及び同節（4）において同じ。）が贈与により取得した特例対象受贈非上場株式等（同条第1項に規定する特例対象受贈非上場株式等をいう。以下(22)、第九節（1）及び同節（4）において同じ。）につき**2**の(八)のロの規定により計算した同号に規定する納税猶予分の贈与税額が零となる場合には、当該特例経営承継受贈者は第九節の規定の適用を受けることができないことに留意する。（措通70の2の8−1により準用する措通70の2の7−1）

　　　（政令で定めるところにより計算した金額等）
(23)　　第一章第一節の**2**の(23)及び(28)の規定は、**2**の(九)のロに規定する政令で定めるところにより計算した金額について準用する。（措令40の8の5⑰）

　　　（財務省令で定める事由）
(24)　　第一章第一節の**2**の(24)の規定は、(23)において準用する第一章第一節の**2**の(23)の(一)から(七)のロに規定する財務省令で定める事由について準用する。（措規23の12の2⑬）

　　　（特例の適用がある場合の資産保有型会社及び資産運用型会社）
(25)　　**1**の規定の適用がある場合における第一章第一節の**2**の(八)及び(九)の規定の適用については、同**2**の(八)中「認

−1310−

第四章　非上場株式等についての贈与税の納税猶予及び免除の特例
（第一節　特例適用の要件）

定贈与承継会社」とあるのは「**2**の（一）に規定する特例認定贈与承継会社（（二）において**「特例認定贈与承継会社」**という。）」と、「、経営承継受贈者」とあるのは「**2**の（六）に規定する特例経営承継受贈者」と、「経営承継受贈者と」とあるのは「特例経営承継受贈者と」と、第一章第一節の**2**の（九）中「認定贈与承継会社」とあるのは「特例認定贈与承継会社」とする。（措令40の8の5⑩）

　　　（政令で定める特例認定贈与承継会社の資産状況を確認する期間）
(26)　(25)の規定により読み替えて適用する第一章第一節の**2**の（八）に規定する政令で定める期間は、特例認定贈与承継会社の**1**の規定の適用に係る贈与の日の属する事業年度の直前の事業年度の開始の日から当該特例認定贈与承継会社に係る特例経営承継受贈者の**2**の（九）のロに規定する猶予中贈与税額に相当する贈与税の全部につき**1**、第五節の**1**において準用する第一章第五節の**1**、同節の**2**及び同章第六節、第三節の**2**において準用する第一章第三節の**2**、第四節において準用する第一章第四節又は第八節の（2）において準用する第一章第九節の（4）の規定による納税の猶予に係る期限が確定する日までの期間とする。この場合においては、第一章第一節の**2**の(25)のただし書の規定を準用する。（措令40の8の5⑪）

　　　（財務省令で定める事由の準用）
(27)　第一章第一節の**2**の(26)の規定は、(26)の後段において準用する同**2**の(25)のただし書に規定する財務省令で定める事由について準用する。（措規23の12の2⑧）

　　　（政令で定める法人の準用）
(28)　第一章第一節の**2**の(21)の規定は、**2**の（八）に規定する政令で定める法人について準用する。（措令40の8の5⑮）

　　　（財務省令で定める資産）
(29)　第一章第一節の**2**の(27)の規定は、(25)の規定により読み替えて適用する第一章第一節の**2**の（八）のロに規定する財務省令で定める資産について準用する。（措規23の12の2⑦）

　　　（剰余金の配当等の額その他会社から受けた金額として政令で定めるもの）
(30)　(25)の規定により読み替えて適用する第一章第一節の**2**の（八）のハに規定する剰余金の配当等の額その他会社から受けた金額として政令で定めるものは、次に掲げる金額の合計額とする。（措令40の8の5⑫）
　(一)　(25)の規定により読み替えて適用する第一章第一節の**2**の（八）のハの会社から受けた当該会社の株式等（株式又は出資をいう。以下本章において同じ。）に係る剰余金の配当又は利益の配当（最初の**1**の規定の適用に係る贈与の時（**1**に規定する特例対象受贈非上場株式等に係る特例認定贈与承継会社の非上場株式等について、当該贈与の時前に第五章第一節の**1**の規定の適用に係る相続又は遺贈により当該非上場株式等の取得をしている場合には、最初の第五章第一節の**1**の規定の適用に係る相続の開始の時。（二）において同じ。）前に受けたものを除く。）の額
　(二)　(一)の会社から支給された給与（債務の免除による利益その他の経済的な利益を含み、最初の**1**の規定の適用に係る贈与の時前に支給されたものを除く。）の額のうち、法人税法第34条又は第36条の規定により当該会社の各事業年度の所得の金額の計算上損金の額に算入されないこととなる金額

　　　（特例認定贈与承継会社から支給された給与等の意義）
(31)　(30)の（二）に規定する「給与（債務の免除による利益その他の経済的な利益」の意義については、第一章第一節**2**の(31)を準用する。（措通70の7の5－7）

　　　（政令で定める期間）
(32)　(25)の規定により読み替えて適用する第一章第一節の**2**の（九）に規定する政令で定める期間は、特例認定贈与承継会社の**1**の規定の適用に係る贈与の日の属する事業年度の直前の事業年度の開始の日から当該特例認定贈与承継会社に係る特例経営承継受贈者の猶予中贈与税額に相当する贈与税の全部につき**1**、第五節の**1**において準用する第一章第五節の**1**、同節の**2**及び同章第六節、第三節の**2**において準用する第一章第三節の**2**、第四節において準用する第一章第四節又は第八節の（2）において準用する第一章第九節の（4）の規定による納税の猶予に係る期限が確定する日の属する事業年度の直前の事業年度終了の日までの期間とする。この場合においては、第一章第一節の**2**の(33)のただし書の規定を準用する。（措令40の8の5⑬）

－1311－

（財務省令で定める事由の準用）

(33) 第一章第一節の**2**の(34)の規定は、(32)の後段において準用する同**2**の(33)のただし書に規定する財務省令で定める事由について準用する。（措規23の12の2⑨）

3　納税猶予分の贈与税額の計算の準用

第一章第一節の**3**の①、②又は②の（1）の規定は、**2**の(八)に規定する納税猶予分の贈与税額の計算について準用する。（措令40の8の5⑮）

（納税猶予分の贈与税額の計算に関する取扱いの準用）

（1）　第一章第一節**3**の（4）及び同**3**の（5）については、**2**の(八)に規定する納税猶予分の贈与税の計算について準用する。（措通70の7の5−13）

（特例贈与者又は特例認定贈与承継会社が2以上ある場合の適用）

（2）　第一章第一節の**3**の②の（2）の規定は、**1**に規定する特例対象受贈非上場株式等（合併により当該特例対象受贈非上場株式等に係る特例認定贈与承継会社が消滅した場合その他の（3）の財務省令で定める場合には、当該特例対象受贈非上場株式等に相当するものとして（3）の財務省令で定めるもの。）に係る特例贈与者又は特例認定贈与承継会社が2以上ある場合について準用する。この場合において、第一章第一節の**3**の（2）中「の規定は、**1**」とあるのは、「並びに第四章第六節の**2**及び**3**の規定は、**1**」と読み替えるものとする。（措令40の8の5⑯）

（財務省令で定める特例認定贈与承継会社が消滅した場合）

（3）　第一章第一節の**3**の②の（3）の規定は、第五節の**1**において準用する第一章第五節の**1**並びに第二節の**2**及び第一節の**3**の（2）に規定する財務省令で定める場合及び特例対象受贈非上場株式等に相当するものについて準用する。（措規23の12の2⑫）

第四章　非上場株式等についての贈与税の納税猶予及び免除の特例
（第二節　適用を受けるための手続）

第二節　適用を受けるための手続

1　申告手続

　第一節の**1**の規定は、同**1**の規定の適用を受けようとする特例経営承継受贈者のその特例贈与者から贈与により取得をした非上場株式等に係る贈与税の申告書に、当該非上場株式等の全部若しくは一部につき同**1**の規定の適用を受けようとする旨の記載がない場合又は当該非上場株式等の明細及び納税猶予分の贈与税額の計算に関する明細その他（**1**）の財務省令で定める事項を記載した書類の添付がない場合には、適用しない。（措法70の7の5⑤）

　　（財務省令で定める添付書類に記載する事項を記載した書類）
（**1**）　**1**に規定する財務省令で定める事項を記載した書類は、次に掲げる書類とする。（措規23の12の2⑯）
　（一）　第一節の**1**の規定の適用に係る贈与の時における特例認定贈与承継会社の定款の写し（会社法その他の法律の規定により定款の変更をしたものとみなされる事項がある場合にあっては、当該事項を記載した書面を含む。第三節の**1**の（3）の（一）において同じ。）
　（二）　（一）の贈与の直前及び当該贈与の時における特例認定贈与承継会社の株主名簿の写しその他の書類で当該特例認定贈与承継会社の全ての株主又は社員の氏名又は名称及び住所又は所在地並びにこれらの者が有する当該特例認定贈与承継会社の株式等（株式又は出資をいい、議決権に制限のないものに限る。以下本章において同じ。）に係る議決権の数が確認できるもの（当該特例認定贈与承継会社が証明したものに限る。）
　（三）　（一）の贈与に係る契約書の写しその他の当該贈与の事実を明らかにする書類
　（四）　円滑化省令第7条第14項の認定書（円滑化省令第6条第1項第11号又は第13号の事由に係るものに限る。）の写し及び円滑化省令第7条第6項（同条第8項において準用する場合を含む。）の申請書の写し
　（五）　円滑化省令第17条第5項の確認書の写し及び同条第2項の申請書の写し
　（六）　第一節の**1**に規定する特例対象受贈非上場株式等の全部又は一部が第一節の**1**に規定する特例贈与者の第一章第七節の**1**（（三）に係る部分に限り、第六節の**1**において準用する場合を含む。）の規定の適用に係る贈与（第三節の**1**の（5）の（六）において「**免除対象贈与**」という。）により取得をしたものである場合にあっては、第一節の**1**の（7）において準用する第一章第一節の**1**の（7）の（一）（二）に掲げる場合の区分に応じ当該（一）（二）に定める者に当該特例対象受贈非上場株式等の贈与をした者ごとの当該特例対象受贈非上場株式等の数又は金額の内訳及び当該贈与をした年月日（以下本章において「特例対象受贈非上場株式等の内訳等」という。）を記載した書類
　（七）　第八節の（1）において準用する第一章第九節の（2）に規定する現物出資等資産に該当するものがある場合にあっては、第八節の（1）において準用する第一章第九節の（2）の（一）及び（二）に掲げる額並びに当該現物出資等資産の明細並びにその現物出資又は贈与をした者の氏名又は名称その他参考となるべき事項を記載した書類（当該現物出資等資産の取得をした特例認定贈与承継会社が証明したものに限る。）
　（八）　第一節の**1**の規定の適用に係る贈与により第一節の**1**に規定する特例対象受贈非上場株式等の取得をした日の属する年中において当該贈与に係る特例贈与者から特例認定贈与承継会社の第一節の**2**の（五）に規定する非上場株式等の取得をした他の特例経営承継受贈者（第一節の**2**の（六）に規定する特例経営承継受贈者をいう。以下本章において同じ。）の氏名及び住所を記載した書類
　（九）　その他参考となるべき書類

2　担保の変更等

　第一章第二節の**2**の規定は、第一節の**1**の規定の適用を受けようとする特例経営承継受贈者が納税猶予分の贈与税額につき特例対象受贈非上場株式等（合併により当該特例対象受贈非上場株式等に係る特例認定贈与承継会社が消滅した場合その他の第一章第一節の**3**の②の（3）の財務省令で定める場合には、当該特例対象受贈非上場株式等に相当するものとして第一章第一節の**3**の②の（3）の財務省令で定めるもの。以下本章において同じ。）の全てを担保として提供した場合について準用する。（措法70の7の5④）

　　（担保の変更等に係る準用）
（**1**）　第一章第二節の**2**の（1）（3）（4）の規定は、**2**において第一章第二節の**2**の規定を準用する場合について準用する。

－1313－

（措令40の8の5⑲）

（申請書の記載事項及び添付書類）
（２）　第一章第二節の**2**の（５）及び（６）の規定は、（１）において準用する第一章第二節の**2**の（４）に規定する財務省令で定める事項及び書類について準用する。（措規23の12の2⑮）

（みなす充足に関する取扱いの準用）
（３）　第一章第二節**2**の（２）、同**2**の（10）から（12）及び第一章第一節**3**の（６）については、特例対象受贈非上場株式等の全てを担保として提供した特例経営承継受贈者が**2**において準用する第一章第二節の**2**の規定の適用を受ける場合について準用する。（措通70の7の5－20）

第四章　非上場株式等についての贈与税の納税猶予及び免除の特例
（第三節　納税猶予期間中の継続届出書の提出）

第三節　納税猶予期間中の継続届出書の提出

1　継続届出書の提出

　　第一節の**1**の規定の適用を受ける特例経営承継受贈者は、同**1**の規定の適用に係る贈与の日の属する年分の贈与税の申告書の提出期限の翌日から猶予中贈与税額に相当する贈与税の全部につき同**1**、第五節の**1**において準用する第一章第五節の**1**、同節の**2**及び同章第六節、第三節の**2**において準用する第一章第三節の**2**、第四節において準用する第一章第四節又は第八節の（2）において準用する第一章第九節の（4）の規定による納税の猶予に係る期限が確定する日までの間に経営贈与報告基準日が存する場合には、届出期限（第一種贈与基準日の翌日から5月を経過する日及び第二種贈与基準日の翌日から3月を経過する日をいう。**2**及び**2**の（1）において同じ。）までに、（2）の政令で定めるところにより引き続いて第一節の**1**の規定の適用を受けたい旨及び同**1**の特例対象受贈非上場株式等に係る特例認定贈与承継会社の経営に関する事項を記載した届出書を納税地の所轄税務署長に提出しなければならない。（措法70の7の5⑥）

　　　（継続届出書の提出期間）
（1）　第一章第三節**1**の（6）については、特例経営承継受贈者が**1**に規定する届出書を提出する場合について準用する。（措通70の7の5-21）

　　　（継続届出書の提出）
（2）　**1**の規定により提出する届出書には、引き続いて第一節の**1**の規定の適用を受けたい旨及び次に掲げる事項を記載し、かつ、（3）の財務省令で定める書類を添付しなければならない。（措令40の8の5⑳）
（一）　特例経営承継受贈者の氏名及び住所
（二）　特例贈与者から第一節の**1**の規定の適用に係る贈与により特例対象受贈非上場株式等の取得をした年月日
（三）　特例対象受贈非上場株式等に係る特例認定贈与承継会社の名称及び本店の所在地
（四）　当該届出書を提出する日の直前の第一節の**2**の（九）に規定する経営贈与報告基準日までに終了する各事業年度（当該経営贈与報告基準日の直前の経営贈与報告基準日及び第一節の**1**に規定する贈与税の申告書の提出期限までに終了する事業年度を除く。）における総収入金額
（五）　その他（5）の財務省令で定める事項

　　　（継続届出書の添付書類）
（3）　（2）に規定する財務省令で定める書類は、特例対象受贈非上場株式等に係る特例認定贈与承継会社に係る次に掲げる書類（その経営贈与報告基準日が、第一節の**2**の（七）のイ又はロに掲げる日のいずれか早い日以前である場合には（二）に掲げる書類を除き、当該いずれか早い日の翌日以後である場合には（四）に掲げる書類を除く。）とする。（措規23の12の2⑰）
（一）　その経営贈与報告基準日における定款の写し
（二）　登記事項証明書（その経営贈与報告基準日以後に作成されたものに限る。）
（三）　その経営贈与報告基準日における株主名簿の写しその他の書類で株主又は社員の氏名又は名称及び住所又は所在地並びにこれらの者が有する株式等に係る議決権の数が確認できる書類（当該特例認定贈与承継会社が証明したものに限る。）
（四）　円滑化省令第12条第19項、第22項、第24項又は第26項において準用する同条第2項の報告書の写し及び当該報告書に係る同条第37項の確認書の写し
（五）　その経営贈与報告基準日が第一節の**2**の（七）に規定する特例経営贈与承継期間の末日である場合において、円滑化省令第20条第1項（同条第4項又は第6項の規定により読み替えて適用する場合を含む。以下（六）において同じ。）又は同条第8項、第10項若しくは第12項において準用する同条第1項若しくは同条第9項、第11項若しくは第13項において準用する同条第2項（同条第5項又は第7項の規定により読み替えて適用する場合を含む。）に規定する場合に該当するときは、同条第3項の報告書の写し及び当該報告書に係る同条第14項の確認書の写し
（六）　その経営贈与報告基準日（以下（六）及び（4）において「基準日」という。）の直前の経営贈与報告基準日（当該基準日が最初の経営贈与報告基準日である場合には、第一節の**1**に規定する贈与税の申告書の提出期限。（4）において

－1315－

第七編　非上場株式等に係る相続税・贈与税の納税猶予及び免除

同じ。）の翌日から当該基準日までの間に会社分割又は組織変更があった場合には、当該会社分割に係る吸収分割契約
書若しくは新設分割計画書の写し又は当該組織変更に係る組織変更計画書の写し
（七）　その他参考となるべき書類

（合併又は株式交換等があった場合の添付書類の追加）
（4）　第一節の1の規定の適用を受ける特例経営承継受贈者は、その有する特例対象受贈非上場株式等に係る特例認定贈
与承継会社について基準日の直前の経営贈与報告基準日の翌日から当該基準日までの間に合併又は株式交換等（株式交
換又は株式移転をいう。以下（4）及び（5）の（四）並びに第五章第三節の1の（4）及び同1の（5）の（四）において同じ。）
があった場合には、次に掲げる書類（第一節の2の（七）のイ又はロに掲げる日のいずれか早い日までに合併又は株式交
換等があつた場合には（一）に掲げる書類を除き、当該いずれか早い日の翌日以後に合併又は株式交換等があった場合に
は（二）のロに掲げる書類を除く。）を（3）の書類と併せて（2）の届出書に添付しなければならない。（措規23の12の2⑱）
（一）　当該合併又は株式交換等に係る合併契約書又は株式交換契約書若しくは株式移転計画書の写し
（二）　次に掲げる書類（当該合併又は株式移転により第一節の2の（1）において準用する第一章第一節の2の（1）の
（一）又は（二）に規定する合併承継会社又は交換等承継会社が設立される場合には、当該合併又は株式移転がその効力
を生ずる直前に係るものを除く。）
　イ　当該合併又は株式交換等がその効力を生ずる日における当該合併承継会社又は交換等承継会社の株主名簿その他
の書類で当該合併承継会社又は交換等承継会社の全ての株主又は社員の氏名又は名称及び住所又は所在地並びにこ
れらの者が有する当該特例認定贈与承継会社の株式等に係る議決権の数が確認できる書類（当該合併承継会社又は
交換等承継会社が証明したものに限る。）
　ロ　当該合併又は株式交換等に係る円滑化省令第12条第21項又は第30項において準用する同条第9項又は第10項の報
告書の写し及び当該報告書に係る同条第37項の確認書の写し

（継続届出書の記載事項）
（5）　（2）の（五）に規定する財務省令で定める事項は、次に掲げる事項とする。（措規23の12の2⑲）
（一）　その経営贈与報告基準日における第一節の2の（九）のロに規定する猶予中贈与税額
（二）　その経営贈与報告基準日において特例経営承継受贈者が有する特例対象受贈非上場株式等の数又は金額及び当該
特例経営承継受贈者に係る特例贈与者の氏名
（三）　その経営贈与報告基準日が第一節の2の（七）のイ又はロに掲げる日のいずれか早い日の翌日以後である場合に
は、特例認定贈与承継会社に係る次に掲げる事項（当該経営贈与報告基準日（以下（5）及び（6）において「基準日」
という。）の直前の経営贈与報告基準日の翌日から当該基準日までの間において、特例認定贈与承継会社が第一節の2
の（三）に規定する資産保有型会社又は同2の（四）に規定する資産運用型会社であるとした場合に第五節の1の（2）
において準用する第一章第五節1の（9）の（二）のイからハまでに掲げる要件の全てを満たしているときは、その旨及び
イに掲げる事項）
　イ　当該基準日の属する事業年度の直前の事業年度末における資本金の額及び準備金の額又は出資の総額
　ロ　当該基準日の属する事業年度の直前の事業年度末における第一節の2の（25）の規定により読み替えて適用する第
一章第一節の2の（八）のイからハまでに掲げる額、これらの明細及び同号の割合
　ハ　当該基準日の属する事業年度の直前の事業年度における第一節の2の（25）の規定により読み替えて適用する第一
章第一節の2の（九）の総収入金額、運用収入の合計額、これらの明細及び同号の割合
　ニ　当該基準日の直前の経営贈与報告基準日の翌日から当該基準日までの間に第一節の2の（26）の後段において準用
する第一章第一節の2の（25）のただし書又は第一節の2の（32）の後段において準用する第一章第一節の2の（33）の
ただし書に規定する場合に該当することとなった場合には、次に掲げる事項
　　①　第一節の2の（26）の後段において準用する第一章第一節の2の（25）のただし書又は第一節の2の（32）の後段に
おいて準用する第一章第一節の2の（33）のただし書に規定する事由の詳細及びこれらの事由の生じた年月日
　　②　第一節の2の（26）の後段において準用する第一章第一節の2の（25）のただし書の割合を100分の70未満に減少
させた事情又は第一節の2の（32）の後段において準用する第一章第一節の2の（33）のただし書の割合を100分の
75未満に減少させた事情の詳細及びこれらの事情の生じた年月日又は事業年度
（四）　基準日の直前の経営贈与報告基準日（当該基準日が最初の経営贈与報告基準日である場合には、第一節の1に規
定する贈与税の申告書の提出期限。（五）及び（六）において同じ。）の翌日から当該基準日までの間に特例認定贈与承継
会社が商号の変更をした場合、本店の所在地を変更した場合、合併により消滅した場合、株式交換等により他の会社
の第六節の2の（三）に規定する株式交換完全子会社等となった場合、会社分割をした場合、組織変更をした場合又は

－1316－

第四章　非上場株式等についての贈与税の納税猶予及び免除の特例
（第三節　納税猶予期間中の継続届出書の提出）

　　　解散（会社法その他の法律の規定により解散をしたものとみなされる場合の当該解散を含む。）をした場合には、その旨

（五）　基準日の直前の経営贈与報告基準日の翌日から当該基準日までの間に特例経営承継受贈者につき第五節の**1**において準用する第一章第五節の**2**又は同章第六節の規定により納税の猶予に係る期限が確定した猶予中贈与税額がある場合には、第五節の**1**において準用する第一章第五節の**2**の表の（一）（二）の左欄又は同章第六節の表の（一）（二）の左欄のいずれの場合に該当したかの別及び該当した日並びに当該猶予中贈与税額及びその明細

（六）　基準日において特例経営承継受贈者が有する特例対象受贈非上場株式等の全部又は一部が特例贈与者の免除対象贈与により取得をしたものである場合（基準日の直前の経営贈与報告基準日の翌日から当該基準日までの間に特例対象受贈非上場株式等の内訳等につき変更があった場合に限る。）には、当該基準日における特例対象受贈非上場株式等の内訳等

（七）　第六節の**2**から**4**までの規定の適用を受けた場合（基準日の直前の経営贈与報告基準日の翌日から当該基準日までの間に同節の**5**の（４）の規定による免除をした贈与税の額の通知があった場合に限る。）には、同節の**2**から**4**までの規定の適用を受けた旨及び当該贈与税の額

（八）　第六節の**6**において準用する第一章第七節の**3**の規定の適用を受けた場合（基準日の直前の経営贈与報告基準日の翌日から当該基準日までの間に同**3**の（３）の規定による再計算免除贈与税の額の通知があった場合に限る。）には、その旨、第六節の**6**において準用する第一章第七節の**3**に規定する認可決定日及び再計算免除贈与税の額

（九）　その他参考となるべき事項

　　　（期間の末日が基準日後に到来する場合の準用）

（６）　第一章第三節の**1**の（５）の規定は、第一節の**2**の(26)の後段において準用する第一章第一節の**2**の(25)のただし書又は第一節の**2**の(32)の後段において準用する第一章第一節の**2**の(33)のただし書に規定する期間の末日が基準日後に到来する場合について準用する。（措規23の12の2⑳）

2　継続届出書が提出されなかった場合

　　第一章第三節の**2**の規定は、**1**の届出書が届出期限までに納税地の所轄税務署長に提出されない場合について準用する。（措法70の7の5⑧）

　　　（ゆうじょ規定）

（１）　第一章第三節の**2**の（１）の規定は、**1**又は第六節の**1**において準用する第一章第七節の**1**の届出書が届出期限又は同**1**の免除届出期限までに提出されなかった場合について準用する。（措法70の7の5㉑）

　　　（（１）の場合の届出書の提出等）

（２）　第一章第三節の**2**の（２）の規定は、（１）において同**2**の（１）の規定を準用する場合について準用する。（措令40の8の5㉟）

－1317－

第七編　非上場株式等に係る相続税・贈与税の納税猶予及び免除

第四節　担保の変更の命令に応じない場合等の納税猶予期限の繰上げ

（準用規定）
（1）　第一章第四節の規定は、第一節の**1**による納税の猶予に係る期限の繰上げについて準用する。（措法70の7の5⑨）

（増担保命令等に応じない場合の納税猶予の期限の繰上げ等）
（2）　第一章第四節注、第一章第九節の（8）及び第一章第一節**3**の（6）については、（1）において第一章第四節の規定を準用する場合及び第八節の（2）において第一章第九節の（6）の規定を準用する場合について準用する。（措通70の7の5－22）

－1318－

第四章　非上場株式等についての贈与税の納税猶予及び免除の特例
（第五節　納税猶予の打切り）

第五節　納税猶予の打切り

1　納税猶予の打切り

　第一章第五節の**1**（（二）を除く。）、同節の**2**及び同章第六節の規定は、第一節の**1**の規定による納税の猶予に係る期限の確定について準用する。この場合において、第一章第五節の**1**の（三）中「につき第一節の**1**」とあるのは「につき第一章第一節の**1**」と、同節の**1**の（四）中「いずれかの者」とあるのは「いずれかの者（当該特例経営承継受贈者以外の特例経営承継受贈者、第五章第一節の**1**の規定の適用を受ける同節の**2**の（七）に規定する特例経営承継相続人等及び第六章第二節の**1**の規定の適用を受ける同節の**2**の（一）に規定する特例経営相続承継受贈者を除く。）」と、第一章第五節の**2**の表の（一）の左欄中「につき第一節の**1**」とあるのは「につき第一章第一節の**1**」と読み替えるものとする。（措法70の7の5③）

　　　　（財務省令で定めるやむを得ない理由等）
（1）　第一章第五節の**1**の（1）、（12）、（15）及び（16）の規定は、第五節の**1**において準用する第一章第五節の**1**の（一）に規定する財務省令で定めるやむを得ない理由並びに同**1**の（十一）、（十三）及び（十四）に規定する財務省令で定める場合について準用する。この場合において、第一章第五節の**1**の（15）の（四）及び同**1**の（16）の（四）中「いずれの者」とあるのは、「いずれの者（第四章第一節の**1**の（2）の（二）のイからハまでに掲げる者を除く。）」と読み替えるものとする。（措規23の12の2⑭）

　　　　（納税猶予の打切りに係る読替え規定）
（2）　第一章第五節の**1**の（9）、（21）、同節の**2**の（1）（2）、同章第六節の（1）から（4）及び（6）の規定は、**1**において第一章第五節の**1**（（二）を除く。）、同節の**2**及び同章第六節の規定を準用する場合について準用する。この場合において、第一章第五節の**1**の（21）の（一）中「経営承継受贈者」とあるのは、「第四章第一節の**1**の（2）の（二）のイからハまでに掲げる者」と読み替えるものとする。（措令40の8の5⑱）

　　　　（特例経営承継受贈者が特例認定贈与承継会社の非上場株式等の譲渡等をした場合）
（3）　第一章第六節の（8）及び（9）の規定は、第一節の**1**の規定の適用を受ける特例経営承継受贈者が第一節の**1**の規定の適用に係る特例認定贈与承継会社の非上場株式等の譲渡又は贈与をした場合（第六節の**2**又は同節の**3**の規定の適用を受ける場合を除く。）について準用する。（措令40の8の5㊲）

　　　　（特例対象受贈非上場株式等の取得をしている場合）
（4）　第一章第六節の（10）の規定は、同（10）に規定する贈与により特例対象受贈非上場株式等の取得をしている場合において、当該贈与の日の属する年に当該贈与をした者の相続が開始したときについて準用する。（措令40の8の5㊳）

　　　　（納税猶予の期限の確定に関する取扱いの準用）
（5）　第一章第五節**1**の（2）（7）（8）（13）（14）（17）（18）（19）（20）、同節**2**の（3）及び第一章第六節の（5）（7）については、**1**において準用する第一章第五節の**1**（（二）を除く。）、同節の**2**及び同章第六節の規定による特例経営承継受贈者に係る納税猶予の期限の確定について準用する。（措通70の7の5－14）

　　　　（贈与税の納税猶予及び免除の特例における雇用の確保について）
（6）　**1**において準用する第一章第五節の**1**の規定からは、雇用の確保に関する確定事由である同**1**の（二）の規定は除かれていることに留意する。
　　なお、雇用の確保ができなかった場合として中小企業における経営の承継の円滑化に関する法律施行規則第20条第1項《特例承継計画に係る報告》（同条第4項又は第6項の規定により読み替えて適用する場合を含む。以下（6）において同じ。）又は同条第8項、第10項若しくは第12項において準用する同条第1項若しくは同条第9項、第11項若しくは第13項において準用する同条第2項（同条第5項又は第7項の規定により読み替えて適用する場合を含む。）に規定する場合に該当するときは、同条第3項の報告書の写し及び当該報告書に係る同条第14項の都道府県知事の確認書の写しを第三

－1319－

第七編　非上場株式等に係る相続税・贈与税の納税猶予及び免除

節の1の規定により提出する届出書に添付することとされており、これらの書類の提出がない場合には同節の2において準用する第一章第三節の2の規定により、納税の猶予に係る期限が確定することに留意する。（措通70の7の5-15）

　　　（筆頭要件の判定）
（7）　1において準用する第一章第五節1の(四)に規定する場合に該当することとなったかどうかの判定における同(四)の特例経営承継受贈者と特別の関係がある者のうち「いずれかの者」については、当該特例経営承継受贈者以外の当該特例経営承継受贈者に係る特例認定贈与承継会社の非上場株式等につき第一節の1の規定の適用を受ける特例経営承継受贈者、第五章第一節の1の規定の適用を受ける同節の2の(七)に規定する特例経営承継相続人等（以下第五章第一節の1の(12)までにおいて「**特例経営承継相続人等**」という。）及び第六章第二節の1の規定の適用を受ける同節2の(一)に規定する特例経営相続承継受贈者（以下第六章第二節の1の(6)までにおいて「特例経営相続承継受贈者」という。）が除かれることに留意する。（措通70の7の5-16）

　　　（特例対象受贈非上場株式等の譲渡等の判定）
（8）　1において準用する第一章第五節1の(五)若しくは同1の(六)、同節2の表の(一)又は同章第六節の表の(一)若しくは同表の(二)の特例対象受贈非上場株式等の全部又は一部の同章第五節1の(五)に規定する譲渡等（以下第六節の2の(12)までにおいて「**譲渡等**」という。）があったかどうかの判定は、（3）において準用する第一章第六節の(8)及び同節の(9)の規定により行うことに留意する。（措通70の7の5-17）
　　(注)1　特例対象受贈非上場株式等を第六節の1において準用する第一章第七節1の(三)の規定による贈与をしたかどうかの判定についても上記により行うことに留意する。
　　　　2　第六節の2又は同節の3を受ける場合には、（3）において準用する第一章第六節の(8)及び同節の(9)の規定の適用はないことに留意する。なお、この場合の取扱いについては、第六節2の(12)を参照。

　　　（確定事由となる資産保有型会社又は資産運用型会社の意義）
（9）　1において準用する第一章第五節1の(九)の要件を判定する場合には、第一節2の(5)を準用する。
　　　この場合において、同(5)中「特例対象贈与の日の属する事業年度の直前の事業年度の開始の日」とあるのは「贈与税の申告期限の翌日」と、「贈与税の申告期限」とあるのは「第一節2の(九)のロに規定する猶予中贈与税額に相当する贈与税の全部につき納税の猶予に係る期限が確定する日」と、「（4）において準用する第一章第一節2の(4)」とあるのは「（2）において準用する第一章第五節の1の(9)」となることに留意する。（措通70の7の5-18）

　　　（事業の運営に支障を及ぼすおそれがある場合の判定）
（10）　1において準用する第一章第五節1の(十七)に規定する要件のうち、（2）において準用する第一章第五節の1の(21)の(一)に規定する要件を判定する場合には、第一節2の(12)を準用する。（措通70の7の5-19）

2　利子税の納付

　第一節の1の規定の適用を受けた特例経営承継受贈者は、次の表の(一)から(十四)の左欄に掲げる場合に該当する場合には、(一)から(十四)の中欄に掲げる金額を基礎とし、当該特例経営承継受贈者が第一節の1の適用を受けるために提出する贈与税の申告書の提出期限の翌日から(一)から(十四)の右欄に掲げる日（同表の(一)から(三)まで又は(六)から(十一)までの右欄に掲げる日以前2月以内に当該特例経営承継受贈者が死亡した場合には、当該特例経営承継受贈者の相続人が当該特例経営承継受贈者の死亡による相続の開始があったことを知った日の翌日から6月を経過する日）までの期間に応じ、年3.6パーセントの割合を乗じて計算した金額に相当する利子税を、当該各号の中欄に掲げる金額に相当する贈与税にあわせて納付しなければならない。（措法70の7の5㉒）

（一）　1において準用する第一章第五節の1（(二)を除く。）の規定の適用があった場合（(五)の左欄に掲げる場合に該当する場合を除く。）	猶予中贈与税額	第一章第五節の1の(一)から(十七)に定める日から2月を経過する日
（二）　1において準用する第一章第五節の2の規定の適用があった場合（(五)の左欄に掲げる場合に該当する場合を除く。）	第一章第五節の2の表の(一)(二)の中欄に掲げる猶予中贈与税額	第一章第五節の2の表の(一)(二)の右欄に掲げる日から2月を経過する日
（三）　1において準用する第一章第六節の規定の適用があった場合（(五)から(十一)までの左欄に掲げる場合に該当する場合を除く。）	第一章第六節の表の(一)から(六)の中欄に掲げる猶予中贈与税額	第一章第六節の(一)から(六)の右欄に掲げる日から2月を経過する日

－1320－

第四章　非上場株式等についての贈与税の納税猶予及び免除の特例
（第五節　納税猶予の打切り）

（四）　第三節の**2**において準用する第一章第三節の**2**の規定の適用があった場合（（五）の左欄に掲げる場合に該当する場合を除く。）	第一章第三節の**2**の規定により納税の猶予に係る期限が確定する猶予中贈与税額	第一章第三節の**2**の規定による納税の猶予に係る期限
（五）　第四節において準用する第一章第四節又は第八節の（2）において準用する第一章第九節の（4）の規定の適用があった場合	これらの規定により納税の猶予に係る期限が繰り上げられる猶予中贈与税額	これらの規定により繰り上げられた納税の猶予に係る期限
（六）　第六節の**1**において準用する第一章第七節の**2**の（一）の規定の適用があった場合（（五）の左欄に掲げる場合に該当する場合を除く。）	第一章第七節の**2**の（一）のイ及びロに掲げる金額の合計額	第一章第七節の**2**の（一）の譲渡等をした日から２月を経過する日
（七）　第六節の**1**において準用する第一章第七節の**2**の（二）の規定の適用があった場合（（五）の左欄に掲げる場合に該当する場合を除く。）	第一章第七節の**2**の（二）のロに掲げる金額	第一章第七節の**2**の（二）の特例認定贈与承継会社が解散をした日から２月を経過する日
（八）　第六節の**1**において準用する第一章第七節の**2**の（三）又は（四）の規定の適用があった場合（（五）の左欄に掲げる場合に該当する場合を除く。）	第一章第七節の**2**の（三）のイ及びロ又は（四）のイ及びロに掲げる金額の合計額	これらの号の合併又は株式交換等がその効力を生じた日から２月を経過する日
（九）　第六節の**2**の（一）の規定の適用があった場合（（五）の左欄に掲げる場合に該当する場合を除く。）	第六節の**2**の（一）のイ及びロに掲げる金額の合計額	第六節の**2**の（一）の譲渡等をした日から２月を経過する日
（十）　第六節の**2**の（二）又は（三）の規定の適用があった場合（（五）の左欄に掲げる場合に該当する場合を除く。）	第六節の**2**の（二）のイに掲げる金額（同**2**の（二）の合併に際して交付された株式等以外の財産の価額に対応する部分の額として同**2**の(15)の政令で定めるところにより計算した金額に限る。）及び同**2**の（二）のロに掲げる金額の合計額又は第六節の**2**の（三）のイに掲げる金額（同**2**の（三）の株式交換等に際して交付された株式等以外の財産の価額に対応する部分の額として同**2**の(16)の政令で定めるところにより計算した金額に限る。）及び同**2**の（三）のロに掲げる金額の合計額	これらの号の合併又は株式交換等がその効力を生じた日から２月を経過する日
（十一）　第六節の**2**の（四）の規定の適用があった場合（（五）の左欄に掲げる場合に該当する場合を除く。）	第六節の**2**の（四）のイ及びロに掲げる金額の合計額	第六節の**2**の（四）の特例認定贈与承継会社が解散をした日から２月を経過する日
（十二）　第六節の**4**の（一）の規定の適用があった場合（（五）の左欄に掲げる場合に該当する場合を除く。）	第六節の**4**の（一）に規定する特例再計算贈与税額	第六節の**4**の（一）の再申請期限
（十三）　第六節の**4**の（二）の規定の適用があった場合（（五）の左欄に掲げる場合に該当する場合を除く。）	第六節の**4**の（二）に規定する猶予中贈与税額とされた金額	第六節の**4**の（二）の再申請期限
（十四）　第六節の**6**において準用する第一章第七節の**3**の規定の適用があった場合（（五）の左欄に掲げる場合に該当する場合を除く。）	第一章第七節の**3**の（二）に掲げる金額	第一章第七節の**3**の規定による納税の猶予に係る期限

第七編　非上場株式等に係る相続税・贈与税の納税猶予及び免除

（継続届出書の時効中断の効果）
（1）　第一章第五節の**3**の（1）の規定は、猶予中贈与税額に相当する贈与税並びに当該贈与税に係る利子税及び延滞税の徴収を目的とする国の権利の時効について準用する。（措法70の7の5⑦）

（**2**の表の（三）から（十四）までの左欄に掲げる場合に該当する場合の適用）
（2）　第一節の**1**の規定の適用を受けた特例経営承継受贈者が**2**の表の（三）から（十四）までの左欄に掲げる場合に該当する場合（同表の（四）又は（五）の左欄に掲げる場合に該当する場合には、特例経営贈与承継期間の末日の翌日以後にこれらの規定に規定する場合に該当することとなった場合に限る。）における**2**の規定の適用については、**2**中「年3.6パーセント」とあるのは、「年3.6パーセント（特例経営贈与承継期間については、年零パーセント）」とする。（措法70の7の5㉓）

（納税猶予期限の繰上げに該当することとなった日）
（3）　**2**の表の（五）の左欄に掲げる場合に該当する場合における（2）に規定する「特例経営贈与承継期間の末日の翌日以後にこれらの規定に規定する場合に該当することとなった場合」とは、税務署長が納税猶予期限の繰上通知書を発した日が当該特例経営贈与承継期間の末日の翌日以後である場合をいうことに留意する。（措通70の7の5－40）

（利子税の割合の特例）
（4）　**2**に規定する利子税の割合は、**2**の規定にかかわらず、各年の利子税特例基準割合が年7.3パーセントの割合に満たない場合には、その年中においては、当該利子税の割合に当該利子税特例基準割合が年7.3パーセントの割合のうちに占める割合を乗じて計算した割合とする。（措法93⑤）

（利子税特例基準割合）
（5）　（4）に規定する利子税特例基準割合とは、平均貸付割合（各年の前々年の9月から前年の8月までの各月における短期貸付けの平均利率（当該各月において銀行が新たに行った貸付け（貸付期間が1年未満のものに限る。）に係る利率の平均をいう。）の合計を12で除して計算した割合として各年の前年の11月30日までに財務大臣が告示する割合をいう。以下同じ。）に年0.5パーセントの割合を加算した割合をいう。（措法93②）

－1322－

第四章　非上場株式等についての贈与税の納税猶予及び免除の特例
（第六節　納税猶予税額の免除）

第六節　納税猶予税額の免除

1　贈与者等の死亡等による納税猶予税額の免除

　第一章第七節の**1**、同節の**2**、同**2**の(10)から(12)までの規定は、第一節の**1**の規定により納税の猶予がされた贈与税の免除について準用する。この場合において、第一章第七節の**1**の(三)中「につき第一節の**1**」とあるのは「につき第四章第一節の**1**」と、同節の**2**の(11)及び(12)中「第五節の**3**」とあるのは「第四章第五節の**2**」と読み替えるものとする。（措法70の7の5⑪）

　　　（贈与者等の死亡等による納税猶予税額の免除の準用）
（1）　第一章第七節の**1**の(1)(5)(6)同節の**2**の(3)(6)(13)(15)(17)及び同節の**3**の(4)の規定は、**1**において第一章第七節の**1**、同節の**2**、同**2**の(10)から(12)までの規定を準用する場合について準用する。（措令40の8の5㉑）

　　　（読替え規定）
（2）　第一章第七節の**1**の(2)(3)(4)同節の**2**の(1)(2)(4)(5)の規定は、**1**において準用する第一章第七節の**1**、同節の**2**、同**2**の(10)から(12)までの規定の適用がある場合について準用する。この場合において、同節の**1**の(3)の(四)中「第12条第6項若しくは第12項（これらの規定を同条第16項において準用する場合を含む。）」とあるのは「第12条第19項又は第28項において準用する同条第6項若しくは第12項」と、「第13条第2項（同条第3項において準用する場合を含む。）」とあるのは「第13条第4項若しくは第5項において準用する同条第2項」と読み替えるものとする。（措規23の12の2㉒）

　　　（特例贈与者が死亡した場合の免除等に関する取扱いの準用）
（3）　第一章第九節の(13)(14)(15)(16)については、特例経営承継受贈者が**1**において準用する第一章第七節の**1**の規定の適用を受ける場合について準用する。（措通 70の7の5－23）
　　この場合において、特例経営承継受贈者が**2**、**3**又は**4**の規定により猶予中贈与税額の免除を受けたときにおける第一章第九節の(15)《免除を受けた経営承継受贈者に係る第三編第一章第三節の一から同節の三までの不適用》の「免除を受けた猶予中贈与税額に対応する部分」は、当該特例経営承継受贈者が当該免除につき適用を受けた次に掲げる規定の区分に応じ、それぞれに定める部分をいうことに留意する。
（一）　**2**又は**3**（（二）に掲げる規定による免除を受けた場合を除く。）　これらの規定による免除の適用を受けた特例対象受贈非上場株式等のうち、次の算式により計算した金額に相当する部分
　　（算式）

$$(A - B) \times \frac{C}{C + D}$$

　　　（注）　上記算式中の符号は次のとおり。
　　　　　A＝当該特例対象受贈非上場株式等の第一節の**1**の規定の適用に係る贈与の時における価額
　　　　　B＝当該特例対象受贈非上場株式等の**2**の(一)のイの譲渡等の対価の額、**2**の(二)のイの合併対価の額、**2**の(三)のイの交換等対価の額又は**2**の(四)のイの解散の直前における当該特例対象受贈非上場株式等の時価に相当する金額（当該譲渡等の対価の額、合併対価の額又は交換等対価の額が、**2**の(一)のイ、**2**の(二)のイ又は**2**の(三)のイに規定する当該特例対象受贈非上場株式等の時価に相当する金額の2分の1以下である場合には、当該2分の1に相当する金額）
　　　　　C＝**2**又は**3**の規定により免除された贈与税の額
　　　　　D＝**2**のそれぞれのロに掲げる金額
（二）　**3**及び**4**の(一)　これらの規定による免除の適用を受けた特例対象受贈非上場株式等のうち、次の算式により計算した金額に相当する部分
　　（算式）

$$(A - B) \times \frac{C}{C + D}$$

　　　（注）　上記算式中の符号は次のとおり。
　　　　　A＝当該特例対象受贈非上場株式等の第一節の**1**の規定の適用に係る贈与の時における価額
　　　　　B＝当該特例対象受贈非上場株式等の**2**の(一)のイの譲渡等の対価の額、**2**の(二)のイの合併対価の額又は**2**の(三)のイの交換等対価の

－1323－

第七編　非上場株式等に係る相続税・贈与税の納税猶予及び免除

額
C＝**3**及び**4**の（一）の規定により免除された贈与税の額の合計額
D＝**2**の（一）のロ、**2**の（二）のロ又は**2**の（三）のロに掲げる金額

（破産免除等に関する取扱いの準用）

（４）　第一章第七節**2**の（７）（８）（９）（14）（16）（18）については、特例経営承継受贈者が**1**において準用する第一章第七節の**2**の規定の適用を受ける場合について準用する。（措通 70の7の5－24）

2　その他の場合による納税猶予税額の免除

　第一節の**1**の規定の適用を受ける特例経営承継受贈者又は同**1**の特例対象受贈非上場株式等に係る特例認定贈与承継会社が次の（一）から（四）に掲げる場合のいずれかに該当することとなった場合（当該特例認定贈与承継会社の事業の継続が困難な事由として（２）の政令で定める事由が生じた場合に限るものとし、その該当することとなった日前に第三節の**2**において準用する第一章第三節の**2**の規定の適用があった場合及び同日前に第四節において準用する第一章第四節又は**1**において準用する第一章第九節の（４）の規定による納税の猶予に係る期限の繰上げがあった場合を除く。）において、当該特例経営承継受贈者は、当該（一）から（四）に定める贈与税の免除を受けようとするときは、その該当することとなった日から**2**月を経過する日（その該当することとなった日から当該**2**月を経過する日までの間に当該特例経営承継受贈者が死亡した場合には、当該特例経営承継受贈者の相続人（包括受遺者を含む。**4**の（一）及び第五節の**2**において同じ。）が当該特例経営承継受贈者の死亡による相続の開始があったことを知った日の翌日から**6**月を経過する日。**3**及び**5**の（４）において「申請期限」という。）までに、当該免除を受けたい旨、免除を受けようとする贈与税に相当する金額及びその計算の明細その他の（11）の財務省令で定める事項を記載した申請書（当該免除の手続に必要な書類その他の（13）の財務省令で定める書類を添付したものに限る。**3**において同じ。）を納税地の所轄税務署長に提出しなければならない。この場合において、第五節の**1**において準用する第一章第六節の規定の適用については、同節の表の（一）中「（八）から（十二）まで」とあるのは「（八）」と、「猶予中贈与税額」とあるのは「第四章第六節の**2**の（一）のイ及びロに掲げる金額の合計額又は同**2**の（四）のイ及びロに掲げる金額の合計額」と、同表の（二）の中欄中「猶予中贈与税額のうち、当該譲渡等をした対象受贈非上場株式等の数又は金額に対応する部分の額として（１）の政令で定めるところにより計算した金額」とあるのは「第四章第六節の**2**の（一）のイ及びロに掲げる金額の合計額」と、同表の（三）の中欄中「猶予中贈与税額（当該合併に際して吸収合併存続会社等の株式等の交付があった場合には、当該株式等の価額に対応する部分の額として（２）の政令で定めるところにより計算した金額を除く。）」とあるのは「第四章第六節の**2**の（二）のイに掲げる金額（当該合併に際して交付された吸収合併存続会社等の株式等以外の財産の価額に対応する部分の額として（15）の政令で定めるところにより計算した金額に限る。）及び同**2**の（二）のロに掲げる金額の合計額」と、同表の（四）の中欄中「猶予中贈与税額（当該株式交換等に際して当該他の会社の株式等の交付があった場合には、当該株式等の価額に対応する部分の額として（３）の政令で定めるところにより計算した金額を除く。）」とあるのは「第四章第六節の**2**の（三）のイに掲げる金額（当該株式交換等に際して交付された当該他の会社の株式等以外の財産の価額に対応する部分の額として（16）の政令で定めるところにより計算した金額に限る。）及び同**2**の（三）のロに掲げる金額の合計額」とする。（措法70の7の5⑫）

（一）　特例経営贈与承継期間の末日の翌日以後に、当該特例経営承継受贈者が当該特例対象受贈非上場株式等の全部又は一部の譲渡等（譲渡又は贈与をいう。以下本章において同じ。）をした場合（当該特例経営承継受贈者と第一節の**2**の（15）の政令で定める特別の関係がある者以外の者に対して行う場合に限る。）において、次に掲げる金額の合計額が当該譲渡等の直前における猶予中贈与税額（当該譲渡等をした特例対象受贈非上場株式等の数又は金額に対応する部分の額として（17）の政令で定めるところにより計算した金額に限る。）に満たないとき　当該猶予中贈与税額から当該合計額を控除した残額に相当する贈与税

イ　当該譲渡等の対価の額（当該額が当該譲渡等をした時における当該譲渡等をした数又は金額に対応する当該特例対象受贈非上場株式等の時価に相当する金額として（18）の財務省令で定める金額の**2**分の**1**以下である場合には、当該**2**分の**1**に相当する金額）を第一節の**1**の規定の適用に係る贈与により取得をした特例対象受贈非上場株式等の当該贈与の時における価額とみなして、同節の**2**の（八）の規定により計算した金額

ロ　当該譲渡等があった日以前**5**年以内において、当該特例経営承継受贈者及び当該特例経営承継受贈者と第一節の**2**の（15）の政令で定める特別の関係がある者が当該特例認定贈与承継会社から受けた剰余金の配当等（会社の株式等に係る剰余金の配当又は利益の配当をいう。以下本章及び第五章において同じ。）の額その他当該特例認定贈与承継会社から受けた金額として（20）の政令で定めるものの合計額

（二）　特例経営贈与承継期間の末日の翌日以後に、当該特例対象受贈非上場株式等に係る特例認定贈与承継会社が合併により消滅した場合（吸収合併存続会社等（会社法第749条第**1**項に規定する吸収合併存続会社又は同法第753条第**1**項に

－1324－

第四章　非上場株式等についての贈与税の納税猶予及び免除の特例
（第六節　納税猶予税額の免除）

規定する新設合併設立会社をいう。以下本章において同じ。）が当該特例経営承継受贈者と第一節の**2**の(15)の政令で定める特別の関係がある者以外のものである場合に限る。）において、次に掲げる金額の合計額が当該合併がその効力を生ずる直前における猶予中贈与税額に満たないとき　当該猶予中贈与税額から当該合計額を控除した残額に相当する贈与税

イ　合併対価（当該吸収合併存続会社等が当該合併に際して当該消滅する特例認定贈与承継会社の株主又は社員に対して交付する財産をいう。）の額（当該額が当該合併がその効力を生ずる直前における当該特例対象受贈非上場株式等の時価に相当する金額として(18)の財務省令で定める金額の2分の1以下である場合には、当該2分の1に相当する金額）を第一節の**1**の規定の適用に係る贈与により取得をした特例対象受贈非上場株式等の当該贈与の時における価額とみなして、同節の**2**の(八)の規定により計算した金額

ロ　当該合併がその効力を生ずる日以前5年以内において、当該特例経営承継受贈者及び当該特例経営承継受贈者と第一節の**2**の(15)の政令で定める特別の関係がある者が当該特例認定贈与承継会社から受けた剰余金の配当等の額その他当該特例認定贈与承継会社から受けた金額として(20)の政令で定めるものの合計額

（三）　特例経営贈与承継期間の末日の翌日以後に、当該特例対象受贈非上場株式等に係る特例認定贈与承継会社が株式交換又は株式移転（以下本章において「株式交換等」という。）により他の会社の株式交換完全子会社等（会社法第768条第1項第1号に規定する株式交換完全子会社又は同法第773条第1項第5号に規定する株式移転完全子会社をいう。イ及び**4**の(一)のハにおいて同じ。）となった場合（当該他の会社が当該特例経営承継受贈者と第一節の**2**の(15)の政令で定める特別の関係がある者以外のものである場合に限る。）において、次に掲げる金額の合計額が当該株式交換等がその効力を生ずる直前における猶予中贈与税額に満たないとき　当該猶予中贈与税額から当該合計額を控除した残額に相当する贈与税

イ　交換等対価（当該他の会社が当該株式交換等に際して当該株式交換完全子会社等となった特例認定贈与承継会社の株主に対して交付する財産をいう。）の額（当該額が当該株式交換等がその効力を生ずる直前における当該特例対象受贈非上場株式等の時価に相当する金額として(18)の財務省令で定める金額の2分の1以下である場合には、当該2分の1に相当する金額）を第一節の**1**の規定の適用に係る贈与により取得をした特例対象受贈非上場株式等の当該贈与の時における価額とみなして、同節の**2**の(八)の規定により計算した金額

ロ　当該株式交換等がその効力を生ずる日以前5年以内において、当該特例経営承継受贈者及び当該特例経営承継受贈者と第一節の**2**の(15)の政令で定める特別の関係がある者が当該特例認定贈与承継会社から受けた剰余金の配当等の額その他当該特例認定贈与承継会社から受けた金額として(20)の政令で定めるものの合計額

（四）　特例経営贈与承継期間の末日の翌日以後に、当該特例対象受贈非上場株式等に係る特例認定贈与承継会社が解散をした場合において、次に掲げる金額の合計額が当該解散の直前における猶予中贈与税額に満たないとき　当該猶予中贈与税額から当該合計額を控除した残額に相当する贈与税

イ　当該解散の直前における当該特例対象受贈非上場株式等の時価に相当する金額として(18)の財務省令で定める金額を第一節の**1**の規定の適用に係る贈与により取得をした特例対象受贈非上場株式等の当該贈与の時における価額とみなして、同節の**2**の(八)の規定により計算した金額

ロ　当該解散の日以前5年以内において、当該特例経営承継受贈者及び当該特例経営承継受贈者と第一節の**2**の(15)の政令で定める特別の関係がある者が当該特例認定贈与承継会社から受けた剰余金の配当等の額その他当該特例認定贈与承継会社から受けた金額として(20)の政令で定めるものの合計額

（事業の継続が困難な事由の判定の時期）

（1）　特例経営承継受贈者又は特例認定贈与承継会社が**2**に規定する事業の継続が困難な事由が生じた場合に該当するかどうかの判定は、**2**のそれぞれ(一)から(四)に掲げる事由が生じたごとに行うことに留意する。（措通70の7の5−25）

（事業の継続が困難な事由として政令で定める事由）

（2）　**2**に規定する特例認定贈与承継会社の事業の継続が困難な事由として政令で定める事由は、次に掲げる事由（**2**の(四)に掲げる場合に該当することとなった場合には、(五)に掲げる事由を除く。）とする。（措令40の8の5㉒）

（一）　直前事業年度（特例経営承継受贈者又は特例認定贈与承継会社が**2**の(一)から(四)までに掲げる場合のいずれかに該当することとなった日の属する事業年度の前事業年度をいう。以下(2)において同じ。）及びその直前の3事業年度（直前事業年度の終了の日の翌日以後6月を経過する日後に当該(一)から(四)に掲げる場合のいずれかに該当することとなった場合には、2事業年度。(二)において同じ。）のうち2以上の事業年度において、当該特例認定贈与承継会社の収益の額が費用の額を下回る場合として(5)の財務省令で定める場合に該当すること。

（二）　直前事業年度及びその直前の3事業年度のうち2以上の事業年度において、各事業年度の平均総収入金額（総収

−1325−

入金額（主たる事業活動から生ずる収入の額とされるべきものとして（6）の財務省令で定めるものに限る。）を当該総収入金額に係る事業年度の月数で除して計算した金額をいう。以下（二）及び（三）において同じ。）が、当該各事業年度の前事業年度の平均総収入金額を下回ること。

（三） 次に掲げる事由のいずれか（直前事業年度の終了の日の翌日以後6月を経過する日後に2の（一）から（四）までに掲げる場合のいずれかに該当することとなった場合には、イに掲げる事由）に該当すること。

イ 特例認定贈与承継会社の直前事業年度の終了の日における負債（利子（特例経営承継受贈者と第一節の2の(15)において準用する第一章第一節の2の(15)に規定する特別の関係がある者に対して支払うものを除く。）の支払の基因となるものに限る。ロにおいて同じ。）の帳簿価額が、当該直前事業年度の平均総収入金額に6を乗じて計算した金額以上であること。

ロ 特例認定贈与承継会社の直前事業年度の前事業年度の終了の日における負債の帳簿価額が、当該事業年度の平均総収入金額に6を乗じて計算した金額以上であること。

（四） 次に掲げる事由のいずれかに該当すること。

イ 判定期間（直前事業年度の終了の日の1年前の日の属する月から同月以後1年を経過する月までの期間をいう。イにおいて同じ。）における業種平均株価（特例認定贈与承継会社の事業が該当する業種に属する事業を営む上場会社（金融商品取引法第2条第16項に規定する金融商品取引所に上場されている株式を発行している会社をいう。）の株式の価格の平均値として（8）の財務省令で定める価格をいう。イ及びロにおいて同じ。）が、前判定期間（判定期間の開始前1年間をいう。ロにおいて同じ。）における業種平均株価を下回ること。

ロ 前判定期間における業種平均株価が、前々判定期間（前判定期間の開始前1年間をいう。）における業種平均株価を下回ること。

（五） （一）から（四）に掲げるもののほか、特例経営承継受贈者による特例認定贈与承継会社の事業の継続が困難となった事由として（9）の財務省令で定める事由

（事業の継続が困難な事由の意義）

（3） 2に規定する特例認定贈与承継会社の事業の継続が困難な事由とは、次に掲げる事由をいうことに留意する。（措通70の7の5－26）

（一） 直前事業年度及び当該直前事業年度の直前の3事業年度（当該直前事業年度の終了の日の翌日以後6月を経過する日後に2のそれぞれ（一）から（四）に掲げる場合のいずれかに該当することとなった場合には、2事業年度。以下（二）において同じ。）のうち2以上の事業年度において、経常損益金額（会社計算規則（平成18年法務省令第13号）第91条第1項《経常損益金額》に規定する経常損益金額をいう。）が零未満であること。

（注） 上記の「直前事業年度」とは、特例経営承継受贈者又は特例認定贈与承継会社が2のそれぞれ（一）から（四）に掲げる場合のいずれかに該当することとなった日の属する事業年度の前事業年度をいう（以下（3）において同じ。）。

（二） 直前事業年度及び当該直前事業年度の直前の3事業年度のうち2以上の事業年度において、各事業年度の平均総収入金額が、当該各事業年度の前事業年度の平均総収入金額を下回ること。

（注） 上記の「平均総収入金額」とは、次の算式により計算した金額をいう（以下（三）において同じ。）。

$$\frac{特例認定贈与承継会社の各事業年度の総収入金額}{特例認定贈与承継会社の各事業年度の月数}$$

（注） 上記算式の「総収入金額」は、当該特例認定贈与承継会社の総収入金額のうち、会社計算規則第88条第1項第4号《損益計算書等の区分》に掲げる営業外収益及び同項第6号に掲げる特別利益以外のものに限られることに留意する。

（三） 次に掲げる算式のいずれか（直前事業年度の終了の日の翌日以後6月を経過する日後に2のそれぞれ（一）から（四）に掲げる場合のいずれかに該当することとなった場合には、イに掲げる算式）に該当すること。

イ 直前事業年度の終了の日における負債の帳簿価額 ≧ 当該直前事業年度の平均総収入金額×6

ロ 直前事業年度の前事業年度終了の日における負債の帳簿価額 ≧ 当該前事業年度の平均総収入金額×6

（注） 上記算式の「負債」は、利子（特例経営承継受贈者と第一節の2の(15)において準用する第一章第一節2の(15)に規定する特別の関係がある者に対して支払うものを除く。）の支払の基因となるものに限られることに留意する。

（四） 次に掲げる算式のいずれかに該当すること。

イ 判定期間における業種平均株価 ＜ 前判定期間における業種平均株価

ロ 前判定期間における業種平均株価 ＜ 前々判定期間における業種平均株価

（注）1 上記算式の「判定期間」とは、直前事業年度終了の日の1年前の日の属する月から同月以後1年を経過する月までの期間をいい、「前判定期間」とは、判定期間の開始前1年間をいい、「前々判定期間」とは、前判定期間の開始前1年間をいう。

2 上記算式の「業種平均株価」とは、（2）の（四）に規定する業種平均株価をいう（以下（4）において同じ。）。

（五） 特例経営承継受贈者（2のそれぞれ（一）から（三）に掲げる場合のいずれかに該当することとなった時において特

－1326－

第四章　非上場株式等についての贈与税の納税猶予及び免除の特例
（第六節　納税猶予税額の免除）

例認定贈与承継会社の会社法第329条第1項《選任》に規定する役員又は業務を執行する社員であった者に限る。）が
心身の故障その他の事由により当該特例認定贈与承継会社の業務に従事することができなくなったこと。

　　（業種平均株価の算定）
（4）　業種平均株価に係る（2）の（四）の「特例認定贈与承継会社の事業が該当する業種」の判定は、**2**のそれぞれ（一）か
　ら（四）に掲げる場合に該当することとなった時における特例認定贈与承継会社の行う事業に基づき、第九編第八章第四
　節の（4）《類似業種》及び同節の（5）《評価会社の事業が該当する業種目》に準じて行うことに留意する。
　　なお、業種平均株価に係る（8）に規定する各月における上場株式平均株価については、第九編第八章第四節の（6）《類
　似業種の株価》により別に定める金額によることとして差し支えない。（措通 70の7の5－27）

　　（収益の額が費用の額を下回る場合）
（5）　（2）の（一）に規定する収益の額が費用の額を下回る場合として財務省令で定める場合は、特例認定贈与承継会社の
　経常損益金額（会社計算規則第91条第1項に規定する経常損益金額をいう。第五章第六節の**2**の（5）において同じ。）が
　零未満である場合とする。（措規23の12の2㉓）

　　（主たる事業活動から生ずる収入の額とされるべきもの）
（6）　（2）の（二）に規定する主たる事業活動から生ずる収入の額とされるべきものとして財務省令で定めるものは、特例
　認定贈与承継会社の総収入金額のうち会社計算規則第88条第1項第4号に掲げる営業外収益及び同項第6号に掲げる特
　別利益以外のものとする。（措規23の12の2㉔）

　　（端数処理）
（7）　（2）の（二）の月数は、暦に従って計算し、1月に満たない端数を生じたときは、これを1月とする。（措令40の8の
　5㉓）

　　（財務省令で定める上場会社の株式の価格の平均値）
（8）　（2）の（二）のイに規定する財務省令で定める価格は、同（四）のイに規定する判定期間若しくは前判定期間又は同
　（四）のロに規定する前々判定期間に属する各月における上場株式平均株価（金融商品取引法第130条の規定により公表さ
　れた同（四）のイの上場会社の株式の毎日の最終の価格を利用して算出した価格の平均値をいう。）を合計した数を12で除
　して計算した価格とする。（措規23の12の2㉕）

　　（財務省令で定める事業の継続が困難となった事由）
（9）　（2）の（五）に規定する財務省令で定める事由は、特例経営承継受贈者（**2**の各号（（四）を除く。）に掲げる場合のい
　ずれかに該当することとなった時において特例認定贈与承継会社の会社法第329条第1項に規定する役員又は業務を執
　行する社員であった者に限る。）が心身の故障その他の事由により当該特例認定贈与承継会社の業務に従事することがで
　きなくなったこととする。（措規23の12の2㉖）

　　（**2**の規定の適用を受ける場合の納税猶予の期限）
（10）　特例経営承継受贈者が**2**の規定の適用を受ける場合には、次の表の左欄に掲げる場合の区分に応じ中欄に掲げる金
　額に相当する贈与税については右欄に掲げる日から2月を経過する日（当該右欄に掲げる日から当該2月を経過する日
　までの間に当該特例経営承継受贈者が死亡した場合には、当該特例経営承継受贈者の相続人（包括受遺者を含む。）が当
　該特例経営承継受贈者の死亡による相続の開始があったことを知った日の翌日から6月を経過する日）に納税の猶予に
　係る期限が到来することに留意する。（措通70の7の5－29）

場　　合	金　　額	日
（一）　**2**の（一）に掲げる場合	**2**の（一）のイ及び同（一）のロに掲げる金額の合計額	**2**の（一）の譲渡等をした日
（二）　**2**の（二）に掲げる場合	**2**の（二）のイに掲げる金額（同（二）の合併に際して交付された吸収合併存続会社等の株式等以外の財産の価額に対応する部分の額として(15)の規定により計算した金額に限る。）及び同（二）のロに掲げる金額の合計額	**2**の（二）の合併がその効力を生じた日
（三）　**2**の（三）に	**2**の（三）のイに掲げる金額（同（三）の株式交換等に際して交付された当該株式	**2**の（三）の株式

－1327－

第七編　非上場株式等に係る相続税・贈与税の納税猶予及び免除

掲げる場合	交換等に係る他の会社の株式等以外の財産の価額に対応する部分の額として(16)の規定により計算した金額に限る。)及び同(三)のロに掲げる金額の合計額	交換等がその効力を生じた日
(四)　2の(四)に掲げる場合	2の(四)のイ及び同(四)のロに掲げる金額の合計額	2の(四)の解散をした日

(注)　(二)又は(三)に掲げる場合において、(二)の合併により交付された吸収合併存続会社等の株式等の価額に対応する金額又は(三)の株式交換等に際して交付された他の会社の株式等の価額に対応する金額については、納税猶予の期限が到来しないことに留意する。

(免除申請書の記載事項)

(11)　2及び3に規定する財務省令で定める事項は、次に掲げる事項とする。(措規23の12の2㉗)

(一)　2又は3の申請書を提出する者の氏名及び住所又は居所

(二)　2又は3の規定による贈与税の免除を受けたい旨並びに当該免除を受けようとする贈与税の額及びその計算の明細

(三)　2の(一)から(四)又は3のいずれの規定の適用を受けるものであるかの別並びに当該(一)から(四)に掲げる場合に該当することとなった事情の詳細及びその事情が生じた年月日

(四)　2の(一)又は3の規定の適用に係る譲渡等(譲渡又は贈与をいう。以下本章において同じ。)が特例対象受贈非上場株式等の一部の譲渡等である場合又はこれらの規定の適用に係る譲渡等の直前において特例経営承継受贈者が特例認定贈与承継会社の第一節の2の(五)に規定する非上場株式等で特例対象受贈非上場株式等以外のものを有する場合には、当該譲渡等の直前において特例経営承継受贈者が有していた当該非上場株式等の数又は金額及び当該非上場株式等の取得をした年月日並びに特例対象受贈非上場株式等のうち2又は3の規定の適用を受けるものとして選択をしたものに係る特例対象受贈非上場株式等の内訳等

(五)　2の(一)のイに規定する譲渡等の対価、2の(二)のイに規定する合併対価又は2の(三)のイに規定する交換等対価の額及び当該額のうち株式等以外の財産の価額

(六)　(2)の(一)から(五)に掲げる事由のいずれに該当するかの別及び当該(一)から(五)に掲げる事由が生じることとなった事情の詳細

(七)　その他参考となるべき事項

(特例対象受贈非上場株式等の一部の譲渡等をした場合等における免除を受ける株式等の選択)

(12)　2の(一)又は3の規定の適用に係る同号の譲渡等が特例対象受贈非上場株式等の一部の譲渡等である場合又はこれらの規定の適用に係る譲渡等の直前において特例経営承継受贈者が特例認定贈与承継会社の非上場株式等で特例対象受贈非上場株式等以外のものを有する場合には、(11)の(四)の規定に基づき2の(一)又は3の規定の適用に係る申請書において選択をした特例対象受贈非上場株式等につき、これらの規定が適用されることに留意する。(措通70の7の5-32)

(注)　特例経営承継受贈者が2又は3の規定の適用を受ける場合には、第五節の1の(3)において準用する第一章第六節の(8)及び(9)の規定の適用はないこととされている。

(免除申請書の添付書類)

(13)　2に規定する財務省令で定める書類は、次に掲げる書類とする。(措規23の12の2㉘)

(一)　譲渡等に係る契約書、合併契約書、株式交換契約書若しくは株式移転計画書の写し又は登記事項証明書その他の書類で、2の(一)から(四)に掲げる場合のいずれかに該当することとなったことを証するもの

(二)　(11)の(五)の額及び同(11)の(五)の財産の価額を証する書類

(三)　第五章第六節の2の(2)の(四)又は(五)に掲げる事由のいずれかに該当する場合にあっては、これらの事由のいずれに該当するかを明らかにする書類

(四)　2の(一)の譲渡等、2の(二)の合併、2の(三)の株式交換等又は2の(四)の解散の直前における猶予中贈与税額、2の(一)から(四)のイに掲げる金額及び当該(一)から(四)のロに掲げる合計額を記載した書類

(五)　3の規定の適用を受けようとする場合には、2の(一)から(四)に掲げる場合のいずれかに該当することとなった時の直前における特例認定贈与承継会社の常時使用従業員(第一節の2の(一)のイに規定する常時使用従業員をいう。5の(2)の(四)及び(五)において同じ。)の一覧表及び従業員数証明書(円滑化省令第1条第9項に規定する従業員数証明書をいう。5の(3)の(二)並びに第五章第六節の2の(13)の(五)及び同節の5の(3)の(二)において同じ。)その他の書類で当該常時使用従業員が第一節の2の(2)において準用する第一章第一節の2の(2)の(一)から(四)のいずれに該当するかを明らかにする書類の写し

(六)　その他参考となるべき事項を記載した書類

-1328-

第四章　非上場株式等についての贈与税の納税猶予及び免除の特例
(第六節　納税猶予税額の免除)

(差額免除の申請書が申請期限までに提出されない場合等)

(14)　特例経営承継受贈者が**2**又は**3**の規定に基づき贈与税の免除を受けようとする場合には、**2**に規定する申請期限(以下(14)において「申請期限」という。)までに**2**又は**3**に規定する申請書を納税地の所轄税務署長に提出しなければ、これらの規定の適用はないことに留意する。

　　これらの申請書を申請期限までに提出しない場合には、**2**のそれぞれ(一)から(四)に掲げる場合の区分に応じ第五節の**1**において準用する第一章第六節の表のそれぞれ(一)から(六)の中欄に掲げる金額に相当する贈与税については当該(一)から(六)の右欄に掲げる日から2月を経過する日(当該(一)から(六)の右欄に掲げる日から当該2月を経過する日までの間に当該特例経営承継受贈者が死亡した場合には、当該特例経営承継受贈者の相続人(包括受遺者を含む。)が当該特例経営承継受贈者の死亡による相続の開始があったことを知った日の翌日から6月を経過する日)に納税の猶予に係る期限が到来することに留意する。(措通70の7の5-31)

(注)　申請期限までに**2**又は**3**に規定する申請書の提出がなかった場合のゆうじょ規定は設けられていない。

(合併に際して交付された株式等以外の財産の価額に対応する部分の額として政令で定めるところにより計算した金額)

(15)　**2**の規定により第五節の**1**において準用する第一章第六節の規定を読み替えて適用する場合における同節の表の(三)の中欄に規定する(2)の政令で定めるところにより計算した金額及び第五節の**2**の表の(十)の中欄に規定する合併に際して交付された株式等以外の財産の価額に対応する部分の額として(15)の政令で定めるところにより計算した金額は、**2**の(二)のイに掲げる金額に、**2**の(二)のイに規定する合併対価のうち**2**の(二)の吸収合併存続会社等が交付しなければならない当該吸収合併存続会社等の株式等以外の財産の価額が当該合併対価の額に占める割合を乗じて計算した金額とする。この場合において、当該計算した金額に100円未満の端数があるとき、又はその全額が100円未満であるときは、その端数金額又はその全額を切り捨てる。(措令40の8の5㉔)

(株式交換等に際して交付された株式等以外の財産の価額に対応する部分の額として政令で定めるところにより計算した金額)

(16)　**2**の規定により第五節の**1**において準用する第一章第六節の規定を読み替えて適用する場合における同節の表の(四)の中欄に規定する(3)の政令で定めるところにより計算した金額及び第五節の**2**の表の(十)の中欄に規定する株式交換等に際して交付された株式等以外の財産の価額に対応する部分の額として(16)の政令で定めるところにより計算した金額は、**2**の(三)のイに掲げる金額に、**2**の(三)のイに規定する交換等対価のうち**2**の(三)の他の会社が交付しなければならない当該他の会社の株式等以外の財産の価額が当該交換等対価の額に占める割合を乗じて計算した金額とする。この場合において、当該計算した金額に100円未満の端数があるとき、又はその全額が100円未満であるときは、その端数金額又はその全額を切り捨てる。(措令40の8の5㉕)

(譲渡等をした特例対象受贈非上場株式等の数又は金額に対応する部分の額として政令で定めるところにより計算した金額)

(17)　**2**の(一)及び**3**に規定する政令で定めるところにより計算した金額は、**2**の(一)の譲渡等の直前における猶予中贈与税額に、当該譲渡等をした特例対象受贈非上場株式等(合併又は株式交換若しくは株式移転に際して**2**の(二)に規定する吸収合併存続会社等又は**2**の(三)の他の会社が交付しなければならない株式のうち1株に満たない端数の合計数に相当する数の株式を除く。)の数又は金額が当該譲渡等の直前における当該特例対象受贈非上場株式等の数又は金額に占める割合を乗じて計算した金額とする。この場合において、当該計算した金額に100円未満の端数があるとき、又はその全額が100円未満であるときは、その端数金額又はその全額を切り捨てる。(措令40の8の5㉖)

(財務省令で定める特例対象受贈非上場株式等の時価に相当する金額)

(18)　第一章第七節の**2**の(5)の規定は、**2**の(一)から(四)のイ及び**3**の(一)から(三)に規定する財務省令で定める金額について準用する。(措規23の12の2㉙)

(特例対象受贈非上場株式等の時価に相当する金額の意義)

(19)　**2**の(一)のイ、(二)のイ、(三)のイ、及び(四)のイ並びに**3**のそれぞれ(一)から(三)の「特例対象受贈非上場株式等の時価に相当する金額として財務省令で定める金額」の意義については、第一章第七節**2**の(9)を準用する。(措通70の7の5-28)

(注)　**2**の(四)のイの金額は、第九編第八章第四節(26)《清算中の会社の株式の評価》の定めに準じて算定することに留意する。(措通70-7の5

-1329-

第七編　非上場株式等に係る相続税・贈与税の納税猶予及び免除

－28）

（剰余金の配当等の額その他特例認定贈与承継会社から受けた金額として政令で定めるもの）

(20)　第一節の2の(30)の規定は、2の(一)から(四)までのロに規定する剰余金の配当等の額その他特例認定贈与承継会社から受けた金額として政令で定めるものについて準用する。（措令40の8の5㉗）

（延滞税及び利子税の計算方法の準用）

(21)　第一章第七節の2の(13)、(15)及び(17)の規定は、2又は5の申請書の提出があった場合について準用する。この場合において、第一章第七節の2の(13)及び(15)中「猶予中贈与税額から2に規定する免除申請贈与税額を控除した残額」とあるのは「2又は同節の4の(一)の規定により納税の猶予に係る期限が確定する贈与税に相当する金額」と、第一章第七節の2の(17)中「猶予中贈与税額から2に規定する免除申請贈与税額を控除した残額」とあるのは「2又は同節の4の(一)の規定により納税の猶予に係る期限が確定する贈与税に相当する金額」と読み替えるものとする。（措令40の8の5㉘）

（差額免除に係る免除申請があった場合の延滞税の計算）

(22)　(21)において準用する第一章第七節2の(13)の規定は、2又は5の規定による免除申請書が提出された場合で、納期限又は当該免除申請書の提出があった日のいずれか遅い日の翌日から5の(4)の規定による免除通知書を発した日までの間に猶予中贈与税額から2又は5の免除を受けようとする贈与税に相当する金額（以下(24)までにおいて「**免除申請贈与税額**」という。）を控除した残額に相当する贈与税を納付するときに、それと併せて納付すべき延滞税の額の計算に関する取扱いであることに留意する。したがって、当該免除通知書を発した日後においては、猶予中贈与税額から5の(4)の規定により免除をする税額を控除した残額に相当する贈与税を基礎金額として、納付すべき延滞税の額を計算することに留意する。（措通70の7の5－36）

　　(注)　免除申請贈与税額と免除をする税額が異なる場合には、(21)において準用する第一章第七節2の(13)の規定により計算した延滞税の額と免除後の贈与税額を基礎金額として計算した納付すべき延滞税の額に差額が生じることになるため、同2の(13)の規定により計算した延滞税の額の増額又は減額の処理を行う必要があることに留意する。

（差額免除に係る免除申請があった場合の利子税の計算）

(23)　(21)において準用する第一章第七節2の(15)の規定は、2又は5の規定による免除申請書が提出された場合で、当該免除申請書の提出があった日から5の(4)の規定による免除通知書を発した日までの間に猶予中贈与税額から免除申請贈与税額を控除した残額に相当する贈与税を納付するときに、それと併せて納付すべき利子税の額の計算に関する取扱いであることに留意する。したがって、当該免除通知書を発した日後においては、猶予中贈与税額から5の(4)の規定により免除をする税額を控除した残額に相当する贈与税を基礎金額として、納付すべき利子税の額を計算することに留意する。（措通70の7の5－37）

　　(注)　免除申請贈与税額と免除をする税額が異なる場合には、(21)において準用する第一章第七節2の(15)の規定により計算した利子税の額と免除後の贈与税額を基礎金額として計算した納付すべき利子税の額に差額が生じることになるため、同2の(15)の規定により計算した利子税の額の増額又は減額の処理を行う必要があることに留意する。

（差額免除に係る免除申請に伴い担保解除を行う場合に納付すべき贈与税額）

(24)　(21)において準用する第一章第七節2の(17)に規定する「第四章第六節の2又は同節の4の(一)の規定により納税の猶予に係る期限が確定する贈与税に相当する金額に相当する贈与税」とは、2のそれぞれ(一)から(四)又は4の(一)の猶予中贈与税額から免除申請贈与税額を控除した残額に相当する贈与税の額と、(21)において準用する第一章第七節2の(15)の規定により計算した当該贈与税の額に係る納税猶予期間中の利子税の額の合計額をいうことに留意する。（措通70の7の5－38）

3　猶予中贈与税額の特例

　　2の(一)から(三)までに掲げる場合に該当する場合で、かつ、次に掲げる場合に該当する場合において、特例経営承継受贈者が4の規定の適用を受けようとするときは、2の規定にかかわらず、申請期限までに2の(一)から(四)のイ及びロに掲げる金額の合計額に相当する担保を提供した場合で、かつ、当該申請期限までに3の規定の適用を受けようとする旨、当該金額の計算の明細その他の2の(11)の財務省令で定める事項を記載した申請書を納税地の所轄税務署長に提出した場合に限り、再計算対象猶予税額（2の(一)に掲げる場合に該当する場合には猶予中贈与税額のうち2の(一)の譲渡等をした特例対象受贈非上場株式等の数又は金額に対応する部分の額として2の(17)の政令で定めるところにより計算した金額

－1330－

第四章　非上場株式等についての贈与税の納税猶予及び免除の特例
（第六節　納税猶予税額の免除）

をいい、2の（二）又は（三）に掲げる場合に該当する場合には猶予中贈与税額に相当する金額をいう。以下3において同じ。）から当該合計額を控除した残額を免除し、当該合計額（2の（一）に掲げる場合に該当する場合には、当該合計額に猶予中贈与税額から当該再計算対象猶予税額を控除した残額を加算した金額）を猶予中贈与税額とすることができる。（措法70の7の5⑬）

（一）　2の（一）のイに規定する譲渡等の対価の額が当該譲渡等をした時における特例対象受贈非上場株式等の時価に相当する金額として2の(18)の財務省令で定める金額の2分の1以下である場合

（二）　2の（二）のイに規定する合併対価の額が合併がその効力を生ずる直前における特例対象受贈非上場株式等の時価に相当する金額として2の(18)の財務省令で定める金額の2分の1以下である場合

（三）　2の（三）のイに規定する交換等対価の額が株式交換等がその効力を生ずる直前における特例対象受贈非上場株式等の時価に相当する金額として2の(18)の財務省令で定める金額の2分の1以下である場合

　　　　（担保の提供及び解除）
（1）　第二節の2において準用する第一章第二節の2並びに第八節の（2）において準用する第一章第九節の（6）の（二）及び（三）の規定並びに第一節の1の（4）の規定は、3の規定の適用を受ける場合における担保の提供及びその解除について準用する。（措令40の8の5㉙）

　　　　（納税の猶予に係る期限が確定する贈与税額及び利子税の額の計算）
（2）　3の規定の適用を受けた者又は3の規定の適用に係る特例対象受贈非上場株式等に係る特例認定贈与承継会社について、2の（一）から（三）に掲げる場合に該当することとなった日から4に規定する2年を経過する日までに第五節の1において準用する第一章第六節の表の（一）から（六）の左欄に掲げる場合に該当することとなった場合において、納税の猶予に係る期限が確定する贈与税額及び利子税の額を計算するときは、次の（一）（二）に掲げる場合の区分に応じ当該（一）（二）に定める金額を基礎として計算するものとする。（措令40の8の5㉚）

（一）　2の（一）に掲げる場合に該当する場合　2の（一）の譲渡等の直前における猶予中贈与税額から3に規定する再計算対象猶予税額を控除した残額

（二）　2の（二）又は（三）に掲げる場合に該当する場合　3の規定により猶予中贈与税額とされた金額（2の（二）の合併又は2の（三）の株式交換等に際して交付された株式等の価額に対応する部分の額に限る。）

　　　　（3の規定の適用を受ける場合の納税猶予の継続）
（3）　特例経営承継受贈者が3の規定の適用を受けた場合には、猶予中贈与税額のうち3の規定により免除される金額以外の金額については、納税猶予の期限が到来しないことに留意する。（措通70の7の5－30）
　　（注）　3の規定により猶予中贈与税額とされた金額の取扱いについては、4の（1）を参照。

4　猶予中贈与税額とされた金額に相当する贈与税の納税の猶予に係る期限及び免除

　　2の（一）から（三）に掲げる場合に該当することとなった日から2年を経過する日（当該2年を経過する日前に第一節の1の規定の適用を受ける特例経営承継受贈者又は当該特例経営承継受贈者に係る特例贈与者が死亡した場合には、その死亡の日の前日）において、3の規定により猶予中贈与税額とされた金額に相当する贈与税の納税の猶予に係る期限及び免除については、次の（一）（二）に掲げる場合の区分に応じ当該（一）（二）に定めるところによる。（措法70の7の5⑭）

（一）　次に掲げる会社が当該2年を経過する日においてその事業を継続している場合として（2）の政令で定める場合　**特例再計算贈与税額**（3の（二）又は（三）に掲げる場合に該当する場合には、3の（二）の合併又は3の（三）の株式交換等に際して交付された株式等以外の財産の価額に対応する部分の額として（6）の政令で定めるところにより計算した金額に限る。）に相当する贈与税については、第一節の1の規定にかかわらず、当該2年を経過する日から2月を経過する日（当該2年を経過する日から当該2月を経過する日までの間に当該特例経営承継受贈者が死亡した場合には、当該特例経営承継受贈者の相続人が当該特例経営承継受贈者の死亡による相続の開始があったことを知った日の翌日から6月を経過する日。（二）、5及び5の（4）において「**再申請期限**」という。）をもって第一節の1の規定による納税の猶予に係る期限とし、3の規定により猶予中贈与税額とされた金額から特例再計算贈与税額を控除した残額に相当する贈与税については、免除する。

　イ　3の（一）に掲げる場合における同（一）の譲渡等をした特例対象受贈非上場株式等に係る会社
　ロ　3の（二）に掲げる場合における同（二）の合併に係る吸収合併存続会社等
　ハ　3の（三）に掲げる場合における同（三）の株式交換等に係る株式交換完全子会社等

（二）　（一）のイからハまでに掲げる会社が当該2年を経過する日において（一）に規定する政令で定める場合に該当しない

－1331－

第七編　非上場株式等に係る相続税・贈与税の納税猶予及び免除

場合　**3**の規定により猶予中贈与税額とされた金額（**3**の（二）又は（三）に掲げる場合に該当する場合には、**3**の（二）の合併又は**3**の（三）の株式交換等に際して交付された株式等以外の財産の価額に対応する部分の額として（7）の政令で定めるところにより計算した金額に限る。）に相当する贈与税については、第一節の**1**の規定にかかわらず、再申請期限をもって第一節の**1**の規定による納税の猶予に係る期限とする。

　　（**3**の規定の適用を受ける場合の納税猶予の期限等）
（1）　**3**の規定により猶予中贈与税額とされた金額については、**2**の（一）から（三）までに掲げる場合に該当することとなった日から２年を経過する日（当該２年を経過する日前に特例経営承継受贈者又は当該特例経営承継受贈者に係る特例贈与者が死亡した場合には、その死亡の日の前日。以下（3）までにおいて同じ。）における次に掲げる場合の区分に応じ、それぞれに定める金額に相当する贈与税について、当該２年を経過する日から２月を経過する日（当該２年を経過する日から当該２月を経過する日までの間に特例経営承継受贈者が死亡した場合には、当該特例経営承継受贈者の相続人（包括受遺者を含む。）が当該特例経営承継受贈者の死亡による相続の開始があったことを知った日の翌日から６月を経過する日）に納税の猶予に係る期限が到来することに留意する。（措通70の７の５-33）
　（一）　**4**の（一）に規定する会社が事業を継続している場合に該当する場合　　**4**の（5）に規定する特例再計算贈与税額（**3**の（二）の合併又は**3**の（三）の株式交換等に該当する場合には、当該合併又は株式交換等に際して交付された株式等以外の財産の価額に対応する部分の額として**4**の（6）の規定により計算した金額に限る。）
　（二）　当該会社が事業を継続している場合に該当しない場合　　**3**の規定により猶予中贈与税額とされた金額（**3**の（二）の合併又は**3**の（三）の株式交換等に該当する場合には、当該合併又は株式交換等に際して交付された株式等以外の財産の価額に対応する部分の額として**4**の（7）の規定により計算した金額に限る。）
　（注）　「**3**の規定により猶予中贈与税額とされた金額」とは、**2**のそれぞれ（一）から（三）のイ及びロに掲げる金額の合計額をいうことに留意する。

　　（事業を継続している場合として政令で定める場合）
（2）　**4**の（一）に規定する事業を継続している場合として政令で定める場合は、**4**の（一）のイからハまでに掲げる会社が、**4**に規定する２年を経過する日において次に掲げる要件の全てを満たす場合とする。（措令40の８の５㉛）
　（一）　商品の販売その他の業務で（4）の財務省令で定めるものを行っていること。
　（二）　**2**の（一）から（三）に掲げる場合に該当することとなった時の直前における特例認定贈与承継会社の常時使用従業員（第一節の**2**の（一）のイに規定する常時使用従業員をいう。以下（2）において同じ。）のうちその総数の２分の１に相当する数（その数に１人未満の端数があるときはこれを切り捨てた数とし、当該該当することとなった時の直前における常時使用従業員の数が１人のときは１人とする。）以上の者が、当該該当することとなった時から当該２年を経過する日まで引き続き**4**の（一）のイからハまでに掲げる会社の常時使用従業員であること。
　（三）　（二）の常時使用従業員が勤務している事務所、店舗、工場その他これらに類するものを所有し、又は賃借していること。

　　（事業の継続に係る雇用要件の判定）
（3）　（2）の（二）の要件の判定は、**2**の（一）から（三）までに掲げる場合に該当することとなった時の直前に特例認定贈与承継会社の常時使用従業員であった者のうち、その該当することとなった時から**4**の２年を経過する日まで引き続き次に掲げる会社の常時使用従業員である者の数が、その該当することとなった時の直前における当該特例認定贈与承継会社の常時使用従業員の総数の２分の１に相当する数以上であるかどうかにより行うことに留意する。（措通70の７の５-34）
　（一）　**3**の（一）に掲げる場合における同（一）の譲渡等をした特例対象受贈非上場株式等に係る会社
　（二）　**3**の（二）に掲げる場合における同号の合併に係る吸収合併存続会社等
　（三）　**3**の（三）に掲げる場合における同号の株式交換等に係る株式交換完全子会社等
　（注）　上記の「常時使用従業員の総数の２分の１に相当する数」は、その数に１人未満の端数があるときはこれを切り捨てた数となり、当該該当することとなった時の直前における常時使用従業員の数が１人のときは１人となることに留意する。

　　（財務省令で定める業務）
（4）　第一章第一節の**2**の（5）の規定は、（2）の（一）に規定する財務省令で定める業務について準用する。（措規23の12の2㉚）

第四章　非上場株式等についての贈与税の納税猶予及び免除の特例
（第六節　納税猶予税額の免除）

（特例再計算贈与税額の意義）
（5）　**4**の（一）の「特例再計算贈与税額」とは、**4**の（一）の矻定の適用に係る譲渡等の対価の額、合併対価の額又は交換等対価の額に相当する金額を第一節の**1**の規定の適用に係る贈与により取得をした特例対象受贈非上場株式等の当該贈与の時における価額とみなして、第一節の**2**の（八）の規定により計算した金額に**2**の（一）のロ、（二）のロ又は（三）のロに掲げる金額を加算した金額をいう。（措法70の7の5⑮）

（**4**の（一）に規定する政令で定めるところにより計算した金額）
（6）　**4**の（一）に規定する政令で定めるところにより計算した金額は、（5）に規定する特例再計算贈与税額から（5）の第一節の**2**の（八）の規定により計算した金額に**4**の（一）の株式等の価額が（5）の合併対価の額又は交換等対価の額に占める割合を乗じて計算した金額を控除した金額とする。この場合において、当該金額に100円未満の端数があるとき、又はその全額が100円未満であるときは、その端数金額又はその全額を切り捨てる。（措令40の8の5㉜）

（**4**の（二）に規定する政令で定めるところにより計算した金額）
（7）　**4**の（二）に規定する政令で定めるところにより計算した金額は、**3**に規定する合計額から（5）の第一節の**2**の（八）の規定により計算した金額に**4**の（二）の株式等の価額が（5）の合併対価の額又は交換等対価の額に占める割合を乗じて計算した金額を控除した金額とする。この場合において、当該金額に100円未満の端数があるとき、又はその全額が100円未満であるときは、その端数金額又はその全額を切り捨てる。（措令40の8の5㉝）

5　贈与税の免除に係る手続

　4の（一）の規定により**4**の（一）の贈与税の免除を受けようとする特例経営承継受贈者は、再申請期限までに、**4**の（一）の免除を受けたい旨、免除を受けようとする贈与税に相当する金額及びその計算の明細その他の（2）の財務省令で定める事項を記載した申請書（当該免除の手続に必要な書類その他の（3）の財務省令で定める書類を添付したものに限る。）を納税地の所轄税務署長に提出しなければならない。（措法70の7の5⑯）

（特例再計算贈与税額に係る差額免除の申請書が再申請期限までに提出されない場合等）
（1）　特例経営承継受贈者が**4**の（一）の規定の適用を受けようとする場合には、同（一）に規定する再申請期限（以下（1）において「再申請期限」という。）までに**5**に規定する申請書を納税地の所轄税務署長に提出しなければ、**4**の（一）の規定の適用はないことに留意する。当該申請書を再申請期限までに提出しない場合には、**3**の規定により猶予中贈与税額とされた金額に相当する贈与税については、再申請期限をもって納税の猶予に係る期限が到来することに留意する。（措通70の7の5－35）
　（注）　再申請期限までに**5**に規定する申請書の提出がなかった場合のゆうじょ規定は設けられていない。

（免除申請書の記載事項）
（2）　**5**に規定する財務省令で定める事項は、次に掲げる事項とする。（措規23の12の2㉛）
　（一）　**5**の申請書を提出する者の氏名及び住所又は居所
　（二）　**4**の（一）の規定による贈与税の免除を受けようとする旨並びに当該免除を受けようとする贈与税の額及びその計算の明細
　（三）　**4**の（一）のイからハまでに掲げる会社が行っている業務の内容
　（四）　**2**の（一）から（四）に掲げる場合に該当することとなった時の直前において特例認定贈与承継会社の常時使用従業員であった者の数
　（五）　（四）の常時使用従業員であった者のうち**4**に規定する2年を経過する日まで引き続き**4**の（一）のイからハまでに掲げる会社の常時使用従業員である者の数
　（六）　**4**の（2）の（三）の事務所、店舗、工場その他これらに類するもののうち所有又は賃借をしているものの所在地（これらが2以上ある場合には、主たるものの所在地）
　（七）　その他参考となるべき事項

（免除申請書の添付書類）
（3）　**5**に規定する財務省令で定める書類は、次に掲げる書類とする。（措規23の12の2㉜）
　（一）　**4**に規定する2年を経過する日における猶予中贈与税額を記載した書類
　（二）　**4**に規定する2年を経過する日における**4**の（一）のイからハまでに掲げる会社の従業員数証明書その他の書類で

－1333－

（2）の（五）の数を証するもの及び（2）の（五）の常時使用従業員である者の一覧表

（三）　登記事項証明書その他の書類で**4**の（一）のイからハまでに掲げる会社が**4**に規定する2年を経過する日において**4**の（2）の（三）の事務所、店舗、工場その他これらに類するものを所有していること又は賃借していることを証するもの

　　（免除申請書を提出した特例経営承継受贈者への通知）

（4）　税務署長は、**2**、**3**又は**5**の規定による申請書の提出があった場合において、これらの申請書に記載された事項について調査を行い、これらの申請書に係る**2**の（一）から（四）に掲げる場合の区分に応じ当該（一）から（四）に定める贈与税若しくは**3**若しくは**4**の（一）に規定する贈与税の免除をし、又はこれらの申請書に係る申請の却下をする。この場合において、税務署長は、これらの申請書に係る申請期限又は再申請期限の翌日から起算して6月以内に、当該免除をした贈与税の額又は当該却下をした旨及びその理由を記載した書面により、これをこれらの申請書を提出した特例経営承継受贈者に通知するものとする。（措法70の7の5⑰）

　　（徴収の猶予及び延滞税の免除）

（5）　第一章第七節の**2**の(11)及び(12)の規定は、**2**、**3**又は**5**の申請書の提出があった場合について準用する。この場合において、第一章第七節の**2**の(11)中「第五節の**3**の表の（六）」とあるのは「第四章第五節の**2**の表の（九）」と、「（八）」とあるのは「（十二）」と、「同表の（六）」とあるのは「同表の（九）」と、同**2**の(12)中「第五節の**3**の表の（六）の左欄又は同表の（八）」とあるのは「第四章第五節の**2**の表の（九）から（十一）まで」と読み替えるものとする。（措法70の7の5⑱）

6　特例認定贈与承継会社について再生計画又は更生計画の認可の決定があった場合の免除

　第一章第七節の**3**、同**3**の（1）から（3）までの規定は、特例認定贈与承継会社について同**3**に規定する評定が行われた場合における納税猶予分の贈与税額の計算及び免除について準用する。（措法70の7の5⑳）

　　（準用規定）

（1）　第一章第七節の**2**の（6）、同節の**3**の（4）（5）（6）の規定は、**6**において第一章第七節の**3**、同**3**の（1）から（3）までの規定を準用する場合について準用する。（措令40の8の5㉞）

　　（読替え規定）

（2）　第一章第七節の**3**の（7）から(11)までの規定は、**6**において準用する第一章第七節の**3**、同**3**の（1）から（3）までの規定の適用がある場合について準用する。この場合において、第一章第七節の**3**の（9）の（二）中「いずれの者」とあるのは、「いずれの者（第一節の**1**の（2）の（二）のイからハまでに掲げる者を除く。）」と読み替えるものとする。（措規23の12の2㉝）

　　（再計算免除に関する取扱いの準用）

（3）　第一章第七節の**3**の(12)から(15)については、特例経営承継受贈者が**6**において準用する第一章第七節の**3**の規定の適用を受ける場合について準用する。（措通　70の7の5－39）

－1334－

第七節　事業用資産等が災害によって甚大な被害を受けた場合

　第一章第八節の **1** 、同節の **2** 、同節の **4** 、同節の **4** の（1）規定は、第一節の **1** の特例対象受贈非上場株式等に係る特例認定贈与承継会社が第一章第八節の **2** に規定する災害等によって被害を受けた場合について準用する。（措法70の7の5㉕）

　　（準用規定）
（1）　第一章第七節の **2** の（3）及び同章第八節の **1** の（1）（3）（6）（7）（9）（12）（15）（17）（20）（24）（25）、同節の **3** 、同節の **4** の（2）の規定は、第七節において第一章第八節 **1** 、同節の **2** 、同節の **4** 、同節の **4** の（1）までの規定を準用する場合について準用する。（措令40の8の5㊱）

　　（準用規定）
（2）　第一章第八節の **1** の（10）（13）（18）（21）（22）、同節の **2** の（1）（2）、同節の **3** の（1）（2）、同節の **4** の（3）（4）の規定は、第七節において準用する第一章第八節の **1** 、同節の **2** 、同節の **4** 、同 **4** の（1）の規定の適用がある場合について準用する。（措規23の12の2㉞）

　　（災害等によって被害を受けた場合における措置に関する取扱いの準用）
（3）　第一章第八節 **1** の（2）（4）（5）（19）（23）、同節 **2** の（3）、同節 **3** の（3）（4）については、特例経営承継受贈者が第七節において準用する第一章第八節の **1** 、同節の **2** 、同節の **4** 、同 **4** の（1）（5）の規定の適用を受ける場合について準用する。（措通70の7の5－41）

第八節　雑　　則

（現物出資等がある場合の適用除外）
（1）　第一章第九節の（2）の規定は、第一節の**1**の特例対象受贈非上場株式等に係る特例認定贈与承継会社が第一節の**1**の規定の適用を受けようとする特例経営承継受贈者及び当該特例経営承継受贈者と第一節の**2**の（15）の政令で定める特別の関係がある者から現物出資又は贈与により財産を取得した場合について準用する。（措法70の7の5㉔）

（国税通則法、国税徴収法及び相続税法の規定の適用）
（2）　第一章第九節の（4）及び（6）の規定は、特例経営承継受贈者が第一節の**1**の規定の適用を受けようとする場合又は第一節の**1**の規定による納税の猶予がされた場合における国税通則法、国税徴収法及び相続税法の規定の適用について準用する。この場合において、第一章第九節の（6）の（九）中「又は同節の**3**」とあるのは「若しくは同節の**3**又は第四章第六節の**2**から**4**まで」と、同節の（4）中「経営承継受贈者」とあるのは「特例経営承継受贈者」と、「贈与者」とあるのは「特例贈与者」と、「免除）」とあるのは「免除の特例）」と、「認定贈与承継会社」とあるのは「特例認定贈与承継会社」と、「株主」とあるのは「又は同**2**の（六）に規定する特例経営承継受贈者」と、「第一節の**1**の」とあるのは「当該」と、「同**1**」とあるのは「同節の**1**」と、「定める」とあるのは「定め、若しくは当該贈与税の免除を取り消す」」と、「第一章《非上場株式等についての贈与税の納税猶予及び免除》の」とあるのは「第四章《非上場株式等についての贈与税の納税猶予及び免除の特例》の」と読み替えるものとする。（措法70の7の5⑩）

（法人税法、所得税法及び地価税法の規定の適用）
（3）　第一章第九節の（5）の規定は、（2）において第一章第九節の（4）の規定を準用する場合について準用する。（措令40の8の5㊴）

（国税通則法第50条第2号の財務省令で定める要件）
（4）　第一章第九節の（6）の（二）の規定により読み替えて適用する国税通則法第50条第2号に規定する財務省令で定める要件について準用する。（措規23の12の2㉑）

（経済産業大臣等の通知義務）
（5）　第一章第九節の（9）の規定は、経済産業大臣又は経済産業局長（中小企業における経営の承継の円滑化に関する法律第17条の規定に基づく政令の規定により特例円滑化法認定を都道府県知事が行うこととされている場合には、当該都道府県知事。（7）、第五章第八節の（5）及び（7）並びに第六章第二節の**10**の（4）及び（5）において同じ。）が、第一節の**1**の規定の適用を受ける特例経営承継受贈者又は第一節の**1**の特例対象受贈非上場株式等若しくは当該特例対象受贈非上場株式等に係る特例認定贈与承継会社について、第五節の**1**において準用する第一章第五節の**1**、同節の**2**及び同章第六節の規定による納税の猶予に係る期限の確定に係る事実に関し、法令の規定に基づき認定、確認、報告の受理その他の行為をしたことにより当該事実があったことを知った場合について準用する。（措法70の7の5㉖）

（経済産業大臣等の通知事項）
（6）　第一章第九節の（10）及び（12）の規定は、（5）において準用する第一章第九節の（9）及び（7）において準用する第一章第九節の（11）に規定する財務省令で定める事項について準用する。（措規23の12の2㉟）

（経済産業大臣等への通知義務）
（7）　第一章第九節の（11）の規定は、税務署長が、経済産業大臣又は経済産業局長の事務（第一節の**1**の規定の適用を受ける特例経営承継受贈者に関する事務で、（5）において準用する第一章第九節の（9）の規定の適用に係るものに限る。）の処理を適正かつ確実に行うため必要があると認める場合について準用する。（措法70の7の5㉗）

第九節　非上場株式等についての贈与税の納税猶予及び免除の特例に係る相続時精算課税適用者の特例

　贈与により第一節の**1**の規定の適用に係る特例対象受贈非上場株式等（第一節の**1**に規定する特例対象受贈非上場株式等をいう。以下本節において同じ。）を取得した第一節の**1**の規定の適用を受ける特例経営承継受贈者（第一節の**2**の(六)に規定する特例経営承継受贈者をいう。以下本節において同じ。）が特例贈与者（その贈与をした第一節の**1**に規定する特例贈与者をいう。以下本節において同じ。）の推定相続人以外の者（その特例贈与者の孫を除き、その年1月1日において18歳以上である者に限る。）であり、かつ、その特例贈与者が同日において60歳以上の者である場合には、その贈与により当該特例対象受贈非上場株式等を取得した特例経営承継受贈者については、第三編第一章第一節**一**《相続時精算課税制度の適用対象者》又は**二**《相続時精算課税制度の選択》の規定を準用する。（措法70の2の8により読み替えて準用する措法70の2の7①）

　　　（第六編第一章第八節関係通達の準用）
（1）　第六編第一章第八節の(7)《納税猶予分の贈与税額が算出されない場合》及び同節の(8)《特例受贈事業用資産の取得の時前に贈与により取得した財産がある場合》は、特例経営承継受贈者（第一節の**2**の(六)に規定する特例経営承継受贈者をいう。）が第九節において準用する第六編第一章第八節の規定の適用を受ける場合について準用する。（措通70の2の8−1）

　　　（相続時精算課税関係通達の準用）
（2）　第三編第一章第三節**三**の(18)《相続時精算課税適用者に対する第一編第四章第二節**四**の**1**《相続開始前7年以内の贈与財産》の規定の適用》、第三編第一章第一節**二**の(8)《「相続時精算課税選択届出書」の提出先等》、同**二**の(9)《相続時精算課税選択届出書の提出》及び同**二**の(10)《住所又は居所を証する書類》から同章第四節**二**の(10)《相続人が2人以上いる場合》までについては、特例経営承継受贈者が第九節において準用する第六編第一章第八節の規定の適用を受ける場合について準用する。（措通70の2の8−2）

　　　（特例対象受贈非上場株式等の取得の時前に当例贈与者からの贈与により取得した財産がある場合）
（3）　特例経営承継受贈者が特例贈与者（その年1月1日において60歳以上の者に限る。）からの贈与により特例対象受贈非上場株式等を取得した場合において、当該特例対象受贈非上場株式等の取得の時前に当該特例贈与者からの贈与により取得した財産については、第九節の規定の適用はないものとする。（措法70の2の8により読み替えて準用する措法70の2の7②）

　　　（贈与税の納税猶予の期限確定・免除の場合の特例贈与者から取得した財産）
（4）　第九節において準用する第三編第一章第一節**二**の届出書を提出した特例経営承継受贈者が、第一節の**2**の(九)のロに規定する猶予中贈与税額に相当する贈与税の全部につき納税の猶予に係る期限が確定した場合又は免除された場合においても、特例贈与者からの贈与により取得した財産については、第九節において準用する第三編第一章第一節**二**の(1)《相続時精算課税選択届出書に係る贈与財産の税額の計算》の規定の適用があるものとする。（措法70の2の8により読み替えて準用する措法70の2の7③）

　　　（相続時精算課税適用者が特定贈与者の推定相続人でなくなった場合）
（5）　第九節において準用する第三編第一章第一節**二**《相続時精算課税制度の選択》の届出書を提出した特例経営承継受贈者については同**二**の(1)《相続時精算課税選択届出書に係る贈与財産の税額の計算》の規定の適用を受ける財産を取得した同**二**の(2)《相続時精算課税適用者が特定贈与者の推定相続人でなくなった場合》に規定する相続時精算課税適用者と、特例贈与者については同**二**の(1)の規定の適用を受ける財産の贈与をした同**二**の(2)に規定する特定贈与者とそれぞれみなして、相続税法その他相続税又は贈与税に関する法令の規定を適用する。（措法70の2の8により読み替えて準用する措法70の2の7④）

−1337−

第七編　非上場株式等に係る相続税・贈与税の納税猶予及び免除

　　　（相続税法その他の法令の規定の適用）
（6）　第九節において準用する第三編第一章第一節二《相続時精算課税制度の選択》の届出書に係る贈与をした者からの贈与により取得する財産については、同二の（1）《相続時精算課税選択届出書に係る贈与財産の税額の計算》の規定の適用を受ける財産とみなして、相続税法その他相続税又は贈与税に関する法令の規定を適用する。（措令40の４の８により読み替えて準用する措令40の４の７①）

　　　（相続時精算課税の適用に係る相続税の申告）
（7）　第九節の規定の適用がある場合における第三編第一章第五節の三の（3）《贈与税の申告内容の開示請求の方法等》の規定の適用については、同三の（3）中「推定相続人」とあるのは「推定相続人（第七編第四章第九節の規定の適用を受けた同章第一節の２の（六）に規定する特例経営承継受贈者を含む。）」とする。（措令40の４の８により読み替えて準用する措令40の４の７②）

　　　（相続時精算課税選択届出書の添付書類等）
（8）　第九節の規定の適用がある場合における第三編第一章第一節二の（5）《相続時精算課税選択届出書の添付書類》及び同編第一章第五節三の（6）《開示請求書の添付書類等》の（三）の規定の適用については、同編第一章第一節二の（5）中「者の戸籍の謄本又は抄本その他の書類でその者の」とあるのは「者の」と、「の推定相続人に該当する」とあるのは「からの贈与により第七編第四章第一節の１《非上場株式等についての贈与税の納税猶予及び免除の特例》に規定する特例対象受贈非上場株式等の取得をした」と、第三編第一章第五節三の（6）の（三）中「の推定相続人であった場合」とあるのは「からの贈与により第七編第四章第一節の１《非上場株式等についての贈与税の納税猶予及び免除の特例》に規定する特例対象受贈非上場株式等の取得をした場合」と、「戸籍の謄本又は抄本その他の書類で当該対象共同相続人等が当該被相続人の推定相続人であった」とあるのは「当該贈与に係る契約書の写しその他の書類で当該対象共同相続人等が当該特例対象受贈非上場株式等の取得をした」とする。（措規23の５の８により読み替えて準用する措規23の５の７）

－1338－

第四章　非上場株式等についての贈与税の納税猶予及び免除の特例
（第九節　非上場株式等についての贈与税の納税猶予及び免除の特例に係る相続時精算課税適用者の特例）

非上場株式等についての　贈 与 税　の納税猶予の継続届出書（特例措置）
　　　　　　　　　　　　　　相 続 税

※欄は記入しないでください。

（税務署受付印）

令和＿＿＿年＿＿月＿＿日

＿＿＿＿＿＿税 務 署 長

届出者　〒
　　　　住所＿＿＿＿＿＿＿＿＿＿＿＿

　　　　氏名＿＿＿＿＿＿＿＿＿＿＿＿
　　　　（電話番号　　　－　　　－　　　）

　　　　　　　　　　第70条の7の5第1項
租税特別措置法　第70条の7の6第1項　の規定による　贈与税　の納税の猶予を引き続いて受けたいので、
　　　　　　　　　　第70条の7の8第1項　　　　　　　　相続税

　　　　　　　　　　　　　　　　　　　　第6項
次に掲げる税額等について確認し、同条　第7項　の規定により関係書類を添付して届け出ます。
　　　　　　　　　　　　　　　　　　　　第6項

非上場株式等の	贈 与 を 受 け た 相続（遺贈）があった	年 月 日		平 成 令 和	年	月	日
贈 与 者 被 相 続 人	住所			氏名			

この届出書は、特例認定（贈与・相続）承継会社、贈与者・被相続人ごとに作成してください。

1　経営（贈与・相続）報告基準日（以下「基準日」といいます。）　　平成　令和＿＿＿年＿＿月＿＿日

2　1の基準日における猶予中　贈与税　額　　　　　　　　　＿＿＿＿＿＿＿＿＿円
　　　　　　　　　　　　　　相続税

3　1の基準日において有する特例対象（受贈・相続）非上場株式等（以下「非上場株式等」といいます。）
　の数又は金額　　　　　　　　　　　　　　　　　　　　　＿＿＿＿＿＿＿株（口・円）

【非上場株式等の内訳等】※　記載に当たっては、裏面の記載方法等の「2」をご覧ください。

	贈与年月日	贈与者の氏名	贈与者の住所	左記の贈与者が贈与した株式等の数又は金額
イ	・　・			株（口・円）
ロ	・　・			株（口・円）

4　特例認定（贈与・相続）承継会社の名称　　　　　　　　　　　＿＿＿＿＿＿＿＿＿＿

5　1の基準日の直前の経営（贈与・相続）報告基準日の翌日から当該基準日までの間に、特例経営承継者につき納税の猶予に係る期限が到来した猶予中贈与税・相続税額がある場合、差額免除・追加免除に係る贈与税・相続税額の通知があった場合又は再計算免除贈与税・相続税額の通知があった場合には、その明細を「納税の猶予に係る期限が到来した猶予中贈与税・相続税額、差額免除・追加免除により免除された猶予中贈与税額・相続税額又は再計算免除贈与税・相続税額の明細書（特例措置）」に記載の上、この届出書に添付して提出してください。

【 添付書類 】　特例認定（贈与・相続）承継会社に係る基準日における次に掲げる書類
① 定款の写し
② 株主名簿の写しその他の書類で特例認定（贈与・相続）承継会社の株主又は社員の氏名又は名称及び住所又は所在地並びにこれらの者が有する特例認定（贈与・相続）承継会社の株式等に係る議決権の数が確認できる書類（特例認定（贈与・相続）承継会社が証明したものに限ります。）
③ 中小企業における経営の承継の円滑化に関する法律施行規則第12条第19項、第22項、第24項若しくは第26項において準用する同条第2項又は同規則第12条第20項、第23項、第25項若しくは第27項において準用する同条第4項の報告書の写し及び当該報告書に係る同条第37項の確認書の写し
④ 基準日が特例経営（贈与・相続）承継期間の末日であり、租税特別措置法施行規則第23条の12の2第17項第5号、同規則第23条の12の3第17項第5号（同規則第23条の12の5第15項において準用する場合を含みます。）の規定に該当する場合（裏面の4参照）には、中小企業における経営の承継の円滑化に関する法律施行規則第20条第3項の報告書の写し及び当該報告書に係る同条第14項の確認書の写し
⑤ 基準日の直前の経営（贈与・相続）報告基準日（基準日が最初の経営（贈与・相続）報告基準日の場合は、贈与税・相続税の申告書の提出期限）の翌日から基準日までの間に会社分割又は組織変更があった場合には、会社分割に係る吸収分割契約書若しくは新設分割計画書の写し又は組織変更に係る組織変更計画書の写し
⑥ 基準日の直前の経営（贈与・相続）報告基準日の翌日から基準日までの間に合併又は株式交換等があった場合には、裏面の5に掲げる書類

（注）　基準日が最初の「非上場株式等についての贈与税・相続税の納税猶予及び免除の特例」の適用に係る贈与税又は相続税の申告書の提出期限の翌日以後5年を経過する日のいずれか早い日の翌日以後である場合は③の書類の提出は必要ありません。

関与税理士		電話番号	

※	通信日付印の年月日	（確　認）	入　力	確　認	納税猶予番号
	年　月　日				

（資12②－38－A4統一）（令3.6）

－1339－

第七編　非上場株式等に係る相続税・贈与税の納税猶予及び免除

非上場株式等についての 贈　与　税／相　続　税 の納税猶予の免除届出書（死亡免除）（特例措置）

税務署
受付印

令和＿＿＿年＿＿＿月＿＿＿日

＿＿＿＿＿＿＿＿税務署長

贈 与 者
年　　月　　日に 受 贈 者 （ 氏名：＿＿＿＿＿＿＿＿＿＿＿＿＿＿＿＿＿＿＿＿＿＿ ）
相続人等

（ 住所：＿＿＿＿＿＿＿＿＿＿＿＿＿＿＿＿＿＿＿＿＿＿＿＿ ）が 死 亡 し、租 税 特 別 措 置 法

第70条の7の5第11項において準用する同法第70条の7第15項第＿＿＿＿号
第70条の7の6第12項において準用する同法第70条の7の2第16項第1号　　　の規定により、次の 贈 与 税／相 続 税 を
第70条の7の8第11項において準用する同法第70条の7の2第16項第1号

免除されたいので届け出ます。

【 届 出 者 】※　書ききれない場合は適宜の用紙に記載してください。
〒

住 所＿＿＿＿＿＿＿＿＿＿＿＿＿＿＿＿　氏 名＿＿＿＿＿＿＿＿＿＿＿

贈 与 者
受 贈 者 との続柄＿＿＿＿＿＿＿
相続人等

1　特例対象（受贈・相続）非上場株式等（以下「**非上場株式等**」といいます。）

の 贈 与 を 受 け た／相 続（遺 贈）が あ っ た 年月日　　　＿＿＿＿年＿＿＿＿月＿＿＿＿日

2　死亡日の直前における猶予中 贈与税／相続税 額　　　　　　＿＿＿＿＿＿＿＿＿＿＿円

3　死亡日の直前において有する非上場株式等の数又は金額　　　＿＿＿＿＿＿＿＿株（口・円）

【非上場株式等の内訳等】※　記載に当たっては、裏面の「2　記載方法等」の（4）をご覧ください。

	贈与年月日	贈与者の氏名	贈与者の住所	左記の贈与者が贈与した株式等の数又は金額（単位：株（口・円））		
				Ⓐ死亡日の直前	Ⓑ免除を受ける株式等	Ⓒ死亡日の後（Ⓐ－Ⓑ）
イ	・・					
ロ	・・					
ハ	・・					

4　免除を受ける 贈与税／相続税 額　　　　　　　　　　　　　＿＿＿＿＿＿＿＿＿＿＿円

※　租税特別措置法第70条の7の5第11項において準用する同法第70条の7第15項第2号の規定により贈与税の免除を受ける場合には、次の欄の算式に従って計算し記載してください。

上記2の「死亡日の直前における猶予中贈与税額」（円）　×　死亡した贈与者から贈与を受けた非上場株式等の数又は金額(注1)（株（口・円））／上記3の「死亡日の直前において有する非上場株式等の数又は金額」（株（口・円））　＝　免除を受ける贈与税額(注2)（円）

▶ この欄の金額を上記4の「免除を受ける贈与税額」欄に転記してください。

（注）1　【非上場株式等の内訳等】の「Ⓑ免除を受ける株式等」欄に数又は金額の記載がない場合には、上記3の「死亡日の直前において有する非上場株式等の数又は金額」に記載された数又は金額を転記し、【非上場株式等の内訳等】の「Ⓑ免除を受ける株式等」欄に数又は金額の記載がある場合には、同欄に記載された数又は金額を転記します。

2　計算した金額に百円未満の端数があるとき、又はその全額が百円未満であるときは、その端数金額又はその全額を切り捨てください。

5　贈 与 者／被相続人 の住所＿＿＿＿＿＿＿＿＿＿＿＿＿　氏名＿＿＿＿＿＿＿＿＿＿＿

6　死亡日の直前の経営（贈与・相続）報告基準日の翌日からその死亡日までの間に特例経営承継者につき納税の猶予に係る期限が到来した猶予中贈与税・相続税額がある場合には、その明細を「納税の猶予に係る期限が到来した猶予中贈与税・相続税額の明細書（免除届出用）（特例措置）」に記載の上、この届出書に添付して提出してください。

関与税理士		電 話 番 号	

※	通信日付印の年月日	（確　認）	入　力	確　認	納税猶予番号
	年　月　日				

（資12②－41－1－A4統一）(令3.3)

※欄は記入しないでください。

第四章　非上場株式等についての贈与税の納税猶予及び免除の特例
（第九節　非上場株式等についての贈与税の納税猶予及び免除の特例に係る相続時精算課税適用者の特例）

非上場株式等についての 贈与税／相続税 の納税猶予の免除届出書（贈与による免除）（特例措置）

税務署
受付印

令和＿＿＿年＿＿＿月＿＿＿日

※欄は記入しないでください。

＿＿＿＿＿＿＿税務署長

　私は、租税特別措置法 第70条の7第1項／第70の7の5第1項 の規定の適用に係る贈与をし、

　　　　　　　第70条の7の5第11項において準用する同法第70条の7第15項第3号
　同法 第70条の7の6第12項において準用する同法第70条の7の2第16項第2号 の規定により次の 贈与税／相続税 を
　　　　　　　第70条の7の8第11項において準用する同法第70条の7の2第16項第2号

　免除されたいので届け出ます。

【届出者】
　　〒
　住所＿＿＿＿＿＿＿＿＿＿＿＿＿＿＿＿＿＿＿＿＿＿　氏名＿＿＿＿＿＿＿＿＿＿＿＿＿＿＿＿＿＿＿

　特例認定（贈与・相続）承継会社の商号　＿＿＿＿＿＿＿＿＿＿＿＿＿＿＿＿＿＿＿＿＿＿＿＿＿＿＿＿

1　特例対象（受贈・相続）非上場株式等（以下「非上場株式等」といいます。）
　の贈与をした年月日　　　　　　　　　　　　　　　　　　　　＿＿＿＿＿＿年＿＿＿＿月＿＿＿＿日

2　非上場株式等の贈与を受けた人の住所・氏名
　　住所＿＿＿＿＿＿＿＿＿＿＿＿＿＿＿＿＿＿＿＿　氏名＿＿＿＿＿＿＿＿＿＿＿＿＿＿＿＿＿＿＿

3　贈与の直前における猶予中 贈与税／相続税 額　　　　　　　　　　　　　　＿＿＿＿＿＿＿＿＿＿＿円

4　贈与の直前において有する非上場株式等の数又は金額　　　　　　　　　　＿＿＿＿＿＿＿＿株(口・円)

5　贈与をした非上場株式等の数又は金額　　　　　　　　　　　　　　　　　＿＿＿＿＿＿＿＿株(口・円)

【非上場株式等の内訳等】※　記載に当たっては、裏面の「2　記載方法等」の（2）をご覧ください。

	贈与年月日	贈与者の氏名	贈与者の住所	左記の贈与者が贈与した株式等の数又は金額（単位：株（口・円））		
				Ⓐ贈与の直前	Ⓑ贈与をした株式等	Ⓒ贈与をした日の後（Ⓐ－Ⓑ）
イ	・・					
ロ	・・					
ハ	・・					

6　免除を受ける 贈与税／相続税 額　　　　　　　　　　　　　　　　　　＿＿＿＿＿＿＿＿＿＿＿＿円

　※　次の欄の算式に従って計算し記載してください。

上記3の「贈与の直前における猶予中 贈与税／相続税 額」		贈与をした非上場株式等の数又は金額 (注1)		免除を受ける 贈与税／相続税 額 (注2)
（円）	×	（株（口・円））	=	（円）
		上記4の「贈与の直前において有する非上場株式等の数又は金額」		
		（株（口・円））		

　　　　→この欄の金額を「6　免除を受ける 贈与税／相続税 額」欄に転記してください。

　(注)　1　「贈与をした非上場株式等の数又は金額」には、贈与をした非上場株式等について、その贈与を受けた人が租税特別措置法第70条の7第1項又は同
　　　　　法第70条の7の5第1項の規定の適用を受けた非上場株式等の数又は金額を記載してください。
　　　　2　計算した金額に百円未満の端数があるとき、又はその全額が百円未満であるときは、その端数金額又はその全額を切り捨ててください。

7　非上場株式等を相続（遺贈）した年月日　　　　　　　　　　　　　　　　＿＿＿＿＿＿年＿＿＿＿月＿＿＿＿日

8　被相続人の住所＿＿＿＿＿＿＿＿＿＿＿＿＿＿＿　氏名＿＿＿＿＿＿＿＿＿＿＿＿＿＿＿＿＿＿＿

9　贈与をした日の直前の経営（贈与・相続）報告基準日の翌日から贈与をした日までの間に特例経営承継者につき納税の
　猶予に係る期限が到来した猶予中贈与税・相続税額がある場合には、その明細を「納税の猶予に係る期限が到来した猶予
　中贈与税・相続税額の明細書（免除届出用）（特例措置）」に記載の上、この届出書に添付して提出してください。

| 関与税理士 | | 電話番号 | |

| ※ | 通信日付印の年月日 | （確認） | 入　力 | 確　認 | 納税猶予番号 |
| | 年　　月　　日 | | | | |

（資12②－44－1－A4統一）（令3.3）

－1341－

第七編　非上場株式等に係る相続税・贈与税の納税猶予及び免除

非上場株式等についての　贈与税／相続税　の納税猶予取りやめ届出書（特例措置）

令和＿＿＿年＿＿＿月＿＿＿日

税務署受付印

＿＿＿＿＿＿税務署長

〒

届出者住所　＿＿＿＿＿＿＿＿＿＿＿＿＿＿＿＿＿＿＿＿＿

氏名　＿＿＿＿＿＿＿＿＿＿＿＿＿＿＿＿＿＿＿＿＿

（電話番号　　　　　　－　　　　　－　　　　　　）

※欄は記入しないでください。

私は、下記に係る租税特別措置法　第70条の7の5第1項／第70条の7の6第1項／第70条の7の8第1項　の規定に基づく非上場株式等

についての納税猶予について、この制度の適用を受けることを取りやめたいので、その旨

届け出ます。

記

1　贈与者又は被相続人の住所　＿＿＿＿＿＿＿＿＿＿＿＿＿＿＿＿＿氏名＿＿＿＿＿＿＿＿＿

2　特例対象（受贈・相続）非上場株式等

の　贈与を受けた／相続(遺贈)があった　年月日　＿＿＿＿＿年＿＿＿＿月＿＿＿＿日

3　特例認定（贈与・相続）承継会社の所在地　＿＿＿＿＿＿＿＿＿＿＿　名称＿＿＿＿＿＿＿

4　猶予中贈与税額（相続税額）　＿＿＿＿＿＿＿＿＿＿＿＿＿＿＿＿円

（注）この届出書を提出した日から2か月を経過する日（当該2か月を経過する日までの間に届出書を提出した者
（特例経営承継受贈者、特例経営承継相続人等又は特例経営相続承継受贈者をいいます。以下「届出者」といい
ます。）が死亡した場合には、届出者の相続人（包括受遺者を含みます。）が届出者の死亡による相続の開始の
あったことを知った日の翌日から6か月を経過する日）が納税の猶予に係る期限となりますので、当該納税の猶
予に係る期限までに、猶予中の贈与税（相続税）及び利子税を納付する必要があります。

関与税理士		電話番号	

※	通信日付印の年月日	（確認）	入力	確認	納税猶予番号
	年　月　日				

（資12②－48－A4統一）　（令3.3）

－1342－

第五章　非上場株式等についての相続税の納税猶予及び免除の特例

第一節　特例適用の要件

1　非上場株式等についての相続税の納税猶予及び免除の特例

　特例認定承継会社の非上場株式等（議決権に制限のないものに限る。以下 **1** において同じ。）を有していた個人として（3）の政令で定める者（以下本章において「**特例被相続人**」という。）から相続又は遺贈により当該特例認定承継会社の非上場株式等の取得（平成30年1月1日から令和9年12月31日までの間の最初の **1** の規定の適用に係る相続又は遺贈による取得及び当該取得の日から特例経営承継期間の末日までの間に相続税の申告書（第一編第七章第一節**一**の1の規定による期限内申告書をいう。以下本章及び第六章第二節において同じ。）の提出期限（第一編第四章第二節の**12**の**②**《相続税の申告書の提出期限の特例》の規定又は第一編第十章第一節**九**《期間及び期限》の規定により当該提出期限が延長された場合には、当該延長前の提出期限）が到来する相続又は遺贈による取得に限る。）をした特例経営承継相続人等が、当該相続に係る相続税の申告書の提出により納付すべき相続税の額のうち、当該非上場株式等で当該相続税の申告書に **1** の規定の適用を受けようとする旨の記載があるもの（以下本章において「**特例対象非上場株式等**」という。）に係る納税猶予分の相続税額に相当する相続税については、（5）の政令で定めるところにより当該相続税の申告書の提出期限までに当該納税猶予分の相続税額に相当する担保を提供した場合に限り、第一編第八章第一節**二**の1の規定にかかわらず、当該特例経営承継相続人等の死亡の日まで、その納税を猶予する。（措法70の7の6①）

　（相続税の納税猶予及び免除の特例の対象となる非上場株式等の意義）
（1）　**1** の適用対象となる非上場株式等の意義については、第一章第一節の**2**の(13)を準用する。（措通70の7の6－1）

　（相続税の納税猶予及び免除の特例の対象とならない非上場株式等）
（2）　**1** の適用対象となる非上場株式等には、次に掲げる株式等は含まれないことに留意する。（措通70の7の6－3）
　（一）　第一編第四章第二節の**四**の1《相続開始前3年以内の贈与財産》の規定の適用を受ける株式等（（8）において準用する第二章第一節1の(7)の規定により相続又は遺贈により取得をしたものとみなされるものを除く。）
　（二）　相続時精算課税の適用を受ける株式等（（8）において準用する第二章第一節の1の(7)の規定により相続又は遺贈により取得をしたものとみなされるものを除く。）
　（注）　**1** には、所得税法等の一部を改正する法律（平成21年法律第13号）附則第64条第2項又は第7項の規定の適用がないことに留意する。
　（三）　第一章第六節の(10)（第四章第五節の1の(4)において準用する場合を含む。）の規定の適用を受ける株式等
　（四）　第三章第一節の1の規定により同1に規定する贈与者から相続又は遺贈により取得をしたものとみなされる同1に規定する対象受贈非上場株式等
　（五）　第六章第一節の1の規定により特例贈与者から相続又は遺贈により取得をしたものとみなされる特例対象受贈非上場株式等
　（注）1　上記(四)の対象受贈非上場株式等については、第三章第二節の1の適用に係る要件を満たせば、同1の規定の適用の対象となることに留意する。
　　　　2　上記(五)の特例対象受贈非上場株式等については、第六章第二節の1の適用に係る要件を満たせば、同1の規定の適用の対象となることに留意する。

　（政令で定める特例被相続人）
（3）　**1** に規定する非上場株式等を有していた個人として政令で定める者は、次の(一)(二)に掲げる場合の区分に応じ当該(一)(二)に定める者とする。（措令40の8の6①）
　（一）　(二)に掲げる場合以外の場合　**1** の規定の適用に係る相続の開始前において、**2** の(一)に規定する特例認定承継会社の代表権（制限が加えられた代表権を除く。イ及びロにおいて同じ。）を有していた個人で、次に掲げる要件の全てを満たすもの

－1343－

第七編　非上場株式等に係る相続税・贈与税の納税猶予及び免除

イ　当該相続の開始の直前（当該個人が当該相続の開始の直前において当該特例認定承継会社の代表権を有しない場合には、当該個人が当該代表権を有していた期間内のいずれかの時及び当該相続の開始の直前）において、当該個人及び当該個人と２の(七)のロに規定する特別の関係がある者の有する当該特例認定承継会社の２の(五)に規定する非上場株式等に係る議決権の数の合計が、当該特例認定承継会社の第四章第一節の２の(六)のハに規定する総株主等議決権数の100分の50を超える数であること。

ロ　当該相続の開始の直前（当該個人が当該相続の開始の直前において当該特例認定承継会社の代表権を有しない場合には、当該個人が当該代表権を有していた期間内のいずれかの時及び当該相続の開始の直前）において、当該個人が有する当該特例認定承継会社の非上場株式等に係る議決権の数が、当該個人と２の(七)のロに規定する特別の関係がある者（当該特例認定承継会社の２の(七)に規定する特例経営承継相続人等となる者を除く。）のうちいずれの者が有する当該非上場株式等に係る議決権の数をも下回らないこと。

(二)　１の規定の適用に係る相続の開始の直前において、次に掲げる者のいずれかに該当する者がある場合　特例認定承継会社の非上場株式等を有していた個人

イ　当該特例認定承継会社の非上場株式等について、第四章第一節の１、本節の１又は第六章第二節の１の規定の適用を受けている者

ロ　第四章第一節の１の(2)の(一)に定める者から同１の規定の適用に係る贈与により当該特例認定承継会社の非上場株式等の取得をしている者（イに掲げる者を除く。）

ハ　(一)に定める者から１の規定の適用に係る相続又は遺贈により当該特例認定承継会社の非上場株式等の取得をしている者（イに掲げる者を除く。）

（特例対象非上場株式等の取得の意義等）

(4)　１の適用対象となる２の(一)に規定する特例認定承継会社（以下第六節の４の(3)までにおいて「**特例認定承継会社**」という。）の非上場株式等（議決権に制限のない株式等に限る。以下(4)において同じ。）の１に規定する特例被相続人（以下２の(16)までにおいて「**特例被相続人**」という。）からの相続又は遺贈による取得は、次の取得に限られることに留意する。（措通70の７の６−２）

(一)　平成30年１月１日から令和９年12月31日までの間の最初の１の規定の適用に係る相続又は遺贈による取得

(二)　(一)の取得の日から２の(六)に規定する特例経営承継期間の末日までの間に相続税の申告書の提出期限（第一編第四章第二節の**12**の**②**若しくは同**②**の(1)の規定又は国税通則法第10条若しくは第11条の規定により当該提出期限が延長された場合には、当該延長前の提出期限）が到来する相続又は遺贈による取得

(注)１　１に規定する相続税の申告書に１の規定の適用を受ける旨の記載がある特例認定承継会社の非上場株式等が特例対象非上場株式等に該当することに留意する。

２　複数の特例認定承継会社に係る非上場株式等を相続又は遺贈により取得をした場合の特例対象非上場株式等に該当するかどうかの判定は、それぞれの特例認定承継会社ごとに行うことに留意する。

３　特例被相続人からの相続又は遺贈により特例認定承継会社の非上場株式等を取得した者が、当該相続又は遺贈前に第四章第一節の１の規定の適用に係る贈与により当該特例認定承継会社の非上場株式等を取得している場合（当該贈与による取得の前に１の規定の適用に係る相続又は遺贈により当該特例認定承継会社の非上場株式等を取得している場合を除く。）には、(一)中「１の規定の適用に係る相続又は遺贈」とあるのは「第四章第一節の１の規定の適用に係る贈与」と、(二)中「**２**」とあるのは「第五章第一節の**２**」となることに留意する。

（担保の提供方法及び解除）

(5)　第二章第一節の１の(3)及び(5)の規定は、１の規定による納税の猶予に係る担保の提供及びその解除について準用する。（措令40の８の６⑤）

（担保提供及び担保解除に係る書類）

(6)　第二章第一節の１の(4)及び(6)の規定は、(5)において準用する第二章第一節の１の(3)及び(5)に規定する財務省令で定める書類について準用する。（措規23の12の３②）

（担保の提供等に関する取扱いの準用）

(7)　第二章第二節の２の(8)〜(10)及び同章第一節の３の②の(4)については、特例経営承継相続人等が１の規定により担保の提供を行う場合について準用する。（措通70の７の６−５）

（特例被相続人から親族へ贈与した非上場株式等の価額が相続税の課税価額に加算される場合）

(8)　第二章第一節の１の(7)の規定は、個人が１に規定する特例被相続人からの贈与（当該贈与が第四章第一節の１の

−1344−

第五章　非上場株式等についての相続税の納税猶予及び免除の特例
(第一節　特例適用の要件)

各号に掲げる場合の区分に応じそれぞれに定める贈与である場合に限る。)により特例認定承継会社の非上場株式等の取得をしている場合において、当該贈与の日の属する年において当該特例被相続人の相続が開始した場合について準用する。(措令40の8の6②)

(特例被相続人の親族が第1次特例経営承継相続人等に該当し第2次特例経営承継相続人等がいるとき)
(9)　第二章第一節の1の(9)の規定は、特例被相続人からの相続又は遺贈によりその有する特例認定承継会社の非上場株式等の取得をした個人が、当該相続又は遺贈に係る1に規定する相続税の申告書の提出期限前に当該相続税の申告書を提出しないで死亡した場合について準用する。(措令40の8の6③)

(特例認定承継会社の経営を確実に承継すると認められる要件)
(10)　第二章第一節の1の(10)の規定は、(9)において準用する第二章第一節の1の(9)に規定する財務省令で定める要件について準用する。
　　　この場合において、第二章第一節の1の(10)のただし書中「当該」とあるのは、「当該個人が当該相続の開始の直前において第五章第一節の2の(17)の(一)に掲げる要件を満たしている場合又は当該」と読み替えるものとする。(措規23の12の3①)

(特例経営承継受贈者が特例を適用した場合)
(11)　特例認定承継会社の非上場株式等について第四章第一節の1の規定の適用を受けている同節の2の(六)に規定する特例経営承継受贈者(同節の1の規定の適用を受ける前に1の規定の適用を受けている者を除く。)が、特例被相続人からの相続又は遺贈により当該特例認定承継会社の非上場株式等の取得をした場合における1の規定の適用については、1中「1の規定の適用に係る相続又は遺贈による取得及び当該」とあるのは、「第四章第一節の1の規定の適用に係る贈与による」とする。(措令40の8の6④)

(その他の第二章関係通達の準用)
(12)　第二章第一節の2の(13)、同節の1の(8)、同1の(11)、同章第五節の1の(23)、同章第二節の1の(3)及び同章第十節の(3)については、特例経営承継相続人等が本章の規定の適用を受ける場合について準用する。(措通70の7の6－42)
　　(注)　この場合において、第二章第二節の1の(3)中「第七節の1、2又は」とあるのは、「第六節の1において準用する第七節の1若しくは2の規定、第六節の2、同節の3若しくは同節の4の(一)の規定又は同節の6において準用する第二章第七節の」となることに留意する。

2　用語の意義

　本章において、次に掲げる用語の意義は、それぞれに定めるところによる。(措法70の7の6②)
(一)　**特例認定承継会社**　中小企業における経営の承継の円滑化に関する法律第2条に規定する中小企業者のうち特例円滑化法認定を受けた会社(合併により当該会社が消滅した場合その他の(1)の財務省令で定める場合には、当該会社に相当するものとして(1)の財務省令で定めるもの)で、1の規定の適用に係る相続の開始の時において、次に掲げる要件の全てを満たすものをいう。
　　イ　当該会社の常時使用従業員(常時使用する従業員として(2)の財務省令で定めるものをいう。ホにおいて同じ。)の数が1人以上であること。
　　ロ　当該会社が、資産保有型会社又は資産運用型会社のうち(4)の政令で定めるものに該当しないこと。
　　ハ　当該会社(ハにおいて**「特定会社」**という。)の株式等(株式又は出資をいう。以下本章において同じ。)及び特別関係会社(当該特定会社と(7)の政令で定める特別の関係がある会社をいう。以下2において同じ。)のうち当該特定会社と密接な関係を有する会社として(8)の政令で定める会社(ニにおいて**「特定特別関係会社」**という。)の株式等が、非上場株式等に該当すること。
　　ニ　当該会社及び特定特別関係会社が、第一章第一節の2の(一)のニに規定する風俗営業会社に該当しないこと。
　　ホ　当該会社の特別関係会社が会社法第2条第2号に規定する外国会社に該当する場合(当該会社又は当該会社との間に支配関係がある法人が当該特別関係会社の株式等を有する場合に限る。)にあっては、当該会社の常時使用従業員の数が5人以上であること。
　　ヘ　イからホまでに掲げるもののほか、会社の円滑な事業の運営を確保するために必要とされる要件として(10)の政令で定めるものを備えているものであること。
(二)　**特例円滑化法認定**　第四章第一節の2の(二)に定める認定をいう。

－1345－

第七編　非上場株式等に係る相続税・贈与税の納税猶予及び免除

(三)　**資産保有型会社**　第一章第一節の2の(八)に定める会社をいう。

(四)　**資産運用型会社**　第一章第一節の2の(九)に定める会社をいう。

(五)　**非上場株式等**　第一章第一節の2の(二)に定める株式等をいう。

(六)　**特例経営承継期間**　1の規定の適用に係る相続に係る相続税の申告書の提出期限の翌日から次に掲げる日のいずれか早い日又は1の規定の適用を受ける特例経営承継相続人等の死亡の日の前日のいずれか早い日までの期間をいう。

イ　当該特例経営承継相続人等の最初の1の規定の適用に係る相続に係る相続税の申告書の提出期限の翌日以後5年を経過する日

ロ　当該特例経営承継相続人等の最初の第四章第一節の1の規定の適用に係る贈与の日の属する年分の同節の1に規定する贈与税の申告書の提出期限の翌日以後5年を経過する日

(七)　**特例経営承継相続人等**　特例被相続人から1の規定の適用に係る相続又は遺贈により特例認定承継会社の非上場株式等の取得をした個人で、次に掲げる要件の全てを満たす者（その者が2人又は3人以上ある場合には、当該特例認定承継会社が定めた2人又は3人までに限る。）をいう。

イ　当該個人が、当該相続の開始の日の翌日から5月を経過する日において、当該特例認定承継会社の代表権を有していること。

ロ　当該相続の開始の時において、当該個人及び当該個人と(15)の政令で定める特別の関係がある者の有する当該特例認定承継会社の非上場株式等に係る議決権の数の合計が、当該特例認定承継会社に係る総株主等議決権数の100分の50を超える数であること。

ハ　次に掲げる場合の区分に応じそれぞれ次に定める要件を満たしていること。

(イ)　当該個人が1人の場合　当該相続の開始の時において、当該個人が有する当該特例認定承継会社の非上場株式等に係る議決権の数が、当該個人とロに規定する(15)の政令で定める特別の関係がある者のうちいずれの者（当該個人以外の第四章第一節の1、1又は第六章第二節の1の規定の適用を受ける者を除く。（ロ）において同じ。）が有する当該特例認定承継会社の非上場株式等に係る議決権の数をも下回らないこと。

(ロ)　当該個人が2人又は3人の場合　当該相続の開始の時において、当該個人が有する当該特例認定承継会社の非上場株式等に係る議決権の数が、当該特例認定承継会社の総株主等議決権数の100分の10以上であること及び当該個人とロに規定する(15)の政令で定める特別の関係がある者のうちいずれの者が有する当該特例認定承継会社の非上場株式等に係る議決権の数をも下回らないこと。

ニ　当該個人が、当該相続の開始の時から当該相続に係る相続税の申告書の提出期限（当該提出期限前に当該個人が死亡した場合には、その死亡の日）まで引き続き当該相続又は遺贈により取得をした当該特例認定承継会社の特例対象非上場株式等の全てを有していること。

ホ　当該個人が、当該特例認定承継会社の非上場株式等について第一章第一節の1、第二章第一節の1又は第三章第二節の1の規定の適用を受けていないこと。

ヘ　当該個人が、当該特例認定承継会社の経営を確実に承継すると認められる要件として(17)の財務省令で定めるものを満たしていること。

(八)　**納税猶予分の相続税額**　1の規定の適用に係る特例対象非上場株式等の価額（当該特例対象非上場株式等に係る特例認定承継会社又は当該特例認定承継会社の特別関係会社であって当該特例認定承継会社との間に支配関係がある法人（以下(八)において「**特例認定承継会社等**」という。）が会社法第2条第2号に規定する外国会社（当該特例認定承継会社の特別関係会社に該当するものに限る。）その他(18)の政令で定める法人の株式等（投資信託及び投資法人に関する法律第2条第14項に規定する投資口を含む。）を有する場合には、当該特例認定承継会社等が当該株式等を有していなかったものとして計算した価額）を1の特例経営承継相続人等に係る相続税の課税価格とみなして、第一編第四章第二節三から第一編第六章第三節までの規定を適用して3の①の政令で定めるところにより計算した当該特例経営承継相続人等の相続税の額をいう。

(九)　**経営報告基準日**　次のイ又はロに掲げる期間の区分に応じイ又はロに定める日をいう。

イ　特例経営承継期間　1の規定の適用に係る相続に係る相続税の申告書の提出期限（特例経営承継相続人等が同項の規定の適用を受ける前に1の特例対象非上場株式等に係る特例認定承継会社の非上場株式等について第四章第一節の1の規定の適用を受けている場合には、同節の1に規定する贈与税の申告書の提出期限）の翌日から1年を経過するごとの日（第三節の1において「**第一種基準日**」という。）

ロ　特例経営承継期間の末日の翌日から納税猶予分の相続税額（既に第五節の1において準用する第二章第五節の2又は同章第六節の規定の適用があった場合には、これらの規定の適用があった特例対象非上場株式等の価額に対応する部分の額として(19)の政令で定めるところにより計算した金額を除く。以下本章において「**猶予中相続税額**」という。）に相当する相続税の全部につき1、第五節の1において準用する第二章第五節の1、同節の2又は同章第六節、第三

−1346−

第五章　非上場株式等についての相続税の納税猶予及び免除の特例
（第一節　特例適用の要件）

節の**2**において準用する第二章第三節の**2**、第四節において準用する第二章第四節又は第八節の（2）において準用する第二章第十節の（4）の規定による納税の猶予に係る期限が確定する日までの期間　当該末日の翌日から３年を経過するごとの日（第三節の**1**において「**第二種基準日**」という。）

（財務省令で定める消滅した場合）

（1）　第一章第一節の**2**の（1）の規定は、**2**の（一）に規定する財務省令で定める場合及び**2**の（一）の会社に相当するものとして財務省令で定めるものについて準用する。（措規23の12の３③）

（常時使用する従業員として財務省令で定めるもの）

（2）　第一章第一節の**2**の（2）の規定は、**2**の（一）のイに規定する常時使用する従業員として財務省令で定めるものについて準用する。（措規23の12の３④）

（常時使用従業員の意義）

（3）　**2**の（一）のイに規定する常時使用従業員の意義については、第一章第一節の**2**の（3）を準用する。（措通70の７の６－６）

（資産保有型会社又は資産運用型会社のうち政令で定めるもの）

（4）　第二章第一節の**2**の（4）の規定は、**2**の（一）のロに規定する資産保有型会社又は資産運用型会社のうち政令で定めるものについて準用する。（措令40の８の６⑥）

（納税猶予の特例の対象とならない資産保有型会社又は資産運用型会社の意義）

（5）　**2**の（一）のロの要件を判定する場合において、**2**の（三）に規定する資産保有型会社に該当するかどうかの判定は、相続の開始の日の属する事業年度の直前の事業年度の開始の日から当該相続に係る相続税の申告期限までの間のいずれかの日において次の（一）に掲げる算式を満たすかどうかにより行い、**2**の（四）に規定する資産運用型会社に該当するかどうかの判定は、相続の開始の日の属する事業年度の直前の事業年度の開始の日から当該相続に係る相続税の申告期限までの間に終了するいずれかの事業年度において次の（二）に掲げる算式を満たすかどうかにより行うのであるが、これらの会社のうち（4）において準用する第二章第一節の**2**の（4）の（一）及び（二）の要件の全てに該当するものに係る非上場株式等が、**1**の適用対象とならないことに留意する。（措通70の７の６－７）

（一）　$\dfrac{B+C}{A+C} \geqq \dfrac{70}{100}$

（注）1　上記算式中の符号は次のとおり。

A＝当該いずれかの日における当該会社の総資産の貸借対照表に計上されている帳簿価額の総額

B＝当該いずれかの日における当該会社の特定資産（現金、預貯金その他の資産であって（24）において準用する第一章第一節の**2**の（27）に規定するものをいう。以下（5）において同じ。）の貸借対照表に計上されている帳簿価額の合計額

C＝当該いずれかの日以前５年以内において特例経営承継相続人等及び当該特例経営承継相続人等と特別の関係がある者（（15）において準用する第二章第一節の**2**の（14）に規定する者をいう。）がその会社から受けた次のa及びbに掲げる額の合計額

a　当該会社から受けた当該会社の株式等に係る剰余金の配当又は利益の配当（最初の**1**の規定の適用に係る相続の開始の時（特例対象非上場株式等に係る特例認定承継会社の非上場株式等について、当該相続の開始の時前に特例対象贈与により当該非上場株式等の取得をしている場合には、最初の特例対象贈与の時。以下（5）において同じ。）前に受けたものを除く。）の額

b　当該会社から支給された給与（債務の免除による利益その他の経済的な利益を含み、最初の**1**の規定の適用に係る相続の開始の時前に支給されたものを除く。）の額のうち、法人税法第34条又は第36条の規定により当該会社の各事業年度の所得の金額の計算上損金の額に算入されないこととなる金額

（注）　**2**の（四）に規定する資産保有型会社に該当するかどうかの判定において、（25）の（二）に規定する法人税法第34条又は第36条の規定により当該会社の各事業年度の所得の金額の計算上損金の額に算入されないこととなる金額がある場合で、当該損金の額に算入されないこととなる金額が、最初の**1**の規定の適用に係る相続の開始の時前又は当該相続の開始の時以後のいずれに属するものか区分することができないときは、当該区分することができない金額を当該相続の開始の日の属する事業年度の開始の日から当該相続の開始の日の前日までの日数と当該相続の開始の日から当該事業年度の末日までの日数がそれぞれ当該事業年度の日数に占める割合によりあん分する。この場合において、あん分後の金額に１円未満の端数があるときは、その端数金額を切り捨てて差し支えない。

2　特例認定承継会社の事業活動のために必要な資金の借入れを行ったことその他の（23）において準用する第一章第一節の**2**の（26）に規定する事由が生じたことにより、当該いずれかの日において当該特例認定承継会社が上記算式を満たした場合には、当該事由が生じた日から同日以後６月を経過する日までの期間は、資産保有型会社の判定に係る上記の期間から除かれることに留意する。

（二）　$\dfrac{B}{A} \geqq \dfrac{75}{100}$

－1347－

第七編　非上場株式等に係る相続税・贈与税の納税猶予及び免除

(注)1　上記算式中の符号は次のとおり。
　　　　A＝当該いずれかの事業年度における総収入金額
　　　　B＝当該いずれかの事業年度における特定資産の運用収入の合計額
　　2　特例認定承継会社の事業活動のために必要な資金を調達するために特定資産を譲渡したことその他の(28)において準用する第一章第一節の2の(34)に規定する事由が生じたことにより、当該いずれかの事業年度において当該特例認定承継会社が上記算式を満たした場合には、当該いずれかの事業年度の開始の日から当該いずれかの事業年度終了の日の翌日以後6月を経過する日の属する事業年度終了の日までの期間は、資産運用型会社の判定に係る上記の期間から除かれることに留意する。

　　　（財務省令で定める業務）
(6)　第一章第一節の2の(5)の規定は、(4)において準用する第二章第一節の2の(4)の(一)のイ及び(二)のイ並びに第五節の1の(2)において準用する第二章第五節の1の(11)の(一)のイ及び(二)のイに規定する財務省令で定める業務について準用する。（措規23の12の3⑤）

　　　（政令で定める特別の関係がある会社）
(7)　第二章第一節の2の(6)の規定は、2の(一)のハに規定する政令で定める特別の関係がある会社について準用する。（措令40の8の6⑦）

　　　（政令で定める特定会社と密接な関係を有する会社）
(8)　第二章第一節の2の(7)の規定は、2の(一)のハに規定する特定会社と密接な関係を有する会社として政令で定める会社について準用する。（措令40の8の6⑧）

　　　（特定特別関係会社の意義等）
(9)　会社が特例認定承継会社に該当するかを判定する場合の2の(一)のハに規定する特定特別関係会社の意義等については、第一章第一節の2の(8)を準用する。（措通70の7の6－9）

　　　（政令で定める会社の円滑な事業の運営を確保するために必要な要件）
(10)　第二章第一節の2の(9)の規定は、2の(一)のへに規定する政令で定める要件について準用する。この場合において、第二章第一節の2の(9)の(二)中「経営承継相続人等」とあるのは、「第五章第一節の1の(二)のイからハまでに掲げる者」と読み替えるものとする。（措令40の8の6⑨）

　　　（会社の円滑な事業の運営を確保するための要件の判定）
(11)　2の(一)のへに規定する要件のうち、(10)において準用する第二章第一節の2の(9)の(二)の要件を判定する場合には、同(9)の(二)の会社が発行する会社法第108条第1項第8号に掲げる事項についての定めがある種類の株式を、次に掲げる者以外の者が有しているかどうかにより行うことに留意する。（措通70の7の6－10）
　(一)　当該会社の非上場株式等について、第四章第一節の1、1又は第六章第二節の1の規定の適用を受けている者
　(二)　第四章第一節の1の(2)の(一)に定める者から同1の規定の適用に係る贈与により当該会社の非上場株式等の取得をしている者（(一)に掲げる者を除く。）
　(三)　1の(3)の(一)に定める者から1の規定の適用に係る相続又は遺贈により当該会社の非上場株式等の取得をしている者（(一)に掲げる者を除く。）

　　　（主たる事業活動から生ずる収入の額とされるべきもの）
(12)　第一章第五節の1の(11)の規定は、第五節の1において準用する第二章第五節の1の(十)及び(10)において準用する第二章第一節の2の(9)の(一)に規定する財務省令で定めるものについて準用する。（措規23の12の3⑥）

　　　（財務省令で定める認定）
(13)　本章（2の(二)に係る部分に限る。）の規定の適用がある場合における第四章第一節の2の(14)の規定の適用については、同(14)中「第6条第1項第11号又は第13号」とあるのは、「第6条第1項第12号又は第14号」とする。（措規23の12の3⑦）

　　　（特例経営承継期間の意義）
(14)　2の(六)に規定する特例経営承継期間とは、1の規定の適用に係る相続の相続税の申告書の提出期限の翌日から、

－1348－

第五章　非上場株式等についての相続税の納税猶予及び免除の特例
（第一節　特例適用の要件）

次の（一）又は（二）のいずれか早い日までの期間をいうことに留意する。（措通70の7の6－12）

（一）　次のいずれか早い日

　イ　特例経営承継相続人等の最初の**1**の規定の適用に係る相続に係る相続税の申告書の提出期限の翌日以後5年を経
　　過する日

　ロ　特例経営承継相続人等の最初の特例対象贈与の日の属する年分の贈与税の申告書の提出期限の翌日以後5年を経
　　過する日

（二）　特例経営承継相続人等の死亡の日の前日

（政令で定める特別の関係がある者）

（15）　第二章第一節の**2**の（14）の規定は、**2**の（七）のロ及び第六節の**2**の（一）から（四）並びに本章において準用する第二
　章に規定する政令で定める特別の関係がある者について準用する。（措令40の8の6⑭）

（特例経営承継相続人等を判定する場合等の議決権の数の意義）

（16）　**2**の（七）のロ及びハの要件を判定する場合の同（七）のロ及びハの「議決権の数」及び「総株主等議決権数」の意義
　については、第一章第一節の**2**の（16）を準用する。

　　この場合において、**2**の（七）のロ及びハの要件の判定は、相続の開始直後の株主等の構成により行うことに留意する。
　（措通70の7の6－11）

（注）　**2**の（七）のハの（1）又は（2）のいずれの場合に該当するかは、同一の特例被相続人から同一の特例認定承継会社の非上場株式等を**1**の規定
　　の適用に係る相続又は遺贈により取得した者の数によることに留意する。

（財務省令で定める特例認定承継会社の経営を確実に承継すると認められる要件）

（17）　**2**の（七）のへに規定する財務省令で定める要件は、次に掲げる要件（同（七）のへの個人が**1**の規定の適用に係る相
　続の開始の直前において**2**の（一）に掲げる要件を満たしている場合又は**1**の規定の適用に係る**1**に規定する特例被相続
　人が70歳未満で死亡した場合には、（二）に掲げるものを除く。）とする。（措規23の12の3⑪）

（一）　**2**の（七）のへの個人が、円滑化省令第17条第1項の確認（同項第1号に係るものに限るものとし、円滑化省令第
　　18条第1項の規定による変更の確認を受けたときは、その変更後のものとする。）を受けた**2**の（一）に規定する特例認
　　定承継会社の当該確認に係る円滑化省令第16条第1号ロに規定する特例後継者であること。

（二）　**2**の（七）のへの個人が、**1**の規定の適用に係る相続の開始の直前において、**2**の（七）のへの会社の役員であった
　　こと。

（政令で定める法人の準用）

（18）　第二章第一節の**2**の（18）の規定は、**2**の（八）に規定する政令で定める法人について準用する。（措令40の8の6⑮）

（政令で定めるところにより計算した金額）

（19）　第二章第一節の**2**の（20）及び（22）の規定は、**2**の（九）のロに規定する政令で定めるところにより計算した金額に
　ついて準用する。（措令40の8の6㉔）

（財務省令で定める事由）

（20）　第一章第一節の**2**の（26）の規定は、（19）において準用する第二章第一節の**2**の（20）の（一）から（七）のロに規定する
　財務省令で定める事由について準用する。（措規23の12の3⑬）

（特例の適用がある場合の資産保有型会社及び資産運用型会社）

（21）　**1**の規定の適用がある場合における第一章第一節の**2**の（八）及び（九）の規定の適用については、同**2**の（八）中「認
　定贈与承継会社」とあるのは「第五章第一節の**2**の（一）に規定する特例認定承継会社（（九）において**特例認定承継会
　社**」という。）」と、「、経営承継受贈者」とあるのは「、第五章第一節の**2**の（七）に規定する特例経営承継相続人等」と、
　「経営承継受贈者と」とあるのは「特例経営承継相続人等と」と、同**2**の（九）中「認定贈与承継会社」とあるのは「特例
　認定承継会社」とする。（措令40の8の6⑩）

（政令で定める特例認定承継会社の資産状況を確認する期間）

（22）　（21）の規定により読み替えて適用する第一章第一節の**2**の（八）に規定する政令で定める期間は、特例認定承継会社

－1349－

第七編　非上場株式等に係る相続税・贈与税の納税猶予及び免除

の1の規定の適用に係る相続の開始の日の属する事業年度の直前の事業年度の開始の日から当該特例認定承継会社に係る特例経営承継相続人等の2の(九)のロに規定する猶予中相続税額に相当する相続税の全部につき1、第五節の1において準用する第二章第五節の1、同節の2、及び同章第六節、第三節の2において準用する第二章第三節の2、第四節において準用する第二章第四節又は第八節の(2)において準用する第二章第十節の(4)の規定による納税の猶予に係る期限が確定する日までの期間とする。この場合においては、第二章第一節の2の(25)のただし書の規定を準用する。(措令40の8の6⑪)

（財務省令で定める事由の準用）

(23)　第一章第一節の2の(26)の規定は、(22)の後段において準用する第二章第一節の2の(25)のただし書に規定する財務省令で定める事由について準用する。(措規23の12の3⑨)

（財務省令で定める資産）

(24)　第一章第一節の2の(27)の規定は、(21)の規定により読み替えて適用する第一章第一節の2の(八)のロに規定する財務省令で定める資産について準用する。(措規23の12の3⑧)

（剰余金の配当等の額その他会社から受けた金額として政令で定めるもの）

(25)　(21)の規定により読み替えて適用する第一章第一節の2の(八)のハに規定する剰余金の配当等の額その他会社から受けた金額として政令で定めるものは、次に掲げる金額の合計額とする。(措令40の8の6⑫)
(一)　(21)の規定により読み替えて適用する第一章第一節の2の(八)のハの会社から受けた当該会社の株式等（株式又は出資をいう。以下本章において同じ。）に係る剰余金の配当又は利益の配当（最初の1の規定の適用に係る相続の開始の時（1に規定する特例対象非上場株式等に係る特例認定承継会社の非上場株式等について、当該相続の開始の時前に第四章第一節の1の規定の適用に係る贈与により当該非上場株式等の取得をしている場合には、最初の同節の1の規定の適用に係る贈与の時。(二)において同じ。）前に受けたものを除く。）の額
(二)　(一)の会社から支給された給与（債務の免除による利益その他の経済的な利益を含み、最初の1の規定の適用に係る相続の開始の時前に支給されたものを除く。）の額のうち、法人税法第34条又は第36条の規定により当該会社の各事業年度の所得の金額の計算上損金の額に算入されないこととなる金額

（特例認定承継会社から支給された給与等の意義）

(26)　(25)の(二)に規定する「給与（債務の免除による利益その他の経済的な利益」の意義については、第一章第一節の2の(31)を準用する。(措通70の7の6－8)

（政令で定める期間）

(27)　(21)の規定により読み替えて適用する第一章第一節の2の(九)に規定する政令で定める期間は、特例認定承継会社の1の規定の適用に係る相続の開始の日の属する事業年度の直前の事業年度の開始の日から当該特例認定承継会社に係る特例経営承継相続人等の猶予中相続税額に相当する相続税の全部につき1、第五節の1において準用する第二章第五節の1、同節の2、及び同章第六節、第三節の2において準用する第二章第三節の2、第四節において準用する第二章第四節又は第八節の(2)において準用する第二章第十節の(4)の規定による納税の猶予に係る期限が確定する日の属する事業年度の直前の事業年度終了の日までの期間とする。この場合においては、第二章第一節の2の(30)のただし書の規定を準用する。(措令40の8の6⑬)

（財務省令で定める事由の準用）

(28)　第一章第一節の2の(34)の規定は、(27)の後段において準用する第二章第一節の2の(30)のただし書に規定する財務省令で定める事由について準用する。(措規23の12の3⑩)

3　納税猶予分の相続税額の計算

①　特例認定承継会社が1社である場合の納税猶予分の相続税額の計算

　2の(八)に規定する特例経営承継相続人等の相続税の額は、2の(八)に規定する特例対象非上場株式等の価額（第一編第四章第二節三の1の規定により控除すべき債務がある場合において、控除未済債務額があるときは、当該特例対象非上場株式等の価額から当該控除未済債務額を控除した残額。(二)において「**特定価額**」という。）を当該特例経営承継相続人

－1350－

第五章　非上場株式等についての相続税の納税猶予及び免除の特例
（第一節　特例適用の要件）

等に係る相続税の課税価格とみなして、第一編第四章第二節三から第六章第三節まで、第三編第一章第三節一の（1）及び
同節三の（2）並びに同節二の（1）及び同節三の（3）の規定を適用して計算した当該特例経営承継相続人等の相続税の額
（当該特例経営承継相続人等が第一編第六章第四節から第八節まで、第三編第一章第三節一、同節二、同節三の規定の適用
を受ける者である場合において、当該特例経営承継相続人等に係る**1**に規定する納付すべき相続税の額の計算上これらの
規定により控除された金額の合計額が（一）に掲げる金額から（二）に掲げる金額を控除した残額を超えるときは、当該超え
る部分の金額を控除した残額）とする。（措令40の8の6⑯）

（一）　第一編第三章一から六まで、同編第四章第一節、同章第二節一の**1**及び**2**、同節三から第六章第三節まで、第三編
　　　第一章第三節一及び同節二並びに同節三の（2）及び（3）の規定を適用して計算した当該特例経営承継相続人等の相続税
　　　の額
（二）　特定価額を当該特例経営承継相続人等に係る相続税の課税価格とみなして、第一編第四章第二節三から第六章第三
　　　節まで、第三編第一章第三節一及び同節二並びに同節三の（2）及び（3）の規定を適用して計算した当該特例経営承継相
　　　続人等の相続税の額

　　　（「控除未済債務額」の意義）
（1）　①の「**控除未済債務額**」とは、（一）に掲げる金額から（二）に掲げる金額を控除した金額（当該金額が零を下回る場
　　　合には、零とする。）をいう。（措令40の8の6⑰）
（一）　第一編第四章第二節三の規定により控除すべき特例経営承継相続人等の負担に属する部分の金額
（二）　（一）の特例経営承継相続人等に係るイに掲げる価額とロに掲げる金額との合計額からハに掲げる価額を控除した
　　　残額
　　イ　当該特例経営承継相続人等が**1**の規定の適用に係る相続又は遺贈により取得した財産の価額
　　ロ　当該特例経営承継相続人等が特例被相続人からの贈与により取得した財産で第三編第一章第一節二の（1）の規定
　　　　の適用を受けるものの価額から同章第二節一の（1）の規定（同節三の規定を含む。）による控除をした残額
　　ハ　**2**の（八）に規定する特例対象非上場株式等の価額
　　（注）　改正後の（1）の規定は、令和6年1月1日以後に贈与（贈与をした者の死亡により効力を生ずる贈与を除く。以下同じ。）により財産を取得
　　　　する者（以下「改正後受贈者」という。）に係る新規定に規定する控除未済債務額について適用し、令和5年12月31日以前に贈与により財産を
　　　　取得した者（改正後受贈者を除く。）に係る改正前の（1）に規定する控除未済債務額については、なお従前の例による。（令5改措令附則14⑦）

　　　（端数処理）
（2）　**2**の（八）に規定する納税猶予分の相続税額に100円未満の端数があるとき、又はその全額が100円未満であるときは、
　　　その端数金額又はその全額を切り捨てる。（措令40の8の6⑬）

②　特例認定承継会社が2社以上である場合の納税猶予分の相続税額の計算

　　1に規定する特例対象非上場株式等に係る特例認定承継会社が2以上ある場合における納税猶予分の相続税額の計算に
おいては、当該特例対象非上場株式等に係る特例経営承継相続人等が特例被相続人から**1**の規定の適用に係る相続又は遺
贈により取得をした全ての特例認定承継会社の**2**の（八）に規定する特例対象非上場株式等の価額の合計額（第一編第四章
第二節三の規定により控除すべき債務がある場合において、①の（1）に規定する控除未済債務額があるときは、当該特例
対象非上場株式等の価額の合計額から当該控除未済債務額を控除した残額）を当該特例経営承継相続人等に係る相続税の
課税価格とみなす。（措令40の8の6⑲）

　　　（特例認定承継会社の異なるものごとの納税猶予分の相続税額の端数処理）
（1）　②の場合において、**1**に規定する特例対象非上場株式等に係る特例認定承継会社の異なるものごとの納税猶予分の
　　　相続税額は、（一）に掲げる金額に（二）に掲げる割合を乗じて計算した金額とする。この場合において、当該計算した金
　　　額に100円未満の端数があるとき、又はその全額が100円未満であるときは、その端数金額又はその全額を切り捨てる。
　　　（措令40の8の6⑳）
（一）　②の規定を適用して計算した納税猶予分の相続税額
（二）　**1**に規定する特例対象非上場株式等に係る特例認定承継会社の異なるものごとの**2**の（八）に規定する特例対象非
　　　上場株式等の価額が**1**の規定の適用に係る相続又は遺贈により取得をした全ての当該特例対象非上場株式等の価額の
　　　合計額に占める割合

－1351－

第七編　非上場株式等に係る相続税・贈与税の納税猶予及び免除

　　（特例認定承継会社の異なるものごとの適用）
（2）　第二章第一節の**3**の**②**の（2）の規定は、**1**に規定する特例対象非上場株式等（合併により当該特例対象非上場株式等に係る特例認定承継会社が消滅した場合その他の（3）の財務省令で定める場合には、当該特例対象非上場株式等に相当するものとして（3）の財務省令で定めるもの。）に係る特例認定承継会社が**2**以上ある場合について準用する。この場合において、第二章第一節の**3**の**②**の（2）中「の規定は、**1**」とあるのは、「並びに第五章第六節の**2**及び同節の**3**の規定は、第二章第一節の**1**」と読み替えるものとする。（措令40の8の6㉓）

　　（財務省令で定めるその他の事由）
（3）　第二章第五節の**1**の（1）の規定は、第五節の**1**において準用する第二章第五節の**1**並びに第二節の**2**及び（2）に規定する財務省令で定める場合及び特例対象非上場株式等に相当するものについて準用する。（措規23の12の3⑫）

　　（納税猶予分の相続税額の計算に関する取扱いの準用）
（4）　第二章第一節の**3**の**①**の（4）及び同**3**の**②**の（3）については、**2**の（八）に規定する納税猶予分の相続税額の計算について準用する。（措通70の7の6－13）

③　農地等についての相続税の納税猶予等の特例の適用がある場合の納税猶予分の相続税額の計算
　　納税猶予分の相続税額を計算する場合において、**1**の規定の適用を受ける特例経営承継相続人等に係る特例被相続人から相続又は遺贈により財産の取得をした者のうちに第四編第二章《農地等についての相続税の納税猶予及び免除等》第一節の**1**の規定の適用を受ける者があるときにおける当該財産の取得をした全ての者に係る相続税の課税価格は、同章第二節の**1**の（一）の規定により計算される相続税の課税価格とする。（措令40の8の6㉑）

④　農地等についての相続税の納税猶予制度との調整
　　1の規定の適用を受ける特例経営承継相続人等が次の（一）から（五）に掲げる規定の適用を受ける者である場合において、当該（一）から（五）に定める税額と調整前株式等猶予税額（納税猶予分の相続税額で①から③までの規定により計算されたものをいう。）との合計額が猶予可能税額（当該特例経営承継相続人等が**1**の規定及び当該（一）から（五）に掲げる規定の適用を受けないものとした場合における当該特例経営承継相続人等が納付すべき相続税の額をいう。）を超えるときにおける**1**に規定する特例対象非上場株式等に係る納税猶予分の相続税額は、当該猶予可能税額に当該調整前株式等猶予税額が当該合計額に占める割合を乗じて計算した金額とする。この場合において、当該計算した金額に100円未満の端数があるときは、その端数金額を切り捨てる。（措令40の8の6㉒）
（一）　第四編第二章第一節の**1**《農地等についての相続税の納税猶予及び免除》　調整前農地等猶予税額（第四編第二章第二節の**2**の（3）に規定する調整前農地等猶予税額をいう。）
（二）　第四編第三章第一節の**1**《山林についての相続税の納税猶予及び免除》　調整前山林猶予税額（第四編第二章第二節の**2**の（3）の（一）に規定する調整前山林猶予税額をいう。）
（三）　第五編第一節の**1**　調整前美術品猶予税額（第四編第二章第二節の**2**の（3）の（二）に規定する調整前美術品猶予税額をいう。）
（四）　第六編第三章第一節の**1**　調整前事業用資産猶予税額（第四編第二章第二節の**2**の（3）の（三）に規定する調整前事業用資産猶予税額をいう。）
（五）　第八編第三章第一節の**1**《医療法人の持分についての相続税の納税猶予及び免除》　調整前持分猶予税額（第四編第二章第二節の**2**の（3）の（五）に規定する調整前持分猶予税額をいう。）

第五章　非上場株式等についての相続税の納税猶予及び免除の特例
（第二節　特例の適用を受けるための手続）

第二節　特例の適用を受けるための手続

1　申告手続

　第一節の**1**の規定は、同**1**の規定の適用を受けようとする特例経営承継相続人等のその特例被相続人から相続又は遺贈により取得をした非上場株式等に係る相続税の申告書に、当該非上場株式等の全部若しくは一部につき同**1**の規定の適用を受けようとする旨の記載がない場合又は当該非上場株式等の明細及び納税猶予分の相続税額の計算に関する明細その他（2）の財務省令で定める事項を記載した書類の添付がない場合には、適用しない。（措法70の7の6⑥）

　　（未分割の非上場株式等）
（1）　第二章第二節の**1**の（1）の規定は、第一節の**1**の相続に係る相続税の申告書の提出期限までに、当該相続又は遺贈により取得をした非上場株式等の全部又は一部が共同相続人又は包括受遺者によってまだ分割されていない場合について準用する。（措法70の7の6⑤）

　　（添付書類の記載事項）
（2）　**1**に規定する財務省令で定める事項を記載した書類は、次に掲げる書類とする。（措規23の12の3⑯）
　（一）　次に掲げる事項を記載した書類
　　イ　第一節の**2**の（七）に規定する特例経営承継相続人等に係る特例被相続人の死亡による第一節の**1**の規定の適用に係る相続の開始があったことを知った日
　　ロ　その他参考となるべき事項
　（二）　（一）のイの相続の開始の時における特例認定承継会社の定款の写し（会社法その他の法律の規定により定款の変更をしたものとみなされる事項がある場合にあっては、当該事項を記載した書面を含む。第三節の**1**の（3）の（一）において同じ。）
　（三）　（一）のイの相続の開始の直前及び当該相続の開始の時における特例認定承継会社の株主名簿の写しその他の書類で当該特例認定承継会社の全ての株主又は社員の氏名又は名称及び住所又は所在地並びにこれらの者が有する当該特例認定承継会社の株式等（株式又は出資をいい、議決権に制限のないものに限る。以下本章において同じ。）に係る議決権の数が確認できるもの（当該特例認定承継会社が証明したものに限る。）
　（四）　（一）のイの相続の開始があったことを知った日が当該相続の開始の日と異なる場合にあっては、当該相続に係る特例経営承継相続人等が当該相続の開始があったことを知った日を明らかにする書類
　（五）　遺言書の写し、財産の分割の協議に関する書類（当該書類に当該相続に係る全ての共同相続人及び包括受遺者が自署し、自己の印を押しているものに限る。）の写し（当該自己の印に係る印鑑証明書が添付されているものに限る。）その他の財産の取得の状況を明らかにする書類
　（六）　円滑化省令第7条第14項の認定書（円滑化省令第6条第1項第12号又は第14号の事由に係るものに限る。）の写し及び円滑化省令第7条第7項（同条第9項において準用する場合を含む。）の申請書の写し
　（七）　円滑化省令第17条第5項の確認書の写し及び同条第2項の申請書の写し
　（八）　第八節の（1）において準用する第二章第十節の（2）に規定する現物出資等資産に該当するものがある場合にあっては、第八節の（1）において準用する第二章第十節の（2）の（一）及び（二）に掲げる額並びに当該現物出資等資産の明細並びにその現物出資又は贈与をした者の氏名又は名称その他参考となるべき事項を記載した書類（当該現物出資等資産を取得した特例認定承継会社が証明したものに限る。）
　（九）　その他参考となるべき書類

　　（修正申告等に係る相続税額の納税猶予）
（3）　第一節の**1**の規定の適用を受ける旨の相続税の申告について特例対象非上場株式等の評価又は税額計算の誤りがあり、その誤りのみに基づいて修正申告又は更正があった場合における当該修正申告又は更正により納付すべき相続税額（附帯税を除く。）については、第一章第二節の**1**の（5）を準用する。（措通70の7の6-4）

－1353－

第七編　非上場株式等に係る相続税・贈与税の納税猶予及び免除

2　担保の変更等

　第二章第二節の**2**の規定は、第一節の**1**の規定の適用を受けようとする特例経営承継相続人等が納税猶予分の相続税額につき特例対象非上場株式等（合併により当該特例対象非上場株式等に係る特例認定承継会社が消滅した場合その他の第一節の**3**の**②**の（３）の財務省令で定める場合には、当該特例対象非上場株式等に相当するものとして第一節の**3**の**②**の（３）の財務省令で定めるもの。以下本章において同じ。）の全てを担保として提供した場合について準用する。（措法70の７の６④）

　　　（担保の変更等の準用）
（１）　第二章第二節の**2**の（１）（３）（５）の規定は**2**において第二章第二節の**2**の規定を準用する場合について準用する。（措令40の８の６㉖）

　　　（申請書の記載事項及び添付書類）
（２）　第一章第二節の**2**の（５）及び（６）の規定は、（１）において準用する第二章第二節の**2**の（５）に規定する財務省令で定める事項及び書類について準用する。（措規23の12の３⑮）

　　　（みなす充足に関する取扱いの準用）
（３）　第二章第二節の**2**の（２）（４）（11）（12）及び同章第一節の**3**の**②**の（４）については、特例対象非上場株式等の全てを担保として提供した特例経営承継相続人等が**2**において準用する第二章第二節の**2**の規定の適用を受ける場合について準用する。（措通70の７の６－20）

－1354－

第三節　納税猶予期間中の継続届出書の提出

1　継続届出書の提出

　第一節の**1**の規定の適用を受ける特例経営承継相続人等は、同**1**の相続に係る相続税の申告書の提出期限の翌日から猶予中相続税額に相当する相続税の全部につき同**1**、第五節の**1**において準用する第二章第五節の**1**、同節の**2**及び同章第六節、**2**において準用する第二章第三節の**2**、第四節において準用する第二章第四節又は第八節の（２）において準用する第二章第十節の（４）の規定による納税の猶予に係る期限が確定する日までの間に経営報告基準日が存する場合には、届出期限（第一種基準日の翌日から５月を経過する日及び第二種基準日の翌日から３月を経過する日をいう。**2**及び**2**の（１）において同じ。）までに、（２）の政令で定めるところにより引き続いて第一節の**1**の規定の適用を受けたい旨及び同**1**の特例対象非上場株式等に係る特例認定承継会社の経営に関する事項を記載した届出書を納税地の所轄税務署長に提出しなければならない。（措法70の７の６⑦）

　　（継続届出書の提出期間）
（１）　第二章第三節の**1**の（６）については、特例経営承継相続人等が**1**に規定する届出書を提出する場合について準用する。（措通70の７の６－21）

　　（継続届出書の提出）
（２）　**1**の規定により提出する届出書には、引き続いて第一節の**1**の規定の適用を受けたい旨及び次に掲げる事項を記載し、かつ、（３）の財務省令で定める書類を添付しなければならない。（措令40の８の６㉗）
　（一）　特例経営承継相続人等の氏名及び住所
　（二）　特例被相続人から相続又は遺贈により特例対象非上場株式等の取得をした年月日
　（三）　特例対象非上場株式等に係る特例認定承継会社の名称及び本店の所在地
　（四）　当該届出書を提出する日の直前の第一節の**2**の（九）に規定する経営報告基準日（以下（四）において「経営報告基準日」という。）までに終了する各事業年度（当該経営報告基準日の直前の経営報告基準日及び第一節の**1**に規定する相続税の申告書の提出期限までに終了する事業年度を除く。）における総収入金額
　（五）　その他（５）の財務省令で定める事項

　　（継続届出書の添付書類）
（３）　（２）に規定する財務省令で定める書類は、特例対象非上場株式等（第二節の**2**に規定する特例対象非上場株式等をいう。）に係る特例認定承継会社に係る次に掲げる書類（その経営報告基準日（第一節の**2**の（九）に規定する経営報告基準日をいう。）が、第一節の**2**の（六）のイ又はロに掲げる日のいずれか早い日以前である場合には（二）に掲げる書類を除き、当該いずれか早い日の翌日以後である場合には（四）に掲げる書類を除く。）とする。（措規23の12の３⑰）
　（一）　その経営報告基準日における定款の写し
　（二）　登記事項証明書（その経営報告基準日以後に作成されたものに限る。）
　（三）　その経営報告基準日における株主名簿の写しその他の書類で株主又は社員の氏名又は名称及び住所又は所在地並びにこれらの者が有する株式等に係る議決権の数が確認できる書類（当該特例認定承継会社が証明したものに限る。）
　（四）　円滑化省令第12条第20項、第23項、第25項又は第27項において準用する同条第４項の報告書の写し及び当該報告書に係る同条第37項の確認書の写し
　（五）　その経営報告基準日が第一節の**2**の（六）に規定する特例経営承継期間の末日である場合において、円滑化省令第20条第２項（同条第５項又は第７項の規定により読み替えて適用する場合を含む。以下（五）において同じ。）又は同条第８項、第10項若しくは第12項において準用する同条第１項（同条第４項又は第６項の規定により読み替えて適用する場合を含む。）若しくは同条第９項、第11項若しくは第13項において準用する同条第２項に規定する場合に該当するときは、同条第３項の報告書の写し及び当該報告書に係る同条第14項の確認書の写し
　（六）　その経営報告基準日（以下（六）及び（4）において「基準日」という。）の直前の経営報告基準日（当該基準日が最初の経営報告基準日である場合には、第一節の**1**に規定する相続税の申告書の提出期限。（4）において同じ。）の翌日から当該基準日までの間に会社分割又は組織変更があった場合には、当該会社分割に係る吸収分割契約書若しくは新

設分割計画書の写し又は当該組織変更に係る組織変更計画書の写し

（七） その他参考となるべき書類

（合併又は株式交換等があった場合の添付書類の追加）

（４） 第一節の**1**の規定の適用を受ける特例経営承継相続人等は、その有する特例対象非上場株式等に係る特例認定承継会社について基準日の直前の経営報告基準日の翌日から当該基準日までの間に合併又は株式交換等があった場合には、次に掲げる書類（第一節の**2**の（六）のイ又はロに掲げる日のいずれか早い日までに合併又は株式交換等があった場合には（一）に掲げる書類を除き、当該いずれか早い日の翌日以後に合併又は株式交換等があった場合には（二）のロに掲げる書類を除く。）を（３）の書類と併せて（２）の届出書に添付しなければならない。（措規23の12の3⑱）

（一） 当該合併又は株式交換等に係る合併契約書又は株式交換契約書若しくは株式移転計画書の写し

（二） 次に掲げる書類（当該合併又は株式移転により第一節の**3**の②の（3）において準用する第二章第五節の**1**の（1）の（一）又は（二）に規定する合併承継会社又は交換等承継会社が設立される場合には、当該合併又は株式移転がその効力を生ずる直前に係るものを除く。）

イ 当該合併又は株式交換等がその効力を生ずる日における当該合併承継会社又は交換等承継会社の株主名簿その他の書類で当該合併承継会社又は交換等承継会社の全ての株主又は社員の氏名又は名称及び住所又は所在地並びにこれらの者が有する当該特例認定承継会社の株式等に係る議決権の数が確認できる書類（当該合併承継会社又は交換等承継会社が証明したものに限る。）

ロ 当該合併又は株式交換等に係る円滑化省令第12条第21項又は第30項において準用する同条第9項又は第10項の報告書の写し及び当該報告書に係る同条第37項の確認書の写し

（継続届出書の記載事項）

（５） （２）の（五）に規定する財務省令で定める事項は、次に掲げる事項とする。（措規23の12の3⑲）

（一） その経営報告基準日における第一節の**2**の（九）のロに規定する猶予中相続税額

（二） その経営報告基準日において特例経営承継相続人等が有する特例対象非上場株式等の数又は金額及び当該特例経営承継相続人等に係る特例被相続人の氏名

（三） その経営報告基準日が第一節の**2**の（六）のイ又はロに掲げる日のいずれか早い日の翌日以後である場合には、特例認定承継会社に係る次に掲げる事項（当該経営報告基準日（以下（５）及び（６）において「基準日」という。）の直前の経営報告基準日の翌日から当該基準日までの間において、特例認定承継会社が第一節の**2**の（三）に規定する資産保有型会社又は同**2**の（四）に規定する資産運用型会社であるとした場合に第五節の**1**の（2）において準用する第二章第五節の**1**の（11）の（二）のイからハまでに掲げる要件の全てを満たしているときは、その旨及びイに掲げる事項）

イ 当該基準日の属する事業年度の直前の事業年度末における資本金の額及び準備金の額又は出資の総額

ロ 当該基準日の属する事業年度の直前の事業年度末における第一節の**2**の（21）の規定により読み替えて適用する第一章第一節の**2**の（八）のイからハまでに掲げる額、これらの明細及び同（八）の割合

ハ 当該基準日の属する事業年度の直前の事業年度における第一節の**2**の（21）の規定により読み替えて適用する第一章第一節の**2**の（九）の総収入金額、運用収入の合計額、これらの明細及び同（九）の割合

ニ 当該基準日の直前の経営報告基準日の翌日から当該基準日までの間に第一節の**2**の（22）の後段において準用する第二章第一節の**2**の（25）のただし書又は第一節の**2**の（27）の後段において準用する第二章第一節の**2**の（30）のただし書に規定する場合に該当することとなった場合には、次に掲げる事項

① 第一節の**2**の（22）の後段において準用する第二章第一節の**2**の（25）のただし書又は第一節の**2**の（27）の後段において準用する第二章第一節の**2**の（30）のただし書に規定する事由の詳細及びこれらの事由の生じた年月日

② 第一節の**2**の（22）の後段において準用する第二章第一節の**2**の（25）のただし書の割合を100分の70未満に減少させた事情又は第一節の**2**の（27）の後段において準用する第二章第一節の**2**の（30）のただし書の割合を100分の75未満に減少させた事情の詳細及びこれらの事情の生じた年月日又は事業年度

（四） 基準日の直前の経営報告基準日（当該基準日が最初の経営報告基準日である場合には、第一節の**1**に規定する相続税の申告書の提出期限。（五）において同じ。）の翌日から当該基準日までの間に特例認定承継会社が商号の変更をした場合、本店の所在地を変更した場合、合併により消滅した場合、株式交換等により他の会社の第六節の**2**の（三）に規定する株式交換完全子会社等となった場合、会社分割をした場合、組織変更をした場合又は解散（会社法その他の法律の規定により解散をしたものとみなされる場合の当該解散を含む。）をした場合には、その旨

（五） 基準日の直前の経営報告基準日の翌日から当該基準日までの間に特例経営承継相続人等につき第五節の**1**において準用する第二章第五節の**2**又は同章第六節の規定により納税の猶予に係る期限が確定した猶予中相続税額がある場

第五章　非上場株式等についての相続税の納税猶予及び免除の特例
（第三節　納税猶予期間中の継続届出書の提出）

合には、第五節の**1**において準用する第二章第五節の**2**の表の（一）（二）の左欄又は同章第六節の表の（一）から（六）の左欄のいずれの場合に該当したかの別及び該当した日並びに当該猶予中相続税額及びその明細

（六）　第六節の**2**から**4**までの規定の適用を受けた場合（基準日の直前の経営報告基準日の翌日から当該基準日までの間に同節の**5**の（4）の規定による免除をした相続税の額の通知があった場合に限る。）には、同節の**2**から**4**までの規定の適用を受けた旨及び当該相続税の額

（七）　第六節の**6**において準用する第二章第七節の**3**の規定の適用を受けた場合（基準日の直前の経営報告基準日の翌日から当該基準日までの間に同**3**の（3）の規定による再計算免除相続税の額の通知があった場合に限る。）には、その旨、第六節の**6**において準用する第二章第七節の**3**に規定する認可決定日及び再計算免除相続税の額

（八）　その他参考となるべき事項

（期間の末日が基準日後に到来する場合の準用）
（6）　第二章第三節の**1**の（4）の規定は、第一節の**2**の(22)の後段において準用する第二章第一節の**2**の(25)のただし書又は第一節の**2**の(27)の後段において準用する第二章第一節の**2**の(30)のただし書に規定する期間の末日が基準日後に到来する場合について準用する。（措規23の12の3⑳）

2　継続届出書が提出されなかった場合

第二章第三節の**2**の規定は、**1**の届出書が届出期限までに納税地の所轄税務署長に提出されない場合について準用する。（措法70の7の6⑨）

（ゆうじょ規定）
（1）　第二章第三節の**2**の（1）の規定は、**1**又は第六節の**1**において準用する第二章第七節の**1**の届出書が届出期限又は同**1**の免除届出期限までに提出されなかった場合について準用する。（措法70の7の6㉒）

（（1）の場合の届出書の提出等）
（2）　第二章第三節の**2**の（2）の規定は、（1）において第二章第三節の**2**の（1）の規定を準用する場合について準用する。（措令40の8の6㊷）

—1357—

第七編　非上場株式等に係る相続税・贈与税の納税猶予及び免除

第四節　担保の変更の命令に応じない場合等の納税猶予期限の繰上げ

（準用規定）
（1）　第二章第四節の規定は、第一節の**1**による納税の猶予に係る期限の繰上げについて準用する。（措法70の7の6⑩）

（増担保命令等に応じない場合の納税猶予の期限の繰上げ等）
（2）　第二章第四節の（1）、同章第十節の（8）及び同章第一節の**3**の**❷**の（4）については、（1）において第二章第四節の規定を準用する場合及び第八節の（2）において第二章第十節の（6）の規定を準用する場合について準用する。（措通70の7の6－22）

－1358－

第五章　非上場株式等についての相続税の納税猶予及び免除の特例
（第五節　納税猶予の打切り）

第五節　納税猶予の打切り

1　納税猶予の打切り

　第二章第五節の **1**（（二）を除く。）、同節の **2** 及び同章第六節の規定は、第一節の **1** の規定による納税の猶予に係る期限の確定について準用する。この場合において、同章第五節の **1** の（三）中「第一章第一節の **1**」とあるのは「第六章第一節の **1**」と、同 **1** の（四）中「いずれかの者」とあるのは「いずれかの者（当該特例経営承継相続人等以外の特例経営承継相続人等、第四章第一節の **1** の規定の適用を受ける同節の **2** の（六）に規定する特例経営承継受贈者及び第六章第二節の **1** の規定の適用を受ける同節の **2** の（一）に規定する特例経営相続承継受贈者を除く。）」と読み替えるものとする。（措法70の7の6③）

　　（財務省令で定める理由等の準用）
（1）　第一章第五節の **1** の（1）（12）（15）（16）の規定は、**1** において準用する第二章第五節の **1** の（一）に規定する財務省令で定めるやむを得ない理由並びに同 **1** の（十一）、（十三）及び（十四）に規定する財務省令で定める場合について準用する。この場合において、第一章第五節の **1** の（15）の（四）及び（16）の（四）中「いずれの者」とあるのは、「いずれの者（第五章第一節の **1** の（1）の（二）のイからハまでに掲げる者を除く。）」と読み替えるものとする。（措規23の12の3⑭）

　　（納税猶予の打切りに係る準用規定）
（2）　第二章第五節の **1** の（11）（22）、同節の **2** の（1）（2）、同章第六節の（1）から（5）までの規定は、**1** において第二章第五節の **1**（（二）を除く。）、同節の **2** 及び同章第六節の規定を準用する場合について準用する。この場合において、同章第五節の **1** の（22）の（一）中「経営承継相続人等」とあるのは、「第五章第一節の **1** の（3）の（二）のイからハまでに掲げる者」と読み替えるものとする。（措令40の8の6㉕）

　　（納税猶予の打切りに係る準用規定）
（3）　第二章第五節の **1** の（24）及び（25）の規定は、第一節の **1** の規定の適用を受ける特例経営承継相続人等が第一節の **1** の規定の適用に係る特例認定承継会社の非上場株式等の譲渡又は贈与をした場合（第六節の **2** 又は **3** の規定の適用を受ける場合を除く。）について準用する。（措令40の8の6㊹）

　　（納税猶予の期限の確定に関する取扱いの準用）
（4）　第二章第五節の **1** の（3）（9）（10）（14）（15）（17）（19）〜（21）、同節の **2** の（3）、同章第六節の（6）及び（7）については、**1** において準用する第二章第五節の **1**（（二）を除く。）、同節の **2** 及び同章の第六節の規定による特例経営承継相続人等に係る納税猶予の期限の確定について準用する。（措通70の7の6－14）

　　（相続税の納税猶予及び免除の特例における雇用の確保について）
（5）　**1** において準用する第二章第五節の **1** の規定からは、雇用の確保に関する確定事由である同 **1** の（二）の規定は除かれていることに留意する。
　　なお、雇用の確保ができなかった場合として中小企業における経営の承継の円滑化に関する法律施行規則第20条第2項（同条第5項又は第7項の規定により読み替えて適用する場合を含む。以下（5）において同じ。）又は同条第8項、第10項若しくは第12項において準用する同条第1項（同条第4項又は第6項の規定により読み替えて適用する場合を含む。）若しくは同条第9項、第11項若しくは第13項において準用する同条第2項に規定する場合に該当するときは、同条第3項の報告書の写し及び当該報告書に係る同条第14項の都道府県知事の確認書の写しを第三節の **1** の規定により提出する届出書に添付することとされており、これらの書類の提出がない場合には第三節の **2** において準用する第二章第三節の **2** の規定により、納税の猶予に係る期限が確定することに留意する。（措通70の7の6－15）

　　（筆頭要件の判定）
（6）　**1** において準用する第二章第五節の **1** の（四）に規定する場合に該当することとなったかどうかの判定における同 **1** の（四）の特例経営承継相続人等と特別の関係がある者のうち「いずれかの者」については、当該特例経営承継相続人等

－1359－

以外の当該特例経営承継相続人等に係る特例認定承継会社の非上場株式等につき第四章第一節の **1** の規定の適用を受ける特例経営承継受贈者、本章第一節の **1** の規定の適用を受ける特例経営承継相続人等及び第六章第二節の **1** の規定の適用を受ける特例経営相続承継受贈者が除かれることに留意する。（措通70の7の6－16）

　　（特例対象非上場株式等の譲渡等の判定）
（7）　**1** において準用する第二章第五節の **1** の(五)若しくは(六)、同節の **2** の表の(一)又は同章第六節の表の(一)若しくは(二)の特例対象非上場株式等の全部又は一部の同章第五節の **1** の(五)に規定する譲渡等（以下第六節の **2** の(12)までにおいて「**譲渡等**」という。）があったかどうかの判定は、(3)において準用する第二章第五節の **1** の(24)及び(25)の規定により行うことに留意する。（措通70の7の6－17）
　　(注)1　特例対象非上場株式等を第六節の **1** において準用する第二章第七節の **1** の(二)の規定による贈与をしたかどうかの判定についても上記により行うことに留意する。
　　　　2　第六節の **2** 又は同節の **3** の規定の適用を受ける場合には、(3)において準用する第二章第五節の **1** の(24)及び(25)の規定の適用はないことに留意する。なお、この場合の取扱いについては、第六節の **2** の(12)を参照。

　　（確定事由となる資産保有型会社又は資産運用型会社の意義）
（8）　**1** において準用する第二章第五節の **1** の(九)の要件を判定する場合には、第一節の **2** の(5)を準用する。
　　この場合において、同 **2** の(5)中「相続の開始の日の属する事業年度の直前の事業年度の開始の日」とあるのは「相続税の申告期限の翌日」と、「相続税の申告期限」とあるのは「第一節の **2** の(九)のロに規定する猶予中相続税額に相当する相続税の全部につき納税の猶予に係る期限が確定する日」と、「(4)において準用する第二章第一節の **2** の(4)」とあるのは「第五章第六節の **2** の(21)において準用する第二章第五節の **1** の(11)」となることに留意する。（措通70の7の6－18）

　　（事業の運営に支障を及ぼすおそれがある場合の判定）
（9）　**1** において準用する第二章第五節の **1** の(十七)に規定する要件のうち、(2)において準用する第二章第五節の **1** の(22)の(一)に規定する要件を判定する場合には、第一節の **2** の(11)を準用する。（措通70の7の6－19）

2　利子税の納付

　　第一節の **1** の規定の適用を受けた特例経営承継相続人等は、次の表の(一)から(十四)の左欄に掲げる場合に該当する場合には、当該(一)から(十四)の中欄に掲げる金額を基礎とし、当該特例経営承継相続人等が同 **1** の規定の適用を受けるために提出する相続税の申告書の提出期限の翌日から当該(一)から(十四)の右欄に掲げる日（同表の(一)から(三)まで又は(六)から(十一)までの右欄に掲げる日以前2月以内に当該特例経営承継相続人等が死亡した場合には、当該特例経営承継相続人等の相続人が当該特例経営承継相続人等の死亡による相続の開始があったことを知った日の翌日から6月を経過する日）までの期間に応じ、年3.6パーセントの割合を乗じて計算した金額に相当する利子税を、当該(一)から(十四)の中欄に掲げる金額に相当する相続税にあわせて納付しなければならない。（措法70の7の6㉓）

(一)　**1** において準用する第二章第五節の **1** （(二)を除く。）の規定の適用があった場合（(五)の左欄に掲げる場合に該当する場合を除く。）	猶予中相続税額	第二章第五節の **1** の(一)から(十七)に定める日から2月を経過する日
(二)　**1** において準用する第二章第五節の **2** の規定の適用があった場合（(五)の左欄に掲げる場合に該当する場合を除く。）	第二章第五節の **2** の表の(一)(二)の中欄に掲げる猶予中相続税額	第二章第五節の **2** の表の(一)(二)の右欄に掲げる日から2月を経過する日
(三)　**1** において準用する第二章第六節の規定の適用があった場合（(五)から(十一)までの左欄に掲げる場合に該当する場合を除く。）	第二章第六節の表の(一)から(六)の中欄に掲げる猶予中相続税額	第二章第六節の表の(一)から(六)の右欄に掲げる日から2月を経過する日
(四)　第三節の **2** において準用する第二章第三節の **2** の規定の適用があった場合（(五)の左欄に掲げる場合に該当する場合を除く。）	第二章第三節の **2** の規定により納税の猶予に係る期限が確定する猶予中相続税額	第二章第三節の **2** の規定による納税の猶予に係る期限
(五)　第四節において準用する第二章第四節又は第八節の(2)において準用する第二章第十節の(4)の規定の適用があった場合	これらの規定により納税の猶予に係る期限が繰り上げられる猶予中相続税額	これらの規定により繰り上げられた納税の猶予に係る期限

－1360－

第五章　非上場株式等についての相続税の納税猶予及び免除の特例
（第五節　納税猶予の打切り）

（六）　第六節の**1**において準用する第二章第七節の**2**の（一）の規定の適用があった場合（（五）の左欄に掲げる場合に該当する場合を除く。）	第二章第七節の**2**の（一）のイ及びロに掲げる金額の合計額	第二章第七節の**2**の（一）の譲渡等をした日から２月を経過する日
（七）　第六節の**1**において準用する第二章第七節の**2**の（二）の規定の適用があった場合（（五）の左欄に掲げる場合に該当する場合を除く。）	第二章第七節の**2**の（二）のロに掲げる金額	第二章第七節の**2**の（二）の特例認定承継会社が解散をした日から２月を経過する日
（八）　第六節の**1**において準用する第二章第七節の**2**の（三）又は（四）の規定の適用があった場合（（五）の左欄に掲げる場合に該当する場合を除く。）	第二章第七節の**2**の（三）のイ及びロ又は同**2**の（四）イ及びロに掲げる金額の合計額	これらの合併又は株式交換等がその効力を生じた日から２月を経過する日
（九）　第六節の**2**の（一）の規定の適用があった場合（（五）の左欄に掲げる場合に該当する場合を除く。）	第六節の**2**の（一）のイ及びロに掲げる金額の合計額	第六節の**2**の（一）の譲渡等をした日から２月を経過する日
（十）　第六節の**2**の（二）又は同**2**の（三）の規定の適用があった場合（（五）の左欄に掲げる場合に該当する場合を除く。）	第六節の**2**の（二）のイに掲げる金額（同**2**の（二）の合併に際して交付された株式等以外の財産の価額に対応する部分の額として同**2**の（15）の政令で定めるところにより計算した金額に限る。）及び同**2**の（二）のロに掲げる金額の合計額又は第六節の**2**の（三）のイに掲げる金額（同**2**の（三）の株式交換等に際して交付された株式等以外の財産の価額に対応する部分の額として同**2**の（16）の政令で定めるところにより計算した金額に限る。）及び同**2**の（三）のロに掲げる金額の合計額	これらの合併又は株式交換等がその効力を生じた日から２月を経過する日
（十一）　第六節の**2**の（四）の規定の適用があった場合（（五）の左欄に掲げる場合に該当する場合を除く。）	第六節の**2**の（四）のイ及びロに掲げる金額の合計額	第六節の**2**の（四）の特例認定承継会社が解散をした日から２月を経過する日
（十二）　第六節の**4**の（一）の規定の適用があった場合（（五）の左欄に掲げる場合に該当する場合を除く。）	第六節の**4**の（一）に規定する特例再計算相続税額	第六節の**4**の（一）の再申請期限
（十三）　第六節の**4**の（二）の規定の適用があった場合（（五）の左欄に掲げる場合に該当する場合を除く。）	第六節の**4**の（二）に規定する猶予中相続税額とされた金額	第六節の**4**の（二）の再申請期限
（十四）　第六節の**6**において準用する第二章第七節の**3**の規定の適用があった場合（（五）の左欄に掲げる場合に該当する場合を除く。）	第二章第七節の**3**の（二）に掲げる金額	第二章第七節の**3**の規定による納税の猶予に係る期限

　（継続届出書の時効中断の効果）

（１）　第二章第五節の**3**の（１）の規定は、猶予中相続税額に相当する相続税並びに当該相続税に係る利子税及び延滞税の徴収を目的とする国の権利の時効について準用する。（措法70の７の６⑧）

第七編　非上場株式等に係る相続税・贈与税の納税猶予及び免除

　　　（2の表の(三)から(十四)までの左欄に掲げる場合に該当する場合の適用）
（2）　第一節の1規定の適用を受けた特例経営承継相続人等が2の表の(三)から(十四)までの左欄に掲げる場合に該当する場合（同表の(四)又は(五)の左欄に掲げる場合に該当する場合には、特例経営承継期間の末日の翌日以後にこれらの規定に規定する場合に該当することとなった場合に限る。）における2の規定の適用については、2中「年3.6パーセント」とあるのは、「年3.6パーセント（特例経営承継期間については、年零パーセント）」とする。（措法70の7の6㉔）

　　　（納税猶予期限の繰上げに該当することとなった日）
（3）　2の表の(五)の左欄に掲げる場合に該当する場合における（2）に規定する「特例経営承継期間の末日の翌日以後にこれらの規定に規定する場合に該当することとなった場合」とは、税務署長が納税猶予期限の繰上通知書を発した日が当該特例経営承継期間の末日の翌日以後である場合をいうことに留意する。（措通70の7の6－40）

　　　（利子税の割合の特例）
（4）　2に規定する利子税の割合は、2の規定にかかわらず、各年の利子税特例基準割合が年7.3パーセントの割合に満たない場合には、その年中においては、当該利子税の割合に当該利子税特例基準割合が年7.3パーセントの割合のうちに占める割合を乗じて計算した割合とする。（措法93⑤）

　　　（利子税特例基準割合）
（5）　（4）に規定する利子税特例基準割合とは、平均貸付割合（各年の前々年の9月から前年の8月までの各月における短期貸付けの平均利率（当該各月において銀行が新たに行った貸付け（貸付期間が1年未満のものに限る。）に係る利率の平均をいう。）の合計を12で除して計算した割合として各年の前年の11月30日までに財務大臣が告示する割合をいう。以下同じ。）に年0.5パーセントの割合を加算した割合をいう。（措法93②）

－1362－

第五章　非上場株式等についての相続税の納税猶予及び免除の特例
（第六節　納税猶予税額の免除）

第六節　納税猶予税額の免除

1　特例経営承継相続人等の死亡等による納税猶予税額の免除

　　第二章第七節の**1**、同節の**2**、同**2**の（8）から（10）の規定は、第一節の**1**の規定により納税の猶予がされた相続税の免除について準用する。この場合において、第二章第七節の**2**の（9）及び（10）中「第五の**3**」とあるのは「第五章第五節の**2**」と読み替えるものとする。（措法70の7の6⑫）

　　　　（納税猶予税額の免除に係る規定の準用）
（1）　第二章第七節の**1**の（1）（5）、同節の**2**の（3）（6）（7）（11）から（13）までの規定は、**1**において第二章第七節の**1**、同節の**2**、同**2**の（8）から（10）の規定を準用する場合について準用する。（措令40の8の6㉘）

　　　　（納税猶予税額の免除に係る規定の準用）
（2）　第一章第七節の**2**の（4）（5）、第二章第七節の**1**の（2）（3）（4）、同節の**2**の（1）（2）の規定は、**1**において準用する第二章第七節の**1**、同節の**2**、同**2**の（8）から（10）までの規定の適用がある場合について準用する。この場合において、第二章第七節の**1**の（3）の（四）中「第12条第8項（同条第17項において準用する場合を含む。）」とあるのは、「第12条第20項又は第29項において準用する同条第8項」と読み替えるものとする。（措規23の12の3㉒）

　　　　（第一章第一節の**1**又は第四章第一節の**1**の適用に係る贈与をした場合の免除税額等）
（3）　第二章第七節の**1**の（6）については、特例経営承継相続人等が**1**において準用する第二章第七節の**1**の（二）の規定の適用を受ける場合について準用する。（措通70の7の6－23）

　　　　（破産免除等に関する取扱いの準用）
（4）　第二章第七節の**2**の（14）〜（19）については、特例経営承継相続人等が**1**において準用する第二章第七節の**1**の規定の適用を受ける場合について準用する。（措通70の7の6－24）

2　その他の場合による納税猶予税額の免除

　　第一節の**1**の規定の適用を受ける特例経営承継相続人等又は同**1**の特例対象非上場株式等に係る特例認定承継会社が次の（一）から（四）に掲げる場合のいずれかに該当することとなった場合（当該特例認定承継会社の事業の継続が困難な事由として（2）の政令で定める事由が生じた場合に限るものとし、その該当することとなった日前に第三節の**2**において準用する第二章第三節の**2**の規定の適用があった場合及び同日前に第四節において準用する第二章第四節又は第八節の（2）において準用する第二章第十節の（4）の規定による納税の猶予に係る期限の繰上げがあった場合を除く。）において、当該特例経営承継相続人等は、それぞれに定める相続税の免除を受けようとするときは、その該当することとなった日から2月を経過する日（その該当することとなった日から当該2月を経過する日までの間に当該特例経営承継相続人等が死亡した場合には、当該特例経営承継相続人等の相続人（包括受遺者を含む。**4**の（一）及び第五節の**2**において同じ。）が当該特例経営承継相続人等の死亡による相続の開始があったことを知った日の翌日から6月を経過する日。**3**及び**5**の（4）において「申請期限」という。）までに、当該免除を受けたい旨、免除を受けようとする相続税に相当する金額及びその計算の明細その他の（11）の財務省令で定める事項を記載した申請書（当該免除の手続に必要な書類その他の（13）の財務省令で定める書類を添付したものに限る。**3**において同じ。）を納税地の所轄税務署長に提出しなければならない。この場合において、第五節の**1**において準用する第二章第六節の規定の適用については、同節の表の（一）中「（八）から（十二）まで」とあるのは「（八）」と、「猶予中相続税額」とあるのは「第五章第六節の**2**の（一）のイ及びロに掲げる金額の合計額又は同**2**の（四）のイ及びロに掲げる金額の合計額」と、同表の（二）の中欄中「猶予中相続税額のうち、当該譲渡等をした対象非上場株式等の数又は金額に対応する部分の額として（1）の政令で定めるところにより計算した金額」とあるのは「第五章第六節の**2**の（一）のイ及びロに掲げる金額の合計額」と、同表の（三）の中欄中「猶予中相続税額（当該合併に際して吸収合併存続会社等の株式等の交付があった場合には、当該株式等の価額に対応する部分の額として（2）の政令で定めるところにより計算した金額を除く。）」とあるのは「第五章第六節の**2**の（二）のイに掲げる金額（当該合併に際して交付された吸収合併存続会社等の株式等以外の財産の価額に対応する部分の額として（15）の政令で定めるところにより計算した金額に限る。）及

－1363－

び同**2**の(二)のロに掲げる金額の合計額」と、同表の(四)の中欄中「猶予中相続税額（当該株式交換等に際して当該他の会社の株式等の交付があった場合には、当該株式等の価額に対応する部分の額として(3)の政令で定めるところにより計算した金額を除く。）」とあるのは「第五章第六節の**2**の(三)のイに掲げる金額（当該株式交換等に際して交付された当該他の会社の株式等以外の財産の価額に対応する部分の額として(16)の政令で定めるところにより計算した金額に限る。）及び同**2**の(三)のロに掲げる金額の合計額」とする。（措法70の7の6⑬）

(一)　特例経営承継期間の末日の翌日以後に、当該特例経営承継相続人等が当該特例対象非上場株式等の全部又は一部の譲渡等（譲渡又は贈与をいう。以下本章において同じ。）をした場合（当該特例経営承継相続人等と第一節の**2**の(15)の政令で定める特別の関係がある者以外の者に対して行う場合に限る。）において、次に掲げる金額の合計額が当該譲渡等の直前における猶予中相続税額（当該譲渡等をした特例対象非上場株式等の数又は金額に対応する部分の額として(17)の政令で定めるところにより計算した金額に限る。）に満たないとき　当該猶予中相続税額から当該合計額を控除した残額に相当する相続税

イ　当該譲渡等の対価の額（当該額が当該譲渡等をした時における当該譲渡等をした数又は金額に対応する当該特例対象非上場株式等の時価に相当する金額として(18)の財務省令で定める金額の2分の1以下である場合には、当該2分の1に相当する金額）を第一節の**1**の規定の適用に係る相続により取得をした特例対象非上場株式等の当該相続の開始の時における価額とみなして、同節の**2**の(八)の規定により計算した金額

ロ　当該譲渡等があった日以前5年以内において、当該特例経営承継相続人等及び当該特例経営承継相続人等と第一節の**2**の(15)の政令で定める特別の関係がある者が当該特例認定承継会社から受けた剰余金の配当等の額その他当該特例認定承継会社から受けた金額として(20)の政令で定めるものの合計額

(二)　特例経営承継期間の末日の翌日以後に、当該特例対象非上場株式等に係る特例認定承継会社が合併により消滅した場合（吸収合併存続会社等（会社法第749条第1項に規定する吸収合併存続会社又は同法第753条第1項に規定する新設合併設立会社をいう。以下本章において同じ。）が当該特例経営承継相続人等と第一節の**2**の(15)の政令で定める特別の関係がある者以外のものである場合に限る。）において、次に掲げる金額の合計額が当該合併がその効力を生ずる直前における猶予中相続税額に満たないとき　当該猶予中相続税額から当該合計額を控除した残額に相当する相続税

イ　合併対価（当該吸収合併存続会社等が当該合併に際して当該消滅する特例認定承継会社の株主又は社員に対して交付する財産をいう。）の額（当該額が当該合併がその効力を生ずる直前における当該特例対象非上場株式等の時価に相当する金額として(18)の財務省令で定める金額の2分の1以下である場合には、当該2分の1に相当する金額）を第一節の**1**の規定の適用に係る相続により取得をした特例対象非上場株式等の当該相続の開始の時における価額とみなして、第一節の**2**の(八)の規定により計算した金額

ロ　当該合併がその効力を生ずる日以前5年以内において、当該特例経営承継相続人等及び当該特例経営承継相続人等と第一節の**2**の(15)の政令で定める特別の関係がある者が当該特例認定承継会社から受けた剰余金の配当等の額その他当該特例認定承継会社から受けた金額として(20)の政令で定めるものの合計額

(三)　特例経営承継期間の末日の翌日以後に、当該特例対象非上場株式等に係る特例認定承継会社が株式交換又は株式移転（以下本章において「**株式交換等**」という。）により他の会社の株式交換完全子会社等（会社法第768条第1項第1号に規定する株式交換完全子会社又は同法第773条第1項第5号に規定する株式移転完全子会社をいう。イ及び**4**の(一)のハにおいて同じ。）となった場合（当該他の会社が当該特例経営承継相続人等と第一節の**2**の(15)の政令で定める特別の関係がある者以外のものである場合に限る。）において、次に掲げる金額の合計額が当該株式交換等がその効力を生ずる直前における猶予中相続税額に満たないとき　当該猶予中相続税額から当該合計額を控除した残額に相当する相続税

イ　交換等対価（当該他の会社が当該株式交換等に際して当該株式交換完全子会社等となった特例認定承継会社の株主に対して交付する財産をいう。）の額（当該額が当該株式交換等がその効力を生ずる直前における当該特例対象非上場株式等の時価に相当する金額として(18)の財務省令で定める金額の2分の1以下である場合には、当該2分の1に相当する金額）を第一節の**1**の規定の適用に係る相続により取得をした特例対象非上場株式等の当該相続の開始の時における価額とみなして、第一節の**2**の(八)の規定により計算した金額

ロ　当該株式交換等がその効力を生ずる日以前5年以内において、当該特例経営承継相続人等及び当該特例経営承継相続人等と第一節の**2**の(15)の政令で定める特別の関係がある者が当該特例認定承継会社から受けた剰余金の配当等の額その他当該特例認定承継会社から受けた金額として(20)の政令で定めるものの合計額

(四)　特例経営承継期間の末日の翌日以後に、当該特例対象非上場株式等に係る特例認定承継会社が解散をした場合において、次に掲げる金額の合計額が当該解散の直前における猶予中相続税額に満たないとき　当該猶予中相続税額から当該合計額を控除した残額に相当する相続税

イ　当該解散の直前における当該特例対象非上場株式等の時価に相当する金額として(18)の財務省令で定める金額を第一節の**1**の規定の適用に係る相続により取得をした特例対象非上場株式等の当該相続の開始の時における価額とみな

－1364－

第五章　非上場株式等についての相続税の納税猶予及び免除の特例
（第六節　納税猶予税額の免除）

して、第一節の**2**の(八)の規定により計算した金額
ロ　当該解散の日以前5年以内において、当該特例経営承継相続人等及び当該特例経営承継相続人等と第一節の**2**の
(15)の政令で定める特別の関係がある者が当該特例認定承継会社から受けた剰余金の配当等の額その他当該特例認定
承継会社から受けた金額として(20)の政令で定めるものの合計額

（事業の継続が困難な事由の判定の時期）
（1）　特例経営承継相続人等又は特例認定承継会社が**2**に規定する事業の継続が困難な事由が生じた場合に該当するかど
うかの判定は、**2**の(一)から(四)に掲げる事由が生じたごとに行うことに留意する。（措通70の7の6－25）

（事業の継続が困難な事由として政令で定める事由）
（2）　**2**に規定する特例認定承継会社の事業の継続が困難な事由として政令で定める事由は、次に掲げる事由（**2**の(四)
に掲げる場合に該当することとなった場合には、(五)に掲げる事由を除く。）とする。（措令40の8の6㉙）
（一）　直前事業年度（特例経営承継相続人等又は特例認定承継会社が**2**の(一)から(四)に掲げる場合のいずれかに該当
することとなった日の属する事業年度の前事業年度をいう。以下(2)において同じ。）及びその直前の3事業年度（直
前事業年度の終了の日の翌日以後6月を経過する日後に当該(一)から(四)に掲げる場合のいずれかに該当すること
となった場合には、2事業年度。(二)において同じ。）のうち2以上の事業年度において、当該特例認定承継会社の収益
の額が費用の額を下回る場合として(5)の財務省令で定める場合に該当すること。
（二）　直前事業年度及びその直前の3事業年度のうち2以上の事業年度において、各事業年度の平均総収入金額（総収
入金額（主たる事業活動から生ずる収入の額とされるべきものとして(6)の財務省令で定めるものに限る。）を当該総
収入金額に係る事業年度の月数で除して計算した金額をいう。以下(二)及び(三)において同じ。）が、当該各事業年度
の前事業年度の平均総収入金額を下回ること。
（三）　次に掲げる事由のいずれか（直前事業年度の終了の日の翌日以後6月を経過する日後に**2**の(一)から(四)に掲げ
る場合のいずれかに該当することとなった場合には、イに掲げる事由）に該当すること。
イ　特例認定承継会社の直前事業年度の終了の日における負債（利子（特例経営承継相続人等と第一節の**2**の(15)に
おいて準用する第二章第一節の**2**の(14)に規定する特別の関係がある者に対して支払うものを除く。）の支払の基因
となるものに限る。ロにおいて同じ。）の帳簿価額が、当該直前事業年度の平均総収入金額に6を乗じて計算した金
額以上であること。
ロ　特例認定承継会社の直前事業年度の前事業年度の終了の日における負債の帳簿価額が、当該事業年度の平均総収
入金額に6を乗じて計算した金額以上であること。
（四）　次に掲げる事由のいずれかに該当すること。
イ　判定期間（直前事業年度の終了の日の1年前の日の属する月から同月以後1年を経過する月までの期間をいう。
イにおいて同じ。）における業種平均株価(特例認定承継会社の事業が該当する業種に属する事業を営む上場会社(金
融商品取引法第2条第16項に規定する金融商品取引所に上場されている株式を発行している会社をいう。)の株式の
価格の平均値として(8)の財務省令で定める価格をいう。イ及びロにおいて同じ。）が、前判定期間（判定期間の開
始前1年間をいう。ロにおいて同じ。）における業種平均株価を下回ること。
ロ　前判定期間における業種平均株価が、前々判定期間（前判定期間の開始前1年間をいう。）における業種平均株価
を下回ること。
（五）　(一)から(四)までに掲げるもののほか、特例経営承継相続人等による特例認定承継会社の事業の継続が困難とな
った事由として(9)の財務省令で定める事由

（事業の継続が困難な事由の意義）
（3）　**2**に規定する特例認定承継会社の事業の継続が困難な事由とは、次に掲げる事由をいうことに留意する。（措通70
の7の6－26）
（一）　直前事業年度及び当該直前事業年度の直前の3事業年度（当該直前事業年度の終了の日の翌日以後6月を経過す
る日後に**2**の(一)から(四)のいずれかに掲げる場合に該当することとなった場合には、2事業年度。以下(二)におい
て同じ。）のうち2以上の事業年度において、経常損益金額（会社計算規則第91条第1項《常損益金額》に規定する経
常損益金額をいう。）が零未満であること。
　(注)　上記の「直前事業年度」とは、特例経営承継相続人等又は特例認定承継会社が**2**の(一)から(四)のいずれかに掲げる場合に該当すること
　　　となった日の属する事業年度の前事業年度をいう。（以下(3)において同じ。）
（二）　直前事業年度及び当該直前事業年度の直前の3事業年度のうち2以上の事業年度において、各事業年度の平均総

－1365－

収入金額が、当該各事業年度の前事業年度の平均総収入金額を下回ること。

(注)　上記の「平均総収入金額」とは、次の算式により計算した金額をいう。(以下(三)において同じ。)

$$\frac{特例認定承継会社の各事業年度の総収入金額}{特例認定承継会社の各事業年度の月数}$$

(注)　上記算式の「総収入金額」は、当該特例認定承継会社の総収入金額のうち、会社計算規則第88条第1項第4号《損益計算書等の区分》に掲げる営業外収益及び同項第6号に掲げる特別利益以外のものに限られることに留意する。

(三)　次に掲げる算式のいずれか（直前事業年度の終了の日の翌日以後6月を経過する日後に2の(一)から(四)のいずれかに掲げる場合に該当することとなった場合には、イに掲げる算式）に該当すること。

イ　直前事業年度の終了の日における負債の帳簿価額　≧　当該直前事業年度の平均総収入金額×6

ロ　直前事業年度の前事業年度終了の日における負債の帳簿価額　≧　当該前事業年度の平均総収入金額×6

(注)　上記算式の「負債」は、利子（特例経営承継相続人等と特別の関係がある者に対して支払うものを除く。）の支払の基因となるものに限られることに留意する。

(四)　次に掲げる算式のいずれかに該当すること。

イ　判定期間における業種平均株価　＜　前判定期間における業種平均株価

ロ　前判定期間における業種平均株価　＜　前々判定期間における業種平均株価

(注)1　上記算式の「判定期間」とは、直前事業年度終了の日の1年前の日の属する月から同月以後1年を経過する月までの期間をいい、「前判定期間」とは、判定期間の開始前1年間をいい、「前々判定期間」とは、前判定期間の開始前1年間をいう。

2　上記算式の「業種平均株価」とは、(2)の(四)に規定する業種平均株価をいう。(以下(4)において同じ。)

(五)　特例経営承継相続人等（2の(一)から(三)のいずれかに掲げる場合に該当することとなった時において特例認定承継会社の会社法第329条第1項《選任》に規定する役員又は業務を執行する社員であった者に限る。）が心身の故障その他の事由により当該特例認定承継会社の業務に従事することができなくなったこと。

(業種平均株価の算定)

(4)　業種平均株価に係る(2)の(四)の「特例認定承継会社の事業が該当する業種」の判定は、2の(一)から(四)に掲げる場合に該当することとなった時における特例認定承継会社の行う事業に基づき、第九編第八章第四節の(4)《類似業種》及び同節の(5)《評価会社の事業が該当する業種目》に準じて行うことに留意する。

なお、業種平均株価に係る(8)に規定する各月における上場株式平均株価については、同節の(6)《類似業種の株価》により別に定める金額によることとして差し支えない。(措通　70の7の6－27)

(収益の額が費用の額を下回る場合)

(5)　(2)の(一)に規定する収益の額が費用の額を下回る場合として財務省令で定める場合は、特例認定承継会社の経常損益金額が零未満である場合とする。(措規23の12の3㉓)

(主たる事業活動から生ずる収入の額とされるべきもの)

(6)　(2)の(二)に規定する主たる事業活動から生ずる収入の額とされるべきものとして財務省令で定めるものは、特例認定承継会社の総収入金額のうち会社計算規則第88条第1項第4号に掲げる営業外収益及び同項第6号に掲げる特別利益以外のものとする。(措規23の12の3㉔)

(端数処理)

(7)　(2)の(二)の月数は、暦に従って計算し、1月に満たない端数を生じたときは、これを1月とする。(措令40の8の6㉚)

(財務省令で定める上場会社の株式の価格の平均値)

(8)　(2)の(四)のイに規定する財務省令で定める価格は、同(四)のイに規定する判定期間若しくは前判定期間又は同(四)のロに規定する前々判定期間に属する各月における上場株式平均株価（金融商品取引法第130条の規定により公表された同(四)のイの上場会社の株式の毎日の最終の価格を利用して算出した価格の平均値をいう。）を合計した数を12で除して計算した価格とする。(措規23の12の3㉕)

(財務省令で定める事業の継続が困難となった事由)

(9)　(2)の(五)に規定する財務省令で定める事由は、特例経営承継相続人等（2の(一)から(三)に掲げる場合のいずれかに該当することとなった時において特例認定承継会社の会社法第329条第1項に規定する役員又は業務を執行する社

第五章　非上場株式等についての相続税の納税猶予及び免除の特例
（第六節　納税猶予税額の免除）

員であった者に限る。）が心身の故障その他の事由により当該特例認定承継会社の業務に従事することができなくなったこととする。（措規23の12の3㉖）

　　　（2の規定の適用を受ける場合の納税猶予の期限）
(10)　特例経営承継相続人等が2の規定の適用を受ける場合には、次の表の左欄に掲げる場合の区分に応じ中欄に掲げる金額に相当する相続税については右欄に掲げる日から2月を経過する日（当該右欄に掲げる日から当該2月を経過する日までの間に当該特例経営承継相続人等が死亡した場合には、当該特例経営承継相続人等の相続人（包括受遺者を含む。）が当該特例経営承継相続人等の死亡による相続の開始があったことを知った日の翌日から6月を経過する日。）に納税の猶予に係る期限が到来することに留意する。（措通70の7の6－29）

場　　合	金　　　額	日
（一）　2の（一）に掲げる場合	同（一）のイ及びロに掲げる金額の合計額	同（一）の譲渡等をした日
（二）　2の（二）に掲げる場合	同（二）のイに掲げる金額（同（二）の合併に際して交付された吸収合併存続会社等の株式等以外の財産の価額に対応する部分の額として(15)の規定により計算した金額に限る。）及び同（二）のロに掲げる金額の合計額	同（二）の合併がその効力を生じた日
（三）　2の（三）に掲げる場合	同（三）のイに掲げる金額（同（三）の株式交換等に際して交付された当該株式交換等に係る他の会社の株式等以外の財産の価額に対応する部分の額として(16)の規定により計算した金額に限る。）及び同（三）のロに掲げる金額の合計額	同（三）の株式交換等がその効力を生じた日
（四）　2の（四）に掲げる場合	同（四）のイ及びロに掲げる金額の合計額	同（四）の解散をした日

（注）　（二）又は（三）に掲げる場合において、（二）の合併により交付された吸収合併存続会社等の株式等の価額に対応する金額又は（三）の株式交換等に際して交付された他の会社の株式等の価額に対応する金額については、納税猶予の期限が到来しないことに留意する。

　　　（財務省令で定める免除申請書の記載事項）
(11)　2及び3に規定する財務省令で定める事項は、次に掲げる事項とする。（措規23の12の3㉗）
　（一）　2又は3の申請書を提出する者の氏名及び住所又は居所
　（二）　2又は3の規定による相続税の免除を受けたい旨並びに当該免除を受けようとする相続税の額及びその計算の明細
　（三）　2の（一）から（四）又は3のいずれの規定の適用を受けるものであるかの別並びに当該（一）から（四）に掲げる場合に該当することとなった事情の詳細及びその事情が生じた年月日
　（四）　2の（一）又は3の規定の適用に係る譲渡等（譲渡又は贈与をいう。以下本章において同じ。）が特例対象非上場株式等の一部の譲渡等である場合又はこれらの規定の適用に係る譲渡等の直前において特例経営承継相続人等が特例認定承継会社の第一節の2の（五）に規定する非上場株式等で特例対象非上場株式等以外のものを有する場合には、当該譲渡等の直前において特例経営承継相続人等が有していた当該非上場株式等の数又は金額及び当該非上場株式等の取得をした年月日並びに特例対象非上場株式等のうち2又は3の規定の適用を受けるものとして選択をしたものに係る特例被相続人ごとの当該特例対象非上場株式等の数又は金額の内訳及び当該特例被相続人からの相続又は遺贈（贈与をした者の死亡により効力を生ずる贈与を含む。）により取得をした年月日
　（五）　2の（一）のイに規定する譲渡等の対価、2の（二）のイに規定する合併対価又は2の（三）のイに規定する交換等対価の額及び当該額のうち株式等以外の財産の価額
　（六）　（2）の（一）から（五）に掲げる事由のいずれに該当するかの別及び当該（一）から（五）に掲げる事由が生じることとなった事情の詳細
　（七）　その他参考となるべき事項

　　　（特例対象非上場株式等の一部の譲渡等をした場合等における免除を受ける株式等の選択）
(12)　2の（一）又は3の規定の適用に係る2の（一）の譲渡等が特例対象非上場株式等の一部の譲渡等である場合又はこれらの規定の適用に係る譲渡等の直前において特例経営承継相続人等が特例認定承継会社の非上場株式等で特例対象非上場株式等以外のものを有する場合には、(11)の（四）の規定に基づき2又は3の規定の適用に係る申請書において選択をした特例対象非上場株式等につき、これらの規定が適用されることに留意する。（措通70の7の6－32）
（注）　特例経営承継相続人等が2又は3の規定の適用を受ける場合には、第五節の1の（3）において準用する第二章第五節の1の（24）及び（25）の

－1367－

第七編　非上場株式等に係る相続税・贈与税の納税猶予及び免除

規定の適用はないこととされている。

（財務省令で定める免除申請書の添付書類）
(13)　**2**に規定する財務省令で定める書類は、次に掲げる書類とする。（措規23の12の3㉘）
　(一)　譲渡等に係る契約書、合併契約書、株式交換契約書若しくは株式移転計画書の写し又は登記事項証明書その他の書類で、**2**の(一)から(四)に掲げる場合のいずれかに該当することとなったことを証するもの
　(二)　(11)の(五)の額及び同(11)の(五)の財産の価額を証する書類
　(三)　（2）の(四)又は(五)に掲げる事由のいずれかに該当する場合にあっては、これらの事由のいずれに該当するかを明らかにする書類
　(四)　**2**の(一)の譲渡等、**2**の(二)の合併、**2**の(三)の株式交換等又は**2**の(四)の解散の直前における猶予中相続税額、**2**の(一)から(四)のイに掲げる金額及び当該(一)から(四)のロに掲げる合計額を記載した書類
　(五)　**3**の規定の適用を受けようとする場合には、**2**の(一)から(四)に掲げる場合のいずれかに該当することとなった時の直前における特例認定承継会社の常時使用従業員（第一節の**2**の(一)のイに規定する常時使用従業員をいう。**5**の(2)の(四)及び(五)において同じ。）の一覧表及び従業員数証明書その他の書類で当該常時使用従業員が第一節の**2**の(2)において準用する第一章第一節の**2**の(2)の(一)から(四)のいずれに該当するかを明らかにする書類の写し
　(六)　その他参考となるべき事項を記載した書類

（差額免除の申請書が申請期限までに提出されない場合等）
(14)　特例経営承継相続人等が**2**又は**3**の規定に基づき相続税の免除を受けようとする場合には、**2**に規定する申請期限（以下(14)において「申請期限」という。）までに**2**又は**3**に規定する申請書を納税地の所轄税務署長に提出しなければ、これらの規定の適用はないことに留意する。
　　これらの申請書を申請期限までに提出しない場合には、**2**の(一)から(四)に掲げる場合の区分に応じ第五節の**1**において準用する第二章第六節の表の(一)から(六)の中欄に掲げる金額に相当する相続税については当該各号の右欄に掲げる日から2月を経過する日（当該(一)から(六)の右欄に掲げる日から当該2月を経過する日までの間に当該特例経営承継相続人等が死亡した場合には、当該特例経営承継相続人等の相続人（包括受遺者を含む。）が当該特例経営承継相続人等の死亡による相続の開始があったことを知った日の翌日から6月を経過する日）に納税の猶予に係る期限が到来することに留意する。（措通70の7の6,-31）
　(注)　申請期限までに**2**又は**3**に規定する申請書の提出がなかった場合のゆうじょ規定は設けられていない。

（合併に際して交付された株式等以外の財産の価額に対応する部分の額として政令で定めるところにより計算した金額）
(15)　**2**の規定により第五節の**1**において準用する第二章第六節の規定を読み替えて適用する場合における同節の表の(三)の中欄に規定する(2)の政令で定めるところにより計算した金額及び第五節の**2**の表の(十)の中欄に規定する合併に際して交付された株式等以外の財産の価額に対応する部分の額として(15)の政令で定めるところにより計算した金額は、**2**の(二)のイに掲げる金額に、**2**の(二)のイに規定する合併対価のうち**2**の(二)の吸収合併存続会社等が交付しなければならない当該吸収合併存続会社等の株式等以外の財産の価額が当該合併対価の額に占める割合を乗じて計算した金額とする。この場合において、当該計算した金額に100円未満の端数があるとき、又はその全額が100円未満であるときは、その端数金額又はその全額を切り捨てる。（措令40の8の6㉛）

（株式交換等に際して交付された株式等以外の財産の価額に対応する部分の額として政令で定めるところにより計算した金額）
(16)　**2**の規定により第五節の**1**において準用する第二章第六節の規定を読み替えて適用する場合における同節の表の(四)の中欄に規定する(3)の政令で定めるところにより計算した金額及び第五節の**2**の表の(十)の中欄に規定する株式交換等に際して交付された株式等以外の財産の価額に対応する部分の額として(16)の政令で定めるところにより計算した金額は、**2**の(三)のイに掲げる金額に、**2**の(三)のイに規定する交換等対価のうち**2**の(三)の他の会社が交付しなければならない当該他の会社の株式等以外の財産の価額が当該交換等対価の額に占める割合を乗じて計算した金額とする。この場合において、当該計算した金額に100円未満の端数があるとき、又はその全額が100円未満であるときは、その端数金額又はその全額を切り捨てる。（措令40の8の6㉜）

-1368-

第五章　非上場株式等についての相続税の納税猶予及び免除の特例
（第六節　納税猶予税額の免除）

（政令で定めるところにより計算した金額）

(17)　**2**の(一)及び**3**に規定する政令で定めるところにより計算した金額は、**2**の(一)の譲渡等の直前における猶予中相続税額に、当該譲渡等をした特例対象非上場株式等（合併又は株式交換若しくは株式移転に際して**2**の(二)に規定する吸収合併存続会社等又は**2**の(三)の他の会社が交付しなければならない株式のうち１株に満たない端数の合計数に相当する数の株式を除く。）の数又は金額が当該譲渡等の直前における当該特例対象非上場株式等の数又は金額に占める割合を乗じて計算した金額とする。この場合において、当該計算した金額に100円未満の端数があるとき、又はその全額が100円未満であるときは、その端数金額又はその全額を切り捨てる。（措令40の８の６㉝）

（財務省令で定める特例対象非上場株式等の時価に相当する金額）

(18)　第一章第七節の**2**の(5)の規定は、**2**の(一)から(四)のイ及び**3**の(一)から(三)に規定する財務省令で定める金額について準用する。（措規23の12の３㉙）

（特例対象非上場株式等の時価に相当する金額の意義）

(19)　**2**の(一)のイ、(二)のイ、(三)のイ及び(四)のイ並びに**2**の(一)から(四)の「特例対象非上場株式等の時価に相当する金額として(18)の財務省令で定める金額」の意義については、第一章第七節の**2**の(9)を準用する。（措通70の７の６−28）

　　(注)　**2**の(四)のイの金額は、第九編第八章第四節の(26)《清算中の会社の株式の評価》の定めに準じて算定することに留意する。

（剰余金の配当等の額その他特例認定承継会社から受けた金額として政令で定めるもの）

(20)　第一節の**2**の(25)の規定は、**2**の(一)から(四)のロに規定する剰余金の配当等の額その他特例認定承継会社から受けた金額として政令で定めるものについて準用する。（措令40の８の６㉞）

（延滞税及び利子税の計算方法）

(21)　第二章第七節の**2**の(11)から(13)までの規定は、**2**又は**5**の申請書の提出があった場合について準用する。この場合において、第二章第七節の**2**の(11)(12)中「猶予中相続税額から**2**に規定する免除申請相続税額を控除した残額」とあるのは「第五章第六節の**2**又は同節の**4**の(一)の規定により納税の猶予に係る期限が確定する相続税に相当する金額」と、第二章第七節の**2**の(13)中「猶予中相続税額から**2**に規定する免除申請相続税額を控除した残額」とあるのは「第五章第六節の**2**又は同節の**4**の(一)の規定により納税の猶予に係る期限が確定する相続税に相当する金額」と読み替えるものとする。（措令40の８の６㉟）

（差額免除に係る免除申請があった場合の延滞税の計算）

(22)　(21)において準用する第二章第七節の**2**の(11)の規定は、**2**又は**5**の規定による免除申請書が提出された場合で、納期限又は当該免除申請書の提出があった日のいずれか遅い日の翌日から**5**の(4)の規定による免除通知書を発した日までの間に猶予中相続税額から**2**又は**5**の免除を受けようとする相続税に相当する金額（以下(24)までにおいて「**免除申請相続税額**」という。）を控除した残額に相当する相続税を納付するときに、それと併せて納付すべき延滞税の額の計算に関する取扱いであることに留意する。したがって、当該免除通知書を発した日後においては、猶予中相続税額から**5**の(4)の規定により免除をする税額を控除した残額に相当する相続税を基礎金額として、納付すべき延滞税の額を計算することに留意する。（措通70の７の６−36）

　　(注)　免除申請相続税額と免除をする税額が異なる場合には、(21)において準用する第二章第七節の**2**の(11)の規定により計算した延滞税の額と免除後の相続税額を基礎金額として計算した納付すべき延滞税の額に差額が生じることになるため、同**2**の(11)の規定により計算した延滞税の額の増額又は減額の処理を行う必要があることに留意する。

（差額免除に係る免除申請があった場合の利子税の計算）

(23)　(21)において準用する第二章第七節の**2**の(12)の規定は、**2**又は**5**の規定による免除申請書が提出された場合で、当該免除申請書の提出があった日から**5**の(4)の規定による免除通知書を発した日までの間に猶予中相続税額から免除申請相続税額を控除した残額に相当する相続税を納付するときに、それと併せて納付すべき利子税の額の計算に関する取扱いであることに留意する。したがって、当該免除通知書を発した日後においては、猶予中相続税額から**5**の(4)の規定により免除をする税額を控除した残額に相当する相続税を基礎金額として、納付すべき利子税の額を計算することに留意する。（措通70の７の６−37）

　　(注)　免除申請相続税額と免除をする税額が異なる場合には、(21)において準用する第二章第七節の**2**の(12)の規定により計算した利子税の額と免除後の相続税額を基礎金額として計算した納付すべき利子税の額に差額が生じることになるため、同**2**の(12)の規定により計算した利子税

−1369−

第七編　非上場株式等に係る相続税・贈与税の納税猶予及び免除

の額の増額又は減額の処理を行う必要があることに留意する。

（差額免除に係る免除申請に伴い担保解除を行う場合に納付すべき相続税額）
(24)　(21)において準用する第二章第七節の2の(13)に規定する「2の(一)から(四)の第五章第六節の2又は4の(一)の規定により納税の猶予に係る期限が確定する相続税に相当する金額に相当する相続税」とは、2の(一)から(四)又は4の(一)の猶予中相続税額から免除申請相続税額を控除した残額に相当する相続税の額と、(21)において準用する第二章第七節の2の(12)の規定により計算した当該相続税の額に係る納税猶予期間中の利子税の額の合計額をいうことに留意する。（措通70の7の6-38）

3　猶予中相続税額の特例

2の(一)から(三)に掲げる場合に該当する場合で、かつ、次に掲げる場合に該当する場合において、特例経営承継相続人等が4の規定の適用を受けようとするときは、2の規定にかかわらず、申請期限までに2の(一)から(四)のイ及びロに掲げる金額の合計額に相当する担保を提供した場合で、かつ、当該申請期限までに3の規定の適用を受けようとする旨、当該金額の計算の明細その他の2の(11)の財務省令で定める事項を記載した申請書を納税地の所轄税務署長に提出した場合に限り、再計算対象猶予税額（2の(一)に掲げる場合に該当する場合には猶予中相続税額のうち2の(一)の譲渡等をした特例対象非上場株式等の数又は金額に対応する部分の額として2の(17)の政令で定めるところにより計算した金額をいい、2の(二)又は(三)に掲げる場合に該当する場合には猶予中相続税額に相当する金額をいう。以下3において同じ。）から当該合計額を控除した残額を免除し、当該合計額（2の(一)に掲げる場合に該当する場合には、当該合計額に猶予中相続税額から当該再計算対象猶予税額を控除した残額を加算した金額）を猶予中相続税額とすることができる。（措法70の7の6⑭）

(一)　2の(一)のイに規定する譲渡等の対価の額が当該譲渡等をした時における特例対象非上場株式等の時価に相当する金額として2の(18)の財務省令で定める金額の2分の1以下である場合
(二)　2の(二)のイに規定する合併対価の額が合併がその効力を生ずる直前における特例対象非上場株式等の時価に相当する金額として2の(18)の財務省令で定める金額の2分の1以下である場合
(三)　2の(三)のイに規定する交換等対価の額が株式交換等がその効力を生ずる直前における特例対象非上場株式等の時価に相当する金額として2の(18)の財務省令で定める金額の2分の1以下である場合

（担保の提供方法及び解除）
(1)　第二節の2において準用する第二章第二節の2並びに第八節の(2)において準用する第二章第十節の(6)の(二)及び(三)の規定並びに第一節の1の(5)の規定は、3の規定の適用を受ける場合における担保の提供及びその解除について準用する。（措令40の8の6㊱）

（納税の猶予に係る期限が確定する相続税額及び利子税の額の計算）
(2)　3の規定の適用を受けた者又は3の規定の適用に係る特例対象非上場株式等に係る特例認定承継会社について、2の(一)から(三)に掲げる場合に該当することとなった日から4に規定する2年を経過する日までに第五節の1において準用する第二章第六節の表の(一)から(六)の左欄に掲げる場合に該当することとなった場合において、納税の猶予に係る期限が確定する相続税額及び利子税の額を計算するときは、次の(一)(二)に掲げる場合の区分に応じ当該(一)(二)に定める金額を基礎として計算するものとする。（措令40の8の6㊲）

(一)　2の(一)に掲げる場合に該当する場合　2の(一)の譲渡等の直前における猶予中相続税額から3に規定する再計算対象猶予税額を控除した残額
(二)　2の(二)又は(三)に掲げる場合に該当する場合　3の規定により猶予中相続税額とされた金額（2の(二)の合併又は2の(三)の株式交換等に際して交付された株式等の価額に対応する部分の額に限る。）

（3の規定の適用を受ける場合の納税猶予の継続）
(3)　特例経営承継相続人等が3の規定の適用を受けた場合には、猶予中相続税額のうち3の規定により免除される金額以外の金額については、納税猶予の期限が到来しないことに留意する。（措通70の7の6-30）
(注)　3の規定により猶予中相続税額とされた金額の取扱いについては、4の(1)を参照。

4　猶予中相続税額とされた金額に相当する相続税の納税の猶予に係る期限及び免除

2の(一)から(三)に掲げる場合に該当することとなった日から2年を経過する日（当該2年を経過する日前に第一節の

－1370－

第五章　非上場株式等についての相続税の納税猶予及び免除の特例
（第六節　納税猶予税額の免除）

1の規定の適用を受ける特例経営承継相続人等が死亡した場合には、その死亡の日の前日）において、3の規定により猶予中相続税額とされた金額に相当する相続税の納税の猶予に係る期限及び免除については、次の(一)(二)に掲げる場合の区分に応じ当該各号に定めるところによる。（措法70の7の6⑮）

（一）　次に掲げる会社が当該2年を経過する日においてその事業を継続している場合として(2)の政令で定める場合　**特例再計算相続税額**（3の(二)又は(三)に掲げる場合に該当する場合には、3の(二)の合併又は3の(三)の株式交換等に際して交付された株式等以外の財産の価額に対応する部分の額として(6)の政令で定めるところにより計算した金額に限る。）に相当する相続税については、第一節の1の規定にかかわらず、当該2年を経過する日から2月を経過する日（当該2年を経過する日から当該2月を経過する日までの間に当該特例経営承継相続人等が死亡した場合には、当該特例経営承継相続人等の相続人が当該特例経営承継相続人等の死亡による相続の開始があったことを知った日の翌日から6月を経過する日。（二）、5及び5の(4)において「再申請期限」という。）をもって第一節の1の規定による納税の猶予に係る期限とし、3の規定により猶予中相続税額とされた金額から特例再計算相続税額を控除した残額に相当する相続税については、免除する。

イ　3の(一)に掲げる場合における同(一)の譲渡等をした特例対象非上場株式等に係る会社
ロ　3の(二)に掲げる場合における同(二)の合併に係る吸収合併存続会社等
ハ　3の(三)に掲げる場合における同(三)の株式交換等に係る株式交換完全子会社等

（二）　(一)のイからハまでに掲げる会社が当該2年を経過する日において(一)に規定する政令で定める場合に該当しない場合　3の規定により猶予中相続税額とされた金額（3の(二)又は(三)に掲げる場合に該当する場合には、3の(二)の合併又は3の(三)の株式交換等に際して交付された株式等以外の財産の価額に対応する部分の額として(7)の政令で定めるところにより計算した金額に限る。）に相当する相続税については、第一節の1の規定にかかわらず、再申請期限をもって第一節の1の規定による納税の猶予に係る期限とする。

（3の規定の適用を受ける場合の納税猶予の期限等）

（1）　3の規定により猶予中相続税額とされた金額については、2の(一)から(三)までに掲げる場合に該当することとなった日から2年を経過する日（当該2年を経過する日前に特例経営承継相続人等が死亡した場合には、その死亡の日の前日。以下(3)までにおいて同じ。）における次に掲げる場合の区分に応じ、それぞれに定める金額に相当する相続税について、当該2年を経過する日から2月を経過する日（当該2年を経過する日から当該2月を経過する日までの間に特例経営承継相続人等が死亡した場合には、当該特例経営承継相続人等の相続人（包括受遺者を含む。）が当該特例経営承継相続人等の死亡による相続の開始があったことを知った日の翌日から6月を経過する日）に納税の猶予に係る期限が到来することに留意する。（措通70の7の6-33）

（一）　4の(一)に規定する会社が事業を継続している場合に該当する場合　(5)に規定する特例再計算相続税額（3の(二)の合併又は3の(三)の株式交換等に該当する場合には、当該合併又は株式交換等に際して交付された株式等以外の財産の価額に対応する部分の額として(6)の規定により計算した金額に限る。）

（二）　当該会社が事業を継続している場合に該当しない場合　3の規定により猶予中相続税額とされた金額（3の(二)の合併又は3の(三)の株式交換等に該当する場合には、当該合併又は株式交換等に際して交付された株式等以外の財産の価額に対応する部分の額として(7)の規定により計算した金額に限る。）

（注）　「3の規定により猶予中相続税額とされた金額」とは、2の(一)から(三)のイ及びロに掲げる金額の合計額をいうことに留意する。

（事業を継続している場合として政令で定める場合）

（2）　4の(一)に規定する事業を継続している場合として政令で定める場合は、4の(一)のイからハまでに掲げる会社が、4に規定する2年を経過する日において次に掲げる要件の全てを満たす場合とする。（措令40の8の6㊳）

（一）　商品の販売その他の業務で(4)の財務省令で定めるものを行っていること。

（二）　2の(一)から(三)に掲げる場合に該当することとなった時の直前における特例認定承継会社の常時使用従業員（第一節の2の(一)のイに規定する常時使用従業員をいう。以下(2)において同じ。）のうちその総数の2分の1に相当する数（その数に1人未満の端数があるときはこれを切り捨てた数とし、当該該当することとなった時の直前における常時使用従業員の数が1人のときは1人とする。）以上の者が、当該該当することとなった時から当該2年を経過する日まで引き続き4の(一)のイからハまでに掲げる会社の常時使用従業員であること。

（三）　(二)の常時使用従業員が勤務している事務所、店舗、工場その他これらに類するものを所有し、又は賃借していること。

—1371—

第七編　非上場株式等に係る相続税・贈与税の納税猶予及び免除

　　（事業の継続に係る雇用要件の判定）
（3）　（2）の（二）の要件の判定は、**2**の（一）から（三）までに掲げる場合に該当することとなった時の直前に特例認定承継会社の常時使用従業員であった者のうち、その該当することとなった時から**4**の2年を経過する日まで引き続き次に掲げる会社の常時使用従業員である者の数が、その該当することとなった時の直前における当該特例認定承継会社の常時使用従業員の総数の2分の1に相当する数以上であるかどうかにより行うことに留意する。（措通70の7の6－34）
　　（一）　**3**の（一）に掲げる場合における**3**の（一）の譲渡等をした特例対象非上場株式等に係る会社
　　（二）　**3**の（二）に掲げる場合における**3**の（二）の合併に係る吸収合併存続会社等
　　（三）　**3**の（三）に掲げる場合における**3**の（三）の株式交換等に係る株式交換完全子会社等
　　（注）　上記の「常時使用従業員の総数の2分の1に相当する数」は、その数に1人未満の端数があるときはこれを切り捨てた数となり、当該該当することとなった時の直前における常時使用従業員の数が1人のときは1人となることに留意する。

　　（財務省令で定める業務）
（4）　第一章第一節の**2**の（5）の規定は、（2）の（一）に規定する財務省令で定める業務について準用する。（措規23の12の3㉚）

　　（特例再計算相続税額の意義）
（5）　**4**の（一）の「特例再計算相続税額」とは、**4**の（一）の規定の適用に係る譲渡等の対価の額、合併対価の額又は交換等対価の額に相当する金額を第一節の**1**の規定の適用に係る相続により取得をした特例対象非上場株式等の当該相続の開始の時における価額とみなして、第一節の**2**の（八）の規定により計算した金額に**2**の（一）のロ、（二）のロ又は（三）のロに掲げる金額を加算した金額をいう。（措法70の7の6⑯）

　　（**4**の（一）に規定する政令で定めるところにより計算した金額）
（6）　**4**の（一）に規定する政令で定めるところにより計算した金額は、（5）に規定する特例再計算相続税額から（5）の第一節の**2**の（八）の規定により計算した金額に**4**の（一）の株式等の価額が（5）の合併対価の額又は交換等対価の額に占める割合を乗じて計算した金額を控除した金額とする。この場合において、当該金額に100円未満の端数があるとき、又はその全額が100円未満であるときは、その端数金額又はその全額を切り捨てる。（措令40の8の6㊴）

　　（**4**の（二）に規定する政令で定めるところにより計算した金額）
（7）　**4**の（二）に規定する政令で定めるところにより計算した金額は、**3**に規定する合計額から（5）の第一節の**2**の（八）の規定により計算した金額に**4**の（二）の株式等の価額が（5）の合併対価の額又は交換等対価の額に占める割合を乗じて計算した金額を控除した金額とする。この場合において、当該金額に100円未満の端数があるとき、又はその全額が100円未満であるときは、その端数金額又はその全額を切り捨てる。（措令40の8の6㊵）

5　相続税の免除に係る手続

　　4の（一）の規定により**4**の（一）の相続税の免除を受けようとする特例経営承継相続人等は、再申請期限までに、**4**の（一）の免除を受けたい旨、免除を受けようとする相続税に相当する金額及びその計算の明細その他の（2）の財務省令で定める事項を記載した申請書（当該免除の手続に必要な書類その他の（3）の財務省令で定める書類を添付したものに限る。）を納税地の所轄税務署長に提出しなければならない。（措法70の7の6⑰）

　　（特例再計算相続税額に係る差額免除の申請書が再申請期限までに提出されない場合等）
（1）　特例経営承継相続人等が**4**の（一）の規定の適用を受けようとする場合には、**4**の（一）に規定する再申請期限（以下（1）において「**再申請期限**」という。）までに**5**に規定する申請書を納税地の所轄税務署長に提出しなければ、**4**の（一）の規定の適用はないことに留意する。
　　当該申請書を再申請期限までに提出しない場合には、**3**の規定により猶予中相続税額とされた金額に相当する相続税については、再申請期限をもって納税の猶予に係る期限が到来することに留意する。（措通70の7の6－35）
　　（注）　再申請期限までに**5**に規定する申請書の提出がなかった場合のゆうじょ規定は設けられていない。

　　（免除申請書の記載事項）
（2）　**5**に規定する財務省令で定める事項は、次に掲げる事項とする。（措規23の12の3㉛）
　　（一）　**5**の申請書を提出する者の氏名及び住所又は居所

－1372－

第五章　非上場株式等についての相続税の納税猶予及び免除の特例
（第六節　納税猶予税額の免除）

　（二）　**4**の（一）の規定による相続税の免除を受けようとする旨並びに当該免除を受けようとする相続税の額及びその計算の明細
　（三）　**4**の（一）のイからハまでに掲げる会社が行っている業務の内容
　（四）　**2**の（一）から（四）に掲げる場合に該当することとなった時の直前において特例認定承継会社の常時使用従業員であった者の数
　（五）　（四）の常時使用従業員であった者のうち**4**に規定する２年を経過する日まで引き続き**4**の（一）のイからハまでに掲げる会社の常時使用従業員である者の数
　（六）　**4**の（2）の（三）の事務所、店舗、工場その他これらに類するもののうち所有又は賃借をしているものの所在地（これらが２以上ある場合には、主たるものの所在地）
　（七）　その他参考となるべき事項

　　　　（免除申請書の添付書類）
（3）　**5**に規定する財務省令で定める書類は、次に掲げる書類とする。（措規23の12の3㉜）
　（一）　**4**に規定する２年を経過する日における猶予中相続税額を記載した書類
　（二）　**4**に規定する２年を経過する日における**4**の（一）のイからハまでに掲げる会社の従業員数証明書その他の書類で（2）の（五）の数を証するもの及び（2）の（五）の常時使用従業員である者の一覧表
　（三）　登記事項証明書その他の書類で**4**の（一）のイからハまでに掲げる会社が**4**に規定する２年を経過する日において**4**の（2）の（三）の事務所、店舗、工場その他これらに類するものを所有していること又は賃借していることを証するもの

　　　　（免除申請書を提出した特例経営承継相続人等に通知）
（4）　税務署長は、**2**、**3**又は**5**の規定による申請書の提出があった場合において、これらの申請書に記載された事項について調査を行い、これらの申請書に係る**2**の（一）から（四）に掲げる場合の区分に応じ当該（一）から（四）に定める相続税若しくは**3**若しくは**4**の（一）に規定する相続税の免除をし、又はこれらの申請書に係る申請の却下をする。この場合において、税務署長は、これらの申請書に係る申請期限又は再申請期限の翌日から起算して６月以内に、当該免除をした相続税の額又は当該却下をした旨及びその理由を記載した書面により、これをこれらの申請書を提出した特例経営承継相続人等に通知するものとする。（措法70の7の6⑱）

　　　　（徴収の猶予及び延滞税の免除）
（5）　第二章第七節の**2**の（9）（10）の規定は、**2**、**3**又は**5**の申請書の提出があった場合について準用する。この場合において、第二章第七節の**2**の（9）中「第五節の**3**の表の（六）」とあるのは「第五章第五節の**2**の表の（九）」と、「（八）」とあるのは「（十二）」と、「同表の（六）」とあるのは「同表の（九）」と、第二章第七節の**2**の（10）中「第五節の**3**の表の（六）の左欄又は同表の（八）」とあるのは「第五章第五節の**2**の表の（九）から（十一）まで」と読み替えるものとする。（措法70の7の6⑲）

6　再生計画等の認可の決定による特例認定承継会社の有する資産の評定

　第二章第七節の**3**、同**3**の（1）から（3）までの規定は、特例認定承継会社について同**3**に規定する評定が行われた場合における納税猶予分の相続税額の計算及び免除について準用する。（措法70の7の6㉑）

　　　　（準用規定）
（1）　第二章第七節の**2**の（6）（7）、同節の**3**の（4）（5）の規定は、**6**において第二章第七節の**3**の規定を準用する場合について準用する。（措令40の8の6㊶）

　　　　（読替え規定）
（2）　第一章第七節の**3**の（8）から（11）まで及び第二章第五節の**1**の（1）の規定は、**6**において準用する第二章第七節の**3**、同**3**の（1）から（3）までの規定の適用がある場合について準用する。この場合において、第一章第七節の**3**の（9）の（二）中「いずれの者」とあるのは、「いずれの者（第五章第一節の**1**の（3）の（二）のイからハまでに掲げる者を除く。）」と読み替えるものとする。（措規23の12の3㉝）

第七編　非上場株式等に係る相続税・贈与税の納税猶予及び免除

（再計算免除に関する取扱いの準用）

（3）　第二章第七節の**3**の(11)から(14)については、特例経営承継相続人等が**6**において準用する第二章第七節の**3**の規定の適用を受ける場合について準用する。（措通70の7の6－39）

第七節　事業用資産が災害等によって甚大な被害を受けた場合

　第二章第九節の**1**、同節の**2**、同節の**4**、同**4**の（1）、同箭の**5**、同**5**の（2）、同節の**6**、同**6**の（1）の規定は、第一節の**1**の特例対象非上場株式等に係る特例認定承継会社が第二章第九節の**2**に規定する災害等によって被害を受けた場合について準用する。（措法70の7の6㉖）

　（準用規定）
（1）　第二章第七節の**2**の（3）、同章第九節の**1**の（2）（5）（6）（8）（11）（14）（16）（18）（21）（22）、同節の**3**、同節の**2**の（3）、同節の**4**の（2）、同節の**5**の（3）から（5）の規定は、第七節において第二章第九節の**1**、**2**、**4**、**5**の（2）、**6**及び**6**の（1）の規定を準用する場合について準用する。（措令40の8の6㊸）

　（準用規定）
（2）　第一章第八節の**1**の（10）（13）（18）（21）（22）及び第二章第九節の**2**の（1）（2）、同節の**3**の（1）（2）、同節の**4**の（3）（4）、同節の**5**の（6）（7）、同節の**6**の（2）の規定は、第七節において準用する第二章第九節の**1**、同節の**2**、同節の**4**、同**4**の（1）、同節の**5**、同**5**の（2）、同節の**6**、同**6**の（1）の規定の適用がある場合について準用する。（措規23の12の3㉞）

　（災害等によって被害を受けた場合における措置に関する取扱いの準用）
（3）　第二章第九節の**1**の（1）（3）（4）（7）（17）（20）（23）、同節の**2**の（4）、同節の**3**の（3）、同節の**4**の（5）及び同節の**5**の（1）については、特例経営承継相続人等が第七節において準用する第二章第九節の**1**、同節の**2**、同節の**4**、同**4**の（1）、同節の**5**、同**5**の（2）、同節の**6**、同**6**の（1）の規定の適用を受ける場合について準用する。（措通70の7の6－41）

第七編　非上場株式等に係る相続税・贈与税の納税猶予及び免除

第八節　雑　則

（現物出資等がある場合の適用除外）
（1）　第二章第十節の（2）の規定は、第一節の1の特例対象非上場株式等に係る特例認定承継会社が第一節の1の規定の適用を受けようとする特例経営承継相続人等及び当該特例経営承継相続人等と第一節の2の（15）の政令で定める特別の関係がある者から現物出資又は贈与により財産を取得した場合について準用する。（措法70の7の6㉕）

（国税通則法、国税徴収法及び相続税法の規定の適用）
（2）　第二章第十節の（4）（6）の規定は、特例経営承継相続人等が第一節の1の規定の適用を受けようとする場合又は同1の規定による納税の猶予がされた場合における国税通則法、国税徴収法及び相続税法の規定の適用について準用する。この場合において、第二章第十節の（6）の（十一）中「当該対象非上場株式等の価額に100分の20を乗じて計算した価額」とあるのは「零」と、「当該認定承継会社等が当該株式等を有していなかったものとして計算した価額に100分の20を乗じて計算した価額と当該株式等の価額との合計額」とあるのは「当該株式等の価額」と、同節の（4）中「経営承継相続人等」とあるのは「特例経営承継相続人等」と、「被相続人」とあるのは「特例被相続人」と、「第一節の2の（一）」とあるのは「第五章第一節の2の（一）」と、「免除）」とあるのは「免除の特例）」と、「認定承継会社」とあるのは「特例認定承継会社」と、「」と、「株主」とあるのは「又は第五章第一節の2の（七）に規定する特例経営承継相続人等」と、「株主」と、「第一節の1の」とあるのは「当該」と、「同1」とあるのは「同章第一節の1」と、「定める」」とあるのは「定め、若しくは当該相続税の免除を取り消す」と、「第一節の1の」とあるのは「第五章第一節の1の」と、「第二章《非上場株式等についての相続税の納税猶予及び免除》の」とあるのは「第五章《非上場株式等についての相続税の納税猶予及び免除の特例》の」と読み替えるものとする。（措法70の7の6⑪）

（法人税法、所得税法及び地価税法の規定の適用）
（3）　第二章第十節の（5）の規定は、（2）において第二章第十節の（4）の規定を準用する場合について準用する。（措令40の8の6㊺）

（国税通則法第50条第2号の財務省令で定める要件）
（4）　第一章第九節の（7）の規定は、（2）において準用する第二章第十節の（6）の（二）の規定により読み替えて適用する国税通則法第50条第2号に規定する財務省令で定める要件について準用する。（措規23の12の3㉑）

（経済産業大臣等の通知義務）
（5）　第二章第十節の（10）の規定は、経済産業大臣又は経済産業局長が、第一節の1の規定の適用を受ける特例経営承継相続人等又は同1の特例対象非上場株式等若しくは当該特例対象非上場株式等に係る特例認定承継会社について、第五節の1において準用する第二章第五節の1、同の2及び同章第六節の規定による納税の猶予に係る期限の確定に係る事実に関し、法令の規定に基づき認定、確認、報告の受理その他の行為をしたことにより当該事実があったことを知った場合について準用する。（措法70の7の6㉗）

（経済産業大臣への通知事項）
（6）　第一章第九節の（10）（12）の規定は、（5）において準用する第二章第十節の（10）及び（7）において準用する第二章第十節の（12）に規定する財務省令で定める事項について準用する。（措規23の12の3㉟）

（経済産業大臣への通知義務）
（7）　第二章第十節の（12）の規定は、税務署長が、経済産業大臣又は経済産業局長の事務（第一節の1の規定の適用を受ける特例経営承継相続人等に関する事務で、（5）において準用する第二章第十節の（10）の規定の適用に係るものに限る。）の処理を適正かつ確実に行うため必要があると認める場合について準用する。（措法70の7の6㉘）

－1376－

第六章　非上場株式等の特例贈与者が死亡した場合の相続税の課税の特例

第一節　非上場株式等の特例贈与者が死亡した場合の相続税の課税の特例

1　特例適用の要件

　第四章第一節の**1**《非上場株式等についての贈与税の納税猶予及び免除の特例》の規定の適用を受ける同節の**2**の(六)に規定する特例経営承継受贈者に係る特例贈与者が死亡した場合（その死亡の日前に猶予中贈与税額に相当する贈与税の全部につき同章第五節の**1**において準用する第一章第五節の**1**、同節の**2**、同章第六節、第四章第三節の**2**において準用する第一章第三節の**2**、第四章第四節において準用する第一章第四節又は第四章第八節の(2)において準用する第一章第九節の(4)の規定による納税の猶予に係る期限が確定した場合及びその死亡の時以前に当該特例経営承継受贈者が死亡した場合を除く。）には、当該特例贈与者の死亡による相続又は遺贈に係る相続税については、当該特例経営承継受贈者が当該特例贈与者から相続（当該特例経営承継受贈者が当該特例贈与者の相続人以外の者である場合には、遺贈）により第四章第一節の**1**の規定の適用に係る特例対象受贈非上場株式等（猶予中贈与税額に対応する部分に限るものとし、合併により当該特例対象受贈非上場株式等に係る同**1**の特例認定贈与承継会社が消滅した場合その他の(1)の財務省令で定める場合には、当該特例対象受贈非上場株式等に相当するものとして(1)の財務省令で定めるものとする。第二節において同じ。）の取得をしたものとみなす。この場合において、その死亡による相続又は遺贈に係る相続税の課税価格の計算の基礎に算入すべき当該特例対象受贈非上場株式等の価額については、当該特例贈与者から同**1**の規定の適用に係る贈与により取得をした特例対象受贈非上場株式等の当該贈与の時（第四章第六節の**6**において準用する第一章第七節の**3**の規定の適用があった場合には、同**3**に規定する認可決定日）における価額（第四章第一節の**2**の(八)の特例対象受贈非上場株式等の価額をいい、同章第六節の**2**から**4**までの規定の適用があった場合には(2)の政令で定める価額とする。）を基礎として計算するものとする。（措法70の7の7①）

　　（財務省令で定める特例認定贈与承継会社が消滅した場合）
（1）　第一章第一節の**3**の②の(3)の規定は、**1**に規定する財務省令で定める場合及び特例対象受贈非上場株式等に相当するものについて準用する。（措規23の12の4①）

　　（政令で定める価額）
（2）　**1**に規定する政令で定める価額は、次の(一)から(三)に掲げる場合の区分に応じ当該(一)から(三)に定める価額とする。（措令40の8の7①）
　(一)　第四章第六節の**2**（(一)に係る部分に限る。）又は同節の**4**（同節の**2**の(一)に係る部分に限る。）の規定の適用があった場合　同章第一節の**1**に規定する特例贈与者から同**1**の規定の適用に係る贈与により取得をした同**1**に規定する特例対象受贈非上場株式等の当該贈与の時における価額（同節の**2**の(八)の特例対象受贈非上場株式等の価額をいう。）
　(二)　第四章第六節の**2**（(二)に係る部分に限る。）の規定の適用があった場合　同(二)の合併に際して交付された当該合併に係る吸収合併存続会社等（同(二)に規定する吸収合併存続会社等をいう。(四)において同じ。）の株式等（株式又は出資をいう。以下(2)において同じ。）の価額（当該合併に係る合併対価（同節の**2**の(二)のイに規定する合併対価をいう。）の額が同(二)のイに規定する財務省令で定める金額の2分の1以下である場合には、当該2分の1に相当する金額に、当該株式等の価額が当該合併対価の額のうちに占める割合を乗じて計算した金額）
　(三)　第四章第六節の**2**（(三)に係る部分に限る。）の規定の適用があった場合　同(三)の株式交換等（同(三)に規定する株式交換等をいう。以下(三)及び(五)において同じ。）に際して交付された同節の**2**の(三)の他の会社の株式等の価額（当該株式交換等に係る交換等対価（同節の**2**の(三)のイに規定する交換等対価をいう。）の額が同(三)のイに規定する財務省令で定める金額の2分の1以下である場合には、当該2分の1に相当する金額に、当該株式等の価額が当

該交換等対価の額のうちに占める割合を乗じて計算した金額)

　(四)　第四章第六節の**4**（同節の**2**の(二)に係る部分に限る。）の規定の適用があった場合　同(二)の合併に際して交付された当該合併に係る吸収合併存続会社等の株式等の価額

　(五)　第四章第六節の**4**（同節の**2**の(三)に係る部分に限る。）の規定の適用があった場合　同(三)の株式交換等に際して交付された同(三)の他の会社の株式等の価額

　　(**1**の規定により相続又は遺贈により取得をしたものとみなされる特例対象受贈非上場株式等の価額の計算)

（３）　**1**の規定により相続又は遺贈により取得をしたものとみなされる特例対象受贈非上場株式等の価額の計算は、次の算式により算定して差し支えない。（措通70の７の７－１）

$$A \times \frac{B}{C}$$

　(注)１　上記算式中の符号は次のとおり。

　　　　Aは、**1**の特例贈与者から特例対象贈与により取得をした特例対象受贈非上場株式等の当該特例対象贈与の時（第四章第六節の**6**において準用する第一章第七節の**3**の規定の適用があった場合には、同**3**に規定する認可決定日）における価額（第四章第一節の**2**の(六)の特例対象受贈非上場株式等の価額をいい、第四章第六節の**2**、同節の**3**又は同節の**4**の規定の適用があった場合には(２)で定める価額とする。）

　　　　Bは、当該特例贈与者の死亡直前の当該特例贈与者に係る特例経営承継受贈者の猶予中贈与税額

　　　　Cは、当該特例贈与者から特例対象贈与により取得をした特例対象受贈非上場株式等に係る納税猶予分の贈与税額（第四章第一節の**2**の(八)に規定する納税猶予分の贈与税額をいい、第四章第六節の**2**の(二)若しくは(三)又は同節の**4**（同節の**2**の(二)又は(三)に係る部分に限る。）の規定の適用があった場合にはこれらの規定の適用があった直後における猶予中贈与税額とし、同節の**6**において準用する第一章第七節の**3**の規定の適用があった場合には同節の**3**の(１)に規定する再計算猶予中贈与税額とする。）

　　　　なお、当該特例対象受贈非上場株式等が、第三編第一章第一節二の(１)（同節三、第六編第一章第八節（第七編第四章第九節において準用する場合を含む。）又は第三編第二章の**1**において準用する場合を含む。）の規定の適用を受けているものであっても、当該特例対象受贈非上場株式等の価額から相続時精算課税に係る基礎控除の額は控除しないことに留意する。

　　　２　当該死亡した特例贈与者から複数の特例認定贈与承継会社の非上場株式等を相続又は遺贈により取得をしたものとみなされる場合のA及びBの価額は、それぞれの特例認定贈与承継会社ごとに算定することに留意する。

　　　３　当該死亡した特例贈与者から同一の特例認定贈与承継会社の非上場株式等を相続又は遺贈により取得をしたものとみなされる特例経営承継受贈者が複数ある場合には、それぞれの特例経営承継受贈者ごとに算定することに留意する。

　　　４　上記により計算した価額に１円未満の端数がある場合には、その端数金額を切り捨てて差し支えない。

　(納税猶予税額の免除の適用に係る贈与である場合の読み替え)

（４）　第四章第一節の**1**の規定の適用を受ける同節の**2**の(六)に規定する特例経営承継受贈者の同節の**1**の規定の適用に係る贈与が当該特例経営承継受贈者に係る特例贈与者の第一章第七節の**1**（(三)に係る部分に限り、第四章第六節の**1**において準用する場合を含む。）の規定の適用に係る贈与である場合における**1**の規定の適用については、**1**中「係る特例贈与者」とあるのは「係る前の贈与者（第一章第一節の**1**又は第四章第一節の**1**の規定の適用を受けていた者として(５)の政令で定める者に同**1**の特例対象受贈非上場株式等に係る特例認定贈与承継会社の非上場株式等の贈与をした者をいう。）」と、「当該特例贈与者」とあるのは「当該前の贈与者」と、「贈与により取得」とあるのは「前の贈与（第一章第一節の**1**又は第四章第一節の**1**の規定の適用を受けていた者として(５)の政令で定める者に対する当該特例対象受贈非上場株式等に係る特例認定贈与承継会社の非上場株式等の贈与をいう。）により当該(５)の政令で定める者が取得」と、「当該贈与の」とあるのは「当該前の贈与の」と、「第四章第一節の**2**の(八)」とあるのは「同節の**2**の(八)」とする。（措法70の７の７②）

　(政令で定める者)

（５）　(４)の規定により読み替えて適用する**1**に規定する政令で定める者は、第四章第一節の**1**の(7)において準用する第一章第一節の**1**の(7)の(一)(二)に掲げる場合の区分に応じ当該(一)(二)に定める者とする。（措令40の８の７②）

　(財務省令で定める場合)

（６）　(４)の規定により読み替えて適用する**1**に規定する財務省令で定める場合は次の(一)(二)に掲げる場合とし、(４)の規定により読み替えて適用する**1**に規定する財務省令で定めるものは当該(一)(二)に掲げる場合の区分に応じ当該(一)(二)に定めるものとする。（措規23の12の４②）

　(一)　(１)において準用する第一章第一節の**3**の②の(３)の(一)から(三)に掲げる場合　当該(一)から(三)に定める株式等

　(二)　第四章第一節の**1**の規定の適用を受ける同節の**2**の(六)に規定する特例経営承継受贈者の同節の**1**の規定の適用に係る贈与により取得をした同**1**に規定する特例対象受贈非上場株式等（以下(二)において「特例対象受贈非上場株

第六章　非上場株式等の特例贈与者が死亡した場合の相続税の課税の特例
（第一節　非上場株式等の特例贈与者が死亡した場合の相続税の課税の特例）

式等」という。）のうちに同章第六節の**1**において準用する第一章第七節の**1**（（三）に係る部分に限る。）の規定の適用に係る贈与以外の贈与により取得をした特例対象受贈非上場株式等がある場合　（4）の規定により読み替えて適用する**1**の前の贈与者に係る特例対象受贈非上場株式等

（（4）の規定により相続又は遺贈により取得をしたものとみなされる特例対象受贈非上場株式等の価額の計算）
（7）　（4）の規定により読み替えて適用する**1**の規定により相続又は遺贈により取得をしたものとみなされる特例対象受贈非上場株式等の価額の計算は、次の算式により算定して差し支えない。（措通70の7の7－2）

$$A \times \frac{B}{C}$$

（注）1　上記算式中の符号は次のとおり。

Aは、特例経営承継受贈者に係る前の贈与者から第一章第一節の**1**又は第四章第一節の**1**の規定の適用に係る前の贈与により当該前の贈与に係る受贈者が取得した第一章第一節の**1**に規定する対象受贈非上場株式等又は特例対象受贈非上場株式等の当該前の贈与の時（第四章第六節の**6**において準用する第一章第七節の**3**の規定の適用があった場合には、同**3**に規定する認可決定日）における価額（同章第一節の**2**の（五）の対象受贈非上場株式等の価額又は第四章第一節の**2**の（八）の特例対象受贈非上場株式等の価額をいい、第四章第六節の**2**、同節の**3**又は同節の**4**の規定の適用があった場合には（2）で定める価額とする。）

なお、当該対象受贈非上場株式等又は当該特例対象受贈非上場株式等が、第三編第一章第一節二の（1）（同節三、第六編第一章第八節（第七編第四章第九節において準用する場合を含む。）又は第三編第二章の**1**において準用する場合を含む。）の規定の適用を受けているものであっても、これらの価額から相続時精算課税に係る基礎控除の額は控除しないことに留意する。

Bは、当該前の贈与者の死亡直前の当該特例経営承継受贈者の当該相続又は遺贈により取得をしたものとみなされる特例対象受贈非上場株式等に係る猶予中贈与税額

Cは、当該相続又は遺贈により取得をしたものとみなされる特例対象受贈非上場株式等に係る納税猶予分の贈与税額（第四章第一節の**2**の（八）に規定する納税猶予分の贈与税額をいい、同章第六節の**6**において準用する第一章第七節の**3**の規定の適用があった場合には、同節の**3**の（1）に規定する再計算猶予中贈与税額とする。）

（注）1　「前の贈与者」とは、次に掲げる場合の区分に応じそれぞれに定める者に当該特例対象受贈非上場株式等に係る特例認定贈与承継会社の非上場株式等の贈与をした者をいう（以下（7）において同じ。）。

イ　特例贈与者に対する第一章第一節の**1**又は第四章第一節の**1**の規定の適用に係る贈与が、当該贈与をした者の第一章第七節の**1**（（三）に係る部分に限り、第四章第六節の**1**において準用する場合を含む。）の規定の適用に係るもの（以下このイにおいて「免除対象贈与」という。）である場合　特例対象受贈非上場株式等に係る特例認定贈与承継会社の非上場株式等の免除対象贈与をした者のうち最初に第一章第一節の**1**又は第四章第一節の**1**の規定の適用を受けた者

ロ　イに掲げる場合以外の場合　特例贈与者

2　「前の贈与」とは、（注）1のイ又はロに掲げる場合の区分に応じそれぞれに定める者に対する当該特例対象受贈非上場株式等に係る特例認定贈与承継会社の非上場株式等の贈与をいう。

2　当該死亡した前の贈与者から複数の特例認定贈与承継会社の非上場株式等を相続又は遺贈により取得をしたものとみなされる場合には、それぞれの特例認定贈与承継会社ごとに算定することに留意する。

3　当該死亡した前の贈与者から同一の特例認定贈与承継会社の非上場株式等を相続又は遺贈により取得をしたものとみなされる特例経営承継受贈者が複数ある場合には、それぞれの特例経営承継受贈者ごとに算定することに留意する。

4　上記により計算した価額に1円未満の端数がある場合には、その端数金額を切り捨てて差し支えない。

5　特例経営承継受贈者に係る前の贈与者が行った前の贈与が第一章第一節の**1**又は第四章第一節の**1**の規定の適用に係る贈与のいずれであるかに関わらず、当該前の贈与者が死亡した場合には、当該特例経営承継受贈者については、（4）の規定が適用されることに留意する。

2　物納財産の不適格

1の前段に規定する特例対象受贈非上場株式等について**1**（**1**の（4）の規定により読み替えて適用する場合を含む。第二節の**1**において同じ。）の規定の適用を受ける場合における第一編第八章第三節━《物納の要件》の**2**（同章第三節三の（5）において準用する場合を含む。）の規定の適用については、同**2**中「財産を除く」とあるのは、「財産及び第七編第三章第一節の**1**《非上場株式等の特例贈与者が死亡した場合の相続税の課税の特例》（同**1**の（4）の規定により読み替えて適用する場合を含む。）の規定により相続又は遺贈により取得をしたものとみなされる同**1**に規定する特例対象受贈非上場株式等を除く」とする。（措法70の7の7③）

（第三章第一節関係通達の準用）
（1）　第三章第一節の**1**の（3）及び（8）については、特例贈与者が死亡した場合について準用する。（措通70の7の7－3）

－1379－

第七編　非上場株式等に係る相続税・贈与税の納税猶予及び免除

第二節　非上場株式等の特例贈与者が死亡した場合の相続税の納税猶予及び免除の特例

1　特例適用の要件

　第一節の**1**の規定により同**1**の特例贈与者から相続又は遺贈により取得をしたものとみなされた特例対象受贈非上場株式等につき**1**の規定の適用を受けようとする特例経営相続承継受贈者が、当該相続に係る相続税の申告書の提出により納付すべき相続税の額のうち、当該特例対象受贈非上場株式等（特例認定相続承継会社の株式等（株式又は出資をいう。以下本節において同じ。）に限る。）で当該相続税の申告書に**1**の規定の適用を受けようとする旨の記載があるもの（以下本節において「**特例対象相続非上場株式等**」という。）に係る納税猶予分の相続税額に相当する相続税については、（**2**）の政令で定めるところにより当該相続税の申告書の提出期限までに当該納税猶予分の相続税額に相当する担保を提供した場合に限り、第一編第八章第一節二の**1**《期限内申告に係る相続税の納付期限》の規定にかかわらず、当該特例経営相続承継受贈者の死亡の日まで、その納税を猶予する。（措法70の7の8①）

　　（特例対象相続非上場株式等の意義）
（**1**）　**1**に規定する特例対象相続非上場株式等とは、特例経営相続承継受贈者が**1**に係る相続の開始の時に有していた特例対象受贈非上場株式等（第一節の**1**（同**1**の（**4**）の規定により読み替えて適用する場合を含む。以下（**1**）において同じ。）の規定の適用があるものに限る。（同**1**の（**3**）参照。）をいうことに留意する。（措通70の7の8－1）
　　（注）1　複数の特例認定相続承継会社に係る特例対象受贈非上場株式等を第一節の**1**の規定により相続又は遺贈により取得をしたものとみなされた場合の特例対象相続非上場株式等に該当するかどうかの判定は、それぞれの特例認定相続承継会社ごとに行うことに留意する。
　　　　　2　同一の特例認定相続承継会社に係る特例対象受贈非上場株式等を第一節の**1**の規定により相続又は遺贈により取得をしたものとみなされた特例経営相続承継受贈者が複数ある場合の特例対象相続非上場株式等に該当するかどうかの判定は、それぞれの特例経営相続承継受贈者ごとに行うことに留意する。
　　　　　3　第五章第一節の**1**に規定する相続税の申告書に**1**の規定の適用を受ける旨の記載があるものが特例対象相続非上場株式等に該当することに留意する。

　　（担保の提供及び解除）
（**2**）　第二章第一節の**1**の（**3**）及び（**5**）の規定は、**1**の規定による納税の猶予に係る担保の提供及びその解除について準用する。（措令40の8の8①）

　　（担保提供及び担保解除に係る書類）
（**3**）　第二章第一節の**1**の（**4**）及び（**6**）の規定は、（**2**）において準用する第二章第一節の**1**の（**3**）及び（**5**）に規定する財務省令で定める書類について準用する。（措規23の12の5①）

　　（第二章関係通達の準用）
（**4**）　第二章第一節の**2**の（**3**）（**8**）（**28**）、同節の**3**の②の（**4**）、同章第二節の**1**の（**3**）、同節の**2**の（**2**）（**4**）（**8**）～（**12**）、同章第四節の（**1**）、同章第五節の**1**の（**3**）（**9**）（**10**）（**14**）（**15**）（**17**）（**19**）（**20**）（**21**）（**23**）、同節の**2**の（**3**）、同章第六節の（**6**）（**7**）、同章第七節の**1**の（**6**）、同節の**2**の（**14**）～（**19**）、同節の**3**の（**11**）～（**15**）、同章第九節の**1**の（**1**）（**3**）（**4**）（**7**）（**17**）（**20**）（**23**）、同節の**2**の（**4**）、同節の**3**の（**3**）、同節の**4**の（**5**）、同章第十節の（**3**）（**8**）（**9**）については、特例経営相続承継受贈者が**1**の規定の適用を受ける場合について準用する。（措通70の7の8－9）
　　（注）　この場合において、第二章第二節の**1**の（**3**）中「第七章の**1**、同節の**2**又は同節の**3**」とあるのは、「第六章第二節の**7**において準用する第二章第七節の**1**若しくは同節の**2**の規定、第六章第二節の**8**において準用する第二章第七節の**3**の規定又は第六章第二節の**7**の（**1**）において準用する第五章第六節の**2**、同節の**3**、若しくは同節の**4**の（一）」となることに留意する。

　　（第三章第二節関係通達の準用）
（**5**）　第三章第二節の**4**の①の（**5**）及び（**7**）については、特例経営相続承継受贈者が本節の規定の適用を受ける場合について準用する。（措通70の7の8－10）

－1380－

第六章　非上場株式等の特例贈与者が死亡した場合の相続税の課税の特例
（第二節　非上場株式等の特例贈与者が死亡した場合の相続税の納税猶予及び免除の特例）

（第五章関係通達の準用）

（６）　第五章第一節の**2**の(11)、同章第五節の**1**の(５)～(７)(９)、同節の**2**の(３)、同章第六節の**2**の(１)(３)(４)(10)(12)(14)(19)(22)～(24)、同節の**3**の(３)、同節の**4**の(１)(３)、同節の**5**の(１)については、特例経営相続承継受贈者が本節の規定の適用を受ける場合について準用する。（措通70の７の８－11）

2　用語の意義

本節において、次の(一)から(六)に掲げる用語の意義は、当該(一)から(六)に定めるところによる。（措法70の７の８②）

(一)　**特例経営相続承継受贈者**　第四章第一節の**1**の規定の適用を受ける同節の**2**の(六)に定める者で、次に掲げる要件の全てを満たすものをいう。

イ　その者が、**1**の規定の適用に係る相続の開始の時において、当該特例対象受贈非上場株式等に係る特例認定相続承継会社の代表権を有していること。

ロ　**1**の規定の適用に係る相続の開始の時において、その者及びその者と(1)の政令で定める特別の関係がある者の有する当該特例認定相続承継会社の株式等に係る議決権の数の合計が、当該特例認定相続承継会社に係る総株主等議決権数の100分の50を超える数であること。

ハ　**1**の規定の適用に係る相続の開始の時において、その者が有する当該特例認定相続承継会社の株式等に係る議決権の数が、その者とロに規定する(1)の政令で定める特別の関係がある者のうちいずれの者（その者以外の第四章第一節の**1**、第五章第一節の**1**又は本節の**1**の規定の適用を受ける者を除く。）が有する当該特例認定相続承継会社の株式等に係る議決権の数をも下回らないこと。

(二)　**特例認定相続承継会社**　第四章第一節の**2**の(一)に定める会社で、**1**の規定の適用に係る相続の開始の時において、次に掲げる要件（**1**の規定の適用を受ける特例経営相続承継受贈者に係る特例贈与者が(五)のイ又はロに掲げる日のいずれか早い日の翌日以後に死亡した場合には、ハに掲げるものを除く。）の全てを満たすものをいう。

イ　当該会社の常時使用従業員（常時使用する従業員として(3)の財務省令で定めるものをいう。ホにおいて同じ。）の数が１人以上であること。

ロ　当該会社が、第一章第一節の**2**の(八)に規定する資産保有型会社又は同**2**の(九)に規定する資産運用型会社のうち(4)の政令で定めるものに該当しないこと。

ハ　当該会社（ハにおいて「**特定会社**」という。）の株式等及び特別関係会社（当該特定会社と(7)の政令で定める特別の関係がある会社をいう。以下**2**において同じ。）のうち当該特定会社と密接な関係を有する会社として(8)の政令で定める会社（ニにおいて「**特定特別関係会社**」という。）の株式等が、非上場株式等に該当すること。

ニ　当該会社及び特定特別関係会社が、第一章第一節の**2**の(一)のニに規定する風俗営業会社に該当しないこと。

ホ　当該会社の特別関係会社が会社法第２条第２号に規定する外国会社に該当する場合（当該会社又は当該会社との間に支配関係がある法人が当該特別関係会社の株式等を有する場合に限る。）にあっては、当該会社の常時使用従業員の数が５人以上であること。

ヘ　イからホまでに掲げるもののほか、会社の円滑な事業の運営を確保するために必要とされる要件として(9)の政令で定めるものを備えているものであること。

(三)　**非上場株式等**　第一章第一節の**2**の(二)に定める株式等をいう。

(四)　**納税猶予分の相続税額**　**1**の規定の適用に係る特例対象相続非上場株式等の価額（当該特例対象相続非上場株式等に係る特例認定相続承継会社又は当該特例認定相続承継会社の特別関係会社であって当該特例認定相続承継会社との間に支配関係がある法人（以下(四)において「**特例認定相続承継会社等**」という。）が会社法第２条第２号に規定する外国会社（当該特例認定相続承継会社の特別関係会社に該当するものに限る。）その他(10)の政令で定める法人の株式等（投資信託及び投資法人に関する法律第２条第14項に規定する投資口を含む。）を有する場合には、**1**の特例対象受贈非上場株式等の第四章第一節の**1**の規定の適用に係る贈与の時における当該特例認定相続承継会社の株式等の価額を基礎とし、当該特例認定相続承継会社等が当該外国会社その他(10)の政令で定める法人の株式等を有していなかったものとして(11)の財務省令で定めるところにより計算した価額）を**1**の特例経営相続承継受贈者に係る相続税の課税価格とみなして、第一編第四章第二節**三**から第一編第六章第三節までの規定を適用して(10)の政令で定めるところにより計算した当該特例経営相続承継受贈者の相続税の額

(五)　**特例経営相続承継期間**　第四章第一節の**1**の規定の適用に係る贈与の日の属する年分の同**1**に規定する贈与税の申告書の提出期限の翌日から次に掲げる日のいずれか早い日までの間に当該贈与に係る特例贈与者（特例経営相続承継受贈者の同**1**の規定の適用に係る贈与が当該特例贈与者の第一章第七節の**1**（(三)に係る部分に限り、第四章第六節の**1**において準用する場合を含む。）の規定の適用に係るものである場合には、第一章第一節の**1**又は第四章第一節の**1**の規定の適用を受けていた者として(13)の政令で定める者に本節の**1**の特例対象受贈非上場株式等に係る特例認定相続承継

－1381－

会社の非上場株式等の贈与をした者。**3**の**①**及び**4**並びに**10**の（1）において準用する第二章第十節の（4）において同じ。）について相続が開始した場合における当該相続の開始の日から当該次に掲げる日のいずれか早い日又は当該贈与に係る特例経営相続承継受贈者の死亡の日の前日のいずれか早い日までの期間をいう。

イ　当該特例経営相続承継受贈者の最初の第四章第一節の**1**の規定の適用に係る贈与の日の属する年分の同**1**に規定する贈与税の申告書の提出期限の翌日以後**5**年を経過する日

ロ　当該特例経営相続承継受贈者の最初の第五章第一節の**1**の規定の適用に係る相続に係る相続税の申告書の提出期限の翌日以後**5**年を経過する日

（六）　**経営相続報告基準日**　次のイ又はロに掲げる期間の区分に応じイ又はロに定める日をいう。

イ　特例経営相続承継期間　第四章第一節の**1**の規定の適用に係る贈与の日の属する年分の同**1**に規定する贈与税の申告書の提出期限（特例経営相続承継受贈者が同**1**の規定の適用を受ける前に同**1**の特例対象受贈非上場株式等に係る特例認定相続承継会社の非上場株式等について第五章第一節の**1**の規定の適用を受けている場合には、相続税の申告書の提出期限）の翌日から**1**年を経過するごとの日（**4**において「**第一種相続基準日**」という。）

ロ　特例経営相続承継期間（**1**の規定の適用を受ける特例経営相続承継受贈者に係る特例贈与者が（五）のイ又はロに掲げる日のいずれか早い日の翌日以後に死亡した場合にあっては、当該特例経営相続承継受贈者に係る第四章第一節の**2**の（七）に規定する特例経営贈与承継期間）の末日の翌日から納税猶予分の相続税額（既に**6**において準用する第二章第五節の**2**又は同章第六節の規定の適用があった場合には、**6**の規定の適用があった特例対象相続非上場株式等の価額に対応する部分の額として（15）の政令で定めるところにより計算した金額を除く。**4**及び**4**の（8）において「**猶予中相続税額**」という。）に相当する相続税の全部につき**1**、**6**において準用する第二章第五節の**1**、同節の**2**、同章第六節、**4**の（7）において準用する同章第三節の**2**、**5**において準用する同章第四節及び**10**の（1）において準用する同章第十節の（4）の規定による納税の猶予に係る期限が確定する日までの期間　当該末日の翌日から**3**年を経過するごとの日（**4**において「**第二種相続基準日**」という。）

（政令で定める特別の関係がある者）

（1）　第二章第一節の**2**の（14）の規定は、**2**の（一）のロ及び本節において準用する第二章に規定する政令で定める特別の関係がある者について準用する。（措令40の**8**の**8**②）

（特例経営相続承継受贈者を判定する場合等の議決権の数の意義）

（2）　**2**の（一）のロ及びハの要件を判定する場合の同（一）のロの「議決権の数」及び「総株主等議決権数」並びに同（一）のハの「議決権の数」の意義については、第一章第一節の**2**の（16）を準用する。

この場合において、**2**の（一）のロ及びハの要件の判定は、相続の開始直後の株主等の構成により行うことに留意する。なお、**1**の適用要件には、第四章第一節の**1**の（2）の（一）及び（二）に定める要件に相当する要件はないことに留意する。（措通70の**7**の**8**－**4**）

（常時使用する従業員として財務省令で定めるもの）

（3）　第一章第一節の**2**の（2）の規定は、**2**の（二）のイに規定する常時使用する従業員として財務省令で定めるものについて準用する。（措規23の12の**5**②）

（資産保有型会社又は資産運用型会社のうち政令で定めるもの）

（4）　第二章第一節の**2**の（4）の規定は、**2**の（二）のロに規定する第一章第一節の**2**の（八）に規定する資産保有型会社又は同**2**の（九）に規定する資産運用型会社のうち政令で定めるものについて準用する。（措令40の**8**の**8**④）

（納税猶予の特例の対象とならない資産保有型会社又は資産運用型会社の意義）

（5）　**1**の規定の適用がない資産保有型会社又は資産運用型会社の意義については、第五章第一節の**2**の（5）を準用する。

この場合において、同（5）中「相続の開始の日の属する事業年度の直前の事業年度の開始の日から当該相続に係る相続税の申告期限までの間のいずれかの日」とあるのは「相続の開始の日から当該相続に係る相続税の申告期限までの間のいずれかの日」と、また、同（5）の（一）中「**1**の規定の適用に係る相続の開始」とあるのは「特例対象贈与」と、「当該相続の開始」とあるのは「当該特例対象贈与」と、「特例対象贈与」とあるのは「第五章第一節の**1**の規定の適用に係る相続」となることに留意する。（措通70の**7**の**8**－**3**）

－1382－

第六章　非上場株式等の特例贈与者が死亡した場合の相続税の課税の特例
（第二節　非上場株式等の特例贈与者が死亡した場合の相続税の納税猶予及び免除の特例）

　　　（財務省令で定める業務）
（6）　第一章第一節の**2**の（5）の規定は、（4）において準用する第二章第一節の**2**の（4）の（一）のイ及び同（4）の（二）の
　　　イ並びに**6**の（4）において準用する第二章第五節の**1**の（11）の（一）のイ及び同（11）の（二）のイに規定する財務省令で定
　　　める業務について準用する。（措規23の12の5④）

　　　（政令で定める特別の関係がある会社）
（7）　第二章第一節の**2**の（6）の規定は、**2**の（二）のハに規定する政令で定める特別の関係がある会社について準用する。
　　　（措令40の8の8⑤）

　　　（政令で定める特定会社と密接な関係を有する会社）
（8）　第二章第一節の**2**の（7）の規定は、**2**の（二）のハに規定する特定会社と密接な関係を有する会社として政令で定め
　　　る会社について準用する。（措令40の8の8⑥）

　　　（政令で定める会社の円滑な事業の運営を確保するために必要な要件）
（9）　第二章第一節の**2**の（9）の規定は、**2**の（二）のへに規定する政令で定める要件について準用する。この場合におい
　　　て、第二章第一節の**2**の（9）中「要件と」とあるのは「要件（（三）に掲げるものを除く。）と」と、同（9）の（二）中「経
　　　営承継相続人等」とあるのは「第五章第一節の**1**の（3）の（二）のイからハまでに掲げる者」と読み替えるものとする。（措
　　　令40の8の8⑦）

　　　（政令で定める法人及び納税猶予分の相続税額の計算等に係る規定の準用）
（10）　第五章第一節の**2**の（18）、同節の**3**の①、同**3**の①の（1）（2）、同**3**の②、同**3**の②の（1）、同**3**の③、同**3**の④
　　　の規定は、**1**の規定による**2**の（四）に規定する納税猶予分の相続税額の計算及び**10**の（1）において第二章第十節の（6）
　　　の（十一）の規定を準用する場合について準用する。（措令40の8の8⑧）

　　　（財務省令で定めるところにより計算した価額）
（11）　第三章第二節の**2**の（10）の規定は、**2**の（四）に規定する財務省令で定めるところにより計算した価額について準用
　　　する。（措規23の12の5⑥）

　　　（納税猶予分の相続税額の計算に関する取扱いの準用）
（12）　第三章第二節の**2**の（11）及び（12）については、**2**の（四）に規定する納税猶予分の相続税額の計算について準用する。
　　　（措通70の7の8－5）

　　　（政令で定める者）
（13）　**2**の（五）に規定する政令で定める者は、第四章第一節の**1**の（7）において準用する第一章第一節の**1**の（7）の
　　　（一）（二）に掲げる場合の区分に応じ当該（一）（二）に定める者とする。（措令40の8の8⑩）

　　　（特例経営相続承継期間の意義）
（14）　**1**の規定の適用を受ける場合における**2**の（五）に規定する特例経営相続承継期間（以下「**特例経営相続承継期間**」
　　　という。）は、次に掲げる場合の区分に応じ次に定めるとおりとなることに留意する。（措通70の7の8－6）
　　（一）　第四章第一節の**1**の規定の適用に係る贈与の日の属する年分の贈与税の申告書の提出期限の翌日から特定日まで
　　　の間に当該贈与に係る特例贈与者（特例経営相続承継受贈者の同節の**1**の規定の適用に係る贈与が第一章第七節の**1**
　　　の（三）（第四章第六節の**1**において準用する場合を含む。）の規定の適用に係るものである場合には、第一章第一節の
　　　1又は第四章第一節の**1**の規定の適用を受けていた者として（13）に定める者に特例対象受贈非上場株式等に係る特例
　　　認定相続承継会社の非上場株式等の贈与をした者。以下（14）において同じ。）が死亡した場合
　　　　当該死亡に係る相続の開始の日から当該特定日又は当該贈与に係る特例経営相続承継受贈者の死亡の日の前日のい
　　　ずれか早い日までが特例経営相続承継期間となる。
　　（二）　特定日の翌日から猶予中贈与税額に相当する贈与税の全部につき納税の猶予に係る期限が確定する日までの期間
　　　に当該贈与に係る特例贈与者が死亡した場合
　　　　特例経営相続承継期間は存在しない。
　　（注）1　「特定日」とは、次に掲げる日のいずれか早い日をいうことに留意する。

－1383－

第七編　非上場株式等に係る相続税・贈与税の納税猶予及び免除

　　イ　当該特例経営相続承継受贈者の最初の第四章第一節の**1**の規定の適用に係る贈与の日の属する年分の贈与税の申告書の提出期限の翌日
　　　以後5年を経過する日
　　ロ　当該特例経営相続承継受贈者の最初の第五章第一節の**1**の規定の適用に係る相続に係る相続税の申告書の提出期限の翌日以後5年を経
　　　過する日
　2　「(13)に定める者」とは、次に掲げる場合の区分に応じそれぞれに定める者をいうことに留意する。
　　イ　特例贈与者に対する第一章第一節の**1**又は第四章第一節の**1**の規定の適用に係る贈与が、当該贈与をした者の第四章第一節の**1**の(7)
　　　において準用する第一章第一節の**1**の(7)の(一)に規定する免除対象贈与である場合　特例対象受贈非上場株式等に係る特例認定相続承
　　　継会社の非上場株式等の当該免除対象贈与をした者のうち最初に第一章第一節の**1**又は第四章第一節の**1**の規定の適用を受けた者
　　ロ　イに掲げる場合以外の場合　特例贈与者

　　（政令で定めるところにより計算した金額）
(15)　第二章第一節の**2**の(20)及び同**2**の(22)の規定は、**2**の(六)のロに規定する政令で定めるところにより計算した金
　額について準用する。（措令40の8の8⑪）

　　（財務省令で定める事由）
(16)　第一章第一節の**2**の(24)の規定は、(15)において準用する第二章第一節の**2**の(20)の(一)から(七)のロに規定する
　財務省令で定める事由について準用する。（措規23の12の5⑧）

　　（資産保有型会社又は資産運用型会社の準用）
(17)　第五章第一節の**2**の(21)(22)(25)(27)の規定は、**1**の規定の適用がある場合における第一章第一節の**2**の(八)に
　規定する資産保有型会社又は同**2**の(九)に規定する資産運用型会社について準用する。（措令40の8の8③）

　　（財務省令で定める資産の準用）
(18)　第一章第一節の**2**の(27)の規定は、(17)において準用する第五章第一節の**2**の(21)の規定により読み替えて適用す
　る第一章第一節の**2**の(八)のロに規定する財務省令で定める資産について準用する。（措規23の12の5③）

　　（特例認定相続承継会社の異なるものごとの適用）
(19)　第五章第一節の**3**の②の(2)の規定は、**1**に規定する特例対象相続非上場株式等（合併により当該特例対象相続非
　上場株式等に係る**2**の(二)に規定する特例認定相続承継会社が消滅した場合その他の第五章第一節の**3**の②の(3)の財
　務省令で定める場合には、当該特例対象相続非上場株式等に相当するものとして同(3)の財務省令で定めるもの。**4**の
　(2)の(三)において「特例対象相続非上場株式等」という。）に係る特例認定相続承継会社が2以上ある場合について準
　用する。（措令40の8の8⑨）

3　適用を受けるための手続

①　期限内申告

　　1の規定は、**1**の規定の適用を受けようとする特例経営相続承継受贈者が提出する相続税の申告書に、特例対象受贈非
上場株式等の全部若しくは一部につき**1**の規定の適用を受けようとする旨の記載がない場合又は次に掲げる書類の添付が
ない場合には、適用しない。（措法70の7の8⑤）
(一)　当該特例対象受贈非上場株式等の明細及び納税猶予分の相続税額の計算に関する明細その他(1)の財務省令で定め
　る事項を記載した書類
(二)　当該特例対象受贈非上場株式等に係る特例贈与者の死亡の日の翌日以後最初に到来する経営相続報告基準日の翌日
　から5月（当該特例贈与者が**2**の(五)のイ又はロに掲げる日のいずれか早い日の翌日以後に死亡した場合にあっては、
　3月）を経過する日が当該特例贈与者の死亡に係る相続税の申告書の提出期限までに到来する場合には、当該特例対象
　受贈非上場株式等に係る特例認定相続承継会社の経営に関する事項として(2)の財務省令で定めるものを記載した書類
(三)　**1**の規定の適用に係る相続の開始の時において、当該特例経営相続承継受贈者が**2**の(一)のイからハまでに掲げる
　要件の全てを満たし、かつ、当該特例対象受贈非上場株式等に係る特例認定相続承継会社が**2**の(二)のイからホまでに
　掲げる要件（当該特例経営相続承継受贈者に係る特例贈与者が**2**の(五)のイ又はロに掲げる日のいずれか早い日の翌日
　以後に死亡した場合には、**2**の(二)のハに掲げるものを除く。）その他(3)の財務省令で定める要件を満たしていること
　を(4)の財務省令で定めるところにより証する書類

－1384－

第六章　非上場株式等の特例贈与者が死亡した場合の相続税の課税の特例
（第二節　非上場株式等の特例贈与者が死亡した場合の相続税の納税猶予及び免除の特例）

　　　（**①**の（一）に規定する財務省令で定める添付書類の記載事項）
（１）　**3**の**①**の（一）に規定する財務省令で定める事項は、次に掲げる事項とする。（措規23の12の5⑪）
　（一）　**2**の（一）に規定する特例経営相続承継受贈者に係る**1**の特例贈与者（（２）の（二）及び（３）において「特例贈与者」
　　　という。）の死亡による**1**の規定の適用に係る相続の開始があったことを知った日
　（二）　その他参考となるべき事項

　　　（**①**の（二）に規定する財務省令で定める添付書類の記載事項）
（２）　**3**の**①**の（二）に規定する財務省令で定めるものは、次に掲げる事項とする。（措規23の12の5⑫）
　（一）　特例経営相続承継受贈者の氏名及び住所
　（二）　特例経営相続承継受贈者に係る特例贈与者から第四章第一節の**1**の規定の適用に係る贈与により同**1**に規定する
　　　特例対象受贈非上場株式等の取得をした年月日
　（三）　**2**の（二）に規定する特例認定相続承継会社の商号及び本店の所在地
　（四）　**3**の**①**の相続税の申告書を提出する日の直前の同**①**の（二）の経営相続報告基準日（**2**の（六）に規定する経営相続
　　　報告基準日（**4**の（５）において「経営相続報告基準日」という。）をいう。）までに終了する各事業年度（当該経営相
　　　続報告基準日の直前の第四章第一節の**2**の（九）に規定する経営贈与報告基準日までに終了する事業年度を除く。）にお
　　　ける総収入金額（会社計算規則第88条第1項第4号に掲げる営業外収益及び同項第6号に掲げる特別利益を除く。）
　（五）　（四）の経営相続報告基準日における第四章第一節の**2**の（九）のロに規定する猶予中贈与税額
　（六）　（四）の経営相続報告基準日において特例経営相続承継受贈者が有する**1**に規定する特例対象相続非上場株式等の
　　　数又は金額
　（七）　（四）の経営相続報告基準日における特例認定相続承継会社の資本金の額若しくは準備金の額又は出資の総額
　（八）　特例認定相続承継会社が商号の変更をした場合、本店の所在地を変更した場合、合併により消滅した場合又は株
　　　式交換若しくは株式移転により他の会社の第五章第六節の**2**の（三）に規定する株式交換完全子会社等となった場合又
　　　は解散（会社法その他の法律の規定により解散をしたものとみなされる場合の当該解散を含む。）をした場合には、そ
　　　の旨
　（九）　その他参考となるべき事項

　　　（財務省令で定める要件）
（３）　**3**の**①**の（三）に規定する財務省令で定める要件は、**2**の（９）において準用する第二章第一節の**2**の（９）の（一）及び
　　　（二）に掲げる要件を満たしていること並びに**1**の相続税の申告書の提出期限までに**1**の規定の適用を受けようとする特
　　　例経営相続承継受贈者に係る特例認定相続承継会社が**1**の特例贈与者の死亡に係る円滑化省令第13条第4項又は第5項
　　　において準用する同条第1項の確認を受けていることとする。（措規23の12の5⑬）

　　　（財務省令で定めるところにより証する書類）
（４）　**3**の**①**の（三）に規定する財務省令で定めるところにより証する書類は、次に掲げるものとする。（措規23の12の5
　　　⑭）
　（一）　**1**の規定の適用に係る相続の開始の時における特例認定相続承継会社の定款の写し（会社法その他の法律の規定
　　　により定款の変更をしたものとみなされる事項がある場合にあっては、当該事項を記載した書面を含む。）
　（二）　（一）の相続の開始の時における特例認定相続承継会社の株主名簿の写しその他の書類で当該特例認定相続承継会
　　　社の全ての株主又は社員の氏名又は名称及び住所又は所在地並びにこれらの者が有する当該特例認定相続承継会社の
　　　株式又は出資に係る議決権の数が確認できるもの（当該特例認定相続承継会社が証明したものに限る。）
　（三）　円滑化省令第13条第4項又は第5項において準用する同条第2項の申請書の写し及び当該申請書に係る同条第12
　　　項の確認書の写し
　（四）　その他参考となるべき書類

　　　（修正申告等に係る相続税額の納税猶予）
（５）　**1**の規定の適用を受ける旨の相続税の申告について税額計算の誤りがあり、その誤りのみに基づいて修正申告又は
　　　更正があった場合における当該修正申告又は更正により納付すべき相続税額（附帯税を除く。）については、第一章第二
　　　節の**1**の（５）を準用する。（措通70の7の8－2）

－1385－

第七編　非上場株式等に係る相続税・贈与税の納税猶予及び免除

②　担保の変更等

　　第二章第二節の**2**の規定は、**1**の規定の適用を受けようとする特例経営相続承継受贈者が納税猶予分の相続税額につき特例対象相続非上場株式等（合併により当該特例対象相続非上場株式等に係る特例認定相続承継会社が消滅した場合その他の第三章第二節の**4**の②の（1）の財務省令で定める場合には、当該特例対象相続非上場株式等に相当するものとして第三章第二節の**4**の②の（1）の財務省令で定めるもの。以下本節において同じ。）の全てを担保として提供した場合について準用する。（措法70の7の8④）

　　（特定事由により担保の全部又は一部を解除することがやむを得ないと認められる場合）
（1）　第二章第二節の**2**の（1）、（3）、（5）の規定は、**1**の規定により納税猶予分の相続税額に相当する担保が提供された場合（②において準用する第二章第二節の**2**の規定の適用がある場合に限る。）について準用する。（措令40の8の8⑭）

　　（申請書の記載事項及び添付書類）
（2）　第一章第二節の**2**の（5）及び（6）の規定は、（1）において準用する第二章第二節の**2**の（5）に規定する財務省令で定める事項及び書類について準用する。（措規23の12の5⑩）

4　納税猶予期間中の継続届出書の提出

　　1の規定の適用を受ける特例経営相続承継受贈者は、特例対象相続非上場株式等に係る特例贈与者の死亡の日の翌日から猶予中相続税額に相当する相続税の全部につき**1**、**6**において準用する第二章第五節の**1**、同節の**2**、同章第六節、（7）において準用する同章第三節の**2**、**5**において準用する同章第四節又は**10**の（1）において準用する同章第十節の（4）の規定による納税の猶予に係る期限が確定する日までの間に経営相続報告基準日（当該特例対象相続非上場株式等に係る特例贈与者の死亡の日の翌日以後最初に到来する経営相続報告基準日の翌日から5月（当該特例贈与者が**2**の（五）のイ又はロに掲げる日のいずれか早い日の翌日以後に死亡した場合にあっては、3月）を経過する日が当該特例贈与者の死亡に係る相続税の申告書の提出期限までに到来する場合における当該最初に到来する経営相続報告基準日を除く。）が存する場合には、届出期限（第一種相続基準日の翌日から5月を経過する日及び第二種相続基準日の翌日から3月を経過する日をいう。（7）及び（9）において同じ。）までに、（2）の政令で定めるところにより引き続いて**1**の規定の適用を受けたい旨及び**1**の特例対象相続非上場株式等に係る特例認定相続承継会社の経営に関する事項を記載した届出書を納税地の所轄税務署長に提出しなければならない。（措法70の7の8⑥）

　　（継続届出書の提出期間）
（1）　第三章第二節の**5**の（6）については、特例経営相続承継受贈者が**4**に規定する届出書を提出する場合について準用する。（措通70の7の8-8）

　　（継続届出書の提出）
（2）　**4**の規定により提出する届出書には、引き続いて**1**の規定の適用を受けたい旨及び次に掲げる事項を記載し、かつ、（3）の財務省令で定める書類を添付しなければならない。（措令40の8の8⑮）
　（一）　**2**の（一）に規定する特例経営相続承継受贈者の氏名及び住所
　（二）　第一節の**1**（同**1**の（4）の規定により読み替えて適用する場合を含む。）の規定により同節の**1**に規定する特例対象受贈非上場株式等の取得をしたものとみなされた年月日
　（三）　特例対象相続非上場株式等に係る特例認定相続承継会社の名称及び本店の所在地
　（四）　当該届出書を提出する日の直前の**2**の（六）に規定する経営相続報告基準日（以下（四）において「経営相続報告基準日」という。）までに終了する各事業年度（当該経営相続報告基準日の直前の経営相続報告基準日までに終了する事業年度を除く。）における総収入金額
　（五）　その他（4）の財務省令で定める事項

　　（継続届出書の添付書類）
（3）　第五章第三節の**1**の（3）及び（4）の規定は、（2）に規定する財務省令で定める書類について準用する。この場合において、同節の**1**の（3）の（四）中「第12条第20項、第23項、第25項又は第27項」とあるのは「第12条第19項、第22項、第24項又は第26項」と、「同条第4項」とあるのは「同条第2項」と読み替えるものとする。（措規23の12の5⑮）

－1386－

第六章　非上場株式等の特例贈与者が死亡した場合の相続税の課税の特例
（第二節　非上場株式等の特例贈与者が死亡した場合の相続税の納税猶予及び免除の特例）

　　　（継続届出書の記載事項）
（４）　第五章第三節の**1**の（5）の規定は、（2）の（五）に規定する財務省令で定める事項について準用する。（措規23の12
　　の5⑯）

　　　（期間の末日が経営相続報告基準日後に到来する場合の準用）
（５）　第二章第三節の**1**の（4）の規定は、**2**の（17）において準用する第五章第一節の**2**の（22）の後段において準用する第
　　二章第一節の**2**の（25）のただし書又は**2**の（17）において準用する第五章第一節の**2**の（27）の後段において準用する第二
　　章第一節の**2**の（30）のただし書に規定する期間の末日が経営相続報告基準日後に到来する場合について準用する。（措
　　規23の12の5⑰）

　　　（猶予中相続税額の規定の準用）
（６）　（7）、（8）、**5**、**6**、**7**、及び**8**において準用する第二章第三節の**2**、同章第四節、同章第五節の**2**、同節の**3**の（1）、
　　同章第六節、同章第七節の**1**、同節の**2**、同節の**3**、同**3**の（1）の規定、**4**の規定並びに**6**の（6）及び**7**の（1）におい
　　て準用する第五章第五節の**2**、同章第六節の**2**及び同節の**3**の規定に規定する猶予中相続税額は、納税猶予分の相続税
　　額から**2**の（15）の規定により計算した金額を控除した残額とする。（措令40の8の8⑫）

　　　（継続届出書が提出されなかった場合等の規定の準用）
（７）　第二章第三節の**2**の規定は、**4**の届出書が届出期限までに納税地の所轄税務署長に提出されない場合について準用
　　する。（措法70の7の8⑧）

　　　（継続届出書の時効中断の効果）
（８）　第二章第五節の**3**の（1）の規定は、猶予中相続税額に相当する相続税並びに当該相続税に係る利子税及び延滞税の
　　徴収を目的とする国の権利の時効について準用する。（措法70の7の8⑦）

　　　（ゆうじょ規定）
（９）　第二章第三節の**2**の（1）の規定は、**4**又は**7**において準用する同章第七節の**1**の届出書が届出期限又は同**1**の免除
　　届出期限までに提出されなかった場合について準用する。（措法70の7の8⑬）

　　　（継続届出書が提出されなかったことにつきやむを得ない事情がある場合の届出等）
（10）　第二章章第三節の**2**の（2）の規定は、（9）において同**2**の（1）の規定を準用する場合について準用する。（措令40
　　の8の8⑱）

5　担保の変更の命令に応じない場合等の納税猶予期間の繰上げ

　　第二章第四節の規定は、**1**の規定による納税の猶予に係る期限の繰上げについて準用する。（措法70の7の8⑨）

6　納税猶予の打切り

　　第二章第五節の**1**（（二）を除く。）、同節の**2**及び同章第六節の規定は、**1**の規定による納税の猶予に係る期限の確定に
　ついて準用する。この場合において、同章第五節の**1**の（四）中「いずれかの者」とあるのは「いずれかの者（当該特例経営
　相続承継受贈者以外の特例経営相続承継受贈者、第四章第一節の**1**の規定の適用を受ける同節の**2**の（六）に規定する特
　例経営承継受贈者及び第五章第一節の**1**の規定の適用を受ける同節の**2**の（七）に規定する特例経営承継相続人等を除
　く。）」と読み替えるものとする。（措法70の7の8③）

　　　（財務省令で定めるやむを得ない理由等）
（１）　第一章第五節の**1**の（1）及び同**1**の（12）（15）（16）の規定は、**6**において準用する第二章第五節の**1**の（一）に規定す
　　る財務省令で定めるやむを得ない理由並びに同**1**の（十一）、（十三）及び（十四）に規定する財務省令で定める場合につい
　　て準用する。この場合において、第一章第五節の**1**の（15）の（四）及び（16）の（四）中「いずれの者」とあるのは、「いずれ
　　の者（第五章第一節の**1**の（1）の（二）のイからハまでに掲げる者を除く。）」と読み替えるものとする。（措規23の12の5
　　⑨）

－1387－

第七編　非上場株式等に係る相続税・贈与税の納税猶予及び免除

　　　　（主たる事業活動から生ずる収入の額とされるべきもの）
（２）　第一章第五節の１の(11)の規定は、**6**において準用する第二章第五節の１の(十)及び**2**の(９)において準用する第二章第一節の**2**の(９)の(一)に規定する財務省令で定めるものについて準用する。（措規23の12の５⑤）

　　　　（財務省令で定める場合の準用）
（３）　第二章第五節の１の(１)の規定は、**6**において準用する第二章第五節の１並びに**3**の②及び**2**の(19)に規定する財務省令で定める場合及び特例対象相続非上場株式等に相当するものについて準用する。（措規23の12の５⑦）

　　　　（納税猶予の打切りに係る規定の準用）
（４）　第二章第五節の１の(11)(22)、同節の**2**の(１)(２)、同章第六節の(１)から(５)までの規定は、**6**において第二章第五節の１（(二)を除く。）、同節の**2**及び同章第六節の規定を準用する場合について準用する。この場合において、第二章第五節の１の(22)の(一)中「経営承継相続人等」とあるのは、「第五章第一節の１の(３)の(二)のイからハまでに掲げる者」と読み替えるものとする。（措令40の８の８⑬）

　　　　（非上場株式等の譲渡又は贈与をした場合）
（５）　第二章第五節の１の(24)及び(25)の規定は、１の規定の適用を受ける**2**の(一)に規定する特例経営相続承継受贈者が１の規定の適用に係る特例認定相続承継会社の非上場株式等の譲渡又は贈与をした場合（**7**の(１)において準用する第五章第六節の**2**又は同節の**3**の規定の適用を受ける場合を除く。）について準用する。（措令40の８の８㉓）

　　　　（利子税の納付）
（６）　第五章第五節の**2**及び同**2**の(２)の規定は、**6**において準用する第二章第五節の１、同節の**2**及び同章第六節、**4**の(６)において準用する同章第三節の**2**、**5**において準用する同章第四節、**10**の(１)において準用する同章第十節の(４)又は**7**の(１)において準用する第五章第六節の**2**若しくは同節の**4**の規定により納税の猶予に係る期限が確定したことによる利子税の納付について準用する。（措法70の７の８⑱）

　　　　（継続届出書の時効中断の効果）
（７）　第二章第五節の**3**の(１)の規定は、猶予中相続税額に相当する相続税並びに当該相続税に係る利子税及び延滞税の徴収を目的とする国の権利の時効について準用する。（措法70の７の８⑦）

　　　　（確定事由となる資産保有型会社又は資産運用型会社の意義）
（８）　**6**において準用する第二章第五節の１の(九)の要件を判定する場合には、同章第一節の**2**の(29)を準用する。この場合において、同(29)中「相続の開始の日の属する事業年度の直前の事業年度の開始の日」とあるのは「相続税の申告期限の翌日」と、「相続税の申告期限」とあるのは「第六章第二節の**4**の(６)に規定する猶予中相続税額に相当する相続税の全部につき納税の猶予に係る期限が確定する日」と、「(４)」とあるのは「第六章第二節の**6**の(４)において準用する第二章第五節の１の(11)」と、また、同(29)の(一)中「１の規定の適用に係る相続の開始」とあるのは「特例対象贈与」と、「当該相続の開始」とあるのは「当該特例対象贈与」と、「対象贈与」とあるのは「第五章第一節の１の規定の適用に係る相続」となることに留意する。（措通70の７の８－７）

7　納税猶予税額の免除
　　第二章第七節の１、同節の**2**、同**2**の(８)から(10)までの規定は、１の規定により納税の猶予がされた相続税の免除について準用する。この場合において、同節の**2**の(９)及び(10)中「第五節の**3**」とあるのは「第六章第二節の**6**の(６)において準用する第五章第五節の**2**」と読み替えるものとする。（措法70の７の８⑪）

　　　　（納税猶予税額の免除に係る規定の準用）
（１）　第五章第六節の**2**、同節の**3**、同節の**4**、同**4**の(５)、同節の**5**、同**5**の(４)(５)の規定は、１の特例対象相続非上場株式等に係る特例認定相続承継会社の事業の継続が困難な事由として(２)の政令で定める事由が生じた場合において、１の規定の適用を受ける特例経営相続承継受贈者が当該特例対象相続非上場株式等の全部若しくは一部の譲渡若しくは贈与をしたとき、又は当該特例認定相続承継会社が合併、株式交換、株式移転若しくは解散をしたときについて準用する。（措法70の７の８⑰）

－1388－

第六章　非上場株式等の特例贈与者が死亡した場合の相続税の課税の特例
（第二節　非上場株式等の特例贈与者が死亡した場合の相続税の納税猶予及び免除の特例）

（事業の継続が困難な事由として政令で定める事由）

（2）　第五章第六節の**2**の（2）（7）（15）から（17）まで、（20）（21）、同節の**3**の（1）（2）、同節の**4**の（2）（6）（7）の規定は、（1）において第五章第六節の**2**、同節の**3**、同節の**4**、同**4**の（5）、同節の**5**、同**5**の（4）（5）の規定を準用する場合について準用する。（措令40の8の8㉑）

（準用規定）

（3）　第五章第六節の**2**の（5）（6）（8）（9）（11）（13）まで、（18）、同節の**4**の（4）、同節の**5**の（2）（3）の規定は、（1）において準用する第五章第六節の**2**、同節の**3**、同節の**4**、同**4**の（5）、同節の**5**、同**5**の（4）（5）の規定の適用がある場合について準用する。（措規23の12の5㉓）

（準用規定）

（4）　第一章第七節の**2**の（4）（5）、第二章第七節の**1**の（2）（3）（4）、同節の**2**の（1）（2）の規定は、**7**において準用する第二章第七節の**1**、同節の**2**、同**2**の（8）から（10）までの規定の適用がある場合について準用する。（措規23の12の5⑲）

（納税猶予税額の免除に係る規定の準用）

（5）　第二章第五節の**1**の（6）、同章第七節の**1**の（1）（5）、同節の**2**の（3）（6）（7）（11）から（13）までの規定は、**7**において第二章章第七節の**1**、同節の**2**、同**2**の（8）から（10）までの規定を準用する場合について準用する。（措令40の8の8⑯）

8　特例認定相続承継会社についての評定の納税猶予分の相続税額の計算等

第二章第七節の**3**、同**3**の（1）から（3）までの規定は、特例認定相続承継会社について同**3**に規定する評定が行われた場合における納税猶予分の相続税額の計算及び免除について準用する。（措法70の7の8⑫）

（評定の納税猶予分の相続税額の計算等の準用）

（1）　第二章第七節の**2**の（6）（7）、同節の**3**の（4）（5）の規定は、**8**において第二章第七節の**3**、同**3**の（1）から（3）までの規定を準用する場合について準用する。（措令40の8の8⑰）

（利子税の納付）

（2）　**8**において準用する第二章第七節の**3**の規定の適用がある場合における**6**の（6）の規定の適用については、同（6）中「又は」とあるのは、「、**8**において準用する第二章第七節の**3**又は」とする。（措令40の8の8㉒）

（財務省令で定める金額等の準用）

（3）　第一章第七節の**3**の（8）から（11）まで及び第二章第五節の**1**の（1）の規定は、**8**において準用する第二章第七節の**3**、同**3**の（1）から（3）までの規定の適用がある場合について準用する。この場合において第一章第七節の**3**の（9）の（二）中「いずれの者」とあるのは、「いずれの者（第五章第一節の**1**の（3）の（二）のイからハまでに掲げる者を除く。）」と読み替えるものとする。（措規23の12の5⑳）

9　事業用資産等が災害によって甚大な被害を受けた場合

第二章第九節の**1**、同節の**2**、同節の**4**、同**4**の（1）、同節の**5**、同**5**の（2）、同節の**6**、同**6**の（1）の規定は、**1**の特例対象相続非上場株式等に係る特例認定相続承継会社が同節の**2**に規定する災害等によって被害を受けた場合について準用する。（措法70の7の8⑭）

（準用規定）

（1）　第二章章第七節の**2**の（3）及び同章第九節の**1**の（2）（5）（6）（8）（11）（14）（16）（18）（21）（22）、同節の**2**の（3）、同節の**3**、同節の**4**の（2）、同節の**5**の（3）から（5）までの規定は、**9**において第二章章第九節の**1**、同節の**2**、同節の**4**、同**4**の（1）、同節の**5**、同**5**の（2）、同節の**6**、同**6**の（1）の規定を準用する場合について準用する。（措令40の8の8⑲）

－1389－

第七編　非上場株式等に係る相続税・贈与税の納税猶予及び免除

　　　　（準用規定）
（2）　**9**において準用する第二章第九節の**1**（（四）に係る部分に限る。）の規定及び同節の**1**の（16）（18）（21）（22）、同節の
　　3の規定は、第四章第七節において準用する第一章章第八節の**1**（（四）に係る部分に限る。）の規定の適用を受ける第四
　　章第一節の**2**の（六）に規定する特例経営承継受贈者が第一節の**1**（同**1**の（4）の規定により読み替えて適用する場合を
　　含む。以下（2）において同じ。）の規定により第一節の**1**の特例贈与者から相続又は遺贈により取得をしたものとみなさ
　　れた同**1**の特例対象受贈非上場株式等につき**1**の規定の適用を受けることとなった場合について準用する。（措令40の
　　8の8⑳）

　　　　（準用規定）
（3）　第一章第八節の**1**の（10）、（13）、（18）、（21）、（22）、第二章第九節の**2**の（1）、（2）、同節の**3**の（1）、（2）、同
　　節**4**の（3）、（4）、同節の**5**の（6）、（7）、同節の**6**の（2）の規定は、**9**において準用する第二章第九節の**1**、同節の
　　2、同節の**4**、同**4**の（1）、同節の**5**、同**5**の（2）、同節の**6**、同**6**の（1）の規定の適用がある場合について準用する。
　　（措規23の12の5㉑）

10　雑則

　　　　（国税通則法、国税徴収法及び相続税法の規定の適用）
（1）　第二章第十節の（4）及び（6）の規定は、特例経営相続承継受贈者が**1**の規定の適用を受けようとする場合又は**1**の
　　規定による納税の猶予がされた場合における国税通則法、国税徴収法及び相続税法の規定の適用について準用する。
　　この場合において、同節の（6）中「当該対象非上場株式等の価額に100分の20を乗じて計算した価額」とあるのは「零」と、
　　「当該認定承継会社等が当該株式等を有していなかったものとして計算した価額に100分の20を乗じて計算した価額と当
　　該株式等の価額との合計額」とあるのは「当該株式等の価額」と、同節の（4）中「経営承継相続人等」とあるのは「特
　　例経営相続承継受贈者」と、「被相続人」とあるのは「特例贈与者」と、「第一節の**2**の（一）」とあるのは「第六章第二
　　節の**2**の（二）」と、「についての相続税の納税猶予及び免除」とあるのは「の特例贈与者が死亡した場合の相続税の納税
　　猶予及び免除の特例」と、「認定承継会社」とあるのは「特例認定相続承継会社」と、「」と、「株主」とあるのは「又は
　　同**2**の（一）に規定する特例経営相続承継受贈者」と、「株主」と、「第一節の**1**の」とあるのは「当該」と、「同**1**」とあ
　　るのは「同章第一節の**1**」と、「定める」とあるのは「定め、若しくは当該相続税の免除を取り消す」と、「第一節の
　　1の」とあるのは「第六章第二節の**1**の」と、「第二章《非上場株式等についての相続税の納税猶予及び免除》の」とあ
　　るのは「第六章第二節《非上場株式等の特例贈与者が死亡した場合の相続税の納税猶予及び免除の特例》の」と読み替
　　えるものとする。（措法70の7の8⑩）

　　　　（国税通則法第50条第2号の財務省令で定める要件）
（2）　第一章第九節の（7）の規定は、**10**において準用する第二章第十節の（6）の（二）の規定により読み替えて適用する国
　　税通則法第50条第2号に規定する財務省令で定める要件について準用する。（措規23の12の5⑱）

　　　　（法人税法、所得税法及び地価税法の規定の適用）
（3）　第二章第十節の（5）の規定は、（1）において第二章第十節の（4）の規定を準用する場合について準用する。（措令40
　　の8の8㉔）

　　　　（経済産業大臣等の通知義務）
（4）　第二章第十節の（10）の規定は、経済産業大臣又は経済産業局長が、**1**の規定の適用を受ける特例経営相続承継受贈
　　者又は**1**の特例対象相続非上場株式等若しくは当該特例対象相続非上場株式等に係る特例認定相続承継会社について、
　　6において準用する第二章第五節の**1**、同節の**2**及び同章第六節の規定による納税の猶予に係る期限の確定に係る事実
　　に関し、法令の規定に基づき認定、確認、報告の受理その他の行為をしたことにより当該事実があったことを知った場
　　合について準用する。（措法70の7の8⑮）

　　　　（経済産業大臣等への通知義務）
（5）　第二章第十節の（12）の規定は、税務署長が、経済産業大臣又は経済産業局長の事務（**1**の規定の適用を受ける特例
　　経営相続承継受贈者に関する事務で、（4）において準用する同節の（10）の規定の適用に係るものに限る。）の処理を適正
　　かつ確実に行うため必要があると認める場合について準用する。（措法70の7の8⑯）

－1390－

第六章　非上場株式等の特例贈与者が死亡した場合の相続税の課税の特例
（第二節　非上場株式等の特例贈与者が死亡した場合の相続税の納税猶予及び免除の特例）

（経済産業大臣等への通知事項）

（6）　第一章第九節の(10)及び(12)の規定は、（4）において準用する第二章第十節の(10)及び（5）において準用する第二
　章第十節の(12)に規定する財務省令で定める事項について準用する。（措規23の12の5㉒）

－1391－

第八編　医療法人の持分に係る相続税・贈与税の納税猶予等

第一章　医療法人の持分に係る贈与税の納税猶予等

第一節　医療法人の持分に係る経済的利益についての贈与税の納税猶予及び免除

1　特例適用の要件

　認定医療法人（地域における医療及び介護の総合的な確保を推進するための関係法律の整備等に関する法律（平成26年法律第83号）附則第1条第2号に掲げる規定の施行の日（平成26年10月1日。以下本編において「**平成26年改正医療法施行日**」という。）から令和8年12月31日までの間に厚生労働大臣認定を受けた医療法人に限る。）の持分を有する個人（**1**の（4）において「**贈与者**」という。）が当該持分の全部又は一部の放棄をしたことにより、当該認定医療法人の持分を有する他の個人（以下本節において「**受贈者**」という。）に対して贈与税が課される場合には、当該受贈者の当該放棄があった日の属する年分の贈与税で第三編第一章第五節**一**の（1）《相続時精算課税の適用に係る贈与税の申告》の規定による期限内申告書（当該期限内申告書の提出期限前に当該受贈者が死亡した場合には、当該受贈者の相続人（包括受遺者を含む。以下本節において同じ。）が提出する同節**一**の（2）《相続税の申告に関する規定の準用》の規定による期限内申告書を含む。以下本章において「**贈与税の申告書**」という。）の提出により納付すべきものの額のうち、当該放棄により受けた利益（以下本章において「**経済的利益**」という。）の価額で当該贈与税の申告書に**1**の規定の適用を受けようとする旨の記載があるものに係る納税猶予分の贈与税額（当該経済的利益の価額を当該受贈者に係る当該年分の贈与税の課税価格とみなして、第二編第五章第一節《贈与税の基礎控除》の**1**及び同章第三節《贈与税の税率》**一**の規定（同章第一節の**2**《基礎控除の特例》及び同章第三節**二**《直系尊属から贈与を受けた場合の贈与税の税率の特例》の規定を含む。）を適用して計算した金額をいう。以下本節において同じ。）に相当する贈与税については、政令で定めるところにより当該年分の贈与税の申告書の提出期限までに当該納税猶予分の贈与税額に相当する担保を提供した場合に限り、第二編第七章第一節**二**の**1**《期限内申告に係る贈与税の納付期限》の規定にかかわらず、認定移行計画に記載された移行期限まで、その納税を猶予する。（措法70の7の9①）

　　（用語の意義）
（1）　本編において、次の（一）から（六）に掲げる用語の意義は、当該（一）から（六）に定めるところによる。（措法70の7の9②）
　（一）　**認定医療法人**　　良質な医療を提供する体制の確立を図るための医療法等の一部を改正する法律（平成18年法律第84号。以下本節及び第三章第一節の**1**《特例適用の要件》及び第四章において「平成18年医療法等改正法」という。）附則第10条の4第1項に規定する認定医療法人をいう。
　（二）　**持分**　　平成18年医療法等改正法附則第10条の3第3項第2号に規定する持分をいう。
　（三）　**認定移行計画**　　平成18年医療法等改正法附則第10条の4第2項に規定する認定移行計画をいう。
　（四）　**厚生労働大臣認定**　　平成18年医療法等改正法附則第10条の3第1項の規定による厚生労働大臣の認定をいう。
　（五）　**移行期限**　平成18年医療法等改正法附則第10条の3第2項の規定により認定移行計画に記載された移行の期限をいう。
　（六）　**基金拠出型医療法人**　　平成18年医療法等改正法附則第10条の3第2項第1号ハに規定する基金拠出型医療法人をいう。

　　（重複適用の排除）
（2）　次に掲げる者が、その者に係る第三編第一章第一節**二**の（2）《相続時精算課税適用者が特定贈与者の推定相続人でなくなった場合》に規定する特定贈与者が認定医療法人の持分を放棄したことにより経済的利益について**1**の規定の適用を受ける場合には、当該経済的利益については、同章《相続時精算課税制度》の第一節から第四節の規定は、適用しない。（措法70の7の9③）
　（一）　第三編第一章第一節**二**の（2）《相続時精算課税適用者が特定贈与者の推定相続人でなくなった場合》に規定する

－1395－

第八編　医療法人の持分に係る相続税・贈与税の納税猶予等

相続時精算課税適用者
（二）　1の規定の適用に係る認定医療法人の持分について当該特定贈与者による放棄があった日の属する年中におい
　　　て、当該特定贈与者から贈与を受けた同項の規定の適用を受ける経済的利益以外の財産について同編第一章第一節二
　　　《相続時精算課税制度の選択》（同節三《相続時精算課税適用者の特例》、第六編第一章第八節《個人の事業用資産につ
　　　いての贈与税の納税猶予及び免除に係る相続時精算課税適用者の特例》（第七編第四章第九節《非上場株式等について
　　　の贈与税の納税猶予及び免除の特例に係る相続時精算課税適用者の特例》において準用する場合を含む。）又は第三編
　　　第二章の1《住宅取得等資金の贈与を受けた場合の相続時精算課税の特例》において準用する場合を含む。）の届出書
　　　を提出する者

　　　（相続時精算課税適用者等に係る贈与税の納税猶予）
（3）　（2）の（一）、（二）に掲げる者が、その者に係る第三編第一章第一節の二の（2）《相続時精算課税適用者が特定贈与
　　　者の推定相続人でなくなった場合》に規定する特定贈与者（以下（3）において「特定贈与者」という。）が認定医療法人
　　　の持分の放棄をしたことによる経済的利益について1の規定の適用を受ける場合には、当該経済的利益に係る贈与税
　　　については、暦年課税により計算することに留意する。
　　　　なお、（2）の（一）、（二）に掲げる者が、当該経済的利益に係る特定贈与者から贈与により取得をした経済的利益以外
　　　の財産に係る贈与税については、相続時精算課税の適用となることに留意する。（措通70の7の9－10）

　　　（申告書の提出期限までの間に払戻しを受けた場合又は譲渡等をした場合の不適用）
（4）　1の規定の適用を受けようとする受贈者が、1の贈与者による認定医療法人の持分の放棄があった日から1の経済
　　　的利益に係る贈与税の申告書の提出期限までの間に1の認定医療法人の持分に基づき出資額に応じた払戻しを受けた場
　　　合若しくは当該持分の譲渡をした場合又は第二節《医療法人の持分に係る経済的利益についての贈与税の税額控除》の
　　　1の規定の適用を受ける場合には、1の規定は、適用しない。（措法70の7の9④）

　　　（申告期限前に払戻し等が行われた場合）
（5）　贈与者による認定医療法人の持分の放棄があった日から経済的利益に係る贈与税の申告書の提出期限までの間に、
　　　1の規定の適用を受けようとする受贈者が、当該認定医療法人の持分に基づき出資額に応じた払戻しを受けた場合又は
　　　当該持分の全部若しくは一部の譲渡をした場合には、1の規定の適用を受けることができないことに留意する。
　　　　なお、当該譲渡は、有償又は無償であることを問わないことに留意する。（措通70の7の9－11）

　　　（納税猶予の適用に係る書類等）
（6）　1の規定は、1の規定の適用を受けようとする受贈者の経済的利益に係る贈与税の申告書に、当該経済的利益につ
　　　き1の規定の適用を受けようとする旨の記載がない場合又は当該経済的利益に係る持分の明細及び納税猶予分の贈与税
　　　額の計算に関する明細その他（7）の財務省令で定める書類の添付がない場合には、適用しない。（措法70の7の9⑧）

　　　（財務省令で定める書類）
（7）　（6）に規定する財務省令で定める書類は、次に掲げる書類とする。（措規23の12の6④）
　（一）　1の規定の適用に係る1に規定する贈与者（以下本節において「贈与者」という。）による認定医療法人の持分の
　　　　放棄の時において当該認定医療法人が厚生労働大臣認定（（1）の（四）に規定する厚生労働大臣認定をいう。第三章第
　　　　一節の1の（8）の（一）及び第四章において同じ。）を受けていることを証する書類
　（二）　認定医療法人の認定移行計画（（1）の（三）に規定する認定移行計画をいう。第三章第一節の1の（8）の（二）及び
　　　　第四章の2の（1）の（三）において同じ。）の写し
　（三）　1の贈与者による認定医療法人の持分の放棄の直前及び当該放棄の時における当該認定医療法人の出資者名簿
　　　　（良質な医療を提供する体制の確立を図るための医療法等の一部を改正する法律（平成18年法律第84号。第四章の3の
　　　　（1）の（二）において「平成18年医療法等改正法」という。）附則第10条の3第3項第2号に規定する出資者名簿をいう。
　　　　以下第四章までにおいて同じ。）の写し
　（四）　（4）に規定する場合に該当しない旨を記載した書類
　（五）　その他参考となるべき書類

　　　（持分の放棄があった日の意義）
（8）　1に規定する放棄があった日とは、当該放棄が書面により行われた場合には、1に規定する認定医療法人（以下第

－1396－

第一章　医療法人の持分に係る贈与税の納税猶予等

二節までにおいて「認定医療法人」という。）の持分（**1**の（1）の（二）に規定する持分をいう。以下本編において同じ。）を有する個人（以下本節までにおいて「贈与者」という。）が当該書面を認定医療法人に提出した日又は当該書面に記載した放棄の日のいずれか遅い日をいい、当該放棄が書面によらない場合には、当該放棄に係る持分の処分について、認定医療法人が医療法施行規則（昭和23年厚生省令第50号）附則第60条第3項の規定により厚生労働大臣に提出した同項第2号に規定する出資持分の状況報告書（（3）（5）（8）（9）、**2**の（7）（8）（9）、**3**の（2）（3）（13）、**5**の（6）（7）、**6**の（5）において「出資持分の状況報告書」という。）に記載された「出資持分の放棄の日」をいうことに留意する。（措通70の7の9−1）

（注）　**3**の（7）及び**4**の認定医療法人の持分の全部又は一部の放棄は、**4**の（3）に定めるところにより、医療法施行規則附則第60条第4項に規定する出資持分の放棄申出書を認定医療法人に提出してすることに留意する。

　　　（経済的利益の価額）
（9）　**1**に規定する経済的利益（以下第二章までにおいて「経済的利益」という。）の価額とは、贈与者が認定医療法人の持分の全部又は一部の放棄をしたことにより、当該認定医療法人の持分を有する他の個人（以下本節までにおいて「受贈者」という。）の持分の価額が増加した場合における当該増加した部分に相当する価額をいうことに留意する。（措通70の7の9−2）

2　担保の提供

　　1の規定の適用を受けようとする**1**に規定する受贈者が行う担保の提供については、国税通則法施行令第16条《担保の提供手続》に定める手続によるほか、**1**の規定の適用に係る**1**に規定する認定医療法人の**1**の（1）の（二）に規定する持分を担保として提供する場合には、当該受贈者が当該持分を担保として提供することを約する書類その他（1）の財務省令で定める書類を納税地の所轄税務署長に提出する方法によるものとする。（措令40の8の9①）

　　　（担保の提供に係る書類）
（1）　**2**に規定する財務省令で定める書類は、次に掲げる書類とする。（措規23の12の6①）
　（一）　**1**に規定する受贈者がその有する**1**の規定の適用に係る**1**に規定する認定医療法人の**1**の（1）の（二）に規定する持分に質権の設定をすることについて承諾した旨を記載した書類（当該受贈者が自署し、自己の印を押しているものに限る。）
　（二）　（一）の受贈者の印に係る印鑑証明書
　（三）　（一）の認定医療法人が同号の質権の設定について承諾したことを証する書類で次に掲げるいずれかのもの
　　イ　当該質権の設定について承諾した旨が記載された公正証書
　　ロ　当該質権の設定について承諾した旨が記載された私署証書で登記所又は公証人役場において日付のある印が押されているもの（当該認定医療法人の印を押しているものに限る。）及び当該認定医療法人の印に係る印鑑証明書
　　ハ　当該質権の設定について承諾した旨が記載された書類（当該認定医療法人の印を押しているものに限る。）で郵便法第48条第1項の規定により内容証明を受けたもの及び当該認定医療法人の印に係る印鑑証明書

　　　（担保の解除）
（2）　税務署長は、**2**の規定により認定医療法人の持分が担保として提供されている場合において、当該担保を解除したときは、**1**の規定の適用を受けている受贈者が当該持分を担保として提供することを約する書類その他（3）の財務省令で定める書類を当該受贈者に返還しなければならない。（措令40の8の9②）

　　　（担保解除に係る書類）
（3）　（2）に規定する財務省令で定める書類は、（1）の（一）及び（三）に掲げる書類とする。（措規23の12の6②）

　　　（認定医療法人の持分の全てを担保として提供した場合）
（4）　**1**の規定の適用を受けようとする受贈者が納税猶予分の贈与税額につきその有する**1**の規定の適用に係る認定医療法人の持分の全てを担保として提供した場合には、当該持分の価額が当該納税猶予分の贈与税額に満たないときであっても、**1**の規定の適用については、当該納税猶予分の贈与税額に相当する担保が提供されたものとみなす。ただし、その後において、その提供された担保の全部又は一部につき変更があった場合には、この限りでない。（措法70の7の9⑦）

—1397—

第八編　医療法人の持分に係る相続税・贈与税の納税猶予等

（担保財産の変更等が行われた場合のみなす充足）

（5）　（4）本文の規定は、1の規定の適用を受けようとする場合に受贈者が有する認定医療法人の持分の全てを担保として提供したときに適用されるものであることから、1の規定の適用を受けるに当たり認定医療法人の持分以外の財産を担保として提供したこと等により（4）本文の規定が適用されなかった場合又は（4）本文の規定が適用されたものの担保の全部若しくは一部につき変更があったため（4）ただし書に該当した場合には、その後に担保財産の変更を行った結果、認定医療法人の持分の全てを担保提供している状況が生じても、その時点から（4）本文の規定が適用されるものではないことに留意する。（措通70の7の9－18）

（担保権の意義）

（6）　1の規定の適用を受けようとする受贈者が1の規定の適用に係る認定医療法人の持分（既に当該受贈者が（4）の本文又は第三章第一節の2の（4）において準用する（4）の本文の規定の適用に係る担保として提供している場合における当該持分に限る。）を担保として提供する場合における6の（3）の（二）の規定の適用については、同（二）中「**担保権**」とあるのは、「担保権（（4）又は第三章第一節の2の（4）において準用する（4）の規定の適用に係るものを除く。）」とする。（措令40の8の9③）

（担保の提供等）

（7）　1の規定による担保の提供については、国税通則法第50条から第54条までの規定の適用があることに留意する。（措通70の7の9－6）

（贈与税の額に相当する担保）

（8）　1に規定する「当該納税猶予分の贈与税額に相当する担保」とは、納税猶予に係る贈与税の本税の額と当該本税に係る納税猶予期間中の利子税の額との合計額に相当する担保をいうことに留意する。
　　なお、この場合の当該本税に係る猶予期間中の利子税の額は、1の規定の適用に係る贈与税の申告書の提出期限における認定移行計画（1の（1）の（三）に規定する認定移行計画をいう。以下第三章第一節において同じ。）に記載された移行期限（1の（1）の（五）に規定する移行期限をいう。以下第三章第一節までにおいて同じ。）から2月を経過する日までを納税猶予期間として計算した額によるものとして取り扱うことに留意する。（措通70の7の9－7）

（担保提供する認定医療法人の持分の全ての意義）

（9）　（4）本文に規定する「1の規定の適用に係る認定医療法人の持分の全て」とは、認定医療法人の持分は不可分であり、当該持分の一部を担保提供することができないため、受贈者が現に有する当該認定医療法人の持分の全て（既に当該受贈者が（4）本文又は第三章第一節の2の（4）において準用する（4）本文の規定の適用に係る担保として提供している場合における当該持分を含む。）となることに留意する。（措通70の7の9－8）

3　納税猶予期限の確定事項

　　1の規定の適用を受ける受贈者又は1の規定の適用に係る認定医療法人について次の（一）から（六）のいずれかに掲げる場合に該当することとなった場合には、1の規定の適用を受ける納税猶予分の贈与税額に相当する贈与税については、1の規定にかかわらず、当該（一）から（六）に定める日から2月を経過する日（当該（一）から（六）に定める日から当該2月を経過する日までの間に当該受贈者が死亡した場合には、当該受贈者の相続人が当該受贈者の死亡による相続の開始があったことを知った日の翌日から6月を経過する日）をもって1の規定による納税の猶予に係る期限とする。（措法70の7の9⑤）

（一）　当該受贈者が1の贈与税の申告書の提出期限から当該認定医療法人の認定移行計画に記載された移行期限までの間に当該認定医療法人の持分に基づき出資額に応じた払戻しを受けた場合　　当該払戻しを受けた日

（二）　当該受贈者が1の贈与税の申告書の提出期限から当該認定医療法人の認定移行計画に記載された移行期限までの間に当該認定医療法人の持分の譲渡をした場合　　当該譲渡をした日

（三）　当該認定医療法人の認定移行計画に記載された移行期限までに平成18年医療法等改正法附則第10条の2に規定する新医療法人への移行をしなかった場合　　当該移行期限

（四）　当該認定医療法人の認定移行計画について平成18年医療法等改正法附則第10条の4第2項の規定により厚生労働大臣認定が取り消された場合　　当該厚生労働大臣認定が取り消された日

（五）　当該認定医療法人が解散をした場合（合併により消滅をする場合を除く。）　　当該解散をした日

（六）　当該認定医療法人が合併により消滅をした場合（合併により医療法人を設立する場合において当該受贈者が持分に

－1398－

第一章　医療法人の持分に係る贈与税の納税猶予等

代わる金銭その他の財産の交付を受けないときその他（1）の政令で定める場合を除く。）　　　当該消滅をした日

（政令で定める納税猶予の期限）
（1）　**3**の（六）に規定する政令で定める場合は、次に掲げる場合とする。（措令40の8の9⑧）
　（一）　合併により医療法人を設立する場合において、**1**の規定の適用を受ける受贈者が当該合併により消滅する認定医療法人の持分に代わる金銭その他の財産の交付を受けないとき。
　（二）　合併後存続する医療法人が当該合併により良質な医療を提供する体制の確立を図るための医療法等の一部を改正する法律（平成18年法律第84号）附則第10条の2に規定する新医療法人となる場合において、**1**の規定の適用を受ける受贈者が当該合併により消滅する認定医療法人の持分に代わる金銭その他の財産の交付を受けないとき。

（払戻しを受けた日の意義）
（2）　**3**の（一）に規定する「当該払戻しを受けた日」とは、当該払戻しに係る出資持分の状況報告書に記載された「出資持分の払戻の日」をいうことに留意する。（措通70の7の9－12）

（譲渡をした日の意義）
（3）　**3**の（二）に規定する「当該譲渡をした日」とは、**1**の規定の適用に係る認定医療法人の持分の譲渡に係る契約の効力が発生した日をいう。ただし、認定医療法人の持分について書面によらない譲渡を行った場合には、当該譲渡に係る出資持分の状況報告書に記載された「出資持分の譲渡の日」をいうことに留意する。
　　　なお、当該譲渡は、有償又は無償であることを問わないことに留意する。（措通70の7の9－13）

（新医療法人への移行をしなかった場合の意義）
（4）　**1**の規定の適用に係る認定医療法人の認定移行計画に記載された移行期限までに、良質な医療を提供する体制の確立を図るための医療法等の一部を改正する法律（平成18年法律第84号。以下「平成18年医療法等改正法」という。）附則第10条の2に規定する新医療法人への移行のための定款の変更に係る医療法（昭和23年法律第205号）第54条の9第4項の規定による都道府県知事の認可があった場合であっても、当該認可を受けた定款の変更が施行されていないときには、**3**の（三）に規定する「新医療法人への移行をしなかった場合」に該当することに留意する。（措通70の7の9－14）

（解散をした場合等の意義）
（5）　**3**の（五）に規定する「解散をした場合」とは、医療法第55条第1項各号（同項第4号を除く。）に掲げるいずれかの事由が生じた場合をいい、**3**の（五）に規定する「当該解散をした日」とは、当該事由が生じた日（医療法第55条第1項第2号又は第3号に掲げる事由による解散の場合にあっては、都道府県知事の認可を受けた日）をいうことに留意する。（措通70の7の9－15）

（合併により消滅した日の意義）
（6）　**3**の（六）に規定する「当該消滅をした日」とは、医療法第58条の6又は第59条の4に規定する登記の日をいうことに留意する。（措通70の7の9－16）

（基金として拠出した額に対応する贈与税の納税猶予に係る期限）
（7）　**1**の規定の適用に係る認定医療法人が認定移行計画に記載された移行期限までに基金拠出型医療法人への移行をする場合において、**1**の規定の適用を受ける受贈者が有する当該認定医療法人の持分の一部を**4**の（3）の財務省令で定めるところにより放棄し、その残余の部分を当該基金拠出型医療法人の平成18年医療法等改正法附則第10条の3第2項第1号ハに規定する基金（以下（7）及び**4**の（二）において「**基金**」という。）として拠出したときは、当該受贈者の納税猶予分の贈与税額のうち基金として拠出した額に対応する部分の金額として（8）及び（9）の政令で定めるところにより計算した金額に相当する贈与税については、**1**の規定にかかわらず、当該基金拠出型医療法人への移行のための定款の変更に係る医療法第54条の9第3項の規定による都道府県知事の認可があった日から2月を経過する日（当該認可があった日から当該2月を経過する日までの間に当該受贈者が死亡した場合には、当該受贈者の相続人が当該受贈者の死亡による相続の開始があったことを知った日の翌日から6月を経過する日）をもって**1**の規定による納税の猶予に係る期限とする。（措法70の7の9⑥）

－1399－

第八編　医療法人の持分に係る相続税・贈与税の納税猶予等

（基金として拠出した額に対応する贈与税額の計算）
（8）　（7）に規定する政令で定めるところにより計算した金額は、納税猶予分の贈与税額に（一）に掲げる金額が（二）に掲げる金額に占める割合を乗じて計算した金額とする。（措令40の8の9⑨）
　（一）　（7）に規定する基金として拠出をした金額から自己所有持分相当額（当該拠出の直前において受贈者が有していた1の規定の適用に係る認定医療法人の持分の価額に一から納税猶予割合を控除した割合を乗じて計算した価額をいう。）を控除した残額
　（二）　（一）の拠出の直前において受贈者が有していた（一）の持分の価額に納税猶予割合を乗じて計算した金額

　（納税猶予割合）
（9）　（8）の「**納税猶予割合**」とは、1の規定の適用に係る贈与者による放棄により受けた経済的利益の価額が当該経済的利益の価額と当該贈与者による放棄の直前において受贈者が有していた1の規定の適用に係る認定医療法人の持分の価額との合計額に占める割合をいう。（措令40の8の9⑩）

　（納税猶予分の贈与税額の端数処理）
（10）　1に規定する納税猶予分の贈与税額（本節において「**納税猶予分の贈与税額**」という。）に100円未満の端数があるとき、又はその全額が100円未満であるときは、その端数金額又はその全額を切り捨てる。（措令40の8の9④）

　（経済的利益に係る贈与者又は認定医療法人が二以上ある場合の納税猶予分の贈与税額の計算）
（11）　1の規定の適用に係る1に規定する経済的利益（以下本章、第二章及び第四章において「**経済的利益**」という。）に係る1に規定する贈与者（以下本節において「**贈与者**」という。）又は当該経済的利益に係る認定医療法人が二以上ある場合における納税猶予分の贈与税額の計算においては、当該経済的利益に係る受贈者がその年中において1の規定の適用に係る贈与者による放棄により受けた全ての認定医療法人の経済的利益の価額の合計額を当該受贈者に係るその年分の贈与税の課税価格とみなす。（措令40の8の9⑤）

　（経済的利益に係る贈与者又は認定医療法人が二以上ある場合における端数処理）
（12）　(11)の場合において、1の規定の適用に係る経済的利益に係る贈与者及び認定医療法人の異なるものごとの納税猶予分の贈与税額は、（一）に掲げる金額に（二）に掲げる割合を乗じて計算した金額とする。この場合において、当該計算した金額に100円未満の端数があるとき、又はその全額が100円未満であるときは、その端数金額又はその全額を切り捨てる。（措令40の8の9⑥）
　（一）　(11)の規定を適用して計算した納税猶予分の贈与税額
　（二）　1の規定の適用に係る経済的利益に係る贈与者及び認定医療法人の異なるものごとの経済的利益の価額が(11)の規定によりみなされたその年分の贈与税の課税価格に占める割合

　（贈与者又は認定医療法人が2以上ある場合の納税猶予分の贈与税額の計算）
（13）　1の規定の適用に係る経済的利益に係る贈与者又は当該経済的利益に係る認定医療法人が2以上ある場合における1に規定する納税猶予分の贈与税額の計算は、次の順序により行うことに留意する。（措通70の7の9－9）
　（一）　(11)の規定により、当該経済的利益に係る受贈者がその年中において(11)の規定の適用に係る贈与者による放棄により受けた全ての認定医療法人の経済的利益の価額の合計額を当該受贈者に係るその年分の贈与税の課税価格とみなして、第二編第五章第一節の1《原則》及び同章第三節の一《贈与税の税率》の規定（同章第一節の2《基礎控除の特例》及び同章第三節の二《直系尊属から贈与を受けた場合の贈与税の税率の特例》の規定を含む。以下本節において「暦年課税」という。）を適用して納税猶予分の贈与税額を計算する（(10)の規定による100円未満の端数処理は行わない。）。
　（二）　(12)の規定により、当該経済的利益に係る贈与者及び認定医療法人の異なるものごとの納税猶予分の贈与税額を計算する（(12)の規定による100円未満の端数処理を行う。）。
　（三）　上記(二)により算出されたそれぞれの納税猶予分の贈与税額の合計額が当該受贈者に係る納税猶予分の贈与税額となる。

　（基金拠出型医療法人への移行をする場合の確定税額の計算）
（14）　1の規定の適用に係る認定医療法人が認定移行計画に記載された移行期限までに1の(1)の(六)に規定する基金拠出型医療法人（以下本編までにおいて「基金拠出型医療法人」という。）への移行をする場合において、1の規定の適用

－1400－

第一章　医療法人の持分に係る贈与税の納税猶予等

を受ける受贈者が有する当該認定医療法人の持分の一部を財務省令で定めるところにより放棄し、その残余の部分を当該基金拠出型医療法人の平成18年医療法等改正法附則第10条の3第2項第1号ハに規定する基金（以下本編までにおいて「基金」という。）として拠出したときに、（7）の規定により納税猶予の期限が確定する贈与税額は、納税猶予分の贈与税額に、次に掲げる割合を乗じて計算することに留意する。

　なお、これにより算出された金額に100円未満の端数があるとき又はその全額が100円未満であるときは、その端数金額又はその全額を切り捨て、その切り捨てた金額は、免除されることに留意する。（措通70の7の9－17）

$$\frac{基金として拠出した金額　-　自己所有持分相当額}{基金拠出の直前の受贈者の持分の価額}\times 納税猶予割合$$

（注）1　上記の「自己所有持分相当額」とは、受贈者が認定医療法人の持分の一部を基金として拠出した直前において有していた当該認定医療法人の持分の価額に1から納税猶予割合を控除した割合を乗じて計算した価額をいう。
　　　2　上記の「納税猶予割合」とは、1の規定の適用に係る贈与者による放棄により受けた経済的利益の価額が当該経済的利益の価額と当該贈与者による放棄の直前において受贈者が有していた当該認定医療法人の持分の価額との合計額に占める割合をいう。
　　　　これを算式に示せば次のとおりである。

$$\frac{贈与者による放棄により受けた経済的利益の価額}{贈与者による放棄により受けた経済的利益の価額　+　贈与者による放棄の直前において受贈者が有していた認定医療法人の持分の価額}$$

（贈与者及び認定医療法人の異なるものごとの適用）

(15)　(11)の場合において、2の(4)、3、3の(7)、4及び6の(1)の規定は、1の規定の適用に係る経済的利益に係る贈与者及び認定医療法人の異なるものごとに適用するものとする。（措令40の8の9⑦）

4　免除規定

　1の規定の適用に係る認定医療法人の認定移行計画に記載された移行期限までに次の(一)、(二)のいずれかに掲げる場合に該当することとなった場合（その該当することとなった日前に、3の(一)から(六)に掲げる場合に該当することとなった場合及び6の(1)の規定による納税の猶予に係る期限の繰上げがあった場合を除く。）には、次の(一)、(二)に掲げる場合の区分に応じ当該(一)、(二)に定める金額に相当する贈与税は、政令で定めるところにより、免除する。（措法70の7の9⑪）

(一)　1の規定の適用を受ける受贈者が有している1の規定の適用に係る認定医療法人の持分の全てを財務省令で定めるところにより放棄した場合　　納税猶予分の贈与税額

(二)　当該認定医療法人が基金拠出型医療法人への移行をする場合において、1の規定の適用を受ける受贈者が有している当該認定医療法人の持分の一部を(1)の財務省令で定めるところにより放棄し、その残余の部分を当該基金拠出型医療法人の基金として拠出したとき　　納税猶予分の贈与税額から3の(7)に規定する政令で定めるところにより計算した金額を控除した残額

　　　（免除適用に係る届出書の提出）

（1）　1の規定の適用を受ける受贈者が4の規定の適用を受けようとする場合には、次に掲げる事項を記載した届出書に、4の(一)、(二)のいずれかに掲げる場合に該当することとなったことを証する書類として(1)の財務省令で定めるものを添付して、これを、4の(一)、(二)のいずれかに掲げる場合に該当することとなった日後遅滞なく、4の規定の適用に係る贈与税の納税地の所轄税務署長に提出しなければならない。（措令40の8の9⑪）

（一）　届出書を提出する者の氏名及び住所
（二）　4の規定による贈与税の免除を受けようとする旨
（三）　免除を受ける贈与税の額（4の(二)に掲げる場合にあっては、当該免除を受ける贈与税の額及びその計算の明細）
（四）　その他参考となるべき事項

　　　（財務省令で定める書類）

（2）　(1)に規定する財務省令で定める書類は、次の(一)、(二)に掲げる場合の区分に応じ当該(一)、(二)に定める書類とする。（措規23の12の6⑤）

（一）　4の(一)に掲げる場合に該当することとなった場合　　次に掲げる書類
　イ　1の規定の適用を受ける受贈者が1の規定の適用に係る認定医療法人の持分の放棄をする際に当該認定医療法人に提出した(3)の書類（当該認定医療法人が当該書類を受理した年月日の記載があるものに限る。）の写し

第八編　医療法人の持分に係る相続税・贈与税の納税猶予等

　ロ　**1**の規定の適用を受ける受贈者による認定医療法人の持分の放棄の直前及び当該放棄の時における当該認定医療法人の出資者名簿の写し
（二）　**4**の（二）に掲げる場合に該当することとなった場合　次に掲げる書類
　イ　（一）に定める書類
　ロ　**4**の（二）の基金拠出型医療法人の定款（認定医療法人から当該基金拠出型医療法人への移行のための医療法（昭和23年法律第205号）第54条の9第3項の規定による都道府県知事の認可を受けたものに限る。）の写し
　ハ　免除を受ける贈与税の額及びその計算の明細の根拠を明らかにする書類

　　（放棄に係る書類）
（3）　**3**の（7）及び**4**の認定医療法人の持分の全部又は一部の放棄は、厚生労働大臣が定める書類を**1**の規定の適用に係る認定医療法人に提出してするものとする。（措規23の12の6③）

5　認定医療法人の認定移行計画に記載された移行期限までに受贈者が死亡した場合

　1の規定の適用に係る認定医療法人の認定移行計画に記載された移行期限までに**1**の規定の適用を受ける受贈者が死亡した場合には、当該受贈者に係る納税猶予分の贈与税額に係る納付の義務は、当該受贈者の相続人が承継する。この場合において、必要な事項は、政令で定める。（措法70の7の9⑬）

　　（承継する納付義務の割合）
（1）　**5**の規定により**5**の相続人が承継する納付の義務は、次の（一）、（二）に掲げる場合の区分に応じ当該（一）、（二）に定める割合に応じて承継するものとする。（措令40の8の9⑫）
　（一）　**4**の（一）、（二）のいずれかに掲げる場合又は**6**の（4）の（一）から（三）のいずれかに掲げる場合に該当することとなったときにおいて、当該該当することとなったときまでに**5**の受贈者が有していた**1**の規定の適用に係る認定医療法人の持分が共同相続人又は包括受遺者によって分割されている場合　　当該共同相続人又は包括受遺者が相続又は遺贈（贈与をした者の死亡により効力を生ずる贈与を含む。）により取得した当該認定医療法人の持分の価額が当該受贈者が有していた当該認定医療法人の持分の価額のうちに占める割合
　（二）　（一）に掲げる場合以外の場合　　国税通則法第5条第2項に規定する相続分

　　（承継した相続人に係る規定の適用）
（2）　**5**の規定により納付の義務を承継した**5**の相続人については、**1**の受贈者とみなして本節（**1**の（1）（2）（4）及び（6）を除く。）及び（2）の規定を適用する。（措令40の8の9⑬）

　　（納付の義務を承継した相続人が届出書を提出する場合）
（3）　**5**の規定により納付の義務の承継をした**5**の相続人が**4**の（1）の規定により同（1）の届出書を提出する場合には、当該届出書に（1）の（一）に定める割合を記載するとともに、遺言書の写し、財産の分割の協議に関する書類（当該書類に当該承継に係る全ての共同相続人及び包括受遺者が自署し、自己の印を押しているものに限る。）の写し（当該自己の印に係る印鑑証明書が添付されているものに限る。）その他の財産の取得の状況を証する書類を添付しなければならない。（措規23の12の6⑥）

　　（納付の義務を承継した相続人の規定の適用）
（4）　**5**の（2）の規定により**1**の受贈者とみなされた**5**の相続人については、**2**の（1）の（一）に規定する受贈者とみなして、（4）の規定を適用する。（措規23の12の6⑦）

　　（当該贈与者による認定医療法人の持分の放棄の時から7年以内に死亡した場合）
（5）　**1**の規定の適用に係る贈与者が**1**の規定の適用に係る当該贈与者による認定医療法人の持分の放棄の時から7年以内に死亡した場合には、**1**の規定の適用に係る経済的利益の価額については、第一編第六章第三節《贈与税額控除》の**1**の規定は、適用しない。（措令40の8の9⑮）
　（注）1　改正後の（5）の規定は、令和6年1月1日以後に（5）の贈与者が死亡する場合における（5）の経済的利益に係る相続税について適用し、令和5年12月31日以前に改正前の（5）の贈与者が死亡した場合における（5）の経済的利益に係る相続税については、なお従前の例による。（令5改措令附14⑨）
　　　　2　令和6年1月1日から令和8年12月31日までの間に改正後の（5）の贈与者が死亡する場合における（5）の経済的利益に係る相続税についての（5）の規定の適用については、（5）中「7年」とあるのは、「3年」とする。（令5改措令附14⑩）

－1402－

第一章　医療法人の持分に係る贈与税の納税猶予等

（贈与者が贈与税の申告期限前に死亡した場合）

（６）　経済的利益に係る贈与者が、当該経済的利益に係る贈与税の申告書の提出期限（第二編第六章第一節一の**1**《申告書の提出期間》又は同一の**2**《申告書の提出義務者が死亡した場合の相続人による申告》に規定する期限をいう。以下第二章までにおいて同じ。）前に、かつ、受贈者による当該申告書の提出前に死亡した場合における**1**の規定の適用については、次に掲げることに留意する。（措通70の7の9－3）

（一）　贈与者が認定医療法人の持分の放棄をした日の属する年に死亡した場合

　　受贈者が贈与者の死亡に係る相続又は遺贈により財産を取得した場合であっても、当該受贈者が当該贈与者による持分の放棄により受けた経済的利益について**1**の規定の適用を受けるときには、当該経済的利益については（５）の規定により第一編第六章第三節の**1**《相続開始前3年以内に贈与があった場合の相続税額》の規定の適用がないことから、第二編第四章の**4**《相続開始の年に被相続人から贈与を受けた財産（特定贈与財産を除く。）の除外》の規定の適用もないことに留意する。

（二）　贈与者が認定医療法人の持分の放棄をした日の属する年の翌年に死亡した場合

　　受贈者が贈与者の死亡に係る相続又は遺贈により財産を取得した場合であっても、当該受贈者が当該贈与者による持分の放棄により受けた経済的利益について**1**の規定の適用を受けるときには、当該経済的利益については（５）の規定により第一編第六章第三節《贈与税額控除》の**1**の規定の適用がないことから、当該経済的利益の価額は相続税の課税価格に加算されないことに留意する。

（注）　受贈者が、贈与者による持分の放棄により受けた経済的利益について**1**の規定の適用を受ける場合には、当該贈与者の死亡に係る第二編第六章第一節《期限内申告書》の規定による相続税の申告書の提出期限において、当該経済的利益に係る贈与税の申告書の提出期限が到来していないときであっても、当該経済的利益の価額は当該贈与者の死亡に係る相続税の課税価格に加算されないことに留意する。

（受贈者が贈与税の申告期限前に死亡した場合）

（７）　贈与者が認定医療法人の持分の全部又は一部の放棄をしたことにより経済的利益を受けた受贈者が、当該経済的利益を受けた日の属する年の中途において死亡した場合又は当該経済的利益に係る贈与税の申告書の提出期限前に当該申告書を提出しないで死亡した場合において、当該受贈者の相続人（包括受遺者を含む。以下（７）において同じ。）が当該経済的利益について**1**の規定の適用を受ける旨の贈与税の申告書を提出したとき（**1**の規定の適用に係る要件を満たしている場合に限る。）は、当該申告書は、**1**の規定の適用のある申告書であることに留意する。

　　この場合において、受贈者の相続人が2人以上あるときには、当該相続人は第三編第一章第五節一の（３）《相続時精算課税適用者に係る相続税の還付申告》の規定により贈与税の申告書を共同して提出することができる。なお、当該相続人が2人以上ある場合には、各相続人はそれぞれ**1**の規定の適用を選択することができることに留意する。（措通70の7の9－4）

（納付義務を承継した者に対する**1**の規定の適用）

（８）　**5**の規定により、受贈者に係る納税猶予分の贈与税額に係る納付の義務を承継した相続人（包括受遺者を含む。以下（８）において同じ。）が2人以上ある場合には、（２）及び（４）の規定により当該納付の義務を承継したそれぞれの相続人を**1**の受贈者とみなして**1**（**1**の（１）（２）（４）（６）を除く。）、**2**及び**2**の（１）の規定を適用することに留意する。（措通70の7の9－21）

（公租公課の金額の準用）

（９）　第一編第二節第四章三の**5**の規定は、**5**の規定により**5**の相続人が**5**の納税猶予分の贈与税額に係る納付の義務を承継した場合について準用する。（措令40の8の9⑭）

（納付義務を承継した場合の相続税法第14条の規定の適用）

（10）　**5**の規定により**5**の相続人が**5**の納税猶予分の贈与税額に係る納付税額を承継した場合には、第一編第四章第二節三の**5**の規定の準用があることに留意する。（措通70の7の9－21の2）

6　その他

（納税猶予に係る期限の繰上げ）

（１）　税務署長は、**1**の規定の適用を受ける受贈者が**1**に規定する担保について国税通則法第51条第1項《担保の変更等》の規定による命令に応じない場合には、納税猶予分の贈与税額に相当する贈与税に係る**1**の規定による納税の猶予に係

－1403－

第八編　医療法人の持分に係る相続税・贈与税の納税猶予等

る期限を繰り上げることができる。この場合においては、同法第49条第2項及び第3項《納税の猶予の取消し》の規定を準用する。（措法70の7の9⑨）

（増担保命令等に応じない場合の納税猶予の期限の繰上げ）
（2）　（1）の規定により、増担保命令等に応じないため納税猶予の期限を繰り上げる場合には、担保不足に対応する納税猶予に係る税額だけでなく、納税猶予分の贈与税額の全額について納税猶予の期限を繰り上げることに留意する。（措通70の7の9－19）

（国税通則法、国税徴収法及び相続税法の規定の適用）
（3）　受贈者が1の規定の適用を受けようとする場合又は1の規定による納税の猶予がされた場合における国税通則法、国税徴収法及び相続税法の規定の適用については、次に定めるところによる。（措法70の7の9⑩）
　（一）　1の規定の適用があった場合における贈与税に係る延滞税については、その贈与税の額のうち納税猶予分の贈与税額とその他のものとに区分して、それぞれの税額ごとに国税通則法の延滞税に関する規定を適用する。
　（二）　1の規定の適用を受けようとする受贈者が2の（4）本文の規定によりその有する認定医療法人の持分の全てを担保として提供する場合には、第一編第八章第二節四の12の（二）中「有価証券で税務署長等（国税に関する法律の規定により国税庁長官又は国税局長が担保を徴するものとされている場合には、国税庁長官又は国税局長。以下この条及び次条において同じ。）が確実と認めるもの」とあるのは、「有価証券及び1の（1）の（二）に規定する持分（質権その他の担保権の目的となっていないことその他の財務省令で定める要件を満たすものに限る。）」とし、同法第51条第1項の規定は、適用しない。
　（三）　（二）の場合において、2の（4）ただし書の規定の適用があるときは、（二）の規定は、適用しない。
　（四）　1の規定による納税の猶予を受けた贈与税については、国税通則法第64条第1項《利子税》中「延納」とあるのは「延納（1の規定による納税の猶予を含む。）」と、同法第73条第4項《時効の中断及び停止》中「延納、」とあるのは「延納（1の規定による納税の猶予を含む。以下この項において同じ。）、」とする。
　（五）　1の規定による納税の猶予に係る期限（3、3の（7）又は（1）の規定による当該期限を含む。）は、国税通則法及び国税徴収中法定納期限又は納期限に関する規定を適用する場合には、相続税法の規定による延納に係る期限に含まれるものとする。
　（六）　1の規定による納税の猶予を受けた贈与税については、国税通則法第52条第4項《担保の処分》中「認めるときは、税務署長等」とあるのは「認めるとき（1の規定による納税の猶予の担保として1に規定する経済的利益に係る1の認定医療法人の持分が提供された場合には、当該認めるとき、又は当該認定医療法人の持分を換価に付しても買受人がないとき）は、税務署長等」と、国税徴収法第35条第1項中「1年以上前」とあるのは「1年以上前（当該滞納に係る国税が贈与税である場合にあっては、当該贈与税に係る贈与の前）」と、同法第48条第1項中「財産は」とあるのは「財産（1の規定による納税の猶予の担保として1に規定する経済的利益に係る同項の認定医療法人の持分が提供された場合において、当該認定医療法人の持分を換価に付しても買受人がないときにおける当該担保を提供した1に規定する受贈者の他の財産を除く。）は」とする。
　（七）　3、3の（7）又は（1）の規定に該当する贈与税については、第二編第七章第二節《延納》の規定は、適用しない。

（利子税の納付）
（4）　1の規定の適用を受ける受贈者は、次の（一）から（三）のいずれかに掲げる場合に該当する場合には、当該（一）から（三）に規定する贈与税に相当する金額を基礎とし、当該贈与税に係る贈与税の申告書の提出期限の翌日から当該（一）から（三）に定める納税の猶予に係る期限までの期間に応じ、年6.6パーセントの割合を乗じて計算した金額に相当する利子税を、当該（一）から（三）に規定する贈与税に併せて納付しなければならない。（措法70の7の9⑫）
　（一）　3の規定の適用があった場合（（三）に掲げる場合に該当する場合を除く。）　3に規定する贈与税に係る3の規定による納税の猶予に係る期限
　（二）　3の（7）の規定の適用があった場合（（三）に掲げる場合に該当する場合を除く。）　3の（7）に規定する政令で定めるところにより計算した金額に相当する贈与税に係る3の（7）の規定による納税の猶予に係る期限
　（三）　（1）の規定の適用があった場合　（1）に規定する贈与税に係る（1）の規定により繰り上げられた納税の猶予に係る期限

（修正申告等に係る贈与税額の納税猶予）
（5）　1の規定は、経済的利益に係る贈与税についての期限後申告、修正申告又は更正に係る税額については適用がない

－1404－

第一章　医療法人の持分に係る贈与税の納税猶予等

ことに留意する。

　ただし、修正申告又は更正があった場合で、当該修正申告又は更正が期限内申告において**1**の規定の適用を受けた経済的利益の価額の算定又は税額計算の誤りのみに基づいてされるときにおける当該修正申告又は更正により納付すべき贈与税額（附帯税を除く。）については、当初から**1**の規定の適用があることとして取り扱う。

　この場合において、当該修正申告又は更正により納税猶予を受ける贈与税の本税の額と当該本税に係る利子税の額に相当する担保については、当該修正申告書の提出の日又は当該更正に係る通知書が発せられた日の翌日から起算して1月を経過する日までに提供しなければならないこととして取り扱う。（措通70の7の9－5）

　　（地方厚生支局長等の通知の義務）
（6）　厚生労働大臣又は地方厚生局長若しくは地方厚生支局長は、**1**の規定の適用を受ける受贈者若しくは**1**の規定の適用に係る認定医療法人について、**3**若しくは**3**の（7）の規定による納税の猶予に係る期限の確定に係る事実に関し、法令の規定に基づき報告の受理その他の行為をしたことにより当該事実があったことを知った場合又は当該認定医療法人の認定移行計画の変更（移行期限に係るものに限る。）について、平成18年医療法等改正法附則第10条の4第1項の規定による認定を行った場合には、遅滞なく、当該受贈者若しくは当該認定医療法人について当該事実が生じた旨又は当該変更について当該認定を行った旨その他（7）の財務省令で定める事項を、書面により、国税庁長官又は当該受贈者の納税地の所轄税務署長に通知しなければならない。（措法70の7の9⑭）

　　（書面通知に係る財務省令で定める規定事項）
（7）　（6）に規定する財務省令で定める事項は、次の各号に掲げる場合の区分に応じ当該各号に定める事項とする。（措規23の12の6⑧）
　（一）　受贈者又は認定医療法人について、（6）の納税の猶予に係る期限の確定に係る事実があったことを知った場合　次に掲げる事項
　　イ　当該事実が生じた旨
　　ロ　当該受贈者及び当該受贈者に係る贈与者の氏名及び住所又は居所並びに当該認定医療法人の名称及び主たる事務所の所在地
　　ハ　当該事実の詳細及び当該事実の生じた年月日並びに当該事実に係る報告の受理その他の行為の内容
　　ニ　その他参考となるべき事項
　（二）　（6）に規定する認定医療法人の認定移行計画の変更について、（6）に規定する認定を行った場合　次に掲げる事項
　　イ　当該認定を行った旨
　　ロ　受贈者及び当該受贈者に係る贈与者の氏名及び住所又は居所並びに当該認定医療法人の名称及び主たる事務所の所在地
　　ハ　当該認定を行った年月日並びに当該認定による変更前及び変更後の**1**の（1）の（五）に規定する移行期限
　　ニ　その他参考となるべき事項

　　（税務署長からの通知）
（8）　税務署長は、**1**の場合において厚生労働大臣又は地方厚生局長若しくは地方厚生支局長の事務（**1**の規定の適用を受ける受贈者に関する事務で、（6）の規定の適用に係るものに限る。）の処理を適正かつ確実に行うため必要があると認めるときは、厚生労働大臣又は当該地方厚生局長若しくは当該地方厚生支局長に対し、当該受贈者が**1**の規定の適用を受ける旨その他（9）の財務省令で定める事項を通知することができる。（措法70の7の9⑮）

　　（財務省令で定める通知事項）
（9）　（8）に規定する財務省令で定める事項は、次に掲げる事項とする。（措規23の12の6⑨）
　（一）　**1**の規定の適用を受ける受贈者及び当該受贈者に係る贈与者の氏名及び住所又は居所
　（二）　（一）の受贈者が（一）の贈与者による認定医療法人の持分の放棄により受けた**1**の規定の適用に係る**1**に規定する経済的利益に係る**1**に規定する贈与税の申告書が提出された日
　（三）　その他（8）の通知の事務に関し税務署長が必要と認める事項

　　（2以上の認定医療法人がある場合等の担保の取扱い）
（10）　**1**の規定による贈与者又は認定医療法人が2以上ある場合、**1**に係る担保の提供手続、**2**の（4）に係るみなす充足

の取扱い、（1）に係る納税猶予の期限の繰上げ及び**5**に係る納税猶予税額の承継の取扱いに当たっては、贈与者又は認定医療法人の異なるものごとの納税猶予分の贈与税額にそれぞれの規定を適用することに留意する。（措通70の7の9－20）

第二節　医療法人の持分に係る経済的利益についての贈与税の税額控除

1　特例適用の要件

　認定医療法人（平成26年改正医療法施行日（平成26年10月１日）から令和８年12月31日までの間に厚生労働大臣認定を受けた医療法人に限る。）の持分を有する個人（(11)において「**贈与者**」という。）が当該持分の全部又は一部の放棄をしたことにより、当該認定医療法人の持分を有する他の個人（以下本節において「**受贈者**」という。）に対して贈与税が課される場合において、当該受贈者が当該放棄の時から当該放棄による経済的利益に係る贈与税の申告書の提出期限までの間にその有する当該認定医療法人の持分の全部又は一部を(8)の財務省令で定めるところにより放棄したときは、当該受贈者については、第二編第五章第一節《贈与税の基礎控除》から同第四節《在外財産に対する贈与税額の控除》までの規定（同第一節の**2**《基礎控除の特例》及び同第三節**二**《直系尊属から贈与を受けた場合の贈与税の税率の特例》の規定を含む。）により計算した金額から放棄相当贈与税額を控除した残額をもって、その納付すべき贈与税額とする。（措法70の７の10①）

（70の７の９関係通達の準用）
（１）　第一節**1**の(3)(5)(8)(9)、同節**3**の(13)及び同節**6**の(5)については、**1**に規定する受贈者（以下(1)(2)(3)及び(6)において「受贈者」という。）が**1**の規定の適用を受ける場合について準用する。（措通70の７の10－１）

（贈与者が贈与税の申告期限前に死亡した場合）
（２）　**1**に規定する認定医療法人の持分を有する個人（以下(2)、(3)及び(6)において「贈与者」という。）が、経済的利益に係る贈与税の申告書の提出期限前に、かつ、受贈者による当該申告書の提出前に死亡した場合における**1**の規定の適用については、次に掲げることに留意する。（措通70の７の10－２）
（一）　贈与者が認定医療法人の持分の放棄をした日の属する年に死亡した場合
　　　受贈者が贈与者の死亡に係る相続又は遺贈により財産を取得した場合であっても、当該受贈者が当該贈与者による持分の放棄により受けた経済的利益について**1**の規定の適用を受けるときには、当該経済的利益については**2**の規定により第一編第六章第三節の**1**《相続開始前３年以内に贈与があった場合の相続税額》の規定の適用がないことから、第二編第四章の**4**《相続開始の年に被相続人から贈与を受けた財産（特定贈与財産を除く。）の除外》の規定の適用もないことに留意する。
（二）　贈与者が認定医療法人の持分の放棄をした日の属する年の翌年に死亡した場合
　　　受贈者が贈与者の死亡に係る相続又は遺贈により財産を取得した場合であっても、当該受贈者が当該贈与者による持分の放棄により受けた経済的利益について**1**の規定の適用を受けるときには、当該経済的利益については**2**の規定により第一編第六章第三節の**1**《相続開始前３年以内に贈与があった場合の相続税額》の規定の適用がないことから、当該経済的利益の価額は相続税の課税価格に加算されないことに留意する。
(注)　受贈者が、贈与者による持分の放棄により受けた経済的利益について**1**の規定の適用を受ける場合には、当該贈与者の死亡に係る第一編第七章第一節の**一**《期限内申告書》の規定による相続税の申告書の提出期限において、当該経済的利益に係る贈与税の申告書の提出期限が到来していないときであっても、当該経済的利益の価額は当該贈与者の死亡に係る相続税の課税価格に加算されないことに留意する。

（受贈者が贈与税の申告期限前に死亡した場合）
（３）　贈与者が認定医療法人の持分の全部又は一部の放棄をしたことにより経済的利益を受けた受贈者が、当該認定医療法人の持分の全部又は一部を放棄した後、当該経済的利益を受けた日の属する年の中途において死亡した場合又は当該経済的利益に係る贈与税の申告書の提出期限前に当該申告書を提出しないで死亡した場合において、当該受贈者の相続人（包括受遺者を含む。以下(3)において同じ。）が当該経済的利益について**1**の規定の適用を受ける旨の贈与税の申告書を提出したとき（**1**の規定の適用に係る要件を満たしている場合に限る。）は、当該申告書は、**1**の規定の適用のある申告書であることに留意する。
　　　この場合において、受贈者の相続人が２人以上あるときに、当該相続人は第一編第七章第一節の**三**《申告書の共同提出》の規定により贈与税の申告書を共同して提出することができる。
　　　なお、当該相続人が２人以上ある場合には、各相続人はそれぞれ**1**の規定の適用を選択することができることに留意

第八編　医療法人の持分に係る相続税・贈与税の納税猶予等

する。（措通70の7の10－3）

　　　（放棄相当贈与税額）
（4）　1に規定する放棄相当贈与税額とは、1の経済的利益の価額を1の受贈者に係るその年分の贈与税の課税価格とみなして（5）の政令で定めるところにより計算した金額のうち当該受贈者による1の認定医療法人の持分の放棄がされた部分に相当するものとして（5）及び（7）の政令で定めるところにより計算した金額をいう。（措法70の7の10②）

　　　（課税価格の規定）
（5）　（4）に規定する贈与税の課税価格とみなして政令で定めるところにより計算した金額は、1に規定する贈与者の1の放棄による経済的利益の価額を1に規定する受贈者（以下本節において「**受贈者**」という。）に係るその年分の贈与税の課税価格とみなして、第二編第五章第一節《贈与税の基礎控除》及び同第三節《贈与税の税率》の規定（同第一節の2《基礎控除の特例》及び同第三節二《直系尊属から贈与を受けた場合の贈与税の税率の特例》の規定を含む。）を適用して計算した金額とする。この場合においては、第一節の3の（10）から（12）までの規定を準用する。（措令40の8の10①）

　　　（基金拠出型医療法人への移行をする場合の放棄相当贈与税額の計算）
（6）　認定医療法人が基金拠出型医療法人への移行をする場合において、1の規定の適用を受ける受贈者が有する当該認定医療法人の持分の一部を財務省令で定めるところにより放棄し、その残余の部分を当該基金拠出型医療法人の基金として拠出したときの（4）に規定する放棄相当贈与税額は、（5）の規定により計算した金額に、次に掲げる割合（当該割合が1を超える場合には、1とする。）を乗じて計算することに留意する。（措通70の7の10－4）

$$\dfrac{\text{認定医療法人の持分のうち受贈者が放棄した部分に対応する部分の当該放棄の直前における金額}}{\text{受贈者による放棄の直前において当該受贈者が有していた認定医療法人の持分の価額に相当する金額}} \times \dfrac{A}{A+B}$$

（注）　上記算式中の符号は次のとおり。
　　　Aは、1の規定の適用に係る贈与者による放棄により受けた経済的利益の価額
　　　Bは、1の規定の適用に係る贈与者による放棄の直前において当該受贈者が有していた当該認定医療法人の持分の価額

　　　（政令で定める金額）
（7）　（4）に規定する持分の放棄がされた部分に相当するものとして政令で定めるところにより計算した金額は、次の（一）、（二）に掲げる場合の区分に応じ当該（一）、（二）に定める金額とする。（措令40の8の10②）
　（一）　1の規定の適用を受ける受贈者が有する1の規定の適用に係る1に規定する認定医療法人（以下（7）において「認定医療法人」という。）の持分の全てを（8）の財務省令で定めるところにより放棄をした場合　　（5）の規定により計算した金額
　（二）　1の規定の適用に係る認定医療法人が第一節の1の（1）の（六）に規定する基金拠出型医療法人（以下（二）及び第三章第二節1の（4）の（二）において「**基金拠出型医療法人**」という。）への移行をする場合において、1の規定の適用を受ける受贈者が有する当該認定医療法人の持分の一部を（8）の財務省令で定めるところにより放棄をし、その残余の部分を当該基金拠出型医療法人の基金として拠出したとき　　（5）の規定により計算した金額にイに掲げる金額がロに掲げる金額に占める割合（当該割合が1を超える場合には、1とする。）を乗じて計算した金額
　　イ　当該認定医療法人の持分のうち当該放棄をした部分に対応する部分の当該放棄の直前における金額
　　ロ　当該放棄の直前において当該受贈者が有していた当該認定医療法人の持分の価額に相当する金額に①に掲げる価額が①に掲げる価額と②に掲げる価額との合計額に占める割合を乗じて計算した金額
　　　①　1の規定の適用に係る1の贈与者による放棄により受けた経済的利益の価額
　　　②　①の放棄の直前において当該受贈者が有していた当該認定医療法人の持分の価額

　　　（放棄の方法）
（8）　1及び（7）の（一）、（二）の認定医療法人（1に規定する認定医療法人をいう。（13）において同じ。）の持分の全部又は一部の放棄は、厚生労働大臣が定める書類を当該認定医療法人に提出してするものとする。（措規23の12の7①）

　　　（重複適用の排除）
（9）　第一節の1の（2）の規定は、1の規定の適用を受ける経済的利益について準用する。（措法70の7の10③）

－1408－

第一章　医療法人の持分に係る贈与税の納税猶予等

（当該経済的利益以外の財産についての相続時精算課税制度の規定の適用）
(10)　**1**の規定の適用を受けようとする受贈者が、**1**の規定の適用に係る**1**の贈与者による放棄があった日の属する年中において、**1**の規定の適用を受ける経済的利益以外の財産について第三編《相続時精算課税制度》第一章第一節から第四節の規定の適用を受ける者である場合における**1**の規定の適用については、**1**中「第二編第五章第四節《在外財産に対する贈与税額の控除》」とあるのは「同第三節《贈与税の税率》の**一**」と、「）により」とあるのは「）又は第三編第一章第二節《相続時精算課税に係る贈与税の課税価格及び税額》の**二**の規定及び第二編第五章第四節《在外財産に対する贈与税額の控除》の規定により」とする。（措令40の8の10④）

（申告書の提出期限までの間に払戻しを受けた場合又は譲渡をした場合の不適用）
(11)　**1**の規定の適用を受けようとする受贈者が、**1**の贈与者による認定医療法人の持分の放棄があった日から**1**の経済的利益に係る贈与税の申告書の提出期限までの間に、当該認定医療法人の持分に基づき出資額に応じた払戻しを受けた場合又は当該持分の譲渡をした場合には、**1**の規定は、適用しない。（措法70の7の10④）

（添付書類がない場合）
(12)　**1**の規定は、**1**の規定の適用を受けようとする受贈者の経済的利益に係る贈与税の申告書に、当該経済的利益について**1**の規定の適用を受けようとする旨の記載がない場合又は当該経済的利益に係る持分の明細及び**1**の放棄相当贈与税額の計算に関する明細その他(13)の財務省令で定める書類の添付がない場合には、適用しない。（措法70の7の10⑤）

（財務省令で定める書類）
(13)　(12)に規定する財務省令で定める書類は、次の(一)、(二)に掲げる場合の区分に応じ当該(一)、(二)に定める書類とする。（措規23の12の7②）
(一)　(7)の(一)に掲げる場合に該当することとなった場合　　次に掲げる書類
　イ　第一節**1**の(7)の(一)から(三)まで及び(五)に掲げる書類
　ロ　(11)に規定する場合に該当しない旨を記載した書類
　ハ　**1**の規定の適用を受ける**1**に規定する受贈者が**1**の規定の適用に係る認定医療法人の持分の放棄をする際に当該認定医療法人に提出した(8)の書類（当該認定医療法人が当該書類を受理した年月日の記載があるものに限る。）の写し
　ニ　**1**の規定の適用を受ける**1**に規定する受贈者による認定医療法人の持分の放棄の直前及び当該放棄の時における当該認定医療法人の出資者名簿の写し
(二)　(7)の(二)に掲げる場合に該当することとなった場合　　次に掲げる書類
　イ　(一)に定める書類
　ロ　(7)の(二)の基金拠出型医療法人の定款（認定医療法人から当該基金拠出型医療法人への移行のための医療法第54条の9第3項の規定による都道府県知事の認可を受けたものに限る。）の写し
　ハ　**1**の放棄相当贈与税額の計算の明細の根拠を明らかにする書類

2　贈与者が7年以内に死亡した場合

　1の規定の適用に係る**1**に規定する贈与者が**1**の規定の適用に係る当該贈与者による認定医療法人の持分の放棄の時から7年以内に死亡した場合には、**1**の規定の適用に係る経済的利益の価額については、第一編第六章第三節の**1**《相続開始前7年以内に贈与があった場合の相続税額》の規定は、適用しない。（措令40の8の10③）

(注)1　改正後の**2**の規定は、令和6年1月1日以後に**2**の贈与者が死亡する場合における**2**の経済的利益に係る相続税について適用し、令和5年12月31日以前に改正前の**2**の贈与者が死亡した場合における**2**の経済的利益に係る相続税については、なお従前の例による。（令5改措令附14⑪）
　　2　令和6年1月1日から令和8年12月31日までの間に改正後の**2**の贈与者が死亡する場合における**2**の経済的利益に係る相続税についての**2**の規定の適用については、**2**中「7年」とあるのは、「3年」とする。（令5改措令附14⑫）

第八編　医療法人の持分に係る相続税・贈与税の納税猶予等

第二章　個人の死亡に伴い贈与又は遺贈があったものとみなされる場合の特例

1　特例適用の要件

　第三章第一節の**1**の(1)に規定する経過措置医療法人の持分を有する個人の死亡に伴い当該経過措置医療法人の持分を有する他の個人の当該持分の価額が増加した場合には、当該持分の価額の増加による経済的利益に係る第二編第二章第二節の**五**《その他の経済的利益》本文の規定の適用については、第二編第二章第二節の**五**《その他の経済的利益》本文中「贈与（当該行為が遺言によりなされた場合には、遺贈）」とあるのは、「贈与」とする。この場合において、当該経済的利益については、第一編第六章第三節の**1**《相続開始前3年以内に贈与があった場合の相続税額》の規定は、適用しない。（措法70の7の11①）

　（認定医療法人である場合の当該経済的利益の規定の適用）
（1）　**1**前段に規定する場合において、**1**の経過措置医療法人が**1**の経済的利益に係る贈与税の申告書の提出期限において認定医療法人（平成26年改正医療法施行日（平成26年10月1日）から令和8年12月31日までの間に厚生労働大臣認定を受けた医療法人に限る。）であるときは、**1**の他の個人は、当該経済的利益について、第一章第一節及び同章第二節の規定の適用を受けることができる。この場合において、**1**の死亡した個人は同章第一節の**1**又は同章第二節の**1**に規定する贈与者と、当該他の個人はこれらの規定に規定する受贈者とみなす。（措法70の7の11②）

　（経済的利益に係る相続税法第9条本文の規定の適用）
（2）　経過措置医療法人（第三章第一節の**1**の(1)《経過措置医療法人・納税猶予分の相続税額の意義》に規定する経過措置医療法人をいう。以下本編において同じ。）の持分を有する個人（以下(2)において「死亡した個人」という。）の死亡に伴い当該経過措置医療法人の持分を有する他の個人の当該持分の価額が増加した場合とは、例えば、次に掲げる場合に該当して当該他の個人の持分の価額が増加した場合をいうことに留意する。（措通70の7の11－1）
　（一）　死亡した個人が、遺言により当該死亡した個人が有していた経過措置医療法人の持分を放棄した場合
　（二）　経過措置医療法人が出資額限度法人である場合において、死亡した個人が社員資格を喪失して退社し、当該死亡した個人の相続人が出資額を限度とする払戻しを受けたとき
　（注）　出資額限度法人とは、平成16年8月13日付医政発第0813001号「いわゆる『出資額限度法人』について」の「第2『出資額限度法人』の定義」に規定する出資額限度法人をいう。
　（参考）　第2「出資額限度法人」の定義
　　本通知において「出資額限度法人」とは、出資持分の定めのある社団医療法人であって、その定款において、社員の退社時における出資持分払戻請求権や解散時における残余財産分配請求権の法人の財産に及び範囲について、払込出資額を限度とすることを明らかにするものをいうこと。

　（放棄の時期）
（3）　**1**前段に規定する場合において、**1**の経過措置医療法人が**1**の経済的利益に係る贈与税の申告書の提出期限において(1)に規定する認定医療法人（以下(3)において「認定医療法人」という。）であるときは、(1)に規定する他の個人は当該経済的利益について、第一章第一節の**1**《特例適用の要件》又は同章第二節の**1**《特例適用の要件》の規定の適用を受けることができるが、同章第二節の**1**《特例適用の要件》の規定の適用があるのは、当該経過措置医療法人が同章第一節の**1**の(1)《用語の意義》の(四)に規定する厚生労働大臣認定を受けた後に、当該他の個人が当該厚生労働大臣認定に係る認定医療法人の持分の放棄をした場合に限られることに留意する。（措通70の7の11－2）

　（特例を適用する場合の規定の読替え）
（4）　(1)の規定により(1)の経済的利益について第一章第一節の**1**又は同章第二節の規定を適用する場合には、次の表の左欄に掲げるこれらの規定中同表の中欄に掲げる字句は、同表の右欄に掲げる字句とする。（措令40の8の11①）

| 第一章第一節の**1** | 認定医療法人（地域における医療及び介護の総合的な確保を推進するための関係法律の整備等 | 第三章第一節の**1**の(1)に規定する経過措置医療法人（同**1**の(6)において「経過措置医療法 |

－1410－

第二章　個人の死亡に伴い贈与又は遺贈があったものとみなされる場合の特例

	に関する法律（平成26年法律第86号）附則第1条第2号に掲げる規定の施行の日（以下第三章第一節において「平成26年改正医療法施行日」という。）から令和8年12月31日までの間に厚生労働大臣認定を受けた医療法人に限る。）	人」という。）
	当該持分の全部又は一部の放棄をした	死亡した
	当該認定医療法人	当該経過措置医療法人
	放棄があった	贈与者の死亡の
	放棄により	贈与者の死亡により
	ついては	ついては、当該経過措置医療法人が当該贈与税の申告書の提出期限において認定医療法人（地域における医療及び介護の総合的な確保を推進するための関係法律の整備等に関する法律（平成26年法律第86号）附則第1条第2号に掲げる規定の施行の日（以下第三章第一節において「平成26年改正医療法施行日」という。）から令和8年12月31日までの間に厚生労働大臣認定を受けた医療法人に限る。）であり、かつ
	同法第33条	相続税法第33条
第一章第一節の1の（4）	による認定医療法人の持分の放棄があった	の死亡の
	第一章第一節の1の（4）の認定医療法人	第一章第一節の1の（4）の経過措置医療法人
第一章第二節の1	認定医療法人（平成26年改正医療法施行日から令和8年12月31日までの間に厚生労働大臣認定を受けた医療法人に限る。）	第三章第一節の1の（1）に規定する経過措置医療法人
	当該持分の全部又は一部の放棄をした	死亡した
	、当該認定医療法人	、当該経過措置医療法人
	おいて、	おいて、当該経過措置医療法人が当該贈与者の死亡による経済的利益に係る贈与税の申告書の提出期限において認定医療法人（平成26年改正医療法施行日から令和8年12月31日までの間に厚生労働大臣認定を受けた医療法人に限る。）であり、かつ、
	当該放棄	当該贈与者の死亡
第一章第二節の1の（11）	による認定医療法人の持分の放棄があった	の死亡の
	、当該	第一章第二節の1の（11）の

（規定の準用）

（5）　第一章第一節及び同章第二節の規定は、（1）の規定により（1）の経済的利益について同章第一節又は同章第二節の規定を適用する場合について準用する。（措令40の8の11②）

（適用を受ける旨の申告書の記載）

（6）　（1）後段の規定により第一章第一節の1又は同章第二節に規定する受贈者とみなされる1の他の個人は、（1）の規定により同章第一節又は同章第二節の規定の適用を選択する旨をこれらの規定の適用に係る同章第一節の1に規定する贈与税の申告書に記載しなければならない。（措令40の8の11③）

第八編　医療法人の持分に係る相続税・贈与税の納税猶予等

（規定の不適用）
（7）　1の規定は、1の他の個人が（1）の規定により第一章第一節及び同章第二節の規定の適用を選択した場合を除き、適用しない。（措法70の7の11③）

第三章　医療法人の持分に係る相続税の納税猶予等

第一節　医療法人の持分についての相続税の納税猶予及び免除

1　特例適用の要件

　個人が経過措置医療法人の持分を有していた他の個人（（7）において「**被相続人**」という。）から相続又は遺贈により当該経過措置医療法人の持分を取得した場合において、当該経過措置医療法人が当該相続に係る第一編第七章第一節**一**《相続税の申告》の1の規定による期限内申告書（当該期限内申告書の提出期限前に当該持分を取得した個人（以下本節において「**相続人等**」という。）が死亡した場合には、当該相続人等の相続人（包括受遺者を含む。）が提出する第一編第七章第一節**四**《申告書の提出義務者が死亡した場合の申告》の1の規定による期限内申告書を含む。以下本章において「**相続税の申告書**」という。）の提出期限において認定医療法人（平成26年改正医療法施行日（平成26年10月1日）から令和8年12月31日までの間に厚生労働大臣認定を受けた医療法人に限る。）であるときは、当該相続人等が当該相続税の申告書の提出により納付すべき相続税の額のうち、当該持分の価格で当該相続税の申告書に1の規定の適用を受けようとする旨の記載があるものに係る納税猶予分の相続税額に相当する相続税については、政令で定めるところにより当該相続税の申告書の提出期限までに当該納税猶予分の相続税額に相当する担保を提供した場合に限り、第一編第八章第一節**二**の1《期限内申告に係る相続税の納付期限》の規定にかかわらず、認定移行計画に記載された移行期限まで、その納税を猶予する。（措法70の7の12①）

　　　（経過措置医療法人・納税猶予分の相続税額の意義）
（1）　本節において、経過措置医療法人とは平成18年医療法等改正法附則第10条の2に規定する経過措置医療法人をいい、納税猶予分の相続税額とは1の規定の適用に係る持分の価額を1の相続人等に係る相続税の課税価格とみなして第一編第四章第二節**三**《債務控除》、同節**四**《相続開始前3年以内に贈与があった場合の相続税額》、同編第五章第一節《遺産に係る基礎控除》、同第二節《相続税の総額》、同編第六章第一節《各相続人等の算出税額》、同第二節《相続税額の加算》、同第三節《贈与税額控除》までの規定を適用して政令で定めるところにより計算した当該相続人等の相続税の額をいう。（措法70の7の12②）

　　　（当該相続人等の相続税の額）
（2）　（1）に規定する相続人等の相続税の額は、1の規定の適用に係る持分の価額（第一編第四章第二節の**三**《債務控除》の1、2及び4の規定により控除すべき債務がある場合において、控除未済債務額があるときは、当該持分の価額から当該控除未済債務額を控除した残額。（二）において「**特定価額**」という。）を当該相続人等に係る相続税の課税価格とみなして、第一編第四章第二節**三**《債務控除》、同節**四**《相続開始前3年以内に贈与があった場合の相続税額》、同編第五章第一節《遺産に係る基礎控除》、同第二節《相続税の総額》、同編第六章第一節《各相続人等の算出税額》、同第二節《相続税額の加算》、同第三節《贈与税額控除》まで並びに第三編第一章第三節《相続時精算課税に係る相続税の課税価格及び税額》**一**の（1）、**三**の（2）の規定を適用して計算した当該相続人等の相続税の額（当該相続人等が第一編第六章第四節《配偶者の税額軽減》、同第五節《未成年者控除》、同第六節《障害者控除》、同第七節《相次相続控除》、同第八節《在外財産に対する相続税額の控除》又は第三編第一章第三節《相続時精算課税に係る相続税の課税価格及び税額》の**一**の規定の適用を受ける者である場合において、当該相続人等に係る1に規定する納付すべき相続税の額の計算上これらの規定により控除された金額の合計額が（一）に掲げる金額から（二）に掲げる金額を控除した残額を超えるときは、当該超える部分の金額を控除した残額）とする。（措令40の8の12④）
（一）　第一編第三章《相続税の非課税財産》、同第四章第一節《相続税の課税方式》、同第二節《相続税の課税価格》、同第二節**三**《債務控除》、同節**四**《相続開始前3年以内に贈与があった場合の相続税額》、同編第五章第一節《遺産に係る基礎控除》、同第二節《相続税の総額》、同編第六章第一節《各相続人等の算出税額》、同第二節《相続税額の加算》、同第三節《贈与税額控除》まで並びに第三編第一章第三節《相続時精算課税に係る相続税の課税価格及び税額》**一**の（1）、**三**の（2）の規定を適用して計算した当該相続人等の相続税の額

－1413－

第八編　医療法人の持分に係る相続税・贈与税の納税猶予等

　（二）　特定価額を当該相続人等に係る相続税の課税価格とみなして、第一編第四章第二節**三**《債務控除》、同節**四**《相続開始前３年以内に贈与があった場合の相続税額》、同編第五章第一節《遺産に係る基礎控除》、同第二節《相続税の総額》、同編第六章第一節《各相続人等の算出税額》、同第二節《相続人額の加算》、同第三節《贈与税額控除》まで並びに第三編第一章第三節《相続時精算課税に係る相続税の課税価格及び税額》の**一**及び**三**の（２）の規定を適用して計算した当該相続人等の相続税の額

　　（控除未済債務額の意義）
（３）　（２）の「控除未済債務額」とは、（一）に掲げる金額から（二）に掲げる金額を控除した金額（当該金額が零を下回る場合には、零とする。）をいう。（措令40の８の12⑤）
　（一）　第一編第四章第二節**三**《債務控除》の**１**、**２**及び**５**の規定により控除すべき相続人等の負担に属する部分の金額
　（二）　（一）の相続人等に係るイに掲げる価額とロに掲げる金額との合計額からハに掲げる価額を控除した残額
　　イ　当該相続人等が**１**の規定の適用に係る相続又は遺贈（贈与をした者の死亡により効力を生ずる贈与を含む。）により取得した財産の価額
　　ロ　当該相続人等が被相続人からの贈与（贈与をした者の死亡により効力を生ずる贈与を除く。）により取得した財産で第三編第一章第一節**二**の（１）の規定の適用を受けるものの価額から同章第二節**一**の（１）の規定（同節**三**の規定を含む。）による控除をした残額
　　ハ　当該相続人等が**１**の規定の適用に係る相続又は遺贈により取得した**１**の規定の適用に係る持分の価額
　（注）　改正後の（３）の規定は、令和６年１月１日以後に贈与（贈与をした者の死亡により効力を生ずる贈与を除く。以下同じ。）により財産を取得する者（以下「改正後受贈者」という。）に係る新規定に規定する控除未済債務額について適用し、令和５年12月31日以前に贈与により財産を取得した者（改正後受贈者を除く。）に係る改正前の（３）に規定する控除未済債務額については、なお従前の例による。（令５改措令附14⑦）

　　（申告書の提出期限までの間に払戻しを受けた場合又は譲渡等をした場合の不適用）
（４）　**１**の規定の適用を受けようとする相続人等が、**１**の相続の開始の時から当該相続に係る相続税の申告書の提出期限までの間に**１**の経過措置医療法人の持分に基づき出資額に応じた払戻しを受けた場合若しくは当該持分の譲渡をした場合又は第二節の**１**の規定の適用を受ける場合には、**１**の規定は、適用しない。（措法70の７の12③）

　　（申告期限前に払戻し等が行われた場合）
（５）　**１**の規定の適用を受けようとする相続人等が**１**の規定の適用を受けようとする経過措置医療法人の持分に係る相続の開始の時から当該相続に係る第一編第七章**一**の**１**《申告書の提出期限》の規定による相続税の申告書の提出期限までの間に、当該経過措置医療法人の持分に基づき出資額に応じた払戻しを受けた場合又は当該持分の全部若しくは一部の譲渡をした場合には、**１**の規定の適用を受けることができないことに留意する。
　　なお、当該譲渡は、有償又は無償であることを問わないことに留意する。（措通70の７の12－７）

　　（分割されていない持分についての規定の適用）
（６）　**１**の相続に係る相続税の申告書の提出期限までに、当該相続又は遺贈により取得した経過措置医療法人の持分の全部又は一部が共同相続人又は包括受遺者によってまだ分割されていない場合における**１**の規定の適用については、その分割されていない持分は、当該相続税の申告書に**１**の規定の適用を受ける旨の記載をすることができないものとする。（措法70の７の12④）

　　（申告書に適用記載がない場合又は添付書類がない場合）
（７）　**１**の規定は、**１**の規定の適用を受けようとする相続人等のその被相続人から相続又は遺贈により取得した**１**の認定医療法人の持分に係る相続税の申告書に、当該持分につき**１**の規定の適用を受けようとする旨の記載がない場合又は当該持分の明細及び納税猶予の相続税額の計算に関する明細その他（８）の財務省令で定める書類の添付がない場合には、適用しない。（措法70の７の12⑧）

　　（財務省令で定める書類）
（８）　（７）に規定する財務省令で定める書類は、次に掲げる書類とする。（措規23の12の８④）
　（一）　**１**の規定の適用に係る認定医療法人が厚生労働大臣認定を受けていることを証する書類
　（二）　認定医療法人の認定移行計画の写し
　（三）　**１**の規定の適用に係る相続の開始の直前及び当該相続の開始の時における認定医療法人の出資者名簿の写し

－1414－

第三章　医療法人の持分に係る相続税の納税猶予等

（四）　（4）に規定する場合に該当しない旨を記載した書類
（五）　遺言書の写し、財産の分割の協議に関する書類（当該書類に1の相続に係る全ての共同相続人及び包括受遺者が自署し、自己の印を押しているものに限る。）の写し（当該自己の印に係る印鑑証明書が添付されているものに限る。）その他の財産の取得の状況を証する書類
（六）　その他参考となるべき書類

2　担保の提供

　1の規定の適用を受けようとする1に規定する相続人等（以下本節において「相続人等」という。）が行う担保の提供については、国税通則法施行令第16条《担保の提供手続》に定める手続によるほか、1の規定の適用に係る1に規定する認定医療法人（以下本節において「**認定医療法人**」という。）の持分を担保として提供する場合には、当該相続人等が当該持分を担保として提供することを約する書類その他（1）の財務省令で定める書類を納税地の所轄税務署長に提出する方法によるものとする。（措令40の8の12①）

　　（担保の提供に係る書類）
（1）　2に規定する財務省令で定める書類は、次に掲げる書類とする。（措規23の12の8①）
　（一）　1に規定する相続人等がその有する1の規定の適用に係る1に規定する認定医療法人（（三）及び1の（8）において「**認定医療法人**」という。）の持分に質権の設定をすることについて承諾した旨を記載した書類（当該相続人等が自署し、自己の印を押しているものに限る。）
　（二）　（一）の相続人等の印に係る印鑑証明書
　（三）　（一）の認定医療法人が（一）の質権の設定について承諾したことを証する書類で次に掲げるいずれかのもの
　　イ　当該質権の設定について承諾した旨が記載された公正証書
　　ロ　当該質権の設定について承諾した旨が記載された私署証書で登記所又は公証人役場において日付のある印が押されているもの（当該認定医療法人の印を押しているものに限る。）及び当該認定医療法人の印に係る印鑑証明書
　　ハ　当該質権の設定について承諾した旨が記載された書類（当該認定医療法人の印を押しているものに限る。）で郵便法第48条第1項の規定により内容証明を受けたもの及び当該認定医療法人の印に係る印鑑証明書

　　（担保の解除）
（2）　税務署長は、2の規定により認定医療法人の持分が担保として提供されている場合において、当該担保を解除したときは、1の規定の適用を受けている相続人等が当該持分を担保として提供することを約する書類その他（3）の財務省令で定める書類を当該相続人等に返還しなければならない。（措令40の8の12②）

　　（担保の解除に係る書類）
（3）　（2）に規定する財務省令で定める書類は、（1）の（一）及び（三）に掲げる書類とする。（措規23の12の8②）

　　（認定医療法人の持分の全てを担保として提供した場合）
（4）　第一章第一節の2の（4）の規定は、1の規定の適用を受けようとする相続人等が納税猶予分の相続税額につきその有する1の規定の適用に係る認定医療法人の持分の全てを担保として提供した場合について準用する。この場合において、同節の2の（4）中「第一章第一節の1」とあるのは「1」と、「受贈者」とあるのは「相続人等」と、「納税猶予分の贈与税額」とあるのは「納税猶予分の相続税額」と読み替えるものとする。（措法70の7の12⑦）

　　（担保権の意義）
（5）　1の規定の適用を受けようとする相続人等が1の規定の適用に係る認定医療法人の持分（既に当該相続人等が第一章第一節の2の（4）本文又は（4）において準用する同節の2の（4）本文の規定の適用に係る担保として提供している場合における当該持分に限る。）を担保として提供する場合における4の（3）の（一）において準用する同節の6の（3）の（二）の規定の適用については、同（二）中「担保権」とあるのは、「担保権（同節2の（4）本文又は（4）《医療法人の持分についての相続税の納税猶予及び免除》において準用する同節の2の（4）本文の規定の適用に係るものを除く。）」とする。（措令40の8の12③）

　　（担保の提供等）
（6）　1の規定による担保の提供については、国税通則法第50条から第54条までの規定の適用があることに留意する。（措

通70の7の12－4）

　　　（相続税の額に相当する担保）
（7）　1に規定する「当該納税猶予分の相続税額に相当する担保」とは、納税猶予に係る相続税の本税の額と当該本税に係る納税猶予期間中の利子税の額との合計額に相当する担保をいうことに留意する。
　　　なお、この場合の当該本税に係る猶予期間中の利子税の額は、1の規定の適用に係る相続税の申告書の提出期限における認定移行計画に記載された移行期限から2月を経過する日までを納税猶予期間として計算した額によるものとして取り扱うことに留意する。（措通70の7の12－5）

　　　（担保提供する認定医療法人の持分の全ての意義）
（8）　（4）に規定する「第一章第一節の1の規定の適用に係る認定医療法人の持分の全て」とは、認定医療法人の持分は不可分であり、当該持分の一部を担保提供することができないため、相続人等が現に有する当該認定医療法人の持分の全て（既に当該相続人等が（4）又は第一章第一節の2の（4）本文の規定の適用に係る担保として提供している場合における当該持分を含む。）となることに留意する。（措通70の7の12－9）

　　　（担保財産の変更等が行われた場合のみなす充足）
（9）　（4）において準用する第一章第一節の2の（4）本文の規定は、1の規定の適用を受けようとする場合に相続人等が有する認定医療法人の持分の全てを担保として提供したときに適用されるものであることから、1の規定の適用を受けるに当たり認定医療法人の持分以外の財産を担保として提供したこと等により（4）において準用する第一章第一節の2の（4）本文の規定が適用されなかった場合又は（4）において準用する第一章第一節の2の（4）本文の規定が適用されたものの担保の全部若しくは一部につき変更があったため（4）において準用する第一章第一節の2の（4）ただし書に該当した場合には、その後に担保財産の変更を行った結果、認定医療法人の持分の全てを担保提供している状況が生じても、その時点から（4）において準用する第一章第一節の2の（4）本文の規定が適用されるものではないことに留意する。（措通70の7の12－10）

3　納税猶予期限の確定事項
　　　1の規定の適用を受ける相続人等又は1の規定の適用に係る認定医療法人について次の（一）～（六）のいずれかに掲げる場合に該当することとなった場合には、1の規定の適用を受ける納税猶予分の相続税額に相当する相続税については、1の規定にかかわらず、当該（一）～（六）に定める日から2月を経過する日（当該（一）～（六）に定める日から当該2月を経過する日までの間に当該相続人等が死亡した場合には、当該相続人等の相続人が当該相続人等の死亡による相続の開始があったことを知った日の翌日から6月を経過する日）をもって1の規定による納税の猶予に係る期限とする。（措法70の7の12⑤により準用する措法70の7の9⑤）
（一）　当該相続人等が1の相続税の申告書の提出期限から当該認定医療法人の認定移行計画に記載された移行期限までの間に当該認定医療法人の持分に基づき出資額に応じた払戻しを受けた場合　　当該払戻しを受けた日
（二）　当該相続人等が1の相続税の申告書の提出期限から当該認定医療法人の認定移行計画に記載された移行期限までの間に当該認定医療法人の持分の譲渡をした場合　　当該譲渡をした日
（三）　当該認定医療法人の認定移行計画に記載された移行期限までに平成18年医療法等改正法附則第10条の2に規定する新医療法人への移行をしなかった場合　　当該移行期限
（四）　当該認定医療法人の認定移行計画について平成18年医療法等改正法附則第10条の4第2項の規定により厚生労働大臣認定が取り消された場合　　当該厚生労働大臣認定が取り消された日
（五）　当該認定医療法人が解散をした場合（合併により消滅をする場合を除く。）　　当該解散をした日
（六）　当該認定医療法人が合併により消滅をした場合（合併により医療法人を設立する場合において当該相続人等が持分に代わる金銭その他の財産の交付を受けないときその他（1）の政令で定める場合を除く。）　　当該消滅をした日

　　　（政令で定める納税猶予の期限）
（1）　3の（六）に規定する政令で定める場合は、次に掲げる場合とする。（措令40の8の12⑫により準用する措令40の8の9⑧）
　　（一）　合併により医療法人を設立する場合において、1の規定の適用を受ける相続人等が当該合併により消滅する認定医療法人の持分に代わる金銭その他の財産の交付を受けないとき。
　　（二）　合併後存続する医療法人が当該合併により良質な医療を提供する体制の確立を図るための医療法等の一部を改正

－1416－

第三章　医療法人の持分に係る相続税の納税猶予等

する法律（平成18年法律第84号）附則第10条の2に規定する新医療法人となる場合において、1の規定の適用を受ける相続人等が当該合併により消滅する認定医療法人の持分に代わる金銭その他の財産の交付を受けないとき。

（基金として拠出した額に対する相続税額の計算）
（2）　1の規定の適用に係る認定医療法人が認定移行計画に記載された移行期限までに基金拠出型医療法人への移行をする場合において、1の規定の適用を受ける相続人等が有する当該認定医療法人の持分の一部を（4）の財務省令で定めるところにより放棄し、その残余の部分を当該基金拠出型医療法人の平成18年医療法等改正法附則第10条の3第2項第1号ハに規定する基金（以下（2）及び4の（5）の（二）において「**基金**」という。）として拠出したときは、当該相続人等の納税猶予分の相続税のうち基金として拠出した額に対応する部分の金額として（3）の政令で定めるところにより計算した金額に相当する相続税については、1の規定にかかわらず、当該基金拠出型医療法人への移行のための定款の変更に係る医療法第54条の9第3項の規定による都道府県知事の認可があった日から2月を経過する日（当該認可があった日から当該2月を経過する日までの間に当該相続人等が死亡した場合には、当該相続人等の相続人が当該相続人等の死亡による相続の開始があったことを知った日の翌日から6月を経過する日）をもって1の規定による納税の猶予に係る期限とする。（措法70の7の12⑥により準用する措法70の7の9⑥）

（基金として拠出した額に対する相続税額の計算）
（3）　（2）に規定する政令で定めるところにより計算した金額は、納税猶予分の相続税に（一）に掲げる金額が（二）に掲げる金額に占める割合を乗じて計算した金額とする。（措令40の8の12⑬により準用する措令40の8の9⑨）
（一）　（2）に規定する基金（第一章第二節1の（7）の（二）及び第二節1の（4）の（二）において「**基金**」という。）として拠出をした金額から自己所有持分相当額（当該拠出の直前において相続人等が有していた1の規定の適用に係る認定医療法人の持分の価額に一から納税猶予割合を控除した割合を乗じて計算した価額をいう。）を控除した残額
（二）　（一）の拠出の直前において相続人等が有していた（一）の持分の価額に納税猶予割合を乗じて計算した金額
（注）　（3）の「**納税猶予割合**」とは、1の規定の適用に係る被相続人から相続又は遺贈により取得した持分の価額が当該持分の価額と相続又は遺贈の直前において相続人等が有していた1の規定の適用に係る認定医療法人の持分の価額との合計額に占める割合をいう。（措令40の8の12⑬により準用する措令40の8の9⑩）

（放棄に係る書類）
（4）　（2）及び4の（5）の認定医療法人の持分の全部又は一部の放棄は、厚生労働大臣が定める書類を1の規定の適用に係る認定医療法人に提出してするものとする。（措規23の12の8③により準用する措規23の12の6③）

（納税猶予分の相続税額の端数処理）
（5）　1の（1）に規定する納税猶予分の相続税額（以下（3）、（6）、（7）、（10）、（11）及び4の（4）において「**納税猶予分の相続税額**」という。）に100円未満の端数があるとき、又はその全額が100円未満であるときは、その端数金額又はその全額を切り捨てる。（措令40の8の12⑥）

（認定医療法人が2以上ある場合の納税猶予分の相続税額の計算）
（6）　1の規定の適用に係る持分に係る認定医療法人が2以上ある場合における納税猶予分の相続税額の計算においては、当該持分に係る相続人等が1に規定する被相続人から1の規定の適用に係る相続又は遺贈（贈与をした者の死亡により効力を生ずる贈与を含む。（7）の（二）及び（10）において同じ。）により取得をした全ての認定医療法人の持分の価額の合計額（第一編第四章第二節**三**《債務控除》の1、2及び5の規定により控除すべき債務がある場合において、1の（3）に規定する控除未済債務額があるときは、当該持分の価額の合計額から当該控除未済債務額を控除した残額）を当該相続人等に係る相続税の課税価格とみなす。（措令40の8の12⑦）

（認定医療法人が2以上ある場合の納税猶予分の相続税額の端数処理）
（7）　（6）の場合において、1の規定の適用に係る持分に係る認定医療法人の異なるものごとの納税猶予分の相続税額は、（一）に掲げる金額に（二）に掲げる割合を乗じて計算した金額とする。この場合において、当該計算した金額に100円未満の端数があるとき、又はその全額が100円未満であるときは、その端数金額又はその全額を切り捨てる。（措令40の8の12⑧）
（一）　（6）の規定を適用して計算した納税猶予分の相続税額
（二）　1の規定の適用に係る持分に係る認定医療法人の異なるものごとの持分の価額が1の規定の適用に係る相続又は

－1417－

第八編　医療法人の持分に係る相続税・贈与税の納税猶予等

遺贈により取得をした全ての持分の価額の合計額に占める割合

（認定医療法人が２以上ある場合の納税猶予分の相続税額の計算）

（８）　１の規定の適用に係る持分に係る認定医療法人が２以上ある場合における１の（１）に規定する納税猶予分の相続税額（以下本章において「納税猶予分の相続税額」という。）の計算は、次の順序により行うことに留意する。

この場合において、１の（１）に規定する相続人等が２人以上あるときにおける当該計算は、それぞれの相続人等ごとに行うことに留意する。（措通70の７の12－６）

（一）　当該認定医療法人の持分に係る相続人等が被相続人から１の規定の適用に係る相続又は遺贈により取得をした全ての認定医療法人の持分の価額の合計額（（６）に規定する控除未済債務額を控除した残額）を当該相続人等に係る相続税の課税価格とみなして、１の（１）の規定により計算する（（５）の規定による100円未満の端数処理は行わない。）。

（二）　（７）の規定により、当該持分に係る認定医療法人の異なるものごとの納税猶予分の相続税額を計算する（（７）の規定による100円未満の端数処理を行う。）。

（三）　上記（二）により算出されたそれぞれの納税猶予分の相続税額の合計額が、当該相続人等に係る納税猶予分の相続税額となる。

（基金拠出型医療法人への移行をする場合の確定税額の計算）

（９）　１の規定の適用に係る認定医療法人がその認定移行計画に記載された移行期限までに基金拠出型医療法人への移行をする場合において、１の規定の適用を受ける相続人等が有する当該認定医療法人の持分の一部を財務省令で定めるところにより放棄し、その残余の部分を当該基金拠出型医療法人の基金として拠出したときに、（２）の規定により納税猶予の期限が確定する相続税額は、納税猶予分の相続税額に、次に掲げる割合を乗じて計算することに留意する。

なお、これにより算出された金額に100円未満の端数があるとき又はその全額が100円未満であるときは、その端数金額又はその全額を切り捨て、その切り捨てた金額は、免除されることに留意する。（措通70の７の12－８）

$$\frac{\text{基金として拠出した金額 － 自己所有持分相当額}}{\text{基金拠出の直前の相続人等の持分の価額}} \times \text{納税猶予割合}$$

（注）１　上記の「自己所有持分相当額」とは、相続人等が認定医療法人の持分の一部を基金として拠出した直前において有していた当該認定医療法人の持分の価額に１から納税猶予割合を控除した割合を乗じて計算した価額をいう。

２　上記の「納税猶予割合」とは、被相続人から相続又は遺贈により取得した１の規定の適用に係る認定医療法人の持分の価額が、当該持分の価額と当該相続又は遺贈の直前において相続人等が有していた当該認定医療法人の持分の価額との合計額に占める割合をいう。

これを算式に示せば次のとおりである。

$$\frac{\text{相続又は遺贈により取得した認定医療法人の持分の価額}}{\text{相続又は遺贈により取得した認定医療法人の持分の価額} + \text{相続又は遺贈の直前において相続人等が有していた認定医療法人の持分の価額}}$$

（贈与税の税額控除の適用を受ける者がある場合）

（10）　納税猶予分の相続税額を計算する場合において、１の規定の適用を受ける相続人等に係る被相続人から相続又は遺贈により財産の取得をした者のうちに第四編第二章第一節《特例適用の要件》の１の規定の適用を受ける者があるときにおける当該財産の取得をした全ての者に係る相続税の課税価格は、同章第二節《農業相続人がいる場合の相続税額の計算》の１の規定により計算される相続税の課税価格とする。（措令40の８の12⑨）

（各適用納税猶予税額と調整前持分猶予税額との合計額が猶予可能税額を超える場合）

（11）　１の規定の適用を受ける相続人等が次の（一）（二）（三）（四）（五）に掲げる規定の適用を受ける者である場合において、当該（一）（二）（三）（四）（五）に定める税額と調整前持分猶予税額（第四編第二章第二節《農業相続人がいる場合の相続税額の計算》の２の（３）の（五）に規定する調整前持分猶予税額をいう。）との合計額が猶予可能税額（当該相続人等が１の規定及び当該（一）（二）（三）（四）（五）に掲げる規定の適用を受けないものとした場合における当該相続人等が納付すべき相続税の額をいう。）を超えるときにおける１の規定の適用に係る認定医療法人の持分に係る納税猶予分の相続税額は、当該猶予可能税額に当該調整前持分猶予税額が当該合計額に占める割合を乗じて計算した金額とする。この場合において、当該計算した金額に100円未満の端数があるときは、その端数金額を切り捨てる。（措令40の８の12⑩）

（一）　第四編第二章第一節《特例適用の要件》の１　調整前農地等猶予税額（同章第二節《農業相続人がいる場合の相続税額の計算》の２の（３）に規定する調整前農地等猶予税額をいう。）

（二）　同編第三章第一節《特例適用の要件》の１　調整前山林猶予税額（同編第二章第二節《農業相続人がいる場合

－1418－

第三章　医療法人の持分に係る相続税の納税猶予等

の相続税額の計算》の**2**の(3)の(一)に規定する調整前山林猶予税額をいう。)

(三)　第五編第一節の**1**　　調整前美術品猶予税額（第四編第二章第二節の**2**の(3)の(二)に規定する調整前美術品猶予税額をいう。)

(四)　第六編第三章第一節の**1**　　調整前事業用資産猶予税額（第四編第二章第二節の**2**の(3)の(三)に規定する調整前事業用資産猶予税額をいう。)

(五)　第七編第二章第一節《特例適用の要件》の**1**、同編第三章第二節《非上場株式等の贈与者が死亡した場合の相続税の納税猶予及び免除の特例》、第五章第一節の**1**又は第六章第二節の**1**　　調整前株式等猶予税額（第四編第二章第二節《農業相続人がいる場合の相続税額の計算》の**2**の(3)の(四)に規定する調整前株式等猶予税額をいう。)

(規定の準用)

(12)　(6)の場合において、**2**の(4)、**3**、(2)、**4**の(1)及び同**4**の(5)において準用する第一章第一節の**2**の(4)、同**3**、同**3**の(7)、同**4**及び同**6**の(1)の規定は、**1**の規定の適用に係る持分に係る認定医療法人の異なるものごとに適用するものとする。(措令40の8の12⑪)

4　その他

(納税猶予に係る期限の繰上げ)

（１）　税務署長は、**1**の規定の適用を受ける相続人等が**1**に規定する担保について国税通則法第51条第１項の規定による命令に応じない場合には、納税猶予分の相続税額に相当する相続税に係る**1**の規定による納税の猶予に係る期限を繰り上げることができる。この場合においては、同法第49条第２項及び第３項の規定を準用する。(措法70の7の12⑨により準用する措法70の7の9⑨)

(増担保命令等に応じない場合の納税猶予の期限の繰上げ)

（２）　(1)の規定により、増担保命令等に応じないため納税猶予の期限を繰り上げる場合には、担保不足に対応する納税猶予に係る税額だけでなく、納税猶予分の相続税額の全額について納税猶予の期限を繰り上げることに留意する。(措通70の7の12－11)

(国税通則法、国税徴収法及び相続税法の規定の適用)

（３）　相続人等が**1**の規定の適用を受けようとする場合又は**1**の規定による納税の猶予がされた場合における国税通則法、国税徴収法及び相続税法の規定の適用については、次に定めるところによる。(措法70の7の12⑩)

(一)　第一章第一節の**6**の(3)の(一)から(六)までの規定は、相続人等が**1**の規定の適用を受けようとする場合又は**1**の規定による納税の猶予がされた場合における国税通則法及び国税徴収法の規定の適用について準用する。この場合において、必要な技術的読替えは、政令で定める。

(二)　**3**において準用する第一章第一節の**3**の規定、**3**の(2)において準用する同節の**3**の(7)の規定又は(1)において準用する同節の**6**の(1)の規定に該当する相続税については、第一編第八章第二節《延納》一の**1**及び同章第三節《物納》一の**1**の規定は、適用しない。

(三)　**1**の規定の適用を受ける相続人等が**1**の相続又は遺贈により取得した財産に係る相続税の額で納税猶予分の相続税額以外のものについては、当該相続人等が取得した**1**の規定の適用に係る認定医療法人の持分の価額は零であるものとして、第一編第八章第二節《延納》一の**1**（同章第三節《物納》二の12において準用する場合を含む。）、同節六の**2**の(6)又は同章第二節《延納》五の**1**（同章第三節《物納》七の**2**の(1)の(二)の(ロ)において準じて算出する場合を含む。）の規定を適用する。

(規定の読替え)

（４）　(3)の(一)において準用する第一章第一節の**6**の(3)の(一)から(六)までの規定の適用については、同(一)中「第一章第一節の**1**」とあるのは「**1**」と、「贈与税に」とあるのは「相続税に」と、「贈与税の」とあるのは「相続税の」と、「納税猶予分の贈与税額」とあるのは「納税猶予分の相続税額」と、同(二)中「第一章第一節の**1**の規定の」とあるのは「**1**の規定の」と、「受贈者が第一章第一節の**2**の(4)本文」とあるのは「相続人等が**2**の(4)において準用する第一章第一節の**2**の(4)本文」と、同(三)中「第一章第一節の**2**の(4)ただし書」とあるのは「**2**の(4)において準用する第一章第一節の**2**の(4)ただし書」と、同(四)中「第一章第一節の**1**の」とあるのは「**1**の」と、「受けた贈与税」とあるのは「受けた相続税」と、「第一章第一節の**1**《医療法人の持分に係る経済的利益についての贈与税の納税猶予及び

－1419－

第八編　医療法人の持分に係る相続税・贈与税の納税猶予等

免除》」とあるのは「**1**（医療法人の持分についての相続税の納税猶予及び免除）」と、同（五）中「第一章第一節の**1**」とあるのは「**1**」と、「第一章第一節の**3**、同節**3**の（７）又は同節**6**の（１）」とあるのは「**3**において準用する第一章第一節の**3**、**3**の（７）において準用する同節の**3**の（７）又は（１）において準用する同節の**6**の（１）」と、同（六）中「第一章第一節の**1**の」とあるのは「**1**の」と、「受けた贈与税」とあるのは「受けた相続税」と、「第一章第一節の**1**」とあるのは「**1**」と、「第一章第一節の**1**に規定する経済的利益に係る同節の**1**」とあるのは「**1**」と、「受贈者」とあるのは「相続人等」と読み替えるものとする。（措令40の8の12⑭）

　　　（政令で定める免除規定）
（５）　**1**の規定の適用に係る認定医療法人の認定移行計画に記載された移行期限までに次の（一）、（二）のいずれかに掲げる場合に該当することとなった場合（その該当することとなった日前に、**3**の（一）から（六）に掲げる場合に該当することとなった場合及び（１）の規定による納税の猶予に係る期限の繰上げがあった場合を除く。）には、次の（一）、（二）に掲げる場合の区分に応じ当該（一）、（二）に定める金額に相当する相続税は、（６）の政令で定めるところにより、免除する。（措法70の7の12⑪により準用する措法70の7の9⑪）
　（一）　**1**の規定の適用を受ける相続人等が有している**1**の規定の適用に係る認定医療法人の持分の全てを財務省令で定めるところにより放棄した場合　　納税猶予分の相続税額
　（二）　当該認定医療法人が基金拠出型医療法人への移行をする場合において、**1**の規定の適用を受ける相続人等が有している当該認定医療法人の持分の一部を財務省令で定めるところにより放棄し、その残余の部分を当該基金拠出型医療法人の基金として拠出したとき　　納税猶予分の相続税額から**3**の（２）に規定する政令で定めるところにより計算した金額を控除した残額

　　　（免除適用に係る届出書の提出）
（６）　**1**の規定の適用を受ける受贈者が（５）の規定の適用を受けようとする場合には、次に掲げる事項を記載した届出書に、（５）の（一）、（二）のいずれかに掲げる場合に該当することとなったことを証する書類として（７）の財務省令で定めるものを添付して、これを、（５）の（一）、（二）のいずれかに掲げる場合に該当することとなった日後遅滞なく、（５）の規定の適用に係る相続税の納税地の所轄税務署長に提出しなければならない。（措令40の8の12⑮により準用する措令40の8の9⑪）
　（一）　届出書を提出する者の氏名、住所及び個人番号（個人番号を有しない者にあっては、氏名及び住所）
　（二）　（５）の規定による相続税の免除を受けようとする旨
　（三）　免除を受ける相続税の額（（５）の（二）に掲げる場合にあっては、当該免除を受ける相続税の額及びその計算の明細）
　（四）　その他参考となるべき事項

　　　（財務省令で定める書類）
（７）　（６）に規定する財務省令で定める書類は、次の（一）、（二）に掲げる場合の区分に応じ当該（一）、（二）に定める書類とする。（措規23の12の8⑤により準用する措規23の12の6⑤）
　（一）　（５）の（一）に掲げる場合に該当することとなった場合　　次に掲げる書類
　　イ　**1**の規定の適用を受ける受贈者が**1**の規定の適用に係る認定医療法人の持分の放棄をする際に当該認定医療法人に提出した**3**の（４）の書類（当該認定医療法人が当該書類を受理した年月日の記載があるものに限る。）の写し
　　ロ　**1**の規定の適用を受ける受贈者による認定医療法人の持分の放棄の直前及び当該放棄の時における当該認定医療法人の出資者名簿の写し
　（二）　（５）の（二）に掲げる場合に該当することとなった場合　　次に掲げる書類
　　イ　（一）に定める書類
　　ロ　（５）の（二）の基金拠出型医療法人の定款（認定医療法人から当該基金拠出型医療法人への移行のための医療法（昭和23年法律第205号）第54条の9第3項の規定による都道府県知事の認可を受けたものに限る。）の写し
　　ハ　免除を受ける贈与税の額及びその計算の明細の根拠を明らかにする書類

　　　（利子税の納付）
（８）　**1**の規定の適用を受ける相続人等は、次の（一）から（三）のいずれかに掲げる場合に該当する場合には、当該（一）から（三）に規定する相続税に相当する金額を基礎とし、当該相続税に係る相続税の申告書の提出期限の翌日から当該（一）から（三）に定める納税の猶予に係る期限までの期間に応じ、年6.6パーセントの割合を乗じて計算した金額に相当する利

－1420－

第三章　医療法人の持分に係る相続税の納税猶予等

子税を、当該（一）から（三）に規定する相続税に併せて納付しなければならない。（措法70の7の12⑫により準用する措法70の7の9⑫）

（一）　**3**の規定の適用があった場合（（三）に掲げる場合に該当する場合を除く。）　　**3**に規定する相続税に係る**3**の規定による納税の猶予に係る期限

（二）　**3**の（2）の規定の適用があった場合（（三）に掲げる場合に該当する場合を除く。）　　**3**の（2）に規定する政令で定めるところにより計算した金額に相当する相続税に係る**3**の（2）の規定による納税の猶予に係る期限

（三）　**4**の（1）の規定の適用があった場合　　（1）に規定する相続税に係る**4**の（1）の規定により繰り上げられた納税の猶予に係る期限

（修正申告等に係る相続税額の納税猶予）

（9）　**1**の規定の適用を受ける旨の相続税の申告において経過措置医療法人（**1**に規定する相続税の申告書の提出期限において認定医療法人（**1**に規定する認定医療法人をいう。以下本節において同じ。）に限る。）の持分の評価又は税額計算の誤りがあり、その誤りのみに基づいて修正申告又は更正があった場合における当該修正申告又は更正により納付すべき相続税額（附帯税を除く。）については、第一章第一節の**6**の（5）を準用する。（措通70の7の12－3）

（認定医療法人の認定移行計画に記載された移行期限までに相続人等が死亡した場合）

（10）　**1**の規定の適用に係る認定医療法人の認定移行計画に記載された移行期限までに**1**の規定の適用を受ける相続人等が死亡した場合には、当該相続人等に係る納税猶予分の相続税額に係る納付の義務は、当該受贈者の相続人が承継する。この場合において、必要な事項は、政令で定める。（措法70の7の12⑬により準用する措法70の7の9⑬）

（承継する納付義務の割合）

（11）　（10）の規定により（10）の相続人が承継する納付の義務は、次の（一）、（二）に掲げる場合の区分に応じ当該（一）、（二）に定める割合に応じて承継するものとする。（措令40の8の12⑯により準用する措令40の8の9⑫）

（一）　（5）の（一）、（二）のいずれかに掲げる場合又は（8）の（一）から（三）のいずれかに掲げる場合に該当することとなったときにおいて、当該該当することとなったときまでに（10）の相続人等が有していた**1**の規定の適用に係る認定医療法人の持分が共同相続人又は包括受遺者によって分割されている場合　　当該共同相続人又は包括受遺者が相続又は遺贈（贈与をした者の死亡により効力を生ずる贈与を含む。）により取得した当該認定医療法人の持分の価額が当該相続人等が有していた当該認定医療法人の持分の価額のうちに占める割合

（二）　（一）に掲げる場合以外の場合　　国税通則法第5条第2項に規定する相続分

（承継した相続人に係る規定の適用）

（12）　（10）の規定により納付の義務を承継した（10）の相続人については、**1**の相続人等とみなして本節（**1**の（1）から（6）を除く。）及び（12）の規定を適用する。（措令40の8の12⑯により準用する措令40の8の9⑬）

（公租公課の金額の準用）

（13）　第一編第四章**三**の**5**の規定は、（10）において準用する第一章第一節の**5**の規定により（10）の相続人が（10）の納税猶予分の相続税額に係る納付の義務を承継した場合について準用する（措令40の8の12⑯により準用する措令40の8の9⑭）

（納付の義務を承継した相続人が届出書を提出する場合）

（14）　（10）の規定により納付の義務の承継をした（10）の相続人が（6）の規定により同（6）の届出書を提出する場合には、当該届出書に（11）の（一）に定める割合を記載するとともに、遺言書の写し、財産の分割の協議に関する書類（当該書類に当該承継に係る全ての共同相続人及び包括受遺者が自署し、自己の印を押しているものに限る。）の写し（当該自己の印に係る印鑑証明書が添付されているものに限る。）その他の財産の取得の状況を証する書類を添付しなければならない。（措規23の12の8⑥により準用する措規23の12の6⑥）

（納付の義務を承継した相続人の規定の適用）

（15）　（12）の規定により**1**の相続人等とみなされた（10）の相続人については、**2**の（1）の（一）に規定する相続人等とみなして、（15）の規定を適用する。（措規23の12の8⑥により準用する措規23の12の6⑦）

－1421－

第八編　医療法人の持分に係る相続税・贈与税の納税猶予等

（相続人等が相続税の申告期限前に死亡した場合）

(16)　第一編第七章第一節の**一**の**1**《申告書の提出期限》の規定による期限内申告書の提出期限前に、経過措置医療法人の持分を有していた他の個人（以下本編において「被相続人」という。）から相続又は遺贈により当該経過措置医療法人の持分を取得した個人（以下本編において「相続人等」という。）が死亡した場合には、当該相続人等の相続人（包括受遺者を含む。以下(16)において同じ。）が当該持分の価額について**1**の規定の適用を受ける旨の相続税の申告書を提出したとき（**1**の規定の適用に係る要件を満たしている場合に限る。）は、当該申告書は、**1**の規定の適用のある申告書であることに留意する。

この場合において、相続人等の相続人が２人以上ある場合には、第一編第七章第一節の**三**《申告書の共同提出》の規定により当該相続人は相続税の申告書を共同して提出することができる。

なお、相続人等の相続人が２人以上ある場合には、各相続人はそれぞれ**1**の規定の適用を選択することができることに留意する。（措通70の７の12－１）

（相次相続控除の算式）

(17)　第２次相続に係る被相続人が**1**の規定の適用を受けていた場合又は第２次相続により財産を取得した者のうちに**1**の規定の適用を受ける者がある場合における相次相続控除額は、第一編第六章第七節の**1**の(3)《相次相続控除の算式》に準じて算出することに留意する。

この場合において、同(3)中のAは、当該被相続人が当該納税猶予の適用を受けていた場合には、**4**の(5)の規定により免除された相続税額以外の税額に限ることに留意する。（措通70の７の12－２）

（納付義務を承継した者に対する**1**の規定の適用）

(18)　(10)の規定により、相続人等に係る納税猶予分の相続税額に係る納付の義務を承継した相続人（包括受遺者を含む。以下(18)において同じ。）が２人以上ある場合には、(11)及び(15)の規定により当該納付の義務を承継したそれぞれの相続人を**1**の相続人等とみなして**1**（**1**の(4)、(6)及び(7)を除く。）、**2**及び**2**の(1)の規定を適用することに留意する。（措通70の７の12－13）

（地方厚生支局長等の通知の義務）

(19)　厚生労働大臣又は地方厚生局長若しくは地方厚生支局長は、**1**の規定の適用を受ける相続人等若しくは**1**の規定の適用に係る認定医療法人について、**3**若しくは**3**の(7)の規定による納税の猶予に係る期限の確定に係る事実に関し、法令の規定に基づき報告の受理その他の行為をしたことにより当該事実があったことを知った場合又は当該認定医療法人の認定移行計画の変更（移行期限に係るものに限る。）について、平成18年医療法等改正法附則第10条の４第１項の規定による認定を知った場合には、遅滞なく、当該相続人等若しくは当該認定医療法人について当該事実が生じた旨その他財務省令で定める事項を、書面により、国税庁長官又は当該相続人等の納税地の所轄税務署長に通知しなければならない。（措法70の７の12⑭により準用する措法70の７の９⑭）

（書面通知に係る財務省令で定める規定事項）

(20)　(19)に規定する財務省令で定める事項は、次に掲げる事項とする。（措規23の12の８⑦により準用する措規23の12の６⑧）

（一）　相続人等又は認定医療法人について、(19)の納税の猶予に係る期限の確定に係る事実が生じた旨

（二）　相続人等及び当該相続人等に係る被相続人の氏名及び住所又は居所並びに認定医療法人の名称及び主たる事務所の所在地

（三）　(19)の納税の猶予に係る期限の確定に係る事実の詳細及び当該事実の生じた年月日並びに当該事実に係る報告の受理その他の行為の内容

（四）　その他参考となるべき事項

（税務署長からの通知）

(21)　税務署長は、**1**の場合において厚生労働大臣又は地方厚生局長若しくは地方厚生支局長の事務（**1**の規定の適用を受ける相続人等に関する事務で、(19)の規定の適用に係るものに限る。）の処理を適正かつ確実に行うため必要があると認めるときは、厚生労働大臣又は当該地方厚生局長若しくは当該地方厚生支局長に対し、当該相続人等が**1**の規定の適用を受ける旨その他財務省令で定める事項を通知することができる。（措法70の７の12⑮により準用する措法70の７の９⑮）

－1422－

第三章　医療法人の持分に係る相続税の納税猶予等

（財務省令で定める通知事項）

(22)　(21)に規定する財務省令で定める事項は、次に掲げる事項とする。（措規23の12の8⑧により準用する措規23の12の6⑨）

　(一)　**1**の規定の適用を受ける相続人等及び当該相続人等に係る被相続人の氏名及び住所又は居所

　(二)　(一)の相続人等が(一)の被相続人による認定医療法人の持分の放棄により受けた**1**の規定の適用に係る**1**に規定する経済的利益に係る**1**に規定する相続税の申告書が提出された日

　(三)　その他(21)の通知の事務に関し税務署長が必要と認める事項

（2以上の認定医療法人がある場合の担保の取扱い）

(23)　**1**の規定による認定医療法人が2以上ある場合、**1**に係る担保の提供手続、**2**の(4)において準用する第一章第一節の**2**の(4)に係るみなす充足の取扱い、(1)において準用する第一章第一節の**6**の(1)に係る納税猶予の期限の繰上げ及び(10)において準用する第一章第一節の**5**に係る納税猶予税額の承継の取扱いに当たっては、認定医療法人の異なるものごとの納税猶予分の相続税額にそれぞれの規定を適用することに留意する。（措通70の7の12−12）

（70の7の9関係通達の準用）

(24)　第一章第一節の**3**の(2)から(6)については、相続人等が、本節の規定の適用を受ける場合について準用する。（措通70の7の12−14）

（納付義務を承継した場合の相続税法第14条の規定の適用）

(25)　(10)の規定により準用する第一章第一節の**5**の相続人が同**5**の納税猶予分の相続税額に係る納付税額を承継した場合には、第一編第四章第二節三の**6**の規定の準用があることに留意する。（措通70の7の12−13の2）

−1423−

第八編　医療法人の持分に係る相続税・贈与税の納税猶予等

第二節　医療法人の持分についての相続税の税額控除

1　特例適用の要件

　個人（以下本節において「**相続人等**」という。）が第一節の1の（1）に規定する経過措置医療法人（以下1及び（7）において「**経過措置医療法人**」という。）の持分を有していた他の個人（（8）において「**被相続人**」という。）から相続又は遺贈により当該経過措置医療法人の持分を取得した場合において、当該経過措置医療法人が当該相続の開始の時において認定医療法人（当該相続に係る相続税の申告書の提出期限又は平成26年改正医療法施行日から令和8年12月31日のいずれか早い日までに厚生労働大臣認定を受けた経過措置医療法人を含む。）であり、かつ、当該持分を取得した相続人等が当該相続の開始の時から当該相続に係る相続税の申告書の提出期限までの間にその有する当該経過措置医療法人で厚生労働大臣認定を受けたものの持分の全部又は一部を財務省令で定めるところにより放棄したときは、当該相続人等については、第一編第五章第一節《遺産に係る基礎控除》から同編第六章第八節《在外財産に対する相続税額の控除》まで及び第三編第一章第三節《相続時精算課税に係る相続税の課税価格及び税額》一の（4）により計算した金額から放棄相当相続税額を控除した残額をもって、その納付すべき相続税額とする。（措法70の7の13①）

　　　（放棄相当相続税額）
（1）　1に規定する放棄相当相続税額とは、1の規定の適用に係る認定医療法人の持分の価額を1の相続人等に係る相続税の課税価格とみなして（2）の政令で定めるところにより計算した金額のうち当該相続人等により放棄がされた部分に相当するものとして（4）の政令で定めるところにより計算した金額をいう。（措法70の7の13②）

　　　（課税価格の規定）
（2）　（1）に規定する相続税の課税価格とみなして政令で定めるところにより計算した金額は、第一節の1の（2）、同節の1の（3）及び同節の3の（5）から（11）までの規定により計算した同節の1の（1）に規定する納税猶予分の相続税額に相当する金額とする。（措令40の8の13①）

　　　（基金拠出型医療法人への移行をする場合の放棄相当相続税額の計算）
（3）　1の規定の適用に係る認定医療法人（以下（3）において「認定医療法人」という。）が、基金拠出型医療法人への移行をする場合において、1の規定の適用を受ける相続人等が有する当該認定医療法人の持分の一部を財務省令で定めるところにより放棄し、その残余の部分を当該基金拠出型医療法人の基金として拠出したときの（1）に規定する放棄相当相続税額は、（2）の規定により計算した金額に、次に定める割合（当該割合が1を超える場合には1とする。）を乗じて計算することに留意する。（措通70の7の13－2）

$$\frac{認定医療法人の持分のうち相続人等が放棄した部分に対応する部分の当該放棄の直前における金額}{相続人等による放棄の直前において当該相続人等が有していた認定医療法人の持分の価額に相当する金額} \times \frac{A}{A+B}$$

　（注）　上記算式中の符号は次のとおり。
　　　　Aは、1の規定の適用に係る被相続人からの相続又は遺贈により取得した持分の価額
　　　　Bは、1の規定の適用に係る被相続人からの相続又は遺贈の直前において当該相続人等が有していた当該認定医療法人の持分の価額

　　　（政令で定める金額）
（4）　（1）に規定する放棄がされた部分に相当するものとして政令で定めるところにより計算した金額は、次の（一）、（二）に掲げる場合の区分に応じ当該（一）、（二）に定める金額とする。（措令40の8の13②）
　（一）　1の規定の適用を受ける1に規定する相続人等が有する1の規定の適用に係る1に規定する認定医療法人（以下本節において「**認定医療法人**」という。）の持分の全てを財務省令で定めるところにより放棄した場合　　（2）の規定により計算した金額
　（二）　1の規定の適用に係る認定医療法人が基金拠出型医療法人への移行をする場合において、1の規定の適用を受ける相続人等が有する当該認定医療法人の持分の一部を財務省令で定めるところにより放棄をし、その残余の部分を当該基金拠出型医療法人の基金として拠出したとき　　（2）の規定により計算した金額にイに掲げる金額がロに掲げる

－1424－

第三章　医療法人の持分に係る相続税の納税猶予等

金額に占める割合（当該割合が１を超える場合には、１とする。）を乗じて計算した金額

イ　当該認定医療法人の持分のうち当該放棄をした部分に対応する部分の当該放棄の直前における金額

ロ　当該放棄の直前において当該相続人等が有していた当該認定医療法人の持分の価額に相当する金額に①に掲げる価額が①に掲げる価額と②に掲げる価額との合計額に占める割合を乗じて計算した金額

①　１の規定の適用に係る１の被相続人からの相続又は遺贈（贈与をした者の死亡により効力を生ずる贈与を含む。②及び（６）において同じ。）により取得した持分の価額

②　①の相続又は遺贈の直前において当該相続人等が有していた当該認定医療法人の持分の価額

（放棄の方法）

（５）　１及び（４）の（一）、（二）の認定医療法人（１に規定する認定医療法人をいう。（９）において同じ。）の持分の全部又は一部の放棄は、厚生労働大臣が定める書類を当該認定医療法人に提出してするものとする。（措規23の12の９①）

（放棄相当相続税額以外の当該相続税額の規定）

（６）　１の規定の適用を受ける相続人等が１の相続又は遺贈により取得した財産に係る相続税の額で１の放棄相当相続税額以外のものについては、当該相続人等が取得した１の規定の適用に係る認定医療法人の持分の価額は零であるものとして、第一編第八章第二節《延納》**一**の１（同章第三節《物納》**二**の**12**において準用する場合を含む。）、同節**六**《物納の撤回》**2**の（６）又は同章第二節**五**《延納の利子税》の１（同章第三節**七**の**2**《物納撤回に係る利子税》の①の（１）の（二）の（ロ）において準じて算出する場合を含む。）の規定を適用する。（措令40の８の13③）

（申告書の提出期限までの間に払戻しを受けた場合又は譲渡をした場合の不適用）

（７）　１の規定の適用を受けようとする相続人等が、１の相続の開始の時から当該相続に係る相続税の申告書の提出期限までの間に、１の経過措置医療法人の持分に基づき出資額に応じた払戻しを受けた場合又は当該持分の譲渡をした場合には、１の規定は、適用しない。（措法70の７の13③）

（添付書類等がない場合）

（８）　１の規定は、１の規定の適用を受けようとする相続人等のその被相続人から相続又は遺贈により取得した１の持分に係る相続税の申告書に、当該持分について１の規定の適用を受けようとする旨の記載がない場合又は当該持分の明細及び１の放棄相当相続税額の計算に関する明細その他（９）の財務省令で定める書類の添付がない場合には、適用しない。（措法70の７の13④）

（財務省令で定める書類）

（９）　（８）に規定する財務省令で定める書類は、次の（一）、（二）に掲げる場合の区分に応じ当該（一）、（二）に定める書類とする。（措規23の12の９②）

（一）　（４）の（一）に掲げる場合に該当することとなった場合　次に掲げる書類

イ　第一節の１の（８）の（一）から（三）まで、同（８）の（五）及び（六）に掲げる書類

ロ　（７）に規定する場合に該当しない旨を記載した書類

ハ　１の規定の適用を受ける１に規定する相続人等が１の規定の適用に係る認定医療法人の持分の放棄をする際に当該認定医療法人に提出した（５）の書類（当該認定医療法人が当該書類を受理した年月日の記載があるものに限る。）の写し

ニ　１の規定の適用を受ける１に規定する相続人等による認定医療法人の持分の放棄の直前及び当該放棄の時における当該認定医療法人の出資者名簿の写し

（二）　（４）の（二）に掲げる場合に該当することとなった場合　次に掲げる書類

イ　（一）に定める書類

ロ　（４）の（二）の基金拠出型医療法人の定款（認定医療法人から当該基金拠出型医療法人への移行のための医療法第54条の９第３項の規定による都道府県知事の認可を受けたものに限る。）の写し

ハ　１の放棄相当相続税額の計算の明細の根拠を明らかにする書類

（70の７の12関係通達の準用）

（10）　第一節**1**の（５）、同節**3**の（８）、同節**4**の（９）（16）（17）については、相続人等が、１の規定の適用を受ける場合について準用する。（措通70の７の13－１）

－1425－

第八編　医療法人の持分に係る相続税・贈与税の納税猶予等

第四章　医療法人の持分の放棄があった場合の贈与税の課税の特例

1　医療法人の持分の放棄があった場合の贈与税の課税の特例

認定医療法人（医療法等の一部を改正する法律（平成29年法律第57号）附則第1条第2号に掲げる規定の施行の日から令和8年12月31日までの間に厚生労働大臣認定を受けた医療法人に限る。）の持分を有する個人が当該持分の全部又は一部の放棄（当該認定医療法人がその移行期限までに新医療法人（平成18年医療法等改正法附則第10条の2に規定する新医療法人をいう。（1）において同じ。）への移行をする場合における当該移行の基因となる放棄に限るものとし、当該個人の遺言による放棄を除く。）をしたことにより当該認定医療法人が経済的利益を受けた場合であっても、当該認定医療法人が受けた当該経済的利益については、第二編第一章第二節の**三**《持分の定めのない法人の納税義務》の規定は、適用しない。（措法70の7の14①）

（厚生労働大臣認定が取り消された場合）
（1）　**1**の規定の適用を受けた認定医療法人（当該認定医療法人が合併により消滅した場合には、その合併後存続する医療法人で（2）の財務省令で定めるもの。**3**及び**3**の（2）において同じ。）が、**1**の規定の適用に係る第二編第六章第一節の**一**《贈与税の申告》の規定による申告書の提出期限から当該認定医療法人が新医療法人への移行をした日から起算して6年を経過する日までの間に、平成18年医療法等改正法附則第10条の4第2項又は第3項の規定により厚生労働大臣認定が取り消された場合には、**1**の規定にかかわらず、当該認定医療法人を個人とみなして、これに**1**の経済的利益について贈与税を課する。この場合において、当該認定医療法人は、当該厚生労働大臣認定が取り消された日の翌日から2月以内に、**1**の規定の適用を受けた年分の贈与税についての修正申告書を提出し、かつ、当該期限内に当該修正申告書の提出により納付すべき税額を納付しなければならない。（措法70の7の14②）

（財務省令で定める医療法人）
（2）　（1）に規定する財務省令で定める医療法人は、合併により**1**に規定する認定医療法人の権利義務の全てを承継した医療法人とする。（措規23の12の10①）

（認定医療法人の納付すべき贈与税額）
（3）　（1）の規定を適用する場合における（1）に規定する認定医療法人の納付すべき贈与税額は、**1**の放棄により受けた経済的利益について、当該放棄をした者の異なるごとに、当該放棄をした者の各1人のみから経済的利益を受けたものとみなして算出した場合の贈与税額の合計額とする。（措令40の8の14①）

（納税義務者のみなし規定）
（4）　（3）の場合において、第二編第一章第二節の**一**《個人の納税義務者》の規定の適用については、（3）に規定する認定医療法人は日本国籍を有するものと、当該認定医療法人の住所はその主たる事務所の所在地にあるものと、それぞれみなす。（措令40の8の14②）

（認定医療法人に対する法人税法の規定の適用）
（5）　（1）の規定の適用を受けた（1）に規定する認定医療法人に対する法人税法の規定の適用については、同法第38条《法人税額等の損金不算入》第2項中「次に掲げるもの」とあるのは、「次に掲げるもの及び（1）の規定による贈与税」とする。（措令40の8の14③）

（修正申告書の提出がないとき）
（6）　（1）の規定に該当することとなった場合において、（1）の規定による修正申告書の提出がないときは、納税地の所轄税務署長は、当該修正申告書に記載すべきであった贈与税の額その他の事項につき第二編第六章第六節の**一**の**1**《更正》又は同**一**の**3**《再更正》の規定による更正を行う。（措法70の7の14③）

－1426－

第四章　医療法人の持分の放棄があった場合の贈与税の課税の特例

（贈与税についての更正の期間制限の特則）

（7）　（1）による修正申告書及び（6）の更正に対する国税通則法及び第二編第六章第六節の二の6《贈与税についての更正、決定等の期間制限の特則》の規定の適用については、次に定めるところによる。（措法70の7の14④）

　（一）　当該修正申告書で（1）に規定する提出期限内に提出されたものについては、第二編第六章第四節の一の4《修正申告の効力》の規定を適用する場合を除き、これを期限内申告書とみなす。

　（二）　当該修正申告書で（1）に規定する提出期限後に提出されたもの及び当該更正については、国税通則法第二章から第七章までの規定中「法定申告期限」とあり、及び「法定納期限」とあるのは「第六編第四章の1の（1）に規定する修正申告書の提出期限」と、第二編第六章第六節の三の6の（3）《延滞税の額の計算の基礎となる期間の特例》の（一）中「期限内申告書」とあるのは「第二編第六章第一節の一《贈与税の申告》の規定による申告書」と、同6の（4）《減額更正があった場合の延滞税の額の計算の基礎となる期間》中「期限内申告書又は期限後申告書」とあるのは「第六編第四章の1の（1）の規定による修正申告書」と、第二編第六章第六節の三の6の1の①《過少申告加算税の税率》、同三の②の注《用語意義》の（二）及び同三の③《正当な理由に基づく場合の不適用》の（二）中「期限内申告書」とあるのは「第二編第六章第一節の一《贈与税の申告》の規定による申告書」とする。

　（三）　第二編第六章第六節の三の6の（3）《延滞税の額の計算の基礎となる期間の特例》の（二）及び同三の2《無申告加算税》の規定は、（二）に規定する修正申告書及び更正には、適用しない。

　（四）　第二編第六章第六節の二の6《贈与税についての更正、決定等の期間制限の特則》の（一）及び（二）、同6の（3）《不正行為により税額を免れ若しくは税額の還付を受けた場合の更正決定等》並びに同6の（4）《国税の徴収権の時効》中「第一節一の1又は同一の2の規定による申告書の提出期限」とあるのは、「第八編第四章の1の（1）に規定する修正申告書の提出期限」とする。

2　特例の適用を受けるための手続

　1の規定は、1の規定の適用を受けようとする認定医療法人の第二編第六章第六節の一《贈与税の申告》の規定による申告書に1の規定の適用を受けようとする旨を記載し、当該認定医療法人が1の放棄により受けた経済的利益についての明細その他（1）の財務省令で定める書類の添付がある場合に限り、適用する。（措法70の7の14⑤）

　　　（財務省令で定める書類）

（1）　2に規定する財務省令で定める書類は、次に掲げる書類とする。（措規23の12の10②）

　（一）　1の経済的利益に関する明細書

　（二）　1の規定の適用に係る1の放棄をした個人（以下本章において「贈与者」という。）による1に規定する認定医療法人の持分の放棄の時において当該認定医療法人が厚生労働大臣認定を受けていることを証する書類

　（三）　（二）の認定医療法人の認定移行計画の写し

　（四）　（二）の贈与者による（二）の認定医療法人の持分の放棄の直前における当該認定医療法人の出資者名簿の写し

　（五）　第一章第一節の4の（3）の書類の写しその他の書類で（二）の贈与者による（二）の認定医療法人の持分の放棄があったことを明らかにする書類

　　　（ゆうじょ規定）

（2）　税務署長は、2の記載又は添付がない第二編第六章第六節の一《贈与税の申告》の規定による申告書の提出があった場合において、その記載又は添付がなかったことについてやむを得ない事情があると認めるときは、その記載をした書類及び（1）の財務省令で定める書類の提出があった場合に限り、1の規定を適用することができる。（措法70の7の14⑥）

3　厚生労働大臣認定が取り消された場合

　厚生労働大臣又は地方厚生局長若しくは地方厚生支局長は、1の規定の適用を受ける認定医療法人について、平成18年医療法等改正法附則第10条の4第2項又は第3項の規定により厚生労働大臣認定を取り消した場合には、遅滞なく、その旨その他（1）の財務省令で定める事項を、書面により、国税庁長官又は当該認定医療法人の納税地の所轄税務署長に通知しなければならない。（措法70の7の14⑦）

　　　（財務省令で定める事項）

（1）　3に規定する財務省令で定める事項は、次に掲げる事項とする。（措規23の12の10③）

　（一）　1の（1）に規定する認定医療法人（（3）において「認定医療法人」という。）の名称及び主たる事務所の所在地

－1427－

第八編　医療法人の持分に係る相続税・贈与税の納税猶予等

　（二）　平成18年医療法等改正法附則第10条の４第２項又は第３項の規定による厚生労働大臣認定の取消しに係る事実の詳細及び当該事実の生じた年月日
　（三）　その他参考となるべき事項

　　（税務署長の通知）
（２）　税務署長は、１の場合において厚生労働大臣又は地方厚生局長若しくは地方厚生支局長の事務（１の規定の適用を受ける認定医療法人に関する事務で、３の規定の適用に係るものに限る。）の処理を適正かつ確実に行うため必要があると認めるときは、厚生労働大臣又は当該地方厚生局長若しくは当該地方厚生支局長に対し、当該認定医療法人が１の規定の適用を受ける旨その他（３）の財務省令で定める事項を通知することができる。（措法70の７の14⑧）

　　（財務省令で定める事項）
（３）　（２）に規定する財務省令で定める事項は、次に掲げる事項とする。（措規23の12の10④）
　（一）　１の規定の適用を受ける認定医療法人の名称及び主たる事務所の所在地並びに当該認定医療法人に係る贈与者の氏名及び住所又は居所
　（二）　（一）の認定医療法人が（一）の贈与者による当該認定医療法人の持分の放棄により受けた１の規定の適用に係る１の経済的利益に係る２に規定する申告書が提出された日
　（三）　その他（２）の通知の事務に関し税務署長が必要と認める事項

－1428－

第九編　財産の評価

第八編　財産の評価

第一章　総　　則

　相続税法で特別の定めのあるもの《第23条から第26条》を除くほか、相続、遺贈又は贈与により取得した財産の価額は、当該財産の取得の時における時価により、当該財産の価額から控除すべき債務の金額は、その時の現況による。（法22）

　　（評価の原則）
（１）　財産の評価については、次による。（評基通１、編者補正）
　（一）　評価単位
　　　　財産の価額は、第二章以下に定める評価単位ごとに評価する。
　（二）　時価の意義
　　　　財産の価額は、時価によるものとし、時価とは、課税時期（相続、遺贈若しくは贈与により財産を取得した日若しくは相続税法の規定により相続、遺贈若しくは贈与により取得したものとみなされた財産のその取得の日をいう。以下同じ。）において、それぞれの財産の現況に応じ、不特定多数の当事者間で自由な取引が行われる場合に通常成立すると認められる価額をいい、その価額は、この通達の定めによって評価した価額による。
　（三）　財産の評価
　　　　財産の評価に当たっては、その財産の価額に影響を及ぼすべきすべての事情を考慮する。

　　（共有財産）
（２）　共有財産の持分の価額は、その財産の価額をその共有者の持分に応じてあん分した価額によって評価する。（評基通２）

　　（区分所有財産）
（３）　区分所有に係る財産の各部分の価額は、この通達の定めによって評価したその財産の価額を基とし、各部分の使用収益等の状況を勘案して計算した各部分に対応する価額によって評価する。（評基通３）

　　（元物と果実）
（４）　天然果実の価額は、元物の価額に含めて評価し、法定果実の価額は、元物とは別に評価する。ただし、これと異なる取引の慣行がある場合又は第二章以下に特別の定めのある場合においては、その慣行又はその定めによって評価する。（評基通４）

　　（不動産のうちたな卸資産に該当するものの評価）
（５）　土地、家屋その他の不動産のうちたな卸資産に該当するものの価額は、第六章《動産》第二節《たな卸商品等》の定めに準じて評価する。（評基通４－２、編者補正）

　　（邦貨換算）
（６）　外貨建てによる財産及び国外にある財産の邦貨換算は、原則として、納税義務者の取引金融機関（外貨預金等、取引金融機関が特定されている場合は、その取引金融機関）が公表する課税時期における最終の為替相場（邦貨換算を行う場合の外国為替の売買相場のうち、いわゆる対顧客直物電信買相場又はこれに準ずる相場をいう。また、課税時期に当該相場がない場合には、課税時期前の当該相場のうち、課税時期に最も近い日の当該相場とする。）による。
　　なお、先物外国為替契約（課税時期において選択権を行使していない選択権付為替予約を除く。）を締結していることによりその財産についての為替相場が確定している場合には、当該先物外国為替契約により確定している為替相場による。（評基通４－３）
　（注）　外貨建てによる債務を邦貨換算する場合には、（６）の「対顧客直物電信買相場」を「対顧客直物電信売相場」と読み替えて適用することに留意する。

－1431－

第九編　財産の評価

（基準年利率）

（7）　第二章以下に定める財産の評価において適用する年利率は、別に定めるものを除き、年数又は期間に応じ、日本証券業協会において売買参考統計値が公表される利付国債に係る複利利回りを基に計算した年利率（以下「**基準年利率**」という。）によることとし、その基準年利率は、短期（3年未満）、中期（3年以上7年未満）及び長期（7年以上）に区分し、各月ごとに別に定める。（評基通4－4）

（注）　（7）中の基準年利率については、短期（3年未満）、中期（3年以上7年未満）、長期（7年以上）の区分に応じ各月ごとに別に定められた基準年利率が適用され、平成16年1月1日以後に相続、遺贈又は贈与により取得した財産の評価について適用される。（編者注）

（評価方法の定めのない財産の評価）

（8）　財産評価基本通達に評価方法の定めのない財産の価額は、財産評価基本通達に定める評価方法に準じて評価する。（評基通5）

（国外財産の評価）

（9）　国外にある財産の価額についても、財産評価基本通達に定める評価方法により評価することに留意する。

　　なお、財産評価基本通達の定めによって評価することができない財産については、財産評価基本通達に定める評価方法に準じて、又は売買実例価額、精通者意見価格等を参酌して評価するものとする。（評基通5－2）

（注）　財産評価基本通達の定めによって評価することができない財産については、課税上弊害がない限り、その財産の取得価額を基にその財産が所在する地域若しくは国におけるその財産と同一種類の財産の一般的な価格動向に基づき時点修正して求めた価額又は課税時期後にその財産を譲渡した場合における譲渡価額を基に課税時期現在の価額として算出した価額により評価することができる。

（財産評価基本通達の定めにより難い場合の評価）

（10）　財産評価基本通達の定めによって評価することが著しく不適当と認められる財産の価額は、国税庁長官の指示を受けて評価する。（評基通6）

（借地権及び区分地上権の評価）

（11）　建物の所有を目的とする地上権及び民法第269条の2《地下又は空間を目的とする地上権》の規定による区分地上権については第二章第二節(37)《地上権の評価》の規定の適用はなく、第一章総則冒頭の規定が適用されるのであるから留意する。（基通23－1）

第二章　土地及び土地の上に存する権利

第一節　通　　則

（土地の評価上の区分）
（1）　土地の価額は、次に掲げる地目の別に評価する。ただし、一体として利用されている一団の土地が二以上の地目からなる場合には、その一団の土地は、そのうちの主たる地目からなるものとして、その一団の土地ごとに評価するものとする。

　　なお、市街化調整区域（都市計画法第７条《区域区分》第３項に規定する「市街化調整区域」をいう。以下同じ。）以外の都市計画区域（同法第４条《定義》第２項に規定する「都市計画区域」をいう。以下同じ。）で市街地的形態を形成する地域において、第三節の（9）《市街地農地の評価》の本文の定めにより評価する市街地農地（同節の（10）《生産緑地の評価》に定める生産緑地を除く。）、第四節の（4）《市街地山林の評価》の本文の定めにより評価する市街地山林、第五節の（4）《市街地原野の評価》の本文の定めにより評価する市街地原野又は第九節の（1）《雑種地の評価》の本文の定めにより評価する宅地と状況が類似する雑種地のいずれか二以上の地目の土地が隣接しており、その形状、地積の大小、位置等からみてこれらを一団として評価することが合理的と認められる場合には、その一団の土地ごとに評価するものとする。

　　地目は、課税時期の現況によって判定する。（評基通7）
（一）　宅　地
（二）　田
（三）　畑
（四）　山　林
（五）　原　野
（六）　牧　場
（七）　池　沼
（八）　削　除
（九）　鉱泉地
（十）　雑種地
　（注）　地目の判定は、不動産登記事務取扱手続準則（平成17年２月25日付民二第456号法務省民事局長通達）第68条及び第69条に準じて行う。ただし、「（四）　山林」には、同準則第68条の「（20）　保安林」を含み、また「（十）　雑種地」には、同準則第68条の「（12）　墓地」から「（23）　雑種地」まで（「（20）　保安林」を除く。）に掲げるものを含む。

（評価単位）
（2）　土地の価額は、次に掲げる評価単位ごとに評価することとし、土地の上に存する権利についても同様とする。（評基通7－2）
（一）　宅地
　　宅地は、1画地の宅地（利用の単位となっている1区画の宅地をいう。以下同じ。）を評価単位とする。
　（注）　贈与、遺産分割等による宅地の分割が親族間等で行われた場合において、例えば、分割後の画地が宅地として通常の用途に供することができないなど、その分割が著しく不合理であると認められるときは、その分割前の画地を「1画地の宅地」とする。
（二）　田及び畑
　　田及び畑（以下「農地」という。）は、1枚の農地（耕作の単位となっている1区画の農地をいう。以下同じ。）を評価単位とする。
　　ただし、第三節の（4）《市街地周辺農地の範囲》に定める市街地周辺農地、同節の（9）《市街地農地の評価》の本文の定めにより評価する市街地農地及び同節の（10）《生産緑地の評価》に定める生産緑地は、それぞれを利用の単位となっている一団の農地を評価単位とする。この場合において、（一）の（注）に定める場合に該当するときは、その（注）を準用する。

－1433－

第九編　財産の評価

（三）　山林

　　山林は、1筆（地方税法第341条《固定資産税に関する用語の意義》第10号に規定する土地課税台帳又は同条第11号に規定する土地補充課税台帳に登録された1筆をいう。以下同じ。）の山林を評価単位とする。

　　ただし、第四節の（4）《市街地山林の評価》の本文の定めにより評価する市街地山林は、利用の単位となっている一団の山林を評価単位とする。この場合において、（一）の（注）に定める場合に該当するときは、その（注）を準用する。

（四）　原野

　　原野は、1筆の原野を評価単位とする。

　　ただし、第五節の（4）《市街地原野の評価》の本文の定めにより評価する市街地原野は、利用の単位となっている一団の原野を評価単位とする。この場合において、（一）の（注）に定める場合に該当するときは、その（注）を準用する。

（五）　牧場及び池沼

　　牧場及び池沼は、原野に準ずる評価単位とする。

（六）　鉱泉地

　　鉱泉地は、原則として、1筆の鉱泉地を評価単位とする。

（七）　雑種地

　　雑種地は、利用の単位となっている一団の雑種地（同一の目的に供されている雑種地をいう。）を評価単位とする。

　　ただし、市街化調整区域以外の都市計画区域で市街地的形態を形成する地域において、第九節の（1）《雑種地の評価》の本文の定めにより評価する宅地と状況が類似する雑種地が2以上の評価単位により一団となっており、その形状、地積の大小、位置等からみてこれらを一団として評価することが合理的と認められる場合には、その一団の雑種地ごとに評価する。この場合において、（一）の（注）に定める場合に該当するときは、その（注）を準用する。

（注）1　「1画地の宅地」は、必ずしも1筆の宅地からなるとは限らず、2筆以上の宅地からなる場合もあり、1筆の宅地が2画地以上の宅地として利用されている場合もあることに留意する。

　　　2　「1枚の農地」は、必ずしも1筆の農地からなるとは限らず、2筆以上の農地からなる場合もあり、また、1筆の農地が2枚以上の農地として利用されている場合もあることに留意する。

　　　3　いずれの用にも供されていない一団の雑種地については、その全体を「利用の単位となっている一団の雑種地」とすることに留意する。

（地　　積）

（3）　地積は、課税時期における実際の面積による。（評基通8）

（土地の上に存する権利の評価上の区分）

（4）　土地の上に存する権利の価額は、次に掲げる権利の別に評価する。（評基通9）

（一）　地上権（民法第269条の2《地下又は空間を目的とする地上権》第1項の地上権（以下「区分地上権」という。）及び借地借家法第2条《定義》に規定する借地権に該当するものを除く。以下同じ。）

（二）　区分地上権

（三）　永小作権

（四）　区分地上権に準ずる地役権（地価税法施行令第2条《借地権等の範囲》第1項に規定する地役権をいう。以下同じ。）

（五）　借地権（借地借家法第22条《定期借地権》、第23条《事業用定期借地権等》、第24条《建物譲渡特約付借地権》及び第25条《一時使用目的の借地権》に規定する借地権（以下「定期借地権等」という。）に該当するものを除く。以下同じ。）

（六）　定期借地権等

（七）　耕作権（農地法第2条《定義》第1項に規定する農地又は採草放牧地の上に存する賃借権（同法第18条《農地又は採草放牧地の賃貸借の解約等の制限》第1項本文の規定の適用がある賃借権に限る。）をいう。以下同じ。）

（八）　温泉権（引湯権を含む。）

（九）　賃借権（（五）の借地権、（六）の定期借地権等、（七）の耕作権及び（八）の温泉権に該当するものを除く。以下同じ。）

（十）　占用権（地価税法施行令第2条第2項に規定する権利をいう。以下同じ。）

－1434－

第二章　土地及び土地の上に存する権利

第二節　宅地及び宅地の上に存する権利

（評価の方式）
（１）　宅地の評価は、原則として次に掲げる区分に従い、それぞれ次に掲げる方式によって行う。（評基通11）
　（一）　市街地的形態を形成する地域にある宅地　路線価方式
　（二）　（一）以外の宅地　倍率方式

（路線価方式）
（２）　路線価方式とは、その宅地の面する路線に付された路線価を基とし、（６）《奥行価格補正》から(16)《容積率の異なる２以上の地域にわたる宅地の評価》までの定めにより計算した金額によって評価する方式をいう。（評基通13）

（路線価）
（３）　（２）の「路線価」は、宅地の価額がおおむね同一と認められる一連の宅地が面している路線（不特定多数の者の通行の用に供されている道路をいう。以下同じ。）ごとに設定する。
　　路線価は、路線に接する宅地で次に掲げるすべての事項に該当するものについて、売買実例価額、公示価格（地価公示法第６条《標準地の価格等の公示》の規定により公示された標準地の価格をいう。以下同じ。）、不動産鑑定士等による鑑定評価額（不動産鑑定士又は不動産鑑定士補が国税局長の委嘱により鑑定評価した価額をいう。以下同じ。）、精通者意見価格等を基として国税局長がその路線ごとに評定した１平方メートル当たりの価額とする。（評基通14）
　（一）　その路線のほぼ中央部にあること。
　（二）　その一連の宅地に共通している地勢にあること。
　（三）　その路線だけに接していること。
　（四）　その路線に面している宅地の標準的な間口距離及び奥行距離を有するく形又は正方形のものであること。
　　(注)　（四）の「標準的な間口距離及び奥行距離」には、それぞれ付表１「奥行価格補正率表」に定める補正率（以下「奥行価格補正率」という。）及び付表６「間口狭小補正率表」に定める補正率（以下「間口狭小補正率」という。）がいずれも1.00であり、かつ、付表７「奥行長大補正率表」に定める補正率（以下「奥行長大補正率」という。）の適用を要しないものが該当する。

（地　　区）
（４）　路線価方式により評価する地域（以下「路線価地域」という。）については、宅地の利用状況がおおむね同一と認められる一定の地域ごとに、国税局長が次に掲げる地区を定めるものとする。（評基通14－２）
　（一）　ビル街地区
　（二）　高度商業地区
　（三）　繁華街地区
　（四）　普通商業・併用住宅地区
　（五）　普通住宅地区
　（六）　中小工場地区
　（七）　大工場地区

（特定路線価）
（５）　路線価地域内において、相続税又は贈与税の課税上、路線価の設定されていない道路のみに接している宅地を評価する必要がある場合には、当該道路を路線とみなして当該宅地を評価するための路線価（以下「特定路線価」という。）を納税義務者からの申出等に基づき設定することができる。
　　特定路線価は、その特定路線価を設定しようとする道路に接続する路線及び当該道路の付近の路線に設定されている路線価を基に、当該道路の状況、（４）に定める地区の別等を考慮して税務署長が評定した１平方メートル当たりの価額とする。（評基通14－３）

（奥行価格補正）
（６）　一方のみが路線に接する宅地の価額は、路線価にその宅地の奥行距離に応じて奥行価格補正率（付表１）を乗じて求めた価額にその宅地の地積を乗じて計算した価額によって評価する。（評基通15）

－1435－

(側方路線影響加算)
(7) 正面と側方に路線がある宅地（以下「角地」という。）の価額は、次の(一)及び(二)に掲げる価額の合計額にその宅地の地積を乗じて計算した価額によって評価する。（評基通16）
(一) 正面路線（原則として、(6)の定めにより計算した１平方メートル当たりの価額の高い方の路線をいう。以下同じ。）の路線価に基づき計算した価額
(二) 側方路線（正面路線以外の路線をいう。）の路線価を正面路線の路線価とみなし、その路線価に基づき計算した価額に付表２「側方路線影響加算率表」に定める加算率を乗じて計算した価額

(二方路線影響加算)
(8) 正面と裏面に路線がある宅地の価額は、次の(一)及び(二)に掲げる価額の合計額にその宅地の地積を乗じて計算した価額によって評価する。（評基通17）
(一) 正面路線の路線価に基づき計算した価額
(二) 裏面路線（正面路線以外の路線をいう。）の路線価を正面路線の路線価とみなし、その路線価に基づき計算した価額に付表３「二方路線影響加算率表」に定める加算率を乗じて計算した価額

(三方又は四方路線影響加算)
(9) 三方又は四方に路線がある宅地の価額は、(7)《側方路線影響加算》及び(8)《二方路線影響加算》に定める方法を併用して計算したその宅地の価額にその宅地の地積を乗じて計算した価額によって評価する。（評基通18）

(不整形地の評価)
(10) 不整形地（三角地を含む。以下同じ。）の価額は、次の(一)から(四)までのいずれかの方法により(6)《奥行価格補正》から(9)《三方又は四方路線影響加算》までの定めによって計算した価額に、その不整形の程度、位置及び地積の大小に応じ、付表４「地積区分表」に掲げる地区区分及び地積区分に応じた付表５「不整形地補正率表」に定める補正率（以下「不整形地補正率」という。）を乗じて計算した価額により評価する。（評基通20）
(一) 次図のように不整形地を区分して求めた整形地を基として計算する方法

――――― 線　不整形地
・・・・・・・・・ 線　整形地に区分した線

(二) 次図のように不整形地の地積を間口距離で除して算出した計算上の奥行距離を基として求めた整形地により計算する方法

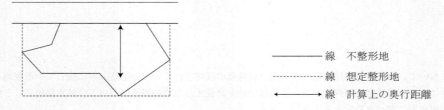

――――― 線　不整形地
・・・・・・・・・ 線　想定整形地
←――→ 線　計算上の奥行距離

(注) ただし、計算上の奥行距離は、不整形地の全域を囲む、正面路線に面するく形又は正方形の土地（以下「想定整形地」という。）の奥行距離を限度とする。

(三) 次図のように不整形地に近似する整形地（以下「近似整形地」という。）を求め、その設定した近似整形地を基として計算する方法

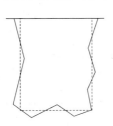

――――― 線　不整形地
------------ 線　近似整形地

(注)　近似整形地は、近似整形地からはみ出す不整形地の部分の地積と近似整形地に含まれる不整形地以外の部分の地積がおおむね等しく、かつ、その合計地積ができるだけ小さくなるように求める（（四）において同じ。）。

(四) 次図のように近似整形地（①）を求め、隣接する整形地（②）と合わせて全体の整形地の価額の計算をしてから、隣接する整形地（②）の価額を差し引いた価額を基として計算する方法

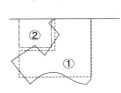

――――― 線　不整形地
------------ 線　近似整形地
―――-―――- 線　隣接する整形地

【不整形地の評価額の計算例】

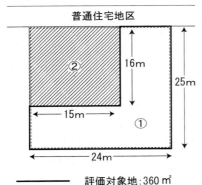

① 整形地としての価額の計算

〔路線価〕　$\begin{pmatrix}25\text{mの奥行}\\\text{価格補正率}\end{pmatrix}$　$\begin{pmatrix}①土地と②土地をあ\\わせた土地の地積\end{pmatrix}$
200千円　×　0.97　×　600㎡

〔路線価〕　$\begin{pmatrix}16\text{mの奥行}\\\text{価格補正率}\end{pmatrix}$　$\begin{pmatrix}②土地（かげ地部\\分）の地積\end{pmatrix}$
－200千円　×　1.00　×　240㎡

〔整形地としての価額〕
＝　68,400千円

② かげ地割合の計算

$\dfrac{\begin{bmatrix}\text{想定整形地の地積}\\600㎡\end{bmatrix}-\begin{bmatrix}\text{評価対象地の地積}\\360㎡\end{bmatrix}}{\begin{bmatrix}\text{想定整形地の地積}\\600㎡\end{bmatrix}}=\begin{bmatrix}\text{かげ地割合}\\40\%\end{bmatrix}$

③ 不整形地補正率（付表4及び付表5により求めます。）

地 区 区 分：普通住宅地区　⎤
地 積 区 分：A　　　　　　⎬　⇒　0.85
かげ地割合：40%　　　　　 ⎦

第九編　財産の評価

④　不整形地の評価額の計算

〔整形地としての価額〕　　〔不整形地補正率〕　　〔不整形地の評価額〕
68,400千円　　　×　　　0.85　　　＝　　　58,140千円

（地積規模の大きな宅地の評価）

(11)　地積規模の大きな宅地（三大都市圏においては500㎡以上の地積の宅地、それ以外の地域においては1,000㎡以上の地積の宅地をいい、次の（一）から（三）までのいずれかに該当するものを除く。以下(11)において「地積規模の大きな宅地」という。）で（4）《地区》の定めにより普通商業・併用住宅地区及び普通住宅地区として定められた地域に所在するものの価額は、（6）《奥行価格補正》から(10)までの定めにより計算した価額に、その宅地の地積の規模に応じ、次の算式により求めた規模格差補正率を乗じて計算した価額によって評価する。（評基通20－2）

（一）　市街化調整区域（都市計画法第34条第10号又は第11号の規定に基づき宅地分譲に係る同法第4条《定義》第12項に規定する開発行為を行うことができる区域を除く。）に所在する宅地

（二）　都市計画法第8条《地域地区》第1項第1号に規定する工業専用地域に所在する宅地

（三）　容積率（建築基準法（昭和25年法律第201号）第52条《容積率》第1項に規定する建築物の延べ面積の敷地面積に対する割合をいう。）が10分の40（東京都の特別区（地方自治法（昭和22年法律第67号）第281条《特別区》第1項に規定する特別区をいう。）においては10分の30）以上の地域に所在する宅地

（算式）

$$規模格差補正率＝\frac{Ⓐ × Ⓑ ＋ Ⓒ}{地積規模の大きな宅地の地積（Ⓐ）}×0.8$$

上の算式中の「Ⓑ」及び「Ⓒ」は、地積規模の大きな宅地が所在する地域に応じ、それぞれ次に掲げる表のとおりとする。

イ　三大都市圏に所在する宅地

地積㎡　　　　　地区区分　　記号	普通商業・併用住宅地区、普通住宅地区	
	Ⓑ	Ⓒ
500以上　　1,000未満	0.95	25
1,000 〃　　3,000 〃	0.90	75
3,000 〃　　5,000 〃	0.85	225
5,000 〃	0.80	475

ロ　三大都市圏以外の地域に所在する宅地

地積㎡　　　　　地区区分　　記号	普通商業・併用住宅地区、普通住宅地区	
	Ⓑ	Ⓒ
1,000以上　　3,000未満	0.90	100
3,000 〃　　5,000 〃	0.85	250
5,000 〃	0.80	500

（注）1　上記算式により計算した規模格差補正率は、小数点以下第2位未満を切り捨てる。

　　　2　「三大都市圏」とは、次の地域をいう。

　　イ　首都圏整備法（昭和31年法律第83号）第2条《定義》第3項に規定する既成市街地又は同条第4項に規定する近郊整備地帯

　　ロ　近畿圏整備法（昭和38年法律第129号）第2条《定義》第3項に規定する既成都市区域又は同条第4項に規定する近郊整備区域

　　ハ　中部圏開発整備法（昭和41年法律第102号）第2条《定義》第3項に規定する都市整備区域

（無道路地の評価）

(12)　無道路地の価額は、実際に利用している路線の路線価に基づき(10)《不整形地の評価》又は(11)《地積規模の大きな宅地の評価》の定めによって計算した価額からその価額の100分の40の範囲内において相当と認める金額を控除した価額によって評価する。この場合において、100分の40の範囲内において相当と認める金額は、無道路地について建築基準法その他の法令において規定されている建築物を建築するために必要な道路に接すべき最小限の間口距離の要件（以下「接道義務」という。）に基づき最小限度の通路を開設する場合のその通路に相当する部分の価額（路線価に地積を乗じた価額）とする。（評基通20－3）

（注）1　無道路地とは、道路に接しない宅地（接道義務を満たしていない宅地を含む。）をいう。

　　　2　(10)《不整形地の評価》の定めにより、付表5「不整形地補正率表」の(注)3の計算をするに当たっては、無道路地が接道義務に基づく最小限度の間口距離を有するものとして間口狭小補正率を適用する。

－1438－

【無道路地の評価額の計算例】

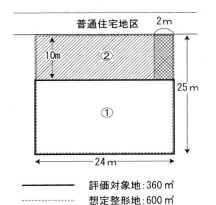
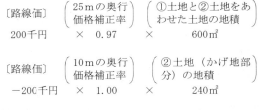

① 整形地としての価額の計算

〔路線価〕　（25mの奥行　価格補正率）　（①土地と②土地をあわせた土地の地積）
200千円　×　0.97　×　600㎡

〔路線価〕　（10mの奥行　価格補正率）　（②土地（かげ地部分）の地積）
－200千円　×　1.00　×　240㎡

〔整形地としての価額〕
＝　68,400千円

　　　　　評価対象地：360㎡
　- - - - -　想定整形地：600㎡
　▨▨▨　かげ地部分：240㎡
　▨▨▨　通路相当部分：20㎡

② 不整形地としての価額の計算

（整形地としての価額）　（不整形地補正率（注））　（不整形地としての価額）
68,400千円　×　0.76　＝　51,984千円

(注)（不整形地補正率）　（間口狭小補正率）
　　　0.85　×　0.90　＝0.76
　　（小数点第2位未満切捨て、下限0.6）

（間口狭小補正率）　（奥行長大補正率）
　0.90　<　0.90　×　0.90

③ 通路相当部分の価額の計算

〔路線価〕　〔通路相当部分の地積〕　〔通路相当部分の価額〕
200千円　×　20㎡　＝　4,000千円

（〔通路相当部分の価額〕　　〔不整形地としての価額〕　　）
　4,000千円　<　51,984千円　×　0.4
　　　　　　　　　　　　　　　（最大40％減額）

④ 無道路地の評価額の計算

（不整形地としての価額）　（通路相当部分の価額）　（無道路地の評価額）
51,984千円　－　4,000千円　＝　47,984千円

（間口が狭小な宅地等の評価）
(13)　次に掲げる宅地（不整形地及び無道路地を除く。）の価額は、(6)《奥行価格補正》から(9)《三方又は四方路線影響加算》までの定めにより計算した1平方メートル当たりの価額にそれぞれ次に掲げる補正表に定める補正率を乗じて求めた価額にこれらの宅地の地積を乗じて計算した価額によって評価する。この場合において、地積が大きいもの等にあっては、近傍の宅地の価額との均衡を考慮し、それぞれの補正率表に定める補正率を適宜修正することができる。
　なお、(11)《地積規模の大きな宅地の評価》の定めの適用がある場合には、(13)本文の定めにより評価した価額に、(11)に定める規模格差補正率を乗じて計算した価額によって評価する。（評基通20－4）
(一)　間口が狭小な宅地　　付表6「間口狭小補正率表」
(二)　奥行が長大な宅地　　付表7「奥行長大補正率表」

（がけ地等を有する宅地の評価）
(14)　がけ地等で通常の用途に供することができないと認められる部分を有する宅地（(15)の定めにより評価するものを除く。）の価額は、その宅地のうちに存するがけ地等ががけ地等でないとした場合の価額に、その宅地の総地積に対する

がけ地部分等通常の用途に供することができないと認められる部分の地積の割合に応じて付表8「がけ地補正率表」に定める補正率を乗じて計算した価額によって評価する。(評基通20－5)

【がけ地等の評価額の計算例】

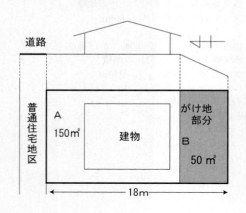

① がけ地等でないとした場合の価額の計算

〔路線価〕　(18mの奥行価格補正率)　〔地積〕
200千円　×　1.00　×　200㎡＝40,000千円

② がけ地補正率

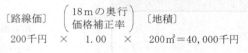

③ がけ地等を有する宅地の評価額の計算

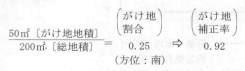

(土砂災害特別警戒区域内にある宅地の評価)
(15) 土砂災害特別警戒区域内(土砂災害警戒区域等における土砂災害防止対策の推進に関する法律(平成12年法律第57号)第9条《土砂災害特別警戒区域》第1項に規定する土砂災害特別警戒区域の区域内をいう。以下同じ。)となる部分を有する宅地の価額は、その宅地のうちの土砂災害特別警戒区域内となる部分が土砂災害特別警戒区域内となる部分でないものとした場合の価額に、その宅地の総地積に対する土砂災害特別警戒区域内となる部分の地積の割合に応じて付表9「特別警戒区域補正率表」に定める補正率を乗じて計算した価額によって評価する。(評基通20－6)

(容積率の異なる2以上の地域にわたる宅地の評価)
(16) 容積率(建築基準法第52条に規定する建築物の延べ面積の敷地面積に対する割合をいう。以下同じ。)の異なる2以上の地域にわたる宅地の価額は、(6)《奥行価格補正》から(15)までの定めにより評価した価額から、その価額に次の算式により計算した割合を乗じて計算した金額を控除した価額によって評価する。この場合において適用する「容積率が価額に及ぼす影響度」は(4)《地区》に定める地区に応じて下表のとおりとする。(評基通20－7)

$$\left(1 - \frac{\text{容積率の異なる部分の各部分に適用される容積率に}}{\text{その各部分の地積を乗じて計算した数値の合計}}\right) \times \text{容積率が価額に及ぼす影響度}$$

○ 容積率が価額に及ぼす影響度

地区区分	影響度
高度商業地区、繁華街地区	0.8
普通商業・併用住宅地区	0.5
普通住宅地区	0.1

(注)1　上記算式により計算した割合は、小数点以下3位未満を四捨五入して求める。
2　正面路線に接する部分の容積率が他の部分の容積率よりも低い宅地のように、この算式により計算した割合が負数となるときは適用しない。
3　2以上の路線に接する宅地について正面路線の路線価に奥行価格補正率を乗じて計算した価額からその価額に上記算式により計算した割合を乗じて計算した金額を控除した価額が、正面路線以外の路線の路線価に奥行価格補正率を乗じて計算した価額を下回る場合におけるその宅地の価額は、それらのうち最も高い価額となる路線を正面路線とみなして(6)《奥行価格補正》から(15)までの定めにより計算した価額によって評価する。なお、(6)から(15)までの定めの適用については、正面路線とみなした路線の(4)《地区》に定める地区区分によることに留意する。

【容積率の異なる2以上の地域にわたる宅地の評価額の計算例】

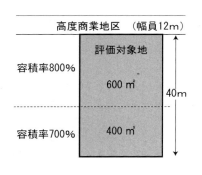

① 容積率が異なることを考慮しない場合の価額の計算

　〔路線価〕　$\begin{pmatrix} 40\text{mの奥行} \\ \text{価格補正率} \end{pmatrix}$　〔地積〕
　800千円　×　1.0　×　1,000㎡　＝800,000千円

② 減価率の計算

$$\left(1 - \frac{800\% \times 600㎡ + 700\% \times 400㎡}{800\% \times 1,000㎡}\right) \times \underset{\text{〔影響度〕}}{0.8} = \underset{\text{〔減価率〕}}{0.040}$$

③ 容積率の異なる2以上の地域にわたる宅地の評価額の計算

　〔①の価額〕　〔①の価額〕　〔②の減価率〕
　800,000千円 － 800,000千円 × 0.040　＝768,000千円

(倍率方式)
(17)　倍率方式とは、固定資産税評価額（地方税法第381条《固定資産課税台帳の登録事項》の規定により土地課税台帳若しくは土地補充課税台帳（同条第8項の規定により土地補充課税台帳とみなされるものを含む。）に登録された基準年度の価格又は比準価格をいう。以下この章において同じ。）に国税局長が一定の地域ごとにその地域の実情に即するように定める倍率を乗じて計算した金額によって評価する方式をいう。(評基通21)

(倍率方式による評価)
(18)　倍率方式により評価する宅地の価額は、その宅地の固定資産税評価額に地価事情の類似する地域ごとに、その地域にある宅地の売買実例価額、公示価格、不動産鑑定士等による鑑定評価額、精通者意見価格等を基として国税局長の定める倍率を乗じて計算した金額によって評価する。ただし、倍率方式により評価する地域（以下「倍率地域」という。）に所在する(11)《地積規模の大きな宅地の評価》に定める地積規模の大きな宅地（(20)《大規模工場用地》に定める大規模工場用地に該当する宅地を除く。）の価額については、(18)本文の定めにより評価した価額が、その宅地が標準的な間口距離及び奥行距離を有する宅地であるとした場合の1平方メートル当たりの価額を(3)《路線価》に定める路線価とし、かつ、その宅地が(4)《地区》に定める普通住宅地区に所在するものとして(11)の定めに準じて計算した価額を上回る場合には、(11)の定めに準じて計算した価額により評価する。(評基通21-2)

(大規模工場用地の評価)
(19)　大規模工場用地の評価は、次に掲げる区分に従い、それぞれ次に掲げるところによる。ただし、その地積が20万平方メートル以上のものの価額は、次により計算した価額の100分の95に相当する価額によって評価する。(評基通22)
(一)　路線価地域に所在する大規模工場用地の価額は、正面路線の路線価にその大規模工場用地の地積を乗じて計算した価額によって評価する。
(二)　倍率地域に所在する大規模工場用地の価額は、その大規模工場用地の固定資産税評価額に倍率を乗じて計算した金額によって評価する。

(大規模工場用地)
(20)　(19)の「大規模工場用地」とは、一団の工場用地の地積が5万平方メートル以上のものをいう。ただし、路線価地域においては、(4)《地区》の定めにより大工場地区として定められた地域に所在するものに限る。(評基通22-2)
(注)　「一団の工場用地」とは、工場、研究開発施設等の敷地の用に供されている宅地及びこれらの宅地に隣接する駐車場、福利厚生施設等の用に供されている一団の土地をいう。なお、その土地が、不特定多数の者の通行の用に供されている道路、河川等により物理的に分離されている場合には、その分離されている一団の工場用地ごとに評価することに留意する。

(大規模工場用地の路線価及び倍率)
(21)　(19)《大規模工場用地の評価》の「路線価」及び「倍率」は、その大規模工場用地がその路線（倍率を定める場合は、その大規模工場用地の価格に及ぼす影響が最も高いと認められる路線）だけに接していて地積がおおむね5万平方メートルのく形又は正方形の宅地として、売買実例価額、公示価格、不動産鑑定士等による鑑定評価額、精通者意見価格等を基に国税局長が定める。(評基通22-3)

第九編　財産の評価

（余剰容積率の移転がある場合の宅地の評価）

(22)　余剰容積率を移転している宅地又は余剰容積率の移転を受けている宅地の評価は、次に掲げる区分に従い、それぞれ次に掲げるところによる。（評基通23）

（一）　余剰容積率を移転している宅地の価額は、原則として、（1）《評価の方式》から(18)《倍率方式による評価》までの定めにより評価したその宅地の価額を基に、設定されている権利の内容、建築物の建築制限の内容等を勘案して評価する。ただし、次の算式により計算した金額によって評価することができるものとする。

$$A \times \left[1 - \frac{B}{C} \right]$$

上の算式中の「A」、「B」及び「C」は、それぞれ次による。

「A」＝余剰容積率を移転している宅地について、（1）《評価の方式》から(18)《倍率方式による評価》までの定めにより評価した価額

「B」＝区分地上権の設定等に当たり収受した対価の額

「C」＝区分地上権の設定等の直前における余剰容積率を移転している宅地の通常の取引価額に相当する金額

（二）　余剰容積率の移転を受けている宅地の価額は、原則として、（1）《評価の方式》から(18)《倍率方式による評価》までの定めにより評価したその宅地の価額を基に、容積率の制限を超える延べ面積の建築物を建築するために設定している権利の内容、建築物の建築状況等を勘案して評価する。ただし、次の算式により計算した金額によって評価することができるものとする。

$$D \times \left[1 + \frac{E}{F} \right]$$

上の算式中の「D」、「E」及び「F」は、それぞれ次による。

「D」＝余剰容積率の移転を受けている宅地について、（1）《評価の方式》から(18)《倍率方式による評価》までの定めにより評価した価額

「E」＝区分地上権の設定等に当たり支払った対価の額

「F」＝区分地上権の設定等の直前における余剰容積率の移転を受けている宅地の通常の取引価額に相当する金額

（注）　余剰容積率を有する宅地に設定された区分地上権等は、独立した財産として評価しないこととし、余剰容積率の移転を受けている宅地の価額に含めて評価するものとする。

（余剰容積率を移転している宅地又は余剰容積率の移転を受けている宅地）

(23)　(22)の「余剰容積率を移転している宅地」又は「余剰容積率の移転を受けている宅地」とは、それぞれ次のものをいう。（評基通23－2）

（一）　「余剰容積率を移転している宅地」とは、容積率の制限に満たない延べ面積の建築物が存する宅地（以下「余剰容積率を有する宅地」という。）で、その宅地以外の宅地に容積率の制限を超える延べ面積の建築物を建築することを目的とし、区分地上権、地役権、賃借権等の建築物の建築に関する制限が存する宅地をいう。

（二）　「余剰容積率の移転を受けている宅地」とは、余剰容積率を有する宅地に区分地上権、地役権、賃借権の設定を行う等の方法により建築物の建築に関する制限をすることによって容積率の制限を超える延べ面積の建築物を建築している宅地をいう。

（私道の用に供されている宅地の評価）

(24)　私道の用に供されている宅地の評価は、（1）《評価の方式》から(18)《倍率方式による評価》までの定めにより計算した価額の100分の30に相当する価額によって評価する。この場合において、その私道が不特定多数の者の通行の用に供されているときは、その私道の価額は評価しない。（評基通24）

（土地区画整理事業施行中の宅地の評価）

(25)　土地区画整理事業（土地区画整理法第2条《定義》第1項又は第2項に規定する土地区画整理事業をいう。）の施行地区内にある宅地について同法第98条《仮換地の指定》の規定に基づき仮換地が指定されている場合におけるその宅地の価額は、（1）《評価の方式》から(18)《倍率方式による評価》まで及び(24)の定めにより計算したその仮換地の価額に相当する価額によって評価する。

ただし、その仮換地の造成工事が施行中で、当該工事が完了するまでの期間が1年を超えると見込まれる場合の仮換地の価額に相当する価額は、その仮換地について造成工事が完了したものとして、本文の定めにより評価した価額の100分の95に相当する価額によって評価する。（評基通24－2）

－1442－

第二章　土地及び土地の上に存する権利

（注）　仮換地が指定されている場合であっても、次の事項のいずれにも該当するときには、従前の宅地の価額により評価する。

　　1　土地区画整理法第99条《仮換地の指定の効果》第2項の規定により、仮換地について使用又は収益を開始する日を別に定めるとされているため、当該仮換地について使用又は収益を開始することができないこと。

　　2　仮換地の造成工事が行われていないこと。

（造成中の宅地の評価）

(26)　造成中の宅地の価額は、その土地の造成工事着手直前の地目により評価した課税時期における価額に、その宅地の造成に係る費用現価（課税時期までに投下した費用の額を課税時期の価額に引き直した額の合計額をいう。以下同じ。）の100分の80に相当する金額を加算した金額によって評価する。（評基通24－3）

（農業用施設用地の評価）

(27)　農業振興地域の整備に関する法律第8条第2項第1号に規定する農用地区域（以下「農用地区域」という。）内又は市街化調整区域内に存する農業用施設（農業振興地域の整備に関する法律第3条第3号及び第4号に規定する施設をいう。）の用に供されている宅地（以下(27)において「農業用施設用地」という。）の価額は、その宅地が農地であるとした場合の1平方メートル当たりの価額に、その農地を課税時期において当該農業用施設の用に供されている宅地とする場合に通常必要と認められる1平方メートル当たりの造成費に相当する金額として、整地、土盛り又は土止めに要する費用の額がおおむね同一と認められる地域ごとに国税局長の定める金額を加算した金額に、その宅地の地積を乗じて計算した金額によって評価する。

　　ただし、その農業用施設用地の位置、都市計画法の規定による建築物の建築に関する制限の内容等により、その付近にある宅地（農業用施設用地を除く。）の価額に類似する価額で取引されると認められることから、上記の方法によって評価することが不適当であると認められる農業用施設用地（農用地区域内に存するものを除く。）については、その付近にある宅地（農業用施設用地を除く。）の価額に比準して評価することとする。（評基通24－5）

（注）1　その宅地が農地であるとした場合の1平方メートル当たりの価額は、その付近にある農地について第三節の(6)《純農地の評価》又は(7)《中間農地の評価》に定める方式によって評価した1平方メートル当たりの価額を基として評価するものとする。

　　2　農用地区域内又は市街化調整区域内に存する農業用施設の用に供されている雑種地の価額については、(27)の定めに準じて評価することに留意する。

（セットバックを必要とする宅地の評価）

(28)　建築基準法第42条第2項に規定する道路に面しており、将来、建物の建替え時等に同法の規定に基づき道路敷きとして提供しなければならない部分を有する宅地の価額は、その宅地について道路敷きとして提供する必要がないものとした場合の価額から、その価額に次の算式により計算した割合を乗じて計算した金額を控除した価額によって評価する。（評基通24－6）

（算式）

$$\frac{\text{将来、建物の建替え時等に道路敷きとして}}{\text{宅地の総地積}}\text{提供しなければならない部分の地積}\times0.7$$

（都市計画道路予定地の区域内にある宅地の評価）

(29)　都市計画道路予定地の区域内（都市計画法第4条第6項に規定する都市計画施設のうちの道路の予定地の区域内をいう。）となる部分を有する宅地の価額は、その宅地のうちの都市計画道路予定地の区域内となる部分が都市計画道路予定地の区域内となる部分でないものとした場合の価額に、次表の地区区分、容積率、地積割合の別に応じて定める補正率を乗じて計算した価額によって評価する。（評基通24－7）

－1443－

地区区分 容積率 地積割合	ビル街地区、高度商業地区		繁華街地区、普通商業・併用住宅地区				普通住宅地区、中小工場地区、大工場地区		
	700%未満	700%以上	300%未満	300%以上400%未満	400%以上500%未満	500%以上	200%未満	200%以上300%未満	300%以上
30%未満	0.88	0.85	0.97	0.94	0.91	0.88	0.99	0.97	0.94
30%以上60%未満	0.76	0.70	0.94	0.88	0.82	0.76	0.98	0.94	0.88
60%以上	0.60	0.50	0.90	0.80	0.70	0.60	0.97	0.90	0.80

(注) 地積割合とは、その宅地の総地積に対する都市計画道路予定地の部分の地積の割合をいう。

（文化財建造物である家屋の敷地の用に供されている宅地の評価）

(30) 文化財保護法（昭和25年法律第214号）第27条第1項に規定する重要文化財に指定された建造物、同法第58条第1項に規定する登録有形文化財である建造物及び文化財保護法施行令（昭和50年政令第267号）第4条第3項第1号に規定する伝統的建造物（以下(30)、第九節の(4)《文化財建造物である構築物の敷地の用に供されている土地の評価》、第三章の(3)《文化財建造物である家屋の評価》及び第四章の(3)《文化財建造物である構築物の評価》において、これらを「文化財建造物」という。）である家屋の敷地の用に供されている宅地の価額は、それが文化財建造物である家屋の敷地でないものとした場合の価額から、その価額に次表の文化財建造物の種類に応じて定める割合を乗じて計算した金額を控除した金額によって評価する。

なお、文化財建造物である家屋の敷地の用に供されている宅地（(17)《倍率方式》に定める倍率方式により評価すべきものに限る。）に固定資産税評価額が付されていない場合には、文化財建造物である家屋の敷地でないものとした場合の価額は、その宅地と状況が類似する付近の宅地の固定資産税評価額を基とし、付近の宅地とその宅地との位置、形状等の条件差を考慮して、その宅地の固定資産税評価額に相当する額を算出し、その額に倍率を乗じて計算した金額とする。（評基通24−8）

文化財建造物の種類	控除割合
重 要 文 化 財	0.7
登録有形文化財	0.3
伝 統 的 建 造 物	0.3

(注) 文化財建造物である家屋の敷地とともに、その文化財建造物である家屋と一体をなして価値を形成している土地がある場合には、その土地の価額は、(30)の定めを適用して評価することに留意する。したがって、例えば、その文化財建造物である家屋と一体をなして価値を形成している山林がある場合には、この通達の定めにより評価した山林の価額から、その価額に(30)の文化財建造物の種類に応じて定める割合を乗じて計算した金額を控除した金額によって評価する。

（貸宅地の評価）

(31) 宅地の上に存する権利の目的となっている宅地の評価は、次に掲げる区分に従い、それぞれ次に掲げるところによる。（評基通25）

(一) 借地権の目的となっている宅地の価額は、（1）《評価の方式》から(21)《大規模工場用地の路線価及び倍率》まで、(24)《私道の用に供されている宅地の評価》、(25)《土地区画整理事業施行中の宅地の評価》及び(28)《セットバックを必要とする宅地の評価》から(30)《文化財建造物である家屋の敷地の用に供されている宅地の評価》までの定めにより評価したその宅地の価額（以下この節において「**自用地としての価額**」という。）から、(38)《借地権の評価》の定めにより評価したその借地権の価額（(38)のただし書の定めに該当するときは、(38)に定める借地権割合を100分の20として計算した価額とする。(33)《土地の上に存する権利が競合する場合の宅地の評価》において(43)《土地の上に存する権利が競合する場合の借地権等の評価》の定めにより借地権の価額を計算する場合において同じ。）を控除した金額によって評価する。

第二章　土地及び土地の上に存する権利

　　　ただし、借地権の目的となっている宅地の売買実例価額、精通者意見価格、地代の額等を基として評定した価額の宅地の自用地としての価額に対する割合（以下「貸宅地割合」という。）がおおむね同一と認められる地域ごとに国税局長が貸宅地割合を定めている地域においては、その宅地の自用地としての価額にその貸宅地割合を乗じて計算した金額によって評価する。

（二）　定期借地権等の目的となっている宅地の価額は、原則として、その宅地の自用地としての価額から、(39)《定期借地権等の評価》の定めにより評価したその定期借地権等の価額を控除した金額によって評価する。

　　　ただし、(39)の定めにより評価した定期借地権等の価額が、その宅地の自用地としての価額に次に掲げる定期借地権等の残存期間に応じる割合を乗じて計算した金額を下回る場合には、その宅地の自用地としての価額からその価額に次に掲げる割合を乗じて計算した金額を控除した金額によって評価する。

イ　残存期間が５年以下のもの	100分の５
ロ　残存期間が５年を超え10年以下のもの	100分の10
ハ　残存期間が10年を超え15年以下のもの	100分の15
ニ　残存期間が15年を超えるもの	100分の20

（三）　地上権の目的となっている宅地の価額は、その宅地の自用地としての価額から(37)《地上権の評価》の規定により評価したその地上権の価額を控除した金額によって評価する。

（四）　区分地上権の目的となっている宅地の価額は、その宅地の自用地としての価額から(41)《区分地上権の評価》の定めにより評価したその区分地上権の価額を控除した金額によって評価する。

（五）　区分地上権に準ずる地役権の目的となっている承役地である宅地の価額は、その宅地の自用地としての価額から(42)《区分地上権に準ずる地役権の評価》の定めにより評価したその区分地上権に準ずる地役権の価額を控除した金額によって評価する。

一般定期借地権の目的となっている宅地の評価に関する取扱いについて

　標題のことについては、下記に掲げるものの評価について、課税上弊害がない限り、(31)《貸宅地の評価》の(二)の定めにかかわらず、(38)《借地権の評価》に定める借地権割合（以下「借地権割合」という。）の地域区分に応じて、当分の間、下記により取り扱うこととしたから、平成10年１月１日以後に相続、遺贈又は贈与により取得したものの評価については、これによられたい。（平10課評２－８、課資１－13、平11課評２－14、課資１－11改正）

（趣　旨）

　評価基本通達９《土地の上に存する権利の評価上の区分》の(6)に定める定期借地権等の目的となっている宅地の評価については、平成６年２月15日付課評２－２、課資１－２「財産評価基本通達の一部改正について」により、その評価方法を定めているところであるが、借地借家法（平成３年、法律第90号）第２条第１号に規定する借地権で同法第22条《定期借地権》の規定の適用を受けるもの（以下「一般定期借地権」という。）の目的となっている宅地については、最近における一般定期借地権の設定の実態等を勘案するとともに、納税者の便宜に資するため、所要の措置を講じたものである。

記

１　一般定期借地権の目的となっている宅地の評価

　借地権割合の地域区分のうち、次の２に定める地域区分に存する一般定期借地権の目的となっている宅地の価額は、課税時期における(31)《貸宅地の評価》の(一)に定める自用地としての価額（以下「自用地としての価額」という。）から「一般定期借地権の価額に相当する金額」を控除した金額によって評価する。

　この場合の「一般定期借地権の価額に相当する金額」とは、課税時期における自用地としての価額に、次の算式により計算した数値を乗じて計算した金額とする。

（算　式）

$$（1－底地割合）\times \frac{課税時期におけるその一般定期借地権の残存期間年数に応ずる基準年利率による複利年金現価率}{一般定期借地権の設定期間年数に応ずる基準年利率による複利年金現価率}$$

　（注）　上記算式中の基準年利率は、短期（３年未満）、中期（３年以上７年未満）、長期（７年以上）の区分に応じ各月ごとに別に定められた基準年利率が適用され、平成16年１月１日以後に相続、遺贈又は贈与により取得した財産の評価について適用される。（基準

－1445－

第九編　財産の評価

年利率の表は1601ページ参照）（編者注）

2　底地割合

　　1の算式中の「底地割合」は、一般定期借地権の目的となっている宅地のその設定の時における価額が、その宅地の自用地としての価額に占める割合をいうものとし、借地権割合の地域区分に応じ、次に定める割合によるものとする。

（底地割合）

| 借　地　権　割　合 | | 底　地　割　合 |
路　線　価　図	評価倍率表	
C	70%	55%
D	60%	60%
E	50%	65%
F	40%	70%
G	30%	75%

※地域区分（左欄「地域区分」）

（注）1　借地権割合及びその地域区分は、各国税局長が定める「財産評価基準書」において、各路線価図についてはAからGの表示により、評価倍率表については数値により表示されている。

　　　2　借地権割合の地域区分がA地域、B地域及び(38)《借地権の評価》ただし書に定める「借地権の設定に際しその設定の対価として通常権利金その他の一時金を支払うなど借地権の取引慣行があると認められる地域以外の地域」に存する一般定期借地権の目的となっている宅地の価額は、(31)の(二)に定める評価方法により評価することに留意する。

3　「課税上弊害がない」場合とは、一般定期借地権の設定等の行為が専ら税負担回避を目的としたものでない場合をいうほか、この通達の定めによって評価することが著しく不適当と認められることのない場合をいい、個々の設定等についての事情、取引当事者間の関係等を総合勘案してその有無を判定することに留意する。

　　なお、一般定期借地権の借地権者が次に掲げる者に該当する場合には、「課税上弊害がある」ものとする。

（1）　一般定期借地権の借地権設定者（以下「借地権設定者」という。）の親族

（2）　借地権設定者とまだ婚姻の届出をしないが事実上婚姻関係と同様の事情にある者及びその親族でその者と生計を一にしているもの

（3）　借地権設定者の使用人及び使用人以外の者で借地権設定者から受ける金銭その他の財産によって生計を維持しているもの並びにこれらの者の親族でこれらの者と生計を一にしているもの

（4）　借地権設定者が法人税法第2条第15号《定義》に規定する役員（以下「会社役員」という。）となっている会社

（5）　借地権設定者、その親族、上記（2）及び（3）に掲げる者並びにこれらの者と法人税法第2条第10号《定義》に規定する政令で定める特殊の関係にある法人を判定の基礎とした場合に同号に規定する同族会社に該当する法人

（6）　上記（4）又は（5）に掲げる法人の会社役員又は使用人

（7）　借地権設定者が、借地借家法第15条《自己借地権》の規定により、自ら一般定期借地権を有することとなる場合の借地権設定者

（倍率方式により評価する宅地の自用地としての価額）

(32)　倍率地域にある区分地上権の目的となっている宅地又は区分地上権に準ずる地役権の目的となっている承役地である宅地の自用地としての価額は、その宅地の固定資産税評価額が地下鉄のずい道の設置、特別高圧架空電線の架設がされていること等に基づく利用価値の低下を考慮したものである場合には、その宅地の利用価値の低下がないものとして評価した価額とする。

　　なお、宅地以外の土地を倍率方式により評価する場合の各節に定める土地の自用地としての価額についても、同様とする。（評基通25-2）

（土地の上に存する権利が競合する場合の宅地の評価）

(33)　土地の上に存する権利が競合する場合の宅地の価額は、次に掲げる区分に従い、それぞれ次の算式により計算した金額によって評価する。（評基通25-3）

－1446－

第二章　土地及び土地の上に存する権利

（一）　借地権、定期借地権等又は地上権及び区分地上権の目的となっている宅地の価額

その宅地の
自用地とし－
ての価額
$\begin{pmatrix}(41)《区分地上権の評価》\\の定めにより評価した区\\分地上権の価額\end{pmatrix}$ ＋ $\begin{pmatrix}(43)《土地の上に存する権利が競合する場合\\の借地権等の評価》の(一)の定めにより評価\\した借地権、定期借地権等又は地上権の価額\end{pmatrix}$

（二）　区分地上権及び区分地上権に準ずる地役権の目的となっている承役地である宅地の価額

その宅地の
自用地とし－
ての価額
$\begin{pmatrix}(41)の定めにより評価し\\た区分地上権の価額\end{pmatrix}$ ＋ $\begin{pmatrix}(42)《区分地上権に準ずる地役権の評\\価》の定めにより評価した区分地上権\\に準ずる地役権の価額\end{pmatrix}$

（三）　借地権、定期借地権等又は地上権及び区分地上権に準ずる地役権の目的となっている承役地である宅地の価額

その宅地の
自用地とし－
ての価額
$\begin{pmatrix}(41)の定めにより評価し\\た区分地上権に準ずる地\\役権の価額\end{pmatrix}$ ＋ $\begin{pmatrix}(43)の(二)の定めにより評価した借地\\権、定期借地権等又は地上権の価額\end{pmatrix}$

（注）　国税局長が貸宅地割合を定めている地域に存する借地権の目的となっている宅地の価額を評価する場合には、(31)《貸宅地の評価》(一)の
ただし書の定めにより評価した価額から、当該価額に(41)《区分地上権の評価》の区分地上権の割合又は(42)《区分地上権に準ずる地役権の
評価》の区分地上権に準ずる地役権の割合を乗じて計算した金額を控除した金額によって評価することに留意する。

（貸家建付地の評価）

(34)　貸家（第三章の(7)《借家権の評価》に定める借家権の目的となっている家屋をいう。以下同じ。）の敷地の用に供
されている宅地（以下「貸家建付地」という。）の価額は、次の算式により計算した価額によって評価する。（評基通26）

その宅地の　　その宅地の　　借地権　　第三章の(7)《借家　　賃貸
自用地とし－自用地とし×割　合×権の評価》に定める×割合
ての価額　　　ての価額　　　　　　　借家権割合

この算式における「借地権割合」及び「賃貸割合」は、それぞれ次による。

（一）　「借地権割合」は、(38)《借地権の評価》の定めによるその宅地に係る借地権割合（(38)のただし書に定める地
域にある宅地については100分の20とする。(35)において同じ。）による。

（二）　「賃貸割合」は、その貸家に係る各独立部分（構造上区分された数個の部分の各部分をいう。以下同じ。）があ
る場合に、その各独立部分の賃貸の状況に基づいて、次の算式により計算した割合による。

$$\frac{Aのうち課税時期において賃貸され\ ている各独立部分の床面積の合計}{当該家屋の各独立部分の床面積の合計（A）}$$

（注）1　上記算式の「各独立部分」とは、建物の構成部分である隔壁、扉、階層（天井及び床）等によって他の部分と完全に遮断されている部
分で、独立した出入口を有するなど独立して賃貸その他の用に供することができるものをいう。したがって、例えば、ふすま、障子又は
ベニヤ板等の堅固でないものによって仕切られている部分及び階層で区分されていても、独立した出入口を有しない部分は「各独立部分」
には該当しない。

なお、外部に接する出入口を有しない部分であっても、共同で使用すべき廊下、階段、エレベーター等の共用部分のみを通って外部と
出入りすることができる構造となっているものは、上記の「独立した出入口を有するもの」に該当する。

2　上記算式の「賃貸されている各独立部分」には、継続的に賃貸されていた各独立部分で、課税時期において、一時的に賃貸されていな
かったと認められるものを含むこととして差し支えない。

（区分地上権等の目的となっている貸家建付地の評価）

(35)　区分地上権又は区分地上権に準ずる地役権の目的となっている貸家建付地の価額は、次の算式により計算した価額
によって評価する。（評基通26－2）

$\begin{pmatrix}(31)《貸宅地の評価》から(33)《土地の\\上に存する権利が競合する場合の宅地の\\評価》までの定めにより評価したその区\\分地上権又は区分地上権に準ずる地役権\\の目的となっている宅地の価額（A）\end{pmatrix}$ －A× $\begin{pmatrix}(38)の定\\めによる\\その宅地\\に係る借\\地権割合\end{pmatrix}$ × $\begin{pmatrix}第三章の(7)\\《借家権の評\\価》に定める\\借家権割合\end{pmatrix}$ × $\begin{pmatrix}(34)《貸家建付\\地の評価》の\\(二)の定めによ\\るその家屋に係\\る賃貸割合\end{pmatrix}$

（相当の地代を収受している貸宅地の評価について）

(36)　標題のことについて昭和42年7月10日別紙2のとおり東京国税局直税部長から上申があり、これに対して同年12月
5日別紙1のとおり指示されたが、今後、同様の事案については、これにより処理することになる。（昭43直資3－22、
直審(資)8、官審(資)30）

－1447－

第九編　財産の評価

別紙1　相当の地代を収受している貸宅地の評価について

　　標題のことについて、課税時期における被相続人所有の貸宅地は、自用地としての価額からその価額の20%に相当する金額（借地権の価額）を控除した金額により、評価することとされたい。

　　なお、上記の借地権の価額は、被相続人所有のＩ株式会社の株式評価上、同社の純資産価額に算入することとされたい。

別紙2　（省略）

（参考）　事案の概要

　　Ｉ株式会社は、その同族関係者（被相続人）の所有する土地について借地権を設定するに当たり、権利金の支払に代えて相当の地代を支払うこととし、法人税の取扱い上は権利金に係る認定課税を受けなかったが、その借地権設定直後に相続開始があった。この場合、被相続人の貸宅地の評価はどのように行うべきか。

（地上権の評価）

(37)　地上権（借地借家法に規定する借地権又は民法第269条の2第1項の地上権に該当するものを除く。以下同じ。）の価額は、その残存期間に応じ、その目的となっている土地のこの権利を取得した時におけるこの権利が設定されていない場合の時価に、次に掲げる割合を乗じて算出した金額による。（法23）

残存期間が10年以下のもの	100分の5
残存期間が10年を超え15年以下のもの	100分の10
残存期間が15年を超え20年以下のもの	100分の20
残存期間が20年を超え25年以下のもの	100分の30
残存期間が25年を超え30年以下のもの及び地上権で存続期間の定めのないもの	100分の40
残存期間が30年を超え35年以下のもの	100分の50
残存期間が35年を超え40年以下のもの	100分の60
残存期間が40年を超え45年以下のもの	100分の70
残存期間が45年を超え50年以下のもの	100分の80
残存期間が50年を超えるもの	100分の90

（借地権の評価）

(38)　借地権の価額は、その借地権の目的となっている宅地の自用地としての価額に、当該価額に対する借地権の売買実例価額、精通者意見価格、地代の額等を基として評定した借地権の価額の割合（以下「**借地権割合**」という。）がおおむね同一と認められる地域ごとに国税局長の定める割合を乗じて計算した金額によって評価する。ただし、借地権の設定に際しその設定の対価として通常権利金その他の一時金を支払うなど借地権の取引慣行があると認められる地域以外の地域にある借地権の価額は評価しない。（評基通27）

（定期借地権等の評価）

(39)　定期借地権等の価額は、原則として、課税時期において借地権者に帰属する経済的利益及びその存続期間を基として評定した価額によって評価する。ただし、課税上弊害がない限り、その定期借地権等の目的となっている宅地の課税時期における自用地としての価額に、次の算式により計算した数値を乗じて計算した金額によって評価する。（評基通27－2）

$$\frac{(40)に定める定期借地権等の設定の時における借地権者に帰属する経済的利益の総額}{定期借地権等の設定の時におけるその宅地の通常の取引価額} \times \frac{課税時期におけるその定期借地権等の残存期間年数に応ずる基準年利率による複利年金現価率}{定期借地権等の設定期間年数に応ずる基準年利率による複利年金現価率}$$

(注)　(39)の算式中の基準年利率は、短期（3年未満）、中期（3年以上7年未満）、長期（7年以上）の区分に応じ各月ごとに別に定められた基準年利率が適用され、平成16年1月1日以後に相続、遺贈又は贈与により取得した財産の評価について適用される。（編者注）

（定期借地権等の設定の時における借地権者に帰属する経済的利益の総額の計算）

(40)　(39)の「定期借地権等の設定の時における借地権者に帰属する経済的利益の総額」は、次に掲げる金額の合計額とする。（評基通27－3）

第二章　土地及び土地の上に存する権利

（一）　定期借地権等の設定に際し、借地権者から借地権設定者に対し、権利金、協力金、礼金などその名称のいかんを問わず借地契約の終了の時に返還を要しないものとされる金銭の支払い又は財産の供与がある場合

　　　課税時期において支払われるべき金額又は供与すべき財産の価額に相当する金額

（二）　定期借地権等の設定に際し、借地権者から借地権設定者に対し、保証金、敷金などその名称のいかんを問わず借地契約の終了の時に返還を要するものとされる金銭等（以下「**保証金等**」という。）の預託があった場合において、その保証金等につき基準年利率未満の約定利率による利息の支払いがあるとき又は無利息のとき

　　　次の算式により計算した金額

$$
\begin{pmatrix} 保証金等の \\ 額に相当す \\ る金額 \end{pmatrix} - \begin{pmatrix} 保証金等の & 定期借地権等の設定期間年数に \\ 額に相当す \times 応ずる基準年利率による複利現 \\ る金額 & 価率 \end{pmatrix}
$$

$$
- \begin{pmatrix} 保証金等の & 基準年利率 & 定期借地権等の設定期間年数 \\ 額に相当す \times 未満の約定 \times に応ずる基準年利率による複 \\ る金額 & 利率 & 利年金現価率 \end{pmatrix}
$$

（三）　定期借地権等の設定に際し、実質的に贈与を受けたと認められる差額地代の額がある場合

　　　次の算式により計算した金額

$$
差額地代の額 \times \begin{pmatrix} 定期借地権等の設定期間年数に応ずる基準 \\ 年利率による複利年金現価率 \end{pmatrix}
$$

（注）1　実質的に贈与を受けたと認められる差額地代の額がある場合に該当するかどうかは、個々の取引において取引の事情、取引当事者間の関係等を総合勘案して判定するのであるから留意する。

　　　2　「差額地代の額」とは、同種同等の他の定期借地権等における地代の額とその定期借地権等の設定契約において定められた地代の額（上記(一)又は(二)に掲げる金額がある場合には、その金額に定期借地権等の設定期間年数に応ずる基準年利率による年賦償還率を乗じて得た額を地代の前払いに相当する金額として毎年の地代の額に加算した後の額）との差額をいう。

　　　3　(40)の算式中の基準年利率については、(39)の（注）と同じ。（編者注）

　　　（区分地上権の評価）

(41)　区分地上権の価額は、その区分地上権の目的となっている宅地の自用地としての価額に、その区分地上権の設定契約の内容に応じた土地利用制限率を基とした割合（以下「**区分地上権の割合**」という。）を乗じて計算した金額によって評価する。

　　　この場合において、地下鉄等のずい道の所有を目的として設定した区分地上権を評価するときにおける区分地上権の割合は、100分の30とすることができるものとする。（評基通27－4）

（注）1　「**土地利用制限率**」とは、公共用地の取得に伴う損失補償基準細則（昭和38年3月7日用地対策連絡協議会理事会決定）別記2《土地利用制限率算定要領》に定める土地利用制限率（編者注参照）をいう。以下同じ。

　　　2　区分地上権が一画地の宅地の一部分に設定されているときは、「その区分地上権の目的となっている宅地の自用地としての価額」は、一画地の宅地の自用地としての価額のうち、その区分地上権が設定されている部分の地積に対応する価額となることに留意する。

（編者注）

　　土地利用制限率とは、「土地の利用が妨げられる程度に応じて適正に定めた割合」（土地利用制限率算定要領第1条）をいい、具体的な計算例は次のとおりである。

　　〔設　例〕

　　区分地上権の設定に伴う制限の内容は次のとおりとする。

　　①　地下10m～30mの間に地下鉄のトンネルの設置を目的とするものであり、地下2階から下は利用できないこと

　　②　荷重制限のため、5階建の建物しか建築できないこと

　　③　②の制限がないとした場合には最有効階層が8階の店舗、事務所用ビルが建築できること

－1449－

第九編　財産の評価

（建物階層別利用率）

階	利用率
8 F	32. 9
7 F	33. 0
6 F	36. 9
5 F	40. 1
4 F	42. 8
3 F	44. 1
2 F	61. 5
1 F	100. 0
B 1	55. 7
B 2	33. 1

地下鉄のトンネル

※　建物階層別利用率は「公共用地の取得に伴う損失補償基準細則」別記2の別表第2に定めるところによった。

〔土地利用制限率の計算〕

$$\frac{32.9+33.0+36.9+33.1}{32.9+33.0+36.9+40.1+42.8+44.1+61.5+100.0+55.7+33.1} ≒ 28.3\%$$

（注）　実際の土地利用制限率の計算では、最有効階層の上空又は地下の利用価値も考慮に入れることとされているが、ここでは省略した。

（区分地上権に準ずる地役権の評価）

(42)　区分地上権に準ずる地役権の価額は、その区分地上権に準ずる地役権の目的となっている承役地である宅地の自用地としての価額に、その区分地上権に準ずる地役権の設定契約の内容に応じた土地利用制限率を基とした割合（以下「**区分地上権に準ずる地役権の割合**」という。）を乗じて計算した金額によって評価する。

　　この場合において、区分地上権に準ずる地役権の割合は、次に掲げるその承役地に係る制限の内容の区分に従い、それぞれ次に掲げる割合とすることができるものとする。（評基通27−5）

(一)　家屋の建築が全くできない場合　100分の50又はその区分地上権に準ずる地役権が借地権であるとした場合にその承役地に適用される借地権割合のいずれか高い割合

(二)　家屋の構造、用途等に制限を受ける場合　100分の30

（土地の上に存する権利が競合する場合の借地権等の評価）

(43)　土地の上に存する権利が競合する場合の借地権、定期借地権等又は地上権の価額は、次に掲げる区分に従い、それぞれ次の算式により計算した金額によって評価する。（評基通27−6）

(一)　借地権、定期借地権等又は地上権及び区分地上権が設定されている場合の借地権、定期借地権等又は地上権の価額

（38)《借地権の評価》の定めにより評価した借地権の価額、(39)《定期借地権等の評価》の定めにより評価した定期借地権等の価額又は(37)《地上権の評価》の規定により評価した地上権の価額 ×（1−区分地上権の割合）

(二)　区分地上権に準ずる地役権が設定されている承役地に借地権、定期借地権等又は地上権が設定されている場合の借地権、定期借地権等又は地上権の価額

（39)の定めにより評価した借地権の価額、(39)の定めにより評価した定期借地権等の価額又は(37)の規定により評価した地上権の価額 $\times \left(1 - \text{区分地上権に準ずる地役権の割合}\right)$

（貸家建付借地権等の評価）

(44)　貸家の敷地の用に供されている借地権の価額又は定期借地権等の価額は、次の算式により計算した価額によって評

−1450−

第二章　土地及び土地の上に存する権利

価する。（評基通28）

(38)《借地権の評価》若しくは(43)の定めにより評価したその借地権の価額又は(39)《定期借地権等の評価》若しくは(43)の定めにより評価したその定期借地権等の価額（A）　－Ａ×　第三章の（７）《借家権の評価》に定める借家権割合　×　(34)《貸家建付地の評価》の(二)の定めによるその家屋に係る賃貸割合

（転貸借地権の評価）

(45)　転貸されている借地権の価額は、(38)《借地権の評価》又は(43)《土地の上に存する権利が競合する場合の借地権等の評価》の定めにより評価したその借地権の価額から(46)の定めにより評価したその借地権に係る転借権の価額を控除した価額によって評価する。（評基通29）

（転借権の評価）

(46)　借地権の目的となっている宅地の転借権（以下「転借権」という。）の価額は、次の算式１により計算した価額によって評価する。（評基通30）

（算式１）

(38)《借地権の評価》又は(43)《土地の上に存する権利が競合する場合の借地権等の評価》の定めにより評価したその借地権の価額　×　左の借地権の評価の基とした借地権割合

ただし、その転借権が貸家の敷地の用に供されている場合の転借権の価額は、次の算式２により計算した価額によって評価する。

（算式２）

上記算式１により計算した転借権の価額（A）　－Ａ×　第三章の（７）《借家権の評価》に定める借家権割合　×　(34)《貸家建付地の評価》の(二)の定めによるその家屋に係る賃貸割合

（借家人の有する宅地等に対する権利の評価）

(47)　借家人がその借家の敷地である宅地等に対して有する権利の価額は、原則として、次に掲げる場合の区分に応じ、それぞれ次に掲げる算式により計算した価額によって評価する。ただし、これらの権利が権利金等の名称をもって取引される慣行のない地域にあるものについては、評価しない。（評基通31）

(一)　その権利が借家の敷地である宅地又はその宅地に係る借地権に対するものである場合

(38)《借地権の評価》又は(43)《土地の上に存する権利が競合する場合の借地権等の評価》の定めにより評価したその借家の敷地である宅地に係る借地権の価額　×　第三章の（７）《借家権の評価》の定めによるその借家に係る借家権割合　×　第三章の（７）《借家権の評価》の(二)の定めによるその家屋に係る賃借割合

(二)　その権利がその借家の敷地である宅地に係る転借権に対するものである場合

(46)の定めにより評価したその借家の敷地である宅地に係る転借権の価額　×　第三章の（７）《借家権の評価》の定めによるその借家に係る借家権割合　×　第三章の（７）《借家権の評価》の(二)の定めによるその家屋に係る賃借割合

（使用貸借による土地の借受けがあった場合）

(48)　建物又は構築物（以下(54)までにおいて「建物等」という。）の所有を目的として使用貸借による土地の借受けがあった場合においては、**借地権**（建物等の所有を目的とする地上権又は賃借権をいう。以下同じ。）の設定に際し、その設定の対価として通常権利金その他の一時金（以下(54)までにおいて「**権利金**」という。）を支払う取引上の慣行がある地域（以下(54)までにおいて「**借地権の慣行のある地域**」という。）においても、当該土地の使用貸借に係る使用権の価額は、零として取り扱う。

この場合において、**使用貸借**とは、民法第593条に規定する契約をいう。したがって、例えば、土地の借受者と所有者との間に当該借受けに係る土地の公租公課に相当する金額以下の金額の授受があるにすぎないものはこれに該当し、当該土地の借受けについて地代の授受がないものであっても権利金その他地代に代わるべき経済的利益の授受のあるものはこれに該当しない。（昭48直資２－189「１」）

（使用貸借による借地権の転借があった場合）

(49)　借地権を有する者（以下(54)までにおいて「借地権者」という。）からその借地権の目的となっている土地の全部又

第九編　財産の評価

は一部を使用貸借により借り受けてその土地の上に建物等を建築した場合又は借地権の目的となっている土地の上に存する建物等を取得し、その借地権者からその建物等の敷地を使用貸借により借り受けることとなった場合においては、借地権の慣行のある地域においても、当該借地権の使用貸借に係る使用権の価額は、零として取り扱う。

　この場合において、その貸借が使用貸借に該当するものであることについては、当該使用貸借に係る借受者、当該借地権者及び当該土地の所有者についてその事実を確認するものとする。（昭48直資2－189「2」）

(注1)　上記の確認に当たっては、「借地権の使用貸借に関する確認書」を用いる。

(注2)　上記確認の結果、その貸借が上記の使用貸借に該当しないものであるときは、その実態に応じ、借地権又は転借権の贈与として贈与税の課税関係を生ずる場合があることに留意する。

　　　（使用貸借に係る土地等を相続又は贈与により取得した場合）

(50)　使用貸借に係る土地又は借地権を相続（遺贈及び死因贈与を含む。以下同じ。）又は贈与（死因贈与を除く。以下同じ。）により取得した場合における相続税又は贈与税の課税価格に算入すべき価額は、当該土地の上に存する建物等又は当該借地権の目的となっている土地の上に存する建物等の自用又は貸付けの区分にかかわらず、すべて当該土地又は借地権が自用のものであるとした場合の価額とする。（昭48直資2－189「3」）

　　　（使用貸借に係る土地等の上に存する建物等を相続又は贈与により取得した場合）

(51)　使用貸借に係る土地の上に存する建物等又は使用貸借に係る借地権の目的となっている土地の上に存する建物等を相続又は贈与により取得した場合における相続税又は贈与税の課税価格に算入すべき価額は、当該建物等の自用又は貸付けの区分に応じ、それぞれ当該建物等が自用又は貸付けのものであるとした場合の価額とする。（昭48直資2－189「4」）

　　　（借地権の目的となっている土地を当該借地権者以外の者が取得し、地代の授受が行われないこととなった場合）

(52)　借地権の目的となっている土地を当該借地権者以外の者が取得し、その土地の取得者と当該借地権者との間に当該土地の使用の対価としての地代の授受が行われないこととなった場合においては、その土地の取得者は、当該借地権者から当該土地に係る借地権の贈与を受けたものとして取り扱う。ただし、当該土地の使用の対価としての地代の授受が行われないこととなった理由が使用貸借に基づくものでないとしてその土地の取得者からその者の住所地の所轄税務署長に対し、当該借地権者との連署による「当該借地権者は従前の土地の所有者との間の土地の賃貸借契約に基づく借地権者としての地位を放棄していない」旨の申出書が提出されたときは、この限りでない。（昭48直資2－189「5」）

(注)1　上記の「土地の使用の対価としての地代の授受が行われないこととなった場合」には、例えば、土地の公租公課に相当する金額以下の金額の授受がある場合を含み、権利金その他地代に代わるべき経済的利益の授受のある場合は含まれないことに留意する。（(54)において同じ。）

　　2　上記の申出書は、「借地権者の地位に変更がない旨の申出書」を用いる。

　　　（経過的取扱い――土地の無償借受け時に借地権相当額の課税が行われている場合）

(53)　従前の取扱いにより、建物等の所有を目的として無償で土地の借受けがあった時に当該土地の借受者が当該土地の所有者から当該土地に係る借地権の価額に相当する利益を受けたものとして当該借受者に贈与税が課税されているもの、又は無償で借り受けている土地の上に存する建物等を相続若しくは贈与により取得した時に当該建物等を相続若しくは贈与により取得した者が当該土地に係る借地権に相当する使用権を取得したものとして当該建物等の取得者に相続税若しくは贈与税が課税されているものについて、今後次に掲げる場合に該当することとなったときにおける当該建物等又は当該土地の相続税又は贈与税の課税価格に算入すべき価額は、次に掲げる場合に応じ、それぞれ次に掲げるところによる。（昭48直資2－189「6」）

(一)　当該建物等を相続又は贈与により取得した場合　　当該建物等の自用又は貸付けの区分に応じ、それぞれ当該建物等が自用又は貸付けのものであるとした場合の価額とし、当該建物等の存する土地に係る借地権の価額に相当する金額を含まないものとする。

(二)　当該土地を相続又は贈与により取得した場合　　当該土地を相続又は贈与により取得する前に、当該土地の上に存する当該建物等の所有者が異動している場合でその時に当該建物等の存する土地に係る借地権の価額に相当する金額について相続税又は贈与税の課税が行われていないときは、当該土地が自用のものであるとした場合の価額とし、当該建物等の所有者が異動していない場合及び当該建物等の所有者が異動している場合でその時に当該建物等の存する土地に係る借地権の価額に相当する金額について相続税又は贈与税の課税が行われているときは、当該土地が借地権の目的となっているものとした場合の価額とする。

－1452－

第二章　土地及び土地の上に存する権利

（経過的取扱い──借地権の目的となっている土地をこの通達の施行前に当該借地権者以外の者が取得している場合）

(54)　この通達の施行前に、借地権の目的となっている土地を当該借地権者以外の者が取得し、その者と当該借地権者の間に当該土地の使用の対価としての地代の授受が行われないこととなったもの（この通達の施行後に処理するものを除く。）について、今後次に掲げる場合に該当することとなったときにおける当該土地の上に存する建物等又は当該土地の相続税又は贈与税の課税価格に算入すべき価額は、次に掲げる場合に応じ、それぞれ次に掲げるところによる。（昭48直資2-189「7」）

（一）　当該建物等を相続又は贈与により取得した場合　　当該建物等の自用又は貸付けの区分に応じ、それぞれ当該建物等が自用又は貸付けのものであるとした場合の価額とし、当該建物等の存する土地に係る借地権の価額に相当する金額を含まないものとする。

（二）　当該土地を相続又は贈与により取得した場合　　当該土地を相続又は贈与により取得する前に、当該土地の上に存する当該建物等の所有者が異動している場合でその時に当該建物等の存する土地に係る借地権の価額に相当する金額について相続税又は贈与税の課税が行われていないときは、当該土地が自用のものであるとした場合の価額とし、当該建物等の所有者が異動していない場合及び当該建物等の所有者が異動している場合でその時に当該建物等の存する土地に係る借地権の価額に相当する金額について相続税又は贈与税の課税が行われているときは、当該土地が借地権の目的となっているものとした場合の価額とする。

（相当の地代を支払っている場合等の借地権等についての相続税及び贈与税の取扱いについて）

(55)　標題のことについては、下記のとおり定められている。（昭60直資2-58、直評9、平3課資2-51、課評2-7改正、平17課資2-4最終改正）

（趣　旨）

借地権の設定された土地について権利金の支払に代え相当の地代を支払うなどの特殊な場合の相続税及び贈与税の取扱いを定めたものである。

したがって、借地権の設定に際し通常権利金を支払う取引上の慣行のある地域において、通常の地代（その地域において通常の賃貸借契約に基づいて通常支払われる地代をいう。）を支払うことにより借地権の設定があった場合又は通常の地代が授受されている借地権若しくは貸宅地の相続、遺贈又は贈与があった場合には、この通達の取扱いによることなく、相続税法基本通達及び財産評価基本通達の従来の取扱いによるのであるから留意する。

（相当の地代を支払って土地の借受けがあった場合）

1　借地権（建物の所有を目的とする地上権又は賃借権をいう。以下同じ。）の設定に際しその設定の対価として通常権利金その他の一時金（以下(55)において「**権利金**」という。）を支払う取引上の慣行のある地域において、当該権利金の支払に代え、当該土地の自用地としての価額に対しておおむね年6％程度の地代（以下(55)において「**相当の地代**」という。）を支払っている場合は、借地権を有する者（以下(55)において「**借地権者**」という。）については当該借地権の設定による利益はないものとして取り扱う。

　　この場合において、「自用地としての価額」とは、(31)《貸宅地の評価》の(一)に定める自用地としての価額をいう。（以下同じ。）

　　ただし、通常支払われる権利金に満たない金額を権利金として支払っている場合又は借地権の設定に伴い通常の場合の金銭の貸付けの条件に比し特に有利な条件による金銭の貸付けその他特別の経済的な利益（以下(55)において「**特別の経済的利益**」という。）を与えている場合は、当該土地の自用地としての価額から実際に支払っている権利金の額及び供与した特別の経済的利益の額を控除した金額を相当の地代の計算の基礎となる当該土地の自用地としての価額とする。

（注）1　相当の地代の額を計算する場合に限り、「自用地としての価額」は、(31)《貸宅地の評価》の(一)に定める自用地としての価額の過去3年間（借地権を設定し、又は借地権若しくは貸宅地について相続若しくは遺贈又は贈与があった年以前3年間をいう。）における平均額によるものとする。

　　　2　本文のただし書により土地の自用地としての価額から控除すべき金額があるときは、当該金額は、次の算式により計算した金額によるのであるから留意する。

（算式）

$$その権利金又は特別の経済的利益の額 \times \frac{当該土地の自用地としての価額}{借地権の設定時における当該土地の通常の取引価額}$$

－1453－

第九編　財産の評価

（相当の地代に満たない地代を支払って土地の借受けがあった場合）

2　借地権の設定に際しその設定の対価として通常権利金を支払う取引上の慣行のある地域において、当該借地権の設定により支払う地代の額が相当の地代の額に満たない場合、借地権者は、当該借地権の設定時において、次の算式により計算した金額から実際に支払っている権利金の額及び供与した特別の経済的利益の額を控除した金額に相当する利益を土地の所有者から贈与により取得したものとして取り扱う。

（算式）

$$\text{自用地としての価額} \times \left\{ \text{借地権割合} \times \left(1 - \frac{\text{実際に支払って} - \text{通常の地}}{\text{いる地代の年額} - \text{代の年額}} \middle/ \frac{\text{相当の地} - \text{通常の地}}{\text{代の年額} - \text{代の年額}} \right) \right\}$$

上記の算式中の「自用地としての価額」等は、次による。

（1）　「自用地としての価額」は、実際に支払っている権利金の額又は供与した特別の経済的利益の額がある場合に限り、1《相当の地代を支払って土地の借受けがあった場合》の本文の定めにかかわらず、借地権の設定時における当該土地の通常の取引価額によるのであるから留意する。

（2）　「借地権割合」は、（38）《借地権の評価》に定める割合をいう。

（3）　「相当の地代の年額」は、実際に支払っている権利金の額又は供与した特別の経済的利益の額がある場合であっても、これらの金額がないものとして計算した金額による。

（注）　通常権利金を支払う取引上の慣行のある地域において、通常の賃貸借契約に基づいて通常支払われる地代を支払うことにより借地権の設定があった場合の利益の額は、次に掲げる場合に応じ、それぞれ次に掲げる金額によるのであるから留意する。

（1）　実際に支払っている権利金の額又は供与した特別の経済的利益の額がない場合　（38）《借地権の評価》により計算した金額

（2）　実際に支払っている権利金の額又は供与した特別の経済的利益の額がある場合　通常支払われる権利金の額から実際に支払っている権利金の額及び供与した特別の経済的利益の額を控除した金額

（相当の地代を支払っている場合の借地権の評価）

3　借地権が設定されている土地について、相当の地代を支払っている場合の当該土地に係る借地権の価額は、次によって評価する。

（1）　権利金を支払っていない場合又は特別の経済的利益を供与していない場合　　零

（2）　（1）以外の場合　　原則として2《相当の地代に満たない地代を支払って土地の借受けがあった場合》に定める算式に準じて計算した金額

（相当の地代に満たない地代を支払っている場合の借地権の評価）

4　借地権が設定されている土地について、支払っている地代の額が相当の地代の額に満たない場合の当該土地に係る借地権の価額は、原則として2《相当の地代に満たない地代を支払って土地の借受けがあった場合》に定める算式に準じて計算した金額によって評価する。

（「土地の無償返還に関する届出書」が提出されている場合の借地権の価額）

5　借地権が設定されている土地について、平成13年7月5日付課法3－57ほか11課共同「法人課税関係の申請、届出等の様式の制定について」（法令解釈通達）に定める「土地の無償返還に関する届出書」（以下「**無償返還届出書**」という。）が提出されている場合の当該土地に係る借地権の価額は、零として取り扱う。

（相当の地代を収受している場合の貸宅地の評価）

6　借地権が設定されている土地について、相当の地代を収受している場合の当該土地に係る貸宅地の価額は、次によって評価する。

（1）　権利金を収受していない場合又は特別の経済的利益を受けていない場合　　当該土地の自用地としての価額の100分の80に相当する金額

（2）　（1）以外の場合　　当該土地の自用地としての価額から3《相当の地代を支払っている場合の借地権の評価》の（2）による借地権の価額を控除した金額（以下6において「**相当の地代調整貸宅地価額**」という。）

ただし、その金額が当該土地の自用地としての価額の100分の80に相当する金額を超えるときは、当該土地の自用地としての価額の100分の80に相当する金額

（注）　上記（1）及び（2）のただし書に該当する場合において、被相続人が同族関係者となっている同族会社に対し土地を貸し付けている場合においては、（36）《相当の地代を収受している貸宅地の評価について》（以下「**43年直資3－22通達**」という。）の適用があることに留意する。

この場合において、上記（2）のただし書に該当するときは、43年直資3－22通達中「自用地としての価額」とあるのは「相当の地代調整

－1454－

第二章　土地及び土地の上に存する権利

貸宅地価額」と、「その価額の20%に相当する金額」とあるのは「その相当の地代調整貸宅地価額と当該土地の自用地としての価額の100分の80に相当する金額との差額」と、それぞれ読み替えるものとする。

（相当の地代に満たない地代を収受している場合の貸宅地の評価）

7　借地権が設定されている土地について、収受している地代の額が相当の地代の額に満たない場合の当該土地に係る貸宅地の価額は、当該土地の自用地としての価額から4《相当の地代に満たない地代を支払っている場合の借地権の評価》に定める借地権の価額を控除した金額（以下7において「**地代調整貸宅地価額**」という。）によって評価する。

　　ただし、その金額が当該土地の自用地としての価額の100分の80に相当する金額を超える場合は、当該土地の自用地としての価額の100分の80に相当する金額によって評価する。

　　なお、被相続人が同族関係者となっている同族会社に対し土地を貸し付けている場合には、43年直資3－22通達（(36)参照）の適用があることに留意する。この場合において、同通達中「相当の地代」とあるのは「相当の地代に満たない地代」と、「自用地としての価額」とあるのは「地代調整貸宅地価額」と、「その価額の20%に相当する金額」とあるのは「その地代調整貸宅地価額と当該土地の自用地としての価額の100分の80に相当する金額との差額」と、それぞれ読み替えるものとする。

（「土地の無償返還に関する届出書」が提出されている場合の貸宅地の評価）

8　借地権が設定されている土地について、無償返還届出書が提出されている場合の当該土地に係る貸宅地の価額は、当該土地の自用地としての価額の100分の80に相当する金額によって評価する。

　　なお、被相続人が同族関係者となっている同族会社に対し土地を貸し付けている場合には、43年直資3－22通達（(36)参照）の適用があることに留意する。この場合において、同通達中「相当の地代を収受している」とあるのは「「土地の無償返還に関する届出書」の提出されている」と読み替えるものとする。

　　(注)　使用貸借に係る土地について無償返還届出書が提出されている場合の当該土地に係る貸宅地の価額は、当該土地の自用地としての価額によって評価するのであるから留意する。

（相当の地代を引き下げた場合）

9　借地権の設定に際し、相当の地代を支払った場合においても、その後その地代を引き下げたときは、その引き下げたことについて相当の理由があると認められる場合を除き、その引き下げた時における借地権者の利益については2《相当の地代に満たない地代を支払って土地の借受けがあった場合》の定めに準じて取り扱う。

　　また、2《相当の地代に満たない地代を支払って土地の借受けがあった場合》又は上記により利益を受けたものとして取り扱われたものについて、その後その地代を引き下げたときは、その引き下げたことについて相当の理由があると認められる場合を除き、その引き下げた時における利益（2《相当の地代に満たない地代を支払って土地の借受けがあった場合》又は上記により受けた利益の額を控除したところによる。）については上記と同様に取り扱う。

（相当の地代を支払っている場合の貸家建付借地権等の価額）

10　(1)　3《相当の地代を支払っている場合の借地権の評価》から5《「土地の無償返還に関する届出書」が提出されている場合の借地権の価額》までに定める借地権（以下「**相当の地代を支払っている場合の借地権等**」という。）が設定されている土地について、貸家の目的に供された場合又は相当の地代の支払、相当の地代に満たない地代の支払若しくは無償返還届出書の提出により借地権の転貸があった場合の(44)《貸家建付借地権等の評価》から(47)《借家人の有する宅地等に対する権利の評価》までに定める貸家建付借地権、転貸借地権、転借権又は借家人の有する権利の価額は、相当の地代を支払っている場合の借地権等の価額を基として1《相当の地代を支払って土地の借受けがあった場合》から9《相当の地代を引き下げた場合》までの定めによるものとする。

　　(2)　借地権（(1)に該当する借地権を除く。）が設定されている土地について、相当の地代の支払、相当の地代に満たない地代の支払又は無償返還届出書の提出により借地権の転貸があった場合の(45)《転貸借地権の評価》から(47)《借家人の有する宅地等に対する権利の評価》までに定める転貸借地権、転借権又は借家人の有する権利の価額は、(38)《借地権の評価》の定めにより評価したその借地権の価額を基として1《相当の地代を支払って土地の借受けがあった場合》から9《相当の地代を引き下げた場合》までの定めによるものとする。

（負担付贈与又は対価を伴う取引により取得した土地等及び家屋等に係る評価並びに相続税法第7条及び第9条の規定の適用について）

(56)　標題のことについては、財産評価基本通達第2章から第4章まで《本編第二章から第四章まで》の定めにかかわら

－1455－

第九編　財産の評価

ず、下記により取り扱うこととされたから、平成元年４月１日以後に取得したものの評価並びに相続税法第７条及び第９条の規定の適用については、これによることになる。（平元直評５、直資２－204、平３課資２－49、課評２－５、徴管５－20改正）

（趣　旨）

最近における土地、家屋等の不動産の通常の取引価額と相続税評価額との開きに着目しての贈与税の税負担回避行為に対して、税負担の公平を図るため、所要の措置を講じるものである。

記

１　土地及び土地の上に存する権利（以下「土地等」という。）並びに家屋及びその附属設備又は構築物（以下「家屋等」という。）のうち、負担付贈与又は個人間の対価を伴う取引により取得したものの価額は、当該取得時における通常の取引価額に相当する金額によって評価する。

ただし、贈与者又は譲渡者が取得又は新築した当該土地等又は当該家屋等に係る取得価額が当該課税時期における通常の取引価額に相当すると認められる場合には、当該取得価額に相当する金額によって評価することができる。

(注)　「取得価額」とは、当該財産の取得に要した金額並びに改良費及び設備費の額の合計額をいい、家屋等については、当該合計金額から、第六章第一節の（３）《償却費の額等の計算》の定めによって計算した当該取得の時から課税時期までの期間の償却費の額の合計額又は減価の額を控除した金額をいう。

２　１の対価を伴う取引による土地等又は家屋等の取得が第二編第二章第二節**三**に規定する「著しく低い価額の対価で財産の譲渡を受けた場合」又は同第二節**五**の**１**に規定する「著しく低い価額の対価で利益を受けた場合」に当たるかどうかは、個々の取引について取引の事情、取引当事者間の関係等を総合勘案し、実質的に贈与を受けたと認められる金額があるかどうかにより判定するのであるから留意する。

(注)　その取引における対価の額が当該取引に係る土地等又は家屋等の取得価額を下回る場合には、当該土地等又は家屋等の価額が下落したことなど合理的な理由があると認められるときを除き、「著しく低い価額の対価で財産の譲渡を受けた場合」又は「著しく低い価額の対価で利益を受けた場合」に当たるものとする。

（都市公園の用地として貸し付けられている土地の評価について）

(57)　標題のことについては、下記により取り扱う。（平４課評２－４、課資２－122）

１　都市公園の用地として貸し付けられている土地の範囲

都市公園の用地として貸し付けられている土地とは、都市公園法第２条第１項第１号《定義》に規定する公園又は緑地（堅固な公園施設が設置されているもので、面積が500平方メートル以上あるものに限る。）の用に供されている土地として貸し付けられているもので、次の要件を備えるものとする。

（１）　土地所有者と地方公共団体との土地貸借契約に次の事項の定めがあること

イ　貸付けの期間が20年以上であること

ロ　正当な事由がない限り貸付けを更新すること

ハ　土地所有者は、貸付けの期間の中途において正当な事由がない限り土地の返還を求めることはできないこと

（２）　相続税又は贈与税の申告期限までに、その土地について権原を有することとなった相続人又は受贈者全員から当該土地を引き続き公園用地として貸し付けることに同意する旨の申出書が提出されていること

２　都市公園の用地として貸し付けられている土地の評価

都市公園の用地として貸し付けられている土地の価額は、その土地が都市公園の用地として貸し付けられていないものとして、この章第一節から第九節までの定めにより評価した価額から、その価額に100分の40を乗じて計算した金額を控除した金額によって評価する。

３　適用時期等

この取扱いは、平成４年１月１日以後に相続若しくは遺贈又は贈与により取得した都市公園の用地として貸し付けられている土地の評価に適用する。

なお、この取扱いの適用を受けるに当たっては、当該土地が都市公園の用地として貸し付けられている土地に該当する旨の地方公共団体の証明書（上記１の（２）に掲げた申出書の写しの添付があるものに限る。）を所轄税務署長に提出するものとする。

－1456－

第二章　土地及び土地の上に存する権利

借地権の使用貸借に関する確認書

① （借地権者）　　　　　　　　（借受者）

＿＿＿＿＿＿＿＿＿＿＿＿は、＿＿＿＿＿＿＿＿＿＿＿に対し、令和＿＿年＿＿月＿＿日にその借地

している下記の土地 { に建物を建築させることになりました。＿＿＿＿＿＿＿ } しかし、その土地の使用
　　　　　　　　　　 { の上に建築されている建物を贈与（譲渡）しました。　 }

　　　　　　　　　　　　　　　　　（借地権者）

関係は使用貸借によるものであり、＿＿＿＿＿＿＿＿＿＿＿の借地権者としての従前の地位には、何ら変

更はありません。

記

土地の所在＿＿＿＿＿＿＿＿＿＿＿＿＿＿＿＿＿＿＿＿＿＿＿＿＿＿

地　　積＿＿＿＿＿＿＿＿＿＿＿＿＿＿＿＿㎡

② 　上記①の事実に相違ありません。したがって、今後相続税等の課税に当たりましては、建物の所有者はこ

の土地について何らの権利を有さず、借地権者が借地権を有するものとして取り扱われることを確認します。

　　　令和　　年　　月　　日

　　　借 地 権 者（住所）＿＿＿＿＿＿＿＿＿＿＿＿＿＿＿（氏名）＿＿＿＿＿＿＿＿＿＿

　　　建物の所有者（住所）＿＿＿＿＿＿＿＿＿＿＿＿＿＿＿（氏名）＿＿＿＿＿＿＿＿＿＿

③ 上記①の事実に相違ありません。

　　　令和　　年　　月　　日

　　　土地の所有者（住所）＿＿＿＿＿＿＿＿＿＿＿＿＿＿＿（氏名）＿＿＿＿＿＿＿＿＿＿

⊛

　　　上記①の事実を確認した。

　　　令和　　年　　月　　日

　　　　　　（確認者）＿＿＿＿＿＿税務署　　＿＿＿＿＿＿部門　　担当者＿＿＿＿＿＿

（注）⊛印欄は記入しないでください。

－1457－

借地権者の地位に変更がない旨の申出書

令和　　年　　月　　日

＿＿＿＿＿＿＿税務署長

（土地の所有者）

＿＿＿＿＿＿＿＿＿＿＿＿＿＿＿は、令和　　年　　月　　日に借地権の目的となっている

（借地権者）

下記の土地の所有権を取得し、以後その土地を＿＿＿＿＿＿＿＿＿＿＿＿＿に無償で貸し

付けることになりましたが、借地権者は従前の土地の所有者との間の土地の賃貸借契約に

基づく借地権者の地位を放棄しておらず、借地権者としての地位には何らの変更をきたす

ものでないことを申し出ます。

記

土地の所在＿＿＿＿＿＿＿＿＿＿＿＿＿＿＿＿＿＿＿＿＿＿＿＿＿＿

地　　積＿＿＿＿＿＿＿＿＿＿＿＿　㎡

土地の所有者（住所）＿＿＿＿＿＿＿＿＿＿＿＿＿＿（氏名）＿＿＿＿＿＿＿＿＿＿＿＿

借 地 権 者（住所）＿＿＿＿＿＿＿＿＿＿＿＿＿＿（氏名）＿＿＿＿＿＿＿＿＿＿＿＿

第二章　土地及び土地の上に存する権利

付表 1

奥行価格補正率表

奥行距離（m）＼地区区分	ビル街	高度商業	繁華街	普通商業・併用住宅	普通住宅	中小工場	大工場
4 未満	0.80	0.90	0.90	0.90	0.90	0.85	0.85
4 以上　6 未満		0.92	0.92	0.92	0.92	0.90	0.90
6 〃　8 〃	0.84	0.94	0.95	0.95	0.95	0.93	0.93
8 〃　10 〃	0.88	0.96	0.97	0.97	0.97	0.95	0.95
10 〃　12 〃	0.90	0.98	0.99	0.99	1.00	0.96	0.96
12 〃　14 〃	0.91	0.99	1.00	1.00		0.97	0.97
14 〃　16 〃	0.92	1.00				0.98	0.98
16 〃　20 〃	0.93					0.99	0.99
20 〃　24 〃	0.94					1.00	1.00
24 〃　28 〃	0.95				0.97		
28 〃　32 〃	0.96		0.98		0.95		
32 〃　36 〃	0.97		0.96	0.97	0.93		
36 〃　40 〃	0.98		0.94	0.95	0.92		
40 〃　44 〃	0.99		0.92	0.93	0.91		
44 〃　48 〃	1.00		0.90	0.91	0.90		
48 〃　52 〃		0.99	0.88	0.89	0.89		
52 〃　56 〃		0.98	0.87	0.88	0.88		
56 〃　60 〃		0.97	0.86	0.87	0.87		
60 〃　64 〃		0.96	0.85	0.86	0.86	0.99	
64 〃　68 〃		0.95	0.84	0.85	0.85	0.98	
68 〃　72 〃		0.94	0.83	0.84	0.84	0.97	
72 〃　76 〃		0.93	0.82	0.83	0.83	0.96	
76 〃　80 〃		0.92	0.81	0.82			
80 〃　84 〃		0.90	0.80	0.81	0.82	0.93	
84 〃　88 〃		0.88		0.80			
88 〃　92 〃		0.86			0.81	0.90	
92 〃　96 〃	0.99	0.84					
96 〃　100 〃	0.97	0.82					
100 〃	0.95	0.80			0.80		

−1459−

付表2　　　　　　　　　　　　　　　　側方路線影響加算率表

地 区 区 分	加算率 角地の場合	準角地の場合
ビ ル 街	0.07	0.03
高 度 商 業 繁 華 街	0.10	0.05
普 通 商 業 ・ 併 用 住 宅	0.08	0.04
普 通 住 宅 中 小 工 場	0.03	0.02
大 工 場	0.02	0.01

(注) 準角地とは、右図のように一系統の路線の
　　屈折部の内側に位置するものをいう。

付表3　　　　　　　　　　　　　　　　二方路線影響加算率表

地 区 区 分	加算率
ビ ル 街	0.03
高 度 商 業 繁 華 街	0.07
普 通 商 業 ・ 併 用 住 宅	0.05
普 通 住 宅 中 小 工 場 大 工 場	0.02

付表4　　　　　　　　　　　　　　　　地積区分表

地区区分 ＼ 地積区分	A	B	C
高 度 商 業	1,000㎡未満	1,000㎡以上 1,500㎡未満	1,500㎡以上
繁 華 街	450㎡未満	450㎡以上 700㎡未満	700㎡以上
普 通 商 業 ・ 併 用 住 宅	650㎡未満	650㎡以上 1,000㎡未満	1,000㎡以上
普 通 住 宅	500㎡未満	500㎡以上 750㎡未満	750㎡以上
中 小 工 場	3,500㎡未満	3,500㎡以上 5,000㎡未満	5,000㎡以上

第二章　土地及び土地の上に存する権利

付表5　　　　　　　　　　　　　　**不整形地補正率表**

地区区分／地積区分／かげ地割合	高度商業、繁華街、普通商業・併用住宅、中小工場			普通住宅		
	A	B	C	A	B	C
10%以上	0.99	0.99	1.00	0.98	0.99	0.99
15% 〃	0.98	0.99	0.99	0.96	0.98	0.99
20% 〃	0.97	0.98	0.99	0.94	0.97	0.98
25% 〃	0.96	0.98	0.99	0.92	0.95	0.97
30% 〃	0.94	0.97	0.98	0.90	0.93	0.96
35% 〃	0.92	0.95	0.98	0.88	0.91	0.94
40% 〃	0.90	0.93	0.97	0.85	0.88	0.92
45% 〃	0.87	0.91	0.95	0.82	0.85	0.90
50% 〃	0.84	0.89	0.93	0.79	0.82	0.87
55% 〃	0.80	0.87	0.90	0.75	0.78	0.83
60% 〃	0.76	0.84	0.86	0.70	0.73	0.78
65% 〃	0.70	0.75	0.80	0.60	0.65	0.70

(注)1　不整形地の地区区分に応ずる地積区分は、付表4「地積区分表」による。

　　2　かげ地割合は次の算式により計算した割合による。

$$\text{「かげ地割合」} = \frac{\text{想定整形地の地積} - \text{不整形地の地積}}{\text{想定整形地の地積}}$$

　3　間口狭小補正率の適用がある場合においては、この表により求めた不整形地補正率に間口狭小補正率を乗じて得た数値を不整形地補正率とする。ただし、その最小値はこの表に定める不整形地補正率の最小値（0.60）とする。

　　　また、奥行長大補正率の適用がある場合においては、選択により、不整形地補正率を適用せず、間口狭小補正率に奥行長大補正率を乗じて得た数値によって差し支えない。

　4　大工場地区にある不整形地については、原則として不整形地補正を行わないが、地積がおおむね9,000㎡程度までのものについては、付表4「地積区分表」及びこの表に掲げる中小工場地区の区分により不整形地としての補正を行って差し支えない。

－1461－

第九編　財産の評価

付表6　　　　　　　　　　　　　　　　　　　間口狭小補正率表

間口距離 （m）　　地区区分	ビル街	高度商業	繁華街	普通商業・ 併用住宅	普通住宅	中小工場	大工場
4未満	－	0.85	0.90	0.90	0.90	0.80	0.80
4以上　6未満	－	0.94	1.00	0.97	0.94	0.85	0.85
6 〃　8 〃	－	0.97		1.00	0.97	0.90	0.90
8 〃　10 〃	0.95	1.00			1.00	0.95	0.95
10 〃　16 〃	0.97					1.00	0.97
16 〃　22 〃	0.98						0.98
22 〃　28 〃	0.99						0.99
28 〃	1.00						1.00

付表7　　　　　　　　　　　　　　　　　　　奥行長大補正率表

奥行距離 間口距離　　地区区分	ビル街	高度商業 繁華街 普通商業・ 併用住宅	普通住宅	中小工場	大工場
2以上　3未満	1.00	1.00	0.98	1.00	1.00
3 〃　4 〃		0.99	0.96	0.99	
4 〃　5 〃		0.98	0.94	0.98	
5 〃　6 〃		0.96	0.92	0.96	
6 〃　7 〃		0.94	0.90	0.94	
7 〃　8 〃		0.92		0.92	
8 〃		0.90		0.90	

第二章　土地及び土地の上に存する権利

付表8　　　　　　　　　　　**がけ地補正率表**

がけ地地積／総地積　　がけ地の方位	南	東	西	北
0.10以上	0.96	0.95	0.94	0.93
0.20 〃	0.92	0.91	0.90	0.88
0.30 〃	0.88	0.87	0.86	0.83
0.40 〃	0.85	0.84	0.82	0.78
0.50 〃	0.82	0.81	0.78	0.73
0.60 〃	0.79	0.77	0.74	0.68
0.70 〃	0.76	0.74	0.70	0.63
0.80 〃	0.73	0.70	0.66	0.58
0.90 〃	0.70	0.65	0.60	0.53

(注)　がけ地の方位については次により判定する。

1　がけ地の方位は、斜面の向きによる。

2　2方位以上のがけ地がある場合は、次の算式により計算した割合をがけ地補正率とする。

$$\frac{\left(\begin{array}{l}\text{総地積に対するがけ地}\\\text{部分の全地積の割合に}\\\text{応ずるA方位のがけ地}\\\text{補正率}\end{array}\times\begin{array}{l}\text{A方位の}\\\text{がけ地の}\\\text{地積}\end{array}+\begin{array}{l}\text{総地積に対するがけ}\\\text{地部分の全地積の割}\\\text{合に応ずるB方位の}\\\text{がけ地補正率}\end{array}\times\begin{array}{l}\text{B方位の}\\\text{がけ地の}\\\text{地積}\end{array}+\cdots\cdots\right)}{\text{がけ地部分の全地積}}$$

3　この表に定められた方位に該当しない「東南斜面」などについては、がけ地の方位の東と南に応ずるがけ地補正率を平均して求めることとして差し支えない。

付表9　　　　　**特別警戒区域補正率表**

特別警戒区域の地積／総地積	補正率
0.10以上	0.90
0.40 〃	0.80
0.70 〃	0.70

(注)　がけ地補正率の適用がある場合においては、この表により求めた補正率にがけ地補正率を乗じて得た数値を特別警戒区域補正率とする。ただし、その最小値は0.50とする。

—1463—

第九編　財産の評価

第三節　農地及び農地の上に存する権利

（農地の分類）

（１）　農地を評価する場合、その農地を（２）《純農地の範囲》から（５）《市街地農地の範囲》までに定めるところに従い、次に掲げる農地のいずれかに分類する。（評基通34）

（一）　純農地

（二）　中間農地

（三）　市街地周辺農地

（四）　市街地農地

（注）1　上記の農地の種類と①農地法、②農業振興地域の整備に関する法律、③都市計画法との関係は、基本的には、次のとおりとなる。

1　農地法との関係

（1）　農用地区域内にある農地

（2）　甲種農地（農地法第４条《農地の転用の制限》第６項第１号ロに掲げる農地のうち市街化調整区域内にある農地法施行令第６条に規定する農地。以下同じ。）……純農地

（3）　第１種農地（農地法第４条第６項第１号ロに掲げる農地のうち甲種農地以外の農地）

（4）　第２種農地（農地法第４条第６項第１号イ及びロに掲げる農地（同号ロ（1）に掲げる農地を含む。）以外の農地）……中間農地

（5）　第３種農地（農地法第４条第６項第１号ロ（1）に掲げる農地（農用地区域内にある農地を除く。））……市街地周辺農地

（6）　農地法の規定による転用許可を受けた農地

（7）　農地法等の一部を改正する法律（平成21年法律第57号）附則第２条第５項の規定によりなお従前の例によるものとされる改正前の農地法第７条第１項第４号の規定により転用許可を要しない農地として、都道府県知事の指定を受けたもの……市街地農地

2　農業振興地域の整備に関する法律との関係

（1）　農業振興地域内の農地のうち

イ　農用地区域内のもの………純農地

ロ　農用地区域外のもの

（2）　農業振興地域外の農地 ……1の分類による。

3　都市計画法との関係

（1）　都市計画区域内の農地のうち

イ　市街化調整区域内の農地のうち

（イ）　甲種農地 ………純農地

（ロ）　第１種農地

（ハ）　第２種農地…………中間農地

（ニ）　第３種農地…………市街地周辺農地

ロ　市街化区域（都市計画法第７条第１項の市街化区域と定められた区域をいう。以下同じ。）内の農地……市街地農地

ハ　市街化区域と市街化調整区域とが区分されていない区域内のもの……1の分類による。

（2）　都市計画区域外の農地……1の分類による。

（注）2　甲種農地、第１種農地、第２種農地及び第３種農地の用語の意義は、平成21年12月11日付21経営第4530号・21農振第1598号「『農地法の運用について』の制定について」農林水産省経営局長・農村振興局長連名通知において定められているものと同じである。

（純農地の範囲）

（２）　純農地とは、次に掲げる農地のうち、そのいずれかに該当するものをいう。ただし、（５）《市街地農地の範囲》に該当する農地を除く。（評基通36）

（一）　農用地区域内にある農地

（二）　市街化調整区域内にある農地のうち、第１種農地又は甲種農地に該当するもの

（三）　上記（一）及び（二）に該当する農地以外の農地のうち、第１種農地に該当するもの。ただし、近傍農地の売買実例価額、精通者意見価格等に照らし、第２種農地又は第３種農地に準ずる農地と認められるものを除く。

（中間農地の範囲）

（３）　中間農地とは、次に掲げる農地のうち、そのいずれかに該当するものをいう。ただし、（５）《市街地農地の範囲》

－1464－

第二章　土地及び土地の上に存する権利

に該当する農地を除く。（評基通36－2）

（一）　第2種農地に該当するもの

（二）　上記（一）に該当する農地以外の農地のうち、近傍農地の売買実例価額、精通者意見価格等に照らし、第2種農地に準ずる農地と認められるもの

　　（市街地周辺農地の範囲）

（4）　市街地周辺農地とは、次に掲げる農地のうち、そのいずれかに該当するものをいう。ただし、（5）《市街地農地の範囲》に該当する農地を除く。（評基通36－3）

（一）　第3種農地に該当するもの

（二）　上記（一）に該当する農地以外の農地のうち、近傍農地の売買実例価額、精通者意見価格等に照らし、第3種農地に準ずる農地と認められるもの

　　（市街地農地の範囲）

（5）　市街地農地とは、次に掲げる農地のうち、そのいずれかに該当するものをいう。（評基通36－4）

（一）　農地法第4条《農地の転用の制限》又は第5条《農地又は採草放牧地の転用のための権利移動の制限》に規定する許可（以下「**転用許可**」という。）を受けた農地

（二）　**市街化区域**内にある農地

（三）　農地法等の一部を改正する法律附則第2条第5項の規定によりなお従前の例によるものとされる改正前の農地法第7条第1項第4号の規定により、転用許可を要しない農地として、都道府県知事の指定を受けたもの

　　（純農地の評価）

（6）　純農地の価額は、その農地の固定資産税評価額に、田又は畑の別に、地勢、土性、水利等の状況の類似する地域ごとに、その地域にある農地の売買実例価額、精通者意見価格等を基として国税局長の定める倍率を乗じて計算した金額によって評価する。（評基通37）

　　（中間農地の評価）

（7）　中間農地の価額は、その農地の固定資産税評価額に、田又は畑の別に、地価事情の類似する地域ごとに、その地域にある農地の売買実例価額、精通者意見価格等を基として国税局長の定める倍率を乗じて計算した金額によって評価する。（評基通38）

　　（市街地周辺農地の評価）

（8）　市街地周辺農地の価額は、（9）の本文の定めにより評価したその農地が市街地農地であるとした場合の価額の100分の80に相当する金額によって評価する。（評基通39）

　　（市街地農地の評価）

（9）　市街地農地の価額は、その農地が宅地であるとした場合の1平方メートル当たりの価額からその農地を宅地に転用する場合において通常必要と認められる1平方メートル当たりの造成費に相当する金額として、整地、土盛り又は土止めに要する費用の額がおおむね同一と認められる地域ごとに国税局長の定める金額を控除した金額に、その農地の地積を乗じて計算した金額によって評価する。ただし、市街化区域内に存する市街地農地については、その農地の固定資産税評価額に地価事情の類似する地域ごとに、その地域にある農地の売買実例価額、精通者意見価格等を基として国税局長の定める倍率を乗じて計算した金額によって評価することができるものとし、その倍率が定められている地域にある市街地農地の価額は、その農地の固定資産税評価額にその倍率を乗じて計算した金額によって評価する。（評基通40）

（注）　その農地が宅地であるとした場合の1平方メートル当たりの価額は、その付近にある宅地について第二節の（1）《評価の方式》に定める方式によって評価した1平方メートル当たりの価額を基とし、その宅地とその農地との位置、形状等の条件の差を考慮して評価するものとする。

　　なお、その農地が宅地であるとした場合の1平方メートル当たりの価額については、その農地が宅地であるとした場合において第二節の（11）《地積規模の大きな宅地の評価》の定めの適用対象となるとき（同節の（18）《倍率方式による評価》ただし書において同節の（11）の定めを準用するときを含む。）には、同（11）の定めを適用して計算することに留意する。

┌── **編者注　1平方メートル当たりの造成費相当額**（大阪国税局管内の令和6年分・一部編者補正）──

　　上記（9）の「その農地を宅地に転用する場合において通常必要と認められる1平方メートル当たりの造成費に相当する金額として、………国税局長の定める金額」は、大阪国税局管内（令和6年分）においては次による。

－1465－

第九編　財産の評価

【市街地農地等に係る宅地造成費】

「市街地農地」、「市街地周辺農地」、「市街地山林」(注)及び「市街地原野」を評価する場合における宅地造成費の金額は、平坦地と傾斜地の区分によりそれぞれ次表に掲げる金額による。

なお、この宅地造成費は、大阪国税局管内に所在する土地を評価する場合に適用する。

(注) ゴルフ場用地と同様に評価することが相当と認められる遊園地等用地（市街化区域及びそれに近接する地域にある遊園地等に限る。）を含む。

表1　平坦地の宅地造成費（令和6年分）　　　　　　　　　　　　　　　　　　　大阪国税局管内

工事費目		造成区分	金額
整地費	整地費	整地を必要とする面積1平方メートル当たり	円 700
	伐採・抜根費	伐採・抜根を必要とする面積1平方メートル当たり	1,000
	地盤改良費	地盤改良を必要とする面積1平方メートル当たり	1,900
土盛費		他から土砂を搬入して土盛りを必要とする場合の土盛り体積1立方メートル当たり	7,200
土止費		土止めを必要とする場合の擁壁の面積1平方メートル当たり	76,600

(留意事項)

1　「整地費」とは、①凹凸がある土地の地面を地ならしするための工事費又は②土盛工事を要する土地について、土盛工事をした後の地面を地ならしするための工事費をいう。

2　「伐採・抜根費」とは、樹木が生育している土地について、樹木を伐採し、根等を除去するための工事費をいう。したがって、整地工事によって樹木を除去できる場合には、造成費に本工事費を含めない。

3　「地盤改良費」とは、湿田など軟弱な表土で覆われた土地の宅地造成に当たり、地盤を安定させるための工事費をいう。

4　「土盛費」とは、道路よりも低い位置にある土地について、宅地として利用できる高さ（原則として道路面）まで搬入した土砂で埋め立て、地上げする場合の工事費をいう。

5　「土止費」とは、道路よりも低い位置にある土地について、宅地として利用できる高さ（原則として道路面）まで地上げする場合に、土盛りした土砂の流出や崩壊を防止するために構築する擁壁工事費をいう。

〔平坦地の宅地造成費の計算例〕

○　規模、形状

面積「400㎡」、一面が道路に面した間口20m、奥行20mの土盛り1mを必要とする画地で、道路面を除いた三面について土止めを必要とする正方形の土地である場合

(略図)

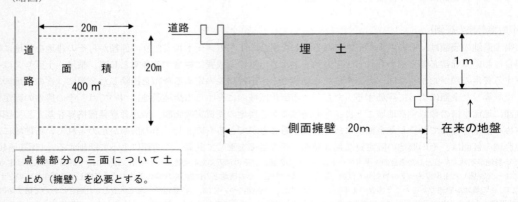

○　宅地造成費の計算

平坦地	整地費	整地費	(整地を要する面積) 400㎡	×	(1㎡当たりの整地費) 700円	⑥	円 280,000

第二章　土地及び土地の上に存する権利

	伐採・抜根費	（伐採・抜根を要する面積）　　　　（1㎡当たりの伐採・抜根費） 　　　　　㎡　　　　　　×　　　　　　円	⑦	円
	地盤改良費	（地盤改良を要する面積）　　　　（1㎡当たりの地盤改良費） 　　　　　㎡　　　　　　×　　　　　　円	⑧	円
	土　盛　費	（土盛りを要する面積）（平均の高さ）　　　（1㎡当たりの土盛費） 　　400㎡　　×　　1m　　×　　7,200円	⑨ 2,880,000	円
	土　止　費	（擁壁面の長さ）（平均の高さ）　　　（1㎡当たりの土止費） 　　60m　　×　　1m　　×　　76,600円	⑩ 4,596,000	円
	合　計　額　の　計　算	⑥＋⑦＋⑧＋⑨＋⑩	⑪ 7,756,000	円
	1㎡当たりの計算	⑪÷①	⑫ 19,390	円
傾斜地	傾斜度に係る造成費	（　傾　斜　度　）　　　　　　　度	⑬	円
	伐採・伐根費	（伐採・抜根を要する面積）　　　　（1㎡当たりの伐採・抜根費） 　　　　　㎡　　　　　　×　　　　　　円	⑭	円
	1㎡当たりの計算	⑬　＋　（⑭÷①）	⑮	円

※　上記評価明細書の①は、評価する農地等の面積を指す。

表2　傾斜地の宅地造成費（令和6年分）　　　　　　　　大阪国税局管内

傾　　　斜　　　度		金　　　額
3度超	5度以下	21,300円/㎡
5度超	10度以下	25,500円/㎡
10度超	15度以下	41,700円/㎡
15度超	20度以下	59,200円/㎡
20度超	25度以下	65,500円/㎡
25度超	30度以下	70,200円/㎡

（留意事項）
1　「傾斜地の宅地造成費」の金額は、整地費、土盛費、土止費の宅地造成に要する全ての費用を含めて算定したものである。

　　なお、この金額には、伐採・抜根費は含まれていないことから、伐採・抜根を要する土地については、「平坦地の宅地造成費」の「伐採・抜根費」の金額を基に算出し加算する。
2　傾斜度3度以下の土地については、「平坦地の宅地造成費」の額により計算する。
3　傾斜度については、原則として、測定する起点は評価する土地に最も近い道路面の高さとし、傾斜の頂点（最下点）は、評価する土地の頂点（最下点）が奥行距離の最も長い地点にあるものとして判定する。
4　宅地への転用が見込めないと認められる市街地山林については、近隣の純山林の価額に比準して評価する（第四節の(4)）こととしている。したがって、宅地であるとした場合の価額から宅地造成費に相当する金額を控除して評価した価額が、近隣の純山林に比準して評価した価額を下回る場合には、経済合理性の観点から宅地への転用が見込めない市街地山林に該当するので、その市街地山林の価額は、近隣の純山林に比準して評価する。
（注）1　比準元となる具体的な純山林は、評価対象地の近隣の純山林、すなわち、評価対象地からみて距離的に最も近い場所に所在する純山林とする。
　　　2　宅地造成費に相当する金額が、その山林が宅地であるとした場合の価額の100分の50に相当する金額を超える場合であっても、上記の宅地造成費により算定する。
　　　3　宅地比準方式により評価する市街地農地、市街地周辺農地及び市街地原野等についても、市街地山林と同様、経済合理性の観点から宅地への転用が見込めない場合には、宅地への転用が見込めない市街地山林の評価方法に準じて、その価額は、純農地又は純原野の価額により評価する。

なお、市街地周辺農地については、市街地農地であるとした場合の価額の100分の80に相当する金額によって評価する（8）が、これは、宅地転用が許可される地域の農地ではあるが、まだ現実に許可を受けていないことを考慮したものであるため、純農地の価額に比準して評価する場合には、80％相当額に減額する必要はない。

(参考) 市街地山林の評価額を図示すれば、次のとおりである。

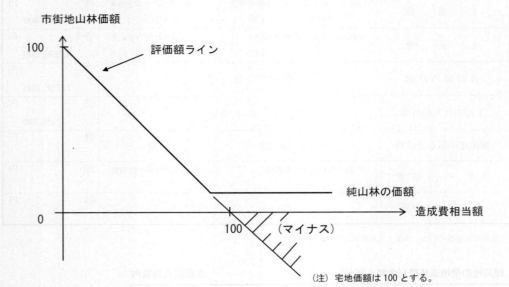

(参考) 高さと傾斜度との関係

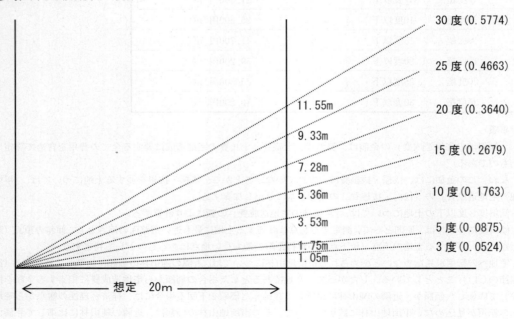

傾斜度区分の判定表

傾　斜　度	①高さ÷奥行	②奥行÷斜面の長さ
3度超5度以下	0.0524超0.0875以下	0.9962以上0.9986未満
5度超10度以下	0.0875超0.1763以下	0.9848以上0.9962未満

10度超15度以下	0.1763超0.2679以下	0.9659以上0.9848未満
15度超20度以下	0.2679超0.3640以下	0.9397以上0.9659未満
20度超25度以下	0.3640超0.4663以下	0.9063以上0.9397未満
25度超30度以下	0.4663超0.5774以下	0.8660以上0.9063未満

(注) ①及び②の数値は三角比による。

〔傾斜地の宅地造成費の計算例〕
○ 規模、形状
　　面積「480㎡」、道路の地表に対し傾斜度9度で、全面積について伐採・伐根が必要な土地の場合
　(略図)

○ 宅地造成費の計算

区分	項目	計算	番号	金額
平坦地	整地費	整地費 (整地を要する面積)㎡ ×(1㎡当たりの整地費)円	⑥	円
		伐採・抜根費 (伐採・抜根を要する面積)㎡ ×(1㎡当たりの伐採・抜根費)円	⑦	円
		地盤改良費 (地盤改良を要する面積)㎡ ×(1㎡当たりの地盤改良費)円	⑧	円
	土盛費	(土盛りを要する面積)㎡ ×(平均の高さ)m ×(1㎡当たりの土盛費)円	⑨	円
	土止費	(擁壁面の長さ)m ×(平均の高さ)m ×(1㎡当たりの土止費)円	⑩	円
	合計額の計算	⑥＋⑦＋⑧＋⑨＋⑩	⑪	円
	1㎡当たりの計算	⑪÷①	⑫	円
傾斜地	傾斜度に係る造成費	(傾斜度) 9 度	⑬	25,500 円
	伐採・抜根費	(伐採・抜根を要する面積) 480 ㎡ ×(1㎡当たりの伐採・抜根費) 1,000 円	⑭	480,000 円
	1㎡当たりの計算	⑬＋(⑭÷①)	⑮	26,500 円

※ 上記評価明細書の①は、評価する農地等の面積を指す。

(生産緑地の評価)
(10) 生産緑地(生産緑地法第2条《定義》第3号に規定する生産緑地のうち、課税時期において同法第10条《生産緑地の買取りの申出》の規定(同法第10条の5《特定生産緑地の買取りの申出》の規定により読み替えて適用される場合を含む。以下同じ。)により市町村長に対し生産緑地を時価で買い取るべき旨の申出(以下「**買取りの申出**」という。)を行った日から起算して3月を経過しているもの以外のものをいう。以下同じ。)の価額は、その生産緑地が生産緑地でないものとして本節の定めにより評価した価額から、その価額に次に掲げる生産緑地の別にそれぞれ次に掲げる割合を乗じて計算した金額を控除した金額によって評価する。(評基通40-3)
(一) 課税時期において市町村長に対し買取りの申出をすることができない生産緑地

第九編　財産の評価

課税時期から買取りの申出をすることができることとなる日までの期間	割　　　　　合
5年以下のもの	100分の10
5年を超え10年以下のもの	100分の15
10年を超え15年以下のもの	100分の20
15年を超え20年以下のもの	100分の25
20年を超え25年以下のもの	100分の30
25年を超え30年以下のもの	100分の35

　（二）　課税時期において市町村長に対し買取りの申出が行われていた生産緑地又は買取りの申出をすることができる生
　　産緑地
　　　100分の5

　（地上権及び永小作権の評価）
（11）　地上権（借地借家法に規定する借地権又は民法第269条の2第1項《地下又は空間を目的とする地上権》の地上権に
　　該当するものを除く。以下同じ。）及び永小作権の価額は、その残存期間に応じ、その目的となっている土地のこれらの
　　権利を取得した時におけるこれらの権利が設定されていない場合の時価に、次に定める割合を乗じて算出した金額による。（法23）

残存期間が10年以下のもの	100分の5
残存期間が10年を超え15年以下のもの	100分の10
残存期間が15年を超え20年以下のもの	100分の20
残存期間が20年を超え25年以下のもの	100分の30
残存期間が25年を超え30年以下のもの及び地上権で存続期間の定めのないもの	100分の40
残存期間が30年を超え35年以下のもの	100分の50
残存期間が35年を超え40年以下のもの	100分の60
残存期間が40年を超え45年以下のもの	100分の70
残存期間が45年を超え50年以下のもの	100分の80
残存期間が50年を超えるもの	100分の90

　（貸し付けられている農地の評価）
（12）　耕作権、永小作権等の目的となっている農地の評価は、次に掲げる区分に従い、それぞれ次に掲げるところによる。
　　（評基通41）
　（一）　耕作権の目的となっている農地の価額は、（6）《純農地の評価》から（9）《市街地農地の評価》までの定めによ
　　り評価したその農地の価額（以下この節において「**自用地としての価額**」という。）から、（14）《耕作権の評価》の定
　　めにより評価した耕作権の価額を控除した金額によって評価する。
　（二）　永小作権の目的となっている農地の価額は、その農地の自用地としての価額から、（11）《地上権及び永小作権の
　　評価》の規定により評価した永小作権の価額を控除した金額によって評価する。
　（三）　区分地上権の目的となっている農地の価額は、その農地の自用地としての価額から、（16）《区分地上権の評価》
　　の定めにより評価した区分地上権の価額を控除した金額によって評価する。
　（四）　区分地上権に準ずる地役権の目的となっている農地の価額は、その農地の自用地としての価額から、（17）《区分
　　地上権に準ずる地役権の評価》の定めにより評価した区分地上権に準ずる地役権の価額を控除した金額によって評価
　　する。

　（土地の上に存する権利が競合する場合の農地の評価）
（13）　土地の上に存する権利が競合する場合の農地の価額は、次に掲げる区分に従い、それぞれ次の算式により計算した
　　金額によって評価する。（評基通41－2）
　（一）　耕作権又は永小作権及び区分地上権の目的となっている農地の価額

－1470－

第二章　土地及び土地の上に存する権利

$$
\begin{array}{l}
その農地の \\
自用地とし \\
ての価額
\end{array}
-
\left(
\begin{array}{l}
(16)《区分地上権の評 \\
価》の定めにより評価 \\
した区分地上権の価額
\end{array}
+
\begin{array}{l}
(18)《土地の上に在する権利が競合する場合の耕作 \\
権又は永小作権の評価》の(一)の定めにより評価し \\
た耕作権の価額又は永小作権の価額
\end{array}
\right)
$$

（二）　区分地上権及び区分地上権に準ずる地役権の目的となっている承役地である農地の価額

$$
\begin{array}{l}
その農地の \\
自用地とし \\
ての価額
\end{array}
-
\left(
\begin{array}{l}
(16)の定めにより評 \\
価した区分地上権の \\
価額
\end{array}
+
\begin{array}{l}
(17)《区分地上権に準ずる地役権の評価》の定 \\
めにより評価した区分地上権に準ずる地役権 \\
の価額
\end{array}
\right)
$$

（三）　耕作権又は永小作権及び区分地上権に準ずる地役権の目的となっている承役地である農地の価額

$$
\begin{array}{l}
その農地の \\
自用地とし \\
ての価額
\end{array}
-
\left(
\begin{array}{l}
(17)の定めにより評 \\
価した区分地上権に \\
準ずる地役権の価額
\end{array}
+
\begin{array}{l}
(18)の(二)の定めにより評価した耕作権 \\
の価額又は永小作権の価額
\end{array}
\right)
$$

（耕作権の評価）
(14)　耕作権の評価は、次に掲げる区分に従い、それぞれ次に掲げるところによる。（評基通42、別表１）
　（一）　純農地及び中間農地に係る耕作権の価額は、（６）《純農地の評価》及び(７)《中間農地の評価》に定める方式に
　　より評価したその農地の価額に、別表１に定める耕作権割合《100分の50》（耕作権が設定されていないとした場合の
　　農地の価額に対するその農地に係る耕作権の価額の割合をいう。以下同じ。）を乗じて計算した金額によって評価する。
　（二）　市街地周辺農地、市街地農地に係る耕作権の価額は、その農地が転用される場合に通常支払われるべき離作料の
　　額、その農地の付近にある宅地に係る借地権の価額等を参酌して求めた金額によって評価する。

　（存続期間の定めのない永小作権の評価）
(15)　存続期間の定めのない永小作権の価額は、存続期間を30年（別段の慣習があるときは、それによる。）とみなし、(11)
　《地上権及び永小作権の評価》の規定によって評価する。（評基通43、編者補正）

　（区分地上権の評価）
(16)　農地に係る区分地上権の価額は、第二節の(41)《区分地上権の評価》の定めを準用して評価する。（評基通43－２）

　（区分地上権に準ずる地役権の評価）
(17)　農地に係る区分地上権に準ずる地役権の価額は、その区分地上権に準ずる地役権の目的となっている承役地である
　農地の自用地としての価額を基とし、第二節の(42)《区分地上権に準ずる地役権の評価》の定めを準用して評価する。（評
　基通43－３）

　（土地の上に存する権利が競合する場合の耕作権又は永小作権の評価）
(18)　土地の上に存する権利が競合する場合の耕作権又は永小作権の価額は、次の区分に従い、それぞれ次の算式により
　計算した金額によって評価する。（評基通43－４）
　（一）　耕作権又は永小作権及び区分地上権が設定されている場合の耕作権又は永小作権の価額

$$
\begin{array}{l}
(14)《耕作権の評価》の定めにより評価し \\
た耕作権の価額又は(11)《地上権及び永小 \\
作権の評価》の規定により評価した永小作 \\
権の価額
\end{array}
\times
\left(
1-
\dfrac{
\begin{array}{l}
(16)《区分地上権の評価》の定めに \\
より評価した区分地上権の価額
\end{array}
}{
その農地の自用地としての価額
}
\right)
$$

　（二）　区分地上権に準ずる地役権が設定されている承役地に耕作権又は永小作権が設定されている場合の耕作権又は永
　　小作権の価額

$$
\begin{array}{l}
(14)の定めにより評価した耕作権の価額 \\
又は(11)の規定により評価した永小作権 \\
の価額
\end{array}
\times
\left(
1-
\dfrac{
\begin{array}{l}
(17)《区分地上権に準ずる地役権の \\
評価》の定めにより評価した区分地 \\
上権に準ずる地役権の価額
\end{array}
}{
その農地の自用地としての価額
}
\right)
$$

　（農業経営基盤強化促進法等の規定により設定された賃貸借により貸し付けられた農用地等の評価について）
(19)　農業経営基盤強化促進法等の規定により設定された賃貸借により貸し付けられた農用地等の評価については、次に

第九編　財産の評価

定めるところによる。(昭56直評10、直資２－70要約、編者補正)

(一)　農業経営基盤強化促進法第19条第１項の規定による公告があった農用地利用集積計画の定めるところによって設定された賃貸借に基づき貸し付けられている農用地の価額は、その賃貸借設定の期間がおおむね10年以内であること等から、相続税法第23条の地上権及び永小作権の評価等に照らし、その農用地が貸し付けられていないものとして本節のこの項以外の項の定めにより評価した価額（農用地の自用地としての価額）から、その価額に100分の５を乗じて計算した金額を控除した金額によって評価する。

(二)　当該賃貸借に係る賃借権の価額については、相続税又は贈与税の課税価格に算入することを要しない。

(三)　農地法第18条第１項本文の賃貸借の解約等の制限の規定の適用除外とされている10年以上の期間の定めがある賃貸借についても、上記(一)及び(二)に準じて取り扱う。

（特定市民農園の用地として貸し付けられている土地の評価について）

(20)　標題のことについては、下記により取り扱う。(平６課評２－15・課資２－212)

1　特定市民農園の範囲

特定市民農園とは、次の各基準のいずれにも該当する借地方式による市民農園であって、都道府県及び政令指定都市が設置するものは農林水産大臣及び建設大臣から、その他の市町村が設置するものは都道府県知事からその旨の認定書の交付を受けたものをいう。

(一)　地方公共団体が設置する市民農園整備促進法第２条第２項の市民農園であること

(二)　地方自治法第244条の２第１項に規定する条例で設置される市民農園であること

(三)　当該市民農園の区域内に設けられる施設が、市民農園整備促進法第２条第２項第２号に規定する市民農園施設のみであること

(四)　当該市民農園の区域内に設けられる建築物の建築面積の総計が、当該市民農園の敷地面積の100分の12を超えないこと

(五)　当該市民農園の開設面積が500㎡以上であること

(六)　市民農園の開設者である地方公共団体が当該市民農園を公益上特別の必要がある場合その他正当な事由なく廃止（特定市民農園の要件に該当しなくなるような変更を含む。）しないこと

なお、この要件については「特定市民農園の基準に該当する旨の認定申請書」への記載事項とする。

(七)　土地所有者と地方公共団体との土地貸借契約に次の事項の定めがあること

イ　貸付期間が20年以上であること

ロ　正当な事由がない限り貸付けを更新すること

ハ　土地所有者は、貸付けの期間の中途において正当な事由がない限り土地の返還を求めることはできないこと

2　特定市民農園の用地として貸し付けられている土地の評価

特定市民農園の用地として貸し付けられている土地の価額は、その土地が特定市民農園の用地として貸し付けられていないものとして、昭和39年４月25日付直資56、直審（資）17「財産評価基本通達」の定めにより評価した価額から、その価額に100分の30を乗じて計算した金額を控除した金額によって評価する。

なお、この取扱いの適用を受けるに当たっては、当該土地が、課税時期において特定市民農園の用地として貸し付けられている土地に該当する旨の地方公共団体の長の証明書（相続税又は贈与税の申告期限までに、その土地について権限を有することとなった相続人、受遺者又は受贈者全員から当該土地を引き続き当該特定市民農園の用地として貸し付けることに同意する旨の申出書の添付があるものに限る。）を所轄税務署長に提出するものとする。

3　適用時期

この取扱いは平成７年１月１日以後に相続若しくは遺贈により取得した特定市民農園の用地として貸し付けられている土地の評価に適用する。

－1472－

第二章　土地及び土地の上に存する権利

第四節　山林及び山林の上に存する権利

（評価の方式）
（1）　山林の評価は、次に掲げる区分に従い、それぞれ次に掲げる方式によって行う。（評基通45）
　（一）　純山林及び中間山林（通常の山林と状況を異にするため純山林として評価することを不適当と認めるものに限る。
　　　　以下同じ。）　倍率方式
　（二）　市街地山林　比準方式又は倍率方式

（純山林の評価）
（2）　純山林の価額は、その山林の固定資産税評価額に、地勢、土層、林産物の搬出の便等の状況の類似する地域ごとに、
　　その地域にある山林の売買実例価額、精通者意見価格等を基として国税局長の定める倍率を乗じて計算した金額によっ
　　て評価する。（評基通47）

（中間山林の評価）
（3）　中間山林の価額は、その山林の固定資産税評価額に、地価事情の類似する地域ごとに、その地域にある山林の売買
　　実例価額、精通者意見価格等を基として国税局長の定める倍率を乗じて計算した金額によって評価する。（評基通48）

（市街地山林の評価）
（4）　市街地山林の価額は、その山林が宅地であるとした場合の１平方メートル当たりの価額から、その山林を宅地に転
　　用する場合において通常必要と認められる１平方メートル当たりの造成費に相当する金額として、整地、土盛り又は土
　　止めに要する費用の額がおおむね同一と認められる地域ごとに国税局長の定める金額を控除した金額に、その山林の地
　　積を乗じて計算した金額によって評価する。
　　　ただし、その市街地山林の固定資産税評価額に地価事情の類似する地域ごとに、その地域にある山林の売買実例価額、
　　精通者意見価格等を基として国税局長の定める倍率を乗じて計算した金額によって評価することができるものとし、そ
　　の倍率が定められている地域にある市街地山林の価額は、その山林の固定資産税評価額にその倍率を乗じて計算した金
　　額によって評価する。
　　　なお、その市街地山林について宅地への転用が見込めないと認められる場合には、その山林の価額は、近隣の純山林
　　の価額に比準して評価する。（評基通49）
　（注）１　「その山林が宅地であるとした場合の１平方メートル当たりの価額」は、その付近にある宅地について第二節の（1）《評価の方式》に定
　　　　　める方式によって評価した１平方メートル当たりの価額を基とし、その宅地とその山林との位置、形状等の条件の差を考慮して評価する。
　　　　　　なお、その山林が宅地であるとした場合の１平方メートル当たりの価額については、その山林が宅地であるとした場合において第二節の
　　　　　（11）《地積規模の大きな宅地の評価》の定めの適用対象となるとき（同節の（18）《倍率方式による評価》ただし書において同節の（11）の定
　　　　　めを準用するときを含む。）には、同（11）の定めを適用して計算することに留意する。
　　　　２　「その市街地山林について宅地への転用が見込めないと認められる場合」とは、その山林を（4）によって評価した場合の価額が近隣の純
　　　　　山林の価額に比準して評価した価額を下回る場合、又はその山林が急傾斜地等であるために宅地造成ができないと認められる場合をいう。

（保安林等の評価）
（5）　森林法（昭和26年法律第249号）その他の法令の規定に基づき土地の利用又は立木の伐採について制限を受けている
　　山林（（6）の定めにより評価するものを除く。）の価額は、（1）《評価の方式》から（4）《市街地山林の評価》までの定
　　めにより評価した価額（その山林が森林法第25条《指定》の規定により保安林として指定されており、かつ、倍率方式
　　により評価すべきものに該当するときは、その山林の付近にある山林につき（1）から（4）までの定めにより評価した価
　　額に比準して評価した価額とする。）から、その価額にその山林の上に存する立木について第五章第二節の（12）《保安林
　　等の立木の評価》に定める割合を乗じて計算した金額を控除した金額によって評価する。（評基通50）
　（注）　保安林は、地方税法第348条《固定資産税の非課税の範囲》第２項第７号の規定により、固定資産税は非課税とされている。

（特別緑地保全地区内にある山林の評価）
（6）　都市緑地法（昭和48年法律第72号）第12条に規定する特別緑地保全地区（首都圏近郊緑地保全法（昭和41年法律第
　　101号）第４条第２項第３号に規定する近郊緑地特別保全地区及び近畿圏の保全区域の整備に関する法律（昭和42年法律
　　第103号）第６条第２項に規定する近郊緑地特別保全地区を含む。以下（6）、第五節の（5）《特別緑地保全地区内にある

－1473－

原野の評価》及び第五章第二節の(13)《特別緑地保全地区内にある立木の評価》において「特別緑地保全地区」という。)内にある山林（林業を営むために立木の伐採が認められる山林で、かつ、純山林に該当するものを除く。）の価額は、（1）《評価の方式》から（4）《市街地山林の評価》までの定めにより評価した価額から、その価額に100分の80を乗じて計算した金額を控除した金額によって評価する。（評基通50－2）

（地上権の評価）

（7）　地上権（借地借家法に規定する借地権又は民法第269条の2第1項《地下又は空間を目的とする地上権》の地上権に該当するものを除く。以下同じ。）の価額は、その残存期間に応じ、その目的となっている土地のこの権利を取得した時におけるこの権利が設定されていない場合の時価に、次に定める割合を乗じて算出した金額による。（法23）

残存期間が10年以下のもの	100分の5
残存期間が10年を超え15年以下のもの	100分の10
残存期間が15年を超え20年以下のもの	100分の20
残存期間が20年を超え25年以下のもの	100分の30
残存期間が25年を超え30年以下のもの及び地上権で存続期間の定めのないもの	100分の40
残存期間が30年を超え35年以下のもの	100分の50
残存期間が35年を超え40年以下のもの	100分の60
残存期間が40年を超え45年以下のもの	100分の70
残存期間が45年を超え50年以下のもの	100分の80
残存期間が50年を超えるもの	100分の90

（貸し付けられている山林の評価）

（8）　賃借権、地上権等の目的となっている山林の評価は、次に掲げる区分に従い、それぞれ次に掲げるところによる。（評基通51）

（一）　賃借権の目的となっている山林の価額は、（2）《純山林の評価》から（6）《特別緑地保全地区内にある山林の評価》までの定めにより評価したその山林の価額（以下この節において「**自用地としての価額**」という。）から、（14）《賃借権の評価》の定めにより評価したその賃借権の価額を控除した金額によって評価する。

（二）　地上権の目的となっている山林の価額は、その山林の自用地としての価額から（7）《地上権の評価》の規定により評価したその地上権の価額を控除した金額によって評価する。

（三）　区分地上権の目的となっている山林の価額は、その山林の自用地としての価額から（12）《区分地上権の評価》の定めにより評価したその区分地上権の価額を控除した金額によって評価する。

（四）　区分地上権に準ずる地役権の目的となっている承役地である山林の価額は、その山林の自用地としての価額から（13）《区分地上権に準ずる地役権の評価》の定めにより評価したその区分地上権に準ずる地役権の価額を控除した金額によって評価する。

（土地の上に存する権利が競合する場合の山林の評価）

（9）　土地の上に存する権利が競合する場合の山林の価額は、次に掲げる区分に従い、それぞれ次に掲げる算式により計算した金額によって評価する。（評基通51－2）

（一）　賃借権又は地上権及び区分地上権の目的となっている山林の価額

その山林の自用地としての価額 － ｛（12）《区分地上権の評価》の定めにより評価した区分地上権の価額 ＋ （15）《土地の上に在する権利が競合する場合の賃借権又は地上権の評価》の（一）の定めにより評価した賃借権又は地上権の価額｝

（二）　区分地上権及び区分地上権に準ずる地役権の目的となっている承役地である山林の価額

その山林の自用地としての価額 － ｛（12）の定めにより評価した区分地上権の価額 ＋ （13）《区分地上権に準ずる地役権の評価》の定めにより評価した区分地上権に準ずる地役権の価額｝

（三）　賃借権又は地上権及び区分地上権に準ずる地役権の目的となっている承役地である山林の価額

第二章　土地及び土地の上に存する権利

$$
\text{その山林の}\atop\text{自用地とし}\atop\text{ての価額} - \left(
\begin{array}{c}
(13) \text{の定めにより評価し}\\
\text{た区分地上権に準ずる地}\\
\text{役権の価額}
\end{array}
+
\begin{array}{c}
(15) \text{の（二）の定めにより評価した賃借権又}\\
\text{は地上権の価額}
\end{array}
\right)
$$

（分収林契約に基づいて貸し付けられている山林の評価）

(10)　立木の伐採又は譲渡による収益を一定の割合により分収することを目的として締結された分収林契約（所得税法施行令第78条《用語の意義》に規定する「分収造林契約」又は「分収育林契約」をいう。以下同じ。）に基づいて設定された地上権又は賃借権の目的となっている山林の価額は、その分収林契約により定められた山林の所有者に係る分収割合に相当する部分の山林の自用地としての価額と、その他の部分の山林について(8)《貸し付けられている山林の評価》又は(9)《土地の上に存する権利が競合する場合の山林の評価》の定めにより評価した価額との合計額によって評価する。（評基通52）

(注)1　上記の「分収林契約」には、旧公有林野等官行造林法（大正9年法律第7号）第1条《趣旨》の規定に基づく契約も含まれるのであるから留意する。

　　2　上記の定めを算式によって示せば、次のとおりである。

　　（その山林の自用地としての価額(A)×山林所有者の分収割合(B)）＋（(A)－地上権又は賃借権の価額）×（1－(B)）＝分収林契約に係る山林の価額

（残存期間の不確定な地上権の評価）

(11)　立木一代限りとして設定された地上権などのように残存期間の不確定な地上権の価額は、課税時期の現況により、立木の伐採に至るまでの期間をその残存期間として(7)《地上権の評価》の規定によって評価する。（評基通53）

（区分地上権の評価）

(12)　山林に係る区分地上権の価額は、第二節の(41)《区分地上権の評価》の定めを準用して評価する。（評基通53－2）

（区分地上権に準ずる地役権の評価）

(13)　山林に係る区分地上権に準ずる地役権の価額は、その区分地上権に準ずる地役権の目的となっている承役地である山林の自用地としての価額を基とし、第二節の(42)《区分地上権に準ずる地役権の評価》の定めを準用して評価する。（評基通53－3）

（賃借権の評価）

(14)　賃借権の評価は、次に掲げる区分に従い、それぞれ次に掲げるところによる。（評基通54）

（一）　純山林に係る賃借権の価額は、その賃借権の残存期間に応じ、(7)《地上権の評価》の規定を準用して評価する。この場合において、契約に係る賃借権の残存期間がその権利の目的となっている山林の上に存する立木の現況に照らし更新されることが明らかであると認める場合においては、その契約に係る賃借権の残存期間に更新によって延長されると認められる期間を加算した期間をもってその賃借権の残存期間とする。

（二）　中間山林に係る賃借権の価額は、賃貸借契約の内容、利用状況等に応じ、（一）又は（三）の定めにより求めた価額によって評価する。

（三）　市街地山林に係る賃借権の価額は、その山林の付近にある宅地に係る借地権の価額等を参酌して求めた価額によって評価する。

（土地の上に存する権利が競合する場合の賃借権又は地上権の評価）

(15)　土地の上に存する権利が競合する場合の賃借権又は地上権の価額は、次に掲げる区分に従い、それぞれ次の算式により計算した金額によって評価する。（評基通54－2）

（一）　賃借権又は地上権及び区分地上権が設定されている場合の賃借権又は地上権の価額

$$
\begin{array}{c}
(14) \text{《賃借権の評価》の定めにより評価した賃借権の}\\
\text{価額又は}(7)\text{《地上権の評価》の規定により評価した}\\
\text{地上権の価額}
\end{array}
\times
\left(
1 - \dfrac{
\begin{array}{c}
(12)\text{《区分地上権の評価》の定めにより}\\
\text{評価した区分地上権の価額}
\end{array}
}{\text{その山林の自用地としての価額}}
\right)
$$

（二）　区分地上権に準ずる地役権が設定されている承役地に賃借権又は地上権が設定されている場合の賃借権又は地上権の価額

－1475－

第九編　財産の評価

$$
\begin{array}{l}
（14）の定めにより評価した賃借権の価額又\\
は（7）の規定により評価した地上権の価額
\end{array}
\times
\left(
1-
\cfrac{
\begin{array}{l}
（13）《区分地上権に準ずる地役権の評価》\\
の定めにより評価した区分地上権に準ずる\\
地役権の価額
\end{array}
}{
その山林の自用地としての価額
}
\right)
$$

（分収林契約に基づき設定された地上権等の評価）

（16）　分収林契約に基づき設定された地上権又は賃借権の価額は、（7）《地上権の評価》の規定又は（11）《残存期間の不確定な地上権の評価》、（14）《賃借権の評価》若しくは（15）《土地の上に存する権利が競合する場合の賃借権又は地上権の評価》の定めにかかわらず、これらの定めにより評価したその地上権又は賃借権の価額にその分収林契約に基づき定められた造林又は育林を行う者に係る分収割合を乗じて計算した価額によって評価する。（評基通55）

（公益的機能別施業森林区域内の山林及び立木の評価について）

（17）　標題のことについては、下記により取り扱う。（平14課評2－3・課資2－6・一部改正平24課評2－35外）
（公益的機能別施業森林区域内の山林の評価）

1　森林法（昭和26年法律第249号）第11条第5項の規定による市町村の長の認定を受けた同法第11条第1項に規定する森林経営計画（以下「森林経営計画」という。）が定められていた区域内に存する山林のうち、次に掲げるものの価額は、（1）に定める方式によって評価した価額から、その価額に別表に掲げる森林の区分に応じて定める割合を乗じて計算した金額に相当する金額を控除した金額によって評価する。

（一）　相続又は遺贈により取得した場合

　イ　森林法第17条第1項の規定により効力を有するものとされる森林経営計画において、同法第11条第5項第2号ロに規定する公益的機能別施業森林区域内（以下「公益的機能別施業森林区域内」という。）にあるもの（特定遺贈及び死因贈与（特定の名義で行われるものに限る。）により取得する場合を除く。）

　ロ　次に掲げる森林経営計画において、公益的機能別施業森林区域内にあるもの

　　①　被相続人を委託者とする森林の経営の委託に関する契約（以下「森林経営委託契約」という。）が締結されていたことにより、受託者（次の②に掲げる受託者を除く。）が認定を受けていた森林経営計画で、相続人、受遺者又は死因贈与による受贈者（以下「相続人等」という。）の申出により、森林経営委託契約が継続され、かつ、受託者の森林経営計画として存続する場合における当該森林経営計画

　　②　被相続人を委託者、相続人等を受託者とする森林経営委託契約が締結されていたことにより、当該受託者が認定を受けていた森林経営計画で、当該受託者の森林経営計画として存続する場合における当該森林経営計画

（二）　贈与により取得した場合

　　次に掲げる森林経営計画において、公益的機能別施業森林区域内にあるもの

　イ　贈与者を委託者とする森林経営委託契約が締結されていたことにより、受託者（次のロに掲げる受託者を除く。）が認定を受けていた森林経営計画で、贈与前に贈与を停止条件とする森林経営委託契約が締結されることにより、受託者の森林経営計画として存続する場合における当該森林経営計画

　ロ　贈与者を委託者、受贈者を受託者とする森林経営委託契約が締結されていたことにより、当該受託者が認定を受けていた森林経営計画で、当該受託者の森林経営計画として存続する場合における当該森林経営計画

　ハ　贈与者が認定を受けていた森林経営計画で、贈与後に森林法第12条第1項に基づく当該森林経営計画の変更の認定を受けたことにより、受贈者の森林経営計画として存続する場合における当該森林経営計画

（公益的機能別施業森林区域内の立木の評価）

2　森林経営計画が定められていた区域内に存する立木のうち、次に掲げるものの価額は、第五章第二節（2）、同（6）又は同（11）の定めにより評価した価額から、その価額に別表に掲げる森林の区分に応じて定める割合を乗じて計算した金額を控除した金額によって評価する。

（一）　相続又は遺贈により取得した場合

　イ　森林法第17条第1項の規定により効力を有するものとされる森林経営計画において、公益的機能別施業森林区域内にあるもの（特定遺贈及び死因贈与（特定の名義で行われるものに限る。）により取得する場合を除く。）

　ロ　次に掲げる森林経営計画において、公益的機能別施業森林区域内にあるもの

　　①　被相続人を委託者とする森林経営委託契約が締結されていたことにより、受託者（次の②に掲げる受託者を除く。）が認定を受けていた森林経営計画で、相続人等の申出により、森林経営委託契約が継続され、かつ、受託者の森林経営計画として存続する場合における当該森林経営計画

　　②　被相続人を委託者、相続人等を受託者とする森林経営委託契約が締結されていたことにより、当該受託者が

－1476－

第二章　土地及び土地の上に存する権利

　　　　認定を受けていた森林経営計画で、当該受託者の森林経営計画として存続する場合における当該森林経営計画
　（二）　贈与により取得した場合
　　　　次に掲げる森林経営計画において、公益的機能別施業森林区域内にあるもの
　　イ　贈与者を委託者とする森林経営委託契約が締結されていたことにより、受託者（次のロに掲げる受託者を除く。）
　　　が認定を受けていた森林経営計画で、贈与前に贈与を停止条件とする森林経営委託契約が締結されることにより、
　　　受託者の森林経営計画として存続する場合における当該森林経営計画
　　ロ　贈与者を委託者、受贈者を受託者とする森林経営委託契約が締結されていたことにより、当該受託者が認定を
　　　受けていた森林経営計画で、当該受託者の森林経営計画として存続する場合における当該森林経営計画
　　ハ　贈与者が認定を受けていた森林経営計画で、贈与後に森林法第12条第1項に基づく当該森林経営計画の変更の
　　　認定を受けたことにより、受贈者の森林経営計画として存続する場合における当該森林経営計画
（保安林等の評価）
3　上記1又は2に該当する山林又は立木が、森林法その他の法令の規定に基づき土地の利用又は立木の伐採について
　制限を受けている場合には、その山林又は立木の価額は、（5）又は第五章第二節(12)によって評価した価額と上記1
　又は2によって評価した価額のいずれか低い金額により評価する。
　（注）　この通達において使用する用語については、次の点に留意する。
　　　1　「森林法第11条第5項」については、森林法第12条第3項において準用する場合又は木材の安定供給の確保に関する特別措置法（平成
　　　　8年法律第47号）第9条第3項の規定により読み替えて適用される森林法第12条第3項において準用する場合を含む。
　　　2　「市町村の長」については、森林法第19条の規定の適用がある場合には、同条第1項各号に掲げる場合の区分に応じ当該各号に定める
　　　　者をいう。
　　　3　「森林経営計画」については、森林法第16条又は木材の安定供給の確保に関する特別措置法第9条第4項の規定による認定の取消しが
　　　　あった森林経営計画を含まない。
　　　4　「森林経営計画が定められていた区域内」については、森林法第11条第1項に規定する森林経営計画の全部又は一部として定められる
　　　　森林の保健機能の増進に関する特別措置法（平成元年法律第71号）第6条第1項に規定する森林保健機能増進計画に係る区域内を含まな
　　　　い。

（別　表）

森　林　の　区　分	割　合
・森林法施行規則第39条第1項に規定する水源涵養機能維持増進森林 ・森林法施行規則第39条第2項に規定する土地に関する災害の防止及び土壌の保全の機能、快適な環境の形成の機能又は保健文化機能の維持増進を図るための森林施業を推進すべき森林として市町村森林整備計画において定められている森林その他水源涵養機能維持増進森林以外の森林（以下「水源涵養機能維持増進森林以外の森林」という。）のうち、森林法施行規則第39条第2項第1号に規定する複層林施業森林（同項第3号に規定する択伐複層林施業森林を除く。）及び標準伐期齢のおおむね2倍以上に相当する林齢を超える林齢において主伐を行う森林施業を推進すべき森林として市町村森林整備計画において定められている森林	0.2
・水源涵養機能維持増進森林以外の森林のうち、森林法施行規則第39条第2項第2号に規定する特定広葉樹育成施業森林及び同項第3号に規定する択伐複層林施業森林	0.4

（附則）
　森林法の一部を改正する法律（平成23年法律第20号）附則第8条の規定により、なお従前の例によることとされた、
平成24年3月31日以前に市町村の長の認定を受けた森林施業計画が定められている区域内に存する山林又は立木の評価
については、この法令解釈通達の改正前の取扱いを適用する。

－1477－

第九編　財産の評価

第五節　原野及び原野の上に存する権利

（評価の方式）
（１）　原野の評価は、次に掲げる区分に従い、それぞれ次に掲げる方式によって行う。（評基通57）
　（一）　純原野及び中間原野（通常の原野と状況を異にするため純原野として評価することを不適当と認めるものに限る。以下同じ。）　倍率方式
　（二）　市街地原野　比準方式又は倍率方式

（純原野の評価）
（２）　純原野の価額は、その原野の固定資産税評価額に、状況の類似する地域ごとに、その地域にある原野の売買実例価額、精通者意見価格等を基として国税局長の定める倍率を乗じて計算した金額によって評価する。（評基通58）

（中間原野の評価）
（３）　中間原野の価額は、その原野の固定資産税評価額に、地価事情の類似する地域ごとに、その地域にある原野の売買実例価額、精通者意見価格等を基として国税局長の定める倍率を乗じて計算した金額によって評価する。（評基通58－２）

（市街地原野の評価）
（４）　市街地原野の価額は、その原野が宅地であるとした場合の１平方メートル当たりの価額から、その原野を宅地に転用する場合において通常必要と認められる１平方メートル当たりの造成費に相当する金額として、整地、土盛り又は土止めに要する費用の額がおおむね同一と認められる地域ごとに国税局長の定める金額を控除した金額に、その原野の地積を乗じて計算した金額によって評価する。
　　ただし、その市街地原野の固定資産税評価額に地価事情の類似する地域ごとに、その地域にある原野の売買実例価額、精通者意見価格等を基として国税局長の定める倍率を乗じて計算した金額によって評価することができるものとし、その倍率が定められている地域にある市街地原野の価額は、その原野の固定資産税評価額にその倍率を乗じて計算した金額によって評価する。（評基通58－３）
　（注）　その原野が宅地であるとした場合の１平方メートル当たりの価額は、その付近にある宅地について第二節の（１）《評価の方式》に定める方式によって評価した１平方メートル当たりの価額を基とし、その宅地とその原野との位置、形状等の条件の差を考慮して評価するものとする。
　　　　なお、その原野が宅地であるとした場合の１平方メートル当たりの価額については、その原野が宅地であるとした場合において第二節の（11）《地積規模の大きな宅地の評価》の定めの適用対象となるとき（同節の（18）《倍率方式による評価》ただし書において同節の（11）の定めを準用するときを含む。）には、同（11）の定めを適用して計算することに留意する。

（特別緑地保全地区内にある原野の評価）
（５）　特別緑地保全地区内にある原野の価額は、（１）《評価の方式》から（４）《市街地原野の評価》までの定めにより評価した価額から、その価額に100分の80を乗じて計算した金額を控除した金額によって評価する。（評基通58－５）

（貸し付けられている原野の評価）
（６）　賃借権、地上権等の目的となっている原野の評価は、次に掲げる区分に従い、それぞれ次に掲げるところによる。（評基通59）
　（一）　賃借権の目的となっている原野の価額は、（２）《純原野の評価》から（５）《特別緑地保全地区内にある原野の評価》までの定めによって評価した原野の価額（以下この節において「**自用地としての価額**」という。）から、（８）《原野の賃借権の評価》の定めにより評価したその賃借権の価額を控除した金額によって評価する。
　（二）　地上権の目的となっている原野の価額は、その原野の自用地としての価額から第四節の（７）《地上権の評価》の規定により評価したその地上権の価額を控除した金額によって評価する。
　（三）　区分地上権の目的となっている原野の価額は、その原野の自用地としての価額から（９）《区分地上権の評価》の定めにより評価したその区分地上権の価額を控除した金額によって評価する。
　（四）　区分地上権に準ずる地役権の目的となっている承役地である原野の価額は、その原野の自用地としての価額から（10）《区分地上権に準ずる地役権の評価》の定めにより評価したその区分地上権に準ずる地役権の価額を控除した金額によって評価する。

－1478－

第二章　土地及び土地の上に存する権利

（土地の上に存する権利が競合する場合の原野の評価）

（７）　土地の上に存する権利が競合する場合の原野の価額は、次に掲げる区分に従い、それぞれ次の算式により計算した金額によって評価する。（評基通59－２）

　（一）　賃借権又は地上権及び区分地上権の目的となっている原野の価額

その原野の
自用地とし　－
ての価額
$$\left(\begin{array}{l} （９）《区分地上権の評 \\ 価》の定めにより評価 \\ した区分地上権の価額 \end{array} ＋ \begin{array}{l} （11）《土地の上に在する権利が競合する場合の賃借 \\ 権又は地上権の評価》の（一）の定めにより評価した \\ 賃借権又は地上権の価額 \end{array} \right)$$

　（二）　区分地上権及び区分地上権に準ずる地役権の目的となっている承役地である原野の価額

その原野の
自用地とし　－
ての価額
$$\left(\begin{array}{l} （９）の定めにより評価 \\ した区分地上権の価額 \end{array} ＋ \begin{array}{l} （10）《区分地上権に準ずる地役権の評価》の定め \\ により評価した区分地上権に準ずる地役権の価額 \end{array} \right)$$

　（三）　賃借権又は地上権及び区分地上権に準ずる地役権の目的となっている承役地である原野の価額

その原野の
自用地とし　－
ての価額
$$\left(\begin{array}{l} （10）の定めにより評価した区分 \\ 地上権に準ずる地役権の価額 \end{array} ＋ \begin{array}{l} （11）の（二）の定めにより評価した賃借権又は \\ 地上権の価額 \end{array} \right)$$

（原野の賃借権の評価）

（８）　原野に係る賃借権の価額は、第三節の(14)《耕作権の評価》の定めを準用して評価する。（評基通60）

（区分地上権の評価）

（９）　原野に係る区分地上権の価額は、第二節の(41)《区分地上権の評価》の定めを準用して評価する。（評基通60－２）

（区分地上権に準ずる地役権の評価）

（10）　原野に係る区分地上権に準ずる地役権の価額は、その区分地上権に準ずる地役権の目的となっている承役地である原野の自用地としての価額を基とし、第二節の(42)《区分地上権に準ずる地役権の評価》の定めを準用して評価する。（評基通60－３）

（土地の上に存する権利が競合する場合の賃借権又は地上権の評価）

（11）　土地の上に存する権利が競合する場合の賃借権又は地上権の価額は、次に掲げる区分に従い、それぞれ次の算式により計算した金額によって評価する。（評基通60－４）

　（一）　賃借権又は地上権及び区分地上権が設定されている場合の賃借権又は地上権の価額

（８）《原野の賃借権の評価》の定めにより評価
した賃借権の価額又は第四節の(7)《地上権の　　×
評価》の規定により評価した地上権の価額
$$\left(1 － \frac{\begin{array}{l}（９）《区分地上権の評価》の定めにより \\ 評価した区分地上権の価額\end{array}}{その原野の自用地としての価額} \right)$$

　（二）　区分地上権に準ずる地役権が設定されている承役地である原野に賃借権又は地上権が設定されている場合の賃借権又は地上権の価額

（８）の定めにより評価した賃借権の価額又は
第四節の(7)の規定により評価した地上権の　　×
価額
$$\left(1 － \frac{\begin{array}{l}（10）《区分地上権に準ずる地役権の評価》 \\ の定めにより評価した区分地上権に準ず \\ る地役権の価額\end{array}}{その原野の自用地としての価額} \right)$$

第六節　牧場及び牧場の上に存する権利

（牧場及び牧場の上に存する権利の評価）

　牧場及び牧場の上に存する権利の価額は、第一節の（２）《評価単位》及び前節の（１）《評価の方式》から(11)《土地の上に存する権利が競合する場合の賃借権又は地上権の評価》までの定めを準用して評価する。（評基通61）

－1479－

第九編　財産の評価

第七節　池沼及び池沼の上に存する権利

（池沼及び池沼の上に存する権利の評価）

　　池沼及び池沼の上に存する権利の価額は、第一節の（2）《評価単位》及び第五節の（1）《評価の方式》から（11）《土地の上に存する権利が競合する場合の賃借権又は地上権の評価》までの定めを準用して評価する。（評基通62）

第八節　鉱泉地及び鉱泉地の上に存する権利

（鉱泉地の評価）

（1）　鉱泉地の評価は、次に掲げる区分に従い、それぞれ次に掲げるところによる。ただし、湯温、ゆう出量等に急激な変化が生じたこと等から、次に掲げるところにより評価することが適当でないと認められる鉱泉地については、その鉱泉地と状況の類似する鉱泉地の価額若しくは売買実例価額又は精通者意見価格等を参酌して求めた金額によって評価する。（評基通69）

　（一）　状況が類似する温泉地又は地域ごとに、その温泉地又はその地域に存する鉱泉地の売買実例価額、精通者意見価格、その鉱泉地の鉱泉を利用する温泉地の地価事情、その鉱泉地と状況が類似する鉱泉地の価額等を基として国税局長が鉱泉地の固定資産税評価額に乗ずべき一定の倍率を定めている場合　　その鉱泉地の固定資産税評価額にその倍率を乗じて計算した金額によって評価する。

　（二）　（一）以外の場合　　その鉱泉地の固定資産税評価額に、次の割合を乗じて計算した金額によって評価する。

$$\frac{その鉱泉地の鉱泉を利用する宅地の課税時期における価額}{その鉱泉地の鉱泉を利用する宅地のその鉱泉地の固定資産税評価額の評定の基準となった日における価額}$$

　（注）　固定資産税評価額の評定の基準となった日とは、通常、各基準年度（地方税法第341条《固定資産税に関する用語の意義》第6号に規定する年度をいう。）の初日の属する年の前年1月1日となることに留意する。

（住宅、別荘等の鉱泉地の評価）

（2）　鉱泉地からゆう出する温泉の利用者が、旅館、料理店等の営業者以外の者である場合におけるその鉱泉地の価額は、（1）《鉱泉地の評価》の定めによって求めた価額を基とし、その価額から、その価額の100分の30の範囲内において相当と認める金額を控除した価額によって評価する。（評基通75）

（温泉権が設定されている鉱泉地の評価）

（3）　温泉権が設定されている鉱泉地の価額は、その鉱泉地について（1）《鉱泉地の評価》又は（2）《住宅、別荘等の鉱泉地の評価》の定めにより評価した価額から（4）《温泉権の評価》の定めにより評価した温泉権の価額を控除した価額によって評価する。（評基通77）

（温泉権の評価）

（4）　（3）の「温泉権の価額」は、その温泉権の設定の条件に応じ、温泉権の売買実例価額、精通者意見価格等を参酌して評価する。（評基通78）

（引湯権の設定されている鉱泉地及び温泉権の評価）

（5）　引湯権（鉱泉権又は温泉権を有する者から分湯を受ける者のその引湯する権利をいう。以下同じ。）の設定されている鉱泉地又は温泉権の価額は、（1）《鉱泉地の評価》又は（2）《住宅、別荘等の鉱泉地の評価》の定めにより評価した鉱泉地の価額又は（4）《温泉権の評価》の定めにより評価した温泉権の価額から、（6）《引湯権の評価》本文の定めにより評価した引湯権の価額を控除した価額によって評価する。（評基通79）

（引湯権の評価）

（6）　（5）の「引湯権の価額」は、（1）《鉱泉地の評価》、（2）《住宅、別荘等の鉱泉地の評価》又は（4）《温泉権の評価》の定めにより評価した鉱泉地の価額又は温泉権の価額に、その鉱泉地のゆう出量に対するその引湯権に係る分湯量の割

－1480－

第二章　土地及び土地の上に存する権利

合を乗じて求めた価額を基とし、その価額から、引湯の条件に応じ、その価額の100分の30の範囲内において相当と認める金額を控除した価額によって評価する。ただし、別荘、リゾートマンション等に係る引湯権で通常取引される価額が明らかなものについては、納税義務者の選択により課税時期における当該価額に相当する金額によって評価することができる。（評基通80）

第九節　雑種地及び雑種地の上に存する権利

（雑種地の評価）

（１）　雑種地の価額は、原則として、その雑種地と状況が類似する付近の土地についてこの通達の定めるところにより評価した１平方メートル当たりの価額を基とし、その土地とその雑種地との位置、形状等の条件の差を考慮して評定した価額に、その雑種地の地積を乗じて計算した金額によって評価する。

　　　ただし、その雑種地の固定資産税評価額に、状況の類似する地域ごとに、その地域にある雑種地の売買実例価額、精通者意見価格等を基として国税局長の定める倍率を乗じて計算した金額によって評価することができるものとし、その倍率が定められている地域にある雑種地の価額は、その雑種地の固定資産税評価額にその倍率を乗じて計算した金額によって評価する。（評基通82）

（ゴルフ場の用に供されている土地の評価）

（２）　ゴルフ場の用に供されている土地（以下「**ゴルフ場用地**」という。）の評価は、次に掲げる区分に従い、それぞれ次に掲げるところによる。（評基通83）

（一）　市街化区域及びそれに近接する地域にあるゴルフ場用地の価額は、そのゴルフ場用地が宅地であるとした場合の１平方メートル当たりの価額にそのゴルフ場用地の地積を乗じて計算した金額の100分の60に相当する金額から、そのゴルフ場用地を宅地に造成する場合において通常必要と認められる１平方メートル当たりの造成費に相当する金額として国税局長の定める金額にそのゴルフ場用地の地積を乗じて計算した金額を控除した価額によって評価する。

（注）　そのゴルフ場用地が宅地であるとした場合の１平方メートル当たりの価額は、そのゴルフ場用地が路線価地域にある場合には、そのゴルフ場用地の周囲に付されている路線価をそのゴルフ場用地に接する距離によって加重平均した金額によることができるものとし、倍率地域にある場合には、そのゴルフ場用地の１平方メートル当たりの固定資産税評価額（固定資産税評価額を土地課税台帳又は土地補充課税台帳に登録された地積で除して求めた額）にゴルフ場用地ごとに不動産鑑定士等による鑑定評価額、精通者意見価格等を基として国税局長の定める倍率を乗じて計算した金額によることができるものとする。

── **編者注　ゴルフ場用地の評価に係る宅地造成費**（大阪国税局管内の令和６年分）

　　　（２）の（一）に定める市街化区域及びそれに近接する地域にあるゴルフ場用地を評価する場合における宅地造成費（そのゴルフ場用地を宅地に造成する場合において通常必要と認められる造成費）の金額は、市街地農地等の評価に係る宅地造成費の金額を用いて算定する。

（二）　（一）以外の地域にあるゴルフ場用地の価額は、そのゴルフ場用地の固定資産税評価額に、一定の地域ごとに不動産鑑定士等による鑑定評価額、精通者意見価格等を基として国税局長の定める倍率を乗じて計算した金額によって評価する。

（遊園地等の用に供されている土地の評価）

（３）　遊園地、運動場、競馬場その他これらに類似する施設（以下「**遊園地等**」という。）の用に供されている土地の価額は、原則として、（１）《雑種地の評価》の定めを準用して評価する。

　　　ただし、その規模等の状況から（２）に定めるゴルフ場用地と同様に評価することが相当と認められる遊園地等の用に供されている土地の価額は、（２）の定めを準用して評価するものとする。この場合において、（２）の（一）に定める造成費に相当する金額については、第四節の(4)《市街地山林の評価》の定めにより国税局長が定める金額とする。（評基通83－2）

（文化財建造物である構築物の敷地の用に供されている土地の評価）

（４）　文化財建造物である構築物の敷地の用に供されている土地の価額は、（１）《雑種地の評価》の定めにより評価した価額から、その価額に第二節の(30)《文化財建造物である家屋の敷地の用に供されている宅地の評価》に定める割合を乗じて計算した金額を控除した金額によって評価する。

－1481－

第九編　財産の評価

　なお、文化財建造物である構築物の敷地とともに、その文化財建造物である構築物と一体をなして価値を形成している土地がある場合には、その土地の価額は、同節の(30)の(注)に準じて評価する。(評基通83－3)

　　　(鉄軌道用地の評価)
(5)　鉄道又は軌道の用に供する土地(以下「**鉄軌道用地**」という。)の価額は、その鉄軌道用地に沿接する土地の価額の3分の1に相当する金額によって評価する。この場合における「その鉄軌道用地に沿接する土地の価額」は、その鉄軌道用地をその沿接する土地の地目、価額の相違等に基づいて区分し、その区分した鉄軌道用地に沿接するそれぞれの土地の価額を考慮して評定した価額の合計額による。(評基通84)

　　　(貸し付けられている雑種地の評価)
(6)　賃借権、地上権等の目的となっている雑種地の評価は、次に掲げる区分に従い、それぞれ次に掲げるところによる。(評基通86)
　(一)　賃借権の目的となっている雑種地の価額は、原則として(1)《雑種地の評価》から(5)《鉄軌道用地の評価》までの定めにより評価した雑種地の価額(以下この節において「**自用地としての価額**」という。)から、(8)《賃借権の評価》の定めにより評価したその賃借権の価額を控除した金額によって評価する。
　　　ただし、その賃借権の価額が、次に掲げる賃借権の区分に従いそれぞれ次に掲げる金額を下回る場合には、その雑種地の自用地としての価額から次に掲げる金額を控除した金額によって評価する。
　　イ　地上権に準ずる権利として評価することが相当と認められる賃借権(例えば、賃借権の登記がされているもの、設定の対価として権利金その他の一時金の授受のあるもの、堅固な構築物の所有を目的とするものなどがこれに該当する。)
　　　　その雑種地の自用地としての価額に、その賃借権の残存期間に応じ次に掲げる割合を乗じて計算した金額
　　　(イ)　残存期間が5年以下のもの　　　　　　100分の5
　　　(ロ)　残存期間が5年を超え10年以下のもの　100分の10
　　　(ハ)　残存期間が10年を超え15年以下のもの　100分の15
　　　(ニ)　残存期間が15年を超えるもの　　　　　100分の20
　　ロ　イに該当する賃借権以外の賃借権
　　　　その雑種地の自用地としての価額に、その賃借権の残存期間に応じイに掲げる割合の2分の1に相当する割合を乗じて計算した金額
　(二)　地上権の目的となっている雑種地の価額は、その雑種地の自用地としての価額から第三節の(11)《地上権及び永小作権の評価》の規定により評価したその地上権の価額を控除した金額によって評価する。
　(三)　区分地上権の目的となっている雑種地の価額は、その雑種地の自用地としての価額から(9)《区分地上権の評価》の定めにより評価したその区分地上権の価額を控除した金額によって評価する。
　(四)　区分地上権に準ずる地役権の目的となっている承役地である雑種地の価額は、その雑種地の自用地としての価額から(10)《区分地上権に準ずる地役権の評価》の定めにより評価したその区分地上権に準ずる地役権の価額を控除した金額によって評価する。
　(注)　上記(一)又は(二)において、賃借人又は地上権者がその雑種地の造成を行っている場合には、その造成が行われていないものとして(1)《雑種地の評価》の定めにより評価した価額から、その価額を基として(8)《賃借権の評価》の定めに準じて評価したその賃借権の価額又は第三節の(11)《地上権及び永小作権の評価》の規定により評価した地上権の価額を控除した金額によって評価する。

　　　(土地の上に存する権利が競合する場合の雑種地の評価)
(7)　土地の上に存する権利が競合する場合の雑種地の価額は、次に掲げる区分に従い、それぞれ次の算式により計算した金額によって評価する。(評基通86－2)
　(一)　賃借権又は地上権及び区分地上権の目的となっている雑種地の価額

　　その雑種地　　　　(9)《区分地上権の評　　(11)《土地の上に在する権利が競合する場合の賃
　　の自用地と　－　　価》の定めにより評価　＋　借権又は地上権の評価》の(一)の定めにより評価
　　しての価額　　　　した区分地上権の価額　　した賃借権又は地上権の価額

　(二)　区分地上権及び区分地上権に準ずる地役権の目的となっている承役地である雑種地の価額

　　その雑種地　　　　(9)の定めにより評価　　(10)《区分地上権に準ずる地役権の評価》の定
　　の自用地と　－　　した区分地上権の価額　＋　めにより評価した区分地上権に準ずる地役権の
　　しての価額　　　　　　　　　　　　　　　価額

－1482－

第二章　土地及び土地の上に存する権利

　（三）　賃借権又は地上権及び区分地上権に準ずる地役権の目的となっている承役地である雑種地の価額

$$
\begin{array}{l}
\text{その雑種地} \\
\text{の自用地と} \\
\text{しての価額}
\end{array}
-
\left(
\begin{array}{l}
\text{(10)の定めにより評価した区} \\
\text{分地上権に準ずる地役権の価} \\
\text{額}
\end{array}
+
\begin{array}{l}
\text{(11)の(二)の定めにより評価した賃借権又は} \\
\text{地上権の価額}
\end{array}
\right)
$$

　（賃借権の評価）
（８）　雑種地に係る賃借権の価額は、原則として、その賃貸借契約の内容、利用の状況等を勘案して評定した価額によって評価する。ただし、次に掲げる区分に従い、それぞれ次に掲げるところにより評価することができるものとする。（評基通87）
　（一）　地上権に準ずる権利として評価することが相当と認められる賃借権（例えば、賃借権の登記がされているもの、設定の対価として権利金その他の一時金の授受のあるもの、堅固な構築物の所有を目的とするものなどがこれに該当する。）の価額は、その雑種地の自用地としての価額に、その賃借権の残存期間に応じその賃借権が地上権であるとした場合に適用される第三節の(11)《地上権及び永小作権の評価》に規定する割合（以下「**法定地上権割合**」という。）又はその賃借権が借地権であるとした場合に適用される借地権割合のいずれか低い割合を乗じて計算した金額によって評価する。
　（二）　（一）に掲げる賃借権以外の賃借権の価額は、その雑種地の自用地としての価額に、その賃借権の残存期間に応じその賃借権が地上権であるとした場合に適用される法定地上権割合の２分の１に相当する割合を乗じて計算した金額によって評価する。

　（区分地上権の評価）
（９）　雑種地に係る区分地上権の価額は、第二節の(41)《区分地上権の評価》の定めを準用して評価する。（評基通87－２）

　（区分地上権に準ずる地役権の評価）
（10）　雑種地に係る区分地上権に準ずる地役権の価額は、その区分地上権に準ずる地役権の目的となっている承役地である雑種地の自用地としての価額を基とし、第二節の(42)《区分地上権に準ずる地役権の評価》の定めを準用して評価する。（評基通87－３）

　（土地の上に存する権利が競合する場合の賃借権又は地上権の評価）
（11）　土地の上に存する権利が競合する場合の賃借権又は地上権の価額は、次に掲げる区分に従い、それぞれ次の算式により計算した金額によって評価する。（評基通87－４）
　（一）　賃借権又は地上権及び区分地上権が設定されている場合の賃借権又は地上権の価額

$$
\begin{array}{l}
\text{(8)《賃借権の評価》の定めにより評価した賃借権の価額} \\
\text{又は第三節の(11)《地上権及び永小作権の評価》の規定に} \\
\text{より評価した地上権の価額}
\end{array}
\times
\left(
1 -
\dfrac{
\begin{array}{l}
\text{(9)《区分地上権の評価》の定めにより} \\
\text{評価した区分地上権の価額}
\end{array}
}{
\text{その雑種地の自用地としての価額}
}
\right)
$$

　（二）　区分地上権に準ずる地役権が設定されている承役地に賃借権又は地上権が設定されている場合の賃借権又は地上権の価額

$$
\begin{array}{l}
\text{(8)の定めにより評価した賃借権の価額又} \\
\text{は第三節の(11)の規定により評価した地上} \\
\text{権の価額}
\end{array}
\times
\left(
1 -
\dfrac{
\begin{array}{l}
\text{(10)《区分地上権に準ずる地役権の評価》} \\
\text{の定めにより評価した区分地上権に準ず} \\
\text{る地役権の価額}
\end{array}
}{
\text{その雑種地の自用地としての価額}
}
\right)
$$

　（占用権の評価）
（12）　占用権の価額は、(13)の定めにより評価したその占用権の目的となっている土地の価額に、次に掲げる区分に従い、それぞれ次に掲げる割合を乗じて計算した金額によって評価する。（評基通87－５）
　（一）　取引事例のある占用権
　　売買実例価額、精通者意見価格等を基として占用権の目的となっている土地の価額に対する割合として国税局長が定める割合
　（二）　（一）以外の占用権で、地下街又は家屋の所有を目的とする占用権
　　その占用権が借地権であるとした場合に適用される借地権割合の３分の１に相当する割合

第九編　財産の評価

（三）　（一）及び（二）以外の占用権

その占用権の残存期間に応じその占用権が地上権であるとした場合に適用される法定地上権割合の３分の１に相当する割合

（注）　上記（三）の「占用権の残存期間」は、占用の許可に係る占用の期間が、占用の許可に基づき所有する工作物、過去における占用の許可の状況、河川等の工事予定の有無等に照らし実質的に更新されることが明らかであると認められる場合には、その占用の許可に係る占用権の残存期間に実質的な更新によって延長されると認められる期間を加算した期間をもってその占用権の残存期間とする。

（占用権の目的となっている土地の評価）

(13)　占用権の目的となっている土地の価額は、その占用権の目的となっている土地の付近にある土地について、この通達の定めるところにより評価した１平方メートル当たりの価額を基とし、その土地とその占用権の目的となっている土地との位置、形状等の条件差及び占用の許可の内容を勘案した価額に、その占用の許可に係る土地の面積を乗じて計算した金額によって評価する。（評基通87－6）

（占用の許可に基づき所有する家屋を貸家とした場合の占用権の評価）

(14)　占用の許可に基づき所有する家屋が貸家に該当する場合の占用権の価額は、次の算式により計算した価額によって評価する。（評基通87－7）

(12)《占用権の評価》の定めにより評価したその占用権の価額（A）　－A×　第三章の（7）《借家権の評価》に定める借家権割合　×　第二節の(34)《貸家建付地の評価》の（二）の定めによるその家屋に係る賃貸割合

第十節　農業投資価格

（農地等についての相続税の納税猶予等）

（1）　特例農地等の相続税の納税猶予額の計算の基礎となる農業投資価格とは、特例農地等に該当する農地、採草放牧地又は準農地につき、それぞれ、その所在する地域において恒久的に耕作又は養畜の用に供されるべき農地若しくは採草放牧地又は農地若しくは採草放牧地に開発されるべき土地として自由な取引が行われるものとした場合におけるその取引において通常成立すると認められる価格として当該地域の所轄国税局長が決定した価格をいう。（措法70の6②）

国税局長は、農業投資価格を決定する場合には、土地評価審議会の意見を聴かなければならない。（措法70の6③）

（土地評価審議会）

（2）　国税局ごとに、土地評価審議会を置く。（法26の2）

（一）　土地評価審議会は、土地の評価に関する事項で国税局長がその意見を求めたものについて調査審議する。

（二）　土地評価審議会は、委員20人以内で組織する。

（三）　委員は、関係行政機関の職員、地方公共団体の職員及び土地の評価について学識経験を有する者のうちから、国税局長が任命する。

（四）　（二）及び（三）に定めるもののほか、土地評価審議会の組織及び運営に関し必要な事項は、政令で定める。

第二章　土地及び土地の上に存する権利

令和6年分の田及び畑の農業投資価格（10アール当たり）

国税局	適用地域		農業投資価格 田	農業投資価格 畑	国税局	適用地域		農業投資価格 田	農業投資価格 畑
			千円	千円	名古屋	愛　知　県		850	640
札幌	北海道	中央ブロック	300	128		三　重　県		720	520
		南ブロック	236	117	大阪	滋　賀　県		730	470
		北ブロック	169	55		京　都　府		700	450
		東ブロック	169	73		大　阪　府		820	570
仙台	青　森　県		380	170		兵　庫　県		770	500
	岩　手　県		420	200		奈　良　県		720	460
	宮　城　県		520	255		和　歌　山　県		680	500
	秋　田　県		445	160	広島	鳥　取　県		610	370
	山　形　県		510	220		島　根　県		520	295
	福　島　県		510	240		岡　山　県		670	400
関東信越	茨　城　県		660	625		広　島　県		630	360
	栃　木　県		620	535		山　口　県		610	290
	群　馬　県		790	660	高松	徳　島　県		680	330
	埼　玉　県		840	790		香　川　県		695	360
	新　潟　県		620	265		愛　媛　県		665	340
	長　野　県		730	490		高　知　県		579	271
東京	千　葉　県		740	730	福岡	福　岡　県		720	420
	東　京　都		900	840		佐　賀　県		670	380
	神　奈　川　県		830	800		長　崎　県		530	320
	山　梨　県		700	530	熊本	熊　本　県		690	400
金沢	富　山　県		580	240		大　分　県		500	310
	石　川　県		570	260		宮　崎　県		520	370
	福　井　県		550	240		鹿　児　島　県		450	360
名古屋	岐　阜　県		720	520	沖縄	沖　縄　県		220	230
	静　岡　県		810	610					

－1485－

第三章　家屋及び家屋の上に存する権利

（評価単位）
（１）　家屋の価額は、原則として、１棟の家屋ごとに評価する。（評基通88）

（家屋の評価）
（２）　家屋の価額は、その家屋の固定資産税評価額（地方税法第381条《固定資産課税台帳の登録事項》の規定により家屋課税台帳若しくは家屋補充課税台帳に登録された基準年度の価格又は比準価格をいう。以下第三章において同じ。）に別表１に定める倍率《1.0倍》を乗じて計算した金額によって評価する。（評基通89、別表１）

（文化財建造物である家屋の評価）
（３）　文化財建造物である家屋の価額は、それが文化財建造物でないものとした場合の価額から、その価額に第二章第二節の(30)《文化財建造物である家屋の敷地の用に供されている宅地の評価》に定める割合を乗じて計算した金額を控除した金額によって評価する。
　　なお、文化財建造物でないものとした場合の価額は、次に掲げる場合の区分に応じ、それぞれ次に掲げる金額によるものとする。（評基通89－２）
（一）　文化財建造物である家屋に固定資産税評価額が付されている場合　　その文化財建造物の固定資産税評価額を基として(2)の定めにより評価した金額
（二）　文化財建造物である家屋に固定資産税評価額が付されていない場合　　その文化財建造物の再建築価額（課税時期においてその財産を新たに建築又は設備するために要する費用の額の合計額をいう。以下同じ。）から、経過年数に応ずる減価の額を控除した価額の100分の70に相当する金額
　　（注）　「経過年数に応ずる減価の額」は、再建築価額から当該価額に0.1を乗じて計算した金額を控除した価額に、その文化財建造物の残存年数（建築の時から朽廃の時までの期間に相当する年数）のうちに占める経過年数（建築の時から課税時期までの期間に相当する年数（その期間に１年未満の端数があるときは、その端数は１年とする。））の割合を乗じて計算することに留意する。

（建築中の家屋の評価）
（４）　課税時期において現に建築中の家屋の価額は、その家屋の費用現価の100分の70に相当する金額によって評価する。（評基通91）

（編者注）　請負契約に係る建築中の家屋の課税上の取扱いについて
　　請負契約による建築中の家屋の注文者に相続開始があった場合には、当該請負契約により請負者に支払った金銭（前渡金）そのものを相続税の課税財産として取り扱ってきた。
　　これは、請負契約に係る家屋の建築に当たっては、請負者が材料を供給することが一般的であることから、特約のない限り、その建築中の家屋の所有権は、法律上、請負者に帰属するという考え方によったものである。
　　ところで、最近の請負契約による家屋建築の実態をみると、請負者は、材料調達等のために、注文者から請負代金を数回に分割して支払いを受けており、結果的には、注文者が工事進行に応じて材料等を供給する形となっている。
　　このようなことから、当該建築中の家屋は、請負者、注文者ともに、実質的には注文者のものとして認識しているのが一般的である。
　　そこで、請負契約に係る建築中の家屋も、相続税（贈与税を含む。）の課税上、注文者のものとみなして、直営の場合と同様に(4)《建築中の家屋の評価》の「建築中の家屋」に該当するものとして取り扱って差し支えないものとする。
　　この場合の価額は、課税時期における費用現価を基として評価することとなるので、注文者の支払代金と請負者の投下費用の額とに差異があるときは、その差額は、「未払金」又は「前渡金」として処理することになる。
〈設　例〉
・家屋の請負金額（建築総額）　2,000万円
・工事の進行度合　50％程度
　　（2,000万円×0.5）×0.7＝700万円（家屋の評価額）
　　なお、請負者の投下費用の額が明らかでないときは、請負代金は、工事進行に応じて支払われるのが一般的である

－1486－

第三章　家屋及び家屋の上に存する権利

ので、その支払代金相当額を投下費用の額とみて取り扱っても差し支えないものとする。

（附属設備等の評価）

（５）　附属設備等の評価は、次に掲げる区分に従い、それぞれ次に掲げるところによる。（評基通92）

（一）　家屋と構造上一体となっている設備

家屋の所有者が有する電気設備（ネオンサイン、投光器、スポットライト、電話機、電話交換機及びタイムレコーダー等を除く。）、ガス設備、衛生設備、給排水設備、温湿度調整設備、消火設備、避雷針設備、昇降設備、じんかい処理設備等でその家屋に取り付けられ、その家屋と構造上一体となっているものについては、その家屋の価額に含めて評価する。

（二）　門、塀等の設備

門、塀、外井戸、屋外じんかい処理設備等の附属設備の価額は、その附属設備の再建築価額から、建築の時から課税時期までの期間（その期間に１年未満の端数があるときは、その端数は１年とする。）の償却費の額の合計額又は減価の額を控除した金額の100分の70に相当する金額によって評価する。この場合における償却方法は、定率法（所得税法施行令第120条の２第１項第１号イ（２）又は法人税法施行令第48条の２第１項第１号イ（２）に規定する定率法をいう。）によるものとし、その耐用年数は減価償却資産の耐用年数等に関する省令（以下「耐用年数省令」という。）に規定する耐用年数による。

（三）　庭園設備

庭園設備（庭木、庭石、あずまや、庭池等をいう。）の価額は、その庭園設備の調達価額（課税時期においてその財産をその財産の現況により取得する場合の価額をいう。以下同じ。）の100分の70に相当する価額によって評価する。

（貸家の評価）

（６）　貸家の価額は、次の算式により計算した価額によって評価する。（評基通93）

$$
\begin{pmatrix}（２）《家屋の評価》、（３）《文化 \\ 財建造物である家屋の評価》又は \\ （５）の定めにより評価したその \\ 家屋の価額（A）\end{pmatrix} - A \times \begin{pmatrix}（７）《借家権の評 \\ 価》に定める借家 \\ 権割合\end{pmatrix} \times \begin{pmatrix}第二章第二節の(34)《貸家建付地 \\ の評価》の(二)の定めによるその \\ 家屋に係る賃貸割合\end{pmatrix}
$$

（借家権の評価）

（７）　借家権の価額は、次の算式により計算した価額によって評価する。ただし、この権利が権利金等の名称をもって取引される慣行のない地域にあるものについては、評価しない。（評基通94）

$$
\begin{pmatrix}（２）《家屋の評価》、（３）《文化財建造物である家屋の評価》 \\ 又は（５）《附属設備等の評価》の定めにより評価したその借家 \\ 権の目的となっている家屋の価額\end{pmatrix} \times \begin{pmatrix}借家権 \\ 割合\end{pmatrix} \times \begin{pmatrix}賃借 \\ 割合\end{pmatrix}
$$

上記算式における「借家権割合」及び「賃借割合」は、それぞれ次による。

（一）　「借家権割合」は、国税局長の定める割合による。

（二）　「賃借割合」は、次の算式により計算した割合による。

$$
\frac{\text{Aのうち賃借している各独立部分の床面積の合計}}{\text{当該家屋の各独立部分の床面積の合計（A）}}
$$

－1487－

第九編　財産の評価

第四章　構　築　物

（評価単位）

（1）　構築物（土地又は家屋と一括して評価するものを除く。以下同じ。）の価額は、原則として、1個の構築物ごとに評価する。ただし、2個以上の構築物でそれらを分離した場合においては、それぞれの利用価値を著しく低下させると認められるものにあっては、それらを一括して評価する。（評基通96）

（評価の方式）

（2）　構築物の価額は、その構築物の再建築価額から、建築の時から課税時期までの期間（その期間に1年未満の端数があるときは、その端数は1年とする。）の償却費の額の合計額又は減価の額を控除した金額の100分の70に相当する金額によって評価する。この場合における償却方法は、定率法によるものとし、その耐用年数は耐用年数省令に規定する耐用年数による。（評基通97）

（文化財建造物である構築物の評価）

（3）　文化財建造物である構築物の価額は、（2）の定めにより評価した価額から、その価額に第二章第二節の(30)《文化財建造物である家屋の敷地の用に供されている宅地の評価》に定める割合を乗じて計算した金額を控除した金額によって評価する。（評基通97－2）

第五章　果樹等及び立竹木

第一節　果　樹　等

（評価単位）
（1）　果樹その他これに類するもの（以下「果樹等」という。）の価額は、樹種ごとに、幼齢樹（成熟樹に達しない樹齢のもの）及び成熟樹（その収穫物による収支が均衡する程度の樹齢に達したもの）に区分し、それらの区分に応ずる樹齢ごとに評価する。（評基通98）

（果樹等の評価）
（2）　果樹等の価額は、（1）《評価単位》に掲げる区分に従い、それぞれ次に掲げるところによる。
　（一）　幼齢樹
　　　　幼齢樹の価額は、植樹の時から課税時期までの期間に要した苗木代、肥料代、薬剤費等の現価の合計額の100分の70に相当する金額によって評価する。
　（二）　成熟樹
　　　　成熟樹の価額は、植樹の時から成熟の時までの期間に要した苗木代、肥料代、薬剤費等の現価の合計額から、成熟の時から課税時期までの期間（その期間に1年未満の端数があるときは、その端数は1年とする。）の償却費の額の合計額を控除した金額の100分の70に相当する金額により評価する。この場合における償却方法は、所得税法施行令第120条の2第1項第1号又は法人税法施行令第48条の2第1項第1号に規定する定額法によるものとし、その耐用年数は耐用年数省令に規定する耐用年数による。（評基通99）

（屋敷内にある果樹等）
（3）　屋敷内にある果樹等及び畑の境界にある果樹等でその数量が少なく、かつ、収益を目的として所有するものでないものについては、評価しない。（評基通110）

第九編　財産の評価

第二節　立　竹　木

（評価単位）

（1）　立木及び立竹の価額は、次に掲げる区分に従い、それぞれ次に掲げる単位ごとに評価する。（評基通111）

　　（一）　森林の立木　樹種及び樹齢を同じくする1団地の立木

　　（二）　（一）以外の立木（（三）に該当する立木を除く。）　1本の立木

　　（三）　庭園にある立竹木　その庭園にある立竹木の全部

　　（四）　立竹（（三）に掲げる立竹を除く。）　1団地にある立竹

　　（森林の主要樹種の立木の評価）

（2）　森林の主要樹種（杉及びひのきをいう。以下同じ。）の立木の価額は、（3）《同一標準価額適用地域》から（5）《標準伐期》までの定めに従い算出した別表2の「主要樹種の森林の立木の標準価額表等」に掲げる価額（主要樹種のうち別表2に定めるもの以外のものにあっては国税局長の定める価額とする。）に基づく標準価額にその森林について地味級（地味の肥せき）、立木度（立木の密度）及び地利級（立木の搬出の便否）に応じてそれぞれ別に定める割合を連乗して求めた金額に、その森林の地積を乗じて計算した金額によって評価する。この場合において、岩石、がけ崩れ等による不利用地があるときは、その不利用地の地積を除外した地積をもってその森林の地積とする。（評基通113）

　　標準価額×地味級の割合×立木度の割合×地利級の割合×地積＝森林の主要樹種の立木の価額

別表2　主要樹種の森林の立木の標準価額表等

1　樹齢1年以下の森林の立木の標準価額表

樹　　　　　　種	標準価額
①　杉	49千円
②　ひ　の　き	60

2　樹齢1年を超えm年未満の森林の立木の標準価額を計算する場合の「C」の金額表

樹　　　　　　種	「C」の金額
①　杉	51千円
②　ひ　の　き	64

　（注）　「C」の金額とは、（4）《森林の主要樹種の立木の標準価額》の（二）のロの算式中の「C」の金額を示す。

3　樹齢1年を超えm年未満の森林の立木の標準価額を計算する場合の「補助金相当額」の金額表

樹　　　　　　種	「補助金相当額」の金額
①　杉	205千円
②　ひ　の　き	258

　（注）　「補助金相当額」の金額とは、（4）の（二）のロの算式中の「補助金相当額」の金額を示す。

4　樹齢1年を超えm年未満の森林の立木の標準価額を計算する場合の「標準伐期の標準価額」の金額表

樹　　　　　　種	「標準伐期の標準価額」の金額
①　杉	489千円
②　ひ　の　き	819

　（注）　「標準伐期の標準価額」の金額とは、（4）の（二）のロの算式中の「標準伐期の標準価額」の金額を示す。

5　樹齢m年の森林の立木の標準価額表

樹　　　　　　種	標準価額
①　杉	98千円
②　ひ　の　き	119

－1490－

第五章　果樹等及び立竹木

6　標準伐期にある森林の立木の標準価額表（令和6年1月1日以後課税時期到来分に適用）

国　税　局　名	都 道 府 県 名	林 業 地 帯 名	標　　準　　価　　額	
			杉	ひ　の　き
			千円	千円
仙　　　台	宮　　　城	宮　城　北　部	670	—
	福　　　島	磐　　　城	—	590
関　東　信　越	栃　　　木	渡　良　瀬　川	910	1,190
東　　　京	東　　　京	多　　　摩	360	870
金　　　沢	福　　　井	越　　　前	530	—
名　古　屋	静　　　岡	天　　　竜	730	1,260
大　　　阪	奈　　　良	吉　　　野	460	800
広　　　島	島　　　根	斐　伊　川	590	850
高　　　松	愛　　　媛	今　治　松　山	620	900
福　　　岡	福　　　岡	筑後・矢部川	490	980
熊　　　本	熊　　　本	球　磨　川	650	1,360

（同一標準価額適用地域）

（3）　（2）《森林の主要樹種の立木の評価》の「標準価額」は、原則として、森林法第7条《森林計画区》第1項の規定に基づき農林水産大臣が定めたそれぞれの森林計画区に属する森林の地域（以下「**林業地帯**」という。）ごとに定める。ただし、一の林業地帯又は隣接する二以上の林業地帯について、山林の地味、立木の育成状況その他森林の状況からみて一の林業地帯を区分し、又は、二以上の林業地帯を合わせて標準価額を定めることが適当であると認める場合には、その適当であると認める地域ごとに区分した地域又は合わせた地域をもって一の林業地帯とすることができる。（評基通114）

（森林の主要樹種の立木の標準価額）

（4）　（2）《森林の主要樹種の立木の評価》の「標準価額」は、次に掲げる樹齢別の区分に従い、それぞれ次に掲げる1ヘクタール当たりの価額とする。（評基通115）

（一）　標準伐期（その地帯における標準的な伐期として別に定める伐期をいう。以下同じ。）における立木

　　　標準状態にある森林の立木（小出し距離が約300メートル、小運搬距離が約30キロメートルの地点にあって、地味級が中級、立木度が密である森林をいう。以下同じ。）の売買実例価額を基とし、精通者意見価格、最寄りの原木市場又は製材工場等における素材価額等を参酌して定める価額

　　（注）　小出し距離とは、立木を伐倒し、ケーブルを架設して搬出することを想定した場合におけるケーブルの起点から終点（ケーブルの終点を以下「集材場所」という。）までの距離をいい、小運搬距離とは、集材場所から最寄りの原木市場又は製材工場等までの距離をいう。

（二）　標準伐期に達するまでの立木

イ　樹齢1年以下の立木

　　　標準状態にある森林の立木の通常の費用現価の100分の70に相当する金額。この場合における費用現価の計算の基となる費用の額は、次に掲げる費用の額からその費用について国及び地方公共団体から交付される補助金の額に相当する金額を控除した金額とする。

　　（イ）　苗木代又は苗木堀取荷造費の額

　　（ロ）　苗木運搬費の額

　　（ハ）　地ごしらえ費の額

　　（ニ）　植付費の額

　　（ホ）　植付後1年間に支出する次に掲げる費用の額の2分の1に相当する金額

　　　　下刈費、つる切費、肥料代、鳥獣虫害の予防費、防火線修繕費、管理人給料、自家労賃相当額及び雑費

ロ　樹齢1年を超えm年未満の立木（「m」の値は、杉は37、ひのきは33とする。以下同じ。）

　　　次に掲げる算式により算出した金額

$$A_i = C \times 1.001^{i-1}$$

$$+ 補助金相当額 \times \frac{m年の標準価額}{標準伐期の標準価額} \times \frac{(i-1)^2}{(m-1)^2}$$

－1491－

上の算式中の「Ai」、「C」、「補助金相当額」、「m年の標準価額」及び「標準伐期の標準価額」は、それぞれ次による。

Ai＝樹齢i年（1年を超えm年未満）における立木の標準価額

C＝上記イの(イ)から(ホ)に掲げる費用の額（ただし、(ホ)についてはその費用の全額とする。）からその費用について国及び地方公共団体から交付される補助金の額に相当する金額を控除した金額の100分の70に相当する金額

補助金相当額＝Cの金額を計算する場合に控除した補助金の額に相当する金額の100分の70に相当する金額

m年の標準価額＝下記ハの標準価額

標準伐期の標準価額＝別表2（主要樹種の森林の立木の標準価額表等）の「6　標準伐期にある森林の立木の標準価額表」を基として算出した金額

ハ　樹齢m年の立木

樹齢m年の標準状態にある森林の立木の売買実例価額を基とし、精通者意見価格、原木市場又は製材工場等における素材価額等を参酌して定める価額

ニ　樹齢m年を超え標準伐期に達するまでの立木

次に掲げる算式により算出した金額

$$\mathrm{Ai} = (\mathrm{An} - \mathrm{Am}) \times \frac{(i-m)^2}{(n-m)^2} + \mathrm{Am}$$

上の算式中の「Ai」、「An」、「Am」及び「n」は、それぞれ次による。

Ai＝樹齢i年（m年を超え標準伐期まで）における立木の標準価額

An＝(一)の標準価額

Am＝上記ハの標準価額

n＝標準伐期

(三)　標準伐期を超える樹齢の立木

イ　標準伐期を超え標準伐期の2倍の樹齢までの立木

(一)により定めた標準価額を基とし、その樹齢に応ずる年1.5%の利率による複利終価の額を基として定める価額

ロ　標準伐期の2倍を超える樹齢の立木

事情精通者の意見を参酌して定める価額

（標準伐期）

(5)　次に掲げる林業地帯における森林の立木のうち、杉及びひのきについての標準伐期は、次に掲げるところによる。
（評基通116）

国　税　局　名	都道府県名	林業地帯名	標　準　伐　期	
			杉	ひ の き
東　　京	東　　京	多　　摩	65 年	70 年
	神　奈　川	神　奈　川	65	70
	千　　葉	千 葉 北 部	65	70
	山　　梨	富 士 川 上 流	65	75
関 東 信 越	埼　　玉	埼　　玉	70	75
	茨　　城	八 溝 多 賀	70	75
	栃　　木	渡 良 瀬 川	70	75
	群　　馬	西　　毛	70	75
	長　　野	伊 那 谷	70	75
	新　　潟	下　　越	70	75
大　　阪	大　　阪	大　　阪	70	75
	京　　都	由 良 川	70	75
	兵　　庫	揖 保 川	70	75
	奈　　良	吉　　野	70	75
	和　歌　山	紀　　南	70	70

第五章　果樹等及び立竹木

	滋　　賀	湖　　　　南	70	75
札　　　幌	北　海　道	網　走　東　部	―	―
仙　　　台	宮　　城	宮　城　北　部	70	75
	岩　　手	北　上　川　中　流	70	75
	福　　島	阿　武　隈　川	70	―
		磐　　　　城	―	75
	青　　森	三　八　上　北	70	―
	秋　　田	子　吉　川	70	―
	山　　形	最　上　村　上	70	―
名　古　屋	愛　　知	東　三　河	70	75
	静　　岡	天　　竜	70	75
	三　　重	北　伊　勢	70	75
	岐　　阜	飛　騨　川	70	75
金　　　沢	石　　川	能　　登	70	―
	福　　井	越　　前	70	―
	富　　山	庄　　川	70	―
広　　　島	広　　島	江　の　川　上　流	70	75
	山　　口	岩　　徳	70	75
	岡　　山	旭　　川	70	75
	鳥　　取	千　代　川	70	75
	島　　根	斐　伊　川	70	75
高　　　松	香　　川	香　　　川	65	75
	愛　　媛	今　治　松　山	65	75
	徳　　島	那賀・海部川	65	75
	高　　知	高　　　知	65	70
福　　　岡	福　　岡	筑後・矢部川	60	70
	佐　　賀	佐　賀　東　部	60	70
	長　　崎	長　崎　北　部	60	70
熊　　　本	熊　　本	球　磨　川	60	70
	大　　分	大　分　西　部	60	70
		大　分　北　部	―	―
	鹿　児　島	北　　薩	60	70
	宮　　崎	大　淀　川	60	70

　（森林の主要樹種以外の立木の評価）

（６）　森林の主要樹種以外の立木の価額は、原則として、売買実例価額、精通者意見価格等を参酌して評価する。ただし、（４）《森林の主要樹種の立木の標準価額》の標準価額を基として国税局長が標準価額を定めている樹種に係る立木の価額は、国税局長の定める標準価額に、その森林について地味級、立木度及び地利級に応じてそれぞれ別に定める割合を連乗して求めた金額にその森林の地積を乗じて計算した金額によって評価する。この場合において、岩石、がけ崩れ等による不利用地があるときは、その不利用地の地積を除外した地積をもってその森林の地積とする。（評基通117）

　（地味級）

（７）　（２）《森林の主要樹種の立木の評価》又は（６）《森林の主要樹種以外の立木の評価》の定めにより立木の評価を行う場合における地味級の割合は、原則として、樹種に応じ、それぞれ次に掲げる地味級判定表に掲げる割合（次に掲げる地味級判定表に定めていない樹種又は樹齢の立木については、原則として、1.0）とする。ただし、植栽本数、間伐回数等を著しく異にする林業地帯又は立木の生育度合を異にする林業地帯にある立木で次に掲げる地味級判定表に掲げる地味級の割合によることが不適当であるものについては、国税局長の定める割合（必要に応じて作成する地味級判定表を含む。）によることができる。（評基通118）

－1493－

第九編　財産の評価

（一）　杉の平均1本当たりの立木材積による地味級判定表

樹齢 ＼ 地味級	上　級	中　　級		下　級
年	m³超	m³以下	m³以上	m³未満
15（14〜17）	0.07	0.07〜0.05		0.05
20（18〜22）	0.13	0.13〜0.09		0.09
25（23〜27）	0.20	0.20〜0.14		0.14
30（28〜32）	0.27	0.27〜0.19		0.19
35（33〜37）	0.34	0.34〜0.24		0.24
40（38〜42）	0.41	0.41〜0.29		0.29
45（43〜47）	0.48	0.48〜0.34		0.34
50（48〜52）	0.54	0.54〜0.38		0.38
55（53〜57）	0.60	0.60〜0.42		0.42
60（58〜62）	0.65	0.65〜0.46		0.46
65（63〜67）	0.70	0.70〜0.49		0.49
70（68〜70）	0.74	0.74〜0.52		0.52
地 味 級 の 割 合	1.3	1.0		0.6

（二）　ひのきの平均1本当たりの立木材積による地味級判定表

樹齢 ＼ 地味級	上　級	中　　級		下　級
年	m³超	m³以下	m³以上	m³未満
15（14〜17）	0.05	0.05〜0.03		0.03
20（18〜22）	0.10	0.10〜0.07		0.07
25（23〜27）	0.16	0.16〜0.11		0.11
30（28〜32）	0.22	0.22〜0.15		0.15
35（33〜37）	0.27	0.27〜0.19		0.19
40（38〜42）	0.32	0.32〜0.22		0.22
45（43〜47）	0.37	0.37〜0.26		0.26
50（48〜52）	0.41	0.41〜0.29		0.29
55（53〜57）	0.45	0.45〜0.31		0.31
60（58〜62）	0.48	0.48〜0.33		0.33
65（63〜67）	0.51	0.51〜0.36		0.36
70（68〜70）	0.54	0.54〜0.38		0.38
地 味 級 の 割 合	1.3	1.0		0.6

（立木度）
（8）　（2）《森林の主要樹種の立木の評価》又は（6）《森林の主要樹種以外の立木の評価》の定めにより立木の評価を行う場合における立木度の判定は、次に掲げるところによる。
　　なお、次に掲げるところにより判定した森林に係る（2）又は（6）の立木度の割合は、密に該当するものにあっては1.0、中庸に該当するものにあっては0.8、疎に該当するものにあっては0.6とする。（評基通119）
（一）　植林した山林については、森林の立木の間隔の大小にかかわらず、おおむねその立木度を密とし、自然林についてはおおむねその立木度を中庸とする。
（二）　岩石、がけ崩れ等による不利用地が散在している森林で、その不利用地の地積をその森林の地積から除外することのできない森林については、植林した森林はおおむねその立木度を中庸とし、自然林はおおむねその立木度を疎とする。

－1494－

第五章　果樹等及び立竹木

（立木材積が明らかな森林の地味級及び立木度）
（9）　樹齢15年以上の森林の立木で、立木材積が明らかなものについては、（7）《地味級》及び（8）《立木度》の定めに
かかわらず、その森林の1ヘクタール当たりの立木材積を次に掲げる標準立木材積表のうち該当する標準立木材積で除
して得た数値（その数値は0.05刻みとし、0.05未満の端数は切り捨てる。）をもって、その森林の地味級の割合に立木度
の割合を乗じて計算した数値（割合）とする。（評基通120）

第九編　財産の評価

標準立木材積表

樹種	杉			ひ の き	
標準伐期 樹齢	60年	65年	70年	70年	75年
年	m³	m³	m³	m³	m³
15	73	57	34	22	20
16	90	72	47	32	29
17	106	86	60	42	38
18	121	100	72	52	46
19	136	113	84	62	54
20	151	126	96	71	62
21	165	139	108	80	70
22	179	151	120	89	78
23	193	163	131	98	86
24	206	175	142	107	94
25	219	187	153	116	102
26	232	198	164	125	110
27	245	209	175	134	118
28	257	220	185	143	126
29	269	231	195	152	133
30	281	242	205	160	140
31	293	252	215	168	147
32	304	262	225	176	154
33	315	272	235	184	161
34	326	282	244	192	168
35	337	292	253	200	175
36	346	301	262	208	182
37	355	310	271	216	189
38	364	319	280	224	196
39	373	328	289	232	203
40	382	337	297	240	210
41	391	345	305	248	217
42	400	353	313	256	224
43	409	361	321	264	231
44	418	369	329	272	238
45	427	377	337	280	245
46	436	385	344	286	252
47	445	393	351	292	259
48	454	401	358	298	266
49	463	409	365	304	273
50	472	417	372	310	280
51	481	424	379	316	285
52	490	431	386	322	290
53	499	438	393	328	295
54	508	445	400	334	300
55	517	452	407	340	305
56	525	459	414	346	310

－1496－

第五章　果樹等及び立竹木

樹種	杉			ひ の き	
標準伐期 樹齢	60年	65年	70年	70年	75年
年	㎥	㎥	㎥	㎥	㎥
57	533	466	421	352	315
58	541	473	428	358	320
59	549	480	435	364	325
60	557	487	442	370	330
61	564	493	448	376	335
62	571	499	454	382	340
63	578	505	460	388	345
64	585	511	465	394	350
65	592	517	472	400	355
66	599	523	478	406	360
67	606	529	484	412	365
68	613	535	490	418	370
69	620	541	496	424	375
70	627	547	502	430	380
71	633	553	508	436	385
72	639	559	514	442	390
73	645	565	520	448	395
74	651	571	526	454	400
75	657	577	532	460	405
76	662	583	537	466	410
77	667	588	542	472	415
78	672	593	547	478	420
79	677	598	552	484	425
80	682	603	557	490	430
81	687	608	562	496	435
82	692	613	567	502	440
83	697	618	572	508	445
84	702	623	577	514	450
85	707	628	582	519	455
86	712	633	587	524	460
87	717	638	592	529	465
88	722	643	597	534	470
89	727	648	602	539	475
90	731	652	606	544	480
91	735	656	610	549	485
92	739	660	614	554	490
93	743	664	618	559	494
94	747	668	622	564	498
95	751	672	626	569	502
96	755	676	630	574	506
97	759	680	634	579	510
98	763	684	638	584	514
99	767	688	642	589	518
100	771	692	646	594	522

－1497－

第九編　財産の評価

樹種	杉			ひ の き	
標準伐期	60年	65年	70年	70年	75年
樹齢 年	m³	m³	m³	m³	m³
101	775	695	650	599	526
102	779	698	653	603	530
103	782	701	656	607	534
104	786	704	659	611	538
105	789	707	662	615	542
106	793	710	665	619	546
107	796	712	668	623	550
108	799	714	671	627	554
109	803	716	674	631	558
110	806	718	677	635	562
111	809	721	680	639	566
112	812	724	683	643	570
113	815	727	686	647	574
114	818	730	689	651	578
115	821	733	692	655	582
116	824	736	695	658	586
117	827	739	698	661	590
118	829	742	701	664	594
119	832	744	704	667	598
120	835	747	707	670	602
121		750	709	673	605
122		752	712	677	608
123		755	715	681	611
124		757	717	684	614
125		760	720	688	617
126		762	722	691	621
127		764	725	695	624
128		767	727	699	627
129		769	729	702	630
130		771	732	705	633
131			734	709	636
132			736	712	639
133			739	716	643
134			741	719	646
135			743	722	649
136			745	725	652
137			747	729	655
138			750	732	658
139			752	735	661
140			754	738	664
141					667
142					670
143					673
144					675

－1498－

第五章　果樹等及び立竹木

樹種	杉			ひ　の　き	
標準 伐期 樹齢	60年	65年	70年	70年	75年
年	m³	m³	m³	m³	m³
145					678
146					681
147					684
148					687
149					689
150					692

（地利級）

(10)　（2）《森林の主要樹種の立木の評価》又は（6）《森林の主要樹種以外の立木の評価》の定めにより立木の評価を行う場合における地利級の判定は、次に掲げる地利級判定表によって行う。（評基通121）

－1499－

第九編　財産の評価

地利級判定表　　　　　　　　　　　　　　（距離単位はキロメートル）

小出し距離 ＼ 小運搬距離	10以内	20以内	30以内	40以内	50以内	60以内	70以内	80以内	90以内	100以内	100超
0.1以内	1級(1.2)				3級(1.0)						
0.2以内	2級(1.1)								5級(0.8)		
0.3以内	3級(1.0)			4級(0.9)					6級(0.7)		
0.4以内	5級(0.8)			6級(0.7)					8級(0.5)		
0.5以内	6級(0.7)			7級(0.6)			8級(0.5)		9級(0.4)		
0.6以内	7級(0.6)						9級(0.4)				
0.7以内	8級(0.5)				9級(0.4)		10級(0.3)		11級(0.2)		
0.8以内	9級(0.4)			10級(0.3)			11級(0.2)				
0.8超				12級(0.1)							

　（注）　小出し距離とは、立木を伐倒しケーブルを架設して搬出することを想定した場合におけるケーブルの起点から終点（ケーブルの終点を以下「集材場所」といいます。）までの距離をいい、小運搬距離とは、集材場所から最寄りの原木市場又は製材工場等までの距離をいいます。

〔参考〕　総合等級（地味級、立木度及び地利級の各割合を連乗した数値）表

地利級 ＼ 立木度／地味級	密			庸			疎		
	上	中	下	上	中	下	上	中	下
1	1.56	1.20	0.72	1.24	0.96	0.57	0.93	0.72	0.43
2	1.43	1.10	0.66	1.14	0.88	0.52	0.85	0.66	0.39
3	1.30	1.00	0.60	1.04	0.80	0.48	0.78	0.60	0.36
4	1.17	0.90	0.54	0.93	0.72	0.43	0.70	0.54	0.32
5	1.04	0.80	0.48	0.83	0.64	0.38	0.62	0.48	0.28
6	0.91	0.70	0.42	0.72	0.56	0.33	0.54	0.42	0.25
7	0.78	0.60	0.36	0.62	0.48	0.28	0.46	0.36	0.21
8	0.65	0.50	0.30	0.52	0.40	0.24	0.39	0.30	0.18
9	0.52	0.40	0.24	0.41	0.32	0.19	0.31	0.24	0.14
10	0.39	0.30	0.18	0.31	0.24	0.14	0.23	0.18	0.10
11	0.26	0.20	0.12	0.20	0.16	0.09	0.15	0.12	0.07
12	0.13	0.10	0.06	0.10	0.08	0.04	0.07	0.06	0.03

　（注）　(10)《立木材積が明らかな森林の地味級及び立木度》の定めを適用する場合には、上の表によらず、次の算式により計算した総合指数が総合等級となるものであるから留意を要する。

$$\left[\text{実地調査による1ヘクタール当たりの立木材積} \div \text{1ヘクタール当たりの標準立木材積}\right] \times \text{地利級} = \text{総合指数}$$

（森林の立木以外の立木の評価）

(11)　森林の立木以外の立木（庭園にある立木を除く。）の価額は、売買実例価額、精通者意見価格等を参酌して評価する。（評基通122）

（保安林等の立木の評価）

(12)　森林法その他の法令に基づき伐採の禁止又は制限を受ける立木（(13)の定めにより評価するものを除く。）の価額は、(2)《森林の主要樹種の立木の評価》、(6)《森林の主要樹種以外の立木の評価》又は(11)の定めにより評価した価額から、その価額に、それらの法令に基づき定められた伐採関係の区分に従い、それぞれ次に掲げる割合を乗じて計算した

－1500－

第五章　果樹等及び立竹木

金額を控除した価額によって評価する。（評基通123）

法令に基づき定められた伐採関係の区分	控 除 割 合
一　　部　　皆　　伐	0.3
択　　　　　　　　　伐	0.5
単　木　選　伐	0.7
禁　　　　　　　　　伐	0.8

（特別緑地保全地区内にある立木の評価）

(13)　特別緑地保全地区内にある立木（林業を営むために伐採が認められる立木を除く。）の価額は、（2）《森林の主要樹種の立木の評価》、（6）《森林の主要樹種以外の立木の評価》又は(11)《森林の立木以外の立木の評価》の定めにより評価した価額から、その価額に100分の80を乗じて計算した金額を控除した金額によって評価する。（評基通123－2）

（立竹の評価）

(14)　立竹（庭園にある立竹を除く。）の価額は、売買実例価額、精通者意見価格等を参酌して評価する。（評基通124）

（庭園にある立木及び立竹の評価）

(15)　庭園にある立木及び立竹の価額は、庭園設備と一括して、第三章の（5）《附属設備等の評価》の(三)の定めによって評価する。（評基通125）

（分収林契約に係る造林者の有する立木の評価）

(16)　分収林契約でその造林に係る立木の全部を造林を行った者（その者が2人以上ある場合には、それらのすべての者）が所有する旨の約されているものに係る立木の価額は、（2）《森林の主要樹種の立木の評価》又は(12)《保安林等の立木の評価》の定めにより評価したその立木の価額に、その造林を行った者の分収割合を乗じて計算した価額によって評価する。（評基通126）

（分収林契約に係る費用負担者及び土地所有者の分収期待権の評価）

(17)　分収林契約に係る費用負担者及び土地所有者が有する分収期待権（分収林契約に基づき、造林に係る立木を伐採し、又は譲渡した場合において、費用負担者又は土地の所有者が取得するものとされているその伐採又は譲渡による利益を受けるべき権利をいう。）の価額は、（2）《森林の主要樹種の立木の評価》又は(12)《保安林等の立木の評価》の定めにより評価したその分収林契約に基づき造林された立木の価額に、それぞれ、これらの者の分収割合を乗じて計算した金額によって評価する。（評基通127）

(注)　費用負担者及び土地所有者の有する分収期待権の価額の評価の基となる立木の価額の評価については、(18)《相続等により取得した立木の評価の特例》の規定を適用するものとする。

（相続等により取得した立木の評価の特例）

(18)　相続又は遺贈（包括遺贈及び被相続人からの相続人に対する遺贈に限る。）により取得した立木の価額は、当該立木を取得した時における立木の時価《（1）から(17)までの規定により評価した価額》に100分の85の割合を乗じて算出した金額による。（法26）

（立木の評価の特例）

(19)　(18)《相続等により取得した立木の評価の特例》の規定は、相続又は遺贈（包括遺贈及び被相続人からの相続人に対する遺贈に限る。）によって取得した立木の価額に限り適用があり、贈与又は遺贈（包括遺贈及び被相続人からの相続人に対する遺贈を除く。）によって取得した立木の価額には適用がないのであるから留意する。（基通26－1）

◎**公益的機能別施業森林区域内の山林及び立木の評価について**……第二章第四節の(17)参照

第九編　財産の評価

第六章　動　　産

第一節　一般動産

（評価単位）
（１）　動産（暖房装置、冷房装置、昇降装置、昇降設備、電気設備、給排水設備、消火設備、浴そう設備等で第三章の（５）
《附属設備等の評価》の（一）から（三）まで及び第二節《たな卸商品等》から第五節《船舶》までの定めにより評価するも
のを除き、以下「**一般動産**」という。）の価額は、原則として、一個又は一組ごとに評価する。ただし、家庭用動産、農
耕用動産、旅館用動産等で一個又は一組の価額が５万円以下のものについては、それぞれ一括して一世帯、一農家、一
旅館等ごとに評価することができる。（評基通128）

（一般動産の評価）
（２）　一般動産の価額は、原則として、売買実例価額、精通者意見価格等を参酌して評価する。ただし、売買実例価額、
精通者意見価格等が明らかでない動産については、その動産と同種及び同規格の新品の課税時期における小売価額から、
その動産の製造の時から課税時期までの期間（その期間に１年未満の端数があるときは、その端数は、１年とする。）の
償却費の額の合計額又は減価の額を控除した金額によって評価する。（評基通129）

（償却費の額等の計算）
（３）　（２）《一般動産の評価》のただし書の償却費の額を計算する場合における耐用年数等については、次に掲げるとこ
ろによる。（評基通130）
　（一）　耐用年数
　　　耐用年数は、耐用年数省令に規定する耐用年数による。
　（二）　償却方法
　　　償却方法は、定率法による。

第二節　たな卸商品等

（評価単位）
（１）　たな卸商品等（商品、原材料、半製品、仕掛品、製品、生産品その他これらに準ずる動産をいう。以下同じ。）の価
額は、（２）《たな卸商品等の評価》の（一）から（四）までの区分に従い、かつ、それぞれの区分に掲げる動産のうち種類
及び品質等がおおむね同一のものごとに評価する。（評基通132）

（たな卸商品等の評価）
（２）　たな卸商品等の評価は、原則として、次に掲げる区分に従い、それぞれ次に掲げるところによる。ただし、個々の
価額を算定し難いたな卸商品等の評価は、所得税法施行令第99条《たな卸資産の評価の方法》又は法人税法施行令第28
条《たな卸資産の評価の方法》に定める方法のうちその企業が所得の金額の計算上選定している方法によることができ
る。（評基通133）
　（一）　商品の価額は、その商品の販売業者が課税時期において販売する場合の価額からその価額のうちに含まれる販売
　　業者に帰属すべき適正利潤の額、課税時期後販売の時までにその販売業者が負担すると認められる経費（以下「予定
　　経費」という。）の額及びその販売業者がその商品につき納付すべき消費税額（地方消費税額を含む。以下同じ。）を
　　控除した金額によって評価する。
　（二）　原材料の価額は、その原材料を使用する製造業者が課税時期においてこれを購入する場合の仕入価額に、その原
　　材料の引取り等に要する運賃その他の経費の額を加算した金額によって評価する。
　（三）　半製品及び仕掛品の価額は、製造業者がその半製品又は仕掛品の原材料を課税時期において購入する場合におけ

－1502－

第六章　動　　産

る仕入価額に、その原材料の引取り、加工等に要する運賃、加工費その他の経費の額を加算した金額によって評価する。
(四)　製品及び生産品の価額は、製造業者又は生産業者が課税時期においてこれを販売する場合における販売価額から、その販売価額のうちに含まれる適正利潤の額、予定経費の額及びその製造業者がその製品につき納付すべき消費税額を控除した金額によって評価する。

第三節　牛　馬　等

(牛馬等の評価)
(1)　牛、馬、犬、鳥、魚等(以下「**牛馬等**」という。)の評価は、次に掲げる区分に従い、それぞれ次に掲げるところによる。(評基通134)
(一)　牛馬等の販売業者が販売の目的をもって有するものの価額は、第二節の(2)《たな卸商品等の評価》の定めによって評価する。
(二)　(一)に掲げるもの以外のものの価額は、売買実例価額、精通者意見等を参酌して評価する。

第四節　書画骨とう品

(書画骨とう品の評価)
書画骨とう品の評価は、次に掲げる区分に従い、それぞれ次に掲げるところによる。(評基通135)
(一)　書画骨とう品で書画骨とう品の販売業者が有するものの価額は、第二節の(2)《たな卸商品等の評価》の定めによって評価する。
(二)　(一)に掲げる書画骨とう品以外の書画骨とう品の価額は、売買実例価額、精通者意見価格等を参酌して評価する。

第五節　船　　　　舶

(船舶の評価)
(1)　船舶の価額は、原則として、売買実例価額、精通者意見価格等を参酌して評価する。ただし、売買実例価額、精通者意見価格等が明らかでない船舶については、その船舶と同種同型の船舶(同種同型の船舶がない場合においては、その評価する船舶に最も類似する船舶とする。)を課税時期において新造する場合の価額から、その船舶の建造の時から課税時期までの期間(その期間に1年未満の端数があるときは、その端数は1年とする。)の償却費の額の合計額又は減価の額を控除した価額によって評価する。この場合における償却方法は、定率法によるものとし、その耐用年数は耐用年数省令に規定する耐用年数による。(評基通136)

—1503—

第七章　無体財産権

第一節　特許権及びその実施権

（特許権の評価）
（1）　特許権の価額は、（6）《権利者が自ら特許発明を実施している場合の特許権及び実施権の評価》の定めにより評価するものを除き、その権利に基づき将来受ける補償金の額の基準年利率による複利現価の額の合計額によって評価する。（評基通140）

(注)　（1）中の基準年利率については、短期（3年未満）、中期（3年以上7年未満）、長期（7年以上）の区分に応じ各月ごとに別に定められる基準年利率が適用され、平成16年1月1日以後に相続、遺贈又は贈与により取得した財産の評価について適用される。（編者注）

（特許権の評価の算式）
（2）　（1）《特許権の評価》の「複利現価の額の合計額」は、次の算式によって計算した金額とする。（評基通141）

　（一）　第1年目の補償金年額×1年後の基準年利率による複利現価率＝A
　　　　　第2年目の補償金年額×2年後の基準年利率による複利現価率＝B
　　　　　………………………………………………………………………………………………
　　　　　第n年目の補償金年額×n年後の基準年利率による複利現価率＝N
　（二）　A＋B＋………………＋N＝特許権の価額
　　　　　上の算式中の「第1年目」及び「1年後」とは、それぞれ課税時期の翌日から1年を経過する日まで及びその1年を経過した日の翌日をいう。

(注)　（2）中の基準年利率については、（1）の(注)と同じ。（編者注）

（補償金の額）
（3）　（1）《特許権の評価》の定めによって特許権の価額を評価する場合において、その将来受ける補償金の額が確定していないものについては、課税時期前の相当の期間内に取得した補償金の額のうち、その特許権の内容等に照らし、その特許権に係る経常的な収入と認められる部分の金額を基とし、その特許権の需要及び持続性等を参酌して推算した金額をもってその将来受ける補償金の額とする。（評基通142）

（補償金を受ける期間）
（4）　（1）《特許権の評価》の「その権利に基づき将来受ける」期間は、課税時期から特許法第67条《存続期間》に規定する特許権の存続期間が終了する時期までの年数（その年数に1年未満の端数があるときは、その端数は切り捨てる。）の範囲内において推算した年数とする。（評基通143）

（補償金が少額な特許権）
（5）　課税時期後において取得すると見込まれる補償金の額の合計額が50万円に満たないと認められる特許権については、評価しない。（評基通144）

（権利者が自ら特許発明を実施している場合の特許権及び実施権の評価）
（6）　特許権又はその実施権の取得者が自らその特許発明を実施している場合におけるその特許権又はその実施権の価額は、その者の営業権の価額に含めて評価する。（評基通145）

－1504－

第七章　無体財産権

第二節　実用新案権、意匠権及びそれらの実施権

（実用新案権、意匠権及びそれらの実施権の評価）
　実用新案権、意匠権及びそれらの実施権の価額は、第一節《特許権及びその実施権》の定めを準用して評価する。（評基通146）

第三節　商標権及びその使用権

（商標権及びその使用権の評価）
　商標権及びその使用権の価額は、第一節《特許権及びその実施権》の定めを準用して評価する。（評基通147）

第四節　著作権、出版権及び著作隣接権

（著作権の評価）
（１）　著作権の価額は、著作者の別に一括して次の算式によって計算した金額によって評価する。ただし、個々の著作物に係る著作権について評価する場合には、その著作権ごとに次の算式によって計算した金額によって評価する。（評基通148）
　　年平均印税収入の額×0.5×評価倍率
　　上の算式中の「年平均印税収入の額」等は、次による。
　（一）　年平均印税収入の額
　　　課税時期の属する年の前年以前３年間の印税収入の額の年平均額とする。ただし、個々の著作物に係る著作権について評価する場合には、その著作物に係る課税時期の属する年の前年以前３年間の印税収入の額の年平均額とする。
　（二）　評価倍率
　　　課税時期後における各年の印税収入の額が「年平均印税収入の額」であるものとして、著作物に関し精通している者の意見等を基として推算したその印税収入期間に応ずる基準年利率による複利年金現価率とする。
　（注）　（１）中の基準年利率については、第一節の（１）の(注)と同じ。(編者注)

（出版権の評価）
（２）　出版権の価額は、出版業を営んでいる者の有するものにあっては、営業権の価額に含めて評価し、その他の者の有するものにあっては、評価しない。（評基通154）

（著作隣接権の評価）
（３）　著作隣接権の価額は、（１）《著作権の評価》の定めを準用して評価する。（評基通154－２）

第五節　鉱業権及び租鉱権

（評価単位）
（１）　鉱業権の価額は、鉱業権の存する鉱山の固定資産及び流動資産と一括して、鉱山ごとに評価する。（評基通155）

（鉱業権の評価）
（２）　鉱業権（（３）の定めにより評価する鉱山の鉱業権を除く。）の評価は、次に掲げる区分に従い、それぞれ次に掲げるところによる。（評基通156）
　（一）　操業している鉱山の鉱業権
　　　課税時期において、操業している鉱山の鉱業権（（二）に該当するものを除く。）の価額は、次の算式により計算した価額によって評価する。

－1505－

第九編　財産の評価

　　　Ａ×ｎ年に応ずる基準年利率による複利年金現価率＝鉱業権の価額

　　上の算式中の「Ａ」及び「ｎ年」は、次による。

　　Ａ＝平均所得＝（平常の営業状態において、課税時期後ｎ年間毎年実現を予想される１年間の純益＋支払利子＋償却額）×0.5－企業者報酬の額

$$\text{ｎ年} = \text{可採年数} = \frac{\text{埋蔵鉱量のうち経済的可採鉱量}}{\text{１年間の採掘予定鉱量}}$$

　（注）　「企業者報酬の額」については、営業権の評価に際しての定めを準用する。（編者注）

（二）　休業している鉱山等で近く所得を得る見込みのものの鉱業権

　　休業している鉱山、操業はしているが所得を得ていない鉱山又は探鉱は終了しているが採鉱に着手していない鉱山（以下「休業している鉱山等」という。）で、近い将来に所得を得る見込みがあるものの鉱業権の価額は、次の算式により計算した価額によって評価する。

　　Ａ×（ｍ年にｎ年を加えた年数に応ずる基準年利率による複利年金現価率－ｍ年に応ずる基準年利率による複利年金現価率）－ｍ年間に投下する各年の資本の額の基準年利率による複利現価の額の合計額＝鉱業権の価額

　　上の算式中の「Ａ」、「ｍ年」及び「ｎ年」は、次による。

　　Ａ及びｎ年＝（一）に準ずる。

　　ｍ年＝休業している鉱山等の課税時期から所得を得るに至ると認められる年までの年数（その年数に１年未満の端数があるときは、その端数は切り捨てる。）

（三）　（一）又は（二）の鉱山の鉱業権の評価の特例

　　（一）又は（二）により算出した鉱山の鉱業権の価額が、その鉱山の固定資産及び流動資産の価額の合計額に満たない場合には、その鉱山の鉱業権の価額は、（一）又は（二）の定めにかかわらず、その鉱山の固定資産及び流動資産の価額の合計額によって評価する。

（四）　休業している鉱山等で近く所得を得る見込みがないものの鉱業権

　　休業している鉱山等で近い将来に所得を得る見込みがないものの鉱業権の価額は、その鉱山が廃鉱となった場合においても他に転用できると認められるその鉱山の固定資産及び流動資産の価額の合計額によって評価する。

（五）　探鉱中の鉱業権

　　探鉱中の鉱山の鉱業権の価額は、その鉱山に投下された費用現価の100分の70に相当する価額によって評価する。

　（注）　（２）中の基準年利率については、第一節の（１）の（注）と同じ。（編者注）

（租鉱権の設定されている鉱山の鉱業権の評価）

（３）　鉱山の全部又は一部に租鉱権が設定されている場合におけるその租鉱権が設定されている部分の鉱山の鉱業権の価額は、その鉱山に係る平均租鉱料年額からその鉱山の所有者がその鉱山について負担すべき平均必要経費年額を控除した金額の100分の50に相当する金額をＡとし、埋蔵鉱量のうち経済的可採鉱量を租鉱権者の１年間の採掘予定鉱量で除して得た年数をｎ年として、その租鉱権の設定されている鉱山が操業しているかどうか等の区分に応じ、それぞれ（２）《鉱業権の評価》の（一）から（四）までの定めを準用して評価する。（評基通157）

（租鉱権の評価単位）

（４）　租鉱権の価額は、租鉱権の設定されている鉱山についてその租鉱権者が設備した固定資産及び流動資産と一括して、鉱山ごとに評価する。（評基通158）

（租鉱権の評価）

（５）　租鉱権の価額は、租鉱権の存続期間（存続期間の延長が予想されているときは、その延長見込年数を加算した年数とする。）をｎ年とし、その租鉱権の設定されている鉱山が操業しているかどうか等の区分に応じ、それぞれ（２）《鉱業権の評価》の（一）から（四）までの定めを準用して評価する。（評基通159）

－1506－

第七章　無体財産権

第六節　採　石　権

（採石権の評価）
　採石権の価額は、第五節《鉱業権及び租鉱権》の定めを準用して評価する。（評基通160）

第七節　電話加入権

（電話加入権の評価）
　電話加入権の価額は、売買実例価額、精通者意見価格等を参酌して評価する。（評基通161）

第八節　漁　業　権

（漁業権の評価）
（１）　漁業法の規定に基づく漁業権の価額は、営業権の価額に含めて評価する。（評基通163）

（大臣許可漁業を営むことのできる権利等の評価）
（２）　漁業法第36条《農林水産大臣による漁業の許可》に規定する指定漁業及び同法第57条《都道府県知事による漁業の許可》に規定する漁業等を営むことのできる権利の価額は、営業権の価額に含めて評価する。（評基通164）

第九節　営　業　権

（営業権の評価）
（１）　営業権の価額は、次の算式によって計算した金額によって評価する。（評基通165）

$$\text{平均利益金額} \times 0.5 - \text{標準企業者報酬額} - \text{総資産価額} \times 0.05 = \text{超過利益金額}$$

$$\text{超過利益金額} \times \text{営業権の持続年数（原則として、10年とする。）に応ずる基準年利率による複利年金現価率} = \text{営業権の価額}$$

　（注）　医師、弁護士等のようにその者の技術、手腕又は才能等を主とする事業に係る営業権で、その事業者の死亡と共に消滅するものは、評価しない。

　（編者注）　（１）中の基準年利率については、短期（３年未満）、中期（３年以上７年未満）、長期（７年以上）の区分に応じ各月ごとに別に定められる基準年利率が適用され、平成16年１月１日以後に相続、遺贈又は贈与により取得した財産の評価について適用される。

（平均利益金額等の計算）
（２）　（１）《営業権の評価》の「平均利益金額」等については、次による。（評基通166）
（一）　平均利益金額
　　　平均利益金額は、課税時期の属する年の前年以前３年間（法人にあっては、課税時期の直前期末以前３年間とする。）における所得の金額の合計額の３分の１に相当する金額（その金額が、課税時期の属する年の前年（法人にあっては、課税時期の直前期末以前１年間とする。）の所得の金額を超える場合には、課税時期の属する年の前年の所得の金額とする。）とする。この場合における所得の金額は、所得税法第27条《事業所得》第２項に規定する事業所得の金額（法人にあっては、法人税法第22条第１項に規定する所得の金額に損金に算入された繰越欠損金の控除額を加算した金額とする。）とし、その所得の金額の計算の基礎に次に掲げる金額が含まれているときは、これらの金額は、いずれもなかったものとみなして計算した場合の所得の金額とする。
　イ　非経常的な損益の額
　ロ　借入金等に対する支払利子の額及び社債発行差金の償却費の額
　ハ　青色事業専従者給与額又は事業専従者控除額（法人にあっては、損金に算入された役員給与の額）

－1507－

第九編　財産の評価

（二）　標準企業者報酬額

標準企業者報酬額は、次に掲げる平均利益金額の区分に応じ、次に掲げる算式により計算した金額とする。

平均利益金額の区分	標準企業者報酬額
1億円以下	平均利益金額 × 0.3 ＋ 1,000万円
1億円超　3億円以下	平均利益金額 × 0.2 ＋ 2,000万円
3億円超　5億円以下	平均利益金額 × 0.1 ＋ 5,000万円
5億円超	平均利益金額 × 0.05 ＋ 7,500万円

（注）　平均利益金額が5,000万円以下の場合は、標準企業者報酬額が平均利益金額の2分の1以上の金額となるので、（1）に掲げる算式によると、営業権の価額は算出されないことに留意する。

（三）　総資産価額

総資産価額は、この通達に定めるところにより評価した課税時期（法人にあっては、課税時期直前に終了した事業年度の末日とする。）における企業の総資産の価額とする。

第八章　株式及び出資

第一節　評価の区分

（評価単位）

（1）　株式及び株式に関する権利の価額は、それらの銘柄の異なるごとに、次に掲げる区分に従い、その1株又は1個ごとに評価する。（評基通168）

（一）	**上　場　株　式**	金融商品取引所（金融商品取引所（金融商品取引法（昭和23年法律第25号）第2条《定義》第16項に規定する金融商品取引所をいう。）に上場されている株式をいう。以下同じ。
（二）	**気配相場等のある株式**	気配相場等のある株式とは、次に掲げる株式をいう。 イ　登録銘柄（日本証券業協会の内規によって登録銘柄として登録されている株式をいう。以下同じ。）及び店頭管理銘柄（同協会の内規によって店頭管理銘柄として指定されている株式をいう。以下同じ。） ロ　公開途上にある株式（金融商品取引所が株式の上場を承認したことを明らかにした日から上場の日の前日までのその株式（登録銘柄を除く。）及び日本証券業協会が株式を登録銘柄として登録することを明らかにした日から登録の日の前日までのその株式（店頭管理銘柄を除く。）をいう。以下同じ。）
（三）	**取引相場のない株式**	（一）及び（二）に掲げる株式以外の株式をいう。以下同じ。
（四）	**株式の割当てを受ける権利**	株式の割当基準日の翌日から株式の割当ての日までの間における株式の割当てを受ける権利をいう。以下同じ。
（五）	**株主となる権利**	株式の申込みに対して割当てがあった日の翌日（会社の設立に際し発起人が引受けをする株式にあっては、その引受けの日）から会社の設立登記の日の前日（会社成立後の株式の割当ての場合にあっては、払込期日（払込期間の定めがある場合には払込みの日））までの間における株式の引受けに係る権利をいう。以下同じ。
（六）	**株式無償交付期待権**	株式無償交付の基準日の翌日から株式無償交付の効力が発生する日までの間における株式の無償交付を受けることができる権利をいう。以下同じ。
（七）	**配　当　期　待　権**	配当金交付の基準日の翌日から配当金交付の効力が発生する日までの間における配当金を受けることができる権利をいう。以下同じ。
（八）	**ストックオプション**	会社法（平成17年法律第86号）第2条第21号に規定する新株予約権（以下、第六節までにおいて「新株予約権」という。）が無償で付与されたもののうち、次の（九）に該当するものを除いたものをいう。ただし、その目的たる株式が上場株式又は気配相場等のある株式であり、かつ、課税時期が権利行使可能期間内にあるものに限る。
（九）	**上場新株予約権**	会社法第277条の規定により無償で割り当てられた新株予約権のうち、金融商品取引所に上場されているもの及び上場廃止後権利行使可能期間内にあるものをいう。

－1509－

第二節　上場株式

（上場株式の評価）
（１）　上場株式の評価は、次に掲げる区分に従い、それぞれ次に掲げるところによる。（評基通169）
　（一）　（二）に該当しない上場株式の価額は、その株式が上場されている金融商品取引所（国内の二以上の金融商品取引所に上場されている株式については、納税義務者が選択した金融商品取引所とする。（二）において同じ。）の公表する課税時期の最終価格によって評価する。ただし、その最終価格が課税時期の属する月以前3か月間の毎日の最終価格の各月ごとの平均額（以下「**最終価格の月平均額**」という。）のうち最も低い価額を超える場合には、その最も低い価額によって評価する。
　（二）　負担付贈与又は個人間の対価を伴う取引により取得した上場株式の価額は、その株式が上場されている金融商品取引所の公表する課税時期の最終価格によって評価する。

（上場株式についての最終価格の特例──課税時期が権利落等の日から株式の割当て等の基準日までの間にある場合）
（２）　（１）の定めにより上場株式の価額を評価する場合において、課税時期が権利落又は配当落（以下「**権利落等**」という。）の日から株式の割当て、株式の無償交付又は配当金交付（以下「**株式の割当て等**」という。）の基準日までの間にあるときは、その権利落等の日の前日以前の最終価格のうち、課税時期に最も近い日の最終価格をもって課税時期の最終価格とする。（評基通170）
　なお、これを図により例示すれば、次のようになる。

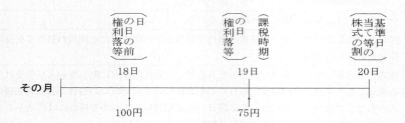

　課税時期の最終価格＝100円（75円は、権利落等の後の最終価格なので採用しない。）
（注）　上記に該当する上場株式の最終価格の月平均額については、（４）《上場株式についての最終価格の月平均額の特例》の定めがあることに留意を要する。

（上場株式についての最終価格の特例──課税時期に最終価格がない場合）
（３）　（１）《上場株式の評価》の定めにより上場株式の価額を評価する場合において、課税時期に最終価格がないものについては、（２）の定めの適用があるものを除き、次に掲げる場合に応じ、それぞれ次に掲げる最終価格をもって課税時期の最終価格とする。（評基通171）
　（一）　（二）又は（三）に掲げる場合以外の場合
　　課税時期の前日以前の最終価格又は翌日以後の最終価格のうち、課税時期に最も近い日の最終価格（その最終価格が二ある場合には、その平均額）
　なお、これを図により例示すれば、次のようになる。

課税時期の最終価格＝102円（100円又は102円のうち課税時期に最も近い日の最終価格）

(二) 課税時期が権利落等の日の前日以前で、(一)の定めによる最終価格が、権利落等の日以後のもののみである場合又は権利落等の日の前日以前のものと権利落等の日以後のものとの二ある場合

課税時期の前日以前の最終価格のうち、課税時期に最も近い日の最終価格

なお、これを図により例示すれば、次のようになる。

課税時期の最終価格＝101円（76円の方が101円より課税時期に近いが、76円は権利落等の日以後の最終価格なので採用しない。）

(三) 課税時期が株式の割当て等の基準日の翌日以後で、(一)の定めによる最終価格がその基準日に係る権利落等の日の前日以前のもののみである場合又は権利落等の日の前日以前のものと権利落等の日以後のものとの二ある場合

課税時期の翌日以後の最終価格のうち、課税時期に最も近い日の最終価格

なお、これを図により例示すれば、次のようになる。

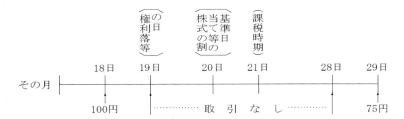

課税時期の最終価格＝75円（100円の方が75円より課税時期に近いが、100円は権利落等の日以前の最終価格なので採用しない。）

(注) 上記の(二)又は(三)に該当する上場株式の最終価格の月平均額については、(4)《上場株式についての最終価格の月平均額の特例》の定めがあることに留意を要する。

（上場株式についての最終価格の月平均額の特例）

(4) (1)《上場株式の評価》の定めにより上場株式の価額を評価する場合において、課税時期の属する月以前3か月間に権利落等がある場合における最終価格の月平均額は次によるものとする。（評基通172）

(一) 課税時期が株式の割当て等の基準日以前である場合におけるその権利落等の日が属する月の最終価格の月平均額は、次の(二)に該当するものを除き、その月の初日からその権利落等の日の前日（配当落の場合にあっては、その月の末日）までの毎日の最終価格の平均額とする。

なお、これを図により例示すれば、次のようになる。

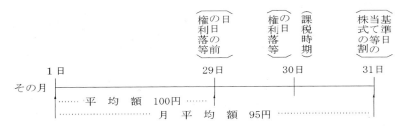

最終価格の月平均額＝権利落の場合は100円、配当落の場合は95円

(二) 課税時期が株式の割当て等の基準日以前で、その権利落等の日が課税時期の属する月の初日以前である場合における課税時期の属する月の最終価格の月平均額は、次の算式によって計算した金額（配当落の場合にあっては、課税時期の属する月の初日から末日までの毎日の最終価格の平均額）とする。

なお、これを図により例示すれば、次のようになる。

(株式の割当条件)
① 株式の割当数　株式1株に対し0.5株を割当て
② 株式1株につき払い込むべき金額　40円
　最終価格の月平均額＝権利落の場合は80円×（1＋0.5）－40円×0.5＝100円、配当落の場合は80円

(三) 課税時期が株式の割当て等の基準日の翌日以後である場合におけるその権利落等の日が属する月の最終価格の月平均額は、その権利落等の日（配当落の場合にあってはその月の初日）からその月の末日までの毎日の最終価格の平均額とする。
　　なお、これを図により例示すれば、次のようになる。

最終価格の月平均額＝権利落の場合は95円、配当落の場合は100円

(四) 課税時期が株式の割当て等の基準日の翌日以後である場合におけるその権利落等の日が属する月の前月以前の各月の最終価格の月平均額は、次の算式によって、計算した金額（配当落の場合にあっては、その月の初日から末日までの毎日の最終価格の平均額）とする。

なお、これを図により例示すれば、次のようになる。

—1512—

(株式の割当条件)
① 株式の割当数　　株式1株に対し0.5株を割当て
② 株式1株につき払い込むべき金額　　50円
　最終価格の月平均額＝権利落の場合は、(125円＋50円×0.5)÷(1＋0.5)＝100円、配当落の場合は125円

第九編　財産の評価

第三節　気配相場等のある株式

（気配相場等のある株式の評価）
（1）　気配相場等のある株式の評価は、次に掲げる区分に従い、それぞれ次に掲げるところによる。（評基通174）
　（一）　登録銘柄及び店頭管理銘柄
　　イ　ロに該当しない登録銘柄及び店頭管理銘柄の価額は、日本証券業協会の公表する課税時期の取引価格（その取引価格が高値と安値の双方について公表されている場合には、その平均額。以下（5）《登録銘柄及び店頭管理銘柄の取引価格の月平均額の特例》までにおいて同じ。）によって評価する。ただし、その取引価格が課税時期の属する月以前3か月間の毎日の取引価格の各月ごとの平均額（以下**「取引価格の月平均額」**という。）のうち最も低い価額を超える場合には、その最も低い価額によって評価する。
　　ロ　負担付贈与又は個人間の対価を伴う取引により取得した登録銘柄及び店頭管理銘柄の価額は、日本証券業協会の公表する課税時期の取引価格によって評価する。
　（二）　公開途上にある株式
　　イ　株式の上場又は登録に際して、株式の公募又は売出し（以下（二）において「公募等」という。）が行われる場合における公開途上にある株式の価額は、その株式の公開価格（金融商品取引所又は日本証券業協会の内規によって行われるブックビルディング方式又は競争入札方式のいずれかの方式により決定される公募等の価格をいう。）によって評価する。
　　ロ　株式の上場又は登録に際して、公募等が行われない場合における公開途上にある株式の価額は、課税時期以前の取引価格等を勘案して評価する。

（気配相場等のある株式の取引価格の特例――課税時期が権利落等の日から株式の割当て等の基準日までの間にある場合）
（2）　（1）の（一）の定めにより気配相場等のある株式の価額を評価する場合において、課税時期が権利落等の日から株式の割当て等の基準日までの間にあるときは、その権利落等の日の前日以前の取引価格（課税時期の属する月以前3か月以内のものに限る。）のうち、課税時期に最も近い日の取引価格をもって課税時期の取引価格とする。（評基通175）

（気配相場等のある株式の取引価格の特例――課税時期に取引価格がない場合）
（3）　（1）《気配相場等のある株式の評価》の（一）の定めにより気配相場等のある株式の価額を評価する場合において、課税時期に取引価格がないものについては、（2）の定めの適用があるものを除き、次に掲げる場合に応じ、それぞれ次に掲げる取引価格又は修正した価格をもって課税時期の取引価格とする。（評基通176）
　（一）　（二）に該当する場合以外の場合
　　課税時期の前日以前の取引価格のうち、課税時期に最も近い日の取引価格（課税時期の属する月以前3か月以内のものに限る。）
　（二）　課税時期が株式の割当て等の基準日の翌日以後で、かつ、課税時期の前日以前の取引価格のうち、課税時期に最も近い日の取引価格（課税時期の属する月以前3か月以内のものに限る。以下（二）において同じ。）がその基準日に係る権利落等の日の前日以前のものである場合
　　課税時期に最も近い日の取引価格を次のイ又はロの算式によって修正した価格
　　イ　課税時期に最も近い日の取引価格が権利落の日の前日以前のものである場合
　　（課税時期に最も近い日の取引価格＋割当てを受けた株式1株につき払い込むべき金額×株式1株に対する割当株式数）÷（1＋株式1株に対する割当株式数又は交付株式数）
　　ロ　課税時期に最も近い日の取引価格が配当落の日の前日以前のものである場合
　　課税時期に最も近い日の取引価格－株式1株に対する予想配当の金額

（気配相場等のある株式の評価の特例）
（4）　（1）《気配相場等のある株式の評価》の（一）の定めにより、気配相場等のある株式の価額を評価する場合において、その株式が次の（一）又は（二）に該当するものである場合における当該株式の価額は、課税時期以前の取引価格等を勘案して評価する。（評基通177）
　（一）　課税時期が権利落等の日から株式の割当て等の基準日までの間にあるため、その権利落の日の前日以前の取引価

－1514－

第八章　株式及び出資

格のうち課税時期に最も近い日の取引価格によって評価する場合において、その課税時期に最も近い日の取引価格が、
課税時期の属する月以前3か月以内にないもの

（ニ）　（一）に該当する場合を除き、課税時期に取引価格がないため、課税時期の前日以前の取引価格のうち、課税時期
　　に最も近い日の取引価格によって評価する場合において、その取引価格が、課税時期の属する月以前3か月以内にな
　　いもの

　　（登録銘柄及び店頭管理銘柄の取引価格の月平均額の特例）

（5）　（1）《気配相場等のある株式の評価》の（一）の定めにより登録銘柄及び店頭管理銘柄の価額を評価する場合におい
　　て、課税時期の属する月以前3か月間に権利落等がある場合における取引価格の月平均額については、第二節の（4）《上
　　場株式についての最終価格の月平均額の特例》の定めを準用する。この場合において、「最終価格の月平均額」は「取引
　　価格の月平均額」と、「毎日の最終価格の平均額」は「毎日の取引価格の平均額」と読み替えるものとする。（評基通177
　　－2）

－1515－

第九編　財産の評価

第四節　取引相場のない株式

（取引相場のない株式の評価上の区分）

（1）取引相場のない株式の価額は、評価しようとするその株式の発行会社（以下「**評価会社**」という。）が次の表の大会社、中会社又は小会社のいずれに該当するかに応じて、それぞれ（2）の定めによって評価する。ただし、同族株主以外の株主等が取得した株式又は特定の評価会社の株式の価額は、それぞれ(15)《同族株主以外の株主等が取得した株式》又は(21)《特定の評価会社の株式》の定めによって評価する。（評基通178）

規模区分	区分の内容		総資産価額（帳簿価額によって計算した金額）及び従業員数	直前期末以前1年間における取引金額
大会社	従業員数が70人以上の会社又は右のいずれかに該当する会社	卸売業	20億円以上（従業員数が35人以下の会社を除く。）	30億円以上
		小売・サービス業	15億円以上（従業員数が35人以下の会社を除く。）	20億円以上
		卸売業、小売・サービス業以外	15億円以上（従業員数が35人以下の会社を除く。）	15億円以上
中会社	従業員数が70人未満の会社で右のいずれかに該当する会社（大会社に該当する場合を除く。）	卸売業	7,000万円以上（従業員数が5人以下の会社を除く。）	2億円以上30億円未満
		小売・サービス業	4,000万円以上（従業員数が5人以下の会社を除く。）	6,000万円以上20億円未満
		卸売業、小売・サービス業以外	5,000万円以上（従業員数が5人以下の会社を除く。）	8,000万円以上15億円未満
小会社	従業員数が70人未満の会社で右のいずれにも該当する会社	卸売業	7,000万円未満又は従業員数が5人以下	2億円未満
		小売・サービス業	4,000万円未満又は従業員数が5人以下	6,000万円未満
		卸売業、小売・サービス業以外	5,000万円未満又は従業員数が5人以下	8,000万円未満

上の表の「総資産価額（帳簿価額によって計算した金額）及び従業員数」及び「直前期末以前1年間における取引金額」は、それぞれ次の（一）から（三）により、「卸売業」、「小売・サービス業」又は「卸売業、小売・サービス業以外」の判定は（四）による。

（一）「総資産価額（帳簿価額によって計算した金額）」は、課税時期の直前に終了した事業年度の末日（以下「直前期末」という。）における評価会社の各資産の帳簿価額の合計額とする。

（二）「従業員数」は、直前期末以前1年間においてその期間継続して評価会社に勤務していた従業員（就業規則等で定められた1週間当たりの労働時間が30時間未満である従業員を除く。以下この項において「**継続勤務従業員**」という。）の数に、直前期末以前1年間において評価会社に勤務していた従業員（継続勤務従業員を除く。）のその1年間における労働時間の合計時間数を従業員1人当たり年間平均労働時間数で除して求めた数を加算した数とする。

この場合における従業員1人当たり年間平均労働時間数は、1,800時間とする。

（三）「直前期末以前1年間における取引金額」は、その期間における評価会社の目的とする事業に係る収入金額（金融業・証券業については収入利息及び収入手数料）とする。

（四）評価会社が「卸売業」、「小売・サービス業」又は「卸売業、小売・サービス業以外」のいずれの業種に該当するかは、上記（三）の直前期末以前1年間における取引金額（以下（1）及び（5）《評価会社の事業が該当する業種目》において「取引金額」という。）に基づいて判定し、当該取引金額のうちに二以上の業種に係る取引金額が含まれている場合には、それらの取引金額のうち最も多い取引金額に係る業種によって判定する。

（注）上記（二）の従業員には、社長、理事長並びに法人税法施行令第71条《使用人兼務役員とされない役員》第1項第1号、第2号及び第4号に掲げる役員は含まないのであるから留意する。

－1516－

第八章　株式及び出資

（取引相場のない株式の評価の原則）

（2）（1）《取引相場のない株式の評価上の区分》により区分された大会社、中会社及び小会社の株式の価額は、それぞれ次による。（評基通179）

（一）	大 会 社	大会社の株式の価額は、類似業種比準価額によって評価する。ただし、納税義務者の選択により、1株当たりの純資産価額（相続税評価額によって計算した金額）によって評価することができる。

（二）	中 会 社	中会社の株式の価額は、次の算式により計算した金額によって評価する。ただし、納税義務者の選択により、算式中の類似業種比準価額を1株当たりの純資産価額（相続税評価額によって計算した金額）によって計算することができる。 類似業種比準価額（注参照）×L＋1株当たりの純資産価額（相続税評価額によって計算した金額）×（1－L） 上の算式中の「L」は、評価会社の（1）に定める総資産価額（帳簿価額によって計算した金額）及び従業員数又は直前期末以前1年間における取引金額に応じて、それぞれ次に定める割合のうちいずれか大きい方の割合とする。

イ　総資産価額（帳簿価額によって計算した金額）及び従業員数に応ずる割合

卸　売　業	小売・サービス業	卸売業、小売・サービス業以外	割合
4億円以上（従業員数が35人以下の会社を除く。）	5億円以上（従業員が35人以下の会社を除く。）	5億円以上（従業員数が35人以下の会社を除く。）	0.90
2億円以上（従業員数が20人以下の会社を除く。）	2億5,000万円以上（従業員数が20人以下の会社を除く。）	2億5,000万円以上（従業員数が20人以下の会社を除く。）	0.75
7,000万円以上（従業員数が5人以下の会社を除く。）	4,000万円以上（従業員数が5人以下の会社を除く。）	5,000万円以上（従業員数が5人以下の会社を除く。）	0.60

（注）　複数の区分に該当する場合には、上位の区分に該当するものとする。

ロ　直前期末以前1年間における取引金額に応ずる割合

卸　売　業	小売・サービス業	卸売業、小売・サービス業以外	割合
7億円以上30億円未満	5億円以上20億円未満	4億円以上15億円未満	0.90
3億5,000万円以上7億円未満	2億5,000万円以上5億円未満	2億円以上4億円未満	0.75
2億円以上3億5,000万円未満	6,000万円以上2億5,000万円未満	8,000万円以上2億円未満	0.60

（三）	小 会 社	小会社の株式の価額は、1株当たりの純資産価額（相続税評価額によって計算した金額）によって評価する。ただし、納税義務者の選択により、Lを0.50として（二）の算式により計算した金額によって評価することができる。（下記算式参照…編者注） （算式）類似業種比準価額（注参照）×0.5＋1株当たりの純資産価額（相続税評価額によって計算した金額）×0.5

（注）　（二）及び（三）の算式中の「類似業種比準価額」は、（二）のただし書により「1株当たりの純資産価額（相続税評価額によって計算した金額）」に置き替えることができるが、この場合の「1株当たりの純資産価額」には、（10）のただし書《80％評価》の適用はないことに留意する。（編者注）

（類似業種比準価額）

（3）（2）の類似業種比準価額は、類似業種の株価並びに1株当たりの配当金額、年利益金額及び純資産価額（帳簿価額によって計算した金額）を基とし、次の算式によって計算した金額とする。この場合において、評価会社の直前期末における資本金等の額（法人税法第2条《定義》第16号に規定する資本金等の額をいう。以下同じ。）を直前期末における発行済株式数（自己株式（会社法第113条第4項に規定する自己株式をいう。以下同じ。）を有する場合には、当該自己株式の数を控除した株式数。以下同じ。）で除した金額（以下「**1株当たりの資本金等の額**」という。）が50円以外の金額であるときは、その計算した金額に、1株当たりの資本金等の額の50円に対する倍数を乗じて計算した金額とする。（評基通180）

－1517－

第九編　財産の評価

$$A \times \left(\cfrac{\dfrac{\text{Ⓑ}}{B} + \dfrac{\text{©}}{C} + \dfrac{\text{Ⓓ}}{D}}{3} \right) \times 0.7$$

（一）　上記算式中の「A」、「Ⓑ」、「©」、「Ⓓ」、「B」、「C」及び「D」は、それぞれ次による。

　「　A　」＝類似業種の株価

　「　Ⓑ　」＝評価会社の1株当たりの配当金額

　「　©　」＝評価会社の1株当たりの利益金額

　「　Ⓓ　」＝評価会社の1株当たりの純資産価額（帳簿価額によって計算した金額）

　「　B　」＝課税時期の属する年の類似業種の1株当たりの配当金額

　「　C　」＝課税時期の属する年の類似業種の1株当たりの年利益金額

　「　D　」＝課税時期の属する年の類似業種の1株当たりの純資産価額（帳簿価額によって計算した金額）

（注）　類似業種比準価額の計算に当たっては、Ⓑ、©及びⓄの金額は（7）《評価会社の1株当たりの配当金額等の計算》により1株当たりの資本金等の額を50円とした場合の金額として計算することに留意する。

（二）　上記算式中の「0.7」は、（1）《取引相場のない株式の評価上の区分》に定める中会社の株式を評価する場合には、「0.6」、（1）に定める小会社の株式を評価する場合には「0.5」とする。

（類似業種）

（4）　（3）《類似業種比準価額》の類似業種は、大分類、中分類及び小分類に区分して別に定める業種（以下「業種目」という。）のうち、評価会社の事業が該当する業種目とし、その業種目が小分類に区分されているものにあっては小分類による業種目、小分類に区分されていない中分類のものにあっては中分類の業種目による。ただし、納税義務者の選択により、類似業種が小分類による業種目にあってはその業種目の属する中分類の業種目、類似業種が中分類による業種目にあってはその業種目の属する大分類の業種目を、それぞれ類似業種とすることができる。（評基通181）

（評価会社の事業が該当する業種目）

（5）　（4）の評価会社の事業が該当する業種目は、（1）《取引相場のない株式の評価上の区分》の(四)の取引金額に基づいて判定した業種目とする。

　　なお、当該取引金額のうちに二以上の業種目に係る取引金額が含まれている場合の当該評価会社の事業が該当する業種目は、取引金額全体のうちに占める業種目別の取引金額の割合（以下（5）において「業種目別の割合」という。）が50％を超える業種目とし、その割合が50％を超える業種目がない場合には、次に掲げる場合に応じたそれぞれの業種目とする。（評基通181－2）

（一）　評価会社の事業が一つの中分類の業種目中の二以上の類似する小分類の業種目に属し、それらの業種目別の割合の合計が50％を超える場合

　　　　その中分類の中にある類似する小分類の「その他の○○業」

　　　なお、これを図により例示すれば、次のとおり。

○　評価会社の業種目と
　　業種目別の割合

業　種　目	業種目別の割合
有機化学工業製品製造業	45％
医薬品製造業	30％
不動産賃貸業・管理業	25％

（45％＋30％）
＞50％

（評価会社の事業が該当する業種目）

○　類似業種比準価額計算上の業種目

大　　分　　類		
	中　　分　　類	
		小　分　類

製　　造　　業
化　学　工　業

有機化学工業製品製造業
～（中略）～
医薬品製造業
その他の化学工業

－1518－

(二) 評価会社の事業が一つの中分類の業種目中の二以上の類似しない小分類の業種目に属し、それらの業種目別の割合の合計が50％を超える場合（（一）に該当する場合を除く。）

その中分類の業種目

なお、これを図により例示すれば、次のとおり。

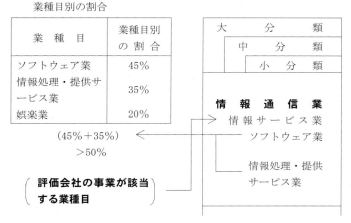

(三) 評価会社の事業が一つの大分類の業種目中の二以上の類似する中分類の業種目に属し、それらの業種目別の割合の合計が50％を超える場合

その大分類の中にある類似する中分類の「その他の○○業」

なお、これを図により例示すれば、次のとおり。

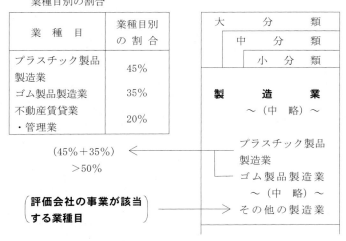

(四) 評価会社の事業が一つの大分類の業種目中の二以上の類似しない中分類の業種目に属し、それらの業種目別の割合の合計が50％を超える場合（（三）に該当する場合を除く。）

その大分類の業種目

なお、これを図により例示すれば、次のとおり。

第九編　財産の評価

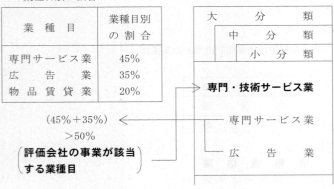

(五)　(一)から(四)のいずれにも該当しない場合

大分類の業種目の中の「その他の産業」

(注)　(5)の規定は、(4)の本文による判定についての整理であり、(5)の規定による判定の後、(4)のただし書についても適用があることに留意する。(編者注)

(類似業種の株価)

(6)　(3)《類似業種比準価額》の類似業種の株価は、課税時期の属する月以前3か月間の各月の類似業種の株価のうち最も低いものとする。ただし、納税義務者の選択により、類似業種の前年平均株価又は課税時期の属する月以前2年間の平均株価によることができる。

　この場合の各月の株価並びに前年平均株価及び課税時期の属する月以前2年間の平均株価は、業種目ごとにそれぞれの業種目に該当する上場会社(以下「標本会社」という。)の株式の毎日の最終価格の各月ごとの平均額(1株当たりの資本金の額等(資本金の額及び資本剰余金の額の合計額から自己株式の額を控除した金額をいう。以下同じ。)を50円として計算した金額)を基に計算した金額によることとし、その金額は別に定める。(評基通182)

(評価会社の1株当たりの配当金額等の計算)

(7)　(3)《類似業種比準価額》の評価会社の「1株当たりの配当金額」、「1株当たりの利益金額」及び「1株当たりの純資産価額(帳簿価額によって計算した金額)」は、それぞれ次による。(評基通183)

(一)	1株当たりの配当金額	直前期末以前2年間におけるその会社の剰余金の配当金額(特別配当、記念配当等の名称による配当金額のうち、将来毎期継続することが予想できない金額を除く。)の合計額の2分の1に相当する金額を、**直前期末における発行済株式数**(1株当たりの資本金等の額が50円以外の金額である場合には、直前期末における資本金等の額を50円で除して計算した数によるものとする。(二)及び(三)において同じ。)で除して計算した金額とする。
(二)	1株当たりの利益金額	直前期末以前1年間における法人税の課税所得金額(固定資産売却益、保険差益等の非経常的な利益の金額を除く。)に、その所得の計算上益金に算入されなかった剰余金の配当(資本金等の額の減少によるものを除く。)等の金額(所得税額に相当する金額を除く。)及び損金に算入された繰越欠損金の控除額を加算した金額(その金額が負数のときは、0とする。)を、**直前期末における発行済株式数**((一)に同じ。)で除して計算した金額とする。ただし、納税義務者の選択により、直前期末以前2年間の各事業年度について、それぞれ法人税の課税所得金額を基とし上記に準じて計算した金額の合計額(その合計額が負数のときは、0とする。)の2分の1に相当する金額を**直前期末における発行済株式数**で除して計算した金額とすることができる。
(三)	1株当たりの純資産価額(帳簿価額によって計算した金	直前期末における資本金等の額及び法人税法第2条《定義》第18号に規定する利益積立金額に相当する金額(法人税申告書別表五(一)「利益積立金額及び資本金等の額の計算に関する明細書」の差引翌期首現在利益積立金額の差引合計額)の合計額を**直前期末における発行済株式数**((一)に同じ。)で除して計算した金額とする。

-1520-

額）	

(注)1　上記(一)の「剰余金の配当金額」は、各事業年度中に配当金交付の効力が発生した剰余金の配当金額（資本金等の額の減少によるものを除く。）を基として計算することに留意する。

　　　2　利益積立金額に相当する金額が負数である場合には、その負数に相当する金額を資本金等の額から控除するものとし、その控除後の金額が負数となる場合には、その控除後の金額を0とするのであるから留意する。

　　（類似業種の1株当たりの配当金額等の計算）

（8）　（3）《類似業種比準価額》の類似業種の「1株当たりの配当金額」、「1株当たりの年利益金額」及び「1株当たりの純資産価額（帳簿価額によって計算した金額）」は、財務諸表（連結財務諸表を作成している標本会社にあっては、連結財務諸表）に基づき、各標本会社について、（7）の(一)、(二)及び(三)の定めに準じて計算した1株当たりの配当金額、1株当たりの年利益金額及び1株当たりの純資産価額（帳簿価額によって計算した金額）を基に計算した金額によることとし、その金額は別に定める。

　　この場合において、「資本金等の額」とあるのは、「資本金の額等」と、「法人税の課税所得金額（固定資産売却益、保険差益等の非経常的な利益の金額を除く。）に、その所得の計算上益金に算入されなかった剰余金の配当（資本金等の額の減少によるものを除く。）等の金額（所得税額に相当する金額を除く。）及び損金に算入された繰越欠損金の控除額を加算した金額」とあるのは、「税引前当期純利益の額」と、「資本金等の額及び法人税法第2条《定義》第18号に規定する利益積立金額に相当する金額（法人税申告書別表五(一)「利益積立金額及び資本金等の額の計算に関する明細書」の差引翌期首現在利益積立金額の差引合計額）」とあるのは、「純資産の部」と読替えて計算した金額とする。（評基通183－2）

　　（類似業種比準価額の修正）

（9）　（3）《類似業種比準価額》の定めにより類似業種比準価額を計算した場合において、評価会社の株式が次に該当するときは、（3）の定めにより計算した価額をそれぞれ次の算式により修正した金額をもって類似業種比準価額とする。（評基通184）

（一）　直前期末の翌日から課税時期までの間に配当金交付の効力が発生した場合

　　　（3）《類似業種比準価額》の定めにより計算した価額－株式1株に対して受けた配当の金額

（二）　直前期末の翌日から課税時期までの間に株式の割当て等の効力が発生した場合

　　　（（3）《類似業種比準価額》の定めにより計算した価額＋割当てを受けた株式1株につき払い込んだ金額×株式1株に対する割当株式数）÷（1＋株式1株に対する割当株式数又は交付株式数）

　　（純資産価額）

（10）　（2）《取引相場のない株式の評価の原則》の「1株当たりの純資産価額（相続税評価額によって計算した金額）」は、課税時期における各資産を財産評価基本通達に定めるところにより評価した価額（この場合、評価会社が課税時期前3年以内に取得又は新築した土地及び土地の上に存する権利（以下「土地等」という。）並びに家屋及びその附属設備又は構築物（以下「家屋等」という。）の価額は、課税時期における通常の取引価額に相当する金額によって評価するものとし、当該土地等又は当該家屋等に係る帳簿価額が課税時期における通常の取引価額に相当すると認められる場合には、当該帳簿価額に相当する金額によって評価することができるものとする。以下同じ。）の合計額から課税時期における各負債の金額の合計額及び(12)《評価差額に対する法人税額等に相当する金額》により計算した評価差額に対する法人税額等に相当する金額を控除した金額を課税時期における発行済株式数で除して計算した金額とする。ただし、（2）《取引相場のない株式の評価の原則》の(二)《中会社》の算式及び(三)《小会社》の本文及び算式中の1株当たりの純資産価額（相続税評価額によって計算した金額）については、株式の取得者とその同族関係者（(15)《同族株主以外の株主等が取得した株式》の(一)に定める同族関係者をいう。）の有する議決権の合計数が評価会社の議決権総数の50％以下である場合においては、上記により計算した1株当たりの純資産価額（相続税評価額によって計算した金額）に100分の80を乗じて計算した金額とする。（評基通185）

(注)1　1株当たりの純資産価額（相続税評価額によって計算した金額）の計算を行う場合の「発行済株式数」は、直前期末ではなく、課税時期における発行済株式数であることに留意する。

　　　2　上記の「議決権の合計数」及び「議決権総数」には、(19)《種類株式がある場合の議決権総数等》の「株主総会の一部の事項について議決権を行使できない株式に係る議決権の数」を含めるものとする。

－1521－

第九編　財産の評価

（純資産価額計算上の負債）

(11)　(10)の課税時期における１株当たりの純資産価額（相続税評価額によって計算した金額）の計算を行う場合には、貸倒引当金、退職給与引当金、納税引当金その他の引当金及び準備金に相当する金額は負債に含まれないものとし、次に掲げる金額は負債に含まれることに留意する（(12)及び(13)《評価会社が有する株式等の純資産価額の計算》において同じ。）。(評基通186)

(一)　課税時期の属する事業年度に係る法人税額、消費税額、事業税額、道府県民税額及び市町村民税額のうち、その事業年度開始の日から課税時期までの期間に対応する金額（課税時期において未払いのものに限る。）

(二)　課税時期以前に賦課期日のあった固定資産税の税額のうち、課税時期において未払いの金額

(三)　被相続人の死亡により、相続人その他の者に支給することが確定した退職手当金、功労金その他これらに準ずる給与の金額

(四)　(一)から(三)以外の未納公租公課、未払利息等の簿外負債の金額（編者にて追加）

(注)　評価会社が課税時期現在において仮決算を行っていないため、課税時期における資産及び負債の金額が明確でない場合において、直前期末から課税時期までの間に資産及び負債について著しく増減がないため評価額の計算に影響が少ないと認められるときは、課税時期における各資産及び各負債の金額は、①相続税評価額については、直前期末の資産及び負債の課税時期の相続税評価額、②帳簿価額については、直前期末の資産及び負債の帳簿価額により計算することとして差し支えない。

1　なお、①及び②の場合において、帳簿に負債としての記載がない場合であっても、次の金額は、負債として取り扱うことに留意する。

イ　未納公租公課、未払利息等の金額

ロ　直前期末日以前に賦課期日のあった固定資産税及び都市計画税の税額のうち、未払いとなっている金額

ハ　直前期末日後から課税時期までに確定した剰余金の配当等の金額

ニ　被相続人の死亡により、相続人その他の者に支給することが確定した退職手当金、功労金その他これらに準ずる給与の金額（ただし、経過措置適用後の退職給与引当金の取崩しにより支給されるものは除く。）

2　被相続人の死亡により評価会社が生命保険金を取得する場合には、その生命保険金請求権（未収保険金）の金額を「資産の部」の「相続税評価額」欄及び「帳簿価額」欄のいずれにも記載する。（編者注）

（評価差額に対する法人税額等に相当する金額）

(12)　(10)《純資産価額》の「評価差額に対する法人税額等に相当する金額」は、次の(一)の金額から(二)の金額を控除した残額がある場合におけるその残額に37％（法人税（地方法人税を含む。）、事業税（特別法人事業税を含む。）、道府県民税及び市町村民税の税率の合計に相当する割合）を乗じて計算した金額とする。(評基通186－2)

(一)　課税時期における各資産をこの通達に定めるところにより評価した価額の合計額（以下この項において「課税時期における相続税評価額による総資産価額」という。）から課税時期における各負債の金額の合計額を控除した金額

(二)　課税時期における相続税評価額による総資産価額の計算の基とした各資産の帳簿価額の合計額（当該各資産の中に、現物出資若しくは合併により著しく低い価額で受け入れた資産又は会社法第２条第31号の規定による株式交換（以下(12)において「株式交換」という。）、会社法第２条第32号の規定による株式移転（以下(12)において「株式移転」という。）若しくは会社法第２条第32号の２の規定による株式交付（以下(12)において「株式交付」という。）により著しく低い価額で受け入れた株式（以下(12)において、これらの資産又は株式を**現物出資等受入れ資産**」という。）がある場合には、当該各資産の帳簿価額の合計額に、現物出資、合併、株式交換、株式移転又は株式交付の時において当該現物出資等受入れ資産を財産評価基本通達に定めるところにより評価した価額から当該現物出資等受入れ資産の帳簿価額を控除した金額（以下(12)において**現物出資等受入れ差額**」という。）を加算した価額）から課税時期における各負債の金額の合計額を控除した金額

(注)1　現物出資等受入れ資産が合併により著しく低い価額で受け入れられた資産（以下(注)1において「合併受入れ資産」という。）である場合において、上記(二)の「財産評価基本通達に定めるところにより評価した価額」は、当該価額が合併受入れ資産に係る被合併会社の帳簿価額を超えるときには、当該帳簿価額とする。

2　上記(二)の「現物出資等受入れ差額」は、現物出資、合併、株式交換、株式移転又は株式交付の時において現物出資等受入れ資産を財産評価基本通達に定めるところにより評価した価額が課税時期において当該現物出資等受入れ資産を財産評価基本通達に定めるところにより評価した価額を上回る場合には、課税時期において当該現物出資等受入れ資産を財産評価基本通達に定めるところにより評価した価額から当該現物出資等受入れ資産の帳簿価額を控除した金額とする。

3　上記(二)のかっこ書における「現物出資等受入れ差額」の加算は、課税時期における相続税評価額による総資産価額に占める現物出資等受入れ資産の価額（課税時期において財産評価基本通達に定めるところにより評価した価額）の合計額の割合が20％以下である場合には、適用しない。

（評価会社が有する株式等の純資産価額の計算）

(13)　(10)《純資産価額》の定めにより、課税時期における評価会社の各資産を評価する場合において、当該各資産のうちに取引相場のない株式があるときの当該株式の１株当たりの純資産価額（相続税評価額によって計算した金額）は、

－1522－

第八章　株式及び出資

当該株式の発行会社の課税時期における各資産をこの通達に定めるところにより評価した価額の合計額から課税時期における各負債の金額の合計額を控除した金額を課税時期における当該株式の発行会社の発行済株式数で除して計算した金額とする。

　なお、評価会社の各資産のうちに出資及び転換社債型新株予約権付社債（第九章の（5）《転換社債型新株予約権付社債の評価》の（三）のロに定めるものをいう。）のある場合についても、同様とする。（評基通186－3）

　（注）　この場合における1株当たりの純資産価額（相続税評価額によって計算した金額）の計算に当たっては、（12）《評価差額に対する法人税額等に相当する金額》の定めにより計算した評価差額に対する法人税額等に相当する金額を控除しないのであるから留意する。

　（株式の割当てを受ける権利等の発生している株式の価額の修正）

(14)　（2）《取引相場のない株式の評価の原則》の定めにより取引相場のない株式を評価した場合において、その株式が次に掲げる場合に該当するものであるときは、その価額を、それぞれ次の算式により修正した金額によって評価する。（評基通187）

(一)　課税時期が配当金交付の基準日の翌日から、配当金交付の効力が発生する日までの間にある場合

　　（2）《取引相場のない株式の評価の原則》の定めにより評価した価額－株式1株に対して受ける予想配当の金額

(二)　課税時期が株式の割当ての基準日、株式の割当てのあった日又は株式無償交付の基準日のそれぞれ翌日からこれらの株式の効力が発生する日までの間にある場合

　　（（2）《取引相場のない株式の評価の原則》の定めにより評価した価額＋割当てを受けた株式1株につき払い込むべき金額×株式1株に対する割当株式数）÷（1＋株式1株に対する割当株式数又は交付株式数）

　（同族株主以外の株主等が取得した株式）

(15)　（1）《取引相場のない株式の評価上の区分》の「同族株主以外の株主等が取得した株式」は、次の表の左欄のいずれかに該当する株式をいい、その株式の価額は、（16）の定めによる。（評基通188）

(一)	同族株主のいる会社の株主のうち、同族株主以外の株主の取得した株式	この場合における「**同族株主**」とは、課税時期における評価会社の株主のうち、株主の1人及びその**同族関係者**（法人税法施行令第4条《同族関係者の範囲》に規定する特殊の関係のある個人又は法人をいう。以下同じ。）の有する議決権の合計数がその会社の議決権総数の30%以上（その評価会社の株主のうち、株主の1人及びその同族関係者の有する議決権の合計数が最も多いグループの有する議決権の合計数が、その会社の議決権総数の50%超である会社にあっては、50%超）である場合におけるその株主及びその同族関係者をいう。 （注）　「議決権総数」の計算については(17)から(19)までの取扱いに留意する。（編者注）
(二)	中心的な同族株主のいる会社の株主のうち、中心的な同族株主以外の同族株主で、その者の株式取得後の議決権の数がその会社の議決権総数の5%未満であるもの（課税時期において評価会社の**役員**（社長、理事長並びに法人税法施行令第71条第1項第1号、第2号及び第4号に掲げる者をいう。以下(四)までにおいて同じ。）である者及び課税時期の翌日から法定申告期限までの間に役員となる者を除く。）の取得した株式	この場合における「**中心的な同族株主**」とは、課税時期において同族株主の1人並びにその株主の配偶者、直系血族、兄弟姉妹及び1親等の姻族（これらの者の同族関係者である会社のうち、これらの者が有する議決権の合計数がその会社の議決権総数の25%以上である会社を含む。）の有する議決権の合計数がその会社の議決権総数の25%以上である場合におけるその株主をいう。
(三)	同族株主のいない会社の株主のうち、課税時期において株主の1人及びその同族関係者の有する議決権の合計数が、その会社の議決権総数の15%未満である場合におけるその株主の取得した株式	
(四)	中心的な株主がおり、かつ、同族株主のいない会社の株主のうち、課税時期において株主の1人及びその同族関係者の有する議決権の合計数がその会社の議決権	この場合における「**中心的な株主**」とは、課税時期において株主の1人及びその同族関係者の有する議決権の合計数がその会社の議決権総数の15%以上である株主グル

－1523－

第九編　財産の評価

総数の15％以上である場合におけるその株主で、その者の株式取得後の議決権の数がその会社の議決権総数の５％未満であるもの（（二）の役員である者及び役員となる者を除く。）の取得した株式	ープのうち、いずれかのグループに単独でその会社の議決権総数の10％以上の議決権を有している株主がいる場合におけるその株主をいう。

(注)1　**同族関係者の範囲**……法人税法施行令第４条に定める株主等と特殊の関係のある個人又は法人は次のとおりである。（編者注）

(一)　株主等と「**特殊の関係のある個人**」は、次に掲げる者とする。（同令４①）

イ　株主等の親族（親族とは、配偶者、６親等内の血族及び３親等内の姻族をいう。）

ロ　株主等と婚姻の届出をしていないが事実上婚姻関係と同様の事情にある者

ハ　個人である株主等の使用人

ニ　イからハまでに掲げる者以外の者で個人である株主等から受ける金銭その他の資産によって生計を維持しているもの

ホ　ロからニまでに掲げる者と生計を一にするこれらの者の親族

(二)　株主等と「**特殊の関係のある法人**」は、次に掲げる会社とする。（同令４②）

イ　同族会社であるかどうかを判定しようとする会社の株主等（当該会社が自己の株式又は出資を有する場合の当該会社を除く。以下(二)及び(四)において「判定会社株主等」という。）の１人（個人である判定会社株主等については、その１人及びこれと(一)に定める特殊の関係のある個人。以下ハまでにおいて同じ。）が他の会社を支配している場合における当該他の会社

ロ　判定会社株主等の１人及びこれと特殊の関係のあるイの会社が他の会社を支配している場合における当該他の会社

ハ　判定会社株主等の１人及びこれと特殊の関係のあるイ及びロの会社が他の会社を支配している場合における当該他の会社

(三)　(二)のイからハに規定する他の会社を支配している場合とは、次に掲げる場合のいずれかに該当する場合をいう。（同令４③）

イ　他の会社の発行済株式又は出資（その有する自己の株式又は出資を除く。）の総数又は総額の100分の50を超える数又は金額の株式又は出資を有する場合

ロ　他の会社の次に掲げる議決権のいずれかにつき、その総数（当該議決権を行使することができない株主等が有する当該議決権の数を除く。）の100分の50を超える数を有する場合

(イ)　事業の全部若しくは重要な部分の譲渡、解散、継続、合併、分割、株式交換、株式移転又は現物出資に関する決議に係る議決権

(ロ)　役員の選任及び解任に関する決議に係る議決権

(ハ)　役員の報酬、賞与その他の職務執行の対価として会社が供与する財産上の利益に関する事項についての決議に係る議決権

(ニ)　剰余金の配当又は利益の配当に関する決議に係る議決権

ハ　他の会社の株主等（合名会社、合資会社又は合同会社の社員（当該他の会社が業務を執行する社員を定めた場合にあっては、業務を執行する社員）に限る。）の総数の半数を超える数を占める場合

(四)　上記(二)のイからハの場合に、同一の個人又は法人（人格のない社団等を含む。）の同族関係者である二以上の会社が、判定会社株主等である場合には、その同族関係者である二以上の会社は、相互に同族関係者であるものとみなす。（同令４④）

(五)　法人税法第２条第10号に規定する政令で定める場合は、同号の会社の株主等（その会社が自己の株式又は出資を有する場合のその会社を除く。）の３人以下並びにこれらと同号に規定する政令で定める特殊の関係のある個人及び法人がその会社の(三)のロの(イ)から(ニ)までに掲げる議決権のいずれかにつきその総数（当該議決権を行使することができない株主等が有する当該議決権の数を除く。）の100分の50を超える数を有する場合又はその会社の株主等（合名会社、合資会社又は合同会社の社員（その会社が業務を執行する社員を定めた場合にあっては、業務を執行する社員）に限る。）の総数の半数を超える数を占める場合とする。（同令４⑤）

(六)　個人又は法人との間で当該個人又は法人の意思と同一の内容の議決権を行使することに同意している者がある場合には、当該者が有する議決権は当該個人又は法人が有するものとみなし、かつ、当該個人又は法人（当該議決権に係る会社の株主等であるものを除く。）は当該議決権に係る会社の株主等であるものとみなして、(三)及び(五)の規定を適用する。（同令４⑥）

2　**役員の範囲**……法人税法施行令第71条第１項第１号、第２号及び第４号に掲げる役員は次のとおりである。（編者注）

(一)　代表取締役、代表執行役、代表理事及び清算人

(二)　副社長、専務、常務その他これらに準ずる職制上の地位を有する役員

(三)　取締役（指名委員会等設置会社の取締役及び監査等委員である取締役に限る。）、会計参与及び監査役並びに監事

3　(15)による株主の態様別評価方式を要約すれば次の表のとおりである。（編者注）

株　主　の　態　様				評　価　方　式
同族株主のいる会社	同族株主グループ（30％以上（50％超））に属する株主	取　得　後　の　議　決　権　割　合　５　％　以　上		(2)の原則的評価方式（純資産価額方式による評価額については、20％の評価減の特例が適用される場合がある。）
		取得後の議決権割合５％未満（少数株式所有者）	中心的な同族株主がいない場合	
			中心的な同族株主（25％以上）がいる場合 中心的な同族株主	
			役員である株主又は役員となる株主	
			その他	(16)の配当還元方式
	同　族　株　主　以　外　の　株　主			

第八章　株式及び出資

同族株主のいない会社	議決権割合の合計が15％以上のグループに属する株主	取得後の議決権割合5％以上			（2）の原則的評価方式 （純資産価額方式による評価額については、20％の評価減の特例が適用される。）
		取得後の議決権割合5％未満（少数株式所有者）	中心的な株主がいない場合		
			中心的な株主（10％以上）がいる場合	役員である株主又は役員となる株主	
				そ　の　他	（16）の配当還元方式
	議決権割合の合計が15％未満のグループに属する株主				

　　（同族株主以外の株主等が取得した株式の評価）

(16)　（15）の株式の価額は、その株式に係る年配当金額（（7）《評価会社の1株当たりの配当金額等の計算》の（一）に定める1株当たりの配当金額をいう。ただし、その金額が2円50銭未満のもの及び無配のものにあっては2円50銭とする。）を基として、次の算式により計算した金額によって評価する。ただし、その金額がその株式を（2）《取引相場のない株式の評価の原則》の定めにより評価するものとして計算した金額を超える場合には、（2）《取引相場のない株式の評価の原則》の定めにより計算した金額によって評価する。（評基通188－2）

$$\frac{\text{その株式に係る年配当金額}}{10\%} \times \frac{\text{その株式の1株当たりの資本金等の額}}{50円}$$

（注）　上記算式の「その株式に係る年配当金額」は1株当たりの資本金等の額を50円とした場合の金額であるので、算式中において、評価会社の直前期末における1株当たりの資本金等の額の50円に対する倍数を乗じて評価額を計算することとしていることに留意する。

　　（評価会社が自己株式を有する場合の議決権総数）

(17)　（15）《同族株主以外の株主等が取得した株式》の（一）から（四）までにおいて、評価会社が自己株式を有する場合には、その自己株式に係る議決権の数は0として計算した議決権の数をもって評価会社の議決権総数となることに留意する。（評基通188－3）

　　（議決権を有しないこととされる株式がある場合の議決権総数等）

(18)　（15）《同族株主以外の株主等が取得した株式》の（一）から（四）までにおいて、評価会社の株主のうちに会社法第308条第1項の規定により評価会社の株式につき議決権を有しないこととされる会社があるときは、当該会社の有する評価会社の議決権の数は0として計算した議決権の数をもって評価会社の議決権総数となることに留意する。（評基通188－4）

　　（種類株式がある場合の議決権総数等）

(19)　（15）《同族株主以外の株主等が取得した株式》の（一）から（四）までにおいて、評価会社が会社法第108条第1項に掲げる事項について内容の異なる種類の株式（以下(19)において「種類株式」という。）を発行している場合における議決権の数又は議決権総数の判定に当たっては、種類株式のうち株主総会の一部の事項について議決権を行使できない株式に係る議決権の数を含めるものとする。（評基通188－5）

　　（投資育成会社が株主である場合の同族株主等）

(20)　（15）《同族株主以外の株主等が取得した株式》の（一）から（四）までについては、評価会社の株主のうち投資育成会社（中小企業投資育成株式会社法に基づいて設立された中小企業投資育成株式会社をいう。以下(20)において同じ。）があるときは、次による。（評基通188－6）

(一)　当該投資育成会社が同族株主（（15）《同族株主以外の株主等が取得した株式》の（一）に定める同族株主をいう。以下同じ。）に該当し、かつ、当該投資育成会社以外に同族株主に該当する株主がいない場合には、当該投資育成会社は同族株主に該当しないものとして適用する。

(二)　当該投資育成会社が、中心的な同族株主（（15）《同族株主以外の株主等が取得した株式》の（二）に定める中心的な同族株主をいう。以下(二)において同じ。）又は中心的な株主（（15）《同族株主以外の株主等が取得した株式》の（四）に定める中心的な株主をいう。以下(二)において同じ。）に該当し、かつ、当該投資育成会社以外に中心的な同族株主又は中心的な株主に該当する株主がいない場合には、当該投資育成会社は中心的な同族株主又は中心的な株主に該当しないものとして適用する。

－1525－

第九編　財産の評価

(三)　上記(一)及び(二)において、評価会社の議決権総数からその投資育成会社の有する評価会社の議決権の数を控除した数をその評価会社の議決権総数とした場合に同族株主に該当することとなる者があるときは、その同族株主に該当することとなる者以外の株主が取得した株式については、上記(一)及び(二)にかかわらず、(15)《同族株主以外の株主等が取得した株式》の「同族株主以外の株主等が取得した株式」に該当するものとする。

(注)　上記(三)の「議決権総数」及び「議決権の数」には、(19)《種類株式がある場合の議決権総数等》の「株主総会の一部の事項について議決権を行使できない株式に係る議決権の数」を含めるものとする。

(特定の評価会社の株式)

(21)　(1)《取引相場のない株式の評価上の区分》の「特定の評価会社の株式」とは、評価会社の資産の保有状況、営業の状態等に応じて定めた次に掲げる評価会社の株式をいい、その株式の価額は、次に掲げる区分に従い、それぞれ次に掲げるところによる。

なお、評価会社が、次の(二)又は(三)に該当する評価会社かどうかを判定する場合において、課税時期前において合理的な理由もなく評価会社の資産構成に変動があり、その変動が次の(二)又は(三)に該当する評価会社と判定されることを免れるためのものと認められるときは、その変動はなかったものとして当該判定を行うものとする。(評基通189)

(一)　比準要素数1の会社の株式

(7)《評価会社の1株当たりの配当金額等の計算》の(一)、(二)及び(三)に定める「1株当たりの配当金額」、「1株当たりの利益金額」及び「1株当たりの純資産価額(帳簿価額によって計算した金額)」のそれぞれの金額のうち、いずれか2が0であり、かつ、直前々期末を基準にして(7)の定めに準じそれぞれの金額を計算した場合に、それぞれの金額のうち、いずれか2以上が0である評価会社(次の(二)から(六)に該当するものを除く。以下「比準要素数1の会社」という。)の株式の価額は、(22)の定めによる。

(注)　配当金額及び利益金額については、直前期末以前3年間の実績を反映して判定することになるのであるから留意する。

(二)　株式等保有特定会社の株式

課税時期において評価会社の有する各資産を財産評価基本通達に定めるところにより評価した価額の合計額のうちに占める株式、出資及び新株予約権付社債(会社法第2条《定義》第22号に規定する新株予約権付社債をいう。)(23)《株式等保有特定会社の株式の評価》において、これらを「株式等」という。)の出資の価額の合計額((23)《株式等保有特定会社の株式の評価》において「株式等の価額の合計額(相続税評価額によって計算した金額)」という。)の割合が50%以上である評価会社(次の(三)から(六)までのいずれかに該当するものを除く。以下「株式等保有特定会社」という。)の株式の価額は、(23)《株式等保有特定会社の株式の評価》の定めによる。

(三)　土地保有特定会社の株式

課税時期において、次のいずれかに該当する会社(次の(四)から(六)までのいずれかに該当するものを除く。以下「土地保有特定会社」という。)の株式の価額は、(24)《土地保有特定会社の株式又は開業後3年未満の会社等の株式の評価》の定めによる。

イ　(1)《取引相場のない株式の評価上の区分》の定めにより大会社に区分される会社((1)の定めにより小会社に区分される会社((1)に定める総資産価額(帳簿価額によって計算した金額)が、評価会社の事業が卸売業に該当する場合には20億円以上、卸売業以外に該当する場合には15億円以上のものに限る。)を含む。)で、その有する各資産を財産評価基本通達の定めるところにより評価した価額の合計額のうちに占める土地等の価額の合計額の割合(以下「土地保有割合」という。)が70%以上である会社

ロ　(1)《取引相場のない株式の評価上の区分》の定めにより中会社に区分される会社((1)の定めにより小会社に区分される会社((1)に定める総資産価額(帳簿価額によって計算した金額)が、評価会社の事業が卸売業に該当する場合には7,000万円以上、小売・サービス業に該当する場合には4,000万円以上、卸売業、小売・サービス業以外に該当する場合には5,000万円以上で、上記イに該当しないものに限る。)を含む。)で、土地保有割合が90%以上である会社

(四)　開業後3年未満の会社等の株式

課税時期において次に掲げるイ又はロに該当する評価会社(次の(五)又は(六)に該当するものを除く。以下「開業後3年未満の会社等」という。)の株式の価額は、(24)《土地保有特定会社の株式又は開業後3年未満の会社等の株式の評価》の定めによる。

イ　開業後3年未満であるもの

ロ　(7)《評価会社の1株当たりの配当金額等の計算》の(一)、(二)及び(三)に定める「1株当たりの配当金額」、「1株当たりの利益金額」及び「1株当たりの純資産価額(帳簿価額によって計算した金額)」のそれぞれの金額がいずれも0であるもの

－1526－

第八章　株式及び出資

(注)　配当金額及び利益金額については、直前期末以前2年間の実績を反映して判定することになるのであるから留意する。
(五)　開業前又は休業中の会社の株式
　　　開業前又は休業中である評価会社の株式の価額は、(25)《開業前又は休業中の会社の株式の評価》の定めによる。
(六)　清算中の会社の株式
　　　清算中である評価会社の株式の価額は(26)《清算中の会社の株式の評価》の定めによる。

　　（比準要素数1の会社の株式の評価）
(22)　(21)《特定の評価会社の株式》の(一)の「比準要素数1の会社の株式」の価額は、(10)《純資産価額》の本文の定めにより計算した1株当たりの純資産価額（相続税評価額によって計算した金額）によって評価する（この場合における1株当たりの純資産価額（相続税評価額によって計算した金額）は、当該株式の取得者とその同族関係者の有する当該株式に係る議決権の合計数が比準要素数1の会社の(10)《純資産価額》のただし書に定める議決権総数の50%以下であるときには、(10)の本文の定めにより計算した1株当たりの純資産価額（相続税評価額によって計算した金額）を基に(10)のただし書の定めにより計算した金額とする。）。ただし、上記の比準要素数1の会社の株式の価額は、納税義務者の選択により、Lを0.25として、(2)《取引相場のない株式の評価の原則》の(二)の算式により計算した金額によって評価することができる（この場合における当該算式中の1株当たりの純資産価額（相続税評価額によって計算した金額）は、(22)本文かっこ書と同様とする。）。
　　なお、当該株式が、(15)《同族株主以外の株主等が取得した株式》に定める同族株主以外の株主等が取得した株式に該当する場合には、その株式の価額は、(16)《同族株主以外の株主等が取得した株式の評価》の本文の定めにより計算した金額（この金額が(22)本文又はただし書の定めによって評価するものとして計算した金額を超える場合には、(22)本文又はただし書（納税義務者が選択した場合に限る。）の定めにより計算した金額）によって評価する。（評基通189－2）
(注)　上記の「議決権の合計数」には、(19)《種類株式がある場合の議決権総数等》の「株主総会の一部の事項について議決権を行使できない株式に係る議決権の数」を含めるものとする。(23)《株式等保有特定会社の株式の評価》及び(24)《土地保有特定会社の株式又は開業後3年未満の会社等の株式の評価》においても同様とする。

　　（株式等保有特定会社の株式の評価）
(23)　(21)《特定の評価会社の株式》の(二)の「株式等保有特定会社の株式」の価額は、(10)《純資産価額》の本文の定めにより計算した1株当たりの純資産価額（相続税評価額によって計算した金額）によって評価する。この場合における当該1株当たりの純資産価額（相続税評価額によって計算した金額）は、当該株式の取得者とその同族関係者の有する当該株式に係る議決権の合計数が株式等保有特定会社の(10)《純資産価額》のただし書に定める議決権総数の50%以下であるときには、上記により計算した1株当たりの純資産価額（相続税評価額によって計算した金額）を基に(10)のただし書の定めにより計算した金額とする。ただし、上記の株式等保有特定会社の株式の価額は、納税義務者の選択により、次の(一)の「S₁の金額」と(二)の「S₂の金額」との合計額によって評価することができる。
　　なお、当該株式が(15)《同族株主以外の株主等が取得した株式》に定める同族株主以外の株主等が取得した株式に該当する場合には、その株式の価額は(16)《同族株主以外の株主等が取得した株式の評価》の本文の定めにより計算した金額（この金額が(23)本文又はただし書の定めによって評価するものとして計算した金額を超える場合には、(23)本文又はただし書（納税義務者が選択した場合に限る。）の定めにより計算した金額）によって評価する。（評基通189－3）
(一)　S₁の金額（株式・出資を除いて計算した原則的評価額）
　　　S₁の金額は、株式等保有特定会社の株式の価額を(1)《取引相場のない株式の評価上の区分》の本文、(2)《取引相場のない株式の評価の原則》から(9)《類似業種比準価額の修正》まで、(10)《純資産価額》の本文、(11)《純資産価額計算上の負債》及び(12)《評価差額に対する法人税額等に相当する金額》の定めに準じて計算した金額とする。ただし、評価会社の株式が(21)《特定の評価会社の株式》の(一)の「比準要素数1の会社の株式」の要件（(21)の(一)のかっこ書の要件を除く。）にも該当する場合には、(1)《取引相場のない株式の評価上の区分》の大会社、中会社又は小会社の区分にかかわらず、(22)《比準要素数1の会社の株式の評価》の定め（本文のかっこ書、ただし書のかっこ書及びなお書を除く。）に準じて計算した金額とする。これらの場合において、(3)《類似業種比準価額》に定める算式及び(10)《純資産価額》の本文に定める1株当たりの純資産価額（相続税評価額によって計算した金額）は、それぞれ次による。
　　イ　(3)《類似業種比準価額》に定める算式は、次の算式による。

－1527－

第九編　財産の評価

$$A \times \left(\cfrac{\cfrac{Ⓑ-ⓑ}{B} + \cfrac{Ⓒ-ⓒ}{C} + \cfrac{Ⓓ-ⓓ}{D}}{3} \right) \times 0.7$$

(イ)　上記算式中「A」、「Ⓑ」、「Ⓒ」、「Ⓓ」、「B」、「C」及び「D」は、(3)《類似業種比準価額》の定めにより、「ⓑ」、「ⓒ」及び「ⓓ」は、それぞれ次による。

「ⓑ」＝(7)《評価会社の1株当たりの配当金額等の計算》の(一)に定める評価会社の「1株当たりの配当金額」に、直前期末以前2年間の受取配当金等の額（法人から受ける剰余金の配当（株式又は出資に係るものに限るものとし、資本金等の額の減少によるものを除く。）、利益の配当、剰余金の分配（出資に係るものに限る。）及び新株予約権付社債に係る利息の額をいう。以下同じ。）の合計額と直前期末以前2年間の営業利益の金額の合計額（当該営業利益の金額に受取配当金等の額が含まれている場合には、当該受取配当金等の額の合計額を控除した金額）との合計額のうちに占める当該受取配当金等の額の合計額の割合（当該割合が1を超える場合には1を限度とする。以下「**受取配当金収受割合**」という。）を乗じて計算した金額
ⓑ＝Ⓑ×受取配当金収受割合（※）

$$※受取配当金収受割合 = \frac{直前期末以前2年間の受取配当金額〈X〉}{〈X〉+直前期末以前2年間の営業利益〈Y〉}$$

「ⓒ」＝(7)《評価会社の1株当たりの配当金額等の計算》の(二)に定める評価会社の「1株当たりの利益金額」に受取配当金等収受割合を乗じて計算した金額
ⓒ＝Ⓒ×受取配当金収受割合（※）

「ⓓ」＝次の①及び②に掲げる金額の合計額（上記算式中の「Ⓓ」を限度とする。）
①　(7)《評価会社の1株当たりの配当金額等の計算》の(三)に定める評価会社の「1株当たりの純資産価額（帳簿価額によって計算した金額）」に、(1)《取引相場のない株式の評価上の区分》の(一)に定める総資産価額（帳簿価額によって計算した金額）のうちに占める株式等の帳簿価額の合計額の割合を乗じて計算した金額
②　直前期末における法人税法第2条《定義》第18号に規定する利益積立金額に相当する金額を直前期末における発行済株式数（1株当たりの資本金等の額が50円以外の金額である場合には、直前期末における資本金等の額を50円で除して計算した数によるものとする。）で除して求めた金額に受取配当金等収受割合を乗じて計算した金額（利益積立金額に相当する金額が負数である場合には、0とする。）

$$ⓓ = \left[Ⓓ \times \frac{直前期末の株式・出資の帳簿価額}{直前期末の簿価総資産価額 - 自己株式の帳簿価額} + \frac{直前期末の利益積立金額}{直前期末の発行済株式数（額面50円換算）} \times 受取配当金収受割合(※) \right]$$

(注)　ⓓ＞Ⓓ→ⓓ＝Ⓓ

(ロ)　上記算式中の「0.7」は、(1)《取引相場のない株式の評価上の区分》に定める中会社の株式を評価する場合には、「0.6」、(1)に定める小会社の株式を評価する場合には「0.5」とする。

ロ　(10)《純資産価額》の本文に定める1株当たりの純資産価額（相続税評価額によって計算した金額）は、(10)本文及び(12)《評価差額に対する法人税額等に相当する金額》の「各資産」を「各資産から株式等を除いた各資産」と読み替えて計算した金額とする。

(二)　S₂の金額《株式等の相続税評価額》
S₂の金額は、株式等の価額の合計額（相続税評価額によって計算した金額）からその計算の基とした株式等の帳簿価額の合計額を控除した場合において残額があるときは、当該株式等の価額の合計額（相続税評価額によって計算した金額）から当該残額に(12)《評価差額に対する法人税額等に相当する金額》に定める割合を乗じて計算した金額を控除し、当該控除後の金額を課税時期における株式等保有特定会社の発行済株式数で除して計算した金額とする。この場合、当該残額がないときは、当該株式等の価額の合計額（相続税評価額によって計算した金額）を課税時期における株式等保有特定会社の発行済株式数で除して計算した金額とする。

$$S_2 = \frac{株式等の相続税評価額 - （株式等の相続税評価額 - 株式等の帳簿価額）×37\%}{発行済株式数 - 自己株式の数}$$

（土地保有特定会社の株式又は開業後3年未満の会社等の株式の評価）

(24)　(21)《特定の評価会社の株式》の(三)の「土地保有特定会社の株式」又は(21)の(四)の「開業後3年未満の会社等の株式」の価額は、(10)《純資産価額》の本文の定めにより計算した1株当たりの純資産価額（相続税評価額によって

−1528−

第八章　株式及び出資

計算した金額）によって評価する。この場合における当該各株式の１株当たりの純資産価額（相続税評価額によって計算した金額）については、それぞれ、当該株式の取得者とその同族関係者の有する当該株式に係る議決権の合計数が土地保有特定会社又は開業後３年未満の会社等の(10)《純資産価額》のただし書に定める議決権総数の50％以下であるときは、上記により計算した１株当たりの純資産価額（相続税評価額によって計算した金額）を基に(10)のただし書の定めにより計算した金額とする。

　なお、当該各株式が(15)《同族株主以外の株主等が取得した株式》に定める同族株主以外の株主等が取得した株式に該当する場合には、その株式の価額は、(16)《同族株主以外の株主等が取得した株式の評価》の本文の定めにより計算した金額（この金額が(24)本文の定めによって評価するものとして計算した金額を超える場合には、(24)本文の定めにより計算した金額）によって評価する。(評基通189－４)

　　　（開業前又は休業中の会社の株式の評価）
(25)　(21)《特定の評価会社の株式》の(五)の「開業前又は休業中の会社の株式」の価額は、(10)《純資産価額》の本文の定めにより計算した１株当たりの純資産価額（相続税評価額によって計算した金額）によって評価する。(評基通189－５)

　　　（清算中の会社の株式の評価）
(26)　(21)《特定の評価会社の株式》の(六)の「清算中の会社の株式」の価額は、清算の結果分配を受ける見込みの金額（２回以上にわたり分配を受ける見込みの場合には、そのそれぞれの金額）の課税時期から分配を受けると見込まれる日までの期間（その期間が１年未満であるとき又はその期間に１年未満の端数があるときは、これを１年とする。）に応ずる基準年利率による複利現価の額（２回以上にわたり分配を受ける見込みの場合には、その合計額）によって評価する。(評基通189－６)

(注１)　　分配を行わず長期にわたり清算中のままになっているような会社で、清算の結果分配を受ける見込みの金額や分配を受けると見込まれる日までの期間の算定が困難であると認められる場合は、１株当たりの純資産価額（相続税評価額によって計算した金額）により評価する。(編者注)

(注２)　(26)中の基準年利率については、短期（３年未満）、中期（３年以上７年未満）、長期（７年以上）の区分に応じ各月ごとに別に定められる基準年利率が適用され、平成16年１月１日以後に相続、遺贈又は贈与により取得した財産の評価について適用される。(編者注)

　　　（株式の割当てを受ける権利等の発生している特定の評価会社の株式の価額の修正）
(27)　(22)《比準要素数１の会社の株式の評価》から(25)《開業前又は休業中の会社の株式の評価》までの定めにより特定の評価会社の株式を評価した場合（その株式を(16)《同族株主以外の株主等が取得した株式の評価》の本文の定めにより評価した場合を除く。）において、その株式が(14)《株式の割当てを受ける権利等の発生している株式の価額の修正》の(一)又は(二)に掲げる場合に該当するときは、その価額を、(14)の(一)又は(二)の算式に準じて修正した金額によって評価する。(評基通189－７)

第九編　財産の評価

第五節　株式の割当てを受ける権利等

（株式の割当てを受ける権利の評価）

（1）　株式の割当てを受ける権利の価額は、その株式の割当てを受ける権利の発生している株式について、第二節の（1）《上場株式の評価》、第三節の（1）《気配相場等のある株式の評価》、第三節の（4）《気配相場等のある株式の評価の特例》、第四節の(14)《株式の割当てを受ける権利等の発生している株式の価額の修正》、第四節の(16)《同族株主以外の株主等が取得した株式の評価》若しくは第四節の(27)《株式の割当てを受ける権利等の発生している特定の評価会社の株式の価額の修正》の定めにより評価した価額又は第四節の(21)《特定の評価会社の株式》に定める特定の評価会社の株式を同(16)《同族株主以外の株主等が取得した株式の評価》の本文の定めにより評価した価額に相当する金額から割当てを受けた株式1株につき払い込むべき金額を控除した金額によって評価する。ただし、課税時期において発行日決済取引が行われている株式に係る株式の割当てを受ける権利については、その割当てを受けた株式について第二節の（1）《上場株式の評価》の定めにより評価した価額に相当する金額から割当てを受けた株式1株につき払い込むべき金額を控除した金額によって評価する。（評基通190）

（株主となる権利の評価）

（2）　株主となる権利の評価は、次に掲げる区分に従い、それぞれ次に掲げるところによる。（評基通191）

　（一）　会社設立の場合の株主となる権利の価額は、課税時期以前にその株式1株につき払い込んだ価額によって評価する。

　（二）　（一）に該当しない株主となる権利の価額は、その株主となる権利の発生している株式について、第二節の（1）《上場株式の評価》、第三節の（1）《気配相場等のある株式の評価》、第三節の（4）《気配相場等のある株式の評価の特例》、第四節の(14)《株式の割当てを受ける権利等の発生している株式の価額の修正》、第四節の(16)《同族株主以外の株主等が取得した株式の評価》若しくは第四節の(27)《株式の割当てを受ける権利等の発生している特定の評価会社の株式の価額の修正》の定めにより評価した価額又は第四節の(21)《特定の評価会社の株式》に定める特定の評価会社の株式を同(16)《同族株主以外の株主等が取得した株式の評価》の本文の定めにより評価した価額に相当する金額（課税時期の翌日以後その株主となる権利につき払い込むべき金額がある場合には、その金額からその割当てを受けた株式1株につき払い込むべき金額を控除した金額）によって評価する。ただし、課税時期において発行日決済取引が行われている株式に係る株主となる権利については、その割当てを受けた株式について、第二節の（1）《上場株式の評価》の定めにより評価した価額に相当する金額（課税時期の翌日以後その株主となる権利につき払い込むべき金額がある場合には、その金額から払い込むべき金額を控除した金額）によって評価する。

（株式無償交付期待権の評価）

（3）　株式無償交付期待権の価額は、その株式無償交付期待権の発生している株式について、第二節の（1）《上場株式の評価》、第三節の（1）《気配相場等のある株式の評価》、第三節の（4）《気配相場等のある株式の評価の特例》、第四節の(14)《株式の割当てを受ける権利等の発生している株式の価額の修正》、第四節の(16)《同族株主以外の株主等が取得した株式の評価》若しくは第四節の(27)《株式の割当てを受ける権利等の発生している特定の評価会社の株式の価額の修正》の定めにより評価した価額又は第四節の(21)《特定の評価会社の株式》に定める特定の評価会社の株式を同(16)《同族株主以外の株主等が取得した株式の評価》の本文の定めにより評価した価額に相当する金額によって評価する。ただし、課税時期において発行日決済取引が行われている株式に係る無償交付期待権については、その株式について第二節の（1）《上場株式の評価》の定めにより評価した価額に相当する金額によって評価する。（評基通192）

（配当期待権の評価）

（4）　配当期待権の価額は、課税時期後に受けると見込まれる予想配当の金額から当該金額につき源泉徴収されるべき所得税の額に相当する金額（特別徴収されるべき道府県民税の額に相当する金額を含む。以下同じ。）を控除した金額によって評価する。（評基通193）

（ストックオプションの評価）

（5）　その目的たる株式が上場株式又は気配相場等のある株式であり、かつ、課税時期が権利行使可能期間内にあるストックオプションの価額は、課税時期におけるその株式の価額から権利行使価額を控除した金額に、ストックオプション

－1530－

第八章　株式及び出資

１個の行使により取得することができる株式数を乗じて計算した金額（その金額が負数のときは、０とする。）によって
評価する。この場合の「課税時期におけるその株式の価額」は、第二節の（１）《上場株式の評価》から（４）《上場株式
についての最終価格の月平均額の特例》まで又は第三節の（１）《気配相場等のある株式の評価》から（５）《登録銘柄及
び店頭管理銘柄の取引価格の月平均額の特例》までの定めによって評価する。（評基通193－２）

　　（上場新株予約権の評価）
（６）　上場新株予約権の評価は、次に掲げる区分に従い、それぞれ次に掲げるところによる。
（一）　新株予約権が上場期間内にある場合
　イ　ロに該当しない上場新株予約権の価額は、その新株予約権が上場されている金融商品取引所の公表する課税時期
　　の最終価格（課税時期に金融商品取引所の公表する最終価格がない場合には、課税時期前の最終価格のうち、課税
　　時期に最も近い日の最終価格とする。以下（６）において同じ。）と上場期間中の新株予約権の毎日の最終価格の平均
　　額のいずれか低い価額によって評価する。
　ロ　負担付贈与又は個人間の対価を伴う取引により取得した上場新株予約権の価額は、その新株予約権が上場されて
　　いる金融商品取引所の公表する課税時期の最終価格によって評価する。
（二）　上場廃止された新株予約権が権利行使可能期間内にある場合
　　　課税時期におけるその目的たる株式の価額から権利行使価額を控除した金額に、新株予約権１個の行使により取得
　　することができる株式数を乗じて計算した金額（その金額が負数のときは、０とする。以下において同じ。）によって
　　評価する。この場合の「課税時期におけるその目的たる株式の価額」は、第二節の（１）《上場株式の評価》から（４）
　　《上場株式についての最終価格の月平均額の特例》までの定めによって評価する（以下（６）において同じ。）。ただし、
　　新株予約権の発行法人による取得条項が付されている場合には、課税時期におけるその目的たる株式の価額から権利
　　行使価額を控除した金額に、新株予約権１個の行使により取得することができる株式数を乗じて計算した金額と取得
　　条項に基づく取得価格のいずれか低い金額によって評価する。（評基193－３）

第九編　財産の評価

第六節　出　資　等

（持分会社等の出資の評価）

（1）　会社法第575条第1項に規定する持分会社に対する出資の価額は、第四節の（1）《取引相場のない株式の評価上の区分》から第五節の（6）《上場新株予約権の評価》までの定めに準じて計算した価額によって評価する。（評基通194）

（医療法人の出資の評価）

（2）　医療法人に対する出資の価額は、第四節の（1）《取引相場のない株式の評価上の区分》の本文、同（2）《取引相場のない株式の評価の原則》から同（4）《類似業種》本文まで、同（6）《類似業種の株価》から同（8）《類似業種の1株当たりの配当金額等の計算》まで、同（9）《類似業種比準価額の修正》の（二）、同（10）《純資産価額》の本文、同（11）《純資産価額計算上の負債》から同（13）《評価会社が有する株式等の純資産価額の計算》まで、同（14）《株式の割当てを受ける権利等の発生している株式の価額の修正》の（二）、同（21）《特定の評価会社の株式》、同（22）《比準要素数1の会社の株式の評価》から同（24）《土地保有特定会社の株式又は開業後3年未満の会社等の株式の評価》（同（10）《純資産価額》のただし書の定め及び同（16）《同族株主以外の株主等が取得した株式の評価》の定めを適用する部分を除く。）まで及び同（25）《開業前又は休業中の会社の株式の評価》から第五節（3）《株式無償交付期待権の評価》までの定めに準じて計算した価額によって評価する。この場合において、第四節（4）《類似業種》の「評価会社の事業が該当する業種目」は同（4）の定めにより別に定める業種目のうちの「その他の産業」とし、同（21）《特定の評価会社の株式》の（一）の「比準要素数1の会社の株式」に相当する医療法人に対する出資は、同（7）《評価会社の1株当たりの配当金額等の計算》の（二）又は（三）に定める「1株当たりの利益金額」又は「1株当たりの純資産価額（帳簿価額によって計算した金額）」のそれぞれの金額のうち、いずれかが0であり、かつ、直前々期末を基準にして同（7）の定めに準じそれぞれの金額を計算した場合に、それぞれの金額のうち、いずれか1以上が0である評価対象の医療法人の出資をいい、同（3）《類似業種比準価額》及び同（23）《株式等保有特定会社の株式の評価》の（一）のイに定める算式は、それぞれ次の算式による。（評基通194－2）

（一）　同（3）《類似業種比準価額》に定める算式

$$A \times \left(\frac{\dfrac{\text{Ⓒ}}{\text{C}} + \dfrac{\text{Ⓓ}}{\text{D}}}{2} \right) \times 0.7$$

　　ただし、上記算式中の「0.7」は同（1）《取引相場のない株式の評価上の区分》に定める中会社に相当する医療法人に対する出資を評価する場合には「0.6」、同（1）に定める小会社に相当する医療法人に対する出資を評価する場合には「0.5」とする。

（二）　同（23）《株式等保有特定会社の株式の評価》の（一）のイに定める算式

$$A \times \left(\frac{\dfrac{\text{Ⓒ}-\text{ⓒ}}{\text{C}} + \dfrac{\text{Ⓓ}-\text{ⓓ}}{\text{D}}}{2} \right) \times 0.7$$

　　ただし、上記算式中の「0.7」は同（1）《取引相場のない株式の評価上の区分》に定める中会社に相当する医療法人に対する出資を評価する場合には「0.6」、同（1）に定める小会社に相当する医療法人に対する出資を評価する場合には「0.5」とする。

（農業協同組合等の出資の評価）

（3）　農業協同組合等、（4）《企業組合等の出資の評価》の定めに該当しない組合等に対する出資の価額は、原則として、払込済出資金額によって評価する。（評基通195）

（企業組合等の出資の評価）

（4）　企業組合、漁業生産組合その他これに類似する組合等に対する出資の価額は、課税時期におけるこれらの組合等の実情によりこれらの組合等の第四節の（10）《純資産価額》の定めを準用して計算した純資産価額（相続税評価額によって計算した金額）を基とし、出資の持分に応ずる価額によって評価する。（評基通196）

－1532－

第八章　株式及び出資

> （編者注）　以下の計算例は、「取引相場のない株式（出資）の評価明細書の記載方法等」に基づくものであり、便宜的に仮のモデルの数字及び日付（曜日は考慮しないものとする。）等で各事例を簡略化して作成しています。実務上の実際の取扱いは、それぞれ異なりますのでご注意ください。

計算例1　大会社の同族株主等（少数株式所有者に該当しない。）の場合（類似業種比準方式と純資産価額方式の低い方）

A　設　　例

1　会社名　　　　　　　　　△△鋼機株式会社（建設機械製造）
2　課税時期　　　　　　　　令和6年5月30日
3　直前期末（1年決算）　　令和6年3月31日
4　直前期末の資本金等の額　　70,000千円
5　課税時期の資本金等の額　　70,000千円
6　発行済株式数　　　　　140,000株（1株当たりの資本金等の額500円）

　（注）　1単元の株式の数は100株とします。

7　直前期の配当金額　7,000千円、直前々期の配当金額　10,500千円、直前々期の前期の配当金額　8,400千円
8　会社の規模の判定要素
　①　直前期末の総資産価額（帳簿価額）　　　1,215,600千円
　②　直前期末以前1年間における継続勤務従業員数65人、継続勤務従業員以外の従業員の労働時間の合計時間数8,280時間
　③　直前期末以前1年間の取引金額　　　　　4,577,100千円
　④　評価会社の業種　　　　　　　　　　　　卸売業、小売・サービス業以外の業種
9　直前期の利益金額　90,100千円（直前々期の利益金額は125,600千円、直前々期の前期の利益金額は111,000千円）
　……非経常的利益は含まれていない。
10　直前期末の純資産価額（帳簿価額）　　　251,500千円（直前々期末の純資産価額250,000千円）
11　株主総会　　　令和6年5月21日
　この株主総会において、7,000千円（1株当たり50円）の配当金（資本等の減少によるものはない。）の支払が決議された。
12　類似業種の株価及び配当金額等
　イ　中分類業種目……生産用機械器具製造業（No.35）
　　A　5月171円　4月165円　3月173円　令和5年平均149円、令和6年5月以前2年間の平均153円のうちの最低金額＝149円
　　（注）　イ及びロにおけるAの5月〜3月の株価は、仮定の数値であることにご留意ください。
　　B　2.7円　C　13円　D　181円
　ロ　小分類業種目……その他の生産用機械器具製造業（No.37）
　　A　5月153円　4月158円　3月161円　令和5年平均136円、令和6年5月以前2年間の平均142円のうちの最低金額＝136円
　　B　2.3円　C　12円　D　171円
13　増資払込期日　　　　令和6年7月2日（増資割当の基準日　令和6年5月21日
　　　　　　　　　　　　　　割当比率1：1　払込金額1株につき250円株主割当）
14　評価会社の土地は、15年前に取得したものである。
15　評価会社は、自己株式を保有しておらず、種類株式は発行していない（普通株式のみ）。

B　計算要領
1　類似業種比準価額
　（1）　Ⓑ、Ⓒ及びⒹの計算
　　70,000千円÷50円＝1,400,000株（額面50円換算株式数）
　　Ⓑ　$\dfrac{（7,000千円＋10,500千円）÷2}{1,400,000株}＝6.2円$
　　Ⓒ　90,100千円÷1,400,000株＝64円
　　Ⓓ　251,500千円÷1,400,000株＝179円

第九編　財産の評価

（2）　類似業種比準価額の計算

イ　中分類業種目による場合

$$\left[\frac{6.2円}{2.7円}+\frac{64円}{13円}+\frac{179円}{181円}\right]\div3=2.73（小数点以下2位未満切捨て。各分数の値も同じ。）$$

149円×2.73×0.7＝284円70銭（10銭位未満切捨て）

ロ　小分類業種目による場合

$$\left[\frac{6.2円}{2.3円}+\frac{64円}{12円}+\frac{179円}{171円}\right]\div3=3.02$$

136円×3.02×0.7＝287円50銭（10銭位未満切捨て）

ハ　類似業種の業種目の選定

287円50銭＞284円70銭　よって中分類業種目（No.35）による。

（3）　1株当たりの比準価額

$$284円70銭×\frac{500円}{50円}=2,847円（円位未満切捨て）$$

（4）　類似業種比準価額の修正

配当金の確定による修正　　2,847円－50円＝2,797円

（5）　1株当たり純資産価額　6,890円（第5表⑪）

（6）　原則的評価方式による1株当たり評価額

（4）2,797円＜（5）6,890円　∴（4）2,797円による。

2　株式の価額の修正

課税時期が増資割当基準日の翌日から払込期日の間に当たるため株式の割当てを受ける権利が発生していることによる修正

（2,797円＋250円×1株）÷（1株＋1株）＝1,523円（円位未満切捨て）

3　株式の割当てを受ける権利の評価

1,523円－250円＝1,273円

第八章　株式及び出資

第1表の1　評価上の株主の判定及び会社規模の判定の明細書

整理番号

（取引相場のない株式（出資）の評価明細書）

会　社　名	（電話 6942-2917） △△鋼機株式会社	本店の所在地	大阪市○○区○○町14-8		
代表者氏名	日本　太郎	事業内容	取扱品目及び製造、卸売、小売等の区分	業種目番号	取引金額の構成比
課税時期	6 年　5 月　30 日		建設機械製造	37	100 %
直前期	自　5 年　4 月　1 日 至　6 年　3 月　31 日				

1．株主及び評価方式の判定

（令和六年一月一日以降用）

判定要素（課税時期現在の株式等の所有状況）	氏名又は名称	続柄	会社における役職名	⑦ 株式数 （株式の種類）	㋺ 議決権数	㋩ 議決権割合 （㋺/④）
				株	個	%
	日本　太郎	納税義務者	代表取締役	100,000	1,000	71
	日本　一郎	長男	常務取締役	10,000	100	7
	日本　花子	妻	監査役	14,000	140	10
	自己株式					
	納税義務者の属する同族関係者グループの議決権の合計数			② 1,240		⑤ (②/④) 88
	筆頭株主グループの議決権の合計数			③ 1,240		⑥ (③/④) 88
	評価会社の発行済株式又は議決権の総数			① 140,000	④ 1,400	100

判定基準

納税義務者の属する同族関係者グループの議決権割合（⑤の割合）を基として、区分します。

区分	筆頭株主グループの議決権割合（⑥の割合）			株主の区分
⑤の割合	50%超の場合	30%以上50%以下の場合	30%未満の場合	
	50%超	30%以上	15%以上	同族株主等
	50%未満	30%未満	15%未満	同族株主等以外の株主

判定

同族株主等（原則的評価方式等）　　　同族株主等以外の株主（配当還元方式）

「同族株主等」に該当する納税義務者のうち、議決権割合（㋩の割合）が5%未満の者の評価方式は、「2．少数株式所有者の評価方式の判定」欄により判定します。

2．少数株式所有者の評価方式の判定

判定要素	項　目	判　定　内　容
	氏　名	
㋥ 役　員		である（原則的評価方式等）・でない（次の㋬へ）
㋬ 納税義務者が中心的な同族株主		である（原則的評価方式等）・でない（次の㋭へ）
㋭ 納税義務者以外に中心的な同族株主（又は株主）		がいる（配当還元方式）・がいない（原則的評価方式等） （氏名　　　　　　　　）
判　定		原則的評価方式等　・　配当還元方式

-1535-

第九編　財産の評価

第1表の2　評価上の株主の判定及び会社規模の判定の明細書（続）　会社名　△△鋼機株式会社

（取引相場のない株式（出資）の評価明細書）

（令和六年一月一日以降用）

3．会社の規模（Lの割合）の判定

判定要素

項　目	金　額	項　目	人　　数	
直前期末の総資産価額 （帳簿価額）	千円 **1,215,600**	直前期末以前1年間における従業員数		**69.6** 人
			［従業員数の内訳］	
直前期末以前1年間の取引金額	千円 **4,577,100**		継続勤務従業員数 **（65**人**）** ＋	継続勤務従業員以外の従業員の労働時間の合計時間数 **8,280** 時間 ―――――――― 1,800時間

判定基準

ⓗ　直前期末以前1年間における従業員数に応ずる区分

- 70人以上の会社は、大会社（ⓕ及びⓘは不要）
- 70人未満の会社は、ⓕ及びⓘにより判定

ⓕ　直前期末の総資産価額（帳簿価額）及び直前期末以前1年間における従業員数に応ずる区分				ⓘ　直前期末以前1年間の取引金額に応ずる区分			会社規模とLの割合（中会社）の区分	
総資産価額（帳簿価額）			従業員数	取　引　金　額				
卸売業	小売・サービス業	卸売業、小売・サービス業以外		卸売業	小売・サービス業	卸売業、小売・サービス業以外		
20億円以上	15億円以上	15億円以上	35人超	30億円以上	20億円以上	15億円以上	大　会　社	
4億円以上 20億円未満	5億円以上 15億円未満	5億円以上 15億円未満	35人超	7億円以上 30億円未満	5億円以上 20億円未満	4億円以上 15億円未満	0.90	中
2億円以上 4億円未満	2億5,000万円以上 5億円未満	2億5,000万円以上 5億円未満	20人超 35人以下	3億5,000万円以上 7億円未満	2億5,000万円以上 5億円未満	2億円以上 4億円未満	0.75	会
7,000万円以上 2億円未満	4,000万円以上 2億5,000万円未満	5,000万円以上 2億5,000万円未満	5人超 20人以下	2億円以上 3億5,000万円未満	6,000万円以上 2億5,000万円未満	8,000万円以上 2億円未満	0.60	社
7,000万円未満	4,000万円未満	5,000万円未満	5人以下	2億円未満	6,000万円未満	8,000万円未満	小　会　社	

・「会社規模とLの割合（中会社）の区分」欄は、ⓕ欄の区分（「総資産価額（帳簿価額）」と「従業員数」とのいずれか下位の区分）とⓘ欄（取引金額）の区分とのいずれか上位の区分により判定します。

判定

大会社	中　会　社			小　会　社	
	L の 割 合				
	0.90	0.75	0.60		

4．増（減）資の状況その他評価上の参考事項

1、直前期末以後における増資に関する事項
- 増資年月日　　　　令和6年7月2日
- 増資金額　　　　　70,000千円
- 増資内容　　　　　1：1（払込金額1株につき250円株主割当）
- 増資後の資本金額　140,000千円

2、直前期分の配当金
- 支払基準日　　令和6年3月31日　　効力発生日　　令和6年5月21日
- 資本金等の額の減少に伴うもの　なし

－1536－

第八章　株式及び出資

第２表　特定の評価会社の判定の明細書

会社名　△△鋼機株式会社

（令和六年一月一日以降用）

（取引相場のない株式（出資）の評価明細書）

1. 比準要素数１の会社

判　定　要　素						判定基準	判定
（1）直前期末を基とした判定要素			（2）直前々期末を基とした判定要素			(1)欄のいずれか２の判定要素が０であり、かつ、(2)欄のいずれか２以上の判定要素が０である（該当）・**でない**（非該当）	
第４表の⑤1の金額	第４表の⑤1の金額	第４表の⑩1の金額	第４表の⑤2の金額	第４表の⑤2の金額	第４表の⑩2の金額		
円　銭 6 20	円 64	円 179	円　銭 6 70	円 89	円 178		該当　**非該当**

2. 株式等保有特定会社

判　定　要　素			判定基準	判定
総資産価額（第５表の①の金額）	株式等の価額の合計額（第５表の④の金額）	株式等保有割合（②／①）	③の割合が50％以上である・**③の割合が50％未満である**	
① 千円 2,385,700	② 千円 72,200	③ ％ 3		該当　**非該当**

3. 土地保有特定会社

判　定　要　素			
総資産価額（第５表の①の金額）	土地等の価額の合計額（第５表の◯の金額）	土地保有割合（⑤／④）	会社の規模の判定（該当する文字を◯で囲んで表示します。）
④ 千円 2,385,700	⑤ 千円 1,250,000	⑥ ％ 52	**大会社**・中会社・小会社

判定基準	会社の規模	大　会　社	中　会　社	小　会　社（総資産価額（帳簿価額）が次の基準に該当する会社）	
				・卸売業　　　　　　20億円以上	・卸売業　7,000万円以上20億円未満
				・小売・サービス業　15億円以上	・小売・サービス業　4,000万円以上15億円未満
				・上記以外の業種　　15億円以上	・上記以外の業種　5,000万円以上15億円未満
	⑥の割合	70％以上	**70％未満**	90％以上　90％未満	70％以上　70％未満　90％以上　90％未満
判　　定		該当　**非該当**		該当　非該当　該当　非該当	該当　非該当　該当　非該当

4. 開業後３年未満の会社等

(1) 開業後３年未満の会社

判定要素	判定基準	判定
開業年月日　昭40年7月1日	課税時期において開業後３年未満である	課税時期において開業後３年未満でない
	該　　当	**非　該　当**

(2) 比準要素数０の会社

直前期末を基とした判定要素			判定基準	
第４表の⑤1の金額	第４表の⑥1の金額	第４表の⑩1の金額	直前期末を基とした判定要素がいずれも０である（該当）・**でない**（非該当）	判定
円　銭 6 20	円 64	円 179		該当　**非該当**

5. 開業前又は休業中の会社

開業前の会社の判定		休業中の会社の判定	
該当	**非該当**	該当	**非該当**

6. 清算中の会社

判　定	
該　当	**非　該　当**

7. 特定の評価会社の判定結果

1. 比準要素数１の会社　　　　2. 株式等保有特定会社

3. 土地保有特定会社　　　　4. 開業後３年未満の会社等

5. 開業前又は休業中の会社　　6. 清算中の会社

該当する番号を◯で囲んでください。なお、上記の「1. 比準要素数１の会社」欄から「6. 清算中の会社」欄の判定において２以上に該当する場合には、後の番号の判定によります。

－1537－

第九編　財産の評価

第3表　一般の評価会社の株式及び株式に関する権利の価額の計算明細書

会社名　△△鋼機株式会社

（令和六年一月一日以降用）

（取引相場のない株式（出資）の評価明細書）

	1 株当たりの価額の計算の基となる金額	類似業種比準価額（第4表の㉖、㉗又は㉘の金額）	1株当たりの純資産価額（第5表の⑪の金額）	1株当たりの純資産価額の80％相当額（第5表の⑫の記載がある場合のその金額）
		①　　　　　円 **2,797**	②　　　　　円 **6,890**	③　　　　　円

1　原則的評価方式による価額

1株当たりの価額の計算	区分	1 株 当 た り の 価 額 の 算 定 方 法	1 株 当 た り の 価 額
	大会社の株式の価額	次のうちいずれか低い方の金額（②の記載がないときは①の金額） イ　①の金額 ロ　②の金額	④　　　　　円 **2,797**
	中会社の株式の価額	（①と②とのいずれか　×　Lの割合）＋（②の金額（③の金額があるときは③の金額）×（1－Lの割合）） 　　低い方の金額　　0.　　　　　　　　　　　　　　　　　　0.	⑤　　　　　円
	小会社の株式の価額	次のうちいずれか低い方の金額 イ　②の金額（③の金額があるときは③の金額） ロ　（①の金額 × 0.50）＋（イの金額 × 0.50）	⑥　　　　　円

株式の価額の修正	課税時期において配当期待権の発生している場合	株式の価額 [④、⑤又は⑥の金額] －	1株当たりの配当金額　　円　　銭	修正後の株式の価額 ⑦　　　　　円
	課税時期において株式の割当てを受ける権利、株主となる権利又は株式無償交付期待権の発生している場合	株式の価額 [（④、⑤又は⑥（⑦があるときは⑦）の金額） ＋	割当株式1株当たりの払込金額 **250** 円 × 1株当たりの割当株式数 **1** 株] ÷（1株＋ 1株当たりの割当株式数又は交付株式数 **1** 株）	修正後の株式の価額 ⑧　　　　　円 **1,523**

2　配当還元方式による価額

	1株当たりの資本金等の額、発行済株式数等	直前期末の資本金等の額	直前期末の発行済株式数	直前期末の自己株式数	1株当たりの資本金等の額を50円とした場合の発行済株式数（⑨÷50円）	1株当たりの資本金等の額（⑨÷（⑩－⑪））
		⑨　　　　千円	⑩　　　　株	⑪　　　　株	⑫　　　　株	⑬　　　　円

直前期末以前2年間の配当金額	事業年度	⑭ 年 配 当 金 額	⑮ 左のうち非経常的な配当金額	⑯ 差引経常的な年配当金額（⑭－⑮）	年平均配当金額
	直前期	千円	千円	イ　　　千円	⑰ （イ＋ロ）÷2　千円
	直前々期	千円	千円	ロ　　　千円	

1株（50円）当たりの年配当金額	年平均配当金額（⑰の金額）　÷ ⑫の株式数　＝	⑱　　　　円　　銭	この金額が2円50銭未満の場合は2円50銭とします。

配当還元価額	⑱の金額／10% × ⑬の金額／50円 ＝	⑲　　　　円	⑳　　　　円	⑲の金額が、原則的評価方式により計算した価額を超える場合には、原則的評価方式により計算した価額とします。

3　株式に関する権利の価額（1及び2に共通）

配当期待権	1株当たりの予想配当金額（　円　銭）－ 源泉徴収されるべき所得税相当額（　円　銭）	㉑　　円　　銭
株式の割当てを受ける権利（割当株式1株当たりの価額）	⑧（配当還元方式の場合は⑳）の金額 － 割当株式1株当たりの払込金額 **250** 円	㉒　　円 **1,273**
株主となる権利（割当株式1株当たりの価額）	⑧（配当還元方式の場合は⑳）の金額（課税時期後にその株主となる権利につき払い込むべき金額があるときは、その金額を控除した金額）	㉓　　円
株式無償交付期待権（交付される株式1株当たりの価額）	⑧（配当還元方式の場合は⑳）の金額	㉔　　円

4．株式及び株式に関する権利の価額（1．及び2．に共通）

株式の評価額	**1,523** 円
株式に関する権利の評価額	**1,273** 円（　円　銭）

－1538－

第八章　株式及び出資

第４表　類似業種比準価額等の計算明細書

会社名　△△鋼機株式会社

（取引相場のない株式（出資）の評価明細書）

（令和六年一月一日以降用）

1. 1株当たりの資本金等の額等の計算	直前期末の資本金等の額 ①	直前期末の発行済株式数 ②	直前期末の自己株式数 ③	1株当たりの資本金等の額（①÷（②－③）） ④	1株当たりの資本金等の額を50円とした場合の発行済株式数（①÷50円） ⑤
	70,000 千円	140,000 株	株	500 円	1,400,000 株

2. 比準要素等の金額の計算

1株(50円)当たりの年配当金額

直前期末以前2（3）年間の年平均配当金額

事業年度	⑥ 年配当金額	⑦ 左のうち非経常的な配当金額	⑧ 差引経常的な年配当金額（⑥－⑦）	年平均配当金額
直前期	7,000 千円	0 千円	⑦ 7,000 千円	⑨（⑦+㋺）÷2 8,750 千円
直前々期	10,500 千円	0 千円	㋺ 10,500 千円	
直前々期の前期	8,400 千円	0 千円	㋩ 8,400 千円	⑩（㋺+㋩）÷2 9,450 千円

比準要素数1の会社・比準要素数0の会社の判定要素の金額

| ⑨/⑤ | ⑧ | 6 円 20 銭 |
| ⑩/⑤ | ⑩ | 6 円 70 銭 |

1株(50円)当たりの年配当金額 ⑧（⑥）の金額 ⑬ 6 円 20 銭

1株(50円)当たりの年利益金額

直前期末以前2（3）年間の利益金額

事業年度	⑪法人税の課税所得金額	⑫非経常的な利益金額	⑬受取配当等の益金不算入額	⑭左の所得税額	⑮損金算入した繰越欠損金の控除額	⑯差引利益金額（⑪－⑫+⑬－⑭+⑮）
直前期	90,100 千円	0 千円	0 千円	0 千円	0 千円	㋑ 90,100 千円
直前々期	125,600 千円	0 千円	0 千円	0 千円	0 千円	㋺ 125,600 千円
直前々期の前期	千円	千円	千円	千円	千円	㋩ 千円

比準要素数1の会社・比準要素数0の会社の判定要素の金額

| ⑰ 又は（㋑+㋺）÷2 | ⓒ | 64 円 |
| ⑱ 又は（㋺+㋩）÷2 | ⓒ₂ | 89 円 |

1株(50円)当たりの年利益金額 ⓒ（㋑ 又は（㋑+㋺）÷2 の金額） 64 円

1株(50円)当たりの純資産価額

直前期末（直前々期末）の純資産価額

事業年度	⑰ 資本金等の額	⑱ 利益積立金額	⑲ 純資産価額（⑰+⑱）
直前期	70,000 千円	181,500 千円	㋑ 251,500 千円
直前々期	70,000 千円	180,000 千円	㋺ 250,000 千円

比準要素数1の会社・比準要素数0の会社の判定要素の金額

| ㋑/⑤ | ⓓ | 179 円 |
| ㋺/⑤ | ⓓ₂ | 178 円 |

1株(50円)当たりの純資産価額 ⓓ（㋑）の金額 179 円

3. 類似業種比準価額の計算

1株(50円)当たりの比準価額の計算

類似業種と業種目番号	生産用機械器具製造業（No. 35）		区分	1株(50円)当たりの年配当金額	1株(50円)当たりの年利益金額	1株(50円)当たりの純資産価額	1株(50円)当たりの比準価額
類似業種の株価	課税時期の属する月	㋑ 5月 171 円	評価会社	⑬ 6 円 20 銭	ⓒ 64 円	ⓓ 179 円	⑳×㉓×0.7 ※
	課税時期の属する月の前月	㋺ 4月 165 円					※中会社は0.6 小会社は0.5 とします。
	課税時期の属する月の前々月	㋩ 3月 173 円	類似業種	B 2 円 70 銭	C 13 円	D 181 円	
	前年平均株価	㋥ 149 円	要素別比準割合	⑬/B 2.29	ⓒ/C 4.92	ⓓ/D 0.98	
	課税時期の属する月以前2年間の平均株価	㋭ 153 円	比準割合	(⑬/B + ⓒ/C + ⓓ/D) ÷ 3		= ㉑ 2.73	㉒ 284 円 7 銭
	A ㋑、㋺、㋩、㋥及び㋭のうち最も低いもの	⑳ 149 円					
類似業種と業種目番号	その他の生産用機械器具製造業（No. 37）		区分	1株(50円)当たりの年配当金額	1株(50円)当たりの年利益金額	1株(50円)当たりの純資産価額	1株(50円)当たりの比準価額
類似業種の株価	課税時期の属する月	㋑ 5月 153 円	評価会社	⑬ 6 円 20 銭	ⓒ 64 円	ⓓ 179 円	⑳×㉓×0.7 ※
	課税時期の属する月の前月	㋺ 4月 158 円					※中会社は0.6 小会社は0.5 とします。
	課税時期の属する月の前々月	㋩ 3月 161 円	類似業種	B 2 円 30 銭	C 12 円	D 171 円	
	前年平均株価	㋥ 136 円	要素別比準割合	⑬/B 2.69	ⓒ/C 5.33	ⓓ/D 1.04	
	課税時期の属する月以前2年間の平均株価	㋭ 142 円	比準割合	(⑬/B + ⓒ/C + ⓓ/D) ÷ 3		= ㉑ 3.02	㉒ 287 円 5 銭
	A ㋑、㋺、㋩、㋥及び㋭のうち最も低いもの	⑳ 136 円					

1株当たりの比準価額の計算

1株当たりの比準価額	比準価額（㉒と㉒とのいずれか低い方の金額） × ④の金額/50円	㉓ 2,847 円

比準価額の修正

直前期末の翌日から課税時期までの間に配当金交付の効力が発生した場合	比準価額（㉓の金額） － 1株当たりの配当金額 50円 00銭	修正比準価額 ㉗ 2,797 円
直前期末の翌日から課税時期までの間に株式の割当て等の効力が発生した場合	比準価額（㉓（㉗があるときは㉗）の金額）+ 割当株式1株当たりの払込金額 円 銭 × 1株当たりの割当株式数 株 ÷（1株+ 1株当たりの割当株式数又は交付株式数 株）	修正比準価額 ㉘ 円

－1539－

第九編　財産の評価

第5表　1株当たりの純資産価額（相続税評価額）の計算明細書　　会社名 △△鋼機株式会社

（取引相場のない株式（出資）の評価明細書）

（令和六年一月一日以降用）

1. 資産及び負債の金額（課税時期現在）

資　産　の　部				負　債　の　部			
科　　目	相続税評価額	帳簿価額	備考	科　　目	相続税評価額	帳簿価額	備考
	千円	千円			千円	千円	
現　　金	6,300	6,300		支 払 手 形	407,600	407,600	
預　　金	276,500	276,500		買 掛 金	75,500	75,500	
受 取 手 形	125,600	125,600		短期借入金	278,400	278,400	
売 掛 金	274,400	274,400		未 払 金	15,300	15,300	
貸 付 金	7,700	7,700		前 受 金	8,700	8,700	
前 渡 金	1,700	1,700		預 り 金	3,900	3,900	
仮 払 金	8,900	8,900		長期借入金	100,000	100,000	
製　　品	20,000	20,000		仮 受 金	20,900	20,900	
仕 掛 品	155,200	155,200		未納税金	50,000	50,000	
貯 蔵 材 料	27,000	27,000		役 員 賞 与	5,000	5,000	
建　　物	60,900	60,900		配 当 金	7,000	7,000	
機 械 設 備	60,000	60,000		退 職 金	25,000	25,000	
工 具 器 具	7,500	7,500					
備　　品	6,800	6,800					
土　　地	1,250,000	122,700					
有 価 証 券	72,200	54,400	上場株				
未収保険金	25,000	25,000					
合　　計	① 2,385,700	② 1,240,600		合　　計	③ 997,300	④ 997,300	
株式等の価額の合計額	㋑ 72,200	㋺ 54,400					
土地等の価額の合計額	㋩ 1,250,000						
現物出資等受入れ資産の価額の合計額	㋥ 0	㋭ 0					

2. 評価差額に対する法人税額等相当額の計算

相続税評価額による純資産価額　（①－③）	⑤	1,388,400 千円
帳簿価額による純資産価額（（②＋㋥－㋭－④）、マイナスの場合は0）	⑥	243,300 千円
評価差額に相当する金額（⑤－⑥、マイナスの場合は0）	⑦	1,145,100 千円
評価差額に対する法人税額等相当額（⑦×37%）	⑧	423,687 千円

3. 1株当たりの純資産価額の計算

課税時期現在の純資産価額（相続税評価額）　（⑤－⑧）	⑨	964,713 千円
課税時期現在の発行済株式数（（第1表の1の①）－自己株式数）	⑩	140,000 株
課税時期現在の1株当たりの純資産価額（相続税評価額）（⑨÷⑩）	⑪	6,890 円
同族株主等の議決権割合（第1表の1の⑤の割合）が50%以下の場合（⑪×80%）	⑫	円

-1540-

第八章　株式及び出資

計算例2　中会社の同族株主等（少数株式所有者に該当しない。）で純資産価額の特例計算の適用を受ける場合（類似業種比準方式と純資産価額方式の併用方式）

A　設　　例

1　会社名　　　　　　　　株式会社ミセスモール（婦人服小売）

2　課税時期　　　　　　　令和6年5月30日

3　直前期末（1年決算）　令和6年3月31日

4　直前期末の資本金等の額　10,000千円

5　課税時期の資本金等の額　10,000千円

6　発行済株式数　　　　　20,000株（1株当たりの資本金等の額500円）

　　（注）　1単元の株式の数は100株とします。

7　直前期の配当金額　2,000千円、直前々期の配当金額　1,600千円、直前々期の前期の配当金額　1,200千円

8　会社の規模の判定要素

　　①　直前期末の総資産価額（帳簿価額）　　59,680千円

　　②　直前期末以前1年間における継続勤務従業員数24人、継続勤務従業員以外の従業員の労働時間の合計時間数14,400時間

　　③　直前期末以前1年間の取引金額　　　485,500千円

　　④　評価会社の業種　　　　　　　　　　小売業

9　直前期の利益金額　35,000千円（直前々期の利益金額28,400千円、直前々期の前期の利益金額29,000千円）……非経常的利益は含まれていない。

10　直前期末の純資産価額（帳簿価額）　　46,000千円（直前々期末の純資産価額45,000千円）

11　課税時期現在の純資産価額（評価差額に対する法人税額等に相当する金額控除後の金額）

（注）　評価会社は、課税時期現在における仮決算をしていないため、直前期末の資産及び負債並びに相続開始により確定した受取保険金と退職金を基として計算した。なお、所有土地は16年前に取得している。

　　　　（297,237千円－48,680千円）－（74,680千円－48,680千円）＝222,557千円

　　　　222,557千円×0.37＝82,346千円

　　　　297,237千円－48,680千円－82,346千円＝166,211千円

12　株主総会　　　　　　　令和6年5月21日

　　この株主総会において2,000千円（1株当たり100円）の配当金（資本等の減少によるものはない。）の支払が決議された。

13　評価会社は、自己株式を保有しておらず、種類株式は発行していない（普通株式のみ）。

14　類似業種の株価及び配当金額等

　　イ　大分類業種目……小売業（No.79）

　　　A　5月215円　4月212円　3月210円　令和5年平均209円、令和6年5月以前2年間の平均217円のうち最低金額＝209円

　　　（注）　イ及びロにおけるAの5月〜3月の株価は、仮定の数値であることにご留意ください。

　　　B　3.9円　C　27円　D　197円

　　ロ　中分類業種目……織物・衣服・身の回り品の小売業（No.81）

　　　A　5月266円　4月268円　3月257円　令和5年平均229円、令和6年5月以前2年間の平均245円のうち最低金額＝229円

　　　B　4.0円　C　37円　D　219円

B　計算要領

1　会社規模　　中会社（Lの割合は4参照）

2　類似業種比準価額の計算

　（1）　Ⓑ、Ⓒ及びⒹの計算

　　10,000千円÷50円＝200,000株（額面50円換算株式数）

　　Ⓑ　$\dfrac{(2,000千円＋1,600千円)÷2}{200,000株}$ ＝9円

－1541－

第九編　財産の評価

　　Ⓒ　（35,000千円＋28,400千円）×$\frac{1}{2}$÷200,000株＝158円

　　Ⓓ　46,000千円÷200,000株＝230円

（2）　類似業種比準価額の計算

　イ　大分類業種目による場合

$$\left[\frac{9.0円}{3.9円}+\frac{158円}{27円}+\frac{230円}{197円}\right]÷3＝3.10（小数点以下2位未満切捨て。各分数の値も同じ。）$$

　　209円×3.10×0.6＝388円70銭（10銭位未満切捨て）

　ロ　中分類業種目による場合

$$\left[\frac{9.0円}{4.0円}+\frac{158円}{37円}+\frac{230円}{219円}\right]÷3＝2.52（小数点以下2位未満切捨て。各分数の値も同じ。）$$

　　229円×2.52×0.6＝346円20銭（10銭未満切捨て）

　ハ　類似業種の業種目の選定

　　388円20銭＞346円20銭　　　　よって中分類業種目（№81）による。

　ニ　1株当たりの比準価額　　346円20銭×$\frac{500円}{50円}$＝3,462円

（3）　類似業種比準価額の修正……配当金の確定による修正　　3,462円－100円＝3,362円

3　課税時期現在の1株当たり純資産価額　　166,211千円÷20,000株＝8,310円

　議決権割合50％以下の株主グループに属するため特例計算による修正

　　8,310円×0.8＝6,648円

4　Lの割合

（1）　総資産価額（帳簿価額）によるもの　⎤　いずれか下位
　　　従業員数によるもの　　　　　　　　⎦　の割合（0.60）　　　　いずれか上位の割合
　　　　　　　　　　　　　　　　　　　　　　　　　　　　　　　Lの割合（0.75）

（2）　取引金額によるもの……………………0.75

5　株式の評価額　　（3,362円※×0.75）＋｛6,648円×（1－0.75）｝＝4,183円

　※4,183円＜8,310円　　∴4,183円による。

－1542－

第八章　株式及び出資

第1表の1　評価上の株主の判定及び会社規模の判定の明細書

整理番号　　　　　　　　　　

（令和六年一月一日以降用）

（取引相場のない株式（出資）の評価明細書）

会社名	（電話 6942-○○××） **株式会社　ミセスモール**	本店の所在地	**大阪市○○区○○町15-1**		
代表者氏名	**日本　五郎**	事業内容	取扱品目及び製造、卸売、小売等の区分	業種目番号	取引金額の構成比
課税時期	**6** 年 **5** 月 **30** 日		**婦人服小売**	**79**	**100** %
直前期	自 **5** 年 **4** 月 **1** 日 至 **6** 年 **3** 月 **31** 日				

1．株主及び評価方式の判定

判定要素（課税時期現在の株式等の所有状況）

氏名又は名称	続柄	会社における役職名	㋑株式数（株式の種類）	㋺議決権数	㋩議決権割合（㋺/④）
山川太郎	納税義務者	**専務取締役**	株 **5,000**	個 **50**	% **25**
山川和子	妻	**—**	**3,000**	**30**	**15**
自己株式					
納税義務者の属する同族関係者グループの議決権の合計数			② **80**	⑤（②/④） **40**	
筆頭株主グループの議決権の合計数			③ **90**	⑥（③/④） **45**	
評価会社の発行済株式又は議決権の総数	① **20,000**	④ **200**	⑦ 100	

判定基準：納税義務者の属する同族関係者グループの議決権割合（⑤の割合）を基として、区分します。

区分基準	筆頭株主グループの議決権割合（⑥の割合）			株主の区分
	50%超の場合	30%以上50%以下の場合	30%未満の場合	
⑤の割合	50%超	（30%以上）	15%以上	同族株主等
	50%未満	30%未満	15%未満	同族株主等以外の株主

判定：
同族株主等（原則的評価方式等）	同族株主等以外の株主（配当還元方式）

「同族株主等」に該当する納税義務者のうち、議決権割合（㋩の割合）が5%未満の者の評価方式は、「2．少数株式所有者の評価方式の判定」欄により判定します。

2．少数株式所有者の評価方式の判定

判定要素	項目	判定内容
	氏名	
㋥	役員	である〔原則的評価方式等〕・でない（次の㋭へ）
㋭	納税義務者が中心的な同族株主	である〔原則的評価方式等〕・でない（次の㋬へ）
㋬	納税義務者以外に中心的な同族株主（又は株主）	がいる（配当還元方式）・がいない〔原則的評価方式等〕 （氏名　　　　　　　）
	判定	原則的評価方式等　・　配当還元方式

－1543－

第九編　財産の評価

第1表の2　評価上の株主の判定及び会社規模の判定の明細書（続）　　会社名 **株式会社ミセスモール**

（取引相場のない株式（出資）の評価明細書）

（令和六年一月一日以降用）

3. 会社の規模（Lの割合）の判定

判定要素	項　　目	金　額	項　　目	人　　　　　数
	直前期末の総資産価額 （帳簿価額）	千円 **59,680**	直前期末以前1年間 における従業員数	**32** 人
	直前期末以前1年間 の取引金額	千円 **485,500**		〔従業員数の内訳〕 （継続勤務従業員数）＋（継続勤務従業員以外の従業員の労働時間の合計時間数） （**24**人）＋ **14,400** 時間 1,800時間

㋑　直前期末以前1年間における従業員数に応ずる区分	70人以上の会社は、大会社（㋺及び㋩は不要） 70人未満の会社は、㋺及び㋩により判定

判定基準

㋺　直前期末の総資産価額（帳簿価額）及び直前期末以前 1年間における従業員数に応ずる区分				㋩　直前期末以前1年間の取引金額に応ずる区分			会社規模とLの割合（中会社）の区分	
総　資　産　価　額（帳　簿　価　額）			従業員数	取　　引　　金　　額				
卸　売　業	小売・サービス業	卸売業、小売・サービス業以外		卸　売　業	小売・サービス業	卸売業、小売・サービス業以外		
20億円以上	15億円以上	15億円以上	35人超	30億円以上	20億円以上	15億円以上	大　会　社	
4億円以上 20億円未満	5億円以上 15億円未満	5億円以上 15億円未満	35人超	7億円以上 30億円未満	5億円以上 20億円未満	4億円以上 15億円未満	0.90	中
2億円以上 4億円未満	2億5,000万円以上 5億円未満	2億5,000万円以上 5億円未満	20人超 35人以下	3億5,000万円以上 7億円未満	2億5,000万円以上 5億円未満	2億円以上 4億円未満	0.75	会
7,000万円以上 2億円未満	4,000万円以上 2億5,000万円未満	5,000万円以上 2億5,000万円未満	5人超 20人以下	2億円以上 3億5,000万円未満	6,000万円以上 2億5,000万円未満	8,000万円以上 2億円未満	0.60	社
7,000万円未満	4,000万円未満	5,000万円未満	5人以下	2億円未満	6,000万円未満	8,000万円未満	小　会　社	

・「会社規模とLの割合（中会社）の区分」欄は、㋺の区分（「総資産価額（帳簿価額）」と「従業員数」とのいずれか下位の区分）と㋩欄（取引金額）の区分とのいずれか上位の区分により判定します。

判定	大　会　社	中　　会　　社			小　会　社	
		Ｌ　の　割　合				
	0.90	0.90	0.75	0.60		

4. 増（減）資の状況その他評価上の参考事項

直前期分の配当金の支払基準日　令和6年3月31日
効力発生日　令和6年5月21日

第八章　株式及び出資

第2表　特定の評価会社の判定の明細書

会社名　**株式会社ミセスモール**

（取引相場のない株式（出資）の評価明細書）

（令和六年一月一日以降用）

1．比準要素数1の会社

判　定　要　素						判定基準	(1)欄のいずれか2の判定要素が0であり、かつ、(2)欄のいずれか2以上の判定要素が0	
（1）直前期末を基とした判定要素			（2）直前々期末を基とした判定要素				である（該当）・**でない**（非該当）	
第4表の㋑の金額	第4表の㋺の金額	第4表の㋩の金額	第4表の㋬の金額	第4表の㋭の金額	第4表の㋬の金額	判定		
円　銭	円	円	円　銭	円	円		該　当　・　**非　該　当**	
9　0₀	158	230	7　0₀	143	225			

2．株式等保有特定会社

判　定　要　素			判定基準	③の割合が50%以上である	**③の割合が50%未満である**
総資産価額（第5表の①の金額）	株式等の価額の合計額（第5表の㋑の金額）	株式等保有割合（②/①）			
①　　　　　　千円	②　　　　　　千円	③　　　　％	判定	該　当　・　**非　該　当**	
297,237	0	0			

3．土地保有特定会社

判　定　要　素			会社の規模の判定（該当する文字を○で囲んで表示します。）		
総資産価額（第5表の①の金額）	土地等の価額の合計額（第5表の㋬の金額）	土地保有割合（⑤/④）			
④　　　　　　千円	⑤　　　　　　千円	⑥　　　　％	大会社・**中会社**・小会社		
297,237	218,200	73			

判定基準	会社の規模	大　会　社	中　会　社	小　会　社（総資産価額（帳簿価額）が次の基準に該当する会社）	
				・卸売業　　　　　　20億円以上 ・小売・サービス業　15億円以上 ・上記以外の業種　　15億円以上	・卸売業　　　　　7,000万円以上20億円未満 ・小売・サービス業　4,000万円以上15億円未満 ・上記以外の業種　5,000万円以上15億円未満
	⑥の割合	70%以上	70%未満	90%以上	**90%未満**	70%以上	70%未満	90%以上	90%未満
判　　定		該当	非該当	該当	**非該当**	該当	非該当	該当	非該当

4．開業後3年未満の会社等

(1) 開業後3年未満の会社

判定要素		判定基準	課税時期において開業後3年未満である	課税時期において開業後3年未満でない
開業年月日	昭 40 年 9 月 1 日	判定	該　当	**非　該　当**

(2) 比準要素数0の会社

判定要素	直前期末を基とした判定要素			判定基準	直前期末を基とした判定要素がいずれも0	
	第4表の㋑の金額	第4表の㋺の金額	第4表の㋩の金額		である（該当）　・　**でない**（非該当）	
	円　銭	円	円	判定	該　当	**非　該　当**
	9　0₀	158	230			

5．開業前又は休業中の会社

開業前の会社の判定	休業中の会社の判定
該当　**非該当**	該当　**非該当**

6．清算中の会社

判　　定
該　当　　**非　該　当**

7．特定の評価会社の判定結果

1．比準要素数1の会社　　　　2．株式等保有特定会社

3．土地保有特定会社　　　　　4．開業後3年未満の会社等

5．開業前又は休業中の会社　　6．清算中の会社

該当する番号を○で囲んでください。なお、上記の「1．比準要素数1の会社」欄から「6．清算中の会社」欄の判定において2以上に該当する場合には、後の番号の判定によります。

—1545—

第九編　財産の評価

第3表　一般の評価会社の株式及び株式に関する権利の価額の計算明細書　会社名 **株式会社ミセスモール**

（取引相場のない株式（出資）の評価明細書）

（令和六年一月一日以降用）

			類似業種比準価額 （第4表の㉖、㉗又は㉘の金額）	1株当たりの純資産価額 （第5表の⑪の金額）	1株当たりの純資産価額の80％ 相当額（第5表の⑫の記載があ る場合のその金額）
	1株当たりの 価額の計算の 基となる金額		①　　　　　　　　円 **3,362**	②　　　　　　　　円 **8,310**	③　　　　　　　　円 **6,648**

		区　分	1　株　当　た　り　の　価　額　の　算　定　方　法	1 株 当 た り の 価 額
1 原則的評価方式による価額	1株当たりの価額の計算	大会社の株式の価額	次のうちいずれか低い方の金額（②の記載がないときは①の金額） 　イ　①の金額 　ロ　②の金額	④　　　　　　　円
		中会社の株式の価額	（①と②とのいずれか × Lの割合）＋（②の金額（③の金額が × （1 － Lの割合）） 　低い方の金額　　**0.75**　　　　　あるときは③の金額）　　　　　　**0.75**	⑤ **4,183** 円
		小会社の株式の価額	次のうちいずれか低い方の金額 　イ　②の金額（③の金額があるときは③の金額） 　ロ　（①の金額 × 0.50）＋（イの金額 × 0.50）	⑥　　　　　　　円
	株式の価額の修正	課税時期において 配当期待権の発生 している場合	株式の価額　　　　　　　　1株当たりの 　　　　　　　　　　　　　　配当金額 〔④、⑤又は⑥〕 － 〔の金額　〕　　　　　　円　　　銭	修正後の株式の価額 ⑦　　　　　　　円
		課税時期において株式 の割当てを受ける権利 、株主となる権利又は 株式無償交付期待権の 発生している場合	株式の価額　　割当株式1株当　1株当たりの　　1株当たりの 　　　　　　　たりの払込金額　割当株式数　　割当株式数又 〔④、⑤又は⑥〕　　　　　　　　　　　　　　は交付株式数 ｛（⑦があるときは⑦）＋　　　　×　　　）÷（1株＋ 　　の金額　　　　　　円　　　　　株　　　　　株	修正後の株式の価額 ⑧　　　　　　　円

2 配当還元方式による価額	1株当たりの 資本金等の額、 発行済株式数等		直前期末の 資本金等の額	直前期末の 発行済株式数	直前期末の 自己株式数	1株当たりの資本金等の 額を50円とした場合 の発行済株式数 （ ⑨ ÷ 50円 ）	1 株 当 た り の 資 本 金 等 の 額 （⑨÷（⑩－⑪））
			⑨　　　　千円	⑩　　　　株	⑪　　　　株	⑫　　　　株	⑬　　　　円

	直前期末以前2年間の配当金額	事業年度	⑭ 年 配 当 金 額	⑮ 左のうち非経常的な 配 当 金 額	⑯ 差引経常的な年配当金額 （ ⑭ － ⑮ ）	年 平 均 配 当 金 額
		直　前　期	千円	千円	㋑　　　千円	⑰ （㋑＋㋺）÷2　千円
		直前々期	千円	千円	㋺　　　千円	

	1株（50円）当たり の年配当金額	年平均配当金額　　÷⑫の株式数　＝ （⑰の金額）　　　　　　　　　　　　　　　　　　⑱ 　　　　　　　　　　　　　　　　　　　　　円　　　銭	この金額が2円50銭未満 の場合は2円50銭としま す。
	配当還元価額	⑱の金額　×　⑬の金額　＝　⑲ 　10%　　　　　50円 　　　　　　　　　　　　　　　円	⑳　　　　円 ⑲の金額が、原則的評価 方式により計算した価額 を超える場合には、原則 的評価方式により計算し た価額とします。

3 株式に関する権利の価額（1及び2に共通）	配 当 期 待 権	1株当たりの　　　源泉徴収されるべき 予想配当金額　　　所得税相当額 （　円　銭）－（　円　銭）	㉑　　円　銭	4. 株式及び株式に関する 権利の価額 （1. 及び2. に共通）
	株式の割当てを受ける権利 （割当株式1株当たりの価額）	⑧（配当還元方式の　割当株式1株当たりの 　場合は⑳）の金額 － 払込金額 　　　　　　　　　　　　　　　　円	㉒　　　　円	株式の評価額 **4,183** 円
	株主となる権利 （割当株式1株当たりの価額）	⑧（配当還元方式の場合は⑳）の金額 （課税時期後にその株主となる権利につき払い込むべ き金額があるときは、その金額を控除した金額）	㉓　　　　円	
	株式無償交付期待権 （交付される株式1株当たりの価額）	⑧（配当還元方式の場合は⑳）の金額	㉔　　　　円	株式に関する 権利の評価額 　　（円　銭）

－1546－

第八章　株式及び出資

第４表　類似業種比準価額等の計算明細書

会社名　**株式会社ミセスモール**

（取引相場のない株式（出資）の評価明細書）

（令和六年一月一日以降用）

1. 1株当たりの資本金等の額等の計算

	直前期末の資本金等の額 ①	直前期末の発行済株式数 ②	直前期末の自己株式数 ③	1株当たりの資本金等の額（①÷（②－③）） ④	1株当たりの資本金等の額を50円とした場合の発行済株式数（①÷50円） ⑤
	10,000 千円	20,000 株	株	500 円	200,000 株

2. 比準要素等の金額の計算

1株（50円）当たりの年配当金額

直前期末以前2（3）年間の年平均配当金額

事業年度	⑥年配当金額	⑦左のうち非経常的な配当金額	⑧差引経常的な年配当金額（⑥－⑦）	年平均配当金額
直前期	2,000 千円	0 千円	2,000 千円	⑨（イ＋ロ）÷2　1,800 千円
直前々期	1,600 千円	0 千円	1,600 千円	
直前々期の前期	1,200 千円	0 千円	1,200 千円	⑩（ロ＋ハ）÷2　1,400 千円

比準要素数1の会社・比準要素数0の会社の判定要素の金額

⑨/⑤ Ⓑ₁ 9 円 0 銭
⑩/⑤ Ⓑ₂ 7 円 0 銭

1株（50円）当たりの年配当金額（Ⓑ）の金額
Ⓑ 9 円 00 銭

1株（50円）当たりの年利益金額

直前期末以前2（3）年間の利益金額

事業年度	⑪法人税の課税所得金額	⑫非経常的な利益金額	⑬受取配当等の益金不算入額	⑭左の所得税額	⑮損金算入した繰越欠損金の控除額	⑯差引利益金額（⑪－⑫＋⑬－⑭＋⑮）
直前期	35,000 千円	0 千円	0 千円	0 千円	0 千円	⊖ 35,000 千円
直前々期	28,400 千円	0 千円	0 千円	0 千円	0 千円	○ 28,400 千円
直前々期の前期	29,000 千円	0 千円	0 千円	0 千円	0 千円	○ 29,000 千円

比準要素数1の会社・比準要素数0の会社の判定要素の金額

Ⓒ₁ ⊖ 又は（⊖＋○）÷2　158 円
Ⓒ₂ ○ 又は（○＋○）÷2　143 円

1株（50円）当たりの年利益金額　[⊖ 又は （⊖＋○）÷2 の金額]
Ⓒ 158 円

1株（50円）当たりの純資産価額

直前期末（直前々期末）の純資産価額

事業年度	⑰資本金等の額	⑱利益積立金額	⑲純資産価額（⑰＋⑱）
直前期	10,000 千円	36,000 千円	○ 46,000 千円
直前々期	10,000 千円	35,000 千円	○ 45,000 千円

比準要素数1の会社・比準要素数0の会社の判定要素の金額

Ⓓ₁ ○/⑤ 230 円
Ⓓ₂ ○/⑤ 225 円

1株（50円）当たりの純資産価額（Ⓓ）の金額
Ⓓ 230 円

3. 類似業種比準価額の計算

類似業種と業種目番号　**小売業**（No. 79）

区分	1株（50円）当たりの年配当金額	1株（50円）当たりの年利益金額	1株（50円）当たりの純資産価額
評価会社	Ⓑ 9 円 0 銭	Ⓒ 158 円	Ⓓ 230 円
類似業種 B	3 円 9 銭	C 27 円	D 197 円
要素別比準割合	Ⓑ/B 2.30	Ⓒ/C 5.85	Ⓓ/D 1.16

1株（50円）当たりの株価

		円
課税時期の属する月 5月	⑨	215
課税時期の属する月の前月 4月	⑩	212
課税時期の属する月の前々月 3月	⑪	210
前年平均株価	⑫	209
課税時期の属する月以前2年間の平均株価	⑬	217
A（⑨、⑩、⑪、⑫及び⑬のうち最も低いもの）	⑳	209

比準割合 = （Ⓑ/B ＋ Ⓒ/C ＋ Ⓓ/D）÷3 = 3.10

㉑ 3.10

類似業種比準価額　⑳ × ㉑ × 0.7　[中会社は0.6、小会社は0.5とします。]

㉒ 388 円 7 銭

類似業種と業種目番号　**織物・衣服・身の回り品**（No. 81）

区分	1株（50円）当たりの年配当金額	1株（50円）当たりの年利益金額	1株（50円）当たりの純資産価額
評価会社	Ⓑ 9 円 0 銭	Ⓒ 158 円	Ⓓ 230 円
類似業種 B	4 円 0 銭	C 37 円	D 219 円
要素別比準割合	Ⓑ/B 2.25	Ⓒ/C 4.27	Ⓓ/D 1.05

1株（50円）当たりの株価

		円
課税時期の属する月 5月	⑨	266
課税時期の属する月の前月 4月	⑩	268
課税時期の属する月の前々月 3月	⑪	257
前年平均株価	⑫	229
課税時期の属する月以前2年間の平均株価	⑬	245
A（⑨、⑩、⑪、⑫及び⑬のうち最も低いもの）	㉓	229

比準割合 = （Ⓑ/B ＋ Ⓒ/C ＋ Ⓓ/D）÷3 = 2.52

㉔ 2.52

類似業種比準価額　㉓ × ㉔ × 0.7　[中会社は0.6、小会社は0.5とします。]

㉕ 346 円 2 銭

4. 1株当たりの比準価額

1株当たりの比準価額	比準価額（㉒と㉕とのいずれか低い方の金額）× ④の金額/50円	㉖ 3,462 円

比準価額の修正

	比準価額	1株当たりの配当金額	修正比準価額
直前期末の翌日から課税時期までの間に配当金交付の効力が発生した場合	（㉖の金額）	－ 100 円 00 銭	㉗ 3,362 円

	比準価額	割当株式1株当たりの払込金額	1株当たりの割当株式数	1株当たりの割当株式数又は交付株式数	修正比準価額
直前期末の翌日から課税時期までの間に株式の割当て等の効力が発生した場合	[㉖（㉗があるときは㉗）の金額］＋ 円 銭 × 株）÷（1株＋ 株）				㉘ 円

—1547—

第九編　財産の評価

第5表　1株当たりの純資産価額（相続税評価額）の計算明細書　　会社名　**株式会社ミセスモール**

（取引相場のない株式（出資）の評価明細書）

（令和六年一月一日以降用）

1. 資産及び負債の金額（課税時期現在）

資産の部				負債の部			
科　目	相続税評価額	帳簿価額	備考	科　目	相続税評価額	帳簿価額	備考
	千円	千円			千円	千円	
現　　金	987	987		支払手形	5,700	5,700	
預　　金	19,500	19,500		買掛金	5,500	5,500	
受取手形	2,600	2,600		預り金	3,280	3,280	
売掛金	11,700	11,700		仮受金	5,700	5,700	
未収金	700	700		未納税金	8,500	8,500	
前渡金	250	250		直前期の利益のうち役員賞与確定額	3,000	3,000	
商　　品	15,250	15,250		配当確定額	2,000	2,000	
建　　物	10,200	5,600		相続人に支給が確定した退職金	15,000	15,000	
什器備品	2,460	2,000					
土　　地	218,200	870					
電話加入権	390	223					
未収保険金	15,000	15,000					
合　計	① 297,237	② 74,680		合　計	③ 48,680	④ 48,680	
株式等の価額の合計額	㋑ 0	㋺ 0					
土地等の価額の合計額	㋩ 218,200						
現物出資等受入れ資産の価額の合計額	㋥ 0	㋭ 0					

2. 評価差額に対する法人税額等相当額の計算

相続税評価額による純資産価額　（①−③）	⑤	248,557 千円
帳簿価額による純資産価額　（（②＋㋥−㋭−④）、マイナスの場合は0）	⑥	26,000 千円
評価差額に相当する金額　（⑤−⑥、マイナスの場合は0）	⑦	222,557 千円
評価差額に対する法人税額等相当額　（⑦×37%）	⑧	82,346 千円

3. 1株当たりの純資産価額の計算

課税時期現在の純資産価額（相続税評価額）　（⑤−⑧）	⑨	166,211 千円
課税時期現在の発行済株式数　（（第1表の1の①）−自己株式数）	⑩	20,000 株
課税時期現在の1株当たりの純資産価額（相続税評価額）　（⑨÷⑩）	⑪	8,310 円
同族株主等の議決権割合（第1表の1の⑤の割合）が50%以下の場合　（⑪×80%）	⑫	6,648 円

−1548−

第八章　株式及び出資

計算例3　中会社の同族株主等で土地保有特定会社のため純資産価額方式の適用を受ける場合

（純資産価額方式）

A　設　　例

1　会社名　　　　　　　　　株式会社コスモ商店（スーパーマーケット）

2　課税時期　　　　　　　　令和6年4月30日

3　直前期末（1年決算）　　令和6年3月31日

4　直前期末の資本金等の額　10,000千円

5　課税時期の資本金等の額　10,000千円

6　発行済株式数　　　　　　20,000株（1株当たりの資本金等の額500円）

　　（注）　1単元の株式の数は100株とします。

7　直前期の配当金額　2,000千円、直前々期の配当金額　1,600千円、直前々期の前期の配当金額　1,200千円

8　会社の規模の判定要素

　　①　直前期末の総資産価額（帳簿価額）　　　59,680千円

　　②　直前期末以前1年間における継続勤務従業員数26人、継続勤務従業員以外の従業員の労働時間の合計時間数7,700時間

　　③　直前期末以前1年間の取引金額　　　　485,500千円

　　④　評価会社の業種　　　　　　　　　　　小売業

9　直前期の利益金額　35,000千円（直前々期の利益金額28,400千円、直前々期の前期の利益金額29,000千円）……非経常的利益は含まれていない。

10　直前期末の純資産価額（帳簿価額）　46,000千円（直前々期末の純資産価額45,000千円）

11　課税時期現在の純資産価額（評価差額に対する法人税額等に相当する金額控除後の金額）

　　（注）　評価会社は、課税時期現在における仮決算をしていないため、直前期末の資産及び負債並びに相続開始により確定した受取保険金と退職金を基として計算した。なお、所有土地は20年前に取得している。

　　　　（2,382,237千円－133,680千円）　－　（159,680千円－133,680千円）　＝2,222,557千円

　　　　2,222,557千円×0.37＝822,346千円

　　　　2,382,237千円－133,680千円－822,346千円＝1,426,211千円

12　株主総会　　　　　　　令和6年4月23日

　　この株主総会において2,000千円（1株当たり100円）の配当金（資本等の減少によるものはない。）の支払が決議された。

13　評価会社は、自己株式を保有しておらず、種類株式は発行していない（普通株式のみ）。

B　計算要領

1　評価会社は土地保有特定会社に該当するので、類似業種比準価額の計算はしない。

2　課税時期現在の純資産価額　1,426,211千円÷20,000株＝71,310円

－1549－

第九編　財産の評価

第1表の1　評価上の株主の判定及び会社規模の判定の明細書

整理番号 ［　　　］

（令和六年一月一日以降用）

（取引相場のない株式（出資）の評価明細書）

会　社　名	（電話 942-○○××）　株式会社コスモ商店	本店の所在地	生駒市××町10-5

代表者氏名	山田　太郎		

	取扱品目及び製造、卸売、小売等の区分	業種目番号	取引金額の構成比
事業内容	スーパーマーケット	82	100 %

課税時期	6 年　4 月　30 日

直前期	自　5 年　4 月　1 日 至　6 年　3 月　31 日

1．株主及び評価方式の判定

氏名又は名称	続柄	会社における役職名	㋑株式数（株式の種類）	㋺議決権数	㋩議決権割合（㋺/④）
			株	個	％
山田太郎	納税義務者	代表取締役	6,000	60	30
山田和子	妻	―	6,000	60	30
自己株式					
納税義務者の属する同族関係者グループの議決権の合計数			② 120	⑤ 60	(②/④)
筆頭株主グループの議決権の合計数			③ 120	⑥ 60	(③/④)
評価会社の発行済株式又は議決権の総数			① 20,000	④ 200	100

判定要素（課税時期現在の株式等の所有状況）

納税義務者の属する同族関係者グループの議決権割合（⑤の割合）を基として、区分します。

区分基準	筆頭株主グループの議決権割合（⑥の割合）			株主の区分
	50％超の場合	30％以上50％以下の場合	30％未満の場合	
⑤の割合	50％超	30％以上	15％以上	同族株主等
	50％未満	30％未満	15％未満	同族株主等以外の株主

判定	同族株主等（原則的評価方式等）	同族株主等以外の株主（配当還元方式）

「同族株主等」に該当する納税義務者のうち、議決権割合（㋩の割合）が5％未満の者の評価方式は、「2．少数株式所有者の評価方式の判定」欄により判定します。

2．少数株式所有者の評価方式の判定

	項　目	判　定　内　容
判定要素	氏　名	
	㋥役　員	である（原則的評価方式等）・でない（次の㋭へ）
	㋭納税義務者が中心的な同族株主	である（原則的評価方式等）・でない（次の㋬へ）
	㋬納税義務者以外に中心的な同族株主（又は株主）	がいる（配当還元方式）・がいない（原則的評価方式等）（氏名　　　　）
判　定	原則的評価方式等　・　配当還元方式	

―1550―

第八章　株式及び出資

第１表の２　評価上の株主の判定及び会社規模の判定の明細書（続）　　会社名 **株式会社コスモ商店**

（取引相場のない株式（出資）の評価明細書）

（令和六年一月一日以降用）

３．会社の規模（Ｌの割合）の判定

判定要素	項　目	金　額	項　目	人　数
	直前期末の総資産価額 （帳簿価額）	千円 **59,680**	直前期末以前１年間における従業員数	**30.2** 人 〔従業員数の内訳〕 （継続勤務従業員数）（継続勤務従業員以外の従業員の労働時間の合計時間数）
	直前期末以前１年間の取引金額	千円 **485,500**		（**26**人）＋ （**7,700** 時間）／ 1,800時間

判定基準	⑪ 直前期末以前１年間における従業員数に応ずる区分	70人以上の会社は、大会社（㋺及び㋩は不要） 70人未満の会社は、㋺及び㋩により判定								
	㋺ 直前期末の総資産価額（帳簿価額）及び直前期末以前１年間における従業員数に応ずる区分					㋩ 直前期末以前１年間の取引金額に応ずる区分			会社規模とＬの割合（中会社）の区分	
	総資産価額（帳簿価額）			従業員数		取引金額				
	卸売業	小売・サービス業	卸売業、小売・サービス業以外			卸売業	小売・サービス業	卸売業、小売・サービス業以外		
	20億円以上	15億円以上	15億円以上	35人超		30億円以上	20億円以上	15億円以上	大会社	
	4億円以上 20億円未満	5億円以上 15億円未満	5億円以上 15億円未満	35人超		7億円以上 30億円未満	5億円以上 20億円未満	4億円以上 15億円未満	0.90	中会社
	2億円以上 4億円未満	2億5,000万円以上 5億円未満	2億5,000万円以上 5億円未満	ⓢ20人超 35人以下		3億5,000万円以上 7億円未満	ⓢ2億5,000万円以上 5億円未満	2億円以上 4億円未満	0.75	
	ⓢ7,000万円以上 2億円未満	ⓢ4,000万円以上 2億5,000万円未満	5,000万円以上 2億5,000万円未満	5人超 20人以下		2億円以上 3億5,000万円未満	6,000万円以上 2億5,000万円未満	8,000万円以上 2億円未満	0.60	
	7,000万円未満	4,000万円未満	5,000万円未満	5人以下		2億円未満	6,000万円未満	8,000万円未満	小会社	

・「会社規模とＬの割合（中会社）の区分」欄は、㋺欄の区分（「総資産価額（帳簿価額）」と「従業員数」とのいずれか下位の区分）と㋩欄（取引金額）の区分とのいずれか上位の区分により判定します。

判定	大会社	ⓢ中会社 Ｌの割合 0.90　ⓢ0.75　0.60	小会社	

４．増（減）資の状況その他評価上の参考事項

直前期分の配当金の支払基準日　令和 6 年 3 月31日
効力発生日　令和 6 年 4 月23日

－1551－

第九編　財産の評価

第2表　特定の評価会社の判定の明細書

会社名　**株式会社コスモ商店**

（取引相場のない株式（出資）の評価明細書）

（令和六年一月一日以降用）

1. 比準要素数1の会社

判　定　要　素						判定基準	(1)欄のいずれか2の判定要素が0であり、かつ、(2)欄のいずれか2以上の判定要素が0
(1)直前期末を基とした判定要素			(2)直前々期末を基とした判定要素				である（該当）・**でない（非該当）**
第4表の⑧₁の金額	第4表の⑥₁の金額	第4表の⑪₁の金額	第4表の⑧₂の金額	第4表の⑥₂の金額	第4表の⑪₂の金額		
円　銭	円	円	円　銭	円	円	判定	該　当 ・ **非該当**
9 0₀	**158**	**230**	**7 0₀**	**143**	**225**		

2. 株式等保有特定会社

判　定　要　素			判定基準	
総資産価額（第5表の①の金額）	株式等の価額の合計額（第5表の⑦の金額）	株式等保有割合（②／①）	③の割合が50％以上である	**③の割合が50％未満である**
① 千円	② 千円	③ ％	判定	該　当 ・ **非該当**
2,382,237	**0**	**0**		

3. 土地保有特定会社

判　定　要　素			会社の規模の判定（該当する文字を○で囲んで表示します。）
総資産価額（第5表の①の金額）	土地等の価額の合計額（第5表の⑥の金額）	土地保有割合（⑤／④）	
④ 千円	⑤ 千円	⑥ ％	大会社・**中会社**・小会社
2,382,237	**2,218,200**	**93**	

判定基準 会社の規模	大　会　社		中　会　社		小　会　社（総資産価額（帳簿価額）が次の基準に該当する会社）	
					・卸売業 20億円以上	・卸売業 7,000万円以上20億円未満
					・小売・サービス業 15億円以上	・小売・サービス業 4,000万円以上15億円未満
					・上記以外の業種 15億円以上	・上記以外の業種 5,000万円以上15億円未満
⑥の割合	70％以上	70％未満	**90％以上**	90％未満	70％以上	70％未満	90％以上	90％未満
判定	該　当	非該当	**該　当**	非該当	該　当	非該当	該　当	非該当

4. 開業後3年未満の会社等

(1)開業後3年未満の会社	判定要素	判定基準	課税時期において開業後3年未満である	課税時期において開業後3年未満でない
	開業年月日 **昭50**年 **8**月 **1**日	判定	該　当	**非該当**

(2)比準要素数0の会社	判定要素	直前期末を基とした判定要素			判定基準	直前期末を基とした判定要素がいずれも0
		第4表の⑧₁の金額	第4表の⑥₁の金額	第4表の⑪₁の金額		である（該当）・**でない（非該当）**
		円　銭	円	円	判定	該　当 ・ **非該当**
		9 0₀	**158**	**230**		

5. 開業前又は休業中の会社

開業前の会社の判定	休業中の会社の判定
該　当 ・ **非該当**	該　当 ・ **非該当**

6. 清算中の会社

判　定
該　当 ・ **非該当**

7. 特定の評価会社の判定結果

1. 比準要素数1の会社　　　　2. 株式等保有特定会社
③. 土地保有特定会社　　　　4. 開業後3年未満の会社等
5. 開業前又は休業中の会社　　6. 清算中の会社

> 　該当する番号を○で囲んでください。なお、上記の「1. 比準要素数1の会社」欄から「6. 清算中の会社」欄の判定において2以上に該当する場合には、後の番号の判定によります。

—1552—

第八章　株式及び出資

第4表　類似業種比準価額等の計算明細書

会社名　**株式会社コスモ商店**

（令和六年一月一日以降用）

（取引相場のない株式（出資）の評価明細書）

1. 1株当たりの資本金等の額等の計算	直前期末の資本金等の額 ①	直前期末の発行済株式数 ②	直前期末の自己株式数 ③	1株当たりの資本金等の額（①÷（②－③）） ④	1株当たりの資本金等の額を50円とした場合の発行済株式数（①÷50円） ⑤
	10,000 千円	20,000 株	株	500 円	200,000 株

2 比準要素等の金額の計算

1株(50円)当たりの年配当金額

事業年度	⑥ 年配当金額	⑦ 左のうち非経常的な配当金額	⑧ 差引経常的な年配当金額（⑥－⑦）	年平均配当金額
直前期	2,000 千円	0 千円	2,000 千円	⑨(イ+ロ)÷2　1,800 千円
直前々期	1,600 千円	0 千円	1,600 千円	
直前々期の前期	1,200 千円	0 千円	1,200 千円	⑩(ロ+ハ)÷2　1,400 千円

比準要素数1の会社・比準要素数0の会社の判定要素の金額

⑨/⑤　⑱　9 円 0 銭
⑩/⑤　⑲　7 円 0 銭

1株(50円)当たりの年配当金額（⑱の金額）
⑱　9 円 00 銭

1株(50円)当たりの年利益金額

事業年度	⑪法人税の課税所得金額	⑫非経常的な利益金額	⑬受取配当等の益金不算入額	⑭左の所得税額	⑮損金算入した繰越欠損金の控除額	⑯差引利益金額（⑪－⑫+⑬－⑭－⑮）
直前期	35,000 千円	0 千円	0 千円	0 千円	0 千円	35,000 千円
直前々期	28,400 千円	0 千円	0 千円	0 千円	0 千円	28,400 千円
直前々期の前期	29,000 千円	0 千円	0 千円	0 千円	0 千円	29,000 千円

比準要素数1の会社・比準要素数0の会社の判定要素の金額

ニ/⑤ 又は (ニ+ホ)÷2/⑤　Ⓒ1　158 円
ホ/⑤ 又は (ホ+ヘ)÷2/⑤　Ⓒ2　143 円

1株(50円)当たりの年利益金額
[ニ/⑤ 又は (ニ+ホ)÷2/⑤ の金額]
Ⓒ　158 円

直前期末（直前々期末）の純資産価額

事業年度	⑰ 資本金等の額	⑱ 利益積立金額	⑲ 純資産価額（⑰+⑱）
直前期	10,000 千円	36,000 千円	46,000 千円
直前々期	10,000 千円	35,000 千円	45,000 千円

比準要素数1の会社・比準要素数0の会社の判定要素の金額

ト/⑤　Ⓓ1　230 円
チ/⑤　Ⓓ2　225 円

1株(50円)当たりの純資産価額（Ⓓの金額）
Ⓓ　230 円

3 類似業種比準価額の計算

1株(50円)当たりの比準価額の計算

類似業種と業種目番号 (No.　)		区分	1株(50円)当たりの年配当金額	1株(50円)当たりの年利益金額	1株(50円)当たりの純資産価額	1株(50円)当たりの比準価額
類似業種の株価	課税時期の属する月 ㋐月 円	評価会社	Ⓑ 円 銭 0	Ⓒ 円	Ⓓ 円	⑳×㉑×0.7
	課税時期の属する月の前月 ㋑月 円	類似業種 B	B 円 銭	C 円	D 円	※ 中会社は0.6 小会社は0.5 とします。
	課税時期の属する月の前々月 ㋒月 円	要素別比準割合	Ⓑ/B ．	Ⓒ/C	Ⓓ/D	
	前年平均株価 ㋓ 円	比準割合	$\frac{\frac{Ⓑ}{B}-\frac{Ⓒ}{C}+\frac{Ⓓ}{D}}{3}$	= ㉑ ．		㉒ 円 銭 0
	課税時期の属する月以前2年間の平均株価 ㋔ 円					
	A ㋐、㋑、㋒、㋓及び㋔のうち最も低いもの ⑳ 円					

類似業種と業種目番号 (No.　)		区分	1株(50円)当たりの年配当金額	1株(50円)当たりの年利益金額	1株(50円)当たりの純資産価額	1株(50円)当たりの比準価額
類似業種の株価	課税時期の属する月 ㋐月 円	評価会社	Ⓑ 円 銭 0	Ⓒ 円	Ⓓ 円	㉓×㉔×0.7
	課税時期の属する月の前月 ㋑月 円	類似業種 B	B 円 銭	C 円	D 円	※ 中会社は0.6 小会社は0.5 とします。
	課税時期の属する月の前々月 ㋒月 円	要素別比準割合	Ⓑ/B ．	Ⓒ/C	Ⓓ/D	
	前年平均株価 ㋓ 円	比準割合	$\frac{\frac{Ⓑ}{B}+\frac{Ⓒ}{C}+\frac{Ⓓ}{D}}{3}$	= ㉔ ．		㉕ 円 銭 0
	課税時期の属する月以前2年間の平均株価 ㋔ 円					
	A ㋐、㋑、㋒、㋓及び㋔のうち最も低いもの ㉓ 円					

比準価額の計算

1株当たりの比準価額	比準価額（㉒と㉕とのいずれか低い方の金額）　×　④の金額／50円	㉖ 円

比準価額の修正

直前期末の翌日から課税時期までの間に配当金交付の効力が発生した場合	比準価額（㉖の金額）　－　1株当たりの配当金額　円　銭	修正比準価額 ㉗ 円
直前期末の翌日から課税時期までの間に株式の割当等の効力が発生した場合	比準価額[㉖（㉗があるときは㉗）の金額]　+　割当株式1株当たりの払込金額　円　銭　×　1株当たりの割当株式数　株　÷（1株+　1株当たりの割当株式数又は交付株式数　株）	修正比準価額 ㉘ 円

－1553－

第九編　財産の評価

第5表　1株当たりの純資産価額（相続税評価額）の計算明細書　会社名　**株式会社コスモ商店**

（取引相場のない株式（出資）の評価明細書）

（令和六年一月一日以降用）

1. 資産及び負債の金額（課税時期現在）

資産の部				負債の部			
科　目	相続税評価額	帳簿価額	備考	科　目	相続税評価額	帳簿価額	備考
	千円	千円			千円	千円	
現　金	987	987		支払手形	5,700	5,700	
預　金	19,500	19,500		買掛金	5,500	5,500	
受取手形	2,600	2,600		預り金	3,280	3,280	
売掛金	11,700	11,700		仮受金	5,700	5,700	
未収金	700	700		未納税金	8,500	8,500	
前渡金	250	250		直前期の利益のうち役員賞与確定額	3,000	3,000	
商　品	15,250	15,250		配当確定額	2,000	2,000	
建　物	10,200	5,600		相続人に支給が確定した退職金	100,000	100,000	
什器備品	2,460	2,000					
土　地	2,218,200	870					
電話加入権	390	223					
未収保険金	100,000	100,000					
合　計	① 2,382,237	② 159,680		合　計	③ 133,680	④ 133,680	
株式等の価額の合計額	㋑ 0	㋺ 0					
土地等の価額の合計額	㋩ 2,218,200						
現物出資等受入れ資産の価額の合計額	㋥ 0	㋭ 0					

2. 評価差額に対する法人税額等相当額の計算

相続税評価額による純資産価額　（①－③）	⑤	2,248,557 千円
帳簿価額による純資産価額　（（②＋㋩－㋭－④）、マイナスの場合は0）	⑥	26,000 千円
評価差額に相当する金額　（⑤－⑥、マイナスの場合は0）	⑦	2,222,557 千円
評価差額に対する法人税額等相当額　（⑦×37%）	⑧	822,346 千円

3. 1株当たりの純資産価額の計算

課税時期現在の純資産価額（相続税評価額）　（⑤－⑧）	⑨	1,426,211 千円
課税時期現在の発行済株式数　（第1表の1の①－自己株式数）	⑩	20,000 株
課税時期現在の1株当たりの純資産価額（相続税評価額）　（⑨÷⑩）	⑪	71,310 円
同族株主等の議決権割合（第1表の1の⑤の割合）が50%以下の場合　（⑪×80%）	⑫	円

第八章　株式及び出資

第6表　特定の評価会社の株式及び株式に関する権利の価額の計算明細書　　会社名 **株式会社コスモ商店**

（取引相場のない株式（出資）の評価明細書）

（令和六年一月一日以降用）

			類似業種比準価額 （第4表の㉖、㉗又は㉘の金額）	1株当たりの純資産価額 （第5表の⑪の金額）	1株当たりの純資産価額の 80%相当額（第5表の⑫の 記載がある場合のその金額）
1 **純資産価額方式等による価額**	1株当たりの価額の計算の基となる金額		① 円	② 円 **71,310**	③ 円

		株式の区分	1株当たりの価額の算定方法等	1株当たりの価額
	1株当たりの価額の計算	比準要素数1の会社の株式	次のうちいずれか低い方の金額 イ　②の金額（③の金額があるときは③の金額） ロ　（①の金額 × 0.25）＋（イの金額 × 0.75）	④ 円
		株式等保有特定会社の株式	（第8表の㉗の金額）	⑤ 円
		土地保有特定会社の株式	（②の金額（③の金額があるときはその金額））	⑥ 円 **71,310**
		開業後3年未満の会社等の株式	（②の金額（③の金額があるときはその金額））	⑦ 円
		開業前又は休業中の会社の株式	（②の金額）	⑧ 円

	株式の価額の修正		株式の価額	1株当たりの配当金額	修正後の株式の価額
		課税時期において配当期待権の発生している場合	［④、⑤、⑥、⑦ 又は⑧の金額］ －	円　銭	⑨ 円
		課税時期において株式の割当てを受ける権利、株主となる権利又は株式無償交付期待権の発生している場合	（［④、⑤、⑥ ⑦又は⑧ （⑨があるときは⑨） の金額］＋ 割当株式1株当たりの払込金額 円 × 1株当たりの割当株式数 株）÷（1株＋ 1株当たりの割当株式数又は交付株式数 株）	修正後の株式の価額 ⑩ 円

2 **配当還元方式による価額**	1株当たりの資本金等の額、発行済株式数等	直前期末の資本金等の額	直前期末の発行済株式数	直前期末の自己株式数	1株当たりの資本金等の額を50円とした場合の発行済株式数 （⑪÷50円）	1株当たりの資本金等の額 （⑪÷（⑫－⑬））
		⑪ 千円	⑫ 株	⑬ 株	⑭ 株	⑮ 円

	直前期末以前2年間の配当金額	事業年度	⑯ 年配当金額	⑰ 左のうち非経常的な配当金額	⑱ 差引経常的な年配当金額 （⑯－⑰）	年平均配当金額
		直前期	千円	千円	イ 千円	⑲ （イ＋ロ）÷2 千円
		直前々期	千円	千円	ロ 千円	

	1株（50円）当たりの年配当金額	年平均配当金額 （⑲の金額） ÷⑭の株式数 ＝	⑳ 円　銭	この金額が2円50銭未満の場合は2円50銭とします。

	配当還元価額	⑳の金額 10% × ⑮の金額 50円 ＝	㉑ 円	㉒ 円	㉑の金額が、純資産価額方式等により計算した価額を超える場合には、純資産価額方式等により計算した価額とします。

3 **株式に関する権利の価額** （1.及び2.に共通）	配当期待権	1株当たりの予想配当金額 （　円　銭） － 源泉徴収されるべき所得税相当額 （　円　銭）	㉓ 円　銭	**4．株式及び株式に関する権利の価額** （1.及び2.に共通）
	株式の割当てを受ける権利 （割当株式1株当たりの価額）	⑩（配当還元方式の場合は㉒）の金額 － 割当株式1株当たりの払込金額 円	㉔ 円	株式の評価額 ㉓ 円 **71,310**
	株主となる権利 （割当株式1株当たりの価額）	⑩（配当還元方式の場合は㉒）の金額 （課税時期後にその株主となる権利につき払い込むべき金額があるときは、その金額を控除した金額）	㉕ 円	株式に関する権利の評価額 （円　銭）
	株式無償交付期待権 （交付される株式1株当たりの価額）	⑩（配当還元方式の場合は㉒）の金額	㉖ 円	

—1555—

第九編　財産の評価

計算例４　小会社の同族株主等（少数株式所有者に該当しない。）で純資産価額の特例計算の適用を受けない場合（類似業種比準方式と純資産価額方式の併用方式を選択適用）

A　設　　例

1　会社名　　　　　　　　　　大手町薬品株式会社（医薬品小売）

2　課税時期　　　　　　　　　令和６年４月30日

3　直前期末（１年決算）　　　令和６年３月31日

4　直前期末の資本金等の額　　10,000千円

5　課税時期の資本金等の額　　10,000千円

6　発行済株式数　　　　　　　20,000株（１株当たりの資本金等の額500円）

　　（注）　１単元の株式の数は100株とします。

7　直前期の配当金額　1,400千円、直前々期の配当金額　1,200千円、直前々期の前期の配当金額　1,000千円

8　会社の規模の判定要素

　①　直前期末の総資産価額（帳簿価額）　　　　45,500千円

　②　直前期末以前１年間における継続勤務従業員数３人、継続勤務従業員以外の従業員の労働時間の合計時間数2,200時間

　③　直前期末以前１年間の取引金額　　　　　　55,000千円

　④　評価会社の業種　　　　　　　　　　　　　医薬品・化粧品の小売業

9　直前期の利益金額　11,000千円（直前々期の利益金額14,400千円）……非経常的利益は含まれていない。

10　直前期末の純資産価額（帳簿価額）　17,600千円（直前々期末の純資産価額17,200千円）

11　課税時期現在の純資産価額（評価差額に対する法人税額等に相当する金額控除後の金額）

　　（注）　評価会社は、課税時期現在における仮決算をしていないため、直前期末の資産及び負債を基として計算した。

　　　（245,680千円－18,400千円）－（45,500千円－18,400千円）＝200,180千円

　　　200,180千円×0.37＝74,066千円

　　　245,680千円－18,400千円－74,066千円＝153,214千円

12　株主総会　　　令和６年５月20日

　　この株主総会において1,400千円（１株当たり70円）の配当金（資本等の減少によるものはない。）の支払が決議された。

13　評価会社は、自己株式を保有しておらず、種類株式は発行していない（普通株式のみ）。

14　類似業種の株価及び配当金額等

　イ　中分類業種目……その他の小売業（No.84）

　　Ａ　４月215円　３月212円　２月210円　令和５年平均209円、令和６年４月以前２年間の平均213円のうち最低金額＝209円

　　（注）　イ及びロにおけるＡの４月～２月の株価は、仮定の数値であることにご留意ください。

　　Ｂ　3.9円　Ｃ　27円　Ｄ　197円

　ロ　小分類業種目……医薬品・化粧品の小売業（No.85）

　　Ａ　４月266円　３月268円　２月257円　令和５年平均229円、令和６年４月以前２年間の平均245円のうち最低金額＝229円

　　Ｂ　4.0円　Ｃ　37円　Ｄ　219円

B　計算要領

1　会社規模　　小会社

2　類似業種比準価額の計算

　（1）　Ⓑ、Ⓒ及びⒹの計算

　　　10,000千円÷50円＝200,000株（額面50円換算株式数）

　　Ⓑ　$\dfrac{(1,400千円＋1,200千円)÷2}{200,000株}$＝6.5円

　　Ⓒ　11,000千円÷200,000株＝55円

　　Ⓓ　17,600千円÷200,000株＝88円

－1556－

第八章　株式及び出資

（2）　類似業種比準価額の計算

イ　大分類業種目による場合

$$\left[\frac{6.5円}{3.9円} + \frac{55円}{27円} + \frac{88円}{197円}\right] \div 3 = 1.37 \quad （小数点以下2位未満切捨て。各分数の値も同じ。）$$

209円×1.37×0.5＝143円10銭　（10銭位未満切捨て）

ロ　中分類業種目による場合

$$\left[\frac{6.5円}{4.0円} + \frac{55円}{37円} + \frac{88円}{219円}\right] \div 3 = 1.16 \quad （小数点以下2位未満切捨て。各分数の値も同じ。）$$

229円×1.16×0.5＝132円80銭　（10銭位未満切捨て）

ハ　類似業種の業種目の選定

143円10銭＞132円80銭　　よって小分類業種目（№84）による。

ニ　1株当たりの比準価額……132円80銭× $\dfrac{500円}{50円}$ ＝1,328円

3　課税時期現在の純資産価額　　153,214千円÷20,000株＝7,660円

類似業種比準価額＜純資産価額のため純資産方式によらず、併用方式を選択することとする。

4　株式の評価額　　（1,328円×0.5）＋（7,660円×0.5）＝4,494円

5　配当期待権の発生していることによる株式の価額の修正　4,494円－70円＝4,424円

6　配当期待権の価額　70円－14円29銭＝55円71銭

第九編　財産の評価

第1表の1　評価上の株主の判定及び会社規模の判定の明細書

整理番号 [　]

（令和六年一月一日以降用）

（取引相場のない株式（出資）の評価明細書）

会社名	（電話 6942-○○○○） **大手町薬品株式会社**	本店の所在地	**大阪市○○区××町7-8**			
代表者氏名	**大手町 一郎**	事業内容	取扱品目及び製造、卸売、小売等の区分	業種目番号	取引金額の構成比	
課税時期	**6** 年 **4** 月 **30** 日		**医薬品小売**	**85**	**100** %	
直前期	自 **5** 年 **4** 月 **1** 日 至 **6** 年 **3** 月 **31** 日					

1．株主及び評価方式の判定

判定要素（課税時期現在の株式等の所有状況）

氏名又は名称	続柄	会社における役職名	㋑ 株式数（株式の種類）	㋺ 議決権数	㋩ 議決権割合（㋺/④）
大手町一郎	納税義務者	**代表取締役**	株 **10,000**	個 **100**	% **50**
大手町隆子	妻	**—**	**2,000**	**20**	**10**
自己株式					
納税義務者の属する同族関係者グループの議決権の合計数			② **120**	⑤（②/④）**60**	
筆頭株主グループの議決権の合計数			③ **120**	⑥（③/④）**60**	
評価会社の発行済株式又は議決権の総数			① **20,000**	④ **200**	100

納税義務者の属する同族関係者グループの議決権割合（⑤の割合）を基として、区分します。

区分基準の割合

筆頭株主グループの議決権割合（⑥の割合）			株主の区分
50%超の場合	30%以上50%以下の場合	30%未満の場合	
⑤の割合 50%超	30%以上	15%以上	同族株主等
50%未満	30%未満	15%未満	同族株主等以外の株主

判定： 同族株主等（原則的評価方式等）　／　同族株主等以外の株主（配当還元方式）

「同族株主等」に該当する納税義務者のうち、議決権割合（㋩の割合）が5%未満の者の評価方式は、「2. 少数株式所有者の評価方式の判定」欄により判定します。

2．少数株式所有者の評価方式の判定

	項　目	判　定　内　容
判定要素	氏　名	
	㋥ 役員	である〔原則的評価方式等〕・でない（次の㋭へ）
	㋭ 納税義務者が中心的な同族株主	である〔原則的評価方式等〕・でない（次の㋬へ）
	㋬ 納税義務者以外に中心的な同族株主（又は株主）	がいる（配当還元方式）・がいない〔原則的評価方式等〕（氏名　　　　　）
判　定		原則的評価方式等　・　配当還元方式

-1558-

第八章　株式及び出資

第１表の２　評価上の株主の判定及び会社規模の判定の明細書（続）　　会社名 **大手町薬品株式会社**

（取引相場のない株式（出資）の評価明細書）

（令和六年一月一日以降用）

３．会社の規模（Ｌの割合）の判定

<table>
<tr><td rowspan="2">判定要素</td><td colspan="2">項　目　　　金　　　額</td><td>項　　目</td><td colspan="2">人　　　　　数</td></tr>
<tr>
<td>直前期末の総資産価額
（帳簿価額）</td>
<td>千円
45,500</td>
<td rowspan="2">直前期末以前１年間における従業員数</td>
<td colspan="2">**4.2** 人
［従業員数の内訳］
（継続勤務従業員数）（継続勤務従業員以外の従業員の労働時間の合計時間数）</td>
</tr>
<tr>
<td>直前期末以前１年間の取引金額</td>
<td>千円
55,500</td>
<td colspan="2">（ 3 人）＋ $\dfrac{2,200 \text{時間}}{1,800\text{時間}}$</td>
</tr>
</table>

㋩	直前期末以前１年間における従業員数に応ずる区分	70人以上の会社は、大会社（㋥及び㋭は不要）
		70人未満の会社は、㋥及び㋭により判定

<table>
<tr>
<td rowspan="3">判定基準</td>
<td colspan="4">㋥　直前期末の総資産価額（帳簿価額）及び直前期末以前
１年間における従業員数に応ずる区分</td>
<td colspan="4">㋭　直前期末以前１年間の取引金額に応ずる区分</td>
<td rowspan="3">会社規模とＬの割合（中会社）の区分</td>
</tr>
<tr>
<td colspan="3">総資産価額（帳簿価額）</td>
<td rowspan="2">従業員数</td>
<td colspan="3">取　引　金　額</td>
</tr>
<tr>
<td>卸　売　業</td>
<td>小売・サービス業</td>
<td>卸売業、小売・サービス業以外</td>
<td>卸　売　業</td>
<td>小売・サービス業</td>
<td>卸売業、小売・サービス業以外</td>
</tr>
<tr>
<td>20億円以上</td>
<td>15億円以上</td>
<td>15億円以上</td>
<td>35 人 超</td>
<td>30億円以上</td>
<td>20億円以上</td>
<td>15億円以上</td>
<td>大　会　社</td>
</tr>
<tr>
<td>4億円以上
20億円未満</td>
<td>5億円以上
15億円未満</td>
<td>5億円以上
15億円未満</td>
<td>35 人 超</td>
<td>7億円以上
30億円未満</td>
<td>5億円以上
20億円未満</td>
<td>4億円以上
15億円未満</td>
<td>0.90　中</td>
</tr>
<tr>
<td>2億円以上
4億円未満</td>
<td>2億5,000万円以上
5億円未満</td>
<td>2億5,000万円以上
5億円未満</td>
<td>20 人 超
35 人 以 下</td>
<td>3億5,000万円以上
7億円未満</td>
<td>2億5,000万円以上
5億円未満</td>
<td>2億円以上
4億円未満</td>
<td>0.75　会</td>
</tr>
<tr>
<td>7,000万円以上
2億円未満</td>
<td>（4,000万円以上
2億5,000万円未満）</td>
<td>5,000万円以上
2億5,000万円未満</td>
<td>5 人 超
20 人 以 下</td>
<td>2億円以上
3億5,000万円未満</td>
<td>6,000万円以上
2億5,000万円未満</td>
<td>8,000万円以上
2億円未満</td>
<td>0.60　社</td>
</tr>
<tr>
<td>7,000万円未満</td>
<td>4,000万円未満</td>
<td>5,000万円未満</td>
<td>（5 人 以 下）</td>
<td>2億円未満</td>
<td>（6,000万円未満）</td>
<td>8,000万円未満</td>
<td>小　会　社</td>
</tr>
</table>

・「会社規模とＬの割合（中会社）の区分」欄は、㋥欄の区分（「総資産価額（帳簿価額）」と「従業員数」とのいずれか下位の区分）と㋭欄（取引金額）の区分とのいずれか上位の区分により判定します。

<table>
<tr><td rowspan="3">判定</td><td rowspan="3">大　会　社</td><td colspan="3">中　　会　　社</td><td rowspan="3">（小　会　社）</td><td rowspan="3"></td></tr>
<tr><td colspan="3">Ｌ　の　割　合</td></tr>
<tr><td>0.90</td><td>0.75</td><td>0.60</td></tr>
</table>

４．増（減）資の状況その他評価上の参考事項

直前期分の配当金の支払基準日　令和６年３月31日
効力発生日　令和６年５月20日

第九編　財産の評価

第2表　特定の評価会社の判定の明細書

会社名　**大手町薬品株式会社**

（令和六年一月一日以降用）

（取引相場のない株式（出資）の評価明細書）

1. 比準要素数1の会社

判　定　要　素						判定基準	(1)欄のいずれか2の判定要素が0であり、かつ、(2)欄のいずれか2以上の判定要素が0
(1)直前期末を基とした判定要素			(2)直前々期末を基とした判定要素				である（該当）・でない（非該当）
第4表の⑱の金額	第4表の⑯の金額	第4表の⑰の金額	第4表の⑳の金額	第4表の㉒の金額	第4表の㉕の金額	判定	該　当　　非該当
円　銭 6　5₀	円 55	円 88	円　銭 5　5₀	円 72	円 86		

2. 株式等保有特定会社

判　定　要　素			判定基準	③の割合が50％以上である　　③の割合が50％未満である
総資産価額（第5表の①の金額）	株式等の価額の合計額（第5表の⑪の金額）	株式等保有割合（②／①）		
①　　　千円 245,680	②　　　千円 0	③　　　％ 0	判定	該　当　　非該当

3. 土地保有特定会社

判　定　要　素			
総資産価額（第5表の①の金額）	土地等の価額の合計額（第5表の㋺の金額）	土地保有割合（⑤／④）	会社の規模の判定（該当する文字を○で囲んで表示します。）
④　　　千円 245,680	⑤　　　千円 206,800	⑥　　　％ 84	大会社・中会社・小会社

判定基準	会社の規模	大会社		中会社		小会社 （総資産価額（帳簿価額）が次の基準に該当する会社）	
						・卸売業 　20億円以上 ・小売・サービス業 　15億円以上 ・上記以外の業種 　15億円以上	・卸売業 　7,000万円以上20億円未満 ・小売・サービス業 　4,000万円以上15億円未満 ・上記以外の業種 　5,000万円以上15億円未満
	⑥の割合	70％以上	70％未満	90％以上	90％未満	70％以上	70％未満	90％以上	90％未満
判定		該当	非該当	該当	非該当	該当	非該当	該当	非該当

4. 開業後3年未満の会社等

(1) 開業後3年未満の会社

判定要素	判定基準	課税時期において開業後3年未満である	課税時期において開業後3年未満でない
開業年月日　昭62年11月1日	判定	該　当	非該当

(2) 比準要素数0の会社

判定要素	直前期末を基とした判定要素			判定基準	直前期末を基とした判定要素がいずれも0
	第4表の⑱の金額	第4表の⑯の金額	第4表の⑰の金額		である（該当）・でない（非該当）
	円　銭 6　5₀	円 55	円 88	判定	該　当　　非該当

5. 開業前又は休業中の会社

開業前の会社の判定	休業中の会社の判定
該当　非該当	該当　非該当

6. 清算中の会社

	判　定
	該　当　　非該当

7. 特定の評価会社の判定結果

1. 比準要素数1の会社　　　　2. 株式等保有特定会社

3. 土地保有特定会社　　　　4. 開業後3年未満の会社等

5. 開業前又は休業中の会社　　6. 清算中の会社

該当する番号を○で囲んでください。なお、上記の「1．比準要素数1の会社」欄から「6．清算中の会社」欄の判定において2以上に該当する場合には、後の番号の判定によります。

—1560—

第八章　株式及び出資

第3表　一般の評価会社の株式及び株式に関する権利の価額の計算明細書

会社名　**大手町薬品株式会社**

（令和六年一月一日以降用）

（取引相場のない株式（出資）の評価明細書）

	1株当たりの価額の計算の基となる金額	類似業種比準価額（第4表の㉖、㉗又は㉘の金額）①	1株当たりの純資産価額（第5表の⑪の金額）②	1株当たりの純資産価額の80％相当額（第5表の⑫の記載がある場合のその金額）③
		1,328　円	**7,660**　円	円

1　原則的評価方式による価額

1株当たりの価額の計算

区分	1株当たりの価額の算定方法	1株当たりの価額
大会社の株式の価額	次のうちいずれか低い方の金額（②の記載がないときは①の金額）　イ　①の金額　ロ　②の金額	④　　円
中会社の株式の価額	（①と②とのいずれか低い方の金額 × Lの割合 0. ）＋（②の金額（③の金額があるときは③の金額）×（1− Lの割合 0. ））	⑤　　円
小会社の株式の価額	次のうちいずれか低い方の金額　イ　②の金額（③の金額があるときは③の金額）　ロ　（①の金額 × 0.50）＋（イの金額 × 0.50）	⑥　**4,494**　円

株式の価額の修正

	株式の価額		修正後の株式の価額
課税時期において配当期待権の発生している場合	［④、⑤又は⑥の金額］ − 1株当たりの配当金額 **70**円**00**銭		⑦　**4,424**　円
課税時期において株式の割当てを受ける権利、株主となる権利又は株式無償交付期待権の発生している場合	（（④、⑤又は⑥（⑦があるときは⑦）の金額）＋ 割当株式1株当たりの払込金額　円 × 1株当たりの割当株式数　株）÷（1株＋ 1株当たりの割当株式数又は交付株式数　株）		⑧　　円

2　配当還元方式による価額

1株当たりの資本金等の額、発行済株式数等

	直前期末の資本金等の額	直前期末の発行済株式数	直前期末の自己株式数	1株当たりの資本金等の額を50円とした場合の発行済株式数（⑨÷50円）	1株当たりの資本金等の額（⑨÷（⑩−⑪））
	⑨　　千円	⑩　　株	⑪　　株	⑫　　株	⑬　　円

直前期末以前2年間の配当金額

事業年度	⑭　年配当金額	⑮　左のうち非経常的な配当金額	⑯　差引経常的な年配当金額（⑭−⑮）	年平均配当金額
直前期	千円	千円	イ　　千円	⑰（イ＋ロ）÷2　千円
直前々期	千円	千円	ロ　　千円	

1株（50円）当たりの年配当金額	年平均配当金額（⑰の金額）÷ ⑫の株式数 ＝	⑱　　円　銭	この金額が2円50銭未満の場合は2円50銭とします。

配当還元価額	⑱の金額 / 10% × ⑬の金額 / 50円 ＝	⑲　　円	⑳　　円	⑲の金額が、原則的評価方式により計算した価額を超える場合には、原則的評価方式により計算した価額とします。

3　株式に関する権利の価額（1.及び2.に共通）

		1株当たりの予想配当金額	源泉徴収されるべき所得税相当額		
配当期待権		（ **70**円**00**銭 ）	− **14**円**29**銭	㉑　**55**円**71**銭	**4.　株式及び株式に関する権利の価額（1.及び2.に共通）**
株式の割当てを受ける権利（割当株式1株当たりの価額）		⑧（配当還元方式の場合は⑳）の金額	割当株式1株当たりの払込金額　円	㉒　　円	株式の評価額　**4,424**　円
株主となる権利（割当株式1株当たりの価額）		⑧（配当還元方式の場合は⑳）の金額（課税時期後にその株主となる権利につき払い込むべき金額があるときは、その金額を控除した金額）		㉓　　円	株式に関する権利の評価額（円　銭）
株式無償交付期待権（交付される株式1株当たりの価額）		⑧（配当還元方式の場合は⑳）の金額		㉔　　円	**55円71銭**

−1561−

第九編　財産の評価

第4表　類似業種比準価額等の計算明細書

会社名　**大手町薬品株式会社**

（取引相場のない株式（出資）の評価明細書）

（令和六年一月一日以降用）

1．1株当たりの資本金等の額等の計算

	直前期末の資本金等の額	直前期末の発行済株式数	直前期末の自己株式数	1株当たりの資本金等の額（①÷（②－③））	1株当たりの資本金等の額を50円とした場合の発行済株式数（①÷50円）
1．1株当たりの資本金等の額等の計算	① 10,000 千円	② 20,000 株	③ 株	④ 500 円	⑤ 200,000 株

2．比準要素等の金額の計算

1株（50円）当たりの年配当金額

直前期末以前2（3）年間の年平均配当金額

事業年度	⑥ 年配当金額	⑦ 左のうち非経常的な配当金額	⑧ 差引経常的な年配当金額（⑥－⑦）	年平均配当金額	比準要素数1の会社・比準要素数0の会社の判定要素の金額
直前期	1,400 千円	0 千円	㋑ 1,400 千円	⑨（㋑＋㋺）÷2 1,300 千円	⑨/⑤ ⑧6円5銭
直前々期	1,200 千円	0 千円	㋺ 1,200 千円		⑩/⑤ ⑨5円5銭
直前々期の前期	1,000 千円	0 千円	㋩ 1,000 千円	⑩（㋺＋㋩）÷2 1,100 千円	1株（50円）当たりの年配当金額（⑧）の金額 ⑧ 6円50銭

1株（50円）当たりの年利益金額

直前期末以前2（3）年間の利益金額

事業年度	⑪法人税の課税所得金額	⑫非経常的な利益金額	⑬受取配当等の益金不算入額	⑭左の所得税額	⑮損金算入した繰越欠損金の控除額	⑯差引利益金額（⑪－⑫＋⑬－⑭＋⑮）	比準要素数1の会社・比準要素数0の会社の判定要素の金額
直前期	11,000 千円	0 千円	0 千円	0 千円	0 千円	㋥ 11,000 千円	⑯/⑤ 又は (㋥＋㋭)÷2/⑤ ⓒ1 55円
直前々期	14,400 千円	0 千円	0 千円	0 千円	0 千円	㋭ 14,400 千円	⑯/⑤ 又は (㋭＋㋬)÷2/⑤ ⓒ2 72円
直前々期の前期	千円	千円	千円	千円	千円	㋬ 千円	1株（50円）当たりの年利益金額（⑯/⑤ 又は (㋥＋㋭)÷2/⑤ の金額）　ⓒ 55円

1株（50円）当たりの純資産価額

直前期末（直前々期末）の純資産価額

事業年度	⑰資本金等の額	⑱利益積立金額	⑲純資産価額（⑰＋⑱）	比準要素数1の会社・比準要素数0の会社の判定要素の金額
直前期	10,000 千円	7,600 千円	㋺ 17,600 千円	⑲/⑤ ⓓ1 88円
直前々期	10,000 千円	7,200 千円	㋩ 17,200 千円	⑲/⑤ ⓓ2 86円
				1株（50円）当たりの純資産価額（⑲/⑤）の金額　ⓓ 88円

3．類似業種比準価額の計算

その他の小売業（No. 84）

	1株（50円）当たりの株価	区分	1株（50円）当たりの年配当金額	1株（50円）当たりの年利益金額	1株（50円）当たりの純資産価額	1株（50円）当たりの比準価額
課税時期の属する月	㋑ 4月 215円	評価会社	⑧ 6円5銭	ⓒ 55円	ⓓ 88円	㉑×㉒×0.7
課税時期の属する月の前月	㋺ 3月 212円	類似業種 B	3円9銭	C 27円	D 197円	※中会社は0.6 小会社は0.5 とします。
課税時期の属する月の前々月	㋩ 2月 210円	要素別比準割合	⑧/B 1·66	ⓒ/C 2·03	ⓓ/D 0·44	
前年平均株価	㋥ 209円					
課税時期の属する月以前2年間の平均株価	㋭ 213円	比準割合	(⑧/B＋ⓒ/C＋ⓓ/D)/3 ＝		㉑ 1·37	㉒ 143円1銭
A（㋑、㋺、㋩、㋥及び㋭のうち最も低いもの）	⑳ 209円					

医療品・化粧品の小売業（No. 85）

	1株（50円）当たりの株価	区分	1株（50円）当たりの年配当金額	1株（50円）当たりの年利益金額	1株（50円）当たりの純資産価額	1株（50円）当たりの比準価額
課税時期の属する月	㋑ 4月 266円	評価会社	⑧ 6円5銭	ⓒ 55円	ⓓ 88円	㉓×㉔×0.7
課税時期の属する月の前月	㋺ 3月 268円	類似業種 B	4円0銭	C 37円	D 219円	※中会社は0.6 小会社は0.5 とします。
課税時期の属する月の前々月	㋩ 2月 257円	要素別比準割合	⑧/B 1·62	ⓒ/C 1·48	ⓓ/D 0·40	
前年平均株価	㋥ 229円					
課税時期の属する月以前2年間の平均株価	㋭ 245円	比準割合	(⑧/B＋ⓒ/C＋ⓓ/D)/3 ＝		㉔ 1·16	㉕ 132円8銭
A（㋑、㋺、㋩、㋥及び㋭のうち最も低いもの）	㉓ 229円					

1株当たりの比準価額

1株当たりの比準価額	比準価額（㉒と㉕とのいずれか低い方の金額）　×　④の金額/50円	㉖ 1,328 円

比準価額の修正

直前期末の翌日から課税時期までの間に配当金交付の効力が発生した場合	比準価額（㉖の金額）　－　1株当たりの配当金額　円　銭	修正比準価額 ㉗　円
直前期末の翌日から課税時期までの間に株式の割当て等の効力が発生した場合	比準価額（㉖（㉗がある ときは㉗）の金額）＋ 割当株式1株当たりの払込金額　円　銭　× 1株当たりの割当株式数　株）÷（1株＋ 1株当たりの割当株式数又は交付株式数　株）	修正比準価額 ㉘　円

－1562－

第八章　株式及び出資

第5表　1株当たりの純資産価額（相続税評価額）の計算明細書　　会社名 **大手町薬品株式会社**

（取引相場のない株式（出資）の評価明細書）

（令和六年一月一日以降用）

1. 資産及び負債の金額（課税時期現在）

	資　産　の　部					負　債　の　部			
科　　目	相続税評価額	帳簿価額	備考		科　　目	相続税評価額	帳簿価額	備考
	千円	千円				千円	千円	
現　　　金	987	987			支 払 手 形	5,700	5,700	
預　　　金	9,500	9,500			買 掛 金	5,500	5,500	
受 取 手 形	2,600	2,600			未 払 金	900	900	
売 掛 金	10,700	10,700			仮 受 金	4,100	4,100	
未 収 金	700	700			未 納 税 金	1,200	1,200	
前 渡 金	250	250			直前期の利益のうち役員賞与確定額	1,000	1,000	
商　　　品	4,240	4,240						
仮 払 金	1,000	1,000						
建　　　物	5,200	4,800						
什 器 備 品	2,313	2,200						
土　　　地	206,800	7,300						
電話加入権	390	223						
敷　　　金	1,000	1,000						
合　計	① 245,680	② 45,500			合　計	③ 18,400	④ 18,400	
株式等の価額の合計額	㋑ 0	㋺ 0						
土地等の価額の合計額	㋩ 206,800							
現物出資等受入れ資産の価額の合計額	㋥ 0	㋭ 0						

2. 評価差額に対する法人税額等相当額の計算

相続税評価額による純資産価額　（①－③）	⑤	227,280	千円
帳簿価額による純資産価額　（（②＋㋥－㋭－④）、マイナスの場合は0）	⑥	27,100	千円
評価差額に相当する金額　（⑤－⑥）、マイナスの場合は0	⑦	200,180	千円
評価差額に対する法人税額等相当額　（⑦×37%）	⑧	74,066	千円

3. 1株当たりの純資産価額の計算

課税時期現在の純資産価額（相続税評価額）　（⑤－⑧）	⑨	153,214	千円
課税時期現在の発行済株式数　（（第1表の1の①）－自己株式数）	⑩	20,000	株
課税時期現在の1株当たりの純資産価額（相続税評価額）　（⑨÷⑩）	⑪	7,660	円
同族株主等の議決権割合（第1表の1の⑤の割合）が50%以下の場合　（⑪×80%）	⑫		円

－1563－

第九編　財産の評価

計算例5　小会社の同族株主等以外の株主の場合（配当還元方式）

A　設　　例

　計算例4の大手町薬品株式会社に同じ。

1　株式の所有割合　35%（他に50%以上を所有する株主グループがある。）

2　配当金額　直前期1,400千円、直前々期1,200千円

3　1株当たりの資本金等の額　500円

B　計　　算

イ　会社規模　　小会社

ロ　配当還元価額の計算

$$\frac{(1,400千円＋1,200千円)}{2}＝1,300千円$$

　1,300千円÷200,000株＝6円50銭

$$\frac{6円50銭}{10\%}×\frac{500円}{50円}＝\ 650円$$

ハ　原則的評価方法による評価額（議決権割合50%以下の株主の80%評価を適用）

　（1,328円×0.50）＋（7,660円×0.8×0.50）＝3,728円

　配当期待権の発生による修正　3,728円－70円＝3,658円

ニ　株式の評価額　650円（ロによる評価額＜ハによる評価額）

ホ　配当期待権の価額　70円－14円29銭＝55円71銭

第八章　株式及び出資

第1表の1　評価上の株主の判定及び会社規模の判定の明細書

整理番号　　　　　

（令和六年一月一日以降用）

（取引相場のない株式（出資）の評価明細書）

会社名	（電話 **6942-○○○○**）　**大手町薬品株式会社**	本店の所在地	**大阪市○○区××町7-8**

代表者氏名	**大手町　一郎**	事業内容	取扱品目及び製造、卸売、小売等の区分	業種目番号	取引金額の構成比
課税時期	**6**年　**4**月　**30**日		**医薬品小売**	**85**	**100**%
直前期	自　**5**年　**4**月　**1**日 至　**6**年　**3**月　**31**日				

判定要素（課税時期現在の株式等の所有状況）

1．株主及び評価方式の判定

氏名又は名称	続柄	会社における役職名	㋑株式数（株式の種類）	㋺議決権数	㋩議決権割合（㋺/④）
関東　太郎	納税義務者	専務取締役	株 **7,000**	個 **70**	% **35**
自己株式					
納税義務者の属する同族関係者グループの議決権の合計数				② **70**	⑤（②/④） **35**
筆頭株主グループの議決権の合計数				③ **120**	⑥（③/④） **60**
評価会社の発行済株式又は議決権の総数			① **20,000**	④ **200**	100

判定基準：納税義務者の属する同族関係者グループの議決権割合（⑤の割合）を基として、区分します。

区分基準	筆頭株主グループの議決権割合（⑥の割合）			株主の区分
	50%超の場合	30%以上50%以下の場合	30%未満の場合	
⑤の割合	50%超	30%以上	15%以上	同族株主等
	50%未満	30%未満	15%未満	同族株主等以外の株主

判定	同族株主等（原則的評価方式等）　　　　同族株主等以外の株主（配当還元方式）

「同族株主等」に該当する納税義務者のうち、議決権割合（㋩の割合）が5%未満の者の評価方式は、「2．少数株式所有者の評価方式の判定」欄により判定します。

2．少数株式所有者の評価方式の判定

項　目	判　定　内　容
氏　名	
㋥役員	である〔原則的評価方式等〕・でない（次の㋭へ）
㋭納税義務者が中心的な同族株主	である〔原則的評価方式等〕・でない（次の㋬へ）
㋬納税義務者以外に中心的な同族株主（又は株主）	がいる（配当還元方式）・がいない〔原則的評価方式等〕（氏名　　　　　）
判　定	原則的評価方式等　・　配当還元方式

第九編　財産の評価

第1表の2　評価上の株主の判定及び会社規模の判定の明細書（続）　会社名 **大手町薬品株式会社**

（取引相場のない株式（出資）の評価明細書）

（令和六年一月一日以降用）

3．会社の規模（Lの割合）の判定

判定要素	項　目	金　額	項　目	人　数
	直前期末の総資産価額 （帳簿価額）	千円 **45,500**	直前期末以前1年間における従業員数	**4.2** 人 〔従業員数の内訳〕
	直前期末以前1年間の取引金額	千円 **55,500**		〔継続勤務従業員数〕（**3** 人）＋ 〔継続勤務従業員以外の従業員の労働時間の合計時間数〕（**2,200** 時間）／1,800時間

⑯ 直前期末以前1年間における従業員数に応ずる区分	70人以上の会社は、大会社（㋺及び㋩は不要） 70人未満の会社は、㋺及び㋩により判定

判定基準

㋺ 直前期末の総資産価額（帳簿価額）及び直前期末以前1年間における従業員数に応ずる区分　　　　　㋩ 直前期末以前1年間の取引金額に応ずる区分

総資産価額（帳簿価額）			従業員数	取引金額			会社規模とLの割合（中会社）の区分
卸売業	小売・サービス業	卸売業、小売・サービス業以外		卸売業	小売・サービス業	卸売業、小売・サービス業以外	
20億円以上	15億円以上	15億円以上	35人超	30億円以上	20億円以上	15億円以上	大会社
4億円以上 20億円未満	5億円以上 15億円未満	5億円以上 15億円未満	35人超	7億円以上 30億円未満	5億円以上 20億円未満	4億円以上 15億円未満	0.90 中会社
2億円以上 4億円未満	2億5,000万円以上 5億円未満	2億5,000万円以上 5億円未満	20人超 35人以下	3億5,000万円以上 7億円未満	2億5,000万円以上 5億円未満	2億円以上 4億円未満	0.75 中会社
7,000万円以上 2億円未満	（4,000万円以上 2億5,000万円未満）	5,000万円以上 2億5,000万円未満	5人超 20人以下	2億円以上 3億5,000万円未満	6,000万円以上 2億5,000万円未満	8,000万円以上 2億円未満	0.60 中会社
7,000万円未満	4,000万円未満	5,000万円未満	（5人以下）	2億円未満	（6,000万円未満）	8,000万円未満	小会社

・「会社規模とLの割合（中会社）の区分」欄は、㋺欄の区分（「総資産価額（帳簿価額）」と「従業員数」とのいずれか下位の区分）と㋩欄（取引金額）の区分とのいずれか上位の区分により判定します。

判定	大会社	中会社			（小会社）	
		Lの割合				
		0.90	0.75	0.60		

4．増（減）資の状況その他評価上の参考事項

直前期分の配当金の支払基準日　令和6年3月31日
効力発生日　令和6年5月20日

—1566—

第八章　株式及び出資

第2表　特定の評価会社の判定の明細書

会社名　**大手町薬品株式会社**

（令和六年一月一日以降用）

（取引相場のない株式（出資）の評価明細書）

1. 比準要素数1の会社

判定要素						判定基準	(1)欄のいずれか2の判定要素が0であり、かつ、(2)欄のいずれか2以上の判定要素が0
(1)直前期末を基とした判定要素			(2)直前々期末を基とした判定要素				である（該当）・(でない)（非該当）
第4表の ㊤の金額	第4表の ㊥の金額	第4表の ㊦の金額	第4表の ㊤の金額	第4表の ㊥の金額	第4表の ㊦の金額		
円 銭 **6 5 0**	円 **55**	円 **88**	円 銭 **5 5**	円 **72**	円 **86**	判定	該当 ・ (非該当)

2. 株式等保有特定会社

判定要素			判定基準	③の割合が50%以上である	(③の割合が50%未満である)
総資産価額（第5表の①の金額）	株式等の価額の合計額（第5表の㋑の金額）	株式等保有割合（②/①）			
① 千円 **245,680**	② 千円 **0**	③ ％ **0**	判定	該当 ・ (非該当)	

3. 土地保有特定会社

判定要素			
総資産価額（第5表の①の金額）	土地等の価額の合計額（第5表の㋩の金額）	土地保有割合（⑤/④）	会社の規模の判定（該当する文字を○で囲んで表示します。）
④ 千円 **245,680**	⑤ 千円 **206,800**	⑥ ％ **84**	大会社・中会社・(小会社)

判定基準 会社の規模	大会社	中会社	小会社（総資産価額（帳簿価額）が次の基準に該当する会社）	
			・卸売業　20億円以上 ・小売・サービス業　15億円以上 ・上記以外の業種　15億円以上	・卸売業　7,000万円以上20億円未満 ・小売・サービス業　4,000万円以上15億円未満 ・上記以外の業種　5,000万円以上15億円未満
⑥の割合	70%以上 ／ 70%未満	90%以上 ／ 90%未満	70%以上 ／ 70%未満	90%以上 ／ (90%未満)
判定	該当 ／ 非該当	該当 ／ 非該当	該当 ／ 非該当	該当 ／ (非該当)

4. 開業後3年未満の会社等

(1)開業後3年未満の会社	判定要素	判定基準	課税時期において開業後3年未満である	課税時期において開業後3年未満でない
	開業年月日 **昭62**年**11**月**1**日	判定	該当	(非該当)

(2)比準要素数0の会社	判定要素	直前期末を基とした判定要素			判定基準	直前期末を基とした判定要素がいずれも0
		第4表の ㊤の金額	第4表の ㊥の金額	第4表の ㊦の金額		である（該当）・(でない)（非該当）
		円 銭 **6 5 0**	円 **55**	円 **88**	判定	該当 ・ (非該当)

5. 開業前又は休業中の会社

開業前の会社の判定	休業中の会社の判定
該当 ・ (非該当)	該当 ・ (非該当)

6. 清算中の会社

判定
該当 ・ (非該当)

7. 特定の評価会社の判定結果

1. 比準要素数1の会社　　　　2. 株式等保有特定会社

3. 土地保有特定会社　　　　　4. 開業後3年未満の会社等

5. 開業前又は休業中の会社　　6. 清算中の会社

該当する番号を○で囲んでください。なお、上記の「1. 比準要素数1の会社」欄から「6. 清算中の会社」欄の判定において2以上に該当する場合には、後の番号の判定によります。

第九編　財産の評価

第3表　一般の評価会社の株式及び株式に関する権利の価額の計算明細書　会社名 大手町薬品株式会社

令和六年一月一日以降用

取引相場のない株式（出資）の評価明細書

	1株当たりの価額の計算の基となる金額	類似業種比準価額（第4表の㉖、㉗又は㉘の金額）	1株当たりの純資産価額（第5表の⑪の金額）	1株当たりの純資産価額の80％相当額（第5表の⑫の記載がある場合のその金額）
		① 円 **1,328**	② 円 **7,660**	③ 円 **6,128**

1　原則的評価方式による価額

1株当たりの価額の計算	区　分	1株当たりの価額の算定方法	1株当たりの価額
	大会社の株式の価額	次のうちいずれか低い方の金額（②の記載がないときは①の金額）　イ　①の金額　ロ　②の金額	④ 円
	中会社の株式の価額	（①と②とのいずれか低い方の金額 × Lの割合 0.）＋（②の金額（③の金額があるときは③の金額）×（1－Lの割合 0.））	⑤ 円
	小会社の株式の価額	次のうちいずれか低い方の金額　イ　②の金額（③の金額があるときは③の金額）　ロ　（①の金額 × 0.50）＋（イの金額 × 0.50）	⑥ 円 **3,728**

株式の価額の修正	課税時期において配当期待権の発生している場合	株式の価額 〔④、⑤又は⑥の金額〕 －	1株当たりの配当金額 **70円 00銭**	修正後の株式の価額 ⑦ 円 **3,658**
	課税時期において株式の割当てを受ける権利、株主となる権利又は株式無償交付期待権の発生している場合	株式の価額 〔（⑦があるときは⑦）④、⑤又は⑥の金額〕＋	割当株式1株当たりの払込金額　円 × 1株当たりの割当株式数　株 ）÷（1株＋ 1株当たりの割当株式数又は交付株式数　株 ）	修正後の株式の価額 ⑧ 円

2　配当還元方式による価額

1株当たりの資本金等の額、発行済株式数等	直前期末の資本金等の額	直前期末の発行済株式数	直前期末の自己株式数	1株当たりの資本金等の額を50円とした場合の発行済株式数（⑨÷50円）	1株当たりの資本金等の額（⑨÷（⑩－⑪））
	⑨ 千円 **10,000**	⑩ 株 **20,000**	⑪ 株	⑫ 株 **200,000**	⑬ 円 **500**

直前期末以前2年間の配当金額	事業年度	⑭ 年配当金額	⑮ 左のうち非経常的な配当金額	⑯ 差引経常的な年配当金額（⑭－⑮）	年平均配当金額
	直前期	千円 **1,400**	千円 **0**	㋑ 千円 **1,400**	⑰ （㋑＋㋺）÷2 千円 **1,300**
	直前々期	千円 **1,200**	千円 **0**	㋺ 千円 **1,200**	

1株（50円）当たりの年配当金額	年平均配当金額（⑰の金額） ÷ ⑫の株式数 ＝	⑱ **6円 50銭**	この金額が2円50銭未満の場合は2円50銭とします。

配当還元価額	⑱の金額／10% × ⑬の金額／50円 ＝	⑲ **650円**	⑳ **650円**	⑲の金額が、原則的評価方式により計算した価額を超える場合には、原則的評価方式により計算した価額とします。

3　株式に関する権利の価額（1.及び2.に共通）

配当期待権	1株当たりの予想配当金額（**70円00銭**）	源泉徴収されるべき所得税相当額（**14円29銭**）	㉑ **55円 71銭**

4．株式及び株式に関する権利の価額（1.及び2.に共通）

株式の割当てを受ける権利（割当株式1株当たりの価額）	⑧（配当還元方式の場合は⑳）の金額 －	割当株式1株当たりの払込金額　円	㉒ 円

株式の評価額　**650円**

株主となる権利（割当株式1株当たりの価額）	⑧（配当還元方式の場合は⑳）の金額（課税時期後にその株主となる権利につき払い込むべき金額があるときは、その金額を控除した金額）	㉓ 円

株式無償交付期待権（交付される株式1株当たりの価額）	⑧（配当還元方式の場合は⑳）の金額	㉔ 円

株式に関する権利の評価額（円 銭）　**55円71銭**

－1568－

第八章　株式及び出資

第4表　類似業種比準価額等の計算明細書

会社名　**大手町薬品株式会社**

（取引相場のない株式（出資）の評価明細書）

（令和六年一月一日以降用）

1．1株当たりの資本金等の額等の計算

	直前期末の資本金等の額 ①	直前期末の発行済株式数 ②	直前期末の自己株式数 ③	1株当たりの資本金等の額（①÷（②－③）） ④	1株当たりの資本金等の額を50円とした場合の発行済株式数（①÷50円） ⑤
	10,000 千円	20,000 株	株	500 円	200,000 株

2．比準要素等の金額の計算

1株（50円）当たりの年配当金額

直前期末以前2（3）年間の年平均配当金額

事業年度	⑥ 年配当金額	⑦ 左のうち非経常的な配当金額	⑧ 差引経常的な年配当金額（⑥－⑦）	年平均配当金額	比準要素数1の会社・比準要素数0の会社の判定要素の金額
直前期	1,400 千円	0 千円	⑦ 1,400 千円	⑨（⑦+⑩）÷2	⑨/⑤ ⑧ 6円 5銭
直前々期	1,200 千円	0 千円	⑩ 1,200 千円	1,300 千円	⑩/⑤ ⑤ 5円 5銭
直前々期の前期	1,000 千円	0 千円	1,000 千円	⑩（⑩+⑪）÷2 1,100 千円	1株（50円）当たりの年配当金額 ⑬（⑧）の金額 6円 50銭

1株（50円）当たりの年利益金額

直前期末以前2（3）年間の利益金額

事業年度	⑪法人税の課税所得金額	⑫非経常的な利益金額	⑬受取配当等の益金不算入額	⑭左の所得税額	⑮損金算入した繰越欠損金の控除額	⑯差引利益金額（⑪－⑫+⑬－⑭+⑮）	比準要素数1の会社・比準要素数0の会社の判定要素の金額
直前期	11,000 千円	0 千円	0 千円	0 千円	0 千円	⑰ 11,000 千円	⑯/⑤ 又は（⑯+⑰）÷2 ⓒ 55 円
直前々期	14,400 千円	0 千円	0 千円	0 千円	0 千円	⑱ 14,400 千円	⑰/⑤ 又は（⑰+⑱）÷2 ⓒ 72 円
直前々期の前期	千円	千円	千円	千円	千円	千円	1株（50円）当たりの年利益金額 ⓒ 又は（⑯+⑰）÷2 の金額 ⓒ 55 円

1株（50円）当たりの純資産価額

直前期末（直前々期末）の純資産価額

事業年度	⑰ 資本金等の額	⑱ 利益積立金額	⑲ 純資産価額（⑰+⑱）	比準要素数1の会社・比準要素数0の会社の判定要素の金額
直前期	10,000 千円	7,600 千円	17,600 千円	⑲/⑤ ⓓ 88 円
直前々期	10,000 千円	7,200 千円	17,200 千円	⑳/⑤ ⓓ 86 円
				1株（50円）当たりの純資産価額 ⓓ の金額 ⓓ 88 円

3．類似業種比準価額の計算

1株（50円）当たりの比準価額の計算

類似業種と業種目番号	**その他の小売業**（No. 84）	区分	1株（50円）当たりの年配当金額	1株（50円）当たりの年利益金額	1株（50円）当たりの純資産価額	1株（50円）当たりの比準価額
課税時期の属する月 4月	215 円	評価会社	⑧ 6円 50銭	ⓒ 55円	ⓓ 88円	⑳×㉑×0.7
課税時期の属する月の前月 3月	212 円	類似業種 B	3円 90銭	C 27円	D 197円	※中会社は0.6 小会社は0.5 とします。
課税時期の属する月の前々月 2月	210 円	要素別比準割合	⑧/B 1.66	ⓒ/C 2.03	ⓓ/D 0.44	
前年平均株価	209 円	比準割合	（⑧/B + ⓒ/C + ⓓ/D）÷3 = 1.37			㉒ 143円 1銭
課税時期の属する月以前2年間の平均株価	213 円					
A ⑨,⑩,⑪及び⑫のうち最も低いもの ⑳	209 円					

類似業種と業種目番号	**医療品・化粧品の小売業**（No. 85）	区分	1株（50円）当たりの年配当金額	1株（50円）当たりの年利益金額	1株（50円）当たりの純資産価額	1株（50円）当たりの比準価額
課税時期の属する月 4月	266 円	評価会社	⑧ 6円 50銭	ⓒ 55円	ⓓ 88円	㉓×㉑×0.7
課税時期の属する月の前月 3月	268 円	類似業種 B	4円 0銭	C 37円	D 219円	※中会社は0.6 小会社は0.5 とします。
課税時期の属する月の前々月 2月	257 円	要素別比準割合	⑧/B 1.62	ⓒ/C 1.48	ⓓ/D 0.40	
前年平均株価	229 円	比準割合	（⑧/B + ⓒ/C + ⓓ/D）÷3 = 1.16			㉔ 132円 8銭
課税時期の属する月以前2年間の平均株価	245 円					
A ⑨,⑩,⑪及び⑫のうち最も低いもの ㉓	229 円					

1株当たりの比準価額

比準価額（㉒と㉔とのいずれか低い方の金額）	×	④の金額／50円	㉕
			1,328 円

比準価額の修正

直前期末の翌日から課税時期までの間に配当金交付の効力が発生した場合	比準価額（㉕の金額） － 1株当たりの配当金額 円 銭	修正比準価額 ㉖ 円
直前期末の翌日から課税時期までの間に株式の割当て等の効力が発生した場合	［比準価額（㉖（㉗がある ときは㉖）の金額］ + 割当株式1株当たりの払込金額 円 銭 × 1株当たりの割当株式数 株）÷（1株+ 1株当たりの割当株式数又は交付株式数 株）	修正比準価額 ㉗ 円

— 1569 —

第九編　財産の評価

第5表　1株当たりの純資産価額（相続税評価額）の計算明細書　　会社名 大手町薬品株式会社

（令和六年一月一日以降用）

（取引相場のない株式（出資）の評価明細書）

1. 資産及び負債の金額（課税時期現在）

資産の部				負債の部			
科　目	相続税評価額	帳簿価額	備考	科　目	相続税評価額	帳簿価額	備考
現　金	987 千円	987 千円		支払手形	5,700 千円	5,700 千円	
預　金	9,500	9,500		買掛金	5,500	5,500	
受取手形	2,600	2,600		未払金	900	900	
売掛金	10,700	10,700		仮受金	4,100	4,100	
未収金	700	700		未納税金	1,200	1,200	
前渡金	250	250		直前期の利益のうち役員賞与確定額	1,000	1,000	
商　品	4,240	4,240					
仮払金	1,000	1,000					
建　物	5,200	4,800					
什器備品	2,313	2,200					
土　地	206,800	7,300					
電話加入権	390	223					
敷　金	1,000	1,000					
合　計	① 245,680	② 45,500		合　計	③ 18,400	④ 18,400	
株式等の価額の合計額	㋑ 0	㋺ 0					
土地等の価額の合計額	㋩ 206,800						
現物出資等受入れ資産の価額の合計額	㋥ 0	㋭ 0					

2. 評価差額に対する法人税額等相当額の計算

相続税評価額による純資産価額　（①－③）	⑤ 227,280	千円
帳簿価額による純資産価額　（（②＋㋥－㋭－④）、マイナスの場合は0）	⑥ 27,100	千円
評価差額に相当する金額　（⑤－⑥、マイナスの場合は0）	⑦ 200,180	千円
評価差額に対する法人税額等相当額　（⑦×37%）	⑧ 74,066	千円

3. 1株当たりの純資産価額の計算

課税時期現在の純資産価額（相続税評価額）　（⑤－⑧）	⑨ 153,214	千円
課税時期現在の発行済株式数　（（第1表の1の①）－自己株式数）	⑩ 20,000	株
課税時期現在の1株当たりの純資産価額（相続税評価額）　（⑨÷⑩）	⑪ 7,660	円
同族株主等の議決権割合（第1表の1の⑤の割合）が50%以下の場合　（⑪×80%）	⑫ 6,128	円

－1570－

第八章　株式及び出資

計算例6　大会社（株式保有特定会社）の同族株主等の場合

A　設　　例

1　会社名　　　　　　　　　日本株式会社

2　課税時期　　　　　　　　令和6年4月30日

3　直前期末（1年決算）　　令和6年3月31日

4　直前期末の資本金等の額　100,000千円

5　課税時期の資本金等の額　100,000千円

6　発行済株式　　　　　　200,000株（1株当たりの資本金等の額500円）

　　（注）　1単元の株式の数は100株とします。

7　直前期の配当金額　200万円、直前々期の配当金額　230万円、直前々期の前期の配当金額　200万円

8　会社の規模の判定要素

　①　直前期末の総資産価額（帳簿価額）　　　320,000千円

　②　直前期末以前1年間における継続勤務従業員数18人、継続勤務従業員以外の従業員の労働時間の合計時間数2,200時間

　③　直前期末以前1年間の取引金額　　　　　2,000,000千円

　④　評価会社の業種　　　　　　　　　　　　卸売業、小売・サービス業以外の業種

9　直前期の利益金額　10,000千円（直前々期の利益金額も10,000千円）……非経常的利益は含まれていない。

10　直前期末の純資産価額（帳簿価額）　120,000千円（直前々期末は110,000千円）

11　株主総会　令和6年4月23日

　　この株主総会において2,000千円（1株当たり10円）の配当金（資本等の減少によるものではない。）の支払が決議された。

12　評価会社の資産内容

区　分	相続税評価額	直前期末の帳簿価額
株式等	8億円	2億円
その他の資産	1.2億円	1.2億円
負　債	2億円	2億円

　　（注）　現物出資により受け入れた株式等はない。

13　類似業種比準価額の計算要素

　A　類似業種の平均株価の前3か月、前年平均株価及び課税時期の属する

　　　月以前2年間の平均株価の最低値（仮定）　　　　　　954円

　B　類似業種の1株当たり配当金額（〃）　　　　　　　　4.0円

　C　類似業種の1株当たり利益金額（〃）　　　　　　　　42円

　D　類似業種の1株当たり純資産価額（〃）　　　　　　　226円

　Ⓑ　評価会社の1株当たり配当金額　　　　　　　　　　　1円

　Ⓒ　評価会社の1株当たり利益金額　　　　　　　　　　　5円

　Ⓓ　評価会社の1株当たり純資産価額　　　　　　　　　　60円

14　評価会社の受取配当金等

　イ　直前期末以前2年間の受取配当金の合計額　　　　　　1,500万円

　ロ　直前期末以前2年間の営業利益の合計額（イを除く）　500万円

　ハ　直前期末における利益積立金　　　　　　　　　　　　2,000万円

15　株式保有特定会社の判定（大会社）

$$\frac{8億円}{8億円+1.2億円}=86\%\geqq50\%$$

　　（注）　「株式等の相続税評価額」は取引相場のない株式については、その発行会社の評価差額の37%相当額を控除しないでその1株当たり純資産価額を計算します。

16　評価会社は、自己株式を保有しておらず、種類株式は発行していない（普通株式のみ）。

B　計算要領

1　会社規模　　大会社

2　株式保有特定会社の株式の原則的評価法による評価額〔1株当たり純資産価額〕

-1571-

イ 相続税評価額による純資産価額

（株式）　　　（その他）　　　（負債）

800,000千円＋120,000千円－200,000千円＝720,000千円

ロ 評価差額に対する法人税等相当額

① 評価差額

720,000千円－（320,000千円－200,000千円）＝600,000千円

② 法人税等相当額

600,000千円×37％＝222,000千円

ハ 評価会社の1株当たり純資産価額（相続税評価額により計算した金額）

720,000千円－222,000千円＝498,000千円

498,000千円÷200,000株＝2,490円

議決権割合50％以下の株主グループに属するため特例計算による修正

2,490円×0.8＝1,992円 $\boxed{A}$

3 株式保有特定会社の株式の簡易評価法による評価額〔S₁＋S₂〕

イ 受取配当金収受割合

$$\frac{1,500万円}{1,500万円＋500万円}＝75\%$$

ロ Ⓑ、Ⓒ、Ⓓのうち株式等に対応する金額（ⓑ、ⓒ、ⓓ）の計算

ⓑ 1株当たり配当金のうち株式等対応額

1円×75％＝0.70円（10銭位未満切捨て）（ⓑ）

ⓒ 1株当たり利益金のうち株式等対応額

5円×75％＝3円（円未満切捨て）（ⓒ）

ⓓ 1株当たり純資産価額（帳簿価額）のうち株式等対応額（①＋②）

① 株式等対応簿価純資産価額

$$60円×\frac{200,000千円}{200,000千円＋120,000千円}＝37円（円未満切捨て）$$

② 株式等対応利益積立金額

（2,000万円÷200万株）×75％＝7円（円未満切捨て）

37円＋7円＝44円（ⓓ）

ハ S₁の金額の計算

㋑ 類似業種比準価額

$$954円×\left(\frac{\overset{ⓑ}{\dfrac{1円－0円70銭}{4.0円}}＋\overset{ⓒ}{\dfrac{5円－3円}{42円}}＋\overset{ⓓ}{\dfrac{60円－44円}{226円}}}{3}\right)×0.7 \quad \left(\begin{array}{l}各分数の値は小数点以下\\2位未満切捨て\end{array}\right)$$

$$＝954円×\left(\frac{0.07＋0.04＋0.07}{3}\right)×0.7$$

$$＝954円×0.06×0.7＝40円00銭 \quad 40円00銭×500/50＝400円$$

配当金支払決定による修正　400円－10円＝390円

㋺ 純資産価額（保有株式がないものとした場合）

（資産）120,000千円－（負債）200,000千円＝△80,000千円

よって1株当たり純資産価額は0。

S₁の金額＝㋑と㋺の低い方の金額＝0 $\boxed{B}$

ニ S₂の金額の計算（保有株式等の相続税評価額の評価会社株式1株当たり金額）

$$\frac{800,000千円－（800,000千円－200,000千円）×37\%}{20万株}＝2,890円 \boxed{C}$$

ホ 簡易評価法（S₁＋S₂）による評価額

$\boxed{B}$0円＋$\boxed{C}$2,890円＝2,890円 $\boxed{D}$

ヘ 評価会社の1株当たり評価額

$\boxed{A}$1,992円＜$\boxed{D}$2,890円　∴1,992円

第八章　株式及び出資

第1表の1　評価上の株主の判定及び会社規模の判定の明細書

整理番号 □□□□□

（令和六年一月一日以降用）

（取引相場のない株式（出資）の評価明細書）

会 社 名	（電話　　　　　　） 日本株式会社	本店の所在地				
代表者氏名	日本　一郎		取扱品目及び製造、卸売、小売等の区分	業種目番号	取引金額の構成比	
課 税 時 期	**6** 年 **4** 月 **30** 日	事業内容				％
直 前 期	自 **5** 年 **4** 月 **1** 日　至 **6** 年 **3** 月 **31** 日					

1．株主及び評価方式の判定

氏名又は名称	続柄	会社における役職名	㋑ 株式数（株式の種類）	㋺ 議決権数	㋩ 議決権割合（㋺/④）
日本　一郎	納税義務者	社長	株 **80,000**	個 **800**	％ **40**
自己株式					
納税義務者の属する同族関係者グループの議決権の合計数			② **1,000**	⑤ (②/④) **50**	
筆頭株主グループの議決権の合計数			③ **1,000**	⑥ (③/④) **50**	
評価会社の発行済株式又は議決権の総数			① **200,000**	④ **2,000**	100

判定基準：納税義務者の属する同族関係者グループの議決権割合（⑤の割合）を基として、区分します。

区分	筆頭株主グループの議決権割合（⑥の割合）			株主の区分
	50％超の場合	（30％以上50％以下の場合）	30％未満の場合	
⑤の割合	50％超	（30％以上）	15％以上	同族株主等
	50％未満	30％未満	15％未満	同族株主等以外の株主

判定	（同族株主等（原則的評価方式等））	同族株主等以外の株主（配当還元方式）

「同族株主等」に該当する納税義務者のうち、議決権割合（㋩の割合）が5％未満の者の評価方式は、「2．少数株式所有者の評価方式の判定」欄により判定します。

2．少数株式所有者の評価方式の判定

項目	判定内容	
判定要素	氏名	
	㋥ 役員	である（原則的評価方式等）・でない（次の㋭へ）
	㋭ 納税義務者が中心的な同族株主	である（原則的評価方式等）・でない（次の㋬へ）
	㋬ 納税義務者以外に中心的な同族株主（又は株主）	がいる（配当還元方式）・がいない（原則的評価方式等）（氏名　　　　）
判定	原則的評価方式等　・　配当還元方式	

－1573－

第九編　財産の評価

第1表の2　評価上の株主の判定及び会社規模の判定の明細書（続）　会社名　**日本株式会社**

（取引相場のない株式（出資）の評価明細書）

（令和六年一月一日以降用）

3．会社の規模（Lの割合）の判定

判定要素	項　目	金　額	項　目	人　数
	直前期末の総資産価額 （帳簿価額）	千円 **320,000**	直前期末以前1年間における従業員数	**19.2**人 〔従業員数の内訳〕
	直前期末以前1年間の取引金額	千円 **2,000,000**		継続勤務従業員数 （**18**人）＋ 継続勤務従業員以外の従業員の労働時間の合計時間数 （**2,200**時間） 1,800時間

⑤　直前期末以前1年間における従業員数に応ずる区分 ── 70人以上の会社は、大会社（㋑及び㋩は不要）
70人未満の会社は、㋑及び㋩により判定

判定基準	㋑　直前期末の総資産価額（帳簿価額）及び直前期末以前1年間における従業員数に応ずる区分				㋩　直前期末以前1年間の取引金額に応ずる区分			会社規模とLの割合（中会社）の区分
	総資産価額（帳簿価額）			従業員数	取引金額			
	卸売業	小売・サービス業	卸売業、小売・サービス業以外		卸売業	小売・サービス業	卸売業、小売・サービス業以外	
	20億円以上	15億円以上	15億円以上	35人超	30億円以上	20億円以上	⟨15億円以上⟩	大会社
	4億円以上 20億円未満	5億円以上 15億円未満	5億円以上 15億円未満	35人超	7億円以上 30億円未満	5億円以上 20億円未満	4億円以上 15億円未満	0.90 中会社
	2億円以上 4億円未満	2億5,000万円以上 5億円未満	⟨2億5,000万円以上 5億円未満⟩	20人超 35人以下	3億5,000万円以上 7億円未満	2億5,000万円以上 5億円未満	2億円以上 4億円未満	0.75
	7,000万円以上 2億円未満	4,000万円以上 2億5,000万円未満	5,000万円以上 2億5,000万円未満	⟨5人超 20人以下⟩	2億円以上 3億5,000万円未満	6,000万円以上 2億5,000万円未満	8,000万円以上 2億円未満	0.60
	7,000万円未満	4,000万円未満	5,000万円未満	5人以下	2億円未満	6,000万円未満	8,000万円未満	小会社

・「会社規模とLの割合（中会社）の区分」欄は、㋑欄の区分（「総資産価額（帳簿価額）」と「従業員数」とのいずれか下位の区分）と㋩欄（取引金額）の区分とのいずれか上位の区分により判定します。

判定	大会社	中会社			小会社
	⟨大会社⟩	Lの割合			
		0.90	0.75	0.60	

4．増（減）資の状況その他評価上の参考事項

直前期分の配当金の支払基準日　令和6年3月31日
効力発生日　令和6年4月23日

－1574－

第八章　株式及び出資

第2表　特定の評価会社の判定の明細書

会社名　**日本株式会社**

（令和六年一月一日以降用）

（取引相場のない株式（出資）の評価明細書）

1. 比準要素数1の会社

判定要素						判定基準	(1)欄のいずれか2の判定要素が0であり、かつ、(2)欄のいずれか2以上の判定要素が0 である（該当）・でない（非該当）
(1)直前期末を基とした判定要素			(2)直前々期末を基とした判定要素				
第4表の⑱の金額	第4表の⑰の金額	第4表の⑯の金額	第4表の⑱₂の金額	第4表の⑰₂の金額	第4表の⑯₂の金額		
円　銭　1　0	円　5	円　60	円　銭　1　0	円　5	円　55	判定	該当　・　非該当

2. 株式等保有特定会社

判定要素			判定基準	
総資産価額（第5表の①の金額）	株式等の価額の合計額（第5表の⑦の金額）	株式等保有割合（②／①）	③の割合が50%以上である	③の割合が50%未満である
①　　千円　920,000	②　　千円　800,000	③　%　86	判定　該当	非該当

3. 土地保有特定会社

判定要素			会社の規模の判定（該当する文字を○で囲んで表示します。）
総資産価額（第5表の①の金額）	土地等の価額の合計額（第5表の○の金額）	土地保有割合（⑤／④）	
④　　千円　920,000	⑤　　千円　0	⑥　%　0	大会社・中会社・小会社

判定基準	会社の規模	大会社	中会社	小会社（総資産価額（帳簿価額）が次の基準に該当する会社）	
				・卸売業　20億円以上	・卸売業　7,000万円以上20億円未満
				・小売・サービス業　15億円以上	・小売・サービス業　4,000万円以上15億円未満
				・上記以外の業種　15億円以上	・上記以外の業種　5,000万円以上15億円未満
	⑥の割合	70%以上	70%未満	90%以上	90%未満	70%以上	70%未満	90%以上	90%未満
判定		該当	非該当	該当	非該当	該当	非該当	該当	非該当

4. 開業後3年未満の会社等

(1) 開業後3年未満の会社

判定要素		判定基準	課税時期において開業後3年未満である	課税時期において開業後3年未満でない
開業年月日	昭55年7月1日	判定	該当	非該当

(2) 比準要素数0の会社

判定要素	直前期末を基とした判定要素			判定基準	直前期末を基とした判定要素がいずれも0である（該当）　・　でない（非該当）
	第4表の⑱の金額	第4表の⑰の金額	第4表の⑯の金額		
	円　銭　1　0	円　5	円　60	判定	該当　・　非該当

5. 開業前又は休業中の会社

開業前の会社の判定		休業中の会社の判定	
該当	非該当	該当	非該当

6. 清算中の会社

判定	
該当	非該当

7. 特定の評価会社の判定結果

1. 比準要素数1の会社　　　②　株式等保有特定会社

3. 土地保有特定会社　　　4. 開業後3年未満の会社等

5. 開業前又は休業中の会社　　　6. 清算中の会社

該当する番号を○で囲んでください。なお、上記の「1. 比準要素数1の会社」欄から「6. 清算中の会社」欄の判定において2以上に該当する場合には、後の番号の判定によります。

—1575—

第九編　財産の評価

第4表　類似業種比準価額等の計算明細書

会社名　**日本株式会社**

（取引相場のない株式（出資）の評価明細書）

（令和六年一月一日以降用）

1．1株当たりの資本金等の額等の計算

	① 直前期末の資本金等の額	② 直前期末の発行済株式数	③ 直前期末の自己株式数	④ 1株当たりの資本金等の額（①÷（②-③））	⑤ 1株当たりの資本金等の額を50円とした場合の発行済株式数（①÷50円）
	100,000 千円	200,000 株	500 株	500 円	2,000,000 株

2．比準要素等の金額の計算

1株(50円)当たりの年配当金額

直前期末以前2（3）年間の年平均配当金額

事業年度	⑥ 年配当金額	⑦ 左のうち非経常的な配当金額	⑧ 差引経常的な年配当金額（⑥-⑦）	年平均配当金額
直前期	2,000 千円	0 千円	㋑ 2,000 千円	⑨（㋑+㋺）÷2　2,000 千円
直前々期	2,000 千円	0 千円	㋺ 2,000 千円	
直前々期の前期	2,000 千円	0 千円	㋩ 2,000 千円	⑩（㋺+㋩）÷2　2,000 千円

比準要素数1の会社・比準要素数0の会社の判定要素の金額

⑨/⑤	1 円 0 銭	⑩/⑤	1 円 0 銭

1株(50円)当たりの年配当金額　Ⓑ の金額
⑧　1 円 00 銭

1株(50円)当たりの年利益金額

直前期末以前2（3）年間の利益金額

事業年度	⑪ 法人税の課税所得金額	⑫ 非経常的な利益金額	⑬ 受取配当等の益金不算入額	⑭ 左の所得税額	⑮ 損金算入した繰越欠損金の控除額	⑯ 差引利益金額（⑪-⑫+⑬-⑭+⑮）
直前期	10,000 千円	0 千円	0 千円	0 千円	0 千円	㋥ 10,000 千円
直前々期	10,000 千円	0 千円	0 千円	0 千円	0 千円	㋭ 10,000 千円

比準要素数1の会社・比準要素数0の会社の判定要素の金額

㋥/⑤ 又は（㋥+㋭）÷2 /⑤	⑥ 5 円
㋭/⑤ 又は（㋭+㋬）÷2 /⑤	⑥ 5 円

1株(50円)当たりの年利益金額
[㋥/⑤ 又は（㋥+㋭）÷2 /⑤ の金額]　Ⓒ 5 円

1株(50円)当たりの純資産価額

直前期末（直前々期末）の純資産価額

事業年度	⑰ 資本金等の額	⑱ 利益積立金額	⑲ 純資産価額（⑰+⑱）
直前期	100,000 千円	20,000 千円	㋬ 120,000 千円
直前々期	100,000 千円	10,000 千円	㋣ 110,000 千円

比準要素数1の会社・比準要素数0の会社の判定要素の金額

㋬/⑤	⑪ 60 円
㋣/⑤	⑫ 55 円

1株(50円)当たりの純資産価額　Ⓓ の金額
Ⓓ 60 円

3．類似業種比準価額の計算

1株(50円)当たりの比準価額の計算

類似業種と業種目番号			区分	1株(50円)当たりの年配当金額	1株(50円)当たりの年利益金額	1株(50円)当たりの純資産価額	1株(50円)当たりの比準価額
課税時期の属する月	㋐ 月	⑰ 円	評価会社	Ⓑ 円 銭 0	Ⓒ 円	Ⓓ 円	⑳ × ㉑ × 0.7　※
課税時期の属する月の前月	㋑ 月	⑱ 円	類似業種	B 円 銭 0	C 円	D 円	※中会社は0.6 小会社は0.5 とします。
課税時期の属する月の前々月	㋒ 月	⑲ 円	要素別比準割合	Ⓑ/B	Ⓒ/C	Ⓓ/D	
前年平均株価	㋓	円	比準割合	（Ⓑ/B + Ⓒ/C + Ⓓ/D）÷3 ＝ ㉑			㉒ 円 銭 0
課税時期の属する月以前2年間の平均株価	㋔	円					
A ㋐、㋑、㋒、㋓及び㋔のうち最も低いもの	⑳	円					

類似業種と業種目番号			区分	1株(50円)当たりの年配当金額	1株(50円)当たりの年利益金額	1株(50円)当たりの純資産価額	1株(50円)当たりの比準価額
課税時期の属する月	㋦ 月	㉓ 円	評価会社	Ⓑ 円 銭 0	Ⓒ 円	Ⓓ 円	㉓ × ㉔ × 0.7　※
課税時期の属する月の前月	㋧ 月	㉔ 円	類似業種	B 円 銭 0	C 円	D 円	※中会社は0.6 小会社は0.5 とします。
課税時期の属する月の前々月	㋨ 月	㉕ 円	要素別比準割合	Ⓑ/B ．	Ⓒ/C	Ⓓ/D	
前年平均株価	㋩	円	比準割合	（Ⓑ/B + Ⓒ/C + Ⓓ/D）÷3 ＝ ㉔			㉕ 円 銭 0
課税時期の属する月以前2年間の平均株価	㋪	円					
A ㋦、㋧、㋨、㋩及び㋪のうち最も低いもの	㉓	円					

比準価額の修正

1株当たりの比準価額	比準価額（㉒と㉕とのいずれか低い方の金額）× ④の金額/50円	㉖ 円

直前期末の翌日から課税時期までの間に配当金交付の効力が発生した場合	比準価額（㉖の金額）　-　円　銭　（1株当たりの配当金額）	修正比準価額 ㉗ 円

直前期末の翌日から課税時期までの間に株式の割当て等の効力が発生した場合	比準価額〔㉖（㉗）があるときは㉗）の金額〕＋ 割当株式1株当たりの払込金額 円 銭 × 1株当たりの割当株式数 株）÷（1株+ 1株当たりの割当株式数又は交付株式数 株）	修正比準価額 ㉘ 円

-1576-

第八章　株式及び出資

第5表　1株当たりの純資産価額（相続税評価額）の計算明細書　　会社名　**日本株式会社**

（取引相場のない株式（出資）の評価明細書）

（令和六年一月一日以降用）

1. 資産及び負債の金額（課税時期現在）

資産の部				負債の部			
科　目	相続税評価額	帳簿価額	備考	科　目	相続税評価額	帳簿価額	備考
	千円	千円			千円	千円	
株　式	**800,000**	**200,000**		**借入金**	**190,000**	**190,000**	
その他の資産	**120,000**	**120,000**		**その他の負債**	**10,000**	**10,000**	
合　計	① **920,000**	② **320,000**		合　計	③ **200,000**	④ **200,000**	
株式等の価額の合計額	㋑ **800,000**	㋺ **200,000**					
土地等の価額の合計額	㋩ **0**						
現物出資等受入れ資産の価額の合計額	㋥ **0**	㋭ **0**					

2. 評価差額に対する法人税額等相当額の計算

相続税評価額による純資産価額　（①－③）	⑤ **720,000**	千円
帳簿価額による純資産価額　（（②＋㋭－㋥）－④）、マイナスの場合は0）	⑥ **120,000**	千円
評価差額に相当する金額　（⑤－⑥、マイナスの場合は0）	⑦ **600,000**	千円
評価差額に対する法人税額等相当額　（⑦×37％）	⑧ **222,000**	千円

3. 1株当たりの純資産価額の計算

課税時期現在の純資産価額（相続税評価額）　（⑤－⑧）	⑨ **498,000**	千円
課税時期現在の発行済株式数　（（第1表の1の①－自己株式数）	⑩ **200,000**	株
課税時期現在の1株当たりの純資産価額（相続税評価額）　（⑨÷⑩）	⑪ **2,490**	円
同族株主等の議決権割合（第1表の1の⑤の割合）が50％以下の場合　（⑪×80％）	⑫ **1,992**	円

－1577－

第九編　財産の評価

第6表　特定の評価会社の株式及び株式に関する権利の価額の計算明細書　会社名 **日本株式会社**

（令和六年一月一日以降用）

（取引相場のない株式（出資）の評価明細書）	1 株当たりの価額の計算の基となる金額	類似業種比準価額（第4表の㉖、㉗又は㉘の金額）① 円	1 株当たりの純資産価額（第5表の⑪の金額）② 円	1株当たりの純資産価額の80％相当額（第5表の⑫の記載がある場合のその金額）③ 円

1 純資産価額方式等による価額

1株当たりの価額の計算	株式の区分	1株当たりの価額の算定方法等	1株当たりの価額
	比準要素数1の会社の株式	次のうちいずれか低い方の金額　イ ②の金額（③の金額があるときは③の金額）　ロ （①の金額 × 0.25）＋（イの金額 × 0.75）	④ 円
	株式等保有特定会社の株式	（第8表の㉗の金額）	⑤ **1,992** 円
	土地保有特定会社の株式	（②の金額（③の金額があるときはその金額））	⑥ 円
	開業後3年未満の会社等の株式	（②の金額（③の金額があるときはその金額））	⑦ 円
	開業前又は休業中の会社の株式	（②の金額）	⑧ 円

株式の価額の修正	課税時期において配当期待権の発生している場合	株式の価額〔④、⑤、⑥、⑦又は⑧の金額〕 － 1株当たりの配当金額　円　銭	修正後の株式の価額 ⑨ 円
	課税時期において株式の割当てを受ける権利、株主となる権利又は株式無償交付期待権の発生している場合	株式の価額（④、⑤、⑥、⑦又は⑧（⑨があるときは⑨）の金額）＋ 割当株式1株当たりの払込金額　円 × 1株当たりの割当株式数　株 ）÷（1株＋ 1株当たりの割当株式数又は交付株式数　株 ）	修正後の株式の価額 ⑩ 円

2 配当還元方式による価額

1株当たりの資本金等の額、発行済株式数等	直前期末の資本金等の額 ⑪ 千円	直前期末の発行済株式数 ⑫ 株	直前期末の自己株式数 ⑬ 株	1株当たりの資本金等の額を50円とした場合の発行済株式数（⑪÷50円）⑭ 株	1株当たりの資本金等の額（⑪÷（⑫－⑬））⑮ 円

直前期末以前2年間の配当金額	事業年度	⑯ 年配当金額	⑰ 左のうち非経常的な配当金額	⑱ 差引経常的な年配当金額（⑯－⑰）	年平均配当金額
	直前期	千円	イ 千円	⑲ （イ＋ロ）÷2 千円	
	直前々期	千円	ロ 千円		千円

1株（50円）当たりの年配当金額	年平均配当金額（⑲の金額） ÷ ⑭の株式数 ＝ ⑳ 円 銭	この金額が2円50銭未満の場合は2円50銭とします。

配当還元価額	⑳の金額／10% × ⑮の金額／50円 ＝ ㉑ 円　㉒ 円	㉑の金額が、純資産価額方式等により計算した価額を超える場合には、純資産価額方式等により計算した価額とします。

3 株式に関する権利の価額（1.及び2.に共通）

配当期待権	1株当たりの予想配当金額（ 円 銭）－ 源泉徴収されるべき所得税相当額（ 円 銭）㉓ 円 銭	**4. 株式及び株式に関する権利の価額（1.及び2.に共通）**
株式の割当てを受ける権利（割当株式1株当たりの価額）	⑩（配当還元方式の場合は㉒）の金額 － 割当株式1株当たりの払込金額　円　㉔ 円	株式の評価額 **1,992** 円
株主となる権利（割当株式1株当たりの価額）	⑩（配当還元方式の場合は㉒）の金額（課税時期後にその株主となる権利につき払い込むべき金額があるときは、その金額を控除した金額）㉕ 円	株式に関する権利の評価額 円（円 銭）
株式無償交付期待権（交付される株式1株当たりの価額）	⑩（配当還元方式の場合は㉒）の金額 ㉖ 円	

－1578－

第八章　株式及び出資

第7表　株式等保有特定会社の株式の価額の計算明細書

会社名　**日本株式会社**

（取引相場のない株式（出資）の評価明細書）

（令和六年一月一日以降用）

1. S₁の金額

受取配当金等収受割合の計算

事業年度	① 直 前 期	② 直 前 々 期	合計（①＋②）	受取配当金等収受割合 （イ÷（イ＋ロ）） ※小数点以下3位未満切り捨て
受取配当金等の額	7,500 千円	7,500 千円	イ 15,000 千円	ハ
営業利益の金額	2,500 千円	2,500 千円	ロ 5,000 千円	0.75

Ｂ－ⓑの金額	1株（50円）当たりの年配当金額（第4表のⒷ）	ⓑの金額 （③×ハ）	Ⓑ－ⓑの金額 （③－④）
	③ 1 円 0 銭 0	④ 7 円 0 銭	⑤ 3 円 0 銭

Ⓒ－ⓒの金額	1株（50円）当たりの年利益金額（第4表のⒸ）	ⓒの金額 （⑥×ハ）	Ⓒ－ⓒの金額 （⑥－⑦）
	⑥ 5 円	⑦ 3 円	⑧ 2 円

S₂の金額

（イ）の金額	1株（50円）当たりの純資産価額（第4表のⒹ）	直前期末の株式等の帳簿価額の合計額	直前期末の総資産価額（帳簿価額）	（イ）の金額 （⑨×（⑩÷⑪））
	⑨ 60 円	⑩ 200,000 千円	⑪ 320,000 千円	⑫ 37 円

（ロ）の金額	利益積立金額 （第4表の⑱の「直前期」欄の金額）	1株当たりの資本金等の額を50円とした場合の発行済株式数（第4表の⑤の株式数）	（ロ）の金額 （（⑬÷⑭）×ハ）
	⑬ 20,000 千円	⑭ 2,000,000 株	⑮ 7 円

ⓓの金額（⑫＋⑮）	Ⓓ－ⓓの金額（⑨－⑯）
⑯ 44 円	⑰ 16 円

（注）　1　ハの割合は、1を上限とします。
　　　　2　⑯の金額は、⑰の金額（⑨の金額）を上限とします。

（類似業種比準価額の計算）

1株（50円）当たりの比準価額の計算	類似業種と業種目番号		区分	1株（50円）当たりの年配当金額	1株（50円）当たりの年利益金額	1株（50円）当たりの純資産価額	1株（50円）当たりの比準価額
	類似業種と業種目番号	（No. ×××）	評価会社	⑤ 0 円 3 銭 0	⑧ 2 円	⑰ 16 円	※ ⑱ × ⑲ × 0.7
	課税時期の属する月	⊖ 954 月					
	課税時期の属する月の前月	㋺ 990 月	類似業種 Ｂ	4 円 0 銭	Ｃ 42 円	Ｄ 226 円	※ 中会社は0.6 小会社は0.5 とします。
	課税時期の属する月の前々月	㋩ 1,000 月					
	前年平均株価	㋥ 1,050 円	要素別比準割合	⑤/Ｂ 0.07	⑧/Ｃ 0.04	⑰/Ｄ 0.07	
	課税時期の属する月以前2年間の平均株価	㋬ 980 円					⑳ 40 円 0 銭 0
	Ａ ㋑、㋺、㋩、㋥及び㋬のうち最も低いもの	⑱ 954 円	比準割合	$\dfrac{\frac{⑤}{Ｂ}+\frac{⑧}{Ｃ}+\frac{⑰}{Ｄ}}{3}$ ＝	⑲ 0.06		

1株（50円）当たりの比準価額の修正計算	類似業種と業種目番号		区分	1株（50円）当たりの年配当金額	1株（50円）当たりの年利益金額	1株（50円）当たりの純資産価額	1株（50円）当たりの比準価額
	類似業種と業種目番号	（No. ）	評価会社	⑤ 円 銭 0	⑧ 円	⑰ 円	※ ㉑ × ㉒ × 0.7
	課税時期の属する月	㋠ 月					
	課税時期の属する月の前月	㋷ 月	類似業種 Ｂ	円 銭 0	Ｃ 円	Ｄ 円	※ 中会社は0.6 小会社は0.5 とします。
	課税時期の属する月の前々月	㋦ 月					
	前年平均株価	㋣ 円	要素別比準割合	⑤/Ｂ ・	⑧/Ｃ ・	⑰/Ｄ ・	
	課税時期の属する月以前2年間の平均株価	㋟ 円					㉓ 円 銭 0
	Ａ ㋠、㋷、㋦、㋣及び㋟のうち最も低いもの	㉑ 円	比準割合	$\dfrac{\frac{⑤}{Ｂ}+\frac{⑧}{Ｃ}+\frac{⑰}{Ｄ}}{3}$ ＝	㉒		

（比準価額の修正）

1株当たりの比準価額	比準価額（⑳と㉓とのいずれか低い方の金額） × $\dfrac{第4表の④の金額}{50円}$	㉔ 400 円

直前期末の翌日から課税時期までの間に配当金交付の効力が発生した場合	比準価額 （㉔の金額） － 1株当たりの配当金額 10 円 00 銭	修正比準価額 ㉕ 390 円

直前期末の翌日から課税時期までの間に株式の割当等の効力が発生した場合	［比準価額 （㉔（㉕があるときは㉕）の金額）＋割当株式1株当たりの払込金額 円 銭 × 1株当たりの割当株式数 株］÷（1株＋1株当たりの割当株式数又は交付株式数 株）	修正比準価額 ㉖ 円

—1579—

第九編　財産の評価

第8表　株式等保有特定会社の株式の価額の計算明細書（続）

会社名　**日本株式会社**

（令和六年一月一日以降用）

（取引相場のない株式（出資）の評価明細書）

1. S₁の金額（続）

	相続税評価額による純資産価額（第5表の⑤の金額）	課税時期現在の株式等の価額の合計額（第5表の④の金額）	差引（①－②）
純資産価額（相続税評価額）の修正計算	① **720,000** 千円	② **800,000** 千円	③ **0** 千円
	帳簿価額による純資産価額（第5表の⑥の金額）	株式等の帳簿価額の合計額（第5表の③＋（⊜－㊲）の金額）（注）	差引（④－⑤）
	④ **120,000** 千円	⑤ **200,000** 千円	⑥ **0** 千円
	評価差額に相当する金額（③－⑥）	評価差額に対する法人税額等相当額（⑦×37%）	課税時期現在の修正純資産価額（相続税評価額）（③－⑧）
	⑦ **0** 千円	⑧ **0** 千円	⑨ **0** 千円
	課税時期現在の発行済株式数（第5表の⑩の株式数）	課税時期現在の修正後の1株当たりの純資産価額（相続税評価額）（⑨÷⑩）	（注）第5表の⊜及び㊲の金額に株式等以外の資産に係る金額が含まれている場合には、その金額を除いて計算します。
	⑩ **200,000** 株	⑪ **0** 円	

1株当たりのS₁の金額の計算の基となる金額	修正後の類似業種比準価額（第7表の㉔、㉖又は㉘の金額）	修正後の1株当たりの純資産価額（相続税評価額）（⑪の金額）	
	⑫ **390** 円	⑬ **0** 円	

1株当たりのS₁の金額の計算	区分	1株当たりのS₁の金額の算定方法	1株当たりのS₁の金額
	比準要素数1である会社のS₁の金額	次のうちいずれか低い方の金額　イ ⑬の金額　ロ （⑫の金額 × 0.25）＋（⑬の金額 × 0.75）	⑭ 円
上記以外の会社	大会社のS₁の金額	次のうちいずれか低い方の金額（⑬の記載がないときは⑫の金額）　イ ⑫の金額　ロ ⑬の金額	⑮ **0** 円
	中会社のS₁の金額	（⑫と⑬とのいずれか低い方の金額 × Lの割合）＋（⑬の金額 ×（1－ Lの割合））　0.　　　　0.	⑯ 円
	小会社のS₁の金額	次のうちいずれか低い方の金額　イ ⑬の金額　ロ （⑫の金額 × 0.50）＋（⑬の金額 × 0.50）	⑰ 円

2. S₂の金額

課税時期現在の株式等の価額の合計額（第5表の④の金額）	株式等の帳簿価額の合計額（第5表の⑥＋（⊜－㊲）の金額）（注）	株式等に係る評価差額に相当する金額（⑱－⑲）	⑳の評価差額に対する法人税額等相当額（⑳×37%）
⑱ **800,000** 千円	⑲ **200,000** 千円	⑳ **600,000** 千円	㉑ **222,000** 千円
S₂の純資産価額相当額（⑱－㉑）	課税時期現在の発行済株式数（第5表の⑩の株式数）	S₂の金額（㉒÷㉓）	（注）第5表の⊜及び㊲の金額に株式等以外の資産に係る金額が含まれている場合には、その金額を除いて計算します。
㉒ **578,000** 千円	㉓ **200,000** 株	㉔ **2,890** 円	

3. 株式等保有特定会社の株式の価額

1株当たりの純資産価額（第5表の⑪の金額（第5表の⑫の金額があるときはその金額））	S₁の金額とS₂の金額との合計額（（⑭、⑮、⑯又は⑰）＋㉔）	株式等保有特定会社の株式の価額（㉕と㉖とのいずれか低い方の金額）
㉕ **1,992** 円	㉖ **2,890** 円	㉗ **1,992** 円

－1580－

第九章　公　社　債

（評価単位）
（１）　公社債の価額は、銘柄の異なるごとに次に掲げる区分に従い、券面額100円当たりの価額に公社債の券面額を100で除した数を乗じて計算した金額によって評価する。（評基通197）
（一）　利付公社債
（二）　割引発行の公社債
（三）　元利均等償還が行われる公社債
（四）　転換社債型新株予約権付社債

（利付公社債の評価）
（２）　利付公社債の評価は、次に掲げる区分に従い、それぞれ次に掲げるところによる。（評基通197－２）

（一）	金融商品取引所に上場されている利付公社債	その公社債が上場されている金融商品取引所（国内の二以上の金融商品取引所に上場されている場合には、原則として、東京証券取引所とするが、納税義務者の選択により納税地の最寄りの金融商品取引所とすることができる。以下同じ。）の公表する課税時期の最終価格（日本証券業協会において売買参考統計値が公表される銘柄として選定された公社債である場合には、日本証券業協会の公表する課税時期の平均値と最終価格のうちいずれか低い金額とする。また、課税時期に最終価格及び平均値のいずれもない場合には、課税時期前の最終価格又は平均値のうち、課税時期に最も近い日の最終価格又は平均値とし、その日に最終価格又は平均値のいずれもある場合には、いずれか低い金額とする。（３）において同じ。）と課税時期において利払期が到来していない利息のうち、課税時期現在の既経過分に相当する金額から当該金額につき源泉徴収されるべき所得税の額に相当する金額を控除した金額（以下（２）及び（５）《転換社債型新株予約権付社債の評価》において「源泉所得税相当額控除後の既経過利息の額」という。）との合計額によって評価する。
（二）	日本証券業協会において売買参考統計値が公表される銘柄として選定された利付公社債（金融商品取引所に上場されている利付公社債を除く。）	その公社債について日本証券業協会から公表された課税時期の平均値（課税時期に平均値がない場合には、課税時期前の平均値のうち、課税時期に最も近い日の平均値とする。（３）において同じ。）と源泉所得税相当額控除後の既経過利息の額との合計額によって評価する。
（三）	（一）又は（二）に掲げる利付公社債以外の利付公社債	その公社債の発行価額と源泉所得税相当額控除後の既経過利息の額との合計額によって評価する。

（注）　利付公社債について、金融商品取引所の公表する最終価格及び日本証券業協会から公表された課税時期の平均値は、既経過利息の額を含まない金額（いわゆる裸値段）であることに留意する。（編者注）

（割引発行の公社債の評価）
（３）　割引発行の公社債の評価は、次に掲げる区分に従い、それぞれ次に掲げるところによる。（評基通197－３）

（一）	金融商品取引所に上場されている割引発行の公社債	その公社債が上場されている金融商品取引所の公表する課税時期の最終価格によって評価する。
（二）	日本証券業協会において売買参考統計値が公表される	その公社債の課税時期の平均値によって評価する。

<table>
<tr>
<td></td>
<td>銘柄として選定された割引発行の公社債（金融商品取引所に上場されている割引発行の公社債及び割引金融債を除く。）</td>
<td></td>
</tr>
<tr>
<td>（三）</td>
<td>（一）又は（二）に掲げる割引発行の公社債以外の割引発行の公社債</td>
<td>その公社債の発行価額に、券面額と発行価額との差額に相当する金額に発行日から償還期限までの日数に対する発行日から課税時期までの日数の割合を乗じて計算した金額を加算した金額によって評価する。</td>
</tr>
</table>

（注）　課税時期において割引発行の公社債の差益金額につき源泉徴収されるべき所得税の額に相当する金額がある場合には、上記の区分に従って
　　　　評価した金額からその差益金額につき源泉徴収されるべき所得税の額に相当する金額を控除した金額によって評価する。

　　　（元利均等償還が行われる公社債の評価）
（４）　元利均等償還が行われる公社債の価額は、第十一章《定期金に関する権利》第一節の❶の（一）《有期定期金》の規定を準用して計算した金額によって評価する。（評基通197－４）

　　　（転換社債型新株予約権付社債の評価）
（５）　転換社債型新株予約権付社債（平成14年３月31日以前に発行された転換社債を含め、以下「転換社債」という。）の評価は、次に掲げる区分に従い、それぞれ次に掲げるところによる。（評基通197－５）
　（一）　金融商品取引所に上場されている転換社債
　　　　その転換社債が上場されている金融商品取引所の公表する課税時期の最終価格（課税時期に金融商品取引所の公表する最終価格がない場合には、課税時期前の最終価格のうち、課税時期に最も近い日の最終価格とする。）と源泉所得税相当額控除後の既経過利息の額との合計額によって評価する。
　（二）　日本証券業協会において店頭転換社債として登録された転換社積
　　　　その転換社債について日本証券業協会の公表する課税時期の最終価格（課税時期に日本証券業協会の公表する最終価格がない場合には、課税時期前の最終価格のうち、課税時期に最も近い日の最終価格とする。）と源泉所得税相当額控除後の既経過利息の額との合計額によって評価する。
　（三）　（一）又は（二）に掲げる転換社債以外の転換社債
　　イ　ロに該当しない転換社債
　　　　その転換社債の発行価額と源泉所得税相当額控除後の既経過利息の額との合計額によって評価する。
　　ロ　転換社債の発行会社の株式の価額が、その転換社債の転換価格（転換比率によって定められているものについては、その転換比率を基として計算した転換価格に相当する金額をいう。以下（５）において同じ。）を超える場合の転換社債
　　　　次の算式により計算した金額によって評価する。

$$\text{転換社債の発行会社の株式の価額} \times \frac{100円}{その転換社債の転換価格}$$

　　　　上の算式中の転換社債の発行会社の株式の価額は、その株式が上場株式又は気配相場のある株式である場合には、その株式について、第八章第二節又は第三節の定めにより評価した課税時期における株式１株当たりの価額をいい、その株式が取引相場のない株式である場合には、その株式について第八章第四節の定めにより評価した課税時期における株式１株当たりの価額を基として、次の算式によって修正した金額とする。

$$\frac{N+P\times Q}{1+Q}$$

　　　　上の算式中の「N」、「P」及び「Q」は、それぞれ次による。
　　　　「N」＝第八章第四節の定めによって評価したその転換社債の発行会社の課税時期における株式１株当たりの価額
　　　　「P」＝その転換社債の転換価格
　　　　「Q」＝次の算式によって計算した未転換社債のすべてが株式に転換されたものとした場合の増資割合

$$\frac{\dfrac{転換社債のうち課税時期において株式に転換されていないものの券面総額}{その転換社債の転換価格}}{課税時期における発行済株式数}$$

　（注）　転換社債の発行会社の株式が取引相場のない株式である場合の転換社債の価額についての計算例を示せば、次のとおりである。
　　　　課税時期の発行済株式数　　　　　　　　500,000株

第九章　公　社　債

転換社債の発行総額	18,000,000円
転換価格	150円
課税時期までに株式に転換した転換社	
債の券面総額	3,000,000円
財産評価基本通達の定めにより評価した	
課税時期における株式1株当たりの価額	186円

　　　　以上における転換社債の価額（券面額100円当たりの価額）は、次のように120円となる。

　　イ　株式の価額が転換価格を超えるかどうかの判定

　　　（イ）　Q（増資割合）の計算

$$\dfrac{\dfrac{18,000,000円-3,000,000円}{150円}}{500,000株}=0.2$$

　　　（ロ）　株式の価額

$$\dfrac{186円+150円\times0.2}{1+0.2}=180円$$

　　　（ハ）　判　定

　　　　　　株式の価額180円が転換価格150円を超えることとなる。

　　ロ　転換社債の価額

$$180円\times\dfrac{100円}{150円}=120円$$

（貸付信託受益証券の評価）

（6）　貸付信託の受益証券の価額は、次に掲げるところにより評価する。（評基通198）

　（一）　課税時期において貸付信託設定日（その貸付信託の信託契約取扱期間終了の日をいう。）から1年以上を経過している貸付信託の受益証券

　　　その証券の受託者が課税時期においてその証券を買い取るとした場合における次の算式により計算した金額

$$元本の額+既経過収益の額-\left(\begin{array}{l}既経過収益の額につき源泉徴収され\\るべき所得税の額に相当する金額\end{array}\right)-買取割引料$$

　（二）　（一）に掲げる貸付信託の受益証券以外の貸付信託の受益証券

　　　（一）の算式に準じて計算した金額

（証券投資信託受益証券の評価）

（7）　証券投資信託の受益証券の評価は、次に掲げる区分に従い、それぞれ次に掲げるところによる。（評基通199）

　（一）　中期国債ファンド、MMF（マネー・マネージメント・ファンド）等の日々決算型の証券投資信託の受益証券の場合には、課税時期において解約請求又は買取請求（以下（7）において「解約請求等」という。）により、証券会社等から支払いを受けることができる価額として、次の算式により計算した金額によって評価する。

$$\begin{array}{l}1口当た\\りの基準\\価額\end{array}\times 口数+\begin{array}{l}再投資されて\\いない未収分\\配金（A）\end{array}-\begin{array}{l}Aにつき源泉徴収さ\\れるべき所得税の額\\に相当する金額\end{array}-\begin{array}{l}信託財産留保額及び解\\約手数料（消費税額に\\相当する額を含む。）\end{array}$$

　（二）　上記（一）以外の証券投資信託の受益証券の場合には、課税時期において解約請求等により、証券会社等から支払いを受けることができる価額として、次の算式により計算した金額によって評価する。この場合において、例えば、1万口当たりの基準価額が公表されているものについては、次の算式の「課税時期の1口当たりの基準価額」を「課税時期の1万口当たりの基準価額」と、「口数」を「口数を1万で除して求めた数」と読み替えて計算した金額とする。

　　　なお、課税時期の基準価額がない場合には、課税時期前の基準価額のうち、課税時期に最も近い日の基準価額を課税時期の基準価額として計算する。

$$\begin{array}{l}課税時期の\\1口当たり\\の基準価額\end{array}\times 口数-\begin{array}{l}課税時期において解約請求等\\した場合に源泉徴収されるべ\\き所得税の額に相当する金額\end{array}-\begin{array}{l}信託財産留保額及び解\\約手数料（消費税額に\\相当する額を含む。）\end{array}$$

　（注）　金融商品取引所に上場されている証券投資信託の受益証券については、第八章第二節の（1）《上場株式の評価》から同節（4）《上場株式についての最終価格の月平均額の特例》までの定めに準じて評価する。また、証券投資信託証券に係る金銭分配期待権の価額は、同章第五節の（4）《配当期待権の評価》に準じて評価する。

第九編　財産の評価

第十章　配偶者居住権等の評価

1　配偶者居住権の価額

　配偶者居住権の価額は、（一）に掲げる価額から（一）に掲げる価額に（二）に掲げる数及び（三）に掲げる割合を乗じて得た金額を控除した残額とする。（法23の2①）

（一）　当該配偶者居住権の目的となっている建物の相続開始の時における当該配偶者居住権が設定されていないものとした場合の時価（当該建物の一部が賃貸の用に供されている場合又は被相続人が当該相続開始の直前において当該建物をその配偶者と共有していた場合には、当該建物のうち当該賃貸の用に供されていない部分又は当該被相続人の持分の割合に応ずる部分の価額として（1）の政令で定めるところにより計算した金額）

（二）　当該配偶者居住権が設定された時におけるイに掲げる年数をロに掲げる年数で除して得た数（イ又はロに掲げる年数が零以下である場合には、零）

　イ　当該配偶者居住権の目的となっている建物の耐用年数（所得税法の規定に基づいて定められている耐用年数に準ずるものとして（2）の政令で定める年数をいう。ロにおいて同じ。）から建築後の経過年数（6月以上の端数は1年とし、6月に満たない端数は切り捨てる。ロにおいて同じ。）及び当該配偶者居住権の存続年数（当該配偶者居住権が存続する年数として（4）の政令で定める年数をいう。（三）において同じ。）を控除した年数

　ロ　イの建物の耐用年数から建築後の経過年数を控除した年数

（三）　当該配偶者居住権が設定された時における当該配偶者居住権の存続年数に応じ、法定利率による複利の計算で現価を算出するための割合として（6）の財務省令で定めるもの

　（建物の一部が賃貸の用に供されている場合等の配偶者居住権の価額）

（1）　1の（一）に規定する政令で定めるところにより計算した金額は、次の各号に掲げる場合の区分に応じ当該各号に定める金額とする。（令5の7①）

　（一）　配偶者居住権の目的となっている建物（以下本章において「居住建物」という。）の一部が賃貸の用に供されている場合（（三）に掲げる場合を除く。）　イに掲げる価額にロに掲げる割合を乗じて計算した金額

　　イ　当該居住建物の相続開始の時における当該配偶者居住権が設定されておらず、かつ、当該賃貸の用に供されていないものとした場合の時価

　　ロ　当該居住建物の床面積のうちに当該賃貸の用に供されている部分以外の部分の床面積の占める割合

　（二）　被相続人が居住建物を相続開始の直前においてその配偶者と共有していた場合（（三）に掲げる場合を除く。）　イに掲げる価額にロに掲げる割合を乗じて計算した金額

　　イ　当該居住建物の相続開始の時における配偶者居住権が設定されていないものとした場合の時価

　　ロ　当該被相続人が有していた当該居住建物の持分の割合

　（三）　居住建物の一部が賃貸の用に供されており、かつ、被相続人が当該居住建物を相続開始の直前においてその配偶者と共有していた場合　（一）のイに掲げる価額に（一）のロに掲げる割合及び前号ロに掲げる割合を乗じて計算した金額

　（耐用年数に準ずるものとして政令で定める年数）

（2）　1の（二）のイに規定する耐用年数に準ずるものとして政令で定める年数は、所得税法施行令第129条《減価償却資産の耐用年数、償却率等》に規定する耐用年数のうち居住建物に係るものとして（3）の財務省令で定めるものに1.5を乗じて計算した年数（6月以上の端数は1年とし、6月に満たない端数は切り捨てる。）とする。（令5の7②）

　（財務省令で定める耐用年数）

（3）　（2）に規定する財務省令で定める耐用年数は、配偶者居住権の目的となっている建物の全部が住宅用であるものとした場合における当該建物に係る減価償却資産の耐用年数等に関する省令（昭和40年大蔵省令第15号）に定める耐用年数とする。（規12の2）

第十章　配偶者居住権等の評価

（配偶者居住権が存続する年数として政令で定める年数）
（４）　**１**の（二）のイに規定する配偶者居住権が存続する年数として政令で定める年数は、次の各号に掲げる場合の区分
　　に応じ当該各号に定める年数（６月以上の端数は１年とし、６月に満たない端数は切り捨てる。）とする。（令５の７
　　③）
　　（一）　配偶者居住権の存続期間が配偶者の終身の間とされている場合　　当該配偶者居住権が設定された時における
　　　　当該配偶者の平均余命（年齢及び性別に応じた厚生労働省の作成に係る生命表を勘案して（５）の財務省令で定める
　　　　平均余命をいう。（二）において同じ。）
　　（二）　（一）に掲げる場合以外の場合　　遺産の分割の協議若しくは審判又は遺言により定められた配偶者居住権の存
　　　　続期間の年数（当該年数が当該配偶者居住権が設定された時における配偶者の平均余命を超える場合には、当該平
　　　　均余命）

（配偶者の平均余命）
（５）　（４）の（一）に規定する財務省令で定める平均余命は、厚生労働省の作成に係る完全生命表に掲げる年齢及び性別
　　に応じた平均余命とする。（規12の３）

（法定利率による複利の計算で現価を算出するための割合）
（６）　**１**の（三）に規定する財務省令で定める割合は、法定利率に１を加えた数を**１**の（二）のイに規定する配偶者居住権
　　の存続年数で累乗して得た数をもって１を除して得た割合（当該割合に小数点以下３位未満の端数があるときは、こ
　　れを四捨五入する。）とする。（規12の４）

（一時的な空室がある場合の「賃貸の用に供されている部分」の範囲）
（７）　本章に規定する「時価」は、評価基本通達の定めにより算定した価額によるのであるが、**２**及び**４**に規定する「時
　　価」を算定する場合において、第二章第二節(34)《貸家建付地の評価》(注)２の定めにより、継続的に賃貸されてい
　　た各独立部分で、課税時期において一時的に賃貸されていなかったと認められるものを「賃貸されている各独立部分」
　　に含むこととしたときは、（１）の（一）のロ及び**３**の（１）の（一）のロに規定する「当該居住建物の床面積のうちに当該
　　賃貸の用に供されている部分以外の部分の床面積の占める割合」についても、当該各独立部分は「賃貸の用に供され
　　ている部分」に含めて算定することに留意する。（相基通23の２－１）

（「配偶者居住権が設定された時」の意義）
（８）　**１**の（二）及び（三）並びに（４）の（一）及び（二）に規定する「配偶者居住権が設定された時」とは、民法第1028条第
　　１項各号《配偶者居住権》に掲げる場合の区分に応じ、それぞれ次に定める時をいうことに留意する。（相基通23の２
　　－２）
　　（一）　民法第1028条第１項第１号の規定に該当する場合　　遺産の分割が行われた時
　　（二）　民法第1028 条第１項第２号の規定に該当する場合　　相続開始の時

（相続開始前に増改築がされた場合の「建築後の経過年数」の取扱い）
（９）　**１**の（二）のイ及びロに規定する「経過年数」は、相続開始前に増改築がされた場合であっても、増改築部分を区
　　分することなく、新築時からの経過年数によるのであるから留意する。（相基通23の２－３）

（法定利率）
（10）　**１**の（三）の「法定利率」は、配偶者居住権が設定された時における民法第404条《法定利率》の規定に基づく利率
　　をいうのであるから留意する。（相基通23の２－４）

（完全生命表）
（11）　（５）に規定する「完全生命表」は、配偶者居住権が設定された時の属する年の１月１日現在において公表されて
　　いる最新のものによる。（相基通23の２－５）

（配偶者居住権の設定後に相続若しくは遺贈又は贈与により取得した当該配偶者居住権の目的となっている建物及
　　び当該建物の敷地の用に供される土地の当該取得の時の価額）
（12）　配偶者居住権の設定後に相続若しくは遺贈又は贈与により取得した当該配偶者居住権の目的となっている建物及

－1585－

び当該建物の敷地の用に供される土地（土地の上に存する権利を含む。以下(12)において同じ。）の当該取得の時の価額は、本章の規定に準じて計算することに留意する。この場合において、**2**に規定する「当該配偶者居住権の価額」又は**4**に規定する「権利の価額」は、当該配偶者居住権の目的となっている建物又は当該建物の敷地の用に供される土地を相続若しくは遺贈又は贈与により取得した時に配偶者居住権の設定があったものとして計算する。（相基通23の2－6）

2　配偶者居住権の目的となっている建物の価額

　配偶者居住権の目的となっている建物の価額は、当該建物の相続開始の時における当該配偶者居住権が設定されていないものとした場合の時価から**1**の規定により計算した当該配偶者居住権の価額を控除した残額とする。（法23の2②）

3　建物の敷地の用に供される土地を使用する権利の価額

　配偶者居住権の目的となっている建物の敷地の用に供される土地（土地の上に存する権利を含む。以下本章において同じ。）を当該配偶者居住権に基づき使用する権利の価額は、(一)に掲げる価額から(二)に掲げる金額を控除した残額とする。（法23の2③）

(一)　当該土地の相続開始の時における当該配偶者居住権が設定されていないものとした場合の時価（当該建物の一部が賃貸の用に供されている場合又は被相続人が当該相続開始の直前において当該土地を他の者と共有し、若しくは当該建物をその配偶者と共有していた場合には、当該建物のうち当該賃貸の用に供されていない部分に応ずる部分又は当該被相続人の持分の割合に応ずる部分の価額として(1)の政令で定めるところにより計算した金額）

(二)　(一)に掲げる価額に**1**の(三)に掲げる割合を乗じて得た金額

　　（政令で定めるところにより計算した金額）

（1）　**3**の(一)に規定する政令で定めるところにより計算した金額は、次の各号に掲げる場合の区分に応じ当該各号に定める金額とする。（令5の7④）

(一)　居住建物の一部が賃貸の用に供されている場合（(三)に掲げる場合を除く。）　イに掲げる価額にロに掲げる割合を乗じて計算した金額

　イ　当該居住建物の敷地の用に供される土地（土地の上に存する権利を含む。以下（1）において同じ。）の相続開始の時における配偶者居住権が設定されておらず、かつ、当該居住建物が当該賃貸の用に供されていないものとした場合の時価

　ロ　当該居住建物の床面積のうちに当該賃貸の用に供されている部分以外の部分の床面積の占める割合

(二)　被相続人が居住建物の敷地の用に供される土地を相続開始の直前において他の者と共有し、又は居住建物をその配偶者と共有していた場合（(三)に掲げる場合を除く。）　イに掲げる価額にロに掲げる割合を乗じて計算した金額

　イ　当該土地の当該相続開始の時における配偶者居住権が設定されていないものとした場合の時価

　ロ　当該被相続人が有していた当該土地又は当該居住建物の持分の割合（当該被相続人が当該土地の持分及び当該居住建物の持分を有していた場合には、これらの持分の割合のうちいずれか低い割合）

(三)　居住建物の一部が賃貸の用に供されており、かつ、被相続人が当該居住建物の敷地の用に供される土地を相続開始の直前において他の者と共有し、又は当該居住建物をその配偶者と共有していた場合　(一)のイに掲げる価額に(一)のロに掲げる割合及び(二)のロに掲げる割合を乗じて計算した金額

4　建物の敷地の用に供される土地の価額

　配偶者居住権の目的となっている建物の敷地の用に供される土地の価額は、当該土地の相続開始の時における当該配偶者居住権が設定されていないものとした場合の時価から**3**の規定により計算した権利の価額を控除した残額とする。（法23の2④）

〰〰〰〰〰〰〰〰〰【配偶者居住権に関する民法の規定】〰〰〰〰〰〰〰〰〰

第八章　配偶者の居住の権利

第一節　配偶者居住権

〔配偶者居住権〕

－1586－

第十章　配偶者居住権等の評価

第1028条　被相続人の配偶者（以下この章において単に「配偶者」という。）は、被相続人の財産に属した建物に相続開始の時に居住していた場合において、次の各号のいずれかに該当するときは、その居住していた建物（以下この節において「居住建物」という。）の全部について無償で使用及び収益をする権利（以下この章において「配偶者居住権」という。）を取得する。ただし、被相続人が相続開始の時に居住建物を配偶者以外の者と共有していた場合にあっては、この限りでない。

一　遺産の分割によって配偶者居住権を取得するものとされたとき。

二　配偶者居住権が遺贈の目的とされたとき。

②　居住建物が配偶者の財産に属することとなった場合であっても、他の者がその共有持分を有するときは、配偶者居住権は、消滅しない。

③　第903条第４項の規定は、配偶者居住権の遺贈について準用する。

〔審判による配偶者居住権の取得〕

第1029条　遺産の分割の請求を受けた家庭裁判所は、次に掲げる場合に限り、配偶者が配偶者居住権を取得する旨を定めることができる。

一　共同相続人間に配偶者が配偶者居住権を取得することについて合意が成立しているとき。

二　配偶者が家庭裁判所に対して配偶者居住権の取得を希望する旨を申し出た場合において、居住建物の所有者の受ける不利益の程度を考慮してもなお配偶者の生活を維持するために特に必要があると認めるとき（前号に掲げる場合を除く。）。

〔配偶者居住権の存続期間〕

第1030条　配偶者居住権の存続期間は、配偶者の終身の間とする。ただし、遺産の分割の協議若しくは遺言に別段の定めがあるとき、又は家庭裁判所が遺産の分割の審判において別段の定めをしたときは、その定めるところによる。

〔配偶者居住権の登記等〕

第1031条　居住建物の所有者は、配偶者（配偶者居住権を取得した配偶者に限る。以下この節において同じ。）に対し、配偶者居住権の設定の登記を備えさせる義務を負う。

②　第605条の規定は配偶者居住権について、第605条の４の規定は配偶者居住権の設定の登記を備えた場合について準用する。

〔配偶者による使用及び収益〕

第1032条　配偶者は、従前の用法に従い、善良な管理者の注意をもって、居住建物の使用及び収益をしなければならない。ただし、従前居住の用に供していなかった部分について、これを居住の用に供することを妨げない。

②　配偶者居住権は、譲渡することができない。

③　配偶者は、居住建物の所有者の承諾を得なければ、居住建物の改築若しくは増築をし、又は第三者に居住建物の使用若しくは収益をさせることができない。

④　配偶者が第１項又は前項の規定に違反した場合において、居住建物の所有者が相当の期間を定めてその是正の催告をし、その期間内に是正がされないときは、居住建物の所有者は、当該配偶者に対する意思表示によって配偶者居住権を消滅させることができる。

〔居住建物の修繕等〕

第1033条　配偶者は、居住建物の使用及び収益に必要な修繕をすることができる。

②　居住建物の修繕が必要である場合において、配偶者が相当の期間内に必要な修繕をしないときは、居住建物の所有者は、その修繕をすることができる。

③　居住建物が修繕を要するとき（第１項の規定により配偶者が自らその修繕をするときを除く。）、又は居住建物について権利を主張する者があるときは、配偶者は、居住建物の所有者に対し、遅滞なくその旨を通知しなければならない。ただし、居住建物の所有者が既にこれを知っているときは、この限りでない。

〔居住建物の費用の負担〕

第1034条　配偶者は、居住建物の通常の必要費を負担する。

②　第583条第２項の規定は、前項の通常の必要費以外の費用について準用する。

〔居住建物の返還等〕

第1035条　配偶者は、配偶者居住権が消滅したときは、居住建物の返還をしなければならない。ただし、配偶者が居住建物について共有持分を有する場合は、居住建物の所有者は、配偶者居住権が消滅したことを理由としては、居住建物の返還を求めることができない。

②　第599条第１項及び第２項並びに第621条の規定は、前項本文の規定により配偶者が相続の開始後に附属させた物がある居住建物又は相続の開始後に生じた損傷がある居住建物の返還をする場合について準用する。

第九編　財産の評価

〔使用貸借及び賃貸借の規定の準用〕

第1036条　第597条第１項及び第３項、第600条、第613条並びに第616条の２の規定は、配偶者居住権について準用する。

第二節　配偶者短期居住権

〔配偶者短期居住権〕

第1037条　配偶者は、被相続人の財産に属した建物に相続開始の時に無償で居住していた場合には、次の各号に掲げる区分に応じてそれぞれ当該各号に定める日までの間、その居住していた建物（以下この節において「居住建物」という。）の所有権を相続又は遺贈により取得した者（以下この節において「居住建物取得者」という。）に対し、居住建物について無償で使用する権利（居住建物の一部のみを無償で使用していた場合にあっては、その部分について無償で使用する権利。以下この節において「配偶者短期居住権」という。）を有する。ただし、配偶者が、相続開始の時において居住建物に係る配偶者居住権を取得したとき、又は第891条の規定に該当し若しくは廃除によってその相続権を失ったときは、この限りでない。

一　居住建物について配偶者を含む共同相続人間で遺産の分割をすべき場合　遺産の分割により居住建物の帰属が確定した日又は相続開始の時から６箇月を経過する日のいずれか遅い日

二　前号に掲げる場合以外の場合　第３項の申入れの日から６箇月を経過する日

②　前項本文の場合においては、居住建物取得者は、第三者に対する居住建物の譲渡その他の方法により配偶者の居住建物の使用を妨げてはならない。

③　居住建物取得者は、第１項第１号に掲げる場合を除くほか、いつでも配偶者短期居住権の消滅の申入れをすることができる。

〔配偶者による使用〕

第1038条　配偶者（配偶者短期居住権を有する配偶者に限る。以下この節において同じ。）は、従前の用法に従い、善良な管理者の注意をもって、居住建物の使用をしなければならない。

②　配偶者は、居住建物取得者の承諾を得なければ、第三者に居住建物の使用をさせることができない。

③　配偶者が前２項の規定に違反したときは、居住建物取得者は、当該配偶者に対する意思表示によって配偶者短期居住権を消滅させることができる。

〔配偶者居住権の取得による配偶者短期居住権の消滅〕

第1039条　配偶者が居住建物に係る配偶者居住権を取得したときは、配偶者短期居住権は、消滅する。

〔居住建物の返還等〕

第1040条　配偶者は、前条に規定する場合を除き、配偶者短期居住権が消滅したときは、居住建物の返還をしなければならない。ただし、配偶者が居住建物について共有持分を有する場合は、居住建物取得者は、配偶者短期居住権が消滅したことを理由としては、居住建物の返還を求めることができない。

②　第599条第１項及び第２項並びに第621条の規定は、前項本文の規定により配偶者が相続の開始後に附属させた物がある居住建物又は相続の開始後に生じた損傷がある居住建物の返還をする場合について準用する。

〔使用貸借等の規定の準用〕

第1041条　第597条第３項、第600条、第616条の２、第1032条第２項、第1033条及び第1034条の規定は、配偶者短期居住権について準用する。

－1588－

第十一章　居住用の区分所有財産の評価

1　用語の意義

この通達において、次に掲げる用語の意義は、それぞれ次に定めるところによる。

（一）　評価基本通達　　昭和39年4月25日付直資56、直審（資）17「財産評価基本通達」（法令解釈通達）をいう。

（二）　自用地としての価額　　評価基本通達25《貸宅地の評価》（1）に定める「自用地としての価額」をいい、評価基本通達11《評価の方式》から22－3《大規模工場用地の路線価及び倍率》まで、24《私道の用に供されている宅地の評価》、24－2《土地区画整理事業施行中の宅地の評価》及び24－6《セットバックを必要とする宅地の評価》から24－8《文化財建造物である家屋の敷地の用に供されている宅地の評価》までの定めにより評価したその宅地の価額をいう。

（三）　自用家屋としての価額　　評価基本通達89《家屋の評価》、89－2《文化財建造物である家屋の評価》又は92《附属設備等の評価》の定めにより評価したその家屋の価額をいう。

（四）　区分所有法　　建物の区分所有等に関する法律をいう。

（五）　不動産登記法　　不動産登記法をいう。

（六）　不動産登記規則　　不動産登記規則をいう。

（七）　一棟の区分所有建物　　区分所有者（区分所有法第2条《定義》第2項に規定する区分所有者をいう。以下同じ。）が存する家屋（地階を除く階数が2以下のもの及び居住の用に供する専有部分（同条第3項に規定する専有部分をいう。以下同じ。）一室の数が3以下であってその全てを当該区分所有者又はその親族の居住の用に供するものを除く。）で、居住の用に供する専有部分のあるものをいう。

（八）　一室の区分所有権等　　一棟の区分所有建物に存する居住の用に供する専有部分一室に係る区分所有権（区分所有法第2条第1項に規定する区分所有権をいい、当該専有部分に係る同条第4項に規定する共用部分の共有持分を含む。以下同じ。）及び敷地利用権（同条第6項に規定する敷地利用権をいう。以下同じ。）をいう。

(注)　一室の区分所有権等には、評価基本通達第6章《動産》第2節《たな卸商品等》に定めるたな卸商品等に該当するものは含まない。

（九）　一室の区分所有権等に係る敷地利用権の面積　　次に掲げる場合の区分に応じ、それぞれ次に定める面積をいう。

イ　一棟の区分所有建物に係る敷地利用権が、不動産登記法第44条《建物の表示に関する登記の登記事項》第1項第9号に規定する敷地権である場合

一室の区分所有権等が存する一棟の区分所有建物の敷地〔区分所有法第2条第5項に規定する建物の敷地をいう。以下同じ。〕の面積に、当該一室の区分所有権等に係る敷地権の割合を乗じた面積（小数点以下第3位を切り上げる。）

ロ　上記イ以外の場合

一室の区分所有権等が存する一棟の区分所有建物の敷地の面積に、当該一室の区分所有権等に係る敷地の共有持分の割合を乗じた面積（小数点以下第3位を切り上げる。）

（十）　一室の区分所有権等に係る専有部分の面積　　当該一室の区分所有権等に係る専有部分の不動産登記規則第115条《建物の床面積》に規定する建物の床面積をいう。

（十一）　評価乖離率　　次の算式により求めた値をいう。

（算式）

評価乖離率 ＝ A ＋ B ＋ C ＋ D ＋ 3.220

上記算式中の「A」、「B」、「C」及び「D」は、それぞれ次による。

「A」＝当該一棟の区分所有建物の築年数 × △0.033

「B」＝当該一棟の区分所有建物の総階数指数 × 0.239（小数点以下第4位を切り捨てる。）

「C」＝当該一室の区分所有権等に係る専有部分の所在階 × 0.018

「D」＝当該一室の区分所有権等に係る敷地持分狭小度 × △1.195（小数点以下第4位を切り上げる。）

(注)1　「築年数」は、当該一棟の区分所有建物の建築の時から課税時期までの期間とし、当該期間に1年未満の端数があるときは、その端数は1年とする。

2　「総階数指数」は、当該一棟の区分所有建物の総階数を33で除した値〔小数点以下第4位を切り捨て、1を超える場合は1とする。〕とする。この場合において、総階数には地階を含まない。

3　当該一室の区分所有権等に係る専有部分が当該一棟の区分所有建物の複数階にまたがる場合には、階数が低い方の階を「当該一室の区分所有権等に係る専有部分の所在階」とする。

4　当該一室の区分所有権等に係る専有部分が地階である場合には、「当該一室の区分所有権等に係る専有部分の所在階」は、零階とし、Cの値は零とする。

第九編　財産の評価

　　　5　「当該一室の区分所有権等に係る敷地持分狭小度」は、当該一室の区分所有権等に係る敷地利用権の面積を当該一室の区分所有権等に係る専有部分の面積で除した値（小数点以下第４位を切り上げる。）とする。

（十二）　評価水準　　1を評価乖離率で除した値とする。

2　一室の区分所有権等に係る敷地利用権の価額

　　次に掲げる場合のいずれかに該当するときの一室の区分所有権等に係る敷地利用権の価額は、「自用地としての価額」に、次の算式による区分所有補正率を乗じて計算した価額を当該「自用地としての価額」とみなして評価基本通達（評価基本通達25並びに同項により評価する場合における評価基本通達27《借地権の評価》及び27－2《定期借地権等の評価》を除く。）を適用して計算した価額によって評価する。ただし、評価乖離率が零又は負数のものについては、評価しない。

（算式）

（1）　評価水準が1を超える場合

　　　　区分所有補正率　＝　評価乖離率

（2）　評価水準が0.6未満の場合

　　　　区分所有補正率　＝　評価乖離率　×　0.6

　（注）1　区分所有者が次のいずれも単独で所有している場合には、「区分所有補正率」は1を下限とする。

　　　　　イ　一棟の区分所有建物に存する全ての専有部分

　　　　　ロ　一棟の区分所有建物の敷地

　　　　2　評価乖離率を求める算式及び上記（2）の値（0.6）については、適時見直しを行うものとする。

3　一室の区分所有権等に係る区分所有権の価額

　　一室の区分所有権等に係る区分所有権の価額は、「自用家屋としての価額」に、上記2に掲げる算式（（注）1を除く。）による区分所有補正率を乗じて計算した価額を当該「自用家屋としての価額」とみなして評価基本通達を適用して計算した価額によって評価する。ただし、評価乖離率が零又は負数のものについては、評価しない。

－1590－

第十二章　定期金に関する権利

第一節　給付事由が発生しているもの

❶　定期金に関する権利の評価

　定期金給付契約で当該契約に関する権利を取得した時において定期金給付事由が発生しているものに関する権利の価額は、次の各号に掲げる定期金又は一時金の区分に応じ、当該各号に定める金額による。（法24①）

(一)	有期定期金	次に掲げる金額のうちいずれか多い金額 イ　当該契約に関する権利を取得した時において当該契約を解約するとしたならば支払われるべき解約返戻金の金額 ロ　定期金に代えて一時金の給付を受けることができる場合には、当該契約に関する権利を取得した時において当該一時金の給付を受けるとしたならば給付されるべき当該一時金の金額 ハ　当該契約に関する権利を取得した時における当該契約に基づき定期金の給付を受けるべき残りの期間に応じ、当該契約に基づき給付を受けるべき金額の1年当たりの平均額に、当該契約に係る予定利率による複利年金現価率（複利の計算で年金現価を算出するための割合として(5)の財務省令で定めるものをいう。(三)のハにおいて同じ。）を乗じて得た金額
(二)	無期定期金	次に掲げる金額のうちいずれか多い金額 イ　当該契約に関する権利を取得した時において当該契約を解約するとしたならば支払われるべき解約返戻金の金額 ロ　定期金に代えて一時金の給付を受けることができる場合には、当該契約に関する権利を取得した時において当該一時金の給付を受けるとしたならば給付されるべき当該一時金の金額 ハ　当該契約に関する権利を取得した時における、当該契約に基づき給付を受けるべき金額の1年当たりの平均額を、当該契約に係る予定利率で除して得た金額
(三)	終身定期金	次に掲げる金額のうちいずれか多い金額 イ　当該契約に関する権利を取得した時において当該契約を解約するとしたならば支払われるべき解約返戻金の金額 ロ　定期金に代えて一時金の給付を受けることができる場合には、当該契約に関する権利を取得した時において当該一時金の給付を受けるとしたならば給付されるべき当該一時金の金額 ハ　当該契約に関する権利を取得した時におけるその目的とされた者に係る余命年数として(7)の政令で定めるものに応じ、当該契約に基づき給付を受けるべき金額の1年当たりの平均額に、当該契約に係る予定利率による複利年金現価率を乗じて得た金額
(四)	第一編第二章第二節**六**《保証期間付定期金に関する権利》に規定する一時金	その給付金額

　（「定期金給付契約に関する権利」の意義）
（1）　❶に規定する「定期金給付契約に関する権利」とは、契約によりある期間定期的に金銭その他の給付を受けることを目的とする債権をいい、毎期に受ける支分債権ではなく、基本債権をいうのであるから留意する。（基通24－1）
　（注）　❶の規定の適用に当たっては、(9)から(12)の定めに留意する。

－1591－

第九編　財産の評価

　　　（年金により支払を受ける生命保険金等の額）
（２）　年金の方法により支払又は支給を受ける生命保険契約若しくは損害保険契約に係る保険金又は退職手当金等の額
　　は、①の規定により計算した金額による。
　　　なお、一時金で支払又は支給を受ける生命保険契約若しくは損害保険契約に係る保険金又は退職手当金等の額は、当
　　該一時金の額を分割の方法により利息を付して支払又は支給を受ける場合であっても当該一時金の額であることに留意
　　する。（基通24－２）

　　　（解約返戻金の金額）
（３）　①の（一）のイ、①の（二）のイ及び①の（三）のイに規定する解約返戻金の金額は、定期金給付契約に関する権利を取
　　得した時において定期金給付契約を解約するとした場合に支払われることとなる解約返戻金に、当該解約返戻金ととも
　　に支払われることとなる剰余金の分配額等がある場合にはこれらの金額を加算し、解約返戻金の金額につき源泉徴収さ
　　れるべき所得税の額に相当する金額がある場合には当該金額を減算した金額をいうことに留意する。（基通24－３）

　　　（解約返戻金の金額等がない場合）
（４）　①の（一）に規定する有期定期金の評価に当たって、次に掲げる場合に該当するときは、それぞれに掲げる金額によ
　　り評価することに留意する。（基通24－４）
　　（一）　①の（一）のイに規定する解約返戻金の金額がない場合
　　　　同（一）のロ又はハに掲げる金額のうちいずれか多い金額による。
　　（二）　同（一）のロに規定する一時金の金額がない場合
　　　　同（一）のイ又はハに掲げる金額のうちいずれか多い金額による。
　　（三）　同（一）のイに規定する解約返戻金の金額及び同号ロに掲げる一時金の金額がない場合
　　　　同（一）のハの金額による。
　（注）　①の（二）及び（三）の規定の適用に当たっても同様であることに留意する。

　　　（複利年金現価率）
（５）　①の（一）のハに規定する複利年金現価率は、一から特定割合（①の定期金給付契約に係る予定利率に一を加えた数
　　を給付期間の年数で累乗して得た数をもって一を除して得た割合をいう。）を控除した残数を当該予定利率で除して得た
　　割合（当該割合に小数点以下３位未満の端数があるときは、これを四捨五入する。）とする。（規12の５①）

　　　（給付期間の年数）
（６）　（５）に規定する給付期間の年数は、次の各号に掲げる定期金の区分に応じ、当該各号に定める年数とする。（規12
　　の５②）
　　（一）　有期定期金　　定期金給付契約に関する権利を取得した時における当該契約に基づき定期金の給付を受けるべき
　　　　残りの期間に係る年数（１年未満の端数があるときは、これを切り上げた年数）
　　（二）　終身定期金　　定期金給付契約に関する権利を取得した時におけるその目的とされた者に係る（７）に規定する余
　　　　命年数

　　　（定期金給付契約の目的とされた者に係る余命年数）
（７）　①の（三）のハに規定する余命年数として政令で定める年数は、同（三）の終身定期金に係る定期金給付契約の目的と
　　された者の年齢及び性別に応じた厚生労働省の作成に係る生命表を勘案して（８）の財務省令で定める平均余命とする。
　　（令５の８）

　　　（定期金給付契約の目的とされた者に係る平均余命）
（８）　（７）に規定する財務省令で定める平均余命は、厚生労働省の作成に係る完全生命表に掲げる年齢及び性別に応じた
　　平均余命（１年未満の端数があるときは、これを切り捨てた年数）とする。（規12の６）

　　　（給付を受けるべき金額の１年当たりの平均額）
（９）　①の（一）のハ、①の（二）のハ及び①の（三）のハに規定する「給付を受けるべき金額の１年当たりの平均額」は、こ
　　れらの規定の定期金給付契約に基づき１年間に給付を受けるべき定期金の金額による。
　　　ただし、次に掲げる場合における「給付を受けるべき金額の１年当たりの平均額」については、それぞれ次によるも

－1592－

第十二章　定期金に関する権利

のとする。（評基通200）

（一）　有期定期金に係る定期金給付契約のうち、年金により給付を受ける契約（年１回一定の金額が給付されるものに限る。）以外の契約の場合

　　当該定期金給付契約に係る給付期間（定期金給付契約に関する権利を取得した時における当該契約に基づき定期金の給付を受けるべき残りの期間をいう。以下同じ。）に給付を受けるべき金額の合計額を当該給付期間の年数（その年数に１年未満の端数があるときは、その端数は、切り上げる。）で除して計算した金額

（二）　終身定期金に係る定期金給付契約のうち、１年間に給付を受けるべき定期金の金額が毎年異なる契約の場合

　　当該定期金給付契約に関する権利を取得した時後当該契約の目的とされた者に係る余命年数（❶の（三）のハに規定する余命年数をいう。以下同じ。）の間に給付を受けるべき金額の合計額を当該余命年数で除して計算した金額

（定期金に関する権利を取得した日が定期金の給付日である場合の取扱い）

(10)　定期金給付契約に関する権利を取得した日が定期金の給付日（当該契約に基づき定期金の給付を受けた日又は給付を受けるべき日をいう。）である場合における、❶の（一）から（三）までの規定（❶の（二）のハを除く。）の適用に当たっては、当該権利を取得した日に給付を受けた、又は受けるべき定期金の額が含まれるのであるから留意する。（評基通200－２）

（完全生命表）

(11)　（８）に規定する「完全生命表」は、定期金給付契約に関する権利を取得した時の属する年の１月１日現在において公表されている最新のものによる。（評基通200－３）

（予定利率）

(12)　❶及び第二節の（１）の規定により定期金給付契約に関する権利を評価する場合の「予定利率」は、当該定期金給付契約に関する権利を取得した時における当該契約に係る「予定利率」をいうのであるから留意する。（評基通200－６）

　(注)　「予定利率」については、端数処理は行わないのであるから留意する。

（終身定期金に関する権利を取得した者が申告期限前に死亡した場合の特例）

(13)　❶に規定する定期金給付契約に関する権利で❶の（三）の規定の適用を受けるものにつき、その目的とされた者が当該契約に関する権利を取得した時後第一編第七章第一節━の１又は第二編第六章第一節━の１に規定する申告書の提出期限までに死亡し、その死亡によりその給付が終了した場合においては、当該定期金給付契約に関する権利の価額は、同（三）の規定にかかわらず、その権利者が当該契約に関する権利を取得した時後給付を受け、又は受けるべき金額（当該権利者の遺族その他の第三者が当該権利者の死亡により給付を受ける場合には、その給付を受け、又は受けるべき金額を含む。）による。（法24②）

（有期定期金と終身定期金の混合したものの評価）

(14)　❶に規定する定期金給付契約に関する権利で、その権利者に対し、一定期間、かつ、その目的とされた者の生存中、定期金を給付する契約に基づくものの価額は、❶の（一）に規定する有期定期金として算出した金額又は❶の（三）に規定する終身定期金として算出した金額のいずれか少ない金額による。（法24③）

（保証期間付定期金に関する権利の評価）

(15)　❶に規定する定期金給付契約に関する権利で、その目的とされた者の生存中定期金を給付し、かつ、その者が死亡したときはその権利者又はその遺族その他の第三者に対し継続して定期金を給付する契約に基づくものの価額は、❶の（一）に規定する有期定期金として算出した金額又は❶の（三）に規定する終身定期金として算出した金額のいずれか多い金額による。（法24④）

（契約に基づかない定期金に関する権利の評価）

(16)　❶及び(13)から(15)までの規定は、第一編第二章第二節七《契約に基づかない定期金に関する権利》に規定する定期金に関する権利で契約に基づくもの以外のものの価額の評価について準用する。（法24⑤）

第九編　財産の評価

②　経過措置

　　（定期金に関する権利の評価に関する経過措置）

（1）　①の規定は、平成23年4月1日以後に相続若しくは遺贈又は贈与により取得する定期金給付契約に関する権利に係る相続税又は贈与税について適用し、同日前に相続若しくは遺贈又は贈与により取得した定期金給付契約に関する権利に係る相続税又は贈与税については、なお従前の例による。（平22改所法等附32①）

　　（平成23年3月31日までの間に締結された定期金給付契約に関する権利を同日までに取得する場合）

（2）　施行日（平成22年4月1日）から平成23年3月31日までの間に締結された定期金給付契約に関する権利（①に規定するものに限る。）を同日までに相続若しくは遺贈又は贈与により取得する場合には、当該権利の価額は、（1）の規定にかかわらず、①に規定する金額による。ただし、次に掲げるものに係る定期金給付契約に関する権利については、この限りでない。（平22改所法等附32②）

　　（一）　保険者が被保険者の死亡に関し保険金を支払うことを約する生命保険契約における当該保険金（所得税法第76条第4項に規定する個人年金保険契約等に係るものその他の（3）の政令で定めるものを除く。）

　　（二）　確定給付企業年金法（平成13年法律第50号）第3条第1項に規定する確定給付企業年金に係る規約に基づいて支給を受ける年金その他の（4）の政令で定める年金

　　（政令で定める保険金）

（3）　（2）の（一）に規定する政令で定める保険金は、次に掲げる保険契約の保険金とする。（平22改令附2①）

　　（一）　所得税法第76条第4項《生命保険料控除》に規定する個人年金保険契約等

　　（二）　保険期間が被保険者の終身である保険契約で、その保険料を一時に払い込むもの

　　（政令で定める年金）

（4）　（2）の（二）に規定する政令で定める年金は、次に掲げる年金とする。（平22改令附2②）

　　（一）　確定給付企業年金法（平成13年法律第50号）第3条第1項《確定給付企業年金に係る規約》に規定する確定給付企業年金に係る規約に基づいて支給を受ける年金

　　（二）　法人税法附則第20条第3項《退職年金等積立金に対する法人税の特例》に規定する適格退職年金契約に基づいて支給を受ける年金

　　（施行の日前に締結された定期金給付契約のうち平成23年3月31日までの間に変更があったもの）

（5）　この政令の施行の日（平成22年4月1日）前に締結された定期金給付契約のうち同日から平成23年3月31日までの間に変更（（6）の財務省令で定める軽微な変更を除く。）があったものに係る（2）の規定の適用については、当該契約は、当該変更があった日に新たに締結された定期金給付契約とみなす。（平22改令附2③）

　　（軽微な変更）

（6）　（5）に規定する財務省令で定める軽微な変更は、（5）の定期金給付契約に係る次に掲げる変更以外の変更とする。（平22改規附2）

　　（一）　次に掲げる事項の変更その他当該契約に関する権利の価額の計算の基礎に影響を及ぼす変更

　　　イ　解約返戻金の金額

　　　ロ　定期金に代えて一時金の給付を受けることができる契約に係る当該一時金の金額

　　　ハ　給付を受けるべき期間又は金額

　　　ニ　予定利率

　　（二）　契約者又は定期金受取人の変更

　　（三）　当該契約に関する権利を取得する時期の変更

　　（四）　（一）（二）（三）に掲げる変更に類する変更

第二節　給付事由が発生していないもの

（定期金に関する権利の評価―給付事由が発生していないもの）
（１）　定期金給付契約（生命保険契約を除く。）で当該契約に関する権利を取得した時において定期金給付事由が発生していないものに関する権利の価額は、次の各号に掲げる場合の区分に応じ、当該各号に定める金額による。（法25）
　　（一）　当該契約に解約返戻金を支払う旨の定めがない場合　　次に掲げる場合の区分に応じ、それぞれ次に定める金額に、100分の90を乗じて得た金額
　　　イ　当該契約に係る掛金又は保険料が一時に払い込まれた場合　　当該掛金又は保険料の払込開始の時から当該契約に関する権利を取得した時までの期間（ロにおいて「**経過期間**」という。）につき、当該掛金又は保険料の払込金額に対し、当該契約に係る予定利率の複利による計算をして得た元利合計額
　　　ロ　イに掲げる場合以外の場合　　経過期間に応じ、当該経過期間に払い込まれた掛金又は保険料の金額の１年当たりの平均額に、当該契約に係る予定利率による複利年金終価率（複利の計算で年金終価を算出するための割合として（２）の財務省令で定めるものをいう。）を乗じて得た金額
　　（二）　（一）に掲げる場合以外の場合　　当該契約に関する権利を取得した時において当該契約を解約するとしたならば支払われるべき解約返戻金の金額

（複利年金終価率）
（２）　（１）の（一）のロに規定する複利年金終価率は、特定割合（（１）の定期金給付契約に係る予定利率に一を加えた数を払込済期間の年数で累乗して得た割合をいう。）から一を控除した残数を当該予定利率で除して得た割合（当該割合に小数点以下３位未満の端数があるときは、これを四捨五入する。）とする。（規12の７①）

（払込済期間の年数）
（３）　（２）に規定する払込済期間の年数は、（２）の定期金給付契約に基づく掛金又は保険料の払込開始の日から当該契約に関する権利を取得した日までの年数（１年未満の端数があるときは、これを切り上げた年数）とする。（規12の７②）

（解約返戻金の金額）
（４）　（１）の（二）に規定する解約返戻金の金額については、第一節の①の（３）を準用する。（基通25－１）
　（注）　（１）の規定の適用に当たっては、第一節の①の（９）から(12)及び本節の（５）、（６）の定めに留意する。

（予定利率の複利による計算をして得た元利合計額）
（５）　（１）の（一）のイに規定する「当該掛金又は保険料の払込金額に対し、当該契約に係る予定利率の複利による計算をして得た元利合計額」の算出方法を算式で示すと、次のとおりである。（評基通200－４）
　定期金給付契約に係る掛金又は保険料の金額×複利終価率
　複利終価率＝（１＋ｒ）^{n}（小数点以下第３位未満の端数があるときは、その端数は、四捨五入する。）
　上記算式中の「ｒ」及び「ｎ」は、それぞれ次による。
　「ｒ」＝当該定期金給付契約に係る予定利率
　「ｎ」＝当該定期金給付契約に係る掛金又は保険料の払込開始の時から当該契約に関する権利を取得した時までの期間（以下（５）及び（６）において「経過期間」という。）の年数（その年数に１年未満の端数があるときは、その端数は、切り捨てる。）

（経過期間に払い込まれた掛金又は保険料の金額の１年当たりの平均額）
（６）　（１）の（一）のロに規定する「経過期間に払い込まれた掛金又は保険料の金額の１年当たりの平均額」は、経過期間に払い込まれた掛金又は保険料の額の合計額を経過期間の年数（その年数に１年未満の端数があるときは、その端数は、切り上げる。）で除して計算した金額による。
　　年１回一定の金額の掛金又は保険料が払い込まれる契約の場合の「経過期間に払い込まれた掛金又は保険料の金額の１年当たりの平均額」は、当該定期金給付契約に基づき１年間に払い込まれた掛金又は保険料の金額によっても差し支えない。（評基通200－５）

－1595－

第九編　財産の評価

第十三章　生命保険契約に関する権利

（生命保険契約に関する権利の評価）

　相続開始の時において、まだ保険事故（共済事故を含む。）が発生していない生命保険契約に関する権利の価額は、相続開始の時において当該契約を解約するとした場合に支払われることとなる解約返戻金の額（解約返戻金のほかに支払われることとなる前納保険料の金額、剰余金の分配額等がある場合にはこれらの金額を加算し、解約返戻金の額につき源泉徴収されるべき所得税の額に相当する金額がある場合には当該金額を減算した金額）によって評価する。（評基通214）

(注)１　「生命保険契約」とは、第一編第二章第二節《相続又は遺贈により取得したものとみなす場合》二の(一)に規定する生命保険契約をいい、当該生命保険契約には一定期間内に保険事故が発生しなかった場合において返還金その他これに準ずるものの支払がない生命保険契約は含まれないのであるから留意する。

　　　２　被相続人が生命保険契約の契約者である場合において、当該生命保険契約の契約者に対する貸付金若しくは保険料の振替貸付けに係る貸付金又は未払込保険料の額（いずれもその元利合計金額とする。）があるときは、当該契約者貸付金等の額について第一編第四章第二節三《債務控除》の適用があるのであるから留意する。

－1596－

第十四章　信託受益権

（信託受益権の評価）

信託の利益を受ける権利の評価は、次に掲げる区分に従い、それぞれ次に掲げるところによる。（評基通202）

（一）　元本と収益との受益者が同一人である場合においては、財産評価基本通達に定めるところにより評価した課税時期における信託財産の価額によって評価する。

（二）　元本と収益との受益者が元本及び収益の一部を受ける場合においては、財産評価基本通達に定めるところにより評価した課税時期における信託財産の価額にその受益割合を乗じて計算した価額によって評価する。

（三）　元本の受益者と収益の受益者とが異なる場合においては、次に掲げる価額によって評価する。

　イ　元本を受益する場合は、財産評価基本通達に定めるところにより評価した課税時期における信託財産の価額から、ロにより評価した収益受益者に帰属する信託の利益を受ける権利の価額を控除した価額

　ロ　収益を受益する場合は、課税時期の現況において推算した受益者が将来受けるべき利益の価額ごとに課税時期からそれぞれの受益の時期までの期間に応ずる基準年利率による複利現価率を乗じて計算した金額の合計額

（注）　（三）のロ中の基準年利率については、短期（3年未満）、中期（3年以上7年未満）、長期（7年以上）の区分に応じ各月ごとに別に定められる基準年利率が適用され、平成16年1月1日以後に相続、遺贈又は贈与により取得した財産の評価について適用される。（編者注）

第十五章　その他の財産

第一節　預　貯　金

（預貯金の評価）

　預貯金の価額は、課税時期における預入高と同時期現在において解約するとした場合に既経過利子の額として支払を受けることができる金額（以下本節において「既経過利子の額」という。）から当該金額につき源泉徴収されるべき所得税及び道府県民税利子割の額に相当する金額を控除した金額との合計額によって評価する。

　ただし、定期預金、定期郵便貯金及び定額郵便貯金以外の預貯金については、課税時期現在の既経過利子の額が少額なものに限り、同時期現在の預入高によって評価する。（評基通203）

第二節　貸付金債権

（貸付金債権の評価）

（1）　貸付金、売掛金、未収入金、預貯金以外の預け金、仮払金、その他これらに類するもの（以下「貸付金債権等」という。）の価額は、次に掲げる元本の価額と利息の価額との合計額によって評価する。（評基通204）

　（一）　貸付金債権等の元本の価額は、その返済されるべき金額

　（二）　貸付金債権等に係る利息（第五節の（1）《未収法定果実の評価》に定める貸付金等の利子を除く。）の価額は、課税時期現在の既経過利息として支払を受けるべき金額

（貸付金債権等の元本価額の範囲）

（2）　（1）の定めにより貸付金債権等の評価を行う場合において、その債権金額の全部又は一部が、課税時期において次に掲げる金額に該当するときその他その回収が不可能又は著しく困難であると見込まれるときにおいては、それらの金額は元本の価額に算入しない。（評基通205）

　（一）　債務者について次に掲げる事実が発生している場合におけるその債務者に対して有する貸付金債権等の金額（その金額のうち質権及び抵当権によって担保されている部分の金額を除く。）

　　イ　手形交換所（これに準ずる機関を含む。）において取引の停止処分を受けたとき

　　ロ　会社更生法（平成14年法律第154号）の規定による更生手続開始の決定があったとき

　　ハ　民事再生法（平成11年法律第225号）の規定による再生手続開始の決定があったとき

　　ニ　会社法の規定による特別清算開始の命令があったとき

　　ホ　破産法（平成16年法律第75号）の規定による破産手続開始の決定があったとき

　　ヘ　業況不振のため又はその営む事業について重大な損失を受けたため、その事業を廃止し又は6か月以上休業しているとき

　（二）　更生計画認可の決定、再生計画認可の決定、特別清算に係る協定の認可の決定又は法律の定める整理手続によらないいわゆる債権者集会の協議により、債権の切捨て、棚上げ、年賦償還等の決定があった場合において、これらの決定のあった日現在におけるその債務者に対して有する債権のうち、その決定により切り捨てられる部分の債権の金額及び次に掲げる金額

　　イ　弁済までの据置期間が決定後5年を超える場合におけるその債権の金額

　　ロ　年賦償還等の決定により割賦弁済されることとなった債権のうち課税時期後5年を経過した日後に弁済されることとなる部分の金額

　（三）　当事者間の契約により債権の切捨て、棚上げ、年賦償還等が行われた場合において、それが金融機関のあっせんに基づくものであるなど真正に成立したものと認めるものであるときにおけるその債権の金額のうち（二）に掲げる金額に準ずる金額

第十五章　その他の財産

第三節　受取手形等

（受取手形等の評価）
　受取手形又はこれに類するもの（以下「受取手形等」という。）の価額は、次による。前節の（２）の定めは、この場合について準用する。（評基通206）
（一）　支払期限の到来している受取手形等又は課税時期から６か月を経過する日までの間に支払期限の到来する受取手形等の価額は、その券面額によって評価する。
（二）　（一）以外の受取手形等については、課税時期において銀行等の金融機関において割引を行った場合に回収し得ると認める金額によって評価する。

第四節　無尽又は頼母子に関する権利

（無尽又は頼母子に関する権利の価額）
　無尽又は頼母子に関する権利の価額は、課税時期までの掛金総額によって評価する。（評基通207）

第五節　未収法定果実及び未収天然果実並びに訴訟中の権利

（未収法定果実の評価）
（１）　課税時期において既に収入すべき期限が到来しているもので同時期においてまだ収入していない地代、家賃その他の賃貸料、貸付金の利息等の法定果実の価額は、その収入すべき法定果実の金額によって評価する。（評基通208）

（未収天然果実の評価）
（２）　課税時期において、その後３か月以内に収穫することが予想される果実、立毛等の天然果実は、その天然果実の発生の基因となった財産とは別に評価するものとし、その価額は、課税時期における現況に応じ、収穫時において予想されるその天然果実の販売価額の100分の70に相当する金額の範囲内で相当と認める価額によって評価する。（評基通209）

（訴訟中の権利）
（３）　訴訟中の権利の価額は、課税時期の現況により係争関係の真相を調査し、訴訟進行の状況をも参酌して原告と被告との主張を公平に判断して適正に評価する。（評基通210）

第六節　ゴルフ会員権

（ゴルフ会員権の評価）
　ゴルフ会員権（以下「会員権」という。）の価額は、次に掲げる区分に従い、それぞれ次に掲げるところによる。
　なお、株式の所有を必要とせず、かつ、譲渡できない会員権で、返還を受けることができる預託金等（以下「預託金等」という。）がなく、ゴルフ場施設を利用して、単にプレーができるだけのものについては評価しない。（評基通211）

			課税時期における通常の取引価格の70％に相当する金額によって評価する。 　この場合において、取引価格に含まれない預託金等があるときは、次に掲げる金額との合計額によって評価する。	
（一）	取引相場のある会員権	イ	課税時期において直ちに返還を受けることができる預託金等	ゴルフクラブの規約等に基づいて課税時期において返還を受けることができる金額
		ロ	課税時期から一定の期間を経過した後に返還を受けることができる預託金等	ゴルフクラブの規約等に基づいて返還を受けることができる金額の課税時期から返還を受けることができる日までの期間（その期間が１年未満であるとき又はその期間に１年未満

－1599－

第九編　財産の評価

		の端数があるときは、これを1年とする。）に応ずる基準年利率による複利現価の額
（二）	取引相場のない会員権	イ　株主でなければゴルフクラブの会員（以下「会員」という。）となれない会員権 　　その会員権に係る株式について、第八章の定めにより評価した課税時期における株式の価額に相当する金額によって評価する。 ロ　株主であり、かつ、預託金等を預託しなければ会員となれない会員権 　　その会員権について、株式と預託金等に区分し、それぞれ次に掲げる金額の合計額によって評価する。

（イ）	株式の価額	イに掲げた方法を適用して計算した金額
（ロ）	預託金等	（一）のイ又はロに掲げた方法を適用して計算した金額

ハ　預託金等を預託しなければ会員となれない会員権
　　（一）のイ又はロに掲げた方法を適用して計算した金額によって評価する。

第七節　抵当証券

（抵当証券の評価）
　　抵当証券の価額は、次に掲げるところにより評価する。（評基通212）
（一）　金融商品取引法第2条第9項に規定する金融商品取引業者（以下「金融商品取引業者」という。）の販売する抵当証券又は同条第12項に規定する金融商品仲介業者（以下「金融商品仲介業者」という。）が媒介等を行う抵当証券
　　金融商品取引業者又は金融商品仲介業者が課税時期においてその抵当証券を買い戻すとした場合における次の算式により計算した金額

元本の額（金融商品取引業者又は金融商品仲介業者が課税時期において買い戻す価額を別に定めている場合はその金額）＋既経過利息の額－既経過利息の額につき源泉徴収されるべき所得税の額に相当する金額－解約手数料

（注）　当該抵当証券のうち、金融商品取引業者又は金融商品仲介業者による買戻しが履行されないと見込まれるものは、（二）により評価する。
（二）　（一）に掲げる抵当証券以外の抵当証券
　　第二節の（1）《貸付金債権の評価》及び同（2）《貸付金債権等の元本価額の範囲》の定めに準じて評価した金額

第八節　不動産投資信託証券等

（不動産投資信託証券等の評価）
（1）　不動産投資法人の投資証券及び不動産投資信託の受益証券（以下「不動産投資信託証券」という。）のうち、上場されているものの価額は、1口ごとに評価するものとし、第八章第二節の（1）《上場株式の評価》から（4）《上場株式についての最終価格の月平均額の特例》までの定めに準じて評価する。また、不動産投資信託証券に係る投資口の分割等に伴う無償交付期待権の価額は、第八章第五節の（3）《株式無償交付期待権の評価》に準じて評価し、不動産投資信託証券に係る金銭分配期待権の価額（利益超過分配金の額を含む。）は、同（4）《配当期待権の評価》に準じて評価する。（評基通213）

（受益証券発行信託証券等の評価）
（2）　受益証券発行信託の受益証券（以下「受益証券発行信託証券」という。）のうち、上場されているものの価額は、1口ごとに評価するものとし、第八章第二節の（1）《上場株式の評価》から同節の（4）《上場株式についての最終価格の月平均額の特例》までの定めに準じて評価する。また、受益証券発行信託証券に係る金銭分配期待権の価額は、同章第五節の（4）《配当期待権の評価》に準じて評価する。（評基通213－2）

資　　料

〔参考〕（令 6 . 7 . 25課評 2 －48）

○　基準年利率

（単位：％）

区分	年数又は期間	令和6年1月	2月	3月	4月	5月	6月	7月	8月	9月	10月	11月	12月
短期	1年	0.01	0.01	0.10	0.10	0.25	0.25						
	2年												
中期	3年	0.10	0.25	0.25	0.25	0.50	0.50						
	4年												
	5年												
	6年												
長期	7年以上	1.00	1.00	1.00	1.00	1.00	1.50						

(注)　課税時期の属する月の年数又は期間に応ずる基準年利率を用いることに留意する。

第九編　財産の評価

〔参考1〕　この複利表は、課税時期の属する月が令和6年3月～4月の場合に適用する。

複　利　表　（令和6年3・4月分）

区分	年数	年0.1%の複利年金現価率	年0.1%の複利現価率	年0.1%の年賦償還率	年1.5%の複利終価率
短期	1	0.999	0.999	1.001	1.015
	2	1.997	0.998	0.501	1.030

区分	年数	年0.25%の複利年金現価率	年0.25%の複利現価率	年0.25%の年賦償還率	年1.5%の複利終価率
中期	3	2.985	0.993	0.335	1.045
	4	3.975	0.990	0.252	1.061
	5	4.963	0.988	0.202	1.077
	6	5.948	0.985	0.168	1.093

区分	年数	年1%の複利年金現価率	年1%の複利現価率	年1%の年賦償還率	年1.5%の複利終価率
長期	7	6.728	0.933	0.149	1.109
	8	7.652	0.923	0.131	1.126
	9	8.566	0.914	0.117	1.143
	10	9.471	0.905	0.106	1.160
	11	10.368	0.896	0.096	1.177
	12	11.255	0.887	0.089	1.195
	13	12.134	0.879	0.082	1.213
	14	13.004	0.870	0.077	1.231
	15	13.865	0.861	0.072	1.250
	16	14.718	0.853	0.068	1.268
	17	15.562	0.844	0.064	1.288
	18	16.398	0.836	0.061	1.307
	19	17.226	0.828	0.058	1.326
	20	18.046	0.820	0.055	1.346
	21	18.857	0.811	0.053	1.367
	22	19.660	0.803	0.051	1.387
	23	20.456	0.795	0.049	1.408
	24	21.243	0.788	0.047	1.429
	25	22.023	0.780	0.045	1.450
	26	22.795	0.772	0.044	1.472
	27	23.560	0.764	0.042	1.494
	28	24.316	0.757	0.041	1.517
	29	25.066	0.749	0.040	1.539
	30	25.808	0.742	0.039	1.563
	31	26.542	0.735	0.038	1.586
	32	27.270	0.727	0.037	1.610
	33	27.990	0.720	0.036	1.634
	34	28.703	0.713	0.035	1.658
	35	29.409	0.706	0.034	1.683

区分	年数	年1%の複利年金現価率	年1%の複利現価率	年1%の年賦償還率	年1.5%の複利終価率
	36	30.108	0.699	0.033	1.709
	37	30.800	0.692	0.032	1.734
	38	31.485	0.685	0.032	1.760
	39	32.163	0.678	0.031	1.787
	40	32.835	0.672	0.030	1.814
	41	33.500	0.665	0.030	1.841
	42	34.158	0.658	0.029	1.868
	43	34.810	0.652	0.029	1.896
	44	35.455	0.645	0.028	1.925
	45	36.095	0.639	0.028	1.954
	46	36.727	0.633	0.027	1.983
	47	37.354	0.626	0.027	2.013
	48	37.974	0.620	0.026	2.043
	49	38.588	0.614	0.026	2.074
	50	39.196	0.608	0.026	2.105
長期	51	39.798	0.602	0.025	2.136
	52	40.394	0.596	0.025	2.168
	53	40.984	0.590	0.024	2.201
	54	41.569	0.584	0.024	2.234
	55	42.147	0.579	0.024	2.267
	56	42.720	0.573	0.023	2.301
期	57	43.287	0.567	0.023	2.336
	58	43.849	0.562	0.023	2.371
	59	44.405	0.556	0.023	2.407
	60	44.955	0.550	0.022	2.443
	61	45.500	0.545	0.022	2.479
	62	46.040	0.540	0.022	2.517
	63	46.574	0.534	0.021	2.554
	64	47.103	0.529	0.021	2.593
	65	47.627	0.524	0.021	2.632
	66	48.145	0.519	0.021	2.671
	67	48.659	0.513	0.021	2.711
	68	49.167	0.508	0.020	2.752
	69	49.670	0.503	0.020	2.793
	70	50.169	0.498	0.020	2.835

（注）　1　複利年金現価率、複利現価率及び年賦償還率は小数点以下第4位を四捨五入により、複利終価率は小数点以下第4位を切捨てにより作成している。

　　2　複利年金現価率は、定期借地権等、著作権、営業権、鉱業権等の評価に使用する。

　　3　複利現価率は、定期借地権等の評価における経済的利益（保証金等によるもの）の計算並びに特許権、信託受益権、清算中の会社の株式及び無利息債務等の評価に使用する。

　　4　年賦償還率は、定期借地権等の評価における経済的利益（差額地代）の計算に使用する。

　　5　複利終価率は、標準伐期齢を超える立木の評価に使用する。

資　料

〔**参考２**〕 この複利表は、課税時期の属する月が令和６年６月の場合に適用する。

複　利　表　（令和6年6月分）

区分	年数	年0.25%の複利年金現価率	年0.25%の複利現価率	年0.25%の年賦償還率	年1.5%の複利終価率	区分	年数	年1.5%の複利年金現価率	年1.5%の複利現価率	年1.5%の年賦償還率	年1.5%の複利終価率
短期	1	0.998	0.998	1.003	1.015		36	27.661	0.585	0.036	1.709
	2	1.993	0.995	0.502	1.030		37	28.237	0.576	0.035	1.734
区分	**年数**	**年0.5%の複利年金現価率**	**年0.5%の複利現価率**	**年0.5%の年賦償還率**	**年1.5%の複利終価率**		38	28.805	0.568	0.035	1.760
							39	29.365	0.560	0.034	1.787
中期	3	2.970	0.985	0.337	1.045		40	29.916	0.551	0.033	1.814
	4	3.950	0.980	0.253	1.061		41	30.459	0.543	0.033	1.841
	5	4.926	0.975	0.203	1.077		42	30.994	0.535	0.032	1.868
	6	5.896	0.971	0.170	1.093		43	31.521	0.527	0.032	1.896
区分	**年数**	**年1.5%の複利年金現価率**	**年1.5%の複利現価率**	**年1.5%の年賦償還率**	**年1.5%の複利終価率**		44	32.041	0.519	0.031	1.925
	7	6.598	0.901	0.152	1.109		45	32.552	0.512	0.031	1.954
	8	7.486	0.888	0.134	1.126		46	33.056	0.504	0.030	1.983
	9	8.361	0.875	0.120	1.143		47	33.553	0.497	0.030	2.013
	10	9.222	0.862	0.108	1.160		48	34.043	0.489	0.029	2.043
	11	10.071	0.849	0.099	1.177		49	34.525	0.482	0.029	2.074
	12	10.908	0.836	0.092	1.195		50	35.000	0.475	0.029	2.105
	13	11.732	0.824	0.085	1.213	長	51	35.468	0.468	0.028	2.136
	14	12.543	0.812	0.080	1.231		52	35.929	0.461	0.028	2.168
	15	13.343	0.800	0.075	1.250		53	36.383	0.454	0.027	2.201
	16	14.131	0.788	0.071	1.268		54	36.831	0.448	0.027	2.234
	17	14.908	0.776	0.067	1.288		55	37.271	0.441	0.027	2.267
長	18	15.673	0.765	0.064	1.307		56	37.706	0.434	0.027	2.301
	19	16.426	0.754	0.061	1.326	期	57	38.134	0.428	0.026	2.336
	20	17.169	0.742	0.058	1.346		58	38.556	0.422	0.026	2.371
	21	17.900	0.731	0.056	1.367		59	38.971	0.415	0.026	2.407
	22	18.621	0.721	0.054	1.387		60	39.380	0.409	0.025	2.443
期	23	19.331	0.710	0.052	1.408		61	39.784	0.403	0.025	2.479
	24	20.030	0.700	0.050	1.429		62	40.181	0.397	0.025	2.517
	25	20.720	0.689	0.048	1.450		63	40.572	0.391	0.025	2.554
	26	21.399	0.679	0.047	1.472		64	40.958	0.386	0.024	2.593
	27	22.068	0.669	0.045	1.494		65	41.338	0.380	0.024	2.632
	28	22.727	0.659	0.044	1.517		66	41.712	0.374	0.024	2.671
	29	23.376	0.649	0.043	1.539		67	42.081	0.369	0.024	2.711
	30	24.016	0.640	0.042	1.563		68	42.444	0.363	0.024	2.752
	31	24.646	0.630	0.041	1.586		69	42.802	0.358	0.023	2.793
	32	25.267	0.621	0.040	1.610		70	43.155	0.353	0.023	2.835
	33	25.879	0.612	0.039	1.634						
	34	26.482	0.603	0.038	1.658						
	35	27.076	0.594	0.037	1.683						

(注)　1　複利年金現価率、複利現価率及び年賦償還率は小数点以下第４位を四捨五入により、複利終価率は小数点以下第４位を切捨てにより作成している。

　　　2　複利年金現価率は、定期借地権等、著作権、営業権、鉱業権等の評価に使用する。

　　　3　複利現価率は、定期借地権等の評価における経済的利益（保証金等によるもの）の計算並びに特許権、信託受益権、清算中の会社の株式及び無利息債務等の評価に使用する。

　　　4　年賦償還率は、定期借地権等の評価における経済的利益（差額地代）の計算に使用する。

　　　5　複利終価率は、標準伐期齢を超える立木の評価に使用する。

第九編　財産の評価

土地及び土地の上に存する権利の評価明細書（第1表）

	局(所)	署	年分	ページ

（令和六年分以降用）

（住居表示）	（　　　　　）	所有者	住　所（所在地）		使用者	住　所（所在地）	
所 在 地 番			氏　名（法人名）			氏　名（法人名）	

地　目	地　積	路　　　線　　　価				地形図及び参考事項
宅地　山林田　雑種地畑　（　　）	㎡	正　面円	側　方円	側　方円	裏　面円	

間口距離	m	利用区分	自　用　地　私　道　家屋建付借地権貸　宅　地　貸家建付地　転貸借地権貸家建付借地権（　　　）	地区区分	ビル街地区　普通住宅地区高度商業地区　中小工場地区繁華街地区　大工場地区普通商業・併用住宅地区	
奥行距離	m					

自用地1平方メートル当たりの価額

			(1㎡当たりの価額)	
1　一路線に面する宅地			円	A
	（正面路線価）	（奥行価格補正率）		
	円　×	．		
2　二路線に面する宅地			(1㎡当たりの価額) 円	B
	（A）	［側方・裏面 路線価］（奥行価格補正率）	［側方・二方 路線影響加算率］	
	円　＋　（	円　×　．　　×	0． ）	
3　三路線に面する宅地			(1㎡当たりの価額) 円	C
	（B）	［側方・裏面 路線価］（奥行価格補正率）	［側方・二方 路線影響加算率］	
	円　＋　（	円　×　．　　×	0． ）	
4　四路線に面する宅地			(1㎡当たりの価額) 円	D
	（C）	［側方・裏面 路線価］（奥行価格補正率）	［側方・二方 路線影響加算率］	
	円　＋　（	円　×　．　　×	0． ）	
5-1　間口が狭小な宅地等			(1㎡当たりの価額) 円	E
	（AからDまでのうち該当するもの）	（間口狭小補正率）　（奥行長大補正率）		
	円　×	（　．　　×　　．　）		
5-2　不　整　形　地	不整形地補正率※		(1㎡当たりの価額) 円	F
	（AからDまでのうち該当するもの）			
	円　×	0．		
	※不整形地補正率の計算			
	（想定整形地の間口距離）（想定整形地の奥行距離）（想定整形地の地積）			
	m　×　　　　　m　＝　　　　㎡			
	（想定整形地の地積）（不整形地の地積）（想定整形地の地積）（かげ地割合）			
	（　　㎡　－　　㎡）　÷　　㎡　＝　　％			
	（不整形地補正率表の補正率）（間口狭小補正率）（小数点以下2位未満切捨て）	〔不整形地補正率（①、②のいずれか低い率、0.6を下限とする。）〕		
	0．　×　．　＝　0．　①			
	（奥行長大補正率）（間口狭小補正率）			
	0．　×　．　＝　0．　②	0．		
6　地積規模の大きな宅地	規模格差補正率※		(1㎡当たりの価額) 円	G
	（AからFまでのうち該当するもの）			
	円　×	0．		
	※規模格差補正率の計算			
	（地積（Ⓐ））　　（Ⓑ）　　　（Ⓒ）　　（地積（Ⓐ））（小数点以下2位未満切捨て）			
	｛（　　㎡×　　＋　　）÷　　㎡｝× 0.8　＝　0．			
7　無　道　路　地		（※）	(1㎡当たりの価額) 円	H
	（F又はGのうち該当するもの）			
	円　×　（　1　－　0．　）			
	※割合の計算（0.4を上限とする。）	（F又はGのうち該当するもの）		
	（正面路線価）　　（通路部分の地積）	（評価対象地の地積）		
	（　　円　×　　㎡）÷　　円　×　　㎡）＝ 0．			
8-1　がけ地等を有する宅地	〔 南　、東　、西　、北 〕		(1㎡当たりの価額) 円	I
	（AからHまでのうち該当するもの）	（がけ地補正率）		
	円　×	0．		
8-2　土砂災害特別警戒区域内にある宅地	特別警戒区域補正率※		(1㎡当たりの価額) 円	J
	（AからHまでのうち該当するもの）			
	円　×	0．		
	※がけ地補正率の適用がある場合の特別警戒区域補正率の計算（0.5を下限とする。）			
	〔 南　、東　、西　、北 〕			
	（特別警戒区域補正率表の補正率）（がけ地補正率）（小数点以下2位未満切捨て）			
	0．　×　0．　＝　0．			
9　容積率の異なる2以上の地域にわたる宅地	（控除割合（小数点以下3位未満四捨五入））		(1㎡当たりの価額) 円	K
	（AからJまでのうち該当するもの）			
	円　×　（　1　－　0．　）			
10　私　　　道			(1㎡当たりの価額) 円	L
	（AからKまでのうち該当するもの）			
	円　×　　0.3			

自用地の評価額	自用地1平方メートル当たりの価額（AからLまでのうちの該当記号）	地　積	総　　　　　額（自用地1㎡当たりの価額）×（地　積）	
	（　　　）　　　　　円	㎡	円	M

（注）1　5-1の「間口が狭小な宅地等」と5-2の「不整形地」は重複して適用できません。
　　　2　5-2の「不整形地」の「AからDまでのうち該当するもの」欄の価額について、AからDまでの欄で計算できない場合には、（第2表）の「備考」欄等で計算してください。
　　　3　「がけ地等を有する宅地」であり、かつ、「土砂災害特別警戒区域内にある宅地」である場合については、8-1の「がけ地等を有する宅地」欄ではなく、8-2の「土砂災害特別警戒区域内にある宅地」欄で計算してください。

（資4-25-1-A4統一）

－1604－

資　料

土地及び土地の上に存する権利の評価明細書（第2表）

<table>
<tr><td>セットバックを必要とする宅地の評価額</td><td>（自用地の評価額）
　　　　円　－（（自用地の評価額）
　　　　円　×　
（該当地積）
㎡
──────　×　0.7）
（総地積）
㎡</td><td>（自用地の評価額）
円</td><td>N</td><td rowspan="8" style="writing-mode:vertical-rl">（令和六年分以降用）</td></tr>
<tr><td>都市計画道路予定地の区域内にある宅地の評価額</td><td>（自用地の評価額）　　　　（補正率）
　　　　円　×　0.</td><td>（自用地の評価額）
円</td><td>O</td></tr>
<tr><td rowspan="2">大規模工場用地等の評価額</td><td>○　大規模工場用地等
　　（正面路線価）　　　（地積）　　　　（地積が20万㎡以上の場合は0.95）
　　　　円　×　　　㎡　×</td><td>円</td><td>P</td></tr>
<tr><td>○　ゴルフ場用地等
　　（宅地とした場合の価額）（地積）　　（1㎡当たりの造成費）　　（地積）
　　（　　円　×　㎡×0.6）　－（　　　円×　　㎡）</td><td>円</td><td>Q</td></tr>
<tr><td rowspan="2">区分所有財産に係る評価額</td><td>敷地利用権の評価額</td><td>（自用地の評価額）　　　（敷地利用権（敷地権）の割合）
　　　　円　×　────────</td><td>（自用地の評価額）
円</td><td>R</td></tr>
<tr><td>居住用の区分所有財産の場合</td><td>（自用地の評価額）　　　　（区分所有補正率）
　　　　円　×　.</td><td>（自用地の評価額）
円</td><td>S</td></tr>
</table>

<table>
<tr><th rowspan="13" style="writing-mode:vertical-rl">総額計算による価額</th><th>利用区分</th><th>算　　　　式</th><th>総　　額</th><th>記号</th></tr>
<tr><td>貸宅地</td><td>（自用地の評価額）　　　（借地権割合）
　　　円　×（1－0.　　）</td><td>円</td><td>T</td></tr>
<tr><td>貸家建付地</td><td>（自用地の評価額又はV）（借地権割合）（借家権割合）（賃貸割合）
　円　×（1－0.　　×0.　　×㎡/㎡）</td><td>円</td><td>U</td></tr>
<tr><td>目的となっている土地の権利</td><td>（自用地の評価額）　　　（　割合）
　　　円　×（1－0.　　）</td><td>円</td><td>V</td></tr>
<tr><td>借地権</td><td>（自用地の評価額）　　　（借地権割合）
　　　円　×　0.</td><td>円</td><td>W</td></tr>
<tr><td>貸家建付借地権</td><td>（W,ADのうちの該当記号）（借家権割合）（賃貸割合）
（　　）
　　円　×（1－0.　×㎡/㎡）</td><td>円</td><td>X</td></tr>
<tr><td>転貸借地権</td><td>（W,ADのうちの該当記号）（借地権割合）
（　　）
　　円　×（1－0.　　）</td><td>円</td><td>Y</td></tr>
<tr><td>転借権</td><td>（W,X,ADのうちの該当記号）（借地権割合）
（　　）
　　円　×　0.</td><td>円</td><td>Z</td></tr>
<tr><td>借家人の有する権利</td><td>（W,Z,ADのうちの該当記号）（借家権割合）（賃借割合）
（　　）
　　円　×　0.　×㎡/㎡</td><td>円</td><td>AA</td></tr>
<tr><td>　　　　権</td><td>（自用地の評価額）　　　（　割合）
　　　円　×　0.</td><td>円</td><td>AB</td></tr>
<tr><td>権利が競合する場合の土地に関する権利</td><td>（T,Vのうちの該当記号）（　割合）
（　　）
　　円　×（1－0.　　）</td><td>円</td><td>AC</td></tr>
<tr><td>他の権利と競合する場合の権利</td><td>（W,ABのうちの該当記号）（　割合）
（　　）
　　円　×（1－0.　　）</td><td>円</td><td>AD</td></tr>
<tr><td>備考</td><td colspan="3"></td></tr>
</table>

（注）　区分地上権と区分地上権に準ずる地役権とが競合する場合については、備考欄等で計算してください。

（資4－25－2－A4統一）

第九編　財産の評価

配偶者居住権等の評価明細書

<table>
<tr><td rowspan="2">所有者</td><td>建物</td><td colspan="4">（被相続人氏名）　［① 持分割合 ＿＿＿＿］　（配偶者氏名）　［持分割合 ＿＿＿＿］　所在地番（住居表示）（　　　　　　　　）</td><td rowspan="12">（令和五年一月一日以降用）</td></tr>
<tr><td>土地</td><td colspan="4">（被相続人氏名）　［② 持分割合 ＿＿＿＿］　（共有者氏名）　［持分割合 ＿＿＿＿］　（共有者氏名）　［持分割合 ＿＿＿＿］</td></tr>
<tr><td rowspan="4">居住建物の内容</td><td colspan="2">建物の耐用年数</td><td colspan="3">（建物の構造）　※裏面《参考1》参照　＿＿＿＿＿＿＿＿＿＿＿＿＿＿＿　年 ③</td></tr>
<tr><td colspan="2">建築後の経過年数</td><td colspan="3">（建築年月日）　　　（配偶者居住権が設定された日）＿＿年＿＿月＿＿日 から ＿＿年＿＿月＿＿日 … ＿＿年　年 ④　［6月以上の端数は1年 6月未満の端数は切捨て］</td></tr>
<tr><td colspan="2" rowspan="2">建物の利用状況等</td><td colspan="3">建物のうち賃貸の用に供されている部分以外の部分の床面積の合計　㎡ ⑤</td></tr>
<tr><td colspan="3">建物の床面積の合計　㎡ ⑥</td></tr>
<tr><td rowspan="2">配偶者居住権の存続年数等</td><td colspan="5">〔存続期間が終身以外の場合の存続年数〕　　　　　　　　　　存続年数（Ⓒ）
（配偶者居住権が設定された日）　　（存続期間満了日）　Ⓐ　　　年 ⑦
＿＿年＿＿月＿＿日 から ＿＿年＿＿月＿＿日 … ＿＿年　［6月以上の端数は1年 6月未満の端数は切捨て］</td></tr>
<tr><td colspan="5">〔存続期間が終身の場合の存続年数〕　　（平均余命）Ⓑ　　　　　　複利現価率　※裏面《参考3》参照
（配偶者居住権が設定された日における配偶者の満年齢）　※裏面《参考2》参照　Ⓒ ［ⒶとⒷのいずれか短い年とし、Ⓐがない場合はⒷの年数］
＿＿歳（生年月日＿＿年＿＿月＿＿日、性別＿＿）… ＿＿年　0.＿＿＿ ⑧</td></tr>
<tr><td rowspan="6">評価の基礎となる価額</td><td colspan="2" rowspan="3">建物</td><td colspan="3">賃貸の用に供されておらず、かつ、共有でないものとした場合の相続税評価額　円 ⑨</td></tr>
<tr><td colspan="3">共有でないものとした場合の相続税評価額　円 ⑩</td></tr>
<tr><td colspan="3">相続税評価額　（⑩の相続税評価額）　（①持分割合）＿＿＿＿＿＿＿＿円 × ＿＿＿＿＿＿　円 ⑪（円未満切捨て）</td></tr>
<tr><td colspan="2" rowspan="3">土地</td><td colspan="3">建物が賃貸の用に供されておらず、かつ、土地が共有でないものとした場合の相続税評価額　円 ⑫</td></tr>
<tr><td colspan="3">共有でないものとした場合の相続税評価額　円 ⑬</td></tr>
<tr><td colspan="3">相続税評価額　（⑬の相続税評価額）　（②持分割合）＿＿＿＿＿＿＿＿円 × ＿＿＿＿＿＿　円 ⑭（円未満切捨て）</td></tr>
</table>

○配偶者居住権の価額

（⑨の相続税評価額）　⑤賃貸以外の床面積／⑥居住建物の床面積　（①持分割合）

＿＿＿＿円 × ＿＿＿＿ ㎡／㎡ × ＿＿＿＿　円 ⑮（円未満四捨五入）

（⑨の金額）　（⑮の金額）　［③耐用年数−④経過年数−⑦存続年数／③耐用年数−④経過年数］　（⑧複利現価率）　（配偶者居住権の価額）円 ⑯

（注）分子又は分母が零以下の場合は零。

＿＿＿円 − ＿＿＿円 × ＿／＿ × 0.＿＿　（円未満四捨五入）

○居住建物の価額

（⑪の相続税評価額）　（⑯配偶者居住権の価額）

＿＿＿円 − ＿＿＿円　円 ⑰

○配偶者居住権に基づく敷地利用権の価額

（⑫の相続税評価額）　⑤賃貸以外の床面積／⑥居住建物の床面積　（①と②のいずれか低い持分割合）

＿＿＿円 × ＿＿＿ ㎡／㎡ × ＿＿＿　円 ⑱（円未満四捨五入）

（⑱の金額）　（⑲の金額）　（⑧複利現価率）　（敷地利用権の価額）

＿＿＿円 − ＿＿＿円 × 0.＿＿　円 ⑲（円未満四捨五入）

○居住建物の敷地の用に供される土地の価額

（⑭の相続税評価額）　（⑲敷地利用権の価額）

＿＿＿円 − ＿＿＿円　円 ⑳

備　考	

（注）土地には、土地の上に存する権利を含みます。

（資4−25−3−A4統一）

−1606−

資　料

居住用の区分所有財産の評価に係る区分所有補正率の計算明細書

（住居表示） 所在地番	（　　　　　　　　　　　　　　　　　　　　　　　　　　　　　　　）
家　屋　番　号	

（令和六年一月一日以降用）

区分所有補正率の計算	A	① 築年数（注1） 　　　　　　　　　年			①×△0.033
	B	② 総階数（注2） 　　　　　　　　　階	③ 総階数指数（②÷33） （小数点以下第4位切捨て、1を超える場合は1）		③×0.239 （小数点以下第4位切捨て）
	C	④ 所在階（注3） 　　　　　　　　　階			④×0.018
	D	⑤ 専有部分の面積 　　　　　　　　㎡	⑥ 敷地の面積 　　　　　　　　㎡	⑦ 敷地権の割合（共有持分の割合） ―――――――――	
		⑧ 敷地利用権の面積（⑥×⑦） （小数点以下第3位切上げ） 　　　　　　　　㎡	⑨ 敷地持分狭小度（⑧÷⑤） （小数点以下第4位切上げ）		⑨×△1.195 （小数点以下第4位切上げ）
	⑩　評価乖離率（A＋B＋C＋D＋3.220）				
	⑪　評 価 水 準　（　1　÷　⑩　）				
	⑫　区 分 所 有 補 正 率（注4・5）				
備考					

（注1）　「① 築年数」は、建築の時から課税時期までの期間とし、1年未満の端数があるときは1年として計算します。

（注2）　「② 総階数」に、地階（地下階）は含みません。

（注3）　「④ 所在階」について、一室の区分所有権等に係る専有部分が複数階にまたがる場合は階数が低い方の階とし、一室の区分所有権等に係る専有部分が地階（地下階）である場合は0とします。

（注4）　「⑫ 区分所有補正率」は、次の区分に応じたものになります（補正なしの場合は、「⑫ 区分所有補正率」欄に「補正なし」と記載します。）。

区　　　　　分	区 分 所 有 補 正 率※
評 価 水 準 ＜ 0.6	⑩ × 0.6
0.6 ≦ 評 価 水 準 ≦ 1	補正なし
1 ＜ 評 価 水 準	⑩

　　　※　区分所有者が一棟の区分所有建物に存する全ての専有部分及び一棟の区分所有建物の敷地のいずれも単独で所有（以下「全戸所有」といいます。）している場合には、敷地利用権に係る区分所有補正率は1を下限とします。この場合、「備考」欄に「敷地利用権に係る区分所有補正率は1」と記載します。

　　　　　ただし、全戸所有している場合であっても、区分所有権に係る区分所有補正率には下限はありません。

（注5）　評価乖離率が0又は負数の場合は、区分所有権及び敷地利用権の価額を評価しないこととしていますので、「⑫ 区分所有補正率」欄に「評価しない」と記載します（全戸所有している場合には、評価乖離率が0又は負数の場合であっても、敷地利用権に係る区分所有補正率は1となります。）。

（資4－25－4－A4統一）

第九編　財産の評価

(表)

定 期 借 地 権 等 の 評 価 明 細 書

（令和六年分以降用）

（住居表示）所 在 地 番		（地 積）㎡	設定年月日	平成令和　　年 月 日	設定期間年数	⑦	年
			課 税 時 期	令和　 年 月 日	残存期間年数	⑧	年
定期借地権等の種類	一 般 定 期 借 地 権　・　建 物 譲 渡 特 約 付 借 地 権　・事 業 用 定 期 借 地 権 等			設定期間年数に応ずる基準年利率による	複利現価率	④	
定期借地権等の設定時	自用地としての価額　①	（1㎡当たりの価額　　　　円）　　　　　　　　　円			複利年金現価率	⑤	
	通 常 取 引 価 額　②	（通常の取引価額又は①／0.8）　　　　　　　　円					
課税時期	自用地としての価額　③	（1㎡当たりの価額　　　　円）　　　　　　　　　円	残存期間年数に応ずる基準年利率による複利年金現価率			⑥	

（注1）居住用の区分所有財産における定期借地権等を評価する場合の③の自用地としての価額は、令和5年9月28日付課評2－74ほか1課共同「居住用の区分所有財産の評価について」（法令解釈通達）の適用後の価額を記載します。

（注2）④及び⑤に係る設定期間年数又は⑥に係る残存期間年数について、その年数に1年未満の端数があるときは6か月以上を切り上げ、6か月未満を切り捨てます。

○定期借地権等の評価

経済的利益の額の計算	権利金等の授受がある場合	（権利金等の金額）（A）　　　　　円　＝ ⑨	権利金・協力金・礼金等の名称のいかんを問わず、借地契約の終了のときに返還を要しないとされる金銭等の額の合計を記載します。	（権利金等の授受による経済的利益の金額）⑨　　　　　　　　　　円
	保証金等の授受がある場合	（保証金等の額に相当する金額）（B）_____	保証金・敷金等の名称のいかんを問わず、借地契約の終了のときに返還を要するものとされる金銭等（保証金等）の預託があった場合において、その保証金等につき基準年利率未満の約定利率の支払いがあるとき又は無利息のときに、その保証金等の金額を記載します。	（保証金等の授受による経済的利益の金額）⑩　　　　　　　　　　円
		（保証金等の授受による経済的利益の金額の計算）（B）－［（B）× (④の複利現価率)_____ ］－［（B）× (基準年利率未満の約定利率)_____ × (⑤の複利年金現価率)_____ ］ ＝ ⑩		
	（権利金等の授受による経済的利益の金額）⑨　　　　円　＋	（保証金等の授受による経済的利益の金額）⑩　　　　円　＋	（贈与を受けたと認められる差額地代の額がある場合の経済的利益の金額）⑪　＝	（経済的利益の総額）⑫　　　　　　　　　　円
	（注）⑪欄は、個々の取引の事情・当事者間の関係等を総合勘案し、実質的に贈与を受けたと認められる差額地代の額がある場合に記載します（計算方法は、裏面2参照。）。			
評価額の計算	（課税時期における自用地としての価額）③　　　円　×	(経済的利益の総額)⑫　　　　円_____ (設定時の通常取引価額)②　　　　円　× (⑥の複利年金現価率)_____ (⑤の複利年金現価率)_____ ＝		（定期借地権等の評価額）⑬　　　　　　　　　　円

（注）保証金等の返還の時期が、借地契約の終了のとき以外の場合の⑩欄の計算方法は、税務署にお尋ねください。

○定期借地権等の目的となっている宅地の評価

一般定期借地権の目的となっている宅地〔裏面1の④に該当するもの〕	（課税時期における自用地としての価額）③　　　　円　－	｛（課税時期における自用地としての価額）③　　　円× ［1－ (底地割合)（裏面3参照）］｝× (⑥の複利年金現価率)_____ (⑤の複利年金現価率)_____ ＝		一般定期借地権の目的となっている宅地の評価額⑭　　　　　　　　　　円
上記以外の定期借地権等の目的となっている宅地〔裏面1の⑧に該当するもの〕	（課税時期における自用地としての価額）③　　　円　－	（定期借地権等の評価額）⑬　　　　　円　＝ ⑮　　　　円		上記以外の定期借地権等の目的となっている宅地の評価額（⑮と⑯のいずれか低い金額）⑰　　　　　　　　　　円
	（課税時期における自用地としての価額）③　　　円　×	［1－ (残存期間年数に応じた割合（裏面4参照）)_____ ］＝ ⑯　　　円		

（資4－80－1－A4統一）

（裏）

1　定期借地権等の種類と評価方法の一覧

<table>
<tr><th>定期借地権の種類</th><th>定期借地権等の評価方法</th><th>定期借地権等の目的となっている宅地の評価方法</th></tr>
<tr><td rowspan="2">一般定期借地権
（借地借家法第22条）</td><td rowspan="4">財産評価基本通達27－２に定める評価方法による</td><td>平成10年８月25日付課評２－８・課資１－13「一般定期借地権の目的となっている宅地の評価に関する取扱いについて」に定める評価方法による　Ⓐ</td></tr>
<tr><td rowspan="3">※
財産評価基本通達25⑵に定める評価方法による　Ⓑ</td></tr>
<tr><td>事業用定期借地権等
（借地借家法第23条）</td></tr>
<tr><td>建物譲渡特約付借地権
（借地借家法第24条）</td></tr>
</table>

（注）※印部分は、一般定期借地権の目的となっている宅地のうち、普通借地権の借地権割合の地域区分Ａ・Ｂ地域及び普通借地権の取引慣行が認められない地域に存するものが該当します。

2　実質的に贈与を受けたと認められる差額地代の額がある場合の経済的利益の金額の計算

<table>
<tr><td rowspan="3">差額地代（設定時）</td><td>同種同等地代の年額（Ｃ）</td><td>円</td><td>実際地代の年額（Ｄ）</td><td>円</td><td>設定期間年数に応ずる基準年利率による年賦償還率</td><td>⑱</td><td></td></tr>
<tr><td colspan="7">（前払地代に相当する金額）　（実際地代の年額（Ｄ））　（実質地代の年額（Ｅ））
［（権利金等⑨）＿＿円 ×（⑱の年賦償還率）＿＿ ＋（保証金等⑩）＿＿円 ×（⑱の年賦償還率）＿＿］＋ ＿＿円 ＝ ＿＿円</td></tr>
<tr><td colspan="5">（差額地代の額）　（⑤の複利年金現価率）
（同種同等地代の年額（Ｃ））　（実質地代の年額（Ｅ））
（＿＿円 － ＿＿円）× ＿＿ ＝</td><td>⑪</td><td>〔贈与を受けたと認められる差額地代の額がある場合の経済的利益の金額〕
円</td></tr>
</table>

（注）「同種同等地代の年額」とは、同種同等の他の定期借地権等における地代の年額をいいます。

3　一般定期借地権の目的となっている宅地を評価する場合の底地割合

	借地権割合		底地割合
	路線価図	評価倍率表	
地域区分	C	70%	55%
	D	60%	60%
	E	50%	65%
	F	40%	70%
	G	30%	75%

4　定期借地権等の目的となっている宅地を評価する場合の残存期間年数に応じた割合

残存期間年数	割　合
５年以下の場合	5%
５年を超え10年以下の場合	10%
10年を超え15年以下の場合	15%
15年を超える場合	20%

（注）残存期間年数の端数処理は行いません。

（資４－80－２－Ａ４統一）

第九編　財産の評価

市 街 地 農 地 等 の 評 価 明 細 書

市 街 地 農 地　　市 街 地 山 林
市街地周辺農地　　市 街 地 原 野

（平成十八年分以降用）

所 在 地 番				
現 況 地 目			① 地積	㎡
評価の基とした宅地の1平方メートル当たりの評価額	所 在 地 番			
	② 評価額の計算内容		③ （ 評 価 額 ）	円
評価する農地等が宅地であるとした場合の1平方メートル当たりの評価額	④ 評価上考慮したその農地等の道路からの距離、形状等の条件に基づく評価額の計算内容		⑤ （ 評 価 額 ）	円

宅地造成費の計算	平坦地	整地費	整 地 費	（ 整地を要する面積 ）　　　　　（ 1㎡当たりの整地費 ） 　　　　　　　　㎡ ×　　　　　　　　円	⑥ 円
			伐採・抜根費	（伐採・抜根を要する面積）　　　（ 1㎡当たりの伐採・抜根費 ） 　　　　　　　　㎡ ×　　　　　　　　円	⑦ 円
			地盤改良費	（地盤改良を要する面積）　　　（ 1㎡当たりの地盤改良費 ） 　　　　　　　　㎡ ×　　　　　　　　円	⑧ 円
		土 盛 費		（土盛りを要する面積）（平均の高さ）（ 1㎡当たりの土盛費 ） 　　　㎡ ×　　　　m ×　　　　　円	⑨ 円
		土 止 費		（ 擁壁面の長さ ）（平均の高さ）（ 1㎡当たりの土止費 ） 　　　m ×　　　　m ×　　　　　円	⑩ 円
		合 計 額 の 計 算		⑥ ＋ ⑦ ＋ ⑧ ＋ ⑨ ＋ ⑩	⑪ 円
		1㎡当たりの計算		⑪ ÷ ①	⑫ 円
	傾斜地	傾斜度に係る造成費		（ 傾 斜 度 ）　　　　　度	⑬ 円
		伐 採 ・ 抜 根 費		（伐採・抜根を要する面積）　　　（ 1㎡当たりの伐採・抜根費 ）	⑭ 円
		1㎡当たりの計算		⑬ ＋ （ ⑭ ÷ ① ）	⑮ 円

市 街 地 農 地 等 の 評 価 額	（⑤ － ⑫ （ 又は ⑮ ））× ① (注) 市街地周辺農地については、さらに0.8を乗ずる。	円

(注)　1　「②評価額の計算内容」欄には、倍率地域内の市街地農地等については、評価の基とした宅地の固定資産税評価額及び倍率を記載し、路線価地域内の市街地農地等については、その市街地農地等が宅地である場合の画地計算の内容を記載してください。なお、画地計算が複雑な場合には、「土地及び土地の上に存する権利の評価明細書」を使用してください。

　　　2　「④評価上考慮したその農地等の道路からの距離、形状等の条件に基づく評価額の計算内容」欄には、倍率地域内の市街地農地等について、「③評価額」欄の金額と「⑤評価額」欄の金額とが異なる場合に記載し、路線価地域内の市街地農地等については記載の必要はありません。

　　　3　「傾斜地の宅地造成費」に加算する伐採・抜根費は、「平坦地の宅地造成費」の「伐採・抜根費」の金額を基に算出してください。

（資4－26－A4統一）

－1610－

資　料

山林・森林の立木の評価明細書

被相続人　氏名

所在地	① 用途区分及び現況	② 林地の面積	③ 林地の固定資産税評価額	③ 評価倍率	④ 林地の評価額 (②×③)	⑤ 樹種	⑥ 樹齢	⑦ 森林の面積	⑧ 1ヘクタール当たりの標準価額	⑨ 小出し距離 / 小運搬距離	総合等級 ⑩ 地利級	総合等級 ⑪ 地味級	総合等級 ⑫ 立木度	総合等級 ⑬ 総合等級(指数)	⑭ 算出額 (⑦×⑧×⑬)	備考
		(台) ㎡ (実) ㎡	(台) 円 (修) ⑦ 円	倍	円		年生	ヘクタール ．	円	m km	級	級			円	
合　計																

(注) 相続又は遺贈(包括遺贈及び被相続人から相続人に対する遺贈に限る。)により取得した立木については「⑭欄出額」欄の85%相当額を課税価格とします。

(資4-35-A4統)

第九編　財産の評価

一 般 動 産 及 び 船 舶 の 評 価 明 細 書

被相続人氏名	

種類、製造会社名、名称、型式、年式等	売買実例価額等を基とした評価額	売買実例価額等が明らかでない場合				
		新品（新造）価額	法定耐用年数	製造（建造）年月	償却費の額の合計額又は減価の額	新品等の価額を基とした評価額（①－②）
			経過年数	定率法による償却率		
	円	① 円	年	．	② 円	円
			年			
				．		
				．		
				．		
				．		
				．		
				．		
				．		
				．		
				．		
				．		
				．		
				．		
				．		

（注）　1　この評価明細書は、一般動産及び船舶を評価する場合に使用します。

2　一般動産及び船舶の価額は、原則として、売買実例価額、精通者意見価格等を参酌して評価しますが、売買実例価額等が明らかでない場合には、新品の小売価額等から償却費の額の合計額又は減価の額を控除した金額によって評価します。

3　「売買実例価額等を基とした評価額」欄には、売買実例価額、精通者意見価格等を参酌して評価した価額を記載します。

4　売買実例価額等が明らかでない場合には、「売買実例価額等が明らかでない場合」欄に記載します。

　(1)　「新品（新造）価額」欄には、評価する一般動産と同種同規格の新品の課税時期における小売価額（船舶の場合は評価する船舶と同種同型の船舶（該当する船舶がない場合は最も類似する船舶によります。）を課税時期において新造する場合の価額）を記載します。

　(2)　「製造（建造）年月」欄には、評価する一般動産の製造年月（船舶の場合は評価する船舶の建造年月）を記載します。

　(3)　「経過年数」欄には、評価する一般動産の製造の時（船舶の場合は評価する船舶の建造の時）から課税時期までの期間の年数（その期間の年数に1年未満の端数があるときは、その端数は1年とします。）を記載します。

（資4－27－A4統一）

資　料

特許権　実用新案権　意匠権　商標権　等 の 評 価 明 細 書

発明者等の氏名	

（平成十六年分以降用）

① 各年における補償金の年額	②基準年利率による複利現価率	③ ①×②	① 各年における補償金の年額	②基準年利率による複利現価率	③ ①×②	① 各年における補償金の年額	②基準年利率による複利現価率	③ ①×②
1　　　　円	．	円	18　　　円	．	円	35　　　円	．	円
2	．		19	．		36	．	
3	．		20	．		37	．	
4	．		21	．		38	．	
5	．		22	．		39	．	
6	．		23	．		40	．	
7	．		24	．		41	．	
8	．		25	．		42	．	
9	．		26	．		43	．	
10	．		27	．		44	．	
11	．		28	．		45	．	
12	．		29	．		46	．	
13	．		30	．		47	．	
14	．		31	．		48	．	
15	．		32	．		49	．	
16	．		33	．		50	．	
17			34					

権 の 評 価 額　（課税時期後の各年の③欄の合計額　　　　　　　円）

権 利 の 種 類 、 内 容 そ の 他	各 年 の 補 償 金 の 推 算 根 拠	権利に基づき将来補償金を受ける年数の推算根拠

（資4－28－A4統一）

第九編　財産の評価

営 業 権 の 評 価 明 細 書

被相続人等の氏名		相続開始等の年月日	・　・
事業の内容		商号又は屋号	

事業所所在地又は本店所在地　＿＿＿＿＿＿＿＿＿＿＿

氏名又は法人名　＿＿＿＿＿＿＿＿＿＿＿

（平成二十年分以降用）

平均利益金額の計算

年分又は事業年度	①事業所得の金額又は所得の金額（繰越欠損金の控除額を加算した金額）	②非経常的な損益の額	③支払利子等の額	④青色事業専従者給与額等又は損金に算入された役員給与の額	⑤（①±②+③+④）
					円
					㋑
					㋺
前年分又は直前事業年度					㋩

$$（㋑+㋺+㋩）\times \frac{1}{3} = \underline{\qquad}　円\cdots⑥$$

平均利益金額　（㋩の金額と⑥の金額のうちいずれか低い方の金額）　$= \underline{\qquad}$　円…⑦

標準企業者報酬額の計算

標準企業者報酬額　（標準企業者報酬額表に掲げる平均利益金額の区分に応じ、同表に掲げる算式により計算した金額）

（⑦の金額）

$$\underline{\qquad}　円 \times 0.\underline{\quad} + \underline{\qquad},000,000　円$$

$$= \underline{\qquad}　円 \cdots ⑧$$

【標準企業者報酬額表】

平均利益金額の区分	標準企業者報酬額の算式
1億円以下	平均利益金額×0.3＋10,000,000円
1億円超　3億円以下	平均利益金額×0.2＋20,000,000円
3億円超　5億円以下	平均利益金額×0.1＋50,000,000円
5億円超	平均利益金額×0.05＋75,000,000円

総資産価額の計算

科　目	相続税評価額	科　目	相続税評価額
	円		円
		合　　計　⑨	

（平均利益金額（⑦））　（標準企業者報酬額（⑧））　（総資産価額（⑨））　（超過利益金額（⑩））

$$\underline{\qquad}　円 \times 0.5 - \underline{\qquad}　円 - \left[\underline{\qquad}　円 \times 0.05 \right] = \underline{\qquad}　円$$

（超過利益金額（⑩））　（営業権の持続年数に応ずる基準年利率による複利年金現価率※）　（営業権の価額）

$$\underline{\qquad}　円 \times \underline{\qquad} = \underline{\qquad}　円$$

※　営業権の持続年数は、原則として、10年とします。

（注）　医師、弁護士等のようにその者の技術、手腕又は才能等を主とする事業に係る営業権で、その事業者の死亡とともに消滅するものは、評価しません。

（資4－29－A4統一）

－1614－

資　料

定期金に関する権利の評価明細書

被相続人氏名	

（平成二十二年度改正法適用分）

定期金又は契約の名称		
定期金の給付者	氏名又は名称		住所又は所在地	
定期金に関する権利を取得した者		
定期金給付契約に関する権利の取得年月日		平成　令和　　　年　　　月　　　日

1　定期金の給付事由が発生しているもの

(1)有期定期金	解約返戻金の金額①　　　　　円	一時金の金額②　　　　　円	⑨の金額③　　　　　円	評価額（①、②又は③のいずれか多い金額）④　　　　　円
	③の計算	定期金給付契約に基づく定期金の給付が終了する年月日		平成　令和　　　年　　　月　　　日
		1年当たりの平均額⑤　　　　　円	予定利率⑥　　　　　％	給付期間の年数⑦　　　年 ｜ 複利年金現価率⑧ ｜ ⑤×⑧の金額⑨　　　　　円

(2)無期定期金	解約返戻金の金額⑩　　　　　円	一時金の金額⑪　　　　　円	⑯の金額⑫　　　　　円	評価額（⑩、⑪又は⑫のいずれか多い金額）⑬　　　　　円
	⑫の計算	1年当たりの平均額⑭　　　　　円	予定利率⑮　　　　　％	⑭÷⑮の金額⑯　　　　　円

(3)終身定期金	解約返戻金の金額⑰　　　　　円	一時金の金額⑱　　　　　円	㉕の金額⑲　　　　　円	評価額（⑰、⑱又は⑲のいずれか多い金額）⑳　　　　　円
	⑲の計算	定期金給付契約の目的とされた者の生年月日及び性別		年　　月　　日　（男・女）
		1年当たりの平均額㉑　　　　　円	予定利率㉒　　　　　％	余命年数㉓　　　年 ｜ 複利年金現価率㉔ ｜ ㉑×㉔の金額㉕　　　　　円

(4)権利者に対し、一定期間、かつ、定期金給付契約の目的とされた者の生存中定期金を給付する契約に基づくもの	④の金額㉖　　　　　円	⑳の金額㉗　　　　　円	評価額（㉖又は㉗のいずれか少ない金額）㉘　　　　　円
(5)定期金給付契約の目的とされた者の生存中定期金を給付し、かつ、その者が死亡したときは権利者又は遺族等に定期金を給付する契約に基づくもの	④の金額㉙　　　　　円	⑳の金額㉚　　　　　円	評価額（㉙又は㉚のいずれか多い金額）㉛　　　　　円

2　定期金の給付事由が発生していないもの

(1)契約に解約返戻金を支払う定めがない場合		定期金給付契約に基づく掛金又は保険料の払込開始年月日			昭和　平成　令和　　　年　　　月　　　日			
	イ　掛金又は保険料が一時に払い込まれた場合	掛金又は保険料の払込金額㋑　　　円	予定利率㋺　　　％	経過期間の年数㋩　　　年	複利終価率㊁	㋑×㊁の金額㋭　　　円	評価額（㋭×$\frac{90}{100}$）㋬　　　円	
	ロ　イ以外の場合	1年当たりの平均額㋠　　　円	予定利率㋷　　　％	払込済期間の年数㋦　　　年	複利年金終価率㋾	㋠×㋾の金額㋡　　　円	評価額（㋡×$\frac{90}{100}$）㋣　　　円	
(2)(1)以外の場合							評価額（解約返戻金の金額）㋦　　　円	

（資4－34－A4統一）

第九編　財産の評価

信託受益権の評価明細書

	被相続人氏名	

信託財産の所在・種類・数量	
委 託 者 の 住 所 氏 名	
受 託 者 の 住 所 氏 名	

受 託 契 約 締 結 の 年 月 日		受益の時期	元 本	
			収 益	

受 益 者 の 住 所 氏 名	

受 益 財 産 の 区 分	元 本	（ 全部 ・ 一部 ）	（ 金銭 ・ 金銭以外 ）
	収 益	（ 全部 ・ 一部 ）	（ 金銭 ・ 金銭以外 ）

1 元本と収益との受益者が同一人である場合又は元本と収益との受益者が元本及び収益の一部を受ける場合

信 託 財 産 の 種 類	① 信託財産の相続税評価額	② 受益者の受益割合	評 価 額 （ ① × ② ）
	円	%	円

2 元本と収益との受益者が異なる場合
　イ　元本の受益権

信 託 財 産 の 種 類	A 信託財産の相続税評価額	B 収益の受益権の価額 （Dの価額）	C 元本の受益権の価額 （A－B）
	円	円	円

　ロ　収益の受益権

受 益 の 時 期	① 将来受けるべき利益の価額	② 課税時期から受益の時期までの期間に応ずる基準年利率による複利現価率	③ （①×②）	摘 要 （「将来受けるべき利益の価額」の算定根拠等）
第　　　年目	円		円	
第　　　年目				
第　　　年目				
第　　　年目				
第　　　年目				
第　　　年目				
第　　　年目				
第　　　年目				
第　　　年目				
第　　　年目				

D　収益の受益権の価額（③の合計額）	円

（資4－33－A4統一）

資　料

上　場　株　式　の　評　価　明　細　書

銘　柄	取引所等の名称	課税時期の最終価格		最終価格の月平均額			評価額（①の金額又は①から④までのうち最も低い金額）	増資による権利落等の修正計算その他の参考事項
		月日	①価額	課税時期の属する月②　　月	課税時期の属する月の前月③　　月	課税時期の属する月の前々月④　　月		
			円	円	円	円	円	

記載方法等

1　「取引所等の名称」欄には、課税時期の最終価格等について採用した金融商品取引所名及び市場名を記載します（例えば、東京証券取引所のプライム市場の場合は「東Ｐ」、名古屋証券取引所のメイン市場の場合は「名Ｍ」など）。

2　「課税時期の最終価格」の「月日」欄には、課税時期を記載します。ただし、課税時期に取引がない場合等には、課税時期の最終価格として採用した最終価格についての取引月日を記載します。

3　「最終価格の月平均額」の「②」欄、「③」欄及び「④」欄には、それぞれの月の最終価格の月平均額を記載します。ただし、最終価格の月平均額について増資による権利落等の修正計算を必要とする場合には、修正計算後の最終価格の月平均額を記載するとともに、修正計算前の最終価格の月平均額をかっこ書きします。

4　「評価額」欄には、負担付贈与又は個人間の対価を伴う取引により取得した場合には、「①」欄の金額を、その他の場合には、「①」欄から「④」欄までのうち最も低い金額を記載します。

5　各欄の金額は、各欄の表示単位未満の端数を切り捨てます。

（資４−30−Ａ４標準）

第九編　財産の評価

登録銘柄及び店頭管理銘柄の評価明細書

銘　　柄	課　税　時　期　の　取　引　価　格				取引価格の月平均額			評価額 ③の金額又は③から⑥までのうち最も低い金額	増資による権利落等の修正計算その他の参　考　事　項
	月　日	① 高　値	② 安　値	③平均額 〔①と②との平均額〕	④ 課税時期の属する月 月	⑤ 課税時期の属する月の前　　月 月	⑥ 課税時期の属する月の前々月 月		
		円	円	円	円	円	円	円	

記載方法等

1　「**課税時期の取引価格**」の「**月日**」欄には、課税時期を記載します。ただし、課税時期に取引がない場合等には、課税時期の取引価格として採用した取引価格についての取引月日を記載します。

2　「**取引価格の月平均額**」の「**④**」欄、「**⑤**」欄及び「**⑥**」欄には、それぞれの月の取引価格の月平均額を記載します。ただし、取引価格の月平均額について増資による権利落等の修正計算を必要とする場合には、修正計算後の取引価格の月平均額を記載するとともに、修正計算前の取引価格の月平均額をかっこ書きします。

3　「**評価額**」欄には、負担付贈与又は個人間の対価を伴う取引により取得した場合には、「**③**」欄の金額を、その他の場合には、「**③**」欄から「**⑥**」欄までのうち最も低い金額を記載します。

4　各欄の金額は、各欄の表示単位未満の端数を切り捨てます。

資　料

第1表の1　評価上の株主の判定及び会社規模の判定の明細書

整理番号　　　　　　　　　

（令和六年一月一日以降用）

（取引相場のない株式（出資）の評価明細書）

会　社　名	（電話　　　　　　　）	本店の所在地	
代表者氏名		事業内容	取扱品目及び製造、卸売、小売等の区分　／　業種目番号　／　取引金額の構成比
課税時期	年　　月　　日		%
直前期	自　　年　　月　　日　至　　年　　月　　日		

1．株主及び評価方式の判定

判定要素（課税時期現在の株式等の所有状況）

氏名又は名称	続柄	会社における役職名	⑦株式数（株式の種類）	⓪議決権数	⑧議決権割合（⓪/④）
	納税義務者		株	個	%
自己株式					
納税義務者の属する同族関係者グループの議決権の合計数			②	⑤　（②/④）	
筆頭株主グループの議決権の合計数			③	⑥　（③/④）	
評価会社の発行済株式又は議決権の総数			①　④	100	

判定基準

納税義務者の属する同族関係者グループの議決権割合（⑤の割合）を基として、区分します。

区分	筆頭株主グループの議決権割合（⑥の割合）			株主の区分
	50%超の場合	30%以上50%以下の場合	30%未満の場合	
⑤の割合	50%超	30%以上	15%以上	同族株主等
	50%未満	30%未満	15%未満	同族株主等以外の株主

判定

同族株主等（原則的評価方式等）	同族株主等以外の株主（配当還元方式）

「同族株主等」に該当する納税義務者のうち、議決権割合（⑧の割合）が5%未満の者の評価方式は、「2．少数株式所有者の評価方式の判定」欄により判定します。

2．少数株式所有者の評価方式の判定

判定要素

項　目	判　定　内　容
氏　名	
㋥役員	である〔原則的評価方式等〕・でない（次の㋭へ）
㋭納税義務者が中心的な同族株主	である〔原則的評価方式等〕・でない（次の㋬へ）
㋬納税義務者以外に中心的な同族株主（又は株主）	がいる（配当還元方式）・がいない〔原則的評価方式等〕（氏名　　　　）

判　定　　原則的評価方式等　・　配当還元方式

−1619−

第九編　財産の評価

第１表の２　評価上の株主の判定及び会社規模の判定の明細書（続）　　会社名＿＿＿＿＿

（取引相場のない株式（出資）の評価明細書）

（令和六年一月一日以降用）

３．会社の規模（Ｌの割合）の判定

判定要素

項　　目	金　　額	項　　目	人　　数
直前期末の総資産価額 （帳簿価額）	千円	直前期末以前１年間における従業員数	人 〔従業員数の内訳〕 （継続勤務従業員数）＋（継続勤務従業員以外の従業員の労働時間の合計時間数） （　　人）＋ （　　　　　時間）／1,800時間
直前期末以前１年間の取引金額	千円		

⑭　直前期末以前１年間における従業員数に応ずる区分　　70人以上の会社は、大会社（㋑及び㋺は不要）

70人未満の会社は、㋑及び㋺により判定

判定基準

㋑　直前期末の総資産価額（帳簿価額）及び直前期末以前１年間における従業員数に応ずる区分				㋺　直前期末以前１年間の取引金額に応ずる区分			会社規模とＬの割合（中会社）の区分	
総　資　産　価　額（帳　簿　価　額）			従業員数	取　　引　　金　　額				
卸　売　業	小売・サービス業	卸売業、小売・サービス業以外		卸　売　業	小売・サービス業	卸売業、小売・サービス業以外		
20億円以上	15億円以上	15億円以上	35人超	30億円以上	20億円以上	15億円以上	大　会　社	
4億円以上 20億円未満	5億円以上 15億円未満	5億円以上 15億円未満	35人超	7億円以上 30億円未満	5億円以上 20億円未満	4億円以上 15億円未満	0.90	中
2億円以上 4億円未満	2億5,000万円以上 5億円未満	2億5,000万円以上 5億円未満	20人超 35人以下	3億5,000万円以上 7億円未満	2億5,000万円以上 5億円未満	2億円以上 4億円未満	0.75	会
7,000万円以上 2億円未満	4,000万円以上 2億5,000万円未満	5,000万円以上 2億5,000万円未満	5人超 20人以下	2億円以上 3億5,000万円未満	6,000万円以上 2億5,000万円未満	8,000万円以上 2億円未満	0.60	社
7,000万円未満	4,000万円未満	5,000万円未満	5人以下	2億円未満	6,000万円未満	8,000万円未満	小　会　社	

・「会社規模とＬの割合（中会社）の区分」欄は、㋑欄の区分（「総資産価額（帳簿価額）」と「従業員数」とのいずれか下位の区分）と㋺欄（取引金額）の区分とのいずれか上位の区分により判定します。

判定

大　会　社	中　　会　　社			小　会　社	
	Ｌ　の　割　合				
	0.90	0.75	0.60		

４．増（減）資の状況その他評価上の参考事項

資　料

第2表　特定の評価会社の判定の明細書　　会社名＿＿＿＿＿＿＿＿＿＿

（取引相場のない株式（出資）の評価明細書）　　　　　　　　　　　　　　　　　　　　　　　　　　（令和六年一月一日以降用）

1．比準要素数1の会社

判　定　要　素						判定基準	(1)欄のいずれか2の判定要素が0であり、かつ、(2)欄のいずれか2以上の判定要素が0 である（該当）・でない（非該当）	
（1）直前期末を基とした判定要素			（2）直前々期末を基とした判定要素					
第4表の⑱の金額	第4表の⑲の金額	第4表の⑳の金額	第4表の㉓の金額	第4表の㉔の金額	第4表の㉕の金額	判定	該　当	非該当
円　銭　0	円	円	円　銭　0	円	円			

2．株式等保有特定会社

判　定　要　素			判定基準	③の割合が50%以上である	③の割合が50%未満である
総資産価額（第5表の①の金額）	株式等の価額の合計額（第5表の⑰の金額）	株式等保有割合（②／①）			
① 千円	② 千円	③ ％	判定	該　当	非該当

3．土地保有特定会社

判　定　要　素			会社の規模の判定（該当する文字を○で囲んで表示します。）
総資産価額（第5表の①の金額）	土地等の価額の合計額（第5表の㉘の金額）	土地保有割合（⑤／④）	
④ 千円	⑤ 千円	⑥ ％	大会社・中会社・小会社

判定基準	会社の規模	大　会　社	中　会　社	小　会　社（総資産価額（帳簿価額）が次の基準に該当する会社）	
				・卸売業　　20億円以上	・卸売業　7,000万円以上20億円未満
				・小売・サービス業　15億円以上	・小売・サービス業　4,000万円以上15億円未満
				・上記以外の業種　15億円以上	・上記以外の業種　5,000万円以上15億円未満
	⑥の割合	70%以上 ／ 70%未満	90%以上 ／ 90%未満	70%以上 ／ 70%未満	90%以上 ／ 90%未満
判定		該当 ／ 非該当	該当 ／ 非該当	該当 ／ 非該当	該当 ／ 非該当

4．開業後3年未満の会社等

（1）開業後3年未満の会社

判定要素		判定基準	課税時期において開業後3年未満である	課税時期において開業後3年未満でない
開業年月日	年　月　日	判定	該　当	非該当

（2）比準要素数0の会社

直前期末を基とした判定要素			判定基準	直前期末を基とした判定要素がいずれも0 である（該当）・でない（非該当）	
判定要素 第4表の⑱の金額	第4表の⑲の金額	第4表の⑳の金額			
円　銭　0	円	円	判定	該　当	非該当

5．開業前又は休業中の会社

開業前の会社の判定		休業中の会社の判定	
該　当	非該当	該　当	非該当

6．清算中の会社

判　定	
該　当	非該当

7．特定の評価会社の判定結果

1．比準要素数1の会社	2．株式等保有特定会社
3．土地保有特定会社	4．開業後3年未満の会社等
5．開業前又は休業中の会社	6．清算中の会社

該当する番号を○で囲んでください。なお、上記の「1．比準要素数1の会社」欄から「6．清算中の会社」欄の判定において2以上に該当する場合には、後の番号の判定によります。

－1621－

第九編　財産の評価

第3表　一般の評価会社の株式及び株式に関する権利の価額の計算明細書　会社名

（取引相場のない株式（出資）の評価明細書）

（令和六年一月一日以降用）

1株当たりの価額の計算の基となる金額	類似業種比準価額（第4表の㉖、㉗又は㉘の金額）	1株当たりの純資産価額（第5表の⑪の金額）	1株当たりの純資産価額の80％相当額（第5表の⑫の記載がある場合のその金額）
	① 円	② 円	③ 円

1　原則的評価方式による価額

1株当たりの価額の計算	区分	1株当たりの価額の算定方法	1株当たりの価額
	大会社の株式の価額	次のうちいずれか低い方の金額（②の記載がないときは①の金額） イ　①の金額 ロ　②の金額	④ 円
	中会社の株式の価額	（①と②とのいずれか低い方の金額 × L の割合 0.）＋（②の金額（③の金額があるときは③の金額）×（1－ L の割合 0.））	⑤ 円
	小会社の株式の価額	次のうちいずれか低い方の金額 イ　②の金額（③の金額があるときは③の金額） ロ　（①の金額 × 0.50）＋（イの金額 × 0.50）	⑥ 円

株式の価額の修正		株式の価額	1株当たりの配当金額	修正後の株式の価額
課税時期において配当期待権の発生している場合		［④、⑤又は⑥の金額］ －	円　銭	⑦ 円
課税時期において株式の割当てを受ける権利、株主となる権利又は株式無償交付期待権の発生している場合		（（④、⑤又は⑥（⑦があるときは⑦）の金額）＋	割当株式1株たりの払込金額 × 1株当たりの割当株式数　円　株 ）÷（1株＋ 1株当たりの割当株式数又は交付株式数　株 ）	⑧ 円

2　配当還元方式による価額

1株当たりの資本金等の額、発行済株式数等	直前期末の資本金等の額	直前期末の発行済株式数	直前期末の自己株式数	1株当たりの資本金等の額を50円とした場合の発行済株式数（⑨÷50円）	1株当たりの資本金等の額（⑨÷（⑩－⑪））
	⑨ 千円	⑩ 株	⑪ 株	⑫ 株	⑬ 円

直前期末以前2年間の配当金額	事業年度	⑭ 年配当金額	⑮ 左のうち非経常的な配当金額	⑯ 差引経常的な年配当金額（⑭－⑮）	年平均配当金額
	直前期	千円	千円	㋑ 千円	⑰ （㋑＋㋺）÷2 千円
	直前々期	千円	千円	㋺ 千円	

1株（50円）当たりの年配当金額	年平均配当金額（⑰の金額） ÷ ⑫の株式数 ＝	⑱ 円　銭	この金額が2円50銭未満の場合は2円50銭とします。

配当還元価額	⑱の金額 / 10% × ⑬の金額 / 50円 ＝	⑲ 円	⑳ 円	⑲の金額が、原則的評価方式により計算した価額を超える場合には、原則的評価方式により計算した価額とします。

3　株式に関する権利の価額（1.及び2.に共通）

配当期待権	1株当たりの予想配当金額 － 源泉徴収されるべき所得税相当額 （　円　銭）－（　円　銭）	㉑ 円　銭	**4．株式及び株式に関する権利の価額（1.及び2.に共通）**
株式の割当てを受ける権利（割当株式1株当たりの価額）	⑧（配当還元方式の場合は⑳）の金額　割当株式1株当たりの払込金額　円	㉒ 円	株式の評価額　　　円
株主となる権利（割当株式1株当たりの価額）	⑧（配当還元方式の場合は⑳）の金額（課税時期後にその株主となる権利につき払い込むべき金額があるときは、その金額を控除した金額）	㉓ 円	株式に関する権利の評価額　円　銭
株式無償交付期待権（交付される株式1株当たりの価額）	⑧（配当還元方式の場合は⑳）の金額	㉔ 円	

－1622－

資　料

第4表　類似業種比準価額等の計算明細書

会社名 _____

（取引相場のない株式（出資）の評価明細書）

（令和六年一月一日以降用）

1. 1株当たりの資本金等の額等の計算

	直前期末の資本金等の額 ① 千円	直前期末の発行済株式数 ② 株	直前期末の自己株式数 ③ 株	1株当たりの資本金等の額（①÷（②−③）） ④ 円	1株当たりの資本金等の額を50円とした場合の発行済株式数（①÷50円） ⑤ 株

2. 比準要素等の金額の計算

1株(50円)当たりの年配当金額

直前期末以前2（3）年間の年平均配当金額

事業年度	⑥ 年配当金額	⑦ 左のうち非経常的な配当金額	⑧ 差引経常的な年配当金額（⑥−⑦）	年平均配当金額
直前期	千円	千円	㋑ 千円	⑨（㋑＋㋺）÷2 千円
直前々期	千円	千円	㋺ 千円	
直前々期の前期	千円	千円	㋩ 千円	⑩（㋺＋㋩）÷2 千円

比準要素数1の会社・比準要素数0の会社の判定要素の金額

- ⑨／⑤　㋑ 円 銭 0
- ⑩／⑤　㋺ 円 銭 0

1株(50円)当たりの年配当金額　⑬（㋑）の金額　円 銭

1株(50円)当たりの年利益金額

直前期末以前2（3）年間の利益金額

事業年度	⑪法人税の課税所得金額	⑫非経常的な利益金額	⑬受取配当等の益金不算入額	⑭左の所得税額	⑮損金算入した繰越欠損金の控除額	⑯差引利益金額（⑪−⑫＋⑬−⑭＋⑮）
直前期	千円	千円	千円	千円	千円	㋥ 千円
直前々期	千円	千円	千円	千円	千円	㋭ 千円
直前々期の前期	千円	千円	千円	千円	千円	㋬ 千円

比準要素数1の会社・比準要素数0の会社の判定要素の金額

- ㋥／⑤ 又は（㋥＋㋭）÷2／⑤　㋑ 円
- ㋭／⑤ 又は（㋭＋㋬）÷2／⑤　㋺ 円

1株(50円)当たりの年利益金額　[㋥／⑤ 又は（㋥＋㋭）÷2／⑤ の金額]　© 円

1株(50円)当たりの純資産価額

直前期末（直前々期末）の純資産価額

事業年度	⑰ 資本金等の額	⑱ 利益積立金額	⑲ 純資産価額（⑰＋⑱）
直前期	千円	千円	㋑ 千円
直前々期	千円	千円	㋺ 千円

比準要素数1の会社・比準要素数0の会社の判定要素の金額

- ㋑／⑤　㋑ 円
- ㋺／⑤　㋺ 円

1株(50円)当たりの純資産価額　（㋑）の金額　Ⓓ 円

3. 類似業種比準価額の計算

1株(50円)当たりの比準価額の計算

類似業種と業種目番号	(No.　)		区　分	1株(50円)当たりの年配当金額	1株(50円)当たりの年利益金額	1株(50円)当たりの純資産価額	1株(50円)当たりの比準価額
類似業種の株価	課税時期の属する月	㋷ 月 ⑰ 円	評価会社	⑬ 円 銭 0	© 円	Ⓓ 円	⑳×㉑×0.7 ※
	課税時期の属する月の前月	㋷ 月 ㋥ 円	類似業種	B 円 銭 0	C 円	D 円	※ [中会社は0.6 小会社は0.5 とします。]
	課税時期の属する月の前々月	㋷ 月 ㋷ 円	要素別比準割合	⑬／B ．	©／C ．	Ⓓ／D ．	
	前年平均株価	㋯ 円	比準割合	\$\frac{\frac{⑬}{B}+\frac{©}{C}+\frac{Ⓓ}{D}}{3}\$＝㉑ ．			㉒ 円 銭 0
	課税時期の属する月以前2年間の平均株価	㋰ 円					
	A ㋷、㋥、㋷、㋯及び㋰のうち最も低いもの	⑳ 円					

類似業種と業種目番号	(No.　)		区　分	1株(50円)当たりの年配当金額	1株(50円)当たりの年利益金額	1株(50円)当たりの純資産価額	1株(50円)当たりの比準価額
類似業種の株価	課税時期の属する月	㋬ 月 ㋑ 円	評価会社	⑬ 円 銭 0	© 円	Ⓓ 円	㉓×㉔×0.7 ※
	課税時期の属する月の前月	㋬ 月 ㋺ 円	類似業種	B 円 銭 0	C 円	D 円	※ [中会社は0.6 小会社は0.5 とします。]
	課税時期の属する月の前々月	㋬ 月 ㋩ 円	要素別比準割合	⑬／B ．	©／C ．	Ⓓ／D ．	
	前年平均株価	㋥ 円	比準割合	\$\frac{\frac{⑬}{B}+\frac{©}{C}+\frac{Ⓓ}{D}}{3}\$＝㉔ ．			㉕ 円 銭 0
	課税時期の属する月以前2年間の平均株価	㋭ 円					
	A ㋑、㋺、㋩、㋥及び㋭のうち最も低いもの	㉓ 円					

比準価額の計算

1株当たりの比準価額	比準価額（㉒と㉕とのいずれか低い方の金額）　×　④の金額／50円	㉖ 円

比準価額の修正

直前期末の翌日から課税時期までの間に配当金交付の効力が発生した場合	比準価額（㉖の金額）　−　1株当たりの配当金額　円　銭	修正比準価額 ㉗ 円
直前期末の翌日から課税時期までの間に株式の割当て等の効力が発生した場合	[比準価額（㉖（㉗がある ときは㉗）の金額）＋割当株式1株たりの払込金額　円　銭×1株当たりの割当株式数　株）÷（1株＋1株当たりの割当株式数又は交付株式数　株）	修正比準価額 ㉘ 円

—1623—

第九編　財産の評価

第5表　1株当たりの純資産価額（相続税評価額）の計算明細書　　会社名

（令和六年一月一日以降用）

（取引相場のない株式（出資）の評価明細書）

1. 資産及び負債の金額（課税時期現在）

資　産　の　部				負　債　の　部			
科　　目	相続税評価額	帳簿価額	備考	科　　目	相続税評価額	帳簿価額	備考
	千円	千円			千円	千円	
合　　計	①	②		合　　計	③	④	
株式等の価額の合計額	㋑	㋺					
土地等の価額の合計額	㋩						
現物出資等受入れ資産の価額の合計額	㊁	㋭					

2. 評価差額に対する法人税額等相当額の計算

相続税評価額による純資産価額　（①－③）	⑤	千円
帳簿価額による純資産価額　（（②＋㊁－㋭－④）、マイナスの場合は0）	⑥	千円
評価差額に相当する金額　（⑤－⑥）、マイナスの場合は0	⑦	千円
評価差額に対する法人税額等相当額　（⑦×37%）	⑧	千円

3. 1株当たりの純資産価額の計算

課税時期現在の純資産価額（相続税評価額）　（⑤－⑧）	⑨	千円
課税時期現在の発行済株式数　（（第1表の1の①）－自己株式数）	⑩	株
課税時期現在の1株当たりの純資産価額（相続税評価額）　（⑨÷⑩）	⑪	円
同族株主等の議決権割合（第1表の1の⑤の割合）が50%以下の場合　（⑪×80%）	⑫	円

－1624－

資　料

第6表　特定の評価会社の株式及び株式に関する権利の価額の計算明細書　　会社名

（取引相場のない株式（出資）の評価明細書）

（令和六年一月一日以降用）

		類似業種比準価額 （第4表の㉖、㉗又は㉘の金額）	1株当たりの純資産価額 （第5表の⑪の金額）	1株当たりの純資産価額の 80％相当額（第5表の⑫の 記載がある場合のその金額）
	1株当たりの 価額の計算の 基となる金額	①　　　　　　　　　　円	②　　　　　　　　　　円	③　　　　　　　　　円

1　純資産価額方式等による価額

	株式の区分	1株当たりの価額の算定方法等	1株当たりの価額
1株当たりの価額の計算	比準要素数1の会社 の株式	次のうちいずれか低い方の金額（③の金額があるときは③の金額） イ　②の金額 ロ　（①の金額 × 0.25）＋（イの金額 × 0.75）	④　　　　　　円
	株式等保有特定会社 の株式	（第8表の㉗の金額）	⑤　　　　　　円
	土地保有特定会社 の株式	（②の金額（③の金額があるときはその金額））	⑥　　　　　　円
	開業後3年未満の 会社等の株式	（②の金額（③の金額があるときはその金額））	⑦　　　　　　円
	開業前又は休業中の 会社の株式	（②の金額）	⑧　　　　　　円

	株式の価額	1株当たりの 配当金額	修正後の株式の価額
株式の価額の修正	課税時期において 配当期待権の発生 している場合	［④、⑤、⑥、⑦ 又は⑧の金額］ － 　　　円　　　銭	⑨　　　　　　円

	株式の価額	割当株式1株当 たりの払込金額	1株当たりの 割当株式数	1株当たりの 割当株式数又 は交付株式数	修正後の株式の価額
課税時期において株式の 割当てを受ける権利、 株主となる権利又は 株式無償交付期待権の 発生している場合	（［④、⑤、⑥ ⑦又は⑧ （⑨があるときは⑨） の金額］＋　　円 × 　　株）÷（1株＋　　株）				⑩　　　　　　円

2　配当還元方式による価額

1株当たりの 資本金等の額、 発行済株式数等	直前期末の 資本金等の額	直前期末の 発行済株式数	直前期末の 自己株式数	1株当たりの資本金等の 額を50円とした場合 の発行済株式数 （⑪ ÷ 50円）	1株当たりの 資本金等の額 （⑪÷（⑫－⑬））
	⑪　　　　千円	⑫　　　　株	⑬　　　　株	⑭　　　　株	⑮　　　　円

直前期末以前2年間の配当金額	事業年度	⑯ 年配当金額	⑰ 左のうち非経常的な 配当金額	⑱ 差引経常的な年配当金額 （⑯ － ⑰）	年平均配当金額
	直前期	千円	千円	㋑　　千円	⑲ （㋑＋㋺）÷2 　　千円
	直前々期	千円	千円	㋺　　千円	

1株（50円）当たり の年配当金額	年平均配当金額 （⑲の金額）　÷ ⑭の株式数 ＝	⑳ 　　　円　　銭	この金額が2円50銭未満 の場合は2円50銭とします。

配当還元価額	⑳の金額 ⁄ 10% × ⑮の金額 ⁄ 50円 ＝	㉑ 　　　円	㉒ 　　円	㉑の金額が、純資産価額 方式等により計算した価 額を超える場合には、純 資産価額方式等により計 算した価額とします。

3　株式に関する権利の価額（1及び2に共通）

配当期待権	1株当たりの 予想配当金額 （　　円　　銭） － 源泉徴収されるべき 所得税相当額 （　　円　　銭）	㉓　　円　　銭
株式の割当てを受ける権利 （割当株式1株当たりの価額）	⑩（配当還元方式の 場合は㉒）の金額 － 割当株式1株当たりの 払込金額 　　　円	㉔　　　　円
株主となる権利 （割当株式1株当たりの価額）	⑩（配当還元方式の場合は㉒）の金額 （課税時期後にその株主となる権利につき払い込む べき金額があるときは、その金額を控除した金額）	㉕　　　　円
株式無償交付期待権 （交付される株式1株当たりの価額）	⑩（配当還元方式の場合は㉒）の金額	㉖　　　　円

4　株式及び株式に関する権利の価額（1及び2に共通）

株式の評価額	円
株式に関する 権利の評価額	円 （円.　銭）

－1625－

第九編　財産の評価

第7表　株式等保有特定会社の株式の価額の計算明細書

会社名　_____

（取引相場のない株式（出資）の評価明細書）

（令和六年一月一日以降用）

1. S₁の金額

受取配当金等収受割合の計算

	事業年度	① 直 前 期	② 直 前 々 期	合計（①＋②）	受取配当金等収受割合 （㋑÷（㋑＋㋺）） ※小数点以下3位未満切り捨て
受取配当金等収受割合の計算	受取配当金等の額	千円	千円	㋑　　　　千円	㋩
	営業利益の金額	千円	千円	㋺　　　　千円	

⑧－ⓑの金額	1株（50円）当たりの年配当金額（第4表の⑧）	ⓑの金額 （③×㋩）	⑧－ⓑの金額 （③－④）
	③　　　円　　銭 0	④　　　円　　銭 0	⑤　　　円　　銭 0

ⓒ－ⓓの金額	1株（50円）当たりの年利益金額（第4表のⓒ）	ⓓの金額 （⑥×㋩）	ⓒ－ⓓの金額 （⑥－⑦）
	⑥　　　円	⑦　　　円	⑧　　　円

（イ）の金額	1株（50円）当たりの純資産価額（第4表の⑱）	直前期末の株式等の帳簿価額の合計額	直前期末の総資産価額 （帳簿価額）	（イ）の金額 （⑨×（⑩÷⑪））
	⑨　　　円	⑩　　　千円	⑪　　　千円	⑫　　　円

（ロ）の金額	利益積立金額 （第4表の⑱の「直前期」欄の金額）	1株当たりの資本金等の額を50円とした場合の発行済株式数 （第4表の⑤の株式数）	（ロ）の金額 （（⑬÷⑭）×㋩）
	⑬　　　千円	⑭　　　株	⑮　　　円

	ⓓの金額 （⑫＋⑮）	⑪－ⓓの金額 （⑨－⑯）
	⑯　　　円	⑰　　　円

（注）1　㋩の割合は、1を上限とします。
　　　2　⑯の金額は、⑪の金額（⑨の金額）を上限とします。

1株（50円）当たりの類似業種比準価額の計算

類似業種と業種目番号		（No.　）
類似業種の株価	課税時期の属する月	㋥　月　　円
	課税時期の属する月の前月	㋭　月　　円
	課税時期の属する月の前々月	㋬　月　　円
	前年平均株価	㋪　　円
	課税時期の属する月以前2年間の平均株価	㋣　　円
A	㋥、㋭、㋬、㋪及び㋣のうち最も低いもの	⑱　　円

区分	1株（50円）当たりの年配当金額	1株（50円）当たりの年利益金額	1株（50円）当たりの純資産価額	1株（50円）当たりの比準価額
評価会社	⑤　　円　銭 0	⑧　　円 0	⑰　　円	⑱×⑲×0.7 ※ 中会社は0.6 小会社は0.5 とします。
類似業種	B　　円　銭 0	C　　円 0	D　　円	
要素別比準割合	⑤/B　・	⑧/C　・	⑰/D　・	
比準割合	$\frac{\frac{⑤}{B}+\frac{⑧}{C}+\frac{⑰}{D}}{3}$　＝　⑲　・			⑳　　円　銭 0

類似業種と業種目番号		（No.　）
類似業種の株価	課税時期の属する月	㋷　月　　円
	課税時期の属する月の前月	㋦　月　　円
	課税時期の属する月の前々月	㋺　月　　円
	前年平均株価	㋥　　円
	課税時期の属する月以前2年間の平均株価	㋣　　円
A	㋷、㋦、㋺、㋥及び㋣のうち最も低いもの	㉑　　円

区分	1株（50円）当たりの年配当金額	1株（50円）当たりの年利益金額	1株（50円）当たりの純資産価額	1株（50円）当たりの比準価額
評価会社	⑤　　円　銭 0	⑧　　円 0	⑰　　円	㉑×㉒×0.7 ※ 中会社は0.6 小会社は0.5 とします。
類似業種	B　　円　銭 0	C　　円 0	D　　円	
要素別比準割合	⑤/B　・	⑧/C　・	⑰/D　・	
比準割合	$\frac{\frac{⑤}{B}+\frac{⑧}{C}+\frac{⑰}{D}}{3}$　＝　㉒　・			㉓　　円　銭 0

比準価額の修正計算

1株当たりの比準価額	比準価額 （⑳と㉓とのいずれか低い方の金額）	×	第4表の④の金額 / 50円	㉔　　円

比準価額の修正	直前期末の翌日から課税時期までの間に配当金交付の効力が発生した場合	比準価額 （㉔の金額） － 　　円　　銭	1株当たりの配当金額	修正比準価額 ㉕　　円
	直前期末の翌日から課税時期までの間に株式の割当て等の効力が発生した場合	比準価額 （㉔（㉕があるときは㉕）の金額） ＋	割当株式1株当たりの払込金額 　　円　銭× 1株当たりの割当株式数 　　株）÷（1株＋ 1株当たりの割当株式数又は交付株式数 　　株）	修正比準価額 ㉖　　円

－1626－

資　料

第8表　株式等保有特定会社の株式の価額の計算明細書（続）

会社名 ＿＿＿＿＿＿＿＿＿＿＿＿＿＿＿

（取引相場のない株式（出資）の評価明細書）

（令和六年一月一日以降用）

1．S₁の金額（続）

純資産価額（相続税評価額）の修正計算	相続税評価額による純資産価額（第5表の⑤の金額）	課税時期現在の株式等の価額の合計額（第5表の⑦の金額）	差　引（①－②）
	①　　　　　千円	②　　　　　千円	③　　　　　千円
	帳簿価額による純資産価額（第5表の⑥の金額）	株式等の帳簿価額の合計額（第5表の⊜＋（㊃－㉝）の金額）（注）	差　引（④－⑤）
	④　　　　　千円	⑤　　　　　千円	⑥　　　　　千円
	評価差額に相当する金額（③－⑥）	評価差額に対する法人税額等相当額（⑦×37%）	課税時期現在の修正純資産価額（相続税評価額）（③－⑧）
	⑦　　　　　千円	⑧　　　　　千円	⑨　　　　　千円
	課税時期現在の発行済株式数（第5表の⑩の株式数）	課税時期現在の修正後の1株当たりの純資産価額（相続税評価額）（⑨÷⑩）	（注）第5表の⊜及び㊃の金額に株式等以外の資産に係る金額が含まれている場合には、その金額を除いて計算します。
	⑩　　　　　株	⑪　　　　　円	

1株当たりのS₁の金額の計算の基となる金額	修正後の類似業種比準価額（第7表の㉔、㉕又は㉖の金額）	修正後の1株当たりの純資産価額（相続税評価額）（⑪の金額）	
	⑫　　　　　円	⑬　　　　　円	

1株当たりのS₁の金額の計算		区　分	1株当たりのS₁の金額の算定方法	1株当たりのS₁の金額
	比準要素数1である会社のS₁の金額		次のうちいずれか低い方の金額　イ　⑬の金額　ロ　（⑫の金額×0.25）＋（⑬の金額×0.75）	⑭　　　　　円
	上記以外の会社	大会社のS₁の金額	次のうちいずれか低い方の金額（⑬の記載がないときは⑫の金額）　イ　⑫の金額　ロ　⑬の金額	⑮　　　　　円
		中会社のS₁の金額	（⑫と⑬とのいずれか低い方の金額×Lの割合0.　）＋（⑬の金額×（1－Lの割合0.　））	⑯　　　　　円
		小会社のS₁の金額	次のうちいずれか低い方の金額　イ　⑬の金額　ロ　（⑫の金額×0.50）＋（⑬の金額×0.50）	⑰　　　　　円

2．S₂の金額

課税時期現在の株式等の価額の合計額（第5表の㋺の金額）	株式等の帳簿価額の合計額（第5表の㋺＋（㊃－㉝）の金額）（注）	株式等に係る評価差額に相当する金額（⑱－⑲）	⑳の評価差額に対する法人税額等相当額（⑳×37%）
⑱　　　　　千円	⑲　　　　　千円	⑳　　　　　千円	㉑　　　　　千円

S₂の純資産価額相当額（⑱－㉑）	課税時期現在の発行済株式数（第5表の⑩の株式数）	S₂の金額（㉒÷㉓）	（注）第5表の㋺及び㊃の金額に株式等以外の資産に係る金額が含まれている場合には、その金額を除いて計算します。
㉒　　　　　千円	㉓　　　　　株	㉔　　　　　円	

3．株式等保有特定会社の株式の価額

1株当たりの純資産価額（第5表の⑪の金額（第5表の⑫の金額があるときはその金額））	S₁の金額とS₂の金額との合計額（（⑭、⑮、⑯又は⑰）＋㉔）	株式等保有特定会社の株式の価額（㉕と㉖とのいずれか低い方の金額）
㉕　　　　　円	㉖　　　　　円	㉗　　　　　円

—1627—

第九編　財産の評価

【令和6年1月1日以降用】

取引相場のない株式（出資）の評価明細書の記載方法等

　取引相場のない株式（出資）の評価明細書は、相続、遺贈又は贈与により取得した取引相場のない株式及び持分会社の出資等並びにこれらに関する権利の価額を評価するために使用します。

　なお、この明細書は、第1表の1及び第1表の2で納税義務者である株主の態様の判定及び評価会社の規模（Lの割合）の判定を行い、また、第2表で特定の評価会社に該当するかどうかの判定を行い、それぞれについての評価方式に応じて、第3表以下を記載し作成します。

　また、この明細書は、各表の記載方法等に定めるところにより記載するものとし、各欄の金額は、各表の記載方法等に定めがあるものを除き、各欄の表示単位未満の端数を切り捨てて記載します。

（注）1　各欄の金額の記載に当たっては、上記に定めるもののほか、次のことに留意してください。

　　⑴　各欄の金額のうち、他の欄から転記するものについては、転記元の金額をそのまま記載します。

　　⑵　各欄の金額のうち、各表の記載方法等において、表示単位未満の端数を切り捨てることにより0となる場合に、次のイ又はロ（各表の記載方法等には、これらを区分して表記しています。）により記載することとされているものについては、当該端数を切り捨てず、分数により記載します。ただし、納税義務者の選択により、当該金額については、小数により記載することができます。

　　　当該金額を小数により記載する場合には、小数点以下の金額のうち、次のイ又はロの区分に応じ、それぞれイ又はロに掲げる株式数の桁数に相当する数の位未満の端数を切り捨てたものを当該各欄に記載します（端数処理の例参照）。

　　イ　分数等（課税時期基準）

　　　　課税時期現在の発行済株式数（第1表の1の「1.　株主及び評価方式の判定」の「評価会社の発行済株式又は議決権の総数」欄の①の株式数（評価会社が課税時期において自己株式を有する場合には、その自己株式の数を控除したもの）をいいます。）

　　ロ　分数等（直前期末基準）

　　　　直前期末の発行済株式数（第4表の「1.　1株当たりの資本金等の額等の計算」の「直前期末の発行済株式数」欄の②の株式数（評価会社が直前期末において自己株式を有する場合には、その自己株式の数を控除したもの）をいいます。）

　（端数処理の例）第4表の④の金額を計算する場合

1.1株当たりの資本金等の額等の計算	直前期末の資本金等の額 ①　　　千円	直前期末の発行済株式数 ②　　　株	直前期末の自己株式数 ③　　　株	1株当たりの資本金等の額（①÷（②－③）） ④　　　円
	3,000	4,500,000	0	0.6666666

　④の金額の計算　3,000千円 ÷（4,500,000株－0株）= 0.66666666……

　　この場合、発行済株式数（②－③ = 4,500,000株）が7桁であるため、その桁数（小数点以下7位）未満の端数を切り捨てた金額を④の金額として記載します。

2　評価会社が一般の評価会社（特定の評価会社に該当しない会社をいいます。）である場合には、第6表以下を記載する必要はありません。

3　評価会社が「清算中の会社」に該当する場合には、適宜の様式により計算根拠等を示してください。

－1628－

資　料

【令和６年１月１日以降用】

第１表の１　評価上の株主の判定及び会社規模の判定の明細書

1　この表は、評価上の株主の区分及び評価方式の判定に使用します。評価会社が「開業前又は休業中
　の会社」に該当する場合には、「１．株主及び評価方式の判定」欄及び「２．少数株式所有者の評価
　方式の判定」欄を記載する必要はありません。

　　なお、この表のそれぞれの「判定基準」欄及び「判定」欄は、該当する文字を○で囲んで表示しま
　す。

2　「事業内容」欄の「取扱品目及び製造、卸売、小売等の区分」欄には、評価会社の事業内容を具体
　的に記載します。「業種目番号」欄には、別に定める類似業種比準価額計算上の業種目の番号を記載
　します（類似業種比準価額を計算しない場合は省略しても差し支えありません。）。「取引金額の構成
　比」欄には、評価会社の取引金額全体に占める事業別の構成比を記載します。

　(注)　「取引金額」は直前期末以前１年間における評価会社の目的とする事業に係る収入金額（金融
　　　業・証券業については収入利息及び収入手数料）をいいます。

3　「１．株主及び評価方式の判定」の「判定要素（課税時期現在の株式等の所有状況）」の各欄は、
　次により記載します。

　(1)　「氏名又は名称」欄には、納税義務者が同族株主等の原則的評価方式等（配当還元方式以外の評
　　　価方式をいいます。）を適用する株主に該当するかどうかを判定するために必要な納税義務者の属
　　　する同族関係者グループ（株主の１人とその同族関係者のグループをいいます。）の株主の氏名又
　　　は名称を記載します。

　　　　この場合における同族関係者とは、株主の１人とその配偶者、６親等内の血族及び３親等内の姻
　　　族等をいいます（付表「同族関係者の範囲等」参照）。

　(2)　「続柄」欄には、納税義務者との続柄を記載します。

　(3)　「会社における役職名」欄には、課税時期又は法定申告期限における役職名を、社長、代表取締
　　　役、副社長、専務、常務、会計参与、監査役等と具体的に記載します。

　(4)　「㋑　株式数（株式の種類）」の各欄には、相続、遺贈又は贈与による取得後の株式数を記載し
　　　ます(評価会社が会社法第108条第１項に掲げる事項について内容の異なる２以上の種類の株式(以
　　　下「種類株式」といいます。）を発行している場合には、次の(5)のニにより記載します。なお、評
　　　価会社が種類株式を発行していない場合には、株式の種類の記載を省略しても差し支えありません。)。

　　　　「㋺　議決権数」の各欄には、各株式数に応じた議決権数（個）を記載します（議決権数は㋑株
　　　式数÷１単元の株式数により計算し、１単元の株式数に満たない株式に係る議決権数は切り捨てて
　　　記載します。なお、会社法第188条に規定する単元株制度を採用していない会社は、１株式＝１議
　　　決権となります。）。

　　　　「㋩　議決権割合（㋺／④）」の各欄には、評価会社の議決権の総数（④欄の議決権の総数）に
　　　占める議決権数（それぞれの株主の㋺欄の議決権数）の割合を１％未満の端数を切り捨てて記載し
　　　ます（「納税義務者の属する同族関係者グループの議決権の合計数（⑤（②／④））」欄及び「筆頭
　　　株主グループの議決権の合計数（⑥（③／④））」欄は、各欄において、１％未満の端数を切り捨て
　　　て記載します。なお、これらの割合が50％超から51％未満までの範囲内にある場合には、１％未
　　　満の端数を切り上げて「51％」と記載します。）。

　(5)　次に掲げる場合には、それぞれ次によります。

－1629－

第九編　財産の評価

【令和６年１月１日以降用】

イ　相続税の申告書を提出する際に、株式が共同相続人及び包括受遺者の間において分割されていない場合

「⑦　株式数（株式の種類)」欄には、納税義務者が有する株式（未分割の株式を除きます。）の株式数の上部に、未分割の株式の株式数を㊦と表示の上、外書で記載し、納税義務者が有する株式の株式数に未分割の株式の株式数を加算した数に応じた議決権数を「⑨　議決権数」に記載します。また、「納税義務者の属する同族関係者グループの議決権の合計数（⑤（②／④))」欄には、納税義務者の属する同族関係者グループが有する実際の議決権数（未分割の株式に応じた議決権数を含みます。）を記載します。

ロ　評価会社の株主のうちに会社法第308条第１項の規定によりその株式につき議決権を有しないこととされる会社がある場合

「氏名又は名称」欄には、その会社の名称を記載します。

「⑦　株式数（株式の種類)」欄には、議決権を有しないこととされる会社が有する株式数を㊦と表示の上、記載し、「⑨　議決権数」欄及び「⑧　議決権割合（⑨／④)」欄は、「－」で表示します。

ハ　評価会社が自己株式を有する場合

「⑦　株式数（株式の種類)」欄に会社法第113条第４項に規定する自己株式の数を記載します。

ニ　評価会社が種類株式を発行している場合

評価会社が種類株式を発行している場合には、次のとおり記載します。

「⑦　株式数（株式の種類)」欄の各欄には、納税義務者が有する株式の種類ごとに記載するものとし、上段に株式数を、下段に株式の種類を記載します（記載例参照)。

「⑨　議決権数」の各欄には、株式の種類に応じた議決権数を記載します（議決権数は⑦株式数÷その株式の種類に応じた１単元の株式数により算定し、１単元に満たない株式に係る議決権数は切り捨てて記載します。)。

「⑧　議決権割合（⑨／④)」の各欄には、評価会社の議決権の総数（④欄の議決権の総数）に占める議決権数（それぞれの株主の⑨欄の議決権数で、２種類以上の株式を所有している場合には、記載例のように、各株式に係る議決権数を合計した数）の割合を１％未満の端数を切り捨てて記載します（「納税義務者の属する同族関係者グループの議決権の合計数（⑤（②／④))」欄及び「筆頭株主グループの議決権の合計数（⑥（③／④))」欄は、各欄において、１％未満の端数を切り捨てて記載します。なお、これらの割合が50％超から51％未満までの範囲内にある場合には、１％未満の端数を切り上げて「51％」と記載します。)。

（記載例)

氏名又は名称	続柄	会社における役職名	⑦株式数（株式の種類)	⑨議決権数	⑧議決権割合（⑨／④)
財務　一郎	納税義務者	社長	株 10,000,000 （普通株式）	個 10,000	% 14
〃	〃	〃	2,000,000 （種類株式A）	4,000	

4　「１．株主及び評価方式の判定」の「判定基準」欄及び「判定」欄の各欄は、該当する文字を〇で囲んで表示します。

なお、「判定」欄において、「同族株主等」に該当した納税義務者のうち、議決権割合（⑧の割合）

－1630－

資　料

【令和6年1月1日以降用】

が5％未満である者については、「２．少数株式所有者の評価方式の判定」欄により評価方式の判定を行います。

　また、評価会社の株主のうちに中小企業投資育成会社がある場合は、財産評価基本通達188-6（（投資育成会社が株主である場合の同族株主等））の定めがありますので、留意してください。

5　「２．少数株式所有者の評価方式の判定」欄は、「判定要素」欄に掲げる項目の「㊀　役員」、「㊊　納税義務者が中心的な同族株主」及び「㊋　納税義務者以外に中心的な同族株主（又は株主）」の順に次により判定を行い、それぞれの該当する文字を〇で囲んで表示します（「判定内容」欄の括弧内は、それぞれの項目の判定結果を表します。）。

　なお、「役員」、「中心的な同族株主」及び「中心的な株主」については、付表「同族関係者の範囲等」を参照してください。

⑴　「㊀　役員」欄は、納税義務者が課税時期において評価会社の役員である場合及び課税時期の翌日から法定申告期限までに役員となった場合に「である」とし、その他の者については「でない」として判定します。

⑵　「㊊　納税義務者が中心的な同族株主」欄は、納税義務者が中心的な同族株主に該当するかどうかの判定に使用しますので、納税義務者が同族株主のいない会社（⑥の割合が 30％未満の場合）の株主である場合には、この欄の判定は必要ありません。

⑶　「㊋　納税義務者以外に中心的な同族株主（又は株主）」欄は、納税義務者以外の株主の中に中心的な同族株主（納税義務者が同族株主のいない会社の株主である場合には、中心的な株主）がいるかどうかを判定し、中心的な同族株主又は中心的な株主がいる場合には、下段の氏名欄にその中心的な同族株主又は中心的な株主のうち1人の氏名を記載します。

第１表の２　評価上の株主の判定及び会社規模の判定の明細書　（続）

1　「３．会社の規模（Ｌの割合）の判定」の「判定要素」の各欄は、次により記載します。なお、評価会社が「開業前又は休業中の会社」に該当する場合及び「開業後３年未満の会社等」に該当する場合には、「３．会社の規模（Ｌの割合）の判定」欄を記載する必要はありません。

⑴　「直前期末の総資産価額（帳簿価額）」欄には、直前期末における各資産の確定決算上の帳簿価額の合計額を記載します。

　（注）1　固定資産の減価償却累計額を間接法によって表示している場合には、各資産の帳簿価額の合計額から減価償却累計額を控除します。

　　　　2　売掛金、受取手形、貸付金等に対する貸倒引当金は控除しないことに留意してください。

　　　　3　前払費用、繰延資産、税効果会計の適用による繰延税金資産など、確定決算上の資産として計上されている資産は、帳簿価額の合計額に含めて記載します。

　　　　4　収用や特定の資産の買換え等の場合において、圧縮記帳引当金勘定に繰り入れた金額及び圧縮記帳積立金として積み立てた金額並びに翌事業年度以降に代替資産等を取得する予定であることから特別勘定に繰り入れた金額は、帳簿価額の合計額から控除しないことに留意してください。

⑵　「直前期末以前１年間における従業員数」欄には、直前期末以前１年間においてその期間継続して評価会社に勤務していた従業員（就業規則等で定められた１週間当たりの労働時間が 30 時間未満である従業員を除きます。以下「継続勤務従業員」といいます。）の数に、直前期末以前１年間

－1631－

【令和6年1月1日以降用】

において評価会社に勤務していた従業員（継続勤務従業員を除きます。）のその1年間における労働時間の合計時間数を従業員1人当たり年間平均労働時間数(1,800時間)で除して求めた数を加算した数を記載します。

(注) 1　上記により計算した評価会社の従業員数が、例えば5.1人となる場合は従業員数「5人超」に、4.9人となる場合は従業員数「5人以下」に該当します。

　　　 2　従業員には、社長、理事長並びに法人税法施行令第71条((使用人兼務役員とされない役員))第1項第1号、第2号及び第4号に掲げる役員は含まないことに留意してください。

⑶　「**直前期末以前1年間の取引金額**」欄には、直前期の事業上の収入金額（売上高）を記載します。この場合の事業上の収入金額とは、その会社の目的とする事業に係る収入金額（金融業・証券業については収入利息及び収入手数料）をいいます。

(注)　直前期の事業年度が1年未満であるときには、課税時期の直前期末以前1年間の実際の収入金額によることとなりますが、実際の収入金額を明確に区分することが困難な期間がある場合は、その期間の収入金額を月数あん分して求めた金額によっても差し支えありません。

⑷　評価会社が「**卸売業**」、「**小売・サービス業**」又は「**卸売業、小売・サービス業以外**」のいずれの業種に該当するかは、直前期末以前1年間の取引金額に基づいて判定し、その取引金額のうちに2以上の業種に係る取引金額が含まれている場合には、それらの取引金額のうち最も多い取引金額に係る業種によって判定します。

⑸　「**会社規模とLの割合（中会社）の区分**」欄は、㋑欄の区分（「総資産価額（帳簿価額）」と「従業員数」とのいずれか下位の区分）と㋺欄（取引金額）の区分とのいずれか上位の区分により判定します。

(注)　大会社及びLの割合が0.90の中会社の従業員数はいずれも「35人超」のため、この場合の㋑欄の区分は、「総資産価額（帳簿価額）」欄の区分によります。

2　「**4. 増（減）資の状況その他評価上の参考事項**」欄には、次のような事項を記載します。

⑴　課税時期の直前期末以後における増（減）資に関する事項

　　　例えば、増資については、次のように記載します。

　　　　　増資年月日　　　　　　令和○年○月○日
　　　　　増資金額　　　　　　　○○○　　千円
　　　　　増資内容　　　　　　1：0.5（1株当たりの払込金額50円、株主割当）
　　　　　増資後の資本金額　　　○○○　　千円

⑵　課税時期以前3年間における社名変更、増（減）資、事業年度の変更、合併及び転換社債型新株予約権付社債（財産評価基本通達197⑷に規定する転換社債型新株予約権付社債、以下「転換社債」といいます。）の発行状況に関する事項

⑶　種類株式に関する事項

　　　例えば、種類株式の内容、発行年月日、発行株式数等を、次のように記載します。

　　　　　種類株式の内容　　　　議決権制限株式
　　　　　発行年月日　　　　　　令和○年○月○日
　　　　　発行株式数　　　　　　○○○○○株
　　　　　発行価額　　　　　　　1株につき○○円（うち資本金に組み入れる金額○○円）
　　　　　1単元の株式の数　　　○○○株
　　　　　議決権　　　　　　　　○○の事項を除き、株主総会において議決権を有しない。

－1632－

資　料

【令和６年１月１日以降用】

転換条項	令和〇年〇月〇日から令和〇年〇月〇日までの間は株主からの請求により普通株式への転換可能（当初の転換価額は〇〇円）
償還条項	なし
残余財産の分配	普通株主に先立ち、１株につき〇〇円を支払う。

(4)　剰余金の配当の支払いに係る基準日及び効力発生日

(5)　剰余金の配当のうち、資本金等の額の減少に伴うものの金額

(6)　その他評価上参考となる事項

第２表　特定の評価会社の判定の明細書

1　この表は、評価会社が特定の評価会社に該当するかどうかの判定に使用します。

　評価会社が特定の評価会社に明らかに該当しないものと認められる場合には、記載する必要はありません。また、配当還元方式を適用する株主について、原則的評価方式等の計算を省略する場合（原則的評価方式等により計算した価額が配当還元価額よりも高いと認められる場合）には、記載する必要はありません。

　なお、この表のそれぞれの「判定基準」欄及び「判定」欄は、該当する文字を〇で囲んで表示します。

2　「1.　比準要素数１の会社」欄は、次により記載します。

　なお、評価会社が「3.　土地保有特定会社」から「6.　清算中の会社」のいずれかに該当する場合には、記載する必要はありません。

(1)　「判定要素」の「(1)　直前期末を基とした判定要素」及び「(2)　直前々期末を基とした判定要素」の各欄は、当該各欄が示している第４表の「2.　比準要素等の金額の計算」の各欄の金額を記載します。

(2)　「判定基準」欄は、「(1)　直前期末を基とした判定要素」欄の判定要素のいずれか２が０で、かつ、「(2)　直前々期末を基とした判定要素」欄の判定要素のいずれか２以上が０の場合に、「である（該当）」を〇で囲んで表示します。

　(注)　「(1)　直前期末を基とした判定要素」欄の判定要素がいずれも０である場合は、「4.　開業後３年未満の会社等」欄の「(2)　比準要素数０の会社」に該当することに留意してください。

3　「2.　株式等保有特定会社」及び「3.　土地保有特定会社」の「総資産価額」欄等には、課税時期における評価会社の各資産を財産評価基本通達の定めにより評価した金額（第５表の①の金額等）を記載します。ただし、１株当たりの純資産価額（相続税評価額）の計算に当たって、第５表の記載方法等の２の(4)により直前期末における各資産及び各負債に基づいて計算を行っている場合には、当該直前期末において計算した第５表の当該各欄の金額により記載することになります（これらの場合、株式等保有特定会社及び土地保有特定会社の判定時期と純資産価額及び株式等保有特定会社のS_2の計算時期を同一とすることに留意してください。）。

　なお、「2.　株式等保有特定会社」欄は、評価会社が「3.　土地保有特定会社」から「6.　清算中の会社」のいずれかに該当する場合には記載する必要はなく、「3.　土地保有特定会社」欄は、評価会社が「4.　開業後３年未満の会社等」から「6.　清算中の会社」のいずれかに該当する場合には、記載する必要はありません。

　(注)　「2.　株式等保有特定会社」の「株式等保有割合」欄の③の割合及び「3.　土地保有特定会社」

－1633－

第九編　財産の評価

【令和6年1月1日以降用】

　　の「土地保有割合」欄の⑥の割合は、1％未満の端数を切り捨てて記載します。

4　「4.　開業後3年未満の会社等」の「⑵　比準要素数0の会社」の「判定要素」の「直前期末を基とした判定要素」の各欄は、当該各欄が示している第4表の「2.　比準要素等の金額の計算」の各欄の金額（第2表の「1.　比準要素数1の会社」の「判定要素」の「⑴　直前期末を基とした判定要素」の各欄の金額と同一となります。）を記載します。

　　なお、評価会社が「⑴　開業後3年未満の会社」に該当する場合には、「⑵　比準要素数0の会社」の各欄は記載する必要はありません。

　　また、評価会社が「5.　開業前又は休業中の会社」又は「6.　清算中の会社」に該当する場合には、「4.　開業後3年未満の会社等」の各欄は、記載する必要はありません。

5　「5.　開業前又は休業中の会社」の各欄は、評価会社が「6.　清算中の会社」に該当する場合には、記載する必要はありません。

第3表　一般の評価会社の株式及び株式に関する権利の価額の計算明細書

1　この表は、一般の評価会社の株式及び株式に関する権利の評価に使用します（特定の評価会社の株式及び株式に関する権利の評価については、「第6表　特定の評価会社の株式及び株式に関する権利の価額の計算明細書」を使用します。）。

2　「1.　原則的評価方式による価額」の各欄は、次により記載します。

⑴　「1株当たりの価額の計算」欄の⑤及び⑥の各金額について、表示単位未満の端数を切り捨てることにより0となる場合は、分数等（課税時期基準）により記載します。

⑵　「株式の価額の修正」の各欄は、次により記載します。

　イ　「課税時期において配当期待権の発生している場合」欄の⑦及び「課税時期において株式の割当てを受ける権利、株主となる権利又は株式無償交付期待権の発生している場合」欄の⑧の各金額について、表示単位未満の端数を切り捨てることにより0となる場合は、分数等（課税時期基準）により記載します。

　ロ　「1株当たりの割当株式数」及び「1株当たりの割当株式数又は交付株式数」は、1株未満の株式数を切り捨てずに実際の株式数を記載します。

3　「2.　配当還元方式による価額」欄は、第1表の1の「1.　株主及び評価方式の判定」欄又は「2.　少数株式所有者の評価方式の判定」欄の判定により納税義務者が配当還元方式を適用する株主に該当する場合に、次により記載します。

⑴　「1株当たりの資本金等の額、発行済株式数等」の各欄は、次により記載します。

　イ　「直前期末の資本金等の額」欄の⑨の金額は、法人税申告書別表五（一）（（利益積立金額及び資本金等の額の計算に関する明細書））（以下「別表五（一）」といいます。）の「差引翌期首現在資本金等の額」の「差引合計額」欄の金額を記載します。

　ロ　「1株当たりの資本金等の額」欄の⑬の金額について、表示単位未満の端数を切り捨てることにより0となる場合は、分数等（直前期末基準）により記載します。

⑵　「直前期末以前2年間の配当金額」欄は、評価会社の年配当金額の総額を基に、第4表の記載方法等の3の⑴に準じて記載します。

⑶　「配当還元価額」の各欄は、次により記載します。

　イ　⑲の金額について、表示単位未満の端数を切り捨てることにより0となる場合は、分数等（直

－1634－

資　料

【令和6年1月1日以降用】

前期末基準）により記載します。

　　ロ　⑳の金額の記載に当たっては、原則的評価方式により計算した価額が配当還元価額よりも高い
　　　　と認められる場合には、「1.　原則的評価方式による価額」欄の計算を省略しても差し支えあり
　　　　ません。

4　「3.　株式に関する権利の価額」欄の㉒及び㉓の各金額について、表示単位未満の端数を切り捨
　　てることにより0となる場合は、分数等（課税時期基準）により記載します。

5　「4.　株式及び株式に関する権利の価額」の各欄は、次により記載します。

　⑴　「株式の評価額」欄には、「①」欄から「⑳」欄までにより計算したその株式の価額を記載しま
　　　す。

　⑵　「株式に関する権利の評価額」欄には、「㉑」欄から「㉔」欄までにより計算した株式に関する
　　　権利の価額を記載します。

　　　なお、株式に関する権利が複数発生している場合には、それぞれの金額ごとに別に記載します（配
　　　当期待権の価額は、円単位で円未満2位（銭単位）により記載します。）。

第4表　類似業種比準価額等の計算明細書

1　この表は、評価会社の「類似業種比準価額」の計算を行うために使用します。

2　「1.　1株当たりの資本金等の額等の計算」の「1株当たりの資本金等の額」欄の④の金額に
　　ついて、表示単位未満の端数を切り捨てることにより0となる場合は、分数等（直前期末基準）によ
　　り記載します。

3　「2.　比準要素等の金額の計算」の各欄は、次により記載します。

　⑴　「1株（50円）当たりの年配当金額」の「直前期末以前2（3）年間の年平均配当金額」欄は、
　　　評価会社の剰余金の配当金額を基に次により記載します。

　　イ　「⑥　年配当金額」欄には、各事業年度中に配当金交付の効力が発生した剰余金の配当（資本
　　　　金等の額の減少によるものを除きます。）の金額を記載します。

　　ロ　「⑦　左のうち非経常的な配当金額」欄には、剰余金の配当金額の算定の基となった配当金額
　　　　のうち、特別配当、記念配当等の名称による配当金額で、将来、毎期継続することが予想できな
　　　　い金額を記載します。

　　ハ　「直前期」欄の記載に当たって、1年未満の事業年度がある場合には、直前期末以前1年間に
　　　　対応する期間に配当金交付の効力が発生した剰余金の配当金額の総額を記載します。

　　　　なお、「直前々期」及び「直前々期の前期」の各欄についても、これに準じて記載します。

　⑵　「1株（50円）当たりの年配当金額」の「Ⓑ」欄は、「比準要素数1の会社・比準要素数0の会
　　　社の判定要素の金額」の「Ⓑ」欄の金額を記載します。

　⑶　「1株（50円）当たりの年利益金額」の「直前期末以前2（3）年間の利益金額」欄は、次に
　　　より記載します。

　　イ　「⑫　非経常的な利益金額」欄には、固定資産売却益、保険差益等の非経常的な利益の金額を
　　　　記載します。この場合、非経常的な利益の金額は、非経常的な損失の金額を控除した金額（負数
　　　　の場合は0）とします。

　　ロ　「直前期」欄の記載に当たって、1年未満の事業年度がある場合には、直前期末以前1年間に
　　　　対応する期間の利益の金額を記載します。この場合、実際の事業年度に係る利益の金額をあん分

－1635－

第九編　財産の評価

【令和6年1月1日以降用】

する必要があるときは、月数により行います。

　　なお、「直前々期」及び「直前々期の前期」の各欄についても、これに準じて記載します。

⑷　「1株（50円）当たりの年利益金額」の「**比準要素数1の会社・比準要素数0の会社の判定要素の金額**」の「Ⓒ₁」欄及び「Ⓒ₂」欄は、それぞれ次により記載します。

　イ　「Ⓒ₁」欄は、㊁の金額（ただし、納税義務者の選択により、㊁の金額と㊃の金額との平均額によることができます。）を⑤の株式数で除した金額を記載します。

　ロ　「Ⓒ₂」欄は、㊃の金額（ただし、納税義務者の選択により、㊃の金額と㊅の金額との平均額によることができます。）を⑤の株式数で除した金額を記載します。

　（注）　1　Ⓒ₁又はⒸ₂の金額が負数のときは、0とします。

　　　　　2　「直前々期の前期」の各欄は、上記のロの計算において、㊃の金額と㊅の金額との平均額によらない場合には記載する必要はありません。

⑸　「1株（50円）当たりの年利益金額」の「Ⓒ」欄には、㊁の金額を⑤の株式数で除した金額を記載します。ただし、納税義務者の選択により、直前期末以前2年間における利益金額を基として計算した金額（（㊁＋㊃）÷2）を⑤の株式数で除した金額をⒸの金額とすることができます。

　（注）　Ⓒの金額が負数のときは、0とします。

⑹　「1株（50円）当たりの純資産価額」の「直前期末（直前々期末）の純資産価額」の「⑰　**資本金等の額**」欄は、第3表の記載方法等の3の⑴のイに基づき記載します。また、「⑱　**利益積立金額**」欄には、別表五（一）の「差引翌期首現在利益積立金額」の「差引合計額」欄の金額を記載します。

⑺　「1株（50円）当たりの純資産価額」の「**比準要素数1の会社・比準要素数0の会社の判定要素の金額**」の「Ⓓ₁」欄及び「Ⓓ₂」欄は、それぞれ⑲及び㉓の金額を⑤の株式数で除した金額を記載します。

　（注）　Ⓓ₁及びⒹ₂の金額が負数のときは、0とします。

⑻　「1株（50円）当たりの純資産価額」の「Ⓓ」欄は、「比準要素数1の会社・比準要素数0の会社の判定要素の金額」の「Ⓓ₁」欄の金額を記載します。

4　「**3.　類似業種比準価額の計算**」の各欄は、次により記載します。

⑴　「**類似業種と業種目番号**」欄には、第1表の1の「事業内容」欄に記載された評価会社の事業内容に応じて、別に定める類似業種比準価額計算上の業種目及びその番号を記載します。

　　この場合において、評価会社の事業が該当する業種目は直前期末以前1年間の取引金額に基づいて判定した業種目とします。

　　なお、直前期末以前1年間の取引金額に2以上の業種目に係る取引金額が含まれている場合の業種目は、業種目別の割合が50%を超える業種目とし、その割合が50%を超える業種目がない場合は、次に掲げる場合に応じたそれぞれの業種目とします。

　イ　評価会社の事業が一つの中分類の業種目中の2以上の類似する小分類の業種目に属し、それらの業種目別の割合の合計が50%を超える場合

　　　その中分類の中にある類似する小分類の「その他の○○業」

　ロ　評価会社の事業が一つの中分類の業種目中の2以上の類似しない小分類の業種目に属し、それ

－1636－

資　料

【令和６年１月１日以降用】

　　らの業種目別の割合の合計が 50％を超える場合（イに該当する場合は除きます。）

　　　　その中分類の業種目

　　ハ　評価会社の事業が一つの大分類の業種目中の２以上の類似する中分類の業種目に属し、それら

　　　の業種目別の割合の合計が 50％を超える場合

　　　　その大分類の中にある類似する中分類の「その他の○○業」

　　ニ　評価会社の事業が一つの大分類の業種目中の２以上の類似しない中分類の業種目に属し、それ

　　　らの業種目別の割合の合計が 50％を超える場合（ハに該当する場合を除きます。）

　　　　その大分類の業種目

　　ホ　イからニのいずれにも該当しない場合

　　　　大分類の業種目の中の「その他の産業」

　　（注）

$$業種目別の割合　=　\frac{業種目別の取引金額}{評価会社全体の取引金額}$$

　また、類似業種は、業種目の区分の状況に応じて、次によります。

業種目の区分の状況	類　似　業　種
上記により判定した業種目が小分類に区分されている業種目の場合	小分類の業種目とその業種目の属する中分類の業種目とをそれぞれ記載します。
上記により判定した業種目が中分類に区分されている業種目の場合	中分類の業種目とその業種目の属する大分類の業種目とをそれぞれ記載します。
上記により判定した業種目が大分類に区分されている業種目の場合	大分類の業種目を記載します。

⑵　「類似業種の株価」及び「比準割合の計算」の各欄には、別に定める類似業種の株価Ａ、１株（50

　円）当たりの年配当金額Ｂ、１株（50 円）当たりの年利益金額Ｃ及び１株（50 円）当たりの純資

　産価額Ｄの金額を記載します。

⑶　「比準割合の計算」欄の要素別比準割合及び比準割合は、それぞれ小数点以下２位未満を切り捨

　てて記載します。

⑷　「比準割合の計算」の「比準割合」欄の比準割合（㉑及び㉔）は、「１株（50 円）当たりの年配

　当金額」、「１株（50 円）当たりの年利益金額」及び「１株（50 円）当たりの純資産価額」の各欄

　の要素別比準割合を基に、次の算式により計算した割合を記載します。

$$比準割合　=　\frac{\dfrac{ⓑ}{B}+\dfrac{ⓒ}{C}+\dfrac{ⓓ}{D}}{3}$$

⑸　「１株（50 円）当たりの比準価額」欄は、評価会社が第１表の２の「**3.　会社の規模（Ｌの割合）**

　の判定」欄により、中会社に判定される会社にあっては算式中の「０．７」を「０．６」、小会社

　に判定される会社にあっては算式中の「０．７」を「０．５」として計算した金額を記載します。

⑹　「１株当たりの比準価額」欄の㉖の金額について、表示単位未満の端数を切り捨てることによ

　り０となる場合は、分数等（直前期末基準）により記載します。

⑺　「比準価額の修正」の各欄は、次により記載します。

　　イ　「直前期末の翌日から課税時期までの間に配当金交付の効力が発生した場合」欄の㉗の金額

　　　について、表示単位未満の端数を切り捨てることにより０となる場合は、分数等（直前期末基準）

　　　により記載します。

　　ロ　「直前期末の翌日から課税時期までの間に株式の割当て等の効力が発生した場合」欄の㉘の

－1637－

第九編　財産の評価

【令和6年1月1日以降用】

金額について、表示単位未満の端数を切り捨てることにより0となる場合は、分数等（課税時期基準）により記載します。

ハ　「1株当たりの割当株式数」及び「1株当たりの割当株式数又は交付株式数」は、1株未満の株式数を切り捨てずに実際の株式数を記載します。

（注）　(1)の類似業種比準価額計算上の業種目及びその番号、並びに、(2)の類似業種の株価A、1株（50円）当たりの年配当金額B、1株（50円）当たりの年利益金額C及び1株（50円）当たりの純資産価額Dの金額については、該当年分の「令和○年分の類似業種比準価額計算上の業種目及び業種目別株価等について（法令解釈通達）」で御確認の上記入してください。

なお、当該通達については、国税庁ホームページ【https://www.nta.go.jp】上で御覧いただけます。

第5表　1株当たりの純資産価額（相続税評価額）の計算明細書

1　この表は、「1株当たりの純資産価額（相続税評価額）」の計算のほか、株式等保有特定会社及び土地保有特定会社の判定に必要な「総資産価額」、「株式等の価額の合計額」及び「土地等の価額の合計額」の計算にも使用します。

2　「1.　資産及び負債の金額（課税時期現在）」の各欄は、課税時期における評価会社の各資産及び各負債について、次により記載します。

(1)　「資産の部」の「相続税評価額」欄には、課税時期における評価会社の各資産について、財産評価基本通達の定めにより評価した価額（以下「相続税評価額」といいます。）を次により記載します。

イ　課税時期前3年以内に取得又は新築した土地及び土地の上に存する権利（以下「土地等」といいます。）並びに家屋及びその附属設備又は構築物（以下「家屋等」といいます。）がある場合には、当該土地等又は家屋等の相続税評価額は、課税時期における通常の取引価額に相当する金額（ただし、その土地等又は家屋等の帳簿価額が課税時期における通常の取引価額に相当すると認められる場合には、その帳簿価額に相当する金額）によって評価した価額を記載します。この場合、その土地等又は家屋等は、他の土地等又は家屋等と「科目」欄を別にして、「課税時期前3年以内に取得した土地等」などと記載します。

ロ　取引相場のない株式、出資又は転換社債（財産評価基本通達197-5（（転換社債型新株予約権付社債の評価））の(3)のロに定めるものをいいます。）の価額を純資産価額（相続税評価額）で評価する場合には、評価差額に対する法人税額等相当額の控除を行わないで計算した金額を「相続税評価額」として記載します（なお、その株式などが株式等保有特定会社の株式などである場合において、納税義務者の選択により、「$S_1＋S_2$」方式によって評価する場合のS_2の金額の計算においても、評価差額に対する法人税額等相当額の控除は行わないで計算することになります。）。この場合、その株式などは、他の株式などと「科目」欄を別にして、「法人税額等相当額の控除不適用の株式」などと記載します。

ハ　評価の対象となる資産について、帳簿価額がないもの（例えば、借地権、営業権等）であっても相続税評価額が算出される場合には、その評価額を「相続税評価額」欄に記載し、「帳簿価額」欄には0と記載します。

ニ　評価の対象となる資産で帳簿価額のあるもの（例えば、借家権、営業権等）であっても、そ

－1638－

資　料

【令和 6 年 1 月 1 日以降用】

　の課税価格に算入すべき相続税評価額が算出されない場合には、「相続税評価額」欄に 0 と記載
　し、その帳簿価額を「帳簿価額」欄に記載します。

　ホ　評価の対象とならないもの（例えば、財産性のない創立費、新株発行費等の繰延資産、繰延
　　税金資産）については、記載しません。

　ヘ　「株式等の価額の合計額」欄の⑦の金額は、評価会社が有している（又は有しているとみな
　　される）株式、出資及び新株予約権付社債（会社法第 2 条第 22 号に規定する新株予約権付社債
　　をいいます。）（以下「株式等」といいます。）の相続税評価額の合計額を記載します。この場合、
　　次のことに留意してください。

　　(イ)　所有目的又は所有期間のいかんにかかわらず、全ての株式等の相続税評価額を合計します。

　　(ロ)　法人税法第12条（（信託財産に属する資産及び負債並びに信託財産に帰せられる収益及び費
　　　用の帰属））の規定により評価会社が信託財産を有するものとみなされる場合（ただし、評価
　　　会社が明らかに当該信託財産の収益の受益権のみを有している場合を除きます。）において、
　　　その信託財産に株式等が含まれているときには、評価会社が当該株式等を所有しているもの
　　　とみなします。

　　(ハ)　「出資」とは、「法人」に対する出資をいい、民法上の組合等に対する出資は含まれませ
　　　ん。

　ト　「土地等の価額の合計額」欄の㋬の金額は、上記のヘに準じて評価会社が所有している（又
　　は所有しているとみなされる）土地等の相続税評価額の合計額を記載します。

　チ　「現物出資等受入れ資産の価額の合計額」欄の㋭の金額は、各資産の中に、現物出資、合併、
　　株式交換、株式移転又は株式交付により著しく低い価額で受け入れた資産（以下「現物出資等
　　受入れ資産」といいます。）がある場合に、現物出資、合併、株式交換、株式移転又は株式交付
　　の時におけるその現物出資等受入れ資産の相続税評価額の合計額を記載します。ただし、その
　　相続税評価額が、課税時期におけるその現物出資等受入れ資産の相続税評価額を上回る場合に
　　は、課税時期におけるその現物出資等受入れ資産の相続税評価額を記載します。

　　　また、現物出資等受入れ資産が合併により著しく低い価額で受け入れた資産（以下「合併受
　　入れ資産」といいます。）である場合に、合併の時又は課税時期におけるその合併受入れ資産の
　　相続税評価額が、合併受入れ資産に係る被合併会社の帳簿価額を上回るときは、その帳簿価額
　　を記載します。

　　(注)　「相続税評価額」の「合計」欄の①の金額に占める課税時期における現物出資等受入れ資
　　　　産の相続税評価額の合計の割合が 20％以下の場合には、「現物出資等受入れ資産の価額の合
　　　　計額」欄は、記載しません。

⑵　「資産の部」の「帳簿価額」欄には、「資産の部」の「相続税評価額」欄に評価額が記載された
　各資産についての課税時期における税務計算上の帳簿価額を記載します。

(注) 1　固定資産に係る減価償却累計額、特別償却準備金及び圧縮記帳に係る引当金又は積立金の
　　　金額がある場合には、それらの金額をそれぞれの引当金等に対応する資産の帳簿価額から控
　　　除した金額をその固定資産の帳簿価額とします。

　　 2　営業権に含めて評価の対象となる特許権、漁業権等の資産の帳簿価額は、営業権の帳簿価
　　　額に含めて記載します。

⑶　「負債の部」の「相続税評価額」欄には、評価会社の課税時期における各負債の金額を、「帳簿
　価額」欄には、「負債の部」の「相続税評価額」欄に評価額が記載された各負債の税務計算上の帳

－1639－

第九編　財産の評価

【令和6年1月1日以降用】

簿価額をそれぞれ記載します。この場合、貸倒引当金、退職給与引当金、納税引当金及びその他の引当金、準備金並びに繰延税金負債に相当する金額は、負債に該当しないものとします。

　なお、次の金額は、帳簿に負債としての記載がない場合であっても、課税時期において未払いとなっているものは負債として「相続税評価額」欄及び「帳簿価額」欄のいずれにも記載します。

　イ　未納公租公課、未払利息等の金額

　ロ　課税時期以前に賦課期日のあった固定資産税及び都市計画税の税額

　ハ　被相続人の死亡により、相続人その他の者に支給することが確定した退職手当金、功労金その他これらに準ずる給与の金額

　ニ　課税時期の属する事業年度に係る法人税額（地方法人税額を含みます。）、消費税額（地方消費税額を含みます。）、事業税額（特別法人事業税額を含みます。）、道府県民税額及び市町村民税額のうち、その事業年度開始の日から課税時期までの期間に対応する金額

(4)　1株当たりの純資産価額（相続税評価額）の計算は、上記(1)から(3)の説明のとおり課税時期における各資産及び各負債の金額によることとしていますが、評価会社が課税時期において仮決算を行っていないため、課税時期における資産及び負債の金額が明確でない場合において、直前期末から課税時期までの間に資産及び負債について著しく増減がないため評価額の計算に影響が少ないと認められるときは、課税時期における各資産及び各負債の金額は、次により計算しても差し支えありません。このように計算した場合には、第2表の「2．株式等保有特定会社」欄及び「3．土地保有特定会社」欄の判定における総資産価額等についても、同様に取り扱われることになりますので、これらの特定の評価会社の判定時期と純資産価額及び株式等保有特定会社のS_2の計算時期は同一となります。

　イ　「**相続税評価額**」欄については、直前期末の資産及び負債の課税時期の相続税評価額

　ロ　「**帳簿価額**」欄については、直前期末の資産及び負債の帳簿価額

　(注)1　イ及びロの場合において、帳簿に負債としての記載がない場合であっても、次の金額は、負債として取り扱うことに留意してください。

　　　⑴　未納公租公課、未払利息等の金額

　　　⑵　直前期末日以前に賦課期日のあった固定資産税及び都市計画税の税額のうち、未払いとなっている金額

　　　⑶　直前期末日後から課税時期までに確定した剰余金の配当等の金額

　　　⑷　被相続人の死亡により、相続人その他の者に支給することが確定した退職手当金、功労金その他これらに準ずる給与の金額

　　2　被相続人の死亡により評価会社が生命保険金を取得する場合には、その生命保険金請求権（未収保険金）の金額を「資産の部」の「相続税評価額」欄及び「帳簿価額」欄のいずれにも記載します。

3　「**2．評価差額に対する法人税額等相当額の計算**」欄の「**帳簿価額による純資産価額**」及び「**評価差額に相当する金額**」がマイナスとなる場合は、0と記載します。

4　「**3．1株当たりの純資産価額の計算**」の各欄は、次により記載します。

⑴　「**課税時期現在の発行済株式数**」欄は、課税時期における発行済株式の総数を記載しますが、評価会社が自己株式を有している場合には、その自己株式の数を控除した株式数を記載します。

⑵　「**課税時期現在の1株当たりの純資産価額（相続税評価額）**」欄及び「**同族株主等の議決権割合（第1表の1の⑤の割合）が50％以下の場合**」欄の各金額について、表示単位未満の端数を切り

－1640－

資　料

【令和6年1月1日以降用】

捨てることにより0となる場合は、分数等（課税時期基準）により記載します。

⑶　「同族株主等の議決権割合（第1表の1の⑤の割合）が50％以下の場合」欄は、納税義務者が議決権割合（第1表の1の⑤の割合）50％以下の株主グループに属するときにのみ記載します。

（注）　納税義務者が議決権割合50％以下の株主グループに属するかどうかの判定には、第1表の1の記載方法等の3の⑸に留意してください。

第6表　特定の評価会社の株式及び株式に関する権利の価額の計算明細書

1　この表は、特定の評価会社の株式及び株式に関する権利の評価に使用します（一般の評価会社の株式及び株式に関する権利の評価については、「第3表　一般の評価会社の株式及び株式に関する権利の価額の計算明細書」を使用します。）。

2　「1.　純資産価額方式等による価額」の各欄は、次により記載します。

⑴　「1株当たりの価額の計算」欄の④の金額について、表示単位未満の端数を切り捨てることにより0となる場合は、分数等（課税時期基準）により記載します。

⑵　「株式の価額の修正」の各欄は、次により記載します。

イ　「課税時期において配当期待権の発生している場合」欄の⑨及び「課税時期において株式の割当てを受ける権利、株主となる権利又は株式無償交付期待権の発生している場合」欄の⑩の各金額について、表示単位未満の端数を切り捨てることにより0となる場合は、分数等（課税時期基準）により記載します。

ロ　「1株当たりの割当株式数」及び「1株当たりの割当株式数又は交付株式数」は、第3表の記載方法等の2の⑵のロに準じて記載します。

3　「2.　配当還元方式による価額」欄は、第1表の1の「1.　株主及び評価方式の判定」欄又は「2.少数株式所有者の評価方式の判定」欄の判定により納税義務者が配当還元方式を適用する株主に該当する場合に、次により記載します。

⑴　「1株当たりの資本金等の額、発行済株式数等」の「1株当たりの資本金等の額」欄の⑮の金額について、表示単位未満の端数を切り捨てることにより0となる場合は、分数等（直前期末基準）により記載します。

⑵　「直前期末以前2年間の配当金額」欄は、第4表の記載方法等の3の⑴に準じて記載します。

⑶　「配当還元価額」の各欄は、次により記載します。

イ　㉑の金額について、表示単位未満の端数を切り捨てることにより0となる場合は、分数等（直前期末基準）により記載します。

ロ　㉒の金額の記載に当たっては、純資産価額方式等により計算した価額が配当還元価額よりも高いと認められる場合には、「1.　純資産価額方式等による価額」欄の計算を省略しても差し支えありません。

4　「3.　株式に関する権利の価額」欄の㉔及び㉕の各金額について、表示単位未満の端数を切り捨てることにより0となる場合は、分数等（課税時期基準）により記載します。

5　「4.　株式及び株式に関する権利の価額」の各欄は、第3表の記載方法等の5に準じて記載します。

-1641-

第九編　財産の評価

【令和6年1月1日以降用】

第7表　株式等保有特定会社の株式の価額の計算明細書

1　この表は、評価会社が株式等保有特定会社である場合において、その株式の価額を「S₁＋S₂」方式によって評価するときにおいて、「S₁」における類似業種比準価額の修正計算を行うために使用します。

2　「1．S₁の金額（類似業種比準価額の修正計算）」の各欄は、次により記載します。

 ⑴　「受取配当金等収受割合の計算」の各欄は、次により記載します。

  イ　「受取配当金等の額」欄は、直前期及び直前々期の各事業年度における評価会社の受取配当金等の額（法人から受ける剰余金の配当（株式又は出資に係るものに限るものとし、資本金等の額の減少によるものを除きます。）、利益の配当、剰余金の分配（出資に係るものに限ります。）及び新株予約権付社債に係る利息の額をいいます。）の総額を、それぞれの各欄に記載し、その合計額を「合計」欄に記載します。

  ロ　「営業利益の金額」欄は、イと同様に、各事業年度における評価会社の営業利益の金額（営業利益の金額に受取配当金等の額が含まれている場合には、受取配当金等の額を控除した金額）について記載します。

  ハ　「①　直前期」及び「②　直前々期」の各欄の記載に当たって、1年未満の事業年度がある場合には、第4表の記載方法等の3の⑴のハに準じて記載します。

  ニ　「受取配当金等収受割合」欄は、小数点以下3位未満の端数を切り捨てて記載します。

 ⑵　「直前期末の株式等の帳簿価額の合計額」欄の⑩の金額は、直前期末における株式等の税務計算上の帳簿価額の合計額を記載します（第5表を直前期末における各資産に基づいて作成しているときは、第5表の㉒の金額を記載します。）。

 ⑶　「1株（50円）当たりの比準価額の計算」欄、「1株当たりの比準価額」欄及び「比準価額の修正」欄は、第4表の記載方法等の4に準じて記載します。

第8表　株式等保有特定会社の株式の価額の計算明細書（続）

1　この表は、評価会社が株式等保有特定会社である場合において、その株式の価額を「S₁＋S₂」方式によって評価するときのS₁における純資産価額の修正計算及び1株当たりのS₁の金額の計算並びにS₂の金額の計算を行うために使用します。

2　「1．S₁の金額（続）」の各欄は、次により記載します。

 ⑴　「純資産価額（相続税評価額）の修正計算」の「課税時期現在の修正後の1株当たりの純資産価額（相続税評価額）」欄の⑪の金額について、表示単位未満の端数を切り捨てることにより0となる場合は、分数等（課税時期基準）により記載します。

 ⑵　「1株当たりのS₁の金額の計算」欄の⑭、⑯及び⑰の各金額について、表示単位未満の端数を切り捨てることにより0となる場合は、分数等（課税時期基準）により記載します。

3　「2．S₂の金額」の各欄は、次により記載します。

 ⑴　「課税時期現在の株式等の価額の合計額」欄の⑱の金額は、課税時期における株式等の相続税評価額を記載しますが、第5表の記載方法等の2の⑴のロに留意するほか、同表の記載方法等の2の⑷により株式等保有特定会社の判定時期と純資産価額の計算時期が直前期末における決算に基づい

－1642－

資　料

【令和6年1月1日以降用】

て行われている場合には、S_2の計算時期も同一とすることに留意してください。

⑵　「**株式等に係る評価差額に相当する金額**」欄の⑳の金額は、株式等の相続税評価額と帳簿価額の差額に相当する金額を記載しますが、その金額が負数のときは、0と記載することに留意してください。

⑶　「**S_2の金額**」欄の㉔の金額について、表示単位未満の端数を切り捨てることにより0となる場合は、分数等（課税時期基準）により記載します。

4　「**3.　株式等保有特定会社の株式の価額**」欄の㉖の金額について、表示単位未満の端数を切り捨てることにより0となる場合は、分数等（課税時期基準）により記載します。

－1643－

第九編　財産の評価

【令和6年1月1日以降用】

［付　表］　同族関係者の範囲等

項　　目		内　　　　容
同族株主等の判定	同族関係者	**1　個人たる同族関係者（法人税法施行令第4条第1項）** 　⑴　株主等の親族（親族とは、配偶者、6親等内の血族及び3親等内の姻族をいう。） 　⑵　株主等と婚姻の届出をしていないが事実上婚姻関係と同様の事情にある者 　⑶　個人である株主等の使用人 　⑷　上記に掲げる者以外の者で個人である株主等から受ける金銭その他の資産によって生計を維持しているもの 　⑸　上記⑵、⑶及び⑷に掲げる者と生計を一にするこれらの者の親族 **2　法人たる同族関係者（法人税法施行令第4条第2項〜第4項、第6項）** 　⑴　株主等の1人が他の会社(同族会社かどうかを判定しようとする会社以外の会社。以下同じ。)を支配している場合における当該他の会社 　　ただし、同族関係会社であるかどうかの判定の基準となる株主等が個人の場合は、その者及び上記1の同族関係者が他の会社を支配している場合における当該他の会社（以下、⑵及び⑶において同じ。）。 　⑵　株主等の1人及びこれと特殊の関係のある⑴の会社が他の会社を支配している場合における当該他の会社 　⑶　株主等の1人並びにこれと特殊の関係のある⑴及び⑵の会社が他の会社を支配している場合における当該他の会社 　(注)　1　上記⑴から⑶に規定する「他の会社を支配している場合」とは、次に掲げる場合のいずれかに該当する場合をいう。 　　　　　イ　他の会社の発行済株式又は出資（自己の株式又は出資を除く。）の総数又は総額の50％超の数又は金額の株式又は出資を有する場合 　　　　　ロ　他の会社の次に掲げる議決権のいずれかにつき、その総数（当該議決権を行使することができない株主等が有する当該議決権の数を除く。）の50％超の数を有する場合 　　　　　　①　事業の全部若しくは重要な部分の譲渡、解散、継続、合併、分割、株式交換、株式移転又は現物出資に関する決議に係る議決権 　　　　　　②　役員の選任及び解任に関する決議に係る議決権 　　　　　　③　役員の報酬、賞与その他の職務執行の対価として会社が供与する財産上の利益に関する事項についての決議に係る議決権 　　　　　　④　剰余金の配当又は利益の配当に関する決議に係る議決権 　　　　　ハ　他の会社の株主等（合名会社、合資会社又は合同会社の社員（当該他の会社が業務を執行する社員を定めた場合にあっては、業務を執行する社員）に限る。）の総数の半数を超える数を占める場合 　　　　2　個人又は法人との間で当該個人又は法人の意思と同一の内容の議決権を行使することに同意している者がある場合には、当該者が有する議決権は当該個人又は法人が有するものとみなし、かつ、当該個人又は法人（当該議決権に係る会社の株主等であるものを除く。）は当該議決権に係る会社の株主等であるものとみなして、他の会社を支配しているかどうかを判定する。 　⑷　上記⑴から⑶の場合に、同一の個人又は法人の同族関係者である2以上の会社が判定しようとする会社の株主等（社員を含む。）である場合には、その同族関係者である2以上の会社は、相互に同族関係者であるものとみなされる。

−1644−

資　料

【令和６年１月１日以降用】

項　　目		内　　　　容
少数株式所有者の評価方法の判定	役　　員	社長、理事長のほか、次に掲げる者（法人税法施行令第71条第１項第１号、第２号、第４号） ⑴　代表取締役、代表執行役、代表理事 ⑵　副社長、専務、常務その他これらに準ずる職制上の地位を有する役員 ⑶　取締役（指名委員会等設置会社の取締役及び監査等委員である取締役に限る。）、会計参与及び監査役並びに監事
	中心的な同族株主	同族株主のいる会社の株主で、課税時期において同族株主の１人並びにその株主の配偶者、直系血族、兄弟姉妹及び１親等の姻族（これらの者の同族関係者である会社のうち、これらの者が有する議決権の合計数がその会社の議決権総数の25％以上である会社を含む。）の有する議決権の合計数がその会社の議決権総数の25％以上である場合におけるその株主
	中心的な株　　主	同族株主のいない会社の株主で、課税時期において株主の１人及びその同族関係者の有する議決権の合計数がその会社の議決権総数の15％以上である株主グループのうち、いずれかのグループに単独でその会社の議決権総数の10％以上の議決権を有している株主がいる場合におけるその株主

－1645－

資　料

〔参　考〕

令和6年分の類似業種比準価額計算上の業種目及び
業種目別株価等について（法令解釈通達）

課評2－41
令和6年6月25日
（最終改正）令和6年8月1日　課評2－50

　この法令解釈通達では、令和6年分の相続税及び贈与税の申告のため、取引相場のない株式を原則的評価方式の一つである類似業種比準方式（事業の種類が同一又は類似する複数の上場会社の株価の平均値に比準する方式）により評価する場合、その算定に必要となる業種目別の1株当たりの配当金額、利益金額、簿価純資産価額及び株価について定めています。

第九編　財産の評価

別　紙

類似業種比準価額計算上の業種目及び業種目別株価等(令和6年分)

(単位：円)

業　　　　　　　種　　　　　　　目			番号	内　　　　　　容	B〔配当金額〕	C〔利益金額〕	D〔簿価純資産価額〕	A（株価）		
大　分　類	中　分　類	小　分　類						令和5年平均	5年11月分	5年12月分
建　　設　　業			1		*10.6*	*51*	*467*	*371*	*393*	*397*
	総　合　工　事　業		2		9.0	46	411	305	323	324
		建築工事業（木造建築工事業を除く）	3	鉄骨鉄筋コンクリート造建築物、鉄筋コンクリート造建築物、無筋コンクリート造建築物及び鉄骨造建築物等の完成を請け負うもの	11.1	73	458	368	376	373
		その他の総合工事業	4	総合工事業のうち、3に該当するもの以外のもの	8.4	39	398	288	309	311
	職　別　工　事　業		5	下請として工事現場において建築物又は土木施設等の工事目的物の一部を構成するための建設工事を行うもの	13.0	50	540	447	449	452
	設　備　工　事　業		6		13.6	63	578	498	535	544
		電　気　工　事　業	7	一般電気工事業及び電気配線工事業を営むもの	9.0	39	589	340	373	388
		電気通信・信号装置工事業	8	電気通信工事業、有線テレビジョン放送設備設置工事業及び信号装置工事業を営むもの	6.8	30	248	270	287	286
		その他の設備工事業	9	設備工事業のうち、7及び8に該当するもの以外のもの	18.2	86	658	651	696	704

(注)　「A（株価）」は、業種目ごとに令和6年分の標本会社の株価を基に計算しているので、標本会社が令和5年分のものと異なる業種目などについては、令和5年11月分及び12月分の金額は、令和5年分の評価に適用する令和5年11月分及び12月分の金額とは異なることに留意してください。また、令和5年平均及び課税時期の属する月以前2年間の平均株価についても、令和6年分の標本会社を基に計算しています。

資　　料

類似業種比準価額計算上の業種目及び業種目別株価等（令和6年分）

（単位：円）

業　種　目 大分類 中分類 小分類	番号	A（株価）【上段：各月の株価、下段：課税時期の属する月以前2年間の平均株価】											
		令和6年1月分	2月分	3月分	4月分	5月分	6月分	7月分	8月分	9月分	10月分	11月分	12月分
建　　設　　業	1	*422* *352*	*436* *357*	*455* *362*	*454* *367*	*453* *373*	*455* *378*						
総　合　工　事　業	2	343 290	347 293	357 297	353 300	354 304	351 308						
建築工事業（木造建築工事業を除く）	3	395 358	402 360	409 363	411 365	412 368	411 371						
その他の総合工事業	4	329 272	332 276	344 280	338 283	339 287	335 291						
職　別　工　事　業	5	483 440	486 442	494 444	489 447	485 449	499 453						
設　備　工　事　業	6	584 467	622 475	663 485	671 495	665 506	673 516						
電　気　工　事　業	7	416 322	442 328	461 334	477 342	468 349	470 357						
電気通信・信号装置工事業	8	296 267	298 268	311 269	312 271	299 273	292 274						
その他の設備工事業	9	757 605	812 617	874 630	879 644	877 659	892 673						

第九編　財産の評価

類似業種比準価額計算上の業種目及び業種目別株価等（令和6年分）

(単位：円)

業　　種　　目					B 配当金額	C 利益金額	D 簿価純資産価額	A（株価）		
大分類								令和5年平均	5年11月分	5年12月分
	中分類		番号	内　　　　　容						
		小分類								
製　　造　　業			10		*7.8*	*40*	*377*	*400*	*421*	*424*
	食 料 品 製 造 業		11		7.6	33	426	611	650	645
		畜産食料品製造業	12	部分肉・冷凍肉、肉加工品、処理牛乳・乳飲料及び乳製品等の製造を行うもの	8.0	34	351	458	460	453
		パン・菓子製造業	13	パン、生菓子、ビスケット類・干菓子及び米菓等の製造を行うもの	8.2	42	623	1,501	1,578	1,563
		その他の食料品製造業	14	食料品製造業のうち、12及び13に該当するもの以外のもの	7.4	31	401	444	485	482
	飲料・たばこ・飼料製造業		15	清涼飲料、酒類、茶、コーヒー、氷、たばこ、飼料及び有機質肥料の製造を行うもの	6.9	26	343	400	436	437
	繊　維　工　業		16	製糸、紡績糸、織物、ニット生地、網地、フェルト、染色整理及び衣服の縫製など繊維製品の製造を行うもの	5.4	30	327	309	340	340
	パルプ・紙・紙加工品製造業		17	木材、その他の植物原料及び古繊維からパルプ及び紙の製造を行うもの並びにこれらの紙から紙加工品の製造を行うもの	4.1	21	303	166	178	181
	印　刷・同　関　連　業		18	印刷業、製版業、製本業、印刷物加工業及び印刷関連サービス業を営むもの	4.7	28	327	217	222	226

(注)　「A（株価）」は、業種目ごとに令和6年分の標本会社の株価を基に計算しているので、標本会社が令和5年分のものと異なる業種目などについては、令和5年11月分及び12月分の金額は、令和5年分の評価に適用する令和5年11月分及び12月分の金額とは異なることに留意してください。また、令和5年平均及び課税時期の属する月以前2年間の平均株価についても、令和6年分の標本会社を基に計算しています。

資　料

類似業種比準価額計算上の業種目及び業種目別株価等(令和6年分)

(単位:円)

業　種　目			番号	A（株価）【上段：各月の株価、下段：課税時期の属する月以前2年間の平均株価】											
大　分　類				令和6年1月分	2月分	3月分	4月分	5月分	6月分	7月分	8月分	9月分	10月分	11月分	12月分
	中　分　類														
		小　分　類													
製　　造　　業			10	*445*	*462*	*476*	*469*	*471*	*478*						
				382	*386*	*391*	*396*	*401*	*406*						
	食　料　品　製　造　業		11	656	670	674	659	662	671						
				585	590	595	600	605	610						
		畜産食料品製造業	12	463	468	471	472	479	479						
				449	450	451	453	455	456						
		パン・菓子製造業	13	1,544	1,570	1,591	1,506	1,510	1,542						
				1,419	1,432	1,444	1,453	1,462	1,472						
		その他の食料品製造業	14	500	513	514	512	513	519						
				426	431	435	440	445	451						
	飲料・たばこ・飼料製造業		15	466	471	452	448	474	494						
				387	391	395	399	404	410						
	繊　　維　　工　　業		16	365	364	377	367	363	365						
				295	298	302	306	311	315						
	パルプ・紙・紙加工品製造業		17	191	195	201	202	199	197						
				159	160	162	164	166	169						
	印　刷・同　関　連　業		18	234	240	242	244	248	259						
				210	211	213	215	217	220						

第九編　財産の評価

類似業種比準価額計算上の業種目及び業種目別株価等(令和6年分)

(単位:円)

業種目			番号	内容	B〔配当金額〕	C〔利益金額〕	D〔簿価純資産価額〕	A（株価）		
大分類 中分類 小分類								令和5年平均	5年11月分	5年12月分
(製造業)										
化 学 工 業			19		9.9	40	408	471	483	485
	有機化学工業製品製造業		20	工業原料として用いられる有機化学工業製品の製造を行うもの	8.5	40	348	382	404	405
	油脂加工製品・石けん・合成洗剤・界面活性剤・塗料製造業		21	脂肪酸・硬化油・グリセリン、石けん・合成洗剤、界面活性剤、塗料、印刷インキ、洗浄剤・磨用剤及びびろうそくの製造を行うもの	5.2	22	331	220	234	236
	医 薬 品 製 造 業		22	医薬品原薬、医薬品製剤、生物学的製剤、生薬・漢方製剤及び動物用医薬品の製造を行うもの	16.8	66	603	836	860	873
	その他の化学工業		23	化学工業のうち、20から22に該当するもの以外のもの	8.5	34	358	402	406	403
プラスチック製品製造業			24	プラスチックを用い、押出成形機、射出成形機等の各種成形機により成形された押出成形品、射出成形品等の成形製品の製造を行うもの及び同製品に切断、接合、塗装、蒸着めっき、バフ加工等の加工を行うもの並びにプラスチックを用いて成形のために配合、混和を行うもの及び再生プラスチックの製造を行うもの	5.7	28	307	217	228	225
ゴ ム 製 品 製 造 業			25	天然ゴム類、合成ゴムなどから作られたゴム製品、すなわち、タイヤ、チューブ、ゴム製履物、ゴム引布、ゴムベルト、ゴムホース、工業用ゴム製品、更生タイヤ、再生ゴム、その他のゴム製品の製造を行うもの	15.1	61	587	484	529	536

(注)　「A（株価）」は、業種目ごとに令和6年分の標本会社の株価を基に計算しているので、標本会社が令和5年分のものと異なる業種目などについては、令和5年11月分及び12月分の金額は、令和5年分の評価に適用する令和5年11月分及び12月分の金額とは異なることに留意してください。また、令和5年平均及び課税時期の属する月以前2年間の平均株価についても、令和6年分の標本会社を基に計算しています。

-1652-

資　料

類似業種比準価額計算上の業種目及び業種目別株価等(令和6年分)

(単位：円)

業種目 大分類 中分類 小分類		番号	A（株価）【上段：各月の株価、下段：課税時期の属する月以前2年間の平均株価】											
			令和6年1月分	2月分	3月分	4月分	5月分	6月分	7月分	8月分	9月分	10月分	11月分	12月分
(製造業)														
化　学　工　業		19	499 467	501 468	511 470	497 472	496 474	505 476						
	有機化学工業製品製造業	20	423 369	437 371	461 375	458 379	472 383	488 389						
	油脂加工製品・石けん・合成洗剤・界面活性剤・塗料製造業	21	243 210	255 212	261 215	256 218	257 221	259 223						
	医　薬　品　製　造　業	22	892 837	883 840	893 842	859 843	841 845	852 848						
	その他の化学工業	23	416 399	416 399	425 400	415 401	416 403	427 405						
プラスチック製品製造業		24	236 208	238 210	243 212	242 214	238 216	236 218						
ゴ　ム　製　品　製　造　業		25	570 438	592 448	606 459	615 471	608 481	602 490						

第九編　財産の評価

類似業種比準価額計算上の業種目及び業種目別株価等(令和6年分)

(単位：円)

業　　種　　目					B 配当 金額	C 利益 金額	D 簿価 純資 産価 額	A（株価）		
大　分　類			番号	内　　　　　容				令　和 5　年 平　均	5　年 11月分	5　年 12月分
	中　分　類									
		小　分　類								
(製 造 業)										
窯業・土石製品製造業			26		7.5	39	341	323	336	338
	セメント・同製品製造業		27	セメント、生コンクリート及びコンクリート製品等の製造を行うもの	4.1	23	242	185	199	208
	その他の窯業・土石製品製造業		28	窯業・土石製品製造業のうち、27に該当するもの以外のもの	9.2	47	390	390	403	401
鉄　　　鋼　　　業			29	鉱石、鉄くずなどから鉄及び鋼の製造を行うもの並びに鉄及び鋼の鋳造品、鍛造品、圧延鋼材、表面処理鋼材等の製造を行うもの	6.5	51	413	264	296	295
非 鉄 金 属 製 造 業			30	鉱石（粗鉱、精鉱）、金属くずなどを処理し、非鉄金属の製錬及び精製を行うもの、非鉄金属の合金製造、圧延、抽伸、押出しを行うもの並びに非鉄金属の鋳造、鍛造、その他の基礎製品の製造を行うもの	6.1	37	327	257	256	248
金 属 製 品 製 造 業			31		5.9	32	367	229	236	237
	建設用・建築用金属製品製造業		32	鉄骨、建設用金属製品、金属製サッシ・ドア、鉄骨系プレハブ住宅及び建築用金属製品の製造を行うもの並びに製缶板金業を営むもの	4.7	35	331	208	211	213
	その他の金属製品製造業		33	金属製品製造業のうち、32に該当するもの以外のもの	6.4	30	383	238	247	247
はん用機械器具製造業			34	はん用的に各種機械に組み込まれ、あるいは取付けをすることで用いられる機械器具の製造を行うもの。例えば、ボイラ・原動機、ポンプ・圧縮機器、一般産業用機械・装置の製造など	8.4	48	408	368	394	402

(注)　「A（株価）」は、業種目ごとに令和6年分の標本会社の株価を基に計算しているので、標本会社が令和5年分のものと異なる業種目などについては、令和5年11月分及び12月分の金額は、令和5年分の評価に適用する令和5年11月分及び12月分の金額とは異なることに留意してください。また、令和5年平均及び課税時期の属する月以前2年間の平均株価についても、令和6年分の標本会社を基に計算しています。

－1654－

資　料

類似業種比準価額計算上の業種目及び業種目別株価等(令和6年分)

(単位：円)

業　　種　　目			番号	A（株価）【上段：各月の株価、下段：課税時期の属する月以前2年間の平均株価】											
大　分　類				令和6年1月分	2月分	3月分	4月分	5月分	6月分	7月分	8月分	9月分	10月分	11月分	12月分
	中　分　類														
		小　分　類														
（製 造 業）															
窯業・土石製品製造業			26	354 303	377 307	391 312	388 317	396 323	405 328						
	セメント・同製品製造業		27	225 173	237 176	237 180	236 184	239 188	246 192						
	その他の窯業・土石製品製造業		28	416 366	444 370	465 376	461 382	473 388	483 395						
鉄　　　鋼　　　業			29	312 240	328 245	336 251	330 257	332 262	324 267						
非 鉄 金 属 製 造 業			30	258 250	261 251	263 252	270 253	276 255	282 256						
金 属 製 品 製 造 業			31	249 221	259 222	267 225	273 227	271 230	274 232						
	建設用・建築用金属製品製造業		32	233 205	241 206	247 207	248 208	247 210	256 212						
	その他の金属製品製造業		33	257 228	267 230	276 233	284 235	281 238	281 241						
はん用機械器具製造業			34	418 346	437 351	460 357	460 364	460 370	477 378						

—1655—

第九編　財産の評価

類似業種比準価額計算上の業種目及び業種目別株価等（令和6年分）

（単位：円）

業　種　目					B 配当金額	C 利益金額	D 簿価純資産価額	A（株価）		
大　分　類								令和5年平均	5年11月分	5年12月分
	中　分　類		番号	内　　　　容						
		小　分　類								
（製造業）										
生産用機械器具製造業			35		8.2	47	319	462	496	512
	金属加工機械製造業		36	金属工作機械、金属加工機械、金属工作機械用・金属加工機械用部分品・附属品（金型を除く）及び機械工具（粉末や金業を除く）の製造を行うもの	6.0	33	301	278	285	281
	その他の生産用機械器具製造業		37	生産用機械器具製造業のうち、36に該当するもの以外のもの	8.8	51	324	513	554	575
業務用機械器具製造業			38	業務用及びサービスの生産に供される機械器具の製造を行うもの	8.9	49	373	536	566	591
電子部品・デバイス・電子回路製造業			39		6.7	46	319	417	443	450
	電子部品製造業		40	抵抗器、コンデンサ、変成器及び複合部品の製造、音響部品、磁気ヘッド及び小形モータの製造並びにコネクタ、スイッチ及びリレーの製造を行うもの	7.2	45	362	414	458	471
	電子回路製造業		41	電子回路基板及び電子回路実装基板の製造を行うもの	2.4	23	157	177	201	205
	その他の電子部品・デバイス・電子回路製造業		42	電子部品・デバイス・電子回路製造業のうち、40及び41に該当するもの以外のもの	7.8	55	345	499	514	518

（注）　「A（株価）」は、業種目ごとに令和6年分の標本会社の株価を基に計算しているので、標本会社が令和5年分のものと異なる業種目などについては、令和5年11月分及び12月分の金額は、令和5年分の評価に適用する令和5年11月分及び12月分の金額とは異なることに留意してください。また、令和5年平均及び課税時期の属する月以前2年間の平均株価についても、令和6年分の標本会社を基に計算しています。

－1656－

資　料

類似業種比準価額計算上の業種目及び業種目別株価等（令和6年分）

（単位：円）

業　種　目			番号	Ａ（株価）【上段：各月の株価、下段：課税時期の属する月以前2年間の平均株価】											
大　分　類				令和6年1月分	2月分	3月分	4月分	5月分	6月分	7月分	8月分	9月分	10月分	11月分	12月分
	中　分　類														
		小　分　類														
（製 造 業）															
生産用機械器具製造業			35	546 / 436	590 / 444	634 / 453	640 / 463	658 / 473	648 / 484						
	金属加工機械製造業		36	294 / 273	293 / 273	303 / 274	304 / 275	304 / 276	299 / 278						
	その他の生産用機械器具製造業		37	615 / 481	671 / 490	725 / 502	732 / 514	755 / 527	743 / 540						
業務用機械器具製造業			38	649 / 490	708 / 501	723 / 514	678 / 525	669 / 535	687 / 546						
電子部品・デバイス・電子回路製造業			39	472 / 398	488 / 402	490 / 407	475 / 412	472 / 417	509 / 422						
	電子部品製造業		40	497 / 398	520 / 404	513 / 411	505 / 417	506 / 424	585 / 433						
	電子回路製造業		41	214 / 165	221 / 168	219 / 170	219 / 173	223 / 177	239 / 181						
	その他の電子部品・デバイス・電子回路製造業		42	542 / 476	556 / 480	564 / 484	541 / 488	533 / 492	548 / 496						

第九編　財産の評価

類似業種比準価額計算上の業種目及び業種目別株価等（令和6年分）

（単位：円）

業　種　目					B 配当金額	C 利益金額	D 簿価純資産価額	A（株価）		
大分類			番号	内　　容				令和5年平均	5年11月分	5年12月分
	中分類									
		小分類								
（製造業）										
電気機械器具製造業			43		7.8	50	446	567	581	564
	発電用・送電用・配電用電気機械器具製造業		44	発電機・電動機・その他の回転電気機械、変圧器類（電子機器用を除く）、電力開閉装置、配電盤・電力制御装置及び配線器具・配線附属品の製造を行うもの	13.9	67	854	636	758	740
	電気計測器製造業		45	電気計測器、工業計器及び医療用計測器の製造を行うもの	5.9	30	219	344	359	361
	その他の電気機械器具製造業		46	電気機械器具製造業のうち、44及び45に該当するもの以外のもの	6.3	54	402	661	630	603
情報通信機械器具製造業			47	通信機械器具及び関連機器、映像・音響機械器具並びに電子計算機及び附属装置の製造を行うもの	8.8	40	411	352	371	371
輸送用機械器具製造業			48		7.2	36	418	274	302	292
	自動車・同附属品製造業		49	自動車（二輪自動車を含む）、自動車車体・附随車及び自動車部分品・附属品の製造を行うもの	7.6	35	429	246	271	260
	その他の輸送用機械器具製造業		50	輸送用機械器具製造業のうち、49に該当するもの以外のもの	5.3	38	372	394	435	432
その他の製造業			51	製造業のうち、11から50に該当するもの以外のもの	8.5	41	364	397	412	414

（注）　「Ａ（株価）」は、業種目ごとに令和6年分の標本会社の株価を基に計算しているので、標本会社が令和5年分のものと異なる業種目などについては、令和5年11月分及び12月分の金額は、令和5年分の評価に適用する令和5年11月分及び12月分の金額とは異なることに留意してください。また、令和5年平均及び課税時期の属する月以前2年間の平均株価についても、令和6年分の標本会社を基に計算しています。

－1658－

資　料

類似業種比準価額計算上の業種目及び業種目別株価等(令和6年分)

(単位:円)

業　種　目			番号	A（株価）【上段：各月の株価、下段：課税時期の属する月以前2年間の平均株価】											
大　分　類				令和6年1月分	2月分	3月分	4月分	5月分	6月分	7月分	8月分	9月分	10月分	11月分	12月分
	中　分　類														
		小　分　類													
(製 造 業)															
電気機械器具製造業			43	601	630	635	618	624	626						
				551	557	563	567	572	576						
	発電用・送電用・配電用電気機械器具製造業		44	839	993	971	891	898	928						
				567	589	609	627	645	664						
	電気計測器製造業		45	393	400	434	425	440	439						
				326	330	336	341	347	353						
	その他の電気機械器具製造業		46	617	608	606	613	612	605						
				669	669	669	667	667	662						
情報通信機械器具製造業			47	386	395	414	416	425	438						
				347	349	352	354	358	362						
輸送用機械器具製造業			48	310	328	344	343	342	338						
				260	263	267	272	276	280						
	自動車・同附属品製造業		49	277	295	307	307	296	292						
				231	234	238	242	246	250						
	その他の輸送用機械器具製造業		50	453	474	506	502	541	541						
				388	390	395	400	407	415						
その他の製造業			51	435	444	463	459	458	471						
				376	380	385	390	395	400						

—1659—

第九編　財産の評価

類似業種比準価額計算上の業種目及び業種目別株価等（令和6年分）

（単位：円）

業種目 大分類 中分類 小分類		番号	内容	B 配当金額	C 利益金額	D 簿価純資産価額	A（株価）		
							令和5年平均	5年11月分	5年12月分
電気・ガス・熱供給・水道業		52		6.8	43	404	650	470	454
情報通信業		53		8.6	50	285	721	715	715
	情報サービス業	54		9.6	56	291	792	803	800
		ソフトウェア業 55	受託開発ソフトウェア業、組込みソフトウェア業、パッケージソフトウェア業及びゲームソフトウェア業を営むもの	9.7	56	284	825	844	845
		情報処理・提供サービス業 56	受託計算サービス業、計算センター、タイムシェアリングサービス業、マシンタイムサービス業、データエントリー業、パンチサービス業、データベースサービス業、市場調査業及び世論調査業を営むもの	8.8	48	246	679	662	640
	インターネット附随サービス業	57	インターネットを通じて、情報の提供や、サーバ等の機能を利用させるサービスを提供するもの、音楽、映像等を配信する事業を行うもの及びインターネットを利用する上で必要なサポートサービスを提供するもの	6.7	37	207	618	577	576
	映像・音声・文字情報制作業	58	映画、ビデオ又はテレビジョン番組の制作・配給を行うもの、レコード又はラジオ番組の制作を行うもの、新聞の発行又は書籍、定期刊行物等の出版を行うもの並びにこれらに附帯するサービスの提供を行うもの	4.3	41	286	506	531	585
	その他の情報通信業	59	情報通信業のうち、54から58に該当するもの以外のもの	11.6	61	612	696	663	652

（注）　「A（株価）」は、業種目ごとに令和6年分の標本会社の株価を基に計算しているので、標本会社が令和5年分のものと異なる業種目などについては、令和5年11月分及び12月分の金額は、令和5年分の評価に適用する令和5年11月分及び12月分の金額とは異なることに留意してください。また、令和5年平均及び課税時期の属する月以前2年間の平均株価についても、令和6年分の標本会社を基に計算しています。

－1660－

資　料

類似業種比準価額計算上の業種目及び業種目別株価等(令和6年分)

(単位:円)

業　　種　　目				A（株価）【上段：各月の株価、下段：課税時期の属する月以前2年間の平均株価】											
大　分　類			番号	令和6年1月分	2月分	3月分	4月分	5月分	6月分	7月分	8月分	9月分	10月分	11月分	12月分
	中　分　類														
		小　分　類													
電気・ガス・熱供給・水道業			52	478 569	488 571	553 575	526 580	528 584	560 590						
情　報　通　信　業			53	742 706	756 710	776 714	736 716	724 718	734 721						
	情　報　サ　ー　ビ　ス　業		54	821 765	836 771	853 777	810 780	794 783	799 787						
		ソ　フ　ト　ウ　ェ　ア　業	55	863 788	881 796	902 804	857 809	839 814	843 819						
		情報処理・提供サービス業	56	673 682	683 682	681 680	645 677	623 675	628 675						
	インターネット附随サービス業		57	612 629	630 629	668 630	627 627	630 628	655 630						
	映像・音声・文字情報制作業		58	621 500	611 506	577 511	534 513	505 515	497 517						
	その他の情報通信業		59	688 677	695 680	706 683	693 684	678 685	671 686						

第九編　財産の評価

類似業種比準価額計算上の業種目及び業種目別株価等(令和6年分)

(単位:円)

業　種　目					B 配当金額	C 利益金額	D 簿価純資産価額	A（株価）		
大分類 中分類 小分類			番号	内　　容				令和5年平均	5年11月分	5年12月分
運輸業，郵便業			60		7.7	62	465	305	322	331
	道路貨物運送業		61	自動車等により貨物の運送を行うもの	6.3	48	411	291	308	313
	水運業		62	海洋、沿海、港湾、河川、湖沼において船舶により旅客又は貨物の運送を行うもの（港湾において、はしけによって貨物の運送を行うものを除く）	19.9	166	576	335	358	387
	運輸に附帯するサービス業		63	港湾運送業、貨物運送取扱業（集配利用運送業を除く）、運送代理店、こん包業及び運輸施設提供業等を営むもの	5.6	44	488	262	267	276
	その他の運輸業，郵便業		64	運輸業，郵便業のうち、61から63に該当するもの以外のもの	5.1	43	449	345	368	373

(注)　「A（株価）」は、業種目ごとに令和6年分の標本会社の株価を基に計算しているので、標本会社が令和5年分のものと異なる業種目などについては、令和5年11月分及び12月分の金額は、令和5年分の評価に適用する令和5年11月分及び12月分の金額とは異なることに留意してください。また、令和5年平均及び課税時期の属する月以前2年間の平均株価についても、令和6年分の標本会社を基に計算しています。

－1662－

資　料

類似業種比準価額計算上の業種目及び業種目別株価等(令和6年分)

(単位:円)

業　種　目　 大分類 中分類 小分類	番号	A（株価）【上段：各月の株価、下段：課税時期の属する月以前2年間の平均株価】 令和6年1月分	2月分	3月分	4月分	5月分	6月分	7月分	8月分	9月分	10月分	11月分	12月分
運　輸　業，郵　便　業	60	352 292	355 296	359 299	358 303	372 307	380 312						
道路貨物運送業	61	333 276	329 279	341 283	359 287	394 293	417 300						
水　　運　　業	62	445 328	448 334	437 339	410 343	437 349	431 352						
運輸に附帯するサービス業	63	287 251	293 253	294 256	293 258	290 260	290 263						
その他の運輸業，郵便業	64	387 329	394 333	396 337	391 341	392 345	393 349						

第九編 財産の評価

類似業種比準価額計算上の業種目及び業種目別株価等(令和6年分)

(単位:円)

業　種　目			番号	内　　　　　容	B 配当金額	C 利益金額	D 簿価純資産価額	A (株価)		
大分類	中分類	小分類						令和5年平均	5年11月分	5年12月分
卸　　売　　業			65		9.1	57	442	399	421	425
	各種商品卸売業		66	各種商品の仕入卸売を行うもの。例えば、総合商社、貿易商社など	15.5	92	535	494	560	546
	繊維・衣服等卸売業		67	繊維品及び衣服・身の回り品の仕入卸売を行うもの	6.9	26	518	247	270	274
	飲食料品卸売業		68		4.8	40	333	353	407	405
		農畜産物・水産物卸売業	69	米麦、雑穀・豆類、野菜、果実、食肉及び生鮮魚介等の卸売を行うもの	3.0	28	263	196	208	209
		食料・飲料卸売業	70	砂糖・味そ・しょう油、酒類、乾物、菓子・パン類、飲料、茶類及び牛乳・乳製品等の卸売を行うもの	6.5	52	400	502	596	591
	建築材料, 鉱物・金属材料等卸売業		71		10.9	70	536	377	393	408
		化学製品卸売業	72	塗料、プラスチック及びその他の化学製品の卸売を行うもの	14.1	78	665	459	470	486
		その他の建築材料, 鉱物・金属材料等卸売業	73	建築材料, 鉱物・金属材料等卸売業のうち、72に該当するもの以外のもの	10.2	68	507	358	375	391

(注)　「A (株価)」は、業種目ごとに令和6年分の標本会社の株価を基に計算しているので、標本会社が令和5年分のものと異なる業種目などについては、令和5年11月分及び12月分の金額は、令和5年分の評価に適用する令和5年11月分及び12月分の金額とは異なることに留意してください。また、令和5年平均及び課税時期の属する月以前2年間の平均株価についても、令和6年分の標本会社を基に計算しています。

－1664－

資　料

類似業種比準価額計算上の業種目及び業種目別株価等(令和6年分)

(単位：円)

業　　種　　目		番号	Ａ（株価）【上段：各月の株価、下段：課税時期の属する月以前２年間の平均株価】											
大　分　類			令和6年1月分	2月分	3月分	4月分	5月分	6月分	7月分	8月分	9月分	10月分	11月分	12月分
中　分　類														
小　分　類														
卸　　売　　業		65	448 376	461 381	479 387	470 392	463 398	461 403						
	各 種 商 品 卸 売 業	66	601 433	640 446	691 460	709 475	720 490	694 504						
	繊 維 ・ 衣 服 等 卸 売 業	67	285 235	297 238	301 241	311 245	316 249	321 253						
	飲 食 料 品 卸 売 業	68	416 338	415 342	419 346	413 351	405 355	411 360						
	農畜産物・水産物卸売業	69	213 188	213 190	213 192	212 194	214 195	218 197						
	食 料 ・ 飲 料 卸 売 業	70	609 480	607 487	616 493	603 500	588 508	593 515						
	建築材料，鉱物・金属材料等卸売業	71	443 359	469 364	504 371	474 377	476 384	471 390						
	化 学 製 品 卸 売 業	72	522 435	541 440	549 446	567 454	588 462	598 471						
	その他の建築材料，鉱物・金属材料等卸売業	73	425 342	453 347	493 354	453 360	450 366	442 372						

第九編　財産の評価

類似業種比準価額計算上の業種目及び業種目別株価等(令和6年分)

(単位：円)

業種目					B 配当金額	C 利益金額	D 簿価純資産価額	A（株価）		
大分類	中分類	小分類	番号	内容				令和5年平均	5年11月分	5年12月分
(卸 売 業)										
	機 械 器 具 卸 売 業		74		10.8	64	473	458	475	481
		産業機械器具卸売業	75	農業用機械器具、建設機械・鉱山機械、金属加工機械及び事務用機械器具等の卸売を行うもの	8.6	56	464	447	474	482
		電気機械器具卸売業	76		12.0	69	481	472	473	475
		その他の機械器具卸売業	77	機械器具卸売業のうち、75及び76に該当するもの以外のもの	12.1	67	470	446	478	492
	そ の 他 の 卸 売 業		78	卸売業のうち、66から77に該当するもの以外のもの	7.0	48	342	370	374	373

(注)　「A（株価）」は、業種目ごとに令和6年分の標本会社の株価を基に計算しているので、標本会社が令和5年分のものと異なる業種目などについては、令和5年11月分及び12月分の金額は、令和5年分の評価に適用する令和5年11月分及び12月分の金額とは異なることに留意してください。また、令和5年平均及び課税時期の属する月以前2年間の平均株価についても、令和6年分の標本会社を基に計算しています。

資　料

類似業種比準価額計算上の業種目及び業種目別株価等（令和6年分）

(単位：円)

業　種　目			A（株価）【上段：各月の株価、下段：課税時期の属する月以前2年間の平均株価】											
大　分　類		番号	令和6年1月分	2月分	3月分	4月分	5月分	6月分	7月分	8月分	9月分	10月分	11月分	12月分
中　分　類														
小　分　類														
(卸 売 業)														
機 械 器 具 卸 売 業		74	508 430	526 435	547 442	539 448	521 454	520 460						
	産業機械器具卸売業	75	516 424	534 430	566 437	571 445	553 452	557 459						
	電気機械器具卸売業	76	498 434	512 439	528 446	510 452	490 457	485 462						
	その他の機械器具卸売業	77	518 430	540 435	555 441	543 446	531 451	529 456						
そ の 他 の 卸 売 業		78	382 349	380 352	380 355	382 358	379 361	376 364						

－1667－

第九編　財産の評価

類似業種比準価額計算上の業種目及び業種目別株価等(令和6年分)

（単位：円）

業　種　目 大分類／中分類／小分類	番号	内　　容	B 配当金額	C 利益金額	D 簿価純資産価額	A（株価）令和5年平均	A（株価）5年11月分	A（株価）5年12月分
小　売　業	79		*6.8*	*43*	*310*	*456*	*469*	*477*
各種商品小売業	80	百貨店、デパートメントストア、総合スーパーなど、衣・食・住にわたる各種の商品の小売を行うもの	3.5	26	288	280	284	283
織物・衣服・身の回り品小売業	81	呉服、服地、衣服、靴、帽子、洋品雑貨及び小間物等の商品の小売を行うもの	9.5	66	351	738	736	759
飲食料品小売業	82		5.5	33	286	355	374	379
機械器具小売業	83	自動車、自転車、電気機械器具など（それぞれの中古品を含む）及びその部分品、附属品の小売を行うもの	8.5	54	337	339	337	336
その他の小売業	84		7.5	45	345	540	577	595
医薬品・化粧品小売業	85	医薬品小売業、調剤薬局及び化粧品小売業等を営むもの	7.6	58	395	756	814	836
その他の小売業	86	小売業（無店舗小売業を除く）のうち、80から83及び85に該当するもの以外のもの	7.5	40	329	458	484	500
無店舗小売業	87	店舗を持たず、カタログや新聞・雑誌・テレビジョン・ラジオ・インターネット等で広告を行い、通信手段によって個人からの注文を受け商品を販売するもの、家庭等を訪問し個人への物品販売又は販売契約をするもの、自動販売機によって物品を販売するもの及びその他の店舗を持たないで小売を行うもの	4.0	30	191	356	336	326

(注)　「A（株価）」は、業種目ごとに令和6年分の標本会社の株価を基に計算しているので、標本会社が令和5年分のものと異なる業種目などについては、令和5年11月分及び12月分の金額は、令和5年分の評価に適用する令和5年11月分及び12月分の金額とは異なることに留意してください。また、令和5年平均及び課税時期の属する月以前2年間の平均株価についても、令和6年分の標本会社を基に計算しています。

－1668－

資　料

類似業種比準価額計算上の業種目及び業種目別株価等(令和6年分)

(単位：円)

業　種　目		番号	Ａ（株価）【上段：各月の株価、下段：課税時期の属する月以前２年間の平均株価】											
大　分　類 中　分　類 小　分　類			令和6年1月分	2月分	3月分	4月分	5月分	6月分	7月分	8月分	9月分	10月分	11月分	12月分
小　　　売　　　業		79	*486* *439*	*490* *442*	*505* *446*	*495* *450*	*489* *454*	*495* *457*						
各種商品小売業		80	289 269	295 271	297 273	305 275	302 278	312 281						
織物・衣服・身の回り品小売業		81	739 688	743 695	763 702	731 707	722 712	719 715						
飲食料品小売業		82	408 344	427 348	440 353	437 357	434 362	445 367						
機械器具小売業		83	348 336	348 337	354 339	360 341	362 343	369 344						
その他の小売業		84	602 522	601 526	625 531	610 536	596 542	602 548						
	医薬品・化粧品小売業	85	830 736	815 740	838 745	796 750	780 756	765 762						
	その他の小売業	86	514 441	516 444	540 448	536 454	522 460	539 465						
無店舗小売業		87	334 345	335 345	344 346	329 345	331 345	334 346						

－1669－

第九編　財産の評価

類似業種比準価額計算上の業種目及び業種目別株価等（令和6年分）

(単位：円)

業種目			番号	内容	B 配当金額	C 利益金額	D 簿価純資産価額	A（株価）		
大分類	中分類	小分類						令和5年平均	5年11月分	5年12月分
金融業，保険業			88		5.7	35	266	266	289	289
	銀行業		89		2.7	18	247	92	105	103
	金融商品取引業，商品先物取引業		90	金融商品取引業、商品先物取引業及び商品投資顧問業等を営むもの（金融商品取引所及び商品取引所を除く）	7.5	59	292	312	345	351
	その他の金融業，保険業		91	金融業，保険業のうち、89及び90に該当するもの以外のもの	10.3	50	283	585	616	618
不動産業，物品賃貸業			92		7.5	48	314	363	379	389
	不動産取引業		93	不動産の売買、交換又は不動産の売買、貸借、交換の代理若しくは仲介を行うもの	6.5	47	262	265	280	275
	不動産賃貸業・管理業		94	不動産の賃貸又は管理を行うもの	8.0	42	331	455	471	491
	物品賃貸業		95	産業用機械器具、事務用機械器具、自動車、スポーツ・娯楽用品及び映画・演劇用品等の物品の賃貸を行うもの	10.4	65	422	519	532	558

(注)　「A（株価）」は、業種目ごとに令和6年分の標本会社の株価を基に計算しているので、標本会社が令和5年分のものと異なる業種目などについては、令和5年11月分及び12月分の金額は、令和5年分の評価に適用する令和5年11月分及び12月分の金額とは異なることに留意してください。また、令和5年平均及び課税時期の属する月以前2年間の平均株価についても、令和6年分の標本会社を基に計算しています。

資　料

類似業種比準価額計算上の業種目及び業種目別株価等(令和6年分)

(単位:円)

業　種　目			番号	A（株価）　【上段：各月の株価、下段：課税時期の属する月以前2年間の平均株価】											
大　分　類				令和6年1月分	2月分	3月分	4月分	5月分	6月分	7月分	8月分	9月分	10月分	11月分	12月分
	中　分　類														
		小　分　類													
金融業，保険業			88	*304*	*319*	*341*	*338*	*339*	*349*						
				249	*253*	*258*	*263*	*269*	*274*						
	銀　　行　　業		89	106	109	120	119	125	128						
				83	85	87	89	91	94						
	金融商品取引業，商品先物取引業		90	380	398	424	426	430	447						
				291	297	304	311	319	327						
	その他の金融業，保険業		91	645	681	722	711	697	715						
				556	563	572	581	590	600						
不動産業，物品賃貸業			92	*400*	*400*	*403*	*407*	*413*	*419*						
				347	*350*	*354*	*358*	*362*	*366*						
	不　動　産　取　引　業		93	286	286	292	301	301	302						
				254	256	259	261	264	267						
	不動産賃貸業・管理業		94	499	504	501	500	535	563						
				433	438	442	446	452	459						
	物　品　賃　貸　業		95	573	564	557	551	535	526						
				492	496	501	505	509	513						

—1671—

第九編　財産の評価

類似業種比準価額計算上の業種目及び業種目別株価等（令和6年分）

（単位：円）

業　種　目					B［配当金額］	C［利益金額］	D［簿価純資産価額］	A（株価）		
大分類			番号	内　　　容				令和5年平均	5年11月分	5年12月分
中分類										
	小分類									
専門・技術サービス業			96		6.6	42	212	456	420	424
	専門サービス業		97	法務に関する事務、助言、相談、その他の法律的サービス、財務及び会計に関する監査、調査、相談のサービス、税務に関する書類の作成、相談のサービス及び他に分類されない自由業的、専門的なサービスを提供するもの（純粋持株会社を除く）	10.8	52	227	805	725	737
	広告業		98	依頼人のために広告に係る総合的なサービスを提供するもの及び広告媒体のスペース又は時間を当該広告媒体企業と契約し、依頼人のために広告を行うもの	6.0	48	217	416	380	374
宿泊業，飲食サービス業			99		3.4	25	165	514	563	561
	飲食店		100		3.4	22	150	521	585	583
		食堂，レストラン（専門料理店を除く）	101	主食となる各種の料理品をその場所で提供するもの（専門料理店、そば・うどん店、すし店など特定の料理をその場所で飲食させるものを除く）	1.1	14	80	290	317	330
		専門料理店	102	日本料理店（そば・うどん店、すし店を除く）、料亭、中華料理店、ラーメン店及び焼肉店等を営むもの	5.0	28	174	664	750	747
		その他の飲食店	103	飲食店のうち、101及び102に該当するもの以外のもの。例えば、そば・うどん店、すし店、酒場・ビヤホール、バー、キャバレー、ナイトクラブ、喫茶店など	2.6	17	149	449	504	497
	その他の宿泊業，飲食サービス業		104	宿泊業，飲食サービス業のうち、100から103に該当するもの以外のもの	3.5	36	223	490	482	479

（注）　「A（株価）」は、業種目ごとに令和6年分の標本会社の株価を基に計算しているので、標本会社が令和5年分のものと異なる業種目などについては、令和5年11月分及び12月分の金額は、令和5年分の評価に適用する令和5年11月分及び12月分の金額とは異なることに留意してください。また、令和5年平均及び課税時期の属する月以前2年間の平均株価についても、令和6年分の標本会社を基に計算しています。

－1672－

資　料

類似業種比準価額計算上の業種目及び業種目別株価等(令和6年分)

(単位：円)

業　種　目			番号	A（株価）【上段：各月の株価、下段：課税時期の属する月以前2年間の平均株価】											
大　分　類				令和6年1月分	2月分	3月分	4月分	5月分	6月分	7月分	8月分	9月分	10月分	11月分	12月分
	中　分　類														
		小　分　類													
専門・技術サービス業			96	*441*	*467*	*479*	*460*	*448*	*445*						
				478	*476*	*475*	*471*	*469*	*468*						
	専　門　サ　ー　ビ　ス　業		97	767	826	830	767	730	728						
				866	859	854	842	833	828						
	広　　　告　　　業		98	374	387	399	393	384	380						
				438	435	432	428	425	422						
宿泊業，飲食サービス業			99	*609*	*614*	*622*	*623*	*604*	*599*						
				476	*484*	*493*	*502*	*510*	*518*						
	飲　　　食　　　店		100	639	642	651	654	635	634						
				477	487	497	503	518	527						
		食堂，レストラン（専門料理店を除く）	101	342	336	327	331	334	335						
				257	262	267	272	277	282						
		専　門　料　理　店	102	840	846	863	876	831	830						
				601	616	631	647	661	675						
		そ　の　他　の　飲　食　店	103	529	533	539	531	530	529						
				424	430	436	443	449	455						
	その他の宿泊業，飲食サービス業		104	498	513	516	508	493	475						
				471	474	478	481	484	485						

第九編　財産の評価

類似業種比準価額計算上の業種目及び業種目別株価等(令和6年分)

(単位：円)

業　　種　　目						B 配当金額	C 利益金額	D 簿価純資産価額	A（株価）		
大　分　類									令和5年平均	5年11月分	5年12月分
	中　分　類			番号	内　　　　　容						
		小　分　類									
生活関連サービス業, 娯楽業				105		6.7	46	303	904	871	876
	生活関連サービス業			106	個人に対して身の回りの清潔を保持するためのサービスを提供するもの及び個人を対象としてサービスを提供するもののうち他に分類されないもの。例えば、洗濯業、理容業、美容業及び浴場業並びに旅行業、家事サービス業、衣服裁縫修理業など	4.5	36	227	434	427	428
	娯　　楽　　業			107	映画、演劇その他の興行及び娯楽を提供し、又は休養を与えるもの並びにこれに附帯するサービスを提供するもの	9.8	61	413	1,586	1,514	1,526
教　育，学　習　支　援　業				108		9.5	42	218	523	488	470
医　　療　，　福　　祉				109	保健衛生、社会保険、社会福祉及び介護に関するサービスを提供するもの（医療法人を除く）	7.5	48	257	601	556	555
サービス業（他に分類されないもの）				110		16.2	91	417	1,019	994	1,043
	職業紹介・労働者派遣業			111	労働者に職業をあっせんするもの及び労働者派遣業を営むもの	15.6	105	405	1,198	1,226	1,260
	その他の事業サービス業			112	サービス業（他に分類されないもの）のうち、111に該当するもの以外のもの	16.6	82	425	894	833	891
そ　の　他　の　産　業				113	1から112に該当するもの以外のもの	8.0	46	348	473	482	487

(注)　「A（株価）」は、業種目ごとに令和6年分の標本会社の株価を基に計算しているので、標本会社が令和5年分のものと異なる業種目などについては、令和5年11月分及び12月分の金額は、令和5年分の評価に適用する令和5年11月分及び12月分の金額とは異なることに留意してください。また、令和5年平均及び課税時期の属する月以前2年間の平均株価についても、令和6年分の標本会社を基に計算しています。

－1674－

資 料

類似業種比準価額計算上の業種目及び業種目別株価等(令和6年分)

(単位:円)

業　　種　　目			番号	Ａ（株価）【上段：各月の株価、下段：課税時期の属する月以前２年間の平均株価】											
大　分　類				令和6年1月分	2月分	3月分	4月分	5月分	6月分	7月分	8月分	9月分	10月分	11月分	12月分
	中　分　類														
		小　分　類													
生活関連サービス業, 娯楽業			105	926 / 881	925 / 884	927 / 888	932 / 891	928 / 896	947 / 901						
	生活関連サービス業		106	442 / 419	440 / 421	438 / 423	442 / 425	439 / 427	449 / 430						
	娯　　楽　　業		107	1,627 / 1,550	1,627 / 1,556	1,635 / 1,562	1,644 / 1,567	1,637 / 1,575	1,667 / 1,585						
教育, 学習支援業			108	473 / 529	468 / 527	477 / 525	456 / 522	474 / 521	469 / 519						
医　療　, 　福　祉			109	562 / 608	568 / 605	563 / 604	544 / 601	527 / 598	520 / 595						
サービス業（他に分類されないもの）			110	1,087 / 1,037	1,098 / 1,037	1,109 / 1,039	1,095 / 1,040	1,064 / 1,042	1,050 / 1,045						
	職業紹介・労働者派遣業		111	1,313 / 1,196	1,353 / 1,202	1,389 / 1,212	1,383 / 1,218	1,296 / 1,225	1,240 / 1,232						
	その他の事業サービス業		112	930 / 926	921 / 923	915 / 920	895 / 916	902 / 915	918 / 916						
そ　の　他　の　産　業			113	508 / 457	521 / 461	536 / 465	524 / 469	521 / 473	526 / 477						

第九編　財産の評価

〔参考〕

平成29年6月13日

類似業種比準価額計算上の業種目及び類似業種の株価等の計算方法等について（情報）

資産評価企画官情報第4号
資産課税課情報第12号

　平成29年中に相続、遺贈又は贈与により取得した取引相場のない株式の価額を類似業種比準方式で評価する場合において、昭和39年4月25日付直資56、直審（資）17「財産評価基本通達」182《類似業種の株価》及び183-2《類似業種の1株当たりの配当金額等の計算》で別に定めることとしている「類似業種の株価」並びに類似業種の「1株当たりの配当金額」、「1株当たりの年利益金額」及び「1株当たりの純資産価額（帳簿価額によって計算した金額）」については、平成29年6月13日付課評2−26「平成29年分の類似業種比準価額計算上の業種目及び業種目別株価等について」（法令解釈通達）に定めているが、その具体的な計算方法等を別添のとおり取りまとめたので、参考のため送付する。

−1676−

資　料

1　類似業種株価等通達の趣旨

類似業種株価等通達は、相続等により取得した取引相場のない株式の価額を類似業種比準方式により評価する場合に使用する類似業種の「株価」、「1株当たりの配当金額」、「1株当たりの年利益金額」及び「1株当たりの純資産価額（帳簿価額によって計算した金額）」を定めるものである。

(1)　類似業種比準方式と類似業種株価等通達との関係

類似業種比準方式は、評価しようとする取引相場のない株式の発行会社（以下「評価会社」という。）と事業内容が類似する業種目に属する複数の上場会社（以下「類似業種」という。）の株式の株価の平均値に、評価会社と類似業種の1株当たりの配当金額、1株当たりの利益金額及び1株当たりの純資産価額（帳簿価額によって計算した金額をいい、以下「簿価純資産価額」という。）の比準割合を乗じて、取引相場のない株式の価額を評価する方式である。

その計算式は次のとおりであるが、計算式のうち類似業種の株価「A」、類似業種の1株当たりの配当金額「B」、類似業種の1株当たりの利益金額「C」及び類似業種の1株当たりの簿価純資産価額「D」（以下これらを併せて「類似業種の株価等」という。）を、類似業種株価等通達で定めている。

○　類似業種比準方式の計算式

$$
A \times \left(\frac{\dfrac{ⓑ}{B} + \dfrac{ⓒ}{C} + \dfrac{ⓓ}{D}}{3} \right) \times 0.7_{\text{(注)}}
$$

「A」＝類似業種の株価
「B」＝類似業種の1株当たりの配当金額
「C」＝類似業種の1株当たりの利益金額　　　｝類似業種株価等通達で定める
「D」＝類似業種の1株当たりの簿価純資産価額

「ⓑ」＝評価会社の1株当たりの配当金額
「ⓒ」＝評価会社の1株当たりの利益金額
「ⓓ」＝評価会社の1株当たりの簿価純資産価額

（注）0.7は、中会社の場合は「0.6」、小会社の場合は「0.5」

(2)　類似業種の比準要素の算出における1株当たりの資本金の額等

(1)の計算式のA、B、C、D、ⓑ、ⓒ及びⓓの金額は、これまで1株当たりの資本金等の額（法人税法第2条（(定義)）第16号に規定する資本金等の額をいう。以下同じ。）を50円とした場合の金額として算出していた。これは、類似業種の株価を基として、評価会社の1株当たりの配当金額、1株当たりの利益金額及び1株当たりの簿価純資産価額と、類似業種の1株当たりの配当金額、1株当たりの利益金額及び1株当たりの簿価純資産価額を比較して評価会社の株式の価額を計算するに当たり、1株当たりの資本金等の額の多寡による相違を無くすためである。

なお、平成29年4月27日付課評2－12ほか2課共同「財産評価基本通達の一部改正につ

－1677－

いて」（法令解釈通達）（以下「平成29年4月27日付評価通達改正」という。）により、類似業種の比準要素について連結決算を反映させるため財務諸表に基づく数値とすることとのバランスから、平成29年分以降、類似業種の株価等については、1株当たりの資本金の額等（資本金の額及び資本剰余金の額の合計額から自己株式の額を控除した金額をいう。以下同じ。）を50円とした場合の金額として算出することとした。

（注）評価会社の1株当たりの配当金額、1株当たりの利益金額及び1株当たりの簿価純資産価額については、従来どおり1株当たりの資本金等の額が50円以外の金額である場合には、1株当たりの資本金等の額を50円とした場合の金額として算出することに留意する。

資　料

2　類似業種の株価等の計算の基となる標本会社

> 類似業種の株価等の計算の基となる標本会社は、金融商品取引所に株式を上場している全ての会社を対象としている。
> なお、類似業種の株価等を適正に求められない会社は標本会社から除外している。

⑴　標本会社

金融商品取引所に株式を上場している全ての会社（内国法人。次の⑵を除く。）。

（参考）金融商品取引所名及び取引市場名

金 融 商 品 取 引 所 名	取 引 市 場 名
東京証券取引所	東京第一部、東京第二部、マザーズ、JASDAQ、TOKYO PRO Market
名古屋証券取引所	名古屋第一部、名古屋第二部、セントレックス
福岡証券取引所	福岡、Q-Board
札幌証券取引所	札幌、アンビシャス

⑵　標本会社から除外する会社

次のイからヘの会社は、標本会社から除外している。

イ　本年（平成 29 年）中に上場廃止することが見込まれる会社

本年（平成 29 年）中のその会社の株式の毎日の最終価格の各月ごとの平均額を 12 月まで求められないことから、除外している。

ロ　前々年中途（平成 27 年 3 月以降）に上場した会社

課税時期の属する月以前 2 年間の平均株価を求められないことから、除外している。

ハ　設立後 2 年未満の会社

1 株当たりの配当金額は、直前期末以前 2 年間における剰余金の年配当金額の平均としているが、設立後 2 年未満の会社については、2 年分の配当金額の平均が計算できず、類似業種の 1 株当たりの配当金額を求められないことから、除外している。

ニ　1 株当たりの配当金額、1 株当たりの利益金額及び 1 株当たりの簿価純資産価額のいずれか 2 以上が 0 又はマイナスである会社

類似業種比準方式の計算において評価会社と比較する 1 株当たりの配当金額、1 株当たりの利益金額及び 1 株当たりの簿価純資産価額の 3 要素のうち過半を欠く会社を含めて類似業種の株価等を計算することは不適当と考えられることから、除外している。

ホ　資本金の額等が 0 又はマイナスである会社

各標本会社の株価、1 株当たりの配当金額、1 株当たりの利益金額及び 1 株当たりの簿価純資産価額（以下これらを併せて「株価等」という。）は、1 の⑵のとおり 1 株当たりの資本金の額等を 50 円とした場合の金額として算出することから、資本金の額等が 0 又はマイナスの場合はこれらの金額も 0 又はマイナスとなる。このような 0 又はマイナスの会社の株価等を含めて類似業種の株価等を計算することは不適当と考えられることから、除外している。

ヘ　他の標本会社に比し、業種目の株価等に著しく影響を及ぼしていると認められる会社

類似業種の株価等は、業種目ごとに各標本会社の株価等の平均額に基づき算出していることから、特定の標本会社の株価等が、他の標本会社の株価等と比較し、著しく高い株価

第九編　財産の評価

等となっている場合、当該特定の標本会社の株価等が、業種目の株価等に著しい影響を及ぼすこととなる。このような場合、当該特定の標本会社の個性が業種目の株価等に強く反映されることとなることから、このような影響を排除するため、統計的な処理に基づき株価等が外れ値（注）となる会社を除外している。

（注）一般的な統計学の手法に基づき、株価等について対数変換した上で、平均値と標準偏差を求め、平均値から標準偏差の3倍を超える乖離のある株価等を外れ値としている。

資　料

3　類似業種株価等通達の業種目分類等

類似業種株価等通達の業種目及び標本会社の業種目は、原則として、日本標準産業分類に基づいて区分している。

(1)　類似業種株価等通達の業種目及び標本会社の業種目の分類

類似業種株価等通達の業種目及び標本会社の業種目は、原則として、日本標準産業分類[注]に基づいて区分している。

(注)　日本標準産業分類は、統計調査の結果を産業別に表示する場合の統計基準として、事業所において行われる財及びサービスの生産又は提供に係る全ての経済活動を分類するものであり、統計の正確性と客観性を保持し、統計の相互比較性と利用の向上を図ることを目的として、総務大臣が公示している。

なお、日本標準産業分類は、以下の総務省統計局のホームページで閲覧することができる。

【www.soumu.go.jp/toukei_toukatsu/index/seido/sangyo/H25index.htm（平成29年6月現在）】

(2)　評価通達の改正に伴う業種目の判定等

標本会社の事業が該当する業種目は、これまで単体決算による取引金額に基づいて判定していた。

平成29年4月27日付評価通達改正により、類似業種の比準要素については、財務諸表の数値を基に計算することとした上で、連結決算を行っている会社については、その数値を反映させることとしたことから、標本会社の事業が該当する業種目についても、連結決算を行っている会社については、連結決算による取引金額に基づいて判定することとした。

また、業種目の判定を行った結果、標本会社が少数となる業種目については、特定の標本会社の個性が業種目の株価等に強く反映されることとなることから、このような影響を排除するため、業種目の統合を行った。

(3)　平成29年分以降の類似業種比準価額計算上の業種目分類

上記(2)の結果、平成29年分の類似業種比準価額計算上の業種目は、別表「日本標準産業分類の分類項目と類似業種比準価額計算上の業種目との対比表（平成29年分）」のとおりとなり、評価会社の類似業種の業種目については、別表に基づき判定することとなる。

(注)　評価会社の類似業種の業種目については、「直前期末以前1年間における取引金額」により判定することとなるが、当該取引金額のうちに2以上の業種目に係る取引金額が含まれている場合には、取引金額全体のうちに占める業種目別の取引金額の割合が50％を超える業種目とし、その割合が50％を超える業種目がない場合には、次に掲げる場合に応じたそれぞれの業種目となる（評価通達181-2）。

① 評価会社の事業が一つの中分類の業種目中の2以上の類似する小分類の業種目に属し、それらの業種目別の割合の合計が50％を超える場合

その中分類の中にある類似する小分類の「その他の○○業」

② 評価会社の事業が一つの中分類の業種目中の2以上の類似しない小分類の業種目に属し、それらの業種目別の割合の合計が50％を超える場合（①に該当する場合を除く。）

その中分類の業種目

③ 評価会社の事業が一つの大分類の業種目中の2以上の類似する中分類の業種目に属し、それらの業種目別の割合の合計が50％を超える場合

その大分類の中にある類似する中分類の「その他の○○業」

④ 評価会社の事業が一つの大分類の業種目中の2以上の類似しない中分類の業種目に属し、それらの

－1681－

第九編　財産の評価

業種目別の割合の合計が 50％を超える場合（③に該当する場合を除く。）

その大分類の業種目

⑤　①から④のいずれにも該当しない場合

大分類の業種目の中の「その他の産業」

※　上記判定の際、小分類又は中分類の業種目中「その他の〇〇業」が存在する場合には、原則として、同一の上位業種目に属する業種目はそれぞれ類似する業種目となる。ただし、「無店舗小売業」（中分類）については、「小売業」（大分類）に属する他の中分類の業種目とは類似しない業種目であることから、他の中分類の業種目の割合と合計することにより 50％を超える場合は、④により「小売業」となる。

（参考）　評価会社の規模区分を判定する場合の業種の分類

取引相場のない株式は、会社の規模に応じて区分し、原則として、大会社の株式は類似業種比準方式により、小会社の株式は純資産価額方式により、中会社の株式はこれらの併用方式により、それぞれ評価することとしている。

この場合における会社の規模の判定要素（「従業員数」、「総資産価額（帳簿価額によって計算した金額）」及び「直前期末以前 1 年間における取引金額」）の数値基準については、「卸売業」、「小売・サービス業」及び「卸売業、小売・サービス業以外」の三つの業種ごとに定めている。

なお、評価会社がどの業種に該当するかについては、別表のとおりとなる。

－1682－

資　料

4　類似業種の株価等の計算方法

> 類似業種の株価等は、各標本会社の株価等を業種目別に平均して計算している。

　類似業種の株価等の計算方法は、次の(1)から(4)のとおりである。

(1)　類似業種の株価「Ａ」

　各標本会社の株価の前年、各月以前2年間及び各月の平均額（1株当たりの資本金の額等を50円として計算した金額）を業種目別に平均して算出している。

(2)　類似業種の1株当たりの配当金額「Ｂ」

　各標本会社の財務諸表（連結決算の場合は、連結決算に基づく財務諸表。以下同じ。）から、2年間の剰余金の配当金額の合計額の2分の1に相当する金額を、発行済株式数（自己株式を有する場合には、自己株式の数を控除した株式数をいう。なお、1株当たりの資本金の額等が50円以外の金額であるときは、資本金の額等を50円で除して計算した数とする。以下(3)及び(4)について同じ。）で除した金額について、業種目別に平均して算出している。

(3)　類似業種の1株当たりの利益金額「Ｃ」

　各標本会社の財務諸表から、税引前当期純利益（連結決算の場合、税金等調整前当期純利益）の額を発行済株式数で除した金額について、業種目別に平均して算出している。

(4)　類似業種の1株当たりの簿価純資産価額「Ｄ」

　各標本会社の財務諸表から、純資産の部の合計額を発行済株式数で除した金額について、業種目別に平均して算出している。

第九編　財産の評価

○ 計算例

≪設例≫業種目番号□□業●●番（小分類）（標本会社は甲社、乙社、丙社の3社）

	甲 社	乙 社	丙 社
①資本金の額等	（百万円） 300,000	（百万円） 120,000	（百万円） 80,000
②発行済株式数	（千株） 3,000	（千株） 1,500,000	（千株） 10,000
③1株当たりの資本金の額等（①/②）	（円） 100,000	（円） 80	（円） 8,000
④1株当たりの資本金の額等を50円とした場合の発行済株式数（①/50円）	（百万株） 6,000	（百万株） 2,400	（百万株） 1,600
⑤株価（平成29年1月分の平均額）	（円） 900,000	（円） 400	（円） 56,000
⑥配当金額	（百万円） 15,000	（百万円） 12,000	（百万円） 4,800
⑦利益金額	（百万円） 150,000	（百万円） 72,000	（百万円） 80,000
⑧簿価純資産価額	（百万円） 1,200,000	（百万円） 600,000	（百万円） 240,000
⑨1株当たりの配当金額（⑥/②）	（円） 5,000	（円） 8	（円） 480
⑩1株当たりの利益金額（⑦/②）	（円） 50,000	（円） 48	（円） 8,000
⑪1株当たりの簿価純資産価額（⑧/②）	（円） 400,000	（円） 400	（円） 24,000

各標本会社の1株当たりの資本金の額等の多寡による株価等の相違を無くす必要があることから、各標本会社の株価等を1株当たりの資本金の額等を50円とした場合の金額に換算して平均する。

（類似業種の株価「A」の計算）

甲社　900,000円　×　$\dfrac{50 円}{100,000 円}$　＝　450　円

乙社　　　400円　×　$\dfrac{50 円}{80 円}$　＝　250　円

丙社　 56,000円　×　$\dfrac{50 円}{8,000 円}$　＝　350　円

（3社平均）
350　円
（平成29年1月分）

資　料

（類似業種の1株当たりの配当金額「B」の計算）

甲社　　15,000百万円　÷　6,000百万株　＝　2.5円　⎫
乙社　　12,000百万円　÷　2,400百万株　＝　5.0円　⎬　（3社平均）3.5円
丙社　　 4,800百万円　÷　1,600百万株　＝　3.0円　⎭

（類似業種の1株当たりの利益金額「C」の計算）

甲社　150,000百万円　÷　6,000百万株　＝　25円　⎫
乙社　 72,000百万円　÷　2,400百万株　＝　30円　⎬　（3社平均）35円
丙社　 80,000百万円　÷　1,600百万株　＝　50円　⎭

（類似業種の1株当たりの簿価純資産価額「D」の計算）

甲社　1,200,000百万円　÷　6,000百万株　＝　200円　⎫
乙社　　600,000百万円　÷　2,400百万株　＝　250円　⎬　（3社平均）200円
丙社　　240,000百万円　÷　1,600百万株　＝　150円　⎭

（例）

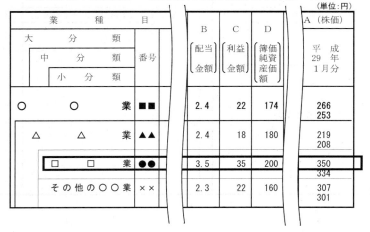

類似業種比準価額計算上の業種目及び業種目別株価等（平成29年分）

第九編　財産の評価

（別表）日本標準産業分類の分類項目と類似業種比準価額計算上の業種目との対比表（平成29年分）

日本標準産業分類の分類項目			類似業種比準価額計算上の業種目			規模区分を判定する場合の業種
大　分　類			大　分　類			
	中　分　類			中　分　類	番　号	
		小　分　類			小　分　類	
A　農業，林業			その他の産業		113	卸売業、小売・サービス業以外
	01　農業					
		011　耕種農業				
		012　畜産農業				
		013　農業サービス業（園芸サービス業を除く）				
		014　園芸サービス業				
	02　林業					
		021　育林業				
		022　素材生産業				
		023　特用林産物生産業（きのこ類の栽培を除く）				
		024　林業サービス業				
		029　その他の林業				
B　漁業			その他の産業		113	卸売業、小売・サービス業以外
	03　漁業（水産養殖業を除く）					
		031　海面漁業				
		032　内水面漁業				
	04　水産養殖業					
		041　海面養殖業				
		042　内水面養殖業				
C　鉱業，採石業，砂利採取業			その他の産業		113	卸売業、小売・サービス業以外
	05　鉱業，採石業，砂利採取業					
		051　金属鉱業				
		052　石炭・亜炭鉱業				
		053　原油・天然ガス鉱業				
		054　採石業，砂・砂利・玉石採取業				
		055　窯業原料用鉱物鉱業（耐火物・陶磁器・ガラス・セメント原料用に限る）				
		059　その他の鉱業				
D　建設業			建設業		1	卸売業、小売・サービス業以外
	06　総合工事業			総合工事業		2	
		061　一般土木建築工事業			その他の総合工事業	4	
		062　土木工事業（舗装工事業を除く）					
		063　舗装工事業					
		064　建築工事業（木造建築工事業を除く）			建築工事業（木造建築工事業を除く）	3	
		065　木造建築工事業			その他の総合工事業	4	
		066　建築リフォーム工事業					
	07　職別工事業（設備工事業を除く）					
		071　大工工事業					
		072　とび・土工・コンクリート工事業					
		073　鉄骨・鉄筋工事業					
		074　石工・れんが・タイル・ブロック工事業					
		075　左官工事業			職別工事業	5	
		076　板金・金物工事業					
		077　塗装工事業					
		078　床・内装工事業					
		079　その他の職別工事業					

－1686－

資　料

日本標準産業分類の分類項目			類似業種比準価額計算上の業種目				規模区分を判定する場合の業種
大分類			大分類			番号	
	中分類			中分類			
		小分類			小分類		
（D　建設業）			（建設業）				
	08　設備工事業			設備工事業		6	卸売業、小売・サービス業以外
		081　電気工事業			電気工事業	7	
		082　電気通信・信号装置工事業			電気通信・信号装置工事業	8	
		083　管工事業（さく井工事業を除く）			その他の設備工事業	9	
		084　機械器具設置工事業					
		089　その他の設備工事業					
E　製造業			製造業			10	卸売業、小売・サービス業以外
	09　食料品製造業			食料品製造業		11	
		091　畜産食料品製造業			畜産食料品製造業	12	
		092　水産食料品製造業			その他の食料品製造業	14	
		093　野菜缶詰・果実缶詰・農産保存食料品製造業					
		094　調味料製造業					
		095　糖類製造業					
		096　精穀・製粉業					
		097　パン・菓子製造業			パン・菓子製造業	13	
		098　動植物油脂製造業			その他の食料品製造業	14	
		099　その他の食料品製造業					
	10　飲料・たばこ・飼料製造業			飲料・たばこ・飼料製造業		15	
		101　清涼飲料製造業					
		102　酒類製造業					
		103　茶・コーヒー製造業（清涼飲料を除く）					
		104　製氷業					
		105　たばこ製造業					
		106　飼料・有機質肥料製造業					
	11　繊維工業			繊維工業		16	
		111　製糸業，紡績業，化学繊維・ねん糸等製造業					
		112　織物業					
		113　ニット生地製造業					
		114　染色整理業					
		115　綱・網・レース・繊維粗製品製造業					
		116　外衣・シャツ製造業（和式を除く）					
		117　下着類製造業					
		118　和装製品・その他の衣服・繊維製身の回り品製造業					
		119　その他の繊維製品製造業					
	12　木材・木製品製造業（家具を除く）			その他の製造業		51	
		121　製材業，木製品製造業					
		122　造作材・合板・建築用組立材料製造業					
		123　木製容器製造業（竹，とうを含む）					
		129　その他の木製品製造業（竹，とうを含む）					
	13　家具・装備品製造業			その他の製造業		51	
		131　家具製造業					
		132　宗教用具製造業					
		133　建具製造業					
		139　その他の家具・装備品製造業					

第九編　財産の評価

日本標準産業分類の分類項目			類似業種比準価額計算上の業種目			規模区分を判定する場合の業種
大　分　類			大　分　類		番　号	
中　分　類			中　分　類			
	小　分　類			小　分　類		
（E　製造業）			（製造業）			
14　パルプ・紙・紙加工品製造業			パルプ・紙・紙加工品製造業		17	
	141	パルプ製造業				
	142	紙製造業				
	143	加工紙製造業				
	144	紙製品製造業				
	145	紙製容器製造業				
	149	その他のパルプ・紙・紙加工品製造業				
15　印刷・同関連業			印刷・同関連業		18	
	151	印刷業				
	152	製版業				
	153	製本業，印刷物加工業				
	159	印刷関連サービス業				
16　化学工業			化学工業		19	
	161	化学肥料製造業		その他の化学工業	23	
	162	無機化学工業製品製造業				
	163	有機化学工業製品製造業		有機化学工業製品製造業	20	
	164	油脂加工製品・石けん・合成洗剤・界面活性剤・塗料製造業		油脂加工製品・石けん・合成洗剤・界面活性剤・塗料製造業	21	
	165	医薬品製造業		医薬品製造業	22	
	166	化粧品・歯磨・その他の化粧用調整品製造業		その他の化学工業	23	
	169	その他の化学工業				卸売業、小売・サービス業以外
17　石油製品・石炭製品製造業			その他の製造業		51	
	171	石油精製業				
	172	潤滑油・グリース製造業（石油精製業によらないもの）				
	173	コークス製造業				
	174	舗装材料製造業				
	179	その他の石油製品・石炭製品製造業				
18　プラスチック製品製造業（別掲を除く）			プラスチック製品製造業		24	
	181	プラスチック板・棒・管・継手・異形押出製品製造業				
	182	プラスチックフィルム・シート・床材・合成皮革製造業				
	183	工業用プラスチック製品製造業				
	184	発泡・強化プラスチック製品製造業				
	185	プラスチック成形材料製造業（廃プラスチックを含む）				
	189	その他のプラスチック製品製造業				
19　ゴム製品製造業			ゴム製品製造業		25	
	191	タイヤ・チューブ製造業				
	192	ゴム製・プラスチック製履物・同附属品製造業				
	193	ゴムベルト・ゴムホース・工業用ゴム製品製造業				
	199	その他のゴム製品製造業				

－1688－

資　料

日本標準産業分類の分類項目			類似業種比準価額計算上の業種目			規模区分を判定する場合の業種
大　分　類			大　分　類		番　号	
	中　分　類			中　分　類		
		小　分　類			小　分　類	
（E　製造業）			（製造業）			
	20　なめし革・同製品・毛皮製造業					卸売業、小売・サービス業以外
		201　なめし革製造業		その他の製造業	51	
		202　工業用革製品製造業（手袋を除く）				
		203　革製履物用材料・同附属品製造業				
		204　革製履物製造業				
		205　革製手袋製造業				
		206　かばん製造業				
		207　袋物製造業				
		208　毛皮製造業				
		209　その他のなめし革製品製造業				
	21　窯業・土石製品製造業			窯業・土石製品製造業	26	
		211　ガラス・同製品製造業			その他の窯業・土石製品製造業	28	
		212　セメント・同製品製造業			セメント・同製品製造業	27	
		213　建設用粘土製品製造業（陶磁器製を除く）				
		214　陶磁器・同関連製品製造業				
		215　耐火物製造業				
		216　炭素・黒鉛製品製造業			その他の窯業・土石製品製造業	28	
		217　研磨材・同製品製造業				
		218　骨材・石工品等製造業				
		219　その他の窯業・土石製品製造業				
	22　鉄鋼業					
		221　製鉄業		鉄鋼業	29	
		222　製鋼・製鋼圧延業				
		223　製鋼を行わない鋼材製造業（表面処理鋼材を除く）				
		224　表面処理鋼材製造業				
		225　鉄素形材製造業				
		229　その他の鉄鋼業				
	23　非鉄金属製造業					
		231　非鉄金属第1次製錬・精製業		非鉄金属製造業	30	
		232　非鉄金属第2次製錬・精製業（非鉄金属合金製造業を含む）				
		233　非鉄金属・同合金圧延業（抽伸，押出しを含む）				
		234　電線・ケーブル製造業				
		235　非鉄金属素形材製造業				
		239　その他の非鉄金属製造業				
	24　金属製品製造業			金属製品製造業	31	
		241　ブリキ缶・その他のめっき板等製品製造業			その他の金属製品製造業	33	
		242　洋食器・刃物・手道具・金物類製造業				
		243　暖房・調理等装置、配管工事用付属品製造業				
		244　建設用・建築用金属製品製造業（製缶板金業を含む）			建設用・建築用金属製品製造業	32	
		245　金属素形材製品製造業				
		246　金属被覆・彫刻業，熱処理業（ほうろう鉄器を除く）			その他の金属製品製造業	33	
		247　金属線製品製造業（ねじ類を除く）				
		248　ボルト・ナット・リベット・小ねじ・木ねじ等製造業				
		249　その他の金属製品製造業				

－1689－

第九編　財産の評価

日本標準産業分類の分類項目		類似業種比準価額計算上の業種目		規模区分を判定する場合の業種
大　分　類　　中　分　類　　小　分　類		大　分　類　　中　分　類　　小　分　類	番　号	
（E　製造業）		（製造業）		
25　はん用機械器具製造業		はん用機械器具製造業	34	
	251　ボイラ・原動機製造業			
	252　ポンプ・圧縮機器製造業			
	253　一般産業用機械・装置製造業			
	259　その他のはん用機械・同部分品製造業			
26　生産用機械器具製造業		生産用機械器具製造業	35	
	261　農業用機械製造業（農業用器具を除く）	その他の生産用機械器具製造業	37	
	262　建設機械・鉱山機械製造業			
	263　繊維機械製造業			
	264　生活関連産業用機械製造業			
	265　基礎素材産業用機械製造業			
	266　金属加工機械製造業	金属加工機械製造業	36	
	267　半導体・フラットパネルディスプレイ製造装置製造業	その他の生産用機械器具製造業	37	
	269　その他の生産用機械・同部分品製造業			
27　業務用機械器具製造業				
	271　事務用機械器具製造業	業務用機械器具製造業	38	
	272　サービス用・娯楽用機械器具製造業			
	273　計量器・測定器・分析機器・試験機・測量機械器具・理化学機械器具製造業			
	274　医療用機械器具・医療用品製造業			
	275　光学機械器具・レンズ製造業			
	276　武器製造業			卸売業、小売・サービス業以外
28　電子部品・デバイス・電子回路製造業		電子部品・デバイス・電子回路製造業	39	
	281　電子デバイス製造業	その他の電子部品・デバイス・電子回路製造業	42	
	282　電子部品製造業	電子部品製造業	40	
	283　記録メディア製造業	その他の電子部品・デバイス・電子回路製造業	42	
	284　電子回路製造業	電子回路製造業	41	
	285　ユニット部品製造業	その他の電子部品・デバイス・電子回路製造業	42	
	289　その他の電子部品・デバイス・電子回路製造業			
29　電気機械器具製造業		電気機械器具製造業	43	
	291　発電用・送電用・配電用電気機械器具製造業	発電用・送電用・配電用電気機械器具製造業	44	
	292　産業用電気機械器具製造業	その他の電気機械器具製造業	46	
	293　民生用電気機械器具製造業			
	294　電球・電気照明器具製造業			
	295　電池製造業			
	296　電子応用装置製造業			
	297　電気計測器製造業	電気計測器製造業	45	
	299　その他の電気機械器具製造業	その他の電気機械器具製造業	46	
30　情報通信機械器具製造業		情報通信機械器具製造業	47	
	301　通信機械器具・同関連機械器具製造業			
	302　映像・音響機械器具製造業			
	303　電子計算機・同附属装置製造業			

－1690－

資　　料

日本標準産業分類の分類項目	類似業種比準価額計算上の業種目		規模区分を判定する場合の業種

大　分　類	大　分　類	番　号	
中　分　類	中　分　類		
小　分　類	小　分　類		

日本標準産業分類の分類項目	類似業種比準価額計算上の業種目	番号	規模区分を判定する場合の業種
（E　製造業）	（製造業）		
31　輸送用機械器具製造業	輸送用機械器具製造業	48	
311　自動車・同附属品製造業	自動車・同附属品製造業	49	
312　鉄道車両・同部分品製造業			
313　船舶製造・修理業，舶用機関製造業	その他の輸送用機械器具製造業	50	
314　航空機・同附属品製造業			
315　産業用運搬車両・同部分品・附属品製造業			
319　その他の輸送用機械器具製造業			
32　その他の製造業			卸売業、小売・サービス業以外
321　貴金属・宝石製品製造業			
322　装身具・装飾品・ボタン・同関連品製造業（貴金属・宝石製を除く）			
323　時計・同部分品製造業			
324　楽器製造業	その他の製造業	51	
325　がん具・運動用具製造業			
326　ペン・鉛筆・絵画用品・その他の事務用品製造業			
327　漆器製造業			
328　畳等生活雑貨製品製造業			
329　他に分類されない製造業			
F　電気・ガス・熱供給・水道業			
33　電気業			
331　電気業			
34　ガス業			
341　ガス業			
35　熱供給業	電気・ガス・熱供給・水道業	52	卸売業、小売・サービス業以外
351　熱供給業			
36　水道業			
361　上水道業			
362　工業用水道業			
363　下水道業			
G　情報通信業	情報通信業	53	
37　通信業			
371　固定電気通信業	その他の情報通信業	59	
372　移動電気通信業			
373　電気通信に附帯するサービス業			
38　放送業			
381　公共放送業（有線放送業を除く）	その他の情報通信業	59	小売・サービス業
382　民間放送業（有線放送業を除く）			
383　有線放送業			
39　情報サービス業	情報サービス業	54	
391　ソフトウェア業	ソフトウェア業	55	
392　情報処理・提供サービス業	情報処理・提供サービス業	56	
40　インターネット附随サービス業	インターネット附随サービス業	57	
401　インターネット附随サービス業			

—1691—

第九編　財産の評価

日本標準産業分類の分類項目			類似業種比準価額計算上の業種目			規模区分を判定する場合の業種
大　分　類			大　分　類			
	中　分　類			中　分　類	番　号	
		小　分　類			小　分　類	
（G　情報通信業）			（情報通信業）			
	41　映像・音声・文字情報制作業			映像・音声・文字情報制作業	58	小売・サービス業
		411　映像情報制作・配給業				
		412　音声情報制作業				
		413　新聞業				
		414　出版業				
		415　広告制作業				
		416　映像・音声・文字情報制作に附帯するサービス業				
H　運輸業，郵便業			運輸業，郵便業		60	
	42　鉄道業			その他の運輸業，郵便業	64	
		421　鉄道業				
	43　道路旅客運送業			その他の運輸業，郵便業	64	
		431　一般乗合旅客自動車運送業				
		432　一般乗用旅客自動車運送業				
		433　一般貸切旅客自動車運送業				
		439　その他の道路旅客運送業				
	44　道路貨物運送業			道路貨物運送業	61	
		441　一般貨物自動車運送業				
		442　特定貨物自動車運送業				
		443　貨物軽自動車運送業				
		444　集配利用運送業				
		449　その他の道路貨物運送業				
	45　水運業			水運業	62	卸売業、小売・サービス業以外
		451　外航海運業				
		452　沿海海運業				
		453　内陸水運業				
		454　船舶貸渡業				
	46　航空運輸業			その他の運輸業，郵便業	64	
		461　航空運送業				
		462　航空機使用業（航空運送業を除く）				
	47　倉庫業			その他の運輸業，郵便業	64	
		471　倉庫業（冷蔵倉庫業を除く）				
		472　冷蔵倉庫業				
	48　運輸に附帯するサービス業			運輸に附帯するサービス業	63	
		481　港湾運送業				
		482　貨物運送取扱業（集配利用運送業を除く）				
		483　運送代理店				
		484　こん包業				
		485　運輸施設提供業				
		489　その他の運輸に附帯するサービス業				
	49　郵便業（信書便事業を含む）			その他の運輸業，郵便業	64	
		491　郵便業（信書便事業を含む）				
I　卸売業，小売業			卸売業		65	
	50　各種商品卸売業			各種商品卸売業	66	卸売業
		501　各種商品卸売業				

－1692－

資　料

日本標準産業分類の分類項目	類似業種比準価額計算上の業種目		規模区分を判定する場合の業種

| 大　分　類 | 大　分　類 | 番　号 | |
| 中　分　類 | 中　分　類 | | |
小　分　類	小　分　類		
（Ⅰ　卸売業，小売業）	（卸売業）		
51　繊維・衣服等卸売業			
511　繊維品卸売業（衣服，身の回り品を除く）	繊維・衣服等卸売業	67	
512　衣服卸売業			
513　身の回り品卸売業			
52　飲食料品卸売業	飲食料品卸売業	68	
521　農畜産物・水産物卸売業	農畜産物・水産物卸売業	69	
522　食料・飲料卸売業	食料・飲料卸売業	70	
53　建築材料，鉱物・金属材料等卸売業	建築材料，鉱物・金属材料等卸売業	71	
531　建築材料卸売業	その他の建築材料，鉱物・金属材料等卸売業	73	
532　化学製品卸売業	化学製品卸売業	72	
533　石油・鉱物卸売業	その他の建築材料，鉱物・金属材料等卸売業	73	
534　鉄鋼製品卸売業			
535　非鉄金属卸売業			卸売業
536　再生資源卸売業			
54　機械器具卸売業	機械器具卸売業	74	
541　産業機械器具卸売業	産業機械器具卸売業	75	
542　自動車卸売業	その他の機械器具卸売業	77	
543　電気機械器具卸売業	電気機械器具卸売業	76	
549　その他の機械器具卸売業	その他の機械器具卸売業	77	
55　その他の卸売業			
551　家具・建具・じゅう器等卸売業	その他の卸売業	78	
552　医薬品・化粧品等卸売業			
553　紙・紙製品卸売業			
559　他に分類されない卸売業			
	小売業	79	
56　各種商品小売業			
561　百貨店，総合スーパー	各種商品小売業	80	
569　その他の各種商品小売業（従業者が常時50人未満のもの）			
57　織物・衣服・身の回り品小売業			
571　呉服・服地・寝具小売業			
572　男子服小売業			
573　婦人・子供服小売業	織物・衣服・身の回り品小売業	81	小売・サービス業
574　靴・履物小売業			
579　その他の織物・衣服・身の回り品小売業			
58　飲食料品小売業			
581　各種食料品小売業			
582　野菜・果実小売業			
583　食肉小売業			
584　鮮魚小売業	飲食料品小売業	82	
585　酒小売業			
586　菓子・パン小売業			
589　その他の飲食料品小売業			

第九編　財産の評価

日本標準産業分類の分類項目	類似業種比準価額計算上の業種目		規模区分を判定する場合の業種
大　分　類　　中　分　類　　　小　分　類	大　分　類　　中　分　類　　　小　分　類	番　号	
（Ⅰ　卸売業，小売業）	（小売業）		
59　機械器具小売業			
591　自動車小売業			
592　自転車小売業	機械器具小売業	83	
593　機械器具小売業（自動車，自転車を除く）			
60　その他の小売業	その他の小売業	84	
601　家具・建具・畳小売業	その他の小売業	86	
602　じゅう器小売業			
603　医薬品・化粧品小売業	医薬品・化粧品小売業	85	
604　農耕用品小売業			
605　燃料小売業			小売・サービス業
606　書籍・文房具小売業			
607　スポーツ用品・がん具・娯楽用品・楽器小売業	その他の小売業	86	
608　写真機・時計・眼鏡小売業			
609　他に分類されない小売業			
61　無店舗小売業			
611　通信販売・訪問販売小売業			
612　自動販売機による小売業	無店舗小売業	87	
619　その他の無店舗小売業			
Ｊ　金融業，保険業	金融業，保険業	88	
62　銀行業	銀行業	89	
621　中央銀行			
622　銀行（中央銀行を除く）	銀行業	89	
63　協同組織金融業			
631　中小企業等金融業	その他の金融業，保険業	91	
632　農林水産金融業			
64　貸金業，クレジットカード業等非預金信用機関			
641　貸金業			
642　質屋	その他の金融業，保険業	91	
643　クレジットカード業，割賦金融業			
649　その他の非預金信用機関			卸売業、小売・サービス業以外
65　金融商品取引業，商品先物取引業			
651　金融商品取引業	金融商品取引業，商品先物取引業	90	
652　商品先物取引業，商品投資顧問業			
66　補助的金融業等			
661　補助的金融業，金融附帯業			
662　信託業	その他の金融業，保険業	91	
663　金融代理業			
67　保険業（保険媒介代理業，保険サービス業を含む）			
671　生命保険業			
672　損害保険業			
673　共済事業・少額短期保険業	その他の金融業，保険業	91	
674　保険媒介代理業			
675　保険サービス業			

資　料

日本標準産業分類の分類項目			類似業種比準価額計算上の業種目		番　号	規模区分を判定する場合の業種
大　分　類			大　分　類			
	中　分　類			中　分　類		
		小　分　類			小　分　類	
K　不動産業，物品賃貸業			不動産業，物品賃貸業		92	
	68　不動産取引業					
		681　建物売買業，土地売買業	不動産取引業		93	
		682　不動産代理業・仲介業				
	69　不動産賃貸業・管理業					
		691　不動産賃貸業（貸家業，貸間業を除く）				
		692　貸家業，貸間業	不動産賃貸業・管理業		94	
		693　駐車場業				
		694　不動産管理業				
	70　物品賃貸業					
		701　各種物品賃貸業				
		702　産業用機械器具賃貸業				卸売業、小売・サービス業以外
		703　事務用機械器具賃貸業	物品賃貸業		95	
		704　自動車賃貸業				
		705　スポーツ・娯楽用品賃貸業				
		709　その他の物品賃貸業				
L　学術研究，専門・技術サービス業						
	71　学術・開発研究機関		専門・技術サービス業		96	
		711　自然科学研究所				
		712　人文・社会科学研究所				
	72　専門サービス業（他に分類されないもの）					
		721　法律事務所，特許事務所				
		722　公証人役場，司法書士事務所，土地家屋調査士事務所				
		723　行政書士事務所				
		724　公認会計士事務所，税理士事務所	専門サービス業（純粋持株会社を除く）		97	
		725　社会保険労務士事務所				
		726　デザイン業				小売・サービス業
		727　著述・芸術家業				
		728　経営コンサルタント業，純粋持株会社				
		729　その他の専門サービス業				
	73　広告業		広告業		98	
		731　広告業				
	74　技術サービス業（他に分類されないもの）					
		741　獣医業				
		742　土木建築サービス業				
		743　機械設計業				
		744　商品・非破壊検査業	専門・技術サービス業		96	
		745　計量証明業				
		746　写真業				
		749　その他の技術サービス業				
M　宿泊業，飲食サービス業			宿泊業，飲食サービス業		99	
	75　宿泊業					
		751　旅館，ホテル				小売・サービス業
		752　簡易宿所	その他の宿泊業，飲食サービス業		104	
		753　下宿業				
		759　その他の宿泊業				

－1695－

日本標準産業分類の分類項目			類似業種比準価額計算上の業種目			規模区分を判定する場合の業種
大 分 類			大 分 類		番 号	
	中 分 類			中 分 類		
		小 分 類			小 分 類	
（M 宿泊業，飲食サービス業）			（宿泊業，飲食サービス業）			
	76 飲食店		飲食店		100	
		761 食堂，レストラン（専門料理店を除く）		食堂，レストラン（専門料理店を除く）	101	
		762 専門料理店		専門料理店	102	
		763 そば・うどん店				小売・サービス業
		764 すし店				
		765 酒場，ビヤホール		その他の飲食店	103	
		766 バー，キャバレー，ナイトクラブ				
		767 喫茶店				
		769 その他の飲食店				
	77 持ち帰り・配達飲食サービス業					
		771 持ち帰り飲食サービス業		その他の宿泊業，飲食サービス業	104	
		772 配達飲食サービス業				
N 生活関連サービス業，娯楽業			生活関連サービス業，娯楽業		105	
	78 洗濯・理容・美容・浴場業					
		781 洗濯業				
		782 理容業				
		783 美容業		生活関連サービス業	106	
		784 一般公衆浴場業				
		785 その他の公衆浴場業				
		789 その他の洗濯・理容・美容・浴場業				
	79 その他の生活関連サービス業					
		791 旅行業				
		792 家事サービス業				
		793 衣服裁縫修理業		生活関連サービス業	106	小売・サービス業
		794 物品預り業				
		795 火葬・墓地管理業				
		796 冠婚葬祭業				
		799 他に分類されない生活関連サービス業				
	80 娯楽業					
		801 映画館				
		802 興行場（別掲を除く），興行団				
		803 競輪・競馬等の競走場，競技団				
		804 スポーツ施設提供業		娯楽業	107	
		805 公園，遊園地				
		806 遊戯場				
		809 その他の娯楽業				
O 教育，学習支援業						
	81 学校教育					
		811 幼稚園				
		812 小学校				
		813 中学校				
		814 高等学校，中等教育学校		教育，学習支援業	108	小売・サービス業
		815 特別支援学校				
		816 高等教育機関				
		817 専修学校，各種学校				
		818 学校教育支援機関				
		819 幼保連携型認定こども園				

資　料

日本標準産業分類の分類項目			類似業種比準価額計算上の業種目		番　号	規模区分を判定する場合の業種
大　分　類			大　分　類			
	中　分　類			中　分　類		
		小　分　類			小　分　類	
（O　教育，学習支援業）			（教育，学習支援業）			
	82　その他の教育，学習支援業					
		821　社会教育				小売・サービス業
		822　職業・教育支援施設	教育，学習支援業		108	
		823　学習塾				
		824　教養・技能教授業				
		829　他に分類されない教育，学習支援業				
P　医療，福祉						
	83　医療業					
		831　病院				
		832　一般診療所				
		833　歯科診療所				
		834　助産・看護業				
		835　療術業				
		836　医療に附帯するサービス業				
	84　保健衛生		医療，福祉（医療法人を除く）		109	小売・サービス業
		841　保健所				
		842　健康相談施設				
		849　その他の保健衛生				
	85　社会保険・社会福祉・介護事業					
		851　社会保険事業団体				
		852　福祉事務所				
		853　児童福祉事業				
		854　老人福祉・介護事業				
		855　障害者福祉事業				
		859　その他の社会保険・社会福祉・介護事業				
Q　複合サービス事業						
	86　郵便局					
		861　郵便局				
		862　郵便局受託業				
	87　協同組合（他に分類されないもの）					
		871　農林水産業協同組合（他に分類されないもの）				
		872　事業協同組合（他に分類されないもの）				
R　サービス業（他に分類されないもの）			サービス業（他に分類されないもの）		110	
	88　廃棄物処理業					
		881　一般廃棄物処理業	その他の事業サービス業		112	
		882　産業廃棄物処理業				
		889　その他の廃棄物処理業				
	89　自動車整備業		その他の事業サービス業		112	
		891　自動車整備業				小売・サービス業
	90　機械等修理業（別掲を除く）					
		901　機械修理業（電気機械器具を除く）				
		902　電気機械器具修理業	その他の事業サービス業		112	
		903　表具業				
		909　その他の修理業				
	91　職業紹介・労働者派遣業					
		911　職業紹介業	職業紹介・労働者派遣業		111	
		912　労働者派遣業				

－1697－

日本標準産業分類の分類項目			類似業種比準価額計算上の業種目			規模区分を判定する場合の業種
大 分 類			大 分 類		番 号	
	中 分 類			中 分 類		
		小 分 類			小 分 類	
（R　サービス業（他に分類されないもの））			（サービス業（他に分類されないもの））			
	92　その他の事業サービス業			その他の事業サービス業		112	
		921　速記・ワープロ入力・複写業				
		922　建物サービス業				
		923　警備業				
		929　他に分類されない事業サービス業				
	93　政治・経済・文化団体					小売・サービス業
	94　宗教					
	95　その他のサービス業			その他の事業サービス業		112	
		951　集会場				
		952　と畜場				
		959　他に分類されないサービス業				
	96　外国公務					
S　公務（他に分類されるものを除く）						
	97　国家公務					
	98　地方公務					
T　分類不能の産業			その他の産業		113	卸売業、小売・サービス業以外
	99　分類不能の産業					
		999　分類不能の産業				

資　料

参考／日本標準産業分類一覧表

大分類——農業、林業

中 分 類	小　　　分　　　類 細　　分　　　類	中 分 類	小　　　分　　　類 細　　分　　　類
農　　業	**管理、補助的経済活動を行う事業所（農業）** 　主として管理事務を行う本社等 　その他の管理、補助的経済活動を行う事業所 **耕種農業** 　米作農業 　米作以外の穀作農業 　野菜作農業（きのこ類の栽培を含む） 　果樹作農業 　花き作農業 　工芸農作物農業 　ばれいしょ・かんしょ作農業 　その他の耕種農業 **畜産農業** 　酪農業 　肉用牛生産業 　養豚業 　養鶏業 　畜産類似業 　養蚕農業 　その他の畜産農業 **農業サービス業（園芸サービス業を除く）** 　穀作サービス業 　野菜作・果樹作サービス業	林　　業	穀作、野菜作・果樹作以外の耕種サービス業 　畜産サービス業（獣医業を除く） **園芸サービス業** 　園芸サービス業 **管理、補助的経済活動を行う事業所（林業）** 　主として管理事務を行う本社等 　その他の管理、補助的経済活動を行う事業所 **育林業** 　育林業 **素材生産業** 　素材生産業 **特用林産物生産業（きのこ類の栽培を除く）** 　製薪炭業 　その他の特用林産物生産業 　（きのこ類の栽培を除く） **林業サービス業** 　育林サービス業 　素材生産サービス業 　山林種苗生産サービス業 　その他の林業サービス業 **その他の林業** 　その他の林業

大分類——漁　業

中 分 類	小　　　分　　　類 細　　分　　　類	中 分 類	小　　　分　　　類 細　　分　　　類
漁　　業 （水産養殖業を除く）	**管理、補助的経済活動を行う事業所（漁業）** 　主として管理事務を行う本社等 　その他の管理、補助的経済活動を行う事業所 **海面漁業** 　底びき網漁業 　まき網漁業 　刺網漁業 　釣・はえ縄漁業 　定置網漁業 　地びき網・船びき網漁業	水産養殖業	採貝・採藻業 　捕鯨業 　その他の海面漁業 **内水面漁業** 　内水面漁業 **管理、補助的経済活動を行う事業所（水産養殖業）** 　主として管理事務を行う本社等 　その他の管理、補助的経済活動を行う事業所 **海面養殖業** 　魚類養殖業

—1699—

第九編　財産の評価

中　分　類	小　　　分　　　類 細　　　　分　　　　類	中　分　類	小　　　分　　　類 細　　　　分　　　　類
	貝類養殖業 藻類養殖業 真珠養殖業 種苗養殖業		その他の海面養殖業 **内水面養殖業** 　内水面養殖業

大分類——**鉱業、採石業、砂利採取業**

中　分　類	小　　　分　　　類 細　　　　分　　　　類	中　分　類	小　　　分　　　類 細　　　　分　　　　類
鉱業、採石業、砂利採取業	**管理、補助的経済活動を行う事業所（鉱業、採石業、砂利採取業）** 　主として管理事務を行う本社等 　その他の管理、補助的経済活動を行う事業所 **金属鉱業** 　金・銀鉱業 　鉛・亜鉛鉱業 　鉄鉱業 　その他の金属鉱業 **石炭・亜炭鉱業** 　石炭鉱業（石炭選別業を含む） 　亜炭鉱業 **原油・天然ガス鉱業** 　原油鉱業 　天然ガス鉱業 **採石業、砂・砂利・玉石採取業** 　花こう岩・同類似岩石採石業 　石英粗面岩・同類似岩石採石業 　安山岩・同類似岩石採石業 　大理石採石業 　ぎょう灰岩採石業		砂岩採石業 　粘板岩採石業 　砂・砂利・玉石採取業 　その他の採石業、砂・砂利・玉石採取業 **窯業原料用鉱物鉱業（耐火物・陶磁器・ガラス・セメント原料用に限る）** 　耐火粘土鉱業 　ろう石鉱業 　ドロマイト鉱業 　長石鉱業 　けい石鉱業 　天然けい砂鉱業 　石灰石鉱業 　その他の窯業原料用鉱物鉱業 **その他の鉱業** 　酸性白土鉱業 　ベントナイト鉱業 　けいそう土鉱業 　滑石鉱業 　他に分類されない鉱業

大分類——**建設業**

中　分　類	小　　　分　　　類 細　　　　分　　　　類	中　分　類	小　　　分　　　類 細　　　　分　　　　類
総合工事業	**管理、補助的経済活動を行う事業所（総合工事業）** 　主として管理事務を行う本社等 　その他の管理、補助的経済活動を行う事業所 **一般土木建築工事業** 　一般土木建築工事業 **土木工事業（舗装工事業を除く）** 　土木工事業（別掲を除く） 　造園工事業 　しゅんせつ工事業	職別工事業（設備工事業を除く）	**舗装工事業** 　舗装工事業 **建築工事業（木造建築工事業を除く）** 　建築工事業（木造建築工事業を除く） **木造建築工事業** 　木造建築工事業 **建築リフォーム工事業** 　建築リフォーム工事業 **管理、補助的経済活動を行う事業所（職別工事業）** 　主として管理事務を行う本社等

—1700—

資　料

中 分 類	小　　分　　類 細　　分　　類	中 分 類	小　　分　　類 細　　分　　類
	その他の管理、補助的経済活動を行う事業所		木製建具工事業
	大工工事業		屋根工事業（金属製屋根工事業を除く）
	大工工事業(型枠大工工事業を除く)		防水工事業
	型枠大工工事業		解体・はつり工事業
	とび・土工・コンクリート工事業		他に分類されない職別工事業
	とび工事業	設 備 工 事 業	**管理、補助的経済活動を行う事業所(設備工事業)**
	土工・コンクリート工事業		主として管理事務を行う本社等
	特殊コンクリート工事業		その他の管理、補助的経済活動を行う事業所
	鉄骨・鉄筋工事業		**電気工事業**
	鉄骨工事業		一般電気工事業
	鉄筋工事業		電気配線工事業
	石工・れんが・タイル・ブロック工事業		**電気通信・信号装置工事業**
	石工工事業		電気通信工事業（有線テレビジョン放送設備設置工事業を除く）
	れんが工事業		有線テレビジョン放送設備設置工事業
	タイル工事業		信号装置工事業
	コンクリートブロック工事業		**管工事業（さく井工事業を除く）**
	左官工事業		一般管工事業
	左官工事業		冷暖房設備工事業
	板金・金物工事業		給排水・衛生設備工事業
	金属製屋根工事業		その他の管工事業
	板金工事業		**機械器具設置工事業**
	建築金物工事業		機械器具設置工事業（昇降設備工事業を除く）
	塗装工事業		昇降設備工事業
	塗装工事業（道路標示・区画線工事業を除く）		**その他の設備工事業**
	道路標示・区画線工事業		築炉工事業
	床・内装工事業		熱絶縁工事業
	床工事業		道路標識設置工事業
	内装工事業		さく井工事業
	その他の職別工事業		
	ガラス工事業		
	金属製建具工事業		

大分類——**製造業**

中 分 類	小　　分　　類 細　　分　　類	中 分 類	小　　分　　類 細　　分　　類
食 料 品 製 造 業	**管理、補助的経済活動を行う事業所(食料品製造業)**		処理牛乳・乳飲料製造業
	主として管理事務を行う本社等		乳製品製造業（処理牛乳、乳飲料を除く）
	その他の管理、補助的経済活動を行う事業所		その他の畜産食料品製造業
	畜産食料品製造業		**水産食料品製造業**
	部分肉・冷凍肉製造業		水産缶詰・瓶詰製造業
	肉加工品製造業		海藻加工業
			水産練製品製造業

中 分 類	小 分 類 細 分 類	中 分 類	小 分 類 細 分 類
	塩干・塩蔵品製造業		その他の管理、補助的経済活動を行う事業所
	冷凍水産物製造業		清涼飲料製造業
	冷凍水産食品製造業		清涼飲料製造業
	その他の水産食料品製造業		酒類製造業
	野菜缶詰・果実缶詰・農産保存食料品製造業		果実酒製造業
	野菜缶詰・果実缶詰・農産保存食料品製造業（野菜漬物を除く）		発泡性酒類製造業
	野菜漬物製造業（缶詰、瓶詰、つぼ詰を除く）		清酒製造業
	調味料製造業		醸造酒類製造業（果実酒、清酒を除く。）
	味そ製造業		蒸留酒類製造業
	しょう油・食用アミノ酸製造業		混成酒類製造業
	ソース製造業		茶・コーヒー製造業（清涼飲料を除く）
	食酢製造業		製茶業
	その他の調味料製造業		コーヒー製造業
	砂糖・でんぷん糖類製造業		製氷業
	砂糖製造業（砂糖精製業を除く）		製氷業
	砂糖精製業		たばこ製造業
	でんぷん糖類製造業		たばこ製造業（葉たばこ処理業を除く）
	精穀・製粉業		葉たばこ処理業
	精米・精麦業		飼料・有機質肥料製造業
	小麦粉製造業		配合飼料製造業
	その他の精穀・製粉業		単体飼料製造業
	パン・菓子製造業		有機質肥料製造業
	パン製造業	繊 維 工 業	管理、補助的経済活動を行う事業所（繊維工業）
	生菓子製造業		主として管理事務を行う本社等
	ビスケット類・干菓子製造業		その他の管理、補助的経済活動を行う事業所
	米菓製造業		製糸業、紡績業、化学繊維・ねん糸等製造業
	その他のパン・菓子製造業		製糸業
	動植物油脂製造業		化学繊維製造業
	動植物油脂製造業（食用油脂加工業を除く）		炭素繊維製造業
	食用油脂加工業		綿紡績業
	その他の食料品製造業		化学繊維紡績業
	でんぷん製造業		毛紡績業
	めん類製造業		ねん糸製造業（かさ高加工糸を除く）
	豆腐・油揚製造業		かさ高加工糸製造業
	あん類製造業		その他の紡績業
	冷凍調理食品製造業		織物業
	そう（惣）菜製造業		綿・スフ織物業
	すし・弁当・調理パン製造業		絹・人絹織物業
	レトルト食品製造業		毛織物業
	他に分類されない食料品製造業		麻織物業
飲料・たばこ・飼料製造業	管理、補助的経済活動を行う事業所（飲料・たばこ・飼料製造業）		
	主として管理事務を行う本社等		

中 分 類	小 分 類 細 分 類	中 分 類	小 分 類 細 分 類
	細幅織物業 その他の織物業 **ニット生地製造業** 　丸編ニット生地製造業 　たて編ニット生地製造業 　横編ニット生地製造業 **染色整理業** 　綿・スフ・麻織物機械染色業 　絹・人絹織物機械染色業 　毛織物機械染色整理業 　織物整理業 　織物手加工染色整理業 　綿状繊維・糸染色整理業 　ニット・レース染色整理業 　繊維雑品染色整理業 **綱・網・レース・繊維粗製品製造業** 　綱製造業 　漁網製造業 　網地製造業（漁網を除く） 　レース製造業 　組ひも製造業 　整毛業 　フェルト・不織布製造業 　上塗りした織物・防水した織物製造 　業 　その他の繊維粗製品製造業 **外衣・シャツ製造業（和式を除く）** 　織物製成人男子・少年服製造業（不 　織布製及びレース製を含む） 　織物製成人女子・少女服製造業（不 　織布製及びレース製を含む） 　織物製乳幼児服製造業（不織布製及 　びレース製を含む） 　織物製シャツ製造業（不織布製及び 　レース製を含み、下着を除く） 　織物製事務用・作業用・衛生用・ス 　ポーツ用衣服・学校服製造業（不織 　布製及びレース製を含む） 　ニット製外衣製造業（アウターシャ 　ツ類、セーター類等を除く） 　ニット製アウターシャツ類製造業 　セーター類製造業 　その他の外衣・シャツ製造業 **下着類製造業** 　織物製下着製造業 　ニット製下着製造業 　織物製・ニット製寝着類製造業	木材・木製品 製造業（家具 を除く）	補整着製造業 **和装製品・その他の衣服・繊維製身の 回り品製造業** 　和装製品製造業（足袋を含む） 　ネクタイ製造業 　スカーフ・マフラー・ハンカチーフ 　製造業 　靴下製造業 　手袋製造業 　帽子製造業（帽体を含む） 　他に分類されない衣服・繊維製身の 　回り品製造業 **その他の繊維製品製造業** 　寝具製造業 　毛布製造業 　じゅうたん・その他の繊維製床敷物 　製造業 　帆布製品製造業 　繊維製袋製造業 　刺しゅう業 　タオル製造業 　繊維製衛生材料製造業 　他に分類されない繊維製品製造業 **管理、補助的経済活動を行う事業所(木 材・木製品製造業)** 　主として管理事務を行う本社等 　その他の管理、補助的経済活動を行 　う事業所 **製材業、木製品製造業** 　一般製材業 　単板（ベニヤ）製造業 　木材チップ製造業 　その他の特殊製材業 **造作材・合板・建築用組立材料製造業** 　造作材製造業（建具を除く） 　合板製造業 　集成材製造業 　建築用木製組立材料製造業 　パーティクルボード製造業 　繊維板製造業 　銘木製造業 　床板製造業 **木製容器製造業（竹、とうを含む）** 　竹・とう・きりゅう等容器製造業 　木箱製造業 　たる・おけ製造業 **その他の木製品製造業（竹、とうを含**

—1703—

中分類	小分類（細分類）	中分類	小分類（細分類）
	む） 木材薬品処理業 コルク加工基礎資材・コルク製品製造業 他に分類されない木製品製造業（竹、とうを含む）		重包装紙袋製造業 角底紙袋製造業 段ボール箱製造業 紙器製造業 **その他のパルプ・紙・紙加工品製造業** その他のパルプ・紙・紙加工品製造業
家具・装備品製造業	**管理、補助的経済活動を行う事業所（家具・装備品製造業）** 主として管理事務を行う本社等 その他の管理、補助的経済活動を行う事業所 **家具製造業** 木製家具製造業（漆塗りを除く） 金属製家具製造業 マットレス・組スプリング製造業 **宗教用具製造業** 宗教用具製造業 **建具製造業** 建具製造業 **その他の家具・装備品製造業** 事務所用・店舗用装備品製造業 窓用・扉用日よけ、日本びょうぶ等製造業 鏡縁・額縁製造業 他に分類されない家具・装備品製造業	印刷・同関連業	**管理、補助的経済活動を行う事業所（印刷・同関連業）** 主として管理事務を行う本社等 その他の管理、補助的経済活動を行う事業所 **印刷業** オフセット印刷業（紙に対するもの） オフセット印刷以外の印刷業（紙に対するもの） 紙以外の印刷業 **製版業** 製版業 **製本業、印刷物加工業** 製本業 印刷物加工業 **印刷関連サービス業** 印刷関連サービス業
パルプ・紙・紙加工品製造業	**管理、補助的経済活動を行う事業所（パルプ・紙・紙加工品製造業）** 主として管理事務を行う本社等 その他の管理、補助的経済活動を行う事業所 **パルプ製造業** パルプ製造業 **紙製造業** 洋紙製造業 板紙製造業 機械すき和紙製造業 手すき和紙製造業 **加工紙製造業** 塗工紙製造業（印刷用紙を除く） 段ボール製造業 壁紙・ふすま紙製造業 **紙製品製造業** 事務用・学用紙製品製造業 日用紙製品製造業 その他の紙製品製造業 **紙製容器製造業**	化学工業	**管理、補助的経済活動を行う事業所（化学工業）** 主として管理事務を行う本社等 その他の管理、補助的経済活動を行う事業所 **化学肥料製造業** 窒素質・りん酸質肥料製造業 複合肥料製造業 その他の化学肥料製造業 **無機化学工業製品製造業** ソーダ工業 無機顔料製造業 圧縮ガス・液化ガス製造業 塩製造業 その他の無機化学工業製品製造業 **有機化学工業製品製造業** 石油化学系基礎製品製造業（一貫して生産される誘導品を含む） 脂肪族系中間物製造業（脂肪族系溶剤を含む） 発酵工業 環式中間物・合成染料・有機顔料製造業

資　料

中　分　類	小　　分　　類 細　　分　　類	中　分　類	小　　分　　類 細　　分　　類
	プラスチック製造業 合成ゴム製造業 その他の有機化学工業製品製造業 **油脂加工製品・石けん・合成洗剤・界面活性剤・塗料製造業** 　脂肪酸・硬化油・グリセリン製造業 　石けん・合成洗剤製造業 　界面活性剤製造業（石けん、合成洗剤を除く） 　塗料製造業 　印刷インキ製造業 　洗浄剤・磨用剤製造業 　ろうそく製造業 **医薬品製造業** 　医薬品原薬製造業 　医薬品製剤製造業 　生物学的製剤製造業 　生薬・漢方製剤製造業 　動物用医薬品製造業 **化粧品・歯磨・その他の化粧用調整品製造業** 　仕上用・皮膚用化粧品製造業（香水、オーデコロンを含む） 　頭髪用化粧品製造業 　その他の化粧品・歯磨・化粧用調整品製造業 **その他の化学工業** 　火薬類製造業 　農薬製造業 　香料製造業 　ゼラチン・接着剤製造業 　写真感光材料製造業 　天然樹脂製品・木材化学製品製造業 　試薬製造業 　他に分類されない化学工業製品製造業		**コークス製造業** 　コークス製造業 **舗装材料製造業** 　舗装材料製造業 **その他の石油製品・石炭製品製造業** 　その他の石油製品・石炭製品製造業 **管理、補助的経済活動を行う事業所（プラスチック製品製造業）** 　主として管理事務を行う本社等 　その他の管理、補助的経済活動を行う事業所 **プラスチック板・棒・管・継手・異形押出製品製造業** 　プラスチック板・棒製造業 　プラスチック管製造業 　プラスチック継手製造業 　プラスチック異形押出製品製造業 　プラスチック板・棒・管・継手・異形押出製品加工業 **プラスチックフィルム・シート・床材・合成皮革製造業** 　プラスチックフィルム製造業 　プラスチックシート製造業 　プラスチック床材製造業 　合成皮革製造業 　プラスチックフィルム・シート・床材・合成皮革加工業 **工業用プラスチック製品製造業** 　電気機械器具用プラスチック製品製造業（加工業を除く） 　輸送機械器具用プラスチック製品製造業（加工業を除く） 　その他の工業用プラスチック製品製造業（加工業を除く） 　工業用プラスチック製品加工業 **発泡・強化プラスチック製品製造業** 　軟質プラスチック発泡製品製造業（半硬質性を含む） 　硬質プラスチック発泡製品製造業 　強化プラスチック製板・棒・管・継手製造業 　強化プラスチック製容器・浴槽等製造業 　発泡・強化プラスチック製品加工業 **プラスチック成形材料製造業（廃プラスチックを含む）** 　プラスチック成形材料製造業
石油製品・石炭製品製造業	**管理、補助的経済活動を行う事業所（石油製品・石炭製品製造業）** 　主として管理事務を行う本社等 　その他の管理、補助的経済活動を行う事業所 **石油精製業** 　石油精製業 **潤滑油・グリース製造業（石油精製によらないもの）** 　潤滑油・グリース製造業（石油精製によらないもの）	**プラスチック製品製造業（別掲を除く）**	

−1705−

第九編　財産の評価

中 分 類	小　分　類／細　分　類	中 分 類	小　分　類／細　分　類
ゴ ム 製 品 製造業	廃プラスチック製品製造業 **その他のプラスチック製品製造業** 　プラスチック製日用雑貨・食卓用品製造業 　プラスチック製容器製造業 　他に分類されないプラスチック製品製造業 　他に分類されないプラスチック製品加工業 **管理、補助的経済活動を行う事業所（ゴム製品製造業）** 　主として管理事務を行う本社等 　その他の管理、補助的経済活動を行う事業所 **タイヤ・チューブ製造業** 　自動車タイヤ・チューブ製造業 　その他のタイヤ・チューブ製造業 **ゴム製・プラスチック製履物・同附属品製造業** 　ゴム製履物・同附属品製造業 　プラスチック製履物・同附属品製造業 **ゴムベルト・ゴムホース・工業用ゴム製品製造業** 　ゴムベルト製造業 　ゴムホース製造業 　工業用ゴム製品製造業 **その他のゴム製品製造業** 　ゴム引布・同製品製造業 　医療・衛生用ゴム製品製造業 　ゴム練生地製造業 　更生タイヤ製造業 　再生ゴム製造業 　他に分類されないゴム製品製造業		**革製手袋製造業** 　革製手袋製造業 **かばん製造業** 　かばん製造業 **袋物製造業** 　袋物製造業（ハンドバッグを除く） 　ハンドバッグ製造業 **毛皮製造業** 　毛皮製造業 **その他のなめし革製品製造業** 　その他のなめし革製品製造業
		窯 業 ・ 土 石 製 品 製造業	**管理、補助的経済活動を行う事業所（窯業・土石製品製造業）** 　主として管理事務を行う本社等 　その他の管理、補助的経済活動を行う事業所 **ガラス・同製品製造業** 　板ガラス製造業 　板ガラス加工業 　ガラス製加工素材製造業 　ガラス容器製造業 　理化学用・医療用ガラス器具製造業 　卓上用・ちゅう房用ガラス器具製造業 　ガラス繊維・同製品製造業 　その他のガラス・同製品製造業 **セメント・同製品製造業** 　セメント製造業 　生コンクリート製造業 　コンクリート製品製造業 　その他のセメント製品製造業 **建設用粘土製品製造業（陶磁器製を除く）** 　粘土かわら製造業 　普通れんが製造業 　その他の建設用粘土製品製造業 **陶磁器・同関連製品製造業** 　衛生陶器製造業 　食卓用・ちゅう房用陶磁器製造業 　陶磁器製置物製造業 　電気用陶磁器製造業 　理化学用・工業用陶磁器製造業 　陶磁器製タイル製造業 　陶磁器絵付業 　陶磁器用はい（坯）土製造業 　その他の陶磁器・同関連製品製造業 **耐火物製造業**
なめし革・同 製 品 ・ 毛 皮 製造業	**管理、補助的経済活動を行う事業所（なめし革・同製品・毛皮製造業）** 　主として管理事務を行う本社等 　その他の管理、補助的経済活動を行う事業所 **なめし革製造業** 　なめし革製造業 **工業用革製品製造業（手袋を除く）** 　工業用革製品製造業（手袋を除く） **革製履物用材料・同附属品製造業** 　革製履物用材料・同附属品製造業 **革製履物製造業** 　革製履物製造業		

—1706—

資　　料

中 分 類	小　　分　　類 細　　分　　類	中 分 類	小　　分　　類 細　　分　　類
	耐火れんが製造業 不定形耐火物製造業 その他の耐火物製造業 **炭素・黒鉛製品製造業** 　炭素質電極製造業 　その他の炭素・黒鉛製品製造業 **研磨材・同製品製造業** 　研磨材製造業 　研削と石製造業 　研磨布紙製造業 　その他の研磨材・同製品製造業 **骨材・石工品等製造業** 　砕石製造業 　再生骨材製造業 　人工骨材製造業 　石工品製造業 　けいそう土・同製品製造業 　鉱物・土石粉砕等処理業 **その他の窯業・土石製品製造業** 　ロックウール・同製品製造業 　石こう（膏）製品製造業 　石灰製造業 　鋳型製造業（中子を含む） 　他に分類されない窯業・土石製品製 　造業		（表面処理鋼材を除く） **表面処理鋼材製造業** 　亜鉛鉄板製造業 　その他の表面処理鋼材製造業 **鉄素形材製造業** 　銑鉄鋳物製造業（鋳鉄管、可鍛鋳鉄 　を除く） 　可鍛鋳鉄製造業 　鋳鋼製造業 　鍛工品製造業 　鍛鋼製造業 **その他の鉄鋼業** 　鉄鋼シャースリット業 　鉄スクラップ加工処理業 　鋳鉄管製造業 　他に分類されない鉄鋼業
鉄　　鋼　　業	**管理、補助的経済活動を行う事業所（鉄 鋼業）** 　主として管理事務を行う本社等 　その他の管理、補助的経済活動を行 　う事業所 **製鉄業** 　高炉による製鉄業 　高炉によらない製鉄業 　フェロアロイ製造業 **製鋼・製鋼圧延業** 　製鋼・製鋼圧延業 **製鋼を行わない鋼材製造業（表面処理 鋼材を除く）** 　熱間圧延業（鋼管、伸鉄を除く） 　冷間圧延業（鋼管、伸鉄を除く） 　冷間ロール成型形鋼製造業 　鋼管製造業 　伸鉄業 　磨棒鋼製造業 　引抜鋼管製造業 　伸線業 　その他の製鋼を行わない鋼材製造業	非 鉄 金 属 製 造業	**管理、補助的経済活動を行う事業所（非 鉄金属製造業）** 　主として管理事務を行う本社等 　その他の管理、補助的経済活動を行 　う事業所 **非鉄金属第1次製錬・精製業** 　銅第1次製錬・精製業 　亜鉛第1次製錬・精製業 　その他の非鉄金属第1次製錬・精製 　業 **非鉄金属第2次製錬・精製業（非鉄金 属合金製造業を含む）** 　鉛第2次製錬・精製業（鉛合金製造 　業を含む） 　アルミニウム第2次製錬・精製業 　（アルミニウム合金製造業を含む） 　その他の非鉄金属第2次製錬・精製 　業（非鉄金属合金製造業を含む） **非鉄金属・同合金圧延業（抽伸、押出 しを含む）** 　伸銅品製造業 　アルミニウム・同合金圧延業（抽伸、 　押出しを含む） 　その他の非鉄金属・同合金圧延業（抽 　伸、押出しを含む） **電線・ケーブル製造業** 　電線・ケーブル製造業（光ファイバ 　ケーブルを除く） 　光ファイバケーブル製造業（通信複 　合ケーブルを含む） **非鉄金属素形材製造業**

中 分 類	小 分 類 細 分 類	中 分 類	小 分 類 細 分 類
金属製品製 造業	銅・同合金鋳物製造業（ダイカストを除く）		ア、建築用金物を除く） 製缶板金業
	非鉄金属鋳物製造業（銅・同合金鋳物及びダイカストを除く）		**金属素形材製品製造業** 　アルミニウム・同合金プレス製品製造業
	アルミニウム・同合金ダイカスト製造業		金属プレス製品製造業（アルミニウム・同合金を除く）
	非鉄金属ダイカスト製造業（アルミニウム・同合金ダイカストを除く）		粉末や金製品製造業
	非鉄金属鍛造品製造業		**金属被覆・彫刻業、熱処理業（ほうろう鉄器を除く）**
	その他の非鉄金属製造業		金属製品塗装業
	核燃料製造業		溶融めっき業（表面処理鋼材製造業を除く）
	他に分類されない非鉄金属製造業		金属彫刻業
	管理、補助的経済活動を行う事業所（金属製品製造業）		電気めっき業（表面処理鋼材製造業を除く）
	主として管理事務を行う本社等		金属熱処理業
	その他の管理、補助的経済活動を行う事業所		その他の金属表面処理業
	ブリキ缶・その他のめっき板等製品製造業		**金属線製品製造業（ねじ類を除く）**
	ブリキ缶・その他のめっき板等製品製造業		くぎ製造業
	洋食器・刃物・手道具・金物類製造業		その他の金属線製品製造業
	洋食器製造業		**ボルト・ナット・リベット・小ねじ・木ねじ等製造業**
	機械刃物製造業		ボルト・ナット・リベット・小ねじ・木ねじ等製造業
	利器工匠具・手道具製造業		**その他の金属製品製造業**
	（やすり、のこぎり、食卓用刃物を除く）		金庫製造業
	作業工具製造業		金属製スプリング製造業
	手引のこぎり・のこ刃製造業		他に分類されない金属製品製造業
	農業用器具製造業（農業用機械を除く）	はん用機械 器具製造業	**管理、補助的経済活動を行う事業所（はん用機械器具製造業）**
	その他の金物類製造業		主として管理事務を行う本社等
	暖房装置・調理等装置、配管工事用附属品製造業		その他の管理、補助的経済活動を行う事業所
	配管工事用附属品製造業		**ボイラ・原動機製造業**
	（バルブ、コックを除く）		ボイラ製造業
	ガス機器・石油機器製造業		蒸気機関・タービン・水力タービン製造業（舶用を除く）
	温風・温水暖房装置製造業		はん用内燃機関製造業
	その他の暖房・調理装置製造業（電気機械器具、ガス機器、石油機器を除く）		その他の原動機製造業
	建設用・建築用金属製品製造業（製缶板金業を含む）		**ポンプ・圧縮機器製造業** 　ポンプ・同装置製造業
	鉄骨製造業		空気圧縮機・ガス圧縮機・送風機製造業
	建設用金属製品製造業（鉄骨を除く）		油圧・空圧機器製造業
	金属製サッシ・ドア製造業		**一般産業用機械・装置製造業**
	鉄骨系プレハブ住宅製造業		動力伝導装置製造業（玉軸受、ころ
	建築用金属製品製造業（サッシ、ド		

資　料

中分類	小　　分　　類 細　　分　　類	中分類	小　　分　　類 細　　分　　類
生産用機械器具製造業	軸受を除く） エレベータ・エスカレータ製造業 物流運搬設備製造業 工業窯炉製造業燃焼炉 冷凍機・温湿調整装置製造業 **その他のはん用機械・同部分品製造業** 　消火器具・消火装置製造業 　弁・同附属品製造業 　パイプ加工・パイプ附属品加工業 　玉軸受・ころ軸受製造業 　ピストンリング製造業 　他に分類されないはん用機械・装置 　製造業 　各種機械・同部分品製造修理業（注 　文製造・修理） **管理、補助的経済活動を行う事業所（生産用機械器具製造業）** 　主として管理事務を行う本社等 　その他の管理、補助的経済活動を行 　う事業所 **農業用機械製造業（農業用器具を除く）** 　農業用機械製造業（農業用器具を除 　く） **建設機械・鉱山機械製造業** 　建設機械・鉱山機械製造業 **繊維機械製造業** 　化学繊維機械・紡績機械製造業 　製織機械・編組機械製造業 　染色整理仕上機械製造業 　繊維機械部分品・取付具・附属品製 　造業 　縫製機械製造業 **生活関連産業用機械製造業** 　食品機械・同装置製造業 　木材加工機械製造業 　パルプ装置・製紙機械製造業 　印刷・製本・紙工機械製造業 　包装・荷造機械製造業 **基礎素材産業用機械製造業** 　鋳造装置製造業 　化学機械・同装置製造業 　プラスチック加工機械・同附属装置 　製造業 **金属加工機械製造業** 　金属工作機械製造業 　金属加工機械製造業（金属工作機械 　を除く）	業務用機械器具製造業	金属工作機械用・金属加工機械用部 　分品・附属品製造業（機械工具、金 　型を除く） 　機械工具製造業（粉末や金業を除く） **半導体・フラットパネルディスプレイ製造装置製造業** 　半導体製造装置製造業 　フラットパネルディスプレイ製造装 　置製造業 **その他の生産用機械・同部分品製造業** 　金属用金型・同部分品・附属品製造 　業 　非金属用金型・同部分品・附属品製 　造業 　真空装置・真空機器製造業 　ロボット製造業 　他に分類されない生産用機械・同部 　分品製造業 **管理、補助的経済活動を行う事業所（業務用機械器具製造業）** 　主として管理事務を行う本社等 　その他の管理、補助的経済活動を行 　う事業所 **事務用機械器具製造業** 　複写機製造業 　その他の事務用機械器具製造業 **サービス用・娯楽用機械器具製造業** 　サービス用機械器具製造業 　娯楽用機械製造業 　自動販売機製造業 　その他のサービス用・娯楽用機械器 　具製造業 **計量器・測定器・分析機器・試験機・測量機械器具・理化学機械器具製造業** 　体積計製造業 　はかり製造業 　圧力計・流量計・液面計等製造業 　精密測定器製造業 　分析機器製造業 　試験機製造業 　測量機械器具製造業 　理化学機械器具製造業 　その他の計量器・測定器・分析機器・ 　試験機・測量機械器具・理化学機械 　器具製造業 **医療用機械器具・医療用品製造業** 　医療用機械器具製造業

第九編　財産の評価

中 分 類	小　　分　　類 細　　分　　類	中 分 類	小　　分　　類 細　　分　　類
	歯科用機械器具製造業 医療用品製造業（動物用医療機械器具を含む） 歯科材料製造業 **光学機械器具・レンズ製造業** 　顕微鏡・望遠鏡等製造業 　写真機・映画用機械・同附属品製造業 　光学機械用レンズ・プリズム製造業 **武器製造業** 　武器製造業		その他の管理、補助的経済活動を行う事業所 **発電用・送電用・配電用電気機械器具製造業** 　発電機・電動機・その他の回転電気機械製造業 　変圧器類製造業（電子機器用を除く） 　電力開閉装置製造業 　配電盤・電力制御装置製造業 　配線具・配線附属品製造業
電子部品・デバイス・電子回路製造業	**管理、補助的経済活動を行う事業所（電子部品・デバイス・電子回路製造業）** 　主として管理事務を行う本社等 　その他の管理、補助的経済活動を行う事業所 **電子デバイス製造業** 　電子管製造業 　光電変換素子製造業 　半導体素子製造業（光電変換素子を除く） 　集積回路製造業 　液晶パネル・フラットパネル製造業 **電子部品製造業** 　抵抗器・コンデンサ・変成器・複合部品製造業 　音響部品・磁気ヘッド・小形モーター製造業 　コネクタ・スイッチ・リレー製造業 **記録メディア製造業** 　半導体メモリメディア製造業 　光ディスク・磁気ディスク・磁気テープ製造業 **電子回路製造業** 　電子回路基板製造業 　電子回路実装基板製造業 **ユニット部品製造業** 　電源ユニット・高周波ユニット・コントロールユニット製造業 　その他のユニット部品製造業 **その他の電子部品・デバイス・電子回路製造業** 　その他の電子部品・デバイス・電子回路製造業		**産業用電気機械器具製造業** 　電気溶接機製造業 　内燃機関電装品製造業 　電気炉・電熱装置製造業 　その他の産業用電気機械器具製造業（車両用、船舶用を含む） **民生用電気機械器具製造業** 　ちゅう房機器製造業 　空調・住宅関連機器製造業 　衣料衛生関連機器製造業 　その他の民生用電気機械器具製造業 **電球・電気照明器具製造業** 　電球製造業 　電気照明器具製造業 **電池製造業** 　蓄電池製造業 　一次電池（乾電池、湿電池）製造業 **電子応用装置製造業** 　X線装置製造業 　医療用電子応用装置製造業 　その他の電子応用装置製造業 **電気計測器製造業** 　電気計測器製造業（別掲を除く） 　工業計器製造業 　医療用計測器製造業 **その他の電気機械器具製造業** 　その他の電気機械器具製造業
電 気 機 械 器 具 製 造 業	**管理、補助的経済活動を行う事業所（電気機械器具製造業）** 　主として管理事務を行う本社等	情 報 通 信 機 械 器 具 製 造 業	**管理、補助的経済活動を行う事業所（情報通信機械器具製造業）** 　主として管理事務を行う本社等 　その他の管理、補助的経済活動を行う事業所 **通信機械器具・同関連機械器具製造業** 　有線通信機械器具製造業 　スマートフォン・携帯電話機・PHS電話機製造業 　無線通信機械器具製造業

-1710-

中 分 類	小 分 類 細 分 類	中 分 類	小 分 類 細 分 類
輸送用機械器具製造業	ラジオ受信機・テレビジョン受信機製造業 交通信号保安装置製造業 その他の通信機械器具・同関連機械器具製造業 **映像・音響機械器具製造業** ビデオ機器製造業 デジタルカメラ製造業 電気音響機械器具製造業 **電子計算機・同附属装置製造業** 電子計算機製造業(パーソナルコンピュータを除く) パーソナルコンピュータ製造業 外部記憶装置製造業 印刷装置製造業 表示装置製造業 その他の附属装置製造業 **管理、補助的経済活動を行う事業所(輸送用機械器具製造業)** 主として管理事務を行う本社等 その他の管理、補助的経済活動を行う事業所 **自動車・同附属品製造業** 自動車製造業（二輪自動車を含む) 自動車車体・付随車製造業 自動車部分品・附属品製造業 **鉄道車両・同部分品製造業** 鉄道車両製造業 鉄道車両用部分品製造業 **船舶製造・修理業、舶用機関製造業** 船舶製造・修理業 船体ブロック製造業 舟艇製造・修理業 舶用機関製造業 **航空機・同附属品製造業** 航空機製造業 航空機用原動機製造業 その他の航空機部分品・補助装置製造業 **産業用運搬車両・同部分品・附属品製造業** フォークリフトトラック・同部分品・附属品製造業 その他の産業用運搬車両・同部分品・附属品製造業 **その他の輸送用機械器具製造業** 自転車・同部分品製造業	その他の製造業	他に分類されない輸送用機械器具製造業 **管理、補助的経済活動を行う事業所(その他の製造業)** 主として管理事務を行う本社等 その他の管理、補助的経済活動を行う事業所 **貴金属・宝石製品製造業** 貴金属・宝石製装身具(ジュエリー)製品製造業 貴金属・宝石製装身具(ジュエリー)附属品・同材料加工業 その他の貴金属製品製造業 **装身具・装飾品・ボタン・同関連品製造業（貴金属・宝石製を除く）** 装身具・装飾品製造業（貴金属・宝石製を除く) 造花・装飾用羽毛製造業 ボタン製造業 針・ピン・ホック・スナップ・同関連品製造業 その他の装身具・装飾品製造業 **時計・同部分品製造業** 時計・同部分品製造業 **楽器製造業** ピアノ製造業 その他の楽器・楽器部品・同材料製造業 **がん具・運動用具製造業** 娯楽用具・がん具製造業（人形を除く) 人形製造業 運動用具製造業 **ペン・鉛筆・絵画用品・その他の事務用品製造業** 万年筆・ペン類・鉛筆製造業 毛筆・絵画用品製造業(鉛筆を除く) その他の事務用品製造業 **漆器製造業** 漆器製造業 **畳等生活雑貨製品製造業** 麦わら・パナマ類帽子・わら工品製造業 畳製造業 うちわ・扇子・ちょうちん製造業 ほうき・ブラシ製造業 喫煙用具製造業（貴金属・宝石製を

第九編　財産の評価

中 分 類	小　　分　　類 細　　　分　　　類	中 分 類	小　　分　　類 細　　　分　　　類
	除く） 　その他の生活雑貨製品製造業 **他に分類されない製造業** 　煙火製造業 　看板・標識機製造業 　パレット製造業		モデル・模型製造業 　工業用模型製造業 　情報記録物製造業（新聞、書籍等の 　印刷物を除く） 　眼鏡製造業（枠を含む） 　他に分類されないその他の製造業

大分類──電気・ガス・熱供給・水道業

中 分 類	小　　分　　類 細　　　分　　　類	中 分 類	小　　分　　類 細　　　分　　　類
電 気 業	**管理、補助的経済活動を行う事業所（電気業）** 　主として管理事務を行う本社等 　その他の管理、補助的経済活動を行 　う事業所 **電気業** 　発電業 　送配電業 　電気小売業 　電気卸供給業	熱 供 給 業	**管理、補助的経済活動を行う事業所（熱供給業）** 　主として管理事務を行う本社等 　その他の管理、補助的経済活動を行 　う事業所 **熱供給業** 　熱供給業
ガ ス 業	**管理、補助的経済活動を行う事業所（ガス業）** 　主として管理事務を行う本社等 　その他の管理、補助的経済活動を行 　う事業所 **ガス業** 　ガス製造業 　ガス導管業 　ガス小売業	水 道 業	**管理、補助的経済活動を行う事業所（水道業）** 　主として管理事務を行う本社等 　その他の管理、補助的経済活動を行 　う事業所 **上水道業** 　上水道業 **工業用水道業** 　工業用水道業 **下水道業** 　下水道処理施設維持管理業 　下水道管路施設維持管理業

大分類──情報通信業

中 分 類	小　　分　　類 細　　　分　　　類	中 分 類	小　　分　　類 細　　　分　　　類
通 信 業	**管理、補助的経済活動を行う事業所（通信業）** 　主として管理事務を行う本社等 　その他の管理、補助的経済活動を行 　う事業所 **固定電気通信業** 　地域電気通信業（有線放送電話業を 　除く） 　長距離電気通信業 　有線放送電話業 　その他の固定電気通信業	放 送 業	**移動電気通信業** 　移動電気通信業 **電気通信に附帯するサービス業** 　電気通信に附帯するサービス業 **管理、補助的経済活動を行う事業所（放送業）** 　主として管理事務を行う本社等 　その他の管理、補助的経済活動を行 　う事業所 **公共放送業（有線放送業を除く）** 　公共放送業（有線放送業を除く）

−1712−

資　料

中 分 類	小　　　分　　　類 細　　分　　　類	中 分 類	小　　　分　　　類 細　　分　　　類
情報サービス業	**民間放送業（有線放送業を除く）** 　テレビジョン放送業（衛星放送業を除く） 　ラジオ放送業（衛星放送業を除く） 　衛星放送業 　その他の民間放送業 **有線放送業** 　有線テレビジョン放送業 　有線ラジオ放送業 **管理、補助的経済活動を行う事業所（情報サービス業）** 　主として管理事務を行う本社等 　その他の管理、補助的経済活動を行う事業所 **ソフトウェア業** 　受託開発ソフトウェア業 　組込みソフトウェア業 　パッケージソフトウェア業 　ゲームソフトウェア業 **情報処理・提供サービス業** 　情報処理サービス業 　情報提供サービス業 　市場調査・世論調査・社会調査業 　その他の情報処理・提供サービス業	映像・音声・文字情報制作業	アプリケーション・サービス・コンテンツ・プロバイダ 　インターネット利用サポート業 **管理、補助的経済活動を行う事業所（映像・音声・文字情報制作業）** 　主として管理事務を行う本社等 　その他の管理、補助的経済活動を行う事業所 **映像情報制作・配給業** 　映画・ビデオ制作業（テレビジョン番組制作業、アニメーション制作業を除く） 　テレビジョン番組制作業（アニメーション制作業を除く） 　アニメーション制作業 　映画・ビデオ・テレビジョン番組配給業 **音声情報制作業** 　レコード制作業 　ラジオ番組制作業 **新聞業** 　新聞業 **出版業** 　出版業 **広告制作業** 　広告制作業
インターネット附随サービス業	**管理、補助的経済活動を行う事業所（インターネット附随サービス業）** 　主として管理事務を行う本社等 　その他の管理、補助的経済活動を行う事業所 **インターネット附随サービス業** 　ポータルサイト・サーバ運営業		**映像・音声・文字情報制作に附帯するサービス業** 　ニュース供給業 　その他の映像・音声・文字情報制作に附帯するサービス業

大分類──**運輸業、郵便業**

中 分 類	小　　　分　　　類 細　　分　　　類	中 分 類	小　　　分　　　類 細　　分　　　類
鉄　道　業	**管理、補助的経済活動を行う事業所（鉄道業）** 　主として管理事務を行う本社等 　その他の管理、補助的経済活動を行う事業所 **鉄道業** 　普通鉄道業 　軌道業 　地下鉄道業 　モノレール鉄道業（地下鉄道業を除く）	道路旅客運送業	案内軌条式鉄道業（地下鉄道業を除く） 　鋼索鉄道業 　索道業 　その他の鉄道業 **管理、補助的経済活動を行う事業所（道路旅客運送業）** 　主として管理事務を行う本社等 　その他の管理、補助的経済活動を行う事業所 **一般乗合旅客自動車運送業**

第九編　財産の評価

中分類	小分類／細分類
	一般乗合旅客自動車運送業
	一般乗用旅客自動車運送業
	一般乗用旅客自動車運送業
	一般貸切旅客自動車運送業
	一般貸切旅客自動車運送業
	その他の道路旅客運送業
	特定旅客自動車運送業
	他に分類されない道路旅客運送業
道路貨物運送業	**管理、補助的経済活動を行う事業所(道路貨物運送業)**
	主として管理事務を行う本社等
	その他の管理、補助的経済活動を行う事業所
	一般貨物自動車運送業
	一般貨物自動車運送業（特別積合せ貨物運送業を除く）
	特別積合せ貨物運送業
	特定貨物自動車運送業
	特定貨物自動車運送業
	貨物軽自動車運送業
	貨物軽自動車運送業
	集配利用運送業
	集配利用運送業
	その他の道路貨物運送業
	その他の道路貨物運送業
水運業	**管理、補助的経済活動を行う事業所(水運業)**
	主として管理事務を行う本社等
	その他の管理、補助的経済活動を行う事業所
	外航海運業
	外航旅客海運業
	外航貨物海運業
	沿海海運業
	沿海旅客海運業
	沿海貨物海運業
	内陸水運業
	港湾旅客海運業
	河川水運業
	湖沼水運業
	船舶貸渡業
	船舶貸渡業（内航船舶貸渡業を除く）
	内航船舶貸渡業
航空運輸業	**管理、補助的経済活動を行う事業所(航空運輸業)**
	主として管理事務を行う本社等
	その他の管理、補助的経済活動を行う

中分類	小分類／細分類
	う事業所
	航空運送業
	航空運送業
	航空機使用業（航空運送業を除く）
	航空機使用業（航空運送業を除く）
倉庫業	**管理、補助的経済活動を行う事業所(倉庫業)**
	主として管理事務を行う本社等
	その他の管理、補助的経済活動を行う事業所
	倉庫業（冷蔵倉庫業を除く）
	倉庫業（冷蔵倉庫業を除く）
	冷蔵倉庫業
	冷蔵倉庫業
運輸に附帯するサービス業	**管理、補助的経済活動を行う事業所(運輸に附帯するサービス業)**
	主として管理事務を行う本社等
	その他の管理、補助的経済活動を行う事業所
	港湾運送業
	港湾運送業
	貨物運送取扱業（集配利用運送業を除く）
	利用運送業（集配利用運送業を除く）
	運送取次業
	運送代理店
	運送代理店
	こん包業
	こん包業（組立こん包業を除く）
	組立こん包業
	運輸施設提供業
	鉄道施設提供業
	道路運送固定施設業
	自動車ターミナル業
	貨物荷扱固定施設業
	桟橋泊きょ業
	飛行場業
	その他の運輸に附帯するサービス業
	海運仲立業
	レッカー・ロードサービス業
	他に分類されない運輸に附帯するサービス業
郵便業（信書便事業を含む）	**管理、補助的経済活動を行う事業所(郵便業)**
	管理、補助的経済活動を行う事業所
	郵便業（信書便事業を含む）
	郵便業（信書便事業を含む）

資　料

大分類——卸売業、小売業

中分類	小　　分　　類 細　　分　　類	中分類	小　　分　　類 細　　分　　類
各種商品卸売業	**管理、補助的経済活動を行う事業所（各種商品卸売業）** 　主として管理事務を行う本社等 　自家用倉庫 　その他の管理、補助的経済活動を行う事業所 **各種商品卸売業** 　各種商品卸売業（従業者が常時100人以上のもの） 　その他の各種商品卸売業		その他の農畜産物・水産物卸売業 **食料・飲料卸売業** 　砂糖・味そ・しょう油卸売業 　酒類卸売業 　乾物卸売業 　菓子・パン類卸売業 　飲料卸売業（別掲を除く） 　茶類卸売業 　牛乳・乳製品卸売業 　その他の食料・飲料卸売業
繊維・衣服等卸売業	**管理、補助的経済活動を行う事業所（繊維・衣服等卸売業）** 　主として管理事務を行う本社等 　自家用倉庫 　その他の管理、補助的経済活動を行う事業所 **繊維品卸売業（衣服、身の回り品を除く）** 　繊維原料卸売業 　糸卸売業 　織物卸売業（室内装飾繊維品を除く） **衣服卸売業** 　男子服卸売業 　婦人・子供服卸売業 　下着類卸売業 　その他の衣服卸売業 **身の回り品卸売業** 　寝具類卸売業 　靴・履物卸売業 　かばん・袋物卸売業 　その他の身の回り品卸売業	建築材料、鉱物・金属材料等卸売業	**管理、補助的経済活動を行う事業所（建築材料、鉱物・金属材料等卸売業）** 　主として管理事務を行う本社等 　自家用倉庫 　その他の管理、補助的経済活動を行う事業所 **建築材料卸売業** 　木材・竹材卸売業 　セメント卸売業 　板ガラス卸売業 　建築用金属製品卸売業（建築用金物を除く） 　その他の建築材料卸売業 **化学製品卸売業** 　塗料卸売業 　プラスチック卸売業 　その他の化学製品卸売業 **石油・鉱物卸売業** 　石油卸売業 　鉱物卸売業（石油を除く）
飲食料品卸売業	**管理、補助的経済活動を行う事業所（飲食料品卸売業）** 　主として管理事務を行う本社等 　自家用倉庫 　その他の管理、補助的経済活動を行う事業所 **農畜産物・水産物卸売業** 　米麦卸売業 　雑穀・豆類卸売業 　野菜卸売業 　果実卸売業 　食肉卸売業 　生鮮魚介卸売業		**鉄鋼製品卸売業** 　鉄鋼粗製品卸売業 　鉄鋼一次製品卸売業 　その他の鉄鋼製品卸売業 **非鉄金属卸売業** 　非鉄金属地金卸売業 　非鉄金属製品卸売業 **再生資源卸売業** 　空瓶・空缶等空容器卸売業 　鉄スクラップ卸売業 　非鉄金属スクラップ卸売業 　古紙卸売業 　その他の再生資源卸売業

第九編　財産の評価

中 分 類	小　分　類 細　　分　　類	中 分 類	小　分　類 細　　分　　類
機械器具卸売業	**管理、補助的経済活動を行う事業所（機械器具卸売業）** 　主として管理事務を行う本社等 　自家用倉庫 　その他の管理、補助的経済活動を行う事業所 **産業機械器具卸売業** 　農業用機械器具卸売業 　建設機械・鉱山機械卸売業 　金属加工機械卸売業 　事務用機械器具卸売業 　その他の産業機械器具卸売業 **自動車卸売業** 　自動車卸売業（二輪自動車を含む） 　自動車部品・附属品卸売業（中古品を除く） 　自転車中古部品卸売業 **電気機械器具卸売業** 　家庭用電気機械器具卸売業 　電気機械器具卸売業（家庭用電気機械器具を除く） **その他の機械器具卸売業** 　輸送用機械器具卸売業（自動車を除く） 　計量器・理化学機械器具・光学機械器具等卸売業 　医療用機械器具卸売業（歯科用機械器具を含む）		紙卸売業 　紙製品卸売業 **他に分類されない卸売業** 　金物卸売業 　肥料・飼料卸売業 　スポーツ用品卸売業 　娯楽用品・がん具卸売業 　たばこ卸売業 　ジュエリー製品卸売業 　書籍・雑誌卸売業 　代理商、仲立業 　他に分類されないその他の卸売業
		各種商品小売業	**管理、補助的経済活動を行う事業所（各種商品小売業）** 　主として管理事務を行う本社等 　自家用倉庫 　その他の管理、補助的経済活動を行う事業所 **百貨店** 　百貨店 **総合スーパーマーケット** 　総合スーパーマーケット **コンビニエンスストア** 　コンビニエンスストア **ドラッグストア** 　ドラッグストア **ホームセンター** 　ホームセンター **均一価格店** 　均一価格店 **その他の各種商品小売業** 　その他の各種商品小売業
その他の卸売業	**管理、補助的経済活動を行う事業所（その他の卸売業）** 　主として管理事務を行う本社等 　自家用倉庫 　その他の管理、補助的経済活動を行う事業所 **家具・建具・じゅう器等卸売業** 　家具・建具卸売業 　荒物卸売業 　畳卸売業 　室内装飾繊維品卸売業 　陶磁器・ガラス器卸売業 　その他のじゅう器卸売業 **医薬品・化粧品等卸売業** 　医薬品卸売業 　医療用品卸売業 　化粧品卸売業 　合成洗剤卸売業 **紙・紙製品卸売業**	織物・衣服・身の回り品小売業	**管理、補助的経済活動を行う事業所（織物・衣服・身の回り品小売業）** 　主として管理事務を行う本社等 　自家用倉庫 　その他の管理、補助的経済活動を行う事業所 **呉服・服地・寝具小売業** 　呉服・服地小売業 　寝具小売業 **男子服小売業** 　男子服小売業 **婦人・子供服小売業** 　婦人服小売業 　子供服小売業 **靴・履物小売業**

-1716-

資　料

中 分 類	小　　　分　　　類 細　　　分　　　類	中 分 類	小　　　分　　　類 細　　　分　　　類
飲食料品小売業	靴小売業 履物小売業（靴を除く） **その他の織物・衣服・身の回り品小売業** かばん・袋物小売業 下着類小売業 洋品雑貨・小間物小売業 他に分類されない織物・衣服・身の回り品小売業 **管理、補助的経済活動を行う事業所（飲食料品小売業）** 主として管理事務を行う本社等 自家用倉庫 その他の管理、補助的経済活動を行う事業所 **各種食料品小売業** 食料品スーパーマーケット その他の各種食料品小売業 **野菜・果実小売業** 野菜小売業 果実小売業 **食肉小売業** 食肉小売業（卵、鳥肉を除く） 卵・鳥肉小売業 **鮮魚小売業** 鮮魚小売業 **酒小売業** 酒小売業 **菓子・パン小売業** 菓子小売業（製造小売） 菓子小売業（製造小売でないもの） パン小売業（製造小売） パン小売業（製造小売でないもの） **その他の飲食料品小売業** 牛乳小売業 飲料小売業（別掲を除く） 茶類小売業 料理品小売業 米穀類小売業 豆腐・かまぼこ等加工食品小売業 乾物小売業 他に分類されない飲食料品小売業	その他の小売業	う事業所 **自動車小売業** 自動車（新車）小売業 中古自動車小売業 自動車部分品・附属品小売業 二輪自動車小売業（原動機付自転車を含む） **自転車小売業** 自転車小売業 **機械器具小売業（自動車、自転車を除く）** 電気機械器具小売業（中古品を除く） 電気事務機械器具小売業（中古品を除く） 中古電気製品小売業 その他の機械器具小売業 **管理、補助的経済活動を行う事業所（その他の小売業）** 主として管理事務を行う本社等 自家用倉庫 その他の管理、補助的経済活動を行う事業所 **家具・建具・畳小売業** 家具小売業 建具小売業 畳小売業 宗教用具小売業 **じゅう器小売業** 金物小売業 荒物小売業 陶磁器・ガラス器小売業 他に分類されないじゅう器小売業 **医薬品・化粧品小売業** 医薬品小売業（薬局を除く） 薬局 化粧品小売業 **農耕用品小売業** 農業用機械器具小売業 苗・種子小売業 肥料・飼料小売業 **燃料小売業** ガソリンスタンド 燃料小売業（ガソリンスタンドを除く） **書籍・文房具小売業** 書籍・雑誌小売業（古本を除く） 古本小売業
機械器具小売業	**管理、補助的経済活動を行う事業所（機械器具小売業）** 主として管理事務を行う本社等 自家用倉庫 その他の管理、補助的経済活動を行		

−1717−

第九編　財産の評価

中 分 類	小　　分　　類 細　　　分　　　類	中 分 類	小　　分　　類 細　　　分　　　類
	新聞小売業 紙・文房具小売業 **スポーツ用品・がん具・娯楽用品・楽器小売業** 　スポーツ用品小売業 　がん具・娯楽用品小売業 　楽器小売業 **写真機・時計・眼鏡小売業** 　写真機・写真材料小売業 　時計・眼鏡・光学機械小売業 **他に分類されない小売業** 　たばこ・喫煙具専門小売業 　花・植木小売業 　建築材料小売業 　ジュエリー製品小売業 　ペット・ペット用品小売業 　骨とう品小売業 　中古品小売業（骨とう品を除く）	無店舗小売業	他に分類されないその他の小売業 **管理、補助的経済活動を行う事業所（無店舗小売業）** 　主として管理事務を行う本社等 　自家用倉庫 　その他の管理、補助的経済活動を行う事業所 **通信販売・訪問販売小売業** 　無店舗小売業（各種商品小売） 　無店舗小売業（織物・衣服・身の回り品小売） 　無店舗小売業（飲食料品小売） 　無店舗小売業（機械器具小売） 　無店舗小売業（その他の小売） **自動販売機による小売業** 　自動販売機による小売業 **その他の無店舗小売業** 　その他の無店舗小売業

大分類——**金融業、保険業**

中 分 類	小　　分　　類 細　　　分　　　類	中 分 類	小　　分　　類 細　　　分　　　類
銀　行　業	**管理、補助的経済活動を行う事業所（銀行業）** 　主として管理事務を行う本社等 　その他の管理、補助的経済活動を行う事業所 **中央銀行** 　中央銀行 **銀行（中央銀行を除く）** 　普通銀行 　郵便貯金銀行 　信託銀行 　その他の銀行	貸金業、クレジットカード業等非預金信用機関	信用農業協同組合連合会 　信用漁業協同組合連合会、信用水産加工業協同組合連合会 　農業協同組合 　漁業協同組合、水産加工業協同組合 **管理、補助的経済活動を行う事業所（貸金業、クレジットカード業等非預金信用機関）** 　主として管理事務を行う本社等 　その他の管理、補助的経済活動を行う事業所 **貸金業** 　消費者向け貸金業 　事業者向け貸金業 **質屋** 　質屋
協同組織金融業	**管理、補助的経済活動を行う事業所（協同組織金融業）** 　主として管理事務を行う本社等 　その他の管理、補助的経済活動を行う事業所 **中小企業等金融業** 　信用金庫・同連合会 　信用協同組合・同連合会 　商工組合中央金庫 　労働金庫・同連合会 **農林水産金融業** 　農林中央金庫		**クレジットカード業、割賦金融業** 　クレジットカード業 　割賦金融業 **その他の非預金信用機関** 　政府関係金融機関 　住宅専門金融業 　証券金融業 　他に分類されない非預金信用機関

—1718—

資　料

中 分 類	小　　　分　　　類 細　　　分　　　類	中 分 類	小　　　分　　　類 細　　　分　　　類
金融商品取引業、商品先物取引業	**管理、補助的経済活動を行う事業所（金融商品取引業、商品先物取引業）** 　主として管理事務を行う本社等 　その他の管理、補助的経済活動を行う事業所 **金融商品取引業** 　金融商品取引業（投資助言・代理・運用業、補助的金融商品取引業を除く） 　投資助言・代理業 　投資運用業 　補助的金融商品取引業 **商品先物取引業、商品投資顧問業** 　商品先物取引業 　商品投資顧問業 　その他の商品先物取引業、商品投資顧問業	保険業（保険媒介代理業、保険サービス業を含む）	**金融代理業** 　金融商品仲介業 　信託契約代理業 　その他の金融代理業 **管理、補助的経済活動を行う事業所（保険業）** 　主として管理事務を行う本社等 　その他の管理、補助的経済活動を行う事業所 **生命保険業** 　生命保険業（郵便保険業、生命保険再保険業を除く） 　郵便保険業 　生命保険再保険業 　その他の生命保険業 **損害保険業** 　損害保険業（損害保険再保険業を除く） 　損害保険再保険業 　その他の損害保険業
補助的金融業等	**管理、補助的経済活動を行う事業所（補助的金融業等）** 　主として管理事務を行う本社等 　その他の管理、補助的経済活動を行う事業所 **補助的金融業、金融附帯業** 　短資業 　手形交換所 　両替業 　信用保証機関 　信用保証再保険機関 　預・貯金等保険機関 　金融商品取引所 　商品取引所 　その他の補助的金融業、金融附帯業 **信託業** 　運用型信託業 　管理型信託業		**共済事業、少額短期保険業** 　共済事業（各種災害補償法によるもの） 　共済事業（各種協同組合法等によるもの） 　少額短期保険業 **保険媒介代理業** 　生命保険媒介業 　損害保険代理業 　共済事業媒介代理業・少額短期保険代理業 **保険サービス業** 　保険料率算出団体 　損害査定業 　その他の保険サービス業

大分類──**不動産業、物品賃貸業**

中 分 類	小　　　分　　　類 細　　　分　　　類	中 分 類	小　　　分　　　類 細　　　分　　　類
不動産取引業	**管理、補助的経済活動を行う事業所（不動産取引業）** 　主として管理事務を行う本社等 　その他の管理、補助的経済活動を行う事業所 **建物売買業、土地売買業**		建物売買業 　土地売買業 **不動産代理業・仲介業** 　不動産代理業・仲介業
		不動産賃貸業・管理業	**管理、補助的経済活動を行う事業所（不動産賃貸業・管理業）**

−1719−

第九編　財産の評価

中 分 類	小　　　分　　　類 細　　分　　類	中 分 類	小　　　分　　　類 細　　分　　類
	主として管理事務を行う本社等		総合リース業
	その他の管理、補助的経済活動を行う事業所		その他の各種物品賃貸業
	不動産賃貸業（貸家業、貸間業を除く）		**産業用機械器具賃貸業**
	貸事務所業		産業用機械器具賃貸業（建設機械器具を除く）
	土地賃貸業		建設機械器具賃貸業
	その他の不動産賃貸業		**事務用機械器具賃貸業**
	貸家業、貸間業		事務用機械器具賃貸業（電子計算機を除く）
	貸家業		電子計算機・同関連機器賃貸業
	貸間業		**自動車賃貸業**
	駐車場業		自動車賃貸業
	駐車場業		**スポーツ・娯楽用品賃貸業**
	不動産管理業		スポーツ・娯楽用品賃貸業
	不動産管理業		**その他の物品賃貸業**
物品賃貸業	**管理、補助的経済活動を行う事業所（物品賃貸業）**		映画・演劇用品賃貸業
	主として管理事務を行う本社等		音楽・映像記録物賃貸業（別掲を除く）
	その他の管理、補助的経済活動を行う事業所		貸衣しょう業（別掲を除く）
	各種物品賃貸業		他に分類されない物品賃貸業

大分類──**学術研究、専門・技術サービス業**

中 分 類	小　　　分　　　類 細　　分　　類	中 分 類	小　　　分　　　類 細　　分　　類
学術・開発研究機関	**管理、補助的経済活動を行う事業所（学術・開発研究機関）**		**公認会計士事務所、税理士事務所**
	管理、補助的経済活動を行う事業所		公認会計士事務所
	自然科学研究所		税理士事務所
	理学研究所		**社会保険労務士事務所**
	工学研究所		社会保険労務士事務所
	農学研究所		**デザイン業**
	医学・薬学研究所		デザイン業
	人文・社会科学研究所		**著述・芸術家業**
	人文・社会科学研究所		著述家業
専門サービス業（他に分類されないもの）	**管理、補助的経済活動を行う事業所（専門サービス業）**		芸術家業
			経営コンサルタント業、純粋持株会社
	管理、補助的経済活動を行う事業所		経営コンサルタント業
	法律事務所、特許事務所		純粋持株会社
	法律事務所		**その他の専門サービス業**
	特許事務所		興信所
	公証人役場、司法書士事務所、土地家屋調査士事務所		翻訳業（著述家業を除く）
			通訳業、通訳案内業
	公証人役場、司法書士事務所		不動産鑑定業
	土地家屋調査士事務所		他に分類されない専門サービス業
	行政書士事務所	広 告 業	**管理、補助的経済活動を行う事業所（広告業）**
	行政書士事務所		主として管理事務を行う本社等

－1720－

中 分 類	小 分 類 / 細 分 類	中 分 類	小 分 類 / 細 分 類
技術サービス業（他に分類されないもの）	その他の管理、補助的経済活動を行う事業所 **広告業** 　広告業 **管理、補助的経済活動を行う事業所（技術サービス業）** 　管理、補助的経済活動を行う事業所 **獣医業** 　獣医業 **土木建築サービス業** 　建築設計業 　測量業 　その他の土木建築サービス業 **機械設計業**		機械設計業 **商品・非破壊検査業** 　商品検査業 　非破壊検査業 **計量証明業** 　一般計量証明業 　環境計量証明業 　その他の計量証明業 **写真業** 　写真業（商業写真業を除く） 　商業写真業 **その他の技術サービス業** 　その他の技術サービス業

大分類——**宿泊業、飲食サービス業**

中 分 類	小 分 類 / 細 分 類	中 分 類	小 分 類 / 細 分 類
宿　泊　業	**管理、補助的経済活動を行う事業所（宿泊業）** 　主として管理事務を行う本社等 　その他の管理、補助的経済活動を行う事業所 **旅館、ホテル** 　旅館、ホテル **簡易宿所** 　簡易宿所 **下宿業** 　下宿業 **その他の宿泊業** 　会社・団体の宿泊所 　リゾートクラブ 　他に分類されない宿泊業		焼肉店 　その他の専門料理店 **そば・うどん店** 　そば・うどん店 **すし店** 　すし店 **酒場、ビヤホール** 　酒場、ビヤホール **バー、キャバレー、ナイトクラブ** 　バー、キャバレー、ナイトクラブ **喫茶店** 　喫茶店 **その他の飲食店** 　ハンバーガー店 　お好み焼・焼きそば・たこ焼店 　他に分類されないその他の飲食店
飲　食　店	**管理、補助的経済活動を行う事業所（飲食店）** 　主として管理事務を行う本社等 　その他の管理、補助的経済活動を行う事業所 **食堂、レストラン（専門料理店を除く）** 　食堂、レストラン（専門料理店を除く） **専門料理店** 　日本料理店 　料亭 　中華料理店 　ラーメン店	持ち帰り・配達飲食サービス業	**管理、補助的経済活動を行う事業所（持ち帰り・配達飲食サービス業）** 　主として管理事務を行う本社等 　その他の管理、補助的経済活動を行う事業所 **持ち帰り飲食サービス業** 　持ち帰り飲食サービス業 **配達飲食サービス業** 　配達飲食サービス業 **施設給食業** 　施設給食業

大分類――生活関連サービス業、娯楽業

中 分 類	小 分 類 細 分 類	中 分 類	小 分 類 細 分 類
洗濯・理容・ 美容・浴場業	**管理、補助的経済活動を行う事業所（洗濯・理容・美容・浴場業）** 　主として管理事務を行う本社等 　その他の管理、補助的経済活動を行う事業所 **洗濯業** 　普通洗濯業 　洗濯物取次業 　リネンサプライ業 **理容業** 　理容業 **美容業** 　美容業 **一般公衆浴場業** 　一般公衆浴場業 **その他の公衆浴場業** 　その他の公衆浴場業 **その他の洗濯・理容・美容・浴場業** 　洗張・染物業 　エステティック業 　リラクゼーション業（手技を用いるもので医業類似行為を除く） 　ネイルサービス業 　他に分類されない洗濯・理容・美容・浴場業		葬儀業 　結婚式場業 　冠婚葬祭互助会 **他に分類されない生活関連サービス業** 　食品賃加工業 　結婚相談業、結婚式場紹介業 　写真プリント、現像・焼付業 　他に分類されないその他の生活関連サービス業
		娯　楽　業	**管理、補助的経済活動を行う事業所（娯楽業）** 　主として管理事務を行う本社等 　その他の管理、補助的経済活動を行う事業所 **映画館** 　映画館 **興行場（別掲を除く）、興行団** 　劇場 　興行場 　劇団 　楽団、舞踏団 　演芸・スポーツ等興行団 **競輪・競馬等の競走場、競技団** 　競輪場 　競馬場 　自動車・モーターボートの競走場 　競輪競技団 　競馬競技団 　自動車・モーターボートの競技団
その他の生活関連サービス業	**管理、補助的経済活動を行う事業所（その他の生活関連サービス業）** 　主として管理事務を行う本社等 　その他の管理、補助的経済活動を行う事業所 **旅行業** 　旅行業（旅行業者代理業を除く） 　旅行業者代理業 **家事サービス業** 　家事サービス業（住込みのもの） 　家事サービス業（住込みでないもの） **衣服裁縫修理業** 　衣服裁縫修理業 **物品預り業** 　物品預り業 **火葬・墓地管理業** 　火葬業 　墓地管理業 **冠婚葬祭業**		**スポーツ施設提供業** 　スポーツ施設提供業（別掲を除く） 　体育館 　ゴルフ場 　ゴルフ練習場 　ボウリング場 　テニス場 　バッティング・テニス練習場 　フィットネスクラブ **公園、遊園地** 　公園 　遊園地（テーマパークを除く） 　テーマパーク **遊戯場** 　ビリヤード場

資　料

中 分 類	小　　　分　　　類 細　　　分　　　類	中 分 類	小　　　分　　　類 細　　　分　　　類
	囲碁・将棋所 マージャンクラブ パチンコホール ゲームセンター その他の遊戯場 **その他の娯楽業** 　ダンスホール		マリーナ業 遊漁船業 芸ぎ業 カラオケボックス業 娯楽に附帯するサービス業 他に分類されない娯楽業

大分類──**教育、学習支援業**

中 分 類	小　　　分　　　類 細　　　分　　　類	中 分 類	小　　　分　　　類 細　　　分　　　類
学 校 教 育	**管理、補助的経済活動を行う事業所（学校教育）** 　管理、補助的経済活動を行う事業所 **幼稚園** 　幼稚園 **小学校** 　小学校 **中学校、義務教育学校** 　中学校 　義務教育学校 **高等学校、中等教育学校** 　高等学校 　中等教育学校 **特別支援学校** 　特別支援学校 **高等教育機関** 　大学 　短期大学 　高等専門学校 **専修学校、各種学校** 　専修学校 　各種学校 **学校教育支援機関** 　高等教育機関の支援機関 **幼保連携型認定こども園** 　幼保連携型認定こども園	業	主として管理事務を行う本社等 　その他の管理、補助的経済活動を行う事業所 **社会教育** 　公民館 　図書館 　博物館、美術館 　動物園、植物園、水族館 　青少年教育施設 　社会通信教育 　その他の社会教育 **職業・教育支援施設** 　職員教育施設・支援業 　職業訓練施設 　その他の職業・教育支援施設 **学習塾** 　学習塾 **教養・技能教授業** 　音楽教授業 　書道教授業 　生花・茶道教授業 　そろばん教授業 　外国語会話教授業 　スポーツ・健康教授業 　その他の教養・技能教授業
その他の教育、学習支援	**管理、補助的経済活動を行う事業所（その他の教育、学習支援業）**		**他に分類されない教育、学習支援業** 　他に分類されない教育、学習支援業

大分類──**医療、福祉**

中 分 類	小　　　分　　　類 細　　　分　　　類	中 分 類	小　　　分　　　類 細　　　分　　　類
医 療 業	**管理、補助的経済活動を行う事業所（医療業）**		主として管理事務を行う本社等 　その他の管理、補助的経済活動を行

第九編　財産の評価

中 分 類	小　　分　　類 細　　分　　類	中 分 類	小　　分　　類 細　　分　　類
保 健 衛 生	う事業所 **病院** 　一般病院 　精神科病院 **一般診療所** 　有床診療所 　無床診療所 **歯科診療所** 　歯科診療所 **助産・看護業** 　助産所 　看護業 **施術業** 　あん摩マッサージ指圧師・はり師・ 　きゅう師・柔道整復師の施術所 　療術業 **医療に附帯するサービス業** 　歯科技工所 　その他の医療に附帯するサービス業 **管理、補助的経済活動を行う事業所（保 健衛生）** 　主として管理事務を行う本社等 　その他の管理、補助的経済活動を行 　う事業所 **保健所** 　保健所 **健康相談施設** 　結核健康相談施設 　精神保健相談施設 　母子健康相談施設 　その他の健康相談施設 **その他の保健衛生** 　検疫所（動物検疫所、植物防疫所を	社会保険・社 会福祉・介護 事業	除く） 　検査業 　他に分類されない保健衛生 **管理、補助的経済活動を行う事業所（社 会保険・社会福祉・介護事業）** 　主として管理事務を行う本社等 　その他の管理、補助的経済活動を行 　う事業所 **社会保険事業団体** 　社会保険事業団体 **福祉事務所** 　福祉事務所 **児童福祉事業** 　保育所 　その他の児童福祉事業 **老人福祉・介護事業** 　特別養護老人ホーム 　介護老人保健施設 　介護医療院 　通所・短期入所介護事業 　訪問介護事業 　認知症老人グループホーム 　有料老人ホーム 　その他の老人福祉・介護事業 **障害者福祉事業** 　居住支援事業 　その他の障害者福祉事業 **その他の社会保険・社会福祉・介護事 業** 　更生保護事業 　他に分類されない社会保険・社会福 　祉・介護事業

大分類――**複合サービス事業**

中 分 類	小　　分　　類 細　　分　　類	中 分 類	小　　分　　類 細　　分　　類
郵 便 局	**管理、補助的経済活動を行う事業所（郵 便局）** 　管理、補助的経済活動を行う事業所 **郵便局** 　郵便局 **郵便局受託業** 　簡易郵便局 　その他の郵便局受託業	協同組合（他 に 分 類 さ れ ないもの）	**管理、補助的経済活動を行う事業所（協 同組合）** 　管理、補助的経済活動を行う事業所 **農林水産業協同組合（他に分類されな いもの）** 　農業協同組合（他に分類されないも 　の） 　漁業協同組合（他に分類されないも 　の）

－1724－

中 分 類	小　　分　　類 細　　　分　　　類	中 分 類	小　　分　　類 細　　　分　　　類
	水産加工業協同組合（他に分類されないもの） 森林組合（他に分類されないもの）		**事業協同組合（他に分類されないもの）** 事業協同組合（他に分類されないもの）

大分類——**サービス業（他に分類されないもの）**

中 分 類	小　　分　　類 細　　　分　　　類	中 分 類	小　　分　　類 細　　　分　　　類
廃棄物処理業	**管理、補助的経済活動を行う事業所（廃棄物処理業）** 　主として管理事務を行う本社等 　その他の管理、補助的経済活動を行う事業所 **一般廃棄物処理業** 　し尿収集運搬業 　し尿処分業 　浄化槽清掃業 　浄化槽保守点検業 　ごみ収集運搬業 　ごみ処分業 　清掃事務所 **産業廃棄物処理業** 　産業廃棄物収集運搬業 　産業廃棄物処分業 　特別管理産業廃棄物収集運搬業 　特別管理産業廃棄物処分業 **その他の廃棄物処理業** 　死亡獣畜取扱業 　他に分類されない廃棄物処理業		表具業 **その他の修理業** 　家具修理業 　時計修理業 　履物修理業 　かじ業 　他に分類されない修理業
		職業紹介・労働者派遣業	**管理、補助的経済活動を行う事業所（職業紹介・労働者派遣業）** 　主として管理事務を行う本社等 　その他の管理、補助的経済活動を行う事業所 **職業紹介業** 　職業紹介業 **労働者派遣業** 　労働者派遣業
自動車整備業	**管理、補助的経済活動を行う事業所（自動車整備業）** 　管理、補助的経済活動を行う事業所 **自動車整備業** 　自動車一般整備業 　その他の自動車整備業	その他の事業サービス業	**管理、補助的経済活動を行う事業所（その他の事業サービス業）** 　主として管理事務を行う本社等 　その他の管理、補助的経済活動を行う事業所 **速記・ワープロ入力・複写業** 　速記・ワープロ入力業 　複写業 **建物等維持管理業** 　ビルメンテナンス業 　その他の建物等維持管理業 **警備業** 　警備業 **他に分類されない事業サービス業** 　ディスプレイ業 　産業用設備洗浄業 　看板書き業 　コールセンター業 　ペストコントロール業 　他に分類されないその他の事業サービス業
機械等修理業（別掲を除く）	**管理、補助的経済活動を行う事業所（機械等修理業）** 　主として管理事務を行う本社等 　その他の管理、補助的経済活動を行う事業所 **機械修理業（電気機械器具を除く）** 　一般機械修理業（建設・鉱山機械を除く） 　建設・鉱山機械整備業 **電気機械器具修理業** 　電気機械器具修理業 **表具業**	政治・経済・文化団体	**経済団体** 　実業団体

中 分 類	小　　　分　　　類		類	中 分 類	小　　　分　　　類		類
	細　　　分	分	類		細　　　分	分	類
	同業団体				教団事務所		
	労働団体				**その他の宗教**		
	労働団体				その他の宗教の教会		
	学術・文化団体				その他の宗教の教団事務所		
	学術団体			**その他のサービス業**	**管理、補助的経済活動を行う事業所（その他のサービス業）**		
	文化団体						
	政治団体				管理、補助的経済活動を行う事業所		
	政治団体				**集会場**		
	他に分類されない非営利的団体				集会場		
	他に分類されない非営利的団体				**と畜場**		
宗　　教	**神道系宗教**				と畜場		
	神社、神道教会				**他に分類されないサービス業**		
	教派事務所			**外 国 公 務**	他に分類されないサービス業		
	仏教系宗教				**外国公館**		
	寺院、仏教教会				外国公館		
	宗派事務所				**その他の外国公務**		
	キリスト教系宗教				その他の外国公務		
	キリスト教教会、修道院						

大分類──公　務（他に分類されるものを除く）

中 分 類	小　　　分　　　類		類	中 分 類	小　　　分　　　類		類
	細　　　分	分	類		細　　　分	分	類
国 家 公 務	**立法機関**				行政機関		
	立法機関			**地 方 公 務**	**都道府県の機関**		
	司法機関				都道府県の機関		
	司法機関				**市町村の機関**		
	行政機関				市町村の機関		

大分類──分類不能の産業

中 分 類	小　　　分　　　類		類
	細　　　分	分	類
分 類 不 能 の　産業	**分類不能の産業**		
	分類不能の産業		

資　料

平成27年分以降　相続税額の早見表 （税額の1,000円未満切捨て）

1　相続人は配偶者と子の場合

注⇨法定相続分どおり遺産を取得した場合（配偶者の税額は常にゼロ）

（単位＝千円、税負担割合〔B/A〕は％）　　　　　　　　　　　　　　　　　　　　　　　　　（1）

相続人の数⇨	配偶者と子1人		配偶者と子2人		配偶者と子3人		配偶者と子4人		配偶者と子5人	
課　税　価　格	税額 B	B/A	税額 B	B/A	税額 B	B/A	税額 B	B/A	税額 B	B/A
A　50,000	400	0.8	100	0.2	0	0.0	0	0.0	0	0.0
55,000	650	1.2	350	0.6	49	0.1	0	0.0	0	0.0
60,000	900	1.5	600	1.0	300	0.5	0	0.0	0	0.0
65,000	1,225	1.9	850	1.3	549	0.8	250	0.4	0	0.0
70,000	1,600	2.3	1,125	1.6	799	1.1	500	0.7	200	0.3
75,000	1,975	2.6	1,437	1.9	1,062	1.4	750	1.0	450	0.6
80,000	2,350	2.9	1,750	2.2	1,374	1.7	1,000	1.3	700	0.9
85,000	2,725	3.2	2,062	2.4	1,687	2.0	1,312	1.5	950	1.1
90,000	3,100	3.4	2,400	2.7	2,000	2.2	1,625	1.8	1,250	1.4
95,000	3,475	3.7	2,775	2.9	2,312	2.4	1,937	2.0	1,562	1.6
100,000	3,850	3.9	3,150	3.2	2,624	2.6	2,250	2.3	1,875	1.9
110,000	4,800	4.4	3,925	3.6	3,249	3.0	2,875	2.6	2,500	2.3
120,000	5,800	4.8	4,800	4.0	4,025	3.4	3,500	2.9	3,125	2.6
130,000	6,800	5.2	5,675	4.4	4,899	3.8	4,250	3.3	3,800	2.9
140,000	7,800	5.6	6,550	4.7	5,774	4.1	5,000	3.6	4,550	3.3
150,000	9,200	6.1	7,475	5.0	6,650	4.4	5,875	3.9	5,300	3.5
160,000	10,700	6.7	8,600	5.4	7,674	4.8	6,750	4.2	6,050	3.8
170,000	12,200	7.2	9,750	5.7	8,799	5.2	7,875	4.6	6,950	4.1
180,000	13,700	7.6	11,000	6.1	9,925	5.5	9,000	5.0	8,075	4.5
190,000	15,200	8.0	12,250	6.4	11,049	5.8	10,125	5.3	9,200	4.8
200,000	16,700	8.4	13,500	6.8	12,174	6.1	11,250	5.6	10,325	5.2
210,000	18,200	8.7	14,750	7.0	13,300	6.3	12,375	5.9	11,450	5.5
220,000	19,700	9.0	16,000	7.3	14,424	6.6	13,500	6.1	12,575	5.7
230,000	21,200	9.2	17,250	7.5	15,549	6.8	14,625	6.4	13,700	6.0
240,000	22,700	9.5	18,500	7.7	16,750	7.0	15,750	6.6	14,825	6.2
250,000	24,600	9.8	19,850	7.9	17,999	7.2	16,875	6.8	15,950	6.4
260,000	26,600	10.2	21,600	8.3	19,399	7.5	18,000	6.9	17,075	6.6
270,000	28,600	10.6	23,350	8.6	20,900	7.7	19,375	7.2	18,300	6.8
280,000	30,600	10.9	25,100	9.0	22,399	8.0	20,750	7.4	19,675	7.0
290,000	32,600	11.2	26,850	9.3	23,899	8.2	22,125	7.6	21,050	7.3
300,000	34,600	11.5	28,600	9.5	25,400	8.5	23,500	7.8	22,425	7.5
310,000	36,600	11.8	30,350	9.8	26,899	8.7	25,000	8.1	23,800	7.7

－1727－

資　料

（単位＝千円、税負担割合〔B/A〕は％）　　　　　　　　　　　　　　　　　　　　　　　（2）

相続人の数⇒	配偶者と子1人		配偶者と子2人		配偶者と子3人		配偶者と子4人		配偶者と子5人	
課　税　価　格	税額 B	B/A	税額 B	B/A	税額 B	B/A	税額 B	B/A	税額 B	B/A
A 320,000	38,600	12.1	32,100	10.0	28,399	8.9	26,500	8.3	25,175	7.9
330,000	40,600	12.3	33,850	10.3	29,900	9.1	28,000	8.5	26,550	8.0
340,000	42,600	12.5	35,600	10.5	31,399	9.2	29,500	8.7	27,925	8.2
350,000	44,600	12.7	37,350	10.7	32,899	9.4	31,000	8.9	29,300	8.4
360,000	46,600	12.9	39,100	10.9	34,550	9.6	32,500	9.0	30,675	8.5
370,000	48,600	13.1	40,850	11.0	36,299	9.8	34,000	9.2	32,100	8.7
380,000	50,600	13.3	42,600	11.2	38,049	10.0	35,500	9.3	33,600	8.8
390,000	52,600	13.5	44,350	11.4	39,800	10.2	37,000	9.5	35,100	9.0
400,000	54,600	13.7	46,100	11.5	41,549	10.4	38,500	9.6	36,600	9.2
410,000	56,600	13.8	47,850	11.7	43,299	10.6	40,000	9.8	38,100	9.3
420,000	58,600	14.0	49,600	11.8	45,050	10.7	41,500	9.9	39,600	9.4
430,000	60,600	14.1	51,350	11.9	46,799	10.9	43,000	10.0	41,100	9.6
440,000	62,600	14.2	53,100	12.1	48,549	11.0	44,500	10.1	42,600	9.7
450,000	64,800	14.4	54,925	12.2	50,300	11.2	46,000	10.2	44,100	9.8
460,000	67,050	14.6	57,050	12.4	52,124	11.3	47,500	10.3	45,600	9.9
470,000	69,300	14.7	59,175	12.6	53,999	11.5	49,375	10.5	47,150	10.0
480,000	71,550	14.9	61,300	12.8	55,875	11.6	51,250	10.7	48,775	10.2
490,000	73,800	15.1	63,425	12.9	57,749	11.8	53,125	10.8	50,400	10.3
500,000	76,050	15.2	65,550	13.1	59,624	11.9	55,000	11.0	52,025	10.4
550,000	87,300	15.9	76,175	13.9	68,999	12.5	64,375	11.7	60,150	10.9
600,000	98,550	16.4	86,800	14.5	78,375	13.1	73,750	12.3	69,125	11.5
650,000	110,000	16.9	97,450	15.0	87,749	13.5	83,125	12.8	78,500	12.1
700,000	122,500	17.5	108,700	15.5	98,849	14.1	93,000	13.3	88,300	12.6
750,000	135,000	18.0	119,950	16.0	110,100	14.7	103,000	13.7	98,300	13.1
800,000	147,500	18.4	131,200	16.4	121,349	15.2	113,000	14.1	108,300	13.5
850,000	160,000	18.8	142,475	16.8	132,599	15.6	123,000	14.5	118,300	13.9
900,000	172,500	19.2	154,350	17.2	143,850	16.0	134,000	14.9	128,300	14.3
950,000	185,000	19.5	166,225	17.5	155,099	16.3	145,250	15.3	138,300	14.6
1,000,000	197,500	19.8	178,100	17.8	166,349	16.6	156,500	15.7	148,300	14.8
1,050,000	210,000	20.0	189,975	18.1	177,600	16.9	167,750	16.0	158,300	15.1
1,100,000	222,500	20.2	201,850	18.4	188,849	17.2	179,000	16.3	169,150	15.4
1,150,000	235,000	20.4	213,725	18.6	200,099	17.4	190,250	16.5	180,400	15.7
1,200,000	247,500	20.6	225,600	18.8	211,350	17.6	201,500	16.8	191,650	16.0
1,250,000	260,200	20.8	237,525	19.0	222,599	17.8	212,750	17.0	202,900	16.2
1,300,000	273,950	21.1	250,650	19.3	234,999	18.1	224,500	17.3	214,575	16.5
1,350,000	287,700	21.3	263,775	19.5	247,500	18.3	236,375	17.5	226,450	16.8

－1728－

資　　料

（単位＝千円、税負担割合〔B/A〕は％）　　　　　　　　　　　　　　　　　　　　　　　（3）

相続人の数⇨	配偶者と子1人		配偶者と子2人		配偶者と子3人		配偶者と子4人		配偶者と子5人	
課　税　価　格	税額 B	B/A	税額 B	B/A	税額 B	B/A	税額 B	B/A	税額 B	B/A
A 1,400,000	301,450	21.5	276,900	19.8	259,999	18.6	248,250	17.7	238,325	17.0
1,450,000	315,200	21.7	290,025	20.0	272,499	18.8	260,125	17.9	250,200	17.3
1,500,000	328,950	21.9	303,150	20.2	285,000	19.0	272,000	18.1	262,075	17.5
1,550,000	342,700	22.1	316,275	20.4	297,499	19.2	283,875	18.3	273,950	17.7
1,600,000	356,450	22.3	329,400	20.6	309,999	19.4	295,750	18.5	285,825	17.9
1,650,000	370,200	22.4	342,525	20.8	322,500	19.5	307,625	18.6	297,700	18.0
1,700,000	383,950	22.6	355,650	20.9	334,999	19.7	320,000	18.8	309,575	18.2
1,750,000	397,700	22.7	368,775	21.1	347,499	19.9	332,500	19.0	321,450	18.4
1,800,000	411,450	22.9	381,900	21.2	360,000	20.0	345,000	19.2	333,325	18.5
1,850,000	425,200	23.0	395,025	21.4	372,499	20.1	357,500	19.3	345,200	18.7
1,900,000	438,950	23.1	408,150	21.5	385,574	20.3	370,000	19.5	357,075	18.8
1,950,000	452,700	23.2	421,275	21.6	398,700	20.4	382,500	19.6	368,950	18.9
2,000,000	466,450	23.3	434,400	21.7	411,824	20.6	395,000	19.8	380,825	19.0
2,050,000	480,200	23.4	447,525	21.8	424,949	20.7	407,500	19.9	392,700	19.2
2,100,000	493,950	23.5	460,650	21.9	438,075	20.9	420,000	20.0	405,000	19.3
2,150,000	507,700	23.6	473,775	22.0	451,199	21.0	432,500	20.1	417,500	19.4
2,200,000	521,450	23.7	486,900	22.1	464,324	21.1	445,000	20.2	430,000	19.5
2,250,000	535,200	23.8	500,025	22.2	477,450	21.2	457,500	20.3	442,500	19.7
2,300,000	548,950	23.9	513,150	22.3	490,574	21.3	470,000	20.4	455,000	19.8
2,350,000	562,700	23.9	526,275	22.4	503,699	21.4	482,500	20.5	467,500	19.9
2,400,000	576,450	24.0	539,400	22.5	516,825	21.5	495,000	20.6	480,000	20.0
2,450,000	590,200	24.1	552,550	22.6	529,949	21.6	507,500	20.7	492,500	20.1
2,500,000	603,950	24.2	566,300	22.7	543,074	21.7	520,500	20.8	505,000	20.2
2,550,000	617,700	24.2	580,050	22.7	556,200	21.8	533,625	20.9	517,500	20.3
2,600,000	631,450	24.3	593,800	22.8	569,324	21.9	546,750	21.0	530,000	20.4
2,650,000	645,200	24.3	607,550	22.9	582,449	22.0	559,875	21.1	542,500	20.5
2,700,000	658,950	24.4	621,300	23.0	595,575	22.1	573,000	21.2	555,000	20.6
2,750,000	672,700	24.5	635,050	23.1	608,699	22.1	586,125	21.3	567,500	20.6
2,800,000	686,450	24.5	648,800	23.2	621,824	22.2	599,250	21.4	580,000	20.7
2,850,000	700,200	24.6	662,550	23.2	634,950	22.3	612,375	21.5	592,500	20.8
2,900,000	713,950	24.6	676,300	23.3	648,074	22.3	625,500	21.6	605,000	20.9
2,950,000	727,700	24.7	690,050	23.4	661,199	22.4	638,625	21.6	617,500	20.9
3,000,000	741,450	24.7	703,800	23.5	674,325	22.5	651,750	21.7	630,000	21.0
3,100,000	768,950	24.8	731,300	23.6	700,574	22.6	678,000	21.9	655,425	21.1
3,200,000	796,450	24.9	758,800	23.7	726,824	22.7	704,250	22.0	681,675	21.3
3,300,000	823,950	25.0	786,300	23.8	753,075	22.8	730,500	22.1	707,925	21.5

—1729—

資　料

（単位＝千円、税負担割合〔B/A〕は％）　　　　　　　　　　　　　　　　　　　　　　　　　　　　　　（4）

相続人の数⇒	配偶者と子1人		配偶者と子2人		配偶者と子3人		配偶者と子4人		配偶者と子5人	
課　税　価　格	税額 B	B/A	税額 B	B/A	税額 B	B/A	税額 B	B/A	税額 B	B/A
A 3,400,000	851,450	25.0	813,800	23.9	779,324	22.9	756,750	22.3	734,175	21.6
3,500,000	878,950	25.1	841,300	24.0	805,574	23.0	783,000	22.4	760,425	21.7
3,600,000	906,450	25.2	868,800	24.1	831,825	23.1	809,250	22.5	786,675	21.9
3,700,000	933,950	25.2	896,300	24.2	858,649	23.2	835,500	22.6	812,925	22.0
3,800,000	961,450	25.3	923,800	24.3	886,149	23.3	861,750	22.7	839,175	22.1
3,900,000	988,950	25.4	951,300	24.4	913,650	23.4	888,000	22.8	865,425	22.2
4,000,000	1,016,450	25.4	978,800	24.5	941,149	23.5	914,250	22.9	891,675	22.3
4,100,000	1,043,950	25.5	1,006,300	24.5	968,649	23.6	940,500	22.9	917,925	22.4
4,200,000	1,071,450	25.5	1,033,800	24.6	996,150	23.7	966,750	23.0	944,175	22.5
4,300,000	1,098,950	25.6	1,061,300	24.7	1,023,649	23.8	993,000	23.1	970,425	22.6

—1730—

資　料

2　相続人は子だけの場合

注⇒各相続人が法定相続分に従って遺産を取得した
場合の各相続人の税額の合計額を示した。

（単位＝千円、税負担割合〔B/A〕は％）　　　　　　　　　　　　　　　　　　（1）

相続人の数⇒	子　1　人		子　2　人		子　3　人		子　4　人		子　5　人	
課　税　価　格	税額 B	B/A	税額 B	B/A	税額 B	B/A	税額 B	B/A	税額 B	B/A
A　50,000	1,600	3.2	800	1.6	199	0.4	0	0.0	0	0.0
55,000	2,350	4.3	1,300	2.4	699	1.3	100	0.2	0	0.0
60,000	3,100	5.2	1,800	3.0	1,200	2.0	600	1.0	0	0.0
65,000	3,850	5.9	2,450	3.8	1,699	2.6	1,100	1.7	500	0.8
70,000	4,800	6.9	3,200	4.6	2,199	3.1	1,600	2.3	1,000	1.4
75,000	5,800	7.7	3,950	5.3	2,700	3.6	2,100	2.8	1,500	2.0
80,000	6,800	8.5	4,700	5.9	3,299	4.1	2,600	3.3	2,000	2.5
85,000	7,800	9.2	5,450	6.4	4,049	4.8	3,100	3.6	2,500	2.9
90,000	9,200	10.2	6,200	6.9	4,800	5.3	3,600	4.0	3,000	3.3
95,000	10,700	11.3	6,950	7.3	5,549	5.8	4,150	4.4	3,500	3.7
100,000	12,200	12.2	7,700	7.7	6,299	6.3	4,900	4.9	4,000	4.0
110,000	15,200	13.8	9,600	8.7	7,799	7.1	6,400	5.8	5,000	4.5
120,000	18,200	15.2	11,600	9.7	9,300	7.8	7,900	6.6	6,500	5.4
130,000	21,200	16.3	13,600	10.5	10,799	8.3	9,400	7.2	8,000	6.2
140,000	24,600	17.6	15,600	11.1	12,399	8.9	10,900	7.8	9,500	6.8
150,000	28,600	19.1	18,400	12.3	14,400	9.6	12,400	8.3	11,000	7.3
160,000	32,600	20.4	21,400	13.4	16,399	10.2	13,900	8.7	12,500	7.8
170,000	36,600	21.5	24,400	14.4	18,399	10.8	15,400	9.1	14,000	8.2
180,000	40,600	22.6	27,400	15.2	20,400	11.3	17,200	9.6	15,500	8.6
190,000	44,600	23.5	30,400	16.0	22,399	11.8	19,200	10.1	17,000	8.9
200,000	48,600	24.3	33,400	16.7	24,599	12.3	21,200	10.6	18,500	9.3
210,000	52,600	25.0	36,400	17.3	27,600	13.1	23,200	11.0	20,000	9.5
220,000	56,600	25.7	39,400	17.9	30,599	13.9	25,200	11.5	22,000	10.0
230,000	60,600	26.3	42,400	18.4	33,599	14.6	27,200	11.8	24,000	10.4
240,000	64,800	27.0	45,400	18.9	36,600	15.3	29,200	12.2	26,000	10.8
250,000	69,300	27.7	49,200	19.7	39,599	15.8	31,200	12.5	28,000	11.2
260,000	73,800	28.4	53,200	20.5	42,599	16.4	33,800	13.0	30,000	11.5
270,000	78,300	29.0	57,200	21.2	45,600	16.9	36,800	13.6	32,000	11.9
280,000	82,800	29.6	61,200	21.9	48,599	17.4	39,800	14.2	34,000	12.1
290,000	87,300	30.1	65,200	22.5	51,599	17.8	42,800	14.8	36,000	12.4
300,000	91,800	30.6	69,200	23.1	54,600	18.2	45,800	15.3	38,000	12.7
310,000	96,300	31.1	73,200	23.6	57,599	18.6	48,800	15.7	40,000	12.9
320,000	100,800	31.5	77,200	24.1	60,599	18.9	51,800	16.2	43,000	13.4
330,000	105,300	31.9	81,200	24.6	63,600	19.3	54,800	16.6	46,000	13.9

資　料

（単位＝千円、税負担割合〔B/A〕は％）　　　　　　　　　　　　　　　　　　　　　　（2）

相続人の数⇒ 課　税　価　格	子　1　人 税額 B	B/A	子　2　人 税額 B	B/A	子　3　人 税額 B	B/A	子　4　人 税額 B	B/A	子　5　人 税額 B	B/A
A 340,000	110,000	32.4	85,200	25.1	66,599	19.6	57,800	17.0	49,000	14.4
350,000	115,000	32.9	89,200	25.5	69,799	19.9	60,800	17.4	52,000	14.9
360,000	120,000	33.3	93,200	25.9	73,800	20.5	63,800	17.7	55,000	15.3
370,000	125,000	33.8	97,200	26.3	77,799	21.0	66,800	18.1	58,000	15.7
380,000	130,000	34.2	101,200	26.6	81,799	21.5	69,800	18.4	61,000	16.1
390,000	135,000	34.6	105,200	27.0	85,800	22.0	72,800	18.7	64,000	16.4
400,000	140,000	35.0	109,200	27.3	89,799	22.4	75,800	19.0	67,000	16.8
410,000	145,000	35.4	113,200	27.6	93,799	22.9	78,800	19.2	70,000	17.1
420,000	150,000	35.7	117,200	27.9	97,800	23.3	81,800	19.5	73,000	17.4
430,000	155,000	36.0	121,200	28.2	101,799	23.7	84,800	19.7	76,000	17.7
440,000	160,000	36.4	125,200	28.5	105,799	24.0	87,800	20.0	79,000	18.0
450,000	165,000	36.7	129,600	28.8	109,800	24.4	90,800	20.2	82,000	18.2
460,000	170,000	37.0	134,100	29.2	113,799	24.7	94,400	20.5	85,000	18.5
470,000	175,000	37.2	138,600	29.5	117,799	25.1	98,400	20.9	88,000	18.7
480,000	180,000	37.5	143,100	29.8	121,800	25.4	102,400	21.3	91,000	19.0
490,000	185,000	37.8	147,600	30.1	125,799	25.7	106,400	21.7	94,000	19.2
500,000	190,000	38.0	152,100	30.4	129,799	26.0	110,400	22.1	97,000	19.4
550,000	215,000	39.1	174,600	31.7	149,799	27.2	130,400	23.7	112,000	20.4
600,000	240,000	40.0	197,100	32.9	169,800	28.3	150,400	25.1	131,000	21.8
650,000	265,700	40.9	220,000	33.8	189,899	29.2	170,400	26.2	151,000	23.2
700,000	293,200	41.9	245,000	35.0	212,399	30.3	190,400	27.2	171,000	24.4
750,000	320,700	42.8	270,000	36.0	234,900	31.3	210,400	28.1	191,000	25.5
800,000	348,200	43.5	295,000	36.9	257,399	32.2	230,400	28.8	211,000	26.4
850,000	375,700	44.2	320,000	37.6	279,899	32.9	250,400	29.5	231,000	27.2
900,000	403,200	44.8	345,000	38.3	302,400	33.6	272,700	30.3	251,000	27.9
950,000	430,700	45.3	370,000	38.9	324,999	34.2	295,200	31.1	271,000	28.5
1,000,000	458,200	45.8	395,000	39.5	349,999	35.0	317,700	31.8	291,000	29.1
1,050,000	485,700	46.3	420,000	40.0	375,000	35.7	340,200	32.4	311,000	29.6
1,100,000	513,200	46.7	445,000	40.5	399,999	36.4	362,700	33.0	333,000	30.3
1,150,000	540,700	47.0	470,000	40.9	424,999	37.0	385,200	33.5	355,500	30.9
1,200,000	568,200	47.4	495,000	41.3	450,000	37.5	407,700	34.0	378,000	31.5
1,250,000	595,700	47.7	520,400	41.6	474,999	38.0	430,200	34.4	400,500	32.0
1,300,000	623,200	47.9	547,900	42.1	499,999	38.5	455,000	35.0	423,000	32.5
1,350,000	650,700	48.2	575,400	42.6	525,000	38.9	480,000	35.6	445,500	33.0
1,400,000	678,200	48.4	602,900	43.1	549,999	39.3	505,000	36.1	468,000	33.4
1,450,000	705,700	48.7	630,400	43.5	574,999	39.7	530,000	36.6	490,500	33.8

-1732-

資　料

（単位＝千円、税負担割合〔B/A〕は％）　　　　　　　　　　　　　　　　　　　　　　　　　　　（3）

相続人の数⇒	子　1　人		子　2　人		子　3　人		子　4　人		子　5　人	
課　税　価　格	税額 B	B/A	税額 B	B/A	税額 B	B/A	税額 B	B/A	税額 B	B/A
A 1,500,000	733,200	48.9	657,900	43.9	600,000	40.0	555,000	37.0	513,000	34.2
1,550,000	760,700	49.1	685,400	44.2	624,999	40.3	580,000	37.4	535,500	34.5
1,600,000	788,200	49.3	712,900	44.6	649,999	40.6	605,000	37.8	560,000	35.0
1,650,000	815,700	49.4	740,400	44.9	675,000	40.9	630,000	38.2	585,000	35.5
1,700,000	843,200	49.6	767,900	45.2	699,999	41.2	655,000	38.5	610,000	35.9
1,750,000	870,700	49.8	795,400	45.5	724,999	41.4	680,000	38.9	635,000	36.3
1,800,000	898,200	49.9	822,900	45.7	750,000	41.7	705,000	39.2	660,000	36.7
1,850,000	925,700	50.0	850,400	46.0	775,098	41.9	730,000	39.5	685,000	37.0
1,900,000	953,200	50.2	877,900	46.2	802,599	42.2	755,000	39.7	710,000	37.4
1,950,000	980,700	50.3	905,400	46.4	830,100	42.6	780,000	40.0	735,000	37.7
2,000,000	1,008,200	50.4	932,900	46.6	857,598	42.9	805,000	40.3	760,000	38.0
2,050,000	1,035,700	50.5	960,400	46.8	885,099	43.2	830,000	40.5	785,000	38.3
2,100,000	1,063,200	50.6	987,900	47.0	912,600	43.5	855,000	40.7	810,000	38.6
2,150,000	1,090,700	50.7	1,015,400	47.2	940,098	43.7	880,000	40.9	835,000	38.8
2,200,000	1,118,200	50.8	1,042,900	47.4	967,599	44.0	905,000	41.1	860,000	39.1
2,250,000	1,145,700	50.9	1,070,400	47.6	995,100	44.2	930,000	41.3	885,000	39.3
2,300,000	1,173,200	51.0	1,097,900	47.7	1,022,598	44.5	955,000	41.5	910,000	39.6
2,350,000	1,200,700	51.1	1,125,400	47.9	1,050,099	44.7	980,000	41.7	935,000	39.8
2,400,000	1,228,200	51.2	1,152,900	48.0	1,077,600	44.9	1,005,000	41.9	960,000	40.0
2,450,000	1,255,700	51.3	1,180,400	48.2	1,105,098	45.1	1,030,000	42.0	985,000	40.2
2,500,000	1,283,200	51.3	1,207,900	48.3	1,132,599	45.3	1,057,300	42.3	1,010,000	40.4
2,550,000	1,310,700	51.4	1,235,400	48.4	1,160,100	45.5	1,084,800	42.5	1,035,000	40.6
2,600,000	1,338,200	51.5	1,262,900	48.6	1,187,598	45.7	1,112,300	42.8	1,060,000	40.8
2,650,000	1,365,700	51.5	1,290,400	48.7	1,215,099	45.9	1,139,800	43.0	1,085,000	40.9
2,700,000	1,393,200	51.6	1,317,900	48.8	1,242,600	46.0	1,167,300	43.2	1,110,000	41.1
2,750,000	1,420,700	51.7	1,345,400	48.9	1,270,098	46.2	1,194,800	43.4	1,135,000	41.3
2,800,000	1,448,200	51.7	1,372,900	49.0	1,297,599	46.3	1,222,300	43.7	1,160,000	41.4
2,850,000	1,475,700	51.8	1,400,400	49.1	1,325,100	46.5	1,249,800	43.9	1,185,000	41.6
2,900,000	1,503,200	51.8	1,427,900	49.2	1,352,598	46.6	1,277,300	44.0	1,210,000	41.7
2,950,000	1,530,700	51.9	1,455,400	49.3	1,380,099	46.8	1,304,800	44.2	1,235,000	41.9
3,000,000	1,558,200	51.9	1,482,900	49.4	1,407,600	46.9	1,332,300	44.4	1,260,000	42.0
3,100,000	1,613,200	52.0	1,537,900	49.6	1,462,599	47.2	1,387,300	44.8	1,312,000	42.3
3,200,000	1,668,200	52.1	1,592,900	49.8	1,517,598	47.4	1,442,300	45.1	1,367,000	42.7
3,300,000	1,723,200	52.2	1,647,900	49.9	1,572,600	47.7	1,497,300	45.4	1,422,000	43.1
3,400,000	1,778,200	52.3	1,702,900	50.1	1,627,599	47.9	1,552,300	45.7	1,477,000	43.4
3,500,000	1,833,200	52.4	1,757,900	50.2	1,682,598	48.1	1,607,300	45.9	1,532,000	43.8

資　料

（単位＝千円、税負担割合〔B/A〕は％）　　　　　　　　　　　　　　　　　　　　　　　　（4）

| 相続人の数⇒ | 子 1 人 | | 子 2 人 | | 子 3 人 | | 子 4 人 | | 子 5 人 | |
課 税 価 格	税額 B	B/A	税額 B	B/A	税額 B	B/A	税額 B	B/A	税額 B	B/A
A 3,600,000	1,888,200	52.5	1,812,900	50.4	1,737,600	48.3	1,662,300	46.2	1,587,000	44.1
3,700,000	1,943,200	52.5	1,867,900	50.5	1,792,599	48.4	1,717,300	46.4	1,642,000	44.4
3,800,000	1,998,200	52.6	1,922,900	50.6	1,847,598	48.6	1,772,300	46.6	1,697,000	44.7
3,900,000	2,053,200	52.6	1,977,900	50.7	1,902,600	48.8	1,827,300	46.9	1,752,000	44.9
4,000,000	2,108,200	52.7	2,032,900	50.8	1,957,599	48.9	1,882,300	47.1	1,807,000	45.2
4,100,000	2,163,200	52.8	2,087,900	50.9	2,012,598	49.1	1,937,300	47.3	1,862,000	45.4
4,200,000	2,218,200	52.8	2,142,900	51.0	2,067,600	49.2	1,992,300	47.4	1,917,000	45.6
4,300,000	2,273,200	52.9	2,197,900	51.1	2,122,599	49.4	2,047,300	47.6	1,972,000	45.9

－1734－

資　料

3　相続人は配偶者と兄弟姉妹の場合

注⇨各相続人が法定相続分に従って遺産を取得した場合の税額の合計額を示した。

（単位＝千円、税負担割合〔B/A〕は％）

（1）

兄弟姉妹の数⇨	1　　人		2　　人		3　　人		4　　人		5　　人	
課　税　価　格	税額 B	B/A	税額 B	B/A	税額 B	B/A	税額 B	B/A	税額 B	B/A
A　50,000	240	0.5	60	0.1	0	0.0	0	0.0	0	0.0
55,000	390	0.7	210	0.4	29	0.1	0	0.0	0	0.0
60,000	592	1.0	360	0.6	180	0.3	0	0.0	0	0.0
65,000	798	1.2	551	0.8	329	0.5	149	0.2	0	0.0
70,000	1,005	1.4	757	1.1	509	0.7	300	0.4	120	0.2
75,000	1,211	1.6	963	1.3	716	1.0	468	0.6	270	0.4
80,000	1,417	1.8	1,170	1.5	922	1.2	675	0.8	427	0.5
85,000	1,668	2.0	1,376	1.6	1,128	1.3	881	1.0	633	0.7
90,000	1,950	2.2	1,605	1.8	1,335	1.5	1,087	1.2	840	0.9
95,000	2,231	2.3	1,867	2.0	1,552	1.6	1,293	1.4	1,046	1.1
100,000	2,512	2.5	2,130	2.1	1,814	1.8	1,500	1.5	1,252	1.3
110,000	3,105	2.8	2,655	2.4	2,339	2.1	1,912	1.7	1,710	1.6
120,000	3,892	3.2	3,300	2.8	2,865	2.4	2,550	2.1	2,235	1.9
130,000	4,680	3.6	4,057	3.1	3,599	2.8	3,150	2.4	2,760	2.1
140,000	5,467	3.9	4,845	3.5	4,349	3.1	3,900	2.8	3,450	2.5
150,000	6,255	4.2	5,632	3.8	5,100	3.4	4,650	3.1	4,200	2.8
160,000	7,042	4.4	6,420	4.0	5,849	3.7	5,400	3.4	4,950	3.1
170,000	7,860	4.6	7,207	4.2	6,599	3.9	6,150	3.6	5,700	3.4
180,000	8,790	4.9	7,995	4.4	7,372	4.1	6,900	3.8	6,450	3.6
190,000	9,840	5.2	8,977	4.7	8,219	4.3	7,650	4.0	7,200	3.8
200,000	10,890	5.4	9,990	5.0	9,232	4.6	8,550	4.3	7,965	4.0
210,000	11,940	5.7	11,002	5.2	10,245	4.9	9,525	4.5	8,940	4.3
220,000	12,990	5.9	12,015	5.5	11,257	5.1	10,500	4.8	9,915	4.5
230,000	14,040	6.1	13,027	5.7	12,269	5.3	11,512	5.0	10,890	4.7
240,000	15,090	6.3	14,040	5.9	13,282	5.5	12,525	5.2	11,865	4.9
250,000	16,200	6.5	15,052	6.0	14,294	5.7	13,537	5.4	12,840	5.1
260,000	17,325	6.7	16,065	6.2	15,307	5.9	14,550	5.6	13,815	5.3
270,000	18,450	6.8	17,077	6.3	16,320	6.0	15,562	5.8	14,805	5.5
280,000	19,575	7.0	18,090	6.5	17,332	6.2	16,575	5.9	15,817	5.6
290,000	20,700	7.1	19,110	6.6	18,344	6.3	17,587	6.1	16,830	5.8
300,000	21,825	7.3	20,160	6.7	19,357	6.5	18,600	6.2	17,842	5.9
310,000	22,965	7.4	21,210	6.8	20,369	6.6	19,612	6.3	18,855	6.1
320,000	24,202	7.6	22,320	7.0	21,382	6.7	20,625	6.4	19,867	6.2
330,000	25,440	7.7	23,482	7.1	22,500	6.8	21,675	6.6	20,880	6.3

資料

（単位＝千円、税負担割合〔B/A〕は％）

兄弟姉妹の数⇒	1　　人		2　　人		3　　人		4　　人		5　　人	
課　税　価　格	税額 B	B/A	税額 B	B/A	税額 B	B/A	税額 B	B/A	税額 B	B/A
A 340,000	26,677	7.8	24,645	7.2	23,624	6.9	22,800	6.7	21,975	6.5
350,000	27,915	8.0	25,807	7.4	24,749	7.1	23,925	6.8	23,100	6.6
360,000	29,152	8.1	26,970	7.5	25,875	7.2	25,050	7.0	24,225	6.7
370,000	30,390	8.2	28,132	7.6	26,999	7.3	26,175	7.1	25,350	6.9
380,000	31,627	8.3	29,295	7.7	28,124	7.4	27,300	7.2	26,475	7.0
390,000	32,865	8.4	30,457	7.8	29,250	7.5	28,425	7.3	27,600	7.1
400,000	34,102	8.5	31,620	7.9	30,374	7.6	29,550	7.4	28,725	7.2
410,000	35,340	8.6	32,782	8.0	31,499	7.7	30,675	7.5	29,850	7.3
420,000	36,577	8.7	33,945	8.1	32,647	7.8	31,800	7.6	30,975	7.4
430,000	37,815	8.8	35,107	8.2	33,809	7.9	32,925	7.7	32,100	7.5
440,000	39,052	8.9	36,270	8.2	34,972	7.9	34,050	7.7	33,225	7.6
450,000	40,440	9.0	37,470	8.3	36,135	8.0	35,175	7.8	34,350	7.6
460,000	41,865	9.1	38,820	8.4	37,364	8.1	36,300	7.9	35,475	7.7
470,000	43,290	9.2	40,170	8.5	38,639	8.2	37,537	8.0	36,645	7.8
480,000	44,715	9.3	41,520	8.7	39,915	8.3	38,775	8.1	37,882	7.9
490,000	46,140	9.4	42,870	8.7	41,189	8.4	40,012	8.2	39,120	8.0
500,000	47,565	9.5	44,220	8.8	42,464	8.5	41,250	8.3	40,357	8.1
550,000	54,690	9.9	50,970	9.3	48,839	8.9	47,475	8.6	46,545	8.5
600,000	61,815	10.3	57,720	9.6	55,215	9.2	53,850	9.0	52,732	8.8
650,000	68,940	10.6	64,470	9.9	61,589	9.5	60,225	9.3	58,920	9.1
700,000	76,065	10.9	71,220	10.2	68,309	9.8	66,600	9.5	65,235	9.3
750,000	83,190	11.1	77,970	10.4	75,060	10.0	72,975	9.7	71,610	9.5
800,000	90,315	11.3	84,720	10.6	81,809	10.2	79,350	9.9	77,985	9.7
850,000	97,560	11.5	91,507	10.8	88,559	10.4	85,725	10.1	84,360	9.9
900,000	105,435	11.7	99,195	11.0	95,827	10.6	92,850	10.3	91,117	10.1
950,000	113,310	11.9	106,882	11.3	103,139	10.9	100,162	10.5	98,055	10.3
1,000,000	121,185	12.1	114,570	11.5	110,452	11.0	107,475	10.7	104,992	10.5
1,050,000	129,060	12.3	122,257	11.6	117,765	11.2	114,787	10.9	111,930	10.7
1,100,000	136,935	12.4	129,945	11.8	125,077	11.4	122,100	11.1	119,122	10.8
1,150,000	144,810	12.6	137,632	12.0	132,389	11.5	129,412	11.3	126,435	11.0
1,200,000	152,685	12.7	145,320	12.1	139,702	11.6	136,725	11.4	133,747	11.1
1,250,000	160,590	12.8	153,007	12.2	147,014	11.8	144,037	11.5	141,060	11.3
1,300,000	168,652	13.0	160,695	12.4	154,672	11.9	151,350	11.6	148,372	11.4
1,350,000	176,715	13.1	168,382	12.5	162,360	12.0	158,662	11.8	155,685	11.5
1,400,000	184,777	13.2	176,070	12.6	170,047	12.1	165,975	11.9	162,997	11.6
1,450,000	192,840	13.3	183,757	12.7	177,734	12.3	173,287	12.0	170,310	11.7

資　料

（単位＝千円、税負担割合〔B/A〕は％） (3)

兄弟姉妹の数⇒	1　　人		2　　人		3　　人		4　　人		5　　人	
課　税　価　格	税額 B	B/A	税額 B	B/A	税額 B	B/A	税額 B	B/A	税額 B	B/A
A 1,500,000	200,902	13.4	191,445	12.8	185,422	12.4	180,600	12.0	177,622	11.8
1,550,000	208,965	13.5	199,132	12.8	193,109	12.5	187,912	12.1	184,935	11.9
1,600,000	217,027	13.6	206,820	12.9	200,797	12.5	195,225	12.2	192,247	12.0
1,650,000	225,090	13.6	214,515	13.0	208,485	12.6	202,537	12.3	199,560	12.1
1,700,000	233,152	13.7	222,390	13.1	216,172	12.7	210,150	12.4	206,872	12.2
1,750,000	241,215	13.8	230,265	13.2	223,859	12.8	217,837	12.4	214,185	12.2
1,800,000	249,277	13.8	238,140	13.2	231,547	12.9	225,525	12.5	221,497	12.3
1,850,000	257,340	13.9	246,015	13.3	239,234	12.9	233,212	12.6	228,810	12.4
1,900,000	265,402	14.0	253,890	13.4	246,922	13.0	240,900	12.7	236,122	12.4
1,950,000	273,465	14.0	261,765	13.4	254,610	13.1	248,587	12.7	243,435	12.5
2,000,000	281,527	14.1	269,640	13.5	262,297	13.1	256,275	12.8	250,747	12.5
2,050,000	289,590	14.1	277,515	13.5	269,984	13.2	263,962	12.9	258,060	12.6
2,100,000	297,652	14.2	285,390	13.6	277,672	13.2	271,650	12.9	265,627	12.6
2,150,000	305,715	14.2	293,265	13.6	285,359	13.3	279,337	13.0	273,315	12.7
2,200,000	313,777	14.3	301,140	13.7	293,047	13.3	287,025	13.0	281,002	12.8
2,250,000	321,840	14.3	309,015	13.7	300,735	13.4	294,712	13.1	288,690	12.8
2,300,000	329,902	14.3	316,890	13.8	308,422	13.4	302,400	13.1	296,377	12.9
2,350,000	337,965	14.4	324,765	13.8	316,109	13.5	310,087	13.2	304,065	12.9
2,400,000	346,027	14.4	332,640	13.9	323,797	13.5	317,775	13.2	311,752	13.0
2,450,000	354,120	14.5	349,522	14.3	331,484	13.5	325,462	13.3	319,440	13.0
2,500,000	362,370	14.5	357,585	14.3	339,344	13.6	333,150	13.3	327,127	13.1
2,550,000	370,620	14.5	365,647	14.3	347,220	13.6	340,837	13.4	334,815	13.1
2,600,000	378,870	14.6	373,710	14.4	355,094	13.7	348,525	13.4	342,502	13.2
2,650,000	387,120	14.6	381,772	14.4	362,969	13.7	356,212	13.4	350,190	13.2
2,700,000	395,370	14.6	389,835	14.4	370,845	13.7	363,900	13.5	357,877	13.3
2,750,000	403,620	14.7	397,897	14.5	378,719	13.8	371,587	13.5	365,565	13.3
2,800,000	411,870	14.7	405,960	14.5	386,594	13.8	379,275	13.5	373,252	13.3
2,850,000	420,120	14.7	414,022	14.5	394,470	13.8	386,962	13.6	380,940	13.4
2,900,000	428,370	14.8	422,085	14.6	402,344	13.9	394,650	13.6	388,627	13.4
2,950,000	436,620	14.8	430,147	14.6	410,219	13.9	402,337	13.6	396,315	13.4
3,000,000	444,870	14.8	438,210	14.6	418,095	13.9	410,025	13.7	404,002	13.5
3,100,000	461,370	14.9	454,335	14.7	433,844	14.0	425,400	13.7	419,377	13.5
3,200,000	477,870	14.9	470,460	14.7	449,594	14.0	440,775	13.8	434,752	13.6
3,300,000	494,370	15.0	486,585	14.7	465,345	14.1	456,300	13.8	450,127	13.6
3,400,000	510,870	15.0	502,710	14.8	481,094	14.1	472,050	13.9	465,502	13.7
3,500,000	527,370	15.1	518,835	14.8	496,844	14.2	487,800	13.9	480,877	13.7

資　料

（単位＝千円、税負担割合〔B/A〕は％）　　　　　　　　　　　　　　　　　　　　　　　　　　（4）

兄弟姉妹の数⇒	1	人	2	人	3	人	4	人	5	人
課　税　価　格	税額 B	B/A	税額 B	B/A	税額 B	B/A	税額 B	B/A	税額 B	B/A
A 3,600,000	543,870	15.1	534,960	14.9	512,595	14.2	503,550	14.0	496,252	13.8
3,700,000	560,370	15.1	551,085	14.9	528,517	14.3	519,300	14.0	511,627	13.8
3,800,000	576,870	15.2	567,210	14.9	544,642	14.3	535,050	14.1	527,002	13.9
3,900,000	593,370	15.2	583,335	15.0	560,767	14.4	550,800	14.1	542,377	13.9
4,000,000	609,870	15.2	599,460	15.0	576,892	14.4	566,550	14.2	557,752	13.9
4,100,000	626,370	15.3	615,585	15.0	593,017	14.5	582,300	14.2	573,255	14.0
4,200,000	642,870	15.3	631,710	15.0	609,142	14.5	598,050	14.2	589,005	14.0
4,300,000	659,370	15.3	647,835	15.1	625,267	14.5	613,800	14.3	604,755	14.1

資料

4 相続人は配偶者と親の場合

注⇨各相続人が法定相続分に従って遺産を
　　取得した場合の各相続人の税額の合計。

（単位＝千円、税負担割合〔B/A〕は％）

(1)

親 の 数 ⇨	1 人		2 人		親 の 数 ⇨	1 人		2 人	
課 税 価 格	税額 B	B/A	税額 B	B/A	課 税 価 格	税額 B	B/A	税額 B	B/A
A 50,000	266	0.5	66	0.1	A 330,000	27,200	8.2	24,333	7.4
55,000	433	0.8	233	0.4	340,000	28,422	8.4	25,444	7.5
60,000	633	1.1	400	0.7	350,000	29,822	8.5	26,599	7.6
65,000	855	1.3	588	0.9	360,000	31,266	8.7	27,933	7.8
70,000	1,077	1.5	811	1.2	370,000	32,710	8.8	29,266	7.9
75,000	1,316	1.8	1,033	1.4	380,000	34,155	9.0	30,599	8.1
80,000	1,566	2.0	1,255	1.6	390,000	35,600	9.1	31,933	8.2
85,000	1,816	2.1	1,477	1.7	400,000	37,044	9.3	33,266	8.3
90,000	2,100	2.3	1,700	1.9	410,000	38,488	9.4	34,599	8.4
95,000	2,405	2.5	1,944	2.0	420,000	39,933	9.5	35,933	8.6
100,000	2,711	2.7	2,222	2.2	430,000	41,377	9.6	37,266	8.7
110,000	3,322	3.0	2,788	2.5	440,000	42,822	9.7	38,599	8.8
120,000	4,000	3.3	3,400	2.8	450,000	44,266	9.8	39,933	8.9
130,000	4,833	3.7	4,166	3.2	460,000	45,710	9.9	41,266	9.0
140,000	5,711	4.1	4,999	3.6	470,000	47,155	10.0	42,599	9.1
150,000	6,600	4.4	5,833	3.9	480,000	48,600	10.1	43,933	9.2
160,000	7,488	4.7	6,666	4.2	490,000	50,044	10.2	45,266	9.2
170,000	8,377	4.9	7,499	4.4	500,000	51,577	10.3	46,622	9.3
180,000	9,266	5.1	8,333	4.6	550,000	59,355	10.8	53,844	9.8
190,000	10,155	5.3	9,166	4.8	600,000	67,133	11.2	61,066	10.2
200,000	11,311	5.7	10,044	5.0	650,000	74,955	11.5	68,310	10.5
210,000	12,533	6.0	11,100	5.3	700,000	83,010	11.9	76,088	10.9
220,000	13,755	6.3	12,155	5.5	750,000	91,066	12.1	83,866	11.2
230,000	14,977	6.5	13,222	5.7	800,000	99,122	12.4	91,644	11.5
240,000	16,200	6.8	14,333	6.0	850,000	107,177	12.6	99,421	11.7
250,000	17,422	7.0	15,444	6.2	900,000	115,233	12.8	107,200	11.9
260,000	18,644	7.2	16,555	6.4	950,000	123,422	13.0	114,999	12.1
270,000	19,866	7.4	17,666	6.5	1,000,000	132,310	13.2	123,333	12.3
280,000	21,088	7.5	18,777	6.7	1,050,000	141,200	13.4	131,666	12.5
290,000	22,311	7.7	19,888	6.9	1,100,000	150,088	13.6	139,999	12.7
300,000	23,533	7.8	21,000	7.0	1,150,000	158,977	13.8	148,333	12.9
310,000	24,755	8.0	22,110	7.1	1,200,000	167,866	14.0	156,666	13.1
320,000	25,977	8.1	23,222	7.3	1,250,000	176,755	14.1	165,010	13.2

-1739-

資　料

（単位＝千円、税負担割合〔B/A〕は％）

親の数 ⇒	1 人		2 人	
課税価格	税額 B	B/A	税額 B	B/A
A 1,300,000	185,644	14.3	173,621	13.4
1,350,000	194,533	14.4	182,233	13.5
1,400,000	203,422	14.5	190,844	13.6
1,450,000	212,310	14.6	199,455	13.8
1,500,000	221,200	14.7	208,066	13.9
1,550,000	230,088	14.8	216,677	14.0
1,600,000	238,977	14.9	225,288	14.1
1,650,000	247,866	15.0	233,900	14.2
1,700,000	256,755	15.1	242,510	14.3
1,750,000	265,644	15.2	251,121	14.3
1,800,000	274,533	15.3	259,733	14.4
1,850,000	283,466	15.3	268,355	14.5
1,900,000	292,633	15.4	277,244	14.6
1,950,000	301,800	15.5	286,133	14.7
2,000,000	310,966	15.5	295,022	14.8
2,050,000	320,133	15.6	303,910	14.8
2,100,000	329,300	15.7	312,800	14.9
2,150,000	338,466	15.7	321,688	15.0
2,200,000	347,633	15.8	330,577	15.0
2,250,000	356,800	15.9	339,466	15.1
2,300,000	365,966	15.9	348,355	15.1
2,350,000	375,133	16.0	357,244	15.2
2,400,000	384,300	16.0	366,133	15.3
2,450,000	393,466	16.1	375,022	15.3

親の数 ⇒	1 人		2 人	
課税価格	税額 B	B/A	税額 B	B/A
A 2,500,000	402,633	16.1	383,910	15.4
2,550,000	411,800	16.1	392,800	15.4
2,600,000	420,966	16.2	401,688	15.4
2,650,000	430,133	16.2	410,577	15.5
2,700,000	439,300	16.3	419,466	15.5
2,750,000	448,466	16.3	428,355	15.6
2,800,000	457,633	16.3	437,244	15.6
2,850,000	466,800	16.4	446,133	15.7
2,900,000	475,966	16.4	455,022	15.7
2,950,000	485,133	16.4	463,910	15.7
3,000,000	494,300	16.5	472,800	15.8
3,100,000	512,633	16.5	490,577	15.8
3,200,000	530,966	16.6	508,355	15.9
3,300,000	549,300	16.6	526,133	15.9
3,400,000	567,633	16.7	543,910	16.0
3,500,000	585,966	16.7	561,688	16.0
3,600,000	604,300	16.8	579,466	16.1
3,700,000	622,633	16.8	597,532	16.1
3,800,000	640,966	16.9	615,866	16.2
3,900,000	659,300	16.9	634,200	16.3
4,000,000	677,633	16.9	652,532	16.3
4,100,000	695,966	17.0	670,866	16.4
4,200,000	714,300	17.0	689,200	16.4
4,300,000	732,633	17.0	707,532	16.5

法 令 通 達 索 引

（注）　原則として各条文の第1項の位置を示したが、必要に応じ、各項又は各号まで掲げているものもある。
なお、同じ条項が繰り返し掲載されているものは、掲載ページを適宜省略した。

相 続 税 法

第1章　総　　則
第1節　通　　則
第 1 条（趣旨）‥‥‥‥‥‥‥‥‥‥‥‥‥‥‥‥3・435
第 1 条の2（定義）‥‥‥‥‥‥‥‥‥‥‥‥‥‥3・435
第 1 条の3（相続税の納税義務者）‥‥‥‥‥‥‥‥‥3
第 1 条の4（贈与税の納税義務者）‥‥‥‥‥‥‥‥435
第 2 条（相続税の課税財産の範囲）‥‥‥‥‥‥‥‥46
第 2 条の2（贈与税の課税財産の範囲）‥‥‥‥‥‥455
第2節　相続若しくは遺贈又は贈与により取得したものとみなす場合
第 3 条（相続又は遺贈により取得したものとみなす場合）48
〔保険金〕‥‥‥‥‥‥‥‥‥‥‥‥‥‥‥‥48
〔退職手当金〕‥‥‥‥‥‥‥‥‥‥‥‥‥‥53
〔生命保険契約に関する権利〕‥‥‥‥‥‥‥57
〔定期金に関する権利〕‥‥‥‥‥‥‥‥‥‥61
〔保証期間付定期金に関する権利〕‥‥‥‥‥63
〔契約に基づかない定期金に関する権利〕‥‥66
第 4 条（遺贈により取得したものとみなす場合）‥‥69
第 5 条（贈与により取得したものとみなす場合）‥‥462
第 6 条（贈与により取得したものとみなす場合－定期金）467
第 7 条（贈与又は遺贈により取得したものとみなす場合－低額譲受）‥‥‥‥‥‥‥‥‥‥‥‥‥‥71・470
第 8 条（贈与又は遺贈により取得したものとみなす場合－債務免除等）‥‥‥‥‥‥‥‥‥‥‥‥71・471
第 9 条（贈与又は遺贈により取得したものとみなす場合－その他の利益の享受）‥‥‥‥‥‥‥‥72・472
第3節　信託に関する特例
第 9 条の2（贈与又は遺贈により取得したものとみなす信託に関する権利）‥‥‥‥‥‥‥‥73・476
第 9 条の3（受益者連続型信託の特例）‥‥‥‥75・479
第 9 条の4（受益者等が存しない信託等の特例）‥76・480
第 9 条の5（受益者等が存しない信託等の特例）‥78・481
第 9 条の6（政令への委任）‥‥‥‥‥‥‥‥81・484
第4節　財産の所在
第 10 条（財産の所在）‥‥‥‥‥‥‥‥‥‥‥40・449
第2章　課税価格・税率及び控除
第1節　相　続　税
第 11 条（相続税の課税）‥‥‥‥‥‥‥‥‥‥‥‥99
第 11 条の2（相続税の課税価格）‥‥‥‥‥‥‥‥99
第 12 条（相続税の非課税財産）‥‥‥‥84・88・89・90
第 13 条（債務控除）‥‥‥‥‥‥‥‥‥‥‥‥‥153
第 14 条（控除すべき債務）‥‥‥‥‥‥‥‥‥‥154
第 15 条（遺産に係る基礎控除）‥‥‥‥‥‥‥‥162
第 16 条（相続税の総額）‥‥‥‥‥‥‥‥‥‥‥167
第 17 条（各相続人等の相続税額）‥‥‥‥‥‥‥169
第 18 条（相続税額の加算）‥‥‥‥‥‥‥‥‥‥170
第 19 条（相続開始前7年以内に贈与があった場合の相続税額）‥‥‥‥‥‥‥‥‥‥‥‥157・172
第 19 条の2（配偶者に対する相続税額の軽減）‥‥‥174
第 19 条の3（未成年者控除）‥‥‥‥‥‥‥‥‥182

第 19 条の4（障害者控除）‥‥‥‥‥‥‥‥‥‥184
第 20 条（相次相続控除）‥‥‥‥‥‥‥‥‥‥‥188
第 20 条の2（在外財産に対する相続税額の控除）‥‥190
第2節　贈　与　税
第 21 条の2（贈与税の課税価格）‥‥‥‥‥‥‥566
第 21 条の3（贈与税の非課税財産）‥‥‥487・490・494
第 21 条の4（特定障害者に対する贈与税の非課税）‥495
第 21 条の5（贈与税の基礎控除）‥‥‥‥‥‥‥571
第 21 条の6（贈与税の配偶者控除）‥‥‥‥‥‥571
第 21 条の7（贈与税の税率）‥‥‥‥‥‥‥‥‥575
第 21 条の8（在外財産に対する贈与税額の控除）‥‥578
第3節　相続時精算課税
第 21 条の9（相続時精算課税の選択）‥‥‥‥‥647
第 21 条の10（相続時精算課税に係る贈与税の課税価格）651
第 21 条の11（適用除外）‥‥‥‥‥‥‥‥‥‥652
第 21 条の11の2（相続時精算課税に係る贈与税の基礎控除）‥‥‥‥‥‥‥‥‥‥‥‥‥‥651
第 21 条の12（相続時精算課税に係る贈与税の特別控除）651
第 21 条の13（相続時精算課税に係る贈与税の税率）‥652
第 21 条の14（相続時精算課税に係る相続税額）‥‥663
第 21 条の15（相続時精算課税に係る相続税の課税価格）661
第 21 条の16（相続時精算課税に係る相続税の課税価格に算入されるみなし相続財産）‥‥‥‥662
第 21 条の17（相続時精算課税に係る相続税の納付義務の承継等）‥‥‥‥‥‥‥‥‥‥‥‥‥671
第 21 条の18（相続時精算課税選択届出書の提出前に受贈者が死亡した場合）‥‥‥‥‥‥‥‥‥672
第3章　財産の評価
第 22 条（評価の原則）‥‥‥‥‥‥‥‥‥‥‥1431
第 23 条（地上権及び永小作権の評価）‥‥‥1448・1470・1474
第 23 条の2（配偶者居住権等の評価）‥‥‥‥1584
第 24 条（定期金に関する権利の評価－給付事由が発生しているもの）‥‥‥‥‥‥64・467・469・1591
第 25 条（定期金に関する権利の評価－給付事由が発生していないもの）‥‥‥‥‥‥‥‥62・1595
第 26 条（立木の評価）‥‥‥‥‥‥‥‥‥‥‥1501
第 26 条の2（土地評価審議会）‥‥‥‥‥‥‥1484
第4章　申告及び納付
第 27 条（相続税の申告書）‥‥‥‥‥‥‥‥200・675
第 28 条（贈与税の申告書）‥‥‥‥‥‥‥‥579・674
第 29 条（相続財産法人に係る財産を与えられた者に係る相続税の申告書）‥‥‥‥‥‥‥‥‥208
第 30 条（期限後申告の特則）‥‥‥‥‥‥‥‥277
第 31 条（修正申告の特則）‥‥‥‥‥‥‥‥‥280
第 32 条（更正の請求の特則）‥‥‥175・277・282・603
第 33 条（納付）‥‥‥‥‥‥‥‥‥‥‥‥315・622
第 33 条の2（相続時精算課税に係る贈与税額の還付）‥668
第 34 条（連帯納付の義務）‥‥‥‥‥‥‥‥316・623
第5章　更正及び決定
第 35 条（更正及び決定の特則）‥‥‥‥‥‥287・608
第 36 条（相続税についての更正、決定等の期間制限の特則）‥‥‥‥‥‥‥‥‥‥‥‥‥‥291
第 37 条（贈与税についての更正、決定等の期間制限の特則）‥‥‥‥‥‥‥‥‥‥‥‥‥609

第6章　延納及び物納

第38条（延納の要件）……………………… 319・625
第39条（延納手続）………………………… 327・626
第40条（延納申請に係る徴収猶予等）…… 340・639
第41条（物納の要件）……………………………… 352
第42条（物納手続）………………………………… 360
第43条（物納財産の収納価額等）………………… 380
第44条（物納申請の全部又は一部の却下に係る延納）… 373
第45条（物納申請の却下に係る再申請）………… 374
第46条（物納の撤回）……………………………… 383
第47条（物納の撤回に係る延納）………………… 385
第48条（物納の許可の取消し）…………………… 373
第48条の2（特定の延納税額に係る物納）……… 375
第48条の3（延納又は物納に関する事務の引継ぎ）
　　　　　　　　　　　　　　　　　　 321・353・626

第7章　雑　　則

第49条（相続時精算課税に係る贈与税の申告内容の開示
　　　　　等）…………………………………………… 676
第50条（修正申告等に対する国税通則法の適用に関する
　　　　　特則）………………………………………… 314
第51条（延滞税の特則）………………………… 310・620
第51条の2（連帯納付義務の履行に係る延滞税の特則）… 312
第52条（延納等に係る利子税）………………… 341・640
第53条（物納等に係る利子税）……………………… 387
第55条（未分割遺産に対する課税）…………… 152・283
第58条（法務大臣等の通知）……………………… 403
第59条（調書の提出）……………………………… 404
第61条（相続財産等の調査）…………………… 92・421
第62条（納税地）………………………………… 201・581
第63条（相続人の数に算入される養子の数の否認）… 162
第64条（同族会社等の行為又は計算の否認等）… 288・421・608
第65条（特別の法人から受ける利益に対する課税）… 82・485
第66条（人格のない社団又は財団等に対する課税）… 6・438
第66条の2（特定の一般社団法人等に対する課税）… 15・448
第67条（付加税の禁止）…………………………… 422

第8章　罰　　則

第68条（脱税犯）…………………………………… 428
第69条（無申告犯）………………………………… 428
第70条（秩序犯）…………………………………… 428
第71条（両罰規定）………………………………… 429
附則2（相続税法の施行地）…………………… 45・454
附則3（納税地）…………………………………… 200

相続税法施行令

第1章　総　　則
第1節　通　　則

第1条（定義）…………………………………… 3・435
第2節　相続若しくは遺贈又は贈与により取得した　ものとみなす財産の範囲
第1条の2（生命保険契約等の範囲）……… 50・59・465
第1条の3（退職手当金等に含まれる給付の範囲）
　　　　　　　　　　　　　　　　　　　 40・53・449
第1条の4（贈与により取得したものとみなされる損害
　　　　　保険契約の保険金）……………………… 462
第1条の5（返還金等が課税される損害保険契約）…… 464
第3節　信託に関する特例
第1条の6（退職年金の支給を目的とする信託等の範囲）
　　　　　　　　　　　　　　　　　　　　 73・476
第1条の7（信託の変更をする権限）……… 73・477
第1条の8（受益者連続型信託）…………… 75・479

第1条の9（親族の範囲）……………………… 76・480
第1条の10（受益者等が存しない信託等の受託者の贈与
　　　　　税額又は相続税額の計算）……… 79・482
第1条の11（契約締結時等の範囲）………… 78・481
第1条の12（受益者等が存しない信託の受託者の住所等）
　　　　　　　　　　　　　　　　　　　 80・484
第4節　財産の所在
第1条の13（預金、貯金、積金及び寄託金）… 40・449
第1条の14（貸付金債権の所在の基準となる債務者）… 43・452
第1条の15（有価証券）……………………… 43・452
第2章　課税価格及び控除等
第1節　課税価格及び控除
第2条（相続又は遺贈に係る財産につき相続税を課され
　　　　ない公益事業を行う者の範囲）………………… 84
第2条の2（心身障害者共済制度の範囲）… 89・494
第3条（債務控除をする公租公課の金額）…………… 155
第3条の2（特別養子縁組等による養子に準ずる者の範
　　　　囲）…………………………………………… 162
第4条（相続税額から控除する贈与税相当額等）…… 172
第4条の2（配偶者に対する相続税額の軽減の場合の財
　　　　産分割の特例）……………………………… 175
第4条の3（扶養義務者の未成年者控除）…………… 183
第4条の4（障害者の範囲等）………………… 184・495
第4条の4の2（年の中途において課税財産の範囲が異
　　　　なることとなった場合の贈与税の課税価格）…… 566
第4条の5（贈与財産につき贈与税を課されない公益事
　　　　業を行う者の範囲）………………………… 490
第4条の6（贈与税の配偶者控除の場合の婚姻期間の計
　　　　算）…………………………………………… 573
第2節　特別障害者に対する贈与税の非課税
第4条の7（用語の意義）…………………………… 495
第4条の8（特別障害者以外の特定障害者の範囲）…… 495
第4条の9（受託者の範囲）………………………… 495
第4条の10（障害者非課税信託申告書の記載事項及び提
　　　　出）…………………………………………… 497
第4条の11（信託財産の範囲）……………………… 496
第4条の12（特定障害者扶養信託契約の要件）……… 496
第4条の13（二以上の障害者非課税信託申告書の提出が
　　　　できる場合）………………………………… 498
第4条の14（障害者非課税信託取消申告書）………… 498
第4条の15（障害者非課税信託廃止申告書）………… 498
第4条の16（障害者非課税信託に関する異動申告書）… 498
第4条の17（障害者非課税信託申告書等の提出の特例）… 499
第4条の18（受託者の変更等があった場合の申告）…… 499
第4条の19（受託者の営業所等の障害者非課税信託申告
　　　　書の税務署長への送付等）………………… 500
第4条の20（受託者の営業所等における障害者非課税信
　　　　託に関する帳簿書類の整理保存）………… 500
第3節　相続時精算課税
第5条（相続時精算課税選択届出書の提出）………… 648
第5条の2（特定贈与者が二人以上ある場合における特
　　　　定贈与者ごとの贈与税の課税価格から控除する金
　　　　額の計算）…………………………………… 651
第5条の2の2（相続税額の加算の対象とならない相続
　　　　税額）………………………………………… 664
第5条の3（相続時精算課税に係る贈与税に相当する税
　　　　額の控除の順序）…………………………… 662
第5条の4（相続時精算課税の適用のための読替え）… 664
第5条の5（相続時精算課税適用者の相続人が2人以上
　　　　いる場合の読替え）………………………… 671
第5条の6（相続時精算課税選択届出書を提出しないで
　　　　死亡した者の相続人に係る相続時精算課税選択届
　　　　出書の提出）………………………………… 672

第3章 財産の評価
第 5 条の 7 （建物の一部が賃貸の用に供されている場合等の配偶者居住権の価額等）‥‥‥‥‥‥‥ 1584
第 5 条の 8 （定期金給付契約の目的とされた者に係る余命年数）‥‥‥‥‥‥‥‥‥‥‥‥‥‥‥ 1592

第4章 申告、納付及び還付
第 6 条 （死亡した者に係る相続税の申告書の提出）‥‥ 205
第 7 条 （申告書の共同提出）‥‥‥‥‥‥ 204・579
第 8 条 （更正の請求の対象となる事由）‥‥‥ 277・283・604
第 9 条 （還付の手続）‥‥‥‥‥‥‥‥‥‥‥ 668
第 10 条 （還付すべき税額の充当の順序等）‥‥‥‥ 669
第 10 条の 2 （相続税の連帯納付義務の適用除外となる納税の猶予の範囲）‥‥‥‥‥‥‥‥‥ 316
第 11 条 （贈与税の連帯納付義務の範囲）‥‥‥‥ 623

第5章 延納及び物納
第 12 条 （延納の許可限度額）‥‥‥‥‥‥ 319・625
第 13 条 （延納期間の延長される財産）‥‥‥‥‥ 319
第 14 条 （不動産等の価額に対応する延納税額の計算等）‥‥ 322
第 15 条 （担保提供関係書類提出期限延長届出書等の提出）
‥‥‥‥‥‥‥‥‥‥‥‥‥‥‥‥‥‥ 330・629
第 16 条 （担保提供関係書類等の訂正又は提出の請求）
‥‥‥‥‥‥‥‥‥‥‥‥‥‥‥‥‥‥ 331・630
第 16 条の 2 （延納の許可の申請に係る手続に関する期間が延長される事由等）‥‥‥‥ 335・634
第 17 条 （物納の許可限度額）‥‥‥‥‥‥‥‥ 352
第 18 条 （管理処分不適格財産）‥‥‥‥‥‥‥ 354
第 19 条 （物納劣後財産）‥‥‥‥‥‥‥‥‥ 358
第 19 条の 2 （物納手続関係書類提出期限延長届出書等の提出）‥‥‥‥‥‥‥‥‥‥‥‥‥ 365
第 19 条の 3 （物納手続関係書類等の訂正又は提出の請求）‥‥‥‥‥‥‥‥‥‥‥‥‥‥ 366
第 19 条の 4 （物納の許可の申請に係る手続に関する期間が延長される事由等）‥‥‥‥‥ 371
第 20 条 （物納財産の収納手続）‥‥‥‥‥‥‥ 382
第 21 条 （物納財産収納後の手続）‥‥‥‥‥‥ 383
第 22 条 （物納報告書の作成、送付）‥‥‥‥‥ 383
第 23 条 （物納額計算書の作成、送付）‥‥‥‥ 383
第 24 条 （物納簿）‥‥‥‥‥‥‥‥‥‥‥‥ 383
第 25 条 （物納財産収納済証書等の様式及び記入方法）‥‥‥ 383
第 25 条の 2 （物納申請の全部又は一部の却下に係る延納の許可限度額等）‥‥‥‥‥‥‥‥ 374
第 25 条の 3 （物納申請の却下に係る再申請に係る物納の許可限度額等）‥‥‥‥‥‥‥‥‥ 374
第 25 条の 4 （物納の撤回に係る不適格財産等）‥ 384
第 25 条の 5 （物納の撤回に係る延納の許可限度額等）‥‥ 386
第 25 条の 6 （物納の許可の取消しに係る有益費等の納付等）‥‥‥‥‥‥‥‥‥‥‥‥‥ 373
第 25 条の 7 （特定の延納税額に係る物納の許可限度額等）
‥‥‥‥‥‥‥‥‥‥‥‥‥‥‥‥‥‥‥‥ 376
第 26 条 （延納又は物納に関する事務の引継ぎ）‥‥ 321・353

第6章 雑 則
第 27 条 （贈与税の申告内容の開示請求の方法等）‥‥‥‥ 677
第 28 条 （立木の価額に対応する延納税額の計算等）‥‥ 342
第 28 条の 2 （一部納付等がされた場合の充当の順序）‥‥ 344
第 29 条 （物納に係る利子税の納付を要しない期間から除かれる期間等）‥‥‥‥‥‥‥‥‥‥ 388
第 30 条 （調書の提出を要する損害保険契約の保険金等）‥ 404
第 31 条 （同族関係者の範囲等）
‥‥ 7・82・85・92・289・421・439・485・608
第 32 条 （法人から受ける特別の利益の内容等）‥‥‥ 83
第 33 条 （人格のない社団又は財団等に課される贈与税等の額の計算の方法等）‥‥‥‥‥‥ 6・438
第 34 条 （特定一般社団法人等の純資産額の算定等）‥‥‥ 15・448

附則 2 （法施行地から除かれる地域）‥‥‥‥‥‥ 45・454
附則 4 （個人立幼稚園等の事業の用に供する財産の特例）‥‥‥ 86

相続税法施行規則

第 1 条 （定義）‥‥‥‥‥‥‥‥‥‥‥‥‥ 3・435
第 1 条の 2 （漁業協同組合等の締結した生命保険契約等に類する共済に係る契約の要件）‥‥ 50・60・465
第 1 条の 3 （特定信託の委託者が通知すべき事項）‥‥ 77・480
第 1 条の 4 （受益者等が存しない信託等の受託者の贈与税又は相続税の申告書に添付する明細書の記載事項）‥‥‥‥‥‥‥‥‥‥‥‥‥ 80・483
第 1 条の 5 （特定贈与財産を贈与税の課税価格に算入する場合の記載事項等）‥‥‥‥‥‥‥ 158
第 1 条の 6 （配偶者に対する相続税額の軽減の特例の適用を受ける場合の記載事項等）‥‥ 176・207
第 2 条 （障害者非課税信託申告書の添付書類）‥‥‥‥ 497
第 5 条の 2 （障害者非課税信託申告書の添付書類の提出の特例）‥‥‥‥‥‥‥‥‥‥‥‥‥ 499
第 6 条 （受託者の変更等があった場合に提出すべき書類の記載事項）‥‥‥‥‥‥‥‥‥‥ 499
第 7 条 （受託者の営業所等における帳簿書類の整理保存等）‥‥‥‥‥‥‥‥‥‥‥‥‥‥‥ 500
第 9 条 （贈与税の配偶者控除の適用を受ける場合の添附書類）‥‥‥‥‥‥‥‥‥‥‥ 574・583
第 10 条 （相続時精算課税選択届出書の記載事項）‥‥ 648
第 11 条 （相続時精算課税選択届出書の添付書類）‥‥ 648
第 12 条 （相続時精算課税に係る贈与税の特別控除）‥‥ 652
第 12 条の 2 （耐用年数）‥‥‥‥‥‥‥‥‥ 1584
第 12 条の 3 （配偶者の平均余命）‥‥‥‥‥‥ 1585
第 12 条の 5 （法定利率による複利の計算で現価を算出するための割合）‥‥‥‥‥‥‥‥‥ 1585
第 12 条の 5 （複利年金現価率）‥‥‥‥‥‥ 1592
第 12 条の 6 （定期金給付契約の目的とされた者に係る平均余命）‥‥‥‥‥‥‥‥‥‥‥ 1592
第 12 条の 7 （複利年金終価率）‥‥‥‥‥ 62・1595
第 13 条 （相続税の申告書の記載事項）‥‥‥‥‥ 203
第 14 条 （死亡した者に係る相続税の申告書の記載事項）‥‥ 205
第 15 条 （還付を受けるための相続税の申告書の記載事項）
‥‥‥‥‥‥‥‥‥‥‥‥‥‥‥‥‥ 205・675
第 16 条 （相続税の申告書に添付する明細書の記載事項）‥‥ 206
第 17 条 （贈与税の申告書の記載事項）‥‥‥‥‥ 582
第 18 条 （相続税に係る期限後申告書等の記載事項）‥‥ 278
第 18 条の 2 （連帯納付義務者に通知すべき事項）‥‥ 317
第 19 条 （金融商品取引所に上場されている法人に類する法人）‥‥‥‥‥‥‥‥‥‥‥‥‥‥ 319
第 20 条 （延納申請書等の記載事項等）‥‥‥ 327・626
第 21 条 （管理処分不適格財産）‥‥‥‥‥‥‥ 355
第 21 条の 2 （投資証券の範囲等）‥‥‥‥‥‥ 357
第 22 条 （物納申請書等の記載事項等）‥‥‥‥‥ 360
第 23 条 （振替社債等の収納手続書類の記載事項）‥‥ 382
第 24 条 （物納財産による過誤納額の還付申請書の記載事項）‥‥‥‥‥‥‥‥‥‥‥‥‥‥‥ 382
第 25 条 （物納の撤回申請書の記載事項）‥‥‥‥ 383
第 26 条 （物納の撤回に係る延納申請書の記載事項）‥‥ 386
第 27 条 （物納の許可に付した条件の履行を求める通知書の記載事項）‥‥‥‥‥‥‥‥‥‥ 373
第 28 条 （特定物納申請書の記載事項）‥‥‥‥‥ 376
第 29 条 （贈与税の申告内容の開示請求書の記載事項等）‥‥‥ 677
第 30 条 （調書の記載事項等）‥‥‥‥‥‥‥‥ 404
第 31 条 （調書の書式）‥‥‥‥‥‥‥‥‥ 404・410

第 32 条（特定目的会社等の範囲等）・・・・・・・・・・・・・・ 18
附則 2　（公益事業の範囲）・・・・・・・・・・・・・・・・・・・・・・・・・ 86
附則 3　（学校経営事業を引続き行うことが確実と認められる者）・・・・・・・・・・・・・・・・・・・・・・・・・・・・・・・・・・・・・・ 86
附則 4　（教育用財産の届出手続）・・・・・・・・・・・・・・・・・・ 86
附則 5　（教育用財産を教育の用に供さなくなった場合の届出）・・ 86
附則 6　（届出書の提出に代わる所得税確定申告書の必要書類の添付）・・・・・・・・・・・・・・・・・・・・・・・・・・・・・・ 86
附則 7　（事業が適正に行われていると認められる場合）・・・ 87
附則 8　（事業経営者の家事充当額の認定申請）・・・・・・・・ 88
附則 9　（申請に対する税務署長の処分）・・・・・・・・・・・・ 88
附則10　（書面による処分の通知）・・・・・・・・・・・・・・・・・・ 88
附則11　（認定があったものとみなす場合）・・・・・・・・・・・・ 88
附則12　（事業経営者の家事充当額の変更手続）・・・・・・・・ 88
附則13　（家事充当額の変更申請に対する税務署長の処分）・・・ 88

租税特別措置法

第4章　相続税法の特例

第 69 条の 2　（在外財産等についての相続税の課税価格の計算の特例）・・・・・・・・・・・・・・・・・・・・・・・・・・・・・・・・ 20
第 69 条の 3　（在外財産等の価額が算定可能となった場合の修正申告等）・・・・・・・・・・・・・・・・・・・・・・・・・・・・・・ 20
第 69 条の 4　（小規模宅地等についての相続税の課税価格の計算の特例）・・・・・・・・・・・・・・・・・・・・・・・・・・・・・・ 101
第 69 条の 5　（特定計画山林についての相続税の課税価格の計算の特例）・・・・・・・・・・・・・・・・・・・・・・・・・・・・・・ 126
第 69 条の 6　（特定土地等及び特定株式等に係る相続税の課税価格の計算の特例）・・・・・・・・・・・・・・・・・・・・・ 147
第 69 条の 7　（特定土地等及び特定株式等に係る贈与税の課税価格の計算の特例）・・・・・・・・・・・・・・ 567・570
第 69 条の 8　（相続税及び贈与税の申告書の提出期限の特例）・・・・・・・・・・・・・・・・・・・・・・・・・・・・・・・・・・ 150・570
第 70 条　（国等に対して相続財産を贈与した場合等の相続税の非課税等）・・・・・・・・・・・・・・・・・・・・・・・・ 92・95
第 70 条の 2　（直系尊属から住宅取得等資金の贈与を受けた場合の贈与税の非課税）・・・・・・・・・・・・・・・・・・ 501
第 70 条の 2の 2　（直系尊属から教育資金の一括贈与を受けた場合の贈与税の非課税）・・・・・・・・・・・・・ 519
第 70 条の 2の 3　（直系尊属から結婚・子育て資金の一括贈与を受けた場合の贈与税の非課税）・・・・・・・ 545
第 70 条の 2の 4　（贈与税の基礎控除の特例）・・・・・・・・ 571
第 70 条の 2の 5　（直系尊属から贈与を受けた場合の贈与税の税率の特例）・・・・・・・・・・・・・・・・・・・・・・・・・ 576
第 70 条の 2の 6　（相続時精算課税適用者の特例）・・・・・・ 649
第 70 条の 2の 7　（個人の事業用資産についての贈与税の納税猶予及び免除に係る相続時精算課税適用者の特例）・・・・・・・・・・・・・・・・・・・・・・・・・・・・・・・・・・・・・・ 1060
第 70 条の 2の 8　（非上場株式等についての贈与税の納税猶予及び免除の特例に係る相続時精算課税適用者の特例）・・・・・・・・・・・・・・・・・・・・・・・・・・・・・・・・・・・・ 1337
第 70 条の 3　（特定の贈与者から住宅取得等資金の贈与を受けた場合の相続時精算課税の特例）・・・・・・・・・ 681
第 70 条の 3の 2　（相続時精算課税に係る贈与税の基礎控除の特例）・・・・・・・・・・・・・・・・・・・・・・・・・・・・・・・・・・ 653
第 70 条の 3の 3　（相続時精算課税に係る土地又は建物の価額の特例）・・・・・・・・・・・・・・・・・・・・・・・・・・・・・・ 653
第 70 条の 4　（農地等を贈与した場合の贈与税の納税猶予）
　①（農地等を贈与した場合の贈与税の納税猶予）　709・726
　②（用語の意義）・・・・・・・・・・・・・・・・・・・・・・・・・ 709・833

　③（農地等の受贈者が贈与税の納税猶予の適用を受ける場合の相続時精算課税制度の適用除外）・・・・・・ 710
　④（納税猶予の一部打切り）・・・・・・・・・・・・・・・・・・・ 735
　⑤（買取りの申出等による納税猶予の一部打切り）・・・ 736
　⑥（受贈農地等に係る使用貸借による権利の設定）・・・ 740
　⑦（推定相続人の農業経営の廃止等の場合の調整）・・・ 742
　⑧（貸付特例適用農地等に係る賃借権等の設定）・・・・・ 750
　⑨（適用手続）・・・・・・・・・・・・・・・・・・・・・・・・・・・・・・・ 751
　⑩（賃借権等の設定があったものとして納税猶予が打ち切られる場合）・・・・・・・・・・・・・・・・・・・・・・・・・・ 753
　⑪（再借受代替農地等を借り受けた場合又は賃借権等を消滅させた場合の納税猶予の継続）・・・・・・・・・・ 754
　⑫（1年ごとの継続届出書の提出）・・・・・・・・・・・・・・ 755
　⑬（継続届出書が提出されなかった場合の納税猶予の打切り）・・・・・・・・・・・・・・・・・・・・・・・・・・・・・・・・・・ 756
　⑮（買換えの承認があった場合の納税猶予の継続）・・・・ 758
　⑯（特定市街化区域農地等の収用交換等による譲渡）・・・ 763
　⑰（買換え等の承認があった都市営農農地等の納税猶予の継続）・・・・・・・・・・・・・・・・・・・・・・・・・・・・・・・・・ 782
　⑱（一時的道路用地等の用に供するための地上権等の設定）・・・・・・・・・・・・・・・・・・・・・・・・・・・・・・・・・・・・ 766
　⑲（1年ごとの継続貸付届出書の提出）・・・・・・・・・・・ 768
　⑳（継続貸付届出書が提出されなかった場合の納税猶予の打切り）・・・・・・・・・・・・・・・・・・・・・・・・・・・・・・ 769
　㉒（特例の概要）・・・・・・・・・・・・・・・・・・・・・・・・・・・・・ 771
　㉓（権利消滅の場合の納税猶予の継続等）・・・・・・・・・・ 774
　㉔（ゆうじょ規定）・・・・・・・・・・・・・・・・・・・・・・・・・・・・ 778
　㉕（継続届出書の提出）・・・・・・・・・・・・・・・・・・・・・・・・ 778
　㉖（申告手続）・・・・・・・・・・・・・・・・・・・・・・・・・・・・・・・ 722
　㉗（3年ごとの納税猶予の継続届出書の提出）・・・・・・・ 787
　㉘（ゆうじょ規定）・・・・・・・・・・・・・・・・・・・・・・・・・・・・ 787
　㉙（継続届出書の提出による時効の中断）・・・・・・・・・・ 799
　㉚（3年ごとの納税猶予の継続届出書を提出しなかった場合の打切り）・・・・・・・・・・・・・・・・・・・・・・・・・・・・ 737
　㉛（担保変更等の命令に応じなかった場合の打切り）・・・ 738
　㉜（納税猶予がされた場合の国税通則法及び国税徴収法の規定の調整）・・・・・・・・・・・・・・・・・・・・・・・・・・・・ 799
　㉝（納税猶予打切税額に係る延納の不適用）・・・・・・・・ 739
　㉞（贈与者又は受贈者が死亡した場合の贈与税額の免除）・・・・・・・・・・・・・・・・・・・・・・・・・・・・・・・・・・・・・・ 796
　㉟（納税猶予の打切りがあった場合の利子税の納付）・・ 738
　㊱（譲渡、転用等についての農業委員会等の通知義務）・・・・・・・・・・・・・・・・・・・・・・・・・・・・・・・・・・・・・・ 798
　㊲（準農地の利用形態等に関する農業委員会等の通知義務）・・・・・・・・・・・・・・・・・・・・・・・・・・・・・・・・・・・・ 798
　㊳（税務署長からの通知）・・・・・・・・・・・・・・・・・・・・・・ 799
　㊴（その他の調整規定）・・・・・・・・・・・・・・・・・・・・・・・・ 744
第 70 条の 4の 2　（贈与税の納税猶予を適用している場合の特定貸付けの特例）・・・・・・・・・・・・・・・・・・・・・・・・ 821
第 70 条の 5　（農地等の贈与者が死亡した場合の相続税の課税の特例）・・・・・・・・・・・・・・・・・・・・・・・・・・ 67・830
第 70 条の 6　（農地等についての相続税の納税猶予等）
　①前段（農地等についての相続の納税猶予等）　191・833
　①後段（納税猶予の全部打切り）・・・・・・・・・・・・・・・・・ 859
　②（農業相続人がいる場合の相続税額）・・・・・・・・・・・・ 849
　③（土地評価審議会の意見聴取）・・・・・・・・・・・・・・・・・ 849
　④（納税猶予分の相続税額の計算）・・・・・・・・・・・・・・・ 852
　⑤（未分割農地等の不適用）・・・・・・・・・・・・・・・・・・・・ 838
　⑥（納税猶予期限）・・・・・・・・・・・・・・・・・・・・・・・・・・・ 853
　⑦（納税猶予の一部打切り）・・・・・・・・・・・・・・・・・・・・ 866
　⑧（買取りの申出等による納税猶予の一部打切り）・・・ 867
　⑨（推定相続人の農業経営の廃止等）・・・・・・・・・・・・・ 873

－1744－

⑩（貸付特例適用農地等に係る賃借権等の設定）‥‥‥ 878
⑪（適用手続）‥‥‥‥‥‥‥‥‥‥‥‥‥‥‥ 879
⑫（賃借権等の設定があったものとして納税猶予が打ち切られる場合）‥‥‥‥‥‥‥‥‥ 881
⑬（再借受代替農地等を借り受けた場合又は賃借権等を消滅させた場合の納税猶予の継続）‥‥‥ 882
⑭（1年ごとの継続届出書の提出）‥‥‥‥‥ 883
⑮（継続届出書が提出されなかった場合の納税猶予の打切り）‥‥‥‥‥‥‥‥‥‥‥‥ 884
⑯（農業相続人が死亡した場合においてその相続税の申告期限までに賃借権等が消滅した場合の適用）‥‥‥‥‥‥‥‥‥‥‥‥‥‥‥‥ 885
⑱（贈与税の特例の適用を受けている受贈者が死亡した場合等の準用）‥‥‥‥‥‥‥‥ 885
⑲（買換えの承認があった場合の納税猶予の継続）‥‥‥ 888
⑳（特定市街化区域農地等の収用交換等による譲渡）892
㉑（買換え等の承認があった都市営農地等の納税猶予の継続）‥‥‥‥‥‥‥‥‥‥‥‥ 913
㉒（一時的道路用地等の用に供するための地上権等の設定）‥‥‥‥‥‥‥‥‥‥‥‥‥‥ 895
㉓（1年ごとの継続貸付届出書の提出）‥‥‥ 897
㉔（継続貸付届出書が提出されなかった場合の納税猶予の打切り）‥‥‥‥‥‥‥‥‥ 898
㉕（農業相続人が死亡した場合の特例の適用）‥ 898
㉗（贈与税の特例の適用を受けている受贈者が死亡した場合等の準用）‥‥‥‥‥‥‥ 898
㉘（特例の概要）‥‥‥‥‥‥ 901・905・908
㉙（農業相続人が死亡した場合）‥‥‥‥‥ 910
㉚（受贈者が死亡した場合の準用）‥‥‥‥ 910
㉛（申告書への記載）‥‥‥‥‥‥‥‥‥‥ 856
㉜（3年ごとの納税猶予の継続届出書の提出）‥ 916
㉝（ゆうじょ規定）‥‥‥‥‥‥‥‥‥‥‥ 916
㉞（継続届出書の提出による時効の中断）‥ 925
㉟（3年ごとの納税猶予の継続届出書を提出しなかった場合の打切り）‥‥‥‥‥ 869・916
㊱（担保変更等の命令に応じなかった場合の打切り）869
㊲（納税猶予がされた場合の国税通則法及び国税徴収法の規定の調整）‥‥‥‥‥‥‥ 924
㊳（納税猶予打切税額に係る延納及び物納の不適用等）‥‥‥‥‥‥‥‥‥‥‥ 872・923
㊴（納税猶予税額の免除）‥‥‥‥‥‥‥‥ 919
㊵（納税猶予の打切り等があった場合の利子税の納付）‥‥‥‥‥‥‥‥‥‥‥‥‥‥‥ 869
㊶（譲渡、転用等についての農業委員会等の通知義務）‥‥‥‥‥‥‥‥‥‥‥‥‥‥‥ 923
㊷（準農地の利用形態等に関する農業委員会等の通知義務）‥‥‥‥‥‥‥‥‥‥‥‥ 923
㊸（税務署長からの通知）‥‥‥‥‥‥‥‥ 924
第 70 条の6の2　（相続税の納税猶予を適用している場合の特定貸付けの特例）‥‥‥‥‥ 937
第 70 条の6の3　（特定貸付けを行った農地又は採草放牧地についての相続税の課税の特例）‥‥‥‥‥ 943
第 70 条の6の4　（相続税の納税猶予を適用している場合の都市農地の貸付けの特例）
①（相続税の納税猶予を適用している場合の都市農地の貸付けの特例）‥‥‥‥‥‥‥ 948
②（用語の意義）‥‥‥‥‥‥‥‥‥‥‥‥ 948
③（納税猶予の打切り規定等の準用）‥‥‥ 951
④（期限が到来する場合についての準用）‥ 952
⑤（賃借権の権利の設定に関する契約が解除された場合等のみなし規定）‥‥‥‥‥‥ 954
⑥（賃借権の権利の設定に関する契約が解除された場合等の準用）‥‥‥‥‥‥‥‥ 954

⑦（旧法猶予適用者の場合の都市農地の貸付けの特例）‥‥‥‥‥‥‥‥‥‥‥‥‥‥ 955
第 70 条の6の5　（認定都市農地貸付け又は農園用地貸付けを行った農地についての相続税の課税の特例）
①（認定都市農地貸付け又は農園用地貸付けを行った農地についての相続税の課税の特例）‥‥‥‥‥‥‥‥‥‥‥‥‥‥‥‥ 958
②（農業経営者又は農業相続人が死亡した場合の相続税の課税の特例）‥‥‥‥‥‥ 958
③（贈与税の納税猶予を適用している場合の認定都市農地貸付け又は農園用地貸付けを行っている農地についての相続税の課税の特例）‥‥‥‥‥‥‥ 959
第 70 条の6の6　（山林についての相続税の納税猶予）
①（山林についての相続税の納税猶予及び免除）‥‥‥ 961
②（用語の意義）‥‥‥‥‥‥‥‥‥‥‥‥ 963
③（納税猶予の全部打切り）‥‥‥‥‥‥‥ 974
④（納税猶予の一部打切り）‥‥‥‥‥‥‥ 982
⑤（立木のみについて譲渡があった場合のみなし規定）‥‥‥‥‥‥‥‥‥‥‥‥‥‥ 982
⑥（障害等により経営委託をする場合）‥‥ 978
⑦（読替え規定）‥‥‥‥‥‥‥‥‥‥‥‥ 981
⑧（未分割の山林）‥‥‥‥‥‥‥‥‥‥‥ 969
⑨（他の納税猶予との重複適用の排除）‥‥ 987
⑩（特例の適用を受けるための手続）‥‥‥ 969
⑪（継続届出書の提出）‥‥‥‥‥‥‥‥‥ 972
⑫（継続届出書の時効中断の効果）‥‥‥‥ 983
⑬（継続届出書が提出されなかった場合）‥ 973
⑭（担保変更等の命令に応じない場合の打切り）‥ 982
⑮（国税通則法、国税徴収法及び相続税法の規定の適用）‥‥‥‥‥‥‥‥‥‥‥‥‥ 987
⑯（同族会社等の行為又は計算の否認等）‥ 987
⑰（林業経営相続人の死亡等による納税猶予税額の免除）‥‥‥‥‥‥‥‥‥‥‥‥‥ 985
⑱（ゆうじょ規定）‥‥‥‥‥‥‥‥‥‥‥ 973
⑲（納税猶予の打切り等があった場合の利子税の納付）‥‥‥‥‥‥‥‥‥‥‥‥‥ 983
⑳（農林水産大臣等の通知義務）‥‥‥‥‥ 988
㉑（農林水産大臣等への通知義務）‥‥‥‥ 988
第 70 条の6の7　（特定の美術品についての相続税の納税猶予及び免除）
①（特定の美術品についての相続税の納税猶予及び免除）‥‥‥‥‥‥‥‥‥‥‥‥‥ 995
②（用語の意義）‥‥‥‥‥‥‥‥‥‥‥‥ 996
③（納税猶予の打切り）‥‥‥‥‥‥‥‥‥ 1002
④（寄託契約の契約期間が終了をした場合のみなし規定）‥‥‥‥‥‥‥‥‥‥‥‥ 1003
⑤（登録を取り消された場合等のみなし規定）‥ 1005
⑥（納税猶予分の相続税額に係る担保の提供）‥ 1008
⑦（未分割の特定美術品）‥‥‥‥‥‥‥‥ 999
⑧（特例の適用を受けるための手続）‥‥‥ 999
⑨（継続届出書の提出）‥‥‥‥‥‥‥‥‥ 1000
⑩（時効の中断）‥‥‥‥‥‥‥‥‥‥‥‥ 1010
⑪（継続届出書が提出されなかった場合）‥ 1001
⑫（担保変更等の命令に応じない場合の打切り）‥ 1006
⑬（国税通則法、国税徴収法及び相続税法の規定の適用）‥‥‥‥‥‥‥‥‥‥‥‥‥ 1010
⑭（納税猶予額の免除）‥‥‥‥‥‥‥‥‥ 1007
⑮（ゆうじょ規定）‥‥‥‥‥‥‥‥‥‥‥ 1001
⑯（納税猶予の打切り等があった場合の利子税の納付）‥‥‥‥‥‥‥‥‥‥‥‥‥ 1006
⑰（文部科学大臣等の通知義務）‥‥‥‥‥ 1010
⑱（文部科学大臣等への通知義務）‥‥‥‥ 1011
第 70 条の6の8　（個人の事業用資産についての贈与税の納税猶予及び免除）

—1745—

① （個人の事業用資産についての贈与税の納税猶予
　　及び免除）……………………………………… 1015
② （用語の意義）…………………………………… 1018
③ （納税猶予の打切り）…………………………… 1033
④ （納税猶予税額の一部確定）…………………… 1034
⑤ （特例受贈事業用資産の譲渡である場合の納税猶
　　予税額の一部確定）…………………………… 1036
⑥ （現物出資による全ての特例受贈事業用資産の移
　　転である場合の納税猶予税額の一部確定）… 1040
⑦ （他の納税猶予との重複適用の排除）………… 1058
⑧ （適用を受けるための手続）…………………… 1028
⑨ （継続届出書の提出）…………………………… 1029
⑩ （継続届出書の時効中断の効果）……………… 1044
⑪ （継続届出書が提出されなかった場合）……… 1030
⑫ （担保の変更の命令に応じない場合等の納税猶予
　　期限の繰上げ）………………………………… 1032
⑬ （国税通則法、国税徴収法及び相続税法の規定の
　　適用）…………………………………………… 1058
⑭ （贈与者等の死亡等による納税猶予税額の免除）… 1045
⑮ （ゆうじょ規定）………………………………… 1031
⑯ （特例受贈事業用資産の全部を譲渡等したとき又
　　は特例受贈事業用資産に係る事業を廃止したとき
　　の納税猶予税額の免除）……………………… 1050
⑰ （その他の場合による納税猶予税額の免除）… 1053
⑱ （特例事業受贈者について再生計画の認可の決定
　　があった場合の免除）………………………… 1055
⑲ （再計算猶予中贈与税額）……………………… 1056
⑳ （適用要件）……………………………………… 1056
㉑ （免除通知）……………………………………… 1051
㉒ （徴収の猶予）…………………………………… 1051
㉓ （延滞税の免除）………………………………… 1052
㉕ （利子税の納付）………………………………… 1043
㉖ （特例事業受贈者が死亡した場合の納税猶予の期
　　限等の特例）…………………………………… 1043
㉗ （経済産業大臣等の通知義務）………………… 1059
㉘ （経済産業大臣等の通知義務）………………… 1059
第 70 条の 6 の 9 （個人の事業用資産の贈与者が死亡した
　　　　　　　　 場合の相続税の課税の特例）
① （特例適用の要件）……………………………… 1062
② （納税猶予額の免除の適用に係る場合の読み替え）… 1062
③ （物納財産の不適格）…………………………… 1064
第 70 条の 6 の 10 （個人の事業用資産についての相続税の
　　　　　　　　　 納税猶予及び免除）
① （個人の事業用資産についての相続税の納税猶予
　　及び免除）……………………………………… 1065
② （用語の意義）…………………………………… 1069
③ （納税猶予の打切り）…………………………… 1084
④ （納税猶予税額の一部確定）…………………… 1085
⑤ （特例事業用資産の譲渡である場合の納税猶予税
　　額の一部確定）………………………………… 1086
⑥ （現物出資による全ての特例受贈事業用資産の移
　　転である場合の納税猶予税額の一部確定）… 1089
⑦ （未分割の資産）………………………………… 1079
⑧ （他の納税猶予との重複適用の排除）………… 1102
⑨ （適用を受けるための手続）…………………… 1078
⑩ （継続届出書の提出）…………………………… 1080
⑪ （継続届出書の時効中断の効果）……………… 1092
⑫ （継続届出書が提出されなかった場合）……… 1081
⑬ （担保の変更の命令に応じない場合等の納税猶予
　　期限の繰上げ）………………………………… 1083
⑭ （国税通則法、国税徴収法及び相続税法の規定の
　　適用）…………………………………………… 1102
⑮ （特例事業相続人等の死亡等による納税猶予税額

の免除）…………………………………………… 1093
⑯ （ゆうじょ規定）………………………………… 1082
⑰ （特例事業用資産の全部を譲渡等したとき又は特
　　例事業用資産に係る事業を廃止したときの納税猶
　　予税額の免除）………………………………… 1095
⑱ （その他の場合による納税猶予税額の免除）… 1098
⑲ （特例事業相続人等について再生計画の認可の決
　　定があった場合の免除）……………………… 1100
⑳ （再計算猶予中相続税額）……………………… 1101
㉑ （適用要件）……………………………………… 1101
㉒ （免除通知）……………………………………… 1100
㉓ （徴収の猶予）…………………………………… 1100
㉔ （延滞税の免除）………………………………… 1100
㉖ （利子税の納付）………………………………… 1092
㉗ （特例事業相続人等が死亡した場合の納税猶予の
　　期限等の特例）………………………………… 1091
㉘ （経済産業大臣等の通知義務）………………… 1103
㉙ （経済産業大臣等の通知義務）………………… 1103
㉚ （特例受贈事業用資産について特例の適用を受け
　　る場合の読替え規定）………………………… 1067
第 70 条の 7 （非上場株式等についての贈与税の納税猶予
　　　　　　 及び免除）
① （非上場株式等を贈与した場合の贈与税の納税猶
　　予及び免除）…………………………………… 1107
② （用語の意義）…………………………………… 1109
③ （経営贈与承継期間内の納税猶予の打切り）… 1133
④ （経営贈与承継期間内の納税猶予税額の一部確定）… 1138
⑤ （経営贈与承継期間後の納税猶予の打切り）… 1142
⑥ （担保の変更等）………………………………… 1126
⑦ （他の納税猶予との重複適用の排除）………… 1171
⑧ （申告手続）……………………………………… 1124
⑨ （継続届出書の提出）…………………………… 1129
⑩ （継続届出書の時効中断の効果）……………… 1141
⑪ （継続届出書が提出されなかった場合）……… 1131
⑫ （担保の変更の命令に応じない場合等の納税猶予
　　期限の繰上げ）………………………………… 1132
⑬ （国税通則法、国税徴収法及び相続税法の規定の
　　適用）…………………………………………… 1172
⑭ （同族会社の行為又は計算の否認等）………… 1171
⑮ （贈与者等の死亡等による納税猶予税額の免除）… 1145
⑯ （その他の場合による納税猶予税額の免除）… 1148
⑰ （免除通知）……………………………………… 1151
⑱ （徴収の猶予）…………………………………… 1151
⑲ （延滞税の免除）………………………………… 1151
㉑ （認定贈与承継会社について再生計画又は再生計
　　画の認可の決定があった場合の免除）……… 1152
㉒ （再計算猶予中贈与税額）……………………… 1153
㉓ （適用要件）……………………………………… 1153
㉔ （申請書に係る申請の却下）…………………… 1153
㉖ （ゆうじょ規定）………………………………… 1131
㉗ （利子税の納付）………………………………… 1140
㉘ （経営承継受贈者の特例）……………………… 1141
㉙ （現物出資等がある場合の適用除外）………… 1171
㉚ （事業用資産等が災害によって甚大な被害を受け
　　た場合）………………………………………… 1156
㉛ （適用要件）……………………………………… 1165
㉜ （納税猶予税額の免除）………………………… 1167
㉝ （読替え規定）…………………………………… 1167
㉟ （経済産業大臣等の通知義務）………………… 1173
㊱ （経済産業大臣等への通知義務）……………… 1174
第 70 条の 7 の 2 （非上場株式等についての相続税の納税
　　　　　　　　　 猶予及び免除）
① （非上場株式等についての相続税の納税猶予及び

－1746－

免除) ・・・・・・・・・・・・・・・・・・・・・・・・・ 1210
② (用語の意義) ・・・・・・・・・・・・・・・・・・・・ 1213
③ (経営承継期間内の納税猶予の打切り) ・・・・ 1235
④ (経営承継期間内の納税猶予税額の一部確定) ・・・・ 1240
⑤ (経営承継期間後の納税猶予の打切り) ・・・・ 1245
⑥ (担保の変更) ・・・・・・・・・・・・・・・・・・・・ 1228
⑦ (未分割の非上場株式等) ・・・・・・・・・・・・ 1227
⑧ (他の納税猶予との重複適用の排除) ・・・・・・ 1278
⑨ (申告手続) ・・・・・・・・・・・・・・・・・・・・・・ 1227
⑩ (継続届出書の提出) ・・・・・・・・・・・・・・・・ 1231
⑪ (継続届出書の時効中断の効果) ・・・・・・・・・・ 1243
⑫ (継続届出書が提出されなかった場合) ・・・・ 1233
⑬ (担保の変更の命令に応じない場合等の納税猶予
　　期限の繰上げ) ・・・・・・・・・・・・・・・・・・・ 1234
⑭ (国税通則法、国税徴収法及び相続税法の規定の
　　適用) ・・・・・・・・・・・・・・・・・・・・・・・・・ 1279
⑮ (同族会社等の行為又は計算の否認等) ・・・・ 1278
⑯ (経営承継相続人等の死亡等による納税猶予税額
　　の免除) ・・・・・・・・・・・・・・・・・・・・・・・ 1247
⑰ (その他の場合による納税猶予税額の免除) ・・・・ 1249
⑱ (免除通知) ・・・・・・・・・・・・・・・・・・・・・・ 1252
⑲ (徴収の猶予) ・・・・・・・・・・・・・・・・・・・・ 1252
⑳ (延滞税の免除) ・・・・・・・・・・・・・・・・・・ 1252
㉒ (再生計画等の認可の決定による認定承継会社の
　　有する資産の評定) ・・・・・・・・・・・・・・・・ 1254
㉓ (「再計算猶予中相続税額」とは) ・・・・・・・・ 1254
㉔ (適用手続き) ・・・・・・・・・・・・・・・・・・・・ 1254
㉕ (税務署長による申請書を提出した経営承継相続
　　人等への通知) ・・・・・・・・・・・・・・・・・・・ 1255
㉗ (ゆうじょ規定) ・・・・・・・・・・・・・・・・・・ 1233
㉘ (利子税の納付) ・・・・・・・・・・・・・・・・・・ 1243
㉙ (経営承継相続人等の特例) ・・・・・・・・・・・・ 1243
㉚ (現物出資等がある場合の適用除外) ・・・・・・ 1278
㉛ (事業用資産等が災害によって甚大な被害を受け
　　た場合) ・・・・・・・・・・・・・・・・・・・・・・・ 1262
㉜ (適用要件) ・・・・・・・・・・・・・・・・・・・・・・ 1270
㉝ (納税猶予額の免除) ・・・・・・・・・・・・・・・・ 1272
㉞ (読替え規定) ・・・・・・・・・・・・・・・・・・・・ 1272
㉟ (災害等が発生した場合の認定承継会社の要件) ・・・・ 1273
㊱ (読替え規定) ・・・・・・・・・・・・・・・・・・・・ 1273
㊲ (災害等が発生した場合の経営承継相続人等の要
　　件) ・・・・・・・・・・・・・・・・・・・・・・・・・・ 1274
㊳ (読替え規定) ・・・・・・・・・・・・・・・・・・・・ 1275
㊴ (経済産業大臣等の通知義務) ・・・・・・・・・・ 1281
㊵ (経済産業大臣等への通知義務) ・・・・・・・・・・ 1281
第 70 条の 7 の 3 (非上場株式等の贈与者が死亡した場合
　　の相続税の課税の特例) ・・・・・・・・・・・・・・ 1282
第 70 条の 7 の 4 (非上場株式等の贈与者が死亡した場合
　　の相続税の納税猶予及び免除の特例) ・・・・・・ 1286
第 70 条の 7 の 5 (非上場株式等についての贈与税の納税
　　猶予及び免除の特例)
① (非上場株式等についての贈与税の納税猶予及び
　　免除の特例) ・・・・・・・・・・・・・・・・・・・・ 1303
② (用語の意義) ・・・・・・・・・・・・・・・・・・・・ 1305
③ (納税猶予の打切り) ・・・・・・・・・・・・・・・・ 1319
④ (担保の変更等) ・・・・・・・・・・・・・・・・・・ 1313
⑤ (申告手続) ・・・・・・・・・・・・・・・・・・・・・・ 1313
⑥ (継続届出書の提出) ・・・・・・・・・・・・・・・・ 1315
⑦ (継続届出書の時効中断の効果) ・・・・・・・・・・ 1322
⑧ (継続届出書が提出されなかった場合) ・・・・ 1317
⑨ (担保の変更の命令に応じない場合等の納税猶予
　　期限の繰上げ) ・・・・・・・・・・・・・・・・・・・ 1318
⑩ (国税通則法、国税徴収法及び相続税法の規定の

適用) ・・・・・・・・・・・・・・・・・・・・・・・・・ 1336
⑪ (贈与者等の死亡等による納税猶予税額の免除) ・・・ 1323
⑫ (その他の場合による納税猶予税額の免除) ・・・・ 1324
⑬ (猶予中贈与税額の特例) ・・・・・・・・・・・・・・ 1331
⑭ (猶予中贈与税額とされた金額に相当する贈与税
　　の納税の猶予に係る期限及び免除) ・・・・・・・・ 1331
⑮ (特例再計算贈与税額の意義) ・・・・・・・・・・ 1333
⑯ (贈与税の免除に係る手続) ・・・・・・・・・・・・ 1333
⑰ (免除申請書を提出した特例経営承継受贈者への
　　通知) ・・・・・・・・・・・・・・・・・・・・・・・・・ 1334
⑱ (徴収の猶予及び延滞税の免除) ・・・・・・・・・・ 1334
⑳ (特例認定贈与承継会社について再生計画又は更
　　生計画の認可の決定があった場合の免除) ・・・・・・・・ 1334
㉑ (ゆうじょ規定) ・・・・・・・・・・・・・・・・・・ 1317
㉒ (利子税の納付) ・・・・・・・・・・・・・・・・・・ 1320
㉓ (22項の表の第 3 号から第14号の左欄に掲げる場
　　合に該当する場合の適用) ・・・・・・・・・・・・ 1322
㉔ (現物出資等がある場合の適用除外) ・・・・・・ 1336
㉕ (事業用資産等が災害によって甚大な被害を受け
　　た場合) ・・・・・・・・・・・・・・・・・・・・・・・ 1335
㉖ (経済産業大臣等の通知義務) ・・・・・・・・・・ 1336
㉗ (経済産業大臣等への通知義務) ・・・・・・・・・・ 1336
第 70 条の 7 の 6 (非上場株式等についての相続税の納税
　　猶予及び免除の特例)
① (非上場株式等についての相続税の納税猶予及び
　　免除の特例) ・・・・・・・・・・・・・・・・・・・・ 1343
② (用語の意義) ・・・・・・・・・・・・・・・・・・・・ 1345
③ (納税猶予の打切り) ・・・・・・・・・・・・・・・・ 1359
④ (担保の変更等) ・・・・・・・・・・・・・・・・・・ 1354
⑤ (未分割の非上場株式等) ・・・・・・・・・・・・ 1353
⑥ (申告手続) ・・・・・・・・・・・・・・・・・・・・・・ 1353
⑦ (継続届出書の提出) ・・・・・・・・・・・・・・・・ 1355
⑧ (継続届出書の時効中断の効果) ・・・・・・・・・・ 1361
⑨ (継続届出書が提出されなかった場合) ・・・・ 1357
⑩ (準用規定) ・・・・・・・・・・・・・・・・・・・・・・ 1358
⑪ (国税通則法、国税徴収法及び相続税法の規定の
　　適用) ・・・・・・・・・・・・・・・・・・・・・・・・・ 1376
⑫ (特例経営承継相続人等の死亡等による納税猶予
　　税額の免除) ・・・・・・・・・・・・・・・・・・・・ 1363
⑬ (その他の場合による納税猶予税額の免除) ・・・・ 1364
⑭ (猶予中相続税額の特例) ・・・・・・・・・・・・・・ 1370
⑮ (猶予中相続税額とされた金額に相当する相続税
　　の納税の猶予に係る期限及び免除) ・・・・・・・・ 1371
⑯ (特例再計算相続税額の意義) ・・・・・・・・・・ 1372
⑰ (相続税の免除に係る手続) ・・・・・・・・・・・・ 1372
⑱ (免除申請書を提出した特例経営承継相続人等に
　　通知) ・・・・・・・・・・・・・・・・・・・・・・・・・ 1373
⑲ (徴収の猶予及び延滞税の免除) ・・・・・・・・・・ 1373
㉑ (再生計画等の認可の決定による特例認定承継会
　　社の有する資産の評定) ・・・・・・・・・・・・・・ 1373
㉒ (ゆうじょ規定) ・・・・・・・・・・・・・・・・・・ 1357
㉓ (利子税の納付) ・・・・・・・・・・・・・・・・・・ 1360
㉔ (2 の表の(三)から(十四)までの左欄に掲げる場
　　合に該当する場合の適用) ・・・・・・・・・・・・ 1362
㉕ (現物出資等がある場合の適用除外) ・・・・・・ 1376
㉖ (事業用資産が災害等によって甚大な被害を受け
　　た場合) ・・・・・・・・・・・・・・・・・・・・・・・ 1375
㉗ (経済産業大臣等の通知義務) ・・・・・・・・・・ 1376
㉘ (経済産業大臣への通知義務) ・・・・・・・・・・ 1376
第 70 条の 7 の 7 (非上場株式等の特例贈与者が死亡した
　　場合の相続税の課税の特例) ・・・・・・・・・・・・ 1377
第 70 条の 7 の 8 (非上場株式等の特例贈与者が死亡した
　　場合の相続税の納税猶予及び免除の特例) ・・・・・・・・ 1380

第 70 条の 7 の 9 （医療法人についての贈与税の納税猶予
等）・・・・・・・・・・・・・・・・・・・・・・・・・・・・・・・・・・・・1395
② （用語の意義）・・・・・・・・・・・・・・・・・・・・・・・・1395
③ （重複適用の排除）・・・・・・・・・・・・・・・・・・・・1395
④ （申告書の提出期限までの間に払戻しを受けた場
合又は譲渡等をした場合の不適用）・・・・・・1396
⑤ （納税猶予期限の確定事項）・・・・・・・・・・・・1398
⑥ （基金として拠出した額に対応する贈与税の納税
猶予に関する期限）・・・・・・・・・・・・・・・・・・・・1399
⑦ （認定医療法人の持分の全てを担保として提供し
た場合）・・・・・・・・・・・・・・・・・・・・・・・・・・・・・1397
⑧ （納税猶予の適用に係る書類等）・・・・・・・・1396
⑨ （納税猶予に係る期限の繰上げ）・・・・・・・・1404
⑩ （国税通則法、国税徴収法及び相続税法の規定の
適用）・・・・・・・・・・・・・・・・・・・・・・・・・・・・・・・1404
⑪ （免除規定）・・・・・・・・・・・・・・・・・・・・・・・・・1401
⑫ （利子税の納付）・・・・・・・・・・・・・・・・・・・・・1404
⑬ （認定医療法人の認定移行計画に記載された移行
期限までに受贈者が死亡した場合）・・・・・・1402
⑭ （地方厚生支局長等の通知の義務）・・・・・・1405
⑮ （税務署長からの通知）・・・・・・・・・・・・・・・・1405
第 70 条の 7 の 10 （医療法人についての贈与税の税額控
除）・・・・・・・・・・・・・・・・・・・・・・・・・・・・・・・・・・・1407
② （放棄相当贈与税額）・・・・・・・・・・・・・・・・・1408
③ （重複適用の排除）・・・・・・・・・・・・・・・・・・・1408
④ （申告書の提出期限までの間に払戻しを受けた場
合又は譲渡をした場合の不適用）・・・・・・・・1409
⑤ （添付書類がない場合）・・・・・・・・・・・・・・・・1409
第 70 条の 7 の 11 （個人の死亡に伴い贈与又は遺贈があっ
たものとみなされる場合の特例）・・・・・・・・・1410
② （認定医療法人である場合の当該経済的利益の規
定の適用）・・・・・・・・・・・・・・・・・・・・・・・・・・・1410
③ （規定の不適用）・・・・・・・・・・・・・・・・・・・・・1412
第 70 条の 7 の 12 （医療法人についての相続税の納税猶予
等）・・・・・・・・・・・・・・・・・・・・・・・・・・・・・・・・・・・1413
② （経過措置医療法人・納税猶予分の相続税額の意
義）・・・・・・・・・・・・・・・・・・・・・・・・・・・・・・・・・1413
③ （申告書の提出期限までの間に払戻しを受けた場
合又は譲渡等をした場合の不適用）・・・・・・1414
④ （分割されていない持分についての規定の適用）・・・1414
⑤ （納税猶予期限の確定事項）・・・・・・・・・・・・1416
⑥ （基金として拠出した額に対する相続税額の計算）・・・1417
⑦ （認定医療法人の持分の全てを担保として提供し
た場合）・・・・・・・・・・・・・・・・・・・・・・・・・・・・・1415
⑧ （申告書に適用記載がない場合又は添付書類がな
い場合）・・・・・・・・・・・・・・・・・・・・・・・・・・・・・1414
⑨ （納税猶予に係る期限の繰上げ）・・・・・・・・1419
⑩ （国税通則法、国税徴収法及び相続税法の規定の
適用）・・・・・・・・・・・・・・・・・・・・・・・・・・・・・・・1419
⑪ （政令で定める免除規定）・・・・・・・・・・・・・1420
⑫ （利子税の納付）・・・・・・・・・・・・・・・・・・・・・1421
⑬ （認定医療法人の認定移行計画に記載された移行
期限までに相続人等が死亡した場合）・・・・1421
⑭ （地方厚生支局長等の通知の義務）・・・・・・1422
⑮ （税務署長からの通知）・・・・・・・・・・・・・・・・1422
第 70 条の 7 の 13 （医療法人についての相続税の税額控除）・・・1424
② （放棄相当相続税額）・・・・・・・・・・・・・・・・・1424
③ （申告書の提出期限までの間に払戻しを受けた場
合又は譲渡をした場合の不適用）・・・・・・・・1425
④ （添付書類等がない場合）・・・・・・・・・・・・・1425
第 70 条の 7 の 14 （医療法人の持分の放棄があった場合の
贈与税の課税の特例）・・・・・・・・・・・・・・・・・・・1426

② （厚生労働大臣認定が取り消された場合）・・・・・・・・・1426
③ （修正申告書の提出がないとき）・・・・・・・・・・・・・1426
④ （贈与税についての更正の期間制限の特則）・・・・・・1427
⑤ （特例の適用を受けるための手続）・・・・・・・・・・・1427
⑥ （ゆうじょ規定）・・・・・・・・・・・・・・・・・・・・・・・・・1427
⑦ （厚生労働大臣認定が取り消された場合）・・・・・・・1427
⑧ （税務署長の通知）・・・・・・・・・・・・・・・・・・・・・・・1428
第 70 条の 8 （農地等についての贈与税の納税猶予等に係
る利子税の特例）・・・・・・・・・・・・・・・・・・・・・・・・739
第 70 条の 8 の 2 （計画伐採に係る相続税の延納等の特
例）・・・・・・・・・・・・・・・・・・・・・・・・・・・・・・・・・・・・323
第 70 条の 9 （特別緑地保全地区等内の土地に係る相続税
の延納に伴う利子税の特例）・・・・・・・・・・・・・・345
第 70 条の 10 （不動産等に係る相続税の延納等の特例）
・・・・・・・・・・・・・・・・・・・・・・・・・・・・・・・・・・・325・342
第 70 条の 11 （相続税の延納に伴う利子税の特例）・・・343
第 70 条の 12 （相続税の物納の特例）・・・・・・・・・・・・・378
第 70 条の 13 （相続税及び贈与税の特例に係る修正申告書
等の提出等に係る罰則）・・・・・・・・・・・・・・・・・・428

第 7 章　利子税等の割合の特例

第 93 条 （利子税の割合の特例）
・・・・・・・・・・345・641・738・871・983・1141・1243
② （利子税特例基準割合）・・・・・・・・・・・・1322・1362
⑤ （利子税の割合の特例）・・・・・・・・・・・・1322・1362
平 3 改措法附第19条 （平成 3 年改正法の施行に伴う相続税
の経過措置）
④ （平成 4 年中に相続等により取得した特定市街化
区域農地等が同年中に一般農地等となる場合の特
例）・・・・・・・・・・・・・・・・・・・・・・・・・・・・・・・・・・・926
⑤ （平成 4 年 1 月 1 日前に相続等により取得した農
地等に係る相続税に対する旧法の適用）・・・926
⑥ （旧法の特例農地等のうち特定市街化区域農地等
に該当するものの転用の特例）・・・・・・・・・・・926
⑦ （申請に対する処分）・・・・・・・・・・・・・・・・・932
⑧ （転用承認農地等についての納税猶予打切規定及
び買換規定の適用関係）・・・・・・・・・・・・・・・・・932
⑨ （転用承認農地等以外の農地等を譲渡等した場合
の納税猶予の打切規定の適用）・・・・・・・・・・・934
⑩ （転用承認農地等に係る 3 年ごとの納税猶予継続
届 の提出義務）・・・・・・・・・・・・・・・・・・・・・・・935
⑪ （届出書の期限内不提出の場合の納税猶予打切り）・・・936
⑫ （ゆうじょ規定）・・・・・・・・・・・・・・・・・・・・・936
⑬ （旧法の特例適用農地等のうちの特定市街化区域
農地等を特定法人に譲渡した場合の特例）・・・936
平 7 改措法附第36条 （平成 7 年改正法の施行に伴う贈与税
の経過措置）
② （平成 7 年 1 月 1 日前の贈与等についての旧法の
適用）・・・・・・・・・・・・・・・・・・・・・・・・・・・・・・・800
③ （農地等を農業生産法人に使用貸借させた場合の
特例）・・・・・・・・・・・・・・・・・・・・・・・・・・・・・・・800
④ （特定農業生産法人が合併により消滅した場合）・・・802
⑤ （納税猶予の打切規定の調整）・・・・・・・・・・・803
⑥ （一時的道路用地等の用に供するために地上権等
を設定した場合の適用関係）・・・・・・・・・・・・・804
⑦ （毎 1 年ごとの継続貸付届出書の提出）・・・805
⑧ （継続貸付届出書が提出されなかった場合の納税
猶予の打切）・・・・・・・・・・・・・・・・・・・・・・・・・806
⑩ （納税猶予の継続規定の調整）・・・・・・・・・・・808
⑪ （使用貸借による権利の設定後の取扱い）・・・808
⑫ （旧法の適用に当たっての読替規定）・・・・・810
平17改所法等附第55条 （平成17年改正法の施行に伴う贈与
税の経過措置）
② （平成17年 4 月 1 日前の贈与等についての旧法の

適用）・・・・・・・・・・・・・・・・・・・・・・・・・・・・　811	⑱（その他の調整規定）・・・・・・・・・・・・・・・・・・　744

　　③（特例適用農地につき使用貸借による権利の設定
　　　をした場合）・・・・・・・・・・・・・・・・・・・・・・・・　811
　　④（使用貸借による権利の譲渡等をした場合）・・・・・・・・　815
　　⑤（貸付特例適用農地につき使用貸借による権利の
　　　設定をした場合）・・・・・・・・・・・・・・・・・・・・・・　814
　　⑥（借受代替農地等の使用貸借による権利の譲渡等
　　　をした場合）・・・・・・・・・・・・・・・・・・・・・・・・　818
　　⑩（一時的道路用地等の用に供する場合）・・・・・・・・　817
　　⑪（継続貸付届出書の提出）・・・・・・・・・・・・・・・・・・　818
　　⑭（継続届出書の提出）・・・・・・・・・・・・・・・・・・・・　819

租税特別措置法施行令

第3章の2　相続税法の特例

第40条の2（小規模宅地等についての相続税の課税価格
　　　の計算の特例）・・・・・・・・・・・・・・・・・・・・・・・・　101
第40条の2の2（特定計画山林についての相続税の課税
　　　価格の計算の特例）・・・・・・・・・・・・・・・・・・・・　128
第40条の3（特定土地等及び特定株式等に係る相続税の
　　　課税価格の計算の特例等）・・・・・・・・・・・・・・・　147・568
第40条の4（科学又は教育の振興に寄与するところが著
　　　しい公益法人等の範囲）・・・・・・・・・・・・・・・・・・　94
第40条の4の2（直系尊属から住宅取得等資金の贈与を
　　　受けた場合の贈与税の非課税）・・・・・・・・・・・・・・　503
第40条の4の3（直系尊属から教育資金の一括贈与を受
　　　けた場合の贈与税の非課税）・・・・・・・・・・・・・・　519
第40条の4の4（直系尊属から結婚・子育て資金の一括
　　　贈与を受けた場合の贈与税の非課税）・・・・・・・・・・　545
第40条の4の6（相続時精算課税適用者の特例）・・・・・・　650
第40条の4の7（相続税法その他の法令の規定の適用）　1060
第40条の4の8（非上場株式等についての贈与税の納税
　　　猶予及び免除の特例に係る相続時精算課税適用者
　　　の特例）・・・・・・・・・・・・・・・・・・・・・・・・・・・　1338
第40条の5（特定の贈与者から住宅取得等資金の贈与を
　　　受けた場合の相続時精算課税の特例の対象となる
　　　住宅用の家屋の要件等）・・・・・・・・・・・・・・・・・・　684
第40条の5の2（特定贈与者が二人以上ある場合におけ
　　　る特定贈与者ごとの贈与税の課税価格から控除す
　　　る金額の計算）・・・・・・・・・・・・・・・・・・・・・・・・　653
第40条の5の3（相続時精算課税に係る土地又は建物の
　　　価額の特例）・・・・・・・・・・・・・・・・・・・・・・・・　654
第40条の6（農地等を贈与した場合の贈与税の納税猶予）
　　①（農地等の贈与者）・・・・・・・・・・・・・・・・・・・・　714
　　②（政令で定める利用意向調査）・・・・・・・・・・・・・・　709
　　③（採草放牧地のうちの政令で定める部分）・・・・・・　711
　　④（準農地）・・・・・・・・・・・・・・・・・・・・・・・・・・　717
　　⑤（準農地のうちの政令で定める部分）・・・・・・・・・・　711
　　⑥（農地等の受贈者）・・・・・・・・・・・・・・・・・・・・　720
　　⑦（政令で定める規定）・・・・・・・・・・・・・・・・・・　710
　　⑧（納税猶予税額の計算）・・・・・・・・・・・・・・・・・・　721
　　⑨（政令で定める転用）・・・・・・・・・・・・・・・・・・・・　726
　　⑩（政令で定める者）・・・・・・・・・・・・・・・・・・・・　727
　　⑪（政令で定める譲渡又は設定）・・・・・・・・・・・・・・　727
　　⑫（買取りの申出等に係る農地等の転用等）・・・・・・　728
　　⑬（農地、採草放牧地の保全又は利用上必要な施設）
　　　・・・・・・・・・・・・・・・・・・・・・・・・・・・・・・　735・737
　　⑭（納税猶予が打ち切られる贈与税額）・・・・・・・・　735
　　⑮（推定相続人のうち政令で定めるもの）・・・・・・・・　740
　　⑯（使用貸借による権利の設定方法）・・・・・・　740・875
　　⑰（政令で定める設定の要件）・・・・・・・・・・・・・・　740

⑱（その他の調整規定）・・・・・・・・・・・・・・・・・・　744
⑲（一時的道路用地等の用に供するために貸付けを
　　行った場合の調整）・・・・・・・・・・・・・・・・・・・・　746
⑳（貸付特例適用農地等とされる農地又は採草放牧
　　地）・・・・・・・・・・・・・・・・・・・・・・・・・・・・・・　750
㉑（政令で定める特例の適用要件）・・・・・・・・・・・・　750
㉒（届出書の提出）・・・・・・・・・・・・・・・・・・・・・・　752
㉓（政令で定める再借受代替農地等の要件）・・・・・・　754
㉔（届出書の提出）・・・・・・・・・・・・・・・・・・・・・・　754
㉕（継続届出書の提出手続）・・・・・・・・・・・・・・・・　755
㉖（提出期限後における継続届出書の提出）・・・・・・　756
㉗（賃借権等が消滅した場合の届出書の提出）・・・・・・　756
㉘（貸付特例適用農地等を貸し付けている場合）・・・・　728
㉙（代替農地等の取得に関する承認申請書の提出）・・・　760
㉚（申請のみなす承認）・・・・・・・・・・・・・・・・・・・・　760
㉛（譲渡等をされたものとみなす部分）・・・・・・・・・・　758
㉜（特定市街化区域農地等を収用交換等による譲渡
　　に関する承認申請書の届出）・・・・・・・・・・・・・・　764
㉝（申請のみなす承認）・・・・・・・・・・・・・・・・・・・・　764
㉞（農業の用に供していないものに対応するものと
　　して定める部分）・・・・・・・・・・・・・・・・・・・・・・　763
㉟（併用があった場合の金額の計算）・・・・・・・・・・　763
㊱（代替取得等に関する承認申請書の提出）・・・・・・　782
㊲（申請に対する承認があったものとみなす場合）・・・　783
㊳（買取りの申出等があったものとみなす部分）・・・・・・　782
㊴（一時的道路用地等の用に供している農地等につ
　　いて税務署長の承認を受ける場合の手続）・・・・・・　766
㊵（申請書の添付書類）・・・・・・・・・・・・・・・・・・・・　766
㊶（申請のみなす承認）・・・・・・・・・・・・・・・・・・・・　767
㊷（継続貸付届出書の添付書類）・・・・・・・・・・・・・・　768
㊸（提出期限後における継続貸付届出書の提出の手
　　続）・・・・・・・・・・・・・・・・・・・・・・・・・・・・・・　769
㊹（地上権等が消滅した場合の届出書の提出）・・・・・・　769
㊺（貸付期限の到来前に地上権等の解約が行われた
　　場合）・・・・・・・・・・・・・・・・・・・・・・・・・・・・　770
㊻（一時的道路用地等に係る事業の施行の遅延によ
　　り貸付期限が延長される場合の届出書の提出）・・・・　770
㊼（貸付期限が延長される場合）・・・・・・・・・・・・・・　770
㊽（一時的道路用地等の用に供するための地上権等
　　の設定をしている受贈者に対する適用）・・・・・・・・　742
㊾（都市営農農地等を一時的道路用地等の用に供し
　　た場合）・・・・・・・・・・・・・・・・・・・・・・・・・・・・　711
㊿（一時的道路用地等の用に供されている農地等を
　　貸し付けている場合）・・・・・・・・・・・・・・・・・・・・　729
51（営農困難な状態）・・・・・・・・・・・・・・・・・・・・　771
52（営農困難時貸付けの意義）・・・・・・・・・・・・・・　771
53（届出書の提出）・・・・・・・・・・・・・・・・・・・・・・　772
54（届出書の提出）・・・・・・・・・・・・・・・・・・・・・・　774
55（申請書の提出）・・・・・・・・・・・・・・・・・・・・・・　775
56（申請に対する承認又は却下）・・・・・・・・・・・・　776
57（届出書の提出）・・・・・・・・・・・・・・・・・・・・・・　776
58（届出書の提出等）・・・・・・・・・・・・・・・・・・・・　778
59（継続届出書の記載）・・・・・・・・・・・・・・・・・・・・　778
60（営農困難時貸付けに基づき借り受けた者に引き
　　続き貸し付けている場合）・・・・・・・・・・・・・・・・　779
61（一時的道路用地等の用に供するために貸付けを
　　行った場合）・・・・・・・・・・・・・・・・・・・・・・・・　779
62（新たな営農困難時貸付けを行う場合）・・・・・・・・　779
63（届出書の提出手続）・・・・・・・・・・・・・・・・・・・・　787
64（期限後提出の届出書の記載事項）・・・・・・・・・・　788
65（贈与税額の免除の届出）・・・・・・・・・・・・・・・・　796
66（一時的道路用地等の用に供されている農地等に
　　対する適用）・・・・・・・・・・・・・・・・・・・・・・・・　711

-1749-

⑰（都市営農農地等を事務所等の施設又は使用人の
　宿舎の敷地に転用した場合）……………………711
⑱（一時的道路用地等の用に供されている特例農地
　等に対する適用）…………………………………711
⑲（故障の要件）………………………………………901
第 40 条の 6 の 2（贈与税の納税猶予を適用している場合
　の特定貸付けの特例）………………………………821
第 40 条の 7（農地等についての相続税の納税猶予等）
　①（被相続人）…………………………………193・836
　②（農業相続人）……………………………………843
　③（利用意向調査に係るもの）……………………834
　④（相続開始の年に生前贈与を受けた農地等）…838
　⑤（準農地）…………………………………………838
　⑥（相続税の納税猶予の対象から除かれるもの）…834
　⑦（第二次農業相続人がある場合の規定の読替え）…844
　⑧（政令で定める転用）……………………………859
　⑨（政令で定める者）………………………………860
　⑩（政令で定める譲渡又は設定）…………………860
　⑪（買取りの申出等に係る農地等の転用等）……861
　⑫（配偶者の税額軽減及び相次相続控除の規定の調
　　整）…………………………………………………849
　⑬（農業投資価格超過額による納税猶予の基となる
　　税額のあん分）……………………………………851
　⑭（農業相続人について相続税額の加算がある場合
　　の納税猶予税額の計算）…………………………852
　⑮（税額控除額の期限内納付税額からの控除）…852
　⑯（農地等以外の相続税・贈与税の納税猶予がある
　　場合の納税猶予税額の計算）……………………852
　⑰（農地、採草放牧地の保全又は利用上必要な施設）…866
　⑱（譲渡特例農地等又は特定農地等に係る相続税額）…866
　⑲（その他の納税猶予の打切規定の調整）………874
　⑳（貸付特例適用農地等とされる農地又は採草放牧
　　地）…………………………………………………878
　㉑（政令で定める特例の適用要件）………………878
　㉒（届出書の提出）…………………………………879
　㉓（政令で定める再借受代替農地等の要件）……882
　㉔（届出書の提出）…………………………………882
　㉕（継続届出書の提出手続）………………………883
　㉖（提出期限後における継続届出書の提出）……884
　㉗（賃借権等が消滅した場合の届出書の提出）…884
　㉘（貸付特例適用農地等を貸し付けている場合）…861
　㉙（代替農地等の取得に関する承認申請書の提出）…890
　㉚（申請のみなす承認）……………………………891
　㉛（贈与税における買換えの承認の相続税への援用）…891
　㉜（譲渡等をされたものとみなす部分）…………888
　㉝（特定市街化区域農地等を収用交換等による譲渡
　　に関する承認申請書の届出）……………………893
　㉞（申請のみなす承認）……………………………894
　㉟（贈与税における収用交換等による譲渡等の承認
　　の相続税への援用）………………………………894
　㊱（農業の用に供していないものに対応するものと
　　して定める部分）…………………………………892
　㊲（併用があった場合の金額の計算）……………892
　㊳（代替取得等に関する承認申請書の提出）……913
　㊴（申請に対する承認があったものとみなす場合）…914
　㊵（贈与税の特定農地等について受けた買換承認の
　　相続税における効力）……………………………914
　㊶（買取りの申出等があったものとみなす部分）…913
　㊷（一時的道路用地等の用に供している特例農地等
　　について税務署長の承認を受ける場合の手続）…895
　㊸（申請書の添付書類）……………………………895
　㊹（申請のみなす承認）……………………………896
　㊺（継続貸付届出書の添付書類）…………………897

㊻（提出期限後における継続貸付届出書の提出の手
　続）…………………………………………………898
㊼（一時的道路用地等の用に供されている特例農地
　等から除かれるもの）……………………………898
㊽（一時的道路用地等を相続等により取得した者の
　農業経営の開始期限）……………………………898
㊾（地上権等が消滅した場合の届出書の提出）…899
㊿（貸付期限の到来前に地上権等の解約が行われた
　場合）………………………………………………900
51（一時的道路用地等に係る事業の施行の遅延によ
　り貸付期限が延長される場合の届出書の提出）…900
52（貸付期限が延長される場合）…………………900
53（都市営農農地等を一時的道路用地等の用に供し
　た場合）……………………………………………834
54（一時的道路用地等の用に供されている農地等を
　貸し付けている場合）……………………………861
55（営農困難な状態）………………………………901
56（営農困難時貸付けの意義）……………………901
57（届出書の提出）………………………………902・906
58（贈与者が死亡した場合の営農困難時貸付け特例
　の適用）……………………………………………910
59（継続届出書の記載）……………………………909
60（営農困難時貸付けに基づき借り受けた者に引き
　続き貸し付けている場合）………………………909
61（一時的道路用地等の用に供するために貸付けを
　行った場合）………………………………………909
62（新たな営農困難時貸付けを行う場合）………910
63（届出書の提出手続）……………………………916
64（期限後提出の届出書の記載事項）……………917
65（相続税額の免除の届出）………………………921
66（生前贈与した農地に係る免除相続税額）……919
67（政令で定める免除税額）………………………920
68（市街化区域内農地等のうち政令で定めるもの）…870
69（政令で定める金額）……………………………870
70（生前贈与をしなかった農地等に対応する相続税
　額）…………………………………………………870
71（一時的道路用地等の用に供されている特例農地
　等に対する適用）…………………………………834
72（都市営農農地等を事務所等の施設又は使用人の
　宿舎の敷地に転用した場合）……………………834
73（農業相続人がいる場合の申告）………………202
74（不動産等の価額に対応する延納相続税額の計算）…923
第 40 条の 7 の 2（相続税の納税猶予を適用している場合
　の特定貸付けの特例）………………………………937
第 40 条の 7 の 3（特定貸付けを行った農地又は採草放牧
　地についての相続税の課税の特例）………………943
第 40 条の 7 の 4（相続税の納税猶予を適用している場合
　の都市農地の貸付けの特例）
　①（届出書の提出）…………………………………948
　②（読替え規定）……………………………………952
　③（特例貸付けの特例の準用）……………………952
　④（読替え規定）……………………………………953
　⑤（特例貸付けの特例の準用）……………………953
　⑥（読替え規定）……………………………………954
　⑦（特例貸付けの特例の準用）……………………955
　⑧（旧法猶予適用者の場合のみなし規定）………955
　⑨（特定貸付農地等を特定貸付けに基づき借り受け
　　た者に引き続き貸し付けている場合の読替え規
　　定）…………………………………………………956
　⑩（一時的道路用地等の用に供されている特例農地
　　等に対する適用等の場合の読替え規定）………956
　⑪（一時的道路用地等の用に供するための地上権等
　　の設定に基づき貸付けを行った場合の準用）…956

－1750－

第 40 条の 7 の 5 （認定都市農地貸付け又は農園用地貸付けを行った農地についての相続税の課税の特例）
　① （農業を営んでいた個人として政令で定める者） ‥‥ 958
　② （相続税の納税猶予を適用している場合の都市農地の貸付けの特例の読替え規定） ‥‥‥‥‥ 959
　③ （相続税の納税猶予を適用している場合の都市農地の貸付けの特例に係る届出書の添付） ‥‥‥‥‥ 959
　④ （相続税の納税猶予を適用している場合の都市農地の貸付けの特例に係る書類の添付） ‥‥‥‥‥ 959
　⑤ （農業相続人に係る読替え規定） ‥‥‥‥‥ 959
　⑥ （農業相続人に係る読替え規定の準用） ‥‥‥‥‥ 959
第 40 条の 7 の 6 （山林についての相続税の納税猶予及び免除）
　① （政令で定める被相続人） ‥‥‥‥‥ 961
　② （余命年数として政令で定める年数） ‥‥‥‥‥ 962
　③ （被相続人の相続人が第 1 次林業経営相続人に該当し第 2 次林業経営相続人がいるとき） ‥‥‥‥‥ 962
　④ （作業路網の整備を行う部分が、同一の者により一体として効率的な施業を行うことができるものとして政令で定める要件） ‥‥‥‥‥ 965
　⑤ （納税猶予分の相続税額の計算） ‥‥‥‥‥ 967
　⑥ （控除未済債務額） ‥‥‥‥‥ 967
　⑦ （林業経営相続人の相続税の額） ‥‥‥‥‥ 967
　⑧ （納税猶予分の端数処理） ‥‥‥‥‥ 967
　⑨ （第二章第一節 1 の適用者がある場合の相続税の課税価格） ‥‥‥‥‥ 967
　⑩ （農地等についての相続税の納税猶予制度又は非上場株式等についての相続税の納税猶予制度との調整） ‥‥‥‥‥ 968
　⑪ （特定森林経営計画の期間の起算日として政令で定める日） ‥‥‥‥‥ 966
　⑫ （特例山林の経営が適正かつ確実に行われていない場合として政令で定める場合） ‥‥‥‥‥ 974
　⑬ （作業路網の一部の整備が適正に行われていない場合等として政令で定める場合） ‥‥‥‥‥ 977
　⑭ （一定の日までに林業経営相続人が死亡したときにおける規定の適用） ‥‥‥‥‥ 977
　⑮ （路網未整備等のみなし規定） ‥‥‥‥‥ 977
　⑯ （政令で定める特例山林の額に対応する部分の額） 982
　⑰ （政令で定める状態） ‥‥‥‥‥ 979
　⑱ （政令で定める者） ‥‥‥‥‥ 979
　⑲ （届出書の記載事項） ‥‥‥‥‥ 979
　⑳ （読替え規定） ‥‥‥‥‥ 981
　㉑ （継続届出書の記載事項） ‥‥‥‥‥ 972
　㉒ （政令で定める特別の関係がある者） ‥‥‥‥‥ 988
　㉓ （免除届出書の提出） ‥‥‥‥‥ 985
　㉔ （措法70の6の4⑯の規定による場合の届出書の提出等） ‥‥‥‥‥ 973
　㉕ （法人税法、所得税法及び地価税法規定の適用） ‥‥ 988
　㉖ （農林水産大臣が財務大臣と協議して定めるもの） 979
第 40 条の 7 の 7 （特定の美術品についての相続税の納税猶予及び免除）
　① （被相続人の相続人が第一次寄託相続人に該当し第二次寄託相続人がいるとき） ‥‥‥‥‥ 995
　② （新たな認定保存活用計画に係る認定の申請をした場合） ‥‥‥‥‥ 1003
　③ （新寄託先美術館の設置者に寄託する見込みである場合等のみなし規定） ‥‥‥‥‥ 1006
　④ （納税猶予分の相続税額の計算） ‥‥‥‥‥ 997
　⑤ （控除未済債務額の意義） ‥‥‥‥‥ 997
　⑥ （寄託相続人の相続税の額） ‥‥‥‥‥ 996
　⑦ （納税猶予分の相続税額の端数処理） ‥‥‥‥‥ 996
　⑧ （特定美術品が 2 以上ある場合における納税猶予分の相続税額の計算） ‥‥‥‥‥ 997
　⑨ （特定美術品が 2 以上ある場合における納税猶予分の相続税額の端数処理） ‥‥‥‥‥ 998
　⑩ （農地等についての相続税の納税猶予及び免除等の適用を受ける者があるとき相続税の課税価格） 998
　⑪ （農地等についての相続税の納税猶予等の特例がある場合の納税猶予分の相続税額の計算） ‥‥ 998
　⑫ （特定美術品が 2 以上ある場合における規定の適用） ‥‥‥‥‥ 998
　⑬ （政令で定める災害） ‥‥‥‥‥ 1002
　⑭ （納税猶予の打切りの場合の読替え規定） ‥‥‥‥‥ 1002
　⑮ （登録有形文化財の登録が抹消されたことに伴い取り消された場合） ‥‥‥‥‥ 1003
　⑯ （申請書の記載事項） ‥‥‥‥‥ 1004
　⑰ （申請書の記載事項） ‥‥‥‥‥ 1005
　⑱ （申請につき承認又は却下の処分がなかったとき） ‥‥‥‥‥ 1005
　⑲ （担保の提供方法） ‥‥‥‥‥ 1008
　⑳ （特定美術品を担保として提供することを約する書類等の返還） ‥‥‥‥‥ 1008
　㉑ （担保の変更等） ‥‥‥‥‥ 1008
　㉒ （継続届出書の記載事項） ‥‥‥‥‥ 1000
　㉓ （継続届出書の記載事項の読替え規定） ‥‥‥‥‥ 1000
　㉔ （納税猶予額の免除に係る届出書の提出） ‥‥‥‥‥ 1007
　㉕ （政令で定める届出書の提出等） ‥‥‥‥‥ 1001
第 40 条の 7 の 8 （個人の事業用資産についての贈与税の納税猶予及び免除）
　① （政令で定める贈与者） ‥‥‥‥‥ 1015
　② （政令で定める日） ‥‥‥‥‥ 1016
　③ （政令で定める者） ‥‥‥‥‥ 1016
　④ （政令で定める者） ‥‥‥‥‥ 1020
　⑤ （政令で定める事業） ‥‥‥‥‥ 1020
　⑥ （建物又は構築物の敷地の用に供されているもののうち政令で定めるもの） ‥‥‥‥‥ 1021
　⑦ （事業の用に供されている建物として政令で定めるもの） ‥‥‥‥‥ 1022
　⑧ （政令で定める価額） ‥‥‥‥‥ 1024
　⑨ （特例受贈事業用資産が土地及び土地の上に存する権利並びに家屋及びその附属設備又は構築物である場合の価額） ‥‥‥‥‥ 1024
　⑩ （納税猶予分の贈与税額の端数処理） ‥‥‥‥‥ 1025
　⑪ （贈与者が 2 人以上いる場合における納税猶予分の贈与税額の計算） ‥‥‥‥‥ 1023
　⑫ （特例事業受贈者に係る贈与者の異なるものごとの納税猶予分の贈与税額） ‥‥‥‥‥ 1024
　⑬ （特例事業受贈者に係る贈与者の異なるものごとの適用） ‥‥‥‥‥ 1024
　⑭ （政令で定める期間） ‥‥‥‥‥ 1025
　⑮ （政令で定める特別の関係） ‥‥‥‥‥ 1026
　⑯ （必要経費に算入されないものとして政令で定めるもの） ‥‥‥‥‥ 1026
　⑰ （政令で定める期間） ‥‥‥‥‥ 1027
　⑱ （事業の用に供することが困難になった場合） ‥‥‥ 1034
　⑲ （特例受贈事業用資産の価額に対応するものとして計算した金額） ‥‥‥‥‥ 1035
　⑳ （事業の用に供されなくなった部分に対応する部分の額として計算した金額） ‥‥‥‥‥ 1035
　㉑ （税務署長の承認を受けようとする場合） ‥‥‥‥‥ 1036
　㉒ （申請の承認に係るみなし規定） ‥‥‥‥‥ 1037
　㉓ （事業の用に供される資産の取得に充てられなかったものに対応する部分） ‥‥‥‥‥ 1038
　㉔ （特定資産に該当しない譲渡の対価の額） ‥‥‥‥‥ 1038
　㉕ （政令で定める事項） ‥‥‥‥‥ 1040

－1751－

㉖（申請の承認に係るみなし規定）……………… 1040
㉗（納税猶予の打切り及び納税猶予額の免除に係る必要事項）……………… 1041
㉘（継続届出書の提出）……………… 1029
㉙（免除届出書の提出）……………… 1045
㉚（政令で定めるところにより計算した金額）……… 1047
㉛（特例受贈事業用資産の贈与の時における価額）… 1039
㉜（（1）の場合の届出書の提出等）……………… 1031
㉝（政令で定めるもの）……………… 1051
㉞（政令で定める事実及び計画）……………… 1051
㉟（政令で定める事由）……………… 1053
㊱（政令で定める評定）……………… 1056
㊲（延滞税の計算方法）……………… 1052
㊳（利子税の計算方法）……………… 1052
㊴（特例受贈事業用資産に係る事業と別の事業を営んでいる場合）……………… 1058
㊵（対象事業用資産以外の資産の譲渡又は贈与をしたときのみなし規定）……………… 1036
㊶（対象事業用資産の譲渡等の順序）……………… 1036
㊷（贈与の日の属する年に贈与者の相続が開始したとき）……………… 1049

第40条の7の9（個人の事業用資産の贈与者が死亡した場合の相続税の課税の特例）
（政令で定める者）……………… 1062

第40条の7の10（個人の事業用資産についての相続税の納税猶予及び免除）
①（特定事業用資産を有していた個人として政令で定める者）……………… 1065
②（政令で定める日）……………… 1065
③（被相続人から親族へ贈与した特定事業用資産の価額が相続税の課税価格に加算される場合）……………… 1066
④（被相続人の親族が第1次特例事業相続人等に該当し第2次特例事業相続人等がいるとき）……………… 1066
⑤（政令で定める者）……………… 1070
⑥（建物又は構築物の敷地の用に供されているもののうち政令で定めるもの）……………… 1072
⑦（小規模宅地等に相当する面積として政令で定める面積）……………… 1072
⑧（事業の用に供されている建物として政令で定める）……………… 1074
⑨（納税猶予の相続税額の計算）……………… 1076
⑩（「特定債務額」とは）……………… 1076
⑪（納税猶予分の相続税額の端数処理）……………… 1076
⑫（農地等についての相続税の納税猶予等の特例の適用がある場合の納税猶予分の相続税額の計算）……………… 1077
⑬（農地等についての相続税の納税猶予制度との調整）……………… 1077
⑭（政令で定める期間、政令で定めるもの）……… 1075
⑮（事業の用に供することが困難になった場合）… 1085
⑯（特例受贈事業用資産の価額に対応するものとして計算した金額）……………… 1085
⑰（事業の用に供されなくなった部分に対応する部分の額として計算した金額）……………… 1086
⑱（税務署長の承認を受けようとする場合）……… 1087
⑲（申請の承認に係るみなし規定）……………… 1087
⑳（事業の用に供される資産の取得に充てられなかったものに対応する部分）……………… 1087
㉑（特定資産に該当しない譲渡の対価の額）……… 1088
㉒（政令で定める事項）……………… 1089
㉓（申請の承認に係るみなし規定）……………… 1089
㉔（特例事業用資産の相続の開始の時における価額）… 1088
㉕（納税猶予の打切り及び納税猶予額の免除に係る必要事項）……………… 1089

㉖（継続届出書の提出）……………… 1080
㉗（免除届出書の提出）……………… 1093
㉘（（1）の場合の届出書の提出）……………… 1082
㉙（政令で定めるものの準用）……………… 1097
㉚（政令で定める事実及び計画の準用）……………… 1097
㉛（政令で定める事由の準用）……………… 1098
㉜（政令で定める評定の準用）……………… 1101
㉝（延滞税の計算方法）……………… 1097
㉞（利子税の計算方法）……………… 1097
㉟（特例受贈事業用資産について特例の適用を受ける場合の読替え規定）……………… 1067
㊱（特例事業用資産に係る事業と別の事業を営んでいる場合）……………… 1102
㊲（対象事業用資産以外の資産の譲渡又は贈与をしたときのみなし規定）……………… 1086
㊳（対象事業用資産の譲渡等の順序）……………… 1086

第40条の8（非上場株式等についての贈与税の納税猶予及び免除）
①（政令で定める贈与者）……………… 1107
②（発行済株式又は出資の総数又は総額の3分の2に達するまでの部分として政令で定めるもの）……… 1108
③（担保の提供方法）……………… 1108
④（担保の解除）……………… 1109
⑤（政令で定める者）……………… 1109
⑥（資産保有型会社又は資産運用型会社のうち政令で定めるもの）……………… 1112
⑦（政令で定める特別の関係がある会社）……………… 1113
⑧（政令で定める特定会社と密接な関係を有する会社）……………… 1113
⑨（政令で定める支配関係）……………… 1114
⑩（政令で定める会社の円滑な事業の運営を確保するために必要な要件）……………… 1114
⑪（政令で定める特別の関係がある者）……………… 1115
⑫（政令で定める法人）……………… 1116
⑬（認定承継会社が1社である場合の納税猶予分の相続税額の計算）……………… 1121
⑭（認定承継会社が2社以上である場合の納税猶予分の相続税額の計算）……………… 1121
⑮（贈与者及び認定贈与承継会社の異なるものごとの納税猶予分の贈与税額の計算）……………… 1121
⑯（贈与者及び認定贈与承継会社の異なるものごとの適用）……………… 1121
⑰（政令で定めるところにより計算した金額）……… 1116
⑱（合併前純資産額等の計算方法）……………… 1119
⑲（政令で定める認定贈与承継会社の資産状況を確認する期間）……………… 1118
⑳（政令で定める特別の関係がある者の準用）……… 1119
㉑（剰余金の配当等の額その他会社から受けた金額として政令で定めるもの）……………… 1119
㉒（政令で定める期間）……………… 1121
㉓（政令で定める常時使用従業員の数）……………… 1134
㉔（政令で定める資産保有型会社又は資産運用型会社）……………… 1136
㉕（政令で定める認定贈与承継会社の円滑な事業の運営に支障を及ぼすおそれがある場合）……………… 1138
㉖（政令で定めるところにより計算した金額）……… 1139
㉗（政令で定める金銭その他の資産の額に対応する部分の額）……………… 1139
㉘（政令で定めるところにより計算した（二）の中欄に規定する金額）……………… 1142
㉙（政令で定めるところにより計算した（三）の中欄に規定する金額）……………… 1143
㉚（政令で定めるところにより計算した（四）の中欄

⑪ に規定する金額) ‥‥‥‥‥‥‥‥‥‥ 1143
㉛ (政令で定めるところにより計算した(五)の中欄
　　に規定する金額) ‥‥‥‥‥‥‥‥‥‥ 1143
㉜ (政令で定めるところにより計算した(六)の中欄
　　に規定する金額) ‥‥‥‥‥‥‥‥‥‥ 1143
㉝ (政令で定める提供された担保の全部又は一部に
　　つき変更があった場合) ‥‥‥‥‥‥‥ 1126
㉞ (特定事由により担保の全部又は一部を解除する
　　ことがやむを得ないと認められる場合) ‥‥ 1127
㉟ (申請書の提出) ‥‥‥‥‥‥‥‥‥‥‥ 1127
㊱ (継続届出書の提出) ‥‥‥‥‥‥‥‥‥ 1129
㊲ (免除届出書の提出) ‥‥‥‥‥‥‥‥‥ 1145
㊳ (政令で定めるところにより計算した金額) ‥ 1147
㊴ (政令で定めるところにより計算した金額) ‥ 1147
㊵ (1人の者として政令で定めるもの) ‥‥‥ 1150
㊶ (政令で定める事実) ‥‥‥‥‥‥‥‥‥ 1153
㊷ (政令で定める剰余金の配当等の額その他認定贈
　　与承継会社から受けた金額の準用) ‥‥‥ 1150
㊸ (延滞税の計算方法) ‥‥‥‥‥‥‥‥‥ 1151
㊹ (利子税の計算方法) ‥‥‥‥‥‥‥‥‥ 1152
㊺ (担保の解除) ‥‥‥‥‥‥‥‥‥‥‥‥ 1152
㊻ (政令で定める要件) ‥‥‥‥‥‥‥‥‥ 1153
㊼ (政令で定める評定) ‥‥‥‥‥‥‥‥‥ 1153
㊽ (ゆうじょの場合の届出書の提出等) ‥‥‥ 1131
㊾ (政令で定める災害) ‥‥‥‥‥‥‥‥‥ 1157
㊿ (政令で定める災害)災害によって甚大な被害を
　　受けた場合) ‥‥‥‥‥‥‥‥‥‥‥‥ 1157
51 (災害が経営贈与承継期間の末日の翌日以後に発
　　生した場合) ‥‥‥‥‥‥‥‥‥‥‥‥ 1158
52 (雇用の確保が困難となった場合) ‥‥‥‥ 1158
53 (政令で定める数) ‥‥‥‥‥‥‥‥‥‥ 1158
54 (認定贈与承継会社の売上金額が大幅に減少した
　　場合) ‥‥‥‥‥‥‥‥‥‥‥‥‥‥‥ 1159
55 (常時使用従業員の雇用が確保されているとき) ‥ 1160
56 (認定贈与承継会社の売上金額が大幅に減少した
　　場合) ‥‥‥‥‥‥‥‥‥‥‥‥‥‥‥ 1161
57 (常時使用従業員の雇用が確保されているとき) ‥ 1161
58 (読替え規定) ‥‥‥‥‥‥‥‥‥‥‥‥ 1165
59 (前の水準に最初に回復した事業年度) ‥‥ 1165
60 (引き続き適用を受けるための手続) ‥‥‥ 1166
61 (添付書類の記載事項) ‥‥‥‥‥‥‥‥ 1168
62 (経営承継受贈者が特例株式等以外のものを有す
　　る場合に認定贈与承継会社の非上場株式等の譲渡
　　等をしたとき) ‥‥‥‥‥‥‥‥‥‥‥ 1143
63 (経営承継受贈者が特例株式等の譲渡等をした場
　　合) ‥‥‥‥‥‥‥‥‥‥‥‥‥‥‥‥ 1144
64 (対象受贈非上場株式等又は特例対象受贈非上場
　　株式等の取得をしている場合) ‥‥‥‥‥ 1144
65 (法人税法、所得税法及び地価税法の規定の適用) 1172
第40条の8の2 (非上場株式等についての相続税の納税
　　猶予及び免除)
① (政令で定める被相続人) ‥‥‥‥‥‥‥ 1210
② (被相続人から親族へ贈与した非上場株式等の価
　　額が相続税の課税価格に加算される場合) ‥ 1212
③ (被相続人の親族が第1次経営承継相続人等に該
　　当し第2次経営承継相続人等がいるとき) ‥ 1212
④ (発行済株式又は出資の総数又は総額の3分の2
　　に達するまでの部分として政令で定めるもの) ‥‥ 1211
⑤ (担保の提供方法) ‥‥‥‥‥‥‥‥‥‥ 1211
⑥ (担保の解除) ‥‥‥‥‥‥‥‥‥‥‥‥ 1211
⑦ (資産保有型会社又は資産運用型会社のうち政令
　　で定めるもの) ‥‥‥‥‥‥‥‥‥‥‥ 1216
⑧ (政令で定める特別の関係がある会社) ‥‥ 1216

⑨ (政令で定める特定会社と密接な関係を有する会
　　社) ‥‥‥‥‥‥‥‥‥‥‥‥‥‥‥‥ 1217
⑩ (政令で定める会社の円滑な事業の運営を確保す
　　るために必要な要件) ‥‥‥‥‥‥‥‥‥ 1217
⑪ (政令で定める特別の関係がある者) ‥‥‥ 1218
⑫ (政令で定める医療法人) ‥‥‥‥‥‥‥ 1219
⑬ (認定承継会社が1社である場合の納税猶予分の
　　相続税額の計算) ‥‥‥‥‥‥‥‥‥‥‥ 1224
⑭ (控除未済債務額) ‥‥‥‥‥‥‥‥‥‥ 1224
⑮ (経営承継相続人等の相続税の額) ‥‥‥‥ 1224
⑯ (納税猶予分の相続税額の端数処理) ‥‥‥ 1224
⑰ (認定承継会社が2社以上である場合の納税猶
　　予分の相続税額の計算) ‥‥‥‥‥‥‥‥ 1225
⑱ (認定承継会社の異なるものごとの納税猶予分の
　　相続税額の端数処理) ‥‥‥‥‥‥‥‥‥ 1225
⑲ (農地等についての相続税の納税猶予等の特例の
　　適用がある場合の納税猶予分の相続税額の計算) ‥ 1226
⑳ (農地等についての相続税の納税猶予制度との調
　　整) ‥‥‥‥‥‥‥‥‥‥‥‥‥‥‥‥ 1226
㉑ (認定承継会社の異なるものごとの適用) ‥‥ 1225
㉒ (政令で定めるところにより計算した金額) ‥ 1219
㉓ (合併前純資産額等の計算方法) ‥‥‥‥‥ 1221
㉔ (読替え規定) ‥‥‥‥‥‥‥‥‥‥‥‥ 1221
㉕ (政令で定める認定承継会社の資産状況を確認す
　　る期間) ‥‥‥‥‥‥‥‥‥‥‥‥‥‥ 1222
㉖ (剰余金の配当等の額その他当該会社から受けた
　　金額として政令で定めるもの) ‥‥‥‥‥ 1222
㉗ (政令で定める期間) ‥‥‥‥‥‥‥‥‥ 1223
㉘ (政令で定める常時使用従業員の数) ‥‥‥ 1237
㉙ (政令で定める特別の関係がある者の準用) ‥ 1237
㉚ (政令で定める資産保有型会社又は資産運用型会
　　社) ‥‥‥‥‥‥‥‥‥‥‥‥‥‥‥‥ 1238
㉛ (政令で定める認定承継会社の円滑な事業の運営
　　に支障を及ぼすおそれがある場合) ‥‥‥ 1240
㉜ (政令で定めるところにより計算した金額) ‥ 1241
㉝ (政令で定める金銭その他の資産の額に対応する
　　部分の額) ‥‥‥‥‥‥‥‥‥‥‥‥‥ 1241
㉞ (政令で定めるところにより計算した(二)の中欄
　　に規定する金額) ‥‥‥‥‥‥‥‥‥‥ 1245
㉟ (政令で定めるところにより計算した(三)の中欄
　　に規定する金額) ‥‥‥‥‥‥‥‥‥‥ 1246
㊱ (政令で定めるところにより計算した(四)の中欄
　　に規定する金額) ‥‥‥‥‥‥‥‥‥‥ 1246
㊲ (政令で定めるところにより計算した(五)の中欄
　　に規定する金額) ‥‥‥‥‥‥‥‥‥‥ 1246
㊳ (政令で定めるところにより計算した(六)の中欄
　　に規定する金額) ‥‥‥‥‥‥‥‥‥‥ 1246
㊴ (政令で定める提供された担保の全部又は一部に
　　つき変更があった場合) ‥‥‥‥‥‥‥‥ 1228
㊵ (特定事由により担保の全部又は一部を解除する
　　ことがやむを得ないと認められる場合) ‥‥ 1228
㊶ (申請書の提出) ‥‥‥‥‥‥‥‥‥‥‥ 1229
㊷ (継続届出書の記載事項) ‥‥‥‥‥‥‥ 1231
㊸ (免除届出書の提出) ‥‥‥‥‥‥‥‥‥ 1247
㊹ (政令で定めるところにより計算した金額) ‥ 1249
㊺ (1人の者として政令で定めるもの) ‥‥‥ 1251
㊻ (政令で定める事実) ‥‥‥‥‥‥‥‥‥ 1252
㊼ (政令で定める剰余金の配当等の額その他認定承
　　継会社から受けた金額の準用) ‥‥‥‥‥ 1252
㊽ (延滞税の計算方法) ‥‥‥‥‥‥‥‥‥ 1253
㊾ (利子税の計算方法) ‥‥‥‥‥‥‥‥‥ 1253
㊿ (担保の解除) ‥‥‥‥‥‥‥‥‥‥‥‥ 1253
51 (政令で定める要件) ‥‥‥‥‥‥‥‥‥ 1255

52 （政令で定める評定）……………………… 1255
53 （（1）の場合の届出書の提出等）……………… 1233
54 （災害によって甚大な被害を受けた場合）……… 1263
55 （災害が経営承継期間の末日の翌日以降に発生した場合）……………………………………… 1263
56 （雇用の確保が困難となった場合）…………… 1264
57 （政令で定める数）……………………………… 1264
58 （認定贈与承継会社の売上金額が大幅に減少した場合）……………………………………… 1265
59 （常時使用従業員の雇用が確保されているとき）… 1265
60 （認定贈与承継会社の売上金額が大幅に減少した場合）……………………………………… 1266
61 （常時使用従業員の雇用が確保されているとき）… 1266
62 （読替え規定）…………………………………… 1269
63 （前の水準に最初に回復した事業年度）……… 1269
64 （引き続き適用を受けるための手続）………… 1271
65 （政令で定める期限）…………………………… 1270
66 （添付書類の記載事項）………………………… 1272
67 （資産が災害によって甚大な被害を受けた場合）… 1274
68 （雇用の確保が困難となった場合）…………… 1274
69 （会社の売上金額が大幅に減少した場合）…… 1274
70 （対象非上場株式等以外を有する経営承継相続人等が認定承継会社の非上場株式等の譲渡等をしたとき）…………………………………… 1240
71 （譲渡等をしたものとみなす特例非上場株式等の順序）……………………………………… 1240
72 （法人税法、所得税法及び地価税法の規定の適用）… 1279

第40条の8の3 （非上場株式等の贈与者が死亡した場合の相続税の課税の特例）…………………… 1283
第40条の8の4 （非上場株式等の贈与者が死亡した場合の相続税の納税猶予及び免除の特例）…… 1286
第40条の8の5 （非上場株式等についての贈与税の納税猶予及び免除の特例）
① （政令で定める特例贈与者）………………… 1303
② （特例経営承継相続人等が特例を適用した場合）… 1305
③ （担保の提供方法及び解除）………………… 1305
④ （政令で定める者）…………………………… 1305
⑤ （資産保有型会社又は資産運用型会社のうち政令で定めるもの）…………………………… 1307
⑥ （政令で定める特別の関係がある会社）…… 1308
⑦ （政令で定める特定会社と密接な関係を有する会社）…………………………………… 1308
⑧ （政令で定める支配関係）…………………… 1309
⑨ （政令で定める会社の円滑な事業の運営を確保するために必要とされる要件）…………… 1309
⑩ （特例の適用がある場合の資産保有型会社及び資産運用型会社）…………………………… 1311
⑪ （政令で定める特例認定贈与承継会社の資産状況を確認する期間）……………………… 1311
⑫ （剰余金の配当等の額その他会社から受けた金額として政令で定めるもの）……………… 1311
⑬ （政令で定める期間）………………………… 1311
⑭ （政令で定める特別の関係がある者）……… 1309
⑮ （政令で定める法人の準用）………………… 1311
⑯ （納税猶予分の贈与税額の計算の準用）…… 1312
⑰ （特例贈与者又は特例認定贈与承継会社が2以上ある場合の適用）……………………… 1312
⑱ （政令で定めるところにより計算した金額等）… 1310
⑲ （納税猶予の打切りに係る読替え規定）…… 1319
⑳ （担保の変更等に係る準用）………………… 1314
㉑ （継続届出書の提出）………………………… 1315
㉒ （贈与者等の死亡等による納税猶予税額の免除の準用）………………………………… 1323

㉒ （事業の継続が困難な事由として政令で定める事由）…………………………………… 1325
㉓ （端数処理）…………………………………… 1327
㉔ （合併に際して交付された株式等以外の財産の価額に対応する部分の額として政令で定めるところにより計算した金額）……………… 1329
㉕ （株式交換等に際して交付された株式等以外の財産の価額に対応する部分の額として政令で定めるところにより計算した金額）……… 1329
㉖ （譲渡等をした特例対象受贈非上場株式等の数又は金額に対応する部分の額として政令で定めるところにより計算した金額）………… 1329
㉗ （剰余金の配当等の額その他特例認定贈与承継会社から受けた金額として政令で定めるもの）… 1330
㉘ （延滞税及び利子税の計算方法の準用）…… 1330
㉙ （担保の提供及び解除）……………………… 1331
㉚ （納税の猶予に係る期限が確定する贈与額及び利子税の額の計算）……………………… 1331
㉛ （事業を継続している場合として政令で定める場合）……………………………………… 1332
㉜ （政令で定めるところにより計算した金額）… 1333
㉝ （政令で定めるところにより計算した金額）… 1333
㉞ （準用規定）…………………………………… 1334
㉟ （期限までに提出されなかった場合の届出書の提出等）………………………………… 1317
㊱ （準用規定）…………………………………… 1335
㊲ （特例経営承継受贈者が特例認定贈与承継会社の非上場株式等の譲渡等をした場合）…… 1319
㊳ （特例対象受贈非上場株式等の取得をしている場合）……………………………………… 1319
㊴ （法人税法、所得税法及び地価税法の規定の適用）… 1336

第40条の8の6 （非上場株式等についての相続税の納税猶予及び免除の特例）
① （政令で定める特例被相続人）……………… 1343
② （特例被相続人から親族へ贈与した非上場株式等の価額が相続税の課税価額に加算される場合）… 1345
③ （特例被相続人の親族が第1次特例経営承継相続人等に該当し第2次特例経営承継相続人等がいるとき）……………………………… 1345
④ （特例経営承継受贈者が特例を適用した場合）… 1345
⑤ （担保の提供方法及び解除）………………… 1344
⑥ （資産保有型会社又は資産運用型会社のうち政令で定めるもの）…………………………… 1347
⑦ （政令で定める特別の関係がある会社）…… 1348
⑧ （政令で定める特定会社と密接な関係を有する会社）…………………………………… 1348
⑨ （政令で定める会社の円滑な事業の運営を確保するために必要な要件）…………………… 1348
⑩ （特例の適用がある場合の資産保有型会社及び資産運用型会社）…………………………… 1349
⑪ （政令で定める特例認定承継会社の資産状況を確認する期間）……………………………… 1350
⑫ （剰余金の配当等の額その他会社から受けた金額として政令で定めるもの）……………… 1350
⑬ （政令で定める期間）………………………… 1350
⑭ （政令で定める特別の関係がある者）……… 1349
⑮ （政令で定める法人の準用）………………… 1349
⑯ （特例認定承継会社が1社である場合の納税猶予分の相続税額の計算）……………………… 1351
⑰ （「控除未済債務額」の意義）………………… 1351
⑱ （端数処理）…………………………………… 1351
⑲ （特例認定承継会社が2社以上である場合の納税猶予分の相続税額の計算）………………… 1351

⑳（特例認定承継会社の異なるものごとの納税猶予分の相続税額の端数処理）・・・・・・・・・・・ 1351

㉑（農地等についての相続税の納税猶予等の特例の適用がある場合の納税猶予分の相続税額の計算） 1352

㉒（農地等についての相続税の納税猶予制度との調整）・・・・・・・・・・・・・・・・・・・・・・・・・・・・・・・・・・ 1352

㉓（特例認定承継会社の異なるものごとの適用）・・・・ 1352

㉔（政令で定めるところにより計算した金額）・・・・ 1349

㉕（納税猶予の打切りに係る準用規定）・・・・・・・・・・ 1359

㉖（担保の変更等の準用）・・・・・・・・・・・・・・・・・・・・ 1354

㉗（継続届出書の提出）・・・・・・・・・・・・・・・・・・・・・・ 1355

㉘（納税猶予税額の免除に係る規定の準用）・・・・・・ 1363

㉙（事業の継続が困難な事由として政令で定める事由）・・・・・・・・・・・・・・・・・・・・・・・・・・・・・・・・・・・・・・ 1365

㉚（端数処理）・・・・・・・・・・・・・・・・・・・・・・・・・・・・・・ 1366

㉛（合併に際して交付された株式等以外の財産の価額に対応する部分の額として政令で定めるところにより計算した金額）・・・・・・・・・・・・・・・・・・・・ 1368

㉜（株式交換等に際して交付された株式等以外の財産の価額に対応する部分の額として政令で定めるところにより計算した金額）・・・・・・・・・・・・ 1368

㉝（政令で定めるところにより計算した金額）・・・・ 1369

㉞（剰余金の配当等の額その他特例認定承継会社から受けた金額として政令で定めるもの）・・・・・・ 1369

㉟（延滞税及び利子税の計算方法）・・・・・・・・・・・・ 1369

㊱（担保の提供方法及び解除）・・・・・・・・・・・・・・・・ 1370

㊲（納税の猶予に係る期限が確定する相続税額及び利子税の額の計算）・・・・・・・・・・・・・・・・・・・・・・・・ 1370

㊳（事業を継続している場合として政令で定める場合）・・・・・・・・・・・・・・・・・・・・・・・・・・・・・・・・・・・・・・ 1371

㊴（政令で定めるところにより計算した金額）・・・・ 1372

㊵（政令で定めるところにより計算した金額）・・・・ 1372

㊶（準用規定）・・・・・・・・・・・・・・・・・・・・・・・・・・・・・・ 1373

㊷（期限までに提出されなかった場合の届出書の提出等）・・・・・・・・・・・・・・・・・・・・・・・・・・・・・・・・・・・・・ 1357

㊸（準用規定）・・・・・・・・・・・・・・・・・・・・・・・・・・・・・・ 1375

㊹（納税猶予の打切りに係る準用規定）・・・・・・・・・・ 1359

㊺（法人税法、所得税法及び地価税法の規定の適用） 1376

第40条の8の7（非上場株式等の特例贈与者が死亡した場合の相続税の課税の特例）・・・・・・・・・・・・・・ 1378

第40条の8の8（非上場株式等の特例贈与者が死亡した場合の相続税の納税猶予及び免除の特例）・・・・・・・・ 1380

第40条の8の9（医療法人についての贈与税の納税猶予等）

①（担保の提供）・・・・・・・・・・・・・・・・・・・・・・・・・・・・ 1397

②（担保の解除）・・・・・・・・・・・・・・・・・・・・・・・・・・・・ 1397

③（担保権の意義）・・・・・・・・・・・・・・・・・・・・・・・・・・ 1398

④（納税猶予分の贈与税額の端数処理）・・・・・・・・・・ 1400

⑤（経済的利益に係る贈与者又は認定医療法人が二以上ある場合の納税猶予分の贈与税額の計算）・・・ 1400

⑥（経済的利益に係る贈与者又は認定医療法人が二以上ある場合における端数処理）・・・・・・・・・・・・ 1400

⑦（贈与者及び認定医療法人の異なるものごとの適用）・・・・・・・・・・・・・・・・・・・・・・・・・・・・・・・・・・・・・・ 1401

⑧（政令で定める納税猶予の期限）・・・・・・・・・・・・ 1399

⑨（基金として拠出した額に対応する贈与税の計算） 1400

⑩（納税猶予割合）・・・・・・・・・・・・・・・・・・・・・・・・・・ 1400

⑪（免除適用に係る届出書の提出）・・・・・・・・・・・・ 1401

⑫（承継する納付義務の割合）・・・・・・・・・・・・・・・・ 1402

⑬（承継した相続人に係る規定の適用）・・・・・・・・・・ 1402

⑭（公租公課の金額の準用）・・・・・・・・・・・・・・・・・・ 1403

⑮（当該贈与者による認定医療法人の持分の放棄の時から7年以内に死亡した場合）・・・・・・・・・・・・ 1402

第40条の8の10（医療法人についての贈与税の税額控除）

①（課税価格の規定）・・・・・・・・・・・・・・・・・・・・・・・・ 1408

②（政令で定める金額）・・・・・・・・・・・・・・・・・・・・・・ 1408

③（贈与者が3年以内に死亡した場合）・・・・・・・・・・ 1409

④（当該経済的利益以外の財産についての相続時精算課税制度の規定の適用）・・・・・・・・・・・・・・・・・・ 1409

第40条の8の11（個人の死亡に伴い贈与又は遺贈があったものとみなされる場合の特例）・・・・・・・・・・・・ 1410

②（規定の準用）・・・・・・・・・・・・・・・・・・・・・・・・・・・・ 1411

③（適用を受ける旨の申告書の記載）・・・・・・・・・・・・ 1411

第40条の8の12（医療法人についての相続税の納税猶予等）

①（担保の提供）・・・・・・・・・・・・・・・・・・・・・・・・・・・・ 1415

②（担保の解除）・・・・・・・・・・・・・・・・・・・・・・・・・・・・ 1415

③（担保権の意義）・・・・・・・・・・・・・・・・・・・・・・・・・・ 1415

④（当該相続人等の相続税の額）・・・・・・・・・・・・・・ 1413

⑤（控除未済債務額の意義）・・・・・・・・・・・・・・・・・・ 1414

⑥（納税猶予分の相続税額の端数処理）・・・・・・・・・・ 1417

⑦（認定医療法人が2以上ある場合の納税猶予分の相続税額の計算）・・・・・・・・・・・・・・・・・・・・・・・・ 1417

⑧（認定医療法人が2以上ある場合の納税猶予分の相続税額の端数処理）・・・・・・・・・・・・・・・・・・・・・・ 1417

⑨（贈与税の税額控除の適用を受ける者がある場合） 1418

⑩（各適用納税猶予税額と調整前持分猶予額との合計額が猶予可能税額を超える場合）・・・・・・・・・・ 1418

⑪（規定の準用）・・・・・・・・・・・・・・・・・・・・・・・・・・・・ 1419

⑫（政令で定める納税猶予の期限）・・・・・・・・・・・・ 1416

⑬（基金として拠出した額に対する相続税額の計算） 1417

⑭（規定の読替え）・・・・・・・・・・・・・・・・・・・・・・・・・・ 1420

⑮（免除適用に係る届出書の提出）・・・・・・・・・・・・ 1420

⑯（承継する納税義務の割合及び相続人に係る規定の準用）・・・・・・・・・・・・・・・・・・・・・・・・・・・・・・・・・・ 1421

第40条の8の13（医療法人についての相続税の税額控除）

①（課税価格の規定）・・・・・・・・・・・・・・・・・・・・・・・・ 1424

②（政令で定める金額）・・・・・・・・・・・・・・・・・・・・・・ 1424

③（放棄相当相続税額以外の当該相続税額の規定）・・・ 1425

第40条の8の14（医療法人の持分の放棄があった場合の贈与税の額の計算の方法等）

①（認定医療法人の納付すべき贈与税額）・・・・・・・・・・ 1426

②（納税義務者のみなし規定）・・・・・・・・・・・・・・・・ 1426

③（認定医療法人に対する法人税の規定の適用）・・・・ 1426

第40条の9（計画伐採に係る立木に対応する相続税額の計算等）・・・・・・・・・・・・・・・・・・・・・・・・・・・・ 323

第40条の10（相続税の延納に伴う利子税の特例の対象となる土地の範囲等）・・・・・・・・・・・・・・・・・・ 345

第40条の11（不動産等に係る相続税の延納等の特例の対象となる財産の範囲等）・・・・・・・・・・・・・・・・・・ 325

第6章　利子税の特例

平3改措令附第10条（相続税の特例に関する経過措置）・・・・ 926

平7改措令附第28条（贈与税の特例に関する経過措置）・・・・ 800

平17改措令附第33条（贈与税の特例に関する経過措置）・・・・ 811

租税特別措置法施行規則

第4章　相続税法の特例

第23条（在外財産等の範囲及び価額の計算）・・・・・・・・・・・・・・ 20

第23条の2（小規模宅地等についての相続税の課税価格の計算の特例）・・・・・・・・・・・・・・・・・・・・・・・ 102

第23条の2の2（特定計画山林についての相続税の課税

—1755—

価格の計算の特例）‥‥‥‥‥‥‥‥‥131・132

第 23 条の 2 の 3（店頭売買有価証券に該当する株式等に
類するものの範囲）‥‥‥‥‥‥‥‥147・568

第 23 条の 3（相続税が非課税とされる専修学校の範囲
等）‥‥‥‥‥‥‥‥‥‥‥‥‥‥‥‥‥‥ 94

第 23 条の 5（認定特定非営利活動法人に対して相続財産
を贈与した場合の相続税の非課税の特例を受ける
ための添付書類）‥‥‥‥‥‥‥‥‥‥‥‥ 97

第 23 条の 5 の 2（直系尊属から住宅取得等資金の贈与を
受けた場合の贈与税の非課税）‥‥‥‥‥ 501

第 23 条の 5 の 3（直系尊属から教育資金の一括贈与を受
けた場合の贈与税の非課税）‥‥‥‥‥‥ 519

第 23 条の 5 の 4（直系尊属から結婚・子育て資金の一括
贈与を受けた場合の贈与税の非課税）‥‥ 546

第 23 条の 5 の 5（直系尊属から贈与を受けた場合の贈与
税の税率の特例）‥‥‥‥‥‥‥‥‥‥‥ 577

第 23 条の 5 の 7（相続時精算課税選択届出書の添付書類
等）‥‥‥‥‥‥‥‥‥‥‥‥‥‥‥‥‥ 1061

第 23 条の 5 の 8（相続時精算課税選択届出書の添付書類
等）‥‥‥‥‥‥‥‥‥‥‥‥‥‥‥‥‥ 1338

第 23 条の 6（特定の贈与者から住宅取得等資金の贈与を
受けた場合の相続時精算課税の特例）‥‥ 681

第 23 条の 6 の 2（相続時精算課税に係る土地又は建物の
価額の特例）‥‥‥‥‥‥‥‥‥‥‥‥‥ 654

第 23 条の 7（農地等を贈与した場合の納税猶予を受ける
ための手続等）
① （準農地の市町村長の証明手続等）‥‥‥ 717
② （農地等の受贈者の証明手続）‥‥‥‥‥ 720
③ （贈与税申告書への添付書類）‥‥‥‥‥ 722
④ （財務省令で定める事項）‥‥‥‥‥‥‥ 727
⑤ （財務省令で定める譲渡又は設定の届出）‥‥‥ 727
⑥ （代替取得農地等対応分の計算）‥‥‥‥ 735
⑦ （推定相続人の証明手続）‥‥‥‥‥‥‥ 740
⑧ （財務省令で定める認定の要件）‥‥‥‥ 740
⑨ （受贈者の適用手続）‥‥‥‥‥‥‥‥‥ 741
⑩ （受贈者の届出書の添付書類）‥‥‥‥‥ 741
⑪ （他の推定相続人に係る証明手続）‥‥‥ 745
⑫ （他の推定相続人に係る届出書の提出手続）‥‥‥ 745
⑬ （⑫の届出書の添付書類）‥‥‥‥‥‥‥ 745
⑭ （推定相続人の死亡による受贈者の農業経営開始
の届出）‥‥‥‥‥‥‥‥‥‥‥‥‥‥‥ 746
⑮ （財務省令で定める特例の適用要件）‥‥ 750
⑯ （特例の適用を受ける場合の届出書の記載事項）‥‥‥ 752
⑰ （特例の適用を受ける場合の届出書の添付書類）‥‥‥ 752
⑱ （再借受代替農地等を借り受けた場合又は賃借権
等を消滅させた場合の変更の届出書の添付書類）‥‥‥ 754
⑲ （毎 1 年ごとの継続届出書の記載事項）‥‥‥ 755
⑳ （継続届出書の添付書類）‥‥‥‥‥‥‥ 755
㉑ （賃借権等が消滅した場合の届出書の記載事項）‥‥‥ 756
㉒ （代替農地等の取得に関する証明書の提出）‥‥‥ 764
㉓ （代替農地等の取得価額等の明細書の提出）‥‥‥ 760
㉔ （特定市街化区域農地等を収用交換等による譲渡
等をした場合の代替農地等の取得価額等の明細書
の提出）‥‥‥‥‥‥‥‥‥‥‥‥‥‥‥ 765
㉕ （代替農地の取得価額等の明細書の提出）‥‥‥ 783
㉖ （都市営農農地等に該当することとなった旨の届
出書の提出）‥‥‥‥‥‥‥‥‥‥‥‥‥ 783
㉗ （財務省令で定める書類）‥‥‥‥‥‥‥ 767
㉘ （継続貸付届出書の記載事項）‥‥‥‥‥ 768
㉙ （届出書の記載事項）‥‥‥‥‥‥‥‥‥ 769
㉚ （農業委員会の証明の手続）‥‥‥‥‥‥ 769
㉛ （届出書の添付書類）‥‥‥‥‥‥‥‥‥ 769
㉜ （届出書の添付書類）‥‥‥‥‥‥‥‥‥ 770

㉝ （要介護状態の区分）‥‥‥‥‥‥‥‥‥ 771
㉞ （届出書の記載事項）‥‥‥‥‥‥‥‥‥ 772
㉟ （届出書の記載事項）‥‥‥‥‥‥‥‥‥ 774
㊲ （届出書の添付書類）‥‥‥‥‥‥‥‥‥ 775
㊳ （申請書の記載事項）‥‥‥‥‥‥‥‥‥ 776
㊵ （届出書の添付書類）‥‥‥‥‥‥‥‥‥ 776
㊶ （継続届出書の記載事項）‥‥‥‥‥‥‥ 778
㊷ （毎 3 年ごとの届出書の添付書類）‥‥‥ 788
㊸ （農業委員会等の通知の手続）‥‥‥‥‥ 798
㊹ （農業委員会の準農地に係る通知の手続）‥‥‥ 798
㊺ （一時的道路用地等の用に供されている特例農地
等に対する適用）‥‥‥‥‥‥‥‥‥‥‥ 711
㊻ （財務省令で定める通知事項）‥‥‥‥‥ 799

第 23 条の 7 の 2（贈与税の納税猶予を適用している場合
の特定貸付けの特例を受けるための記載事項等）‥‥‥ 821

第 23 条の 8（農地等についての相続税の納税猶予を受け
るための手続等）
① （農業相続人の証明手続）‥‥‥‥‥ 193・844
② （準農地の証明手続）‥‥‥‥‥‥‥‥‥ 838
③ （相続税申告書の添付書類）‥‥‥‥‥‥ 856
④ （財務省令で定める事項）‥‥‥‥‥‥‥ 860
⑤ （財務省令で定める譲渡又は設定の届出）‥‥‥ 861
⑥ （代替取得特例農地等対応分の計算）‥‥ 867
⑦ （他の推定相続人に係る証明手続）‥‥‥ 875
⑧ （他の推定相続人に係る届出書の提出手続）‥‥‥ 876
⑨ （被設定者の死亡による農業相続人の農業経営開
始の届出）‥‥‥‥‥‥‥‥‥‥‥‥‥‥ 876
⑩ （財務省令で定める特例の適用要件）‥‥ 878
⑪ （特例の適用を受ける場合の届出書の記載事項）‥‥‥ 879
⑫ （特例の適用を受ける場合の届出書の添付書類）‥‥‥ 880
⑬ （再借受代替農地等を借り受けた場合又は賃借権
等を消滅させた場合の変更の届出書の添付書類）‥‥‥ 882
⑭ （毎 1 年ごとの継続届出書の記載事項）‥‥‥ 883
⑮ （継続届出書の添付書類）‥‥‥‥‥‥‥ 883
⑯ （賃借権等が消滅した場合の届出書の記載事項）‥‥‥ 884
⑰ （贈与税における収用交換等による譲渡等の承認
の相続税への適用）‥‥‥‥‥‥‥‥‥‥ 893
⑱ （代替農地等の取得価額等の明細書の提出）‥‥‥ 891
⑲ （特定市街化区域農地等を収用交換等による譲渡
等をした場合の代替農地等の取得価額等の明細書
の提出）‥‥‥‥‥‥‥‥‥‥‥‥‥‥‥ 894
⑳ （代替農地の取得価額等の明細書の提出）‥‥‥ 914
㉑ （都市営農農地等に該当することとなった旨の届
出書の提出）‥‥‥‥‥‥‥‥‥‥‥‥‥ 915
㉒ （財務省令で定める書類）‥‥‥‥‥‥‥ 896
㉓ （継続貸付届出書の記載事項）‥‥‥‥‥ 897
㉔ （届出書の記載事項）‥‥‥‥‥‥‥‥‥ 899
㉕ （農業委員会の証明の手続）‥‥‥‥‥‥ 899
㉖ （届出書の添付書類）‥‥‥‥‥‥‥‥‥ 899
㉗ （届出書の添付書類）‥‥‥‥‥‥‥‥‥ 900
㉘ （届出書の記載事項）‥‥‥‥‥‥‥ 901・902
㉙ （明細書の記載事項）‥‥‥‥‥‥‥‥‥ 910
㉚ （明細書の記載事項）‥‥‥‥‥‥‥‥‥ 911
㉛ （継続届出書の記載事項）‥‥‥‥‥‥‥ 909
㉜ （財務省令で定める添付書類）‥‥‥‥‥ 917
㉝ （農業委員会等の通知の手続）‥‥‥‥‥ 923
㉞ （農業委員会の準農地に関する通知の手続）‥‥‥ 924
㉟ （財務省令で定める書類）‥‥‥‥‥ 203・208
㊲ （農業相続人がいる場合の相続税の申告書の記載
事項に関する読替え）‥‥‥‥‥‥‥‥‥ 208
㊳ （相続又は遺贈により財産を取得した者）‥‥‥ 852
㊵ （財務省令で定める通知事項）‥‥‥‥‥ 924

第 23 条の 8 の 2（相続税の納税猶予を適用している場合

—1756—

の特定貸付けの特例）‥‥‥‥‥‥‥‥‥‥‥‥‥ 937
第 23 条の 8 の 3 （特定貸付けを行った農地又は採草放牧
　　地についての相続税の課税の特例）‥‥‥‥‥ 943
第 23 条の 8 の 4 （相続税の納税猶予を適用している場合
　　の都市農地の貸付けの特例）
　① （財務省令で定める事項）‥‥‥‥‥‥‥‥‥‥‥‥ 949
　② （財務省令で定める書類）‥‥‥‥‥‥‥‥‥‥‥‥ 949
　③ （財務省で定める事項）‥‥‥‥‥‥‥‥‥‥‥‥‥ 950
　④ （読替え規定）‥‥‥‥‥‥‥‥‥‥‥‥‥‥‥‥‥ 952
　⑤ （財務省令で定める書類）‥‥‥‥‥‥‥‥‥‥‥‥ 952
　⑥ （準用規定）‥‥‥‥‥‥‥‥‥‥‥‥‥‥‥‥‥‥ 952
　⑦ （読替え規定）‥‥‥‥‥‥‥‥‥‥‥‥‥‥‥‥‥ 956
　⑧ （財務省令で定める事由）‥‥‥‥‥‥‥‥‥‥‥‥ 954
　⑨ （猶予適用者が認定都市農地貸付け等を行ってい
　　る場合の規定の適用）‥‥‥‥‥‥‥‥‥‥‥‥‥ 957
第 23 条の 8 の 5 （財務省令で定める事項）‥‥‥‥‥‥ 959
第 23 条の 8 の 6 （山林についての相続税の納税猶予及び
　　免除）
　① （財務省令で定めるところにより証明を受けてい
　　た者）‥‥‥‥‥‥‥‥‥‥‥‥‥‥‥‥‥‥‥‥ 962
　② （財務省令で定めるところにより証明がされた者）‥ 962
　③ （財務省令で定める林齢）‥‥‥‥‥‥‥‥‥‥‥‥ 962
　④ （財務省令で定める平均余命）‥‥‥‥‥‥‥‥‥‥ 962
　⑤ （山林の経営を確実に承継すると認められる要件）‥ 963
　⑥ （同一の者により一体として整備することを相当
　　とする山林）‥‥‥‥‥‥‥‥‥‥‥‥‥‥‥‥‥ 964
　⑦ （森林経営計画の内容が同一の者による効率的な
　　山林の経営を実現するために必要とされる要件）‥‥ 964
　⑧ （特定森林経営計画に従って当該山林の経営を適
　　正かつ確実に行うものと認められる要件）‥‥‥ 965
　⑨ （経営の規模の拡大を図るべき山林の面積として
　　財務省令で定める面積）‥‥‥‥‥‥‥‥‥‥‥‥ 975
　⑩ （作業路網の延長として財務省令で定めるもの）‥‥ 976
　⑪ （造林等を一体として効率的に行うことができる
　　と認められる流域として財務省令で定めるもの）‥‥ 976
　⑫ （山林の経営を開始すべき日として財務省令で定
　　める日）‥‥‥‥‥‥‥‥‥‥‥‥‥‥‥‥‥‥‥ 976
　⑬ （財務省令で定める面積）‥‥‥‥‥‥‥‥‥‥‥‥ 976
　⑭ （特例山林の経営が適正かつ確実に行われていな
　　い場合として財務省令で定める場合）‥‥‥‥‥ 976
　⑮ （特例山林の土地を立木の生育以外の用に供する
　　行為として財務省令で定める行為）‥‥‥‥‥‥ 977
　⑯ （財務省令で定める区分）‥‥‥‥‥‥‥‥‥‥‥‥ 979
　⑰ （財務省令で定める状態）‥‥‥‥‥‥‥‥‥‥‥‥ 979
　⑱ （政令で定める者）‥‥‥‥‥‥‥‥‥‥‥‥‥‥‥ 979
　⑲ （届出書の記載事項）‥‥‥‥‥‥‥‥‥‥‥‥‥‥ 980
　⑳ （読替え規定）‥‥‥‥‥‥‥‥‥‥‥‥‥‥‥‥‥ 981
　㉑ （財務省令で定める書類）‥‥‥‥‥‥‥‥‥‥‥‥ 969
　㉒ （財務省令で定める事項）‥‥‥‥‥‥‥‥‥‥‥‥ 970
　㉓ （財務省令で定める要件）‥‥‥‥‥‥‥‥‥‥‥‥ 970
　㉔ （財務省令で定める書類）‥‥‥‥‥‥‥‥‥‥‥‥ 970
　㉕ （継続届出書の添付書類）‥‥‥‥‥‥‥‥‥‥‥‥ 972
　㉖ （継続届出書のその他の記載事項）‥‥‥‥‥‥‥‥ 972
　㉗ （財務省令で定める事項）‥‥‥‥‥‥‥‥‥‥‥‥ 985
　㉘ （財務省令で定める書類）‥‥‥‥‥‥‥‥‥‥‥‥ 985
　㉙ （財務省令で定める事項）‥‥‥‥‥‥‥‥‥‥‥‥ 986
　㉚ （財務省令で定める事項）‥‥‥‥‥‥‥‥‥‥‥‥ 988
　㉛ （財務省令で定める事項）‥‥‥‥‥‥‥‥‥‥‥‥ 988
第 23 条の 8 の 7 （特定の美術品についての相続税の納税
　　猶予及び免除）
　① （特定美術品を新寄託先美術館の設置者に寄託を
　　した場合）‥‥‥‥‥‥‥‥‥‥‥‥‥‥‥‥‥‥ 1006
　② （財務省令で定める事項）‥‥‥‥‥‥‥‥‥‥‥‥ 996

　④ （財務省令で定める書類）‥‥‥‥‥‥‥‥‥‥‥‥ 1004
　⑤ （特定美術品を新寄託先美術館の設置者に寄託を
　　した場合）‥‥‥‥‥‥‥‥‥‥‥‥‥‥‥‥‥‥ 1004
　⑥ （財務省令で定める書類）‥‥‥‥‥‥‥‥‥‥‥‥ 1005
　⑦ （寄託契約の解除に伴う契約期間の終了の不適用）‥ 1005
　⑧ （特定美術品を新寄託先美術館の設置者に寄託を
　　した場合の準用）‥‥‥‥‥‥‥‥‥‥‥‥‥‥‥ 1005
　⑨ （財務省令で定める書類）‥‥‥‥‥‥‥‥‥‥‥‥ 1008
　⑩ （財務省令で定める書類）‥‥‥‥‥‥‥‥‥‥‥‥ 1008
　⑪ （財務省令で定める書類）‥‥‥‥‥‥‥‥‥‥‥‥ 999
　⑫ （財務省令で定める事項）‥‥‥‥‥‥‥‥‥‥‥‥ 1000
　⑬ （届出書の届出期限前 3 年以内に新たに認定を受
　　けた認定保存活用計画に係るものがあるとき）‥‥ 1000
　⑭ （財務省令で定める事項）‥‥‥‥‥‥‥‥‥‥‥‥ 1000
　⑮ （財務省令で定める書類）‥‥‥‥‥‥‥‥‥‥‥‥ 1007
　⑯ （財務省令で定める事項）‥‥‥‥‥‥‥‥‥‥‥‥ 1010
　⑰ （財務省令で定める事項）‥‥‥‥‥‥‥‥‥‥‥‥ 1011
第 23 条の 8 の 8 （個人の事業用資産についての贈与税の
　　納税猶予及び免除）
　① （財務省令で定める建物又は構築物）‥‥‥‥‥‥‥ 1020
　② （財務省令で定めるもの）‥‥‥‥‥‥‥‥‥‥‥‥ 1022
　③ （他の資産について個人の事業用資産についての
　　相続税の納税猶予及び免除を受けようとする場
　　合）‥‥‥‥‥‥‥‥‥‥‥‥‥‥‥‥‥‥‥‥‥ 1022
　④ （財務省令で定めるもの）‥‥‥‥‥‥‥‥‥‥‥‥ 1022
　⑤ （事業に準ずるものとして財務省令で定めるもの）‥ 1023
　⑥ （財務省令で定める要件）‥‥‥‥‥‥‥‥‥‥‥‥ 1023
　⑦ （財務省令で定める事由）‥‥‥‥‥‥‥‥‥‥‥‥ 1025
　⑧ （財務省令で定める資産）‥‥‥‥‥‥‥‥‥‥‥‥ 1026
　⑨ （財務省令で定める事由）‥‥‥‥‥‥‥‥‥‥‥‥ 1027
　⑩ （財務省令で定める書類）‥‥‥‥‥‥‥‥‥‥‥‥ 1034
　⑪ （書類の記載事項）‥‥‥‥‥‥‥‥‥‥‥‥‥‥‥ 1039
　⑫ （財務省令で定める書類）‥‥‥‥‥‥‥‥‥‥‥‥ 1040
　⑬ （財務省令で定める場合等）‥‥‥‥‥‥‥‥‥‥‥ 1040
　⑭ （財務省令で定める事項を記載した書類）‥‥‥‥‥ 1028
　⑮ （財務省令で定める書類）‥‥‥‥‥‥‥‥‥‥‥‥ 1029
　⑯ （財務省令で定める事項）‥‥‥‥‥‥‥‥‥‥‥‥ 1029
　⑰ （期間の末日が基準日後に到来する場合）‥‥‥‥‥ 1030
　⑱ （財務省令で定める事項）‥‥‥‥‥‥‥‥‥‥‥‥ 1045
　⑲ （財務省令で定める書類）‥‥‥‥‥‥‥‥‥‥‥‥ 1046
　⑳ （財務省令で定める書類）‥‥‥‥‥‥‥‥‥‥‥‥ 1046
　㉑ （財務省令で定めるやむを得ない理由）‥‥‥‥‥‥ 1048
　㉒ （財務省令で定めるところにより計算した金額）‥‥ 1039
　㉓ （財務省令で定める事項）‥‥‥‥‥‥‥‥‥‥‥‥ 1050
　㉔ （財務省令で定める書類）‥‥‥‥‥‥‥‥‥‥‥‥ 1050
　㉕ （財務省令で定める事由）‥‥‥‥‥‥‥‥‥‥‥‥ 1054
　㉖ （財務省令で定める事項）‥‥‥‥‥‥‥‥‥‥‥‥ 1055
　㉗ （財務省令で定める書類）‥‥‥‥‥‥‥‥‥‥‥‥ 1055
　㉘ （財務省令で定める事項）‥‥‥‥‥‥‥‥‥‥‥‥ 1056
　㉙ （財務省令で定める書類）‥‥‥‥‥‥‥‥‥‥‥‥ 1056
　㉚ （財務省令で定める事項）‥‥‥‥‥‥‥‥‥‥‥‥ 1059
　㉛ （財務省令で定める事項）‥‥‥‥‥‥‥‥‥‥‥‥ 1059
第 23 条の 8 の 9 （個人の事業用資産についての相続税の
　　納税猶予及び免除）
　① （財務省令で定めるものの準用）‥‥‥‥‥‥‥‥‥ 1067
　② （財務省令で定める建物又は構築物の準用）‥‥‥‥ 1072
　③ （財務省令で定めるもの）‥‥‥‥‥‥‥‥‥‥‥‥ 1074
　④ （財務省令で定める要件）‥‥‥‥‥‥‥‥‥‥‥‥ 1075
　⑤ （財務省令で定める事由の準用）‥‥‥‥‥‥‥‥‥ 1075
　⑥ （財務省令で定める事由の準用）‥‥‥‥‥‥‥‥‥ 1075
　⑦ （財務省令で定める書類の準用）‥‥‥‥‥‥‥‥‥ 1085
　⑧ （書類の記載事項の準用）‥‥‥‥‥‥‥‥‥‥‥‥ 1088
　⑨ （財務省令で定める書類の準用）‥‥‥‥‥‥‥‥‥ 1089

－1757－

⑩（財務省令で定める場合等の準用）・・・・・・・・・・・・・・・ 1089
⑪（財務省令で定めるところにより計算した金額）・・・ 1088
⑫（財務省令で定める事項を記載した書類）・・・・・・・・・ 1078
⑬（財務省令で定める書類）・・・・・・・・・・・・・・・・・・・・・・・・ 1080
⑭（財務省令で定める事項）・・・・・・・・・・・・・・・・・・・・・・・・ 1080
⑮（期間の末日が基準日後に到来する場合）・・・・・・・・・ 1081
⑯（財務省令で定める事項）・・・・・・・・・・・・・・・・・・・・・・・・ 1093
⑰（財務省令で定める書類）・・・・・・・・・・・・・・・・・・・・・・・・ 1094
⑱（財務省令で定める事項）・・・・・・・・・・・・・・・・・・・・・・・・ 1094
⑲（財務省令で定めるやむを得ない理由の準用）・・・・・ 1095
⑳（財務省令で定める事項）・・・・・・・・・・・・・・・・・・・・・・・・ 1096
㉑（財務省令で定める書類）・・・・・・・・・・・・・・・・・・・・・・・・ 1096
㉒（財務省令で定める事項）・・・・・・・・・・・・・・・・・・・・・・・・ 1098
㉓（財務省令で定める書類）・・・・・・・・・・・・・・・・・・・・・・・・ 1099
㉔（財務省令で定める事項の準用）・・・・・・・・・・・・・・・・・・ 1101
㉕（財務省令で定める事項の準用）・・・・・・・・・・・・・・・・・・ 1101
㉖（財務省令で定める事項の準用）・・・・・・・・・・・・・・・・・・ 1103
㉗（財務省令で定める金額）・・・・・・・・・・・・・・・・・・・・・・・・ 1068
㉘（財務省令で定める金額）・・・・・・・・・・・・・・・・・・・・・・・・ 1068
㉙（読替え規定）・・・・・・・・・・・・・・・・・・・・・・・・・・・・・・・・・・ 1076
第 23 条の9（非上場株式等についての贈与税の納税猶予
　　　　　及び免除）
①（担保提供に係る書類）・・・・・・・・・・・・・・・・・・・・・・・・・・・ 1108
②（担保解除に係る書類）・・・・・・・・・・・・・・・・・・・・・・・・・・・ 1109
③（財務省令で定める消滅した場合）・・・・・・・・・・・・・・・・ 1111
④（常時使用する従業員として財務省令で定めるも
　　の）・・ 1112
⑤（財務省令で定める業務）・・・・・・・・・・・・・・・・・・・・・・・・ 1113
⑥（主たる事業活動から生ずる収入の額とされるべ
　　きものとして財務省令で定めるもの）・・・・・・・・・・・・ 1136
⑦（財務省令で定める非上場株式等の要件）・・・・・・・・・ 1114
⑧（財務省令で定める非上場株式等の要件の準用）・・・ 1114
⑨（役員の地位として財務省令で定めるもの）・・・・・・・ 1115
⑩（財務省令で定める認定贈与承継会社の経営を確
　　実に承継すると認められる要件）・・・・・・・・・・・・・・・・ 1116
⑪（財務省令で定める経済産業大臣の認定）・・・・・・・・・ 1116
⑫（財務省令で定める認定贈与承継会社が消滅した
　　場合）・・ 1122
⑬（財務省令で定める贈与時特例受贈株式等の数又
　　は金額が増加又は減少をしている事由）・・・・・・・・・・ 1118
⑭（財務省令で定める事由）・・・・・・・・・・・・・・・・・・・・・・・・ 1119
⑮（財務省令で定める資産保有型会社の特定資産）・・・ 1119
⑯（財務省令で定める事由）・・・・・・・・・・・・・・・・・・・・・・・・ 1121
⑰（財務省令で定めるやむを得ない理由）・・・・・・・・・・・・ 1134
⑱（財務省令で定める合併その他の事由）・・・・・・・・・・・・ 1135
⑲（財務省令で定める認定贈与承継会社が資本金等
　　の減少をする場合）・・・・・・・・・・・・・・・・・・・・・・・・・・・・・ 1136
⑳（財務省令で定める適格合併をした場合）・・・・・・・・・ 1137
㉑（財務省令で定める適格交換等をした場合）・・・・・・・ 1137
㉒（申請書の記載事項）・・・・・・・・・・・・・・・・・・・・・・・・・・・・ 1127
㉓（申請書の添付書類）・・・・・・・・・・・・・・・・・・・・・・・・・・・・ 1127
㉔（財務省令で定める添付書類に記載する事項）・・・・・ 1124
㉕（継続届出書の添付書類）・・・・・・・・・・・・・・・・・・・・・・・・ 1129
㉖（合併又は株式交換等があった場合の添付書類の
　　追加）・・ 1129
㉗（継続届出書の記載事項）・・・・・・・・・・・・・・・・・・・・・・・・ 1130
㉘（期間の末日が報告基準日後に到来する場合）・・・・・ 1131
㉙（国税通則法第50条第2号の財務省令で定める要
　　件）・・ 1173
㉚（添付書類の記載事項）・・・・・・・・・・・・・・・・・・・・・・・・・・ 1145
㉛（免除届出書の添付書類）・・・・・・・・・・・・・・・・・・・・・・・・ 1146
㉜（免除届出書の記載事項）・・・・・・・・・・・・・・・・・・・・・・・・ 1147
㉝（免除申請書の記載事項）・・・・・・・・・・・・・・・・・・・・・・・・ 1149

㉞（免除申請書の添付書類）・・・・・・・・・・・・・・・・・・・・・・・・ 1149
㉟（財務省令で定める認定贈与承継会社の経営を実
　　質的に支配する者）・・・・・・・・・・・・・・・・・・・・・・・・・・・・・ 1150
㊱（財務省令で定める対象受贈非上場株式等の時価
　　に相当する金額）・・・・・・・・・・・・・・・・・・・・・・・・・・・・・・・ 1150
㊲（財務省令で定めるもの）・・・・・・・・・・・・・・・・・・・・・・・・ 1153
㊳（財務省令で定める金額）・・・・・・・・・・・・・・・・・・・・・・・・ 1154
㊴（財務省令で定める者）・・・・・・・・・・・・・・・・・・・・・・・・・・ 1154
㊵（財務省令で定める事項）・・・・・・・・・・・・・・・・・・・・・・・・ 1154
㊶（財務省令で定める書類）・・・・・・・・・・・・・・・・・・・・・・・・ 1154
㊷（財務省令で定める事由及び数）・・・・・・・・・・・・・・・・・・ 1158
㊸（財務省令で定めるところによる証明）・・・・・・・・・・・・ 1159
㊹（財務省令で定めるところによる証明）・・・・・・・・・・・・ 1161
㊺（財務省令で定める事由及び割合）・・・・・・・・・・・・・・・・ 1162
㊻（端数の計算）・・・・・・・・・・・・・・・・・・・・・・・・・・・・・・・・・・ 1163
㊼（財務省令で定める事項）・・・・・・・・・・・・・・・・・・・・・・・・ 1165
㊽（添付書類）・・・・・・・・・・・・・・・・・・・・・・・・・・・・・・・・・・・・ 1166
㊾（財務省令で定める事項）・・・・・・・・・・・・・・・・・・・・・・・・ 1166
㊿（添付書類）・・・・・・・・・・・・・・・・・・・・・・・・・・・・・・・・・・・・ 1167
51（財務省令で定める事項）・・・・・・・・・・・・・・・・・・・・・・・・ 1168
52（読替え規定）・・・・・・・・・・・・・・・・・・・・・・・・・・・・・・・・・・ 1168
53（経済産業大臣等の通知事項）・・・・・・・・・・・・・・・・・・・・ 1173
54（経済産業大臣等への通知事項）・・・・・・・・・・・・・・・・・・ 1174
第 23 条の10（非上場株式等についての相続税の納税猶予
　　　　　　及び免除）
①（認定承継会社の経営を確実に承継すると認めら
　　れる要件）・・・・・・・・・・・・・・・・・・・・・・・・・・・・・・・・・・・・・ 1213
②（担保提供に係る書類）・・・・・・・・・・・・・・・・・・・・・・・・・・ 1211
③（担保解除に係る書類）・・・・・・・・・・・・・・・・・・・・・・・・・・ 1211
④（財務省令で定める消滅した場合）・・・・・・・・・・・・・・・・ 1215
⑤（常時使用する従業員として財務省令で定めるも
　　の）・・ 1215
⑥（財務省令で定める業務）・・・・・・・・・・・・・・・・・・・・・・・・ 1216
⑧（財務省令で定める認定承継会社の経営を確実に
　　承継すると認められる要件）・・・・・・・・・・・・・・・・・・・・ 1219
⑨（財務省令で定める経済産業大臣の認定）・・・・・・・・・ 1219
⑩（財務省令で定めるその他の事由）・・・・・・・・・・・・・・・・ 1236
⑪（財務省令で定める相続時特例株式等の数又は金
　　額が増加又は減少をしている事由）・・・・・・・・・・・・・・ 1221
⑫（読替え規定）・・・・・・・・・・・・・・・・・・・・・・・・・・・・・・・・・・ 1221
⑬（財務省令で定める事由の準用）・・・・・・・・・・・・・・・・・・ 1222
⑭（財務省令で定める事由の準用）・・・・・・・・・・・・・・・・・・ 1223
⑮（財務省令で定めるやむを得ない理由）・・・・・・・・・・・・ 1236
⑯（財務省令で定める合併その他の事由）・・・・・・・・・・・・ 1237
⑰（財務省令で定める認定承継会社が資本金等の減
　　少をする場合）・・・・・・・・・・・・・・・・・・・・・・・・・・・・・・・・・ 1238
⑱（財務省令で定める適格合併をした場合）・・・・・・・・・ 1239
⑲（財務省令で定める適格交換等をした場合）・・・・・・・ 1239
⑳（申請書の記載事項）・・・・・・・・・・・・・・・・・・・・・・・・・・・・ 1229
㉑（申請書の添付書類）・・・・・・・・・・・・・・・・・・・・・・・・・・・・ 1229
㉒（添付書類の記載事項）・・・・・・・・・・・・・・・・・・・・・・・・・・ 1227
㉓（継続届出書の添付書類）・・・・・・・・・・・・・・・・・・・・・・・・ 1231
㉔（直前の経営報告基準日の翌日から経営報告基準
　　日までの間に合併又は株式交換等があった場合）　1232
㉕（継続届出書のその他の記載事項）・・・・・・・・・・・・・・・・ 1231
㉖（期間の末日が報告基準日後に到来する場合）・・・・・ 1232
㉗（国税通則法第51条第2号に規定する財務省令で
　　定める要件）・・・・・・・・・・・・・・・・・・・・・・・・・・・・・・・・・・・ 1280
㉘（添付書類の記載事項）・・・・・・・・・・・・・・・・・・・・・・・・・・ 1247
㉙（免除届出書の添付書類）・・・・・・・・・・・・・・・・・・・・・・・・ 1248
㉚（免除届出書の記載事項）・・・・・・・・・・・・・・・・・・・・・・・・ 1248
㉛（免除申請書の記載事項）・・・・・・・・・・・・・・・・・・・・・・・・ 1250
㉜（免除申請書の添付書類）・・・・・・・・・・・・・・・・・・・・・・・・ 1251

－1758－

㉝（財務省令で定める認定承継会社の経営を実質的
　　に支配する者）‥‥‥‥‥‥‥‥‥‥‥‥‥‥‥ 1251
㉞（財務省令で定める対象非上場株式等の時価に相
　　当する金額）‥‥‥‥‥‥‥‥‥‥‥‥‥‥‥‥ 1252
㉟（財務省令で定めるもの）‥‥‥‥‥‥‥‥‥‥ 1255
㊱（財務省令で定める金額）‥‥‥‥‥‥‥‥‥‥ 1255
㊲（財務省令で定める者）‥‥‥‥‥‥‥‥‥‥‥ 1255
㊳（財務省令で定める事項）‥‥‥‥‥‥‥‥‥‥ 1255
㊴（財務省令で定める書類）‥‥‥‥‥‥‥‥‥‥ 1255
㊵（規定の準用）‥‥‥‥‥‥‥‥‥‥‥‥‥‥‥ 1264
㊶（規定の準用）‥‥‥‥‥‥‥‥‥‥‥‥‥‥‥ 1265
㊷（規定の準用）‥‥‥‥‥‥‥‥‥‥‥‥‥‥‥ 1267
㊸（財務省令で定める事項）‥‥‥‥‥‥‥‥‥‥ 1270
㊹（添付書類）‥‥‥‥‥‥‥‥‥‥‥‥‥‥‥‥ 1270
㊺（財務省令で定める事項）‥‥‥‥‥‥‥‥‥‥ 1271
㊻（添付書類）‥‥‥‥‥‥‥‥‥‥‥‥‥‥‥‥ 1272
㊼（財務省令で定める事項）‥‥‥‥‥‥‥‥‥‥ 1272
㊽（読替え規定）‥‥‥‥‥‥‥‥‥‥‥‥‥‥‥ 1272
㊾（財務省令で定めるところにより証明がされた場
　　合）‥‥‥‥‥‥‥‥‥‥‥‥‥‥‥‥‥‥‥‥ 1274
㊿（添付書類）‥‥‥‥‥‥‥‥‥‥‥‥‥‥‥‥ 1274
51（添付書類）‥‥‥‥‥‥‥‥‥‥‥‥‥‥‥‥ 1275
52（経済産業大臣等の通知事項）‥‥‥‥‥‥‥‥ 1281
第 23 条の11（非上場株式等の贈与者が死亡した場合の相
　　　続税の課税の特例）‥‥‥‥‥‥‥‥‥‥‥‥ 1282
第 23 条の12（非上場株式等の贈与者が死亡した場合の相
　　　続税の納税猶予及び免除）‥‥‥‥‥‥‥‥‥ 1286
第 23 条の12の 2 （非上場株式等についての贈与税の納税
　　　猶予及び免除の特例）
①（担保提供及び担保解除に係る書類）‥‥‥‥‥ 1305
②（財務省令で定める消滅した場合）‥‥‥‥‥‥ 1307
③（常時使用する従業員として財務省令で定めるも
　　の）‥‥‥‥‥‥‥‥‥‥‥‥‥‥‥‥‥‥‥‥ 1307
④（財務省令で定める業務）‥‥‥‥‥‥‥‥‥‥ 1308
⑤（主たる事業活動から生ずる収入の額とされるべ
　　きもの）‥‥‥‥‥‥‥‥‥‥‥‥‥‥‥‥‥‥ 1309
⑥（財務省令で定める認定）‥‥‥‥‥‥‥‥‥‥ 1309
⑦（財務省令で定める資産）‥‥‥‥‥‥‥‥‥‥ 1311
⑧（財務省令で定める事由の準用）‥‥‥‥‥‥‥ 1311
⑨（財務省令で定める事由の準用）‥‥‥‥‥‥‥ 1312
⑩（役員の地位として財務省令で定めるもの）‥‥ 1309
⑪（財務省令で定める要件）‥‥‥‥‥‥‥‥‥‥ 1310
⑫（財務省令で定める特例認定贈与承継会社が消滅
　　した場合）‥‥‥‥‥‥‥‥‥‥‥‥‥‥‥‥‥ 1312
⑬（財務省令で定める事由）‥‥‥‥‥‥‥‥‥‥ 1310
⑭（財務省令で定めるやむを得ない理由等）‥‥‥ 1319
⑮（申請書の記載事項及び添付書類）‥‥‥‥‥‥ 1314
⑯（財務省令で定める添付書類に記載する事項を記
　　載した書類）‥‥‥‥‥‥‥‥‥‥‥‥‥‥‥‥ 1313
⑰（継続届出書の添付書類）‥‥‥‥‥‥‥‥‥‥ 1315
⑱（合併又は株式交換等があった場合の添付書類の
　　追加）‥‥‥‥‥‥‥‥‥‥‥‥‥‥‥‥‥‥‥ 1316
⑲（継続届出書の記載事項）‥‥‥‥‥‥‥‥‥‥ 1316
⑳（期間の末日が基準日後に到来する場合の準用）‥ 1317
㉑（国税通則法第50条第 2 号の財務省令で定める要
　　件）‥‥‥‥‥‥‥‥‥‥‥‥‥‥‥‥‥‥‥‥ 1336
㉒（読替え規定）‥‥‥‥‥‥‥‥‥‥‥‥‥‥‥ 1323
㉓（収益の額が費用の額を下回る場合）‥‥‥‥‥ 1327
㉔（主たる事業活動から生ずる収入の額とされるべ
　　きもの）‥‥‥‥‥‥‥‥‥‥‥‥‥‥‥‥‥‥ 1327
㉕（財務省令で定める上場会社の株式の価格の平均
　　値）‥‥‥‥‥‥‥‥‥‥‥‥‥‥‥‥‥‥‥‥ 1327
㉖（財務省令で定める事業の継続が困難となった事

由）‥‥‥‥‥‥‥‥‥‥‥‥‥‥‥‥‥‥‥‥‥ 1327
㉗（免除申請書の記載事項）‥‥‥‥‥‥‥‥‥‥ 1328
㉘（免除申請書の添付書類）‥‥‥‥‥‥‥‥‥‥ 1328
㉙（財務省令で定める特例対象受贈非上場株式等の
　　時価に相当する金額）‥‥‥‥‥‥‥‥‥‥‥‥ 1329
㉚（財務省令で定める業務）‥‥‥‥‥‥‥‥‥‥ 1332
㉛（免除申請書の記載事項）‥‥‥‥‥‥‥‥‥‥ 1333
㉜（免除申請書の添付書類）‥‥‥‥‥‥‥‥‥‥ 1333
㉝（読替え規定）‥‥‥‥‥‥‥‥‥‥‥‥‥‥‥ 1334
㉞（準用規定）‥‥‥‥‥‥‥‥‥‥‥‥‥‥‥‥ 1335
㉟（経済産業大臣等の通知事項）‥‥‥‥‥‥‥‥ 1336
第 23 条の12の 3 （非上場株式等についての相続税の納税
　　　猶予及び免除の特例）
①（特例認定承継会社の経営を確実に承継すると認
　　められる要件）‥‥‥‥‥‥‥‥‥‥‥‥‥‥‥ 1345
②（担保提供及び担保解除に係る書類）‥‥‥‥‥ 1344
③（財務省令で定める消滅した場合）‥‥‥‥‥‥ 1347
④（常時使用する従業員として財務省令で定めるも
　　の）‥‥‥‥‥‥‥‥‥‥‥‥‥‥‥‥‥‥‥‥ 1347
⑤（財務省令で定める業務）‥‥‥‥‥‥‥‥‥‥ 1348
⑥（主たる事業活動から生ずる収入の額とされるべ
　　きもの）‥‥‥‥‥‥‥‥‥‥‥‥‥‥‥‥‥‥ 1348
⑦（財務省令で定める認定）‥‥‥‥‥‥‥‥‥‥ 1348
⑧（財務省令で定める資産）‥‥‥‥‥‥‥‥‥‥ 1350
⑨（財務省令で定める事由の準用）‥‥‥‥‥‥‥ 1350
⑩（財務省令で定める事由の準用）‥‥‥‥‥‥‥ 1350
⑪（財務省令で定める特例認定承継会社の経営を確
　　実に承継すると認められる要件）‥‥‥‥‥‥‥ 1349
⑫（財務省令で定めるその他の事由）‥‥‥‥‥‥ 1352
⑬（財務省令で定める事由）‥‥‥‥‥‥‥‥‥‥ 1349
⑭（財務省令で定める理由等の準用）‥‥‥‥‥‥ 1359
⑮（申請書の記載事項及び添付書類）‥‥‥‥‥‥ 1354
⑯（添付書類の記載事項）‥‥‥‥‥‥‥‥‥‥‥ 1353
⑰（継続届出書の添付書類）‥‥‥‥‥‥‥‥‥‥ 1355
⑱（合併又は株式交換等があった場合の添付書類の
　　追加）‥‥‥‥‥‥‥‥‥‥‥‥‥‥‥‥‥‥‥ 1356
⑲（継続届出書の記載事項）‥‥‥‥‥‥‥‥‥‥ 1356
⑳（期間の末日が基準日後に到来する場合の準用）‥ 1357
㉑（国税通則法第50条第 2 号の財務省令で定める要
　　件）‥‥‥‥‥‥‥‥‥‥‥‥‥‥‥‥‥‥‥‥ 1376
㉒（納税猶予税額の免除に係る規定の準用）‥‥‥ 1363
㉓（収益の額が費用の額を下回る場合）‥‥‥‥‥ 1366
㉔（主たる事業活動から生ずる収入の額とされるべ
　　きもの）‥‥‥‥‥‥‥‥‥‥‥‥‥‥‥‥‥‥ 1366
㉕（財務省令で定める上場会社の株式の価格の平均
　　値）‥‥‥‥‥‥‥‥‥‥‥‥‥‥‥‥‥‥‥‥ 1366
㉖（財務省令で定める事業の継続が困難となった事
　　由）‥‥‥‥‥‥‥‥‥‥‥‥‥‥‥‥‥‥‥‥ 1367
㉗（財務省令で定める免除申請書の記載事項）‥‥ 1367
㉘（財務省令で定める免除申請書の添付書類）‥‥ 1368
㉙（財務省令で定める特例対象非上場株式等の時価
　　に相当する金額）‥‥‥‥‥‥‥‥‥‥‥‥‥‥ 1369
㉚（財務省令で定める業務）‥‥‥‥‥‥‥‥‥‥ 1372
㉛（免除申請書の記載事項）‥‥‥‥‥‥‥‥‥‥ 1372
㉜（免除申請書の添付書類）‥‥‥‥‥‥‥‥‥‥ 1373
㉝（読替え規定）‥‥‥‥‥‥‥‥‥‥‥‥‥‥‥ 1373
㉞（準用規定）‥‥‥‥‥‥‥‥‥‥‥‥‥‥‥‥ 1375
㉟（経済産業大臣への通知事項）‥‥‥‥‥‥‥‥ 1376
第 23 条の12の 4 （非上場株式等の特例贈与者が死亡した
　　　場合の相続税の課税の特例）‥‥‥‥‥‥‥‥ 1377
第 23 条の12の 5 （非上場株式等の特例贈与者が死亡した
　　　場合の相続税の納税猶予及び免除の特例）‥‥‥ 1380
第 23 条の12の 6 （医療法人についての贈与税の納税猶予

—1759—

等）
① （担保の提供に係る書類）‥‥‥‥‥‥‥ 1397
② （担保解除に係る書類）‥‥‥‥‥‥‥‥ 1397
③ （放棄に係る書類）‥‥‥‥‥‥‥‥‥‥ 1402
④ （財務省令で定める書類）‥‥‥‥‥‥‥ 1396
⑤ （財務省令で定める書類）‥‥‥‥‥‥‥ 1401
⑥ （納付の義務を承継した相続人が届出書を提出す
る場合）‥‥‥‥‥‥‥‥‥‥‥‥‥‥‥ 1402
⑦ （納付の義務を承継した相続人の規定の適用）‥ 1402
⑧ （書面通知に係る財務省令で定める規定事項）‥ 1405
⑨ （財務省令で定める通知事項）‥‥‥‥‥ 1405
第23条の12の7（医療法人についての贈与税の税額控除）
① （放棄の方法）‥‥‥‥‥‥‥‥‥‥‥‥ 1408
② （財務省令で定める書類）‥‥‥‥‥‥‥ 1409
第23条の12の8（医療法人についての相続税の納税猶予
等）
① （担保の提供に係る書類）‥‥‥‥‥‥‥ 1415
② （担保の解除に係る書類）‥‥‥‥‥‥‥ 1415
③ （放棄に係る書類）‥‥‥‥‥‥‥‥‥‥ 1417
④ （財務省令で定める書類）‥‥‥‥‥‥‥ 1414
⑤ （読替え規定）‥‥‥‥‥‥‥‥‥‥‥‥ 1420
⑥ （読替え規定）‥‥‥‥‥‥‥‥‥‥‥‥ 1421
⑦ （読替え規定）‥‥‥‥‥‥‥‥‥‥‥‥ 1422
⑧ （読替え規定）‥‥‥‥‥‥‥‥‥‥‥‥ 1423
第23条の12の9（医療法人についての相続税の税額控除）
① （放棄の方法）‥‥‥‥‥‥‥‥‥‥‥‥ 1425
② （財務省令で定める書類）‥‥‥‥‥‥‥ 1425
第23条の12の10（医療法人の持分の放棄があった場合の
贈与税の課税の特例）
① （財務省令で定める医療法人）‥‥‥‥‥ 1426
② （財務省令で定める事項）‥‥‥‥‥‥‥ 1427
③ （財務省令で定める事項）‥‥‥‥‥‥‥ 1427
④ （財務省令で定める事項）‥‥‥‥‥‥‥ 1428
第23条の13（農地等についての贈与税の納税猶予等に係
る利子税の特例）‥‥‥‥‥ 739・871・984
第23条の14（財務省令で定める立木）‥‥‥‥‥ 323
第23条の15（特別緑地保全地区等内の土地に係る相続税
の延納に伴う利子税の特例）‥‥‥‥‥‥ 345
第23条の16（金融商品取引所に上場されている法人に類
する法人）‥‥‥‥‥‥‥‥‥‥‥‥‥‥ 325
第23条の17（相続税の物納の特例の手続）‥‥‥ 378
平3改措規附第9条（相続税の特例に関する経過措置）‥ 927
平7改措規附第14条（贈与税の特例に関する経過措置）‥ 801
平17改措規附第14条（贈与税の特例に関する経過措置）‥ 812

災害減免法

災害被害者に対する租税の減免、徴収猶予等に関する法律
第4条・第6条‥‥‥‥‥‥‥‥‥‥‥‥‥‥ 430
災害被害者に対する租税の減免、徴収猶予等に関する法律
の施行に関する政令第11条・第12条・第17条‥‥ 430

相続税法基本通達

第1章　総　　則
第1節　通　　則
第1条の2《定義》関係
1の2－1　「扶養義務者」の意義‥‥‥‥‥‥ 3・435
第1条の3《相続税の納税義務者》及び第1条の4《贈与税の納税義務者》共通関係
1の3・1の4共－1　「個人」の意義‥‥‥‥‥ 5・436
1の3・1の4共－2　個人とみなされるもの‥‥ 7・439
1の3・1の4共－3　納税義務の範囲‥‥‥ 5・436・665
1の3・1の4共－5　「住所」の意義‥‥‥‥‥ 5・437
1の3・1の4共－6　国外勤務者等の住所の判定‥‥ 5・437
1の3・1の4共－7　日本国籍と外国国籍とを併有する
者がいる場合‥‥‥‥‥‥‥ 5・437
1の3・1の4共－8　財産取得の時期の原則‥ 44・438・453
1の3・1の4共－9　停止条件付の遺贈又は贈与による
財産取得の時期‥‥‥‥‥‥ 45・454
1の3・1の4共－10　農地等の贈与による財産取得の時
期‥‥‥‥‥‥‥‥‥‥‥‥‥‥ 454
1の3・1の4共－11　財産取得の時期の特例‥‥‥‥ 454
第2条《相続税の課税財産の範囲》及び第2条の2《贈与税の課税財産の範囲》共通関係
2・2の2共－1　財産の所在の判定‥‥‥‥‥ 46・455
第2節　相続若しくは遺贈又は贈与により取得したものとみなす場合
第3条《相続又は遺贈により取得したものとみなす場合》関係
3－1　「相続を放棄した者」の意義‥‥‥‥‥‥‥ 48
3－2　「相続権を失った者」の意義‥‥‥‥‥‥‥ 48
3－3　相続を放棄した者の財産の取得‥‥‥‥‥‥ 48
〔保険金関係〕
3－4　法施行令第1条の2第1項に含まれる契約
‥‥‥‥‥‥‥‥‥‥‥‥‥‥ 50・60・465
3－5　法施行令第1条の2第2項に含まれる契約‥‥ 51・466
3－6　年金により支払を受ける保険金‥‥‥‥‥‥ 51
3－7　法第3条第1項第1号に規定する保険金‥‥‥ 52
3－8　保険金とともに支払を受ける剰余金等‥‥‥ 52
3－9　契約者貸付金等がある場合の保険金‥‥‥‥ 52
3－10　無保険車傷害保険契約に係る保険金‥‥‥ 52
3－11　「保険金受取人」の意義‥‥‥‥‥‥‥ 53・90
3－12　保険金受取人の実質判定‥‥‥‥‥‥‥ 53・90
3－13　被相続人が負担した保険料等‥‥‥ 49・58・63
3－14　保険料の全額‥‥‥‥‥‥‥‥‥‥ 49・58・63
3－15　養育年金付こども保険に係る保険契約者が死亡し
た場合‥‥‥‥‥‥‥‥‥‥ 52・59・464
3－16　保険料の負担者が被相続人以外の者である場合‥‥ 49
3－17　雇用主が保険料を負担している場合‥‥‥ 49・56
〔退職手当金関係〕
3－18　退職手当金等の取扱い‥‥‥‥‥‥‥‥‥ 55
3－19　退職手当金等の判定‥‥‥‥‥‥‥‥‥‥ 55
3－20　弔慰金等の取扱い‥‥‥‥‥‥‥‥‥‥‥ 56
3－21　普通給与の判定‥‥‥‥‥‥‥‥‥‥‥‥ 57
3－22　「業務上の死亡」等の意義‥‥‥‥‥‥‥ 57
3－23　退職手当金等に該当しない弔慰金等‥‥‥‥ 57
3－24　「給与」の意義‥‥‥‥‥‥‥‥‥‥‥‥ 55
3－25　退職手当金等の支給を受けた者‥‥‥‥ 55・91
3－26　「その他退職給付金に関する信託又は生命保険の
契約」の意義‥‥‥‥‥‥‥‥‥‥‥‥ 54
3－27　「これに類する契約」の意義‥‥‥‥‥‥ 55

－1760－

3－28	退職手当金等に該当する生命保険契約に関する権利等‥‥‥‥‥‥‥‥‥‥‥‥‥‥‥‥‥‥ 55	
3－29	退職年金の継続受取人が取得する権利‥‥‥‥‥ 55・66	
3－30	「被相続人の死亡後3年以内に支給が確定したもの」の意義‥‥‥‥‥‥‥‥‥‥‥‥‥‥‥‥ 56	
3－31	被相続人の死亡後支給額が確定した退職手当金等 56	
3－32	被相続人の死亡後確定した賞与‥‥‥‥‥‥‥‥ 56	
3－33	支給期の到来していない給与‥‥‥‥‥‥‥‥‥ 56	

〔生命保険契約に関する権利関係〕

3－34	保険金受取人が死亡した場合の課税関係‥‥‥‥ 59
3－35	契約者が取得したものとみなされた生命保険契約に関する権利‥‥‥‥‥‥‥‥‥‥‥‥‥‥‥‥ 59
3－36	被保険者でない保険契約者が死亡した場合‥‥‥ 59
3－37	保険契約者の範囲‥‥‥‥‥‥‥‥‥‥‥‥‥‥ 59
3－38	保険金受取人が取得した保険金で課税関係の生じない場合‥‥‥‥‥‥‥‥‥‥‥‥‥‥‥‥‥‥ 59
3－39	「返還金その他これに準ずるもの」の意義‥‥‥‥ 59

〔定期金に関する権利関係〕

3－40	定期金受取人が死亡した場合で課税関係の生じない場合‥‥‥‥‥‥‥‥‥‥‥‥‥‥‥‥‥‥ 61
3－41	定期金給付事由の発生前に契約者が死亡した場合 62
3－42	定期金給付事由の発生前に掛金又は保険料の負担者が死亡した場合‥‥‥‥‥‥‥‥‥‥‥‥‥‥ 62
3－43	定期金給付契約の解除等があった場合‥‥‥‥‥ 62
3－44	被相続人が負担した掛金又は保険料等‥‥‥ 61・64

〔保証期間付定期金に関する権利関係〕

3－45	保証据置年金契約の年金受取人が死亡した場合‥‥‥‥‥‥‥‥‥‥‥‥‥‥‥‥‥‥‥ 64・468

〔契約に基づかない定期金に関する権利関係〕

3－46	契約に基づかない定期金に関する権利‥‥‥‥‥ 66
3－47	退職手当金等を定期金として支給する場合‥‥‥ 66

〔第2項関係〕

3－48	「被相続人の被相続人」の意義‥‥‥ 49・58・61・63

第4条《遺贈により取得したものとみなす場合》関係

4－1	相続財産法人からの財産分与の時期等‥‥‥‥‥ 69
4－2	相続財産法人から財産の分与を受ける者‥‥‥‥ 70
4－3	相続財産法人から与えられた分与額‥‥‥‥‥‥ 70
4－4	分与財産に加算する贈与財産‥‥‥‥‥‥‥‥‥ 70

第5条《贈与により取得したものとみなす場合》関係

5－1	法第3条第1項第1号の規定の適用を受ける保険金に関する取扱いの準用‥‥‥‥‥‥‥‥‥‥‥ 463
5－2	保険金受取人の取扱いの準用‥‥‥‥‥‥‥‥‥ 463
5－3	保険金受取人以外の者が負担した保険料等‥‥‥ 463
5－4	損害賠償責任に関する保険又は共済の契約に基づく保険金‥‥‥‥‥‥‥‥‥‥‥‥‥‥‥‥‥‥ 462
5－5	搭乗者保険等の契約に基づく保険金‥‥‥‥‥‥ 462
5－6	返還金その他これに準ずるものの取扱いの準用‥‥‥ 464
5－7	生命保険契約の転換があった場合‥‥‥‥‥‥‥ 465

第6条《贈与により取得したものとみなす定期金》関係

6－1	「定期金受取人」等の意義‥‥‥‥‥‥‥‥‥‥ 468
6－2	定期金受取人以外の者が負担した掛金又は保険料 467
6－3	定期金受取人が掛金又は保険料の負担者である場合‥‥‥‥‥‥‥‥‥‥‥‥‥‥‥‥‥‥‥‥ 467

第7条《著しく低い価額で譲渡を受けた財産》関係

7－1	著しく低い価額の判定‥‥‥‥‥‥‥‥‥ 71・470
7－2	公開の市場等で著しく低い価額で財産を取得した場合‥‥‥‥‥‥‥‥‥‥‥‥‥‥‥‥‥‥‥ 470
7－3	債務の範囲‥‥‥‥‥‥‥‥‥‥‥‥‥‥ 71・470
7－4	「資力を喪失して債務を弁済することが困難である場合」の意義‥‥‥‥‥‥‥‥‥‥‥‥ 71・470
7－5	弁済することが困難である部分の金額の取扱い‥‥‥‥‥‥‥‥‥‥‥‥‥‥‥‥‥‥‥ 71・470

第8条《免除等を受けた債務》関係

8－1	債務の免除‥‥‥‥‥‥‥‥‥‥‥‥‥‥ 72・471
8－2	事業所得の総収入金額に算入される債務免除益‥‥‥‥‥‥‥‥‥‥‥‥‥‥‥‥‥‥‥ 72・471
8－3	連帯債務者及び保証人の求償権の放棄‥‥‥ 72・471
8－4	法第7条の規定に関する取扱いの準用‥‥‥ 71・471

第9条《その他の利益の享受》関係

9－1	「利益を受けた」の意義‥‥‥‥‥‥‥‥‥ 73・472
9－2	株式又は出資の価額が増加した場合‥‥‥‥‥‥ 472
9－3	会社が資力を喪失した場合における私財提供等‥‥‥ 473
9－4	同族会社の募集株式引受権‥‥‥‥‥‥‥‥‥‥ 473
9－5	贈与により取得したものとする募集株式引受権数の計算‥‥‥‥‥‥‥‥‥‥‥‥‥‥‥‥‥‥ 473
9－6	合同会社等の増資‥‥‥‥‥‥‥‥‥‥‥‥‥‥ 473
9－7	同族会社の新株の発行に伴う失権株に係る新株の発行が行われなかった場合‥‥‥‥‥‥‥‥‥‥ 474
9－8	婚姻の取消し又は離婚により財産の取得があった場合‥‥‥‥‥‥‥‥‥‥‥‥‥‥‥‥‥‥‥ 455
9－9	財産の名義変更があった場合‥‥‥‥‥‥‥‥‥ 458
9－10	無利子の金銭貸与等‥‥‥‥‥‥‥‥‥‥‥‥‥ 456
9－11	負担付贈与等‥‥‥‥‥‥‥‥‥‥‥‥‥ 46・456
9－12	共有持分の放棄‥‥‥‥‥‥‥‥‥‥‥‥ 46・456
9－13	信託が合意等により終了した場合‥‥‥‥‥‥‥ 476
9－13の2	配偶者居住権が合意等により消滅した場合‥‥‥ 476
9－14	法第7条の規定に関する取扱いの準用‥‥‥ 72・472

第3節　信託に関する特例

第9条の2《贈与又は遺贈により取得したものとみなす信託に関する権利》関係

9の2－1	受益者としての権利を現に有する者‥‥‥ 73・477
9の2－2	特定委託者‥‥‥‥‥‥‥‥‥‥‥‥‥‥ 74・477
9の2－3	信託の受益者等が存するに至った場合‥‥‥ 74・477
9の2－4	信託に関する権利の一部について放棄又は消滅があった場合‥‥‥‥‥‥‥‥‥‥‥‥ 75・478
9の2－5	信託が終了した場合‥‥‥‥‥‥‥‥‥‥ 74・478
9の2－6	公益信託の委託者の地位が異動した場合‥‥‥ 75・478
9の2－7	生命保険信託‥‥‥‥‥‥‥‥‥‥‥‥‥ 75・478

第9条の3《受益者連続型信託の特例》関係

9の3－1	受益者連続型信託に関する権利の価額‥‥‥ 76・479
9の3－2	受益権が複層化された受益者連続型信託に関する元本受益権の全部又は一部を有する法人の株式の時価の算定‥‥‥‥‥‥‥‥‥‥‥‥ 76・479
9の3－3	法第9条の3第1項本文又は法令第1条の12第3項の規定の適用がある場合の信託財産責任負担債務の帰属‥‥‥‥‥‥‥‥‥‥‥‥‥ 76・479

第9条の4《受益者等が存しない信託等の特例》関係

9の4－1	目的信託についての法第1章第3節の規定の不適用‥‥‥‥‥‥‥‥‥‥‥‥‥‥‥‥ 77・481
9の4－2	受益者等が存しない信託の委託者が死亡した場合‥‥‥‥‥‥‥‥‥‥‥‥‥‥‥‥‥ 77・481
9の4－3	受益者等が存しない信託の受益者となる者‥‥‥‥‥‥‥‥‥‥‥‥‥‥‥‥‥‥‥ 78・481
9の4－4	受益者等が存しない信託の受託者が死亡した場合‥‥‥‥‥‥‥‥‥‥‥‥‥‥‥‥‥ 78・481

第9条の5《受益者等が存しない信託等の特例》関係

9の5－1	法第9条の5の規定の適用がある場合‥‥‥ 78・482

第4節　財産の所在

第10条関係

10－1	船籍のない船舶の所在‥‥‥‥‥‥‥‥‥ 43・452
10－2	生命保険契約及び損害保険契約の所在‥‥‥ 44・453
10－3	「貸付金債権」の意義‥‥‥‥‥‥‥‥‥‥ 44・453
10－4	主たる債務者が2以上ある場合の債権の所在‥‥‥ 44・453
10－5	株式に関する権利等の所在‥‥‥‥‥‥‥ 44・453
10－6	営業上の権利‥‥‥‥‥‥‥‥‥‥‥‥‥ 44・453

10－7　特別寄与料の所在······························· 44・453

第2章　課税価格、税率及び控除
第1節　相　続　税
第11条の2《相続税の課税価格》関係
11の2－1　「財産」の意義··················· 46・99・455
11の2－2　遺産が未分割の場合の課税価格の計算··· 99
11の2－3　胎児が生れる前における共同相続人の相続分··· 152
11の2－4　裁判確定前の相続分··················· 152
11の2－5　贈与により取得した財産の価額が相続税の課
　　　　　税価格に加算される場合················ 100・159
11の2－6　譲渡担保····························· 100
11の2－7　負担付遺贈があった場合の課税価格の計算····· 100
11の2－8　停止条件付遺贈があった場合の課税価格の計
　　　　　算····································· 100
11の2－9　代償分割が行われた場合の課税価格の計算··· 100
11の2－10　代償財産の価額························· 100

第12条《相続税の非課税財産》関係
〔墓所、霊びょう、祭具等関係〕
12－1　「墓所、霊びょう」の意義··················· 84
12－2　祭具等の範囲····························· 84
〔公益事業用財産関係〕
12－3　「当該公益を目的とする事業の用に供することが
　　　　確実なもの」の意義························ 85
12－4　財産を取得した後公益事業の用に供しない場合····· 85
12－5　財産を取得した後公益事業を行う場合········· 85
12－6　「当該財産を当該公益を目的とする事業の用に供
　　　　していない場合」の意義················ 85・493
12－7　公益事業の用に供しなかった財産········ 86・493
〔保険金関係〕
12－8　相続を放棄した者等の取得した保険金··········· 90
12－9　保険金の非課税金額の計算··················· 90
〔退職手当金関係〕
12－10　保険金についての取扱いの準用··············· 91

第13条《債務控除》関係
13－1　相続を放棄した者等の債務控除··············· 154
13－2　相続財産に関する費用····················· 154
13－3　「その者の負担に属する部分の金額」の意義··· 154
13－4　葬式費用································· 156
13－5　葬式費用でないもの······················· 157
13－6　墓碑の買入代金··························· 154
13－7　「その財産に係る公租公課」の意義··········· 156
13－8　源泉所得税、消費税等の控除··············· 156
13－8の2　特別寄与料の額が特別寄与者の課税価格に算
　　　　　入されない場合························· 157
13－9　相続時精算課税適用者の債務控除········ 153・665
13－10　死亡した相続時精算課税適用者に係る債務控除
　　　　　··································· 153・665

第14条《控除すべき債務》関係
14－1　確実な債務····························· 154
14－2　公租公課の異動の場合····················· 156
14－3　保証債務及び連帯債務····················· 154
14－4　消滅時効の完成した債務··················· 155
14－5　相続時精算課税適用者の死亡により承継した相続
　　　　税の納税に係る義務の債務控除········ 154・665

第15条《遺産に係る基礎控除》関係
15－1　相続人の数が零である場合の遺産に係る基礎控除
　　　　額····································· 163
15－2　法第15条第2項に規定する相続人の数······· 163
15－3　胎児がある場合の相続人の数··············· 163
15－4　代襲相続人が被相続人の養子である場合の相続人
　　　　の数····································· 164
15－5　「当該被相続人に養子がある場合」の意義········· 164
15－6　「当該被相続人の配偶者の実子」等の意義········· 164

15－7　被相続人である特定贈与者よりも先に相続時精算
　　　　課税適用者が死亡している場合の相続人の数···· 164・666

第16条《相続税の総額》関係
16－1　相続税の総額を計算する場合の取得金額··········· 167
16－2　課税価格の端数計算······················· 167
16－3　相続税の総額を計算する場合の取得金額等の端数
　　　　処理····································· 168

第17条《各相続人等の相続税額》関係
17－1　あん分割合····························· 169

第18条《相続税額の加算》関係
18－1　遺贈により財産を取得した一親等の血族········· 170
18－2　特定贈与者よりも先に死亡した相続時精算課税適
　　　　用者が一親等の血族であるかどうかの判定時期··· 170・666
18－3　養子、養親の場合························· 170
18－4　相続時精算課税適用者について一親等の血族とす
　　　　る場合······························· 170・666
18－5　相続税額の加算の対象とならない相続税額···· 170・666

第19条《相続開始前7年以内に贈与があった場合の相続
　　　　税額》関係
19－1　相続税の課税価格に加算される贈与により取得し
　　　　た財産の価額··························· 158
19－2　法第19条第1項の規定の適用を受ける贈与···· 158・173
19－3　相続の放棄等をした者が当該相続の加算対象期間
　　　　内に贈与を受けた財産··············· 159・667
19－4　加算対象期間内に被相続人からの贈与により国外
　　　　財産を取得している場合··············· 159
19－5　債務の通算····························· 160
19－6　「課せられた贈与税」の意義··············· 173
19－7　相続税額から控除する贈与税額の計算········· 172
19－8　贈与税の配偶者控除の適用順序········ 160・173
19－9　相続開始の年の特定贈与財産に対する贈与税の課
　　　　税····································· 159
19－10　店舗兼住宅等の持分の贈与を受けた場合の特定贈
　　　　与財産の判定··························· 159
19－11　相続時精算課税適用者に対する法第19条第1項の
　　　　規定の適用··························· 160・667

第19条の2《配偶者に対する相続税額の軽減》関係
19の2－1　相続税額の軽減の対象となる配偶者の範囲····· 174
19の2－2　内縁関係にある者····················· 174
19の2－3　相続を放棄した配偶者に対する相続税額の軽
　　　　　減································· 174
19の2－4　配偶者に係る相続税の課税価格に相当する金
　　　　　額の計算の基礎とされる財産········· 177
19の2－5　配偶者が財産の分割前に死亡している場合··· 177
19の2－6　配偶者に係る課税価格に相当する金額を計算
　　　　　する場合の債務控除等の方法········· 177
19の2－7　配偶者の税額軽減額の計算方法··········· 174
19の2－7の2　隠蔽仮装行為があった場合の配偶者の税
　　　　　額軽減額の計算方法··················· 181
19の2－8　分割の意義··························· 178
19の2－9　相続又は遺贈に関する訴え··············· 178
19の2－10　申立ての時に訴えの提起がされたものとみな
　　　　　されるとき··························· 178
19の2－11　判決の確定の日······················· 178
19の2－12　訴えの取下げの日····················· 178
19の2－13　訴訟完結の日························· 178
19の2－14　これらの申立てに係る事件の終了の日········· 179
19の2－15　やむを得ない事情····················· 179
19の2－16　申告期限の翌日から3年を経過する日前4月
　　　　　以内にやむを得ない事情が消滅した場合··· 179
19の2－17　財産の分割の協議に関する書類··········· 180
19の2－18　その他の財産の取得の状況を証する書類········· 180
19の2－19　配偶者に対する相続税額の軽減規定を受ける

場合の修正申告書‥‥‥‥‥‥‥‥‥‥‥ 180

第19条の3 《未成年者控除》関係
19の3－1 未成年者控除‥‥‥‥‥‥‥‥‥‥ 182
19の3－2 婚姻した者の未成年者控除‥‥‥‥‥ 182
19の3－3 胎児の未成年者控除‥‥‥‥‥‥‥‥ 182
19の3－4 未成年者に相続税額がない場合の未成年者控除‥‥‥‥‥‥‥‥‥‥‥‥‥‥‥‥‥ 182
19の3－5 法第19条の3第3項に規定する「第1項の規定による控除を受けることができる金額」の意義‥‥‥ 183
19の3－6 死亡している相続時精算課税適用者からの未成年者控除‥‥‥‥‥‥‥‥‥‥‥ 183・667

第19条の4 《障害者控除》関係
19の4－1 一般障害者の範囲‥‥‥‥‥‥‥‥ 184
19の4－2 特別障害者の範囲‥‥‥‥‥‥ 185・495
19の4－3 障害者として取り扱うことができる者‥ 185
19の4－4 障害者控除額の計算例‥‥‥‥‥‥‥ 187
19の4－5 障害者控除のための計算期間の端数処理‥ 187
19の4－6 死亡している相続時精算課税適用者の障害者控除‥‥‥‥‥‥‥‥‥‥‥‥ 187・667

第20条 《相次相続控除》関係
20－1 相続を放棄した者等の相次相続控除‥‥ 188
20－2 「相続税の課税価格に算入される部分」等の意義‥‥‥‥‥‥‥‥‥‥‥‥‥‥‥ 188
20－3 相次相続控除の算式‥‥‥‥‥‥ 188・667
20－4 第2次相続に係る被相続人の範囲‥‥‥ 189

第20条の2 《在外財産に対する相続税額の控除》関係
20の2－1 邦貨換算‥‥‥‥‥‥‥‥‥‥‥‥ 190
20の2－2 「当該財産の価額」等の意義‥‥‥‥ 190
20の2－4 相続税の税額控除等の順序‥‥‥‥‥ 190

第2節 贈 与 税

第21条の2 《贈与税の課税価格》関係
21の2－1 納税義務の範囲‥‥‥‥‥‥‥‥‥ 437
21の2－2 民法上の組合からの贈与‥‥‥‥‥‥ 567
21の2－3 相続又は遺贈により財産を取得しなかった者の贈与税の課税価格‥‥‥‥‥‥‥‥‥ 566
21の2－4 負担付贈与の課税価格‥‥‥‥‥‥‥ 567
21の2－5 贈与税の課税価格の端数処理‥‥‥‥ 567

第21条の3 《贈与税の非課税財産》関係
〔法人からの贈与関係〕
21の3－1 法人の範囲‥‥‥‥‥‥‥‥‥‥‥ 487
21の3－2 人格のない社団又は財団からの贈与‥‥‥ 487
〔扶養義務者からの生活費等関係〕
21の3－3 「生活費」の意義‥‥‥‥‥‥‥‥‥ 487
21の3－4 「教育費」の意義‥‥‥‥‥‥‥‥‥ 487
21の3－5 生活費及び教育費の取扱い‥‥‥‥‥ 487
21の3－6 生活費等で通常必要と認められるもの‥ 487
21の3－7 生活費等に充てるために財産の名義変更があった場合‥‥‥‥‥‥‥‥‥‥‥‥‥ 488
〔選挙費用等関係〕
21の3－8 選挙費用等の取扱い‥‥‥‥‥‥‥‥ 494
21の3－9 社交上必要と認められる香典等の非課税の取扱い‥‥‥‥‥‥‥‥‥‥‥‥‥‥‥ 495

第21条の4 《特定障害者に対する贈与税の非課税》関係
21の4－1 非課税限度額‥‥‥‥‥‥‥‥‥‥ 496
21の4－2 一般障害者から特別障害者となった場合等‥‥ 496

第21条の6 《贈与税の配偶者控除》関係
21の6－1 居住用不動産の範囲‥‥‥‥‥‥‥‥ 571
21の6－2 店舗兼住宅等の居住用部分の判定‥‥‥ 572
21の6－3 店舗兼住宅等の持分の贈与があった場合の居住用部分の判定‥‥‥‥‥‥‥‥‥‥‥ 572
21の6－4 家屋の増築‥‥‥‥‥‥‥‥‥‥‥ 572
21の6－5 居住用不動産と同時に居住用不動産以外の財産を取得した場合‥‥‥‥‥‥‥‥‥‥‥ 572
21の6－6 適用の順序‥‥‥‥‥‥‥‥‥‥‥ 572

21の6－7 贈与税の配偶者控除の場合の婚姻期間の計算‥‥‥ 573
21の6－8 法第21条の6第1項に規定する「当該配偶者」の意義‥‥‥‥‥‥‥‥‥‥‥‥‥‥‥ 571
21の6－9 信託財産である居住用不動産についての贈与税の配偶者控除の適用‥‥‥‥‥‥‥‥‥‥ 573

第21条の7 《贈与税の税率》関係
21の7－1 贈与税額の端数処理‥‥‥‥‥‥ 575・652

第21条の8 《在外財産に対する贈与税額の控除》関係
21の8－1 邦貨換算の取扱いの準用‥‥‥‥‥‥ 578
21の8－2 税額控除の適用区分‥‥‥‥‥‥‥‥ 578
21の8－3 「当該財産の価額」等の意義‥‥‥‥‥ 578

第3節 相続時精算課税

第21条の9 《相続時精算課税の選択》関係
21の9－1 推定相続人の判定‥‥‥‥‥‥‥‥ 647
21の9－2 「相続時精算課税選択届出書」の提出先等‥‥ 648
21の9－3 相続時精算課税選択届出書の提出‥‥‥ 649
21の9－4 年の中途において贈与者の推定相続人になった場合‥‥‥‥‥‥‥‥‥‥‥‥‥‥‥ 647
21の9－5 令和2年1月1日前の贈与に係る相続時精算課税選択届出書の添付書類‥‥‥‥‥‥‥ 649

第21条の11の2 《相続時精算課税に係る贈与税の基礎控除》関係
21の11の2－1 相続時精算課税に係る基礎控除の額‥‥‥ 651
21の11の2－2 特定贈与者が2人以上ある場合における相続時精算課税に係る基礎控除の額‥‥‥‥ 651
21の11の2－3 特定贈与者からの贈与により取得した財産に係る贈与税の課税価格に異動があった場合‥‥‥ 652

第21条の12 《相続時精算課税に係る贈与税の特別控除》関係
21の12－1 特別控除を適用する場合の申告要件‥‥‥ 652

第21条の15 《相続時精算課税に係る相続税額》関係
21の15－1 相続税の課税価格への加算の対象となる財産‥ 661
21の15－2 相続時精算課税の適用を受ける財産の価額‥ 661
21の15－2の2 「第21条の11の2第1項の規定による控除」の意義‥‥‥‥‥‥‥‥‥‥‥‥‥‥‥ 661
21の15－3 「課せられた贈与税」の意義‥‥‥‥‥ 662
21の15－4 贈与税相当額の控除の順序‥‥‥‥‥ 662

第21条の16 《相続時精算課税に係る相続税額》関係
21の16－1 法第21条の15の規定に関する取扱いの準用‥‥‥ 662

第21条の17 《相続時精算課税に係る相続税の納付義務の承継等》関係
21の17－1 承継される納税に係る権利又は義務‥‥‥ 671
21の17－2 承継の割合‥‥‥‥‥‥‥‥‥‥‥ 671
21の17－3 相続人が特定贈与者のみである場合‥‥‥ 672
21の17－4 限定承認をした場合の承継‥‥‥‥‥ 672

第21条の18 《相続時精算課税に係る相続税の納付義務の承継等》関係
21の18－1 相続人が特定贈与者のみである場合‥‥‥ 673
21の18－2 相続人が2人以上いる場合‥‥‥‥‥ 673

第23条 《地上権及び永小作権の評価》関係
23－1 借地権及び区分地上権の評価‥‥‥‥ 1432

第23条の2 《配偶者居住権等の評価》関係
23の2－1 一時的な空室がある場合の「賃貸の用に供されている部分」の範囲‥‥‥‥‥‥‥‥‥ 1585
23の2－2 「配偶者居住権が設定された時」の意義‥‥ 1585
23の2－3 相続開始前に増改築がされた場合の「建築後の経過年数」の取扱い‥‥‥‥‥‥‥‥‥ 1585
23の2－4 法定利率‥‥‥‥‥‥‥‥‥‥‥ 1585
23の2－5 完全生命表‥‥‥‥‥‥‥‥‥‥ 1585
23の2－6 配偶者居住権の設定後に相続若しくは遺贈又は贈与により取得した当該配偶者居住権の目的となっている建物及び当該建物の敷地の用に供される土地の当該取得の時の価額‥‥‥‥‥‥‥ 1586

第3章　財産の評価

第24条《定期金に関する評価》関係
24－1　「定期金給付契約に関する権利」の意義 ········· 1591
24－2　年金により支払を受ける生命保険金等の額
　　　　　　　　　　　　　　　　　　 53・56・467・1592
24－3　解約返戻金の金額 ································· 1592
24－4　解約返戻金の金額等がない場合 ················· 1592

第25条関係
25－1　解約返戻金の金額 ····························· 1595

第26条《立木の評価》関係
26－1　立木の評価の特例 ····························· 1501

第4章　申告及び納付

第27条《相続税の申告書》関係
27－1　相続税の申告書の提出義務者 ·················· 200
27－2　相続税の申告書の記載事項 ···················· 204
27－3　相続税の申告書の提出先 ······················ 201
27－4　「相続の開始があったことを知った日」の意義
　　　　　　　　　　　　　　　　　　　　　 201・675
27－5　申告期限の直前に認知等があった場合の申告書の
　　　　提出期限の延長 ···························· 202
27－6　胎児がある場合の申告期限の延長 ·············· 202
27－7　有効な申告書としての取扱い ············ 202・582
27－8　還付を受けるための申告書の提出期限 ··· 206・676
27－9　還付を受けるための申告に係る更正の請求 ···· 206・676

第30条《期限後申告の特則》関係
30－1　法第30条第1項の規定による期限後申告書を提出
　　　　することができる者 ························ 278
30－2　法第30条第2項の規定による期限後申告書を提出
　　　　することができる者 ························ 599
30－3　保険金請求権の買取りに係る買取額の支払いを
　　　　受けたことにより新たに納付すべき相続税額がある
　　　　こととなった者の申告の取扱い ·············· 278
30－4　決定通知書の送達中に期限後申告書の提出があっ
　　　　た場合 ······························· 278・599

第31条《修正申告の特則》関係
31－1　期限内申告書の修正 ····················· 280・601

第32条《更正の請求の特則》関係
32－1　「その他の事由により相続人に異動が生じたこ
　　　　と」の意義 ································ 284
32－2　法第19条の2第2項ただし書の規定に該当したこ
　　　　とによる更正の請求の期限 ·················· 284
32－3　相続の開始後に新たに子と推定された場合又は死
　　　　後認知があった場合の更正の請求 ············· 284
32－4　「判決があったこと」の意義 ············ 284・604
32－5　1の(九)に掲げる「事由が生じたこと」の意義 ····· 284

第34条《連帯納付の義務》関係
34－1　「相続又は遺贈により受けた利益の価額」の意義
　　　　　　　　　　　　　　　　　　　　　 318・623
34－2　「相続税又は贈与税の課税価格計算の基礎となっ
　　　　た財産」の範囲 ························ 318・624
34－3　連帯納付の責めにより相続税又は贈与税の納付が
　　　　あった場合 ···················· 318・471・623
34－4　相続税法の一部について延納の許可を受けた又は
　　　　納税猶予がされた場合 ······················ 318
34－5　法第34条第5項の通知 ··················· 317・624

第5章　更正及び決定

第36条《相続税についての更正、決定等の期間制限の特則》関係
36－1　法第36条の規定の適用がある場合 ·············· 291

第6章　延納及び物納

第38条《延納の要件》関係
38－1　相続税額が10万円を超えるかどうかの判定 ···· 320・625
38－2　延納の許可限度額の計算 ················· 320・625

38－3　相続又は遺贈により取得した財産に含める贈与財
　　　　産 ······································· 321
38－4　棚卸資産である不動産 ························ 321
38－5　連帯納付義務者の延納等 ·············· 321・626
38－6　延納期間の計算 ······················ 321・626
38－7　不動産等の価額の計算 ······················ 320
38－8　不動産等の割合を計算する場合の端数処理 ······ 320
38－9　代償分割が行われた場合の不動産等の割合の計算 ··· 320
38－10　贈与税の延納期間 ·························· 626
38－11　贈与税の延納年割額 ························ 626

第39条《延納手続》関係
39－1　延納の申請期限 ······················ 329・628
39－2　取引相場のない株式の延納担保 ········· 341・640
39－3　許可前納付があった場合の延納の許可 ····· 329・628
39－4　分納税額の納期限を経過した後に延納する場合の
　　　　取扱い ······························· 329・629
39－5　物納申請の却下等がされた後に延納する場合の取
　　　　扱い ································· 329・629
39－6　担保が適当でないと認めるとき ········· 329・629
39－7　担保提供関係書類提出期限延長届出書等の提出時
　　　　期 ································· 330・630
39－7の2　担保提供関係書類提出期限延長期限等の最大
　　　　延長可能日 ························· 335・635
39－8　延長された提出期限までに担保提供関係書類の提
　　　　出等がない場合 ······················ 330・630
39－9　延長された補完期限までに担保提供関係書類の訂
　　　　正等がない場合 ······················ 332・632
39－10　延長された変更期限までに変更担保提供関係書類
　　　　の提出等がない場合 ···················· 334・633
39－10の2　延納の許可の申請に係る手続を行う者 ··· 336・635
39－10の3　法施行令第16条の2第1項第2号の「不服申
　　　　立て」 ······························· 336・635
39－10の4　処分があった日 ··················· 336・635
39－10の5　法第39条第22項各号の重複 ·········· 336・635
39－10の5　法第39条第22項各号の適用期間の重複 ······ 336
39－11　調査に3月を超える期間を要すると認めるとき
　　　　　　　　　　　　　　　　　　　　　 332・632
39－11の2　税務署長の調査期間に係る災害等延長期間等
　　　　の重複 ····························· 337・637
39－11の3　法第39条第22項の規定の適用がある場合 　337・637
39－12　延納の許可があったものとみなされた場合の担保
　　　　権の設定手続き等 ···················· 333・632
39－13　「当該申請に係る条件」の意義 ·········· 333・632
39－14　延納条件の変更の範囲 ················· 338・638
39－15　延納条件の変更と担保 ················· 339・638
39－16　延納期間の短縮等 ···················· 340・639
39－17　弁明の方法 ························· 340・639

第40条《延納申請に係る徴収猶予等》関係
40－1　徴収を猶予する期間 ··················· 340・639
40－2　弁明の方法の準用 ···················· 341・639

第41条《物納の要件》関係
41－1　物納の許可限度額の計算 ···················· 352
41－2　贈与税等についての物納規定の不適用 ······· 352・626
41－3　やむを得ない事情があると認めるとき ·········· 353
41－4　政令で定める額を超えて物納を許可する場合 ····· 353
41－5　法第19条第1項の規定の適用がある贈与財産によ
　　　　る物納 ·································· 357
41－6　法第38条の規定に関する取扱いの準用 ·········· 357
41－7　「当該財産により取得した財産」の意義 ·········· 357
41－8　通常行われる他の土地との境界確認方法 ········ 357
41－9　共有不動産の物納 ·························· 357
41－10　その他これに類するものの意義 ·············· 358
41－11　特別の法律により法人の発行する債券及び出資証

－1764－

券‥‥‥‥‥‥‥‥‥‥‥‥‥‥358
41－12　相続人が居住等の用に供している土地（底地）の物納‥‥‥‥‥‥‥359
41－13　「特別の事情」の意義‥‥‥‥‥‥359
41－14　「適当な価額のものがない場合」の意義‥‥‥359
41－15　物納劣後財産と物納に充てることができる順位が後順である財産がある場合の取扱い‥‥‥360
41－16　「請求を行うことができる日が１月につき１日以上である旨が定められているもの」の意義‥‥‥360

第42条 《物納手続関係》関係
42－1　物納の申請期限‥‥‥‥‥‥‥‥‥364
42－2　通常必要とされない場合‥‥‥‥‥364
42－3　物納の許可‥‥‥‥‥‥‥‥‥‥‥364
42－4　管理官庁との協議‥‥‥‥‥‥‥‥365
42－5　「物納財産ごと」の意義‥‥‥‥‥365
42－6　物納手続関係書類提出期限延長届出書等の提出時期‥‥‥‥‥366
42－6の2　物納手続関係書類提出期限延長等に係る提出の期限等‥‥‥372
42－7　延長された提出期限までに物納手続関係書類の提出等がない場合‥‥‥366
42－8　延長された補完期限までに物納手続関係書類の訂正等がない場合‥‥‥368
42－9　「調査に３月を超える期間を要すると認めるとき」の意義‥‥‥368
42－10　その他これに準ずる事由‥‥‥‥368
42－10の2　税務署長の調査期間に係る災害等延長期間の重複‥‥‥369
42－11　収納するために必要な措置‥‥‥369
42－12　「１年を越えない範囲内」の始期‥‥‥369
42－13　延長された措置期限までに収納関係の措置がとられない場合‥‥‥370
42－13の2　法施行令第19条の４第１項第２号の「不服申立て」‥‥‥372
42－13の3　物納の許可の申請に係る手続を行う者‥‥‥372
42－13の4　処分があった日‥‥‥372
42－13の5　法第42条第28項各号の適用期間の重複‥‥‥372
42－13の6　前項（法第42条第28項）の規定の適用がある場合‥‥‥372
42－14　許可の条件‥‥‥‥‥‥‥‥‥‥372
42－15　物納の許可があったものとみなされた場合の収納手続等‥‥‥365
42－16　徴収を猶予する期間‥‥‥312・364

第43条 《物納財産の収納価額等》関係
43－1　「収納の時の現況により当該財産の収納価額を定める」の意義等‥‥‥380
43－2　許可後の財産の状況の変化‥‥‥380
43－3　「収納の時までに当該財産の状況に著しい変化を生じたとき」の意義‥‥‥380
43－4　分割不動産の収納価額‥‥‥‥‥380
43－5　物納許可等の訂正‥‥‥‥‥‥‥381
43－6　収納価額の特例‥‥‥‥‥‥‥‥381
43－7　株式及び出資証券の収納価額の特例‥‥‥381
43－8　公用又は公共の用に供されることが確実と見込まれる財産による還付‥‥‥382

第44条 《物納申請の全部又は一部の却下に係る延納》関係
44－1　却下の日の翌日から起算して20日以内の意義‥‥‥374
44－2　延納の許可の申請に係る手続を行う者‥‥‥374
44－3　法第44条第１項に規定する延納申請期限の延長‥‥‥374
44－4　処分があった日‥‥‥374

第45条 《物納申請の却下に係る再申請》関係
45－1　再申請の回数（１財産について１回限り）‥‥‥375

45－2　物納の許可の申請に係る手続を行う者‥‥‥375
45－3　法第45条第１項に規定する延納申請期限の延長‥‥‥375
45－4　処分があった日‥‥‥375

第46条 《物納の撤回》関係
46－1　公用又は公共の用に供されることが確実と見込まれる財産による充付及び物納の撤回‥‥‥385
46－2　相続税額を超える価額の財産による物納が許可された場合に環付された金銭の返納‥‥‥385

第48条の2 《特定の延納税額に係る物納》関係
48の2－1　「特定物納対象税額」の範囲‥‥‥376
48の2－2　延納担保物件が特定物納申請財産として申請された場合の取扱い‥‥‥376
48の2－3　「物納財産ごと」の意義‥‥‥377
48の2－4　特定物納の却下又は取下げ‥‥‥377
48の2－5　特定物納に係る財産の収納価額‥‥‥377
48の2－6　当該財産の状況に著しい変化が生じたとき‥‥‥377
48の2－7　「収納のときの現況により当該財産の収納価額を定める」の意義‥‥‥377
48の2－8　特定物納における物納手続関係書類の提出時期‥‥‥377

第48条の3 《延納又は物納に関する事務の引継ぎ》関係
48の3－1　延納又は物納に関する事務の引継ぎ‥‥‥322・353

第7章　雑　　則

第49条 《相続時精算課税に係る贈与税の申告内容の開示等》関係
49－1　開示の請求をすることができる者‥‥‥677

第51条 《延滞税の特則》関係
51－1　申告書の提出期限前に決定した場合等の延滞税‥‥‥310・620
51－2　法施行地に住所及び居所を有しなくなる者の延滞税の額の計算の起算日‥‥‥310・620
51－3　保険金請求権等の買取りに係る買取額の支払いを受けたことにより申告があった場合の延滞税‥‥‥311
51－4　贈与税の期限後申告の特則等により申告があった場合の延滞税‥‥‥311・620
51－5　延滞税の計算の基礎となる期間に算入しない部分の相続税額又は贈与税額‥‥‥311・621

第52条 《延納等に係る利子税》関係
52－1　分納税額の納期限が延長された場合の第２回目以後の利子税の計算始期‥‥‥343・641
52－4　災害等により申請に係る分納期限後に延納を許可した後、分納期限の延長等を行った場合‥‥‥343・642

第53条 《物納等に係る利子税》関係
53－1　利子税の計算の基礎となる相続税額‥‥‥387
53－2　物納申請を取り下げた場合‥‥‥390

第55条 《未分割遺産に対する課税》関係
55－1　「民法の規定による相続分」の意義‥‥‥152
55－2　相続又は遺贈により取得したものとみなされる財産‥‥‥152

第59条 《調書の提出》関係
59－1　退職手当金等の支払調書の提出限度‥‥‥405
59－2　見積価額の例示等‥‥‥407

第63条 《相続人の数に算入される養子の数の否認》関係
63－1　相続人の数に算入される養子の数の否認規定の適用範囲‥‥‥164
53－2　被相続人の養子のうち一部の者が相続税の不当減少につながるものである場合‥‥‥164

第66条の2 《特定の一般社団法人等に対する課税》関係
66の2－1　純資産の意義‥‥‥16
66の2－2　相続開始の時における同族理事の数の意義‥‥‥17
66の2－3　相続開始前５年以内における同族理事の数の理事の総数に占める割合の判定‥‥‥18
66の2－4　一般社団法人等が合併法人である場合‥‥‥19

66の2-5 「課された贈与税及び相続税」の意義‥‥‥‥ 19・448	5 （重要事項）‥‥‥‥‥‥‥‥‥‥‥‥‥‥‥‥‥‥‥ 491
66の2-6 特定一般社団法人等が相続開始の年において	6 （特別の関係がある者の意思に従ってなされていると
被相続人から贈与を受けている場合‥‥‥‥‥ 448	認められる事実があること）‥‥‥‥‥‥‥‥‥ 492
66の2-7 被相続人から特定一般社団法人等に対し遺贈	7 （社団等が特別の利益を与えること）‥‥‥‥‥‥ 492
があった場合‥‥‥‥‥‥‥‥‥‥‥‥‥‥‥‥ 17	8 （贈与により取得した財産）‥‥‥‥‥‥‥‥‥‥ 492

相続税個別通達

○共かせぎ夫婦の間における住宅資金の贈与の
取扱いについて（昭和34年6月16日直資58）　456

○父子間における農業経営者の判定並びにこれ
に伴う所得税及び贈与税の取扱いについて
（昭和35年2月17日直資15、直所1-14）　456

○被相続人の意思に基づき公益法人を設立する
場合等の相続税の取扱いについて（昭和35年10
月1日直資90、平成20年7月8日課資2-8、課審6
-7最終改正）

1 （公益法人の設立の認可申請中に相続の開始があった
場合の取扱い）‥‥‥‥‥‥‥‥‥‥‥‥‥‥ 14・447

2 （公益法人の設立の認可申請前に相続の開始があった
場合の取扱い）‥‥‥‥‥‥‥‥‥‥‥‥‥‥ 15・447

3 （被相続人の意思に基づくかどうかの判定）‥ 15・447

4 （既設の公益法人に対し贈与があった場合の準用）‥ 15・447

○名義変更等が行われた後にその取消し等があ
った場合の贈与税の取扱いについて（昭和39年
5月23日直審（資）22・直資68、昭和57年5月改正）

1 （他人名義により不動産、船舶等を取得した場合で贈
与としない場合）‥‥‥‥‥‥‥‥‥‥‥‥‥‥ 458

2 （他人名義により有価証券を取得した場合で贈与とし
ない場合）‥‥‥‥‥‥‥‥‥‥‥‥‥‥‥‥‥ 458

3 （他人名義により取得した財産の処分代金等を取得者
の名義とした場合の取扱い）‥‥‥‥‥‥‥‥‥ 459

4 （他人の名義による財産の取得等に関する取扱いを熟
知している者の不適用）‥‥‥‥‥‥‥‥‥‥‥ 459

5 （過誤等により取得財産を他人名義とした場合等の取
扱い）‥‥‥‥‥‥‥‥‥‥‥‥‥‥‥‥‥‥‥ 459

6 （法令等により取得者等の名義とすることができない
ため他人名義とした場合等の取扱い）‥‥‥‥‥ 459

7 （取得者等の名義とすることが更正決定後に行われた
場合の取扱い）‥‥‥‥‥‥‥‥‥‥‥‥‥‥‥ 460

8 （法定取消権等に基づいて贈与の取消しがあった場合
の取扱い）‥‥‥‥‥‥‥‥‥‥‥‥‥‥‥‥‥ 460

9 （贈与契約の取消し等があったときの更正の請求）‥ 460

10 （贈与契約の取消し等によりその贈与財産が相続人等
に帰属した場合の取扱い）‥‥‥‥‥‥‥‥‥‥ 460

11 （合意解除により贈与の取消しがあった場合の取扱
い）‥‥‥‥‥‥‥‥‥‥‥‥‥‥‥‥‥‥‥‥ 461

12 （贈与契約の取消し等による財産の名義変更の取扱
い）‥‥‥‥‥‥‥‥‥‥‥‥‥‥‥‥‥‥‥‥ 461

○贈与税の非課税財産（公益を目的とする事業
の用に供する財産に関する部分）及び持分の
定めのない法人に対して財産の贈与等があっ
た場合の取扱いについて（昭和39年6月9日直審
（資）24・直資77、令和25年6月28日課資2-12、課審
7-3最終改正）

1 （公益を目的とする事業を行う者の範囲）‥‥‥ 490

2 （公益の増進に寄与するところが著しいと認められる
事業）‥‥‥‥‥‥‥‥‥‥‥‥‥‥‥‥‥‥‥ 491

3 （専ら公益の増進に寄与するところが著しい事業を行
う者）‥‥‥‥‥‥‥‥‥‥‥‥‥‥‥‥‥‥‥ 491

4 （個人が特別の利益を与えること）‥‥‥‥‥‥ 491

9 （公益を目的とする事業の用に供することが確実なも
の）‥‥‥‥‥‥‥‥‥‥‥‥‥‥‥‥‥‥‥‥ 493

10 （2年を経過した日においてなおその用に供していな
いこと）‥‥‥‥‥‥‥‥‥‥‥‥‥‥‥‥‥‥ 493

11 （2年を経過した日において取得財産が公益事業の用
に供されていた場合の更正）‥‥‥‥‥‥‥‥‥ 493

12 （法第66条第4項の規定の趣旨）‥‥‥‥‥‥ 8・441

13 （持分の定めのない法人）‥‥‥‥‥‥‥‥‥ 8・441

14 （相続税等の負担の不当減少についての判定）‥ 9・441

15 （その運営組織が適正であるかどうかの判定）‥ 9・441

16 （特別の利益を与えること）‥‥‥‥‥‥‥ 13・445

17 （判定の時期等）‥‥‥‥‥‥‥‥‥‥‥‥‥ 14・446

18 （社会一般の寄附金程度の遺贈等についての不適用）
‥‥‥‥‥‥‥‥‥‥‥‥‥‥‥‥‥‥‥‥ 14・446

19 （持分の定めのない法人に対する課税の猶予等の不適
用）‥‥‥‥‥‥‥‥‥‥‥‥‥‥‥‥‥‥‥ 14・447

20 （贈与等をした者等以外の者に特別の利益を与える場
合）‥‥‥‥‥‥‥‥‥‥‥‥‥‥‥‥ 82・447・486

21 （持分の定めのない法人から受ける利益の価額）
‥‥‥‥‥‥‥‥‥‥‥‥‥‥‥‥‥‥ 82・448・486

○「名義変更が行われた後にその取消し等があ
った場合の贈与税の取扱いについて」通達の
運用について（昭和39年7月14日直審（資）34、直
資103、昭和57年5月改正）

1 （他人名義による財産の取得をした者が死亡した場
合）‥‥‥‥‥‥‥‥‥‥‥‥‥‥‥‥‥‥‥‥ 459

2 （虚偽表示により名義変更等が行われたことにつきや
むを得ない事由がある場合）‥‥‥‥‥‥‥‥‥ 459

3 （法定取消権等に基づいて取り消され、又は解除され
たことの確認）‥‥‥‥‥‥‥‥‥‥‥‥‥‥‥ 460

4 （合意解除等による贈与の取消しがあった場合の特
例）‥‥‥‥‥‥‥‥‥‥‥‥‥‥‥‥‥‥‥‥ 461

○青色事業専従者が事業から給与の支給を受け
る場合の贈与税の取扱いについて（昭和40年10
月8日直審（資）4）

1 （青色事業専従者が事業から給与の支給を受けた場
合）‥‥‥‥‥‥‥‥‥‥‥‥‥‥‥‥‥‥‥‥ 461

2 （職務の内容等に照らし相当と認められる金額の判
定）‥‥‥‥‥‥‥‥‥‥‥‥‥‥‥‥‥‥‥‥ 461

○贈与による農地の取得の時期について（昭和48
年3月14日直資2-62、令和5年6月改正）　454

○使用貸借に係る土地についての相続税及び贈
与税の取扱いについて（昭和48年11月1日直資2
-189・直所2-76・直法2-92、平成16年6月改正）

1 （使用貸借による土地の借受けがあった場合）‥ 474・1451

2 （使用貸借による借地権の転借があった場合）‥ 474・1452

3 （使用貸借に係る土地等を相続又は贈与により取得し
た場合）‥‥‥‥‥‥‥‥‥‥‥‥‥‥‥‥ 474・1452

4 （使用貸借に係る土地等の上に存する建物等を相続又
は贈与により取得した場合）‥‥‥‥‥‥‥ 475・1452

5 （借地権の目的となっている土地を当該借地権者以外
の者が取得し、地代の授受が行われないこととなっ
た場合）‥‥‥‥‥‥‥‥‥‥‥‥‥‥‥‥ 475・1452

6 （経過的取扱い－土地の無償借受け時に借地権相当額
の課税が行われている場合）‥‥‥‥‥‥‥ 475・1452

7 （経過的取扱い－借地権の目的となっている土地をこ
の通達の施行前に当該借地権者以外の者が取得して
いる場合）‥‥‥‥‥‥‥‥‥‥‥‥‥‥‥ 475・1453

-1766-

別紙様式１　　（借地権の使用貸借に関する確認書）・・・・・・・・ 1452
別紙様式２　　（借地権者の地位に変更がない旨の申出書）　1452

○相当の地代を支払っている場合等の借地権等についての相続税及び贈与税の取扱いについて（昭和60年６月５日直資２－58、直評９、平成17年５月31日課資２－４最終改正）・・・・・・・・・・・・・・・・・ 1453

○負担付贈与又は対価を伴う取引により取得した土地等及び家屋等に係る評価並びに相続税法第７条及び第９条の規定の適用について（平成元年３月29日直評５、直資２－204、平成３年12月改正）・・・・・・・・・・・・・・・・・・・・・・ 1456

○相続税の延納の条件の変更等の取扱いについて（平成５年５月28日徴管５－６、徴徴２－４、課資２－138）・・・・・・・・・・・・・・・・・・・・・・・・・ 339

○贈与税の納税猶予の特例の適用を受けている受贈者が旧特定農業生産法人に対し農地等につき使用貸借による権利の設定をした場合の取扱いについて（平成17年６月９日課資２－９、課審６－９、徴管５－11、令和５年６月28日課資２－12最終改正）・・・・・・・・・・・・・・・・・・・ 813
２　（「農業に必要な農作業に従事する」ことの意義）・・・ 813
３　（使用貸借による権利の設定の日）・・・・・・・・・ 813
４　（使用貸借による権利の設定に関する届出書）・・・・ 813
５　（使用貸借による権利の設定をしなければならないこととされている特例適用農地等の範囲）・・・・・・・ 813
９　（法附則第55条第３項又は第５項の規定の適用を受けた受贈者の継続届出書の提出期限及び提出期間）・・・・ 814
18　（一時的道路用地等に係る継続貸付届出書の提出期間）・・・・・・・・・・・・・・・・・・・・・・・ 818

租税特別措置法取扱通達（相続税関係）

○租税特別措置法（相続税法の特例のうち延納の特例関係以外）の取扱いについて（平成15年６月24日課資２－３、課審５－７、徴管５－９）
措置法第69条の４《小規模宅地等についての相続税の課税価格の計算の特例》関係
69の４－１　（加算対象贈与財産及び相続時精算課税の適用を受ける財産）・・・・・・・・・・・・・・・・・ 103
69の４―１の２　（配偶者居住権等）・・・・・・・・・・ 103
69の４－２　（信託に関する権利）・・・・・・・・・・・ 104
69の４－３　（公共事業の施行により従前地及び仮換地について使用収益が禁止されている場合）・・・・・・ 104
69の４－４　（被相続人等の事業の用に供されていた宅地等の範囲）・・・・・・・・・・・・・・・・・・・・・ 104
69の４－４の２　（宅地等が配偶者居住権の目的となっている建物等の敷地である場合の被相続人等の事業の用に供されていた宅地等の範囲）・・・・・・・・・ 104
69の４－５　（事業用建物等の建築中等に相続が開始した場合）・・・・・・・・・・・・・・・・・・・・・・・ 105
69の４－６　（使用人の寄宿舎等の敷地）・・・・・・・・ 105
69の４－７　（被相続人等の居住の用に供されていた宅地等の範囲）・・・・・・・・・・・・・・・・・・・・・ 105
69の４―７の２　（宅地等が配偶者居住権の目的となっている家屋の敷地である場合の被相続人等の居住の用に供されていた宅地等の範囲）・・・・・・・・・ 105
69の４－７の３　（要介護認定等の判定時期）・・・・・・ 106
69の４－７の４　（建物の区分所有等に関する法律第１条に該当する建物）・・・・・・・・・・・・・・・・・ 106
69の４－８　（居住用建物の建築中等に相続が開始した場合）・・・・・・・・・・・・・・・・・・・・・・・ 106
69の４－９　（店舗兼住宅等の敷地の持分の贈与について贈与税の配偶者控除等の適用を受けたものの居住の用に供されていた部分の範囲）・・・・・・・・・ 106
69の４－10　（選択特例対象宅地等のうちに特定事業用等宅地等及び特定居住用等宅地等がある場合の限度面積要件）・・・・・・・・・・・・・・・・・・・ 107
69の４－11　（限度面積要件を満たさない場合）・・・・・ 108
69の４－12　（小規模宅地等の特例、特定計画山林の特例又は個人の事業用資産についての納税猶予及び免除を重複適用する場合に限度額要件を満たさないとき）・・・・・・・・・・・・・・・・・・・・・ 108
69の４－13　（不動産貸付業等の範囲）・・・・・・・・・ 113
69の４－14　（下宿等）・・・・・・・・・・・・・・・・ 113
69の４－15　（宅地等を取得した親族が申告期限までに死亡した場合）・・・・・・・・・・・・・・・・・・・ 113
69の４－16　（申告期限までに転業又は廃業があった場合）・・・ 113
69の４－17　（災害のため事業が休止された場合）・・・・ 113
69の４－18　（申告期限までに宅地等の一部の譲渡又は貸付けがあった場合）・・・・・・・・・・・・・・・ 113
69の４－19　（申告期限までに事業用建物等を建て替えた場合）・・・・・・・・・・・・・・・・・・・・・ 113
69の４－20　（宅地等を取得した親族が事業主となっていない場合）・・・・・・・・・・・・・・・・・・・ 114
69の４－20の２　（新たに事業の用に供されたか否かの判定）・・・・・・・・・・・・・・・・・・・・・・ 114
69の４－20の３　（政令で定める規模以上の事業の意義等）・・・ 114
69の４－20の４　（相続開始前３年を超えて引き続き事業の用に供されていた宅地等の取扱い）・・・・・・ 115
69の４－20の５　（平成31年改正法附則による特定事業用宅

地等に係る経過措置について) ……………… 115
69の4－21（被相続人の居住用家屋に居住していた者の範
　　　　　囲) ……………………………………… 115
69の4－22（「当該親族の配偶者」等の意義) ………… 115
69の4－23（法人の事業の用に供されていた宅地等の範
　　　　　囲) ……………………………………… 115
69の4－24（法人の社宅等の敷地) …………………… 116
69の4－24の2（被相続人等の貸付事業の用に供されてい
　　　　　た宅地等) ……………………………… 116
69の4－24の3（新たに貸付事業の用に供されたか否かの
　　　　　判定) ……………………………………… 116
69の4－24の4（特定貸付事業の意義) ……………… 116
69の4－24の5（特定貸付事業が引き続き行われていない
　　　　　場合) ……………………………………… 117
69の4－24の6（特定貸付事業を行っていた「被相続人等
　　　　　の当該貸付事業の用に供された」の意義) … 117
69の4－24の7（相続開始前3年を超えて引き続き貸付事
　　　　　業の用に供されていた宅地等の取扱い) … 117
69の4－25（共同相続人等が特例対象宅地等の分割前に死
　　　　　亡している場合) ……………………… 117
69の4－26（申告書の提出期限後に分割された特例対象宅
　　　　　地等について特例の適用を受ける場合) … 118
69の4－26の2（個人の事業用資産についての納税猶予及
　　　　　び免除の適用がある場合) ……………… 120
69の4－27（郵便局舎の敷地の用に供されている宅地等に
　　　　　係る相続税の課税の特例) ……………… 121
69の4－28（郵便局舎の敷地の用に供されている宅地等に
　　　　　ついて相続税に係る課税の特例の適用を受けて
　　　　　いる場合) ……………………………… 121
69の4－29（「相続人」の意義) ……………………… 121
69の4－30（特定宅地等の範囲) …………………… 121
69の4－31（建物の所有者の範囲) ………………… 121
69の4－32（特定宅地等とならない部分の範囲) …… 121
69の4－33（郵便局舎の敷地を被相続人から無償により借
　　　　　り受けている場合) …………………… 122
69の4－34（賃貸借契約の変更に該当しない事項) … 122
69の4－35（相続の開始以後日本郵便株式会社への郵便局
　　　　　舎の貸付) …………………………… 122
69の4－36（災害のため業務が休業された場合) … 122
69の4－37（宅地等の一部の譲渡又は日本郵便株式会社と
　　　　　の賃貸借契約の解除等があった場合) … 122

**措置法第69条の5《特定計画山林についての相続税の課税
価格の計算の特例》関係**
69の5－1（特定森林施業計画対象山林である特定計画山
　　　　　林) ……………………………………… 134
69の5－2（特定受贈森林施業計画対象山林である特定計
　　　　　画山林) ………………………………… 135
69の5－3（共同で市町村長等の認定を受けていた森林施
　　　　　業計画) ………………………………… 136
69の5－4（特定森林施業計画対象山林を取得した被相続
　　　　　人の親族が他の個人又は法人と共同で施業して
　　　　　いる場合の特定計画山林に該当する部分) … 136
69の5－5（特定受贈森林施業計画対象山林を取得した特
　　　　　定贈与者の推定相続人が他の個人又は法人と共
　　　　　同で施業している場合の特定計画山林に該当す
　　　　　る部分) ………………………………… 137
69の5－6（相続開始の時から相続税の申告期限までの間
　　　　　に一時的に森林施業計画が存在しない場合の措
　　　　　置法第69条の5第2項第3号イに規定する特定
　　　　　計画山林相続人等の判定) ……………… 137
69の5－7（贈与の時から相続税の申告期限までの間に一
　　　　　時的に森林施業計画が存在しない場合の措置法
　　　　　第69条の5第2項第3号ロに規定する特定計画

山林相続人等の判定) …………………………… 137
69の5－8（特定贈与者の死亡以前に相続時精算課税適用
　　　　　者が死亡した場合の特定計画山林相続人等) … 137
69の5－9（共同相続人等が特定計画山林の分割前に死亡
　　　　　している場合) …………………………… 138
69の5－10（申告書の提出期限後に分割された特定計画山
　　　　　林について特例の適用を受ける場合) … 139
69の5－11（申告書の提出期限から3年以内に特定計画山
　　　　　林の特例及び小規模宅地等の特例に係る遺産が
　　　　　分割できない場合の承認申請) ……… 140
69の5－12（特定計画山林の特例、小規模宅地等の特例又
　　　　　は個人の事業用資産についての納税猶予及び免
　　　　　除を重複適用する場合の限度額の計算等) … 129
69の5－12の2（相続時精算課税の適用に係る選択特定計
　　　　　画山林の相続税の課税価格に算入すべき金額) … 130
69の5－13（特定計画山林の特例、小規模宅地等の特例又
　　　　　は個人の事業用資産についての納税猶予及び免
　　　　　除を重複適用する場合に限度額要件を満たさな
　　　　　いとき) ……………………………… 131
69の5－14（特定受贈森林施業計画対象山林である特定計
　　　　　画山林について措置法第69条の5第1項の規定
　　　　　の適用を受けるための手続) ……… 131
69の5－15（措置法第69条の5第8項に規定する書類の提
　　　　　出先等) ……………………………… 145

**措置法第69条の6《特定土地等及び特定株式等に係る相続
税の課税価格の計算の特例》及び第69条の7《特定土地等
及び特定株式等に係る贈与税の課税価格の計算の特例》共
通関係**
69の6・69の7共－1（用語の意義) ………… 149・569
69の6・69の7共－2（特定土地等の特定非常災害の発生
　　　　　直後の価額) ……………………… 148・570
69の6・69の7共－3（特定株式等の判定) … 147・568
69の6・69の7共－4（特定株式等の特定非常災害の発生
　　　　　直後の価額) ……………………… 148・568
69の6・69の7共－5（特定株式等の特定の評価会社の株
　　　　　式等の判定) ……………………… 149・570

**措置法第69条の6《特定土地等及び特定株式等に係る相続
税の課税価格の計算の特例》関係**
69の6－1（措置法第69条の6第1項に規定する「贈与に
　　　　　より取得した財産」) ……………………… 149

**措置法第69条の7《特定土地等及び特定株式等に係る贈与
税の課税価格の計算の特例》関係**
69の7－1（措置法第69条の7第1項に規定する「贈与に
　　　　　より取得した財産」) ……………………… 570

**措置法第70条第1項《国等に対して相続財産を贈与した場
合等の相続税の非課税等》関係**
70－1－1（政府の出資により設立された法人等に対する
　　　　　贈与) ……………………………………… 92
70－1－2（後援会等に対する贈与) ………………… 92
70－1－3（公益法人設立のための財産の提供) …… 92
70－1－4（特定非営利活動法人に対する贈与) …… 98
70－1－5（「相続又は遺贈により取得した財産」の範囲) … 93
70－1－6（相続財産たる家屋の火災保険金等) …… 93
70－1－7（相続税の課税価格の計算の基礎に算入しない
　　　　　価額) …………………………………… 93
70－1－8（相続又は遺贈により取得した財産を著しく低
　　　　　い価額で国等に譲渡した場合) ………… 93
70－1－9（香典返しに代えてする贈与) …………… 93
70－1－10（被相続人の意思に基づいてする財産の贈与) … 94
70－1－11（負担が不当に減少する結果となると認められ
　　　　　ない場合) …………………………… 94
70－1－12（相続税の非課税規定に該当しないものについ
　　　　　て証明書の提出があった場合) ……… 94

70－1－13（「公益を目的とする事業の用に供する」ことの
　　　　　　意義）・・・・・・・・・・・・・・・・・・・・・・・・・・・・・・・・・・・・・・・95
70－1－14（「同日においてなおその公益を目的とする事
　　　　　　業の用に供していない場合」の意義）・・・・・・・・・95

**措置法第70条第3項《特定公益信託の信託財産として相続
財産に属する金銭を支出した場合の相続税の非課税》関係**
70－3－1（保険金又は退職手当金等）・・・・・・・・・・・・・・・・・96
70－3－2（「相続又は遺贈により取得した財産に属する
　　　　　　金銭」の範囲）・・・・・・・・・・・・・・・・・・・・・・・・・・・・・96
70－3－3（相続税の課税価格の計算の基礎に算入しない
　　　　　　金銭の額）・・・・・・・・・・・・・・・・・・・・・・・・・・・・・・・96
70－3－4（措置法第70条第1項の規定の取扱いの準用）・・・・96

**措置法第70条の2《直系尊属から住宅取得等資金の贈与を
受けた場合の贈与税の非課税》関係**
70の2－1（直系尊属の範囲）・・・・・・・・・・・・・・・・・・・・・・・502
70の2－1の2（課税価格に算入されない住宅資金非課税
　　　　　　限度額の算定）・・・・・・・・・・・・・・・・・・・・・・・・・502
70の2－2（居住の用に供したとき等）・・・・・・・・・・・・・・502
70の2－3（住宅用家屋の新築若しくは取得とともに取得
　　　　　　する家屋の敷地の用に供されている土地等）・・・503
70の2－4（住宅取得等資金が法施行地外にある場合等）・・・503
70の2－5（床面積の意義）・・・・・・・・・・・・・・・・・・・・・・・508
70の2－6（店舗兼住宅等の場合の床面積基準の判定）・・・508
70の2－7（定期借地権等の設定に際し保証金等の支払い
　　　　　　がある場合）・・・・・・・・・・・・・・・・・・・・・・・・・・508
70の2－8（住宅用家屋の取得の意義）・・・・・・・・・・・・・・503
70の2－8の2（既存住宅用家屋等が面積要件及び建築日
　　　　　　要件を満たすことの確認を受けるための書類）・・・508
70の2－9（「特定受贈者から受ける金銭その他の財産に
　　　　　　よって生計を維持しているもの」の意義）・・・・・・・509
70の2－10（店舗兼住宅等の場合の増改築等の工事に要し
　　　　　　た費用の額の判定）・・・・・・・・・・・・・・・・・・・・・509
70の2－11（国土交通大臣が財務大臣と協議して定める書
　　　　　　類）・・・・・・・・・・・・・・・・・・・・・・・・・・・・・・・・509
70の2－12（措置法第70条の2に規定する非課税の適用順
　　　　　　序）・・・・・・・・・・・・・・・・・・・・・・・・・・・・・・・・503
70の2－13（修正申告書の提出期限）・・・・・・・・・・・・・・・510
70の2－13の2（通常の修繕によっては原状回復が困難な
　　　　　　損壊）・・・・・・・・・・・・・・・・・・・・・・・・・・・・・・512
70の2－14（住宅取得等資金の贈与をした者が贈与をした
　　　　　　年中に死亡した場合の贈与税及び相続税の課
　　　　　　税）・・・・・・・・・・・・・・・・・・・・・・・・・・・・・・・・518
70の2－15（期限後申告による「直系尊属から住宅取得等
　　　　　　資金の贈与を受けた場合の贈与税の非課税」の
　　　　　　適用）・・・・・・・・・・・・・・・・・・・・・・・・・・・・・・518

**措置法第70条の2の2《直系尊属から教育資金の一括贈与
を受けた場合の贈与税の非課税》関係**
70の2の2－1（用語の定義）・・・・・・・・・・・・・・・・・・・・520
70の2の2－2（外国国籍を有する者等に係る措置法第70
　　　　　　条の2の2の適用）・・・・・・・・・・・・・・・・・・・・519
70の2の2－3（直系尊属の範囲）・・・・・・・・・・・・・・・・519
70の2の2－3の2（信託受益権等を取得した日の属する
　　　　　　年の前年分の所得税に係る合計所得金額が
　　　　　　1,000万円を超えていた場合）・・・・・・・・・・・・520
70の2の2－4（追加教育資金非課税申告書を提出するこ
　　　　　　とができない取扱金融機関の営業所等に追加教
　　　　　　育資金非課税申告書が提出された場合における
　　　　　　その申告書の効力）・・・・・・・・・・・・・・・・・・・・525
70の2の2－5（教育資金非課税申告書又は追加教育資金
　　　　　　非課税申告書に記載された非課税拠出額が
　　　　　　1,500万円を超えていた場合等におけるこれら
　　　　　　の申告書の効力）・・・・・・・・・・・・・・・・・・・・・528
70の2の2－6（郵便等により教育資金非課税申告書等の

提出があった場合）・・・・・・・・・・・・・・・・・・・・・524
70の2の2－7（措置法第70条の2の2第1項の規定によ
　　　　　　り贈与税の課税価格に算入されない価額）・・・・・・520
70の2の2－8（領収書等に記載又は記録された金額が
　　　　　　外国通貨により表示されている場合の邦貨換
　　　　　　算）・・・・・・・・・・・・・・・・・・・・・・・・・・・・・・531
70の2の2－9（教育資金管理契約の終了の日までに贈与
　　　　　　者が死亡した場合の相続税の課税関係等）・・・・・・534
70の2の2－10（管理残額及び相続税額の2割加算の計
　　　　　　算）・・・・・・・・・・・・・・・・・・・・・・・・・・・・・・536
70の2の2－11（贈与者に係る相続税の課税価格の合計額
　　　　　　の意義）・・・・・・・・・・・・・・・・・・・・・・・・・・・537
70の2の2－12（管理残額に異動等があった場合）・・・・・538
70の2の2－13（教育資金管理契約が終了した場合の贈与
　　　　　　税の課税関係等）・・・・・・・・・・・・・・・・・・・・540
70の2の2－14（贈与税の課税価格に算入される残額のう
　　　　　　ち一般贈与財産とみなされる部分の計算等）・・・542
70の2の2－15（教育資金管理契約が終了した後に贈与者
　　　　　　が死亡した場合の相続税法第19条等の適用）・・・542
70の2の2－16（取扱金融機関の営業所等の長への通知）・・・545
70の2の2－17（教育資金管理契約に基づく事務を取り扱
　　　　　　う取扱金融機関の営業所等の移管が可能な取扱
　　　　　　金融機関の営業所等）・・・・・・・・・・・・・・・・・526

**措置法第70条の2の3《直系尊属から結婚・子育て資金の
一括贈与を受けた場合の贈与税の非課税》関係**
70の2の3－1（用語の定義）・・・・・・・・・・・・・・・・・・・546
70の2の3－2（外国国籍を有する者等に係る措置法第70
　　　　　　条の2の3の適用）・・・・・・・・・・・・・・・・・・・546
70の2の3－3（直系尊属の範囲）・・・・・・・・・・・・・・・・546
70の2の3－3の2（信託受益権等を取得した日の属する
　　　　　　年の前年分の所得税に係る合計所得金額が
　　　　　　1,000万円を超えていた場合）・・・・・・・・・・・・546
70の2の3－4（追加結婚・子育て資金非課税申告書を提
　　　　　　出することができない取扱金融機関の営業所等
　　　　　　に追加結婚・子育て資金非課税申告書が提出さ
　　　　　　れた場合におけるその申告書の効力）・・・・・・・・551
70の2の3－5（結婚・子育て資金非課税申告書又は追加
　　　　　　結婚・子育て資金非課税申告書に記載された非
　　　　　　課税拠出額が1,000万円を超えていた場合等に
　　　　　　おけるこれらの申告書の効力）・・・・・・・・・・・554
70の2の3－6（郵便等により結婚・子育て資金非課税申
　　　　　　告書等の提出があった場合）・・・・・・・・・・・・・558
70の2の3－7（措置法第70条の2の3第1項の規定によ
　　　　　　り贈与税の課税価格に算入されない価額）・・・・・・546
70の2の3－8（領収書等に記載された金額が外国通貨に
　　　　　　より表示されている場合の邦貨換算）・・・・・・・・559
70の2の3－9（結婚・子育て資金管理契約の終了の日ま
　　　　　　でに贈与者が死亡した場合の相続税の課税関係
　　　　　　等）・・・・・・・・・・・・・・・・・・・・・・・・・・・・・・562
70の2の3－10（結婚・子育て資金管理契約が終了した場
　　　　　　合の贈与税の課税関係等）・・・・・・・・・・・・・・560
70の2の3－11（結婚・子育て資金管理契約が終了した後
　　　　　　に贈与者が死亡した場合の相続税法第19条等の
　　　　　　適用）・・・・・・・・・・・・・・・・・・・・・・・・・・・・・561
70の2の3－12（結婚・子育て資金管理契約に基づく事務
　　　　　　を取り扱う取扱金融機関の営業所等の移管が可
　　　　　　能な取扱金融機関の営業所等）・・・・・・・・・・・553

**措置法第70条の2の5《直系尊属から贈与を受けた場合の
贈与税の税率の特例》関係**
70の2の5－1（直系尊属の範囲）・・・・・・・・・・・・・・・・576
70の2の5－2（特例贈与財産と一般贈与財産がある場合
　　　　　　の贈与税額の計算）・・・・・・・・・・・・・・・・・・・576

措置法第70条の２の６《相続時精算課税適用者の特例》関係

70の２の６－１（年の中途において贈与者の孫になった場合）‥‥‥‥‥‥‥‥‥‥‥‥‥‥‥‥‥‥ 650

70の２の６－２（相続時精算課税関係通達の準用）‥‥‥‥‥ 650

措置法第70条の２の７《相続時精算課税適用者の特例》関係

70の２の７－１（納税猶予分の贈与税額が算出されない場合）‥‥‥‥‥‥‥‥‥‥‥‥‥‥‥‥ 1061・1310

70の２の７－２（特例受贈事業用資産の取得の時前に贈与により取得した財産がある場合）‥‥‥‥‥ 1061

70の２の７－３（相続時精算課税関係通達の準用）‥‥‥ 1061

措置法第70条の２の８《相続時精算課税適用者の特例》関係

70の２の８－１（70の２の７関係通達の準用）‥‥‥‥‥‥ 1337

70の２の８－２（相続時精算課税関係通達の準用）‥‥‥‥ 1337

措置法第70条の３《特定の贈与者から住宅取得等資金の贈与を受けた場合の相続時精算課税の特例》関係

70の３－１　（居住の用に供したとき等）‥‥‥‥‥‥ 682

70の３－１の２（住宅取得等資金の贈与の特例と特定同族株式等の贈与の特例の重複適用）‥‥‥‥ 682

70の３－２　（住宅用家屋の新築若しくは取得とともに取得するその敷地の用に供されている土地等）‥‥‥ 682

70の３－３　（住宅取得等資金が法施行地外にある場合等）683

70の３－３の２　（措置法第70条の２第１項の規定の適用後に住宅取得等資金について贈与税の課税価格に算入すべき価額がない場合の措置法第70条の３の適用関係）‥‥‥‥‥‥‥‥‥‥‥‥‥‥ 683

70の３－４　（住宅取得等資金を贈与により取得した年分以降に財産の贈与を受けた場合の取扱い）‥‥‥‥ 683

70の３－５　（床面積の意義）‥‥‥‥‥‥‥‥‥‥‥ 687

70の３－６　（店舗兼住宅等の場合の床面積基準の判定）687

70の３－７　（定期借地権等の設定に際し保証金等の支払いがある場合）‥‥‥‥‥‥‥‥‥‥‥‥‥‥‥ 688

70の３－８　（住宅用家屋の取得の意義）‥‥‥‥‥‥ 683

70の３－８の２　（既存住宅用家屋等が面積要件及び建築日要件を満たすことの確認を受けるための書類）‥‥‥‥‥‥‥‥‥‥‥‥‥‥‥‥‥‥‥‥ 688

70の３－９　（「特定受贈者から受ける金銭その他の財産によって生計を維持しているもの」の意義）‥‥‥ 688

70の３－10　（店舗兼住宅等の場合の増改築の工事に要した費用の額の判定）‥‥‥‥‥‥‥‥‥‥‥‥ 688

70の３－11　（国土交通大臣が財務大臣と協議して定める書類）‥‥‥‥‥‥‥‥‥‥‥‥‥‥‥‥‥‥ 688

70の３－11の２　（通常の修繕によっては原状回復が困難な損壊）‥‥‥‥‥‥‥‥‥‥‥‥‥‥‥‥ 691

70の３－12　（令和２年１月１日前の贈与に係る贈与者の住所又は居所を証する書類）‥‥‥‥‥‥‥ 683

70の３－13　（措置法第70条の３第７項に規定する書類の提出先等）‥‥‥‥‥‥‥‥‥‥‥‥‥‥‥‥ 696

70の３－14　（修正申告書の提出期限）‥‥‥‥‥‥‥ 697

70の３－15　（期限後申告等に係る「特定の贈与者から住宅取得等資金の贈与を受けた場合の相続時精算課税の特例」の適用）‥‥‥‥‥‥‥‥‥‥‥ 696

措置法第70条の３の３《相続時精算課税に係る土地又は建物の価額の特例》関係

70の３の３－１（措置法第70条の３の３第１項の適用対象となる土地又は建物の範囲）‥‥‥‥‥‥‥ 657

70の３の３－２（「被害を受けた場合」の意義）‥‥‥ 657

70の３の３－３（措置法令第40条の５の３に規定する「贈与の時における価額」）‥‥‥‥‥‥‥‥‥‥‥ 657

70の３の３－４（想定価額の計算）‥‥‥‥‥‥‥‥‥ 657

70の３の３－５（２以上の構造からなる建物の想定使用可

能期間の年数）‥‥‥‥‥‥‥‥‥‥‥‥‥‥‥ 658

70の３の３－６（被災価額の計算等）‥‥‥‥‥‥‥‥ 658

70の３の３－７（災害により被害を受けた部分の価額）‥ 658

70の３の３－８（保険金、損害賠償金に類するものの範囲）658

70の３の３－９（相当の被害として政令で定める程度の被害を受けた場合）‥‥‥‥‥‥‥‥‥‥‥‥‥ 658

70の３の３－10（「引き続き所有していた場合」の意義）‥‥ 658

70の３の３－11（承認申請書の提出等）‥‥‥‥‥‥‥‥ 659

70の３の３－12（土地又は建物の価額から控除される被災価額）‥‥‥‥‥‥‥‥‥‥‥‥‥‥‥‥‥‥ 659

70の３の３－13（災害承認を受けた土地又は建物の被災価額に異動があった場合）‥‥‥‥‥‥‥‥‥‥ 659

70の３の３－14（災害承認を受けた土地又は建物の価額から控除される相続時精算課税に係る基礎控除の額）‥‥‥‥‥‥‥‥‥‥‥‥‥‥‥‥‥‥ 659

70の３の３－15（災害減免法との重複適用）‥‥‥‥‥‥ 659

70の３の３－16（個人の事業用資産についての納税猶予及び免除との重複適用）‥‥‥‥‥‥‥‥‥‥‥ 659

70の３の３－17（相続時精算課税関係通達の準用）‥‥‥ 660

措置法第70条の４《農地等を贈与した場合の贈与税の納税猶予》関係

70の４－１　（農地又は採草放牧地の意義）‥‥‥ 715・838

70の４－２　（特定市街化区域農地等の範囲）‥‥‥ 712・834

70の４－３　（生産緑地地区内にある農地又は採草放牧地）‥‥‥‥‥‥‥‥‥‥‥‥‥‥‥‥‥‥ 712・835

70の４－４　（生産緑地法第10条又は第15条第１項の規定による買取りの申出がされたもの）‥‥‥ 713・836

70の４－５　（立毛、果樹等）‥‥‥‥‥‥‥‥‥ 717・839

70の４－６　（農業を営む個人等）‥‥‥‥‥‥‥ 714・836

70の４－６の２　（従前採草放牧地の意義等）‥‥‥‥‥ 713

70の４－６の３　（従前準農地の意義等）‥‥‥‥‥‥‥ 713

70の４－７　（贈与者が贈与の日まで農業を営んでいない場合の取扱い）‥‥‥‥‥‥‥‥‥‥‥‥‥ 715

70の４－８　（農地等の贈与の日）‥‥‥‥‥‥‥‥‥ 716

70の４－９　（推定相続人の範囲）‥‥‥‥‥‥‥ 720・745

70の４－10　（推定相続人に該当することを証する書類）‥‥ 720

70の４－11　（３年以上農業に従事していたこと）‥‥‥ 720

70の４－12　（贈与者等の農業の用に供している農地又は採草放牧地）‥‥‥‥‥‥‥‥‥‥‥‥‥ 716・841

70の４－12の２　（贈与者が特例付加年金又は経営移譲年金の支給を受けるため贈与の日まで農業を営んでいない場合の農業の用に供している農地の取扱い）‥‥‥‥‥‥‥‥‥‥‥‥‥‥‥‥‥‥‥ 715

70の４－13　（請負耕作に係る農地）‥‥‥‥‥‥ 716・841

70の４－14　（農地又は採草放牧地の上に存する権利の贈与）‥‥‥‥‥‥‥‥‥‥‥‥‥‥‥‥‥‥‥ 717

70の４－15　（農地等以外の農業用財産等）‥‥‥‥‥ 717

70の４－16　（担保の提供等）‥‥‥‥‥‥‥‥‥‥‥ 725

70の４－17　（納税猶予分の贈与税額に相当する担保）‥ 725

70の４－18　（修正申告等に係る贈与税額の納税猶予）‥ 721

70の４－19　（農地等の贈与者が贈与税の申告期限前に死亡した場合）‥‥‥‥‥‥‥‥‥‥‥‥‥‥‥ 723

70の４－20　（農地等の受贈者が贈与税の申告期限前に死亡した場合）‥‥‥‥‥‥‥‥‥‥‥‥‥‥‥ 723

70の４－21　（申告書の提出前に農地等の譲渡等があった場合）‥‥‥‥‥‥‥‥‥‥‥‥‥‥‥‥‥ 723

70の４－22　（申告書の提出前に農地等の買取りの申出等があった場合）‥‥‥‥‥‥‥‥‥‥‥‥‥ 724

70の４－23　（譲渡の時期）‥‥‥‥‥‥‥‥‥‥‥‥ 729

70の４－24　（使用人の範囲）‥‥‥‥‥‥‥‥‥‥‥ 727

70の４－25　（国又は地方公共団体等の行う事業のため特例適用農地等が一時的に農業の用に供されなくなった場合）‥‥‥‥‥‥‥‥‥‥‥‥‥‥‥ 716

70の4－25の2　（準農地に区分地上権が設定された場合）……………………………………………… 729

70の4－26　（譲渡等をした特例適用農地等の面積が100分の20を超えるかどうかの計算）………… 730

70の4－27　（100分の20の計算から除外される耕作又は養畜の事業に係る施設）……………… 732

70の4－28　（100分の20の計算から除外される作業場の敷地等に転用された特例適用農地等）… 732

70の4－29　（農業生産法人の常時従事者に該当しなくなった場合などの100分の20の計算）… 732

70の4－29の2　（農業経営基盤強化促進法に規定する事業による譲渡をした場合）……………… 733

70の4－30　（100分の20の計算から除外される収用交換等による譲渡等があった場合）……… 733

70の4－31　（買取りの申出等があった場合）…………… 733

70の4－32　（申告期限後10年経過日において納税猶予の期限が確定する準農地から除かれる転用）……… 735

70の4－33　（交換又は換地処分により農地又は採草放牧地を取得した場合）……………………… 736

70の4－34　（推定相続人に該当しないこととなった場合）… 733

70の4－35　（受贈者が納税猶予の適用をやめる場合の期限）……………………………………………… 733

70の4－36　（増担保命令等に応じない場合の納税猶予の期限の繰上げ）………………………………… 738

70の4－36の2　（相続時精算課税適用者等に係る贈与税の納税猶予）…………………………………… 713

70の4－37　（納税猶予税額の一部について納税猶予の期限が確定する場合の贈与の額の計算）…… 736

70の4－37の2　（特定生産緑地の指定がされなかった場合等）…………………………………………… 713

70の4－37の3　（平成30年前旧法適用受贈者が有する特例適用農地等が特定生産緑地である場合の納税猶予期限の確定事由）……………… 713

70の4－38　（使用貸借による権利の設定の日）……… 742

70の4－39　（使用貸借による権利の設定に関する届出書）……………………………………………… 742

70の4－40　（使用貸借による権利の設定をしなければならないこととされている特例適用農地等の範囲）……………………………………… 740

70の4－41　（推定相続人に該当することを証する書類）… 741

70の4－42　（推定相続人が3年以上農業に従事していたこと）…………………………………………… 740

70の4－43　（農地等以外の農業用財産等の取扱い）… 741

70の4－44　（使用貸借による権利の設定があった場合の担保）……………………………………… 741

70の4－45　（使用貸借による権利が設定されている特例適用農地等の譲渡等に伴う当該権利の消滅）… 744

70の4－46　（使用貸借による権利の譲渡又は消滅の対価）742

70の4－47　（措置法第70条の4第6項の適用を受けた特例適用農地等の買換えがあった場合）…… 743

70の4－47の2　（措置法第70条の4第6項の適用を受けた特例適用農地等の付替えがあった場合）……… 743

70の4－48　（措置法第70条の4第6項の適用を受けた特定農地等の買換えがあった場合）………… 743

70の4－49　（措置法第70条の4第6項の適用を受けた特例適用農地等又は特定農地等の買換えがあった場合に提出する書類）……………… 743

70の4－50　（被設定者による転用）………………… 746

70の4－51　（被設定者が農業経営の廃止をし受贈者が再び農業経営の開始をした場合）……………… 743

70の4－52　（他の推定相続人の範囲）……………… 745

70の4－53　（他の推定相続人等に該当することを証する書類）…………………………… 745・876

70の4－54　（第14項各号に掲げる要件に準ずる要件）… 745

70の4－55　（受贈者の推定相続人に該当しないこととなった場合）……………………………… 744

70の4－56　（貸付特例適用農地等の対象から除かれる農地又は採草放牧地）……………………… 750

70の4－57　（貸付特例適用農地等に係る賃借権等の設定に関する届出の要件）……………………… 753

70の4－58　（賃借権の設定の日）…………… 750・754

70の4－59　（貸付特例適用農地等に係る賃借権等の設定に関する届出書）……………………… 753

70の4－60　（措置法第70条の4第8項の賃借権等の設定があった場合の同条第1項の担保）……… 750

70の4－61　（貸付特例適用農地等に係る納税猶予期限が確定する場合）……………………………… 753

70の4－62　（借受代替農地等が農業の用に供されていない場合等の100分の80の計算の基礎）……… 753

70の4－63　（借受代替農地等の面積が貸付特例適用農地等の面積の100分の80未満とならない場合）…… 754

70の4－63の2　（借受代替農地等の全部又は一部につき耕作の放棄があった場合）…………………… 754

70の4－64　（貸付特例適用農地等の全部又は一部に係る賃借権等の解約が行われた場合）………… 754

70の4－65　（貸付特例適用農地等が農業の用に供されていない場合）………………………………… 756

70の4－66　（貸付特例適用農地等に係る継続届出書の提出期間）……………………………………… 756

70の4－67　（譲渡等があった日前に農地又は採草放牧地の取得が行われた場合）…………………… 758

70の4－68　（対価の全部又は一部が農地又は採草放牧地の取得に充てられていない場合）………… 759

70の4－69　（仲介料、登記費用等の費用）………… 759

70の4－69の2　（収用交換等による譲渡の日から1年以内に農地又は採草放牧地となる見込みの土地を取得した場合）……………………… 764

70の4－69の3　（収用交換等による譲渡の時における代替農地等価額）……………………………… 764

70の4－70　（農地又は採草放牧地と同時に農地又は採草放牧地以外の財産を取得した場合）………… 759

70の4－71　（譲渡等の対価の額を超過する農地又は採草放牧地の取得があった場合）……………… 759

70の4－71の2　（代替農地等の譲渡等の時における価額が譲渡等の対価の額を超過する場合）……… 764

70の4－71の3　（令和2年前旧法適用受贈者が第70条の4第15項から第17項までの規定の適用を受ける場合に取得等ができる農地等）……… 759

70の4－72　（一時的道路用地等として貸付けの対象となる特例適用農地等の範囲）………………… 767

70の4－73　（主務大臣の認定を要しない事業）…… 767

70の4－74　（一時的道路用地等としての貸付先）… 767

70の4－75　（措置法第70条の4第17項の地上権等の設定があった場合の同条第1項の担保）………… 767

70の4－76　（一時的道路用地等に係る継続貸付届出書の提出期間）…………………………………… 768

70の4－77　（貸付期限が到来した一時的道路用地等の用途）……………………………………………… 768

70の4－78　（貸付期限到来前に贈与者等が死亡した場合）768

70の4－79　（一時的道路用地等の用に供されている特例農地等について贈与税の課税価格の計算の基礎に算入すべき価額）…………………… 711

70の4－80　（措置法第70条の4第21項に規定する営農困難時貸付け）………………………… 772・902

70の4－81　（受贈者の農業の用に供することが困難な状態となった場合）……………………………… 773

—1771—

70の4－82 （営農困難時貸付けを行う特例適用農地等の
単位）・・・・・・・・・・・・・・・・・・・・・・・・・・・・・・ 773
70の4－83 （営農困難時貸付けの対象から除かれる特例
適用農地等）・・・・・・・・・・・・・・・・・・・・・・・・・ 773
70の4－84 （特定貸付けの申込みを行った日後1年を経
過する日までに当該特定貸付けを行うことがで
きなかった場合）・・・・・・・・・・・・・・・・・・・・・ 773
70の4－85 （営農困難時貸付けに係る権利設定に関する
届出書）・・・・・・・・・・・・・・・・・・・・・・・・・・・・・ 773
70の4－87 （措置法第70条の4第21項の権利設定があっ
た場合の同条第1項の担保）・・・・・・・・・・・・ 774
70の4－88 （新たな営農困難時貸付けを行うときの貸付
けの申込みを継続して行う期間）・・・・・・・・ 776
70の4－90 （営農困難時貸付けを適用した後に営農困難
状態が解消した場合）・・・・・・・・・・・・・・・・・ 776
70の4－91 （営農困難時貸付農地等につき耕作の放棄又
は権利消滅があった後に受贈者が死亡した場
合）・・・・・・・・・・・・・・・・・・・・・・・・・・・・・・・・・ 777
70の4－92 （営農困難時貸付農地等につき耕作の放棄又
は権利消滅があった後に贈与者が死亡した場
合）・・・・・・・・・・・・・・・・・・・・・・・・・・・・・・・・・ 777
70の4－93 （営農困難時貸付け行った準農地）・・・・・・・・ 777
70の4－93の2 （旧法猶予適用者が営農困難時貸付けを
行う場合の措置法第70条の4の適用関係）・・・・・・・ 777
70の4－94 （昭和50年改正前の措置法第70条の4第1項
の規定の適用を受ける受贈者又は平成3年改正
前の措置法第70条の4第1項の規定の適用を受
ける受贈者が措置法第70条の4第21項の規定の
適用を受けた場合の贈与税の納税猶予について
の取扱い）・・・・・・・・・・・・・・・・・・・・・・・・・・・ 779
70の4－95 （平成3年改正前の措置法第70条の4第1項
及び第10項の規定の適用を受ける受贈者又は平
成7年改正前の措置法第70条の4第1項及び第
13項の規定の適用を受ける受贈者が措置法第70
条の4第21項の規定の適用を受けた場合の継続
届出書の提出）・・・・・・・・・・・・・・・・・・・・・・・ 779
70の4－96 （継続届出書の提出期間）・・・・・・・・・・・・・・・・ 787

**措置法第70条の4の2 《贈与税の納税猶予を適用している
場合の特定貸付けの特例》関係**
70の4の2－1 （措置法第70条の4の2の適用の対象と
なる特例適用農地等の範囲）・・・・・・・・・・・・ 822
70の4の2－2 （特定貸付けに該当しない貸付け）・・・・・ 822
70の4の2－3 （特定貸付けに係る権利設定に関する届
出書）・・・・・・・・・・・・・・・・・・・・・・・・・・・・・・ 822
70の4の2－4 （措置法第70条の4の2第1項の賃借権
等の設定があった場合の措置法70条の4第1項
の担保）・・・・・・・・・・・・・・・・・・・・・・・・・・・・ 822
70の4の2－5 （貸付期限の更新があった場合）・・・・・・・ 823
70の4の2－7 （特定貸付けを行っている特例適用農地
等につき貸付期限の到来又は耕作の放棄があっ
た後に猶予適用者が死亡した場合）・・・・・・・・・ 824
70の4の2－8 （旧法猶予適用者が措置法第70条の4の
2第1項の規定の適用を受けた場合の贈与税の
納税猶予についての取扱い）・・・・・・・・・・・・ 827
70の4の2－9 （昭和50年又は平成3年改正前の措置法
第70条の4第1項の規定の適用を受ける受贈者
が措置法第70条の4の2第1項の規定の適用を
受けた場合の贈与税の納税猶予についての取扱
い）・・・・・・・・・・・・・・・・・・・・・・・・・・・・・・・・ 827
70の4の2－10 （旧法猶予適用者が措置法第70条の4の
2第1項の規定の適用を受けた場合の継続届出
書の提出）・・・・・・・・・・・・・・・・・・・・・・・・・・ 827

**措置法第70条の5 《農地等の贈与者が死亡した場合の相続
税の課税の特例》関係**
70の5－1 （加算対象期間内に贈与を受けた農地等）
・・・・・・・・・・・・・・・・・・・・・・・・・・ 67・160・830
70の5－2 （当該農地等）・・・・・・・・・・・・・・・・・・・・・・・・・・ 831
70の5－3 （一時的道路用地等の用に供されている特例
適用農地等について相続税の課税価格の計算の
基礎に算入すべき価額）・・・・・・・・・・・・・・・ 830
70の5－4 （営農困難時貸付けが行われている特例適用
農地等について相続税の課税価格の計算の基礎
に算入すべき価額）・・・・・・・・・・・・・・・・・・・ 831
70の5－5 （買換えの承認に係る特例適用農地等）
・・・・・・・・・・・・・・・・・・・・・・・・・・ 68・161・831
70の5－5の2 （付替えの承認に係る特例適用農地等）・・・ 831
70の5－6 （措置法第70条の4第16項の規定による承認
に係る特定農地等）・・・・・・・・・・・・ 68・161・832

**措置法第70条の6 《農地等についての相続税の納税猶予
等》関係**
70の6－1 （農地又は採草放牧地の意義）・・・・・・・・・・・・・ 838
70の6－2 （措置法第70条の5の適用を受ける特例適用
農地等のうち措置法第70条の6第1項の農地等
に含まれないもの）・・・・・・・・・・・・・・・・・・・ 839
70の6－2の2 （相続時精算課税適用者が特定贈与者よ
り贈与により取得した農地等に係る措置法第70
条の6第1項の適用）・・・・・・・・・・・・・・・・・・ 843
70の6－3 （立毛、果樹等）・・・・・・・・・・・・・・・・・・・・・・・・ 839
70の6－4 （農業を営んでいた個人）・・・・・・・・・・・・・・・・ 836
70の6－5 （農業を営んでいた個人の範囲）・・・・・・・・・・ 836
70の6－6 （被相続人が死亡の日まで農業を営んでいな
い場合の取扱い）・・・・・・・・・・・・・・・・・・・・・ 837
70の6－7 （相続人として取り扱う相続放棄者）・・・・・・ 844
70の6－7の2 （農業相続人の範囲）・・・・・・・・・・・・・・・・・ 844
70の6－8 （農業経営を行う者）・・・・・・・・・・・・・・・・・・・・ 845
70の6－9 （未成年者に係る農業の廃止）・・・・・・・・・・・・ 845
70の6－10 （住居又は生計を異にする未成年者）・・・・・・ 845
70の6－11 （代償分割により取得した農地等についての
納税猶予の不適用）・・・・・・・・・・・・・・・・・・・ 842
70の6－12 （相続税の納税猶予が受けられる農地等）・・・ 839
70の6－13 （被相続人の農業の用に供されていた農地又
は採草放牧地）・・・・・・・・・・・・・・・・・・・・・・・ 839
70の6－13の2 （被相続人が特例付加年金又は経営移譲
年金の支給を受けるため相続開始の日まで農業
を営んでいない場合の農業の用に供している農
地の取扱い）・・・・・・・・・・・・・・・・・・・・・・・・・ 837
70の6－13の3 （農業相続人の農業の用に供している農
地又は採草放牧地）・・・・・・・・・・・・・・・・・・・ 841
70の6－14 （受贈者の死亡後に取得した農地又は採草放
牧地についての納税猶予の適用）・・・・・・・・ 841
70の6－14の2 （受贈者の死亡後に農業の用に供するこ
ととなった農地又は採草放牧地についての納税
猶予の適用）・・・・・・・・・・・・・・・・・・・・・・・・・ 842
70の6－15 （受贈者の死亡後に取得した又は都市営農農
地等に該当することとなった農地又は採草放牧
地についての納税猶予の適用）・・・・・・・・・・ 842
70の6－16 （担保の提供等）・・・・・・・・・・・・・・・・・・・・・・・・ 857
70の6－17 （納税猶予分の相続税額に相当する担保）・・・ 857
70の6－18 （修正申告等に係る相続税額の納税猶予）・・・ 857
70の6－19 （農地等の贈与者が贈与税の申告期限前に死
亡した場合における相続税の納税猶予の適用）・・・ 842
70の6－20 （第二次農業相続人がある場合の第一次農業
相続人に係る相続税の納税猶予要件）・・・・・ 846
70の6－21 （特例農地等の一部につき生前一括贈与があ
った場合）・・・・・・・・・・・・・・・・・・・・・・・・・・・ 843

－1772－

70の6-22	（申告書の提出前に農地等の譲渡等をした場合）………………………………………	890
70の6-23	（申告書の提出前に農地等の買取りの申出等があった場合）………………………	914
70の6-24	（譲渡の時期）………………………………	862
70の6-25	（使用人の範囲）……………………………	859
70の6-26	（特定同族株式の贈与の特例を受けている場合）……………………………………	840
70の6-27	（譲渡等をした特例農地等の面積が100分の20を超えるかどうかの計算）………	862
70の6-28	（100分の20の計算から除外される耕作又は養畜の事業に係る施設）…………	865
70の6-29	（100分の20の計算から除外される作業場の敷地等に転用された特例農地等）…	865
70の6-30	（農業生産法人の常時従事者に該当しなくなった場合などの100分の20の計算）…	865
70の6-30の2	（市街化区域内農地等に係る納税猶予税額について申告書の提出期限の翌日から20年を経過して免除があった場合の100分の20の計算）……………………………	865
70の6-31	（100分の20の計算から除外される収用交換等による譲渡等があった場合）……	865
70の6-32	（買取りの申出があった場合）……………	866
70の6-33	（申告期限後10年経過日において納税猶予の期限が確定する準農地から除かれる転用）………	867
70の6-34	（交換又は換地処分により農地又は採草放牧地を取得した場合）……………	867・888
70の6-35	（税額計算上の端数処理等）…………	196・851
70の6-36	（被相続人の配偶者が農業相続人でない場合の配偶者の税額軽減額の計算）……	195・850
70の6-37	（納付すべき相続税額が算出されない配偶者についての納税猶予の適用）…………	195・851
70の6-38	（相次相続控除の算式）………………	189・851
70の6-39	（増担保命令等に応じない場合の納税猶予の期限の繰上げ）………………………………	869
70の6-40	（相続税の納税猶予期限）…………………	853
70の6-41	（納税猶予税額の一部について納税猶予の期限が確定する場合の相続税の額の計算）…	867
70の6-41の3	（平成30年前旧法適用相続人が有する特例農地等が特定生産緑地である場合の納税猶予期限の確定事由）………………………	869
70の6-42	（使用貸借による権利が設定されている特例農地等の譲渡等に伴う当該権利の消滅）…	875
70の6-43	（特例農地等に設定されている使用貸借による権利の譲渡又は消滅の対価）………	873
70の6-44	（被設定者に対し使用貸借による権利が設定されている特例農地等の買換えがあった場合）…	873
70の6-45	（被設定者に対し使用貸借による権利が設定されている特定農地等の買換えがあった場合）…	873
70の6-46	（被設定者に対し使用貸借による権利が設定されている特例農地等又は特定農地等の買換えがあった場合に提出する書類）…………	874
70の6-47	（相続税の納税猶予の場合の被設定者による転用）………………………………………	876
70の6-48	（被設定者が農業経営の廃止をし農業相続人が農業経営の開始をした場合）………	874
70の6-49	（農業相続人の他の推定相続人の範囲）…	876
70の6-50	（前条第13項各号に掲げる要件に準ずる要件）…	875
70の6-51	（農業相続人の推定相続人に該当しないこととなった場合）………………………………	874
70の6-52	（貸付特例適用農地等の対象から除かれる農地又は採草放牧地）………………………	878
70の6-53	（貸付特例適用農地等に係る賃借権等の設定	
	に関する届出の要件）……………………………	880
70の6-54	（賃借権等の設定の日）…………………	878・882
70の6-55	（貸付特例適用農地等に係る賃借権等の設定に関する届出書）……………………………	880
70の6-56	（措置法第70条の6第10項の賃借権等の設定があった場合の同条第1項の担保）………	878
70の6-57	（貸付特例適用農地等に係る納税猶予期限が確定する場合）…………………………………	881
70の6-58	（借受代替農地等が農業の用に供されていない場合等の100分の80の計算の基礎）…	881
70の6-59	（借受代替農地等の面積が貸付特例適用農地等の面積の100分の80未満とならない場合）…	881
70の6-59の2	（借受代替農地等の全部又は一部につき耕作の放棄があった場合）…………………	881
70の6-60	（貸付特例適用農地等の全部又は一部に係る賃借権等の解約が行われた場合）………	882
70の6-61	（貸付特例適用農地等が農業の用に供されていない場合）…………………………………	883
70の6-62	（貸付特例適用農地等に係る継続届出書の提出期間）………………………………………	884
70の6-63	（特例農地等又は特定農地等の買換えについての措置法第70条の4第15項又は第16項の取扱いの準用）………………………………	888
70の6-63の2	（特例農地等の付替えについての措置法第70条の4第16項の取扱いの準用）………	893
70の6-64	（農業相続人の死亡後に取得した農地又は採草放牧地についての納税猶予の適用）…	842
70の6-64の2	（農業相続人の死亡後に農業の用に供した農地又は採草放牧地についての納税猶予の適用）………………………………………	893
70の6-65	（農業相続人の死亡後に取得した又は都市営農地等に該当することとなった農地又は採草放牧地についての納税猶予の適用）…	842
70の6-65の2	（令和2年前旧法適用相続人が第70条の6第19項から第21項までの規定の適用を受ける場合に取得等ができる農地等）…………	890
70の6-66	（一時的道路用地等として貸付けの対象となる特例農地等の範囲）………………………	896
70の6-67	（一時的道路用地等の用に供されている特例農地等について相続税の課税価格の計算の基礎に算入すべき価額）……………………	898
70の6-68	（主務大臣の認定を要しない事業）………	896
70の6-69	（一時的道路用地等としての貸付先）……	896
70の6-70	（措置法第70条の6第21項の地上権の設定があった場合の同条第1項の担保）………	896
70の6-71	（一時的道路用地等に係る継続貸付届出書の提出期間）………………………………………	897
70の6-72	（貸付期限が到来した一時的道路用地等の用途）…………………………………………	897
70の6-73	（貸付期限到来前に農業相続人が死亡した場合）…………………………………………	898
70の6-75	（農業相続人の農業の用に供することが困難な状態となった場合）………………………	903
70の6-76	（営農困難時貸付けを行う特例農地等の単位）	903
70の6-77	（営農困難時貸付けの対象から除かれる特例農地等）………………………………………	903
70の6-78	（営農困難時貸付けが行われている特例農地等について相続税の課税価格の計算の基礎に算入すべき価額）………………………	903
70の6-79	（特定貸付けの申込みを行った日後1年を経過する日までに当該貸付けを行うことができなかった場合）………………………	903
70の6-80	（営農困難時貸付農地等が措置法第70条の5	

-1773-

	第1項の規定により相続又は遺贈により取得したものとみなされる場合）・・・・・・・・・・・・・	904
70の6 −81	（措置法第70条の4第21項に規定する営農困難時貸付農地等に耕作の放棄又は権利消滅があった後に贈与者が死亡した場合）・・・・・・・・・・・・・・	904
70の6 −82	（贈与者の死亡後に耕作の放棄又は権利消滅があった場合）・・・・・・・・・・・・・・・・・	904
70の6 −83	（営農困難時貸付けに係る権利設定に関する届出書）・・・・・・・・・・・・・・・・・・・・	905
70の6 −85	（措置法第70条の6第28項の営農困難時貸付けがあった場合の同条第1項の担保）・・・・・	905
70の6 −86	（新たな営農困難時貸付けを行うときの貸付けの申込みを継続して行う期間）・・・・・・・・	905
70の6 −87	（新たな営農困難時貸付けを措置法70条の6の2第1項各号に掲げる貸付けで行った場合）・・・	907
70の6 −89	（営農困難時貸付けを適用した後に営農困難な状態が解消した場合）・・・・・・・・・・・	908
70の6 −90	（営農困難時貸付農地等につき耕作の放棄又は権利消滅があった後に農業相続人が死亡した場合）・・・・・・・・・・・・・・・・・	908
70の6 −91	（営農困難時貸付けを行った準農地）・・・・・	908
70の6 −92	（旧法猶予適用者が措置法第70条の6第27項の規定の適用を受けた場合の措置法第70条の6の適用関係）・・・・・・・・・・・・・・・	911
70の6 −93	（平成3年改正前の措置法第70条の6第1項の規定の適用を受ける農業相続人が措置法第70条の6第27項の規定の適用を受けた場合の相続税の納税猶予についての取扱い）・・・・・・	911
70の6 −94	（旧法猶予適用者が措置法第70条の6第27項の規定の適用を受けた場合の継続届出書の提出）・・・・・・・・・・・・・・・・・・・	911
70の6 −95	（旧法猶予適用者が措置法第70条の6第27項の規定の適用を受けた場合の同条第39項に規定する利子税の割合）・・・・・・・・・・・	912
70の6 −96	（継続届出書の提出期間）・・・・・・・・・・	916
70の6 −97	（市街化区域内農地等に対応する納税猶予税額の免除）・・・・・・・・・・・・・・・・・	920
70の6 −98	（旧法猶予適用者の利子税の割合）・・・・・・	870
70の6 −107	（平成30年改正前の措置法第70条の4及び平成30年改正前の措置法第70条の6の規定による贈与税及び相続税の納税猶予についての取扱い）・・・・・・・・・・・・・・・・・	714・836

措置法第70条の6の2《相続税の納税猶予を適用している場合の特定貸付けの特例》

70の6の2 −1	（措置法第70条の6の2の適用の対象となる特例農地等の範囲）・・・・・・・・・・・	938
70の6の2 −2	（特定貸付けに該当しない貸付け）・・・・・・	938
70の6の2 −3	（特定貸付けが行われている特例農地等について相続税の課税価格の計算の基礎に算入すべきか価額）・・・・・・・・・・・・・・・	938
70の6の2 −4	（特定貸付けに係る権利設定に関する届出書）・・・・・・・・・・・・・・・・・・・・	939
70の6の2 −5	（措置法第70条の6の2第1項の賃借権等の設定があった場合の措置法第70条の6第1項の担保）・・・・・・・・・・・・・・・・	939
70の6の2 −6	（貸付期限の更新があった場合）・・・・・・・	939
70の6の2 −8	（特定貸付けを行っている特例農地等につき貸付期限の到来又は耕作の放棄があった後に猶予適用者が死亡した場合）・・・・・・・	939
70の6の2 −9	（旧法猶予適用者が措置法第70条の6の2第1項の規定の適用を受けた場合の相続税の納税猶予についての取扱い）・・・・・・	941
70の6の2 −10	（平成3年改正前の措置法第70条の6第	

	1項の規定の適用を受ける農業相続人が措置法第70条の6の2第1項の規定の適用を受けた場合の相続税の納税猶予についての取扱い）・・・・・・	941
70の6の2 −11	（旧法猶予適用者が措置法第70条の6の2第1項の規定の適用を受けた場合の継続届出書の提出）・・・・・・・・・・・・・・	941
70の6の2 −12	（旧法猶予適用者が措置法第70条の6の2第1項の規定の適用を受けた場合の利子税の割合）・・・・・・・・・・・・・・・・・	941

措置法第70条の6の3《特定貸付けを行った農地又は採草放牧地についての相続税の課税の特例》

70の6の3 −1	（特定貸付者の範囲）・・・・・・・・・・・・	944
70の6の3 −2	（措置法第70条の6の3第1項に規定する特定貸付けを行っていた農地又は採草放牧地）・・・・・・・・・・・・・・・・・・	944
70の6の3 −3	（「相続又は遺贈により取得」の意義）・・・・	945
70の6の3 −4	（相続税の申告期限までに行われた特定貸付け）・・・・・・・・・・・・・・・・・・	945
70の6の3 −5	（特定貸付けが行われた特例農地等について相続税の課税価格の計算の基礎に算入すべき価額）・・・・・・・・・・・・・・・	945
70の6の3 −6	（特定貸付けに係る権利設定に関する届出書が提出されない場合）・・・・・・・・・・	945

措置法第70条の6の4《相続税の納税猶予を適用している場合の都市農地の貸付けの特例》関係

70の6の4 −1	（措置法第70条の6の4の適用の対象となる特例農地等の範囲）・・・・・・・・・・	950
70の6の4 −2	（認定都市農地貸付け等に該当しない貸付け）・・・・・・・・・・・・・・・・・・	950
70の6の4 −3	（認定都市農地貸付け等が行われている特例農地等について相続税の課税価格の計算の基礎に算入すべき価額）・・・・・・・	950
70の6の4 −4	（認定都市農地貸付け等に係る権利設定に関する届出書）・・・・・・・・・・・・・・	951
70の6の4 −5	（措置法第70条の6の4第1項の賃借権等の設定があった場合の措置法第70条の6第1項の担保）・・・・・・・・・・・・・・	951
70の6の4 −6	（貸付期限の更新があった場合）・・・・・・・	953
70の6の4 −7	（新たな貸付けを行う場合の貸付けの範囲等）・・・・・・・・・・・・・・・・・・	953
70の6の4 −8	（認定都市農地貸付け等を行っている特例農地等につき貸付期限の到来等があった後に猶予適用者が死亡した場合）・・・・・・・・・	953
70の6の4 −9	（100分の20の計算から除外される貸付けの事業に係る施設等に転用された特例農地等）・・・・・・・・・・・・・・・・・・	956
70の6の4 −10	（旧法猶予適用者が措置法第70条の6の4第1項の規定の適用を受けた場合の相続税の納税猶予についての取扱い）・・・・・・・	955
70の6の4 −11	（旧法猶予適用者が措置法第70条の6の4第1項の規定の適用を受けた場合の継続届出書の提出）・・・・・・・・・・・・・・	955
70の6の4 −12	（旧法猶予適用者が措置法第70条の6の4第1項の規定の適用を受けた場合の利子税の割合）・・・・・・・・・・・・・・・・・	955

措置法第70条の6の5《認定都市農地貸付け又は農園用地貸付けを行った農地についての相続税の課税の特例》関係

70の6の5 −1	（認定都市農地貸付け又は農園用地貸付けを行っている者の範囲）・・・・・・・・・・	958
70の6の5 −2	（措置法第70条の6の5第1項に規定する認定都市農地貸付け又は農園用地貸付けを行っていた農地）・・・・・・・・・・・・・	958
70の6の5 −3	（「相続又は遺贈により取得」の意義）・・・・	958

70の6の5－4　　（相続税の申告期限までに行われた認定
　　　　都市農地貸付け等）・・・・・・・・・・・・・・・・・・・ 959
70の6の5－5　　（認定都市農地貸付け等が行われた特例
　　　　農用地等について相続税の課税価格の計算の基礎
　　　　に算入すべき価額）・・・・・・・・・・・・・・・・・・ 959
70の6の5－6　　（認定都市農地貸付け等に係る権利設定
　　　　に関する届出書が提出されない場合）・・・・・・ 960

措置法第70条の6の6《山林についての相続税の納税猶予》関係
70の6の6－1　　（山林の意義）・・・・・・・・・・・・・・・・・・ 963
70の6の6－2　　（経営の意義）・・・・・・・・・・・・・・・・・・ 963
70の6の6－2の2　　（推定相続人に委託をしているとき）
　　　　・・・・・・・・・・・・・・・・・・・・・・・・・・・・・・・・・・・・ 963
70の6の6－3　　（代償分割により取得した山林について
　　　　の納税猶予の不適用）・・・・・・・・・・・・・・・・・ 963
70の6の6－4　　（担保の提供等）・・・・・・・・・・・・・・・・ 971
70の6の6－5　　（相続税の額に相当する担保）・・・・・ 971
70の6の6－6　　（修正申告等に係る相続税額の納税猶予）・・・ 971
70の6の6－7　　（特例の適用を受けることができる林業
　　　　経営相続人の意義等）・・・・・・・・・・・・・・・・・ 966
70の6の6－8　　（第2次林業経営相続人がある場合の第
　　　　1次林業経営相続人に係る相続税の納税猶予の
　　　　適用要件）・・・・・・・・・・・・・・・・・・・・・・・・・・ 966
70の6の6－9　　（申告期限前に総収入金額がゼロとなっ
　　　　た場合）・・・・・・・・・・・・・・・・・・・・・・・・・・・・ 978
70の6の6－10　　（相次相続控除の算式）・・・・・・・・・・ 967
70の6の6－11　　（納税猶予税額の全部又は一部について
　　　　納税猶予の期限が確定する場合）・・・・・・・・・ 978
70の6の6－12　　（譲渡をした特例山林の面積が100分の
　　　　20を超えるかどうかの計算）・・・・・・・・・・・・ 978
70の6の6－13　　（納税猶予税額の一部について納税猶予
　　　　の期限が確定する場合の相続税額の計算）・・・ 982
70の6の6－14　　（林業経営相続人が特例山林についての
　　　　納税猶予の適用を取りやめる場合の期限）・・・ 978
70の6の6－14の2　　（林業経営相続人が特例山林につい
　　　　て経営を行うことが困難な状態となった場合）・・・ 980
70の6の6－14の3　　（措置法第70条の6の4第6項の規
　　　　定の適用に係る推定相続人の意義等）・・・・・・ 980
70の6の6－14の4　　（経営委託をした旨の届出書が届出
　　　　期限までに提出されない場合等）・・・・・・・・・ 980
70の6の6－14の5　　（措置法第70条の6の4第6項の規
　　　　定の適用を受けた後に特例山林について経営を
　　　　行うことが困難な状態が解消した場合）・・・・・ 981
70の6の6－14の6　　（林業経営相続人の推定相続人に該
　　　　当しないこととなった場合）・・・・・・・・・・・・ 981
70の6の6－15　　（増担保命令等に応じない場合の納税猶
　　　　予の期限の繰上げ）・・・・・・・・・・・・・・・・・・・ 982
70の6の6－16　　（継続届出書の提出期間）・・・・・・・・ 973

措置法第70条の6の7《特定の美術品についての相続税の納税猶予及び免除》関係
70の6の7－1　　（相続税の納税猶予及び免除の対象とな
　　　　らない特定美術品）・・・・・・・・・・・・・・・・・・・ 995
70の6の7－2　　（代償分割により取得をした特定美術品
　　　　についての相続税の納税猶予及び免除の不適
　　　　用）・・・・・・・・・・・・・・・・・・・・・・・・・・・・・・・ 995
70の6の7－3　　（担保の提供等）・・・・・・・・・・・・・・ 1008
70の6の7－4　　（相続税の額に相当する担保）・・・・ 1009
70の6の7－5　　（修正申告等に係る相続税額の納税猶予）
　　　　・・・・・・・・・・・・・・・・・・・・・・・・・・・・・・・・・・ 997
70の6の7－6　　（第2次寄託相続人がある場合の第1次
　　　　寄託相続人に係る相続税の納税猶予及び免除の
　　　　適用要件）・・・・・・・・・・・・・・・・・・・・・・・・・・ 996

70の6の7－7　　（相次相続控除の算式）・・・・・・・・・ 997
70の6の7－8　　（特定美術品が2以上ある場合の納税猶
　　　　予分の相続税額の計算）・・・・・・・・・・・・・・・ 998
70の6の7－9　　（特定美術品の譲渡等により納税猶予税
　　　　額について納税猶予の期限が確定する場合）・・・ 1003
70の6の7－10　　（措置法令第40条の7の7第16項の申請
　　　　書等が申請期限までに提出されない場合等）
　　　　・・・・・・・・・・・・・・・・・・・・・・・・・・・・・・・・・ 1004
70の6の7－11　　（寄託契約の契約期間の終了等があった
　　　　後に寄託相続人が死亡した場合）・・・・・・・・ 1004
70の6の7－12　　（認定保存活用計画の計画期間満了後に
　　　　寄託相続人が死亡した場合）・・・・・・・・・・・ 1003
70の6の7－13　　（増担保命令等に応じない場合の納税猶
　　　　予の期限の繰上げ）・・・・・・・・・・・・・・・・・・ 1006
70の6の7－14　　（2以上の特定美術品がある場合の担保
　　　　の取扱い）・・・・・・・・・・・・・・・・・・・・・・・・・ 1009
70の6の7－15　　（継続届出書の提出期間）・・・・・・・ 1001

措置法第70条の6の8《個人の事業用資産についての贈与税の納税猶予及び免除》関係
70の6の8－1　　（贈与者の意義等）・・・・・・・・・・・・ 1016
70の6の8－2　　（「全ての贈与」の意義）・・・・・・・・ 1016
70の6の8－3　　（特例受贈事業用資産の取得の意義等）・・・ 1016
70の6の8－4　　（特例対象贈与に係る贈与者が贈与税の
　　　　申告期限前に死亡した場合）・・・・・・・・・・・ 1016
70の6の8－5　　（特例対象贈与に係る贈与者の前の贈与
　　　　者が贈与税の申告期限前に死亡した場合）・・・ 1017
70の6の8－6　　（措置法第70条の6の8第1項の規定の
　　　　適用を受けている贈与者が贈与税の申告期限前
　　　　に死亡した場合）・・・・・・・・・・・・・・・・・・・・ 1017
70の6の8－7　　（特例対象贈与に係る受贈者が贈与税の
　　　　申告期限前に死亡した場合）・・・・・・・・・・・ 1018
70の6の8－8　　（申告期限前に全部確定事由が生じた場
　　　　合）・・・・・・・・・・・・・・・・・・・・・・・・・・・・・・ 1018
70の6の8－9　　（修正申告等に係る贈与税額の納税猶予）
　　　　・・・・・・・・・・・・・・・・・・・・・・・・・・・・・・・・・ 1018
70の6の8－10　　（担保の提供等）・・・・・・・・・・・・・ 1018
70の6の8－11　　（贈与税の額に相当する担保）・・・・ 1018
70の6の8－12　　（贈与者の事業の意義等）・・・・・・・ 1020
70の6の8－13　　（贈与者の事業の用に供されていた資産）
　　　　・・・・・・・・・・・・・・・・・・・・・・・・・・・・・・・・・ 1020
70の6の8－14　　（特定事業用資産の基準となる貸借対照
　　　　表）・・・・・・・・・・・・・・・・・・・・・・・・・・・・・・ 1020
70の6の8－15の2　　（宅地等が配偶者居住権の目的とな
　　　　っている建物等の敷地である場合の贈与者の事
　　　　業の用に供されていた宅地等の範囲）・・・・・ 1021
70の6の8－16　　（使用人の寄宿舎等の敷地等）・・・ 1021
70の6の8－17　　（店舗兼住宅等の敷地の持分の贈与につ
　　　　いて贈与税の配偶者控除の適用を受けたものの
　　　　事業の用に供されていた部分の範囲）・・・・・ 1021
70の6の8－18　　（限度面積の判定について）・・・・・ 1022
70の6の8－19　　（特定事業用資産である減価償却資産に
　　　　該当するリース資産）・・・・・・・・・・・・・・・・ 1022
70の6の8－20　　（3年以上事業に従事していたこと）・・・ 1022
70の6の8－21　　（納税猶予の対象とならない資産保有型
　　　　事業の意義）・・・・・・・・・・・・・・・・・・・・・・・ 1025
70の6の8－22　　（納税猶予の対象とならない資産運用型
　　　　事業の意義）・・・・・・・・・・・・・・・・・・・・・・・ 1026
70の6の8－23　　（必要経費不算入対価等の意義）・・・ 1026
70の6の8－24　　（債務の金額の意義）・・・・・・・・・・ 1024
70の6の8－25　　（特例受贈事業用資産に係る事業に関す
　　　　るものと認められる債務の意義）・・・・・・・・ 1024
70の6の8－26　　（債務の引受けがないものとされる場合）
　　　　・・・・・・・・・・・・・・・・・・・・・・・・・・・・・・・・・ 1025
70の6の8－27　　（特例事業受贈者に係る贈与者が2人以

－1775－

	上ある場合の納税猶予分の贈与税額の計算) ···· 1023	
70の6の8－28	(事業を廃止した場合の意義) ·········· 1033	
70の6の8－29	(確定事由となる資産保有型事業又は資産運用型事業の意義) ················· 1033	
70の6の8－30	(性風俗関連特殊営業に該当することとなった日の意義) ················· 1033	
70の6の8－31	(事業所得の総収入金額が零となった場合) ························· 1034	
70の6の8－32	(特例事業受贈者が個人の事業用資産についての納税猶予の適用を取りやめる場合の期限) ························· 1034	
70の6の8－33	(贈与者が2以上ある場合の全部確定事由の判定) ····················· 1034	
70の6の8－34	(特例受贈事業用資産の譲渡等の判定) ··· 1034	
70の6の8－35	(納税猶予税額の一部について納税猶予の期限が確定する場合の贈与税の額の計算) ··· 1035	
70の6の8－36	(廃棄に係る届出書が届出期限までに提出されない場合等) ················· 1035	
70の6の8－37	(特例受贈事業用資産の処分によって得た対価がある場合) ··············· 1035	
70の6の8－38	(買換承認に係る申請書が申請期限までに提出されない場合等) ············· 1037	
70の6の8－39	(特例受贈事業用資産の譲渡の対価の額の意義) ······················· 1037	
70の6の8－40	(買換資産の取得の意義等) ·········· 1037	
70の6の8－41	(仲介料、登記費用等の費用) ········ 1037	
70の6の8－42	(特例受贈事業用資産とみなされる買換資産の意義) ····················· 1038	
70の6の8－43	(買換承認に係る1年を経過する日までに特例事業受贈者が死亡した場合) ····· 1039	
70の6の8－44	(譲渡の対価の額の全部又は一部が買換資産の取得に充てられていない場合における事業の用に供されなくなった部分の計算) ··· 1038	
70の6の8－45	(現物出資承認に係る申請書が申請期限までに提出されない場合等) ········· 1040	
70の6の8－46	(措置法第70条の6の8第6項の規定の適用を受けるための移転) ········· 1041	
70の6の8－47	(現物出資承認を受けた後における確定事由) ························· 1042	
70の6の8－48	(現物出資承認を受けた後における免除事由) ························· 1042	
70の6の8－49	(既に個人の事業用資産についての相続税の納税猶予及び免除等の適用を受けている他の者がいる場合等) ············· 1043	
70の6の8－50	(継続届出書の提出期間) ············ 1030	
70の6の8－51	(特例受贈事業用資産に係る事業と別の事業を営んでいる場合に継続届出書に添付する貸借対照表等の意義) ··········· 1029	
70の6の8－52	(増担保命令等に応じない場合の納税猶予の期限の繰上げ) ················· 1032	
70の6の8－53	(贈与者が死亡した場合の免除税額等) 1047	
70の6の8－54	(措置法第70条の6の8第1項の適用に係る贈与をした場合の免除) ········· 1047	
70の6の8－55	(事業を継続することができなくなった場合に該当することとなった日) ······· 1048	
70の6の8－56	(特例受贈事業用資産に係る事業を継続することができなくなったやむを得ない理由) 1048	
70の6の8－57	(免除を受けた特例事業受贈者に係る相続税法第21条の14から第21条の16までの不適用) ························· 1049	
70の6の8－58	(第二贈与者が死亡した場合の相続税法第21条の14から第21条の16までの不適用) ······· 1050	
70の6の8－59	(破産免除等の申請書が申請期限までに	

	提出されない場合等) ················· 1052	
70の6の8－60	(措置法第70条の6の8第16項第1号の規定の適用を受けるための譲渡等) ············· 1053	
70の6の8－61	(特例受贈事業用資産の時価に相当する金額の意義) ····················· 1053	
70の6の8－62	(特例受贈事業用資産の譲渡等の対価の額の意義) ····················· 1053	
70の6の8－63	(差額免除の申請書が申請期限までに提出されない場合等) ················· 1055	
70の6の8－64	(事業の継続が困難な事由の意義) ····· 1054	
70の6の8－65	(措置法第70条の6の8第17項第1号の規定の適用を受けるための譲渡等) ············· 1054	
70の6の8－66	(特例受贈事業用資産に係る事業の廃止の意義) ······················· 1054	
70の6の8－67	(免除申請贈与税額の基礎となる金額の計算) ························· 1054	
70の6の8－68	(措置法第70条の6の8第17項の規定の適用を受ける場合の納税猶予の期限) ··· 1054	
70の6の8－69	(猶予中贈与税額の再計算に係る申請書が申請期限までに提出されない場合等) ··· 1057	
70の6の8－70	(債務処理計画が成立した日の意義) ··· 1057	
70の6の8－71	(認可決定日後に確定事由が生じた場合) ························· 1057	
70の6の8－72	(再計算猶予中贈与税額の計算) ······· 1056	
70の6の8－73	(免除申請があった場合の延滞税の計算) ························· 1052	
70の6の8－74	(免除申請があった場合の利子税の計算) ························· 1052	
70の6の8－75	(2以上の贈与者がある場合の担保の取扱い) ························· 1018	

措置法第70条の6の9《個人の事業用資産の贈与者が死亡した場合の相続税の課税の特例》関係

70の6の9－1	(措置法第70条の6の9の規定により相続又は遺贈により取得をしたものとみなされる特例受贈事業用資産の価額の計算) ········· 1062	
70の6の9－2	(贈与者の死亡の日前に納税猶予の期限が確定した特例受贈事業用資産) ········· 1063	
70の6の9－3	(免除対象贈与を行った贈与者の死亡の日前に納税猶予の期限が確定した特例受贈事業用資産) ····················· 1063	
70の6の9－4	(買換えの承認に係る特例受贈事業用資産) ······················· 1064	

措置法第70条の6の10《個人の事業用資産についての相続税の納税猶予及び免除》関係

70の6の10－1	(特例事業用資産の取得の意義等) ····· 1068	
70の6の10－2	(相続税の納税猶予及び免除の対象とならない資産) ··················· 1069	
70の6の10－3	(代償分割により取得をした資産についての相続税の納税猶予及び免除の不適用) 1069	
70の6の10－4	(特例対象贈与に係る贈与者が贈与税の申告期限前に死亡した場合) ········· 1066	
70の6の10－5	(第2次特例事業相続人がある場合の第1次特例事業相続人に係る相続税の納税猶予及び免除の適用要件) ············· 1066	
70の6の10－6	(申告期限前に全部確定事由が生じた場合) ························· 1069	
70の6の10－7	(相次相続控除の算式) ·············· 1069	
70の6の10－8	(修正申告等に係る相続税額の納税猶予) ························· 1069	
70の6の10－9	(担保の提供等) ··················· 1069	
70の6の10－10	(相続税の額に相当する担保) ········ 1069	
70の6の10－11	(被相続人の事業の意義等) ·········· 1071	
70の6の10－12	(被相続人の事業の用に供されていた資	

産）······1071
70の6の10−13 （特定事業用資産の基準となる貸借対照表）······1071
70の6の10−14 （特定事業用資産に該当する宅地等の範囲）······1071
70の6の10−15 （店舗兼住宅等の敷地の持分の贈与について贈与税の配偶者控除等の適用を受けたものの事業の用に供されていた部分の範囲）······1071
70の6の10−16 （措置法第70条の6の9の規定により相続又は遺贈により取得をしたものとみなされる特例受贈事業用資産がある場合の限度面積要件）······1072
70の6の10−17 （個人の事業用資産についての納税猶予及び免除と小規模宅地等の特例を重複適用する場合）······1072
70の6の10−18 （個人の事業用資産についての納税猶予及び免除、小規模宅地等の特例又は特定計画山林の特例を重複適用する場合に限度面積要件等を満たさないとき）······1073
70の6の10−19 （特定事業用資産である減価償却資産に該当するリース資産）······1074
70の6の10−20 （相続の開始の直前において事業に従事していたこと）······1074
70の6の10−21 （納税猶予の対象とならない資産保有型事業の意義）······1074
70の6の10−22 （納税猶予の対象とならない資産運用型事業の意義）······1075
70の6の10−23 （特例事業用資産に係る事業に関するものと認められる債務の意義）······1076
70の6の10−24 （事業を廃止した場合の意義）······1084
70の6の10−25 （確定事由となる資産保有型事業又は資産運用型事業の意義）······1084
70の6の10−26 （性風俗関連特殊営業に該当することとなった日の意義）······1084
70の6の10−27 （事業所得の総収入金額が零となった場合）······1084
70の6の10−28 （特例事業相続人等が個人の事業用資産についての納税猶予の適用を取りやめる場合の期限）······1085
70の6の10−29 （特例事業用資産の譲渡等の判定）······1085
70の6の10−30 （納税猶予税額の一部について納税猶予の期限が確定する場合の相続税の額の計算）······1086
70の6の10−31 （廃棄に係る届出書が届出期限までに提出されない場合等）······1085
70の6の10−32 （特例事業用資産の処分によって得た対価がある場合）······1085
70の6の10−33 （買換承認に係る申請書が申請期限までに提出されない場合等）······1087
70の6の10−34 （特例事業用資産の譲渡の対価の額の意義）······1087
70の6の10−35 （買換資産の取得の意義等）······1087
70の6の10−36 （仲介料、登記費用等の費用）······1087
70の6の10−37 （特例事業用資産とみなされる買換資産の意義）······1087
70の6の10−38 （買換承認に係る1年を経過する日までに特例事業相続人等が死亡した場合）······1088
70の6の10−39 （譲渡の対価の額の全部又は一部が買換資産の取得に充てられていない場合における事業の用に供されなくなった部分の計算）······1088
70の6の10−40 （現物出資承認に係る申請書が申請期限までに提出されない場合等）······1089
70の6の10−41 （措置法第70条の6の10第6項の規定の適用を受けるための移転）······1089

70の6の10−42 （現物出資承認を受けた後における確定事由）······1091
70の6の10−43 （現物出資承認を受けた後における免除事由）······1091
70の6の10−44 （既に個人の事業用資産についての贈与税の納税猶予及び免除等の適用を受けている他の者がいる場合等）······1091
70の6の10−45 （継続届出書の提出期間）······1081
70の6の10−46 （特例事業用資産に係る事業と別の事業を営んでいる場合に継続届出書に添付する貸借対照表等の意義）······1080
70の6の10−47 （増担保命令等に応じない場合の納税猶予の期限の繰上げ）······1083
70の6の10−48 （措置法第70条の6の8第1項の適用に係る贈与をした場合の免除）······1094
70の6の10−49 （事業を継続することができなくなった場合に該当することとなった日）······1095
70の6の10−50 （特例事業用資産に係る事業を継続することができなくなったやむを得ない理由）······1095
70の6の10−51 （破産免除等の申請書が申請期限までに提出されない場合等）······1097
70の6の10−52 （措置法第70条の6の10第17項第1号の規定の適用を受けるための譲渡等）······1097
70の6の10−53 （特例事業用資産の時価に相当する金額の意義）······1098
70の6の10−54 （特例事業用資産の譲渡等の対価の額の意義）······1098
70の6の10−55 （差額免除の申請書が申請期限までに提出されない場合等）······1100
70の6の10−56 （事業の継続が困難な事由の意義）······1099
70の6の10−57 （措置法第70条の6の10第18項第1号の規定の適用を受けるための譲渡等）······1099
70の6の10−58 （特例事業用資産に係る事業の廃止の意義）······1099
70の6の10−59 （免除申請相続税額の基礎となる金額の計算）······1099
70の6の10−60 （措置法第70条の6の10第18項の規定の適用を受ける場合の納税猶予の期限）······1099
70の6の10−61 （猶予中相続税額の再計算に係る申請書が申請期限までに提出されない場合等）······1101
70の6の10−62 （債務処理計画が成立した日の意義）······1101
70の6の10−63 （認可決定日後に確定事由が生じた場合）······1101
70の6の10−64 （再計算猶予中相続税額の計算）······1101
70の6の10−65 （免除申請があった場合の延滞税の計算）······1097
70の6の10−66 （免除申請があった場合の利子税の計算）······1097

措置法第70条の7 《非上場株式等についての贈与税の納税猶予及び免除》
70の7−1 （贈与税の納税猶予及び免除の対象となる非上場株式等の意義）······1114
70の7−2 （対象受贈非上場株式等の意義等）······1114
70の7−3 （対象贈与に係る贈与者が贈与税の申告期限前に死亡した場合）······1124
70の7−3の2 （対象贈与に係る贈与者の前の贈与者が贈与税の申告期限前に死亡した場合）······1125
70の7−3の3 （措置法第70条の7第1項又は第70条の7の5第1項の規定の適用を受けている贈与者が贈与税の申告期限前に死亡した場合）······1126
70の7−4 （対象贈与に係る受贈者が贈与税の申告期限前に死亡した場合）······1125
70の7−5 （申告期限前に全部確定事由が生じた場合） 1125

70の7－6	（修正申告等に係る贈与税額の納税猶予）····	1125
70の7－7	（担保の提供等）·················	1127
70の7－8	（贈与税の額に相当する担保）··········	1127
70の7－9	（持分会社の持分等が担保提供された場合）··	1128
70の7－10	（常時使用従業員の意義）············	1112
70の7－11	（納税猶予の対象とならない資産保有型会社 又は資産運用型会社の意義）··········	1120
70の7－11の2	（認定贈与承継会社から支給された給与 等の意義）·················	1119
70の7－11の3	（特定特別関係会社の意義等）······	1113
70の7－12	（経営承継受贈者を判定する場合等の議決権 の数の意義）·················	1115
70の7－13	（役員である期間の意義）············	1116
70の7－13の2	（経営贈与承継期間の意義）········	1116
70の7－14	（認定贈与承継会社等が外国会社、上場会社 又は医療法人の株式等を有する場合の納税猶予 分の贈与税額の計算の基となる対象受贈非上場 株式等の価額）················	1122
70の7－14の2	（対象受贈非上場株式等に係る贈与者又 は認定贈与承継会社が2以上ある場合の納税猶 予分の贈与税額の計算）··········	1122
70の7－16	（代表権を有しないこととなった場合の意義）	1134
70の7－16の2	（常時使用従業員の雇用が確保されてい ない場合）·················	1135
70の7－17	（対象受贈非上場株式等の譲渡等の判定）····	1135
70の7－18	（譲渡等をした日の意義）············	1135
70の7－19	（解散等をした場合等の意義）·········	1136
70の7－20	（確定事由となる資産保有型会社又は資産運 用型会社の意義）···············	1136
70の7－21	（資本金等の額の減少がその効力を生じた日 の意義）···················	1136
70の7－22	（経営承継受贈者が非上場株式等についての 納税猶予の適用を取りやめる場合の期限）··	1137
70の7－23	（合併がその効力を生じた日の意義）·····	1137
70の7－24	（株式交換等がその効力を生じた日の意義）	1137
70の7－25	（非上場株式等に該当しないこととなった場 合等の意義）·················	1138
70の7－26	（風俗営業会社に該当することとなった日の 意義等）···················	1138
70の7－27	（会社分割をした場合等の意義）·······	1143
70の7－28	（組織変更をした場合等の意義）·······	1143
70の7－29	（納税猶予税額の一部について納税猶予の期 限が確定する場合の猶予の額の計算）····	1139
70の7－30	（みなす充足に該当しないこととなる事由）	1126
70の7－31	（担保財産の変更等が行われた場合のみなす 充足）····················	1128
70の7－32	（譲渡制限株式の担保の取扱い）·······	1128
70の7－33	（特定事由）··················	1128
70の7－34	（既に非上場株式等についての相続税の納税 猶予及び免除等の適用を受けている他の者がい る場合等）··················	1109
70の7－35	（継続届出書の提出期間）············	1131
70の7－36	（増担保命令等に応じない場合の納税猶予の 期限の繰上げ）················	1132
70の7－37	（持分会社の出資の持分等を担保提供できる 場合）····················	1173
70の7－37の2	（贈与者が死亡した場合の免除税額等）	1174
70の7－37の3	（措置法第70条の7第1項又は第70条の 7の5第1項の適用に係る贈与をした場合の免 除税額等）··················	1174
70の7－37の4	（免税を受けた経営承継受贈者に係る相 続税法第21条の14から第21条の16までの不適 用）·····················	1175

70の7－37の5	（第二贈与者が死亡した場合の相続税法 第21条の14から第21条の16までの不適用）······	1175
70の7－38	（破産免除等の申請書が申請期限までに提出 されない場合等）···············	1150
70の7－39	（措置法70条の7第17項第1号の規定の適用 を受けるための譲渡等）··········	1150
70の7－40	（対象受贈非上場株式等の時価に相当する金 額の意義）··················	1151
70の7－41	（免除申請があった場合の延滞税の計算）	1151
70の7－42	（免除申請があった場合の利子税の計算）	1152
70の7－43	（免除申請に伴い担保解除を行う場合に納付 すべき贈与税額）··············	1152
70の7－44	（2以上の認定贈与承継会社がある場合等の 担保の取扱い）················	1123
70の7－45	（猶予中贈与税額の再計算に係る申請書が申 請期限までに提出されない場合等）······	1155
70の7－46	（債務処理計画が成立した日の意義）·····	1155
70の7－47	（認可決定日後に確定事由が生じた場合）	1155
70の7－48	（対象受贈非上場株式等の認可決定日におけ る価額の意義）················	1155
70の7－49	（納税猶予期限の繰上げに該当することとな った日）···················	1155
70の7－50	（措置法第70条の7第29項各号の価額の意 義）·····················	1171
70の7－51	（「贈与特定期間」の意義）··········	1157
70の7－52	（災害によって甚大な被害を受けた場合）··	1157
70の7－53	（通常の修繕によっては原状回復が困難な損 壊）·····················	1157
70の7－54	（事業所が災害によって被害を受けたことに より認定贈与承継会社における雇用の確保が困 難となった場合）··············	1158
70の7－55	（被災事業所の常時使用従業員の雇用が確保 されているものとして政令で定める数を下回る 数となったこと）··············	1159
70の7－56	（措置法第70条の7第30項第3号に規定する 「認定贈与承継会社の売上金額が大幅に減少し た場合」）··················	1159
70の7－57	（措置法第70条の7第30項第3号に規定する 「売上金額に応じた常時使用従業員の雇用が確 保されているとき」）···········	1160
70の7－58	（措置法第　（措置法第70条の7第30項 第4号に規定する「認贈与承継会社の売上金額 が大幅減少した場合」）··········	1161
70の7－59	（措置法70条の7第30項第4号に規定する 「売上金額に応じた常時使用従業員の雇用が確 保されているとき」）···········	1163
70の7－60	（中小企業信用保険法第2条第5項第1号か ら第4号の事由の発生した日）·······	1166
70の7－61	（措置法令第40条の8第60項に規定する届出 書の提出期間等）··············	1167
70の7－62	（措置法第70条の7第16項に関する通達の準 用）·····················	1167

措置法第70条の7の2《非上場株式等についての相続税の 納税猶予及び免除》

70の7の2－1	（相続税の納税猶予及び免除の対象とな る非上場株式等の意義）··········	1217
70の7の2－2	（対象非上場株式等の意義）······	1217
70の7の2－3	（相続税の納税猶予及び免除の対象とな らない非上場株式等）···········	1218
70の7の2－4	（代償分割により取得をした非上場株式 等についての相続税の納税猶予及び免除の不適 用）·····················	1218
70の7の2－5	（対象贈与に係る贈与者が贈与税の申告	

－1778－

期限前に死亡した場合) ・・・・・・・・・・・ 1212

70の7の2－6　（第2次経営承継相続人がある場合の第
1次経営承継相続人に係る相続税の納税猶予及
び免除の適用要件） ・・・・・・・・・・・・・・ 1213

70の7の2－7　（申告期限前に全部確定事由が生じた場
合） ・・・・・・・・・・・・・・・・・・・・・・・・・・・ 1240

70の7の2－8　（相次相続控除の算式） ・・・・・・・・・・ 1227

70の7の2－9　（修正申告等に係る相続税額の納税猶予）
・・・・・・・・・・・・・・・・・・・・・・・・・・・・・・・・・ 1228

70の7の2－10　（担保の提供等） ・・・・・・・・・・・・・ 1229

70の7の2－11　（相続税の額に相当する担保） ・・・・・ 1229

70の7の2－12　（持分会社の持分が担保提供された場合）
・・・・・・・・・・・・・・・・・・・・・・・・・・・・・・・・・ 1229

70の7の2－13　（常時使用従業員の意義） ・・・・・・・ 1215

70の7の2－14　（納税猶予の対象とならない資産保有型
会社又は資産運用型会社の意義） ・・・・・・・・・ 1222

70の7の2－14の2　（認定承継会社から支給された給与
等の意義） ・・・・・・・・・・・・・・・・・・・・・・・・ 1222

70の7の2－14の3　（特定特別関係会社の意義等） ・・・ 1217

70の7の2－15　（経営承継相続人等を判定する場合等の
議決権の数の意義） ・・・・・・・・・・・・・・・・・・ 1219

70の7の2－15の2　（経営贈与承継期間の意義） ・・・・ 1219

70の7の2－16　（認定承継会社等が外国会社又は医療法
人の株式等を有する場合の納税猶予分の相続税
額の計算の基となる対象非上場株式等の価額）
・・・・・・・・・・・・・・・・・・・・・・・・・・・・・・・・・ 1224

70の7の2－16の2　（対象非上場株式等に係る認定承継
会社が2以上ある場合の納税猶予分の相続税額
の計算） ・・・・・・・・・・・・・・・・・・・・・・・・・・ 1225

70の7の2－17　（代表権を有しないこととなった場合の
意義） ・・・・・・・・・・・・・・・・・・・・・・・・・・・ 1237

70の7の2－17の2　（常時使用従業員の雇用が確保され
ていない場合） ・・・・・・・・・・・・・・・・・・・・・ 1237

70の7の2－18　（対象非上場株式等の譲渡等の判定） ・・・ 1237

70の7の2－19　（譲渡等をした日の意義） ・・・・・・・・ 1238

70の7の2－20　（解散をした場合等の意義） ・・・・・・・ 1238

70の7の2－21　（確定事由となる資産保有型会社又は資
産運用型会社の意義） ・・・・・・・・・・・・・・・・ 1238

70の7の2－22　（資本金等の額の減少がその効力を生じ
た日の意義） ・・・・・・・・・・・・・・・・・・・・・・ 1238

70の7の2－23　（経営承継相続人等が非上場株式等につ
いての納税猶予の適用を取りやめる場合の期
限） ・・・・・・・・・・・・・・・・・・・・・・・・・・・・・ 1239

70の7の2－24　（合併がその効力を生じた日の意義） ・・・・ 1239

70の7の2－25　（株式交換等がその効力を生じた日の意
義） ・・・・・・・・・・・・・・・・・・・・・・・・・・・・・ 1239

70の7の2－26　（非上場株式等に該当しないこととなっ
た場合等の意義） ・・・・・・・・・・・・・・・・・・・ 1239

70の7の2－27　（風俗営業会社に該当することとなった
日の意義） ・・・・・・・・・・・・・・・・・・・・・・・・ 1240

70の7の2－28　（会社分割をした場合等の意義） ・・・・ 1246

70の7の2－29　（組織変更をした場合等の意義） ・・・・ 1246

70の7の2－30　（納税猶予額の一部について納税猶予
の期限が確定する場合の相続税の額の計算） ・・・・ 1241

70の7の2－31　（みなす充足に該当しないこととなる事
由） ・・・・・・・・・・・・・・・・・・・・・・・・・・・・・ 1228

70の7の2－32　（担保財産の変更等が行われた場合のみ
なす充足） ・・・・・・・・・・・・・・・・・・・・・・・・ 1230

70の7の2－33　（譲渡制限株式の担保の取扱い） ・・・・ 1230

70の7の2－34　（特定事由） ・・・・・・・・・・・・・・・・・ 1229

70の7の2－35　（既に非上場株式等についての贈与税の
納税猶予及び免除等の適用を受けている他の者
がいる場合等） ・・・・・・・・・・・・・・・・・・・・・ 1213

70の7の2－36　（継続届出書の提出期間） ・・・・・・・・ 1233

70の7の2－37　（増担保命令等に応じない場合の納税猶
予の期限の繰上げ） ・・・・・・・・・・・・・・・・・・ 1234

70の7の2－38　（持分会社の出資の持分等を担保提供で
きる場合） ・・・・・・・・・・・・・・・・・・・・・・・・ 1280

70の7の2－39　（延納申請を行う場合の不動産等の割合
の計算における端数処理） ・・・・・・・・・・・・・ 1280

70の7の2－41　（措置法第70条の7第1項又は第70条の
7の5第1項の適用に係る贈与をした場合の免
除税額等） ・・・・・・・・・・・・・・・・・・・・・・・・ 1249

70の7の2－42　（破産免除等の申請書が申請期限までに
提出されない場合等） ・・・・・・・・・・・・・・・・ 1253

70の7の2－43　（措置法第70条の7の2第17項第1号の
規定の適用を受けるための譲渡等） ・・・・・・・ 1253

70の7の2－44　（対象非上場株式等の時価に相当する金
額の意義） ・・・・・・・・・・・・・・・・・・・・・・・・ 1253

70の7の2－45　（免除申請があった場合の延滞税の計算）
・・・・・・・・・・・・・・・・・・・・・・・・・・・・・・・・・ 1253

70の7の2－46　（免除申請があった場合の利子税の計算）
・・・・・・・・・・・・・・・・・・・・・・・・・・・・・・・・・ 1253

70の7の2－47　（免除申請に伴い担保解除を行う場合に
納付すべき相続税額） ・・・・・・・・・・・・・・・・ 1254

70の7の2－48　（2以上の認定承継会社がある場合の担
保の取扱い） ・・・・・・・・・・・・・・・・・・・・・・・ 1225

70の7の2－49　（猶予中相続税額の再計算に係る申請書
が申告期限までに提出されない場合等） ・・・・・ 1255

70の7の2－50　（債務処理計画が成立した日の意義） ・・・ 1255

70の7の2－51　（認可決定日後に確定事由が生じた場合）
・・・・・・・・・・・・・・・・・・・・・・・・・・・・・・・・・ 1255

70の7の2－52　（対象非上場株式等の認可決定日におけ
る価額の意義） ・・・・・・・・・・・・・・・・・・・・・ 1256

70の7の2－53　（納税猶予期限の繰上げに該当すること
となった日） ・・・・・・・・・・・・・・・・・・・・・・・ 1256

70の7の2－54　（措置法第70条の7の2第30項各号の価
額の意義） ・・・・・・・・・・・・・・・・・・・・・・・・ 1278

70の7の2－55　（「特定期間」の意義） ・・・・・・・・・・ 1263

70の7の2－56　（災害によって甚大な被害を受けた場合）
・・・・・・・・・・・・・・・・・・・・・・・・・・・・・・・・・ 1263

70の7の2－57　（通常の修繕によっては原状回復が困難
な損壊） ・・・・・・・・・・・・・・・・・・・・・・・・・・ 1263

70の7の2－58　（事業所が災害によって被害を受けたこ
とにより認定承継会社における雇用の確保が困
難となった場合） ・・・・・・・・・・・・・・・・・・・・ 1264

70の7の2－59　（被災事業所の常時使用従業員の雇用が
確保されているものとして政令で定める数を下
回る数となったこと） ・・・・・・・・・・・・・・・・ 1264

70の7の2－60　（措置法第70条の7の2第31項第3号に
規定する「認定承継会社の売上金額が大幅に減
少した場合」） ・・・・・・・・・・・・・・・・・・・・・ 1265

70の7の2－61　（措置法第70条の7の2第31項第3号に
規定する「売上金額に応じた常時使用従業員の
雇用が確保されているとき」） ・・・・・・・・・・・ 1265

70の7の2－62　（措置法第70条の7の2第31項第4号に
規定する「認定承継会社の売上金額が大幅に減
少した場合」） ・・・・・・・・・・・・・・・・・・・・・ 1266

70の7の2－63　（措置法第70条の7の2第31項第4号に
規定する「売上金額に応じた常時使用従業員の
雇用が確保されているとき」） ・・・・・・・・・・・ 1267

70の7の2－64　（非上場株式等の取得時期） ・・・・・・・ 1269

70の7の2－65　（中小企業信用保険法第2条第5項第1
号から第4号の事由の発生した日） ・・・・・・・ 1271

70の7の2－66　（措置法令第40条の8の2第64項に規定す
る届出書の提出期間等） ・・・・・・・・・・・・・・・ 1272

70の7の2－67　（措置法第70条の7の2第17項に関する
通達の準用） ・・・・・・・・・・・・・・・・・・・・・・・ 1273

70の7の2−68 （措置法第70条の7の2第35項各号に掲
げる場合） ······················· 1273

措置法第70条の7の3 《非上場株式等の贈与者が死亡した場合の相続税の課税の特例》

70の7の3−1 （措置法第70条の7の3第1項の規定に
より相続又は遺贈により取得をしたものとみな
される対象受贈非上場株式等の価額の計算） ···· 1282

70の7の3−1の2 （措置法第70条の7の3第2項の規
定により相続又は遺贈により取得をしたものと
みなされる対象受贈非上場株式等の価額の計
算） ······························ 1284

70の7の3−2 （贈与者の死亡の日前3年以内に贈与を
受けた対象受贈非上場株式等） ············ 1282

70の7の3−2の2 （免除対象贈与を行った贈与者の死
亡の日前に納税猶予の期限が確定した対象受贈
非上場株式等） ························ 1284

措置法第70条の7の4 《非上場株式等の贈与者が死亡した場合の相続税の納税猶予》

70の7の4−1 （対象相続非上場株式等の意義） ······ 1286

70の7の4−2 （対象贈与に係る贈与者が贈与税の申告
期限前に死亡した場合） ·················· 1294

70の7の4−2の2 （対象贈与に係る贈与者の前の贈与
者が贈与税の申告期限前に死亡した場合） ······ 1294

70の7の4−3 （修正申告等に係る相続税額の納税猶
予） ······························ 1294

70の7の4−4 （納税猶予の対象とならない資産保有型
会社又は資産運用型会社の意義） ············ 1289

70の7の4−5 （経営相続承継受贈者を判定する場合等
の議決権の数の意義） ···················· 1289

70の7の4−6 （認定相続承継会社等が外国会社又は医
療法人の株式等を有する場合の納税猶予分の相
続税額の計算の基となる対象相続非上場株式等
の価額） ··························· 1290

70の7の4−6の2 （対象相続非上場株式等に係る認定
相続承継会社が2以上ある場合の納税猶予分の
相続税額の計算） ······················ 1290

70の7の4−7 （経営相続承継期間の意義） ·········· 1291

70の7の4−7の2 （確定事由となる常時使用従業員の
数） ······························ 1291

70の7の4−8 （確定事由となる資産保有型会社又は資
産運用型会社の意義） ···················· 1297

70の7の4−9 （既に非上場株式等についての贈与税の
納税猶予及び免除の特例等の適用を受けている
他の者がいる場合等） ···················· 1292

70の7の4−10 （継続届出書の提出期間） ·········· 1296

70の7の4−10の2 （措置法第70条の7の4第18項各号
に掲げる場合） ························ 1298

70の7の4−11 （平成22年4月1日前に贈与により取得
をした非上場株式等に係る会社の措置法第70条
の7の4第2項第1号への要件） ············ 1302

70の7の4−12 （70の7の2関係通達の準用） ······ 1302

措置法第70条の7の5 《非上場株式等についての贈与税の納税猶予及び免除の特例》関係

70の7の5−1 （贈与税の納税猶予及び免除の特例の対
象となる非上場株式等の意義） ············ 1303

70の7の5−2 （特例贈与者の意義等） ············ 1310

70の7の5−3 （特例対象受贈非上場株式等の贈与の意
義等） ···························· 1304

70の7の5−4 （担保の提供等に関する取扱いの準用） 1305

70の7の5−5 （常時使用従業員の意義） ·········· 1307

70の7の5−6 （納税猶予の特例の対象とならない資産
保有型会社又は資産運用型会社の意義） ······ 1308

70の7の5−7 （特例認定贈与承継会社から支給された

給与等の意義） ························ 1311

70の7の5−8 （特定特別関係会社の意義等） ········ 1308

70の7の5−9 （会社の円滑な事業の運営を確保するた
めの要件の判定） ······················ 1309

70の7の5−10 （特例経営承継贈与者を判定する場合等
の議決権の数の意義） ·················· 1309

70の7の5−11 （役員である期間の意義） ·········· 1309

70の7の5−12 （特例経営贈与承継期間の意義） ······ 1310

70の7の5−13 （納税猶予分の贈与税額の計算に関する
取扱いの準用） ························ 1312

70の7の5−14 （納税猶予の期限の確定に関する取扱い
の準用） ···························· 1319

70の7の5−15 （贈与税の納税猶予及び免除の特例にお
ける雇用の確保について） ················ 1320

70の7の5−16 （筆頭要件の判定） ·············· 1320

70の7の5−17 （特例対象受贈非上場株式等の譲渡等の
判定） ······························ 1320

70の7の5−18 （確定事由となる資産保有型会社又は資
産運用型会社の意義） ·················· 1320

70の7の5−19 （事業の運営に支障を及ぼすおそれがあ
る場合の判定） ························ 1320

70の7の5−20 （みなす充足に関する取扱いの準用） ···· 1314

70の7の5−21 （継続届出書の提出期間） ·········· 1315

70の7の5−22 （増担保命令等に応じない場合の納税猶
予の期限の繰上げ等） ·················· 1318

70の7の5−23 （特例贈与者が死亡した場合の免除等に
関する取扱いの準用） ·················· 1323

70の7の5−24 （破産免除等に関する取扱いの準用） ···· 1324

70の7の5−25 （事業の継続が困難な事由の判定の時期）
··························· 1325

70の7の5−26 （事業の継続が困難な事由の意義） ······ 1326

70の7の5−27 （業種平均株価の算定） ············ 1327

70の7の5−28 （特例対象受贈非上場株式等の時価に相
当する金額の意義） ···················· 1329

70の7の5−29 （措置法第70条の7の5第12項の規定の
適用を受ける場合の納税猶予の期限） ········ 1327

70の7の5−30 （措置法第70条の7の5第13項の規定の
適用を受ける場合の納税猶予の継続） ········ 1331

70の7の5−31 （差額免除の申請書が申請期限までに提
出されない場合等） ···················· 1329

70の7の5−32 （特例対象受贈非上場株式等の一部の譲
渡等をした場合等における免除を受ける株式等
の選択） ···························· 1328

70の7の5−33 （措置法第70条の7の5第13項の規定の
適用を受ける場合の納税猶予の期限等） ······ 1332

70の7の5−34 （事業の継続に係る雇用要件の判定） ···· 1332

70の7の5−35 （特例再計算贈与税額に係る差額免除の
申請書が再申請期限までに提出されない場合
等） ······························ 1333

70の7の5−36 （差額免除に係る免除申請があった場合
の延滞税の計算） ······················ 1330

70の7の5−37 （差額免除に係る免除申請があった場合
の利子税の計算） ······················ 1330

70の7の5−38 （差額免除に係る免除申請に伴い担保解
除を行う場合に納付すべき贈与税額） ········ 1330

70の7の5−39 （再計算免除に関する取扱いの準用） ···· 1334

70の7の5−40 （納税猶予期限の繰上げに該当すること
となった日） ·························· 1322

70の7の5−41 （災害等によって被害を受けた場合にお
ける措置に関する取扱いの準用） ············ 1335

70の7の5−42 （その他の70の7関係通達の準用） ······· 1305

−1780−

措置法70条の７の６《非上場株式等についての相続税の納税猶予及び免除の特例》関係

70の７の６－１　（相続税の納税猶予及び免除の特例の対象となる非上場株式等の意義）‥‥‥‥‥‥‥‥‥ 1343

70の７の６－２　（特例対象非上場株式等の取得の意義等）‥‥‥‥‥‥ 1344

70の７の６－３　（相続税の納税猶予及び免除の特例の対象とならない非上場株式等）‥‥‥‥‥‥‥ 1343

70の７の６－４　（修正申告等に係る相続税額の納税猶予）‥‥‥‥‥‥‥‥‥‥‥‥‥‥‥‥‥‥‥‥‥‥ 1353

70の７の６－５　（担保の提供等に関する取扱いの準用）‥‥ 1344

70の７の６－６　（常時使用従業員の意義）‥‥‥‥‥‥ 1347

70の７の６－７　（納税猶予の特例の対象とならない資産保有型会社又は資産運用型会社の意義）‥‥ 1347

70の７の６－８　（特例認定承継会社から支給された給与等の意義）‥‥‥‥‥‥‥‥‥‥ 1350

70の７の６－９　（特定特別関係会社の意義等）‥‥‥‥ 1348

70の７の６－10　（会社の円滑な事業の運営を確保するための要件の判定）‥‥‥‥‥‥‥‥‥‥ 1348

70の７の６－11　（特例経営承継相続人等を判定する場合等の議決権の数の意義）‥‥‥‥‥‥‥ 1349

70の７の６－12　（特例経営承継期間の意義）‥‥‥‥‥ 1349

70の７の６－13　（納税猶予分の相続税額の計算に関する取扱いの準用）‥‥‥‥‥‥‥‥‥ 1352

70の７の６－14　（納税猶予の期限の確定に関する取扱いの準用）‥‥‥‥‥‥‥‥‥‥‥‥ 1359

70の７の６－15　（相続税の納税猶予及び免除の特例における雇用の確保について）‥‥‥ 1359

70の７の６－16　（筆頭要件の判定）‥‥‥‥‥‥‥‥‥ 1360

70の７の６－17　（特例対象非上場株式等の譲渡等の判定）‥‥‥‥‥‥‥‥‥‥‥ 1360

70の７の６－18　（確定事由となる資産保有型会社又は資産運用型会社の意義）‥‥‥‥‥‥‥ 1360

70の７の６－19　（事業の運営に支障を及ぼすおそれがある場合の判定）‥‥‥‥‥‥‥‥ 1360

70の７の６－20　（みなす充足に関する取扱いの準用）‥ 1354

70の７の６－21　（継続届出書の提出期間）‥‥‥‥‥‥ 1355

70の７の６－22　（増担保命令等に応じない場合の納税猶予の期限の繰上げ等）‥‥‥‥‥‥‥ 1358

70の７の６－23　（措置法第70条の７第１項又は第70条の７の５第１項の適用に係る贈与をした場合の免除税額等）‥‥‥‥‥‥‥‥‥‥‥‥ 1363

70の７の６－24　（破産免除等に関する取扱いの準用）‥ 1363

70の７の６－25　（事業の継続が困難な事由の判定の時期）‥‥‥‥‥‥‥‥‥‥‥‥‥‥‥‥‥‥‥‥ 1365

70の７の６－26　（事業の継続が困難な事由の意義）‥‥ 1365

70の７の６－27　（業種平均株価の算定）‥‥‥‥‥‥‥ 1366

70の７の６－28　（特例対象非上場株式等の時価に相当する金額の意義）‥‥‥‥‥‥‥‥‥ 1369

70の７の６－29　（措置法第70条の７の６第13項の規定の適用を受ける場合の納税猶予の期限）‥‥‥‥‥ 1367

70の７の６－30　（措置法第70条の７の６第14項の規定の適用を受ける場合の納税猶予の継続）‥‥‥‥‥ 1370

70の７の６－31　（差額免除の申請書が申請期限までに提出されない場合等）‥‥‥‥‥‥‥ 1368

70の７の６－32　（特例対象非上場株式等の一部の譲渡等をした場合等における免除を受ける株式等の選択）‥‥‥‥‥‥‥‥‥‥‥‥‥‥‥‥ 1367

70の７の６－33　（措置法第70条の７の６第14項の規定の適用を受ける場合の納税猶予の期限等）‥‥‥ 1371

70の７の６－34　（事業の継続に係る雇用要件の判定）‥‥ 1372

70の７の６－35　（特例再計算相続税額に係る差額免除の申請書が再申請期限までに提出されない場合

等）‥‥‥‥‥‥‥‥‥‥‥‥‥‥‥‥‥‥‥‥ 1372

70の７の６－36　（差額免除に係る免除申請があった場合の延滞税の計算）‥‥‥‥‥‥‥‥‥ 1369

70の７の６－37　（差額免除に係る免除申請があった場合の利子税の計算）‥‥‥‥‥‥‥‥‥ 1369

70の７の６－38　（差額免除に係る免除申請に伴い担保解除を行う場合に納付すべき相続税額）‥‥‥ 1370

70の７の６－39　（再計算免除に関する取扱いの準用）‥‥‥ 1374

70の７の６－40　（納税猶予期限の繰上げに該当することとなった日）‥‥‥‥‥‥‥‥‥‥ 1362

70の７の６－41　（災害等によって被害を受けた場合における措置に関する取扱いの準用）‥‥‥‥‥‥ 1375

70の７の６－42　（その他の70の７の２関係通達の準用）‥‥ 1345

措置法70条の７の７《非上場株式等の特例贈与者が死亡した場合の相続税の課税の特例》関係

70の７の７－１　（措置法第70条の７の７第１項の規定により相続又は遺贈により取得をしたものとみなされる特例対象受贈非上場株式等の価額の計算）‥‥‥‥‥‥‥‥‥‥‥‥‥‥‥‥‥‥‥ 1378

70の７の７－２　（措置法第70条の７の７第２項の規定により相続又は遺贈により取得をしたものとみなされる特例対象受贈非上場株式等の価額の計算）‥‥‥‥‥‥‥‥‥‥‥‥‥‥‥‥‥‥‥ 1379

70の７の７－３　（70の７の３関係通達の準用）‥‥‥‥ 1379

措置法70条の７の８《非上場株式等の特例贈与者が死亡した場合の相続税の納税猶予及び免除の特例》関係

70の７の８－１　（特例対象相続非上場株式等の意義）‥‥ 1380

70の７の８－２　（修正申告等に係る相続税額の納税猶予）‥‥‥‥‥‥‥‥‥‥‥‥‥‥‥‥‥‥ 1385

70の７の８－３　（納税猶予の特例の対象とならない資産保有型会社又は資産運用型会社の意義）‥‥‥ 1382

70の７の８－４　（特例経営相続承継受贈者を判定する場合等の議決権の数の意義）‥‥‥‥ 1382

70の７の８－５　（納税猶予分の相続税額の計算に関する取扱いの準用）‥‥‥‥‥‥‥‥‥ 1383

70の７の８－６　（特例経営相続承継期間の意義）‥‥‥‥ 1383

70の７の８－７　（確定事由となる資産保有型会社又は資産運用型会社の意義）‥‥‥‥‥‥‥ 1388

70の７の８－８　（継続届出書の提出期間）‥‥‥‥‥‥‥ 1386

70の７の８－９　（70の７の２関係通達の準用）‥‥‥‥ 1380

70の７の８－10　（70の７の４関係通達の準用）‥‥‥‥ 1380

70の７の８－11　（70の７の６関係通達の準用）‥‥‥‥ 1381

措置法第70条の７の９《医療法人の持分に係る経済的利益についての贈与税の納税猶予及び免除》関係

70の７の９－１　（持分の放棄があった日の意義）‥‥‥‥ 1397

70の７の９－２　（経済的利益の価額）‥‥‥‥‥‥‥‥‥ 1397

70の７の９－３　（贈与者が贈与税の申告期限前に死亡した場合）‥‥‥‥‥‥‥‥‥‥‥‥‥‥ 1403

70の７の９－４　（受贈者が贈与税の申告期限前に死亡した場合）‥‥‥‥‥‥‥‥‥‥‥‥‥‥ 1403

70の７の９－５　（修正申告等に係る贈与税額の納税猶予）‥‥‥‥‥‥‥‥‥‥‥‥‥‥‥‥‥‥ 1405

70の７の９－６　（担保の提供等）‥‥‥‥‥‥‥‥‥‥‥ 1398

70の７の９－７　（贈与税の額に相当する担保）‥‥‥‥‥ 1398

70の７の９－８　（担保提供する認定医療法人の持分の全ての意義）‥‥‥‥‥‥‥‥‥‥ 1398

70の７の９－９　（贈与者又は認定医療法人が２以上ある場合の納税猶予分の贈与税額の計算）‥‥‥‥ 1400

70の７の９－10　（相続時精算課税適用者等に係る贈与税の納税猶予）‥‥‥‥‥‥‥‥‥ 1396

70の７の９－11　（申告期限前に払戻し等が行われた場合）‥‥‥‥‥‥‥‥‥‥‥‥‥‥‥‥‥‥ 1396

70の７の９－12　（払戻しを受けた日の意義）‥‥‥‥‥‥ 1399

—1781—

70の7の5−13	（譲渡をした日の意義）	1399
70の7の9−14	（新医療法人への移行をしなかった場合の意義）	1399
70の7の9−15	（解散をした場合等の意義）	1399
70の7の9−16	（合併により消滅した日の意義）	1399
70の7の9−17	（基金拠出型医療法人への移行をする場合の確定税額の計算）	1401
70の7の9−18	（担保財産の変更等が行われた場合のみなす充足）	1398
70の7の9−19	（増担保命令等に応じない場合の納税猶予の期限の繰上げ）	1404
70の7の9−20	（２以上の認定医療法人がある場合等の担保の取扱い）	1406
70の7の9−21	（納付義務を承継した者に対する措置法第70条の7の5第1項の規定の適用）	1403
70の7の9−21の2	（納付義務を承継した場合の相続税法第14条の規定の適用）	1403

措置法第70条の7の10《医療法人の持分に係る経済的利益についての贈与税の税額控除》関係

70の7の10−1	（70の7の9関係通達の準用）	1407
70の7の10−2	（贈与者が贈与税の申告期限前に死亡した場合）	1407
70の7の10−3	（受贈者が贈与税の申告期限前に死亡した場合）	1408
70の7の10−4	（基金拠出型医療法人への移行をする場合の放棄相当贈与税額の計算）	1408

措置法第70条の7の11《個人の死亡に伴い贈与又は遺贈があったものとみなされる場合の特例》関係

70の7の11−1	（経済的利益に係る相続税法第9条本文の規定の適用）	1410
70の7の11−2	（放棄の時期）	1410

措置法第70条の7の12《医療法人の持分についての相続税の納税猶予及び免除》関係

70の7の12−1	（相続人等が相続税の申告期限前に死亡した場合）	1422
70の7の12−2	（相次相続控除の算式）	1422
70の7の12−3	（修正申告等に係る相続税額の納税猶予）	1421
70の7の12−4	（担保の提供等）	1416
70の7の12−5	（相続税の額に相当する担保）	1416
70の7の12−6	（認定医療法人が2以上ある場合の納税猶予分の相続税額の計算）	1418
70の7の12−7	（申告期限前に払戻し等が行われた場合）	1414
70の7の12−8	（基金拠出型医療法人への移行をする場合の確定税額の計算）	1418
70の7の12−9	（担保提供する認定医療法人の持分の全ての意義）	1416
70の7の12−10	（担保財産の変更等が行われた場合のみなす充足）	1416
70の7の12−11	（増担保命令等に応じない場合の納税猶予の期限の繰上げ）	1419
70の7の12−12	（2以上の認定医療法人がある場合の担保の取扱い）	1423
70の7の12−13	（納付義務を承継した者に対する措置法第70条の7の12第1項の規定の適用）	1422
70の7の12−13の2	（納付義務を承継した場合の相続税法第14条の規定の適用）	1423
70の7の12−14	（70の7の9関係通達の準用）	1423

措置法第70条の7の13《医療法人の持分についての相続税の税額控除》関係

70の7の13−1	（70の7の12関係通達の準用）	1425
70の7の13−2	（基金拠出型医療法人への移行をする場	

	合の放棄相当相続税額の計算）	1424

措置法第70条の12《相続税の物納の特例》関係

70の12−1	（環境大臣の収納確認書の取扱い）	380

○農地等の特定転用に係る相続税の納税猶予等の適用に関する取扱いについて（平成3年12月18日課資2−47、徴管5−18、平16課資2−8最終改正）

1	（特定転用の対象となる農地等）	928
2	（地上階数の判定）	928
3	（権利の設定の対価の意義）	929
4	（倉庫、車庫等）	929
5	（独立部分の範囲）	929
6	（床面積の意義）	929
7	（建設の開始の時）	929
8	（居住の用以外の目的で貸し付ける場合）	930
9	（公募要件）	930
10	（共同住宅の一括貸付け）	930
11	（取得価額基準の判定）	930
12	（共用部分の床面積）	930
13	（二以上の共同住宅を新築又は取得する場合の共同住宅の要件の判定）	930
14	（共同住宅の敷地の判定）	930
15	（承認後に建設の工事に着手しなかった場合）	932
16	（共同住宅の要件に該当しなくなった場合）	932
17	（適正家賃に係る証明書の写しの提出期間）	927
18	（承認外特例農地等について譲渡等又は農業経営の廃止があった場合）	934
19	（譲渡等をした承認外特例農地等の面積が100分の20を超えるかどうかの計算）	934
20	（承認前に譲渡等をした特例農地等がある場合の100分の20を超えるかどうかの計算）	935
21	（承認を受けた後に生前一括贈与があった場合）	935
23	（継続届出書の提出を要しない場合）	936
24	（特例農地等の全部担保の要件に該当しなくなった場合の継続届出書の提出）	936

○旧特定農業生産法人に対し農地等につき使用貸借による権利の設定をした場合における贈与税の納税猶予等に関する取扱いについて（平成7年5月11日課資2−109、徴管5−3、平成30年12月19日課資2−19最終改正）

1	（受贈者が旧法第70条の4第5項の規定の適用を受けている場合）	801
2	（「当該事業に必要な農作業に主として従事する」ことの意義）	801
3	（使用貸借による権利の設定の日）	801
4	（使用貸借による権利の設定に関する届出書）	802
5	（使用貸借による権利の設定をしなければならないこととされている特例適用農地等の範囲）	802
6	（法附則第36条第3項の使用貸借による権利の設定があった場合の旧法第70条の4第1項の担保）	802
7	（特定農業生産法人の合併又は分割の日）	803
8	（合併又は分割の場合の届出書）	803
10	（法附則第36条第3項の規定の適用を受けた受贈者の継続届出書の提出期限及び提出期間）	808
11	（使用貸借による権利が設定されている特例適用農地等の譲渡等に伴う当該権利の消滅）	809
12	（法附則第36条第3項の規定の適用を受けた特例適用農地等の買換えがあった場合）	809
13	（法附則第36条第3項の規定の適用を受けた特定農地等の買換えがあった場合）	809
14	（法附則第36条第3項の規定の適用を受けた特例適用農地等又は特定農地等の買換えがあった場合に提出する書類）	810

15	（被設定者による農地等の転用）・・・・・・・・・・・・ 810	
16	（法附則第36条第3項の規定の適用を受けた受贈者に	
	係る特例適用農地等の贈与者が死亡した場合）・・・・・・・ 810	
17	（主務大臣の認定を要しない事業）・・・・・・・・・・・ 805	
17の2	（一時的道路用地等としての貸付先）・・・・・・・・・・ 805	
17の3	（平成13年法による改正後の法附則第36条第6項	
	の地上権等の設定があった場合の旧法第70条の4第	
	1項の担保）・・・・・・・・・・・・・・・・・・・・・ 805	
17の4	（一時的道路用地等に係る継続貸付届出書の提出	
	期間）・・・・・・・・・・・・・・・・・・・・・・・・ 806	

財産評価基本通達

第1章　総　　則

1	（評価の原則）・・・・・・・・・・・・・・・・・・・・・ 1431	
2	（共有財産）・・・・・・・・・・・・・・・・・・・・・・ 1431	
3	（区分所有財産）・・・・・・・・・・・・・・・・・・・・ 1431	
4	（元物と果実）・・・・・・・・・・・・・・・・・・・・・ 1431	
4－2	（不動産のうちたな卸資産に該当するものの評価）	
	・・・・・・・・・・・・・・・・・・・・・・・・・・・ 1431	
4－3	（邦貨換算）・・・・・・・・・・・・・・・・・・・・・・ 1431	
4－4	（基準年利率）・・・・・・・・・・・・・・・・・・・・・ 1432	
5	（評価方法の定めのない財産の評価）・・・・・・・・・・・ 1432	
5－2	（国外財産の評価）・・・・・・・・・・・・・・・・・・・ 1432	
6	（この通達の定めにより難い場合の評価）・・・・・・・・・ 1432	

第2章　土地及び土地の上に存する権利
第1節　通　　則

7	（土地の評価上の区分）・・・・・・・・・・・・・・・・・ 1433	
7－2	（評価単位）・・・・・・・・・・・・・・・・・・・・・・ 1433	
8	（地積）・・・・・・・・・・・・・・・・・・・・・・・・ 1434	
9	（土地の上に存する権利の評価上の区分）・・・・・・・・・ 1434	

第2節　宅地及び宅地の上に存する権利

11	（評価の方式）・・・・・・・・・・・・・・・・・・・・・ 1435	
13	（路線価方式）・・・・・・・・・・・・・・・・・・・・・ 1435	
14	（路線価）・・・・・・・・・・・・・・・・・・・・・・・ 1435	
14－2	（地　区）・・・・・・・・・・・・・・・・・・・・・・・ 1435	
14－3	（特定路線価）・・・・・・・・・・・・・・・・・・・・・ 1435	
15	（奥行価格補正）・・・・・・・・・・・・・・・・・・・・ 1435	
16	（側方路線影響加算）・・・・・・・・・・・・・・・・・・ 1436	
17	（二方路線影響加算）・・・・・・・・・・・・・・・・・・ 1436	
18	（三方又は四方路線影響加算）・・・・・・・・・・・・・・ 1436	
20	（不整形地の評価）・・・・・・・・・・・・・・・・・・・ 1436	
20－2	（地積規模の大きな宅地の評価）・・・・・・・・・・・・・ 1438	
20－3	（無道路地の評価）・・・・・・・・・・・・・・・・・・・ 1438	
20－4	（間口の狭小な宅地等の評価）・・・・・・・・・・・・・・ 1439	
20－5	（がけ地等を有する宅地の評価）・・・・・・・・・・・・・ 1440	
20－6	（土砂災害特別警戒区域内にある宅地の評価）・・・・・・・ 1440	
20－7	（容積率の異なる2以上の地域にわたる宅地の評	
	価）・・・・・・・・・・・・・・・・・・・・・・・・・ 1440	
付表1～9	・・・・・・・・・・ 1459・1460・1461・1462・1463	
21	（倍率方式）・・・・・・・・・・・・・・・・・・・・・・ 1441	
21－2	（倍率方式による評価）・・・・・・・・・・・・・・・・・ 1441	
22	（大規模工場用地の評価）・・・・・・・・・・・・・・・・ 1441	
22－2	（大規模工場用地）・・・・・・・・・・・・・・・・・・・ 1441	
22－3	（大規模工場用地の路線価及び倍率）・・・・・・・・・・・ 1441	
23	（余剰容積率の移転がある場合の宅地の評価）・・・・・・・ 1442	
23－2	（余剰容積率を移転している宅地又は余剰容積率	
	の移転を受けている宅地）・・・・・・・・・・・・・・・ 1442	
24	（私道の用に供されている宅地の評価）・・・・・・・・・・ 1442	
24－2	（土地区画整理事業施行中の宅地の評価）・・・・・・・・・ 1442	
24－3	（造成中の宅地の評価）・・・・・・・・・・・・・・・・・ 1443	

24－5	（農業用施設用地の評価）・・・・・・・・・・・・・・・・ 1443	
24－6	（セットバックを必要とする宅地の評価）・・・・・・・・・ 1443	
24－7	（都市計画道路予定地の区域内にある宅地の評	
	価）・・・・・・・・・・・・・・・・・・・・・・・・・ 1443	
24－8	（文化財建造物である家屋の敷地の用に供されて	
	いる宅地の評価）・・・・・・・・・・・・・・・・・・・ 1444	
25	（貸宅地の評価）・・・・・・・・・・・・・・・・・・・・ 1444	
25－2	（倍率方式により評価する宅地の自用地としての	
	価額）・・・・・・・・・・・・・・・・・・・・・・・・ 1446	
25－3	（土地の上に存する権利が競合する場合の宅地の	
	評価）・・・・・・・・・・・・・・・・・・・・・・・・ 1446	
26	（貸家建付地の評価）・・・・・・・・・・・・・・・・・・ 1447	
26－2	（区分地上権等の目的となっている貸家建付地の	
	評価）・・・・・・・・・・・・・・・・・・・・・・・・ 1447	
27	（借地権の評価）・・・・・・・・・・・・・・・・・・・・ 1448	
27－2	（定期借地権等の評価）・・・・・・・・・・・・・・・・・ 1448	
27－3	（定期借地権等の設定の時における借地権者に帰	
	属する経済的利益の総額の計算）・・・・・・・・・・・・ 1448	
27－4	（区分地上権の評価）・・・・・・・・・・・・・・・・・・ 1449	
27－5	（区分地上権に準ずる地役権の評価）・・・・・・・・・・・ 1450	
27－6	（土地の上に存する権利が競合する場合の借地権	
	等の評価）・・・・・・・・・・・・・・・・・・・・・・ 1450	
28	（貸家建付借地権等の評価）・・・・・・・・・・・・・・・ 1451	
29	（転貸借地権の評価）・・・・・・・・・・・・・・・・・・ 1451	
30	（転借権の評価）・・・・・・・・・・・・・・・・・・・・ 1451	
31	（借家人の有する宅地等に対する権利の評価）・・・・・・・ 1451	

第3節　農地及び農地の上に存する権利

34	（農地の分類）・・・・・・・・・・・・・・・・・・・・・ 1464	
36	（純農地の範囲）・・・・・・・・・・・・・・・・・・・・ 1464	
36－2	（中間農地の範囲）・・・・・・・・・・・・・・・・・・・ 1465	
36－3	（市街地周辺農地の範囲）・・・・・・・・・・・・・・・・ 1465	
36－4	（市街地農地の範囲）・・・・・・・・・・・・・・・・・・ 1465	
37	（純農地の評価）・・・・・・・・・・・・・・・・・・・・ 1465	
38	（中間農地の評価）・・・・・・・・・・・・・・・・・・・ 1465	
39	（市街地周辺農地の評価）・・・・・・・・・・・・・・・・ 1465	
40	（市街地農地の評価）・・・・・・・・・・・・・・・・・・ 1465	
40－3	（生産緑地の評価）・・・・・・・・・・・・・・・・・・・ 1469	
41	（貸し付けられている農地の評価）・・・・・・・・・・・・ 1470	
41－2	（土地の上に存する権利が競合する場合の農地の	
	評価）・・・・・・・・・・・・・・・・・・・・・・・・ 1470	
42	（耕作権の評価）・・・・・・・・・・・・・・・・・・・・ 1471	
43	（存続期間の定めのない永小作権の評価）・・・・・・・・・ 1471	
43－2	（区分地上権の評価）・・・・・・・・・・・・・・・・・・ 1471	
43－3	（区分地上権に準ずる地役権の評価）・・・・・・・・・・・ 1471	
43－4	（土地の上に存する権利が競合する場合の耕作権	
	又は永小作権の評価）・・・・・・・・・・・・・・・・・ 1471	

第4節　山林及び山林の上に存する権利

45	（評価の方式）・・・・・・・・・・・・・・・・・・・・・ 1473	
47	（純山林の評価）・・・・・・・・・・・・・・・・・・・・ 1473	
48	（中間山林の評価）・・・・・・・・・・・・・・・・・・・ 1473	
49	（市街地山林の評価）・・・・・・・・・・・・・・・・・・ 1473	
50	（保安林等の評価）・・・・・・・・・・・・・・・・・・・ 1473	
50－2	（特別緑地保全地区内にある山林の評価）・・・・・・・・・ 1474	
51	（貸し付けられている山林の評価）・・・・・・・・・・・・ 1474	
51－2	（土地の上に存する権利が競合する場合の山林の	
	評価）・・・・・・・・・・・・・・・・・・・・・・・・ 1474	
52	（分収林契約に基づいて貸し付けられている山林の評	
	価）・・・・・・・・・・・・・・・・・・・・・・・・・ 1475	
53	（残存期間の不確定な地上権の評価）・・・・・・・・・・・ 1475	
53－2	（区分地上権の評価）・・・・・・・・・・・・・・・・・・ 1475	
53－3	（区分地上権に準ずる地役権の評価）・・・・・・・・・・・ 1475	
54	（賃借権の評価）・・・・・・・・・・・・・・・・・・・・ 1475	
54－2	（土地の上に存する権利が競合する場合の賃借権	

－1783－

| | 又は地上権の評価) ································· 1475 |
| 55 | (分収林契約に基づき設定された地上権等の評価) ···· 1476 |

第5節 原野及び原野の上に存する権利

57	(評価の方式) ···································· 1478
58	(純原野の評価) ································· 1478
58-2	(中間原野の評価) ··························· 1478
58-3	(市街地原野の評価) ························· 1478
58-5	(特別緑地保全地区内にある原野の評価) ······· 1478
59	(貸し付けられている原野の評価) ··············· 1478
59-2	(土地の上に存する権利が競合する場合の原野の評価) ··· 1479
60	(原野の賃借権の評価) ························· 1479
60-2	(区分地上権の評価) ························· 1479
60-3	(区分地上権に準ずる地役権の評価) ··········· 1479
60-4	(土地の上に存する権利が競合する場合の賃借権又は地上権の評価) ··························· 1479

第6節 牧場及び牧場の上に存する権利

| 61 | (牧場及び牧場の上に存する権利の評価) ········· 1479 |

第7節 池沼及び池沼の上に存する権利

| 62 | (池沼及び池沼の上に存する権利の評価) ········· 1480 |

第8節 鉱泉地及び鉱泉地の上に存する権利

69	(鉱泉地の評価) ································· 1480
75	(住宅、別荘等の鉱泉地の評価) ················· 1480
77	(温泉権が設定されている鉱泉地の評価) ········· 1480
78	(温泉権の評価) ································· 1480
79	(引湯権の設定されている鉱泉地及び温泉権の評価) ··· 1480
80	(引湯権の評価) ································· 1481

第9節 雑種地及び雑種地の上に存する権利

82	(雑種地の評価) ································· 1481
83	(ゴルフ場の用に供されている土地の評価) ······· 1481
83-2	(遊園地等の用に供されている土地の評価) ····· 1481
83-3	(文化財建造物である構築物の敷地の用に供されている土地の評価) ··························· 1482
84	(鉄軌道用地の評価) ··························· 1482
86	(貸し付けられている雑種地の評価) ············· 1482
86-2	(土地の上に存する権利が競合する場合の雑種地の評価) ····································· 1482
87	(賃借権の評価) ································· 1483
87-2	(区分地上権の評価) ························· 1483
87-3	(区分地上権に準ずる地役権の評価) ··········· 1483
87-4	(土地の上に存する権利が競合する場合の賃借権又は地上権の評価) ··························· 1483
87-5	(占用権の評価) ··························· 1483
87-6	(占用権の目的となっている土地の評価) ······· 1484
87-7	(占用の許可に基づき所有する家屋を貸家とした場合の占用権の評価) ························· 1484

第3章 家屋及び家屋の上に存する権利

88	(評価単位) ···································· 1486
89	(家屋の評価) ································· 1486
89-2	(文化財建造物である家屋の評価) ············· 1486
91	(建築中の家屋の評価) ························· 1486
92	(附属設備等の評価) ··························· 1487
93	(貸家の評価) ································· 1487
94	(借家権の評価) ································· 1487

第4章 構築物

96	(評価単位) ···································· 1488
97	(評価の方式) ································· 1488
97-2	(文化財建造物である構築物の評価) ··········· 1488

第5章 果樹等及び立竹木

第1節 果樹等

98	(評価単位) ···································· 1489
99	(果樹等の評価) ································· 1489
110	(屋敷内にある果樹等) ························· 1489

第2節 立竹木

111	(評価単位) ···································· 1490
113	(森林の主要樹種の立木の評価) ················· 1490
114	(同一標準価額適用地域) ······················· 1491
115	(森林の主要樹種の立木の標準価額) ············· 1491
116	(標準伐期) ···································· 1492
117	(森林の主要樹種以外の立木の評価) ············· 1493
118	(地味級) ······································ 1493
119	(立木度) ······································ 1494
120	(立木材積が明らかな森林の地味級及び立木度) ··· 1495
121	(地利級) ······································ 1499
122	(森林の立木以外の立木の評価) ················· 1500
123	(保安林等の立木の評価) ······················· 1501
123-2	(特別緑地保全地区内にある立木の評価) ······· 1501
124	(立竹の評価) ································· 1501
125	(庭園にある立木及び立竹の評価) ··············· 1501
126	(分収林契約に係る造林者の有する立木の評価) ··· 1501
127	(分収林契約に係る費用負担者及び土地所有者の分収期待権の評価) ····························· 1501

第6章 動産

第1節 一般動産

128	(評価単位) ···································· 1502
129	(一般動産の評価) ····························· 1502
130	(償却費の額等の計算) ························· 1502

第2節 たな卸商品等

| 132 | (評価単位) ···································· 1502 |
| 133 | (たな卸商品等の評価) ························· 1502 |

第3節 牛馬等

| 134 | (牛馬等の評価) ································· 1503 |

第4節 書画骨とう品

| 135 | (書画骨とう品の評価) ························· 1503 |

第5節 船舶

| 136 | (船舶の評価) ································· 1503 |

第7章 無体財産権

第1節 特許権及びその実施権

140	(特許権の評価) ································· 1504
141	(特許権の評価の算式) ························· 1504
142	(補償金の額) ································· 1504
143	(補償金を受ける期間) ························· 1504
144	(補償金が少額な特許権) ······················· 1504
145	(権利者が自ら特許発明を実施している場合の特許権及び実施権の評価) ··························· 1504

第2節 実用新案権、意匠権及びそれらの実施権

| 146 | (実用新案権、意匠権及びそれらの実施権の評価) ···· 1505 |

第3節 商標権及びその使用権

| 147 | (商標権及びその使用権の評価) ················· 1505 |

第4節 著作権、出版権及び著作隣接権

148	(著作権の評価) ································· 1505
154	(出版権の評価) ································· 1505
154-2	(著作隣接権の評価) ························· 1505

第5節 鉱業権及び租鉱権

155	(評価単位) ···································· 1505
156	(鉱業権の評価) ································· 1505
157	(租鉱権の設定されている鉱山の鉱業権の評価) ··· 1506
158	(租鉱権の評価単位) ··························· 1506
159	(租鉱権の評価) ································· 1506

第6節 採石権

| 160 | (採石権の評価) ································· 1507 |

第7節 電話加入権

| 161 | (電話加入権の評価) ··························· 1507 |

第8節 漁業権

| 163 | (漁業権の評価) ································· 1507 |
| 164 | (大臣許可漁業を営むことのできる権利等の評価) ···· 1507 |

第9節 営 業 権

165 （営業権の評価） ‥‥‥‥‥‥‥‥‥‥‥ 1507
166 （平均利益金額等の計算） ‥‥‥‥‥‥‥ 1507

第8章 その他の財産
第1節 株式及び出資

168 （評価単位） ‥‥‥‥‥‥‥‥‥‥‥‥‥ 1509
169 （上場株式の評価） ‥‥‥‥‥‥‥‥‥‥ 1510
170 （上場株式についての最終価格の特例－課税時期が権
　　利落等の日から株式の割当て等の基準日までの間に
　　ある場合） ‥‥‥‥‥‥‥‥‥‥‥‥‥‥ 1510
171 （上場株式についての最終価格の特例－課税時期に最
　　終価格がない場合） ‥‥‥‥‥‥‥‥‥‥ 1510
172 （上場株式についての最終価格の月平均額の特例） ‥ 1511
174 （気配相場等のある株式の評価） ‥‥‥‥ 1514
175 （気配相場等のある株式の取引価格の特例－課税時期
　　が権利落等の日から株式の割当て等の基準日までの
　　間にある場合） ‥‥‥‥‥‥‥‥‥‥‥‥ 1514
176 （気配相場等のある株式の取引価格の特例－課税時期
　　に取引価格がない場合） ‥‥‥‥‥‥‥‥ 1514
177 （気配相場等のある株式の評価の特例） ‥ 1514
177－2 （登録銘柄及び店頭管理銘柄の取引価格の月平均
　　　額の特例） ‥‥‥‥‥‥‥‥‥‥‥‥‥ 1515
178 （取引相場のない株式の評価上の区分） ‥ 1516
179 （取引相場のない株式の評価の原則） ‥‥ 1517
180 （類似業種比準価額） ‥‥‥‥‥‥‥‥‥ 1517
181 （類似業種） ‥‥‥‥‥‥‥‥‥‥‥‥‥ 1518
181－2 （評価会社の事業が該当する業種目） ‥ 1518
182 （類似業種の株価） ‥‥‥‥‥‥‥‥‥‥ 1520
183 （評価会社の1株当たりの配当金額等の計算） ‥ 1520
183－2 （類似業種の1株当たりの配当金額等の計算） ‥ 1521
184 （類似業種比準価額の修正） ‥‥‥‥‥‥ 1521
185 （純資産価額） ‥‥‥‥‥‥‥‥‥‥‥‥ 1521
186 （純資産価額計算上の負債） ‥‥‥‥‥‥ 1522
186－2 （評価差額に対する法人税額等に相当する金額） ‥ 1522
186－3 （評価会社が有する株式等の純資産価額の計算） ‥ 1523
187 （株式の割当てを受ける権利等の発生している株式の
　　価額の修正） ‥‥‥‥‥‥‥‥‥‥‥‥‥ 1523
188 （同族株主以外の株主等が取得した株式） ‥ 1523
188－2 （同族株主以外の株主等が取得した株式の評価） 1525
188－3 （評価会社が自己株式を有する場合の議決権総数）
　　　　 ‥‥‥‥‥‥‥‥‥‥‥‥‥‥‥‥‥ 1525
188－4 （議決権を有しないこととされる株式がある場合
　　　の議決権総数等） ‥‥‥‥‥‥‥‥‥‥ 1525
188－5 （種類株式がある場合の議決権総数等） ‥ 1525
188－6 （投資育成会社が株主である場合の同族株主等） 1525
189 （特定の評価会社の株式） ‥‥‥‥‥‥‥ 1526
189－2 （比準要素数1の会社の株式の評価） ‥ 1527
189－3 （株式保有特定会社の株式の評価） ‥‥ 1527
189－4 （土地保有特定会社の株式又は開業後3年未満の
　　　会社等の株式の評価） ‥‥‥‥‥‥‥‥ 1529
189－5 （開業前又は休業中の会社の株式の評価） ‥ 1529
189－6 （清算中の会社の株式の評価） ‥‥‥‥ 1529
189－7 （株式の割当てを受ける権利等の発生している特
　　　定の評価会社の株式の価額の修正） ‥‥ 1529
190 （株式の割当てを受ける権利の評価） ‥‥ 1530
191 （株主となる権利の評価） ‥‥‥‥‥‥‥ 1530
192 （株式無償交付期待権の評価） ‥‥‥‥‥ 1530
193 （配当期待権の評価） ‥‥‥‥‥‥‥‥‥ 1530
193－2 （ストックオプションの評価） ‥‥‥‥ 1531
193－3 （上場新株予約権の評価） ‥‥‥‥‥‥ 1531
194 （持分会社等の出資の評価） ‥‥‥‥‥‥ 1532
194－2 （医療法人の出資の評価） ‥‥‥‥‥‥ 1532
195 （農業協同組合等の出資の評価） ‥‥‥‥ 1532

196 （企業組合等の出資の評価） ‥‥‥‥‥‥ 1532
第2節 公 社 債
197 （評価単位） ‥‥‥‥‥‥‥‥‥‥‥‥‥ 1581
197－2 （利付公社債の評価） ‥‥‥‥‥‥‥‥ 1581
197－3 （割引発行の公社債の評価） ‥‥‥‥‥ 1581
197－4 （元利均等償還が行われる公社債の評価） ‥ 1582
197－5 （転換社債型新株予約権付社債の評価） ‥ 1582
198 （貸付信託受益証券の評価） ‥‥‥‥‥‥ 1583
199 （証券投資信託受益証券の評価） ‥‥‥‥ 1583
第3節 定期金に関する権利
200 （給付を受けるべき金額の1年当たりの平均額） ‥‥ 1593
200－2 （定期金に関する権利を取得した日が定期金の給
　　　付日である場合の取扱い） ‥‥‥‥‥‥ 1593
200－3 （完全生命表） ‥‥‥‥‥‥‥‥‥‥‥ 1593
200－4 （予定利率の複利による計算をして得た元利合計
　　　額） ‥‥‥‥‥‥‥‥‥‥‥‥‥‥‥‥ 1595
200－5 （経過期間に払い込まれた掛金又は保険料の金額
　　　の1年当たりの平均額） ‥‥‥‥‥‥‥ 1595
200－6 （予定利率） ‥‥‥‥‥‥‥‥‥‥‥‥ 1593
第5節 信託受益権
202 （信託受益権の評価） ‥‥‥‥‥‥‥‥‥ 1597
第6節 その他の財産
203 （預貯金の評価） ‥‥‥‥‥‥‥‥‥‥‥ 1598
204 （貸付金債権の評価） ‥‥‥‥‥‥‥‥‥ 1598
205 （貸付金債権等の元本価額の範囲） ‥‥‥ 1598
206 （受取手形等の評価） ‥‥‥‥‥‥‥‥‥ 1599
207 （無尽又は頼母子に関する権利の価額） ‥ 1599
208 （未収法定果実の評価） ‥‥‥‥‥‥‥‥ 1599
209 （未収天然果実の評価） ‥‥‥‥‥‥‥‥ 1599
210 （訴訟中の権利） ‥‥‥‥‥‥‥‥‥‥‥ 1599
211 （ゴルフ会員権の評価） ‥‥‥‥‥‥‥‥ 1599
212 （抵当証券の評価） ‥‥‥‥‥‥‥‥‥‥ 1600
213 （不動産投資信託証券等の評価） ‥‥‥‥ 1600
214 （生命保険契約に関する権利の評価） ‥‥ 1596
213－2 （受益証券発行信託証券等の評価） ‥‥ 1600
214 （生命保険契約に関する権利の評価） ‥‥‥ 60
別表2 （主要樹種の森林の立木の標準価額表） ‥‥‥‥‥ 1490

－1785－

財産評価に関する個別通達

○相当の地代を収受している貸宅地の評価について（昭和43年10月28日直資3－22、直審(資)8、官審(資)30）‥‥‥‥‥‥‥‥‥‥‥‥‥‥‥ 1447

○農業経営基盤強化促進法等の規定により設定された賃貸借により貸し付けられた農用地等の評価について（昭和56年6月9日直評10、直資2－70要約、編者補正）‥‥‥‥‥‥‥ 1472

○都市公園の用地として貸し付けられている土地の評価について（平成4年4月22日課評2－4、課資2－122）‥‥‥‥‥‥‥‥‥‥‥‥‥‥ 1456

○特定市民農園の用地として貸し付けられている土地の評価について（平成6年12月19日課評2－15、課資2－212）‥‥‥‥‥‥‥‥‥‥‥‥ 1472

○一般定期借地権の目的となっている宅地の評価に関する取扱いについて（平成10年8月25日課評2－8、課資1－13、平成11年7月改正課評2－14外）‥‥‥‥‥‥‥‥‥‥‥‥‥‥‥‥‥‥ 1445

○公益的機能別施業森林区域内の山林及び立木の評価について（平成14年6月4日課評2－3、課資2－6、平成24年7月改正課評2－35外）‥‥‥‥‥‥ 1476

○特定非常災害発生日以後に相続等により取得した財産の評価について（平成29年4月12日課評2－10、課資2－4、平成29年10月改正課評2－55外）‥‥‥‥‥‥‥‥‥‥‥‥‥‥‥‥‥‥‥‥‥ 150

○類似業種比準価額計算上の業種目及び類似業種の株価等の計算方法について（情報）（平成29年6月13日資産評価企画官情報第4号、資産課税課情報第12号）‥‥‥‥‥‥‥‥‥‥‥‥‥‥ 1676

○居住用の区分所有財産の評価について（令和5年9月28日課評2－74、課資2－16）‥‥‥‥‥‥‥‥ 1589